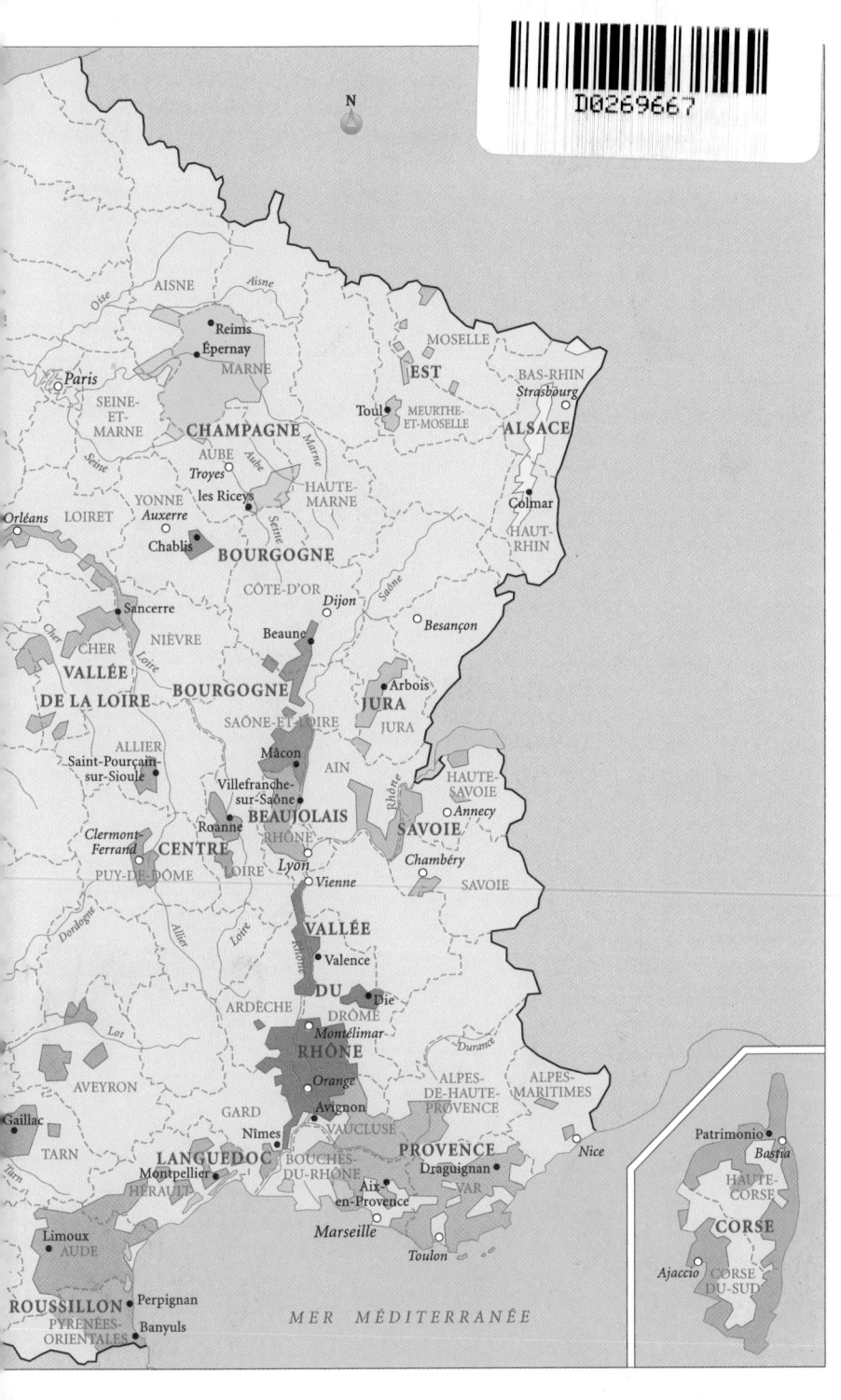

LE GUIDE HACHETTE DES VINS

2003

GUIDE HACHETTE DES VINS

Direction de l'ouvrage : Catherine Montalbetti.

Ont collaboré : Christian Asselin, INRA, *Unité de recherche vigne et vin ;* Jean-François Bazin ; Claude Bérenguer ; Richard Bertin *œnologue ;* Pierre Bidan, *professeur à l'ENSA de Montpellier ;* Jean Bisson, *ancien directeur de station viticole de l'INRA ;* Jean-Pierre Callède, *œnologue ;* Pierre Casamayor, *maître de conférences à la Faculté des Sciences de Toulouse ;* Béatrice de Chabert, *œnologue ;* Robert Cordonnier, *directeur de recherche à l'INRA ;* Jean-Pierre Deroudille ; Michel Dovaz ; Michel Feuillat, *professeur à la Faculté des Sciences de Dijon ;* Pierre Huglin, *directeur de recherche à l'INRA ;* Robert Lala, *œnologue ;* Antoine Lebègue ; Michel Le Seac'h ; Jean-Pierre Martinez, *chambre d'Agriculture du Loir-et-Cher ;* Mariska Pezzutto, *œnologue ;* Jacques Puisais, *président honoraire de l'Union française des œnologues ;* Pascal Ribéreau-Gayon, *ancien doyen de la faculté d'œnologie de l'université de Bordeaux II ;* André Roth, *ingénieur des travaux agricoles ;* Alex Schaeffer, *œnologue ;* Anne Seguin ; Erick Stonestreet ; Bernard Thévenet, *ingénieur des travaux agricoles ;* Pierre Torrès, *directeur de la station vitivinicole en Roussillon.*

Ainsi que : Patricia Abbou ; Isabelle Chotel ; Nicole Crémer ; Bénédicte Gaillard ; Corinne Julien ; Micheline Martel ; François Merveilleau ; Diane Meur ; Evelyne Werth.

Editeurs assistants : Christine Cuperly, Anne Le Meur et Sylvie Hano.

Informatique éditoriale : Marie-Line Gros-Desormeaux ; Luc Audrain ; Martine Lavergne ; Katia Bentz ; Phomalay Chuop.

Nous exprimons nos très vifs remerciements aux 900 membres des commissions de dégustation réunies spécialement pour l'élaboration de ce guide, et qui, selon l'usage, demeurent anonymes, ainsi qu'aux organismes qui ont bien voulu apporter leur appui à l'ouvrage ou participer à sa documentation générale : l'Institut National des Appellations d'Origine, INAO ; l'Institut National de la Recherche Agronomique, INRA ; la Direction de la Consommation et de la Répression des Fraudes ; l'Office National interprofessionnel des Vins et ses délégations régionales, Onivins ; le Centre Français du Commerce Extérieur ; la DGDDI ; les Comités, Conseils, Fédérations et Unions interprofessionnels ; l'Institut des Produits de la Vigne de Montpellier et l'ENSAM ; l'Université Paul Sabatier de Toulouse ; les Syndicats viticoles et associations de viticulteurs ; les Unions et Fédérations de Grands Crus ; les Syndicats des Maisons de négoce ; les Chambres d'agriculture ; les laboratoires départementaux d'analyse ; les lycées agricoles d'Amboise, d'Avize, de Blanquefort, de Bommes, de Montagne-Saint-Emilion, de Montreuil-Bellay et de Nîmes-Rodilhan, les lycées hôteliers de Balagne (L'Ile-Rousse) et de Tain l'Hermitage ; le CFPPA d'Hyères ; l'Institut Rhodanien ; l'Union française des œnologues et les Fédérations régionales d'œnologues ; les Syndicats des Courtiers de vins ; l'Union de la Sommellerie française et les Associations régionales de Sommeliers ; pour la Suisse, l'Office fédéral de l'agriculture, la Commission fédérale du Contrôle du commerce des vins, les responsables des Services de la viticulture cantonaux, l'OVV, l'OPAV, l'Opage ; pour le Grand-Duché de Luxembourg, l'institut viti-vinicole luxembourgeois ; la Marque nationale du vin luxembourgeois ; le Fonds de solidarité.

Couverture : Marc Borgers.

Maquette : François Huertas.

Cartographie : Fabrice Le Goff. **Illustrations :** Véronique Chappée.

Production : Nathalie Lautout et Thierry Dubus avec Claire Leleu, Françoise Jolivot, Cyril Sauvet et Gérard Piassale.

Composition et photogravure : Maury.

Impression : STIGE. **Façonnage :** SIRC, Marigny-le-Châtel. **Papier :** primalux des Papeteries du Léman.

Crédits iconographiques : Charlus (p. 24, 40) ; Scope/J. Guillard (pp. 9, 19, 25, 59, 71) ; Scope/M. Guillard (p. 16, 55) ; Scope/J.-L. Barde (pp. 28, 29, 32, 38, 44, 53, 64) ; Scope/P. Beuzen (p. 63) ; Scope/M. Hautemanière (p. 61) ; Scope/M. Plassart (p. 71).

Imprimé en Italie. – Dépôt légal n° 25219/Septembre 2002
Édition n° 01 – 23.6719.1. – ISBN 2.01.236719.7

LE GUIDE HACHETTE DES VINS

2003

SOMMAIRE

4

SOMMAIRE
Sélection des meilleurs vins de France

SYMBOLES

LES PRIX

LES PRIX (prix moyen de la bouteille en France par carton de 12) sont donnés sous toutes réserves.
Rappel : 1 € = 6,55957 FF.

– 3 €	3 à 5 €	5 à 8 €	8 à 11 €	11 à 15 €

15 à 23 €	23 à 30 €	30 à 38 €	38 à 46 €	46 à 76 €

+ 76 €	L'indication de la fourchette de prix en rouge signale un bon rapport qualité/prix **11 à 15 €**.

LES MILLÉSIMES   ⑧⑨ **83** 85 |86| **89** |90| 91 |92| 93 **95 96** |97| **98**

83 91	les millésimes en rouge sont à boire
93 95	les millésimes en noir sont à garder
|86| |92|	les millésimes en noir entre deux traits verticaux sont à boire pouvant attendre
83 95	les meilleurs millésimes sont en gras
⑨⓪	le millésime exceptionnel est dans un cercle

Les millésimes indiqués n'impliquent pas une disponibilité à la vente chez le producteur mais chez les cavistes ou restaurateurs.

Atlas Hachette des vins de France

*A l'aube du XXIe siècle, un panorama complet
et actualisé de la civilisation du vin en France
et la présentation de chaque appellation.
Une cartographie exceptionnelle*

300 p, 500 photos, 74 cartes couleur

AVERTISSEMENT

LA SELECTION DE L'ANNEE

Dix-huitième édition

Ce guide présente les 9 000 meilleurs vins de France, de Suisse et du Luxembourg, **tous dégustés en 2002.** Il s'agit d'**une sélection entièrement nouvelle**, portant sur le dernier millésime mis en bouteilles. Ces vins ont été élus pour vous par **900 experts au cours des commissions de dégustation à l'aveugle** du Guide Hachette des vins, parmi plus de 30 000 vins de toutes les appellations. Quelque mille vins sélectionnés, sans faire l'objet d'une entrée, sont mentionnés en **caractères gras** dans la notice consacrée au vin le mieux noté du producteur.

Un guide objectif

L'absence de toute participation publicitaire et financière des producteurs, coopératives ou négociants cités assure **l'impartialité** de l'ouvrage, dont l'unique ambition est d'être **un guide d'achat au service des consommateurs.** Les notes de dégustation doivent être comparées au sein d'une même appellation : il est en effet impossible de juger des appellations différentes selon le même barème.

Un classement par étoiles

Mis sous cache afin de préserver l'anonymat, chaque vin est examiné par un jury qui décrit sa couleur, ses qualités olfactives et gustatives et lui attribue une note.

0   vin à défaut, il est éliminé ;
1   petit vin et vin moyen, il est éliminé ;
2   vin réussi, typique, il est cité sans étoile ;
3   vin très réussi, **une étoile** ;
4   vin remarquable par sa structure, **deux étoiles** ;
5   vin exceptionnel, modèle de l'appellation, **trois étoiles**.

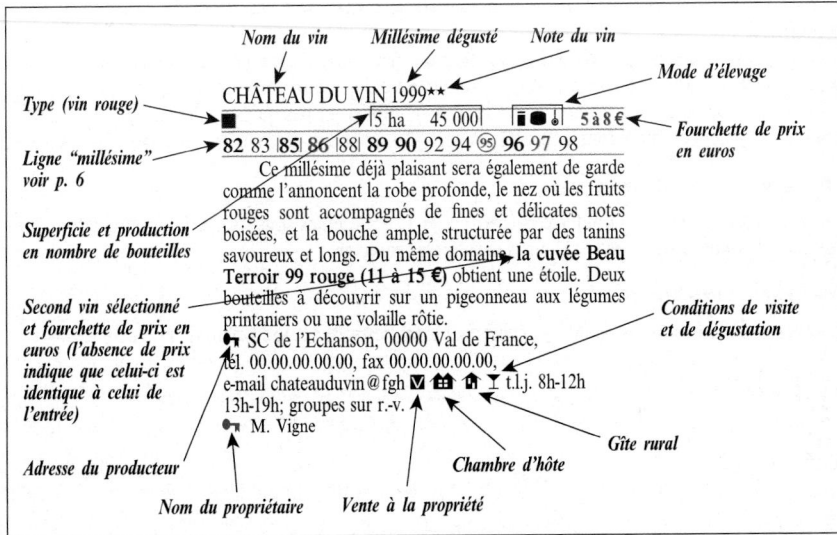

7

Les coups de cœur

Les vins dont l'étiquette est reproduite constituent les « coups de cœur », librement choisis et élus à l'aveugle par les dégustateurs du Guide ; ils sont particulièrement recommandés aux lecteurs.

Une lecture claire

– Les vins sélectionnés sont répertoriés :
• par régions, classées alphabétiquement ; puis trois sections sont consacrées aux vins doux naturels, aux vins de liqueur et aux vins de pays. Un chapitre offre une sélection de vins du Luxembourg, un autre une sélection de vins suisses ;
• par appellations, présentées géographiquement à l'intérieur de chaque région ;
• par ordre alphabétique à l'intérieur de chaque appellation.
– Quatre index en fin d'ouvrage permettent de retrouver les appellations, les communes, les producteurs et les vins.
– 49 cartes permettent de visualiser l'implantation géographique des vignobles.

Les raisons de certaines absences

Des vins connus, parfois même réputés, peuvent être absents de cette édition : soit parce que les producteurs ne les ont pas présentés ; soit parce qu'ils ont été éliminés lors des dégustations.

Le guide de l'acheteur

L'objet de ce guide est d'**aider le consommateur à choisir ses vins** selon ses goûts et à découvrir les meilleurs rapports qualité/prix (fourchette de prix en rouge).
– Une lecture attentive des introductions générales, régionales et de chaque appellation est indispensable : certaines informations communes à l'ensemble des vins ne sont pas répétées pour chacun d'eux.
– Le **signet**, placé en vis-à-vis de n'importe quelle page, donne immédiatement la **clé des symboles** et le sommaire ; consultez également les pages 4, 5 et 6.
– Certains vins sélectionnés pour leur qualité ont parfois une diffusion quasi confidentielle. L'éditeur ne peut être tenu pour responsable de leur non-disponibilité à la propriété, mais invite les amateurs à les rechercher auprès des cavistes, des grandes surfaces et des négociants ou sur les cartes des vins des restaurants.
– Un conseil : la dégustation chez le producteur est bien souvent gratuite. On n'en abusera pas : elle représente un coût non négligeable pour le producteur qui ne pourra vous ouvrir ses vieilles bouteilles.
– Enfin, les amateurs qui doivent prendre la route n'oublieront pas qu'ils ne doivent pas boire le vin, mais le recracher comme le font les professionnels. Des crachoirs doivent être proposés dans les caves.

Important : le prix des vins

Les prix (prix moyen de la bouteille par carton de 12), présentés sous forme de « fourchette », sont soumis à l'**évolution des cours** et donnés **sous toutes réserves**.

Numérotation téléphonique

L'indicatif de la France est le 00.33 ; celui du Luxembourg le 00.352 ; celui de la Suisse le 00.41.

DE LA VIGNE AU VIN

La vigne appartient au genre *Vitis* dont il existe de nombreuses espèces. Traditionnellement, le vin est produit à partir de différentes variétés de *Vitis vinifera*, originaire du continent européen. Mais il existe d'autres espèces provenant du continent américain. Certaines sont infertiles, d'autres donnent des produits au caractère organoleptique très particulier, appelé « foxé », et peu apprécié. Ces variétés, dites américaines, possèdent des caractéristiques de résistance aux maladies supérieures à celles de *Vitis vinifera*. Dans les années 1930, on a donc cherché à créer, par hybridation, de nouvelles variétés résistant aux maladies, comme les espèces américaines, mais produisant des vins de même qualité que ceux de *Vitis vinifera* ; ce fut un échec qualitatif.

— *Vitis vinifera* est sensible à un insecte, le phylloxéra, qui attaque les racines, et dont on sait les dévastations qu'il produisit à la fin du XIXᵉ s. Le développement d'un greffon de *Vitis vinifera* sur un porte-greffe de vigne américaine résistant au puceron conduit désormais à un cep ayant les propriétés de l'espèce, mais dont les racines ne sont pas infectées par l'insecte. *Vitis vinifera* est aussi sensible à la cicadelle qui lui inocule la flavescence, maladie qui détruit la vigne.

— L'espèce *Vitis vinifera* comprend de nombreuses variétés, appelées *cépages*. Chaque région viticole a sélectionné les plants les mieux adaptés, mais les conditions économiques et l'évolution du goût des consommateurs influent aussi sur la modification de l'encépagement. Certains vignobles produisent des vins issus d'un seul cépage (pinot et chardonnay en Bourgogne). Dans d'autres régions, les vins résultent de l'association de plusieurs cépages complémentaires. Les cépages sont eux-mêmes constitués d'un ensemble « d'individus » (clones) ne présentant pas des caractéristiques identiques (productivité, maturité, infection par les maladies à virus) ; aussi la sélection des meilleures souches a-t-elle toujours été recherchée. Des recherches sont actuellement en cours pour définir les résistances des vignes par modifications génétiques.

— Les conditions de culture de la vigne ont une incidence décisive sur la qualité du vin. On peut modifier considérablement son rendement selon la fertilisation, la densité des plants, le choix du porte-greffe, la taille. Mais on sait aussi que l'on ne peut pas augmenter exagérément les rendements sans affecter la qualité. Celle-ci n'est pas compromise lorsque la quantité est obtenue par la conjonction de facteurs naturels favorables ; certains grands millésimes sont aussi des récoltes abondantes. L'augmentation des rendements, au cours des années récentes, est en fait surtout liée à l'amélioration des conditions de culture. La limite à ne pas dépasser dépend de la qualité du produit : le rendement maximum se situe entre 45 et 60 hl/ha pour les grands vins rouges, un peu plus pour les vins blancs secs. Pour produire de bons vins, il faut en outre des vignes suffisamment âgées (trente ans et plus), ayant parfaitement développé leur système racinaire.

— La vigne est une plante sensible à de nombreuses maladies, mildiou, oïdium, blackrot, pourriture, etc., compromettant la récolte et communiquant aux raisins de mauvais goûts susceptibles de se retrouver dans le vin. Les viticulteurs disposent de moyens de traitement efficaces, facteurs certains de l'amélioration générale de la qualité. Probablement, dans le passé, la viticulture a abusé, dans un souci de recherche de la sécurité, de l'emploi des pesticides chimiques. Aujourd'hui, une réflexion s'est imposée. D'une part, l'ensemble de la viticulture se sent impliquée dans la recherche d'une culture raisonnée qui fait appel aux traitements uniquement lorsqu'ils sont nécessaires. D'autre part, l'agrobiologie, s'appuyant sur une biodynamique du sol, cherche à créer des conditions naturelles rendant la vigne moins sensible aux maladies.

LE TERROIR VITICOLE :
ADAPTATION DES CEPAGES AU SOL ET AU CLIMAT

Prise dans son sens le plus large, la notion de « terroir viticole » regroupe de nombreuses données d'ordre biologique (choix du cépage), géographique, climatique, géologique et pédologique. Il faut ajouter aussi des facteurs humains, historiques, commerciaux : par exemple, il est sûr que l'existence du port de Bordeaux et son trafic important avec les pays nordiques ont incité, dès le XVIIIe s., les viticulteurs à améliorer la qualité de leur production.

— La vigne est cultivée dans l'hémisphère Nord entre le 35e et le 50e parallèle ; elle est donc adaptée à des climats très différents. Cependant, les vignobles septentrionaux, les plus froids, permettent seulement la culture des cépages blancs, que l'on choisit précoces et dont les fruits peuvent mûrir avant les froids de l'automne ; sous des climats chauds sont cultivés les cépages tardifs. Pour faire du bon vin, il faut un raisin bien mûr, mais il ne faut pas une maturation trop rapide et trop complète, qui entraîne une perte des éléments aromatiques : on choisit donc les cépages pour lesquels la maturation est atteinte de justesse. L'irrégularité, d'une année à l'autre, des conditions climatiques pendant la période de maturation présente de réelles difficultés.

— Des excès, de sécheresse ou d'humidité, peuvent également intervenir. Le sol du vignoble joue alors un rôle essentiel pour régulariser l'alimentation en eau de la plante : il apporte de l'eau au printemps, lors de la croissance ; il élimine les excès éventuels de pluie pendant la maturation. Les sols graveleux et calcaires assurent particulièrement bien ces régulations ; mais on connaît aussi des crus réputés sur des sols sableux, et même argileux. Eventuellement, un drainage artificiel complète la régulation naturelle.

— On sait aussi que la couleur ou les caractères aromatiques et gustatifs des vins, d'un même cépage et sous un même climat, peuvent présenter des différences selon la nature du sol et du sous-sol ; ainsi en est-il selon qu'ils proviennent de sols formés sur des calcaires, sur des molasses argilo-calcaires, sur des sédiments argileux, sableux ou gravelo-sableux. L'augmentation de la proportion d'argile dans les graves donne des vins plus acides, plus tanniques et corsés, au détriment de la finesse ; le sauvignon blanc, lui, prend des notes odorantes plus ou moins puissantes sur calcaire, sur graves ou sur marnes. En tout état de cause, la vigne est une plante particulièrement peu exigeante, qui pousse sur des sols pauvres. Cette pauvreté est d'ailleurs un élément de la qualité des vins, car elle favorise des rendements limités qui évitent la dilution des colorants, des arômes et des constituants sapides.

LE CYCLE DES TRAVAUX DE LA VIGNE

Destinée à équilibrer la production des fruits, en évitant le développement exagéré du bois, la taille annuelle s'effectue entre décembre et mars. La longueur des sarments, choisie en fonction de la vigueur de la plante, commande l'importance de la récolte. Les labours de printemps « déchaussent » la plante, en ramenant la terre vers le milieu du rang, et créent une couche meuble qui restera aussi sèche que possible. Le décavaillonnage consiste à enlever la terre qui reste, sous le rang, entre les ceps.

— En fonction des besoins, les travaux du sol sont poursuivis pendant toute la durée du cycle végétal ; ils détruisent la végétation adventice, maintiennent le sol meuble et évitent les pertes d'eau par évaporation. Le désherbage peut être effectué chimiquement ; s'il est total, il est effectué à la fin de l'hiver, et les travaux aratoires sont complètement supprimés ; on parle alors de non-culture, qui constitue une économie substantielle. Cependant, certains producteurs soucieux de l'environnement préfèrent les vignes enherbées qui permettent de limiter la vigueur de la plante.

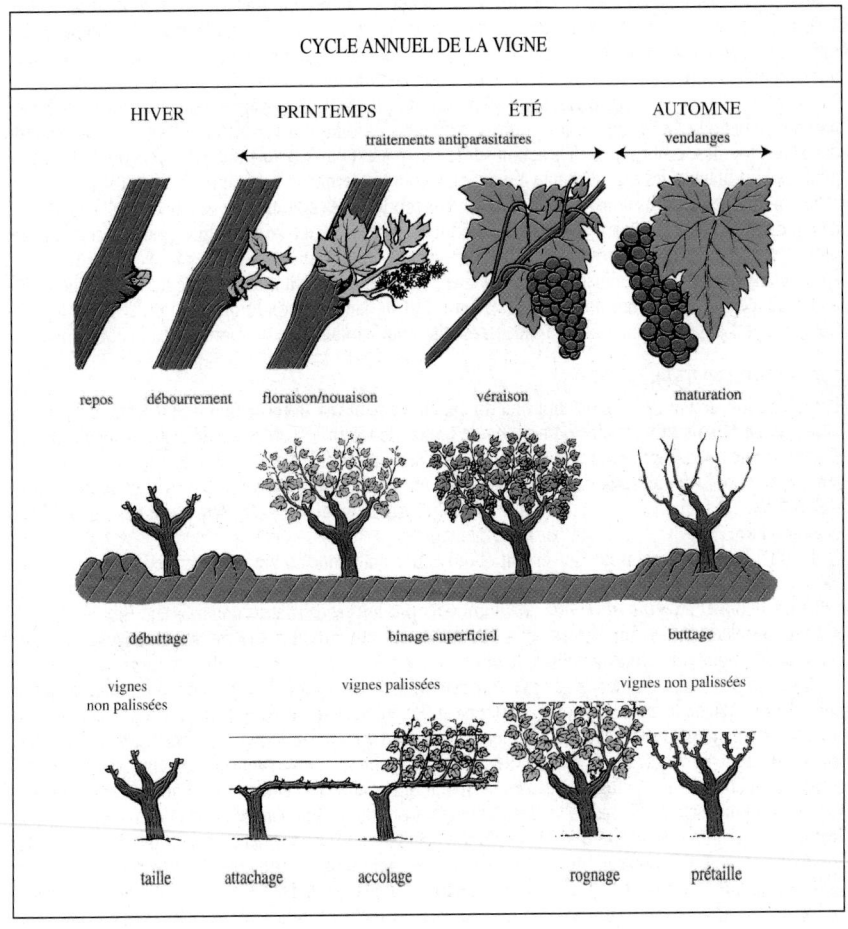

CYCLE ANNUEL DE LA VIGNE

HIVER   PRINTEMPS   ÉTÉ   AUTOMNE

traitements antiparasitaires   vendanges

repos   débourrement   floraison/nouaison   véraison   maturation

débuttage   binage superficiel   buttage

vignes non palissées   vignes palissées   vignes non palissées

taille   attachage   accolage   rognage   prétaille

— Pendant toute la période végétative, on procède à différentes opérations pour limiter la prolifération végétale : l'épamprage, suppression de certains rameaux ; le rognage, raccourcissement de leur extrémité ; l'effeuillage, qui permet une meilleure exposition des raisins au soleil ; l'accolage, pour maintenir les sarments dans les vignes palissées. Le viticulteur doit également protéger la vigne des maladies : le Service de la protection des végétaux diffuse des informations qui permettent de prévoir les traitements nécessaires, faits par pulvérisation de produits actifs, qu'ils soient naturels (agrobiologie) ou issus de la chimie industrielle.

— Enfin, en automne, après les vendanges, un dernier labour ramène la terre vers les ceps et les protège des gelées hivernales ; la formation d'une rigole au centre du rang permet d'évacuer les eaux de ruissellement. Ce labour est éventuellement utilisé pour enfouir des engrais.

La naissance du vin

LES RAISINS ET LES VENDANGES

L'état de maturité du raisin est un facteur essentiel de la qualité du vin. Dans une même région, les conditions climatologiques sont variables d'une année à l'autre, entraînant des différences de constitution des raisins, qui déterminent les caractéristiques propres de chaque millésime. Une bonne maturation suppose un temps chaud et sec : la date des vendanges doit être fixée avec beaucoup de discernement, en fonction de l'évolution de la maturation et de l'état sanitaire du raisin.

— De plus en plus, les vendanges manuelles laissent place au ramassage mécanique. Les machines, munies de batteurs, font tomber les grains sur un tapis mobile ; un ventilateur élimine la plus grande partie des feuilles. La brutalité de l'action sur le raisin n'est pas *a priori* favorable à la qualité, surtout pour les vins blancs : les crus de haute réputation seront les derniers à faire appel à ce procédé de ramassage, malgré des progrès considérables dans la conception et la conduite de ces machines. Dans le cas de maturité excessive lors des vendanges, l'acidité trop basse peut être compensée par addition d'acide tartrique. Si la maturité est insuffisante, on peut au contraire diminuer l'acidité par le carbonate de calcium. Dans ce cas, le raisin insuffisamment sucré pourrait donner un vin d'un degré alcoolique insuffisant. La concentration du moût peut intervenir. Enfin, dans des conditions bien précises, la législation permet d'augmenter la richesse saccharine du moût par addition de sucre : c'est la chaptalisation.

LA NAISSANCE DU VIN

Par définition, le vin est « le produit obtenu exclusivement par la fermentation alcoolique, totale ou partielle, de raisins frais, foulés ou non, ou de moûts de raisin ». Toutes les définitions légales imposent aux vins une teneur en alcool minimum, 8,5 % vol. ou 9,5 % vol. selon les zones viticoles. La teneur en alcool (degré alcoolique) est exprimée en pourcentage du volume du vin constitué par de l'alcool pur ; il faut 17 g de sucre dans le moût (jus qui s'écoule lors du pressurage des raisins frais) pour produire 1 % vol. d'alcool par la fermentation.

— Le phénomène microbiologique essentiel qui donne naissance au vin est la fermentation alcoolique ; le développement d'une espèce de levure *(Saccharomyces cerevisae)*, à l'abri de l'air, décompose le sucre en alcool et en gaz carbonique ; de nombreux produits secondaires apparaissent (glycérol, acide succinique, esters, etc.), qui participent à l'arôme et au goût du vin. La fermentation dégage des calories qui provoquent l'échauffement de la cuve, ce qui peut nécessiter une réfrigération.

— Après la fermentation alcoolique peut intervenir, dans certains cas, la fermentation malolactique : sous l'influence de bactéries, l'acide malique est décomposé en acide lactique et en gaz carbonique. La conséquence est une baisse d'acidité et un assouplissement du vin, avec affinement de l'arôme ; simultanément, le vin acquiert une meilleure stabilité pour sa conservation. Les vins rouges en sont toujours améliorés ; l'avantage est moins systématique pour les vins blancs. Levures et bactéries lactiques existent sur le raisin ; elles se développent à l'occasion des manipulations de la vendange dans le chai : au remplissage de la cuve, l'inoculation peut être suffisante ; mais on effectue de plus en plus un levurage avec des levures sèches fournies par le commerce. Cette opération permet un meilleur déroulement de la fermentation ; elle évite certains défauts liés à des levures particulières (odeurs de réduction) et, dans certains cas, une souche adaptée permet une meilleure révélation des arômes spécifiques d'un cépage (sauvignon), à partir de précurseurs non aromatiques existant dans le raisin. En tout état de cause, la qualité et la typicité du vin reposent sur la qualité du raisin, donc sur des facteurs naturels (crus et terroirs).

— Les levures se développent toujours avant les bactéries, dont la croissance commence lorsque les levures ont cessé de fermenter. Si cet arrêt intervient avant que la totalité du sucre ait été transformée en alcool, le sucre résiduel peut être décomposé par les bactéries avec production d'acide acétique (acide volatile) ; il s'agit d'un accident grave, connu sous le nom de « piqûre » ; un procédé récemment découvert permet d'éliminer les substances toxiques qui se forment alors à partir des levures elles-mêmes. Au cours de la conservation, il reste toujours des populations bactériennes dans le vin, qui peuvent provoquer des accidents graves : décomposition de certains constituants du vin ; oxydation et formation d'acide acétique (processus de fabrication du vinaigre). Les soins apportés aujourd'hui à la vinification peuvent éviter ces risques.

LES DIFFERENTS TYPES DE VINS

La réglementation européenne, entérinant les usages français, distingue les *vins de table* et les VQPRD. Les Vins de qualité produits dans une région déterminée (VQPRD) sont soumis à des règlements de

CALENDRIER DU VIGNERON

JANVIER

Si la taille s'effectue de décembre à mars, c'est bien « à la Saint-Vincent que l'hiver s'en va ou se reprend ».

JUILLET

Les traitements contre les parasites continuent ainsi que la surveillance du vin sous les fortes variations de température !

FEVRIER

Le vin se contracte avec l'abaissement de la température. Surveiller les tonneaux pour l'ouillage qui se fait périodiquement toute l'année. Les fermentations malolactiques doivent être terminées.

AOUT

Travailler le sol serait nuisible à la vigne, mais il faut être vigilant devant les invasions possibles de certains parasites. On prépare la cuverie dans les régions précoces.

MARS

On « débutte ». On finit la taille (« taille tôt, taille tard, rien ne vaut la taille de mars »). On met en bouteilles les vins qui se boivent jeunes.

SEPTEMBRE

Étude de la maturation par prélèvement régulier des raisins pour fixer la date des vendanges ; elles commencent en région méditerranéenne.

AVRIL

Avant le phylloxéra, on plantait les paisseaux. Maintenant on palisse sur fil de fer, sauf à l'Hermitage, Côte Rôtie et Condrieu.

OCTOBRE

Les vendanges ont lieu dans la plupart des vignobles et la vinification commence. Les vins de garde vont être mis en fût pour y être élevés.

MAI

Surveillance et protection contre les gelées de printemps. Binage.

NOVEMBRE

Les vins primeurs sont mis en bouteilles. On surveille l'évolution des vins nouveaux. La prétaille commence.

JUIN

On « *accole* » les vignes palissées et commence à rogner les sarments. La « nouaison » (= donner des baies) ou la « coulure » vont commander le volume de la récolte.

DECEMBRE

La température des caves doit être maintenue pour assurer les fermentations alcooliques et malolactiques.

contrôle. En France, ils correspondent aux *Appellations d'origine vins délimités de qualité supérieure* (AOVDQS) et aux *Vins d'appellation d'origine contrôlée* (AOC). Il faut noter que les jeunes vignes sont exclues de l'appellation jusqu'à quatre ans (vins trop légers).

— Les *vins secs et les vins sucrés* (demi-secs, moelleux et doux) sont caractérisés par des taux de sucre variables. La production des vins sucrés suppose des raisins très mûrs, riches en sucre, dont une partie seulement est transformée en alcool par la fermentation. Les sauternes par exemple sont des vins particulièrement riches ; ils sont obtenus à partir de raisins très concentrés par la pourriture noble. On les désigne volontiers par l'expression « grands vins liquoreux » qu'il ne faut pas confondre avec « vins de liqueurs » (voir ci-dessous).

— Les *vins mousseux* s'opposent aux *vins tranquilles*, par la présence, au débouchage de la bouteille, d'un dégagement de gaz carbonique provenant d'une seconde fermentation (prise de mousse). Dans la méthode traditionnelle, autrefois dite « champenoise », celle-ci est effectuée dans la bouteille définitive. Si elle est effectuée en cuve, on parle de méthode en « cuve close ». Les *vins mousseux gazéifiés* présentent aussi un dégagement de gaz carbonique qui provient, totalement ou partiellement, d'une addition de gaz. Les *vins pétillants* possèdent, eux, une pression de gaz carbonique comprise entre 1 et 2,5 bars. Leur degré alcoolique doit être supérieur à 7 % vol. seulement. Le *pétillant de raisin* est obtenu par fermentation partielle du moût de raisin ; le titre alcoolique est faible; il peut être inférieur à 7 % vol., mais doit être supérieur à 1 % vol.

— Les *vins de liqueur* et les *vins doux naturels* sont obtenus par addition, avant, pendant et après la fermentation, d'alcool neutre, d'eau-de-vie de vin, de moût de raisin concentré ou d'un mélange de ces produits. L'expression *mistelle* ne fait pas partie de la réglementation européenne qui parle de « moût de raisin frais muté à l'alcool », résultat de l'addition d'alcool ou d'eau-de-vie de vin à du moût de raisin (la fermentation est exclue).

LES DIFFERENTES VINIFICATIONS
Vinification en rouge

Dans la majorité des cas, le raisin est d'abord égrappé ; les grains sont ensuite foulés et le mélange de pulpe, de pépins et de pellicules est envoyé dans la cuve de fermentation, après légère addition d'anhydride sulfureux pour assurer une protection contre les oxydations et les contaminations microbiennes. Dès le début de la fermentation, le gaz carbonique soulève toutes les particules solides qui forment, à la partie supérieure de la cuve, une masse compacte appelée « chapeau » ou « marc ».

— Dans la cuve, la fermentation alcoolique se déroule en même temps que la macération des pellicules et des pépins dans le jus. La fermentation complète du sucre dure en général de cinq à huit jours; elle est favorisée par l'aération, pour augmenter la croissance de la population de levures, et par le contrôle de la température (aux environs de 30 °C) pour éviter la mort de ces levures. La macération apporte essentiellement au vin rouge sa couleur et sa structure tannique. Les vins destinés à un long vieillissement doivent être riches en tanin, et subissent donc une longue macération (deux à trois semaines) de 25 à 30 °C. En revanche, les vins rouges à consommer jeunes, de type primeur, doivent être fruités et peu tanniques: leur macération est réduite à quelques jours.

— L'écoulage de la cuve est la séparation du jus, appelé « vin de goutte » ou « grand vin », et du marc. Par pressurage, le marc donne le vin de presse : son assemblage éventuel avec le vin de goutte dépend de critères gustatifs et analytiques. Vins de goutte et vins de presse sont remis en cuve séparément pour subir les fermentations d'achèvement : disparition des sucres résiduels et fermentation malolactique. Pour les grands vins, de plus en plus, l'écoulage se fait directement en fûts de chêne, dans lesquels s'effectue la fermentation malolactique. Les vins rouges acquièrent ainsi un caractère boisé plus harmonieux.

— Cette technique est la méthode de base, mais il existe d'autres procédés de vinification qui présentent un intérêt particulier dans certains cas (thermovinification, vinification continue, macération carbonique).

Vinification en rosé

Les vins clairets, rosés ou gris, sont obtenus par macérations d'importance variable de raisins à peine rosés ou fortement colorés. Le plus généralement, ils sont vinifiés par pressurage direct de raisins noirs ou par saignées. Dans ce dernier cas, la cuve est remplie, comme pour une vinification en rouge classique ; au bout de quelques heures, on tire une certaine proportion du jus qui fermente séparément ; et la cuve est remplie à nouveau pour faire du vin rouge. Celui-ci est alors plus concentré.

Les différentes vinifications

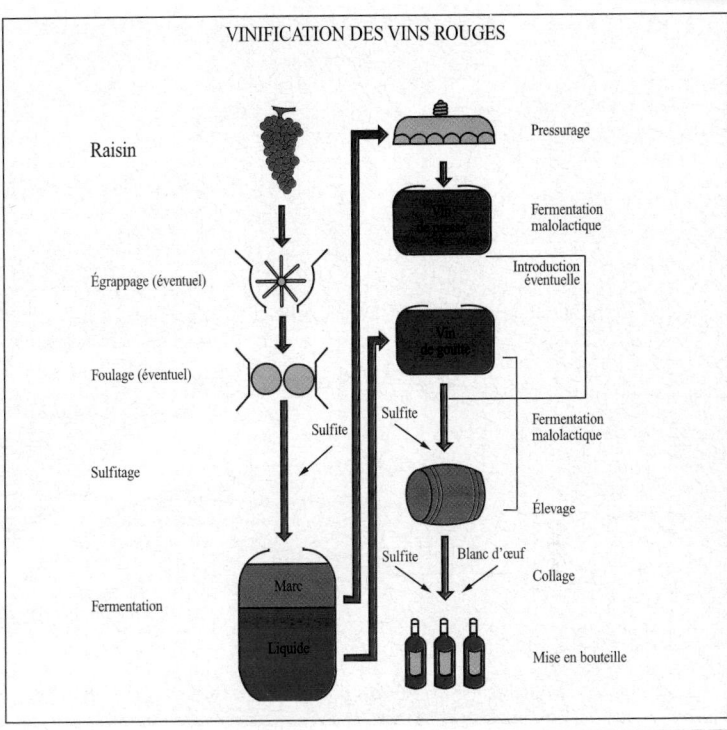

VINIFICATION DES VINS ROUGES

Raisin

Pressurage

Fermentation malolactique

Vin de presse

Égrappage (éventuel)

Introduction éventuelle

Vin de goutte

Foulage (éventuel)

Sulfite

Fermentation malolactique

Sulfitage

Sulfite

Élevage

Sulfite   Blanc d'œuf   Collage

Fermentation

Marc

Liquide

Mise en bouteille

VINIFICATION DES VINS BLANCS

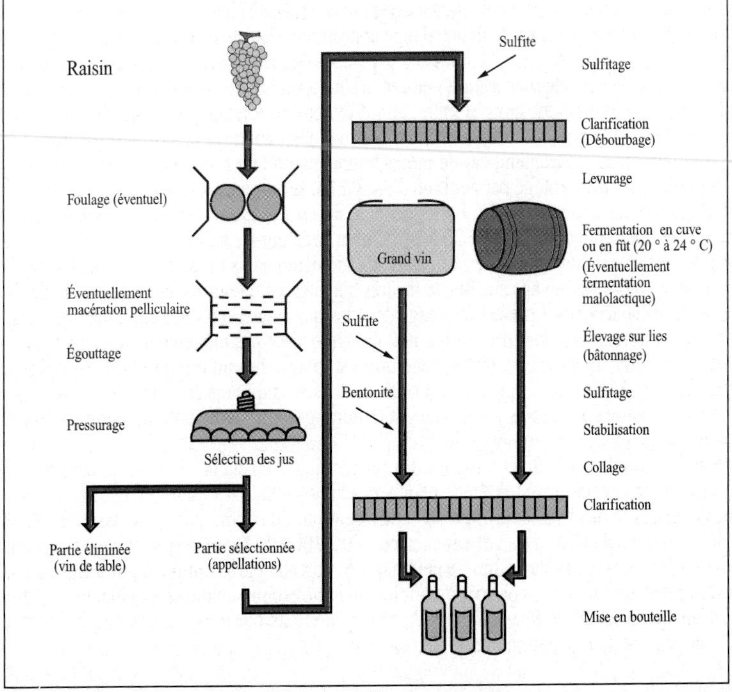

Raisin

Sulfite   Sulfitage

Clarification (Débourbage)

Foulage (éventuel)

Levurage

Grand vin

Fermentation en cuve ou en fût (20 ° à 24 ° C) (Éventuellement fermentation malolactique)

Éventuellement macération pelliculaire

Sulfite

Élevage sur lies (bâtonnage)

Égouttage

Bentonite

Sulfitage

Pressurage

Stabilisation

Sélection des jus

Collage

Clarification

Partie éliminée (vin de table)

Partie sélectionnée (appellations)

Mise en bouteille

Vinification en blanc

En matière de vin blanc, il existe une grande diversité de types : à chacun d'eux correspondent une technique de vinification et une qualité de vendange appropriées. Le plus souvent, le vin blanc résulte de la fermentation d'un pur jus de raisin ; le pressurage précède donc la fermentation. Dans certains cas, cependant, on effectue une courte macération pelliculaire préfermentaire pour extraire leurs arômes ; il faut alors des raisins parfaitement sains et mûrs, afin d'éviter des défauts gustatifs (amertume) et olfactifs (mauvaise odeur). L'extraction du jus est faite par foulage, égouttage et, enfin, pressurage ; les jus de presse sont fermentés séparément, car de moins bonne qualité. Le moût blanc, très sensible à l'oxydation, est immédiatement protégé par addition d'anhydride sulfureux. Dès l'extraction du jus, on procède à sa clarification par débourbage. En outre, pendant la fermentation, la cuve est en permanence maintenue à une température de l'ordre de 20 à 24 °C pour protéger les arômes.

Les grands vins blancs sont vinifiés en barrique ; ils acquièrent ainsi un caractère boisé fondu. Cette pratique permet en outre un élevage sur lies de levures qui augmente les sensations de gras et de moelleux ; cette évolution est accentuée par le bâtonnage des vins qui assure la remise en suspension des lies.

— Dans de nombreux cas, la fermentation malolactique n'est pas recherchée, les vins blancs supportant bien une fraîcheur acide et cette fermentation secondaire faisant diminuer les arômes typiques de cépages. Les vins blancs qui, cependant, la subissent trouvent du gras et du volume lorsqu'ils sont élevés en fûts et destinés à un long vieillissement (Bourgogne); la fermentation assure en outre la stabilisation biologique des vins en bouteille.

— La vinification des vins doux suppose des raisins riches en sucre ; une partie est transformée en alcool, mais la fermentation est arrêtée, avant son achèvement, par l'addition de dioxyde de soufre et l'élimination des levures par soutirage ou centrifugation, ou encore par pasteurisation. Particulièrement riches en alcool (13 à 16 % vol.) et en sucre (50 à 100 g/l), les sauternes et barsac réclament donc des raisins d'une grande richesse qui ne peut pas être obtenue par la simple maturation du raisin ; elle nécessite l'intervention de la « pourriture noble » qui correspond au développement particulier, sur le raisin, d'un champignon, le *Botrytis cinerea*, et à la cueillette par tries successives au fur et à mesure du développement de la « pourriture noble ».

L'ELEVAGE DES VINS : LES DIFFERENTES ETAPES

Le vin nouveau est brut, trouble et gazeux ; la phase d'élevage (clarification, stabilisation, affinement de la qualité) va le conduire jusqu'à la mise en bouteilles. Elle est plus ou moins longue selon les types de vin : les « primeurs » sont mis en bouteilles quelques semaines, voire quelques jours après la fin de la vinification ; les grands vins de garde, eux, sont élevés pendant deux ans et plus.

— La clarification peut être obtenue par simple sédimentation et décantation (soutirage) si le vin est conservé en récipients de petite capacité (fût de bois). Il faut faire appel à la centrifugation ou aux différents types de filtration lorsque le vin est conservé en cuve de grand volume.

— Compte tenu de sa complexité, le vin peut donner lieu à des troubles et des dépôts ; il s'agit de phénomènes tout à fait naturels, d'origine microbienne ou chimique. Ces accidents sont extrêmement graves lorsqu'ils se produisent en bouteille ; pour cette raison, la stabilisation doit avoir lieu avant le conditionnement.

— Les accidents microbiens (piqûre bactérienne ou refermentation) sont évités en conservant le vin à l'abri de l'air en récipient plein ; l'ouillage (du mot « œil » qui se réfère au trou de la bonde du tonneau) consiste justement à faire régulièrement le plein des récipients pour éviter le contact avec l'air. En outre, le dioxyde de soufre est un antiseptique et un antioxydant d'un emploi courant. Son action peut être complétée par celle de l'acide sorbique (antiseptique) ou de l'acide ascorbique (antioxydant).

— Les traitements des vins résultent d'une nécessité ; les produits de traitement utilisés sont relativement peu nombreux ; on connaît bien leur mode d'action qui n'affecte pas la qualité, et leur innocuité est démontrée. Des tests de laboratoire permettent de prévoir les risques d'instabilité et de limiter les traitements à ceux qui sont nécessaires. Cependant, la tendance moderne consiste à agir dès la vinification de façon à limiter autant que possible les traitements ultérieurs des vins et les manipulations qu'ils nécessitent.

— Le dépôt de tartre est évité par le froid, avant la mise en bouteilles ; inhibiteur de cristallisation, l'acide métatartrique a un effet immédiat, mais sa protection n'est pas indéfinie. Le collage consiste à ajouter au vin une matière protéique (albumine d'œuf, gélatine) ; celle-ci flocule dans le vin en éliminant les particules en suspension ainsi que des constituants susceptibles de le troubler à la longue. Le collage des vins rouges (au blanc d'œuf) est une pratique ancienne, indispensable pour éliminer l'excès de matière colorante qui floculerait en tapissant l'intérieur de la bouteille.

La gomme arabique a un effet similaire ; elle est utilisée pour les vins de table consommés rapidement après la mise en bouteilles. La coagulation des protéines naturelles dans les vins blancs (casse protéique) est évitée en les éliminant par fixation sur une argile colloïdale, la bentonite. L'excès de certains métaux (fer et cuivre) donne également lieu à des troubles ; leur élimination peut être effectuée par le ferrocyanure de potassium.

— L'élevage comprend aussi une phase d'affinage. Celle-ci comporte d'abord l'élimination du gaz carbonique en excès provenant de la fermentation ; son réglage dépend du style de vin souhaité : il donne de la fraîcheur aux vins blancs secs et aux vins jeunes ; en revanche, il durcit les vins de garde, particulièrement les grands vins rouges. L'introduction ménagée d'oxygène assure également une transformation bénéfique des tanins des vins rouges jeunes ; elle est indispensable à leur vieillissement ultérieur en bouteilles. L'oxydation ménagée se produit spontanément en fût de chêne ; les techniques dites de microbullage permettent d'introduire, de façon régulière, les quantités d'oxygène juste nécessaires.

— Le fût de bois de chêne apporte aux vins des arômes vanillés qui s'harmonisent parfaitement avec ceux du fruit, surtout lorsque le bois est neuf ; le chêne de l'Allier (forêt de Tronçais) convient mieux que le chêne du Limousin ; le bois doit être fendu (et non scié) et séché à l'air pendant trois ans avant son utilisation. Ce type d'élevage fait partie de la tradition des grands vins, mais il est très onéreux (prix d'achat des fûts, travail manuel, perte par évaporation). En outre, lorsqu'ils sont un peu vieux, les fûts peuvent être des sources de contamination microbienne et apporter au vin plus de défauts que de qualités.

— Le séjour sous bois doit être réservé à des vins suffisamment riches afin que le caractère boisé ne domine pas le fruité du raisin et ne banalise pas la typicité ; l'importance du boisé doit être dosée (en jouant sur la durée d'élevage et sur la proportion de barriques neuves), en fonction de la structure du vin, afin qu'il ne sèche pas au cours du vieillissement. Des tentatives ont été faites en vue de simplifier l'acquisition du caractère boisé, en particulier par la macération de copeaux de bois de chêne, pratique interdite pour les vins d'AOC.

DE LA VIGNE AU VIN

LE CONDITIONNEMENT ET LE VIEILLISSEMENT

L'expression « vieillissement » est spécifiquement réservée aux transformations lentes du vin conservé en bouteille, à l'abri complet de l'oxygène de l'air. La mise en bouteille demande beaucoup de soin et de propreté ; il faut éviter que le vin, parfaitement clarifié, soit contaminé par cette opération. Des précautions doivent en outre être prises pour respecter le volume indiqué. Le liège reste le matériau de choix pour l'obturation des bouteilles ; grâce à son élasticité, il assure une bonne herméticité. Cependant, ce matériau est dégradable ; il est recommandé de changer les bouchons tous les vingt-cinq ans. En outre, on connaît les deux risques du bouchage liège : les « bouteilles couleuses » et les « goûts de bouchon ».

— Les transformations du vin en bouteilles sont multiples et fort complexes. Il intervient d'abord une modification de la couleur, parfaitement mise en évidence dans le cas des vins rouges ; rouge vif dans les vins jeunes, elle évolue vers des nuances plus jaunes, responsables d'une teinte évoquant la tuile ou la brique. Dans les vins très vieux, la nuance rouge a complètement disparu ; le jaune et le marron sont les couleurs dominantes. Ces transformations sont responsables des dépôts de matière colorante dans les très vieux vins. Elles agissent sur le goût des tanins en provoquant un assouplissement de la structure générale du vin.

— Au cours du vieillissement en bouteilles interviennent également un développement des arômes et l'apparition du « bouquet » spécifique du vin vieux ; il s'agit de transformations complexes dont les fondements chimiques restent obscurs (les phénomènes d'estérification n'interviennent pas).

LE CONTROLE DE LA QUALITE

Le bon vin n'est pas forcément un grand vin ; par ailleurs, lorsque l'on parle d'un « vin de qualité », on évoque la hiérarchie qui va des vins de table aux grands crus, avec tous les intermédiaires. Derrière ces deux idées se retrouve la distinction entre les « facteurs naturels » et les « facteurs humains » de la qualité. Les seconds sont indispensables pour avoir un « bon vin » ; mais un « grand vin » nécessite en plus des conditions de milieu (sol, climat) particulières et exigeantes...

— Si l'analyse chimique permet de déceler des anomalies et de mettre en évidence certains défauts du vin, ses limites pour définir la qualité sont bien connues ; en dernier ressort, la dégustation est le critère essentiel d'appréciation de la qualité. Des progrès considérables ont été accomplis depuis une vingtaine d'années dans les techniques d'analyse sensorielle permettant de mieux en maîtriser les aspects subjectifs ; ils tiennent compte du développement des connaissances en matière de physiologie de l'odorat et du goût, et des conditions pratiques de la dégustation. L'expertise gustative intervient de plus en plus dans le contrôle de la qualité, pour l'agréage des vins d'appellation d'origine contrôlée ou dans le cadre d'expertises judiciaires.

— Le contrôle réglementaire de la qualité du vin s'est en effet imposé depuis longtemps. La loi du 1er août 1905 sur la loyauté des transactions commerciales constitue le premier texte officiel. Mais la réglementation a été progressivement affinée au fur et à mesure que progressaient les connaissances de la constitution du vin et de ses transformations. En s'appuyant sur l'analyse chimique, la réglementation définit une sorte de qualité minimale en évitant les principaux défauts. Elle incite en outre la technique à améliorer ce niveau minimum. La Direction de la consommation et de la répression des fraudes est responsable de la vérification des normes analytiques ainsi établies.

— Cette action est complétée par celle de l'Institut national des appellations d'origine, chargé, après consultation des syndicats intéressés, de déterminer les conditions de production et d'en assurer le contrôle ; aire de production, nature des cépages, mode de plantation et de taille, pratiques culturales, techniques de vinification, constitution des moûts et du vin, rendement. Cet organisme assure également la défense des vins d'appellation d'origine en France et à l'étranger.

— Dans chaque région, enfin, les syndicats viticoles participent à la défense des intérêts des viticulteurs adhérents, en particulier dans le cadre des différentes appellations. Cette action est souvent coordonnée par des conseils, bureaux ou comités interprofessionnels, qui rassemblent les représentants des syndicats de producteurs et de négociants, et des personnalités du monde professionnel et de l'administration.

Acheter un vin est la chose la plus facile du monde, le choisir à bon escient est la chose la plus difficile. Si l'on considère la totalité de l'offre, c'est à quelques centaines de milliers de vins différents qu'est confronté l'amateur.

La France, à elle seule, produit plusieurs dizaines de milliers de vins qui ont tous une spécificité et des caractères propres. Ce qui les distingue apparemment, outre leur couleur, c'est l'étiquette. D'où son importance et le souci des pouvoirs publics et des instances professionnelles de réglementer son usage et sa présentation. D'où également pour l'acheteur la nécessité d'en percer les arcanes.

L'ÉTIQUETTE

L'étiquette remplit plusieurs fonctions.

— La première est d'un caractère légal : indiquer le responsable du vin en cas de contestation. Ce peut être un négociant ou un propriétaire-récoltant. Dans certains cas ces renseignements seront confirmés par les mentions portées au sommet de la capsule de surbouchage.

— La seconde fonction de l'étiquette est d'une extrême importance, elle fixe la catégorie à laquelle appartient le vin : vin de table, vin de pays, Appellation d'origine vin délimité de qualité supérieure ou Appellation d'origine contrôlée, ou plus brièvement, pour les deux dernières, AOVDQS et AOC, celles-ci étant assimilées dans la terminologie européenne au Vin de qualité produit dans des régions déterminées, dit VQPRD.

Appellation d'origine contrôlée

C'est la classe reine, celle de tous les grands vins. L'étiquette porte obligatoirement la mention « XXXX appellation contrôlée » ou « appellation XXXX contrôlée ». Cette mention désigne expressément une région, un ensemble de communes, une commune ou même parfois un cru (ou climat) dans lequel le vignoble est implanté. Il est sous-entendu que, pour avoir droit à l'appellation d'origine contrôlée, un vin doit avoir été élaboré suivant « les usages locaux, loyaux et constants », c'est-à-dire à partir de cépages nobles homologués plantés dans des terrains choisis, et vinifié selon les traditions régionales. Rendement à l'hectare et degré alcoolique (minimum, parfois maximum également) sont fixés par la loi. Les vins sont agréés chaque année par une commission de dégustation.

— Ces règles nationales sont complétées par l'application institutionnalisée de coutumes locales. Ainsi, en Alsace, l'appellation régionale est pratiquement toujours doublée de la mention du cépage ; en Bourgogne, seuls les premiers crus peuvent être mentionnés en caractères d'imprimerie de dimension égale à ceux employés pour l'appellation communale, les climats non classés dans la première catégorie ne pouvant figurer qu'en petits caractères dont la dimension ne peut être supérieure à la moitié de celle employée pour désigner l'appellation... En outre, sur l'étiquette des grands crus ne figure pas l'origine communale, les grands crus bénéficiant d'une appellation propre.

COMMENT LIRE UNE ETIQUETTE ?

L'étiquette doit permettre l'identification du vin et de son responsable légal. Le dernier intervenant dans l'élaboration du vin est celui qui le met en bouteilles ; c'est obligatoirement son nom qui figure sur l'étiquette. Chaque dénomination catégorielle est astreinte à des règles d'étiquetage spécifiques. Le premier devoir de l'étiquette est d'informer le consommateur et d'indiquer l'appartenance du vin à l'une des quatre catégories suivantes :
– vin de table (mention du degré alcoolique, volume, nom et adresse de l'embouteilleur sont obligatoires ; le millésime, interdit) ;
– vin de pays ; catégorie de vin de table ayant une origine géographique ;
– appellation d'origine vin délimité de qualité supérieure (AOVDQS) ;
– appellation d'origine contrôlée (AOC).

AOC Alsace
timbre fiscal (capsule) vert
❶ dénomination catégorielle (obligatoire)
❷ indication du cépage
   (autorisée seulement en cas de cépage pur)
❸ volume (obligatoire)
❹ toutes mentions obligatoires
❺ exigé pour l'exportation vers certains pays
❻ degré (obligatoire)
❼ numéro de lot (obligatoire)

AOC Bordelais
timbre fiscal vert
❶ assimilé à une marque (facultatif)
❷ millésime (facultatif)
❸ classement (facultatif)
❹ dénomination catégorielle (obligatoire)
❺ nom et adresse de l'embouteilleur (obligatoire)
   le mot « propriétaire » (facultatif)
   fixe le statut de l'exploitation
❻ facultatif
❼ volume (obligatoire)
❽ exigé pour l'exportation vers certains pays
❾ degré (obligatoire)
❿ numéro de lot (obligatoire)

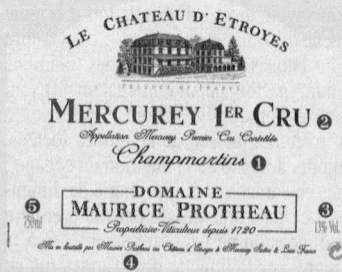

AOC Bourgogne
timbre fiscal vert
souvent sur une collerette, le millésime est facultatif
❶ nom du cru (facultatif) ;
   la même dimension de caractères
   que l'appellation indique qu'il s'agit d'un 1er cru
❷ dénomination catégorielle (obligatoire)
❸ degré (obligatoire)
❹ nom et adresse de l'embouteilleur (obligatoire) ;
   indique en outre la mise en bouteilles à la propriété,
   et qu'il ne s'agit pas d'un vin de négoce
❺ volume (obligatoire)

AOC Champagne

timbre fiscal vert

❶ obligatoire

tout champagne est AOC : la mention ne figure pas ;
c'est la seule exception à la règle
exigeant la mention de la dénomination catégorielle

❷ marque et adresse

(obligatoire ; sous-entendu « mis en bouteille par… »)

❸ volume (obligatoire)

❹ statut de l'exploitation

et n° du registre professionnel (facultatif)

❺ type de vin, dosage (obligatoire)

AOVDQS

timbre fiscal vert

❶ millésime (facultatif)

❷ cépage

(facultatif ; autorisé uniquement en cas de cépage pur)

❸ nom de l'appellation (obligatoire)

❹ dénomination catégorielle (obligatoire)

❺ degré (obligatoire)

❻ nom et adresse de l'embouteilleur (obligatoire)

❼ mention « à la propriété » (facultatif)

❽ vignette (obligatoire)

❾ volume (obligatoire)

❿ n° de contrôle (obligatoire en France)

Vins de pays

timbre fiscal bleu

vins de table, ils sont astreints aux mêmes obligations.

Les mots « vin de pays » doivent être suivis
de l'unité géographique (obligatoire)

❶ « à la propriété » : mention facultative

❷ unité géographique (obligatoire)

❸ nom et adresse de l'embouteilleur (obligatoire)

❹ degré (obligatoire)

❺ volume (obligatoire)

Appellation d'origine vin délimité de qualité supérieure

« Antichambre » de la classe précédente, cette catégorie est sensiblement astreinte aux mêmes règles. Les AOVDQS sont labellisées après dégustation. L'étiquette comporte obligatoirement la mention « Appellation d'origine vin délimité de qualité supérieure » et une vignette AOVDQS. Ce ne sont pas des vins de garde, mais quelques-uns d'entre eux gagnent pourtant à être encavés.

Vins de pays

L'étiquette des vins de pays précise la provenance géographique du vin. On lira donc « Vin de pays de... » suivi d'une mention régionale, départementale ou « de zone ».

__ Ces vins sont issus de cépages dont la liste est légalement définie, et qui sont complantés dans une aire assez vaste mais néanmoins limitée. En outre, leur degré alcoolique, leur acidité, leur acidité volatile font l'objet de contrôles. Ces vins frais, fruités et gouleyants, se boivent jeunes ; il est inutile, sinon nuisible, de les encaver.

__ D'autres textes, d'autres informations peuvent compléter les étiquettes. Ils ne sont pas obligatoires comme les précédents mais sont néanmoins soumis à la réglementation. Les termes clos, château, cru classé par exemple ne peuvent être employés que s'ils correspondent à un usage ancien, à une réalité. Ce que les étiquettes perdent en fantaisie, elles le gagnent en vérité ; l'acheteur ne s'en plaindra pas puisqu'elles sont de plus en plus crédibles.

Millésime et mise en bouteilles

Deux mentions non obligatoires mais très importantes retiendront l'attention de l'amateur : le millésime, soit porté sur l'étiquette – c'est le cas le meilleur – soit sur une collerette collée au haut du flacon, et la précision du lieu de mise en bouteilles.

__ L'amateur exigeant ne tolérera que les mises en bouteilles au (ou du) domaine, à (ou de) la propriété, au (ou du) château. Toute autre mention, c'est-à-dire toute indication n'entraînant pas un lien absolu et étroit entre le lieu exact où est vinifié le vin et celui où il est mis en bouteilles, est sans intérêt. Les formules « mis en bouteilles dans la région de production, mis en bouteilles par nos soins, mis en bouteilles dans nos chais, mis en bouteilles par xx (xx étant un intermédiaire) », pour exactes qu'elles soient, n'apportent pas la garantie d'origine que procure la « mise à la propriété ».

__ Le souci des pouvoirs publics et des comités interprofessionnels a toujours été double : d'abord inciter les producteurs à améliorer la qualité et à contrôler celle-ci par la labellisation après dégustation ; ensuite faire en sorte que ce vin labellisé soit bien celui qui est vendu dans la bouteille portant le label, sans mélange, sans coupage, sans possibilité de substitution. Or, en dépit de toutes sortes de précautions, y compris la possibilité de contrôle du cheminement des vins, la meilleure garantie d'authenticité du produit demeure la mise en bouteilles à la propriété ; car un propriétaire-récoltant n'a pas le droit d'acheter du vin pour l'entreposer dans son chai, celui-ci ne devant contenir que le vin qu'il produit lui-même.

__ A noter que les mises en bouteilles effectuées à la coopérative par celle-ci au bénéfice du coopérateur peuvent être qualifiées de « mise en bouteilles à la propriété ».

LES CAPSULES ET L'ETAMPAGE DES BOUCHONS

La plupart des bouteilles sont coiffées d'une capsule de surbouchage. Cette capsule porte parfois une vignette fiscale, c'est-à-dire la preuve que l'on a acquitté les droits de circulation la concernant, appelés familièrement « congé ». C'est pour cela que ces capsules sont dites « capsules congé ». Lorsque les bouteilles ne sont pas ainsi « fiscalisées », elles doivent être accompagnées d'un acquit (ou congé) délivré par la perception la plus proche (voir paragraphes sur le transport du vin, ci-après).

__ Cette vignette permet de déterminer le statut du producteur (propriétaire ou négociant) et la région de production. Les capsules de surbouchage peuvent être fiscalisées ou non, personnalisées ou non ; elles sont généralement l'un et l'autre.

Les producteurs de vins de qualité ont éprouvé le besoin de confirmer leurs étiquettes en marquant les bouchons. Une étiquette peut se décoller alors que le bouchon demeure : c'est pour cela que l'origine du vin et le millésime y sont étampés. C'est aussi une façon de décourager les fraudeurs éventuels qui ne peuvent plus se contenter de remplacer simplement des étiquettes. Notez que pour les vins mousseux à appellation, l'indication de l'appellation sur le bouchon est obligatoire.

COMMENT ACHETER, A QUI ACHETER ?

Les circuits de distribution du vin sont complexes et variés, chacun présentant des avantages et des inconvénients. D'autre part, les modes de commercialisation du vin prennent des formes différentes selon la présentation (en vrac, en bouteilles) et sa période d'achat (en primeur).

Vins à boire, vins à encaver

L'achat de vins à boire ou de vins à encaver ne procède pas de la même démarche. A but opposé, choix opposé. Les vins destinés à la consommation immédiate seront prêts à boire, c'est-à-dire de primeur, de pays, de petite ou moyenne origine, de millésime facile à évolution rapide ou il s'agira de grands vins à leur apogée, mais introuvables ou presque, sur le marché.

__ Dans tous les cas, plus encore évidemment pour les grands vins, un temps de repos de deux à quinze jours est nécessaire entre l'achat, donc le transport, et la consommation. Les vieilles bouteilles seront déplacées avec d'infinies précautions, verticalement et sans heurts, afin d'éviter tout brassage du dépôt.

__ Les vins à encaver seront achetés jeunes, dans le dessein de les faire vieillir. Choisir toujours les plus grands possibles dans de grands millésimes. Toujours des vins qui non seulement résistent à l'usure du temps mais qui se bonifient avec les années.

L'achat en vrac

Est dit achat « en vrac » l'achat de vin non logé en bouteilles. L'expression achat de vin « en cercle » est réservée à l'achat en tonneaux, alors que le « vrac » peut être transporté en citernes de toute nature, du wagon de 220 hl en acier au cubitainer de plastique d'une contenance de 5 litres, en passant par la bonbonne de verre.

__ La vente en vrac est pratiquée par les coopératives, par certains propriétaires, par quelques négociants, et même par des détaillants ; c'est ce que l'on baptise « vin vendu à la tireuse ». Cette commercialisation concerne les vins ordinaires et de qualité moyenne. Il est rare de parvenir à acquérir un vin de haute qualité en vrac. Dans certaines régions, ce type de commercialisation est interdit ; c'est le cas pour les crus classés du Bordelais.

__ Il faut prévenir l'amateur que, même lorsqu'un vigneron prétend que le vin qu'il vend en vrac est identique à celui qu'il vend en bouteilles, cela n'est pas tout à fait exact ; il sélectionne toujours les meilleures cuves pour le vin qu'il met en bouteilles lui-même.

__ L'achat du vin en vrac permet cependant une économie de l'ordre de 25 %, puisqu'il est d'usage de payer au maximum pour un litre de vin le prix facturé pour une bouteille (de 0,75 l).

__ L'acheteur réalise également une économie sur les frais de transport, mais doit acheter des bouchons et des bouteilles s'il n'en a pas. Il faut aussi compter les frais (peu élevés) de retour du fût si la transaction s'est faite « en cercle ».

Voici les contenances les plus usitées :

– Barrique bordelaise	225 litres
– Pièce bourguignonne	228 litres
– Pièce mâconnaise	216 litres
– Pièce de Chablis	132 litres
– Pièce champenoise	205 litres

__ La mise en bouteilles, opération plaisante si on la réalise à plusieurs, ne pose pas, quoi qu'on en dise, de gros problèmes, pourvu que l'on se conforme à quelques règles élémentaires définies plus loin.

L'achat en bouteilles

L'achat en bouteilles peut se faire chez le vigneron, à la coopérative, chez le négociant et au travers des circuits de distribution habituels.

__ Où l'amateur doit-il acheter pour réaliser la meilleure affaire ? Chez le propriétaire pour des vins peu ou pas diffusés, et ils sont légion ; directement dans les coopératives afin d'éviter pour les petites quantités les frais d'expédition de plus en plus élevés. Dans tous les autres cas, cela est moins simple qu'il n'y paraît. Il faut se souvenir que les producteurs et les négociants sont tenus de ne pas concurrencer déloyalement leurs diffuseurs ; autrement dit, de ne pas commercialiser des bouteilles moins chères qu'eux. Ainsi nombre de châteaux bordelais, peu portés sur la vente au détail, proposent même leurs flacons à des prix supérieurs à ceux pratiqués par les détaillants, afin de dissuader les acheteurs qui s'obstinent malgré tout, par ignorance ou pour d'inexplicables raisons... D'autant plus que les revendeurs obtiennent, à la suite de commandes massives, des prix infiniment plus intéressants que le particulier qui n'achète qu'une caisse.

— Dans ces conditions, on peut émettre un principe général : les vins de domaines ou de châteaux notoires largement diffusés ne seront pas acquis sur place, sauf s'il s'agit de millésimes rares ou de cuvées spéciales.

| Alsace | Muscadet | Anjou | Provence |

| Clavelin | Jura | Bourgogne | Italienne | Bordeaux | Champagne |

L'achat en primeur

Cette formule de vente de vin, développée depuis quelques années par les Bordelais, a connu un joli succès au cours des années 1980. Il serait d'ailleurs préférable de parler de ventes ou d'achats par souscription. Le principe est simple : acquérir un vin avant qu'il soit élevé et mis en bouteilles à un prix très inférieur à celui qu'il atteindra lorsqu'il sera livrable.

— Les souscriptions sont ouvertes pour un volume contingenté, pour un temps limité et généralement au printemps ou au début de l'été qui suit les vendanges. L'acheteur verse la moitié du prix convenu à la commande et s'engage à solder sa dette à la livraison des flacons, c'est-à-dire douze à quinze mois plus tard. Ainsi le producteur touche-t-il rapidement de l'argent frais et l'acheteur peut réaliser une bonne opération lorsque les cours des vins augmentent. Ce fut le cas des années 1974-1975 et jusqu'à la fin des années 1980. Ce type de transaction s'apparente à ce que l'on nomme, à la Bourse, le marché à terme.

— Que se passe-t-il si les cours s'effondrent (surproduction, crise, etc.) entre le moment de la souscription et celui de la livraison ? Les souscripteurs paient leurs bouteilles plus cher que ceux qui n'ont pas souscrit. Cela s'est déjà vu, cela se revoit. A ce jeu spéculatif et dans le but d'assurer leur approvisionnement, de grands négociants se sont ruinés. Il est vrai que leur contrat était d'autant plus risqué qu'il portait sur plusieurs années.

— Lorsque tout va bien, la vente en primeur est sans doute la seule façon de payer un vin en dessous de son cours (20 à 40 % environ). Les ventes en primeur sont organisées directement par les propriétaires, mais elles sont également pratiquées par des sociétés de négoce et des clubs de vente de vin.

L'achat chez le producteur

Outre les aspects presque techniques décrits ci-dessus, la visite rendue au producteur, indispensable si son vin n'est pas (ou peu) diffusé, apporte à l'amateur des satisfactions d'une nature tout autre que la réalisation d'un bon achat. C'est par la fréquentation des producteurs, véritables pères de leur vin, que les œnophiles peuvent comprendre ce qu'est un terroir et sa spécificité, saisir ce qu'est l'art de la vinification, à savoir l'art de tirer la quintessence d'un raisin, et enfin, établir les relations étroites qui existent entre un vigneron et son vin, c'est-à-dire entre un créateur et sa création. Le « bien boire », le « mieux boire », passe par cette démarche. La fréquentation des vignerons est irremplaçable.

L'achat en cave coopérative

La qualité des vins livrés par les coopératives progresse constamment. Ces organismes sont équipés pour une commercialisation facile de vins en vrac et en bouteilles, à des prix généralement légèrement inférieurs à ceux pratiqués par les autres canaux de vente à qualité égale.

—— On connaît le principe des coopératives vinicoles : les adhérents apportent leur raisin, et les responsables techniques – dont généralement un œnologue – se chargent du pressurage, de la vinification, dans certaines appellations, de l'élevage et de la commercialisation.

—— La production de plusieurs types de vins donne aux coopératives la possibilité soit d'exploiter les meilleurs raisins (en les isolant) soit de donner sa chance à tel ou tel terroir par des vinifications séparées. Des systèmes de primes accordées aux raisins nobles et aux raisins les plus mûrs, la possibilité d'élaborer et de commercialiser des vins selon la qualité spécifique de chaque livraison de raisin ouvrent aux meilleures coopératives le secteur des vins de qualité voire de garde.

L'achat chez le négociant

Le négociant, par définition, achète des vins pour les revendre. En outre, il est souvent lui-même propriétaire de vignobles. Il peut donc agir en producteur et commercialiser sa production, il peut vendre le vin de producteurs indépendants sans autre intervention que le transfert – cas des négociants bordelais qui ont à leur catalogue des vins mis en bouteilles au château ; il peut même signer un contrat de monopole de vente avec une unité de production. Il peut être négociant-éleveur, c'est-à-dire élever des vins dans ses chais en assemblant des vins de même appellation fournis par divers producteurs ; il devient alors créateur du produit à double titre : par le choix de ses achats et par l'assemblage qu'il exécute. Les négociants sont installés dans les grandes zones viticoles, mais bien entendu, rien n'empêche un négociant bourguignon de commercialiser du vin de Bordeaux – ou inversement. Le propre d'un négociant est de diffuser, donc d'alimenter les réseaux de vente qu'il ne doit pas concurrencer en vendant chez lui ses vins à des prix très inférieurs.

L'achat aux cavistes et aux détaillants

C'est l'achat le plus facile et le plus rapide, le plus sûr également lorsque le caviste est qualifié ; depuis quelques années, nombre de boutiques spécialisées dans la vente de vins de qualité ont vu le jour. Qu'est-ce qu'un bon caviste ? Celui qui est équipé pour entreposer les vins dans de bonnes conditions, mais aussi celui qui sait choisir des vins originaux de producteurs amoureux de leur métier. En outre, le bon détaillant, le bon caviste saura conseiller l'acheteur, lui faire découvrir des vins que celui-ci ignore et l'inciter à marier mets et vins pour valoriser les uns et les autres.

Les grandes surfaces

Acheter des vins de qualité en grande surface est devenu pratique courante, alors que c'était exceptionnel dans les années 1970. Parfois, ce type de commerce présente des déficiences dans la présentation : chaleur, lumière crue des néons, bouteilles rangées à la verticale. Heureusement, ces lacunes deviennent de plus en plus rares. Aujourd'hui, nombre d'établissements possèdent un rayon spécialisé bien équipé, où les bouteilles sont couchées et classées par appellation. L'amateur trouve dans les grandes surfaces non seulement des vins courants, mais aussi des crus prestigieux. Seuls les appellations confidentielles et les vins de petites propriétés sont moins représentés. Contrairement à une idée assez répandue, il peut être très avantageux d'acheter une bouteille prestigieuse en grande surface.

Les clubs

Quantité de flacons, livrés en cartons ou en caisses, arrivent directement chez l'amateur grâce à l'activité de clubs qui offrent à leurs adhérents un certain nombre d'avantages. Le choix est assez vaste et comporte parfois des vins peu courants. Il faut toutefois noter que beaucoup de « clubs » sont des négociants.

Les ventes aux enchères

De plus en plus à la mode et de plus en plus fréquentées, ces ventes sont organisées par des commissaires-priseurs assistés d'un expert. Il est de la première importance de connaître l'origine des bouteilles. Si elles proviennent d'un grand restaurant ou de la riche cave d'un amateur qui s'en dessaisit (renouvellement d'une cave, succession, etc.), il est probable que leur conservation est parfaite. Si elles constituent un regroupement de petits lots divers, rien ne prouve que leur garde ait été satisfaisante.

—— Seule la couleur du vin peut renseigner l'acheteur. L'amateur averti ne surenchérira jamais lorsque se présentent des bouteilles dont le niveau n'est pas parfait, ni lorsque la teinte des vins blancs vire au bronze plus ou moins foncé ou que la robe des vins rouges est visiblement « usée ».

___ Il est rare de pouvoir réaliser de bonnes affaires dans les grandes appellations qui intéressent des restaurateurs pour meubler leur carte ; en revanche, les appellations marginales moins recherchées par les professionnels sont parfois très abordables.

La vente des Hospices de Beaune, de Beaujeu et autres similaires

Les vins vendus lors de ces manifestations à but charitable sont logés en pièces (fûts) et doivent être élevés durant douze à quatorze mois. Ils sont donc réservés de ce fait aux professionnels. Mais l'amateur peut donner ordre d'achat à un négociant qui élèvera pour lui le vin.

Le transport du vin

Une fois résolu le problème du choix des vins, et sachant que l'on pourra les accueillir et les conserver dans de bonnes conditions (voir plus loin), il faut les transporter. Le transport des vins de qualité impose quelques précautions et obéit à une réglementation stricte.

___ Qu'on le transporte soi-même en voiture ou qu'on use des services d'un transporteur, le gros de l'été et le cœur de l'hiver ne sont pas favorables au voyage du vin. Il faut préserver le vin des températures extrêmes, surtout des températures élevées qui ne l'affectent pas temporairement mais définitivement, quelle que soit la période de repos (même des années...) qu'on lui accorde ultérieurement, quels que soient sa couleur, son type et son origine.

___ Arrivé à domicile, on déposera tout de suite les bouteilles en cave. Si l'on a acquis du vin en vrac, on entreposera les récipients directement au lieu de la mise en bouteilles, en cave si la place le permet, afin de n'avoir plus à les déplacer. Les cubitainers seront déposés à 80 cm du sol (la hauteur d'une table), les fûts à 30 cm, pour permettre de tirer le vin jusqu'à la dernière goutte sans modifier sa position, ce qui est essentiel.

La réglementation du transport des vins en France

Le transport des boissons alcoolisées est soumis à un régime particulier et fait l'objet de taxes fiscales matérialisées par un document d'accompagnement qui peut prendre deux formes : soit la *capsule fiscalisée*, ou *capsule congé*, apposée au sommet de chaque bouteille, soit un congé délivré par la recette-perception proche du point de vente ou par le vigneron s'il dispose d'un carnet à souche. Le vin en vrac doit toujours être accompagné du congé le concernant.

___ Sur ce document figurent le nom du vendeur et le cru, le volume et le nombre de récipients, le destinataire, le mode de transport et sa durée. Si le voyage se prolonge au-delà de ce qui est prévu, il faut faire modifier la durée de validité du congé par le premier bureau de recette-perception que l'on rencontre.

___ Transporter du vin sans congé est assimilé à une fraude fiscale et puni comme telle. Il est recommandé de conserver ces documents fiscaux, car en cas de déménagement, donc de nouveau transport du vin, ils serviront à l'établissement d'un nouveau congé.

___ La taxation est proportionnelle au volume du vin et à son classement administratif : vin de table ou vin d'appellation.

L'exportation du vin

Le vin comme tout ce qui est produit ou manufacturé en France subit un certain nombre de taxes. Lorsque ces matières ou objets sont exportés, il est possible d'en obtenir l'exemption ou le remboursement. Dans le cas du vin, cette exonération porte sur la TVA et la taxe de circulation (mais pas sur la taxe parafiscale destinée au Fonds national de développement agricole). Lorsqu'un voyageur veut bénéficier de la détaxe à l'exportation, il faut que le vin qu'il achète soit accompagné de son titre de mouvement (N° 8102 vert pour les vins d'appellation, N° 8101 bleu pour les vins de table) qui sera « déchargé » par le bureau de douane qui constate la sortie de la marchandise. Si les bouteilles sont tributaires de *capsules congé* (vignette fiscale), leur détaxation est impossible ; il convient donc, au moment de l'achat, de préciser au vendeur que l'on entend exporter son acquisition et bénéficier de détaxation. Il est prudent de se renseigner sur les conditions d'importation des vins et alcools dans le pays d'accueil, chacun d'entre eux ayant sa propre réglementation, qui s'étend de la taxation douanière au contingentement, voire à l'interdiction pure et simple.

CONSERVER SON VIN

Constituer une bonne cave tient du casse-tête chinois ; aux principes énoncés jusqu'ici s'ajoutent en effet des exigences subtiles... Il convient ainsi de tenter d'acquérir des vins de même usage et de même style, mais dont les évolutions ne seront pas semblables, afin qu'ils n'atteignent pas tous en même temps leur apogée. On tentera de trouver des vins dont la période d'apogée soit la plus étendue possible, afin de n'être pas tenu de les consommer tous dans un bref laps de temps. On panachera le plus possible, pour ne pas être contraint à boire toujours les mêmes vins, fussent-ils les meilleurs, et pouvoir les adapter à toutes les circonstances de la vie et à toutes les préparations culinaires. Enfin, on ne peut échapper à deux paramètres qui conditionnent l'application de tous les principes : le budget dont on dispose et la capacité de sa cave.

— Une bonne cave est un lieu clos, sombre, à l'abri des trépidations et du bruit, exempte de toutes odeurs, protégée des courants d'air mais néanmoins ventilée, ni trop sèche ni trop humide, d'un degré hygrométrique de 75 %, et surtout d'une température stable la plus proche possible de 11 °C.

— Les caves citadines réunissent rarement de telles caractéristiques. Il faut donc, avant d'encaver du vin, tenter d'améliorer le local ; établir une légère aération ou au contraire obstruer un soupirail trop ouvert ; humidifier l'atmosphère en déposant une bassine d'eau contenant un peu de charbon de bois ou l'assécher par du gravier et en augmentant la ventilation ; tenter de stabiliser la température par des panneaux isolants ; éventuellement, monter les casiers sur des blocs caoutchouc pour neutraliser les vibrations. Si une chaudière se trouve à proximité, si des odeurs de mazout se répandent, il n'y a pas grand-chose à espérer.

— Il se peut que l'on n'ait pas de cave ou qu'elle soit inutilisable. Deux solutions sont possibles : acheter une « cave d'appartement », c'est-à-dire une unité de stockage de vin, d'une capacité de 50 à 500 bouteilles, dont température et hygrométrie sont automatiquement maintenues ; ou encore construire de toutes pièces, en retrait dans son appartement, un lieu de stockage dont la température se modifie sans à-coups et ne dépasse pas, si possible, 16 °C, tout en se souvenant que plus la température est élevée, plus le vin évolue rapidement. Il faut se garder d'une erreur commune : ce n'est pas parce qu'un vin atteint rapidement son apogée dans de mauvaises conditions de garde qu'il peut rivaliser avec le niveau de qualité qu'il aurait atteint lentement dans une bonne cave fraîche. On s'abstiendra donc de faire vieillir de très grands vins à évolution lente dans une cave ou un local trop chaud. Il appartient aux amateurs de moduler leurs achats et le plan d'encavement en fonction des conditions particulières imposées par les locaux dont ils disposent.

Une bonne cave : son aménagement

L'expérience prouve qu'une cave est toujours trop petite. Le rangement des bouteilles doit être rationnellement organisé. Le casier à bouteilles, à un ou deux rangs, offre bien des avantages : il est peu coûteux, installé immédiatement, et donne accès aisément à l'ensemble des flacons encavés. Malheureusement, il est volumineux au regard du nombre de bouteilles logées. Pour gagner de la place, une seule méthode : l'empilement des bouteilles. Afin de séparer les piles pour avoir accès aux différents vins, il faut construire ou faire construire – ce n'est pas compliqué – des casiers en parpaings pouvant contenir 24, 36 ou 48 bouteilles en pile, sur deux rangs.

— Si la cave le permet, si le bois ne pourrit pas, il est possible d'élever des casiers en planches. Il faudra alors les surveiller car ils peuvent donner asile aux insectes qui attaquent les bouchons.

— Deux appareils compléteront l'aménagement de la cave : un thermomètre à maxima et minima, et un hygromètre. Des relevés réguliers permettront de corriger les défauts détectés et de jauger les facultés de bonification apportées par le vieillissement en cave.

Le vin en cave et le livre de cave

Dans la mesure du possible, on respectera les principes suivants : les vins blancs près du sol ; les vins rouges au-dessus ; les vins de garde dans les rangées (ou casiers) du fond, les moins accessibles ; les bouteilles à boire, en situation frontale.

— Les flacons achetés en carton ne doivent pas demeurer dans ce type d'emballage, contrairement à ceux livrés en caisse de bois. Ceux qui envisagent de revendre leur vin le laisseront en caisse, les autres s'en abstiendront car elles occupent beaucoup de place et sont la proie favorite des pilleurs de caves. Dans tous les cas, un système de notation (algébrique par exemple) permettra de repérer casiers et bouteilles. Ces notations seront exploitées dans l'auxiliaire le plus utile de la cave : le livre de cave qui permettra de gérer les achats.

METTRE SON VIN EN BOUTEILLES

Si le vin à mettre en bouteilles a été transporté en cubitainer, il doit être mis en bouteilles très rapidement ; s'il a voyagé dans un tonneau, il faut – c'est impératif – le laisser reposer une quinzaine de jours avant de le loger dans les flacons. Cette donnée théorique doit être tempérée par les conditions atmosphériques régnant le jour choisi pour la mise en bouteilles. Il convient que le temps soit

clément, un jour de haute pression, un jour sans pluie ni orage. Dans la pratique, l'amateur composera entre ce principe et ses obligations personnelles. En revanche, il ne composera aucunement avec le matériel nécessaire. Tout d'abord, des bouteilles adaptées au type de vin.

— Si l'on range les bouteilles en pile, on prendra garde au fait que, tant bordelaises que bourguignonnes, elles existent en versions plus ou moins légères (bouteilles à fond plat ou presque plat) et en version lourde. Outre le poids, hauteur et diamètre différencient ces deux catégories de bouteilles.

— Elles sont toutes également aptes à garder le vin, mais les plus légères sont moins aptes à la mise en stockage en pile pour la conservation de longue durée. De plus, ces dernières peuvent, lorsqu'elles sont trop remplies, éclater quand on enfonce énergiquement le bouchon. D'une façon générale, mieux vaut user de bouteilles lourdes. Il est presque incongru d'embouteiller un grand vin dans du verre léger, de même qu'on s'abstiendra de loger un vin rouge dans des bouteilles blanches, c'est-à-dire incolores. L'usage veut qu'on réserve ces dernières à certains vins blancs, « pour voir leur robe », dit-on. Les vins blancs étant particulièrement sensibles à la lumière, cet usage est à proscrire. Cette sensibilité à la lumière est si grande que les maisons de champagne qui proposent des vins en bouteilles blanches (incolores) les protègent toujours par un papier opaque.

— Quel que soit le type de bouteilles choisi, on vérifiera avant la mise en bouteilles que l'on dispose bien du nombre suffisant de bouteilles et de bouchons, puisqu'une fois l'opération engagée, elle doit être vite achevée. On ne peut laisser le fût ou le cubitainer « en vidange » ; ce qui aurait pour effet d'oxyder le vin restant, voire de lui infliger une acescence qui le rendrait impropre à toute consommation. On veillera également à la rigoureuse propreté des bouteilles qui doivent être parfaitement rincées et séchées.

Les bouchons

En dépit de nombreuses recherches, le liège demeure le seul matériau apte à obturer les bouteilles. Les bouchons de liège ne sont pas tous identiques; ils diffèrent en diamètre, en longueur et en qualité.

— Dans tous les cas, le diamètre du bouchon sera supérieur de 6 mm à celui du goulot. Meilleur est le vin, plus long sera le bouchon ; à la fois nécessaire à une longue garde et hommage rendu au vin et à ceux qui le boivent.

— La qualité du liège est plus difficile à déceler. Il faut qu'il ait une dizaine d'années pour avoir toute la souplesse désirée. Les beaux bouchons ne présentent pas ou peu de ces petites fissures que l'on obstrue parfois avec de la poudre de liège ; dans ce cas, les bouchons sont dits « améliorés ». On peut également acheter des bouchons étampés (ou les faire étamper), portant le millésime du vin à embouteiller.

— Aujourd'hui on vend des bouchons prêts à l'emploi, stérilisés à l'ozone, proposés en emballages stériles. On ne les humidifie plus. Désormais, on bouche « à sec ». L'avantage de cette méthode a été démontré.

Le vin dans la bouteille

La tireuse est l'appareil idéal pour remplir la bouteille. Des tireuses à amorçage et à vanne commandée par contact avec la bouteille se vendent dans les grandes surfaces à des prix très modiques.

— On veillera à faire couler le vin le long de la paroi de la bouteille, maintenue légèrement oblique, afin de limiter le brassage et l'oxydation. Cette précaution est encore plus nécessaire pour les vins blancs. En aucun cas une écume ne doit apparaître à la surface du liquide. Les bouteilles seront remplies le plus possible afin que le bouchon soit en contact avec le vin (bouteille verticale). Le bouchon sera introduit dans la bouteille à l'aide d'une boucheuse, qui le comprimera latéralement avant l'introduction. Il existe une vaste gamme d'appareils, à tous les prix, destinés à cet usage.

L'étiquette

On préparera de la colle de tapissier ou un mélange d'eau et de farine, ou, encore plus simplement, on humectera les étiquettes avec du lait pour les coller sur le bas de la bouteille, à 3 cm de son pied. Les perfectionnistes habillent le goulot de capsules préformées posées grâce à un petit appareil manuel, ou cirent les goulots en les trempant dans de la cire de couleur fondue achetée chez le marchand de bouchons.

TROIS PROPOSITIONS DE CAVE

Chacun garnit sa cave selon ses goûts. Les ensembles décrits ne sont que des propositions à interpréter. La recherche de la diversité en est le fil conducteur. Les vins de primeur, les vins qui ne gagnent rien à être encavés ne figurent pas dans ces suggestions. Plus le nombre de bouteilles est restreint, plus leur renouvellement sera surveillé. Les valeurs indiquées ne sont bien sûr que des ordres de grandeur.

CAVE DE 50 BOUTEILLES (environ 880 EUROS)

25 bouteilles de bordeaux	17 rouges (graves, saint-émilion, médoc, pomerol, fronsac)
	8 blancs : 5 secs (graves)
	3 liquoreux (sauternes-barsac)

| 20 bouteilles de bourgogne | 12 rouges (crus de la Côte de Nuits, crus de la Côte de Beaune) |
| | 8 blancs (chablis, meursault, puligny) |

| 10 bouteilles vallée du Rhône | 7 rouges (côte-rôtie, hermitage, châteauneuf-du-pape) |
| | 3 blancs (hermitage, condrieu) |

CAVE DE 150 BOUTEILLES (environ 2 700 EUROS)

Région		Rouge	Blanc
40 Bordeaux	30 rouges 10 blancs	fronsac, pomerol, saint-émilion, graves, médoc (crus classés, crus bourgeois)	5 grands secs 5 { sainte-croix-du-mont sauternes-barsac
30 Bourgogne	15 rouges 15 blancs	crus de la côte de nuits, crus de la côte de beaune, vins de la côte chalonnaise	chablis meursault puligny-montrachet
25 Vallée du Rhône	19 rouges 6 blancs	côte-rôtie, hermitage rouge, cornas, saint-joseph, châteauneuf-du-pape, gigondas, côtes-du-rhône villages	condrieu hermitage blanc chateauneuf-du-pape blanc
15 Vallée de la Loire	8 rouges 7 blancs	bourgueil, chinon, saumur-champigny	pouilly-fumé, vouvray coteaux du layon
10 Sud-Ouest	7 rouges 3 blancs	madiran, cahors	jurançon (secs et doux)
8 Sud-Est	6 rouges 2 blancs	bandol, palette rouge	cassis palette blanc
7 Alsace	(blancs)		gewurztraminer riesling, tokay
5 Jura	(blancs)		vins jaunes côtes du jura, arbois
10 Champagnes et mousseux (pour en avoir à disposition : ces vins ne se bonifiant pas en vieillissant).			Crémant de { Loire Bourgogne Alsace Divers types de champagnes

CAVE DE 300 BOUTEILLES

La création d'une telle cave suppose un investissement d'environ 6 500 euros. On doublera les chiffres de la cave de 150 bouteilles, en se souvenant que plus le nombre de flacons augmente, plus la longévité des vins doit être grande. Ce qui se traduit malheureusement (en général) par l'obligation d'acquérir des vins de prix élevé…

L'ART DE BOIRE

Si boire est une nécessité physiologique, boire du vin est un plaisir... ce plaisir peut être plus ou moins intense selon le vin, selon les conditions de dégustation, selon la sensibilité du dégustateur.

LA DEGUSTATION

Il existe plusieurs types de dégustation, adaptés à des finalités particulières : dégustation technique, analytique, comparative, triangulaire, etc., en usage chez les professionnels. L'œnophile, lui, pratique la dégustation hédoniste, celle qui lui permet de tirer la quintessence d'un vin, mais aussi de pouvoir en parler tout en contribuant à développer l'acuité de son nez et de son palais.

— La dégustation ne saurait se faire n'importe où et n'importe comment. Les locaux doivent être agréables, bien éclairés (lumière naturelle ou éclairage ne modifiant pas les couleurs, dit « lumière du jour »), de couleur claire de préférence, exempts de toutes odeurs parasites telles que parfum, fumée (tabac ou cheminée), odeurs de cuisine ou de bouquets de fleurs, etc. La température doit être moyenne (18 à 20 °C).

— Le choix d'un verre adéquat est extrêmement important. Il doit être incolore afin que la robe du vin soit bien visible, et si possible fin ; sa forme sera celle d'une fleur de tulipe, c'est-à-dire ne s'évasant pas comme c'est souvent le cas, mais au contraire se refermant légèrement. Le corps du verre doit être séparé du pied par une tige. Cette disposition évite de chauffer le vin lorsqu'on tient le verre à la main (par son pied) et facilite sa mise en rotation, opération destinée à activer son oxygénation (et même son oxydation) et à exhaler son bouquet.

— La forme du verre a une telle influence sur l'appréciation olfactive et gustative du vin, que l'Association française de normalisation (AFNOR) et les instances internationales de normalisation (ISO) ont adopté, après étude, un verre qui offre toutes garanties d'efficacité au dégustateur et au consommateur ; ce type de verre, appelé communément « verre INAO » n'est pas réservé aux professionnels. Il est en vente dans quelques maisons spécialisées. Depuis quelques années, les verriers français, allemands et autrichiens proposent un vaste choix de verres.

Technique de la dégustation

La dégustation fait appel à la vue, à l'odorat, au goût et au sens tactile, non par l'intermédiaire des doigts bien sûr, mais par l'entremise de la bouche, sensible aux effets « mécaniques » du vin – température, consistance, gaz dissous, etc.

L'œil

Par l'œil, le consommateur prend un premier contact avec le vin. L'examen de la robe (ensemble des caractères visuels), marquée en outre par le cépage d'origine, est riche d'enseignement. C'est un premier test. Quelles que soient sa couleur et sa teinte, le vin doit être limpide, sans trouble. Des traînées ou des brouillards sont signes de maladies, le vin doit être rejeté. Seuls sont admissibles de petits cristaux de bitartrates (insolubles) : la gravelle, précipitation dont sont atteints les vins victimes d'un coup de froid ; leur qualité n'en est pas altérée. L'examen de la limpidité se pratique en interposant le verre entre l'œil et une source lumineuse placée si possible à même hauteur ; la transparence (vin rouge), elle, est déterminée en examinant le vin sur un fond blanc, nappe ou feuille de papier ; cet examen implique que l'on incline son verre. Le disque (la surface) devient elliptique et son observation informe sur l'âge du vin et sur son état de conservation ; on examine alors la nuance de la robe. Tous les vins jeunes doivent être transparents, ce qui n'est pas toujours le cas des vins vieux de qualité.

Vin	Nuance de la robe	Déduction
Blanc	Presque incolore	Très jeune, très protégé de l'oxydation. Vinification moderne en cuve.
	Jaune très clair à reflets verts	Jeune à très jeune. Vinifié et élevé en cuve.
	Jaune paille, jaune or	La maturité. Peut-être élevé dans le bois.
	Or cuivre, or bronze	Déjà vieux.
	Ambré à noir	Oxydé, trop vieux.
	Blanc taché, œil-de-perdrix à reflets rosés	Rosé de pressurage et vin gris jeune.
Rosé	Rose saumon à rouge très clair franc	Rosé jeune et fruité à boire.
	Rose avec nuance jaune à pelure d'oignon	Commence à être vieux pour son type.
Rouge	Violacé	Très jeune. Bonne teinte de gamay de primeur et des beaujolais nouveaux (6 à 18 mois).
	Rouge pur (cerise)	Ni jeune ni évolué. L'apogée pour les vins qui ne sont ni primeurs ni de garde (2-3 ans).
	Rouge à franges orangées	Maturité de vin de petite garde. Début de vieillissement (3-7 ans).
	Rouge brun à brun	Seuls les grands vins atteignent leur apogée vêtus de cette robe. Pour les autres, il est trop tard.

— L'examen visuel s'intéresse encore à l'éclat, ou brillance, du vin. Un vin qui a de l'éclat est gai, vif ; un vin terne est probablement triste... Cette inspection visuelle de la robe s'achève par l'intensité de la couleur, qu'on se gardera de confondre avec la nuance (le ton) de celle-ci.

Nuance de la robe	Vin	Déduction
Robe trop claire	Manque d'extraction	Vins légers et de faible garde
	Année pluvieuse	Vins de petits millésimes
	Rendement excessif	
	Vignes jeunes	
	Raisins insuffisamment mûrs	
	Raisins pourris	
	Cuvaison trop courte	
	Fermentation à basse température	
Robe foncée	Bonne extraction	Bons ou grands vins
	Rendement faible	Bel avenir
	Vieilles vignes,	
	Vinification réussie	

__ C'est encore l'œil qui découvre les « jambes » ou les « larmes », écoulements que le vin forme sur la paroi du verre quand on l'anime d'un mouvement rotatif pour humer le bouquet du vin (voir ci-après) ; celles-ci rendent compte du degré alcoolique : le cognac en produit toujours, les vins de pays rarement.

Exemple de vocabulaire se rapportant à l'examen visuel

Nuances : pourpre, grenat, rubis, violet, cerise, pivoine.
Intensité : légère, soutenue, foncée, profonde, intense.
Éclat : mat, terne, triste, éclatant, brillant.
Limpidité et transparence : opaque, louche, voilée, cristalline, parfaite.

Le nez

L'examen olfactif est la deuxième épreuve que le vin dégusté doit subir. Certaines odeurs sont élimi-natoires, telles l'acidité volatile (acescence, vinaigre), l'odeur du liège (goût de bouchon) ; mais dans la plupart des cas, le bouquet du vin – l'ensemble des odeurs se dégageant du verre – procure des découvertes toujours renouvelées.

__ Les composants aromatiques s'expriment selon leur volatilité. C'est en quelque sorte une évapo-ration du vin, et c'est pour cela que la température de service est si importante. Trop froid, pas d'arômes ; trop chaud, évaporisation trop rapide, combinaison, oxydation, destruction des parfums très volatils, et extraction d'éléments aromatiques lourds anormaux.

__ Le nez du vin rassemble donc un faisceau de parfums en mouvance permanente ; ils se présentent successivement selon la température et l'oxydation. C'est pour cela que le maniement du verre est important. On commencera par humer ce qui se dégage du verre immobile, puis on imprimera au vin un mouvement de rotation : l'air fait alors son effet et d'autres parfums apparaissent.

__ La qualité d'un vin est fonction de l'intensité et de la complexité du bouquet. Les petits vins n'of-frent que peu – ou pas – de bouquet ; simplistes, monocordes, ils se décrivent en un mot. Au contraire, les grands vins se caractérisent par des bouquets amples, profonds et complexes.

__ Le vocabulaire relatif au bouquet est infini, car il ne procède que par analogie. Divers systèmes de classification des parfums ont été proposés ; pour simplifier, retenons ceux qui présentent un carac-tère floral, fruité, végétal (ou herbacé), épicé, balsamique, animal, boisé, empyreumatique (en réfé-rence au feu), chimique.

Exemple de vocabulaire se rapportant à l'examen olfactif

Fleurs : violette, tilleul, jasmin, sureau, acacia, iris, pivoine.
Fruits : framboise, cassis, cerise, griotte, groseille, abricot, pomme, banane, pruneau.
Végétal : herbacé, fougère, mousse, sous-bois, terre humide, crayeux, champignons divers.
Épicé : toutes les épices, du poivre au gingembre en passant par le clou de girofle et la muscade.
Balsamique : résine, pin, térébinthe.
Animal : viande, viande faisandée, gibier, fauve, musc, fourrure.
Empyreumatique : brûlé, grillé, pain grillé, tabac, foin séché, tous les arômes de torréfaction (café, etc.).

La bouche

Après avoir triomphé des deux épreuves de l'œil et du nez, le vin subit un dernier examen « en bouche ». Une faible quantité de vin est mise en bouche, où on le garde. Un filet d'air est aspiré afin de permettre sa diffusion dans l'ensemble de la cavité buccale. A défaut, il est simplement mâché. Dans la bouche, le vin s'échauffe, il diffuse de nouveaux éléments aromatiques recueillis par voie rétronasale, étant entendu que les papilles de la langue ne sont sensibles qu'aux quatre saveurs élé-mentaires : amer, acide, sucré et salé ; voilà pourquoi une personne enrhumée ne peut goûter un vin (ou un aliment), la voie rétronasale étant alors inopérante.

__ Outre les quatre saveurs précisées ci-dessus, la bouche est sensible à la température du vin, à sa viscosité, à la présence – ou à l'absence – de gaz carbonique et à l'astringence (effet tactile : absen-ce de lubrification par la salive et contraction des muqueuses sous l'action des tanins).

__ C'est en bouche que se révèlent l'équilibre, l'harmonie ou, au contraire, le caractère de vins mal bâtis qui ne doivent pas être achetés.

Les vins blancs, gris et rosés se caractérisent par un bon équilibre entre acidité et moelleux.

> *Trop d'acidité* : le vin est agressif ; *pas assez*, il est plat.
> *Trop de moelleux* : le vin est lourd, épais ; *pas assez*, il est mince, terne.

Pour les vins rouges, l'équilibre tient compte de l'acidité, du moelleux et des tanins.

Excès d'acidité :	vin trop nerveux, souvent maigre.
Excès de tanins :	vin dur, astringent.
Excès de moelleux (rare) :	vin lourd.
Carence en acidité :	vin mou.
Carence en tanins :	vin sans charpente, informe.
Carence en moelleux :	vin qui sèche.

Un bon vin se situe au point d'équilibre des trois composantes ci-dessus. Ces éléments supportent sa richesse aromatique ; un grand vin se distingue d'un bon vin par sa construction rigoureuse et puissante, quoique fondue, et par son ampleur dans la complexité aromatique.

> Exemple de vocabulaire relatif au vin en bouche
>
> *Critique* : informe, mou, plat, mince, aqueux, limité, transparent, pauvre, lourd, massif, grossier, épais, déséquilibré.
> *Laudatif* : structuré, construit, charpenté, équilibré, corpulent, complet, élégant, fin, qui a du grain, riche.

Après cette analyse en bouche, le vin est avalé. L'œnophile se concentre alors pour mesurer sa persistance aromatique, familièrement appelée « longueur en bouche ». Cette estimation s'exprime en caudalies, unité savante valant tout simplement... une seconde. Plus un vin est long, plus il est estimable. Cette longueur en bouche, à elle seule, permet de hiérarchiser les vins, du plus petit au plus grand.
__ Cette mesure en secondes est à la fois très simple et très compliquée ; elle ne porte que sur la longueur aromatique, à l'exclusion des éléments de structure du vin (acidité, amertume, sucre et alcool) qui ne doivent pas être perçus comme tels.

L'identification d'un vin
La dégustation, comme la consommation, est appréciative. Il s'agit de goûter pleinement un vin et de déterminer s'il est grand, moyen ou petit. Très souvent, il est question de savoir s'il est conforme à son type ; mais encore faut-il que son origine soit précisée.
__ La dégustation d'identification, c'est-à-dire de reconnaissance, est un sport, un jeu de société ; mais c'est un jeu injouable sans un minimum d'informations. On peut reconnaître un cépage, par exemple un cabernet-sauvignon. Mais est-ce un cabernet-sauvignon d'Italie, du Languedoc, de Californie, du Chili, d'Argentine, d'Australie ou d'Afrique du Sud ? Si l'on se limite à la France, l'identification des grandes régions est possible ; mais lorsqu'on veut être plus précis, d'ardus problèmes surviennent : si l'on propose six verres de vin en précisant qu'ils représentent les six appellations du Médoc (listrac, moulis, margaux, saint-julien, pauillac, saint-estèphe), combien y aura-t-il de sans fautes ?
__ Une expérience classique que chacun peut renouveler prouve la difficulté de la dégustation : le dégustateur, les yeux bandés, goûte en ordre dispersé des vins rouges peu tanniques et des vins blancs non aromatiques, de préférence élevés dans le bois. Il doit simplement distinguer le blanc du rouge (et inversement) : il est très rare qu'il ne se trompe pas ! Paradoxalement, il est beaucoup plus facile de reconnaître un vin très typé dont on a encore en tête et en bouche le souvenir ; mais combien a-t-on de chances que le vin proposé soit justement celui-là ?

Régions	Cépages	Caractères
Toutes les AOC de bourgogne rouge	pinot	vins fins de garde
Toutes les AOC de bourgogne blanc	chardonnay	vins fins de garde
Beaujolais	gamay	vins de primeur ou de consommation rapide
Rhône Nord rouge	syrah	vins fins de garde
Rhône Nord blanc	marsanne, roussanne	garde variable
Rhône Nord blanc	viognier	vins fins de garde
Rhône Sud, Languedoc,	grenache, cinsault,	vins plantureux de moyenne
Côtes de Provence	mourvèdre, syrah	ou petite garde
Alsace	riesling, pinot gris,	vins aromatiques à boire rapidement
(chaque cépage, vinifié seul,	gewurztraminer,	sauf les grands crus, vendanges tardives
donne son nom au vin)	sylvaner, muscat...	ou sélections de grains nobles
Champagne	pinot, chardonnay	à boire dès l'achat
Loire blanc	sauvignon	vins aromatiques à boire rapidement
Loire blanc	muscadet	à boire rapidement
Loire blanc	chenin	se bonifient longuement
Loire rouge	cabernet franc (breton)	petite à grande garde
Toutes les AOC de bordeaux rouges,		
bergerac et Sud-Ouest	cabernet-sauvignon,	vins fins de garde
	cabernet franc et merlot	
Madiran	tannat, cabernets	vins fins de garde
Bordeaux blanc, bergerac,	sémillon, sauvignon,	secs : de petite à longue garde ;
montravel, monbazillac, duras...	muscadelle	liquoreux : longue garde
Jurançon	petit manseng,	secs : petite garde ;
	gros manseng	moelleux : longue garde

Déguster pour acheter

Lorsque l'on se rend dans le vignoble et que l'on a l'intention d'acheter du vin, il faut choisir, donc déguster. Il s'agit alors de pratiquer des dégustations appréciatives et comparatives. La dégustation comparative de deux ou trois vins est facile ; elle se complique dès que l'on fait interférer le prix des vins. Dans un budget fixe – ils le sont malheureusement tous – certains achats sont facilement éliminés. Cette dégustation se complique davantage si l'on tient compte de l'usage des vins, de leur mariage avec des mets. Deviner ce que l'on mangera dans dix ans, et par conséquent acheter aujourd'hui le vin nécessaire à cette occasion-là, tient du tour de magie... La dégustation comparative, simple et facile dans son principe, devient extrêmement délicate, puisque l'acheteur doit présumer de l'évolution de divers vins, et supputer leur période d'apogée. Les vignerons eux-mêmes se trompent parfois lorsqu'ils tentent d'imaginer l'avenir de leur vin. On a vu certains d'entre eux racheter leur propre vin qu'ils avaient bradé, car ils avaient estimé faussement que leur bonification était compromise...

— Quelques principes peuvent néanmoins fournir des éléments d'appréciation. Pour se bonifier, les vins doivent être solidement construits. Ils doivent avoir un degré alcoolique suffisant : la chaptalisation (ajout de sucre réglementé par la loi) y contribue si nécessaire ; il faut donc porter son attention ailleurs, sur l'acidité et les tanins. Un vin trop souple, qui peut être cependant très agréable, dont l'acidité est faible, voire trop faible, sera fragile, et sa longévité ne sera pas assurée. Un vin faible en tanins n'aura guère plus d'avenir. Dans le premier cas, le raisin aura souffert d'un excès de soleil et de chaleur, dans le second, d'un manque de maturité, d'attaques de pourriture ou encore d'une vinification inadaptée.

— Ces deux constituants du vin, acidité et tanins, se mesurent : l'acidité s'évalue en équivalence d'acide sulfurique – en grammes par litre, à moins que l'on préfère le pH –, et les tanins, selon l'indice de Folain, mais il s'agit là d'un travail de laboratoire.

— L'avenir d'un vin qui ne comporte pas au moins 3 grammes d'acidité n'est pas assuré ; quant à l'estimation du seuil de tanin en dessous duquel la longue garde est problématique, elle n'est pas rigoureuse. Cependant, la connaissance de cet indice est utile, car des tanins très mûrs, doux, enrobés, sont parfois sous-évalués à la dégustation, où ils ne se révèlent pas toujours.

— Dans tous les cas, on cherchera à déguster le vin dans de bonnes conditions, sans se laisser prendre par l'atmosphère de la cave du vigneron. On évitera de le goûter au sortir d'un repas, après l'absorption d'eau-de-vie, de café, de chocolat ou de bonbons à la menthe, ou encore après avoir fumé. Si le vigneron propose des noix, méfiance ! Car elles améliorent tous les vins. Méfiance également à l'égard du fromage, qui modifie la sensibilité du palais ; tout au plus, si l'on y tient, mangera-t-on un morceau de pain, nature.

S'exercer à la dégustation
De même que toute autre technique, celle de la dégustation s'apprend. On peut la pratiquer chez soi en suivant les quelques énoncés ci-dessus. On peut aussi, si l'on est passionné, suivre des stages, de plus en plus nombreux. On peut encore s'inscrire à des cycles d'initiation proposés par divers organismes privés dont les activités sont très diverses : étude de la dégustation, étude de l'accord des mets et des vins, exploration par la dégustation des grandes régions de production françaises ou étrangères, analyse de l'influence des cépages, des millésimes, des sols, incidence des techniques de vinification, dégustations commentées en présence du propriétaire, etc.

LE SERVICE DES VINS
Au restaurant, le service du vin est l'apanage du sommelier. Chez soi, c'est le maître de maison qui devient sommelier et doit en avoir les capacités. Celles-ci sont nombreuses à mettre en œuvre, à commencer par le choix des bouteilles les mieux adaptées aux plats composant le repas, et qui ont atteint leur apogée.

— Le goût de chacun intervient bien sûr dans le mariage des mets et des vins ; néanmoins, des siècles d'expérience ont permis de dégager des principes généraux, des alliances idéales et des incompatibilités majeures.

— L'évolution des vins est très dissemblable. Seul leur apogée intéresse l'œnophile, qui désire le meilleur. Selon l'appellation, et donc selon le cépage, le sol et la vinification, leur apogée peut survenir dans des périodes s'échelonnant entre un et vingt ans. Selon le millésime porté par la bouteille, le vin peut évoluer deux ou trois fois plus rapidement. On peut cependant établir des moyennes, qui peuvent servir de base et que l'on modulera en fonction de sa cave et des informations sur les cartes de millésimes.

L'apogée (en années)

B = blanc ; R = rouge	
	Vallée du Rhône Sud (B) : 2 ; (R) : 4-8
	Loire (B) : 1-5 ; (R) : 3-10
Alsace (B) : dans l'année	Loire moelleux, liquoreux (B) : 10-15
Alsace Grand Cru (B) : 1-4	Vins du Périgord (B) : 2-3 ; (R) : 3-4
Alsace Vendanges tardives (B) : 8-12	Vins du Périgord liquoreux (B) : 6-8
Jura (B) : 4 ; (R) : 8	Bordeaux (B) : 2-3 ; (R) : 6-8
Jura rosé : 6	Grands bordeaux (B) : 4-10 ; (R) : 10-15
Vin jaune (B) : 20	Bordeaux liquoreux (B) : 10-15
Savoie (B) : 1-2 ; (R) : 2-4	Jurançon sec (B) : 2-4
Bourgogne (B) : 5 ; (R) : 7	Jurançon moelleux, liquoreux (B) : 6-10
Grand bourgogne (B) : 8-10 ; (R) : 10-15	Madiran (R) : 5-12
Mâcon (B) : 2-3 ; (R) : 1-2	Cahors (R) : 3-10
Beaujolais (R) : dans l'année	Gaillac (B) : 1-3 ; (R) : 2-4
Crus du Beaujolais (R) : 1-4	Languedoc (B) : 1-2 ; (R) : 2-4
Vallée du Rhône Nord (B) : 2-3 ; (R) : 4-5	Côtes-de-provence (B) : 1-2 ; (R) : 2-4
Côte-rôtie, hermitage, etc. (B) : 8 ; (R) : 8-15	Corse (B) : 1-2 ; (R) : 2-4

Remarque :
– Ne pas confondre l'apogée avec la longévité maximale.
– Une cave chaude ou à température variable accélère l'évolution des vins.

L'ART DE BOIRE

Les modalités du service

Rien ne doit être négligé dans la conduite de la bouteille, de son enlèvement en cave jusqu'au moment où le vin parvient dans le verre. Plus un vin est âgé, plus il exige de soins. La bouteille sera prise sur pile et redressée lentement pour être amenée sur les lieux de sa consommation, à moins qu'on ne la dépose directement dans un panier verseur.

__ Les vins de peu d'ambition seront servis de la façon la plus simple ; pour les vins très fragiles, donc de grand âge, on les fera couler de la bouteille amoureusement déposée sur le panier dans l'exacte position qu'elle occupait sur pile ; les vins plus jeunes ou jeunes, les vins robustes, seront décantés, soit pour les aérer parce qu'ils contiennent encore quelques traces de gaz, souvenir de leur fermentation, soit pour amorcer une oxydation bénéfique pour la dégustation, soit encore pour isoler le vin clair des sédiments déposés au fond de la bouteille. Dans ce cas, le vin sera transvasé avec soin, et on le versera devant une source lumineuse, traditionnellement une bougie – une habitude qui date d'avant l'éclairage électrique et qui n'apporte aucun avantage – pour laisser dans la bouteille le vin trouble et les matières solides.

Quand déboucher, quand servir ?

Le professeur Peynaud soutient qu'il est inutile d'enlever le bouchon longtemps avant de consommer le vin, la surface en contact avec l'air (le goulot et la bouteille) étant trop petite. Cependant, le tableau ci-dessous résume des usages qui, s'ils n'améliorent pas toujours le vin dans tous les cas, ne l'abîment jamais.

Vins blancs aromatiques Vins de primeur rouges et blancs Vins courants rouges et blancs Vins rosés	Déboucher, boire sans délai. Bouteille verticale.
Vins blancs de la Loire Vins blancs liquoreux	Déboucher, attendre une heure. Bouteille verticale.
Vins rouges jeunes Vins rouges à leur apogée	Décanter une demi-heure à deux heures avant consommation.
Vins rouges anciens fragiles	Déboucher en panier verseur, et servir sans délai ; éventuellement décanter et consommer tout de suite.

Déboucher

La capsule doit être coupée en dessous de la bague ou au milieu de celle-ci. Le vin ne doit pas entrer en contact avec le métal de la capsule. Dans le cas où le goulot est ciré, donner de petits coups afin d'écailler la cire. Mieux encore, essayer d'enlever la cire avec un couteau sur la partie supérieure du col, cette méthode ayant l'avantage de ne pas ébranler la bouteille et le vin.

— Pour extraire le bouchon, seul le tire-bouchon, à vis en queue de cochon donne satisfaction (avec le tire-bouchon à lames, d'un maniement délicat). Théoriquement, le bouchon ne doit pas être transpercé. Une fois extrait, il est humé : il ne doit présenter aucune odeur parasite et ne pas sentir le liège (goût de bouchon). Ensuite, le vin est goûté pour une ultime vérification, avant d'être servi aux convives.

A quelle température ?

On peut tuer un vin en le servant à une température inadéquate, ou, au contraire, l'exalter en le servant à la température appropriée. Il est très rare que celle-ci soit atteinte, d'où l'utilité du thermomètre à vin, de poche si l'on va au restaurant ou à plonger dans la bouteille lorsque l'on opère chez soi. La température de service d'un vin dépend de son appellation (c'est-à-dire de son type), de son âge et, dans une faible proportion, de la température ambiante. On n'oubliera pas que le vin se réchauffe dans le verre.

Grands vins rouges de Bordeaux	16-17°
Grands vins rouges de Bourgogne	15-16°
Vins rouges de qualité, grands vins rouges avant leur apogée	14-16°
Grands vins blancs secs	14-16°
Vins rouges légers, fruités, jeunes	11-12°
Vins rosés, vins de primeur	10-12°
Vins blancs secs, vins de pays rouges	10-12°
Petits blancs, vins de pays blancs	8-10°
Champagne, mousseux	7-8°
Liquoreux	6°

Ces températures doivent être augmentées d'un ou deux degrés lorsque le vin est vieux.

— On a tendance à servir légèrement plus frais les vins qui jouent le rôle d'apéritif, et à boire les vins qui accompagnent le repas légèrement chambrés. De même, on tiendra compte du climat de la région ou de la température qui règne dans la pièce : sous un climat torride, un vin bu à 11 degrés paraîtra glacé, il conviendra donc de le porter à 13 voire à 14 degrés.

— Néanmoins, on se gardera de dépasser 20 degrés car, au-delà, des phénomènes physico-chimiques indépendants de l'environnement, donc absolus, altèrent les qualités du vin et le plaisir qu'on peut en attendre.

LES VERRES SELON LES RÉGIONS

| Bourgogne | Alsace | Bordeaux | INAO | Champagne |

Les verres

A chaque région son verre. Dans la pratique, à moins de tomber dans un purisme excessif, on se contentera soit d'un verre universel (de style verre à dégustation), soit de deux types les plus usités, le verre à bordeaux et le verre à bourgogne. Quel que soit le verre choisi, il sera rempli modérément, plus près du tiers que de la moitié.

Au restaurant

Au restaurant, le sommelier s'occupe de la bouteille, hume le bouchon, mais fait goûter le vin à celui qui l'a commandé. Auparavant, il aura suggéré des vins en fonction des mets.

— La lecture de la carte des vins est instructive, non parce qu'elle dévoile les secrets de la cave, ce qui est sa fonction, mais parce qu'elle permet de situer le niveau de compétence du sommelier, du caviste ou du patron. Une carte correcte doit impérativement comporter, pour chaque vin, les informations suivantes: appellation, millésime, lieu de la mise en bouteilles, nom du négociant ou du propriétaire auteur et responsable du vin. Ce dernier point est très souvent omis, on ne sait pourquoi.

— Une belle carte doit présenter un éventail large, tant sur le plan du nombre d'appellations proposées que sur celui de la diversité et de la qualité des millésimes (nombre de restaurateurs ont la fâcheuse habitude de toujours proposer les petites années...). Une carte intelligente sera particulièrement adaptée au style ou à la spécialisation de la cuisine, ou encore fera la part belle aux vins régionaux.

— Parfois, il est proposé la « cuvée du patron » ; il est en effet possible d'acheter un vin agréable qui ne bénéficie pas d'appellation d'origine, mais ce ne sera jamais un grand vin.

Bistrots à vin

Depuis longtemps, il existe des « bistrots à vin » ou « bars à vin », vendant au verre des vins de qualité, bien souvent des vins « de propriétaires » sélectionnés par le patron lui-même au cours des visites de vignobles. Des assiettes de cochonnaille et de fromages sont également proposées aux clients.

— Dans les années 1970, une nouvelle génération de bistrots à vin fréquemment baptisés « wine bar » s'est développée. La mise au point d'un appareil protégeant le vin dans les bouteilles ouvertes par une couche d'azote – le *cruover* – a permis à ces établissements de proposer aux clients de très grands vins de millésimes prestigieux. Parallèlement, une restauration moins rudimentaire a complété leur carte.

LES MILLESIMES

Tous les vins de qualité sont millésimés. Seuls quelques vins et certains champagnes, leur élaboration particulière par mélange de plusieurs années le justifiant, font exception à cette règle.

— Cela étant admis, que penser d'un flacon non millésimé ? Deux cas sont possibles ; soit le millésime est inavouable car sa réputation est détestable dans l'appellation ; soit il ne peut être millésimé car il contient le produit de l'assemblage de « vins de plusieurs années », selon la formule en usage chez les professionnels. La qualité du produit dépend du talent de l'assembleur ; généralement, le vin assemblé est supérieur à chacun de ses composants mais il est déconseillé de faire vieillir ce type de bouteille. Le vin portant un grand millésime est concentré et équilibré. Il est généralement issu, mais pas obligatoirement, de petites récoltes (en volume) et de vendanges précoces.

— Dans tous les cas, les grands millésimes ne naissent que de raisins parfaitement sains, totalement exempts de pourriture. Pour obtenir un grand millésime, peu importe le temps qu'il fait au début du cycle végétatif : on peut même soutenir que quelques mésaventures, telles que gel ou coulure (chute de jeunes baies avant maturation), sont favorables, puisqu'elles vont diminuer le nombre de grappes par pied, ce qui est préjudiciable au volume. En revanche, la période qui s'étend du 15 août aux vendanges (fin septembre) est capitale : un maximum de chaleur et de soleil est alors nécessaire. 1961, qui demeure jusqu'à nouvel avis « l'année du siècle », est exemplaire : tout s'est passé comme il fallait. A contrario, les années 1963, 1965, 1968 furent désastreuses, parce qu'elles cumulèrent froid et pluie, d'où absence de maturité et fort rendement, les raisins se gorgeant d'eau. Pluie et chaleur ne valent guère mieux, car l'eau tiédie favorise la pourriture. C'est l'écueil sur lequel a buté un grand millésime potentiel dans le Sud-Ouest en 1976. Les progrès des traitements de protection du raisin, particulièrement destinés à s'opposer au ver de la grappe et au développement de la pourriture, rendent possible des récoltes de qualité qui eussent été autrefois très compromises. Ces traitements permettent également d'attendre avec une relative sérénité, même si les conditions météorologiques momentanées ne sont pas encourageantes, le plein mûrissement du raisin, d'où un important gain de qualité. Dès 1978, on note l'apparition d'excellents millésimes vendangés tardivement.

— On a l'habitude de résumer la qualité des millésimes dans des tableaux de cotation. Ces notes ne représentent que des moyennes : elles ne prennent pas en compte les microclimats, pas plus que les efforts... héroïques de tris de raisins à la vendange, ou les sélections forcenées des vins en cuve. C'est ainsi par exemple, que le vin de Graves, domaine de Chevalier 1965 – millésime par ailleurs épouvantable – démontre que l'on peut élaborer un grand vin dans une année cotée zéro !

Propositions de cotation (de 0 à 20)

	Bordeaux rouge	Bordeaux liquoreux	Bordeaux sec	Bourgogne rouge	Bourgogne blanc	Champagne	Loire	Rhône	Alsace	
1900	19	19	17	13		17				
1901	11	14								
1902										
1903	14	7	11							
1904	15	17		16		19		18		
1905	14	12								
1906	16	16		19	18					Alsace allemande
1907	12	10		15						
1908	13	16								
1909	10	7								
1910										
1911	14	14		19	19	20	19	19		
1912	10	11								
1913	7	7								
1914	13	15				18				

	Bordeaux rouge	Bordeaux liquoreux	Bordeaux sec	Bourgogne rouge	Bourgogne blanc	Champagne	Loire	Rhône	Alsace
1915		16		16	15	15	12	15	
1916	15	15		13	11	12	11	10	
1917	14	16		11	11	13	12	9	
1918	16	12		13	12	12	11	14	
1919	15	10		18	18	15	18	15	15
1920	17	16		13	14	14	11	13	10
1921	16	20		16	20	20	20	13	20
1922	9	11		9	16	4	7	6	4
1923	12	13		16	18	17	18	18	14
1924	15	16		13	14	11	14	17	11
1925	6	11		6	5	3	4	8	6
1926	16	17		16	16	15	13	13	14
1927	7	14		7	5	5	3	4	
1928	19	17		18	20	20	17	17	17
1929	20	20		20	19	19	18	19	18
1930							3	4	3
1931	2	2		2	3		3	5	3
1932				2	3	3	3	3	7
1933	11	9		16	18	16	17	17	15
1934	17	17		17	18	17	16	17	16
1935	7	12		13	16	10	15	5	14
1936	7	11		9	10	9	12	13	9
1937	16	20		18	18	18	16	17	17
1938	8	12		14	10	10	12	8	9
1939	11	16		9	9	9	10	8	3
1940	13	12		12	8	8	11	5	10
1941	12	10		9	12	10	7	5	5
1942	12	16		14	12	16	11	14	14
1943	15	17		17	16	17	13	17	16
1944	13	11	12	10	10		6	8	4
1945	20	20	18	20	18	20	19	18	20
1946	14	9	10	10	13	10	12	17	9
1947	18	20	18	18	18	18	20	18	17
1948	16	16	16	10	14	11	12		15
1949	19	20	18	20	18	17	16	17	19
1950	13	18	16	11	19	16	14	15	14
1951	8	6	6	7	6	7	7	8	8
1952	16	16	16	16	18	16	15	16	14
1953	19	17	16	18	17	17	18	14	18
1954	10			14	11	15	9	13	9
1955	16	19	18	15	18	19	16	15	17
1956	5						9	12	9
1957	10	15		14	15		13	16	13
1958	11	14		10	9		12	14	12
1959	19	20	18	19	17	17	19	15	20
1960	11	10	10	10	7	14	9	12	12
1961	20	15	16	18	17	16	16	18	19
1962	16	16	16	17	19	17	15	16	14
1963					10				

	Bordeaux rouge	Bordeaux liquoreux	Bordeaux sec	Bourgogne rouge	Bourgogne blanc	Champagne	Loire	Rhône	Alsace
1964	16	9	13	16	17	18	16	14	18
1965			12				8		
1966	17	15	16	18	18	17	15	16	12
1967	14	18	16	15	16		13	15	14
1968									
1969	10	13	12	19	18	16	15	16	16
1970	17	17	18	15	15	17	15	15	14
1971	16	17	19	18	20	16	17	15	18
1972	10		9		11	13	9	14	9
1973	13	12		12	16	16	16	13	16
1974	11	14		12	13	8	11	12	13
1975	18	17	18		11	18	15	10	15
1976	15	19	16	18	15	15	18	16	19
1977	12	7	14	11	12	9	11	11	12
1978	17	14	17	19	17	16	17	19	15
1979	16	18	18	15	16	15	14	16	16
1980	13	17	18	12	12	14	13	15	10
1981	16	16	17	14	15	15	15	14	17
1982	18	14	16	14	16	16	14	13	15
1983	17	17	16	15	16	15	12	16	20
1984	13	13	12	13	14	5	10	11	15
1985	18	15	14	17	17	17	16	16	19
1986	17	17	12	12	15	9	13	10	10
1987	13	11	16	12	11	10	13	8	13
1988	16	19	18	16	14	18	16	18	17
1989	18	19	18	16	18	16	20	16	16
1990	18	20	17	18	16	18	17	17	18
1991	13	14	13	14	15	11	12	13	13
1992	12	10	14	15	17	12	14	12	12
1993	13	8	15	14	13	12	13	13	13
1994	14	14	17	14	16	12	14	14	12
1995	16	18	17	14	16	16	17	16	12
1996	15	18	16	17	18	19	17	14	12
1997	14	18	14	14	17	15	16	14	13
1998	15	16	14	15	15	13	14	18	13
1999	14	17	13	13	12	15	12	16	10
2000	18	10	16	11	15	15	16	17	12
2001	15	17	16	13	16	9	13	17	13

Les zones cernées d'un trait épais indiquent les vins à mettre en cave.
Les liquoreux de la Loire sont notés 20 pour le millésime 90.

Quels millésimes boire maintenant ?

Les vins évoluent différemment selon qu'ils sont nés d'une année maussade ou ensoleillée, mais aussi selon leur appellation, leur hiérarchie au sein de cette appellation, leur vinification, leur élevage ; leur vieillissement dépend également de la cave où ils sont entreposés.

— Le tableau de cotation concerne des vins de bonne facture. Il ne prend en compte ni les vins ni les cuvées exceptionnels. Les vins sont cotés à leur apogée. Cette cotation n'intègre pas l'évolution actuelle des millésimes anciens.

LA CUISINE AU VIN

La cuisine au vin ne date pas d'aujourd'hui. Apicius déjà donne la recette du porcelet à la sauce au vin (c'était du vin de paille). Pourquoi user du vin en cuisine ? Pour les saveurs qu'il apporte et pour les vertus digestives qu'il ajoute aux plats grâce à la glycérine et aux tanins. L'alcool, considéré par certains comme un maléfice, disparaît presque totalement à la cuisson.

_ On pourrait retracer une histoire de la cuisine à travers le vin : les marinades ont été inventées pour conserver des pièces de viande, aujourd'hui on les perpétue pour l'apport d'éléments sapides. La cuisson, donc la réduction des marinades, est à l'origine des sauces. Parfois, on a cuit la viande avec la marinade, et l'on a inventé les civets, les daubes et les courts-bouillons, y compris les œufs en meurette.

Conseils
– Ne jamais gaspiller de vieux millésimes pour la cuisine. C'est coûteux, inutile et même nuisible.
– Ne jamais user en cuisine de vins ordinaires ou de vins trop légers, leur réduction ne concentre que leur manque de présence.
– Le « goût de bouchon » disparaît à la cuisson. Réserver les bouteilles présentant ce défaut à cet usage.
– Boire avec le plat le vin de cuisson ou un vin de la même origine.

LE VINAIGRE AU VIN

Le vin est l'ami de l'homme, le vinaigre est l'ennemi du vin. Doit-on conclure que le vinaigre est l'ennemi de l'homme ? Non, vins et vinaigres jouent chacun leur partie dans l'orchestre des saveurs dont l'homme se régale. Jeter des vins de qualité un peu éventés, bouchonnés, ou oxydés serait regrettable. Le vinaigrier est là pour les accueillir. Un vinaigrier domestique est un récipient de 3 à 5 litres en bois, ou mieux, en terre vernissée, généralement muni d'un robinet. L'acidité du vinaigre est un adjuvant, un révélateur. C'est un contrepoint, pas un solo. Pour contenir ses ardeurs, le gourmet a inventé le vinaigre aromatisé. Nombre de hauts goûts se fondent en une harmonie de timbres : ail, échalote, petits oignons, estragon, graines de moutarde, grains de poivre, clous de girofle, fleurs de sureau, de capucine, pétales de roses, feuilles de laurier, branches de thym, de perce-pierre, etc.

Conseils
– Ne jamais déposer un vinaigrier dans une cave.
– Chaque fois que se développe dans le vinaigrier ce que l'on appelle la « mère du vinaigre » (masse visqueuse), l'éliminer.
– Placer le vinaigrier dans un lieu tempéré (20 °C).
– Ne jamais le boucher hermétiquement car l'air contribue à la vie des bactéries acétiques, lesquelles transforment l'alcool du vin en acide acétique.
– Ne jamais placer les aromates dans le vinaigrier. Il faut extraire le vinaigre du vinaigrier et conserver le vinaigre aromatisé dans un autre récipient, de préférence hermétique.
– Ne jamais introduire dans le vinaigrier de vin sans origine.
– Le vinaigrier doit vivre. Chaque fois que l'on retire du vinaigre, ajouter un volume équivalent de vin.
– Un vinaigre laissé en souffrance dans un vinaigrier au-delà de deux ou trois mois n'est plus qu'acétique. Il perd son goût de vin et n'a plus d'intérêt.

LES METS ET LES VINS

Rien n'est plus difficile que de trouver « le » vin idéal pour accompagner un plat. D'ailleurs, peut-il y avoir un vin idéal ? Au chapitre du mariage des mets et des vins, la monogamie n'a pas de place ; il faut profiter de l'extrême variété des vins français et faire des expériences : une bonne cave permet par approximations successives d'approcher de la vérité…

HORS-D'ŒUVRE, ENTREES

ANCHOÏADE
- côtes du roussillon rosé
- coteaux d'aix-en-provence rosé
- alsace sylvaner

ARTICHAUTS BARIGOULE
- coteaux d'aix-en-provence rosé
- rosé de loire
- bordeaux rosé

ASPERGES SAUCE MOUSSELINE
- alsace muscat

AVOCAT
- champagne
- bugey blanc
- bordeaux sec

CUISSES DE GRENOUILLE
- corbières blanc
- touraine sauvignon
- entre-deux-mers

ESCARGOTS À LA BOURGUIGNONNE
- bourgogne aligoté
- alsace riesling
- touraine sauvignon

FOIE GRAS AU NATUREL
- barsac
- corton-charlemagne
- listrac
- banyuls rimage

FOIE GRAS EN BRIOCHE
- alsace tokay grains nobles

- montrachet
- pécharmant

Foie gras grillé
- jurançon
- graves rouge

POIVRONS ROUGES GRILLÉS VINAIGRETTE
- clairette de bellegarde
- muscadet
- mâcon Lugny blanc

SALADE NIÇOISE
- coteaux d'aix-en-provence rosé

SALADE DE SOJA
- alsace tokay
- clairette du languedoc
- muscadet

CHARCUTERIE

JAMBON BRAISÉ
- alsace tokay
- côtes du rhône rouge
- côtes du roussillon rosé

JAMBON PERSILLÉ
- chassagne-montrachet blanc
- coteaux du tricastin rouge
- beaujolais rouge

JAMBON DE BAYONNE
- côtes du rhône-villages
- bordeaux clairet
- corbières rosé

JAMBON DE SANGLIER FUMÉ
- côtes de saint-mont rouge
- bandol rouge
- sancerre blanc

PÂTÉ DE LIÈVRE
- côtes de duras rouge
- saumur-champigny
- moulin à vent

RILLETTES
- bourgogne rouge
- alsace pinot noir
- touraine gamay

RILLONS
- touraine cabernet
- beaujolais-villages
- rosé de loire

SAUCISSON
- côtes du rhône-villages
- beaujolais
- côtes du roussillon rosé

TERRINE DE FOIE BLOND
- meursault-charmes
- saint-nicolas de bourgueil
- morgon

COQUILLAGE ET CRUSTACES

BOUQUET MAYONNAISE
- bourgogne blanc
- alsace riesling
- haut-poitou sauvignon

BROCHETTES DE SAINT-JACQUES
- graves blanc
- alsace sylvaner
- beaujolais-villages rouge

CALMARS FARCIS
- mâcon-villages
- premières côtes de bordeaux
- gaillac rosé

CASSOLETTE DE MOULES AUX ÉPINARDS
- muscadet
- bourgogne aligoté bouzeron
- coteaux champenois blanc

CLOVISSES AU GRATIN
- pacherenc du vic-bilh
- rully blanc

- beaujolais blanc

COCKTAIL DE CRABE
- jurançon sec
- fiefs vendéens blanc
- bordeaux sec sauvignon

ECREVISSES À LA NAGE
- sancerre blanc
- côtes du rhône blanc
- gaillac blanc

HOMARD À L'AMÉRICAINE
- arbois jaune
- juliénas

HOMARD GRILLÉ
- hermitage blanc
- pouilly-fuissé
- savennières

HUÎTRES DE MARENNES
- muscadet
- bourgogne aligoté

- alsace sylvaner
- chablis
- beaujolais primeur rouge

HUÎTRES AU CHAMPAGNE
- bourgogne hautes-côtes de nuits blanc
- coteaux champenois blanc
- rousette de savoie

LANGOUSTE MAYONNAISE
- patrimonio blanc
- alsace riesling
- vin de savoie Apremont

LANGOUSTINES AU COGNAC
- chablis premier cru
- graves blanc
- muscadet sèvre-et-maine

MOUCLADE DES CHARENTES
- saint-véran
- bergerac sec
- haut-poitou chardonnay

MOULES (CRUES) DE BOUZIGUES
- coteaux du languedoc blanc
- muscadet sèvre-et-maine
- coteaux d'aix-en-provence blanc

MOULES MARINIÈRES
- bourgogne blanc
- alsace pinot

- bordeaux sec sauvignon

PALOURDES FARCIES
- graves blanc
- montagny
- anjou blanc

PLATEAU DE FRUITS DE MER
- chablis

- muscadet
- alsace sylvaner

SALADE DE COQUILLAGES AU CONCOMBRE
- graves blanc
- muscadet
- alsace klevner

POISSONS

ANGUILLE POÊLÉE PERSILLADE
- corbières rosé
- gros plant du pays nantais
- blaye blanc

ALOSE À L'OSEILLE
- anjou blanc
- rosé de loire
- haut-poitou chardonnay

BAR (LOUP) GRILLÉ
- auxey-duresses blanc
- bellet blanc
- bergerac sec

BARBUE À LA DIEPPOISE
- graves blanc
- puligny-montrachet
- coteaux du languedoc blanc

BARQUETTES GIRONDINES
- bâtard-montrachet
- graves supérieurs
- quincy

BAUDROIE EN GIGOT DE MER
- mâcon-villages
- châteauneuf-du-pape blanc
- bandol rosé

BOUILLABAISSE
- côtes du roussillon blanc
- côteaux d'aix-en-provence blanc
- muscadet des coteaux de la loire

BOURRIDE
- coteaux d'aix-en-provence rosé
- rosé de loire
- bordeaux rosé

BRANDADE
- haut-poitou rosé
- bandol rosé
- corbières rosé

CARPE FARCIE
- montagny
- touraine azay-le-rideau blanc
- alsace pinot

COLIN FROID MAYONNAISE
- pouilly-fuissé
- vin de savoie Chignin bergeron
- alsace klevner

COQUILLES DE POISSONS
- saint-aubin blanc
- saumur sec blanc
- crozes-hermitage blanc

DARNES DE SAUMON GRILLÉES
- chassagne-montrachet blanc
- cahors
- côtes du rhône rosé

FILETS DE SOLE BONNE FEMME
- graves blanc
- chablis grand cru
- sancerre blanc

FEUILLETÉ DE BLANC DE TURBOT
- chevalier-montrachet
- crozes-hermitage blanc

GRAVETTES D'ARCACHON À LA BORDELAISE
- graves blanc
- bordeaux sec
- jurançon sec

KOULIBIAK DE SAUMON
- pouilly-vinzelles
- graves blanc
- rosé de loire

LAMPROIE À LA BORDELAISE
- graves rouges
- bergerac rouge
- bordeaux rosé

LISETTES AU VIN BLANC
- alsace sylvaner
- haut-poitou sauvignon
- quincy

MATELOTE DE L'ILL
- chablis premier cru
- arbois blanc
- alsace riesling

MERLAN EN COLÈRE
- alsace gutedel
- entre-deux-mers
- seyssel

MORUE À L'AÏOLI
- coteaux d'aix-en-provence rosé
- bordeaux rosé
- haut-poitou rosé

MORUE GRILLÉE
- gros plant du pays nantais
- rosé de loire
- coteaux d'aix-en-provence rosé

ŒUFS DE SAUMON
- haut-poitou rosé
- graves rouge
- côtes du rhône rouge

PETITE FRITURE
- beaujolais blanc
- béarn blanc
- fiefs vendéens blanc

PETITS ROUGETS GRILLÉS
- chassagne-montrachet blanc
- hermitage blanc
- bergerac

POCHOUSE
- meursault
- l'étoile
- mâcon-villages

QUENELLE DE BROCHET LYONNAISE
- montrachet
- pouilly-vinzelles
- beaujolais-villages rouge

ROUILLE SÉTOISE
- clairette du languedoc
- côtes du roussillon rosé
- rosé de loire

SANDRE AU BEURRE BLANC
- muscadet
- saumur blanc
- saint-joseph blanc

SARDINES GRILLÉES
- clairette de bellegarde
- jurançon sec
- bourgogne aligoté

SAUMON FUMÉ
- puligny-montrachet premier cru
- pouilly-fumé
- bordeaux sec sauvignon

SOLE MEUNIÈRE
- meursault blanc
- alsace riesling
- entre-deux-mers

SOUFFLÉ NANTUA
- bâtard-montrachet
- crozes-hermitage blanc
- bergerac sec

THON ROUGE AUX OIGNONS
- coteaux d'aix blanc
- coteaux du languedoc blanc
- côtes de duras sauvignon

THON (GERMON) BASQUAISE
- graves blanc
- pacherenc de vic-bilh
- gaillac blanc

TOURTEAU FARCI
- premières côtes de bordeaux blanc
- bourgogne blanc
- muscadet

TRUITE AUX AMANDES
- chassagne-montrachet blanc
- alsace klevner
- côtes du roussillon

TURBOT SAUCE HOLLANDAISE
- graves blanc
- saumur blanc
- hermitage blanc

VIANDES ROUGES ET BLANCHES

Agneau

BARON D'AGNEAU AU FOUR
- haut-médoc
- vin de savoie-mondeuse
- minervois

CARRE D'AGNEAU MARLY
- saint-julien
- ajaccio
- coteaux du lyonnais

EPAULE D'AGNEAU BOULANGERE
- hermitage rouge

- côtes de bourg rouge
- moulin à vent

FILET D'AGNEAU EN CROUTE
- pomerol
- mercurey
- coteaux du tricastin

RAGOUT D'AGNEAU AU THYM
- châteauneuf-du-pape rouge
- saint-chinian
- fleurie

SAUTE D'AGNEAU PROVENÇAL
- gigondas
- côtes de provence rouge
- bourgogne passetoutgrain rouge

SELLE D'AGNEAU AUX HERBES
- vin de corse rouge
- côtes du rhône rouge
- coteaux du giennois rouge

Mouton

CURRY DE MOUTON
- montagne saint-émilion
- alsace tokay
- côtes du rhône

DAUBE DE MOUTON
- patrimonio rouge
- côtes du rhône-villages rouge
- morgon

GIGOT A LA FICELLE
- morey-saint-denis

- saint-émilion
- côte de provence rouge

GIGOT FROID MAYONNAISE
- saint-aubin blanc
- bordeaux rouge
- entre-deux-mers

MOUTON EN CARBONADE
- graves de vayres rouge
- fitou
- crozes-hermitage rouge

NAVARIN
- anjou rouge
- bordeaux côtes-de-francs rouge
- bourgogne marsannay rouge

POITRINE DE MOUTON FARCIE
- côtes du jura rouge
- graves rouge
- haut-poitou gamay

Bœuf

BŒUF BOURGUIGNON
- rully rouge
- saumur rouge
- côte du marmandais rouge

CHATEAUBRIAND
- margaux
- alsace pinot
- coteaux du tricastin

DAUBE
- buzet rouge
- côtes du vivarais rouge
- arbois rouge

ENTRECOTE BORDELAISE
- saint-julien
- saint-joseph rouge
- côtes du roussillon-villages

FILET DE BŒUF DUCHESSE
- côte rôtie
- gigondas
- graves rouge

FONDUE BOURGUIGNONNE
- bordeaux rouge
- côtes du ventoux rouge
- bourgogne rosé

GARDIANE
- lirac rouge
- côtes du luberon rouge
- costières de nîmes rouge

POT-AU-FEU
- anjou rouge
- bordeaux rouge
- beaujolais rouge

ROSBIF CHAUD
- moulis
- aloxe-corton
- côtes du rhône rouge

ROSBIF FROID
- madiran
- beaune rouge
- cahors

STEACK MAÎTRE D'HÔTEL
- bergerac rouge
- arbois rosé
- chénas

TOURNEDOS BEARNAISE
- listrac
- saint-aubin rouge
- touraine amboise rouge

Porc

ANDOUILLETTE A LA CREME
- touraine blanc
- bourgogne blanc
- saint-joseph blanc

ANDOUILLETTE GRILLEE
- coteaux champenois blanc
- petit chablis
- beaujolais rouge

BAECKEOFFE
- alsace riesling
- alsace sylvaner

CASSOULET
- côtes du frontonnais rouge
- minervois rouge
- bergerac rouge

CHOU FARCI
- côtes du rhône rouge
- touraine gamay

- bordeaux sec sauvignon

CHOUCROUTE
- alsace riesling
- alsace sylvaner

COCHON DE LAIT EN GELEE
- graves de vayres blanc
- costières du gard rosé
- beaujolais-villages rouge

CONFIT
- tursan rouge
- corbières rouge
- cahors

COTE DE PORC CHARCUTIERE
- bourgogne blanc
- côtes d'auvergne rouge
- bordeaux clairet

PALETTE AU SAUVIGNON
- bergerac sec

- menetou-salon
- bordeaux rosé

POTEE
- côtes du luberon
- côte de brouilly
- bourgogne aligoté

ROTI DE PORC A LA SAUGE
- rully blanc
- côtes du rhône rouge
- minervois rosé

ROTI DE PORC FROID
- bourgogne blanc
- lirac rouge
- bordeaux sec

SAUCISSE DE TOULOUSE GRILLEE
- saint-joseph ou bergerac rouges
- côtes du frontonnais rosé

Veau

BROCHETTES DE ROGNONS
- cornas
- beaujolais-villages
- coteaux du languedoc rosé

BLANQUETTE DE VEAU
A L'ANCIENNE
- arbois blanc
- alsace grand cru riesling
- côtes de provence rosé

COTE DE VEAU GRILLEE
- côtes du rhône rouge
- anjou blanc
- bourgogne rosé

ESCALOPE PANEE
- côtes du jura blanc
- corbières blanc
- côtes du ventoux rouge

FOIE DE VEAU A L'ANGLAISE
- médoc
- coteaux d'aix-en-provence rouge
- haut-poitou rosé

NOIX DE VEAU BRAISEE
- mâcon-villages blanc
- côtes de duras rouge
- brouilly

PAUPIETTES DE VEAU
- anjou gamay
- minervois rosé
- costières de nîmes blanc

RIS DE VEAU AUX LANGOUSTINES
- graves blanc
- alsace tokay
- bordeaux rosé

ROGNONS SAUTES AU VIN JAUNE
- arbois blanc
- gaillac vin de voile
- bourgogne aligoté

ROGNONS DE VEAU A LA MOELLE
- saint-émilion
- saumur-champigny
- coteaux d'aix-en-provence rosé

VEAU MARENGO
- côtes de duras merlot
- alsace klevner
- coteaux du tricastin rosé

VEAU ORLOFF
- chassagne-montrachet blanc
- chiroubles
- lirac rosé

VOLAILLES ET LAPIN

BARBARIE AUX OLIVES
- vin de savoie-mondeuse
- canon-fronsac
- anjou cabernet rouge

BROCHETTES DE CŒURS
DE CANARD
- saint-georges-saint-émilion
- chinon
- côtes du rhône-villages

CANARD A L'ORANGE
- côtes du jura jaune
- cahors
- graves rouge

CANARD FARCI
- saint-émilion grand cru
- bandol rouge
- buzet rouge

CANARD AUX NAVETS
- puisseguin saint-émilion
- saumur-champigny
- coteaux d'aix-en-provence rouge

CANETTE AUX PECHES
- banyuls
- chinon rouge
- graves rouge

CHAPON ROTI
- bourgogne blanc
- touraine-mesland
- côtes du rhône rosé

COQ AU VIN ROUGE
- ladoix
- côte de beaune
- châteauneuf-du-pape rouge
- touraine cabernet

CURRY DE POULET
- montagne saint-émilion
- alsace tokay
- côtes du rhône

DINDE AUX MARRONS
- saint-joseph rouge
- sancerre rouge
- meursault blanc

DINDONNEAU A LA BROCHE
- monthélie
- graves blanc
- châteaumeillant rosé

ESCALOPES DE DINDE
AU ROQUEFORT
- côtes du jura blanc
- bourgogne aligoté
- coteaux d'aix-en-provence rosé

FRICASSEE DE LAPIN
- touraine rosé
- côtes de blaye blanc
- beaujolais-villages rouge

LAPIN ROTI A LA MOUTARDE
- sancerre rouge
- tavel
- côtes de provence blanc

MAGRET AU POIVRE VERT
- saint-joseph rouge
- bourgueil rouge
- bergerac rouge

OIE FARCIE
- anjou cabernet rouge
- côtes du marmandais rouge
- beaujolais-villages

PIGEONNEAUX A LA PRINTANIERE
- crozes-hermitage rouge
- bordeaux rouge
- touraine gamay

PINTADEAU A L'ARMAGNAC
- saint-estèphe
- chassagne-montrachet rouge
- fleurie

POULARDE DEMI-DEUIL
- chevalier-montrachet
- arbois blanc
- juliénas

POULARDE EN CROUTE DE SEL
- listrac
- mâcon-villages blanc
- côtes du rhône rouge

POULET AU RIESLING
- alsace grand cru riesling
- touraine sauvignon
- côtes du rhône rosé

POULET BASQUAISE
- côtes de duras sauvignon
- bordeaux sec
- coteaux du languedoc rosé

POULET SAUTE AUX MORILLES
- savigny-lès-beaune rouge
- arbois blanc
- sancerre blanc

POUSSIN DE LA WANTZENAU
- côtes de toul gris
- alsace gutedel
- beaujolais

GIBIER

BECASSE FLAMBEE
- pauillac
- musigny
- hermitage

BROCHETTE DE MAUVIETTES
- pernand-vergelesses rouge
- pomerol
- côtes du ventoux rouge

CIVET DE LIEVRE
- canon-fronsac
- bonnes-mares
- minervois rouge

COTELETTES DE CHEVREUIL CONTI
• lalande de pomerol
• côtes de beaune rouge
• crozes-hermitage rouge

CUISSOT DE SANGLIER SAUCE VENAISON
• chambertin
• montagne saint-émilion
• corbières rouge

FAISAN EN CHARTREUSE
• moulis
• pommard
• saint-nicolas de bourgueil

FILET DE SANGLIER BORDELAISE
• pomerol
• bandol
• gigondas

GIGUE DE CHEVREUIL GRAND VENEUR
• hermitage rouge
• corton rouge
• côtes du roussillon rouge

GRIVES AU GENIEVRE
• échézeaux

• coteaux du tricastin rouge
• chénas

HALBRAN ROTI
• saint-émilion grand cru
• côte rotie
• faugères

JAMBON DE SANGLIER BRAISE
• fronsac
• châteauneuf-du-pape rouge
• moulin à vent

LAPEREAU ROTI
• auxey-duresses rouge
• puisseguin saint-émilion
• crozes-hermitage rouge

LIEVRE A LA ROYALE
• saint-joseph rouge
• volnay
• pécharmant

MERLES A LA FACON CORSE
• ajaccio rouge
• côtes de provence rouge
• coteaux du languedoc rouge

PERDREAU ROTI
• haut-médoc
• vosne-romanée
• bourgueil

PERDRIX AUX CHOUX
• bourgogne irancy
• arbois rosé
• cornas

PERDRIX A LA CATALANE
• maury
• côtes du roussillon rouge
• beaujolais-villages

RABLE DE LIEVRE AU GENIEVRE
• chambolle musigny
• savoie-mondeuse
• saint-chinian

SALMIS DE COLVERT
• côte rôtie
• chinon rouge
• bordeaux supérieur

SALMIS DE PALOMBE
• saint-julien
• côte de nuits-villages
• patrimonio

LEGUMES

BEIGNETS D'AUBERGINES
• bourgogne rouge
• beaujolais rouge
• bordeaux sec

CELERI BRAISE
• côtes du ventoux rouge
• alsace pinot noir
• touraine sauvignon

CHAMPIGNONS
• beaune blanc
• alsace tokay
• coteaux de giennois rouge

GRATIN DAUPHINOIS
• bordeaux côtes de castillon

• châteauneuf-du-pape blanc
• alsace riesling

GRISETS SAUTES PERSILLADE
• beaune blanc
• alsace tokay
• coteaux du giennois rouge

HARICOTS VERTS
• côte de beaune blanc
• sancerre blanc
• entre-deux-mers

PATES
• côtes du rhône rouge
• coteaux d'aix rosé

PETITS POIS
• saint-romain blanc
• côtes du jura blanc
• touraine sauvignon

POIS GOURMANDS
• graves blanc
• côtes du rhône rouge
• alsace riesling

POIVRONS FARCIS
• mâcon-villages
• côtes du rhône rosé
• alsace tokay

FROMAGES

Au lait de vache

BEAUFORT
• arbois jaune
• meursault
• vin de savoie Chignin bergeron

BLEU D'AUVERGNE
• côtes de bergerac moelleux
• beaujolais
• touraine sauvignon

BLEU DE BRESSE
• côtes du jura blanc
• mâcon rouge
• côtes de bergerac blanc

BRIE
• beaune rouge
• alsace pinot noir
• coteaux du languedoc rouge

CAMEMBERT
• bandol rouge

• côtes du roussillon-villages
• beaujolais-villages

CANTAL
• coteaux du vivarais rouge
• côtes de provence rosé
• lirac blanc

CARRE DE L'EST
• saint-joseph rouge
• coteaux d'aix-en-provence rouge
• brouilly

CARRE FRAIS
• cahors
• côtes du roussillon rosé
• côtes du rhône blanc

CHAOURCE
• montagne saint-émilion
• cadillac
• chénas

CITEAUX
• aloxe-corton

• coteaux champenois rouge
• fleurie

COMTE
• château-chalon, graves blanc
• côtes du luberon blanc

EDAM DEMI-ETUVE
• pauillac
• fixin
• costières de nîmes rouge

EPOISSES
• savigny
• côtes du jura rouge
• côte de brouilly

FOURME D'AMBERT
• l'étoile vin jaune
• cérons
• banyuls rimage

GOUDA DEMI-ETUVE
- saint-estèphe
- chinon
- coteaux du tricastin

LIVAROT
- bonnezeaux
- sainte-croix-du-mont
- alsace gewurztraminer

MAROILLES
- jurançon
- alsace gewurztraminer vendanges tardives

MIMOLETTE DEMI-ETUVE
- graves rouge
- santenay
- côtes du rhône rouge

MORBIER
- gevrey-chambertin
- madiran
- côtes du ventoux rouge

MUNSTER
- coteaux du layon-villages
- loupiac
- alsace gewurztraminer

PATE FONDUE (FROMAGES A)
- alsace riesling
- haut-poitou sauvignon
- côtes du rhône-villages

PONT-L'EVEQUE
- côtes de saint-mont
- bourgueil
- nuits-saint-georges

RACLETTE
- vin de savoie Apremont
- côtes de duras sauvignon
- juliénas

REBLOCHON
- mercurey
- lirac rouge
- touraine gamay

RIGOTTE
- bourgogne hautes-côtes de nuits rouge
- côtes du forez
- saint-amour

SAINT-MARCELLIN
- faugères
- tursan rouge
- chiroubles

SAINT-NECTAIRE
- fronsac
- bourgogne rouge
- mâcon-villages blanc

VACHERIN
- corton
- premières côtes de bordeaux
- barsac

Au lait de chèvre

CABECOU
- bourgogne blanc
- tavel
- gaillac blanc

CROTTIN DE CHAVIGNOL
- sancerre blanc
- bordeaux sec
- côte roannaise

CHEVRE FRAIS
- champagne
- montlouis demi-sec

- crémant d'alsace

CORSE (FROMAGE DE CHEVRE DE)
- patrimonio blanc
- cassis blanc
- costières de nîmes blanc

PELARDON
- condrieu
- roussette de savoie
- coteaux du lyonnais rouge

SAINTE-MAURE
- rivesaltes blanc

- alsace tokay
- cheverny gamay

SELLES-SUR-CHER
- coteaux de l'aubance
- cheverny
- romorantin
- sancerre rosé

VALENCAY
- vouvray moelleux
- haut-poitou rosé
- valençay gamay

Au lait de brebis

CORSE (FROMAGE DE BREBIS DE)
- bourgogne irancy
- ajaccio
- côtes du roussillon rouge

EISBARECH
- lalande-de-pomerol

- cornas
- marcillac

LARUNS
- bordeaux côtes de castillon
- gaillac rouge

- côtes de provence rouge

ROQUEFORT
- côtes du jura vin jaune
- sauternes
- muscat de rivesaltes

DESSERTS

BRIOCHE
- rivesaltes rouge
- muscat de beaumes-de-venise
- alsace vendanges tardives

BUCHE DE NOEL
- champagne demi-sec
- clairette de die tradition

CREME RENVERSEE
- coteaux du layon-villages
- sauternes
- muscat de saint-jean-de-minervois

FAR BRETON
- pineau des charentes
- anjou coteaux de la loire
- cadillac

FRAISIER
- muscat de rivesaltes
- maury

GATEAU AU CHOCOLAT
- banyuls grand cru
- pineau des charentes rosé

GLACE A LA VANILLE AU COULIS DE FRAMBOISE
- loupiac
- coteaux du layon

ILE FLOTTANTE
- loupiac
- rivesaltes blanc
- muscat de rivesaltes

KOUGLOF
- quarts de chaume
- alsace vendanges tardives

- muscat de mireval

PITHIVIERS
- maury
- bonnezeaux
- muscat de lunel

SALADE D'ORANGES
- sainte-croix-du-mont
- rivesaltes blanc
- muscat de rivesaltes

TARTE AU CITRON
- alsace sélection de grains nobles
- cérons
- rivesaltes blanc

TARTE TATIN
- pineau des charentes
- arbois vin de paille
- jurançon

ACTUALITÉ DE LA FRANCE VITICOLE

Alors que les viticulteurs et négociants du Nouveau Monde continuent leur offensive sur les marchés mondiaux, la France s'interroge : comment mieux positionner les vins français sur les marchés d'exportation lorsque ces derniers ont en effet connu une baisse de 1,3 % en volume et de 3 % en valeur ? Les analyses sont contradictoires. Si certains opposent vins de marque et vin d'appellation, d'autres font remarquer que les premiers n'excluent pas les seconds. Ce n'est peut-être pas au moment où les grands vignobles étrangers sont en train de créer des appellations — avec chez certains d'entre eux des délimitations parcellaires proches de celles de la Bourgogne —, que l'Europe, et la France, doivent abandonner le système de référence géographique et de hiérarchie des appellations qui est un facteur de valeur ajoutée chaque fois que le produit présenté est de qualité. Tous les observateurs reconnaissent que les difficultés rencontrées par les vins français sur les linéaires étrangers sont diverses. Lorsque la production mondiale est supérieure à la consommation, seule la qualité de l'offre peut laisser espérer faire gagner des parts de marché.

QUOI DE NEUF EN ALSACE ?

Les bonnes fées n'ont pas montré beaucoup d'empressement autour du berceau de l'Alsace : tout le monde s'accorde à juger particulièrement difficile le millésime 2001. Il y a cependant des bouteilles réussies, mais le Guide sera précieux...

La production est presque identique à celle de 2000 : 1 217 500 hl dont 1 013 280 hl en alsace (+ 1 % par rapport à 2000), 47 290 hl en alsace grand cru (- 2 %) et le reste en crémant (stable). Quant à la qualité, elle varie beaucoup selon les villages et les domaines.

Été indien, mais tardif

Le printemps va et vient sans se fixer sur une donnée climatique bien définie. L'été accueille juillet sous les parapluies. En août, la pluie est rare, mais le grand soleil est avare de ses rayons. Septembre confirme la tendance : un temps froid et sec. La maturité est en panne et les cépages précoces, comme le gewurztraminer, en souffrent. Vendanges à partir du 17 septembre pour les crémants, du 1er octobre en alsace et alsace grand cru, du 15 octobre en vendanges tardives et sélections de grains nobles.

Fin septembre-début octobre, la pluie est de retour. Elle est interrompue par un court moment de beau temps à la mi-octobre, puis les précipitations reprennent. De fin d'octobre à début novembre, c'est un été indien qui arrive, hélas !, un peu tard... Les conditions climatiques, maussades dans l'ensemble, influent sur les résultats.

Des efforts qualitatifs

Conscients des critiques répétées touchant notamment les rendements, les responsables de la viticulture alsacienne entreprennent des efforts qualitatifs. Les producteurs de quinze lieux-dits de l'appellation alsace grand cru font jouer pour le millésime 2001 les dispositions du décret du 24 janvier 2001 renforçant les disciplines : rendement limité, degré minimal relevé. Ainsi à Guebwiller, pour Kessler et Kitterlé (grand cru), les rendements sont de 55 hl à l'ha,

et le degré naturel (sans chaptalisation) de 11,5 % vol. pour les rieslings et les muscats, de 13,5 % pour les pinots gris et les gewurztraminers.

De même, et afin de soutenir les cours du riesling (23 % de l'encépagement) qui ne cessent de chuter depuis plusieurs années, l'Association des viticulteurs d'Alsace décide d'en abaisser le rendement à 88 hl à l'ha pour la récolte 2001. L'effort devra être poursuivi car ce déclin est dû à une surproduction du riesling dans le monde, à une évolution du goût des consommateurs qui préfèrent des vins plus souples et plus ronds. Les vignerons sont donc incités à produire moins de ces grands rieslings secs, pourtant inimitables sur les crustacés et les poissons ou même sur la choucroute, et à laisser augmenter le taux de sucres résiduels. Les rieslings sont cependant réussis en 2001. L'acidité les porte vers une conservation de cinq à dix ans, tandis que la maturité (mi-octobre) les affermit.

Les gewurztraminers (18 % de l'encépagement) offrent un bouquet en général assez discret. Les muscats (2 %) ont de l'allant, les tokay-pinots gris (12 %) beaucoup de présence. Ces deux cépages ainsi que les rieslings composent un tiercé gagnant. Vendanges tardives et sélections de grains nobles ? Le botrytis ne se montre pas exceptionnel en 2001 et manque parfois même le rendez-vous. L'année n'est pas à marquer d'une pierre blanche, sans pour autant être vraiment décevante.

Un marché stable

La commercialisation demeure stable : 1 167 730 hl en 2001, dont 74 % en France (+ 1 %) et 26 % à l'exportation (- 1 %). En volume, le Benelux (+ 5 %) devient le premier client de l'Alsace toutes appellations confondues devant l'Allemagne (- 4 % cependant) qui prend la deuxième place après avoir conservé la position de leader durant trente ans. Viennent ensuite les Pays-Bas (- 2 %), le Danemark (- 19 %) et les Etats-Unis (+ 4 %). La Finlande progresse de 39 %, le Canada de 36 %, la Suisse de 33 % et le Japon de 8 %. Les marchés suédois et norvégien font preuve de stabilité.

L'Alsace s'est unie à la vallée du Rhône et à Jerez en Espagne pour séduire les consommateurs japonais grâce à un programme en partie financé par l'Union européenne.

Des règles plus sévères

Le crémant d'alsace fête ses vingt-cinq ans : une réussite ! Parti d'un million de cols à la fin des années 1970, il signe aujourd'hui ses 20 millions de cols par an, soit 13 % de l'ensemble des vins d'Alsace. Il est le numéro un national des effervescents d'AOC (21 % du marché) autres que le champagne. Son décret de 1976 vient d'être modifié. Précisions nouvelles : les raisins doivent être récoltés à la main et mis entiers dans le pressoir ; un agrément de l'INAO est nécessaire pour les installations de réception et de pressurage.

Pour en finir avec des vendanges tardives et les sélections de grains nobles de « pure opportunité », le vignoble alsacien relève les degrés minima exigés : de 14° d'alcool probable pour le riesling et le muscat jusqu'à plus de 18° en grains nobles de gewurztraminer et de pinot gris. Comme cette production est en plein essor et valorise beaucoup le vin en demi-bouteilles, on se montre ici très soucieux d'une qualité suivie. 2001 est le premier millésime concerné par cette réforme. On s'efforce d'organiser le marché du vrac (200 000 hl).

La biodynamie (passée en quelques années de quatre ou cinq domaines à une cinquantaine) se développe rapidement autour de ses pionniers. Notons enfin que le pinot noir a désormais sa bouteille : la bourgeoise, à mi-chemin entre les bouteilles alsacienne et bourguignonne.

QUOI DE NEUF EN BEAUJOLAIS ?

Les cinquante ans du beaujolais nouveau, fêtés en 2001 ! La bouteille tient bon aux quatre coins de la planète. Elle tire encore vers le haut dans une atmosphère internationale morose. L'année 2002 sera marquée par une commission d'enquête sur l'introduction de la machine à vendanger.

2001 : un millésime légèrement précoce en dépit de la fraîcheur de septembre et des pluies des derniers jours du mois. Dans l'ensemble, les conditions climatiques ont été plutôt défavorables : dilution due aux précipitations, quelques notes de pourriture sèche çà et là. Le vin est toutefois plaisant, sans être aussi ferme que le millésime précédent qui apparaît plus durable.

La production 2001 s'élève à 1 285 000 hl, ce qui est sensiblement moins qu'en 2000 (près de 1 400 000 hl). Brouilly arrive en tête des crus avec 74 618 hl, suivi de morgon (63 754 hl) et de fleurie (45 899 hl). L'ensemble des crus représente un peu plus du quart de la production de la région.

Les cinquante ans du beaujolais nouveau

En 2001, le beaujolais nouveau, codifié depuis le 13 novembre 1951, a célébré son premier demi-siècle. La concurrence commence sans doute à apparaître, mais le beaujolais primeur se tient bien ; il résiste à la crise beaujolaise. Les ventes en primeur progressent de 2,3 % en valeur et de 2,5 % en volume dans la grande distribution française avec 11 millions de bouteilles, dont 48 % en hypermarchés pour un chiffre d'affaires de 35 063 millions d'euros. La première semaine après la libération du beaujolais enregistre 60 % du volume des ventes de l'appellation.

Un marché dans la tourmente

Sur toute la campagne, l'AOC beaujolais-villages progresse de 8 % et l'AOC beaujolais de 1 %. Toutefois pour l'ensemble du Beaujolais, les ventes diminuent en 2001 de 9,2 % en valeur et de 5,2 % en volume. Année difficile, surtout pour la grande distribution française, relancée cependant par les foires d'automne. La part des hyper et des supermarchés décroît – elle passe de 64,2 % à 61,4 % des ventes totales –, alors que celle de la vente directe augmente. Le Nord et Paris enregistrent une baisse de leurs ventes tandis que dans l'Ouest, en Rhône-Alpes et en Bourgogne, celles-ci sont en hausse.

Les ventes directes à la propriété progressent de 5 % et privilégient les beaujolais-villages. L'exportation représente la moitié du chiffre d'affaires global, soit 26 millions de bouteilles en 2001 (+ 3,2 %). Les volumes exportés ont augmenté de 200 % en Europe centrale et orientale ainsi qu'en Corée du Sud. Cette progression est également sensible aux États-Unis (+ 22 %), au Canada (+ 27 %) et au Japon (+ 13 %). En revanche, l'Europe de l'Ouest stagne (+ 2 % en Grande-Bretagne), voire régresse (- 17 % en Allemagne, - 37 % en Italie). Notez que ces statistiques douanières sont contestées par les professionnels.

Alors que 7 % de la récolte sont restés invendus – la plus touchée étant l'AOC régionale –, une mesure de retrait de 100 000 hl va tendre à assainir le marché.

Des signes de morosité

La deux cent cinquième vente aux enchères des vins des Hospices de Beaujeu s'est conclue sur une baisse moyenne de 19,2 % (les quatre-vingt-seize pièces de beaujolais-villages ont été vendues, en moyenne, 360 euros l'une, contre 423 euros en 2000, tandis que les 379 pièces de régnié ont atteint le prix moyen de 392 euros, contre 520 euros l'année précédente). Un plan de développement, baptisé Puissance 4, prévoit notamment une « réserve qualitative », dans l'esprit du stock régulateur champenois (en beaujolais et beaujolais-villages), ainsi que le suivi de la mise en marché.

Le Comité national de l'INAO a accepté le principe d'une commission d'enquête sur l'introduction de la machine à vendanger en Beaujolais. L'agrément serait donné de façon spécifique. Il s'agirait de volumes non primeurs déclarés jusque là en Beaujolais (les crus n'étant pas concernés). La machine à vendanger tente de forcer la porte du décret qui la bannissait. Rappelons que la vinification beaujolaise doit se faire en grains entiers.

Brèves du vignoble

La fête des crus du Beaujolais s'est déroulée en 2002 à Villié-Morgon. Sa troisième édition aura lieu en 2003, au pays de Brouilly.

Ancien directeur de l'interprofession beaujolaise, Gérard Canard quitte la présidence des Compagnons du Beaujolais. La nouvelle équipe est dirigée par Patrick Baghdassarian (Saint-Georges-de-Reneins) assisté de Gino Bertolla (Moulin-à-Vent).

L'INAO ajoute Chaintré (Saône-et-Loire) à l'aire de production des beaujolais et beaujolais supérieur. Le trophée Juliénas 2001 va à Edward Steeves (Colin-et-Bourisset), le prix Victor-Peyret au journaliste Yves Espaignet. Maurice Gay (Chénas) remporte le prix Bacchus.

La maison beaunoise Louis Jadot (capitaux américains mais gestion bourguignonne) achète le château de Bellevue et ses 35 ha de morgon, portant ainsi à 71 ha ses propriétés en Beaujolais (Château des Jacques à Romanèche-Thorins acquis en 1996). Ces vignes se situent sur les climats Bellevue, Côte de Py, les Charmes et Roche-Noire. A l'origine de la démarche de viticulture raisonnée, l'association beaujolaise Terra Vitis prend le nom d'Acorra et souhaite s'ouvrir au Bugey et aux Coteaux du Lyonnais.

L'année 2003 verra le Beaujolais très engagé dans les cérémonies prévues pour le bicentenaire de l'achat de la Louisiane par les Etats-Unis. Ce pourrait même être le vin français officiel de cette commémoration dans l'Etat de Louisiane.

QUOI DE NEUF

Avec le millésime 2001, le vignoble bordelais n'a pas répété l'exploit de l'année précédente et le marché en a tenu compte, tandis que quelques affaires judiciaires révélaient le laxisme engendré par l'euphorie commerciale de la dernière décennie.

Le millénaire s'était terminé en fanfare avec une vendange 2000 exceptionnelle, à l'égal des années 1982 ou 1989, et la générosité de la nature avait permis d'éclipser quelques problèmes qui commençaient à sourdre dans le vignoble, liés à des prix durablement trop chers malgré une production toujours en hausse.

Avec le millésime 2001, le retour à une qualité plus moyenne a joué le rôle de révélateur sur la réalité du marché et sur certaines pratiques de facilité, aussi bien à la propriété que dans le commerce. Mais tout commence à la vigne, et laissons nous guider par les professeurs Pascal Ribéreau-Gayon et Guy Guimberteau de la faculté d'Œnologie (Université Victor Segalen-Bordeaux 2) qui ont analysé, comme chaque année depuis plus de trente ans, les conditions de production de ce millésime.

Une météo contrastée

Comme leurs séries statistiques le prouvent désormais, les hivers sont de plus en plus doux et 2000-2001 n'a pas failli à la règle, avec une pointe très forte en mars. En revanche, l'hiver a été exceptionnellement pluvieux et les riverains de la Somme ou de la Vilaine n'ont pas été les seuls à s'en apercevoir. D'octobre à mars, il est tombé plus d'un mètre d'eau, soit presque le double des précipitations hivernales moyennes en Gironde et même nettement plus que la normale annuelle. Le débourrement a donc été précoce, de même que la floraison, relevée une semaine en avance par rapport à la moyenne des trente dernières années, mais un peu moins (quatre jours) que durant la dernière décennie, malgré des mois de mai et de juin chauds et secs.

La floraison s'est déroulée de manière homogène et satisfaisante. Le climat a commencé à se gâter au début du mois de juillet, au grand regret des touristes venus en Aquitaine à cette période : 103 mm de pluie pour ce seul mois, alors que le retour du beau temps estival ne s'est manifesté que vers la fin du mois. Le mois d'août, avec une température moyenne supérieure à la normale de 1,9 °C et des précipitations inférieures, a permis de rattraper une partie du retard pris en juillet. La demi-véraison est notée au douze du mois, une semaine plus tard que la moyenne de la décennie 90. Mais, à la véraison, le vignoble accusait déjà une importante hétérogénéité que l'on a retrouvée encore accentuée aux vendanges. Un climat imparfait souligne toujours les différences qualitatives liées à la conduite de la vigne : exposition, drainage, vigueur des ceps, charge en grappes. Le mois de septembre, contrairement à août, fut plus frais que la moyenne, mais moins pluvieux.

Pour les vignes bien tenues, les conditions de maturation étaient donc très bonnes, d'autant plus que la pression des maladies cryptogamiques était faible. Les raisins sont arrivés lentement à pleine maturité dans les bons vignobles, ce qui ne fit pas l'affaire des vignes surchargées ou mal exposées qui auraient eu besoin d'un bon coup de soleil en septembre pour finir d'augmenter leur teneur en sucre et réduire leur acidité élevée.

En tout cas, dans les vignobles de référence de la faculté d'Œnologie, qui font plutôt partie de la première catégorie, si l'on n'atteint pas la qualité du 2000, la teneur en sucre comme le titre alcoométrique étaient supérieurs à ceux des millésimes 99 et 98, aussi bien pour le merlot que pour le cabernet-sauvignon. Seule l'acidité de ce dernier cépage restait élevée, ce qui est loin d'être une tare pour des vins tanniques et bien constitués.

En un mot, on trouvera d'excellents vins rouges à Bordeaux dans le millésime 2001, avec du fruit et de la couleur, mais il faudra savoir sélectionner. Les professeurs estiment que le temps frais de septembre a profité au plus haut point aux vins blancs, lesquels sont sains, frais, aromatiques et « expriment parfaitement la typicité des cépages dont ils sont issus. »

Le premier grand millésime liquoreux du millénaire

Il faudra saluer avec déférence le millésime 2001 pour la qualité des liquoreux qui atteindront certainement l'excellence. Les raisins sont arrivés à maturité avant d'être atteints par le *Botrytis cinerea* qui a joué ensuite son rôle de concentrateur de sucre et d'arômes. Le mois d'octobre, splendide, chaud, venté, avec quelques petites pluies a permis de toucher à ce dont rêve tout producteur de sauternes, le caractère de « rôti » décrit dans les dépliants publicitaires et qui n'est pas si fréquent. Une récompense de la nature pour les apôtres qui consacrent leur énergie et leur foi à maintenir cette grande tradition.

La conjoncture économique

En matière de viticulture, il faut toujours raisonner à long terme, et la conjoncture économique n'a une influence sur la production qu'avec un certain retard. C'est ainsi que malgré une tendance certaine à la surproduction depuis quelques années, on continue à observer une augmentation progressive des surfaces en production, correspondant à des décisions d'investissement fondées sur les résultats économiques de la dernière décennie. Les surfaces d'AOC déclarées en production ont donc encore augmenté de plus de 1 500 ha en 2001 et les rendements approuvés par le Comité national de l'INAO ont été respectivement de 63 hl/ha et 68 hl/ha pour les bordeaux en AOC régionales rouge et blanc. Les appellations plus huppées comme les communales ont, bien sûr, fixé des rendements un peu plus bas, mais dans l'ensemble, ceux-ci ne brident guère la production qui a plutôt été freinée en 2001 par les conditions climatiques.

Avec 5 935 406 hl déclarés dans les appellations de vin rouge, la production est légèrement en retrait de l'excellent 2000 (6 037 494 hl), mais a retrouvé à 30 000 hl près celle de 1999. En revanche, les vins blancs, malgré une meilleure qualité, régressent encore. Seulement 738 713 hl ont été déclarés en 2001 contre 656 911 hl en 2000 et 912 797 hl en 1999. La reconversion des vignes blanches vers les vignes rouges se poursuit, car l'échelle des prix continue d'être défavorable au vin blanc bordelais, toujours coté presque moitié moins que le rouge, même quand ce dernier est à la baisse, ce qui fut le cas l'année précédente. En 2002, on semble avoir atteint un seuil, avec le bordeaux régional à 1 000 - 1 200 euros le tonneau de 900 l pour le millésime 2001 et 1 100 - 1 200 pour le 2000, un peu mieux coté. C'était en effet déjà le prix atteint au printemps 2001, quand le bordeaux rouge avait sérieusement dévissé. Ces cours, installés à un faible niveau, ont cependant permis d'écouler les énormes quantités produites, sans qu'on ait été contraint d'en arriver aux pires extrémités comme en Beaujolais où il a fallu détruire une partie de la récolte. Ils ont également conduit à une réflexion sur la qualité des vins offerts à la consommation. Jean-Louis Roumage, qui a été réélu président du syndicat viticole régional des appellations bordeaux et bordeaux supérieur en a fait un axe de son actuel mandat : réforme des conditions d'agrément des vins alors qu'il est notoire qu'au moins 10 à 20 % ne mériteraient pas l'agrément selon les millésimes, et contrôles multipliés sur les méthodes de culture et de vinification.

Ce sont surtout les ventes de grand cru en primeur qui ont marqué le pas cette année. Les hausses de 30 % enregistrées pour le 2000 ont été complètement annulées pour le 2001, voire davantage. La « folie » dénoncée en 2001 n'aura été qu'une passade profitable à certains, mais sans aucun doute destructrice commercialement pour l'ensemble de la région. D'autant plus que beaucoup de grands châteaux sont loin d'avoir réussi à écouler leur production sous cette forme et vont devoir financer leurs stocks, ce qu'ils avaient perdu l'habitude de faire.

La baisse du dollar et de la livre par rapport à l'euro, amorcée en juin 2002, si elle se confirmait durablement, pèserait encore davantage sur ces grandes étiquettes qu'on devrait retrouver dans les foires organisées par les super et hypermarchés, où il avait été difficile de les trouver après les purges de la première moitié de la décennie 90. A quelque chose malheur est bon.

Brèves du vignoble

La volonté de poursuivre coûte que coûte une période euphorique aura aussi conduit à des excès illicites. Des affaires judiciaires nombreuses ont éclaté au printemps 2002 et portent sur tous les types de fraude imaginables par des esprits déliés. L'usurpation du nom de château est l'une des plus bénignes, le consommateur se doutant bien que le vignoble girondin ne peut abriter 10 000 châteaux, soit à peu près le nombre des déclarations de récolte. Il a été décidé de donner un coup de frein à des pratiques qui

QUOI DE NEUF

permettent à certains viticulteurs d'offrir à chacun de leurs clients une étiquette différente et bien sûr fictive afin de leur éviter de se faire concurrence entre eux. Mais la question reste entière pour le consommateur : une cuve vendue au négoce pouvait porter le même nom qu'un vin élevé en fût au château. Il ne s'agit pas du même produit. Pour éviter la confusion, il serait essentiel d'apposer un nom de cuvée différent.

D'autres fraudes se fondent sur la vénération excessive portée aux vieilles bouteilles et permettent d'en multiplier le nombre et la valeur en les remettant à niveau avec des vins récents. Certains sont même allés plus loin et la plupart des grands négociants de la place se sont fournis chez un confrère peu scrupuleux, vendant non seulement des faux millésimes, mais aussi des fausses appellations en mélangeant allègrement le médoc avec des vins du Midi. Le Tribunal a accepté de reconnaître leur bonne foi, mais les vins ont bel et bien été vendus.

La dernière affaire, concernant une société propriétaire de plusieurs centaines d'hectares et de nombreux châteaux, était encore à l'instruction à l'heure où ce livre était sous presse, mais outre la fraude sur le vin, elle aura des implications fiscales et pénales sans doute plus lourdes. Une production qui représente plus de trois milliards d'euros n'attire pas que des saints, surtout quand il s'agit de maintenir de hauts revenus en période difficile.

Parallèlement, les ventes de vignobles ont plutôt connu une accalmie l'année passée. On dit à Bordeaux que tout château est potentiellement en vente, mais c'est une question de prix. La mode qui faisait que tout financier ou industriel enrichi se devait de posséder son vignoble est passée, et surtout les financiers et industriels ont désormais d'autres soucis avec le cours de leurs propres actions en Bourse. On a vu ainsi le cru bourgeois Château Bibian (listrac) revendu par son propriétaire-footballeur, Jean Tigana, à une ancienne famille médocaine, les Meyre. Un autre cru bourgeois connu des amateurs, La Clare, à Bégadan-en-Médoc, a ainsi été vendu à un viticulteur médocain, Jean Guyon, propriétaire de Rolland de By. Le château Petit-Village à pomerol a été acquis par Gérard Perse, déjà propriétaire de Pavie et Pavie-Decesse, deux grands crus classés de saint-émilion. Ce type d'étiquette ne connaît toujours pas de crise et guère de limite pour les prix.

QUOI DE NEUF EN BOURGOGNE ?

2001 ne sera pas le millésime historique du XXIᵉ siècle, même s'il est honorable. Les vins blancs sont souvent réussis, surtout en Côte-d'Or, cependant que la Côte de Nuits domine le sujet en rouge.

En volume, la récolte est moins abondante qu'en 2000, entre 5 à 15 % de baisse selon les vignobles : 1 487 784 hl (- 4,1 % par rapport à 2000, mais la moyenne reste stable sur cinq ans). En volume, les grands crus rouges de Côte-d'Or sont en légère augmentation. Chablis et petits chablis voient progresser leur production, de même que les appellations communales du Mâconnais (chardonnay). Le reste est assez stable d'une année sur l'autre. Les orages du 2 août 2001 expliquent les volumes plus faibles en Côte de Beaune (rouges) et en Côte chalonnaise (blancs).

Moins précoce qu'en 2000

En mars, les températures douces ont favorisé la reprise d'activité de la vigne. Par rapport à 2000, cette dernière présente huit à dix jours d'avance. A partir du 13 avril, l'évolution est stoppée par une baisse importante des températures. Des gelées matinales, notamment du 19 au 25 dans l'Yonne, produisent quelques dégâts. La végétation repart fin avril et l'avance enregistrée au début du mois disparaît. Les températures moyennes de début mai entraînent une évolution assez lente de la végétation. À la mi-mai, la vigne enregistre cette fois un retard d'une semaine par rapport à 2000. Les températures, plus élevées après la mi-mai, redonnent des couleurs à la vigne. Face à ce changement brutal de saison, la végétation réagit rapidement. Mi-juin voit la fin de la floraison dans le sud, tandis que pour les autres vignobles elle est en cours.

En juillet, malgré des conditions météorologiques contrastées, le grossissement des baies s'effectue assez rapidement. Les fortes chaleurs de la fin juillet et de début août provoquent des « coups de soleil » dans différents secteurs du vignoble bourguignon. Températures élevées et ensoleillement généreux favorisent une évolution rapide de la véraison. Jusqu'à fin août, la maturation s'effectue dans de bonnes conditions. Il n'en est pas de même en septembre où le temps maussade perturbe l'évolution des raisins, particulièrement dans les vignobles les plus tardifs. Pommard, Volnay, et en Côte chalonnaise, Rully,

Mercurey, Bouzeron et Chassey-le-Camp connaissent de violents orages de grêle en août.

Par rapport à 2000, les vendanges commencent avec six à douze jours de retard, vers la mi-septembre en Mâconnais sud, les 20-21 en Côte de Beaune et début octobre dans l'Yonne. Cette dernière connaît son mois de septembre le moins ensoleillé depuis cinquante ans. L'état sanitaire du raisin est assez bon malgré une accélération de la pression du botrytis fin septembre. Le millésime 2001 est moins précoce que le précédent, et correspond davantage aux périodes habituelles de récolte. On se rapproche alors des conditions climatiques du millésime 94.

Le bilan de campagne

Après la stagnation constatée lors de la campagne 1999-2000, les volumes de vins de Bourgogne commercialisés en 2001-2002 progressent sensiblement pour atteindre près de 190 millions de bouteilles. En France, + 10,6 %, et à l'export, + 7 % (95 millions de bouteilles expédiées), avec un chiffre d'affaires en augmentation de 5 %. La part des expéditions vers les pays de l'Union européenne correspond à 61 % du volume des exportations, dont un quart à destination du Royaume-Uni. L'Allemagne est le seul pays de l'Union européenne à enregistrer une diminution de ses exportations. En revanche, celles-ci augmentent vers le Canada, qui voit une progression de la consommation, ainsi que vers les Etats-Unis grâce, notamment, à un taux de change favorable.

Les vins blancs jouent et gagnent... En France, leur hausse récente atteint en volume + 14 % en un an (53 millions de bouteilles), celle des vins rouges + 5 % (42 millions de bouteilles).

Les cours ? Il fallait calmer le jeu. Après une période de hausse ininterrompue de 1993 à 2000 où le prix moyen de la pièce (300 bouteilles) était passé de 2 184 euros à près de 7 000 euros, les chandelles de la vente des Hospices de Beaune ont été moins pétillantes en 2001. La baisse de 23,8 % est surtout sensible pour les vins rouges, mais avec des différences de prix selon les cuvées variant de - 2 % à - 45 %. Millésime emblématique, le 2000 avait artificiellement gonflé le résultat. On revient aujourd'hui à des prix plus raisonnables. La vente des Hospices de Nuits-Saint-Georges confirme cette évolution, avec une baisse de 6,7 %.

L'appellation saint-bris

Voici des années que le dossier était en chantier. Le seul VDQS bourguignon depuis 1974 (sauvignon de saint-bris) disparaît pour laisser place,

dès le millésime 2001, à l'AOC saint-bris en blanc uniquement. L'aire de production, principalement sur cette commune, couvre 895 ha. C'est un hommage à ce cépage de Loire, le sauvignon, implanté avec succès en Auxerrois.

Ladoix-Serrigny obtient le classement de près de 10 ha en premiers crus (Les Hautes Mourottes, Le Rognet, Sous Frétille, etc. ; Les Gréchons en blanc seulement), des parcelles en haut de coteau et proches du corton. Pernand-Vergelesses voit naître le nouveau premier cru Sous Frétille qui réunit cinq climats (blanc) et est situé sur le coteau qui fait face au corton-charlemagne. Deux monopoles, le Clos Berthier (Rapet) et le Clos du Village (Dubreuil) deviennent également des premiers crus.

L'amorce d'une réorganisation ?

Une nouvelle charte pour la préservation de l'environnement et des terroirs au sein des AOC chablisiennes a été édictée. La réorganisation des appellations mâconnaises marque le pas, faute d'accord entre le Nord et le Sud. On pense à la suppression du mâcon supérieur, à des regroupements pour les villages autour de noms porteurs (Lugny, Mancey, etc.). Certains noms (Fuissé, Vinzelles par exemple) créent des confusions entre AOC communales et AOC mâcon-villages.

Le Bureau interprofessionnel du vin de Bourgogne lance un plan sur cinq ans, doublant son budget pour se donner les moyens d'une intervention efficace en communication. Il prévoit de vérifier la qualité des vins, par sondages, sur les marchés étrangers. Les Grands Jours de Bourgogne ont remporté un important succès ; ils ont réuni 1 500 participants professionnels, dont 55 % venus de l'étranger.

Un accord interprofessionnel officialisé par arrêté ministériel prévoit qu'à partir du millésime 2002 tous les habillages frontaux des bouteilles porteront la mention « Vin de Bourgogne » (appellations régionales) ou « Grand Vin de Bourgogne » (appellations communales et grands crus).

Domaines et maisons

Le domaine familial Roux Père et Fils (saint-aubin) s'étend dans le Languedoc. Déjà propriétaire de 70 ha de vigne à Lunel et à Aspiran, il acquiert 20 ha d'AOC coteaux du languedoc à Sainte-Croix. Jean-Claude Boisset prend 40 % de la maison Caroline de Beaulieu à Carcassonne (24 ha en minervois). Les négociants Olivier Leflaive (puligny-montrachet) et Jean-Marie Guffens (Vergisson) s'associent pour créer une cuverie à Chitry (vins de Chablis).

La maison beaunoise Jaboulet-Vercherre s'effondre et est acquise par la maison Louis Max (nuits-saint-georges) pour un prix dérisoire de 76 225 euros. Veuve Ambal (crémant de bourgogne) quitte Rully pour Montagny-lès-Beaune. Fondée à Beaune en 1865, la maison Camille Giroud est acquise par des investisseurs américains de la vallée de Napa, Ann Colgin et Joe Wender (appui financier de Goldman Sachs). L'équipe bourguignonne et familiale reste en place. Dès 2004, la coopérative La Chablisienne exploitera en direct les 7,2 ha de chablis grand cru Château Grenouille gérés jusqu'à présent par une filiale du Crédit Agricole.

Au château de Pommard (seul clos bourguignon s'étendant sur près de 20 ha d'un seul tenant, créé par les Marey-Monge au début du XIXe siècle), après avoir exploré de nombreuses possibilités d'avenir, le psychanalyste et professeur en Sorbonne Jean-Louis Laplanche conclut un accord avec... les époux Cathiard de Smith Haut-Lafitte (pessac-léognan), un rare exemple de partenariat Bourgogne-Bordeaux.

A l'étranger ? Jean-Claude Boisset poursuit son implantation au Canada près des chutes du Niagara, avec une cuverie construite par l'un des meilleurs architectes au monde, Frank Gehry, tandis que Michel Picard engage un projet non loin de là, en partenariat avec la maison des Futailles (Québec).

Après William Fèvre, Michel Laroche (chablis) pose un pied au Chili. La tonnellerie François Frères (Saint-Romain) prend 49 % de la tonnellerie australienne AP John, leader dans ce pays.

Brèves du vignoble
Hubert Camus (gevrey-chambertin) succède à Louis Trébuchet (puligny-montrachet) à la tête du Bureau interprofessionnel des vins de Bourgogne. Vice-président : Jean-François Delorme (rully).

A noter : la Saint-Vincent tournante le 25 janvier 2003, dans un esprit de retour aux sources, dans les villages situés à proximité du Clos de Vougeot.

QUOI DE NEUF EN CHAMPAGNE ?

Pas de miracle à attendre d'une année pénible. *Horribilis*, comme dirait la reine d'Angleterre. Il faut remonter à 1984 pour retrouver d'aussi tristes souvenirs. Cela dit, le 2001, entre de bonnes mains, s'en tire à peu près bien, et l'on va puiser dans les réserves pour bâtir un brut digne de ce nom.

Les vertus de l'assemblage
Des fleurs autour du 20 juin, un mois de juillet froid et pluvieux, chaleur et grêle en août : l'année climatique aura déjà été moyenne et tout se gâte en septembre. Il pleut sans cesse et le temps est froid (précipitations supérieures de 50 % à la normale). Le raisin ne mûrit pas, ou faiblement. Alors que l'on atteint d'ordinaire en moyenne 9,6°, on ne dépasse pas, en 2001, les 8,5°, Cependant, l'acidité est bonne.

Les vendanges se déroulent du 20 septembre à la mi-octobre. Les raisins sont gonflés par l'eau, dépourvus de toute ardeur ; les moûts vinifiés pèsent souvent moins de 7°. Le « soleil de cuve », le sucre de betterave, contribue au degré normal. Un côté positif néanmoins : la vendange est saine, certes sévère, mais exempte de goûts fâcheux, de pourri, d'herbacé. Meilleure à cet égard que le millésime 84, de sinistre mémoire. La question est alors celle du rendement, ou plus précisément celle des principes champenois limitant la récolte commercialisable, mais ne la restreignant pas sur le pied de vigne. Ne parlons pas de millésime. Aucune maison ne le fera de 2001, toute tentative authentique

est sans crédibilité. La médiocrité des vins nécessite un recours considérable aux vins de réserve, jusqu'à 40 % pour le brut des bonnes maisons. C'est là la vertu de l'assemblage champenois. La récolte 2001 s'élève à 1 042 730 pièces (de 205 l).

Le marché
Les stocks de champagne comprennent 1 080 millions de cols. Le chiffre d'affaires est de 2,9 milliards d'euros dont 1,3 à l'export. Les expéditions atteignent 262 613 450 bouteilles, dont 172 250 744 par les maisons de Champagne (65,6 %), 90 362 706 par les récoltants et les coopératives (34,4 %).

Le Royaume-Uni vient en tête des marchés extérieurs avec 25 076 435 bouteilles, suivie par les Etats-Unis (13 701 967 bouteilles), l'Allemagne (12 824 724), la Belgique (7 433 331), l'Italie (7 031 437), la Suisse (6 177 999), le Japon (3 560 029), les Pays-Bas (2 246 436), l'Espagne (1 830 439) et l'Australie (892 612). En 2000, les expéditions de champagne ont diminué de 22 % par rapport à 1999. Très certainement, l'effet de la saint Sylvestre...

Dans cette région, en seulement un an, le prix du foncier a augmenté de 19 %. Et depuis dix ans, le prix des vignes a triplé en Champagne.

Le TGV

Le tracé du TGV-Est traverse les communes de Vrigny, Sillery et Vernezay : les vendanges 2002 sont ainsi compromises (12 ha d'emprise). Pas trop d'émotion cependant car les superficies perdues sont largement compensées : pour 1 ha de perdu 1,5 ha retrouvé ! Mais Sillery et Vernezay sont classés en grand cru contrairement aux nouvelles terres... De fortes indemnités sont acquises aux producteurs.

Le vieux débat aubois rebondit. Des 16 000 ha classés par la loi du 22 juillet 1927, il n'en subsisterait aujourd'hui que 6 500. Les viticulteurs de ce département montent au créneau pour obtenir une aire de délimitation moins stricte. La justice administrative ne leur ayant guère donné d'espoir, ils se tournent vers la Cour européenne de Strasbourg, au nom des droits de l'homme !

Brèves du vignoble

Vranken Monopole (Paul-François Vranken) rachète la marque Pommery acquise en 1990 à BSN par LVMH. Vranken, qui agit ici avec le Crédit Agricole, récupère la marque ainsi que 20 millions de cols en cave. En revanche, les 470 ha de vignes (dont 300 sont classés en grand cru) restent la propriété de LVMH qui acquiert le champagne Cheurlin.

Le rapprochement de Taittinger et d'Albert Frère se poursuit. Le financier belge (administrateur de LVMH) détient 15,3 % du groupe champenois et, sans devenir un *sleeping partner*, souhaite développer un partenariat constructif.

La maison de Cazanove prend la gérance de la maison Médot.

Idées nouvelles ? Heidsieck & Monopole lance la Little Blue Top, une bouteille de 20 cl Mumm cuvée grand cru. Nicolas Feuillate présente sa Collection particulière, grands crus du millésime 1995. Moët et Chandon sort une nouvelle gamme de trois vins, monocru et monocépage. La gamme de Castellane reçoit un nouvel habillage.

La maison Charles Heidsieck a perdu son chef de cave, l'excellent œnologue Daniel Thibault, trop tôt disparu.

QUOI DE NEUF DANS LE JURA ?

Un millésime difficile, mais une arrière-saison aimable ont permis de bonnes cuvées. Château-chalon prend acte des faiblesses du millésime et choisit de ne pas produire. Des viticulteurs conscients de leurs responsabilités au regard de leur image.

Des résultats mitigés, mais de grands projets

L'hiver s'est montré clément, à l'exception de la fin du mois de février et du mois de mars particulièrement pluvieux (trois fois la normale). Puis les températures ont joué au yoyo, avec un déficit d'ensoleillement. Mai a été marqué par la chaleur et de nombreux orages ont éclaté entre le 10 et le 25, mais on retient surtout le violent orage de grêle du 6 juillet. Constamment, le climat souffle le chaud et le froid. Un mois de septembre très maussade perturbe la fin de matura-

tion, avec des vendanges accusant un retard d'une dizaine de jours par rapport à 2000 (à partir du 17 septembre en crémant et du 24 en vins tranquilles).

Orages de grêle en juillet, pluies ininterrompues en septembre, le mildiou envahi les 55 ha de château-chalon. On peine à atteindre les 12 % vol., minimum requis pour l'appellation. Dès lors et avec courage, la décision est prise : comme en 1974, 1980 et 1984, il n'y aura pas de château-chalon. Des raisins gorgés d'eau et d'une maturité insuffisante : l'AOC prestigieuse aurait perdu quelques plumes à se présenter ainsi. On vendange cependant, pour produire en déclassement un côtes-du-jura blanc.

Le Jura tout entier profite cependant d'une arrière-saison plutôt clémente avec le mois d'octobre le plus chaud depuis 1961. Le vignoble signe de belles cuvées en savagnin, en chardonnay et même en pinot noir. Le poulsard, cépage local, se comporte fort bien. Une année intéressante.

La récolte qui dépassait les 97 000 hl en 2000 chute à 83 500 hl en 2001. Elle s'élève à 37 775 hl en arbois (dont 367 hl en vin de paille !), à 25 396 hl en côtes du jura, à 2 607 hl en l'étoile, à 3 438 hl en macvin du jura et à 14 344 hl en crémant du jura. Château-chalon demande à l'INAO sa reconnaissance en grand cru, ce qui semble parfaitement justifié. Le vignoble entend montrer l'exemple. Le vin jaune doit rester un must.

Brèves du vignoble

A noter : la prochaine Percée du vin jaune, présidée par Alain de Laguiche (Château d'Arlay), aura lieu à Arlay les 8 et 9 février 2003.

QUOI DE NEUF EN SAVOIE ?

Les aléas du climat au cours de l'année 2001 n'ont pas permis au millésime de prendre son envol. Mais on ne sera pas dépaysé après une grande journée de ski et avec une bonne raclette...

L'année des faux espoirs

En mai, la floraison s'étale sur un mois avec un grand décalage selon les régions. La maturité varie beaucoup de vignoble en vignoble. Après un triste temps courant juillet, avec beaucoup de fortes chutes de grêles (au nord de la combe de Savoie notamment), août voit alterner chaleurs et pluies. Il faut parfois vendanger en plusieurs fois et éliminer les raisins qui ont mal mûri ou chargent trop le cep. L'espoir renaît un peu en septembre, mais s'efface durant les derniers jours du mois, humides et frais. La pourriture grise et le mildiou n'épargnent guère la Savoie, comme en 1999. Certains chardonnays, la roussette, le bergeron donnent des vins intéressants, particulièrement dans les secteurs de Chignin et de Marestel. La mondeuse est en général assez austère, tandis que le pinot et le gamay ont souffert. La jacquère se montre parfumée, plutôt vive, désaltérante. 140 000 hl pour la récolte 2001, légèrement supérieure à 1999, comme l'année 2000.

Un vignoble en bonne en santé

Le vignoble de Savoie (2 110 ha) continue sa croissance avec une légère augmentation (+ 1 %) des superficies encépagées, soit une vingtaine d'hectares sur les 2 000 en production. Les nouvelles plantations s'effectuent surtout sur les hauts de coteaux.

Le marché est stable. Il est principalement local et lié au tourisme dans les Alpes et en Savoie. Un effort est entrepris pour sortir les vins de leur région d'origine et l'on obtient quelques résultats à l'export.

Les nouvelles réglementations nationales de l'agrément ne présentent pas ici de difficultés, car elles reprennent ce qui se faisait en Savoie depuis de nombreuses années.

QUOI DE NEUF EN LANGUEDOC-ROUSSILLON ?

Le millésime 2001, synonyme de maturité et de qualité, est jugé particulièrement réussi en Languedoc-Roussillon. Il a bénéficié de remarquables conditions météorologiques. Il devrait rester dans les annales au même titre que l'excellent 98.

LE LANGUEDOC

Dès l'automne 2000, la pluviosité a été suffisante pour permettre aux sols de reconstituer leurs réserves hydriques. Un orage au mois de juillet a bien profité à l'ensemble des coteaux du Languedoc. Le mois d'août, très chaud, a été tempéré par la fraîcheur des nuits de septembre. Les vendanges se sont déroulées sous un beau soleil avant que ne soufflent mistral et tramontane, comme pour signaler leur fin. Les appellations d'origine du Languedoc – hors vins doux naturels – ont produit 1 900 000 hl en 2001, chiffre sensiblement identique à ce que représentaient les agréments du millésime précédent, même si l'on peut noter que minervois-la livinière est en légère augmentation tout comme corbières (+ 35 000 hl), alors que faugères a diminué d'environ 2 200 hl.

En coteaux du languedoc, le volume agréé pour le millésime 2001 est d'environ 510 000 hl. Il est en hausse par rapport à l'année précédente. Cette augmentation est le résultat d'une forte motivation des vignerons. Mais si les surfaces augmentent en AOC, les rendements diminuent. En 2001, le rendement moyen est évalué à 47,7 hl par hectare en coteaux, une baisse par rapport à l'année précédente.

L'exceptionnelle qualité des raisins a donné des vins rouges particulièrement colorés et tanniques avec un important potentiel de garde. Les vins rosés, bien marqués par les fruits rouges, ne sont pas en reste. Les vins blancs, gras, amples et aromatiques, ne démentent pas. Une grande année pour les trois couleurs.

Les vignerons des coteaux du languedoc ont voté, lors de leur assemblée générale en avril 2002, une modification de décret qui vise à affirmer plus fortement encore la typicité de leurs vins. Désormais, le minimum requis de syrah et de mourvèdre passe de 10 à 20 % pour les vins rouges et rosés. Le degré minimum des vins fins est augmenté. Il est maintenant de 11,5 % vol., contre 11 % vol. auparavant. La richesse naturelle en sucre des moûts doit être ajustée. Enfin, la taille répond à des critères plus sévères.

Le syndicat et les vignerons mettent en place, dès la récolte 2002, des commissions de contrôle à la parcelle pour mieux assurer un suivi agronomique du vignoble d'appellation comme doivent désormais le faire toutes les AOC françaises.

Les Grès de Montpellier

Le Comité national de l'INAO du 5 septembre 2001 a donné un avis favorable à la reconnaissance, pour les vins rouges, de la mention « Grès de Montpellier », pour les coteaux du languedoc. L'aire géographique est définie et l'identification parcellaire est en place. La parution du décret devrait intervenir avant la fin de l'année 2002. Une démarche similaire est en cours pour les vignerons des Terrasses du Larzac. D'ici la fin 2002, la commission de hiérarchisation de l'INAO reviendra examiner ce dossier ainsi que la demande du Pic Saint Loup, qui souhaite accéder à une AOC spécifique.

Le Roussillon

Malgré un hiver humide, la pluviométrie enregistrée pour ce millésime a été inférieure à la normale. Les températures ont été plutôt élevées avec un hiver doux et un été marqué par la chaleur. La pluie et la douceur hivernale ont provoqué un débourrement précoce. Une floraison dans de bonnes conditions, un orage vers le 14 juillet, du beau temps pour les vendanges, tout a contribué à l'obtention d'un millésime exceptionnel. La récolte est modeste (1,4 million d'hl), mais d'une qualité remarquable.

Au début des années 1980, le Roussillon comptait 55 000 ha. Depuis, la région a vu la superficie de son vignoble diminuer chaque année. Pour la première fois depuis une vingtaine d'année, cette hémorragie est stoppée à 38 000 hl. De plus, les rendements sont faibles (37 hl/ha).

La production

Les côtes du rousillon et les côtes du rousillon-villages continuent leur progression. La syrah et le mourvèdre, plantés dans le cadre du plan Rivesaltes à la place des vignes à vin doux naturel, ont contribué à donner à ces vins plus de fruit et d'élégance.

La déclaration de collioure est faible en raison de la sécheresse. Les stocks sont bas, mais le produit présente une superbe concentration. Les vignerons n'attendent plus que la reconnaissance des collioure blancs, qui serait pour bientôt...

En vin doux naturel, le muscat de rivesaltes confirme sa place de leader. Cette appellation progresse dans tous les domaines : superficie, volume et surtout qualité avec l'arrivée en production majoritaire du muscat à petits grains.

Banyuls replanté, le renouvellement du vignoble et la reprise d'anciennes vignes donnent un nouveau départ à ce superbe vignoble. Comme pour collioure, la récolte est maigre, mais de bonne qualité sur les vins jeunes, propices à de beaux élevages. Le grenache noir est sublime en maury, typé jeune, et se décline en vin sec avec un certain succès. Rivesaltes maîtrise sa production et reste une appellation à découvrir.

Il ne faut pas oublier le marché du vrac avec les types grenats, vieux ambrés, tuilés ou rancio qui offrent toujours beaucoup de plaisir. Et ce n'est pas le millésime 2001 qui viendra le démentir.

Une année apparemment très simple, mais en réalité fort complexe. Il faut des doigts de fée pour maîtriser un raisin souvent fantasque.

Mieux vaut vendanger tard

La végétation bondit sous l'effet d'un hiver clément, d'un printemps aimable, quoique un peu pluvieux. On ne s'en plaint pas car cela constitue des réserves hydriques bien nécessaires lors d'un été torride et sec. Et ce fut le cas.

Les raisins ont été abondants, mais leur jus était serré. L'alcool est monté en puissance, l'acidité aussi. La maturité phénolique était faible. On s'est retrouvé face à une situation de déséquilibre. Profitant du temps doux et constructif de la seconde quinzaine de septembre, les vendangeurs les plus tardifs ont souvent obtenu les meilleures cuvées, car il ne faut jamais se précipiter sur la grappe à couper.

Bandol chef de file

Peu nombreux mais excellents, les vins rouges jouent et gagnent en côtes de provence. En revanche, un degré alcoolique élevé risque quelquefois de déséquilibrer blancs et rosés. Les coteaux d'aix-en-provence offrent l'exemple type d'une puissance alcoolique élevée, d'une forte acidité sur une maturité qu'il aurait fallu attendre. La situation est plus salutaire pour les baux-de-provence qui ont profité de davantage de vent. Les coteaux varois ont connu un cycle végétatif favorable. Palette est tout à fait honorable et cassis a vendu la totalité de sa production. Bellet a fêté les soixante ans de l'appellation avec un vin gras, concentré, qui restera dans les annales. Enfin, le bandol est apparu comme le chef de file dans les trois couleurs avec de superbes bouteilles.

En côtes de provence, la production 2001 s'élève à 918 340 hl, dont environ 880 000 ont été agréés, un volume légèrement en retrait par rapport au millésime précédent (931 750 hl), mais sensiblement supérieur à la moyenne des années 1994 à 2000 (865 300 hl).

Un marché porteur : le rosé

Depuis 1998, l'appellation côtes de provence a connu une forte croissance de sa clientèle française. Elle a enregistré une progression de 8 % au sein de la grande distribution, notamment grâce aux vins rosés. Ainsi, une bouteille de rosé sur deux achetée vient de Provence. La part de marché du rosé de Provence, tous circuits confondus (hors restauration), est de 43 %. Une performance particulièrement remarquée car partout ailleurs les rosés stagnent ou régressent. Au cours de la campagne 2000-2001, il a été produit 757 920 hl de vins rosés (contre seulement 32 702 hl de vins blancs et 127 717 hl de vins rouges).

Le débat sur les sous-régionales

Engagé depuis douze ans, le travail de délimitation parcellaire des côtes de provence est enfin achevé. Un décret du Conseil d'État (23 novembre 2001) a été nécessaire car les délimitations antérieures étaient judiciaires. Cette remise à plat s'applique depuis la récolte 2001.

L'appellation côtes de provence-sainte-victoire sera-t-elle bientôt la première AOC sous-régionale au sein des côtes de provence ? « Unité ne signifie pas uniformité, dit-on ici. Une appellation produisant un million d'hectolitres ne peut pas rester monolithique. L'identification fine des terroirs, de leur typicité, justifie l'évolution vers des appellations sous-régionales. » Encore doit-on apprécier l'originalité et l'homogénéité de chaque terroir candidat à cette promotion, et en délimiter les parcelles. Lancé depuis longtemps, ce dossier a récemment progressé. Le rapport de Michel Bronzo (commission dite de hiérarchisation au sein des appellations régionales) fournit maintenant une doctrine. Puis une commission d'enquête, présidée par Raymond Baltenweck (ancien président des vignerons alsaciens), est venue dans le secteur le plus en pointe, la montagne Sainte-Victoire, déguster les vins de la récolte 2001, identifiés selon la délimitation parcellaire opérée précédemment. Ses conclusions positives permettent d'envisager l'appellation pour 2003 ou 2004. La montagne Sainte-Victoire produit 15 % des côtes de provence. On ignore encore quelle proportion de son vin portera la nouvelle étiquette : elle doit être significative, mais aussi sélective, pour exister sur le marché. Plusieurs secteurs ont engagé une approche identique : celui de Fréjus paraît bien placé pour prendre la deuxième place. Vient ensuite La Londe (La Londe, Bormes, Hyères). Parmi les candidats futurs : Cotignac, Pierrefeu et le Centre-Var. Des modalités originales d'accompagnement des viticulteurs déclassés devraient faire école ; elles tiennent compte d'un nouveau critère, la gestion économique de l'AOC.

Brèves du vignoble

Le village de Correns, en côtes de provence, a acquis une certaine notoriété en devenant 100 % bio. L'appellation baux-de-provence a adopté une démarche analogue.

Un Conseil interprofessionnel des vins de Provence, réunissant 95 % (volume) des vins de la région, par l'accord des côtes de provence, des coteaux varois et des coteaux d'aix, a vu le jour. Ce que l'on appelle ici « la maison commune ». Les appellations bandol, bellet, cassis et palette sont restées à l'écart. « Ce sera pour plus tard », dit-on. Cette nouvelle interprofession s'exprimera dès 2003.

QUOI DE NEUF EN CORSE ?

Des vendanges très précoces – dès le 15 août parfois – pour un vin enfanté dans la sécheresse. Le millésime 2001 est dans l'ensemble satisfaisant, particulièrement pour les vins rouges.

Tout au long de l'année, il ne pleut guère en Corse. Avec un bel ensoleillement, la vigne est bientôt en avance, de deux à trois semaines. Le seul accident climatique se produit dans la nuit du 15 avril 2001 : fait rarissime, un millier d'hectares de vignes situés entre Bastia et Solenzara gèle par -5 °C. La récolte souffre donc sur la côte orientale et en plaine.

Honneur aux vins rouges

La comparaison entre les volumes des campagnes 2000 et 2001 révèle une diminution de la production dans plusieurs appellations. On passe ainsi pour les vins de corse de 60 230 hl à 53 940 hl, pour les patrimonio de 15 826 hl à 13 289 hl. En revanche, ajaccio enregistre une augmentation de 719 hl, les vins de corse-coteaux du Cap corse de 137 hl et le muscat du cap-corse de 255 hl.

Les vins blancs se comportent bien. Frais, souvent floraux mais aussi portés sur le pamplemousse et le citron vert, ils sont honnêtes sur l'ensemble de l'île. Le vermentino, notamment, est en beauté.

Moins enthousiasmants, les vins rosés affichent plus de diversité. On les choisira plutôt du côté d'Ajaccio, de Calvi, de Figari et de Patrimonio, tandis que pour les vins blancs on ira de préférence vers Ajaccio et Calvi, mieux lotis. Quant aux vins rouges, ils font véritablement honneur à la Corse. De pleine maturité, ils ont du corps et du coffre, des tanins présents, mais bien maîtrisés. Compte tenu de leur constitution, de leur concentration, on pourra les laisser vieillir un peu en bouteille. Les patrimonio et vins de corse Calvi ou Porto-Vecchio ont le vent en poupe. Parmi les cépages corses, le sciaccarellu tient la vedette, offrant des vins spontanés et sincères. Enfin, le muscat-du-cap-corse est d'une civilité onctueuse, classique.

A l'ordre du jour

La demande de reclassement de parcelles situées un peu partout sur l'île, déclassées il y a une quinzaine d'années, est à l'étude. Certaines pourraient retrouver droit à l'appellation.

63

QUOI DE NEUF DANS LE SUD-OUEST ?

A l'ombre du bordeaux, on travaille toujours, on souffre parfois et on réussit aussi. Le millésime 2001 a amené les meilleurs vins blancs possibles et de bons vins rouges, partout des efforts ont été faits. Le marché n'est pas au beau fixe : c'est sans doute le moment d'acheter.

Le grand Sud-Ouest vit le plus souvent au rythme imposé par le grand frère bordelais et se décline selon les variantes locales, la qualité de ses millésimes et les aléas du marché. Globalement, on pourra compter sur d'excellents vins blancs secs, aromatiques, frais et fruités, sur de grands vins doux et liquoreux (monbazillac, jurançon, pacherenc-du-vic-bilh et gaillac) et des vins rouges de qualité chez les bons viticulteurs, mais avec l'hétérogénéité inhérente aux années un peu plus difficiles quand la véraison est retardée et irrégulière dans les vignobles moins bien exposés ou trop productifs.

Au fil des saisons

L'hiver a battu tous les records de pluviosité sans jamais être froid, la vigne a donc démarré son activité précocement pour profiter de beaux jours en avril et en mai. Elle a cependant été ralentie dès juin, avec un temps à nouveau frais et humide pendant la floraison qui s'est déroulée sans problème, quoique plus tardivement qu'en 2000. Le temps maussade s'est poursuivi jusqu'au 20 juillet, les campeurs s'en souviendront. Ensuite, c'est le grand beau qui s'est installé sur le bassin Aquitain, sans que la canicule ne devienne trop insistante. A Bergerac, on a enregistré seulement six jours de pluie significative entre le 20 juillet et la fin septembre, ce qui est peu.

Le raisin a donc mûri lentement, justifiant un retard de dix jours par rapport à 2000 pour le ban des vendanges des raisins blancs, et une semaine pour les raisins noirs (27 septembre). Encore faut-il ajouter que les meilleurs sont ceux qui ont pu attendre nettement plus longtemps pour être récoltés, en dépit des trombes d'eau des 22 et 23 septembre. Là encore, les vignes peu productives,

peu chargées, bien drainées ont pu donner des raisins sains et pas trop dilués. Comme à Bordeaux, à Bergerac et dans tout le Sud-Ouest, on prend conscience en année normale que le soin apporté à la culture fait toute la différence dès que les conditions climatiques deviennent délicates.

Une nouvelle AOC dans le Bergeracois

A propos de Bergerac, on saluera l'apparition d'une nouvelle et treizième appellation, le montravel rouge, dont le décret de contrôle a paru au Journal Officiel le 24 novembre 2001. Alors que le montravel blanc (sec) avait été l'une des premières appellations reconnues par l'INAO en 1937, le rouge aura donc dû attendre soixante-quatre ans et 2001 sera son premier millésime. Les viticulteurs en ont déclaré derechef 1 971 hl qui seront dégustés pour l'édition 2004 du Guide. Au total les AOC du Bergeracois ont produit 595 737 hl en 2001, soit 8 % de moins qu'en 2000 et encore moins qu'en 1999, mais c'était encore beaucoup pour un marché qui a de la peine à absorber de telles quantités. Répercussion inattendue, la campagne des élections législatives 2001 a beaucoup porté dans la circonscription de Bergerac sur la crise de la viticulture. En 2000-2001, les ventes ont baissé de 5 à 10 % et les prix sont revenus au niveau de ceux de 1996-1997.

Cahors et Gaillac, un marché bien orienté

Ce n'est pas le cas partout, puisque le Gaillacois a continué au contraire à bénéficier d'un courant porteur. Sa production a encore augmenté ; elle est passée de 120 341 hl à 128 310 hl pour les vins rouges (hors primeur et rosé) et de 34 305 à 34 718 hl pour les blancs secs. L'explosion des vins blancs doux se poursuit, passant de 8 859 hl à 10 744 hl.

L'engouement pour les vins blancs doux de gaillac, associée à une année optimale pour leur production, pousse toujours les viticulteurs en avant. Pour mémoire, l'appellation gaillac ne déclarait que 1 514 hl de doux en 1991, alors que l'attente de la surmaturation sur les coteaux dominant le Tarn est une tradition séculaire. Le marché, bien qu'en progression constante, n'absorbera pas toute la production de 2001 en une année et c'est tant mieux. Le gaillac doux, comme le monbazillac, a été exceptionnel ; il faudra le stocker et le faire vieillir pour se réserver de grands plaisirs... beaucoup plus tard.

Le rosé bénéficie aussi de l'effet de mode, comme à Bergerac et à Bordeaux, puisqu'il en a été déclaré 11 260 hl contre 3 318 hl en 1991 ; le primeur poursuit aussi une progression régulière : de 3 348 hl en 1991, il passe à 9 389 hl en 2001. Le potentiel du vignoble gaillacois était loin d'être épuisé par la production d'AOC et c'est donc un marché bien orienté qui incite les viticulteurs à se lancer dans cette voie. Le gaillac rouge, depuis la fin de l'année 2000 n'a pas vu ses prix baisser ; il se maintenait encore au début de l'été 2002 à 100 euros l'hectolitre, soit presque le double du bergerac et quasiment le niveau du bordeaux. Les vins du haut pays ne font pas tous des complexes, mais comme partout dans le Sud-Ouest, le vin blanc sec souffre d'une absence de marché.

Malgré les efforts de qualité consentis, l'image du Sud-Ouest, Bordeaux y compris, n'est pas celle du vin blanc. Cela n'empêche pas les professionnels de poursuivre leurs réflexions. Ils travaillent actuellement à la refonte des décrets de l'AOC pour améliorer encore la typicité des vins et leur qualité. Augmenter la densité minimale des plantations de 3 500 à 4 000 pieds par hectare, supprimer certains cépages non typiques comme le sémillon sont autant de décisions qui pourraient prendre effet dès la récolte 2003.

Les enseignes du Sud-Ouest

A Cahors, le vignoble est aussi en pleine santé et il a gagné encore 100 ha en 2001 pour atteindre la superficie de 4 375 ha déclarés, avec une production de 251 873 hl, soit un peu plus qu'en 2000, mais un peu moins qu'en 1999 (254 784 hl). Avec un tel niveau de production concentrée sur une seule appellation, le cahors rouge, alors que des vignobles comme ceux de Bergerac ou de Gaillac peuvent jouer sur des palettes de plus d'une dizaine d'étiquettes, les vignerons se sentent commercialement à l'étroit et souhaitent obtenir un peu plus de différenciation. C'est pourquoi une réflexion a été lancée sur une éventuelle hiérarchisation. Les connaisseurs savent déjà que les vins sont meilleurs sur certains coteaux ou au sommet du Causse par rapport aux fonds de vallée, mais rien dans l'étiquetage ne le

signale aux consommateurs, pouvant justifier des écarts de prix, sinon la réputation du producteur. Communales ou vins de côtes, rien n'est décidé, mais on débat en Quercy.

En Haute-Garonne, quelques changements réglementaires se préparent également pour cette échéance, l'appellation côtes du frontonnais disparaissant définitivement au profit de celle, beaucoup plus simple et anciennne, de fronton, la disparition de la dénomination Villaudric étant consommée. Là aussi, on resserrera l'encépagement défini il y a bien longtemps et de manière un peu trop large au point de ressembler à un véritable catalogue ampélographique des variétés disparues ou médiocres. Notons enfin que l'aire géographique de l'AOVDQS saint-sardos (Tarn-et-Garonne) a été approuvée par le Comité national, mais le plus dur reste à faire, la délimitation parcellaire. L'appellation pourrait bien être attribuée pour le millésime 2005 à ce petit terroir qui ne couvre pas tout à fait 200 ha.

Tous les vins du Sud-Ouest ne sont pas logés à la même enseigne, et plus ils sont proches de Bordeaux, plus ils sont en difficulté quand leur grand frère ne se porte lui-même pas très bien. On l'a vu pour bergerac, mais les côtes-de-duras en sont l'exemple le plus significatif. Ce vignoble de 2 200 ha sis en Lot-et-Garonne est entièrement limitrophe de l'Entre-Deux-Mers et produit des vins blancs et rouges qu'il serait bien difficile de différencier des bordeaux voisins en dégustation à l'aveugle. Il a produit 117 000 hl en 2000 et le stock dépasse une année de production, ce qui est plutôt lourd à porter pour des vins très raisonnable, qui ne sont pas de longue garde. Durant la campagne 2000-2001, les ventes en vrac ont baissé de 50 %, tandis que l'on commençait à évoquer la mise en place des dispositifs d'aide pour les viticulteurs en difficulté. Et pourtant, il y a là de jolies choses à déguster, le Guide en atteste, avec de nombreux coups de cœur régulièrement décernés dans l'appellation, même au vin de la coopérative.

Plus au sud, après le réveil des appellations de vin blanc (principalement jurançon et pacherenc-du-vic-bilh qui sont devenues des joyaux du Béarn avec une pléiade de jeunes viticulteurs bourrés de talent), c'est le madiran qui semble en effervescence. Alain Brumont avait donné le signal, il y a vingt ans, et il est aujourd'hui suivi. L'arrivée au château Peyros de Jean-Jacques Lesgourgues, déjà signalé à Fronsac et dans les Graves pour le perfectionnisme de ses méthodes, est un événement très prometteur pour l'appellation.

QUOI DE NEUF EN VAL DE LOIRE ?

DANS LA RÉGION NANTAISE

Le printemps 2001, pluvieux et frais, n'a pas été propice au débourrement. Résultat : d'une année sur l'autre, les quantités ont chuté de plus de 15 %. La production n'a pas dépassé 830 000 hl au total (hors vins de pays). Pour les muscadets, les quantités produites atteignent 640 968 hl, contre 660 000 à 680 000 hl précédemment.

La faiblesse des rendements aidant (moins de 50 hl/ha en moyenne pour le muscadet), la qualité est au rendez-vous. Le muscadet 2001, issu de raisins sains et mûrs, est équilibré et bien structuré, un peu ferme parfois en raison d'un blocage dû au froid au moment de la récolte.

Encore faibles, les prix tendaient à se redresser au premier semestre 2002, plus nettement toutefois pour le muscadet que pour le gros-plant. Autre bonne nouvelle, le muscadet regagne du terrain sur son premier marché d'exportation, le Royaume-Uni, où il avait fortement reculé face aux vins du Nouveau Monde en 2000-2001.

Un troisième niveau de muscadet

Le projet de création d'un « troisième niveau » du muscadet (qui se superpose aux appellations sous-régionales que sont le sèvre-et-maine, les coteaux de la loire et les côtes de grand-lieu) arrive en phase d'expérimentation. Plus de cent producteurs ont vinifié, en 2001, une cuvée répondant aux exigences d'un cahier des charges très strict (vignes de seize ans minimum, rendement maximum de 47 hl/ha, élevage pendant douze mois minimum...). Une commission a visité les parcelles concernées au cours de l'été pour vérifier les rendements, et une dégustation aura lieu fin 2002 afin de confirmer le bien-fondé de la démarche.

Un décret du 19 septembre 2001 a redéfini l'aire géographique de production du muscadet. Il en exclut sept communes dont la production était très marginale. Un travail de redélimitation des parcelles a été engagé dans la région des coteaux de la loire. Il devrait aboutir en 2003.

Brèves du pays nantais

Le Conseil interprofessionnel des vins de Nantes s'attache à présenter le muscadet comme « le vin qui fait chanter la ville ». Après un opéra de rue en 2000 et l'opéra comique Arlequin et Muscadine en 2001, il a parrainé au mois de mai 2002 le festival de chant choral Les Muscadines. Il a créé sa propre chorale, également dénommée Les Muscadines.

EN ANJOU-SAUMUR

Le premier jour de l'année 2001 a vu la création de l'interprofession Interloire regroupant les centres interprofessionnels d'Anjou-Saumur et de Touraine. L'objectif est de faire connaître le Val de Loire comme une identité viticole à part entière en fédérant les différents vignobles qui bordent le fleuve royal. Un grand projet qui voudrait voir à terme l'adhésion des comités interprofessionnels des vins de Nantes et du Centre et qui a marqué l'année 2001.

Le millésime 2001 se caractérise par une pluviométrie assez importante, des températures élevées et une insolation qui se situe dans la moyenne. Le thermomètre a grimpé au mois de mars, ce qui a favorisé un débourrement homogène et précoce. Les fortes pluies de mars et avril ont rendu soucieux plus d'un viticulteur, mais l'insolation des mois de mai à juin a permis à la vigne de rattraper le retard du mois d'avril et de voir sa floraison se dérouler dans des conditions idéales. De juillet à septembre, le développement végétatif s'est déroulé dans de bonnes conditions si bien qu'on notait fin août un fort potentiel pour l'ensemble des cépages. Les pluies relativement nombreuses de la fin septembre à la mi-octobre ont eu des incidences négatives sur les vignes à charge excessive, comme le développement de la pourriture grise.

Les nuits fraîches de fin septembre ont permis de freiner le développement du botrytis sur tous les cépages. Après la mi-octobre, les conditions de botrytisation étaient exceptionnelles pour l'obtention de grands vins liquoreux : brumes le matin, soleil l'après-midi et fraîcheur pendant la nuit, le tout sans l'ombre d'une goutte de pluie. Les gelées nocturnes ont fragilisé les pellicules, augmentant ainsi la cinétique de concentration des baies. En résumé, 2001 est un très bon millésime, typiquement angevin puisque c'est l'été de la saint Martin qui a permis d'obtenir les grands vins que nous dégusterons bientôt.

Le marché des vins d'Anjou-Saumur est orienté sur des tendances similaires à celle de la campagne 2000, à savoir une amélioration du marché des vins rouges et rosés, une difficulté persistante concernant celui des vins blancs secs et effervescents. Pour les vins rouges, l'AOC saumur-champigny conforte sa place de leader avec des prix au négoce de 2 euros le litre. Les stocks sont faibles, les disponibilités progressent légèrement du fait d'une augmentation de la superficie de ce vignoble. L'appellation anjou est en net progrès avec des prix au négoce de l'ordre de 1,15 euros (avec cependant une baisse en fin de campagne). Le travail de fond accompli par ce syndicat, qui a notamment défini les typicités anjou et anjou-villages, un souci de rigueur lors des agréments, la recherche d'une excellente maturité (le ban des vendanges a été fixé au 10 octobre) donnent des résultats encourageants.

Les vins rosés s'inscrivent dans une tendance nationale favorable. Les stocks établis à la fin août sont faibles (80 000 hl pour une récolte totale de vins rosés dépassant 350 000 hl), les disponibilités sont stables et les prix sont en légère augmentation (0,99 euro le litre pour les cabernets d'anjou et 0,91 euro le litre pour les rosés d'anjou et les rosés de loire). Cette amélioration de la situation des vins rosés s'opère par cascade du travail effectué sur la production des vins rouges et liquoreux. Les vignerons deviennent plus performants dans la conduite des vignes destinées à produire des vins rouges et liquoreux (recherche d'une maturité phéno-lique optimale dans un vignoble septentrional et nécessité pour les récoltes par tries de préparer les vignes) et améliorent également leur conduite pour la production de vins rosés.

Le marché des vins blancs, à l'exception des vins liquoreux, est le point noir de l'Anjou. Les récoltes stagnent, voir chutent notamment pour les vins effervescents, et les prix sont très faibles (on peut parler de crise dans le Saumurois). Les vins de ces appellations restent mal définis et les conduites des vignes destinées à cette production ne permettent pas à un terroir pourtant connu dès le XVIIIes. d'exprimer toutes ses potentialités.

L'exemple à suivre est sans doute à chercher dans la production des vins liquoreux qui sont en pleine reconquête de leur ancienne notoriété. Les récoltes se font obligatoirement par tries successives, les degrés à la récolte ont été significativement augmentés (minimum de 13 % vol. pour l'AOC coteaux du layon par exemple) et les plantations se font à nouveau sur les grands coteaux qui, depuis les années 1950, étaient malheureusement laissés à l'abandon et envahis par les friches.

La Touraine connaît depuis une dizaine d'années une série de millésimes précoces. Personne ne s'en plaint quand on sait qu'une avance de quelques jours dans la floraison implique des vendanges en époque plus chaude et ensoleillée. Un hiver doux avec peu de grands froids a conduit au débourrement début avril. Les gelées ont épargné les jeunes pampres et la floraison s'est déroulée précocement du 5 au 15 juin, suivant les cépages et les terroirs, avant le solstice d'été. Selon l'Unité d'analyses et recherches du Laboratoire de Touraine, que dirige Etienne Carre et qui joue un grand rôle dans le conseil à la viticulture, la thermométrie sur l'ensemble de la période végétative de la vigne a été supérieure à la normale, tandis que l'ensoleillement s'est montré légèrement déficitaire, en particulier en fin de période. Les pluies ont été abondantes en milieu d'été et au début de l'automne. L'année 2001 présente donc un profil climatique un peu en dessous de la normale, mais sans conséquences graves pour l'évolution de la maturation du raisin.

Les vins blancs de sauvignon récoltés par temps sec, à bonne maturité aromatique, sont de très belle facture ; ils révèlent des senteurs délicates et de la rondeur avec un bon prolongement en bouche. Les vins de pineau de la Loire, à vouvray, montlouis et en AOC touraine sont dans la lignée des secs et des secs tendres, pleins et sans acidité excessive. Les vins de base, bien équilibrés, se révéleront dans un ou deux ans et feront de bons effervescents.

On note, ça et là, quelques cuvées de moelleux récoltées courant novembre. Les rosés sont conformes à l'image que l'on attend d'eux, fruités et coulants. Parmi les vins rouges, les gamays ont connu une réussite inégale. Les premières pluies ont perturbé les vendanges, mais l'ensemble se révèle fruité. Les vins de cabernet franc récoltés à bonne maturité, mais dans des conditions délicates de pluviométrie, restent cependant équilibrés et avec de la matière. Dans la vallée du Cher, les assemblages de cabernet franc et de sauvignon, de cot et de pinot noir donneront beaucoup de satisfaction.

Une récolte raisonnable

A vouvray et montlouis, on a obtenu pratiquement le même volume que l'an passé, soit respectivement 119 359 hl et 15 468 hl. Pour les vins rouges de chinon et de bourgueil, la récolte est nettement en retrait : à chinon, 110 139 hl contre 118 800 hl en 2000 et à bourgueil 69 300 hl contre 77 800 hl. A saint-nicolas-de-bourgueil, il est rentré 57 426 hl, soit à peu près le même volume que l'année précédente. Les appellations touraine, touraine-amboise, touraine-azay-le-rideau, touraine-mesland et noble-joué sont elles aussi déficitaires. Sur l'ensemble de la région, la diminution de la récolte est de 90 000 hl. A noter que la production de touraine primeur, qui était de 15 868 hl en 2000, est à la recherche d'un second souffle.

La commercialisation des vins de Touraine s'équilibre harmonieusement. Les vins rouges trouvent sur le marché intérieur la quasi-totalité de leurs débouchés. Pour les vins blancs, la part des exportations est importante ; le Royaume-Uni et les Etats-Unis sont les principaux acheteurs.

Brèves de Touraine

Disparition de deux personnalités de la viticulture. Gaston Huet est parti en avril dernier. Celui que l'on surnommait le Pape du Vouvray était à l'origine de la reconnaissance de l'appellation en 1936. Il a été aussi jusqu'au bout le Grand Maître de la confrérie de la Chantepleure qu'il avait contribué à créer. On ne compte pas les responsabilités qu'il a assumées au sein de la profession comme de l'administration départementale et municipale. Son départ a été précédé de quelques mois par celui d'Armand Monmousseau, longtemps président du Syndicat des élaborateurs de vins effervescents de Touraine et secrétaire général du Comité des vins de Touraine.

Les coopératives bougent en Val de Loire : sept structures de producteurs ont décidé de s'unir pour créer leur filiale de commercialisation, Alliance Loire. Celle-ci regroupe sept cents vignerons exploitant 3 600 ha pour une production d'environ 210 000 hl. Elle sera le premier opérateur en AOC de la troisième région viticole française. Deux coopératives de Touraine en font partie

Le commerce n'est pas en reste : deux entreprises familiales de négoce unissent leur destinée commerciale. Donatien Bahuaud de Loire-Atlantique et Pierre Chainier d'Indre-et-Loire créent une société de commercialisation : Bahuaud-Chainier, avec pour devise internationale « Loire Premium ». Son chiffre d'affaires devrait dépasser les 30 millions d'euros en 2002.

Les températures modérées de la fin de l'hiver ont entraîné un débourrement précoce, à la mi-avril. La floraison s'est étalée du 10 au 25 juin, période normale pour nos vignobles. L'été a été marqué par une humidité plus importante que la moyenne de ces dernières années, en particulier avec de fortes pluies orageuses en juillet.

La première partie de la maturation, en septembre, s'est déroulée sous un climat frais qui a ralenti l'évolution des grappes. Puis la première quinzaine d'octobre a vu le retour des chaleurs (températures maximum supérieures de plus de 3°C à la moyenne des dernières années). Il en a résulté un fort accroissement des sucres, un bon équilibre des acides, ainsi qu'une superbe évolution des arômes des sauvignons.

Revenant sur des dates plus classiques, les vendanges ont démarré à partir du 25 septembre à reuilly et quincy, et début octobre à sancerre, pouilly-sur-loire, menetou-salon, coteaux du giennois et châteaumeillant.

Les vins rouges ont été prêts les premiers. Des tris, souvent sévères, ont été effectués sur les ceps et au chai, de manière à éliminer toutes les grappes non dignes de produire des vins d'appellation.

La vendange des raisins blancs a ensuite commencé et de nombreux viticulteurs, encouragés par le beau temps persistant, n'ont pas hésité à prendre le risque d'attendre l'extrême limite, parfois au-delà du 15 octobre. Ils en ont été bien récompensés, les derniers raisins rentrés étant de la meilleure qualité.

Les vins du millésime

Le millésime 2001 révèle des vins blancs d'une grande richesse aromatique et d'une fraîcheur typique. Tous les styles et toutes les nuances aromatiques se rencontrent selon les terroirs et les dates de vendange. La bouche est souvent ferme et même vive, avec une acidité et une minéralité plus marquées que dans les années 1990. Sans aucun doute, ces vins devraient avoir une belle tenue dans le temps.

Grâce au travail des vignerons, on trouve d'excellents vins rouges, aux colorations intenses à moyennes et qui expriment des odeurs caractéristiques rappelant, notamment, la cerise ou la groseille. Les tanins sont plus ou moins prononcés selon la durée des cuvaisons.

La production 2001

En 2001, la production des vins du Centre-Loire représente 294 498 hl. Les vins blancs arrivent en tête avec 239 476 hl. Le sancerre tient le haut de l'affiche avec ses 166 254hl.

Le marché reste favorable dans cette région avec un développement des ventes, notamment à l'exportation, vers des pays tels que le Royaume-Uni (+ 13 %), les Etats-Unis (+ 20 %) ou encore le Danemark (+ 35 %).

Brèves du Centre

Pour la première fois, la finale du Meilleur Sommelier de France, prestigieux concours, s'est déroulée le 21 janvier 2002 à Bourges. Les vins du Centre-Loire (BIVC) et l'Union de la sommellerie française (UDSF), organisateurs de cet événement, ont récompensé David Biraud, sommelier de l'hôtel Crillon à Paris.

QUOI DE NEUF DANS LE RHÔNE ?

Un bel ensoleillement et une forte chaleur avec, heureusement quelques orages, ont permis des vendanges exceptionnelles. Une bonne chose alors que l'interprofession lançait une importante campagne de communication à l'étranger. Pour l'ensemble des vins de la vallée du Rhône, la récolte 2001 s'élève à 3 782 745 hl. Soit un volume légèrement inférieur à celui du millésime précédent (3 855 000 hl).

Un climat méditerranéen

Les mois d'automne et d'hiver se sont fait remarquer par la douceur de leurs températures et par des précipitations abondantes (presque le double de la normale pour l'automne). Le mois de mars, plutôt chaud et ensoleillé, a favorisé le départ du cycle végétatif de la vigne laissant présager un millésime très précoce, mais la fraîcheur d'avril a pondéré cette avance. La floraison a été rapide – de huit à dix jours – et a débuté les 21 et 23 mai pour les secteurs précoces de la partie nord et sud de l'appellation côtes du rhône. Aucun phénomène de coulure n'a été observé, sauf sur certains grenaches de plus de quarante ans.

Les mois de juillet et d'août, très chauds, ont contribué au bon développement des raisins (maturation et véraison). Les deux gros orages de juillet (6 et 15 juillet) ont provisoirement interrompu l'évolution pulpaire des raisins et ont empêché ceux-ci de souffrir de la sécheresse.

QUOI DE NEUF

Par la suite, la chaleur caniculaire d'août a permis à la vigne de continuer son cycle en faisant évoluer les sucres de façon spectaculaire, mais la maturité pelliculaire (arôme, couleur, tanins) n'était pas encore atteinte. Le retard enregistré dans le nord s'est progressivement atténué.

Des vendanges exceptionnelles

Pas une goutte d'eau depuis le 15 juillet ! En outre, depuis trente ans la région n'avait pas connu une fin d'été aussi ventée : onze jours de vent avec une vitesse supérieure à 50 km/heure. Côté sud, le fort mistral des vingt premiers jours de septembre a occasionné un phénomène de concentration et dans certaines zones sensibles un début de stress hydrique. Heureusement, les nuits froides et les journées ensoleillées ont favorisé la maturité pelliculaire qui commençait à se faire désirer. Elles ont également préservé le bon état sanitaire des raisins – peaux saines et fermes –. De faibles rendements en jus, dus à une météo venteuse, ont été observés, un déficit qui peut varier, suivant les parcelles et les cépages, de 5 à 30 % par rapport au millésime 2000. Côté nord, les températures fraîches de septembre ont ralenti la maturation des baies et ont fait progresser, lentement mais sûrement, la maturité phénolique.

Les vendanges ont commencé moins rapidement que prévu et le ramassage des raisins s'est fait « à la carte » selon les parcelles et l'évolution de la maturité pelliculaire. Côté nord, les pluies des 22 et 29 septembre ont obligé les vignerons à accélérer le rythme de leurs vendanges.

Les vendanges ont débuté le 3 septembre dans la partie sud et le 11 septembre dans la partie nord, pour se terminer le 30 septembre dans le secteur sud et le 12 octobre dans celui du nord de l'appellation.

Les vinifications se sont déroulées normalement et les premières cuvées en rouge laissent entrevoir une belle couleur, franche, avec des degrés élevés, des acidités totales faibles, une jolie expression aromatique orientée vers les fruits noirs et des tanins présents mais élégants. Les vins blancs offrent une palette aromatique sur les fruits blancs sucrés. Les rosés sont à la fois généreux et délicatement fruités.

Think red !

Durant la campagne 2000-2001, le chiffre d'affaires a progressé de 4 % dans l'ensemble de la vallée, pour atteindre 1,27 milliard d'euros ; 477 millions de bouteilles ont été commercialisées, contre 480 millions lors de la campagne précédente. Cette bonne performance est due au développement des exportations qui approchent pour la première fois les 30 % du volume commercialisé (138 millions de bouteilles, soit une augmentation de 5 %). L'interprofession a lancé une campagne de communication *Think red, think côtes du rhône !* à l'intention de l'Asie et de l'Amérique du Nord qui semble porter ses fruits. Syrah et grenache sont des cépages en vogue et porteurs dans le monde anglo-saxon, mais l'Australie est un rude concurrent pour la syrah car elle en produit beaucoup et sait « marketer » son vin. Ces cinq dernières années, les ventes à l'export ont progressé de 66 % en valeur. Les exportations fléchissent toutefois sur les marchés suisse, belge et néerlandais.

En léger repli, le marché français n'est pas oublié (- 2 % en volume). La restauration représente actuellement 74 millions de bouteilles par an et la consommation à domicile 260 millions de bouteilles par an, dont 177 millions sont vendues en hyper et supermarchés, 52 en vente directe et 31 par les cavistes et les autres circuits. Dans la ligne de mire des producteurs, le consommateur occasionnel qu'ils aimeraient fidéliser. Tourisme et culture sont appelés en renfort ! L'appellation muscat de beaumes-de-venise – au cœur d'un paysage superbe – ne réalise-t-elle pas 1,85 millions d'euros en vente directe au caveau sur un chiffre d'affaires total de 10,7 millions d'euros ?

Inter Rhône est en 2001 le premier investisseur publicitaire en France dans le domaine du vin. Le plan « Côtes du Rhône 2010 » établit une stratégie sur dix ans.

Une préoccupation, le dépérissement de la syrah, gagne la région après le Languedoc. Et cette maladie n'a pas encore été clairement identifiée.

Tavel : une association franco-hongroise

Quand on dit que le vin s'internationalise, ce n'est pas qu'une vue de l'esprit ! Et les contacts entre les pays deviennent de plus en plus indispensables. C'est ainsi que des rencontres informelles ont eu lieu entre la Hongrie et la France, qui ont abouti à la création d'une association baptisée « Szent Marton ». Son siège est à Tavel ; elle réunit des producteurs hongrois de la région de Tokay et des producteurs rhodaniens et languedociens, en particulier le domaine Maby (tavel), le cellier des Chartreux à Pujaut et les Costières représentées par les domaines Ricone et Villaret. L'accord a été signé à la fin de l'année 2001, à Tavel. Il s'agit d'établir des échanges techniques, œnologiques, économiques : un véritable partenariat entre deux régions qui possèdent des traditions similaires.

Quelques restructurations

Les appellations côtes du rhône Vinsobres, Rasteau et Beaumes-de-Venise ont fait la démarche de passer en appellation locale auprès de l'INAO. Beaumes-de-Venise a déjà reçu l'avis de principe favorable de la part de cet institut. Affaire à suivre.

A la veille des vendanges 2001 un décret est paru, intégrant dix communes dans l'aire géographique côtes du rhône (Aramon, Carsan, Laval-Saint-Roman, Remoulins, Saint-André-d'Olérargues, Saint-Julien-de-Peyrolas, Saint-Laurent-de-Carnols, Saint-Paulet-de-Caisson, Théziers dans le Gard et Mornas dans le Vaucluse). Ce décret exclut les communes de La Voulte-sur-Rhône (Ardèche) et Saint-Uze (Drôme), sur lesquelles aucune déclaration n'avait été effectuée depuis plus de quarante ans. Désormais l'aire géographique comprend 181 communes (173 + 10 - 2).

Brèves du vignoble

Toujours novateur, Tavel, qui produit le premier rosé de France, lance une rose portant son nom. Le 30 mai, au cœur du village, a eu lieu l'intronisation de la rose de Tavel, une fleur qui s'intégrera naturellement au paysage viticole de l'appellation. Dès septembre, les plants seront commercialisés dans les jardineries de France.

La Cave de Die Jaillance a acquis la totalité de la société girondine Brouette, qui élabore et commercialise plus d'un million de bouteilles de vins effervescents AOC sous les appellations crémant de bordeaux et vouvray. Cet achat permet à la cave dioise de renforcer sa position de leader et d'occuper 15 % du marché français des vins effervescents. Son chiffre d'affaires 2001 devrait atteindre les 3,5 millions d'euros. La fusion est effective entre les Domaines Bernard et les Caves Salavert. L'activité des deux sociétés est désormais exercée par les Domaines Bernard, société absorbante.

Le groupe sétois Les Vins de Skalli vient d'acquérir la moitié du capital des Caves Saint-Pierre (châteauneuf-du-pape). Spécialiste des vins de cépage (marque Fortant de France), Skalli va donc développer sa gamme en vin d'appellation de la Vallée du Rhône. Pour Henry Bouachon, qui reste PDG des Caves Saint-Pierre, cette alliance permettra un développement de sa société, notamment à l'export.

Grande nouvelle, Marcel et Philippe Guigal rachètent les Domaines de Vallouit (22,5 ha, dont 8,5 en côte-rôtie, 2 en hermitage) et Jean-Louis Grippat (11 ha, dont 9 en saint-joseph), les vignes de l'Hospice en particulier. Guigal disposera de sa propre tonnellerie.

L'Alsace

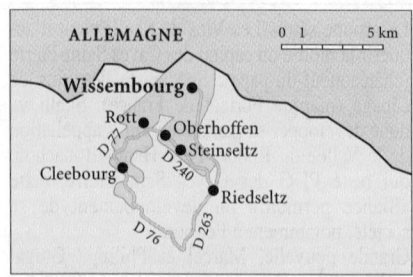

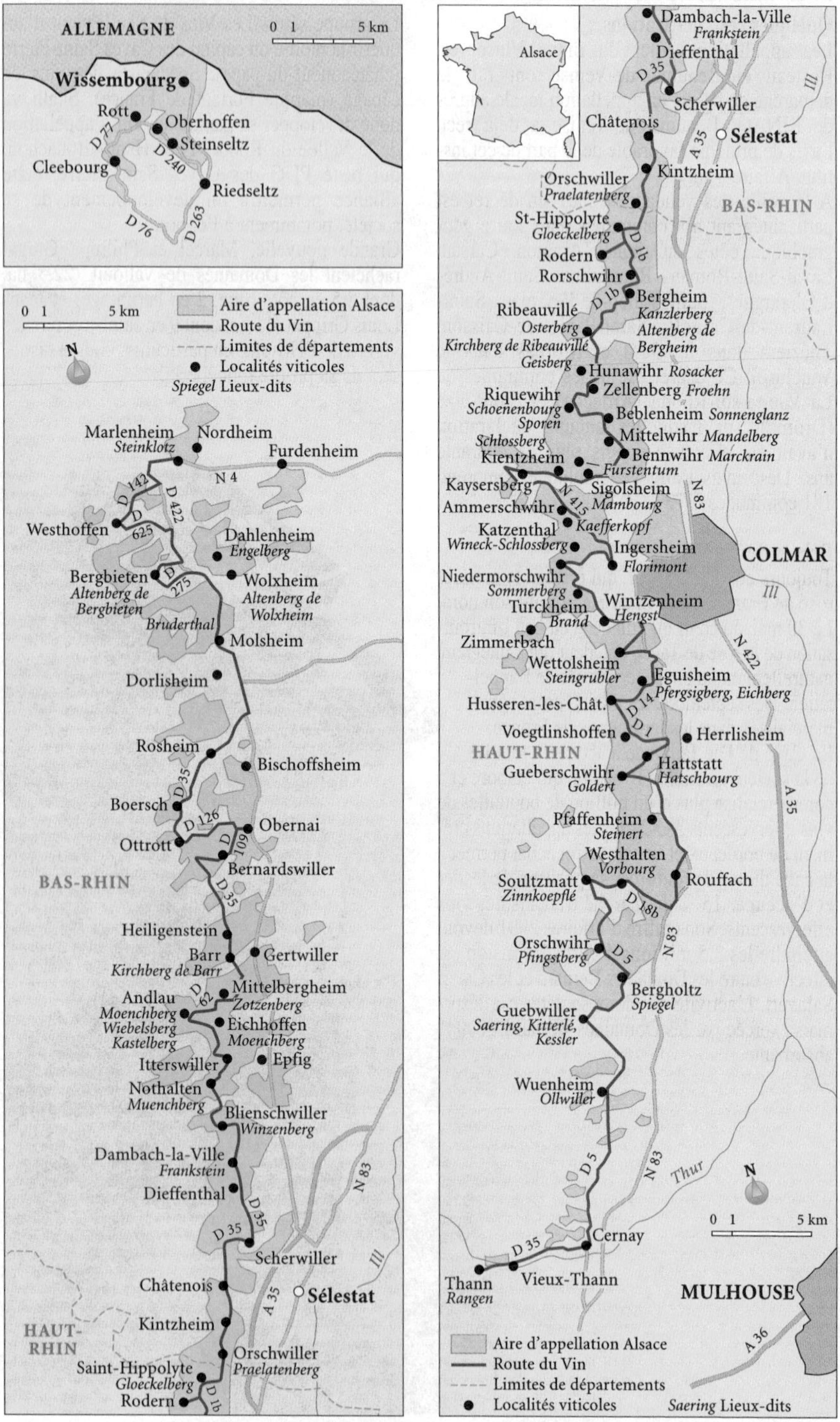

ALLEMAGNE
0 1 5 km

Wissembourg
Rott
Oberhoffen
Steinseltz
Cleebourg
Riedseltz
D 77
D 240
D 76
D 263

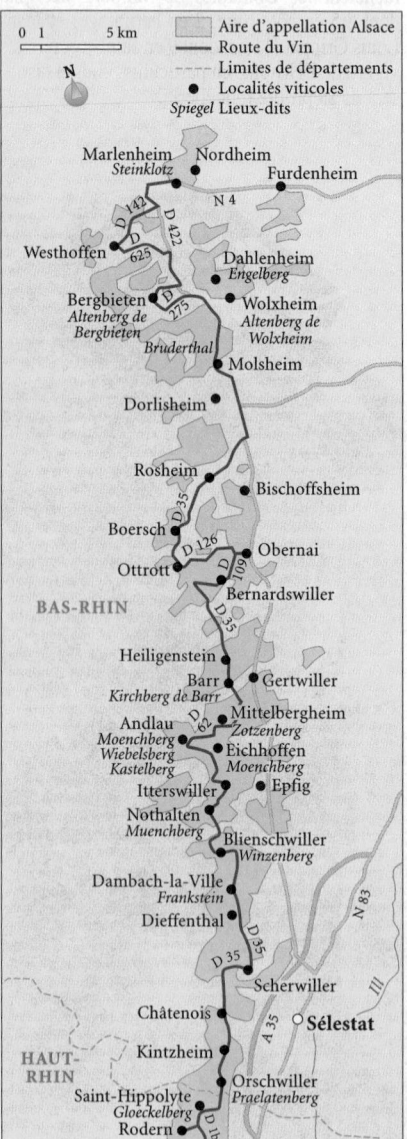

Alsace

0 1 5 km

Aire d'appellation Alsace
Route du Vin
Limites de départements
Localités viticoles
Spiegel Lieux-dits

N

Marlenheim   Nordheim
Steinklotz   Furdenheim
                N 4
Westhoffen
              Dahlenheim
              Engelberg
Bergbieten   Wolxheim
Altenberg de   *Altenberg de*
Bergbieten   *Wolxheim*
              Brüderthal
              Molsheim
Dorlisheim
Rosheim
              Bischoffsheim
Boersch
Ottrott   Obernai
         Bernardswiller
BAS-RHIN
Heiligenstein
Barr   Gertwiller
Kirchberg de Barr
Andlau   Mittelbergheim
Moenchberg *Zotzenberg*
Wiebelsberg Eichhoffen
Kastelberg *Moenchberg*
Itterswiller Epfig
Nothalten
Muenchberg
         Blienschwiller
         Winzenberg
Dambach-la-Ville
Frankstein
Dieffenthal
              Scherwiller
Châtenois
Kintzheim
HAUT-
RHIN
Saint-Hippolyte
Gloeckelberg
Rodern
Orschwiller
Praelatenberg
Sélestat

Dambach-la-Ville
Frankstein
Dieffenthal
              Scherwiller
Châtenois   Sélestat
Kintzheim
Orschwiller   BAS-RHIN
Praelatenberg
St-Hippolyte
Gloeckelberg
Rodern
Rorschwihr
              Bergheim
Ribeauvillé   *Kanzlerberg*
Osterberg   *Altenberg de*
Kirchberg de Ribeauvillé *Bergheim*
Geisberg
         Hunawihr *Rosacker*
Riquewihr Zellenberg *Froehn*
Schoenenbourg Beblenheim *Sonnenglanz*
Sporen   Mittelwihr *Mandelberg*
Schlossberg Bennwihr *Marckrain*
Kientzheim
         Furstentum
Kaysersberg Sigolsheim
            Mambourg
Ammerschwihr
Katzenthal *Kaefferkopf*
Wineck-Schlossberg Ingersheim
         Florimont
Niedermorschwihr
Sommerberg   COLMAR
Turckheim   Wintzenheim
Brand   *Hengst*
Zimmerbach
         Wettolsheim
         Steingrubler Eguisheim
Husseren-les-Chât. *Pfersigberg, Eichberg*
Voegtlinshoffen   Herrlisheim
HAUT-RHIN
Gueberschwihr Hattstatt
Goldert   *Hatschbourg*
Pfaffenheim
Steinert
         Westhalten
         Vorbourg
Soultzmatt   Rouffach
Zinnkoepflé
Orschwihr
Pfingstberg
         Bergholtz
         Spiegel
Guebwiller
Saering, Kitterlé,
Kessler
         Wuenheim
         Ollwiller
         Thur
Cernay
0 1 5 km
N
Thann   Vieux-Thann
Rangen   MULHOUSE

Aire d'appellation Alsace
Route du Vin
Limites de départements
Localités viticoles
Saering Lieux-dits

L'ALSACE ET L'EST

L'Alsace

La plus grande partie du vignoble d'Alsace est implantée sur les collines qui bordent le massif vosgien et qui prennent pied dans la plaine rhénane. Les Vosges, qui se dressent entre l'Alsace et le reste du pays, donnent à la région son climat spécifique, car elles captent la grande masse des précipitations venant de l'Océan. C'est ainsi que la pluviométrie moyenne annuelle de la région de Colmar, avec moins de 500 mm, est la plus faible de France ! En été, cette chaîne fait obstacle à l'influence rafraîchissante des vents atlantiques, mais ce sont surtout les différents microclimats, nés des nombreuses sinuosités du relief, qui jouent un rôle prépondérant dans la répartition et la qualité des vignobles.

Une autre caractéristique de ce vignoble est la grande diversité de ses sols. Alors que dans un passé considéré comme récent par les géologues, même s'il remonte à quelque cinquante millions d'années, Vosges et Forêt-Noire formaient un seul ensemble, issu d'une succession de phénomènes tectoniques (immersions, érosions, plissements...), à partir de l'ère tertiaire, la partie médiane de ce massif a commencé à s'affaisser pour donner naissance, bien plus tard, à une plaine. Par suite de ce tassement, presque toutes les couches de terrain qui s'étaient accumulées au cours des différentes périodes géologiques ont été remises à nu sur la zone de rupture. Or, c'est surtout là que sont localisés les vignobles. C'est ainsi que la plupart des communes viticoles sont caractérisées par au moins quatre ou cinq formations de terrains différents.

L'histoire du vignoble alsacien se perd dans la nuit des temps, et les populations préhistoriques ont sans doute déjà dû tirer parti de la vigne, dont la culture proprement dite ne semble cependant dater que de la conquête romaine. L'invasion des Germains, au Ve s., entraîna un déclin passager de la viticulture, mais des documents écrits nous révèlent que les vignobles ont assez rapidement repris de l'importance, sous l'influence déterminante des évêchés, des abbayes et des couvents. Des documents antérieurs à l'an 900 mentionnent déjà plus de cent soixante localités où la vigne était cultivée.

Cette expansion se poursuivit sans interruption jusqu'au XVIe s., qui marqua l'apogée de la viticulture en Alsace. Les magnifiques maisons de style Renaissance que l'on rencontre encore dans maintes communes viticoles témoignent indiscutablement de la prospérité de ce temps, où de grandes quantités de vins d'Alsace étaient déjà exportées dans toute l'Europe. Mais la guerre de Trente Ans, période de dévastation par les armes, le pillage, la faim et la peste, eut des conséquences catastrophiques pour la viticulture, comme pour les autres activités économiques de la région.

La paix revenue, la culture de la vigne reprit peu à peu son essor, mais l'extension des vignobles se fit principalement à partir de cépages communs. Un édit royal de 1731 tenta bien de mettre fin à cette situation, mais sans grand succès. Cette tendance s'accentua encore après la Révolution, et la superficie du vignoble passa de 23 000 ha en 1808 à 30 000 ha en 1828. Il s'instaura une surproduction, aggravée par la disparition totale des exportations et par une diminution de la consommation du vin au profit de la bière. Par la suite, la concurrence des vins du Midi, facilitée par l'avènement des chemins de fer, ainsi que l'apparition et l'extension des maladies cryptogamiques, des vers de la grappe et du phylloxéra ne firent qu'augmenter toutes les difficultés. Il s'ensuivit, à partir de 1902, une diminution de la superficie du vignoble qui continua jusque vers 1948, année qui le vit tomber à 9 500 ha, dont 7 500 en appellation alsacienne.

L'essor économique de l'après-guerre et les efforts de la profession influèrent favorablement sur le développement du vignoble alsacien, qui possède actuellement, sur une superficie de quelque 14 700 ha, un potentiel de production de l'ordre de 915 000 hl en 2001 - dont 48 300 hl en grands crus et 158 000 hl en crémant d'Alsace -, commercialisés en France et à l'étranger, les exportations atteignant plus du quart des ventes totales. Ce développement a été l'œuvre de l'ensemble des diverses branches professionnelles qui mettent chacune sur le marché des quantités plus ou moins identiques de vin. Il s'agit des viticulteurs producteurs, des coopératives et des négociants (souvent eux-mêmes producteurs), qui achètent des quantités importantes à des viticulteurs ne vinifiant pas eux-mêmes leur récolte.

Tout au long de l'année, de nombreuses manifestations vinicoles se déroulent dans les diverses localités qui bordent la route du Vin. Celle-ci est un des attraits touristiques et culturels majeurs de la province. Le point culminant de ces manifestations est sans doute la Foire annuelle du vin d'Alsace qui a lieu en août à Colmar, précédée par celles de Guebwiller, d'Ammerschwihr, de Ribeauvillé, de Barr et de Molsheim. Mais il convient également de citer celle, particulièrement prestigieuse, de la confrérie Saint-Etienne, née au XIVᵉ s. et restaurée en 1947.

Le principal atout des vins d'Alsace réside dans le développement optimal des constituants aromatiques des raisins, qui s'effectue souvent mieux dans des régions à climat tempéré frais, où la maturation est lente et prolongée. Leur spécificité dépend naturellement de la variété, et l'une des particularités de la région est la dénomination des vins d'après la variété qui les a produits, alors qu'en règle générale les autres vins français d'appellation d'origine contrôlée portent le nom de la région ou d'un site géographique plus restreint qui leur a donné naissance.

Les raisins, récoltés courant octobre, sont transportés le plus rapidement possible au chai pour y subir un foulage, parfois un égrappage, puis le pressurage. Le moût qui s'écoule du pressoir est chargé de « bourbes » qu'il importe d'éliminer le plus vite possible par sédimentation ou par centrifugation. Le moût clarifié entre ensuite en fermentation, phase au cours de laquelle on veille tout particulièrement à éviter un excès de température. Par la suite, le vin jeune et trouble demande de la part du viticulteur toute une série de soins : soutirage, ouillage, sulfitage raisonné, clarification. La conservation en cuves ou en fûts se poursuit ensuite jusque vers le mois de mai, époque à laquelle le vin subit son conditionnement final en bouteilles. Cette façon de procéder concerne la vendange destinée à l'obtention des vins blancs secs, c'est-à-dire plus de 90 % de la production alsacienne.

Les alsaces « vendanges tardives » et « sélections de grains nobles », sont des productions issues de vendanges surmûries et ne constituent des appellations officielles que depuis 1984. Ils sont soumis à des conditions de production extrêmement rigoureuses, les plus exigeantes de toutes pour ce qui concerne le taux de sucre des raisins. Il s'agit évidemment de vins de classe exceptionnelle, qui ne peuvent être obtenus tous les ans et dont le prix de revient est très élevé. Seuls le gewurztraminer, le pinot gris, le riesling et plus rarement le muscat peuvent bénéficier de ces mentions spécifiques.

Dans l'esprit des consommateurs, le vin d'Alsace doit se boire jeune, ce qui est en grande partie vrai pour le sylvaner, le chasselas, le pinot blanc et l'edelzwicker ; mais cette jeunesse est loin d'être éphémère, et riesling, gewurztraminer, pinot gris ont souvent intérêt à n'être consommés qu'après deux ans d'âge. Il n'existe en réalité aucune règle fixe à cet égard, et certains grands vins, nés au cours des années de grande maturité des raisins, se conservent beaucoup plus longtemps, des dizaines d'années parfois.

L'appellation alsace, applicable dans l'ensemble des cent dix aires de production communales, est subordonnée à l'utilisation de onze cépages : gewurztraminer, riesling rhénan, pinot gris, muscats blanc et rose à petits grains, muscat ottonel, pinot blanc vrai, auxerrois blanc, pinot noir, sylvaner blanc, chasselas blanc et rose.

Alsace klevener de heiligenstein

Le klevener de heiligenstein n'est autre que le vieux traminer (ou savagnin rose) connu depuis des siècles en Alsace.

Il a fait place progressivement à sa variante épicée ou « gewurztraminer » dans l'ensemble de la région, mais est resté vivace à Heiligenstein et dans cinq communes voisines.

Il constitue une originalité par sa rareté et son élégance. Ses vins sont en effet à la fois très bien charpentés et discrètement aromatiques.

CAVE VINICOLE D'ANDLAU-BARR
Réserve du président 2000★★

| | n.c. | 28 000 | 🍶♦ | 5 à 8 € |

Voisine de Barr, où siège cette coopérative, Heiligenstein est la cité du klevener (cette variété y fut introduite en 1742). Il s'agit d'un cépage non aromatique, ce qui n'empêche pas cette cuvée d'exprimer un fruité riche et subtil. Bien structuré, suffisamment frais, c'est un vin complet, d'une excellente harmonie et qui persiste en finesse. « Un beau vin de gastronomie », conclut un dégustateur sous le charme.
🍷 Cave vinicole d'Andlau et environs, 15, av. des Vosges, 67140 Barr, tél. 03.88.08.90.53, fax 03.88.47.60.22 ☑ ⳼ r.-v.

CHARLES BOCH
Vieilles vignes 2000★★

| | 0,55 ha | 2 000 | ◫ | 5 à 8 € |

Charles Boch a créé son exploitation de toutes pièces à partir de 1988 et exploite aujourd'hui 8 ha. Il est très attaché au klevener de heiligenstein, et ce millésime recueille tous les compliments : nez fin, légèrement fruité, attaque franche, palais racé, structure fondue donnant un côté gouleyant agréable. Une parfaite harmonie.
🍷 Charles Boch, 6, rue Principale, 67140 Heiligenstein, tél. 03.88.08.41.26, fax 03.88.08.58.30 ☑ 🏠 ⳼ t.l.j. sf dim. 9h-12h 14h-19h; f. fin août

PAUL DOCK 2000

| | 1,1 ha | 7 000 | | 5 à 8 € |

Situé au pied du mont Sainte-Odile et du château de Landsberg, le dernier vignoble planté en traminer a failli disparaître, puisqu'il n'occupait plus que 2 ha en 1970. Depuis lors, il a gagné en surface et en notoriété. Il a donné ici un vin élégant par ses notes de tilleul au nez et dont on apprécie la franchise et la structure « élancée et gracieuse ». Il se prêtera aussi bien à l'apéritif qu'à la table.
🍷 Paul Dock, 55, rue Principale, 67140 Heiligenstein, tél. 03.88.08.02.49, fax 03.88.08.02.49 ☑ ⳼ r.-v.

Alsace chasselas ou gutedel

Il y a une quarantaine d'années, ce cépage occupait encore plus de 20 % du vignoble. Aujourd'hui, ce taux est tombé à 1 %. Il donne un vin aimable, léger et souple, du fait d'une acidité modérée. Il entre essentiellement dans la composition de l'edelzwicker, et, de ce fait, cette appellation ne se trouve que très rarement sur le marché.

DOM. DE LA VIEILLE FORGE
Vieilles vignes 2000★

| | 0,33 ha | 3 000 | ◫ | 5 à 8 € |

A Beblenheim, la forge de l'arrière-grand-père a laissé la place à la cave de Denis Wurtz qui a repris le petit vignoble familial. Installé en 1998, ce jeune vigneron-œnologue se distingue déjà avec ce chasselas. Jaune pâle à reflets verts, expressif et fruité au nez, ce vin surprend par son ampleur élégante et son fruité exotique.
🍷 Dom. de la Vieille Forge, 5, rue de Hoen, 68980 Beblenheim, tél. 03.89.86.01.58, fax 03.89.47.86.37, e-mail virginie-wurtz@wanadoo.fr ☑ 🏠 ⳼ t.l.j. 10h-12h 14h-19h; dim. sur r.-v.
🍷 Denis Wurtz

Alsace sylvaner

Les origines du sylvaner sont très incertaines, mais son aire de prédilection a toujours été limitée au vignoble allemand et à celui du Bas-Rhin en France. En Alsace même, où il couvre environ 14 % du vignoble, c'est un cépage extrêmement intéressant grâce à son rendement et à sa régularité de production.

Son vin est d'une remarquable fraîcheur, assez acide, doté d'un fruité discret. On trouve en réalité deux types de sylvaner sur le marché. Le premier, de loin supérieur, provient de terroirs bien exposés et peu enclins à la surproduction. Le second est apprécié par ceux qui aiment un type de vin sans prétention, agréable et désaltérant. Le sylvaner accompagne volontiers choucroute, hors-d'œuvre et entrées, de même que les fruits de mer, tout spécialement les huîtres.

ANDRE FALLER
Vieilles vignes 2000★

0,26 ha	2 000		3 à 5 €

Village fleuri et pittoresque, Itterswiller offre un point de vue exceptionnel sur la plaine d'Alsace. Les Faller y gèrent en famille un domaine de 8 ha, un hôtel et un restaurant où vous pourrez découvrir leurs cuvées. Celle-ci affiche des arômes francs et élégants sur une tonalité de fleurs et de fruits blancs. L'attaque soutenue est suivie par un palais équilibré au fruité d'agrumes. Légèrement herbacée, la finale est caractéristique du cépage.
🍇 André Faller, 2, rte du Vin, 67140 Itterswiller, tél. 03.88.85.53.55, fax 03.88.85.51.13, e-mail andre.faller@wanadoo.fr ☑ ⵝ r.-v.

KUMPF ET MEYER
Vieilles vignes 2000★★

0,75 ha	4 500	▮↓	3 à 5 €

Située non loin d'Obernai, la commune de Rosheim était déjà prospère durant le haut Moyen Age, comme en témoignent sa belle église romane en grès et une maison de la même époque. Sophie Kumpf et Philippe Meyer exploitent aux alentours un domaine d'une quinzaine d'hectares, formé à leur mariage par le regroupement de leurs deux propriétés. Leur cuvée Vieilles vignes, dont le millésime 98 a eu les honneurs du Guide, a encore séduit par son nez exotique très expressif, son palais à la fois ample et d'une agréable fraîcheur. Un vin élégant et typé.
🍇 Kumpf et Meyer, 34, rte de Rosenwiller, 67560 Rosheim, tél. 03.88.50.20.07, fax 03.88.50.26.75, e-mail kumpfetmeyer@free.fr
☑ ⵝ t.l.j. sf dim. 8h-12h 14h-19h

LANDMANN
Zellberg 2000

1 ha	6 000	⬗	5 à 8 €

Sur la place du marché de Nothalten, la fontaine octogonale (1543) est un chef-d'œuvre de la Renaissance. Le domaine Landmann possède des caves de la même époque, mais les a complétées d'un local à bouteilles climatisé. Son sylvaner du Zellberg 2000, coup de cœur dans les millésimes 97 et 99, est dominé par des nuances citronnées et des notes de fleurs blanches. Le nez est franc et net, la bouche gouleyante et la finale très fraîche.
🍇 EARL Armand Landmann, 74, rte du Vin, 67680 Nothalten, tél. 03.88.92.41.12, fax 03.88.92.41.12
☑ ⵝ r.-v.

ROLLY GASSMANN
Weingarten de Rorschwihr 2000★

1,38 ha	11 000	⬗	5 à 8 €

Bien connue des lecteurs du Guide, la famille Rolly-Gassmann travaille la vigne depuis 1676. Elle s'appuie sur la connaissance précise des terroirs : à Rorschwihr, elle a identifié vingt et un types de sous-sols et plus d'une dizaine de lieux-dits, tel le Weingarten d'où provient ce sylvaner. Ce vin s'annonce riche et complexe, avec des parfums de pêche, de figue et de raisin sec qui se développent au palais,

traduisant la surmaturation. Cette richesse se confirme en bouche, où l'on découvre une matière ample et une certaine vivacité, même si une finale un peu douce révèle une extrême jeunesse. Un sylvaner à attendre trois ans, et à servir sur un poisson en sauce.
🍇 Rolly Gassmann, 2, rue de l'Eglise, 68590 Rorschwihr, tél. 03.89.73.63.28, fax 03.89.73.33.06, e-mail rollygassmann@wanadoo.fr
☑ ⵝ r.-v.

WEHRLE 2000★★

0,4 ha	3 000	▮	3 à 5 €

Laurent Wehrlé est établi depuis 1998 à Husseren-les-Châteaux, commune qui doit son nom aux trois forteresses médiévales qui la dominent. Il représente la quatrième génération sur l'exploitation. En 1999, il a construit une nouvelle cave. Son sylvaner n'a recueilli que des compliments. Complexe par ses expressions de fruits frais et de fruits confits, ce vin associe vivacité et puissance dans un équilibre fin et persistant.
🍇 Maurice Wehrlé et Fils, 21, rue des Vignerons, 68420 Husseren-les-Châteaux, tél. 03.89.49.30.79, fax 03.89.49.29.60 ☑ ⵝ r.-v.

Alsace pinot ou klevner

Sous ces deux dénominations (la seconde étant un vieux nom alsacien), le vin de cette appellation peut provenir de plusieurs cépages : le pinot blanc vrai et l'auxerrois blanc. Ce sont deux variétés assez peu exigeantes, capables de donner des résultats remarquables dans des situations moyennes, car leurs vins allient agréablement fraîcheur, corps et souplesse. En une dizaine d'années, leur superficie a doublé, passant de 10 à 21 % de l'ensemble du vignoble.

Dans la gamme des vins d'Alsace, le pinot blanc représente le juste milieu, et il n'est pas rare qu'il surclasse certains rieslings. Du point de vue gastronomique, il s'accorde avec de nombreux plats, à l'exception des fromages et des desserts.

A. L. BAUR
Cuvée Louis 2000★★

0,56 ha	6 000	▮	5 à 8 €

Ce vigneron a planté devant sa cave les sept cépages alsaciens à l'intention des visiteurs. Sa cuvée Louis est remarquable par son élégance aromatique et flatteuse par son équilibre, sa rondeur légère et sa fraîcheur. « Parfaite harmonie », conclut un dégustateur.
🍇 A. L. Baur, 4, rue Roger-Frémeaux, 68420 Voegtlinshoffen, tél. 03.89.49.30.97, fax 03.89.49.21.37 ☑ ⵝ r.-v.

ALBERT BOHN 2000

0,28 ha	n.c.	⬗	3 à 5 €

Avec ses 400 ha de vignobles, Ammerschwihr est l'une des plus importantes communes viticoles de la région. Vincent Bohn y exploite un peu moins de 7 ha. Son pinot blanc s'annonce par un nez franc, associant un fruité d'agrumes et des notes grillées. Un vin vif, marqué par une bonne fraîcheur, tandis que la puissance domine en finale. A servir sur des viandes blanches.

🍷 EARL Albert Bohn et Fils, 4, rue du Cerf, 68770 Ammerschwihr, tél. 03.89.78.25.77, fax 03.89.78.16.34, e-mail vins.bohn@wanadoo.fr
☑ 🍷 r.-v.
🍷 Vincent Bohn

DOM. EINHART
Westerberg 2000★★

	n.c.	8 000	🍶	3 à 5 €

Ce clevner (nom alsacien du pinot blanc figurant sur l'étiquette) séduit d'emblée par son miellé nuancé de zeste d'agrumes. La suite est d'une même qualité : excellente structure, fruité élégant, bonne persistance dans une belle fraîcheur. L'étiquette ? Une aquarelle non figurative, aux teintes chaudes et fraîches rappelant les coloris du vignoble à l'automne.

🍷 Dom. Einhart, 15, rue Principale, 67560 Rosenwiller, tél. 03.88.50.41.90, fax 03.88.50.29.27, e-mail info@einhart.com ☑ 🍷 r.-v.

DOMINIQUE FREYBURGER 2000★

	0,8 ha	2 400	🍶	3 à 5 €

Dominique Freyburger a été sommelier pendant quinze ans avant de reprendre le domaine familial en 1997. Son pinot blanc ne manque pas d'atouts. Si le nez hésite entre les fleurs blanches et les agrumes, un bon fruité marque la bouche, tirant vers la pêche blanche en finale. Attaque fraîche, harmonie plaisante, petite touche d'amertume en finale : un vin prometteur, qui devra patienter deux ou trois ans en cave avant d'accompagner une viande ou un poisson à la crème.

🍷 Dominique Freyburger, 11A, rue du Tir, 68770 Ammerschwihr, tél. 03.89.78.17.62, fax 03.89.78.17.62, e-mail vinsfreyb@aol.com
☑ 🍷 t.l.j. 9h-12h 13h30-18h; f. 20-30 août

FRITZ
Auxerrois 2000

	0,4 ha	3 500	🍶	5 à 8 €

Dominé par deux châteaux des XIIe et XIIIes., le village d'Ottrott est connu pour ses vins depuis le Moyen Age. Bernard Schmitt y exploite 12,5 ha de vignes. On retrouve son auxerrois dans le Guide. Le 2000, encore jeune, n'a pas acquis son expression aromatique définitive : les notes fruitées s'affirmeront davantage. En bouche, on apprécie son fondu et son équilibre. Une harmonie légère mais typique.

🍷 Fritz-Schmitt, 1, rue des Châteaux, 67530 Ottrott, tél. 03.88.95.98.06, fax 03.88.95.99.03 ☑ 🏠 🍷 r.-v.
🍷 Bernard Schmitt

ALBERT MAURER 2000★★

	0,9 ha	7 500		3 à 5 €

Albert Maurer est aux commandes de l'exploitation familiale depuis 1965. Il exploite 11 ha de vignes autour d'Eichhoffen, village viticole qui dépendait de l'abbaye d'Altdorf. Suave et flatteur par son fruité et ses notes de pain d'épice, son klevner surprend par sa richesse. Sa structure équilibrée, conjuguant fraîcheur et rondeur, son harmonie lui valent bien des suffrages.

🍷 Albert Maurer, 11, rue du Vignoble, 67140 Eichhoffen, tél. 03.88.08.96.75, fax 03.88.08.59.98, e-mail info@vins-maurer.fr
☑ 🏠 🍷 t.l.j. sf dim. 8h-12h 13h30-18h

RAYMOND RENCK 2000★★

	0,16 ha	1 200		3 à 5 €

Colette et Gérard Schillinger-Renck exploitent le domaine Renck (5,3 ha) depuis 1996. Né d'un sol argilocalcaire, leur pinot blanc s'annonce flatteur par son nez d'agrumes avec une pointe de surmaturation. L'attaque est riche, et le gras lui confère de l'ampleur. Un dégustateur suggère de le servir avec des filets de truite fumée.

🍷 EARL Raymond Renck, 11, rue de Hoën, 68980 Beblenheim, tél. 03.89.47.91.59, fax 03.89.47.91.59 ☑ 🍷 r.-v.

HUBERT REYSER
Sonnenberg 2000★★

	0,6 ha	6 000		3 à 5 €

Situé à l'extrémité septentrionale de la route des Vins, ce jeune domaine (vingt-cinq ans) se distingue une nouvelle fois avec son pinot blanc, déjà remarquable dans le millésime précédent. Ce 2000 provient d'un terroir argilocalcaire qui donne en général des vins d'une belle expression fruitée. C'est bien le cas de celui-ci, qui emporte l'adhésion grâce à son nez très fin et complexe mêlant agrumes et notes minérales. La structure n'est pas en reste, issue d'une grande matière première. Ce klevner mérite une bonne table.

🍷 Hubert Reyser, 26, rue de la Chapelle, 67520 Nordheim, tél. 03.88.87.76.38, fax 03.88.87.59.67
☑ 🍷 r.-v.

EDMOND SCHUELLER 2000

	0,17 ha	1 350		5 à 8 €

Damien Schueller a repris en 1999 la petite exploitation familiale créée il y a quarante ans par son père, au pied des trois châteaux de Husseren. Issu d'un terroir gréseux, son pinot blanc, d'un jaune doré, affiche un beau nez intense et fin. La bouche, un peu fugace, est gouleyante et équilibrée.

🍷 Edmond Schueller, 6, rue des Chasseurs, 68420 Husseren-les-Châteaux, tél. 03.89.49.32.60
☑ 🏠 🏠 🍷 r.-v.

CAVE DE TURCKHEIM
Rotenberg 2000★

	2,8 ha	27 600		5 à 8 €

A l'œil, des reflets dorés évoquant le Rotenberg un jour d'automne ; au nez, la fleur blanche, peut-être l'aubépine ? En bouche, des impressions flatteuses, avec une attaque fraîche, un bel équilibre, une structure légèrement moelleuse, fort agréable. Dernier atout, une bonne aptitude au vieillissement.

☛ Cave de Turckheim, 16, rue des Tuileries, 68230 Turckheim, tél. 03.89.30.23.60, fax 03.89.27.35.33, e-mail brandt@cave-turckheim.com ☑ ⲓ r.-v.

J.-P. WASSLER 2000

	1,5 ha	9 000	ⲓ↧	5 à 8 €

Jean-Paul et Marc Wassler exploitent une douzaine d'hectares autour de Blienschwiller. Un village dont le clocher roman du XIᵉs. atteste une précoce prospérité viticole. Jaune pâle dans le verre, ce pinot s'ouvre progressivement sur un fruité agréable. Après une bonne attaque, marquée par une acidité citronnée, la bouche présente une légère rondeur. La finale est dominée par la puissance.

☛ Jean-Paul et Marc Wassler, 1, rte d'Epfig, 67650 Blienschwiller, tél. 03.88.92.41.53, fax 03.88.92.63.11 ☑ ⲓ r.-v.

FERNAND ZIEGLER 2000★★★

	0,9 ha	6 557	ⵙ	3 à 5 €

Ici, on est viticulteur de père en fils depuis... 1634. Daniel Ziegler a pris la relève de Fernand, qui avait inauguré la mise en bouteilles. Son pinot affiche une robe brillante, jaune pâle, et libère des arômes de surmaturation tout en finesse. En bouche, richesse, gras, fruité d'agrumes composent une bouteille élégante et de caractère, qui fait l'unanimité. Le 98 avait déjà obtenu un coup de cœur.

☛ EARL Fernand Ziegler et Fils, 7, rue des Vosges, 68150 Hunawihr, tél. 03.89.73.64.42, fax 03.89.73.71.38 ☑ 🏠 ⲓ r.-v.

Alsace edelzwicker

Parmi les appellations alsaciennes, une place particulière est occupée par l'edelzwicker. Cette dénomination extrêmement ancienne désigne les vins issus d'un assemblage de cépages. N'oublions pas qu'il y a un siècle les parcelles du vignoble alsacien implantées avec une seule variété étaient rares. Les cépages qui entrent dans la composition de l'edelzwicker sont essentiellement les pinot blanc, auxerrois, sylvaner et chasselas. A côté d'une proportion relativement faible d'edelzwicker sans grande qualité et qui a tendance à jeter le discrédit sur cette appellation, cette production est particulièrement appréciée par les Alsaciens, et la plupart des restaurants et des cafés mettent un point d'honneur à en servir de très agréables en carafe. Il s'agit d'une appellation qui mériterait qu'on revalorise sa réputation. Elle pourrait répondre à l'une des revendications actuelles de certains vignerons pour qui les vertus de l'assemblage semblent évidentes.

BERNARD HANSMANN
Vieilles vignes 1999

	0,12 ha	700	ⲓ	3 à 5 €

A Mittelbergheim, village chargé d'histoire, les Hansmann sont au service du vin depuis 1732. Leur edelzwicker a retenu l'attention par son nez franc et fruité aux nuances de pêche. Fraîche et fine, d'une belle ampleur, la bouche ne manque pas non plus d'agréments, de l'attaque à la longue finale.

☛ Bernard Hansmann, 66, rue Principale, 67140 Mittelbergheim, tél. 03.88.08.07.44, e-mail bernard.hansmann@libertysurf.fr ☑ ⲓ t.l.j. sf dim. 8h-12h 13h-18h30

Alsace riesling

Le riesling est le cépage rhénan par excellence, et la vallée du Rhin est son berceau. Il s'agit d'une variété tardive pour la région, dont la production est régulière et bonne. Elle occupe environ 23 % du vignoble.

Le riesling alsacien est un vin sec, ce qui le différencie de façon générale de son homologue allemand. Ses atouts résident dans l'harmonie entre son bouquet et son fruité délicats, son corps et son acidité assez prononcée mais extrêmement fine. Mais pour atteindre cet apogée, il devra provenir d'une bonne situation.

Le riesling a essaimé dans de nombreux autres pays viticoles, où la dénomination riesling, sauf si l'on précise « riesling rhénan », n'est pas totalement fiable : une dizaine d'autres cépages ont, de par le monde, été baptisés de ce nom ! Du point de vue gastronomique, le riesling convient tout particulièrement aux poissons, aux fruits de mer et, bien entendu, à la choucroute garnie à l'alsacienne ou au coq au riesling chaque fois qu'il ne contient pas de sucres résiduels ; les sélections de grains nobles et vendanges tardives se prêtent aux accords des vins liquoreux.

ANSTOTZ ET FILS
Hinterkirch 2000★

0,6 ha	2 500	◫ 5 à 8 €

Marc Anstotz exploite 11 ha à Balbronn, gros village pittoresque situé à 25 km à l'ouest de Strasbourg. Si sa cave recèle des foudres centenaires en bois sculpté, son intérêt pour la lutte intégrée et pour la vinification par lieu-dit permet aussi de le classer parmi les « modernes ». Généreux par son fruité complexe comme par sa matière, équilibré et long, son riesling de l'Hinterkirch s'accordera avec un poisson grillé ou poché. (Sucres résiduels : 7 g/l.) ☛ Anstotz et Fils, 51, rue Balbach , 67310 Balbronn, tél. 03.88.50.30.55, fax 03.88.50.58.06 ☑ ⛫ ⊥ r.-v.

PIERRE ARNOLD
Prestige de Dambach-la-Ville 2000

0,61 ha	3 000	◫ 5 à 8 €

Petite ville fortifiée de la moyenne Alsace, Dambach-la-Ville possède un vignoble très étendu. Peut-être les céréales occupaient-elles aussi une grande place dans son terroir, puisque les Arnold, établis dans la cité depuis 1711, ont pour emblème trois épis de blé. Leur riesling cuvée Prestige possède un nez expressif, associant notes d'agrumes et nuances minérales. Frais, sec, équilibré, de bonne longueur, c'est un classique. (Sucres résiduels : 1 g/l.) ☛ Pierre Arnold, 16, rue de la Paix, 67650 Dambach-la-Ville, tél. 03.88.92.41.70, fax 03.88.92.62.95 ☑ ⊥ t.l.j. 9h-19h; dim. sur r.-v.

DOM. BARMES-BUECHER
Herrenweg de Turckheim 2000★

0,9 ha	3 000	8 à 11 €

Né de l'union de deux vieilles familles viticoles, ce domaine établi à Wettolsheim, à l'ouest de Colmar, dispose de 16 ha de vignes. Il s'est converti à la biodynamie. Il propose un riesling surprenant : sa robe est presque vieil or, son nez complexe livre une note boisée. Sec à l'attaque, chaleureux, le palais révèle une belle matière. Atypique mais intéressant. (Sucres résiduels : 7 g/l.) ☛ Dom. Barmès Buecher, 30, rue Sainte-Gertrude, 68920 Wettolsheim, tél. 03.89.80.62.92, fax 03.89.79.30.80, e-mail barmes-buecher@terre-net.fr ☑ ⊥ r.-v.

BARON KIRMANN 2000

0,22 ha	1 200	5 à 8 €

Le baron Kirmann n'est pas une pure création du marketing : cet ancêtre du propriétaire actuel fut anobli sous l'Empire et fait officier de la Légion d'honneur. L'étiquette du domaine honore sa mémoire. Encore réservé au nez, ce riesling s'ouvre au palais sur des notes d'agrumes confits. En bouche, on trouve une fraîcheur légère, de l'élégance et de la persistance. A attendre. (Sucres résiduels : 8 g/l.) ☛ Philippe Kirmann, 2, rue du Gal-de-Gaulle, 67560 Rosheim, tél. 03.88.50.43.01, fax 03.88.50.22.72, e-mail info@baronkirmann.com ☑ ⊥ r.-v.

LEON BAUR
Elisabeth Stumpf 2000★

1,1 ha	9 000	◫ 5 à 8 €

La famille Baur affiche son blason depuis 1738. Aujourd'hui, Jean-Louis Baur exploite 8 ha de vignes et exporte la moitié de sa production. On retrouve sa cuvée Elisabeth Stumpf. Le millésime 2000 séduit par un nez floral, fin et nuancé, une bouche fraîche et assez souple, d'un équilibre agréable. (Sucres résiduels : 4 g/l.)

☛ Jean-Louis Baur, 22, rue du Rempart-Nord, 68420 Eguisheim, tél. 03.89.41.79.13, fax 03.89.41.93.72, e-mail baur@multimania.com ☑ ⊥ r.-v.

JEAN-PHILIPPE ET JEAN-FRANCOIS BECKER
Kronenbourg 2000★

0,5 ha	5 200	11 à 15 €

L'étiquette des Becker reproduit une aquarelle montrant le village de Zellenberg perché sur son éperon. Ces vignerons exploitent une dizaine d'hectares aux alentours. Du Kronenbourg, terroir argilo-marneux, ils ont tiré un riesling fort réussi. Le nez s'ouvre progressivement sur un fruité persistant et une note minérale. Vif à l'attaque, le palais est soutenu par une bonne structure. On retrouve en finale une impression minérale bienvenue. (Sucres résiduels : 5,7 g/l.) Quant au **riesling 2000 du lieu-dit Lerchenberg** (8 à 11 €), qui provient d'un sol argilo-siliceux, il a obtenu une citation. Discret au nez, vif à l'attaque, il trouvera son harmonie dans trois ou quatre ans. (Sucres résiduels : 8 g/l.) ☛ GAEC Jean-Philippe et Jean-François Becker, 2, rte d'Ostheim, 68340 Zellenberg, tél. 03.89.47.87.56 ☑ ⊥ r.-v.

DOM. BERNHARD-REIBEL
Meisenberg 2000★

0,5 ha	3 300	◫ 8 à 11 €

A la tête du domaine familial depuis 1981, Cécile Bernhard a été rejointe en 2001 par son fils Pierre. L'exploitation dispose de 13 ha de vignes. Le Meisenberg est un terroir granitique bien exposé au sud-est. De vieux ceps (cinquante ans en moyenne) ont donné naissance à un jeune vin au nez d'agrumes, avec une légère note musquée. La bouche équilibrée est d'une agréable fraîcheur qui assure une bonne finale. Le riesling qu'il faut pour les fruits de mer et les poissons. (Sucres résiduels : 3,6 g/l.) ☛ Dom. Bernhard-Reibel, 20, rue de Lorraine, 67730 Châtenois, tél. 03.88.82.04.21, fax 03.88.82.59.65, e-mail bernhard-reibel@wanadoo.fr ☑ ⊥ r.-v. ☛ Cécile Bernhard

BESTHEIM
Rebgarten 2000★★

14 ha	150 000	8 à 11 €

Signé par un groupe puissant, exportant 40 % de sa production, ce riesling séduit d'emblée par son nez typé du cépage, marqué par le citron vert. Racé, élégant, riche, généreux et persistant, c'est « un vin comme je les aime », conclut un dégustateur. Un *best*. (Sucres résiduels : 10 g/l.) ☛ Cave de Bestheim-Bennwihr, 3, rue du Gal-de-Gaulle, 68630 Bennwihr, tél. 03.89.49.09.29, fax 03.89.49.09.20, e-mail bestheim@gofornet.com ☑ ⊥ t.l.j. 8h-12h 14h-18h; sam. dim. 10h-12h 15h-18h

BEYER

Pflanzer Vendanges tardives 1999★

0,2 ha	1 300	🍾⬇ 11 à 15 €

Du fait de sa vaste superficie viticole, Epfig possède des terroirs très diversifiés. Le Pflanzer se caractérise par un sol sablonneux qui convient parfaitement au riesling. Jaune à nuances vertes, celui-ci mêle fleurs blanches et fruits confits au nez. En bouche, on retrouve ces arômes au sein d'une structure montrant une belle harmonie entre l'acidité et la douceur. Un vin très long, d'une grande fraîcheur.
🔶 Patrick Beyer, 27, rue des Alliés, 67680 Epfig, tél. 03.88.85.50.21, fax 03.88.57.81.46
☑ ⛪ 🍷 t.l.j. 8h-11h30 13h30-18h30

JOSEPH ET CHRISTIAN BINNER

Vignoble d'Ammerschwihr 2000★

0,9 ha	8 000	⬛ 5 à 8 €

Héritiers d'une lignée de vignerons remontant à 1770, Joseph Binner et son fils Christian exploitent 6 ha de vignes. Leur riesling délivre progressivement des notes complexes et fines, avec quelques accents végétaux. La bouche, où l'on trouve une bonne matière et une belle fraîcheur, finit sur une impression plus rustique.
🔶 Joseph et Christian Binner, 2, rue des Romains, 68770 Ammerschwihr, tél. 03.89.78.23.20, fax 03.89.78.14.17, e-mail vinsbinner@aol.com
☑ 🍷 t.l.j. sf dim. 9h-12h 14h-18h30

DOM. CLAUDE BLEGER

Coteaux du Haut-Kœnigsbourg 2000★

0,35 ha	2 500	⬛ 5 à 8 €

La famille Bléger est établie depuis le XVIIᵉ s. dans le village viticole d'Orschwiller, dominé par le château du Haut-Kœnigsbourg. Elle se flatte d'avoir reçu la visite de l'arrière-petit-fils de Guillaume II, lequel avait fait restaurer la célèbre forteresse, ruinée pendant la guerre de Trente Ans. Son riesling des coteaux du Haut-Kœnigsbourg s'annonce par un fruité intense, assez exotique. Il allie souplesse et puissance. Sa matière mûre, sa bouche complexe, grasse et non dépourvue d'une acidité fine et enveloppante, sa longueur en font un vin très flatteur. (Sucres résiduels : 7 g/l.)
🔶 Dom. Claude Bléger, 23, Grand-Rue, 67600 Orschwiller, tél. 03.88.92.32.56, fax 03.88.82.59.95 ☑ 🏩 ⛪ 🍷 t.l.j. 9h-12h15 13h15-19h30

BOECKEL

Brandluft 2000

2 ha	16 000	⬛ 5 à 8 €

Mittelbergheim recèle plus d'une belle maison Renaissance. Les Boeckel sont établis dans ce village depuis cette époque. Dès 1853, la famille s'est lancée dans le commerce des vins. Elle dispose aujourd'hui de 20 ha de vignes. Son riesling du Brandluft apparaît encore jeune : il ne s'ouvre qu'à l'agitation, sur des notes florales et fruitées. Souple et léger, il présente une persistance satisfaisante. (Sucres résiduels : 8 g/l.)
🔶 Emile Boeckel, 2, rue de la Montagne, 67140 Mittelbergheim, tél. 03.88.08.91.91, fax 03.88.08.91.88, e-mail vins.boeckel@proveis.com
☑ 🍷 r.-v.

BROBECKER

Vieilles vignes 2000★

0,4 ha	3 600	5 à 8 €

Depuis 1998, Pascal Joblot est à la tête d'une modeste exploitation familiale (3,50 ha). Il propose un riesling issu d'un terroir argilo-calcaire, au nez intense, floral et fruité avec quelques notes grillées. L'harmonie naît d'une belle matière, riche et persistante. (Sucres résiduels : 9 g/l.)
🔶 SCEA Vins Brobecker, 3, pl. de l'Eglise, 68420 Eguisheim, tél. 06.87.52.80.72, fax 03.89.41.55.93
☑ ⛪ 🍷 r.-v.
🔶 Pascal Joblot

BUTTERLIN 2000★★

0,6 ha	3 700	5 à 8 €

Jean Butterlin exploite 8 ha autour de Wettolsheim, au sud-ouest de Colmar. Non loin de ce village, la route des Châteaux suit une ligne de crête au-dessus de la plaine. Aussi pourra-t-on profiter d'une visite de la cave pour découvrir le vaste château fort de Hohlandsbourg qui a été restauré. Puis on goûtera ce riesling dont le fruité mêle le citron et la pêche blanche. Franc à l'attaque, ce 2000 est agréablement équilibré par le gras enveloppant une acidité fine, bien intégrée. Un vin de gastronomie. (Sucres résiduels : 8 g/l.)
🔶 Jean Butterlin, 27, rue Herzog, 68920 Wettolsheim, tél. 03.89.80.60.85, fax 03.89.80.58.61, e-mail info@butterlin.fr ☑ 🍷 r.-v.

JOSEPH CATTIN 2000

6 ha	50 000	🍾⬇ 5 à 8 €

Développée par les frères Cattin, Jacques et Jean-Marie, cette maison familiale dispose de 40 ha de vignes. Son riesling possède un nez légèrement fruité. Classiquement sec, il offre une bouche gourmande. Suffisamment persistante, la finale est marquée par une fine amertume. (Sucres résiduels : 4 g/l.)
🔶 Joseph Cattin, 18, rue Roger-Frémeaux, 68420 Voegtlinshoffen, tél. 03.89.49.30.21, fax 03.89.49.26.02, e-mail gcattin@terre-net.fr ☑ 🍷 t.l.j. 8h-12h 14h-18h; dim. sur r.-v.
🔶 Jacques et Jean-Marie Cattin

MARCEL ET JOSE EBELMANN

Weingarten Cuvée Vallée Noble 2000

0,35 ha	3 200	5 à 8 €

Cette exploitation familiale de 6,50 ha a effectué sa première mise en bouteilles il y a cinquante ans, en 1947. Elle propose un riesling frais, au fruité encore discret. « Vin d'été », selon un dégustateur, il pourra cependant être servi dès cet hiver. (Sucres résiduels : 6 g/l.)
🔶 Marcel et José Ebelmann, 27, rue des Chèvres, 68570 Soultzmatt, tél. 03.89.47.00.09, fax 03.89.47.65.33
☑ 🍷 t.l.j. 9h-12h 14h-19h; dim. sur r.-v.

SYLVIE FAHRER

Silberberg 2000

0,22 ha	1 200	5 à 8 €

Sylvie Fahrer a pris en 1995 la succession du domaine créé par son grand-père. Elle dispose de 9 ha de vignes. Son riesling du Silberberg est dominé par les agrumes, tant au nez qu'au palais. Franc, sec, de moyenne structure, il offre une belle harmonie et une longue finale. (Sucres résiduels : 7,5 g/l.)

▶ SCEA Sylvie Fahrer, 24, rte du Vin,
68590 Saint-Hippolyte, tél. 03.89.73.00.40,
fax 03.89.73.05.01, e-mail sylvie.fahrer@wanadoo.fr
☑ 🏠 ⅄ r.-v.

FAHRER-ACKERMANN
Cuvée Prestige 2000★

	1 ha	5 000	∎↓	5 à 8 €

En 1999, Vincent Ackermann a racheté la maison
Michel Fahrer où il travaillait comme salarié. Il exploite
aujourd'hui 8 ha de vignes, non loin du château du
Haut-Kœnigsbourg. Sa cuvée Prestige s'annonce par un
nez intense et complexe, marqué par des notes de surmaturation (miel, agrumes, avec des nuances de menthe). Le
palais apparaît puissant, bien structuré, harmonieux et de
bonne persistance. (Sucres résiduels : 11 g/l.)
▶ Fahrer-Ackermann, 15, rte du Vin,
67600 Orschwiller, tél. 03.88.92.90.23,
fax 03.88.92.90.23 ☑ 🏠 ⅄ r.-v.
▶ Vincent Ackermann

ANTOINE FONNE 2000★

	0,3 ha	2 200	∎	5 à 8 €

Située au centre d'Ammerschwihr, un peu plus haut
que la vieille tour des Voleurs, cette exploitation a développé sa production viticole qui occupait une place secondaire dans les années 1960. Elle s'est engagée dans la
production intégrée certifiée. Son riesling libère des parfums élégants, francs et caractéristiques du cépage, puis on
décèle des notes de réglisse au nez comme au palais. Le
fruit n'est cependant pas absent, souligné par une belle
vivacité. A servir sur un poisson grillé. (Sucres résiduels :
5 g/l.)
▶ Antoine Fonné, 14, Grand-Rue,
68770 Ammerschwihr, tél. 03.89.47.37.90,
fax 03.89.47.18.83 ☑ ⅄ r.-v.

LOUIS FREYBURGER ET FILS
Pflaenzer 2000★

	0,83 ha	6 000		5 à 8 €

André Freyburger est à la tête de cette propriété
familiale depuis 1971. Au cours de la dernière décennie, il
s'est appliqué à mettre en évidence et en valeur les
lieux-dits, comme le Pflaenzer. Très expressif par des notes
de surmaturation et des nuances minérales, ce riesling est
ample au palais, assez souple, bien structuré. Encore un
peu jeune, il devra patienter deux ou trois ans en cave
avant d'atteindre sa pleine harmonie. (Sucres résiduels :
6 g/l.)
▶ SARL Louis Freyburger et Fils, 10, rte de Colmar,
68750 Bergheim, tél. 03.89.73.63.82, fax 03.89.73.37.72,
e-mail contact@vins-freyburger.com ☑ 🏠 ⅄ r.-v.

FREY-SOHLER
Sélection de grains nobles Instant douceur 1999

	0,8 ha	1 400	∎↓	30 à 38 €

Le vignoble de Scherwiller s'étend sur des terroirs
plutôt légers (granite à flanc de coteau et graves dans les
zones plus plates) particulièrement propices au riesling.
D'un jaune intense presque doré, ce vin livre au nez des
notes minérales, nuancées de fruits confits ou exotiques.
L'attaque est franche. On retrouve en bouche un côté
minéral. La finale n'est pas des plus longues mais présente
une bonne fraîcheur.

▶ Frey-Sohler, 72, rue de l'Ortenbourg,
67750 Scherwiller, tél. 03.88.92.10.13,
fax 03.88.82.57.11, e-mail freysohl@terre-net.fr
☑ 🏠 ⅄ t.l.j. sf dim. 8h-12h 13h-19h

W. GISSELBRECHT
Schiefferberg 2000★★

	1,5 ha	12 000	∎↓	5 à 8 €

Petite ville fortifiée, Dambach-la-Ville ne manque pas
de sites qui valent le détour, tels sa chapelle Saint-
Sébastien, église romane se dressant au cœur des vignes sur
les hauteurs. Son vaste vignoble mérite également toute
votre attention, grâce à des producteurs comme Willy
Gisselbrecht. Du coteau schisteux de Schiefferberg, il a tiré
un vin d'un jaune pâle brillant, au nez associant des notes
d'agrumes et de surmaturation. Son attaque, sa charpente
et sa fraîcheur le rendent très agréable et bien présent au
palais. (Sucres résiduels : 9 g/l.)
▶ Willy Gisselbrecht et Fils, 5, rte du Vin,
67650 Dambach-la-Ville, tél. 03.88.92.41.02,
fax 03.88.92.45.50 ☑ ⅄ t.l.j. sf dim. 8h-12h 14h-18h

MICHEL GOETTELMANN 2000

	0,35 ha	4 000	∎	5 à 8 €

Jeune vigneron, Michel Goettelmann s'est installé il
y a une dizaine d'années. On le retrouve cette année dans
le Guide avec son riesling. Le millésime 2000 est un
classique par son fruité fin et sa vivacité. Des notes
minérales s'affirment déjà dans un palais équilibré, sec et
racé.
▶ Michel Goettelmann, 27, rue des Goumiers,
67730 Châtenois, tél. 03.88.82.12.40, fax 03.88.82.12.40,
e-mail mgoettelmann@wanadoo.fr
☑ ⅄ t.l.j. 8h-12h 13h-19h

JOSEPH GSELL 2000★

	1,1 ha	8 000	∎	5 à 8 €

Orschwihr est situé dans la partie méridionale de la
route des Vins. Sa vocation viticole remonte au VIIIᵉs. Dès
cette époque, le village comptait des vignobles, qui dépendaient de l'importante abbaye de Murbach. Joseph Gsell
y exploite aujourd'hui 7,5 ha. Des arômes assez épicés,
avec une nuance minérale, introduisent la dégustation de
son riesling. Franc à l'attaque, ce vin n'est pas d'une
grande exubérance aromatique en bouche mais finit agréablement par une impression fraîche et citronnée. (Sucres
résiduels : 4 g/l.)
▶ Joseph Gsell, 26, Grand-Rue, 68500 Orschwihr,
tél. 03.89.76.95.11, fax 03.89.76.20.54
☑ 🏠 ⅄ t.l.j. sf dim. 9h-12h 13h-19h

DOM. GUNTZ
Scherwiller Cuvée Matthéus 2000

	0,29 ha	2 998	▪	5 à 8 €

Les Guntz exploitent quelque 9 ha de vignes à Scherwiller. Environné de châteaux forts, c'est un village marqué par l'histoire, où s'acheva dans le sang, en 1525, la guerre des Rustauds. C'est aussi une commune viticole où prospère le riesling, qui domine l'encépagement. Cette variété a donné ici une cuvée aux nuances d'agrumes caractéristiques. De structure moyenne, celle-ci montre suffisamment de tenue au palais mais gagnera en harmonie dans un an. (Sucres résiduels : 9 g/l.)

🐦 Dom. Guntz, 27, rue de Dambach, 67750 Scherwiller, tél. 03.88.58.30.30, fax 03.88.82.70.77 ☑ ⵕ t.l.j. 8h-19h30

HAEGI
Brandluft Cuvée Prestige 2000★

	0,5 ha	3 500	⬛	5 à 8 €

Cette cuvée Brandluft avait obtenu un coup de cœur dans le millésime 98. Le 2000 décline successivement des notes d'agrumes, de fruits exotiques, de fruits secs et des nuances torréfiées. Franc, vineux et puissant, il se montre souple au palais, où apparaissent des arômes de pierre à fusil. Une longue finale laisse la meilleure impression. (Sucres résiduels : 12 g/l.)

🐦 Bernard et Daniel Haegi, 33, rue de la Montagne, 67140 Mittelbergheim, tél. 03.88.08.95.80, fax 03.88.08.91.20 ☑ 🏠 ⵕ t.l.j. sf dim. 8h-12h 13h-18h

ANDRÉ HARTMANN
Armoirie Hartmann 2000★★

	0,7 ha	5 500	▪	5 à 8 €

Voegtlinshoffen est surnommé le « balcon de l'Alsace » : le village offre un vaste panorama sur le vignoble, la plaine et jusqu'à la Forêt Noire. La famille Hartmann y est installée depuis le XVIIᵉs. Son Armoirie a figuré plus d'une fois aux meilleures places du Guide. Le 2000 est dominé par le fruit de la Passion, au nez comme au palais ; s'y ajoutent d'autres nuances fruitées et une touche minérale. Sa bonne structure et sa richesse en font un vin très prometteur, qui gagnera en fondu dans un an ou deux. (Sucres résiduels : 10 g/l.)

🐦 André Hartmann, 11, rue Roger-Frémeaux, 68420 Voegtlinshoffen, tél. 03.89.49.38.34, fax 03.89.49.26.18 ☑ 🏠 ⵕ t.l.j. sf dim. 9h-12h 14h-18h

HEIMBERGER
Vieilles vignes 2000★★

	7 ha	12 000	▪	5 à 8 €

Créée en 1952, cette coopérative vient de rénover ses caves et de s'équiper d'une chaîne d'embouteillage. Elle vinifie la production de 250 ha. D'un jaune soutenu, sa cuvée Vieilles vignes s'ouvre sur des arômes de raisins bien mûrs. Après une belle attaque, on découvre une matière riche, intense, onctueuse et persistante. Ce vin gagnera en harmonie au cours des mois à venir : on l'attendra au moins un an. (Sucres résiduels : 8 g/l.)

🐦 Cave vinicole de Beblenheim, 14, rue de Hoen, 68980 Beblenheim, tél. 03.89.47.90.02, fax 03.89.47.86.85 ☑ ⵕ t.l.j. 9h-12h 14h-19h; f. 1ᵉʳ jan.-15 mars

EMILE HERZOG
Herrenweg 2000★★

	0,12 ha	900	▪⬇	5 à 8 €

Riche cité viticole de longue date, Turckheim fut une des villes de la Décapole alsacienne. Les Herzog y sont établis depuis 1686. Emile fut receveur de la confrérie Saint-Etienne. Depuis sa disparition, l'exploitation est dirigée par sa femme. D'un jaune clair brillant, son riesling du Herrenweg mêle au nez des nuances florales et des parfums intenses de pamplemousse. Au palais, le corps, le fruité, la fraîcheur et une petite rondeur assurent une belle harmonie et une réelle élégance. Un vin bien typé qui gagnera en complexité et en persistance. (Sucres résiduels : 10 g/l.)

🐦 Vins d'Alsace Emile Herzog, 28, rue du Florimont, 68230 Turckheim, tél. 03.89.27.08.79, fax 03.89.27.08.79, e-mail e.herzog@laposte.net ☑ ⵕ r.-v. 🐦 Mme Herzog

HORCHER
Cuvée Sélection 2000★★

	1 ha	6 000	▪⬇	5 à 8 €

Détruit en 1944, le village de Mittelwihr a été reconstruit dans le style alsacien. Les Horcher y exploitent quelque 8 ha de vignes. Leur cuvée Sélection a fait l'unanimité. Jaune d'or dans le verre, elle s'annonce par des arômes de fruits et de miel tout en finesse. La bouche prolonge remarquablement le nez. Complexe, révélant beaucoup de matière, elle donne pourtant une impression d'élégante légèreté. Une dentelle « haute couture ». (Sucres résiduels : 5 g/l.)

🐦 Ernest Horcher et Fils, 6, rue du Vignoble, 68630 Mittelwihr, tél. 03.89.47.93.26, fax 03.89.49.04.92 ☑ 🏠 ⵕ t.l.j. sf dim. 8h-12h 14h-19h

HUBER ET BLEGER
Schlossreben 2000

	1,25 ha	13 500	▪⬇	5 à 8 €

Ce 2000 est le dernier millésime vinifié par Robert Bléger qui avait fondé cette exploitation avec Marcel Huber en 1967 et qui vient de laisser sa place à son neveu Franck. Issu d'un terroir granitique, ce vin encore fermé s'ouvre sur de discrètes notes florales et minérales. En bouche, il est franc, équilibré et gouleyant. (Sucres résiduels : 12 g/l.)

🐦 Huber et Bléger, 6, rte du Vin, 68590 Saint-Hippolyte, tél. 03.89.73.01.12, fax 03.89.73.00.81, e-mail domaine@huber-bleger.fr ☑ ⵕ t.l.j. sf dim. 9h-12h 14h-17h30; f. sam. de jan à mars

JEAN HUTTARD 2000

	0,6 ha	n.c.	🍾⬇	5 à 8 €

A la tête de l'exploitation familiale depuis 1979, Jean-Claude Huttard propose un vin jaune pâle, au nez fruité, un peu musqué. Le palais franc, aux intenses arômes de pomme et de coing surmûris, se montre gras et souple jusqu'à la finale. A attendre de un à trois ans. (Sucres résiduels : 5 g/l.)

🍇 Jean Huttard, 10, rte du Vin, 68340 Zellenberg, tél. 03.89.47.90.49, fax 03.89.47.90.32

☑ 🍷 t.l.j. sauf lun. 9h-12h 14h-18h

🍇 Jean-Claude Huttard

JACQUES ILTIS

Schlossreben 2000★

	0,35 ha	2 500	🍾	5 à 8 €

Christophe et Benoît Iltis, fils de Jacques, ont pris les rênes de l'exploitation familiale (8,5 ha) en 1999. Leurs ancêtres étaient tonneliers, et ils restent fidèles à l'élevage en fût de chêne. Issu du lieu-dit Schlossreben aux sols granitiques, leur riesling est aussi réussi que dans le millésime précédent. Fleurs blanches et touches minérales composent un nez élégant. La bouche va crescendo, révélant un fruité d'agrumes assorti d'un soupçon de réglisse. Elle finit sur une fraîcheur agréable qui ne masque pas l'expression du terroir. (Sucres résiduels : 5 g/l.)

🍇 Jacques Iltis et Fils, 1, rue Schlossreben, 68590 Saint-Hippolyte, tél. 03.89.73.00.67, fax 03.89.73.01.82, e-mail jacques.iltis@calixo.net

☑ 🍷 r.-v.

LOUIS IRION 2000★

	n.c.	25 000	🍾⬇	3 à 5 €

Les Alsaciennes en costume folklorique qui ornent l'étiquette rappellent l'imagerie charmante de Hansi, qui a son musée à Riquewihr. Ce 2000 est « très riesling » par ses arômes de citron et de fruits mûrs. Son équilibre apparaît des plus classiques : attaque fraîche et belle vivacité. Un vin sec bien plaisant qui s'accordera à tous les plats de poisson. (Sucres résiduels : 3,2 g/l.)

🍇 Louis Irion, BP 3, 68340 Riquewihr, tél. 03.89.47.92.51, fax 03.89.47.98.90 🍷 r.-v.

DOM. JUX 2000

	n.c.	10 000		8 à 11 €

Son nez citronné, son attaque nette, franche et fraîche font de ce riesling l'archétype du cépage. Très plaisant, ce vin accompagnera volontiers un plateau de fruits de mer. (Sucres résiduels : 10 g/l.)

🍇 Dom. Jux, chem. de la Fecht, 68000 Colmar, tél. 03.89.79.13.76, fax 03.89.79.62.93 ☑ 🍷 r.-v.

KIRSCHNER 2000★

	0,7 ha	6 000	🍷	5 à 8 €

L'histoire de cette famille vigneronne remonte à 1733. Dès 1825, elle étiquette des « vins de paille ». Aujourd'hui le domaine, qui s'étend sur 9,5 ha, est conduit en production intégrée certifiée. Le terroir granitique d'où il est issu a laissé son empreinte sur ce riesling au nez élégant, tout en finesse, surprenant par des notes mentholées et anisées. Le palais équilibré est riche, ample, complexe et fruité jusqu'à la finale de persistance satisfaisante. (Sucres résiduels : 1,5 g/l.)

🍇 Pierre Kirschner et Fils, 26, rue Théophile-Bader, 67650 Dambach-la-Ville, tél. 03.88.92.40.55, fax 03.88.92.62.54, e-mail kirschner@reperes.com

☑ 🏠 🍷 t.l.j. sf dim. 8h-12h 13h-19h

EUGENE KLIPFEL

Cuvée particulière 2000

	5 ha	40 000		3 à 5 €

Ce domaine de 35 ha est dirigé par Jean-Louis et Guy Lorentz, descendants en cinquième génération du fondateur, Eugène Klipfel. Elevée dans une cave aux foudres plus que centenaires, leur Cuvée particulière révèle des arômes miellés de belle maturation et accompagnés d'une discrète nuance minérale. Agréable en attaque, elle présente une bonne concentration et finit sur une note de noisette. (Sucres résiduels : 3 g/l.)

🍇 Klipfel, 6, av. de la Gare, 67140 Barr, tél. 03.88.58.59.00, fax 03.88.08.53.18, e-mail alsacewine@klipfel.com

☑ 🍷 t.l.j. 10h-12h 14h-18h; f. jan.

🍇 A. Lorentz

MARC KREYDENWEISS

Clos Rebberg 2000★★

	0,8 ha	3 000		8 à 11 €

Marc Kreydenweiss exploite une douzaine d'hectares autour d'Andlau. Dans son domaine, le riesling est aux premières loges et se décline en nombre de grands crus, de terroirs et de cuvées. Ce Clos Rebberg offre un nez fruité, intense et complexe, qui annonce une belle matière. De structure généreuse, ample et très gras, il exprime au palais des arômes d'abricot. Persistant et harmonieux, il termine sur une petite rondeur. Moderne et sobre, l'étiquette est, elle aussi, fort élégante. (Sucres résiduels : 2 g/l.)

🍇 Dom. Marc Kreydenweiss, 12, rue Deharbe, 67140 Andlau, tél. 03.88.08.95.83, fax 03.88.08.41.16

☑ 🍷 r.-v.

JEAN-PAUL MAULER

Cuvée Julien-Yves 2000

	0,15 ha	1 300		5 à 8 €

Les Mauler figurent parmi les plus anciennes familles du vin à Mittelwihr. A la tête du domaine depuis 1962, Jean-Paul Mauler exploite 6 ha de vignes. Il propose un riesling au nez fruité et minéral. La belle attaque est suivie d'une bouche équilibrée et souple, d'une persistance agréable. (Sucres résiduels : 7,1 g/l.)

🍇 EARL Jean-Paul Mauler, 3, pl. des Cigognes, 68630 Mittelwihr, tél. 03.89.47.93.23, fax 03.89.47.88.29

☑ 🏨 🏠 🍷 t.l.j. 8h-12h30 13h30-20h

HUBERT METZ

Réserve de la dîme 2000

	2 ha	12 000		5 à 8 €

Hubert Metz conduit son domaine (9,5 ha) en lutte intégrée certifiée. Ses vins mûrissent dans une cave voûtée abritant de magnifiques foudres de chêne. Celui-ci offre un nez expressif mêlant des fruits à une légère note minérale. Très fraîche, dominée par les agrumes, la bouche est d'un fort bel équilibre. A attendre deux ou trois ans. (Sucres résiduels : 5 g/l.)

🍇 Hubert Metz, 3, rue du Winzenberg, 67650 Blienschwiller, tél. 03.88.92.43.06, fax 03.88.92.62.08, e-mail hubertmetz@aol.com

☑ 🍷 t.l.j. sf dim. 8h-19h

RENE MEYER

Croix du Pfoeller Vieilles vignes Cuvée Josephine
2000★

	0,52 ha	3 100	▓♦ 11 à 15 €

Un domaine de 8,3 ha situé à Katzenthal, petit village proche de Colmar. Issu de vignes de plus de quarante-cinq ans, ce riesling, d'abord fermé, s'ouvre sur des parfums typés à tendance exotique. Franc et souple, agréable en finale, il est marqué par des sucres restants. Un vin dans sa jeunesse mais prometteur, à attendre de deux à quatre ans. (Sucres résiduels : 18 g/l.)
🕿 EARL Dom. René Meyer et Fils, 14, Grand-Rue, 68230 Katzenthal, tél. 03.89.27.04.67, fax 03.89.27.50.58, e-mail domaine.renemeyer@wanadoo.fr ✓ ▼ r.-v.

LUCIEN MEYER ET FILS

Sélection de grains nobles 1999★★★

	0,13 ha	500	▓▐♦ 15 à 23 €

Le riesling donne des résultats extraordinaires lorsque l'on sait attendre sa maturité optimale en fonction du type de vin recherché. On peut parler ici d'œuvre d'art. Jaune d'or brillant, ce 99 révèle au nez des notes de fruits confits, d'agrumes, de coing, nuancées de cire. Franc, très agréable, le palais est soutenu par une acidité harmonieuse et marqué par des arômes de bergamote et d'épices. Mémorable.
🕿 EARL Lucien Meyer et Fils, 57, rue du Mal-Leclerc, 68420 Hattstatt, tél. 03.89.49.31.74, fax 03.89.49.24.81 ✓ 🏠 ▼ r.-v.

MEYER-FONNE

Pfoeller 2000★★

	0,5 ha	4 000	▐▌ 11 à 15 €

François Meyer et son fils Félix exploitent 10 ha de vignes. Du Pfoeller, lieu-dit au sol de calcaire coquillier, ils ont tiré un riesling remarquable. Le nez s'ouvre progressivement sur des notes d'agrumes (orange) et de fruits secs que l'on retrouve en bouche. Bien structuré, riche, fin et équilibré, le palais révèle une grande matière. Une longue finale conclut agréablement la dégustation. (Sucres résiduels : 12 g/l.)
🕿 Meyer-Fonné, 24, Grand-Rue, 68230 Katzenthal, tél. 03.89.27.16.50, fax 03.89.27.34.17 ✓ ▼ r.-v.
🕿 François et Félix Meyer

MOELLINGER

Sélection 2000★★

	0,75 ha	8 000	▐▌ 3 à 5 €

Michel Moellinger dirige depuis 1987 le domaine fondé en 1945 par son grand-père Joseph. Sa cuvée Sélection, issue d'un sol sablo-cailloux, affiche un bouquet frais, floral et fruité. Onctueux, riche, charpenté et vif, ce riesling offre en prime une longue finale. Un bel ambassadeur du cépage. (Sucres résiduels : 9,8 g/l.)

🕿 SCEA Jos. Moellinger et Fils, 6, rue de la 5e D.-B., 68920 Wettolsheim, tél. 03.89.80.62.02, fax 03.89.80.04.94 ✓ ▼ t.l.j. 8h-12h 13h30-19h; dim. sur r.-v.; f. oct.

MUHLBERGER

Rothstein de Wolxheim Clos Philippe Grass 2000★★

	2,4 ha	n.c.	5 à 8 €

Ce clos porte le nom du sculpteur Philippe Grass, natif de Wolxheim, qui s'illustra dans la restauration de la cathédrale de Strasbourg au XIXe s. Quant au lieu-dit Rothstein, il se réfère au grès rouge composant le sous-sol du terroir d'où provient ce riesling. Ce vin offre un fruité fin accompagné de notes de menthe et d'acacia. Franc à l'attaque, équilibré, très expressif avec des nuances épicées, d'une belle fraîcheur, il présente une longue finale. (Sucres résiduels : 5 g/l.)
🕿 Vignobles François Muhlberger, 1, rue de Strasbourg, 67120 Wolxheim, tél. 03.88.38.10.33, fax 03.88.38.47.65 ✓ ▼ t.l.j. 9h-19h

JULES MULLER

Engelgarden 2000★

	4 ha	20 000	5 à 8 €

Engelgarden, c'est-à-dire « Jardin des anges ». Un nom flatteur pour des terrains argilo-calcaires mis en valeur par la cave Gustave Lorentz. Tout aussi flatteur et fin, le nez de ce riesling aux effluves de fleurs blanches. Franc à l'attaque, ce vin présente un bon équilibre, quelques notes musquées et une persistance plaisante. (Sucres résiduels : 10,3 g/l.)
🕿 Jules Muller, 91, rue des Vignerons, 68750 Bergheim, tél. 03.89.73.22.21, fax 03.89.73.30.49 ✓ ▼ t.l.j. sf dim. 10h-12h 14h-18h30
🕿 Gustave Lorentz

CHARLES MULLER ET FILS

Steinacker de Traenheim 2000

	0,4 ha	3 750	▐▌ 5 à 8 €

Ce domaine fondé au XVIe s. s'adapte aux évolutions du temps : voué à la polyculture (céréales, vergers) et à l'élevage bovin jusqu'en 1980, il s'est spécialisé dans la viticulture depuis lors, et engagé dès 1990 dans la lutte intégrée. Il propose un vin assez discret au nez, qui s'ouvre davantage en bouche. Un riesling harmonieux, de type sec. (Sucres résiduels : 4 g/l.)
🕿 Charles Muller et Fils, 89c, rte du Vin, 67310 Traenheim, tél. 03.88.50.38.04, fax 03.88.50.58.54 ✓ 🏠 ▼ r.-v.

FRANCIS MURE 2000

	0,4 ha	2 500	5 à 8 €

A la tête d'un domaine depuis vingt ans, Francis Muré présente un riesling de bonne tenue, aux arômes d'agrumes et de pomme. Frais, équilibré, racé, offrant une discrète note minérale, ce vin répond bien au type du cépage. (Sucres résiduels : 2 g/l.)
🕿 Francis Muré, 30, rue de Rouffach, 68250 Westhalten, tél. 03.89.47.64.20, fax 03.89.47.09.39 ✓ 🏠 ▼ r.-v.

OTTER

Elsbourg 2000★★

	0,65 ha	2 500	▐▌ 8 à 11 €

De vieilles vignes de quarante-cinq ans, plantées sur le terroir calcaire de l'Elsbourg, une vinification méthodique et un élevage sur lies de neuf mois sont à l'origine de ce riesling qui joue dans la cour des grands. Au nez, un joli fruit lui donne beaucoup de classe ; en bouche, de la pêche blanche, de l'équilibre, de la fraîcheur, de l'élégance et de la persistance. Une harmonie racée. (Sucres résiduels : 1 g/l.)

🐛 Dom. Otter et Fils, 4, rue du Muscat, 68420 Hattstatt, tél. 03.89.49.33.00, fax 03.89.49.38.69, e-mail ottjef@newel.net ☑ ⊥ r.-v.

ERNEST PREISS
Cuvée particulière 2000★

n.c.	20 000	▮	8 à 11 €

Riquewihr n'est pas seulement un village-musée, emblématique du vignoble alsacien ; des caves prestigieuses liées à d'anciennes familles de viticulteurs-négociants, y ont toujours pignon sur rue. La maison Ernest Preiss propose une cuvée d'un abord sympathique avec son nez frais et citronné. Assez souple à l'attaque, équilibrée, elle révèle une certaine maturité et offre une finale très agréable. (Sucres résiduels : 3,2 g/l.)

🐛 Ernest Preiss, rue Jacques-Preiss, BP 3, 68340 Riquewihr, tél. 03.89.47.91.21, fax 03.89.47.98.90 ☑ ⊥ r.-v.

VIGNOBLES REINHART
Bollenberg 2000★

1,2 ha	6 200	▮	5 à 8 €

Sur la colline du Bollenberg, les sorcières, dit-on, menaient leur sabbat. Depuis près de dix siècles, la vigne a investi le site, au sol argilo-calcaire. On retrouve l'expression du terroir dans ce riesling jaune doré, aux arômes de surmaturation (acacia, miel et cire). La bouche conjugue le gras, l'ampleur et une fraîcheur agréable. On pourra servir ce vin avec une viande blanche en sauce. (Sucres résiduels : 6 g/l.)

🐛 Pierre Reinhart, 7, rue du Printemps, 68500 Orschwihr, tél. 03.89.76.95.12, fax 03.89.74.84.08 ☑ ⊥ r.-v.

REYSER
Stephanysberg 2000★

0,98 ha	9 000	▮♦	3 à 5 €

A la tête de 10 ha de vignes, Hubert Reyser a constitué ce domaine à partir de 1980. Né d'un sol argilo-calcaire, ce riesling séduit par un fruité intense et élégant, au nez comme en bouche. Sec au palais, il est harmonieux et d'une belle fraîcheur en finale. De la personnalité. (Sucres résiduels : 2,7 g/l.)

🐛 Hubert Reyser, 26, rue de la Chapelle, 67520 Nordheim, tél. 03.88.87.76.38, fax 03.88.87.59.67 ☑ ⊥ r.-v.

RINGENBACH MOSER 2000

0,91 ha	9 000	▮	3 à 5 €

Cette maison de négoce possède un vignoble en propre de 6 ha. François Ringenbach la dirige depuis 1995, tout en s'impliquant dans l'organisation interprofessionnelle du vignoble alsacien. Son riesling, encore jeune, présente une robe jaune vert intense et un nez discret aux nuances fraîches d'agrumes. Son attaque et son équilibre le rendent agréable en bouche. Une vivacité sympathique. (Sucres résiduels : 3 g/l.)

🐛 Ringenbach-Moser, 12, rue du Vallon, 68240 Sigolsheim, tél. 03.89.47.11.23, fax 03.89.47.32.58 ☑ ⊥ t.l.j. sf sam. dim. 8h30-11h30 13h30-17h30

GILBERT RUHLMANN FILS
Cuvée Particulière 2000★

0,4 ha	3 500	▮♦	5 à 8 €

Scherwiller organise chaque été la fête du Riesling. Ce cépage-roi de la commune a donné ici un vin au bouquet élégant, quoiqu'un peu discret au premier nez. Très agréable par sa fraîcheur, cette bouteille est dotée d'une solide structure qui lui permettra de s'épanouir dans un an ou deux. (Sucres résiduels : 9,8 g/l.)

🐛 Gilbert Ruhlmann Fils, 31, rue de l'Ortenbourg, 67750 Scherwiller, tél. 03.88.92.03.21, fax 03.88.82.30.19, e-mail vin.gruhlmann@terre-net.fr ☑ ⊥ t.l.j. 8h-19h

SAULNIER 2000★

0,28 ha	2 400	▮	5 à 8 €

Voilà dix ans que Marco Saulnier a créé son exploitation qui compte aujourd'hui 3,5 ha. Au nez, son riesling est marqué par une pointe de surmaturation, avec des notes de raisin sec. Discret à l'attaque, il est porté jusqu'à la finale par une fine vivacité, accompagnée d'arômes de raisin. Un bon potentiel. (Sucres résiduels : 8 g/l.)

🐛 Marco Saulnier, rte de Saint-Marc, 68420 Gueberschwihr, tél. 03.89.86.42.02, fax 03.89.49.34.82 ☑ ⊥ r.-v.

JOSEPH SCHARSCH
Wolxheim Cuvée des Premiers Frimas 2000

0,3 ha	2 400	▮♦	8 à 11 €

Le village de Wolxheim est situé à une vingtaine de kilomètres de Strasbourg. Joseph Scharsch, rejoint par son fils aîné en 1999, y exploite 10 ha de vignes. Sa cuvée des Premiers Frimas, en robe jaune clair, traduit une légère surmaturation. Ses arômes sont frais mais encore retenus. Charpentée, riche, de bonne étoffe, elle présente cependant un caractère brut dû à sa jeunesse. Elle devrait gagner en équilibre et en fondu dans deux ou trois ans. (Sucres résiduels : 10 g/l.)

🐛 Dom. Joseph Scharsch, 12, rue de l'Eglise, 67120 Wolxheim, tél. 03.88.38.30.61, fax 03.88.38.01.13, e-mail domaine.scharsch@wanadoo.fr ☑ 🏠 ⊥ r.-v.

SEILLY
Schenkenberg Vieilles vignes 2000★★

1,02 ha	5 000	▯▯	8 à 11 €

Cité coquette et fleurie, influente dès le Moyen Age, Obernai garde de son riche passé de multiples témoignages architecturaux, en particulier de la Renaissance. Vous trouverez, à l'entrée de la ville, la cave de Marc Seilly, œnologue. Issue de vignes de cinquante ans, sa cuvée du Schenkenberg affiche un jaune doré brillant. Le nez profond délivre un fruité complexe, à la fois frais, exotique, mûr et confit. La bouche ample est soutenue par une acidité bien intégrée qui lui assure une remarquable tenue et une grande persistance.

🐛 Dom. Seilly, 18, rue du Gal-Gouraud, 67210 Obernai, tél. 03.88.95.55.80, fax 03.88.95.54.00, e-mail info@seilly.fr ☑ 🏠 ⊥ r.-v.

RENE SIMONIS
Cuvée réservée 2000★★

| | 0,2 ha | 1 500 | ⊞ 5 à 8 € |

En 1996, Etienne Simonis a pris la suite de son père, lui-même héritier d'une longue lignée de vignerons, remontant au XVIIes. Née d'un sol graveleux, sa Cuvée réservée offre un concerto aromatique où les notes de confit succèdent à un fruité frais aux nuances d'orange. Souple et gras, doté d'une bonne matière, ce vin séduit aussi par sa finesse et sa longueur. Il s'épanouira encore pendant deux à trois ans. (Sucres résiduels : 8 g/l.)
🗣 René et Etienne Simonis, 2, rue des Moulins, 68770 Ammerschwihr, tél. 03.89.47.30.79, fax 03.89.78.24.10 ☑ ⵊ r.-v.

E. SPANNAGEL ET FILS
Côtes de Kientzheim Kirrenburg 2000★

| | 0,15 ha | 1 500 | 5 à 8 € |

Dans cette petite exploitation (1,50 ha) gérée par le fils, Rémy Spannagel, tous les travaux du vignoble sont effectués à la main. Né d'un terroir granitique, ce riesling affiche des notes florales avec une nuance de pamplemousse. En bouche, sa richesse et sa charpente s'accompagnent de notes minérales qui lui donnent son caractère particulier. (Sucres résiduels : 10 g/l.)
🗣 Eugène Spannagel et Fils, 11, rue de Cussac, 68240 Sigolsheim, tél. 03.89.78.25.90, fax 03.89.78.25.90, e-mail remy.spannagel@free.fr
☑ ⵊ r.-v.

PIERRE SPARR
Altenbourg 2000

| | 0,97 ha | 11 400 | ▮ 11 à 15 € |

Etablie à Sigolsheim, au nord-ouest de Colmar, la famille Sparr s'intéresse à la vigne depuis plus de trois siècles. Elle possède une activité de négoce et un coquet vignoble en propre. On retrouve son riesling de l'Altenbourg, terroir où se mêlent le granit et des sols argilo-marneux. Très expressif au nez, c'est un vin équilibré et typé. S'il n'est pas des plus persistants, il se montre racé. (Sucres résiduels : 9,7 g/l.)
🗣 SA Pierre Sparr et ses Fils, 2, rue de la 1re Armée française, 68240 Sigolsheim, tél. 03.89.78.24.22, fax 03.89.47.32.62, e-mail vins-sparr@rmcnet.fr ☑ ⵊ r.-v.

SPITZ ET FILS
Vieilles vignes 2000

| | 0,47 ha | 3 800 | ⊞ 5 à 8 € |

A la tête d'un domaine de 10 ha, Marie-Claude et Dominique Spitz sont établis à Blienschwiller, très ancien village fondé au VIIIes. Issue de ceps de quarante ans, leur cuvée Vieilles vignes s'annonce par une fraîcheur citronnée. Elle retient l'attention par son attaque, sa bonne tenue et sa puissance. Elle devrait s'ouvrir et s'assouplir si l'on sait l'attendre trois ou quatre ans. (Sucres résiduels : 8,2 g/l.)
🗣 EARL Spitz et Fils, 2-4, rte des Vins, 67650 Blienschwiller, tél. 03.88.92.61.20, fax 03.88.92.61.26 ☑ ⵊ t.l.j. 8h30-12h 13h30-19h

STENTZ-BUECHER
Ortel 2000

| | n.c. | 1 800 | ▮ 11 à 15 € |

Dans le verre, des reflets dorés. Viennent ensuite des fragrances florales bien marquées, que l'on retrouve en bouche avec des nuances épicées. Ce riesling ne cultive pas la vivacité, mais offre une plaisante harmonie et un agréable côté gouleyant. (Sucres résiduels : 8 g/l.)
🗣 Dom. Stentz-Buecher, 21, rue Kleb, 68920 Wettolsheim, tél. 03.89.80.68.09, fax 03.89.79.60.53, e-mail stentz-buecher@wanadoo.fr
☑ 🏠 ⵊ t.l.j. sf dim. 9h-12h 14h-19h

DOM. AIME STENTZ ET FILS 2000★★

| | 1,3 ha | 9 800 | ▮♦ 5 à 8 € |

Louis et Etienne Stentz dirigent ce domaine de 15 ha situé à Wettolsheim, aux portes de Colmar. Un village charmant, tout comme ce riesling dont le jury salue le nez au fruité intense, plutôt exotique, le palais agréable et complexe, l'équilibre, la matière riche et surtout la longueur. Un grand vin qui a du caractère. (Sucres résiduels : 6,5 g/l.)
🗣 Dom. Aimé Stentz et Fils, 37, rue Herzog, 68920 Wettolsheim, tél. 03.89.80.63.77, fax 03.89.79.78.68, e-mail stentz.e@calixo.net ☑ ⵊ t.l.j. sf dim. 8h-12h 14h-18h

DOM. STOEFFLER
Kronenbourg 2000★

| | 0,5 ha | 3 500 | ⊞ 5 à 8 € |

Martine et Vincent Stoeffler se flattent d'offrir à l'amateur trente-cinq vins différents tous les ans. Il est vrai que leur domaine (12 ha légués par leurs deux familles) s'étend sur plusieurs tronçons de la route des Vins, autour de Ribeauvillé, Riquewihr et Zellenberg dans le Haut-Rhin, de Barr et de Mittelbergheim dans le Bas-Rhin. Parmi les nombreux lieux-dits mis en valeur, le Kronenbourg, aux sols marno-calcaires, a donné un riesling au fruité intense et typé, plaisant, équilibré, racé et de belle longueur. Le 98 avait obtenu un coup de cœur. (Sucres résiduels : 7 g/l.)
🗣 Dom. Martine et Vincent Stoeffler, 1, rue des Lièvres, 67140 Barr, tél. 03.88.08.52.50, fax 03.88.08.17.09, e-mail info@vins-stoeffler.com
☑ ⵊ r.-v.

ACHILLE THIRION 2000★

| | 2,9 ha | n.c. | 5 à 8 € |

Saint-Hippolyte est le village le plus septentrional du Haut-Rhin. La famille Thirion y est établie depuis plus de deux siècles et exploite aujourd'hui 17 ha. Son riesling s'inscrit dans un registre fruité, tout en étant marqué par des notes minérales. Une attaque franche introduit une bouche assez vive, racée, de persistance moyenne. (Sucres résiduels : 7 g/l.)
🗣 Dom. Achille Thirion, 69, rte du Vin, 68590 Saint-Hippolyte, tél. 03.89.73.00.23, fax 03.89.73.06.46 ☑ ⵊ r.-v.

TRIMBACH
Cuvée Frédéric-Emile 1998★★

| | 6 ha | 32 000 | ▮♦ 23 à 30 € |

A l'entrée de Ribeauvillé, une tour élancée à colombage signale la maison Trimbach. Une entreprise familiale dont l'origine remonte à 1626 et à laquelle Frédéric-Emile a donné un nouvel élan à la fin du XIXes. en promouvant ses vins à l'étranger (Trimbach exporte aujourd'hui 85 % de sa production, des Etats-Unis au Japon). Cette cuvée, qui lui rend hommage, sera un excellent ambassadeur de l'Alsace viticole. Expression d'un terroir marno-calcaire, elle offre des arômes intenses et superbes aux nuances

minérales. Ample et fraîche à la fois, elle allie puissance et persistance. Un « vin de gourmandise ». (Sucres résiduels : 4 g/l.)

↬ F.E. Trimbach, 15, rte de Bergheim, 68150 Ribeauvillé, tél. 03.89.73.60.30, fax 03.89.73.89.04, e-mail contact@maison-trimbach.fr ☑ ⵜ r.-v.

CAVE DE TURCKHEIM
Heimbourg 2000★★

	2,15 ha	22 400	⬛♨	5 à 8 €

Le lieu-dit Heimbourg est situé sur les hauteurs de Turckheim. De ce terroir calcaire est né un riesling or pâle avec quelques reflets verts, aux arômes floraux intenses et nets. Son attaque agréable, sa structure équilibrée et sa complexité naissante en font un vin de très belle harmonie. (Sucres résiduels : 3,2 g/l.)

↬ Cave de Turckheim, 16, rue des Tuileries, 68230 Turckheim, tél. 03.89.30.23.60, fax 03.89.27.35.33, e-mail brandt@cave-turckheim.com ☑ ⵜ r.-v.

VORBURGER 2000

	n.c.	n.c.	5 à 8 €

Situé à une dizaine de kilomètres au sud-ouest de Colmar, le village de Voegtlinshoffen s'étire au milieu des ceps au pied de falaises de grès rose. Au XIIIes., son vignoble, rattaché à l'évêché de Strasbourg, était déjà renommé. En l'an 2000, les Vorburger en ont tiré un riesling au nez typique du cépage, mêlant nuances citron-nées et musquées. Le jury a goûté sa jeunesse légère, son côté net et frais, un peu perlant. (Sucres résiduels : 3 g/l.)

↬ Jean-Pierre Vorburger et Fils, 3, rue de la Source, 68420 Voegtlinshoffen, tél. 03.89.49.35.52, fax 03.89.86.40.56 ☑ ⵜ r.-v.

JEAN WACH 2000

	1,5 ha	6 000	⬛	5 à 8 €

Avec ses sculptures et son portail, l'église abbatiale d'Andlau est un superbe témoignage de l'art roman. Avec la viticulture, elle a contribué à la prospérité de la cité où vous trouverez le domaine de Jean Wach. Vous pourrez y goûter un riesling au nez fin et typé, avec une note mentholée. Droit à l'attaque, pur, racé, il révèle une acidité mûre. Frais et « croquant », il montre un certain potentiel. (Sucres résiduels : 5,6 g/l.)

↬ GAEC Jean Wach et Fils, 16 A, rue du Mal-Foch, 67140 Andlau, tél. 03.88.08.09.73, fax 03.88.08.09.73 ☑ ⵜ t.l.j. sf dim. 9h-12h 14h-18h

> L'étiquette représente un coup de cœur décerné par le jury.

JEAN-MARIE WASSLER ET FILS
Vendanges tardives Cuvée des Anges 1999★

	0,2 ha	1 700	⬛	11 à 15 €

Village-rue, Nothalten s'étire sur la route des Vins. C'est une commune viticole dont les terroirs s'étendent sur les collines sous-vosgiennes, aux sols tantôt granitiques, tantôt argilo-sableux. Sur ces derniers, les rieslings expriment une bonne typicité. Celui-ci s'habille d'une robe jaune paille bien brillante. Le nez laisse percevoir une légère note minérale, assortie de nuances de fruits exotiques et confits qui ajoutent à sa complexité. En bouche, on retrouve bien le cépage, avec une belle fraîcheur accompagnée d'arômes très agréables d'abricot sec. Un vin long et prometteur. (Bouteilles de 50 cl.)

↬ EARL Jean-Marie Wassler, 22, rte des Vins, 67680 Nothalten, tél. 03.88.92.43.31, fax 03.88.92.63.97, e-mail jeanmarie.wassler@free.fr ☑ 🏠 ⵜ r.-v.

CELLIER DE LA WEISS 2000★

	3,5 ha	35 900	⬛♨	5 à 8 €

Le cellier de la Weiss est le prolongement de la cave coopérative de Turckheim dirigée par M. Brandt. Son riesling libère des arômes de fruits bien mûrs qui traduisent sa bonne maturité. Une belle vivacité agrémente l'attaque, renforce sa structure et donne de la complexité à sa finale. Un vin typique du cépage. (Sucres résiduels : 3,6 g/l.)

↬ Cellier de la Weiss, 68240 Kaysersberg, tél. 03.89.30.23.60, fax 03.89.27.35.33

DOM. DU WINDMUEHL 2000★

	0,8 ha	5 000	⬛⬛⬛	5 à 8 €

Le domaine du Windmuehl (7 ha) est situé à Saint-Hippolyte, un des villages bâti au pied du Haut-Kœnigsbourg. Son riesling est issu de vignes de trente ans plantées sur un sol argilo-granitique. Grâce à une vinification bien menée dans la tradition, il s'exprime plaisamment par un fruité fin et racé aux accents de citron et de menthe. Si la bouche n'est pas des plus complexes, elle est équilibrée, avec un joli fruit et une touche de gras qui confirment sa bonne facture. (Sucres résiduels : 2 g/l.)

↬ Claude Bléger, Dom. du Windmuehl, 92, rte du Vin, 68590 Saint-Hippolyte, tél. 03.89.73.00.21, fax 03.89.73.04.22 ☑ 🏠 ⵜ r.-v.

ALBERT WINTER
Muhlforst 2000★

	0,2 ha	1 600	⬛	5 à 8 €

Monument emblématique de Hunawihr, l'église for-tifiée du XVes. figure sur les étiquettes de ce vigneron. Son riesling, lui aussi, se défend bien : il présente un nez puissant mais fin, aux arômes caractéristiques du cépage. Il est frais à l'attaque, équilibré et persistant. (Sucres résiduels : 6 g/l.)

↬ Albert Winter, 17, rue Sainte-Hune, 68150 Hunawihr, tél. 03.89.73.62.95, fax 03.89.73.62.95 ☑ ⵜ r.-v.

FERNAND ZIEGLER
Clos Saint-Ulrich 2000★

	1,2 ha	6 500	⬛⬛⬛	5 à 8 €

Le Clos Saint-Ulrich, au terroir argilo-granitique, bénéficie d'une excellente réputation entretenue avec pas-sion par Fernand Ziegler et son fils Daniel. Le millésime 2000 est déjà bien ouvert au nez, avec une palette fruitée accompagnée d'une légère touche minérale. La bouche apparaît d'abord plus réservée. Perlante à l'attaque, équilibrée, elle donne finalement l'impression de croquer les fruits. Un vin bien fait. (Sucres résiduels : 4,8 g/l.)

🐦 EARL Fernand Ziegler et Fils, 7, rue des Vosges, 68150 Hunawihr, tél. 03.89.73.64.42, fax 03.89.73.71.38
☑ ⛩ ⏳ r.-v.

MAISON ZOELLER
Wolxheim Cuvée réservée 2000★★

	1,1 ha	9 000	⯃	5 à 8 €

Rattaché à l'abbaye de Wissembourg dès 772, le vignoble de Wolxheim a gardé une excellente réputation, que ne ternira pas ce riesling. Le nez élégant mêle les fleurs et les agrumes. Le palais est fondu, frais, et présente les arômes typiques du cépage. Un vin très flatteur : « on ne s'en lasse pas », conclut un dégustateur. (Sucres résiduels : 10 g/l.)

🐦 Maison Zoeller, 14, rue de l'Eglise, 67120 Wolxheim, tél. 03.88.38.15.90, fax 03.88.38.15.90, e-mail vins.zoeller@wanadoo.fr
☑ ⏳ t.l.j. sf dim. 9h-12h 13h30-19h

Alsace muscat

Deux variétés de muscat servent à élaborer ce vin sec et aromatique qui donne l'impression que l'on croque du raisin frais. Le premier, dénommé de tout temps muscat d'Alsace, n'est rien d'autre que celui que l'on connaît mieux sous le nom de muscat de Frontignan. Comme il est tardif, on le réserve aux meilleures expositions. Le second, plus précoce et de ce fait plus répandu, est le muscat ottonel. Ces deux cépages occupent 340 ha, soit 2,30 % du vignoble. Le muscat d'Alsace doit être considéré comme une spécialité aimable et étonnante, à boire en apéritif et lors de réceptions avec, par exemple, du kugelhopf ou des bretzels.

AUGUSTE GERBER
Hahnenberg 2000

	0,25 ha	3 000	⯃	5 à 8 €

Représentant la troisième génération, Patricia Him a repris cette propriété de quelque 8 ha, fondée par Auguste Gerber en 1932. Dans sa petite robe à reflets verts, son muscat du Hahnenberg affiche sa jeunesse. Son fruité est léger, son palais équilibré et gouleyant. (Sucres résiduels : 5 g/l.)

🐦 A. Gerber, 21, rue des Goumiers, 67730 Châtenois, tél. 03.88.92.04.85, fax 03.88.82.21.23 ☑ ⏳ t.l.j. 8h-12h 14h-18h; dim. sur r.-v.

W. GISSELBRECHT
Réserve spéciale 2000

	1,5 ha	14 000	⯃♦	5 à 8 €

W. Gisselbrecht, rejoint par ses trois enfants, est à la tête d'un domaine de 17 ha situé sur le territoire de

Dambach et des villages environnants. Il exerce également une activité de négoce-éleveur. Jaune pâle dans le verre, sa Réserve spéciale offre un nez de fleurs blanches, avec de fines nuances muscatées. Agréable par son équilibre et son fruité, elle séduit aussi par sa persistance. (Sucres résiduels : 6 g/l.)

🐦 Willy Gisselbrecht et Fils, 5, rte du Vin, 67650 Dambach-la-Ville, tél. 03.88.92.41.02, fax 03.88.92.45.50 ☑ ⏳ t.l.j. sf dim. 8h-12h 14h-18h

DOM. MATERNE HAEGELIN ET SES FILLES
2000★

	0,57 ha	n.c.		5 à 8 €

Situé sur la partie sud de la route des Vins, ce domaine familial de 18 ha est géré depuis 1986 par une des filles de Materne Haegelin, Régine Garnier. D'un abord un peu discret, son muscat s'ouvre sur des notes florales tout en dentelle. En bouche, le cépage s'affirme davantage par la fraîcheur et le fruité. L'équilibre est très agréable.

🐦 Dom. Materne Haegelin et ses Filles, 45-47, Grand-Rue, 68500 Orschwihr, tél. 03.89.76.95.17, fax 03.89.74.88.87, e-mail filles@haegelin-materne.fr
☑ ⛩ ⏳ t.l.j. 8h15-12h 13h-18h30; f. dim. en hiver
🐦 Régine Garnier

KUNTZMANN 2000★

	0,16 ha	900	⯃	5 à 8 €

Située à l'entrée de la vallée de Munster, Turckheim fut une ville libre dès 1354. Elle s'entoura de murailles dont il reste des vestiges. Son patrimoine monumental, riche de belles maisons Renaissance, reflète une position viticole importante acquise dès le Moyen Age. Au nombre de ses vignerons, le couple Kuntzmann, installé en 1999. Du muscat ottonel, né sur graves siliceuses, il a tiré un vin aux arômes intenses et complexes de fleurs, de fruits un peu confits et de miel. Bien présent au palais, fruité, à la fois souple et frais, ce 2000 offre en outre une jolie persistance. (Sucres résiduels : 2 g/l.)

🐦 Isabelle et Philippe Kuntzmann, 14, rue des Jardins, 68230 Turckheim, tél. 03.89.80.98.54, fax 03.89.80.98.54 ☑ ⏳ r.-v.

DOM. DU MITTELBURG
Vendanges tardives 1999

	0,06 ha	400		15 à 23 €

Le muscat figure parmi les cépages les plus délicats d'Alsace. Sur les coteaux de Pfaffenheim, il a trouvé l'un de ses terroirs de prédilection qui lui permet une expression aromatique optimale. Dans sa robe or pâle, ce 99 offre un nez très intense où ressortent fruits exotiques et nuances muscatées. La bouche est en revanche dominée par des notes florales (fleurs blanches, rose et pivoine). Elle se distingue par son harmonie élégante et sa longueur. (Bouteilles de 50 cl.)

🐦 EARL Henri Martischang, 15, rue du Fossé, 68250 Pfaffenheim, tél. 03.89.49.60.83, fax 03.89.49.76.61 ☑ ⛩ ⏳ r.-v.

JEAN-MARIE VORBURGER
Hospices de Strasbourg Vieilles vignes Elevé en fût de chêne 2000

	0,25 ha	2 200	⯃	8 à 11 €

En 1929, le vignoble de Voegtlinshoffen avait été qualifié de « modèle » par l'Association des viticulteurs d'Alsace. La recherche de la qualité anime aujourd'hui encore ses vignerons, parmi lesquels Jean-Marie Vorburger, à qui l'on doit cette cuvée issue d'un terroir argilo-calcaire en pente, élevée et mise en bouteilles dans la cave historique des hospices de Strasbourg. Dominé par des arômes de fruits mûrs et confits, ce vin offre une belle expression au palais, marqué par une certaine rondeur en finale. Un muscat original. (Sucres résiduels : 15 g/l.)

☎ Jean-Marie Vorburger, 1-4, pl. de la Mairie, 68420 Voegtlinshoffen, tél. 03.89.49.29.87, fax 03.89.49.39.30 ☑ ♈ t.l.j. 8h30-12h30 13h30-19h

DOM. VALENTIN ZUSSLIN
Cuvée Marie 2000★

	0,7 ha	5 000		▮↓ 11 à 15 €

Jean-Marie Zusslin est depuis 1972 à la tête d'un domaine de 12 ha fondé par ses ancêtres en 1691. Il pratique la biodynamie. De couleur jaune doré, sa cuvée Marie offre des arômes riches, aux nuances de fruits confits et de miel. Cette richesse se retrouve dans une bouche de très belle longueur, d'une bonne structure un peu dominée par la douceur. Pour l'apéritif ou un dessert léger. (Sucres résiduels : 11,6 g/l.)

☎ Dom. Valentin Zusslin, 57, Grand-Rue, 68500 Orschwihr, tél. 03.89.76.82.84, fax 03.89.76.64.36, e-mail jzusslin@aol.com
☑ ♈ t.l.j. sf dim. 8h-11h30 13h30-18h
☎ Jean-Marie Zusslin

Alsace gewurztraminer

Le cépage qui est à l'origine de ce vin est une forme particulièrement aromatique de la famille des traminer. Un traité publié en 1551 le désigne déjà comme une variété typiquement alsacienne. Cette authenticité, qui s'est de plus en plus affirmée à travers les siècles, est sans doute due au fait qu'il atteint dans ce vignoble un optimum de qualité. Ce qui lui a conféré une réputation unique dans la viticulture mondiale.

Son vin est corsé, bien charpenté, en général sec mais parfois moelleux, et caractérisé par un bouquet merveilleux, plus ou moins puissant selon les situations et les millésimes. Le gewurztraminer, qui a une production relativement faible et irrégulière, est un cépage précoce aux raisins très sucrés. Il occupe environ 2 500 ha, c'est-à-dire près de 17,6 % de la superficie du vignoble alsacien. Souvent servi en apéritif, lors des réceptions ou lors des desserts, il accompagne aussi, surtout lorsqu'il est puissant, les fromages à goût relevé comme le roquefort et le munster.

DOM. PIERRE ADAM
Kaefferkopf 2000★

	6 ha	4 000		▮↓ 11 à 15 €

La maison a été fondée par Pierre Adam en 1950. Son fils Rémy a repris le flambeau en 1992 et exploite aujourd'hui 11 ha de vignes situées en grande partie dans le célèbre Kaefferkopf. Malgré son origine argilo-calcaire, ce gewurztraminer est déjà très expressif au nez, les notes florales se mêlant aux senteurs de pain d'épice. Son ampleur et sa pointe de fruits exotiques le rendent tout indiqué aussi bien pour une cuisine épicée que pour les desserts. (Sucres résiduels : 25 g/l.)

☎ Dom. Pierre Adam, 8, rue du Lt-Louis-Mourier, 68770 Ammerschwihr, tél. 03.89.78.23.07, fax 03.89.47.39.68, e-mail info@domaine-adam.com
☑ ♈ t.l.j. 8h-12h 13h-19h

DOM. BARMES BUECHER
Herrenweg de Turckheim 2000

	0,4 ha	1 800		▮↓ 11 à 15 €

Avec 16 ha de vignes, le domaine Barmès Buecher était déjà un exemple de maîtrise technique. Depuis trois ans, il s'est montré encore plus exigeant en se lançant dans la viticulture biodynamique. Conforme à son origine graveleuse, ce gewurztraminer est déjà très ouvert au nez, les arômes de pétale de rose se mêlant aux fruits confits. Ample et corsé au palais, il est le produit d'une grande matière première. (Sucres résiduels : 30 g/l.)

☎ Dom. Barmès Buecher, 30, rue Sainte-Gertrude, 68920 Wettolsheim, tél. 03.89.80.62.92, fax 03.89.79.30.80, e-mail barmes-buecher@terre-net.fr
☑ ♈ r.-v.

BAUMANN-ZIRGEL
Vieilles vignes 2000★

	0,8 ha	4 000		❙❙❙ 8 à 11 €

Mittelwihr est connu pour son microclimat propice à la culture de l'amandier, et pour ses domaines viticoles, tel le domaine Baumann-Zirgel qui possède près de 8 ha de vignes. Originaire d'un terroir argilo-calcaire, ce gewurztraminer combine harmonieusement arômes de rose et d'épices, et senteurs vanillées. Bien présent au palais, il est équilibré et persistant. Vous le servirez à l'apéritif ou sur une cuisine exotique. (Sucres résiduels : 15 g/l.)

☎ EARL Baumann-Zirgel, 5, rue du Vignoble, 68630 Mittelwihr, tél. 03.89.47.90.40, fax 03.89.49.04.89
☑ ⌂ ♈ r.-v.
☎ J.-J. Zirgel

BESTHEIM
Roemerberg 2000★

	n.c.	100 000		▮↓ 8 à 11 €

Bestheim a su rejoindre le peloton de tête des entreprises du vignoble alsacien tout en défendant l'expression du terroir. Ce gewurztraminer issu du Roemerberg, lieu-dit argilo-calcaire, est très distingué au nez avec ses notes de miel et de bergamote. Assez rond à l'attaque, il se développe avec puissance et persiste durablement. A savourer à l'apéritif ou au dessert. (Sucres résiduels : 22 g/l.)

☎ Bestheim - Cave de Bennwihr, 3, rue du Gal-de-Gaulle, 68630 Bennwihr, tél. 03.89.49.09.29, fax 03.89.49.09.20, e-mail bestheim@gofornet.com ☑ ♈ r.-v.

CAMILLE BRAUN
Cuvée Saint-Nicolas 2000★

	1,2 ha	8 000		▮↓ 5 à 8 €

Orschwihr est une charmante bourgade dédiée à la culture de la vigne. Issu d'un terroir argilo-calcaire, ce gewurztraminer est déjà très épanoui. Dominé par des notes de fruits confits et d'écorce d'orange au nez, il se révèle exubérant en bouche. Rond et puissant, il n'aura pas son pareil à l'apéritif ou sur un foie gras. (Sucres résiduels : 22 g/l.)

🍷 Camille Braun, 16, Grand-Rue, 68500 Orschwihr, tél. 03.89.76.95.20, fax 03.89.74.35.03 ☑ ⛪ ⵙ t.l.j. sf dim. 8h-12h 13h30-18h30

FRANCOIS BRAUN ET SES FILS
Cuvée Sainte-Cécile 2000★

	1,3 ha	11 000	▮▮ 8 à 11 €

Première cité viticole lorsqu'on aborde le vignoble alsacien par le sud, Orschwihr est le siège du domaine François Braun (21 ha en production). Originaire d'un terroir argilo-calcaire, ce gewurztraminer est encore très jeune : les notes de pêche se mêlent aux traditionnelles nuances florales. D'une attaque agréable, la bouche épicée traduit bien la qualité de la matière première. Un vin fait pour durer. (Sucres résiduels : 19,8 g/l.)

🍷 François Braun et Fils, 19, Grand-Rue, 68500 Orschwihr, tél. 03.89.76.95.13, fax 03.89.76.10.97 ☑ ⵙ t.l.j. sf dim. 9h-11h30 14h-18h

JEAN DIETRICH
Kaefferkopf 2000★

	0,37 ha	2 500	11 à 15 €

Située au cœur de la cité historique de Kaysersberg, patrie du docteur Schweitzer, l'exploitation de Jean Dietrich réunit 11 ha de vignes parfaitement exposées. Conforme à son origine marneuse, ce gewurztraminer semble encore discret au nez, même s'il évoque déjà les fruits confits et les fruits exotiques. Puissant et épicé au palais, il se développe longuement et laisse une sensation de grande douceur, signe de la maturité élevée de la vendange. A attendre. (Sucres résiduels : 15 g/l.)

🍷 Jean Dietrich, 4, rue de l'Oberhof, 68240 Kaysersberg, tél. 03.89.78.25.24, fax 03.89.47.30.72 ☑ ⵙ t.l.j. 10h-12h 14h-18h

DOM. DE L'ECOLE
Côte de Rouffach 2000★

	0,36 ha	2 800	⑪ 5 à 8 €

Le lycée de Rouffach a formé des générations de professionnels du vignoble alsacien depuis cinquante ans. Ses étudiants ont pu faire leurs travaux pratiques sur ce domaine de 13 ha. Originaire d'un terroir limoneux, ce gewurztraminer révèle déjà une belle expression aromatique, avec une touche de vanille. D'une attaque franche au palais, il se développe puissamment sur la rose et les fruits exotiques tout en conservant son élégance. (Sucres résiduels : 15 g/l.)

🍷 Dom. de l'Ecole, Lycée agricole et viticole, 68250 Rouffach, tél. 03.89.78.73.16, fax 03.89.78.73.01, e-mail expl.legta.rouffach@educagri.fr ☑ ⵙ t.l.j. sf sam. dim. 9h-12h 14h-17h; groupes sur r.-v.

DOM. ENGEL
Vendanges tardives 1999★★

	0,8 ha	5 000	▮▮ 15 à 23 €

Constitué en 1958, ce domaine de 18 ha exploite les trois quarts de ses vignes sur les coteaux qui s'étendent au pied du Haut-Kœnigsbourg, dont 7 ha en appellation grand cru Praelatenberg, ce qui est encore plus remarquable. Il propose un gewurztraminer jaune d'or nuancé de reflets verts brillants ; le nez, déjà de belle intensité, laisse percevoir des arômes d'agrumes (citron) et de fruits secs.

Au palais, ce vin est un peu minéral, ce qui fait dire à un dégustateur qu'il pourrait provenir d'un terroir plutôt léger. C'est en effet le cas. Le palais est d'une grande harmonie : onctueux, gras, puissant et pourtant d'un caractère relativement aérien. Une réelle élégance.

🍷 Domaines Engel Frères, 1, rue des Vignes, Haut-Kœnigsbourg, 67600 Orschwiller, tél. 03.88.92.01.83, fax 03.88.92.17.27, e-mail vins-engel@wanadoo.fr ☑ ⛪ ⵙ t.l.j. 9h-11h30 14h-18h

DAVID ERMEL
Réserve particulière 2000★

	0,65 ha	4 000	▮▮ 8 à 11 €

Propriétaire à Hunawihr, David Ermel exploite avec son fils 13 ha de vignes sur un terroir argilo-calcaire. L'étiquette de son vin reproduit l'image de l'église fortifiée du village rendue célèbre par le dessinateur Hansi. Voici un gewurztraminer encore très jeune, qui s'ouvre lentement sur des senteurs florales après réchauffement dans le verre. Après une attaque franche, il propose un équilibre parfait entre sucrosité et fraîcheur, et développe des notes épicées en finale. Un vin promis au plus bel avenir dans quatre ou cinq ans. (Sucres résiduels : 14 g/l.)

🍷 David et Jean Ermel, 30, rte de Ribeauvillé, 68150 Hunawihr, tél. 03.89.73.61.71, fax 03.89.73.32.56, e-mail david.ermel@libertysurf.fr ☑ ⵙ t.l.j. 8h-12h 13h30-18h30; groupes sur r.-v.

ANDRE FALLER
Vieilles vignes 2000★

	0,3 ha	2 500	▮▮ 5 à 8 €

Dans le village fleuri d'Itterswiller, la famille Faller gère non seulement un vignoble de 8 ha, mais aussi un hôtel et un restaurant gastronomique. Elle vous fera découvrir ce vin assez complexe dans ses arômes de raisin sec associés à des notes minérales. Le palais se révèle plutôt souple et de belle longueur. La finale évocatrice de rose en fait une bouteille élégante. (Sucres résiduels : 10 g/l.)

🍷 André Faller, 2, rte du Vin, 67140 Itterswiller, tél. 03.88.85.53.55, fax 03.88.85.51.13, e-mail andre.faller@wanadoo.fr ☑ ⵙ r.-v.

ROBERT FREUDENREICH ET FILS
Bergweingarten 2000★

	0,54 ha	4 200	⑪ 8 à 11 €

Cette exploitation, fondée en 1955 par Robert Freudenreich, a été reprise par le fils, Christophe, en 1995. Elle compte aujourd'hui plus de 7 ha de vignes en production. Marqué par une pointe de surmaturation, ce gewurztraminer associe des arômes de litchi, de coing et de fruits confits. Plutôt sec au palais, il est ample et long, laissant une impression de grande harmonie. Un vin qui se mariera au salé comme au sucré. (Sucres résiduels : 28 g/l.)

🍷 Robert Freudenreich et Fils, 31, rue de l'Eglise, 68250 Pfaffenheim, tél. 03.89.49.60.88, fax 03.89.49.69.36 ☑ 🏠 ☷ r.-v.

DOMINIQUE FREYBURGER
Kaefferkopf 2000

0,6 ha	3 500	⫸	8 à 11 €

Vigneron de la troisième génération après avoir fait ses armes dans la restauration, Dominique Freyburger a repris cette exploitation de 3,5 ha en 1997. Son gewurztraminer, encore jeune, est marqué par des arômes de grillé et de fruits confits. Il dégage une grande puissance qui masque encore un peu le fruité en bouche ; il persiste bien. A attendre un an ou deux. (Sucres résiduels : 30 g/l.)
🍷 Dominique Freyburger, 11A, rue du Tir, 68770 Ammerschwihr, tél. 03.89.78.17.62, fax 03.89.78.17.62, e-mail vinsfreyb@aol.com
☑ ☷ t.l.j. 9h-12h 13h30-18h; f. 20-30 août

GSELL
Cuvée Anne-Marie 2000

0,7 ha	4 000	☷	8 à 11 €

En 1978, Joseph Gsell a pris la tête de ce domaine, dont le siège est une demeure tricentenaire. Il exploite aujourd'hui 7,5 ha de vignes. D'un terroir argilo-calcaire est née cette cuvée encore discrète au nez, mais qui révèle en bouche le fruit d'une bonne matière. Un vin qui ne demande qu'à s'épanouir dans les deux ans à venir. (Sucres résiduels : 35 g/l.)
🍷 Joseph Gsell, 26, Grand-Rue, 68500 Orschwihr, tél. 03.89.76.95.11, fax 03.89.76.20.54 ☑ 🏠 ☷ t.l.j. sf dim. 9h-12h 13h-19h

HENRI GSELL
Sélection de grains nobles 1998★

0,28 ha	1 800	⫸	23 à 30 €

Cette exploitation donne sur les remparts sud de la célèbre cité médiévale d'Eguisheim ; les murs de fortification, d'une épaisseur de 1,20 m, délimitent la cave. Elle propose une sélection de grains nobles d'excellente présentation : l'or blanc de sa robe, d'une grande limpidité, est rehaussé de reflets verts. Le nez, très fleuri, laisse apparaître des senteurs d'acacia et d'autres fleurs blanches mêlées d'épices. Ces mêmes impressions florales, nuancées de clou de girofle, se retrouvent dans un palais complexe, gras mais sans lourdeur, agrémenté d'une belle fraîcheur. (Bouteilles de 50 cl.)
🍷 Henri Gsell, 22, rue du Rempart-Sud, 68420 Eguisheim, tél. 03.89.41.96.40, fax 03.89.41.58.46
☑ ☷ r.-v.

HAEFFELIN 2000★★

0,43 ha	4 000	☷	5 à 8 €

Depuis 1770, le siège de l'exploitation se trouvait au cœur de la cité médiévale d'Eguisheim. Mais en 1993, Daniel Haeffelin a dû chercher de nouveaux locaux à l'extérieur de la ville pour vinifier le fruit de ses 12 ha de vignes. Il n'en reste pas moins fidèle à la tradition et propose un gewurztraminer élégant, né sur sol argilo-calcaire. Au nez de rose, de violette et de litchi succède une bouche parfaitement équilibrée, à la fois fraîche et puissante. Ce vin trouvera sa place sur un menu gastronomique, aux côtés de plats exotiques notamment. (Sucres résiduels : 20,1 g/l.)

🍷 Vignoble Daniel Haeffelin, 8, rue des Merles, 68420 Eguisheim, tél. 03.89.41.77.85, fax 03.89.23.32.43 ☑ ☷ r.-v.

HERTZOG
Bildstoecklé 2000★

0,36 ha	3 000	☷	5 à 8 €

Certes, Obermoschwihr est réputée pour son vignoble, mais le visiteur retiendra aussi son clocher à colombage, unique en son genre. Sylvain Hertzog exploite 7 ha de vignes sur un terroir argilo-calcaire. Son gewurztraminer se caractérise par d'intenses notes florales de rose et d'aubépine au nez. Plutôt souple à l'attaque, il se développe avec puissance et chaleur. Servez-le sur une cuisine épicée ou sur des desserts. (Sucres résiduels : 20 g/l.)
🍷 EARL Sylvain Hertzog, 18, rte du Vin, 68420 Obermorschwihr, tél. 03.89.49.31.93, fax 03.89.49.28.85 ☑ ☷ t.l.j. 8h-19h; dim. sur r.-v.

JEAN GEILER
Cuvée Sainte-Marguerite 2000★

12,8 ha	52 800	☷	8 à 11 €

Si la cave d'Ingersheim, fondée en 1926, s'est doté des équipements les plus modernes, elle préserve les traditions et utilise notamment le plus grand foudre de chêne de la vallée du Rhin, d'une capacité de 354 hl. Malgré son origine argilo-calcaire, ce gewurztraminer est déjà bien épanoui : les notes de réglisse se mêlent aux arômes épicés. Encore dominé au palais par la douceur, il devrait atteindre un équilibre parfait après deux ans de garde en bouteille. (Sucres résiduels : 41,4 g/l.)
🍷 Cave vinicole d'Ingersheim, 45, rue de la République, 68040 Ingersheim, tél. 03.89.27.05.96, fax 03.89.27.51.24, e-mail vin@geiler.fr ☑ ☷ r.-v.

JEAN GEILER
Letzenberg 2000

9,03 ha	25 740	☷	8 à 11 €

La cave vinicole d'Ingersheim s'est agrandie tout en conservant son indépendance. Elle vinifie séparément le fruit de certains terroirs, tel le Letzenberg au sol argilo-calcaire riche en cailloutis. Ce gewurztraminer, qui développe des arômes floraux déjà concentrés au nez, se poursuit en bouche sur une dominante sucrée qui n'entame pas son harmonie. Il peut être bu dès à présent ou attendu entre trois et quatre ans. (Sucres résiduels : 56 g/l.)
🍷 Cave vinicole d'Ingersheim, 45, rue de la République, 68040 Ingersheim, tél. 03.89.27.05.96, fax 03.89.27.51.24, e-mail vin@geiler.fr ☑ ☷ r.-v.

GEORGES KLEIN 2000★

0,6 ha	4 000	☷	5 à 8 €

Georges Klein a créé son domaine en 1956 à partir de 3 ha de vignes. Quel chemin a été parcouru depuis, puisque son fils, qui a pris la relève en 1992, exploite aujourd'hui près de 10 ha. Marqué par une pointe de surmaturation, son gewurztraminer développe au nez des arômes de coing et de miel. Rond dès l'attaque, il décline des flaveurs de fruits confits dans une bouche très douce. Il trouvera son harmonie après quelques années de garde. (Sucres résiduels : 25 g/l.)
🍷 EARL Georges Klein, 10, rte du Vin, 68590 Saint-Hippolyte, tél. 03.89.73.00.28, fax 03.89.73.06.28 ☑ 🏠 🏠 ☷ r.-v.

KOEBERLE KREYER
Vieilles vignes 2000★

| | 0,28 ha | 2 600 | ⦿ | 5 à 8 € |

Vignerons de père en fils depuis 1760, les Koeberlé-Kreyer se soucient aujourd'hui plus encore qu'hier des générations futures puisqu'ils se sont engagés dans la viticulture intégrée. Né sur un sol marneux, ce gewurztraminer possède un nez déjà très ouvert sur les agrumes. Souple dès l'attaque, il se développe tout en longueur et commence à trouver un équilibre entre sa douceur encore bien perceptible et la fraîcheur. Ce vin plein de promesses trouvera son harmonie optimale après deux ou trois ans de garde ; il sera alors le compagnon de l'apéritif ou des desserts. (Sucres résiduels : 38 g/l.)
🍷 Koeberlé Kreyer, 28, rue du Pinot-Noir,
68590 Rodern, tél. 03.89.73.00.55, fax 03.89.73.00.55,
e-mail fkoeberle @free.fr ☑ 🏠 ⍬ t.l.j. 8h-12h 13h-19h; dim. 8h-12h

KUNTZMANN 2000★

| | 0,34 ha | 900 | ⦿ | 5 à 8 € |

Isabelle et Philippe Kuntzmann se sont installés sur ce domaine de 2,5 ha en 1999. Ils ont déjà fait leurs preuves dans la vinification traditionnelle des vendanges surmûries. Leur gewurztraminer séduit d'emblée par sa teinte ambrée, puis par ses arômes de surmaturation et de fruits mûrs. Le palais tient les promesses de l'œil et du nez, tant il est frais, équilibré et surtout long. Un vin de gastronomie. (Sucres résiduels : 17 g/l.)
🍷 Isabelle et Philippe Kuntzmann, 14, rue des Jardins, 68230 Turckheim, tél. 03.89.80.98.54,
fax 03.89.80.98.54 ☑ ⍬ r.-v.

JEROME LORENTZ FILS
Cuvée des Templiers 2000★

| | 4 ha | 30 000 | | 5 à 8 € |

Créée en 1836, la maison Jérôme Lorentz s'est fait un nom envié dans le négoce alsacien ; elle n'a jamais abandonné son domaine viticole de 32 ha qui est à l'origine de sa réputation. Issu d'une sélection du domaine, ce gewurztraminer élégant au nez reste sur des notes d'épices. Assez frais au palais et persistant, il s'accordera aussi bien à la cuisine exotique qu'aux fromages et aux desserts. (Sucres résiduels : 16 g/l.)
🍷 Jérôme Lorentz, 1-3, rue des Vignerons,
68750 Bergheim, tél. 03.89.73.22.22, fax 03.89.73.30.49
☑ ⍬ t.l.j. sf dim. 10h-12h 14h-18h30
🍷 Charles Lorentz

LUCIEN MEYER ET FILS
Vendanges tardives 1999★

| | 0,48 ha | 2 500 | ⦿⍰ | 15 à 23 € |

A quelques kilomètres au sud de Colmar s'étend le vignoble de Hattstatt, en situation sud sud-est. Ces terroirs, le plus souvent argilo-calcaires, sont cependant « aérés » par un cailloutis relativement important. Tel est le berceau de ce vin d'un jaune soutenu à reflets dorés, dominé par les arômes de surmaturation (miel) et qui laisse apparaître au second nez des senteurs d'abricot et de figue, et enfin d'épices. Le palais gras et onctueux est tout en souplesse et de belle longueur.
🍷 EARL Lucien Meyer et Fils,
57, rue du Mal-Leclerc, 68420 Hattstatt,
tél. 03.89.49.31.74, fax 03.89.49.24.81 ☑ 🏠 ⍬ r.-v.

JULES MULLER
Réserve 2000★

| | 4 ha | 22 000 | | 5 à 8 € |

Si la maison Jules Muller appartient aujourd'hui à la non moins célèbre maison Gustave Lorentz, elle n'a pas pour autant perdu toute autonomie et continue d'exploiter son domaine de 12 ha à Bergheim. Conforme à son origine argilo-calcaire, ce gewurztraminer est encore assez discret au nez. Il est en revanche très intense au palais et parfaitement structuré. On remarquera en particulier la touche de réglisse en finale. (Sucres résiduels : 17 g/l.)
🍷 Jules Muller, 91, rue des Vignerons,
68750 Bergheim, tél. 03.89.73.22.21, fax 03.89.73.30.49
☑ ⍬ t.l.j. sf dim. 10h-12h 14h-18h30
🍷 Gustave Lorentz

CAVE D'OBERNAI
Vendanges tardives F. Kobus 1999

| | n.c. | 25 000 | ⍰ | 15 à 23 € |

Non loin de Strasbourg, Obernai est une ville industrielle, artisanale, commerçante mais également viticole. A côté de quelques exploitations, sa coopérative élabore bon nombre de vins des environs. D'un jaune pâle assez discret, celui-ci est d'apparence encore jeune ; il laisse percer quelques arômes de citron vert et de rose, relevés de poivre blanc. En bouche, il est équilibré, de belle fraîcheur, avec une nuance de pâte d'amande en finale. Il fait preuve d'une souplesse agréable et d'une bonne longueur.
🍷 Cave vinicole d'Obernai, 30, rue du Gal-Leclerc,
67211 Obernai, tél. 03.88.47.60.20, fax 03.88.47.60.22
☑ ⍬ r.-v.

CH. D'ORSCHWIHR
Bollenberg 2000

| | 1,4 ha | 10 000 | ⦿ | 8 à 11 € |

Hubert Hartmann n'a eu de cesse, depuis qu'il s'est installé en 1986, de relever le blason du château d'Orschwihr. Il est aujourd'hui à la tête d'un domaine de 20 ha de vignes. Issu d'un sol calcaire, ce gewurztraminer est intense au nez et les notes d'épices et de pain grillé l'emportent. D'une belle attaque, la bouche reste dominée par la douceur. Elle se fondra après un an ou deux de garde et laissera dès lors monter les arômes. (Sucres résiduels : 7 g/l.)
🍷 Ch. d'Orschwihr, 68500 Orschwihr,
tél. 03.89.74.25.00, fax 03.89.76.56.91,
e-mail hh @chateau-or.com ☑ ⍬ r.-v.
🍷 Hartmann

ERNEST PREISS
Cuvée particulière 2000

| | n.c. | 18 000 | ⍰ | 11 à 15 € |

Cité médiévale pittoresque, Riquewihr est connue à travers le monde pour son vignoble. La maison Ernest Preiss y a pignon sur rue. Elle propose un vin doré, aux effluves floraux et épicés, à la bouche bien structurée et harmonieuse. Une bouteille à marier aux plats salés et épicés comme aux desserts. (Sucres résiduels : 9,6 g/l.)
🍷 Ernest Preiss, rue Jacques-Preiss, BP 3,
68340 Riquewihr, tél. 03.89.47.91.21, fax 03.89.47.98.90
☑ ⍬ r.-v.

RIEFFEL
Réserve personnelle 2000★★

| | 0,4 ha | 2 500 | ⍰ | 5 à 8 € |

André Rieffel travaille désormais avec son fils Lucas pour mettre en valeur une exploitation de 9 ha de vignes conduites en lutte raisonnée. Ce gewurztraminer originaire d'un terroir argilo-gréseux semble encore très jeune, mais se livre déjà tout en subtilité florale au nez. La bouche ample, équilibrée et longue révèle une grande matière première. C'est un vin élégant, promis au plus bel avenir. (Sucres résiduels : 34 g/l.)

↜ André Rieffel, 11, rue Principale,
67140 Mittelbergheim, tél. 03.88.08.95.48,
fax 03.88.08.28.94 ☑ Ⴤ t.l.j. sf dim. 8h-12h 13h30-18h

CLOS SAINTE-ODILE 2000

	n.c.	10 000	∎♦ 8 à 11 €

Ville chargée d'histoire, Obernai est toute proche du célèbre mont Sainte-Odile. Pour bénéficier de la protection de la sainte patronne d'Alsace, les vignerons du cru lui ont dédié ce clos. De teinte dorée, ce gewurztraminer se caractérise par des arômes de fruits cuits et de surmaturation. D'une attaque assez souple, il trouve un bon équilibre entre la puissance, la pointe de sucres résiduels et la fraîcheur. Un vin prêt à boire sur des desserts. (Sucres résiduels : 19,6 g/l.)

↜ Sté vinicole Sainte-Odile, 30, rue du Gal-Leclerc,
67210 Obernai, tél. 03.88.47.60.29, fax 03.88.47.60.22
☑ Ⴤ r.-v.

MARTIN SCHAETZEL
Kaefferkopf Cuvée Catherine 2000★★

	0,6 ha	5 000	▥ 11 à 15 €

Jean Schaetzel, à la fois formateur en viticulture-œnologie et producteur, est devenu une référence dans le Guide. Intense et très épicé au nez, son gewurztraminer affiche une indéniable typicité. Plutôt rond à l'attaque, il se révèle gras, puissant et long en finale. Il atteindra sa plénitude après deux ou trois ans de garde. Vous le marierez alors à une simple salade de fruits pour apprécier son expression. (Sucres résiduels : 20 g/l.)

↜ Martin Schaetzel, 3, rue de la 5e D.-B.,
68770 Ammerschwihr, tél. 03.89.47.11.39,
fax 03.89.78.29.77 ☑ Ⴤ r.-v.

DOM. PIERRE SCHILLE
Cuvée réservée 2000

	0,6 ha	6 600	∎♦ 5 à 8 €

Pierre Schillé et son épouse se sont lancés dans la mise en bouteilles en 1962. Leur fils Christophe, qui a repris le flambeau en 1990, vinifie aujourd'hui toute une palette de terroirs répartis sur Sigolsheim et les communes environnantes. À la fois intense et élégant, ce gewurztraminer se révèle assez souple au palais, mais il est encore dominé par une pointe de sucres résiduels. Il possède la structure suffisante pour affronter une garde de trois ou quatre ans qui lui permettra de s'harmoniser. (Sucres résiduels : 11,7 g/l.)

↜ Pierre et Christophe Schillé, 14, rue du Stade,
68240 Sigolsheim, tél. 03.89.47.10.67,
fax 03.89.47.39.12 ☑ Ⴤ r.-v.

DOM. PIERRE SCHILLE
Vendanges tardives 1999★

	0,32 ha	1 890	∎♦ 15 à 23 €

S'étendant à l'entrée de la vallée de Kaysersberg, le vignoble de Sigolsheim profite des meilleures situations. Souvent d'exposition sud, il est protégé des vents du nord par la colline orientée est-ouest, laquelle porte sur son flanc sud le terroir du Mambourg. Sous une robe jaune d'or très soutenu, apparaît un nez assez intense marqué par

des arômes de coing ; le palais, déjà harmonieux, révèle une bonne fraîcheur et se distingue par une longueur appréciable.

↜ Pierre et Christophe Schillé, 14, rue du Stade,
68240 Sigolsheim, tél. 03.89.47.10.67,
fax 03.89.47.39.12 ☑ Ⴤ r.-v.

CHARLES SCHLERET 2000

	0,87 ha	6 500	∎♦ 8 à 11 €

Installé depuis 1950, Charles Schleret propose un gewurztraminer originaire d'un terroir graveleux. Ce vin offre déjà un nez expressif, mariant épices et notes de surmaturation. Fruité et bien équilibré en bouche, il est typique du cépage. (Sucres résiduels : 9 g/l.)

↜ Charles Schleret, 1-3, rte d'Ingersheim,
68230 Turckheim, tél. 03.89.27.06.09 ☑ Ⴤ t.l.j. 9h-19h;
dim. 10h-12h

ALBERT SCHOECH
Vendanges tardives 1999★★

	8,4 ha	6 200	∎♦ 11 à 15 €

Par l'importance de ses surfaces viticoles, par la présence de grandes maisons et pour être le siège de la confrérie Saint-Etienne, Ammerschwihr figure au nombre des cités du vin les plus connues d'Alsace. La maison Albert Schoech, fondée en 1840, y a pignon sur rue. Elle se distingue cette année avec de remarquables vendanges tardives. Jaune paille à reflets verts brillants, ce vin développe des arômes de rose ancienne, de cire d'abeille et de fruits confits. L'attaque chaleureuse au palais est équilibrée par la fraîcheur des notes d'agrumes (mandarine surtout). Un gewurztraminer racé et tout en finesse.

↜ Albert Schoech, pl. du Vieux-Marché,
68770 Ammerschwihr, tél. 03.89.78.23.17,
fax 03.89.27.51.24, e-mail vin@schoech.fr

DOM. MAURICE SCHOECH
Kaefferkopf 2000

	0,7 ha	4 500	▥ 8 à 11 €

Sébastien et Jean-Léon Schoech ont rejoint leur père Maurice en 1995 pour conduire ce célèbre domaine d'Ammerschwihr. Le terroir argilo-granitique du Kaefferkopf imprime à leur gewurztraminer de la finesse. Si le nez est encore discret, la bouche puissante et de bonne longueur traduit déjà la grande matière première. Ce vin trouvera son harmonie après deux ou trois ans de garde. (Sucres résiduels : 30 g/l.)

↜ Dom. Maurice Schoech, 4, rte de Kientzheim,
68770 Ammerschwihr, tél. 03.89.78.25.78,
fax 03.89.78.13.66 ☑ Ⴤ t.l.j. sf dim. 9h-12h 13h30-18h

DOM. FRANÇOIS SCHWACH ET FILS
Kaefferkopf 2000

	0,45 ha	3 000	∎♦ 11 à 15 €

La maison François Schwach réunit 21 ha de vignes réparties sur les meilleurs coteaux de la contrée. Son gewurztraminer, né sur un terroir argilo-calcaire, ne s'exprime pas encore au nez, mais révèle beaucoup de fruit au palais. C'est un vin puissant et harmonieux qui s'épanouira à la garde. (Sucres résiduels : 30 g/l.)

⚑ Dom. François Schwach et Fils, 28, rte de Ribeauvillé, 68150 Hunawihr, tél. 03.89.73.62.15, fax 03.89.73.37.84, e-mail info@schwach.com ☑ ⲏ r.-v.

RENE SIMONIS
Kaefferkopf 2000★

	0,3 ha	1 500		⊞	5 à 8 €

Les Simonis sont viticulteurs de père en fils dans la cité viticole d'Ammerschwihr, qui vit naître la confrérie Saint-Etienne au XVIIᵉs. Etienne Simonis dirige le domaine depuis 1996. Marqué par son origine granitique, ce gewurztraminer est puissant et élégant au nez, avec ses nuances d'écorce d'orange confite. Cette puissance se retrouve au palais, ample et persistant sur des flaveurs de fruits exotiques. Un vin rond et structuré, harmonieux. (Sucres résiduels : 45 g/l.)

⚑ René et Etienne Simonis, 2, rue des Moulins, 68770 Ammerschwihr, tél. 03.89.47.30.79, fax 03.89.78.24.10 ☑ ⲏ r.-v.

E. SPANNAGEL ET FILS
Altenbourg Cuvée Saint-Rémy 2000★★

	0,12 ha	1 000		⊞	8 à 11 €

A la tête de cette petite exploitation de 1,5 ha depuis 1995, Eric Spannagel se fait un point d'honneur d'effectuer toutes les opérations de conduite de la vigne manuellement. Conforme à son origine marneuse, ce gewurztraminer est encore dans sa jeunesse, mais exhale déjà de subtils arômes floraux. D'une belle attaque, il emplit la bouche d'une matière riche et épicée et se montre remarquablement persistant. Un dégustateur propose un mariage avec un munster fermier de caractère. (Sucres résiduels : 18 g/l)

⚑ Eugène Spannagel et Fils, 11, rue de Cussac, 68240 Sigolsheim, tél. 03.89.78.25.90, fax 03.89.78.25.90, e-mail remy.spannagel@free.fr ☑ ⲏ r.-v.

BERNARD STAEHLE
Cuvée Elise 2000★

	0,4 ha	2 200		⊞	5 à 8 €

Etabli dans une commune proche de Colmar, Bernard Staehlé dirige aujourd'hui un domaine de plus de 6 ha de vignes, dont les vins figurent régulièrement dans le Guide. Originaire d'un terroir marno-calcaire, ce gewurztraminer exprime intensément des arômes de fruits exotiques. Soyeux dès l'attaque, il se développe avec puissance mais aussi avec élégance, marqué en finale par des notes d'écorce d'orange et de bergamote. (Sucres résiduels : 15 g/l.)

⚑ Bernard Staehlé, 15, rue Clemenceau, 68920 Wintzenheim, tél. 03.89.27.39.02, fax 03.89.27.59.37 ☑ ⲏ r.-v.

STRAUB
Ludwigsberg 2000★★

	0,3 ha	2 400		⊞	8 à 11 €

Inspiré sans doute par la magnifique cave voûtée de 1715 dans laquelle il travaille, Jean-Marie Straub, habitué du Guide, propose un gewurztraminer d'origine granitique à la hauteur de sa réputation. Fin et intense au nez, son vin associe arômes de surmaturation et nuances épicées. Il se développe puissamment et harmonieusement au palais, souligné d'arômes de fruits exotiques, de fleurs et d'épices. A savourer sur un foie gras ou un dessert. (Sucres résiduels : 12 g/l.)

⚑ Jean-Marie Straub, 61, rte du Vin, 67650 Blienschwiller, tél. 03.88.92.40.42, fax 03.88.92.40.42 ☑ ⲏ r.-v.

ACHILLE THIRION 2000★

	3 ha	8 000			5 à 8 €

L'exploitation d'Achille Thirion remonte à 1760. Elle réunit aujourd'hui plus de 17 ha de vignes réparties sur les pentes ensoleillées du Haut-Kœnigsbourg. Son gewurztraminer décline élégamment des arômes de surmaturation et les nuances fruitées-épicées du cépage. Après une belle attaque, il dévoile ampleur et équilibre. Un mariage harmonieux se fera autour d'un dessert ou d'un plat exotique. (Sucres résiduels : 14 g/l.)

⚑ Dom. Achille Thirion, 69, rte du Vin, 68590 Saint-Hippolyte, tél. 03.89.73.00.23, fax 03.89.73.06.46 ☑ ⲏ r.-v.

ANDRE THOMAS ET FILS
Vieilles vignes 2000★★

	0,3 ha	2 000			11 à 15 €

Ammerschwihr est l'une des premières communes du vignoble d'Alsace. André Thomas y conduit un vignoble de 6 ha. D'un terroir argilo-calcaire est né ce gewurztraminer à la fois élégant et intense, mêlant notes épicées et arômes de litchi. Tout en souplesse dès l'attaque, il possède de la structure, du fruité et de la longueur. Il rejoindra la table dans deux ou trois ans, aux côtés de spécialités chinoises ou vietnamiennes. (Sucres résiduels : 20 g/l.)

⚑ André Thomas et Fils, 3, rue des Seigneurs, 68770 Ammerschwihr, tél. 03.89.47.16.60, fax 03.89.47.37.22 ☑ ⌂ ⲏ r.-v.

DOM. DE LA TOUR
Cuvée du Millénaire Elevé en fût de chêne 2000★★

	0,6 ha	4 000		⊞	8 à 11 €

Depuis 1985, Jean-François Straub conduit ses 11 ha de vignes, dont le fruit est élevé dans une cave du XVIᵉs. qui a conservé ses piliers de grès et son plafond d'origine. Elégant, son gewurztraminer développe intensément des arômes de fleurs et d'épices. La bouche bénéficie d'une belle fraîcheur qui équilibre parfaitement sa douceur ; elle renoue avec les flaveurs de fleurs blanches, accompagnées de mangue, de rose fraîche et d'épices. Un modèle d'harmonie, à savourer sur des gâteaux de Noël ou un foie gras poêlé. (Sucres résiduels : 25 g/l.)

⚑ Jos. Straub, Dom. de la Tour, 35, rte des Vins, 67650 Blienschwiller, tél. 03.88.92.48.72, fax 03.88.92.62.90 ☑ ⌂ ⌂ ⲏ t.l.j. 8h-12h 14h-18h; sam. dim. sur r.-v.; f. février
⚑ Jean-François Straub

WASSLER 2000

	0,53 ha	5 750		⊞	5 à 8 €

La maison Wassler, qui exploite plus de 6 ha de vignes à Itterswiller, propose un gewurztraminer issu d'un terroir argilo-siliceux. Ce vin développe des arômes floraux nuancés de sous-bois. D'attaque assez fraîche, il possède une opulence bien dans le type du cépage. Proposez-le dès aujourd'hui en apéritif, accompagné d'un cake salé ou d'un kougelhopf. (Sucres résiduels : 18,9 g/l.)

🍷 EARL Wassler Successeurs, 71, rte du Vin,
67140 Itterswiller, tél. 03.88.85.51.70,
fax 03.88.57.83.98, e-mail wassler@libertysurf.fr
☑ ⵣ r.-v.
🍷 Sohler

J.-P. WASSLER
Fronholz 2000★★

0,37 ha	2 500	🍷	5 à 8 €

Installés à l'origine dans une demeure du XVIIIᵉs. située au cœur du village, les Wassler se sont lancés dans la mise en bouteilles en 1960. Ils conduisent aujourd'hui un domaine de 12 ha. Très intense, leur gewurztraminer du Fronholz se caractérise par une large palette aromatique allant de la rose jusqu'aux fruits exotiques. La bouche ample persiste avec harmonie. Une bouteille de garde, capable de se marier aux mets les plus variés. (Sucres résiduels : 18 g/l.)
🍷 Jean-Paul et Marc Wassler, 1, rte d'Epfig,
67650 Blienschwiller, tél. 03.88.92.41.53,
fax 03.88.92.63.11 ☑ ⵣ r.-v.
🍷 Marc Wassler

CELLIER DE LA WEISS 2000

5 ha	50 000	🍷	5 à 8 €

La Weiss est cette petite rivière qui passe par Kaysersberg. En traversant le pont fortifié de grès rose qui l'enjambe, on découvre un beau panorama sur les ruines du château. Le Cellier de la Weiss a obtenu de son gewurztraminer récolté sur sol graveleux un vin déjà intense au nez : les parfums d'agrumes se mêlent à ceux de fruits exotiques. Bien soutenue dès l'attaque, la bouche laisse une impression de structure qui s'harmonisera avec le temps. Les arômes perçus à l'olfaction reviennent, accompagnés de pêche, d'abricot. (Sucres résiduels : 12,6 g/l.)
🍷 Cellier de la Weiss, 68240 Kaysersberg,
tél. 03.89.30.23.60, fax 03.89.27.35.33

WELTY
Cuvée Aurélie 2000★

0,72 ha	6 300	🍷	8 à 11 €

A la tête de l'exploitation de 8 ha depuis 1984, Jean-Michel Welty a élu domicile dans une demeure chargée d'histoire, puisqu'il s'agit d'une cour dîmière, bâtie en 1579. Originaire d'un terroir argilo-calcaire, ce gewurztraminer se révèle très intense au nez, les notes de rose se mêlant aux senteurs d'épices et d'amande amère. La rondeur de l'attaque est bien vite équilibrée par le corps de bonne structure. (Sucres résiduels : 29 g/l.)
🍷 Dom. Jean-Michel Welty, 22-24, Grand-Rue,
68500 Orschwihr, tél. 03.89.76.09.03,
fax 03.89.76.16.80, e-mail jean-michel.welty@terre-net.fr
☑ 🏠 ⵣ t.l.j. 8h30-11h30 14h-18h30; dim. sur r.-v.

BERNADETTE WELTY ET FILS
Cuvée Ophélie 2000★★

0,75 ha	4 700	🍷	8 à 11 €

Les Welty sont vignerons depuis trois générations dans la magnifique cité viticole d'Orschwihr. Bernadette exploite aujourd'hui avec son fils un domaine de 7 ha. Fidèles à leur réputation, tous deux présentent un gewurztraminer très typé. Au nez, les nuances de fruits mûrs et de fruits confits s'allient aux notes de surmaturation. Cette explosion d'arômes se retrouve au palais, qui se révèle opulent mais sans aucune lourdeur. (Sucres résiduels : 18 g/l.)

🍷 Welty et Fils, 15-17, Grand-Rue, 68500 Orschwihr,
tél. 03.89.76.95.21, fax 03.89.74.63.53 ☑ ⵣ t.l.j. sf dim.
8h-12h 13h30-19h
🍷 Guy Welty

ALBERT WINTER
Muhlforst 2000★

0,3 ha	2 000	🍷	5 à 8 €

Petite par la taille - seulement 4 ha de vignes - mais grande par le renom, l'exploitation d'Albert Winter possède son siège à un vol de cigogne de la célèbre église fortifiée de Hunawihr. D'origine argilo-calcaire, ce gewurztraminer est marqué au nez par des notes de surmaturation qui viennent renforcer ses arômes floraux. D'une belle attaque au palais, c'est un vin puissant, dont la finale persistante évoque les fruits exotiques. (Sucres résiduels : 15 g/l.)
🍷 Albert Winter, 17, rue Sainte-Hune,
68150 Hunawihr, tél. 03.89.73.62.95, fax 03.89.73.62.95
☑ ⵣ r.-v.

ZIMMERMANN
Cuvée Alphonse 2000

0,5 ha	3 000	🍷	8 à 11 €

Descendant d'une longue lignée de vignerons dont l'origine remonte à 1693, les Zimmermann exploitent aujourd'hui 16 ha de vignes au pied du Haut-Kœnigsbourg. D'une belle robe dorée traduisant la surmaturation, ce gewurztraminer est dominé au nez par des arômes de champignon. Les notes persistantes de fruits confits et de pain d'épice apparaissent dans une bouche encore marquée par la douceur. (sucres résiduels : 21 g/l.)
🍷 EARL A. Zimmermann Fils, 3, Grand-Rue,
67600 Orschwiller, tél. 03.88.92.08.49,
fax 03.88.92.94.55 ☑ ⵣ r.-v.

ZINK 2000

0,6 ha	5 000	🍷	5 à 8 €

Le clocher moderne de l'église, venu remplacer l'original détruit par les bombardements de la Seconde Guerre mondiale, domine l'ancien bourg viticole de Pfaffenheim. Ce gewurztraminer, originaire d'un terroir argilo-calcaire, laisse échapper quelques arômes floraux (acacia). Il se distingue par sa structure équilibrée et une certaine persistance. Ce vin qui a aujourd'hui plus de bouche que de nez, mérite d'attendre un an ou deux pour se marier à une viande blanche, un poulet relevé de clous de girofle par exemple. (Sucres résiduels : 10 g/l.)
🍷 Pierre-Paul Zink, 27, rue de la Lauch,
68250 Pfaffenheim, tél. 03.89.49.60.87,
fax 03.89.49.73.05 ☑ ⵣ r.-v.

Alsace tokay-pinot gris

La dénomination locale tokay d'Alsace donnée au pinot gris depuis quatre siècles est un fait étonnant, puisque cette variété n'a jamais été utilisée en Hongrie orientale... La légende dit cependant que le tokay aurait été rapporté de ce pays par le général L. de

Schwendi, grand propriétaire de vignobles en Alsace. Son aire d'origine semble être, comme celle de tous les pinots, le territoire de l'ancien duché de Bourgogne.

Le pinot gris, en progression, occupe 10 % du vignoble. Il peut produire un vin capiteux, très corsé, plein de noblesse, susceptible de remplacer un vin rouge sur les plats de viande. Lorsqu'il est somptueux comme en 83, 89 et 90, années exceptionnelles, c'est l'un des meilleurs accompagnements du foie gras.

J.-B. ADAM
Sélection de grains nobles 1999★

1 ha	1 200		30 à 38 €

Cette maison est établie depuis 1614 à Ammerschwihr, l'un des berceaux du vignoble alsacien et également lieu de naissance de la confrérie Saint-Étienne. Avec sa large gamme de grands vins, elle jouit d'un renom important. Ce tokay-pinot gris a pour origine un terroir argilo-calcaire, les raisins ayant été cueillis par tries successives. Il se présente aujourd'hui dans une robe jaune doré animée de reflets verts brillants. Le nez, encore discret, laisse entrevoir des arômes d'aubépine et d'acacia. L'attaque est souple et subtile, le corps aérien et d'une bonne persistance. Ce vin est certes équilibré, mais doit encore être attendu.
☛ Jean-Baptiste Adam, 5, rue de l'Aigle, 68770 Ammerschwihr, tél. 03.89.78.23.21, fax 03.89.47.35.91, e-mail adam@jb-adam.com
☑ ⵂ t.l.j. sf dim. 8h-12h 14h-18h; groupes sur r.-v.

DOM. ALLIMANT-LAUGNER
Vendanges tardives 1999★★

0,55 ha	5 600		8 à 11 €

Au pied du château du Haut-Kœnigsbourg s'étend le vignoble d'Orschwiller, petite cité viticole. La maison Allimant-Laugner y exploite 12 ha de vignes situées surtout sur des terrains argilo-calcaires. Souvent remarquée dans le Guide, elle décroche aujourd'hui un coup de cœur pour ce tokay-pinot gris. Or ambré et reflets brillants, ce vin présente des arômes de grande complexité. Pain grillé, coing confit, senteurs de sous-bois se déclinent tout en finesse. Le palais révèle une grande concentration : long et charpenté, puissant, il finit sur des notes de miel et de violette. (Bouteilles de 50 cl.) Du même domaine, le **tokay-pinot gris Sélection de grains nobles 99** (15 à 30 €) mérite une citation. Il développe des senteurs de champignon et de pain grillé, puis une bouche ample terminant sur une note rôtie.

☛ Allimant-Laugner, 10, Grand-Rue, 67600 Orschwiller, tél. 03.88.92.06.52, fax 03.88.82.76.38, e-mail alaugner@terre-net.fr
☑ ⵂ ⵂ t.l.j. sf dim. 8h-19h
☛ Hubert Laugner

ANDRÉ ANCEL
Quatre Saisons 2000★★

0,21 ha	2 300		5 à 8 €

Cette ancienne ville libre possède un remarquable cachet médiéval et Renaissance. Son pittoresque marché de Noël mérite le détour. Le vignoble de 9 ha d'André Ancel aussi. En habit jaune doré, ce vin offre une palette aromatique de fruits secs d'une belle concentration. La bouche ample, étoffée, présente puissance et gras jusqu'à une finale persistante. À attendre au moins trois ans. (Sucres résiduels : 15 g/l.)
☛ André Ancel, 3, rue du Collège, 68240 Kaysersberg, tél. 03.89.47.10.76, fax 03.89.78.13.78, e-mail ancelandre@free.fr ⵂ t.l.j. 8h-11h30 13h30-19h

DOM. BERNHARD-REIBEL
Vendanges tardives 1999

0,4 ha	1 800		15 à 23 €

Cécile Bernhard-Reibel gère depuis 1981 ce domaine qui s'étend aujourd'hui sur 13 ha. Son fils Pierre a décidé depuis peu de s'installer sur l'exploitation. En provenance d'un terroir granitique, ce tokay-pinot gris à robe or ambré révèle des arômes de fruits confits, voire de confiture de coings. La bouche riche, ronde et puissante laisse apparaître des notes de champignon et de surmaturation. « Ce vin a une personnalité particulière », dit l'un des dégustateurs.
☛ Dom. Bernhard-Reibel, 20, rue de Lorraine, 67730 Châtenois, tél. 03.88.82.04.21, fax 03.88.82.59.65, e-mail bernhard-reibel@wanadoo.fr ☑ ⵂ r.-v.
☛ Cécile Bernhard

BOTT FRERES
Réserve personnelle 2000

1,5 ha	7 000		8 à 11 €

Depuis 1976, Laurent Bott est à la tête de ce domaine qui présente aux visiteurs de très anciennes caves ainsi que des foudres en chêne plus que centenaires et toujours en service. Un peu discret mais typé par ses arômes, voici un vin frais, puissant, sec et d'une élégance agréable qui lui assure de tenir une bonne place à table. (Sucres résiduels : 20 g/l.)
☛ Dom. Bott Frères, 13, av. du Gal-de-Gaulle, 68150 Ribeauvillé, tél. 03.89.73.22.50, fax 03.89.73.22.59, e-mail vins@bott-freres.fr
☑ ⵂ t.l.j. 9h-12h 14h-17h; groupes sur r.-v.
☛ Laurent Bott

DREYER
Stribicher 2000★

0,25 ha	2 500		5 à 8 €

La cité historique d'Eguisheim, l'un des berceaux du vin d'Alsace, est jumelée avec Hautvillers, berceau du champagne. Ce pinot gris né d'un terroir marno-calcaire s'annonce par des arômes fumés et finement grillés. Ces mêmes nuances persistent au palais. D'une structure légère, ce vin est très agréable par son équilibre. À déguster sur un cordon-bleu, ou mieux sur une pierrade. (Sucres résiduels : 8 g/l.)

🐦 Dom. Robert Dreyer et Fils, 17, rue de Hautvillers, 68420 Eguisheim, tél. 03.89.23.12.18, fax 03.89.41.61.45 ☑ ⍦ r.-v.

ANDRE DUSSOURT
Victoriaberg Réserve Prestige 2000★

	0,75 ha	6 600	🖥♦	8 à 11 €

Cette famille est liée à la vigne et au vin depuis 1680. C'est en 1964 qu'elle a acheté ce domaine à Scherwiller, village pittoresque dans lequel s'inscrit le site classé de l'Aubach. La finesse d'expression caractérise ce vin dans les différentes phases de la dégustation : un nez élégant sur des notes de coing et de bouillon blanc, un palais marqué par un équilibre délicat et les mêmes arômes qui persistent agréablement en finale. (Sucres résiduels : 23,1 g/l.)
🐦 Dom. André Dussourt, 2, rue de Dambach, 67750 Scherwiller, tél. 03.88.92.10.27, fax 03.88.92.18.44, e-mail vins.dussourt@worldonline.fr ☑ ⍦ t.l.j. sf dim. 8h-12h 13h30-19h
🐦 Paul Dussourt

EBLIN-FUCHS 2000

	0,6 ha	4 000	⬚	5 à 8 €

L'arbre généalogique des familles Eblin et Fuchs, liées depuis 1956, remonte aux XIIIe et XVIIe s. Le village de Zellenberg, regroupé sur un promontoire calcaire et fortifié au XIIIe s., présente plusieurs attraits architecturaux. Intense au nez, marqué par le fruit surmûri, ce pinot gris offre une matière agréable, avec des nuances d'abricot. La bonne persistance au palais est accompagnée d'une pointe d'amertume typée en finale. (Sucres résiduels : 25 g/l.)
🐦 Christian et Joseph Eblin, 75, rte des Vins, 68340 Zellenberg, tél. 03.89.47.91.14, fax 03.89.49.05.12 ☑ ⍦ r.-v.

DOM. FLEISCHER
Cuvée Julie 2000

	n.c.	8 000	🖥♦	5 à 8 €

Ce domaine créé en 1990 compte aujourd'hui près de 9 ha de vignoble et commercialise une part importante de sa production en bouteilles par vente directe. Cette cuvée typée livre un nez intense, frais, nuancé de coing et de cire. Le palais souple et tout aussi frais présente une persistance moyenne. Laissons passer cette jeunesse pour redécouvrir ce vin sec dans un bon accord gastronomique. (Sucres résiduels : 11,7 g/l.)
🐦 Dom. Fleischer, 28, rue du Moulin, 68250 Pfaffenheim, tél. 03.89.49.62.70, fax 03.89.49.50.74 ☑ 🏠 ⍦ r.-v.

RENE FLEITH-ESCHARD ET FILS
Sélection de grains nobles 1999★★

	0,9 ha	1 130		23 à 30 €

Cette ancienne exploitation, puisqu'on y compte onze générations de vignerons, a éprouvé en 1974 le besoin de sortir de l'enceinte du village pour s'installer en plein milieu de ses vignes, fait rare en Alsace. La robe de ce vin, jaune d'or, se pare de reflets orangés, mêlés de vert. Le nez encore un peu discret se distingue cependant par ses arômes anisés, ses notes de gelée de coing, de zeste de citron, soulignés d'un peu de bouillon blanc qui rappelle le cépage. L'un des dégustateurs est séduit par « la bouche enchanteresse ». Cet enchantement est le résultat d'une matière fine et ample, grasse et complexe. L'amande grillée complète une harmonie presque parfaite.

🐦 René Fleith-Eschard et Fils, lieu-dit Lange Matten, 68040 Ingersheim, tél. 03.89.27.24.19, fax 03.89.27.56.79 ☑ 🏠 ⍦ r.-v.

GEIGER-KŒNIG
Cuvée Léa Marie Spitzheck 2000★

	n.c.	2 000	⬚⬚	5 à 8 €

Ce village est riche d'un bel ensemble de maisons de vignerons des XVIe et XVIIe s. ; il compte aussi quelques beaux puits d'époque Renaissance. Un peu discrète au départ, cette cuvée s'ouvre ensuite sur des caractères de sous-bois qui, en alliance avec des notes de fruits confits, annoncent une matière de qualité. En bouche, ampleur et puissance se conjuguent avec l'élégante fraîcheur, garante d'une bonne aptitude au vieillissement. (Sucres résiduels : 18 g/l.)
🐦 Simone et Richard Geiger-Kœnig, 21, rue Principale, 67140 Bernardvillé, tél. 03.88.85.56.84, fax 03.88.85.57.74 ☑ 🏠 ⍦ t.l.j. 10h-19h

GOCKER
Vendanges tardives 1999★

	0,45 ha	2 000		15 à 23 €

Les vins de la maison Gocker figurent régulièrement dans le Guide. Elaborés avec beaucoup de soin, ils reflètent parfaitement les terroirs dont ils sont issus. Ce tokay-pinot gris provient d'un sol argilo-calcaire. Dans sa robe jaune paille, il exprime un nez subtil et fin, floral et fruité à la fois, aboutissant sur des notes grillées. Le palais bien équilibré laisse apparaître une structure de qualité et de bonne longueur. La finale est épicée, nuancée de flaveurs de pomme cuite.
🐦 Philippe Gocker, 1, pl. des Cigognes, 68630 Mittelwihr, tél. 03.89.49.01.23, fax 03.89.49.04.72 ☑ ⍦ r.-v.

JEAN GREINER 2000★

	n.c.	2 400	⬚⬚	8 à 11 €

Nicolas Dirand a repris l'exploitation de son grand-père en 1992. Depuis, il met en valeur les terroirs dans différentes cuvées, à l'instar de ce tokay-pinot gris. De même que le fruité confit du coing et de l'abricot domine au nez, l'impression de surmaturation marque la bouche. Toutefois, la structure étoffée repose sur une vivacité bien fondue et la finale chaleureuse s'agrémente d'une note citronnée rafraîchissante. A déguster à l'apéritif ou sur un foie gras poêlé. (Sucres résiduels : 3 g/l.)
🐦 Jean Greiner, 1, rue du Vignoble, 68630 Mittelwihr, tél. 03.89.47.90.41, fax 03.89.49.01.52, e-mail ndirand@hotmail.com ☑ 🏠 ⍦ r.-v.
🐦 Dirand

HAEFFELIN
Cuvée du Millénaire 2000★

	0,35 ha	3 500	🖥	5 à 8 €

Eguisheim, ville natale du pape Léon IX, fête en 2002 le millénaire de sa naissance. Cette cuvée présentée dans une bouteille gravée est commercialisée dans le cadre des festivités. Les caractères de surmaturation marquent le vin : le nez s'ouvre progressivement sur une fine palette aux nuances d'agrumes. Ample et gras, le palais est bien fondu et d'une grande élégance. (Sucres résiduels : 18,8 g/l.)
🐦 Vignoble Daniel Haeffelin, 8, rue des Merles, 68420 Eguisheim, tél. 03.89.41.77.85, fax 03.89.23.32.43 ☑ ⍦ r.-v.

DOM. HENRI HAEFFELIN ET FILS
Le Silex 2000★

0,5 ha	4 000	🬵🬵 8 à 11 €

Ce viticulteur, à la tête du domaine familial depuis 1989, met en valeur plusieurs terroirs sur 16,66 ha. Le clos Saint-Guingallois et, parmi d'autres, cette parcelle argilo-calcaire qui a porté ce pinot gris. D'un nez intense sur des notes de fruits confits, ce vin s'affirmera dans quelques années sur des nuances de pierre à fusil ; le palais riche et rond présente un équilibre plaisant et charmant. (Sucres résiduels : 20 g/l.)
🐦 Dom. Henri Haeffelin et Fils, 13, rue d'Eguisheim, 68920 Wettolsheim, tél. 03.89.80.76.81, fax 03.89.79.67.05 ☑ ⅋ r.-v.

MATERNE HAEGELIN ET SES FILLES
Cuvée Elise 2000

n.c.	17 900	8 à 11 €

Dans ce domaine, l'honneur revient aux femmes : Régine Garnier, qui dirige avec passion cette entreprise et les productions, et Elise à qui est dédiée cette cuvée depuis quatorze ans. L'harmonie d'un fruité intense (pêche) et des caractères de surmaturation constitue une bonne introduction. Après une attaque franche, le vin se développe en souplesse, sans excès de moelleux, agréable par ses notes d'abricot sec. Toutefois, on relève un peu de retenue en fin de bouche. (Sucres résiduels : 16 g/l.)
🐦 Dom. Materne Haegelin et ses Filles, 45-47, Grand-Rue, 68500 Orschwihr, tél. 03.89.76.95.17, fax 03.89.74.88.87, e-mail filles @ haegelin-materne.fr
☑ 🏠 ⅋ t.l.j. 8h15-12h 13h-18h30; f. dim. en hiver
🐦 Régine Garnier

LOUIS IRION 2000

n.c.	22 000	🬵🬵 3 à 5 €

Des reflets ambrés soulignent la robe jaune doré, d'où émane la palette typique du tokay, nuancée d'une note de sous-bois. La structure ronde, assez douce, s'enrobe de gras. Une légère amertume accompagne la fin de bouche. (Sucres résiduels : 8,4 g/l.)
🐦 Louis Irion, BP 3, 68340 Riquewihr, tél. 03.89.47.92.51, fax 03.89.47.98.90 ☑ ⅋ r.-v.

HENRI KLEE
Cuvée Martin 2000

1,2 ha	n.c.	8 à 11 €

La famille Klee a connu pas moins de neuf générations de viticulteurs depuis 1624. De ce passé persistent de bonnes traditions qui, alliées au progrès technique, assurent la qualité de la production. Un joli bouquet typique du cépage se dégage de ce pinot gris. Franc dès l'attaque, le vin présente fraîcheur et rondeur ; son harmonie devrait se parfaire dans l'année à venir. (Sucres résiduels : 31 g/l.)
🐦 EARL Henri Klée et Fils, 11, Grand-Rue, 68230 Katzenthal, tél. 03.89.27.03.81, fax 03.89.27.28.17 ☑ ⅋ r.-v.

KUEHN
Sélection de grains nobles 1999

0,2 ha	3 800	23 à 30 €

La vocation viticole d'Ammerschwihr n'est plus à démontrer. De nombreuses maisons qui ont fait la renommée du vin d'Alsace y sont établies : Kuehn en fait partie et l'une de ses caves, dite de l'Enfer, sert de caveau de dégustation à la confrérie du Kaefferkopf. Ce vin est jaune d'or avec quelques reflets orangés. Franc et bien typé au nez, il laisse apparaître une note agréablement vanillée. Puissant et onctueux au palais, il bénéficie d'une bonne fraîcheur durablement perceptible en finale. (Bouteilles de 50 cl.)
🐦 SA Vins d'Alsace Kuehn, 3, Grand-Rue, 68770 Ammerschwihr, tél. 03.89.78.23.16, fax 03.89.47.18.32
☑ ⅋ t.l.j. sf sam. dim. 8h-12h 13h-17h

KUENTZ
Réserve 2000

0,2 ha	2 000	5 à 8 €

Romain et Michel Kuentz ont une passion pour la viticulture et les vins, qu'ils vous feront découvrir côté cave. Mais n'oubliez pas, côté cour, une collection de vieux tracteurs agricoles. Ce tokay-pinot gris livre des notes florales et citronnées fines. Au palais, les mêmes arômes s'inscrivent dans une structure élégante, suffisamment fraîche et bien persistante. (Sucres résiduels : 7 g/l.)
🐦 GAEC Romain Kuentz et Fils, 22-24, rue du Fossé, 68250 Pfaffenheim, tél. 03.89.49.61.90, fax 03.89.49.77.17
☑ 🏠 ⅋ t.l.j. 8h-12h 13h30-19h; dim. sur r.-v.

DOM. LOEW
Cormier 2000

1,2 ha	6 000	🬵🬵 5 à 8 €

Cette ancienne dépendance d'un domaine mérovingien a également été la propriété de nombreux monastères et abbayes pendant près d'un millénaire. Aujourd'hui, son vignoble est toujours apprécié, car il bénéficierait d'un ensoleillement plus important qu'ailleurs. Ce tokay en a certainement profité. Intense au nez dans ses évocations de sous-bois, de champignon et de fruits confits, il est d'attaque puissante. La finale assez fine revient sur les arômes d'automne. (Sucres résiduels : 13 g/l.)
🐦 Etienne Loew, 28, rue Birris, 67310 Westhoffen, tél. 03.88.50.59.19, fax 03.88.50.59.19 ☑ ⅋ r.-v.

LORANG
Vendanges tardives Elevé en fût de chêne 1999

0,3 ha	3 200	11 à 15 €

Le premier vigneron de la lignée des Lorang apparut en 1750, mais le domaine se développa vraiment à partir de 1952. Il atteint aujourd'hui 10 ha - excellemment situés à l'entrée de la route de Katzenthal. Avec sa robe jaune paille, son nez très expressif du cépage, son palais riche et bien charpenté, ce vin peut être dégusté dès à présent. « C'est un vin mûr et gastronomique », conclut l'un des dégustateurs.
🐦 EARL V. Lorang et Fils, Au Florimont, 68230 Katzenthal, tél. 03.89.27.05.29, fax 03.89.27.05.29, e-mail vins.lorang @ wanadoo.fr
☑ ⅋ t.l.j. 8h-12h 14h-19h
🐦 Philippe Lorang

JEAN-PAUL MAULER
Cuvée Alexandra 2000

0,25 ha	2 200	8 à 11 €

Propriété d'une des plus anciennes familles de vignerons de Mittelwihr, ce vignoble de quelque 6 ha couvre les meilleurs terroirs du village. Assez discrète au nez, cette cuvée s'ouvre cependant sur des notes florales. Plaisante, assez riche par sa rondeur, elle tend vers un bel équilibre. (Sucres résiduels : 15,1 g/l.)

🐦 EARL Jean-Paul Mauler, 3, pl. des Cigognes,
68630 Mittelwihr, tél. 03.89.47.93.23, fax 03.89.47.88.29
☑ 🏠 🏠 ⵏ t.l.j. 8h-12h30 13h30-20h

FELIX MEYER 2000★

	n.c.	4 000	🍾🥄	5 à 8 €

Ce jeune vigneron a créé sa petite société de négoce
en 1998. Il achète avec discernement des vins après
fermentation puis les élève et les conditionne avec soin.
Cette cuvée allie dans sa palette des arômes de surmaturation à des nuances de champignon et de sous-bois.
Tonique et riche, ce vin est plaisant par son équilibre et sa
finale légère. (Sucres résiduels : 5 g/l.)
🐦 Félix Meyer, 24, Grand-Rue, 68230 Katzenthal,
tél. 03.89.27.16.50, fax 03.89.27.34.17 ☑

MEYER-FONNE
Hinterburg de Katzenthal 2000

0,4 ha	2 500	🍾	11 à 15 €

Ce lieu-dit se situe sur un sol de graves granitiques à
proximité des belles ruines du Wineck, le seul château bâti
dans un écrin de vignoble. Dans une robe automnale
dorée, ce pinot gris présente une palette aromatique fine
et intense. Quelques fleurs blanches, du pain grillé, des
nuances de sous-bois. La bouche, nette et franche, se
développe sur un équilibre sucre-acide agréable. (Sucres
résiduels : 25 g/l.)
🐦 Meyer-Fonné, 24, Grand-Rue, 68230 Katzenthal,
tél. 03.89.27.16.50, fax 03.89.27.34.17 ☑ ⵏ r.-v.

CHARLES NOLL 2000

0,35 ha	2 500	🍾	5 à 8 €

Représentant la quatrième génération de cette famille de vignerons, Daniel Noll exploite aujourd'hui un
vignoble de 6,5 ha. Typé du cépage par ses notes fruitées
et une légère surmaturation, ce vin présente des caractères
de jeunesse. Vivacité dans l'attaque, puissance et longueur
satisfaisante. « A laisser vieillir », conseille un dégustateur.
(Sucres résiduels : 15 g/l.)
🐦 EARL Charles Noll, 2, rue de l'Ecole,
68630 Mittelwihr, tél. 03.89.47.93.21, fax 03.89.47.86.23
☑ ⵏ t.l.j. 9h-12h 13h30-20h

SCHERB
Vendanges tardives 1997★

	n.c.	1 500	🍾 15 à 23 €

Gueberschwihr se révèle tous les ans aux visiteurs lors
de la traditionnelle fête des vins au mois d'août. Jaune
soutenu, ce 97 laisse une première impression discrète,
puis s'ouvre sur quelques notes de pain d'épice et de
violette. Le palais possède une charpente équilibrée et
fondue. Des notes de pain grillé marquent la finale. C'est
un pinot gris riche, de grande onctuosité.
🐦 Michel Scherb, 16, rue Haute,
68420 Gueberschwihr, tél. 03.89.49.26.82,
fax 03.89.49.39.06 ☑ ⵏ r.-v.

THIERRY SCHERRER 2000

0,1 ha	1 000	🍾🥄	5 à 8 €

Les vins de ce vigneron-œnologue, installé depuis
1993 sur le domaine familial, ont déjà été remarqués dans
les Guides des années précédentes. De bonne intensité
aromatique, ce pinot gris joue sur des notes de fruits
confits, de fruits secs, de fumé et de grillé. Bien équilibré,
dans une structure solide, il garde une pointe de fraîcheur
en finale. (Sucres résiduels : 5 g/l.)

🐦 Thierry Scherrer, 1, rue de la Gare,
68770 Ammerschwihr, tél. 03.89.47.15.86,
fax 03.89.47.15.86, e-mail thierry.scherrer@wanadoo.fr
☑ 🏠 🏠 ⵏ r.-v.

PIERRE SCHUELLER ET FILS
Sélection de grains nobles 1999★★

0,3 ha	2 000	🍾	23 à 30 €

Le domaine Pierre Schueller est situé à Husseren-
les-Châteaux, commune qui culmine sur la route des vins
d'Alsace. Elle domine le vignoble et surtout ce terroir
marno-calcaire qui a donné naissance à un tokay-pinot gris
jaune brillant animé de quelques reflets verts. Le vin
développe un nez de grande expression, surtout de champignon de Paris. Le palais est tout en onctuosité : riche et
gras, avec des notes de fruits confits qui sont le signe d'une
surmaturation parfaite du raisin. Il fait preuve d'une
extrême longueur.
🐦 Dom. Pierre Schueller, 4, rte du Vin,
68420 Husseren-les-Châteaux, tél. 03.89.49.30.36,
fax 03.89.49.30.36 ☑ 🏠 ⵏ r.-v.

JEAN SIPP
Trottacker 2000★

1 ha	4 000	🍾	11 à 15 €

Le domaine Jean Sipp a son siège dans des bâtiments
du XVᵉs. Son vignoble se répartit sur plusieurs communes.
Le lieu-dit Trottacker (« champ du Pressoir ») est un
terroir argilo-calcaire. Élégant, sur le fruit nuancé d'une
légère surmaturation, ce tokay s'affirme avec suffisamment
de fraîcheur. Il est bien équilibré, typé, fin et long. (Sucres
résiduels : 29 g/l.)
🐦 Dom. Jean Sipp, 60, rue de la Fraternité,
68150 Ribeauvillé, tél. 03.89.73.60.02,
fax 03.89.73.82.38, e-mail domaine@jean-sipp.com
☑ 🏠 ⵏ r.-v.

STENTZ-BUECHER
Marken 2000

n.c.	n.c.	🍾	11 à 15 €

Le vignoble de ce domaine regroupe quelque 11 ha,
dont une partie sur le terroir argilo-limoneux de Marken.
Des reflets orangés soulignent la robe dorée de ce pinot gris
qui s'exprime en nuances d'agrumes et de fumée. De belle
présence par son gras, sa puissance et ses notes d'abricot,
il s'achève bientôt sur une petite amertume agréable.
(Sucres résiduels : 19 g/l.)
🐦 Dom. Stentz-Buecher, 21, rue Kleb,
68920 Wettolsheim, tél. 03.89.80.68.09,
fax 03.89.79.60.53, e-mail stentz-buecher@wanadoo.fr
☑ 🏠 ⵏ t.l.j. sf dim. 9h-12h 14h-19h

STRAUB 2000★

0,4 ha	3 500	🍾	5 à 8 €

Dans cette demeure datant de 1715, les visiteurs sont
accueillis dans l'ancienne cave voûtée par la famille Straub,
qui exploite un vignoble de près de 7 ha. Sur les fruits
exotiques et une note de miel frais, ce tokay s'exprime
intensément tant au nez qu'au palais. De bon équilibre et
étoffé, il fait déjà preuve de maturité. (Sucres résiduels :
10 g/l.)
🐦 Jean-Marie Straub, 61, rte du Vin,
67650 Blienschwiller, tél. 03.88.92.40.42,
fax 03.88.92.40.42 ☑ ⵏ r.-v.

TRIMBACH
Réserve personnelle 1998★★

	4 ha	25 000	▮↓ 15 à 23 €

La maison Trimbach, producteur-négociant, exploite plus de 27 ha de vignoble et vinifie les raisins livrés par quelque cent cinquante vignerons. 85 % de la production sont exportés, notamment vers les Etats-Unis. Dans ce tokay, la symphonie s'ouvre sur des notes florales et fruitées intenses. Elle se poursuit rondement au palais dans un bon équilibre jusqu'au mouvement final long et agréable. (Sucres résiduels : 8 g/l.)
🐦 F.E. Trimbach, 15, rte de Bergheim,
68150 Ribeauvillé, tél. 03.89.73.60.30,
fax 03.89.73.89.04, e-mail contact@maison-trimbach.fr
☑ ⵊ r.-v.

DOM. DU WINDMUEHL 2000

	0,4 ha	2 000	⑪ 5 à 8 €

Si les origines de ce village remontent au VIIIe s., les premières mentions du vignoble apparaissent dans les documents au XIVe s. Une robe dorée habille ce pinot gris qui exprime des arômes fins, complexes et typés. De bonne attaque avec une pointe fraîche, il dévoile une certaine surmaturation par des notes délicates de fruits et des rondeurs de jeunesse encore bien marquées. (Sucres résiduels : 25 g/l.)
🐦 Claude Bléger, Dom. du Windmuehl, 92, rte du Vin, 68590 Saint-Hippolyte, tél. 03.89.73.00.21, fax 03.89.73.04.22 ☑ 🏠 ⵊ r.-v.

WINTZER ET FILS
Vieilles vignes 2000★

	0,4 ha	2 700	▮↓ 5 à 8 €

Cité fortifiée, Soultz mérite le détour pour son église des XIIIe-XVe s., la commanderie de Malte, les bâtiments Renaissance et pour son vignoble jadis très convoité par les abbayes et la noblesse. Cette cuvée Vieilles vignes porte des arômes typés de fumée, avec l'élégance d'un fruité frais. Une même fraîcheur se retrouve au palais pour se fondre dans un bel équilibre. La finale est ponctuée d'une note de chocolat bien nuancée. Ce tokay permet d'envisager de beaux accords culinaires. (Sucres résiduels : 15,2 g/l.)
🐦 GAEC Louis Wintzer et Fils,
53, rue du Mal-de-Lattre-de-Tassigny, 68360 Soultz, tél. 03.89.76.80.79, fax 03.89.76.80.41 ☑ ⵊ r.-v.

BERNARD WURTZ
Cuvée Tradition 2000

	0,3 ha	1 500	▮ 5 à 8 €

Il y a mille ans déjà, le village de Mittelwihr fournissait le vin à l'importante abbaye de Saint-Dié dans les Vosges. Ce tokay s'affiche par de fins arômes de coing et une touche épicée. En bouche, il demeure élégant grâce à une belle fraîcheur. Bien typé, il finit sur une légère amertume. Il aura gagné tout son équilibre en 2003. (Sucres résiduels : 25 g/l.)
🐦 Bernard Wurtz, 12, rue du Château,
68630 Mittelwihr, tél. 03.89.47.93.24, fax 03.89.86.01.69
☑ ⵊ r.-v.
🐦 Jean-Michel Wurtz

ZINK 2000

	0,7 ha	6 000	⑪ 5 à 8 €

La prospérité de Pfaffenheim débuta dès le IXe s. : l'évêché de Strasbourg y possédait déjà un beau vignoble. Aujourd'hui, les vignes sont mises en valeur par de nombreux viticulteurs. Pierre-Paul Zink privilégie la production de vins de caractère. Ce tokay se remarque par sa robe d'un jaune soutenu comme par ses arômes intenses et complexes, évocateurs de fruits exotiques et de miel. La bouche repose sur une structure enrobée de gras et soulignée d'une pointe de fraîcheur. (Sucres résiduels : 10 g/l.)
🐦 Pierre-Paul Zink, 27, rue de la Lauch,
68250 Pfaffenheim, tél. 03.89.49.60.87,
fax 03.89.49.73.05 ☑ ⵊ r.-v.

Alsace pinot noir

L'Alsace est surtout réputée pour ses vins blancs ; mais sait-on qu'au Moyen Age les rouges y occupaient une place considérable ? Après avoir presque disparu, le pinot noir (le meilleur cépage rouge des régions septentrionales) occupe 8,7 % du vignoble, couvrant 1 294 ha.

On connaît surtout le type rosé, vin agréable, sec et fruité, susceptible comme d'autres rosés d'accompagner une foule de mets. On remarque cependant une tendance qui se développe à élaborer un véritable vin rouge de pinot noir, tendance très prometteuse.

DOM. DE L'ANCIEN MONASTERE
Rouge de Saint-Léonard Elevé en barrique 2000

	3 ha	3 000	⑪ 8 à 11 €

Non loin du château de Saint-Léonard ou encore du mont Sainte-Odile, Bernard Hummel exploite aujourd'hui avec ses filles un domaine de 9 ha, notamment réputé pour ses pinots noirs. Séduisant dans sa robe profonde et soutenue, celui-ci associe au nez nuances de fruits rouges et notes plus animales. A la fois chaleureux et bien structuré au palais, il est le résultat d'une belle matière première. Il faudra l'attendre deux ou trois ans pour que jeunesse se passe.
🐦 Bernard Hummel et ses Filles, L'Ancien Monastère, 4, cour du Chapître, Saint-Léonard, 67530 Boersch, tél. 03.88.95.81.21, fax 03.88.48.11.21,
e-mail b.hummel@wanadoo.fr ☑ 🏠 🏠 ⵊ r.-v.

BARON KIRMANN
Elevé en fût de chêne 2000

	0,33 ha	1 800	⑪ 8 à 11 €

La vocation viticole de la famille Kirmann remonte à 1680. De son histoire, elle a retenu le personnage d'un baron du Premier Empire pour baptiser ses vins. Cette cuvée de pinot noir est d'un rouge soutenu. Si l'élevage de douze mois en fût lui a légué des notes boisées marquées, celles-ci se fondent bien, tant au nez que dans une bouche structurée et fraîche. A servir sur une volaille.
🐦 Philippe Kirmann, 2, rue du Gal-de-Gaulle,
67560 Rosheim, tél. 03.88.50.43.01, fax 03.88.50.22.72, e-mail info@baronkirmann.com ☑ ⵊ r.-v.

PIERRE BECHT
Cuvée Frédéric 2000★★

	0,32 ha	3 000		5 à 8 €

Pierre Becht est installé à Dorlisheim depuis 1976. Il exploite aujourd'hui avec son fils Frédéric un domaine de 15 ha de vignes. Originaire d'un terroir marno-calcaire, ce pinot noir ne laisse pas indifférent dans sa robe grenat soutenu. Marqué au nez par des notes boisées et fruitées, il révèle une excellente structure au palais. Des tanins présents mais soyeux, du gras et de la persistance : tout est là.

⌐ Pierre et Frédéric Becht, 26, fbg des Vosges, 67120 Dorlisheim, tél. 03.88.38.18.22, fax 03.88.38.87.81, e-mail info@domaine.becht.net
☑ ☎ t.l.j. sf dim. 9h-11h30 14h-17h

ROBERT BLANCK
Rouge d'Ottrott Cuvée Frimas 2000

	0,64 ha	4 000		8 à 11 €

Descendants d'une lignée continue de vignerons dont l'origine remonte au XVᵉ s., les Blanck occupent une position enviée à Obernai, avec un domaine de près de 20 ha de vignes. Rubis, ce pinot noir s'avère assez complexe au nez, mêlant notes fruitées, épicées et vanillées. Encore tannique à l'attaque, c'est un vin riche et structuré, qui gagnera à vieillir quelques années en bouteilles.

⌐ Robert Blanck, 167, rte d'Ottrott, 67210 Obernai, tél. 03.88.95.58.03, fax 03.88.95.04.03, e-mail info@blanckobernai.com
☑ ☎ t.l.j. 8h-12h 14h-19h

FRANCOIS BLEGER
Rouge de Saint-Hippolyte Geissberg 2000★

	0,2 ha	1 500		5 à 8 €

François Bléger a repris l'exploitation familiale en 1996 et s'est lancé d'emblée dans la mise en bouteilles. Grand bien lui en a pris, car il a vite gravi les marches de la célébrité ! Son pinot noir, d'origine granitique, exhale des arômes fruités et épicés intenses. Plutôt tendre au palais, il sera aussi à l'aise sur du chevreuil que sur des repas plus légers. A boire dès à présent.

⌐ François Bléger, 63, rte du Vin, 68590 Saint-Hippolyte, tél. 03.89.73.06.07, fax 03.89.73.06.07, e-mail bleger.françois@libertysurf.fr
☑ ☎ ☎ r.-v.

DOM. LEON BOESCH
Luss Vallée Noble 2000

	0,4 ha	2 000		11 à 15 €

Gérard Boesch, qui assure aujourd'hui la présidence de l'association des viticulteurs d'Alsace, dirige cette exploitation depuis 1973 ; son fils Matthieu l'a rejoint récemment pour conduire les 11 ha de vignes. Grenat profond, ce pinot noir d'origine calcaire se révèle intense au nez, mais encore austère au palais en raison de tanins très présents. Néanmoins, la matière est grande et devrait permettre à ce vin de s'ouvrir après un an ou deux de bonne garde.

⌐ Dom. Léon Boesch, 6, rue Saint-Blaise, 68250 Westhalten, tél. 03.89.47.01.83, fax 03.89.47.64.95 ☑ ☎ ☎ r.-v.
⌐ Gérard Boesch

RENE BOHN FILS
Rouge de Blienschwiller 2000

	0,3 ha	2 900		5 à 8 €

Bourg viticole pittoresque, Blienschwiller a longtemps écoulé sa production par l'intermédiaire du négoce régional, mais depuis quelques années, de nombreuses exploitations se sont lancées dans la vente directe, tel le domaine René Bohn. Celui-ci propose un pinot noir de teinte soutenue qui traduit une longue macération du raisin. Le nez associe des notes de cassis et des nuances boisées, tandis que la bouche, encore marquée par les tanins, laisse deviner une bonne matière qui se bonifiera après un an de garde.

⌐ René Bohn Fils, 67, rte des Vins, 67650 Blienschwiller, tél. 03.88.92.41.33, fax 03.88.92.41.33, e-mail rene.bohn@wanadoo.fr
☑ ☎ r.-v.

PIERRE BORES
Rouge Tradition 2000

	0,46 ha	1 800		8 à 11 €

Village viticole longtemps tourné vers le négoce, Reichsfeld commence à se faire un nom sur le marché du vin grâce à des producteurs comme Pierre Borès. Celui-ci se distingue par un pinot noir intense et fruité, d'origine gréseuse. Encore jeune, ce vin n'en présente pas moins une belle attaque, un gras et une structure du meilleur augure pour la garde (deux ou trois ans).

⌐ Pierre Borès, 15, lieu-dit Leh, 67140 Reichsfeld, tél. 03.88.85.58.87, fax 03.88.85.56.07 ☑ ☎ ☎ r.-v.

CAMILLE BRAUN
Elevé en pièce de chêne 1999★★

	0,45 ha	2 000		8 à 11 €

Descendant d'une longue lignée de vignerons, Camille Braun est aujourd'hui à la tête d'un domaine de 12 ha de vignes. Ce rouge d'Alsace intense témoigne par son harmonie de la qualité de la vendange et de la maîtrise de l'élevage en fût. Marqué par des arômes boisés et des notes de fruits rouges au nez, il est corsé, soutenu par des tanins déjà bien fondus. Un vin promis au plus bel avenir.

⌐ Camille Braun, 16, Grand-Rue, 68500 Orschwihr, tél. 03.89.76.95.20, fax 03.89.74.35.03 ☑ ☎ ☎ t.l.j. sf dim. 8h-12h 13h30-18h30

EBLIN-FUCHS
Rouge de Zellenberg 2000★

	1 ha	3 000		8 à 11 €

Les Eblin et les Fuchs, qui ont uni leur destinée en 1956, exploitent aujourd'hui 8 ha de vignes au pied du village perché de Zellenberg. Originaire d'un terroir marneux, leur pinot noir se caractérise par une robe profonde et un nez légèrement torréfié et vanillé. La bouche grasse et équilibrée parachève le profil d'un vin de charme et de caractère.

⌐ Christian et Joseph Eblin, 75, rte des Vins,
68340 Zellenberg, tél. 03.89.47.91.14, fax 03.89.49.05.12
☑ ⍖ r.-v.

RENE FLECK 2000★

	0,28 ha	3 000	⏛	5 à 8 €

Si le vignoble a été transmis de père en fils depuis des générations, c'est une fille qui assure la relève aux côtés de René Fleck depuis 1995. Ce pinot noir d'origine argilo-calcaire, habillé d'une robe soutenue, livre des arômes de fruits rouges et noirs (mûre, myrtille). Ample, généreux, il possède des tanins soyeux et fait preuve de persistance au palais.
⌐ René Fleck et Fille, 27, rte d'Orschwihr,
68570 Soultzmatt, tél. 03.89.47.01.20,
fax 03.89.47.09.24, e-mail renefleck@voila.fr ☑ ⍖ r.-v.

FRITZ-SCHMITT
Rouge d'Ottrott 2000★

	1 ha	7 200	⏛ ⏛	5 à 8 €

Ce domaine réunit plus de 12 ha de vignes représentatives des différents cépages alsaciens, mais le rouge d'Ottrott reste ici une affaire de cœur. Limpide, ce 2000 flatte le nez grâce à ses notes de framboise et de vanille. Assez souple à l'attaque, il révèle bientôt une structure de qualité qui lui assure une finale persistante. A boire dès à présent.
⌐ Fritz-Schmitt, 1, rue des Châteaux, 67530 Ottrott,
tél. 03.88.95.98.06, fax 03.88.95.99.03 ☑ ⌂ ⍖ r.-v.
⌐ Bernard Schmitt

GEIGER-KOENIG 2000

	0,4 ha	1 200	⏛ ⏛	5 à 8 €

Dans un petit village viticole inséré dans la montagne, ce domaine exploite près de 10 ha de vignes. Le pinot noir, planté sur un terroir riche en colluvions, a donné un vin de teinte claire et brillante, dont le nez, après un temps d'aération, révèle des notes grillées et des arômes de cerise. D'une belle attaque, la bouche présente un bon équilibre.
⌐ Simone et Richard Geiger-Kœnig, 21, rue
Principale, 67140 Bernardvillé, tél. 03.88.85.56.84,
fax 03.88.85.57.74 ☑ ⌂ ⍖ t.l.j. 10h-19h

GINGLINGER-FIX 2000★

	0,72 ha	7 800	⏛	5 à 8 €

L'origine de cette famille de vignerons remonte à 1610. Ce sont aujourd'hui trois générations qui s'affairent sur l'exploitation de 7,5 ha. Leur pinot noir, grenat profond, est né sur un terroir argilo-calcaire. Il affiche un nez de fruits rouges qui sied à son caractère puissant perceptible en bouche. Une grande matière persistante, soutenue par des tanins en passe de se fondre. A boire ou à attendre.
⌐ Ginglinger-Fix, 38, rue Roger-Fremeaux,
68420 Voegtlinshoffen, tél. 03.89.49.30.75,
fax 03.89.49.29.98, e-mail ginglinger-fix@wanadoo.fr
☑ ⍖ r.-v.
⌐ André Ginglinger

DOM. ROBERT HAAG ET FILS 2000

	0,53 ha	4 900	⏛	5 à 8 €

Les Haag, viticulteurs de père en fils depuis plus de deux siècles à Scherwiller, cultivent 8 ha de vignes, dont le cépage pinot noir sur un terroir granitique. Rubis limpide, ce vin livre des arômes de fruits rouges intenses au nez comme en bouche. Gouleyant et frais, il sera le compagnon des grillades.

⌐ Dom. Robert Haag et Fils, 21, rue de la Mairie,
67750 Scherwiller, tél. 03.88.92.11.83,
fax 03.88.82.15.85 ☑ ⍖ t.l.j. sf dim. 9h-12h 14h-19h
⌐ François Haag

HENRI HAEFFELIN ET FILS
Elevé en barrique 2000★

	0,4 ha	2 800	⏛	8 à 11 €

Depuis 1976, Henri Haeffelin a su faire prospérer son domaine. Rejoint depuis peu par son fils, il cultive 17 ha de vignes. D'un terroir granitique est né ce pinot noir profond et chatoyant, auquel un séjour en fût de douze mois a légué des notes boisées marquées. Sa charpente solide en fait un vin apte à une garde de trois à cinq ans.
⌐ Dom. Henri Haeffelin et Fils, 13, rue d'Eguisheim,
68920 Wettolsheim, tél. 03.89.80.76.81,
fax 03.89.79.67.05 ☑ ⍖ r.-v.

HARTWEG
Elevé en fût de chêne 2000★

	0,27 ha	2 950	⏛	8 à 11 €

Partisan de la vinification traditionnelle, Jean-Paul Hartweg s'est lancé dans la viticulture en 1972. Après des études d'œnologie, son fils Franck l'a rejoint en 1996 ; ils exploitent ensemble 8 ha de vignes. Leur pinot noir s'avère déjà intense et élégant au nez, les arômes de fruits confits se mêlant harmonieusement aux notes boisées. Complexe et gras, il présente une trame tannique serrée, favorable à un long vieillissement (cinq ans).
⌐ Jean-Paul et Frank Hartweg, 39, rue Jean-Macé,
68980 Beblenheim, tél. 03.89.47.94.79,
fax 03.89.49.00.83, e-mail frank.hartweg@free.fr
☑ ⌂ ⍖ t.l.j. sf dim. 8h-11h30 13h30-18h

HEIMBERGER
Elevé en fût de chêne 2000

	8 ha	10 000	⏛	5 à 8 €

Fondée en 1952, la cave vinicole de Beblenheim a su préserver son indépendance en s'appuyant notamment sur une vaste gamme de produits. Elle réunit 250 ha de vignes. Son pinot noir, grenat à reflets légèrement tuilés, est net et élégant au nez. De ses douze mois d'élevage en fût de chêne, il retient un caractère boisé marqué, particulièrement perceptible dans une bouche qui possède du gras, mais dont les tanins méritent de se fondre. La finale laisse sur une sensation de fruits cuits et de torréfaction.
⌐ Cave vinicole de Beblenheim, 14, rue de Hoen,
68980 Beblenheim, tél. 03.89.47.90.02,
fax 03.89.47.86.85 ☑ ⍖ t.l.j. 9h-12h 14h-19h;
f. 1er jan.-15 mars

PH. HEITZ
Hahnenberg 2000★

	0,55 ha	1 200	⏛ ⏛	8 à 11 €

Si la ville de Molsheim est devenue célèbre grâce à Ettore Bugatti, elle n'en a pas pour autant oublié son vignoble ; Philippe Heitz y cultive 7 ha. Très profond, son pinot noir du Hahnenberg, né sur un sol marno-calcaire se caractérise par des arômes à la fois fruités et épicés. Sa structure en fait un vin persistant, apte à une garde de deux à cinq ans et à un mariage avec du gibier ou du fromage.
⌐ Philippe Heitz, 4, rue Ettore-Bugatti,
67120 Molsheim, tél. 03.88.38.25.38, fax 03.88.38.82.53,
e-mail contact@vins-heitz.com
☑ ⍖ t.l.j. 9h-12h 14h-19h; dim. sur r.-v.

LEON HEITZMANN 2000★

■	0,35 ha	2 500	ⅡⅡ 8 à 11 €

La maison Léon Heitzmann a pignon sur rue depuis bien longtemps à Ammerschwihr. De ses 11 ha de vignes naissent des vins régulièrement mentionnés dans le Guide. Dans le millésime 2000, le pinot noir a séduit le jury dès le premier regard. Tout en fruit à l'olfaction, il se prolonge en bouche sur des tanins soyeux, témoins de la qualité de la matière première. A déguster dès à présent.

➤ Léon Heitzmann, 2, Grand-Rue, 68770 Ammerschwihr, tél. 03.89.47.10.64, fax 03.89.78.27.76 ☑ ⵏ t.l.j. sf dim. 8h-12h 13h30-18h

JEAN HIRTZ ET FILS
Rouge de Mittelbergheim 2000★

■	0,3 ha	2 000	▮ 5 à 8 €

Ce domaine familial, qui s'est lancé dans la mise en bouteilles en 1989, rassemble près de 8 ha de vignes. Pourpre intense, son pinot noir semble encore jeune dans son expression aromatique : les arômes de fruits rouges commencent juste à poindre. Le fruité (cerise, myrtille) se manifeste davantage dans une bouche structurée et harmonieuse.

➤ GAEC Jean Hirtz et Fils, 13, rue Rotland, 67140 Mittelbergheim, tél. 03.88.08.47.90, fax 03.88.08.47.90 ☑ ⵏ t.l.j. 9h-12h 13h30-19h

JACQUES ILTIS
Rouge de Saint-Hippolyte Schlossreben 2000★

■	0,7 ha	4 000	ⅡⅡ 5 à 8 €

Christophe et Benoît Iltis ont rejoint récemment leur père Jacques pour conduire ce domaine de plus de 8 ha qui accorde une place de choix au pinot noir. Chatoyant, ce rouge de Saint-Hippolyte décline des arômes de fruits rouges, puis livre une matière ample et souple, tout en harmonie. Une bouteille à ouvrir dès aujourd'hui pour accompagner un repas entier, du plateau de charcuteries à la viande rouge et jusqu'au fromage.

➤ Jacques Iltis et Fils, 1, rue Schlossreben, 68590 Saint-Hippolyte, tél. 03.89.73.00.67, fax 03.89.73.01.82, e-mail jacques.iltis@calixo.net ☑ ⵏ r.-v.

DOM. JUX
Rouge Prestige 1999

■	n.c.	2 500	ⅡⅡ 11 à 15 €

Le domaine Jux réunit plus de 100 ha de vignes d'un seul tenant sur le territoire communal de Colmar. Son pinot noir, légèrement tuilé, affiche déjà une certaine évolution. Après un nez dominé par les notes boisées et animales, il révèle des nuances de fruits rouges dans une bouche chaleureuse qui invite à un accord avec des viandes rouges.

➤ Dom. Jux, chem. de la Fecht, 68000 Colmar, tél. 03.89.79.13.76, fax 03.89.79.62.93 ☑ ⵏ r.-v.

KLEIN-BRAND
Elevé en fût de chêne 2000★

■	0,2 ha	1 800	ⅡⅡ 8 à 11 €

Fondé en 1950 en plein cœur de la Vallée Noble, ce domaine réunit aujourd'hui 10 ha de vignes. Son pinot noir, d'une couleur éclatante, associe étroitement les arômes de fruits rouges à ceux de torréfaction. Le terroir calcaire et l'élevage de douze mois en barrique lui ont légué beaucoup d'élégance dans une bouche à la fois structurée et bien fondue.

➤ Klein-Brand, 96, rue de la Vallée, 68570 Soultzmatt, tél. 03.89.47.00.08, fax 03.89.47.65.53, e-mail klein-brand@vallee-noble.com ☑ ⵏ t.l.j. sf dim. 8h-12h 13h30-18h

RENE KOCH ET FILS
Rouge de Nothalten 2000

■	0,38 ha	2 800	▮ 8 à 11 €

René Koch, qui avait repris l'exploitation familiale en 1970, a été rejoint par son fils en 1996. Ensemble, ils ont construit une nouvelle cave en 2000 et proposent aujourd'hui un pinot noir originaire d'un terroir sableux. Rubis, ce vin est encore jeune, tant au nez qu'au palais. Tout en légèreté à ce jour, il ne demande qu'à s'affirmer à la faveur d'une petite garde. Vous le réserverez à un plateau de charcuteries.

➤ GAEC René et Michel Koch, 5, rue de la Fontaine, 67680 Nothalten, tél. 03.88.92.41.03, fax 03.88.92.63.99, e-mail vin-koch@wanadoo.fr ☑ ⵏ r.-v.

KOEHLY
Hahnenberg Elevé en fût de chêne 2000★★★

■	0,8 ha	3 600	ⅡⅡ 5 à 8 €

Installé depuis 1976 dans une maison construite par des compagnons du Devoir, Jean-Marie Koehly exploite aujourd'hui un vignoble diversifié de 16 ha, répartis sur dix communes des environs. Très profond à l'œil, ce pinot noir d'origine gréseuse a comblé le jury. La distinction des arômes de fruits rouges et de vanille perceptibles au nez se prolonge dans une grande harmonie au palais. Ce vin fait rimer puissance avec élégance.

➤ Jean-Marie Koehly, 64, rue du Gal-de-Gaulle, 67600 Kintzheim, tél. 03.88.82.09.77, fax 03.88.82.70.49 ☑ ⵏ t.l.j. 8h-12h 13h30-18h30

ALBERT MAURER 2000

■	1,1 ha	8 200	ⅡⅡ 5 à 8 €

Albert Maurer a développé l'exploitation familiale dès 1965 pour constituer un vignoble de 11 ha. Son pinot noir, rubis intense et brillant, déploie un nez de fruits confits, souligné de pierre à fusil. Bien équilibré, il laisse une impression de légèreté qui invite à le servir sur des grillades.

➤ Albert Maurer, 11, rue du Vignoble, 67140 Eichhoffen, tél. 03.88.08.96.75, fax 03.88.08.59.98, e-mail info@vins-maurer.fr ☑ ⌂ ⵏ t.l.j. sf dim. 8h-12h 13h30-18h

> Pour choisir un accord mets-vins, consultez les pp. 45-50.

GILBERT MEYER
Ensenberg 2000★

| ■ | 21,59 ha | 2 000 | ▌ | 5 à 8 € |

Le village perché de Voegtlinshoffen ménage un beau panorama sur Colmar et le vignoble, remarquablement reconstitué après les ravages du phylloxéra au début du XXᵉs. Sur un terroir de granite altéré, sablonneux, est né un pinot noir très fruité, qui développe une matière puissante et persistante, soutenue par des tanins bien présents. Ce vin est armé pour une garde de deux ou trois ans.
♄ Gilbert Meyer, 5, rue du Schauenberg, 68420 Voegtlinshoffen, tél. 03.89.49.36.65, fax 03.89.86.42.45, e-mail vins.gilbert.meyer@wanadoo.fr ☑ ⊤ r.-v.

DOM. DU MITTELBURG 2000

| ■ | 0,85 ha | 8 000 | ⑪ | 5 à 8 € |

Quelques vieilles demeures ont été conservées à Pfaffenheim, malgré les lourds dommages causés par les bombardements de la dernière guerre. Henri Martischang a obtenu sur un terroir argilo-calcaire un pinot noir rubis, assez transparent à l'œil, marqué de notes de fumée et de boisé. Souple mais bien présent au palais, ce vin peut être bu dès à présent sur des grillades ou être attendu.
♄ EARL Henri Martischang, 15, rue du Fossé, 68250 Pfaffenheim, tél. 03.89.49.60.83, fax 03.89.49.76.61 ☑ ⌂ ⊤ r.-v.

DOM. DU MOULIN DE DUSENBACH
Elevé en barrique 2000★★

| ■ | 1 ha | 5 500 | ⑪ | 11 à 15 € |

Bernard Schwach est une figure du vignoble alsacien : parti de presque rien en 1973, il exploite aujourd'hui avec son fils un domaine de 23 ha de vignes. Son pinot noir, élevé douze mois en barrique, s'habille d'une robe assez classique et livre des arômes de fruits rouges et de réglisse. C'est au palais qu'il se révèle dans toute son ampleur : il possède la richesse, l'équilibre et la persistance d'une grande matière. Vous le dégusterez aujourd'hui comme demain avec plaisir sur des viandes rouges ou du gibier.
♄ GAEC Bernard Schwach et Fils, 25, rte de Sainte-Marie-aux-Mines, 68150 Ribeauvillé, tél. 03.89.73.72.18, fax 03.89.73.30.34, e-mail bernard.schwach@wanadoo.fr ☑ ⊤ r.-v.

OTTER
Barriques 2000★★

| ■ | 0,39 ha | 2 500 | ⑪ | 11 à 15 € |

Epaulé par son fils depuis 1998, François Otter travaille avec succès 7 ha de vignes. Il se distingue avec ce pinot noir grenat profond, certes encore jeune au nez, mais déjà si élégant dans ses évocations de framboise et de vanille ! Gras et puissant au palais, ce vin possède les atouts nécessaires pour une garde de cinq ans et plus. Ses flaveurs de fruits noirs, de grillé et de cacao, déjà perceptibles, laissent imaginer un bel accord avec un sanglier.

♄ Dom. Otter et Fils, 4, rue du Muscat, 68420 Hattstatt, tél. 03.89.49.33.00, fax 03.89.49.38.69, e-mail ottjef@newel.net ☑ ⊤ r.-v.

RUHLMANN-DIRRINGER
A fleur de roche 2000★

| ■ | 0,7 ha | 5 000 | ⑪ | 5 à 8 € |

Le domaine Ruhlmann-Dirringer possède son siège dans l'ancienne demeure des comtes de Mullenheim, bâtie en 1578. La cave voûtée, datant de la même époque, accueille les visiteurs qui y découvriront ce vin rubis brillant, d'origine granitique. Le nez exprime volontiers les fruits rouges, tandis que la bouche équilibrée et longue laisse une impression chaleureuse qui devrait inspirer les amateurs de sanglier et de civets d'ici deux ou trois ans.
♄ Ruhlmann-Dirringer, 3, imp. de Mullenheim, 67650 Dambach-la-Ville, tél. 03.88.92.40.28, fax 03.88.92.48.05 ☑ ⊤ t.l.j. sf dim. 9h-11h45 13h30-18h30

SCHEIDECKER 2000★

| ■ | 0,25 ha | 2 500 | ▌⑪↓ | 8 à 11 € |

Mittelwihr, au terroir argilo-calcaire bien exposé, est célèbre pour sa Côte des Amandiers ; la commune accueille de nombreuses caves, parmi lesquelles celle de Philippe Scheidecker qui compte 6,8 ha de vignes. Très coloré, ce vin livre un nez intense de fruits rouges et d'épices, puis une bouche ample, déjà bien équilibrée. Le compagnon des viandes et gibiers d'ici deux ans.
♄ Philippe Scheidecker-Zimmerlin, 13, rue des Merles, 68630 Mittelwihr, tél. 03.89.49.01.29, fax 03.89.49.06.63 ☑ ⊤ r.-v.

J.-M. SOHLER
La Pièce de la Chapelle Vieilles vignes 2000

| ■ | 0,2 ha | 1 000 | ⑪ | 5 à 8 € |

Longtemps spécialisé dans la vente en vrac au négoce, Bliensschwiller s'est fait un nom grâce au dynamisme d'exploitations comme celle de Jean-Marie et Hervé Sohler. De teinte soutenue, ce pinot noir né sur un sol granitique développe une palette intense, dans laquelle se confondent nuances de fruits rouges et notes animales. La bouche, d'attaque franche, possède une matière structurée, dont les tanins méritent de se fondre. Un vin prometteur.
♄ Jean-Marie et Hervé Sohler, 16, rue du Winzenberg, 67650 Bliensschwiller, tél. 03.88.92.42.93 ☑ ⛉ ⌂ ⊤ r.-v.

ANDRE STENTZ 2000★

| ■ | 0,82 ha | 6 000 | ⑪ | 5 à 8 € |

Soucieux de la protection de l'environnement, André Stentz, installé depuis 1976, a obtenu sa première mention Nature et Progrès en 1984 et y est resté fidèle depuis. Il propose un pinot noir grenat soutenu, issu d'un terroir argilo-calcaire. La bouche à la structure tannique bien fondue s'accorde avec des arômes intenses de fruits rouges et de violette. Un vin harmonieux à marier au gibier comme à des fromages de caractère dans les deux à cinq prochaines années.
♄ André Stentz, 2, rue de la Batteuse, 68920 Wettolsheim, tél. 03.89.80.64.91, fax 03.89.79.59.75, e-mail andre.stentz@wanadoo.fr ☑ ⊤ r.-v.

DOM. STOEFFLER

Rotenberg 2000★

| | 0,5 ha | 3 000 | | 5 à 8 € |

Tous deux œnologues, Martine et Vincent Stoeffler se sont rapidement forgé une réputation après leur installation en 1986. Ils vinifient aujourd'hui la production de 12 ha de vignes. Leur pinot noir d'origine calcaire, habillé d'une robe soutenue, révèle un nez complexe de fruits rouges, d'épices et de notes boisées. Long, il possède suffisamment de puissance et de structure pour évoluer favorablement dans le temps.

☛ Dom. Martine et Vincent Stoeffler,
1, rue des Lièvres, 67140 Barr, tél. 03.88.08.52.50, fax 03.88.08.17.09, e-mail info@vins-stoeffler.com
☑ Ⓨ r.-v.

HUGUES STROHM

Rouge d'Obernai 1999

| | 0,2 ha | n.c. | | 8 à 11 € |

Au pied du mont Sainte-Odile, à Obernai, Hugues Strohm dirige un domaine de près de 7 ha de vignes, dont le fruit de pinot noir a donné un vin rouge franc, intense au nez, mais encore austère en bouche. Issu d'une belle matière, ce 99 demande un peu de temps pour s'harmoniser.

☛ Hugues Strohm, 33, rue de la Montagne,
67210 Obernai, tél. 03.88.49.93.51, fax 03.88.49.93.51
☑ Ⓨ r.-v.

STRUSS 2000★

| | 0,22 ha | 2 100 | | 5 à 8 € |

Avec 5,25 ha de vignes à Obermorschwihr, plantées sur un terroir calcaire, le domaine Struss décline toute la gamme des vins d'Alsace. Son pinot noir à reflets rouge clair apparaît complexe au nez avec ses notes de fruits secs. Ample et souple, il bénéficie de tanins fondus. Ce vin, que l'on peut apprécier dès aujourd'hui, s'inscrit dans la typicité régionale.

☛ André Struss et Fils, 16, rue Principale,
68420 Obermorschwihr, tél. 03.89.49.36.71, fax 03.89.49.37.30 ☑ ⛪ Ⓨ r.-v.
☛ Philippe Struss

ZEYSSOLFF

Cuvée Z 2000★

| | 0,15 ha | 1 000 | | 11 à 15 € |

Le domaine Zeyssolff se situe à Gertwiller, charmante bourgade qui jouxte la pittoresque ville de Barr. Il compte aujourd'hui 8 ha, dont une partie plantée de pinot noir. Sous une robe intense, ce vin exhale des arômes de fruits rouges typiques. Un même fruité se développe dans une bouche équilibrée, dont la structure tannique est bien fondue. A boire.

☛ G. Zeyssolff, 156, rte de Strasbourg,
67140 Gertwiller, tél. 03.88.08.90.08, fax 03.88.08.91.60, e-mail yvan.zeyssolff@wanadoo.fr
☑ ⛪ Ⓨ r.-v.

Alsace grand cru

Dans le but de promouvoir les meilleures situations du vignoble, un décret de 1975 a institué l'appellation « alsace grand cru »,

liée à un certain nombre de contraintes plus rigoureuses en matière de rendement et de teneur en sucre, et limitée au gewurztraminer, au pinot gris, au riesling et au muscat. Les terroirs délimités produisent, parallèlement aux vins sigillés de la confrérie Saint-Etienne et à certaines cuvées de renom, le *nec plus ultra* des vins d'Alsace.

En 1983, un décret définit un premier groupe de 25 lieux-dits admis dans cette appellation, qui sera abrogé et remplacé par un nouveau décret du 17 décembre 1992. Le vignoble d'Alsace compte ainsi officiellement 50 grands crus, répartis sur 47 communes (46 dans le décret - on a oublié Rouffach !) et dont les surfaces sont comprises entre 3,23 ha et 80,28 ha, en raison du principe d'homogénéité géologique propre aux grands crus. La production des grands crus reste modeste : 48 300 hl ont été déclarés pour le millésime 2001.

Les disciplines nouvelles, déjà mises en pratique depuis la récolte 1987, concernent l'élévation de 11 ° à 12 ° du titre alcoométrique minimum naturel des gewurztraminer et des tokay-pinot gris ainsi que l'obligation de mentionner désormais le nom du lieu-dit, conjointement au cépage et au millésime, sur les étiquettes et tous les documents administratifs et commerciaux.

Alsace grand cru altenberg de bergbieten

FREDERIC MOCHEL

Riesling Cuvée Henriette 2000★

| | 1 ha | 7 000 | | 8 à 11 € |

Frédéric Mochel exploite une surface importante sur l'Altenberg de Bergbieten. De bonne exposition, ce terroir convient bien à l'expression du riesling. Jaune à reflets plutôt dorés, ce vin se manifeste au nez par un fruité d'agrumes et de fruits secs. En bouche, on sent une grande matière, mais qui n'est pas encore prête à se livrer entièrement. A attendre. (Sucres résiduels : 1,8 g/l.)

☛ Dom. Frédéric Mochel, 56, rue Principale,
67310 Traenheim, tél. 03.88.50.38.67, fax 03.88.50.56.19 ☑ Ⓨ r.-v.

LA CAVE DU ROI DAGOBERT

Riesling 2000★★

| | n.c. | 20 666 | | 5 à 8 € |

L'Altenberg de Bergbieten, exposé sud-est, est formé d'un sol argilo-marneux avec présence de nombreux cailloutis. La situation est donc propice à l'expression optimale de tous les cépages. Jaune pâle, de grande limpidité, ce vin laisse percevoir des arômes de surmaturité (type coing) au nez, puis le citron vert, les fruits exotiques (mangue). En bouche, il est marqué par une bonne fraîcheur, renforcée par le caractère agrume. De belle structure et harmonieux, ce riesling riche, de longue persistance, a un réel potentiel de garde. (Sucres résiduels : 8 g/l.)

☛ La cave du Roi Dagobert,
1, rte de Scharrachbergheim, 67310 Traenheim,
tél. 03.88.50.69.00, fax 03.88.50.69.09,
e-mail dagobert@cave-dagobert.com
☑ ♈ t.l.j. 8h-12h 14h-18h

DOM. ROLAND SCHMITT
Riesling Vieilles vignes 2000

	1,3 ha	5 500	▮♦ 8 à 11 €

Le domaine Roland Schmitt est fort connu dans la région. Ses vins se rencontrent sur les meilleures tables de restaurants. Jaune à reflets verts, celui-ci est déjà bien ouvert au nez. Des notes d'amande, de pêche et de fruits surmûris s'y retrouvent. Au palais, l'attaque est franche, confortée par les agrumes. La finale longue termine sur des nuances minérales. (Sucres résiduels : 7 g/l.)

☛ Dom. Roland Schmitt, 35, rue des Vosges,
67310 Bergbieten, tél. 03.88.38.20.72,
fax 03.88.38.75.84 ☑
☛ Anne-Marie Schmitt

Alsace grand cru altenberg de bergheim

GUSTAVE LORENTZ
Riesling 2000★

	4 ha	15 000	▮♦ 15 à 23 €

La maison Lorentz est un des noms qui comptent en Alsace. Elle exploite un vignoble important, dont 4 ha de riesling dans le grand cru Altenberg de Bergheim. Son exposition sud, son sol marno-calcaire très caillouteux favorisent l'élaboration de grands vins. La robe de ce 2000 est jaune à reflets dorés, le nez exhale des arômes puissants tirant sur l'épicé. Corpulent en bouche, ample et gras, ce riesling présente un équilibre intéressant et une longue persistance. La finale laisse sur une impression citronnée. (Sucres résiduels : 8,7 g/l.)

☛ Gustave Lorentz, 91, rue des Vignerons,
68750 Bergheim, tél. 03.89.73.22.22, fax 03.89.73.30.49,
e-mail info@gustavelorentz.com ☑ ♈ t.l.j. sf dim.
10h-12h 14h-18h30
☛ Charles Lorentz

Alsace grand cru brand

JUSTIN BOXLER
Riesling 2000

	0,31 ha	2 500	ⓤ 8 à 11 €

Le grand cru Brand bénéficie d'une réputation ancienne. Cette « terre de feu » (traduction du mot Brand) offre une situation idéale. A l'abri des vents froids du nord,

le Brand favorise un caractère floral dans les vins. Jaune brillant, ce riesling livre des arômes complexes de fruits surmûris, d'orange, de mandarine. En bouche, l'attaque est ample, soutenue par une bonne vivacité. Ce vin bien construit s'affinera encore avec le temps. (Sucres résiduels : 7 g/l.)

☛ GAEC Justin Boxler, 15, rue des Trois-Epis,
68230 Niedermorschwihr, tél. 03.89.27.11.07,
fax 03.89.27.01.44, e-mail justin.boxler@online.fr
☑ ♈ t.l.j. 8h-12h 14h-19h; groupes sur r.-v.

PREISS-ZIMMER
Gewurztraminer 2000★

	2,9 ha	18 600	▮♦ 11 à 15 €

Une des grandes maisons de Riquewihr qui propose ici son gewurztraminer Brand. Ce terroir remarquable, à l'entrée de la vallée de Munster, domine en exposition sud la petite ville de Turckheim. Jaune clair à reflets verts, ce vin révèle au nez violette, gingembre et autres épices. En bouche, il est remarquable par sa fraîcheur, son équilibre et sa finale harmonieuse sur des notes exotiques mêlées d'épices. Il se présente encore dans toute sa jeunesse. (Sucres résiduels : 26 g/l.)

☛ SARL Preiss-Zimmer, BP 20, 68340 Riquewihr,
tél. 03.89.47.86.91, fax 03.89.27.35.33,
e-mail preiss-zimmer@calixo.net

DOM. SAINT-REMY
Tokay-pinot gris 2000

	0,5 ha	2 700	▮ 8 à 11 €

Le Brand est l'un des terroirs les plus connus d'Alsace. Il profite d'un ensoleillement maximum grâce à son exposition sud. Son sol léger se compose d'arènes granitiques à deux micas. Les vins qui y naissent se distinguent surtout par leur caractère assez aérien. La robe de celui-ci est claire, le nez encore discret laisse paraître quelques senteurs grillées et fumées. Le palais propose déjà un bon équilibre. Les arômes intenses perdurent en bouche sur des notes réglissées. Un vin jeune à bon potentiel d'évolution. (Sucres résiduels : 45 g/l.)

☛ François Ehrhart et Fils, 6, rue Saint-Remy,
68920 Wettolsheim, tél. 03.89.80.60.57,
fax 03.89.79.74.00, e-mail vins@domainesaintremy.com
☑ ⌂ ♈ t.l.j. sf dim. 8h-12h 13h30-18h30

Alsace grand cru bruderthal

HEITZ
Riesling 2000

	0,25 ha	1 200	ⓤ 8 à 11 €

Parmi les industries qui ont leur siège à Molsheim, il faut citer la plus renommée : Bugatti. L'entreprise, qui devint célèbre par ses automobiles, se consacre aujourd'hui aux équipements aéronautiques. Philippe Heitz propose un vin jaune d'or, de belle intensité au nez (notes minérales et épicées). Après une attaque souple, la bouche se poursuit sur une bonne structure et s'achève sur une senteur de menthe. Ce vin devra cependant encore s'affirmer. (Sucres résiduels : 4 g/l.)

Philippe Heitz, 4, rue Ettore-Bugatti,
67120 Molsheim, tél. 03.88.38.25.38, fax 03.88.38.82.53,
e-mail contact@vins-heitz.com ☑ ⍾ t.l.j. 9h-12h
14h-19h; dim. sur r.-v.

KUMPF ET MEYER
Tokay-pinot gris 2000★★★

	0,2 ha	1 300	⌷⌷	8 à 11 €

Issue de la fusion de deux domaines, cette propriété
bénéficie d'un nouveau chai depuis 1996. Son vignoble de
15 ha, situé entre Rosheim et Molsheim, est très diversifié
et présente un grand nombre de terroirs dont le Bruderthal. Ce tokay-pinot gris jaune d'or aux reflets étincelants
laisse beaucoup de larmes. L'approche au nez est particulièrement agréable grâce aux notes d'agrumes et de
fruits confits. En bouche, c'est une explosion de fruits
confits, de mangue, de figue et d'agrumes dans une grande
fraîcheur et sans aucune lourdeur. Un vin persistant et
élégant, dont on appréciera le rapport qualité-prix. (Sucres
résiduels : 45 g/l.)
Kumpf et Meyer, 34, rte de Rosenwiller,
67560 Rosheim, tél. 03.88.50.20.07,
fax 03.88.50.26.75, e-mail kumpfetmeyer@free.fr
☑ ⍾ t.l.j. sf dim. 8h-12h 14h-19h

GERARD NEUMEYER
Tokay-pinot gris 2000★

	0,93 ha	3 200	⌷⌷	15 à 23 €

Le Bruderthal domine la ville de Molsheim. Grâce à
un microclimat privilégié, à une exposition sud-est et à un
sol marno-calcaire remarquablement caillouteux, il constitue un terroir favorable à la maturation des raisins. Jaune
paille à reflets or, riche en larmes, ce vin puissant au nez
laisse percevoir des notes grillées et fumées. Dominé par
le sucre en bouche, il présente les prémices d'une bonne
évolution : du gras, du soyeux et du corps. Il est encore
jeune, mais il s'exprimera pleinement dans quelques années. (Sucres résiduels : 64 g/l.)
Dom. Gérard Neumeyer, 29, rue Ettore-Bugatti,
67120 Molsheim, tél. 03.88.38.12.45, fax 03.88.38.11.27,
e-mail domaine.neumeyer@wanadoo.fr
☑ ⍾ t.l.j. sf dim. 9h-12h 14h-19h

DOM. BERNARD WEBER
Riesling 2000★

	1,5 ha	2 000	⌷⌷	11 à 15 €

Molsheim, chef-lieu d'arrondissement, est une petite
ville industrielle qui est fière de sa viticulture. Elle organise
chaque 1er mai sa traditionnelle foire aux vins. D'aspect
jaune pâle, ce bruderthal livre un nez intense qui fait la part

belle aux arômes de fruits exotiques (mangue). En bouche,
l'attaque est souple et grasse à la fois. Le corps a beau être
concentré et riche, le vin a gardé un côté gouleyant. C'est
un beau type de riesling. (Sucres résiduels : 5 g/l.)
Bernard Weber, 49, rue de Saverne,
67120 Molsheim, tél. 03.88.38.52.67, fax 03.88.38.58.81,
e-mail info@bernard-weber.com ☑ ⍾ r.-v.

Alsace grand cru eichberg

ALBERT HERTZ
Tokay-pinot gris Cuvée du Millénaire 2000

	0,32 ha	2 600	⌷⌷	11 à 15 €

Albert Hertz figure régulièrement dans le Guide pour
ses vins élaborés avec beaucoup de savoir-faire. Jaune
clair, ce tokay-pinot gris révèle des arômes de fruits et de
fumé. La bouche n'est pas encore à la hauteur du nez : c'est
un vin peu évolué qui devra se faire. Mais les prémices sont
bons et les dégustateurs l'ont retenu pour son potentiel.
(Sucres résiduels : 33 g/l.)
Albert Hertz, 3, rue du Riesling, 68420 Eguisheim,
tél. 03.89.41.30.32, fax 03.89.23.99.23 ☑ ⍾ r.-v.

JEAN-LOUIS ET FABIENNE MANN
Gewurztraminer Vendanges tardives 1999★

	0,18 ha	1 460		15 à 23 €

En 1998, cette exploitation a été prise en main par un
jeune couple dynamique, Fabienne et Jean-Louis Mann.
Leur gewurztraminer est issu d'un terroir calcaro-gréseux-
siliceux. Doré, presque ambré, il dévoile un nez épicé qui
laisse deviner quelques senteurs exotiques ; son palais
souple et gras, ample et riche, est tout en longueur. Sa finale
semble exotique avec ses nuances de litchi. S'il est encore
très jeune, ce vin a sans doute un grand avenir.
EARL Jean-Louis Mann, 11, rue du Traminer,
68420 Eguisheim, tél. 03.89.24.26.47,
fax 03.89.24.09.41, e-mail mann.jean.louis@wanadoo.fr
☑ ⍾ r.-v.

JEAN-LUC MEYER
Gewurztraminer 2000

	0,25 ha	1 600	⌷	5 à 8 €

La ville d'Eguisheim est l'un des joyaux du vignoble.
Faites le tour de ses remparts : vous découvrirez ainsi la
trace des temps anciens. Jaune pâle dans le verre, signe de
sa jeunesse, ce vin dévoile des arômes de fruits jaunes,
mirabelle et pêche. Il se développe au palais tout en finesse,
soutenu par une bonne vivacité qui lui assurera la longévité. La finale est élégante, longue. (Sucres résiduels :
20 g/l.)
Jean-Luc Meyer, 4, rue des Trois-Châteaux,
68420 Eguisheim, tél. 03.89.24.53.66, fax 03.89.41.66.46
☑ ⌂ ⍾ r.-v.

PAUL SCHERER
Gewurztraminer 2000

	0,28 ha	2 000	⌷⌷	8 à 11 €

Dans le village de Husseren-les-Châteaux, point
culminant de la route des Vins d'Alsace, la maison Paul
Scherer a pignon sur rue. Elle propose un gewurztraminer

jaune clair encore discret au nez, quoique tirant sur les fruits jaunes bien mûrs. Ce vin est dominé au palais par une chair fine et moelleuse. Il s'exprimera parfaitement d'ici quelque temps quand l'équilibre entre le sucre et les autres constituants se sera totalement réalisé. (Sucres résiduels : 25 g/l.)

🕊 EARL Paul Scherer et Fils, 40, rue Principale, 68420 Husseren-les-Châteaux, tél. 03.89.49.30.34, fax 03.89.86.41.67 ☑ ⵏ r.-v.

PAUL SCHNEIDER
Riesling 2000★★

| | 0,27 ha | 1 700 | ⅢⅠ 8 à 11 € |

L'exploitation, située dans l'ancienne cour dîmière de la ville médiévale d'Eguisheim, a appartenu au grand prévôt de la cathédrale de Strasbourg. Elle propose un vin jaune pâle, dominé par des notes citronnées, exotiques et grillées. L'attaque est ample, riche, et le corps structuré ; la fin de bouche longue et fondue livre des nuances de pain grillé. (Sucres résiduels : 7 g/l.)

🕊 Paul Schneider et Fils, 1, rue de l'Hôpital, 68420 Eguisheim, tél. 03.89.41.50.07, fax 03.89.41.30.57 ☑ 🏠 ⵏ t.l.j. sf dim. 10h-12h 13h30-18h30

PAUL SCHNEIDER
Gewurztraminer 2000★

| | 0,37 ha | 3 000 | ⅢⅠ 8 à 11 € |

Eguisheim est l'un des berceaux du vin d'Alsace ; certaines maisons renommées y ont leur siège. C'est aussi une petite ville chargée d'histoire. Parmi les grandes figures de la cité, le pape Léon IX y est né il y a mille ans. De ce vin d'or vêtu, mes dégustateurs retiennent le nez discret rappelant le fruit de la Passion, le palais riche et gras à point, qui termine sur les fruits exotiques. Une belle structure et une bonne harmonie. (Sucres résiduels : 20 g/l.)

🕊 Paul Schneider et Fils, 1, rue de l'Hôpital, 68420 Eguisheim, tél. 03.89.41.50.07, fax 03.89.41.30.57 ☑ 🏠 ⵏ t.l.j. sf dim. 10h-12h 13h30-18h30

Alsace grand cru engelberg

DOM. JEAN-PIERRE BECHTOLD
Gewurztraminer 2000

| | 0,9 ha | 4 000 | 11 à 15 € |

Jean-Pierre Bechtold exploite son vignoble à Dahlenheim, dont une partie importante sur le coteau de l'Engelberg. Ce terroir marno-calcaire caillouteux est favorable au gewurztraminer. Jaune, légèrement doré, ce vin encore un peu fermé au nez laisse deviner des arômes d'abricot très mûr. Le palais doux demande à s'harmoniser : les sensations grasses et onctueuses laissent présager une bonne évolution. (Sucres résiduels : 50 g/l.)

🕊 Dom. Jean-Pierre Bechtold, 49, rue Principale, 67310 Dahlenheim, tél. 03.88.50.66.57, fax 03.88.50.67.34, e-mail bechtold@wanadoo.fr ☑ ⵏ r.-v.

Alsace grand cru florimont

RENE MEYER
Gewurztraminer 2000★★

| | 0,34 ha | 2 500 | ⅢⅠ 11 à 15 € |

Katzenthal est un village situé à l'ouest de Colmar, lové dans un petit vallon que domine le château du Wineck. Le domaine Meyer exploite un vignoble familial étendu sur les coteaux environnants, dont celui de Florimont, de nature marno-calcaire. Jaune d'or, ce vin se présente sous les meilleurs auspices : des notes florales ainsi que de la cire et des fruits confits lui communiquent toute sa subtilité. En bouche, on perçoit une belle gamme d'arômes allant du coing au litchi en passant par l'ananas. Un ensemble élégant, délicat, soyeux, capiteux, concentré, tout en dentelle en finale. (Sucres résiduels : 35 g/l.)

🕊 EARL Dom. René Meyer et Fils, 14, Grand-Rue, 68230 Katzenthal, tél. 03.89.27.04.67, fax 03.89.27.50.58, e-mail domaine.renemeyer@wanadoo.fr ☑ ⵏ r.-v.

Alsace grand cru frankstein

BECK DOMAINE DU REMPART
Riesling 2000★

| | 0,32 ha | 2 600 | ⅢⅠ 8 à 11 € |

Les caves du domaine sont aménagées dans les anciens remparts de la cité médiévale de Dambach-la-Ville. Une cité renommée pour ses vins, notamment ceux du Frankstein, coteau exposé est sud-est, de constitution granitique. Ce sol très léger permet au riesling de s'exprimer. Jaune pâle brillant, ce vin dévoile un premier nez complexe révélant une minéralité prononcée. Franche, la bouche se développe en finesse, dans un bon équilibre. La finale est soutenue par une vivacité délicate. (sucres résiduels : 10 g/l)

🕊 Beck, Dom. du Rempart, 5, rue des Remparts, 67650 Dambach-la-Ville, tél. 03.88.92.62.03, fax 03.88.92.49.40, e-mail beck.domaine@wanadoo.fr ☑ 🏨 🏠 ⵏ r.-v.

🕊 Gilbert Beck

P. KIRSCHNER ET FILS
Gewurztraminer 2000★

| | 0,75 ha | 4 650 | ⅢⅠ 8 à 11 € |

La famille Kirschner, anciennement établie dans la viticulture à Dambach-la-Ville, avait été pionnière : ne produisait-elle pas au XIX^{e}s. des vins de paille ? D'aspect jaune clair brillant, son gewurztraminer offre un nez complexe de fleurs, de fruits confits et d'épices. La bouche, souple et soyeuse, fait preuve d'harmonie et de longueur. (Sucres résiduels : 24 g/l.)

🍷 Pierre Kirschner et Fils, 26, rue Théophile-Bader, 67650 Dambach-la-Ville, tél. 03.88.92.40.55, fax 03.88.92.62.54, e-mail kirschner@reperes.com
☑ 🏠 ⟁ t.l.j. sf dim. 8h-12h 13h-19h

SCHAEFFER-WOERLY
Riesling 2000

	0,44 ha	3 700	⑪ 8 à 11 €

Situé en plein centre de Dambach-la-Ville, ce domaine familial accueille les visiteurs dans une maison à colombage du XVI^{e}s. Ses caves, qui ont conservé les vieux plafonds en torchis, abritent d'anciens tonneaux de chêne. C'est dans cet univers qu'est né ce riesling jaune pâle, dont le nez franc évoque le tilleul, la fleur de vigne et le chèvrefeuille. Après une attaque vive, la bouche fait écho aux notes florales. Un vin équilibré. (Sucres résiduels : 10 g/l.)

🍷 Schaeffer-Woerly, 3, pl. du Marché, 67650 Dambach-la-Ville, tél. 03.88.92.40.81, fax 03.88.92.49.87, e-mail schaeffer-woerly@wanadoo.fr
☑ ⟁ t.l.j. 9h-12 h 14h-18h; dim. et j.f. sur r.-v.
🍷 Vincent Woerly

Alsace grand cru froehn

JEAN BECKER
Riesling 2000★

	0,4 ha	3 760	ⅰ♦ 11 à 15 €

La ville de Zellenberg est établie sur un coteau, à l'est de Riquewihr, d'où elle domine une grande partie du vignoble, dont celui du Froehn ; ce terroir argilo-marneux, exposé sud sud-est, est le berceau de ce vin plutôt doré. A l'analyse olfactive, un dégustateur déclare : « Il est typique d'un sol argileux. » D'un bon équilibre au palais, voilà un riesling structuré, marqué par les agrumes. La finale se prolonge en finesse. (Sucres résiduels : 9 g/l.)

🍷 SA Jean Becker, 4, rte d'Ostheim, 68340 Zellenberg, tél. 03.89.47.90.16, fax 03.89.47.99.57 ☑ ⟁ t.l.j. sf dim. 8h-12h 14h-18h

Alsace grand cru furstentum

ANDRE BLANCK ET FILS
Ancienne Cour des Chevaliers de Malte
Gewurztraminer 2000★

	0,7 ha	4 500	8 à 11 €

La famille André Blanck est propriétaire de la cour des Chevaliers de Malte. Au XV^{e}s., ce domaine, à l'instar du château de la confrérie Saint-Etienne, mitoyen, appartenait au baron Lazare de Schwendi, lequel aurait introduit le tokay-pinot gris en Alsace. Ce gewurztraminer, jaune pâle à reflets verts, s'ouvre au second nez sur des notes complexes. Souple et délicat en bouche, presque soyeux, il est proche de l'harmonie complète bien qu'il n'en soit qu'au stade de l'adolescence. Conservez-le quelque temps encore. (Sucres résiduels : 30,7 g/l.)

🍷 André Blanck et Fils, Ancienne Cour des Chevaliers de Malte, 68240 Kientzheim, tél. 03.89.78.24.72, fax 03.89.47.17.07 ☑ ⟁ t.l.j. sf dim. 8h-12h 14h-19h

RENE FLEITH-ESCHARD ET FILS
Tokay-pinot gris 2000★★

	0,33 ha	1 300	ⅰ 11 à 15 €

Cette exploitation située à l'ouest de Colmar, et au cœur de son vignoble, a diversifié sa production grâce, notamment, à des vignes cultivées en grand cru. Jaune d'or foncé, brillant, ce pinot gris dévoile au premier nez de fruits surmûris (abricot) qui évolue plaisamment vers les fruits cuits. Riche et très doux, le palais possède certes du gras, mais aussi une grande fraîcheur. Ce vin de garde atteindra bientôt l'harmonie idéale. (Sucres résiduels : 25 g/l.)

🍷 René Fleith-Eschard et Fils, lieu-dit Lange Matten, 68040 Ingersheim, tél. 03.89.27.24.19, fax 03.89.27.56.79 ☑ 🏠 ⟁ r.-v.

JOSEPH FRITSCH
Gewurztraminer 2000★

	0,35 ha	2 100	ⅰ♦ 8 à 11 €

A l'entrée de la vallée de Kaysersberg se situe, en exposition sud sud-ouest, le coteau à sol brun, calcaire, à structure caillouteuse, du Furstentum. L'ensoleillement y est assuré jusqu'aux derniers rayons du soir. Toutes les conditions y sont réunies pour élaborer de grands vins. Jaune pâle à reflets verts, celui-ci révèle un nez élégant de rose. Le palais attaque avec finesse. Grâce à sa grande richesse, il est tout en volume. Les notes d'agrumes plutôt citronnées lui communiquent une fraîcheur suffisante. Une bouteille harmonieuse. (Sucres résiduels : 40 g/l.)

🍷 EARL Joseph Fritsch, 31, Grand-Rue, 68240 Kientzheim, tél. 03.89.78.24.27, fax 03.89.78.16.53 ☑ ⟁ r.-v.

ALBERT MANN
Gewurztraminer Vieilles vignes 2000★★

	0,6 ha	4 000	ⅰ♦ 15 à 23 €

En 1984, Jacky et Maurice Barthelmé, vignerons à Kientzheim, ont rejoint le domaine Albert Mann. Ils ont contribué à son développement : 19 ha dont cinq terroirs classés grands crus. Ce gewurztraminer, de teinte or cristalline, affiche un nez floral puissant. Après une attaque éblouissante, il emplit la bouche de son onctuosité, de son gras et de ses flaveurs dominantes de fruits confits. La finale évoque les fleurs blanches. Un grand vin. (Sucres résiduels : 56 g/l.)

🍷 Dom. Albert Mann, 13, rue du Château, 68920 Wettolsheim, tél. 03.89.80.62.00, fax 03.89.80.34.23, e-mail vins@mann-albert.com
☑ ⟁ r.-v.
🍷 Barthelmé

Les prix (prix moyen de la bouteille par carton de 12) présentés sous forme de « fourchette » sont soumis à l'évolution des cours.

Alsace grand cru goldert

HENRI GROSS
Riesling 2000

	0,16 ha	1 200	8 à 11 €

Gueberschwihr est l'un des villages pittoresques du vignoble alsacien. Il a aussi son terroir, le Goldert. Ce coteau exposé est sud-est possède une structure calcaire riche en galets de même nature. Jaune vert, ce riesling décline un fruité déjà intense, dominé par les agrumes et le pamplemousse. La bouche se développe avec une juste vivacité et une bonne souplesse. Un vin gras et ample, de persistance moyenne. (Sucres résiduels : 12 g/l.)
↫ EARL Henri Gross et Fils, 11, rue du Nord, 68420 Gueberschwihr, tél. 03.89.49.24.49, fax 03.89.49.33.58, e-mail vins.gross@wanadoo.fr
☑ ⊥ r.-v.

BERNARD HUMBRECHT
Gewurztraminer 2000

	1 ha	4 000	8 à 11 €

Le Goldert de Gueberschwihr est l'un des terroirs qui convient le mieux au gewurztraminer. Cela est certainement en rapport avec la constitution calcaire du sol. Jaune à reflets verts, ce vin ne s'exprime encore que discrètement, mais il laisse entrevoir des senteurs florales naissantes. Bien enveloppé au palais, il donne l'impression de croquer le raisin. La finale plutôt fruitée est de bonne longueur. (Sucres résiduels : 21 g/l.)
↫ Jean-Bernard Humbrecht, 10, pl. de la Mairie, 68420 Gueberschwihr, tél. 03.89.49.31.42, fax 03.89.49.20.62 ☑ ⊥ t.l.j. 8h-12h 13h-18h; dim. 14h-18h

HUMBRECHT
Gewurztraminer 2000★

	0,25 ha	2 200	8 à 11 €

Le village de Gueberschwihr mérite que l'on s'y arrête. Ses ruelles typiques, ses maisons à l'architecture traditionnelle, son église au clocher du XIIᵉs. sont autant de curiosités. Découvrez aussi ce vin jaune d'or dont les nombreuses larmes laissent présager un corps riche. Le nez complexe offre des arômes de torréfaction (noisette grillée), de fruits confits et de fleurs délicates. La bouche, presque parfaite, termine sur des notes réglissées. Le petit déséquilibre en finale disparaîtra bientôt. (Sucres résiduels : 19,8 g/l.)
↫ EARL Claude et Georges Humbrecht, 33, rue de Pfaffenheim, 68420 Gueberschwihr, tél. 03.89.49.31.51 ☑ ⛊ ⌂ ⊥ r.-v.

SAULNIER
Tokay-pinot gris Les Eboulis 2000★

	0,35 ha	1 500	8 à 11 €

Cette exploitation d'installation récente (1992) figure régulièrement dans le Guide. Le vignoble, mené de manière traditionnelle, produit des raisins de grande maturité qui sont ensuite travaillés avec beaucoup de savoir-faire. En témoigne ce pinot gris jaune paille à reflets dorés. Son nez intense libère des notes grillées et fumées. La bouche est très plaisante : c'est un vin presque sec mais équilibré, terminant sur une pointe fraîche de fruit. La finale est longue et persistante. Une bouteille de gastronomie. (Sucres résiduels : 10,5 g/l.)

↫ Marco Saulnier, rte de Saint-Marc, 68420 Gueberschwihr, tél. 03.89.86.42.02, fax 03.89.49.34.82 ☑ ⊥ r.-v.

LOUIS SCHERB ET FILS
Tokay-pinot gris 2000

	0,3 ha	2 500	8 à 11 €

A une dizaine de kilomètres au sud de Colmar, Gueberschwihr vous charmera par ses rues pavées étroites, ses maisons de maître anciennes, son église romane avec son clocher du XIIᵉs., etc. Vous goûterez à ce vin jaune clair, de bonne intensité aromatique (fruits confits et noisette grillée). La bouche structurée a du corps, mais présente aussi une douceur importante. La finale persiste bien. Ce 2000 pourra encore se parfaire. (Sucres résiduels : 20,3 g/l.)
↫ EARL Louis Scherb et Fils, 1, rte de Saint-Marc, 68420 Gueberschwihr, tél. 03.89.49.30.83, fax 03.89.49.30.65 ☑ ⛊ ⊥ t.l.j. 8h-12h 13h-19h; dim. 9h-12h

Alsace grand cru hatschbourg

A. L. BAUR
Gewurztraminer 2000

	0,42 ha	3 300	8 à 11 €

Le terroir du Hatschbourg, grâce à son sol marno-calcaire, convient particulièrement au gewurztraminer. Par sa capacité de rétention de l'eau, il favorise la maturation lente des raisins. D'aspect jaune clair, signe de sa jeunesse, ce vin exprime surtout des arômes variétaux. En bouche, il laisse une impression peu complexe qui s'affinera cependant avec le temps. Très doux, le fruité confit est bien présent, se retrouvant dans la finale de bonne persistance. (Sucres résiduels : 23 g/l.)
↫ A. L. Baur, 4, rue Roger-Frémeaux, 68420 Voegtlinshoffen, tél. 03.89.49.30.97, fax 03.89.49.21.37 ☑ ⊥ r.-v.

BUECHER-FIX
Gewurztraminer 2000★

	0,58 ha	5 000	11 à 15 €

Au-dessus de Hattstatt, en exposition sud, s'étend le coteau de Hatschbourg, marno-calcaire et recouvert de nombreux cailloutis. Ces derniers permettent de réchauffer assez rapidement le sol plutôt lourd dès les premiers beaux jours. Vêtu d'une robe soutenue, jaune doré, brillante, ce vin offre un nez puissant dominé par les fleurs et nuancé de fruits très mûrs. Riche et soyeux, il est suffisamment souple et ample, et persiste en finale dans un registre aromatique complexe. (Sucres résiduels : 40 g/l.)
↫ Buecher-Fix, 21, rue Sainte-Gertrude, 68920 Wettolsheim, tél. 03.89.30.12.80, fax 03.89.30.12.81, e-mail buecher@terre-net.fr
☑ ⊥ r.-v.

GINGLINGER-FIX
Gewurztraminer 2000

	0,37 ha	3 100	11 à 15 €

En 1610, les ancêtres des Ginglinger s'étaient installés comme vignerons. Aujourd'hui le domaine familial exploite 7,5 ha dont une partie importante dans le grand cru de Hatschbourg. Jaune à reflets verts, son gewurztraminer, quoique discret, se signale par un fruité fin. Au palais, les sucres encore dominants doivent s'harmoniser avec les autres constituants. Cependant, ce caractère de jeunesse laisse envisager une bonne évolution. (Sucres résiduels : 25 g/l.)

🕽 Ginglinger-Fix, 38, rue Roger-Fremeaux, 68420 Voegtlinshoffen, tél. 03.89.49.30.75, fax 03.89.49.29.98, e-mail ginglinger-fix@wanadoo.fr
☑ ⵎ r.-v.

🕽 André Ginglinger

ANDRE HARTMANN
Gewurztraminer Armoirie Hartmann 2000★

	0,62 ha	5 100	🍷🍷 8 à 11 €

La famille Hartmann exploite son vignoble depuis le XVIIᵉs. André Hartmann affirme aujourd'hui que le grand cru Hatschbourg a largement contribué à faire connaître le domaine. Jaune très soutenu, d'une grande brillance, ce vin présente au nez des arômes de fruits confits. Bien souple au palais, il est tout onctueux. Les arômes de fruits surmûris se retrouvent en rétro-olfaction et la finale assez persistante joue sur la finesse. (Sucres résiduels : 28 g/l.)

🕽 André Hartmann, 11, rue Roger-Frémeaux, 68420 Voegtlinshoffen, tél. 03.89.49.38.34, fax 03.89.49.26.18 ☑ ⵎ ⵎ t.l.j. sf dim. 9h-12h 14h-18h

GERARD HARTMANN ET FILS
Tokay-pinot gris Cuvée Serge 2000★

	0,43 ha	2 300	🍷🍷 11 à 15 €

Cette famille de vignerons de Voegtlinshoffen exploite une parcelle de tokay-pinot gris sur le Hatschbourg, terroir marno-calcaire. Son tokay-pinot gris, jaune doré, décline tout en finesse des arômes de fruits surmûris, des senteurs de sous-bois et de champignon. En bouche, la première impression est le fruit en surmaturation, appuyée par une subtile rondeur, une note de fraîcheur relevant l'ensemble. L'équilibre est presque acquis. Un vin de grande concentration, au bel avenir. (Sucres résiduels : 65 g/l.)

🕽 Gérard et Serge Hartmann, 13, rue Roger-Frémeaux, 68420 Voegtlinshoffen, tél. 03.89.49.30.27, fax 03.89.49.29.78 ☑ ⵎ r.-v.

GILBERT MEYER
Riesling 2000

	16,81 ha	n.c.	🍷 5 à 8 €

Le Hatschbourg, d'exposition sud sud-est, se situe sur les communes de Hattstatt et de Voegtlinshoffen. Son substrat marno-calcaire, pourvu de nombreux cailloutis, réussit admirablement aux grands cépages. La robe de ce riesling est jaune clair très brillante ; le nez semble d'abord fumé, puis fruité. La bouche fine, citronnée, délivre une nuance de menthe. La structure est soutenue par une délicate vivacité qui communique à ce vin persistance et fraîcheur. (Sucres résiduels : 5 g/l.)

🕽 Gilbert Meyer, 5, rue du Schauenberg, 68420 Voegtlinshoffen, tél. 03.89.49.36.65, fax 03.89.86.42.45, e-mail vins.gilbert.meyer@wanadoo.fr ☑ ⵎ r.-v.

WOLFBERGER
Gewurztraminer 2000★

	n.c.	27 000	8 à 11 €

Wolfberger figure au nombre des coopératives qui ont le plus contribué à faire connaître les vins d'Alsace à travers le monde. Le raisin qu'elle vinifie provient de la quasi-totalité de l'aire de production. Jaune brillant, exprimant un fruité agréable de fruits confits et secs, ce gewurztraminer s'ouvre au palais sur une sensation soyeuse, renforcée par de la douceur. Gras, riche, bien charpenté, il accompagnera foie gras, fromage, voire certains desserts pas trop sucrés pendant les cinq prochaines années. (Sucres résiduels : 40 g/l.)

🕽 Wolfberger, 6, Grand-Rue, 68420 Eguisheim, tél. 03.89.22.20.20, fax 03.89.23.47.09 ☑ ⵎ r.-v.

Alsace grand cru hengst

PAUL BUECHER ET FILS
Gewurztraminer Vendanges tardives 1999★

	1,1 ha	6 000	🍷 15 à 23 €

A l'ouest de Colmar, à l'entrée de la vallée de Munster, s'étend Wettolsheim, important bourg viticole. Des exploitations dynamiques y ont élu domicile : celle de Paul Buecher, de 28 ha, est remarquable par son organisation. Elle recherche « une complémentarité entre le cépage, le terroir et l'expression de leur identité ». La robe jaune pâle de ce gewurztraminer est soutenue par des reflets verts. L'églantine, l'abricot sec et la violette dominent au nez. Le palais, ample et structuré, bénéficie d'une matière de qualité. Ce vin encore jeune, de belle fraîcheur, demande à être conservé quatre ou cinq ans.

🕽 Paul Buecher, 15, rue Sainte-Gertrude, 68920 Wettolsheim, tél. 03.89.80.64.73, fax 03.89.80.58.62 ☑ ⵎ r.-v.

DOM. ANDRE EHRHART
Tokay-pinot gris Cuvée Elise 2000★

	0,7 ha	4 600	🍷🍷 8 à 11 €

Le Hengst est un terroir imposant, à l'origine de vins racés, nerveux et fougueux dans leurs premières années. Jaune citron clair, ce tokay-pinot gris, encore fermé au nez, libère des parfums naissants, fruités (pêche, abricot), floraux, et laisse une impression de vivacité. En attaque apparaît une grande fraîcheur, équilibrée par une note de douceur subtile. Le vin se termine sur une nuance plus aérienne mêlée de chaleur. (Sucres résiduels : 35 g/l.) Le **grand cru Hengst gewurztraminer 2000** est cité. (Sucres résiduels : 30 g/l.)

🕽 André Ehrhart et Fils, 68, rue Herzog, 68920 Wettolsheim, tél. 03.89.80.66.16, fax 03.89.79.44.20 ☑ ⵎ t.l.j. sf dim. 8h-11h30 13h30-18h

JOSMEYER
Riesling 2000

	0,5 ha	3 000	15 à 23 €

La maison Josmeyer est très anciennement établie à Wintzenheim. Elle y exploite un vignoble de 25 ha et complète sa production par l'approvisionnement en raisins. Jaune pâle à reflets verts, son riesling du Hengst encore discret débute sur une certaine minéralité un peu citronnée. Au palais, il se fait tendre grâce à une matière incontestablement fruitée. Ce vin, très jeune encore, racé, est de bonne expression. (Sucres résiduels : 4 g/l.)

Josmeyer, 76, rue Clemenceau, 68920 Wintzenheim, tél. 03.89.27.91.99, fax 03.89.27.91.99, e-mail josmeyer@wanadoo.fr ☑ ☖ r.-v.

MOELLINGER
Gewurztraminer 2000

0,66 ha	5 000	☖ 5 à 8 €

Wettolsheim, grande commune viticole, est située aux portes de Colmar. L'importance des exploitations qui s'y trouvent témoigne du dynamisme de ses vignerons. Or paille, ce vin laisse apparaître après aération des arômes floraux accentuant sa typicité. Il présente un volume harmonieux, de l'onctuosité, avant de s'achever sur une finale longue et fine. Le caractère moelleux de ce gewurztraminer en fait un compagnon des fromages fermentés. (Sucres résiduels : 41 g/l.)

SCEA Jos. Moellinger et Fils, 6, rue de la 5e D.-B., 68920 Wettolsheim, tél. 03.89.80.62.02, fax 03.89.80.04.94 ☑ ☖ t.l.j. 8h-12h 13h30-19h; dim. sur r.-v.; f. oct.

Alsace grand cru kanzlerberg

DOM. SYLVIE SPIELMANN
Gewurztraminer 2000

0,5 ha	2 800	▮ 11 à 15 €

Petit par sa surface mais grand par son potentiel d'expression, le Kanzlerberg est un joyau situé sur le ban de Bergheim en exposition sud-ouest. Sylvie Spielmann exploite une parcelle sur ce terroir. Jaune brillant, son gewurztraminer, d'abord fermé, s'ouvre ensuite sur des notes complexes de fruits et de fleurs. Le palais débute tout en souplesse. Sa vivacité délicate lui communique une bonne longueur sur une nuance un peu plus austère due à la grande jeunesse du vin. A attendre encore. (Sucres résiduels : 24,4 g/l.)

Dom. Sylvie Spielmann, 2, rte de Thannenkirch, 68750 Bergheim, tél. 03.89.73.35.95, fax 03.89.73.27.35, e-mail sylvie@sylviespielmann.com ☑ ☖ r.-v.

Alsace grand cru kirchberg de Barr

DOM. HERING
Gewurztraminer Clos Gaensbroennel 2000

0,3 ha	2 000	☖ 11 à 15 €

Les Hering, grande famille de vignerons de Barr, où ils sont établis depuis 1858, comptent parmi les passionnés de la vigne ; l'arrière-grand-père, Edouard Hering, s'est même essayé à la création de porte-greffe. Le 503 Barr est l'une de ses réalisations : ce gewurztraminer en est issu. De teinte jaune, dessinant un disque épais dans le verre, ce 2000 semble encore fermé au nez, mais n'en dégage pas

moins des notes de pain brioché grillé. Son palais fin se pare de quelques arômes de fruits exotiques. De longueur moyenne aujourd'hui, ce vin laisse entrevoir de bonnes capacités d'évolution. (Sucres résiduels : 25 g/l.)

Pierre et Jean-Daniel Hering, 6, rue Sultzer, 67140 Barr, tél. 03.88.08.90.07, fax 03.88.08.08.54, e-mail jdh@infonie.fr ☑ ☖ r.-v.

ANDRE KLEINKNECHT
Riesling 2000

0,6 ha	2 000	☖ 8 à 11 €

Le coteau de Kirchberg de Barr, exposé sud-est, est constitué d'un sol marno-calcaire, riche en galets calcaires. Jaune d'or soutenu, à reflets verts, ce vin est déjà très expressif au nez : les fruits y sont bien présents, complétés par une note de pain grillé. La bouche, ample et relativement riche, se termine cependant sur une note un peu chaude. Ce riesling pourrait avoir une bonne évolution. (Sucres résiduels : 7 g/l.)

André Kleinknecht, 45, rue Principale, 67140 Mittelbergheim, tél. 03.88.08.49.46, fax 03.88.08.49.46, e-mail andre-kleinknecht@wanadoo.fr ☑ ☖ t.l.j. 10h-11h30 14h-18h

Alsace grand cru kirchberg de Ribeauvillé

JEAN SIPP
Riesling 2000

1 ha	5 000	☖ 11 à 15 €

La famille Sipp a été l'une des pionnières de la viticulture. L'exploitation est aujourd'hui dirigée par Jean-Jacques. Une partie importante de ses vignes est cultivée sur le Kirchberg, d'exposition sud sud-ouest, formé d'un sol argileux très riche en caillou. Jaune clair intense, ce vin est très nettement abricot au nez. Ces senteurs de fruits perdurent au palais. Elles sont complétées par un fumé qui relève encore le caractère de ce vin. La structure est bonne et la finale longue. (Sucres résiduels : 12 g/l.)

Dom. Jean Sipp, 60, rue de la Fraternité, 68150 Ribeauvillé, tél. 03.89.73.60.02, fax 03.89.73.82.38, e-mail domaine@jean-sipp.com ☑ 🏠 ☖ r.-v.

Alsace grand cru mambourg

DOM. JEAN-MARC BERNHARD
Gewurztraminer 2000*

0,42 ha	2 700	▮▮ 8 à 11 €

« La vigne est la raison d'être des Bernhard, vignerons depuis 1802 », dit Jean-Marc, le père. La relève est aujourd'hui assurée par Frédéric, œnologue, qui a parfait sa formation lors de stages pratiques, effectués tant en France qu'en Suisse et en Afrique du Sud. Son gewurztraminer du Mambourg, jaune d'or, joue sur les arômes de surmaturation nuancés de cire. Après une bonne attaque, il est riche et capiteux ; l'harmonie sera complète lorsque la douceur sera assimilée. La finale persiste bien. (Sucres résiduels : 25 g/l.)

☛ Domaine Jean-Marc Bernhard, 21, Grand-Rue, 68230 Katzenthal, tél. 03.89.27.05.34, fax 03.89.27.58.72, e-mail jeanmarcbernhard@online.fr ☑ ⌂ ⅂ t.l.j. sf dim. 9h-12h 13h30-19h

PIERRE DUMOULIN-STORCH
Riesling 2000★

	1,33 ha	10 400	11 à 15 €

La Cave de Sigolsheim a été créée en 1945, après la destruction totale du village lors des combats de la poche de Colmar. Elle a ainsi suppléé aux caves des vignerons, ce qui a permis de vinifier la vendange du millésime 1945 ; elle est aujourd'hui à l'origine de ces deux bouteilles retenues dans le Guide. Brillant, limpide, jaune à reflets verts, le riesling dégage des arômes de fruits mûrs et confits. Presque sec, de bonne vivacité, il laisse une impression d'équilibre et d'ampleur, relevée par le caractère citronné de la finale. Un beau vin à attendre. (Sucres résiduels : 8,7 g/l.) Cité, le **gewurztraminer grand cru Mambourg 2000**, tout miel et fruits confits, est gras et onctueux. (Sucres résiduels : 41,5 g/l.)

☛ La Cave de Sigolsheim, 11-15, rue Saint-Jacques, 68240 Sigolsheim, tél. 03.89.78.10.10, fax 03.89.78.21.93 ☑

GERARD FRITSCH
Riesling 2000★

	0,11 ha	900	8 à 11 €

En 1962, date de sa création, cette propriété ne possédait que 1 ha de vignes ; aujourd'hui, elle couvre presque 9 ha, situés sur les meilleurs terroirs de Sigolsheim, dont le Mambourg. Jaune clair, ce riesling affiche un nez puissant de fruits confits. Le palais attaque sur la douceur, soutenu par un corps structuré. La finale est longue et fine. (Sucres résiduels : 16 g/l.)

☛ EARL Gérard Fritsch et Fils, 21, rue de la 1re-Armée, 68240 Sigolsheim, tél. 03.89.78.24.98, fax 03.89.47.32.76, e-mail fritsch.gerard@wanadoo.fr ☑ ⅂ r.-v.

LA CAVE DES RENARDS
Gewurztraminer Vieilles vignes 2000

	0,15 ha	660	🍾 11 à 15 €

Le Mambourg est l'un des grands crus les mieux situés d'Alsace. Prenez la route de la vallée de Kaysersberg ; ce terroir la domine à hauteur de Sigolsheim. Son sol très calcaire permet la maturation optimale du gewurztraminer, du tokay-pinot gris et du muscat. Jaune pâle, ce gewurztraminer offre un nez subtil entre le fruit et la fleur (rose). Le palais est très flatteur, de bonne persistance aromatique. Arrondi par une douceur qui doit encore se fondre, ce vin possède un bon potentiel d'évolution. (Sucres résiduels : 45,9 g/l.)

☛ Dom. André Fuchs, 19, rue de la 1re-Armée, 68240 Sigolsheim, tél. 03.89.47.12.21, fax 03.89.47.12.21 ☑ ⅂ r.-v.
☛ Jacqueline Fuchs

DOM. MAURICE SCHOECH
Tokay-pinot gris 2000★

	0,3 ha	1 800	ⅢⅠ 8 à 11 €

Le coteau de Mambourg, orienté d'ouest en est, s'avance largement vers la plaine d'Alsace et profite, du fait de son exposition sud, d'un ensoleillement maximal. Jaune clair brillant, ce vin puissant mêle les fruits confits et les notes grillées. En bouche, on perçoit une belle matière et un équilibre presque réalisé. Un tokay-pinot gris plaisant, harmonieux, de bonne longueur. (Sucres résiduels : 30 g/l.)

☛ Dom. Maurice Schoech, 4, rte de Kientzheim, 68770 Ammerschwihr, tél. 03.89.78.25.78, fax 03.89.78.13.66 ☑ ⅂ t.l.j. sf dim. 9h-12h 13h30-18h

DOM. STIRN
Gewurztraminer 2000★

	0,25 ha	1 900	🍾Ⅲ◖ 8 à 11 €

Fabien Stirn, œnologue, a repris la vinification des raisins du domaine qui avait été interrompue pendant près d'une vingtaine d'années. L'étiquette « Stirn » réapparaît donc aujourd'hui. Or brillant, ce vin très frais laisse apparaître des arômes floraux intenses. Le sucre encore dominant au palais se fond dans le gras et le soyeux du corps charpenté. Un vin prometteur. (Sucres résiduels : 38 g/l.)

☛ Fabien Stirn, Dom. Stirn, 3, rue du Château, 68240 Sigolsheim, tél. 03.89.47.30.58, fax 03.89.47.30.58 ☑ ⅂ t.l.j. 8h-19h ; dim. 9h-12h

Alsace grand cru mandelberg

BAUMANN-ZIRGEL
Gewurztraminer 2000

	0,4 ha	3 000	8 à 11 €

Mittelwihr fait partie des villages qui ont été fortement endommagés en 1945. Grâce au dynamisme de ses habitants, l'économie viti-vinicole s'est remise en place : elle dépend aujourd'hui essentiellement de vignerons-récoltants metteurs en marché. Presque doré, ce vin se révèle par sa palette de fruits exotiques (litchi, un peu de fruit de la Passion). Le palais soyeux reste dominé par le sucre, mais il s'harmonisera avec le temps. La finale, assez longue, laisse d'ailleurs prévoir cette évolution. (Sucres résiduels : 15 g/l.)

☛ EARL Baumann-Zirgel, 5, rue du Vignoble, 68630 Mittelwihr, tél. 03.89.47.90.40, fax 03.89.49.04.89 ☑ ⌂ ⅂ r.-v.
☛ J.-J. Zirgel

BURGHART-SPETTEL
Riesling 2000

	0,4 ha	3 400	Ⅲ 5 à 8 €

Cette exploitation familiale a son siège à Mittelwihr, au pied du Mandelberg qui a donné naissance à ce vin jaune paille. Le nez dévoile un caractère musqué avec une note vanillée, ce qui est plutôt original pour ce cépage. Après une attaque souple et tendre, apparaît une impression plus vive. Il y a beaucoup de matière, mais les sucres résiduels sont encore trop présents en finale. A attendre. (Sucres résiduels : 7 g/l.)

ᕀ Vins d'Alsace Burghart-Spettel, 9, rte du Vin, 68630 Mittelwihr, tél. 03.89.47.93.19, fax 03.89.49.07.62
☑ ⚐ ⛉ ⅄ r.-v.
ᕀ Spettel

GEORGES ET CLAUDE FREYBURGER
Riesling Vendanges tardives 2000★

	0,11 ha	599	Ⅲ 11 à 15 €

Le domaine Freyburger a été créé en 1956 par Georges Freyburger ; il est aujourd'hui géré par son fils, Claude, qui l'a converti à l'agriculture biologique. Jaune scintillant, ce riesling livre un nez intense mais fin avec une dominante de fumé. En bouche, il laisse une impression fraîche d'agrumes et garde beaucoup de vivacité. La finale est agréable, « désaltérante », selon un dégustateur.

ᕀ Georges et Claude Freyburger, rte des Vins, 68750 Bergheim, tél. 03.89.73.63.78, fax 03.89.73.82.91, e-mail cfreyburger@terre-net.fr ☑ ⛉ ⅄ t.l.j. sf dim. 8h-11h45 13h30-18h

HARTWEG
Riesling 2000

	0,28 ha	2 000	Ⅲ 8 à 11 €

Beblenheim se situe à flanc de coteau sur un mamelon qui s'avance vers la plaine d'Alsace. La famille Hartweg y est établie ; elle exploite une partie de son vignoble sur le Mandelberg voisin. De couleur jaune paille lumineuse, son riesling offre un nez frais, citronné, puis délicatement fleuri. Sa grande matière est encore alourdie par une douceur importante non encore fondue. Sera de bonne garde. (Sucres résiduels : 15 g/l.)

ᕀ Jean-Paul et Frank Hartweg, 39, rue Jean-Macé, 68980 Beblenheim, tél. 03.89.47.94.79, fax 03.89.49.00.83, e-mail frank.hartweg@free.fr
☑ ⛉ ⅄ t.l.j. sf dim. 8h-11h30 13h30-18h

SCHALLER
Riesling 2000

	0,4 ha	3 000	Ⅲ 11 à 15 €

La famille Schaller est anciennement établie à Mittelwihr. Elle s'est forgé une renommée grâce à ses vins de grande typicité (cépage et terroir). Jaune ou à reflets verts, son riesling révèle un nez déjà bien évolué, tendant vers la minéralité. L'attaque est souple. Un vin harmonieux et bien structuré. (Sucres résiduels : 3 g/l.)

ᕀ Edgard Schaller et Fils, 1, rue du Château, 68630 Mittelwihr, tél. 03.89.47.90.28, fax 03.89.49.02.66
☑ ⅄ t.l.j. 9h-12h 14h-18h

PHILIPPE SCHEIDECKER-ZIMMERLIN
Riesling 2000★

	0,1 ha	800	8 à 11 €

Le Mandelberg est décidément fort prisé pour ses rieslings qui s'y expriment de manière typique. Jaune clair, celui-ci, très ouvert au nez, laisse apparaître le fruité caractéristique des agrumes (citron, citron confit et pamplemousse). L'attaque est franche et nette, la bouche grasse. « C'est un beau vin qui a le mérite d'être sec », dit un dégustateur. (Sucres résiduels : 2,6 g/l.)

ᕀ Philippe Scheidecker-Zimmerlin, 13, rue des Merles, 68630 Mittelwihr, tél. 03.89.49.01.29, fax 03.89.49.06.63
☑ ⅄ r.-v.

DOM. JEAN-PAUL ET DENIS SPECHT
Gewurztraminer 2000

	0,28 ha	2 400	11 à 15 €

La Côte des Amandiers, ou Mandelberg, est la colline qui abrite le village de Mittelwihr des vents froids du nord. Son flanc sud, exposé sud sud-est, jouit d'un ensoleillement optimal qui réchauffe rapidement le sol marno-calcaire. Jaune soutenu, ce vin se caractérise par un nez de rose nuancé de fruits : litchi et, surtout, pêche. La bouche, fraîche et jeune, offre une finale fruitée. Un gewurztraminer à attendre entre deux et cinq ans. (Sucres résiduels : 10 g/l.)

ᕀ Dom. Jean-Paul et Denis Specht, 2, rue des Eglises, 68630 Mittelwihr, tél. 03.89.47.90.85, fax 03.89.49.04.22
☑ ⅄ r.-v.

W. WURTZ
Gewurztraminer Vendanges tardives 1998

	0,1 ha	800	Ⅲ 11 à 15 €

Sur la route du Vin à une dizaine de kilomètres au nord-ouest de Colmar, la commune de Mittelwihr est renommée pour son grand cru Mandelberg. Les vignerons y élaborent des vins à haut degré de maturité, à l'exemple de ce gewurztraminer jaune doré brillant. Le nez de miel et de cire se nuance d'abricot. Le palais gras, soyeux et riche est tout en douceur. Déjà de belle harmonie, ce millésime a un grand potentiel de garde. (Bouteilles de 50 cl.)

ᕀ GAEC Willy Wurtz et Fils, 6, rue du Bouxhof, 68630 Mittelwihr, tél. 03.89.47.93.16, fax 03.89.47.89.01
☑ ⅄ t.l.j. 9h-19h

ZIEGLER-MAULER
Les Amandiers Gewurztraminer 2000★★

	0,16 ha	1 150	⅄ 8 à 11 €

Ce domaine, établi dans les années 1960, est aujourd'hui dirigé par le fils Philippe Ziegler. Le grand cru Mandelberg est l'un de ses atouts. Ce terroir précoce, marno-calcaire, jouit d'un ensoleillement optimal tout au long de l'année. Il a donné naissance à ce gewurztraminer intensément jaune, presque doré, aux arômes épicés typiques. Au palais, le vin s'épanouit, onctueux, gras, capiteux jusqu'à une longue finale sur le poivre. (Sucres résiduels : 41 g/l.)

ᕀ Jean-Jacques Ziegler-Mauler Fils, 2, rue des Merles, 68630 Mittelwihr, tél. 03.89.47.90.37, fax 03.89.47.98.27
☑ ⅄ r.-v.
ᕀ Philippe Ziegler

Alsace grand cru moenchberg

ARMAND GILG
Riesling 2000

	1 ha	6 800	⅄ 8 à 11 €

A Mittelbergheim, un des villages les plus pittoresques du vignoble, la maison Gilg est à la tête d'une exploitation de 22 ha. Dans la cour du domaine, vous pourrez voir la pierre tombale d'un moine du XIIᵉs., monument mis au jour en 1964. Jaune paille à reflets verts brillants, ce riesling débute sur la minéralité, puis offre en second nez un fruit assez discret (poire). La bouche est ample, grasse, un peu rectiligne. Des arômes de fruits (pêche, poire) pointent ensuite. La finale devrait gagner en harmonie avec le temps. A attendre. (Sucres résiduels : 8,5 g/l.)

⚲ Dom. Armand Gilg et Fils, 2, rue Rotland, 67140 Mittelbergheim, tél. 03.88.08.92.76, fax 03.88.08.25.91 ☑ 🏠 ￥ t.l.j. 8h-12h 13h30-18h; sam. 17h; dim. 9h-11h30; groupes sur r.-v.

DOM. DU VIEUX PRESSOIR
Gewurztraminer 2000

0,8 ha	4 000	🍷 11 à 15 €

Un vieux pressoir, daté de 1819, en service jusqu'en 1965, orne aujourd'hui la cave, témoin de l'ancienneté de la vocation viticole de la famille Schlosser. Le Moenchberg, terroir à texture fine argilo-limoneuse, a donné naissance à un vin d'un jaune intense qui exhale des arômes d'abord floraux (rose) puis fruités (litchi, amande). Le palais est concentré, très souple, soutenu par une vivacité bien fondue. L'ampleur confirme la grande maturité du raisin. (Sucres résiduels : 15 g/l.)

⚲ Marcel Schlosser, 7, rue des Forgerons, 67140 Andlau, tél. 03.88.08.03.26, fax 03.88.08.13.76, e-mail schlosser@terre-net.fr ☑ 🏠 ￥ t.l.j. 9h-12h 13h30-18h; dim. sur r.-v.

JEAN WACH ET FILS
Riesling 2000

0,7 ha	5 000	🍾 8 à 11 €

Andlau est situé à une trentaine de kilomètres au sud de Strasbourg. Cité intéressante par son histoire, elle est également le point de départ d'excursions vers le Hohwald, le mont Sainte-Odile ou encore le Champ du Feu. Jaune brillant à reflets verts, ce vin livre une expression fruitée (d'agrumes surtout), nuancée de tilleul. En bouche, l'attaque est vive, puis on retrouve le fruit, un peu plus discret, et surtout le tilleul. De longueur moyenne, ce vin est en passe de trouver l'harmonie. (Sucres résiduels : 5 g/l.)

⚲ GAEC Jean Wach et Fils, 16 A, rue du Mal-Foch, 67140 Andlau, tél. 03.88.08.09.73, fax 03.88.08.09.73 ☑ ￥ t.l.j. sf dim. 9h-12h 14h-18h

Alsace grand cru muenchberg

HASSENFORDER
Riesling 2000★

0,31 ha	1 500	🍾 11 à 15 €

Nothalten est fier de son terroir du Muenchberg, dont le sol pauvre, caillouteux et sableux, se réchauffe bien et convient à un cépage tel que le riesling. Jaune pâle, limpide et brillant, ce 2000 présente un caractère floral, souligné d'agrumes puis d'une pointe minérale. Il séduit par sa souplesse et son gras. La même tonalité aromatique qu'au nez se perçoit en rétro-olfaction. Bel avenir. (Sucres résiduels : 10,53 g/l.)

⚲ Gilbert Hassenforder, 57, rte des Vins-d'Alsace, 67680 Nothalten, tél. 03.88.92.41.81, fax 03.88.92.41.81 ☑ ￥ r.-v.

RENE KOCH ET FILS
Riesling 2000★

0,2 ha	1 200	🍾 8 à 11 €

Anciennement implantés à Nothalten, les Koch cultivent aujourd'hui 10 ha de vignes, dont une superficie importante sur le Muenchberg, terroir adapté au riesling. Jaune clair, limpide, de grande brillance, ce vin exprime les agrumes et une intense minéralité. La bouche, harmonieuse, se développe en finesse, soutenue par une fraîcheur délicate. Bel avenir. (Sucres résiduels : 8 g/l.)

⚲ GAEC René et Michel Koch, 5, rue de la Fontaine, 67680 Nothalten, tél. 03.88.92.41.03, fax 03.88.92.63.99, e-mail vin-koch@wanadoo.fr ☑ ￥ r.-v.

DOM. J.-L. SCHWARTZ
Riesling 2000★

0,32 ha	2 500	🍷 5 à 8 €

Cette exploitation familiale est située à Nothalten sur l'ancienne voie romaine ; elle est établie sur un coteau exposé plein sud, dominant la plaine d'Alsace. Une partie de son vignoble s'étend sur le terroir du Muenchberg. Jaune paille à reflets dorés, ce riesling offre un nez fin de fleurs blanches. En bouche, une fraîcheur agréable s'accompagne de notes d'agrumes très présentes et d'une pointe de réglisse en finale. Un vin long et harmonieux. (Sucres résiduels : 3,3 g/l.)

⚲ Dom. J.-L. Schwartz, 70, rte des Vins, 67140 Itterswiller, tél. 03.88.85.51.59, fax 03.88.85.59.16 ☑ ￥ t.l.j. sf dim. 9h-12h 14h-19h

Alsace grand cru ollwiller

VIEIL-ARMAND
Riesling 2000

	n.c.	37 000	8 à 11 €

Wuenheim est l'une des communes viticoles les plus méridionales d'Alsace. Son terroir, Ollwiller, en exposition sud-est, bénéficie d'un sol argilo-sableux plus ou moins lourd, qui convient particulièrement à l'expression singulière du riesling. Jaune paille brillant à reflets verts, celui-ci présente un nez de fruits (pêche) à tendance exotique. La bouche, fraîche et agréable, semble tout aussi fruitée et harmonieuse. Ce vin est encore dans sa jeunesse : laissons-lui le temps de s'exprimer entre quatre et six ans. (Sucres résiduels : 8 g/l.)

⚲ Cave vinicole du Vieil-Armand, 1, rte de Cernay, 68360 Soultz-Wuenheim, tél. 03.89.76.73.75, fax 03.89.76.70.75 ☑ ￥ r.-v.

Alsace grand cru osterberg

LOUIS SIPP
Gewurztraminer Vendanges tardives 1997★

1,32 ha	9 290	🍷 23 à 30 €

Ribeauvillé est un haut-lieu du vignoble. Egalement cité industrielle, la commune s'enorgueillit cependant surtout de ses vins. N'y trouve-t-on pas des maisons parmi les plus connues d'Alsace, telle la maison Sipp : ses 32 ha de vignes en exploitation sont complétés par un approvisionnement en raisins auprès de viticulteurs voisins. Jaune soutenu brillant, ce vin semble très floral au nez : il livre des senteurs de violette, agrémentées de notes de pêche jaune et de mirabelle confite. La bouche harmonieuse développe des flaveurs d'abricot jusqu'à une finale de belle longueur.

↬ Louis Sipp, 5, Grand-Rue, 68150 Ribeauvillé,
tél. 03.89.73.60.01, fax 03.89.73.31.46,
e-mail louis@sipp.com ☒ ⵟ r.-v.
↬ Pierre Sipp

SIPP-MACK
Riesling Vendanges tardives 1999★

n.c.	3 400	∎↓ 11 à 15 €

L'Osterberg fait partie de la trilogie des terroirs classés grands crus de Ribeauvillé. D'exposition sud sud-est, il se caractérise par un sol argilo-marneux allégé et réchauffé par un tissu de cailloutis important. De ce fait, le riesling s'y exprime avec subtilité. Robe or intense particulièrement brillante, nez de fleurs blanches, agrémenté de miel et de fruits confits, bouche onctueuse et capiteuse : ce vin offre l'exemple du potentiel de l'Osterberg. Des arômes de fruits confits, de coing, d'abricot en rehaussent la subtilité. (Bouteilles de 50 cl.)

↬ Dom. Sipp-Mack, 1, rue des Vosges,
68150 Hunawihr, tél. 03.89.73.61.88,
fax 03.89.73.36.70, e-mail sippmack@sippmack.com
☒ ⵢ ⵟ r.-v.

Alsace grand cru pfersigberg

PAUL GINGLINGER
Gewurztraminer 2000★

0,8 ha	7 000	8 à 11 €

Ce domaine, créé en 1636, vient d'être repris par le fils de Paul Ginglinger, Michel. Œnologue, celui-ci s'est perfectionné depuis qu'il a quitté l'université en effectuant des stages de longue durée en Afrique du Sud et au Chili. Il a assuré sa première vinification des vins du domaine en 2000. Jaune à reflets brillants, ce gewurztraminer présente déjà une expression agréable au nez, à la fois florale (rose) et épicée. Sa bouche douce, ample, d'un bon équilibre termine longuement sur les épices. (Sucres résiduels : 30 g/l.)

↬ Paul Ginglinger, 8, pl. Charles-de-Gaulle,
68420 Eguisheim, tél. 03.89.41.44.25, fax 03.89.24.94.88
☒ ⵟ t.l.j. sf dim. 8h-12h 13h30-19h

PIERRE SCHUELLER ET FILS
Tokay-pinot gris 2000

0,34 ha	2 000	⫙ 8 à 11 €

Le Pfersigberg domine Eguisheim à l'ouest. Exposé est sud-est, il est formé d'un sol marno-calcaire adapté au tokay-pinot gris. Une belle robe jaune à reflets dorés

brillants habille ce vin au nez discret, de fruits et de sous-bois. Le palais, de belle tenue, n'est « ni trop doux, ni trop sec », selon une dégustatrice. La longueur est satisfaisante. (Sucres résiduels : 12 g/l.)

↬ Dom. Pierre Schueller, 4, rte du Vin,
68420 Husseren-les-Châteaux, tél. 03.89.49.30.36,
fax 03.89.49.30.36 ☒ ⵢ ⵟ r.-v.

Alsace grand cru pfingstberg

LUCIEN ALBRECHT
Riesling 2000★

3 ha	15 000	∎↓ 11 à 15 €

Etabli depuis 1772 à Orschwihr, ce domaine est l'un des plus importants du Pfingstberg (3 ha en propriété). Ses vins sont surtout commercialisés dans le circuit de la clientèle particulière. Jaune clair à reflets verts, ce riesling est puissamment floral (acacia). Equilibré et complexe au palais, il se développe tout en finesse. Plaisant, il est bien représentatif du terroir. (Sucres résiduels : 7,5 g/l.)

↬ Lucien Albrecht, 9, Grand-Rue, 68500 Orschwihr,
tél. 03.89.76.95.18, fax 03.89.76.20.22,
e-mail lucien.albrecht@wanadoo.fr ☒ ⵟ t.l.j. 8h-19h;
f. dim. de jan. à juin
↬ Jean Albrecht

FRANCOIS SCHMITT
Gewurztraminer 2000

0,45 ha	3 300	∎ 5 à 8 €

Cette exploitation, relativement récente, puisqu'elle n'a démarré qu'en 1970 avec 3 ha de vignes, atteint aujourd'hui 11 ha situés sur les coteaux renommés du Bollenberg et du Pfingstberg. Jaune soutenu à reflets verts, ce vin s'ouvre sur des impressions épicées. D'attaque fraîche, il possède du volume, de la personnalité et une bonne persistance sur le fruit. « Un vin sympathique », selon l'un des dégustateurs. (Sucres résiduels : 35 g/l.)

↬ Cave François Schmitt, 19, rte de Soultzmatt,
68500 Orschwihr, tél. 03.89.76.08.45, fax 03.89.76.44.02
☒ ⵟ r.-v.

ALBERT ZIEGLER
Gewurztraminer 2000★

0,32 ha	2 600	∎ 8 à 11 €

Orschwihr est dominé par le Pfingstberg, dont le sol à texture argilo-gréseuse contient du grès micacé. Ce coteau appartenait autrefois à un couvent, et les premiers écrits qui le mentionnent datent de 1299. D'un jaune limpide et brillant, ce vin offre des nuances de girofle d'une grande finesse. Délicatement fruité au palais, il révèle une belle fraîcheur, qui souligne son caractère gouleyant. Elégant, il fera bonne figure à table à n'importe quel moment. (Sucres résiduels : 32,6 g/l.)

↬ Albert Ziegler, 10, rue de l'Eglise, 68500 Orschwihr,
tél. 03.89.76.01.12, fax 03.89.74.91.32
☒ ⵟ t.l.j. 8h-12h 13h30-19h; dim. sur r.-v.

Alsace grand cru praelatenberg

DOM. ENGEL
Riesling 2000★

	2 ha	16 000	▮▮ 8 à 11 €

Cette exploitation est privilégiée par l'implantation de son vignoble : ne possède-t-elle pas 7 ha (sur les 18 ha que compte le domaine) dans ce grand cru ? Une chance merveilleusement exploitée, à en juger par ce riesling jaune clair à reflets verts, qui présente une expression olfactive élégante de fruits et de fougère. Le palais frais révèle un bon équilibre et une persistance aromatique qui confirment la qualité de la constitution du vin. (Sucres résiduels : 8,3 g/l.)

☛ Domaines Engel Frères, 1, rue des Vignes, Haut-Kœnigsbourg, 67600 Orschwiller, tél. 03.88.92.01.83, fax 03.88.92.17.27, e-mail vins-engel@wanadoo.fr
☑ ⌂ ⵟ t.l.j. 9h-11h30 14h-18h

Alsace grand cru rangen de thann

CLOS SAINT-THEOBALD
Riesling 2000

	1 ha	4 000	⦀ 15 à 23 €

Le Rangen est le grand cru le plus méridional du vignoble. La pente est très accentuée, le sol, d'origine volcanique, de couleur sombre et très pierreux, se distingue par sa capacité d'accumuler la chaleur. La maison Schoffit, établie à Colmar, y exploite une superficie importante. La robe de son riesling est extrêmement intense, d'un doré profond. Le nez, encore fermé, fait cependant preuve de complexité. Le palais, riche, est dominé par des arômes de surmaturation. C'est une grande matière hors du commun. « Un vin pour connaisseurs avertis », conclut l'un des dégustateurs. (Sucres résiduels : 2 g/l.)

☛ Dom. Schoffit, 66-68 Nonnenholzweg, 68000 Colmar, tél. 03.89.24.41.14, fax 03.89.41.40.52
☑ ⵟ r.-v.
☛ Bernard Schoffit

MARTIN SCHAETZEL
Riesling 2000★

	0,45 ha	1 800	⦀ 15 à 23 €

La maison Schaetzel, établie à Ammerschwihr, s'est étendue à Thann dans le terroir très convoité du Rangen. Ce lieu-dit confère une élégance caractéristique aux rieslings. Jaune à reflets or, ce vin se distingue par la complexité de ses arômes : agrumes, fruits confits et minéralité. La bouche, ample et grasse, traduit une grande maturité. Bel avenir. (Sucres résiduels : 7 g/l.)

☛ Martin Schaetzel, 3, rue de la 5e D.-B., 68770 Ammerschwihr, tél. 03.89.47.11.39, fax 03.89.78.29.77 ☑ ⵟ r.-v.

Alsace grand cru rosacker

CAVE VINICOLE DE HUNAWIHR
Tokay-pinot gris 2000★★

	0,8 ha	5 000	▮ 8 à 11 €

Hunawihr, à quelques kilomètres au sud de Ribeauvillé, est connu pour son église fortifiée. A l'entrée du village, un parc à cigognes a été ouvert. Mais cette commune est surtout viticole, et son grand cru Rosacker est convoité par les vignerons. Brillant à reflets dorés, ce vin possède une palette fruitée qui se précise au second nez : pêche et mangue. Un peu doux au premier abord, il donne ensuite une impression de grande finesse, d'élégance, de concentration. Gardez-le deux ans pour l'apprécier pleinement et servez-le sur une tarte à l'abricot. (Sucres résiduels : 35 g/l.)

☛ Cave vinicole de Hunawihr, 48, rte de Ribeauvillé, 68150 Hunawihr, tél. 03.89.73.61.67, fax 03.89.73.33.95
☑ ⵟ t.l.j. 8h-12h 14h-18h

CAVE VINICOLE DE RIBEAUVILLE
Riesling 2000

	0,26 ha	n.c.	▮▮ 11 à 15 €

Créée en 1895, la cave de Ribeauvillé est la plus ancienne coopérative de France. Elle propose un riesling jaune pâle, très floral au nez, racé en bouche. Le caractère minéral apparaît déjà, en accord avec la typicité du Rosacker, dont le sol est à texture lourde, marno-calcaire. La finale agréable est de bonne longueur. (Sucres résiduels : 8,5 g/l.)

☛ Cave vinicole de Ribeauvillé, 2, rte de Colmar, 68150 Ribeauvillé, tél. 03.89.73.61.80, fax 03.89.73.31.21 ☑ ⵟ r.-v.

Alsace grand cru saering

LOBERGER
Gewurztraminer 2000★★

	0,25 ha	1 500	▮▮ 23 à 30 €

Le Saering est situé, entre Bergholtz et Guebwiller, en exposition sud-est ; il repose sur un sol à texture marno-sableuse assez lourde, mais recouvert d'un abondant cailloutis. Ce vin montre que ce terroir convient parfaitement à l'expression du gewurztraminer. Jaune d'or avec de nombreuses jambes, il exprime sa jeunesse : réservé au premier nez, il s'ouvre ensuite sur des notes d'écorce d'orange confite. Souple au palais, où domine une flaveur de fraise, ce 2000 très gras, voire capiteux, se termine sur une finale fraîche, signe d'un grand potentiel. (Sucres résiduels : 53 g/l.)

☛ EARL Joseph Loberger, 10, rue de Bergholtz-Zell, 68500 Bergholtz, tél. 03.89.76.88.03, fax 03.89.74.16.83, e-mail vin.loberger@worldonline.fr ☑ ⵟ r.-v.

Vendanges tardives et Sélection de grains nobles désignent des vins moelleux ou liquoreux.

Alsace grand cru schlossberg

SALZMANN
Gewurztraminer 2000

| | 0,28 ha | 1 400 | ⊞ 8 à 11 € |

Le Schlossberg a été le premier terroir à grand cru délimité en Alsace. Son nom apparut au XV⁰s. dans les écrits. Dès 1928, les vignerons de Kayersberg et de Kientzheim avaient rédigé une convention dans laquelle étaient établies les règles de production. Jaune d'or marqué par des reflets verts brillants, ce vin livre des senteurs de sous-bois, puis des parfums plus floraux pour terminer sur le fruit confit. En bouche, il se montre puissant, encore dominé par le sucre mais de bonne longueur sur des notes confites. (Sucres résiduels : 60 g/l.)

⌖ Salzmann-Thomann, Dom. de l'Oberhof, 3, rue de l'Oberhof, 68240 Kaysersberg, tél. 03.89.47.10.26, fax 03.89.78.13.08 ☑ ⟆ r.-v.

ZIEGLER-MAULER
Les Murets Riesling 2000★

| | 0,27 ha | 1 600 | ⊞ 8 à 11 € |

D'exposition sud, le coteau du Schlossberg domine Kaysersberg du côté nord. Une excellente situation particulièrement adaptée au riesling. Une belle robe jaune intense caractérise ce vin. Le nez riche, déjà évolué, laisse une impression minérale. L'attaque est nette, dominée par un arôme citronné. Un riesling plein et long. (Sucres résiduels : 7,4 g/l.)

⌖ Jean-Jacques Ziegler-Mauler Fils, 2, rue des Merles, 68630 Mittelwihr, tél. 03.89.47.90.37, fax 03.89.47.98.27 ☑ ⟆ r.-v.

Alsace grand cru schoenenbourg

DOM. BAUMANN
Riesling 2000★

| | 2,08 ha | 8 400 | ⊞ 15 à 23 € |

« Le Schoenenbourg où pousse le vin le plus noble », écrivait-on en 1663 de ce grand cru. Jaune paille à reflets verts, ce vin lui fait honneur par son expression. Il possède une dominante d'agrumes et de fleurs blanches au nez, avec une touche de tilleul. Ce côté floral réapparaît finement en bouche, après une attaque franche. Il se mêle à un caractère minéral qui commence à s'affirmer. (Sucres résiduels : 7,4 g/l.)

⌖ Dom. Baumann-Woelfflé, 8, av. Méquillet, 68340 Riquewihr, tél. 03.89.47.92.14, fax 03.89.47.99.31, e-mail info@domaine-baumann.com ☑ ⟆ r.-v.

DOPFF AU MOULIN
Riesling 2000★★

| | 8,8 ha | 38 000 | ⊞ 11 à 15 € |

La maison Dopff au Moulin fait partie de ces entreprises qui ont contribué à la notoriété du vin d'Alsace.

Elle exporte 30 % de sa production en Europe, aux Etats-Unis et au Japon. Jaune paille soutenu, ce vin se présente au nez sous les meilleurs auspices : intensément fruité avec une dominante d'agrumes. Au palais, l'attaque est ample et grasse. Ce riesling a de la mâche, un volume qui soutient une finale remarquablement longue. (Sucres résiduels : 6 g/l.)

⌖ SA Dopff au Moulin, 2, av. Jacques-Preiss, 68340 Riquewihr, tél. 03.89.49.09.69, fax 03.89.47.83.61, e-mail domaines@dopff-au-moulin.fr ☑ ⟆ t.l.j. 9h-12h 14h-18h

DOPFF ET IRION
Riesling 2000★★

| | 2,16 ha | 18 000 | ⊞ 15 à 23 € |

Sur les 27 ha que compte la maison Dopff et Irion, plus de 2 ha se situent sur le Schoenenbourg. Ils sont plantés en riesling, cépage qui y réussit bien. Jaune paille soutenu, animé de reflets verts, ce vin sent intensément les fruits, telles la pêche et la poire, avant de s'inscrire dans un registre floral. A l'attaque succède des arômes variés de fruits mûrs dans une bouche fine et suffisamment structurée pour assurer à ce riesling un bon vieillissement. (Sucres résiduels : 8,6 g/l.)

⌖ Dopff et Irion, Dom. du château de Riquewihr, 68340 Riquewihr, tél. 03.89.47.92.51, fax 03.89.47.98.90, e-mail post@dopff-irion.com ☑ ⟆ r.-v.

FRANCOIS LEHMANN
Riesling 2000★

| | 0,23 ha | 1000 | ⊞ 8 à 11 € |

Riquewihr est le bourg viticole le plus connu et le plus visité d'Alsace. Ses richesses architecturales et historiques attirent tout au long de l'année des milliers de touristes. Jaune paille à reflets verts, ce vin révèle des arômes de fumé, ainsi qu'un léger boisé allié à une minéralité naissante. Le palais est viril, soutenu par une vivacité bien présente et des flaveurs d'agrumes. En finale, on perçoit des notes de menthe. A attendre. (Sucres résiduels : 6 g/l.)

⌖ François Lehmann, 12, av. Jacques-Preiss, 68340 Riquewihr, tél. 03.89.47.95.16, fax 03.89.47.87.93 ☑ ⟆ r.-v.

RAYMOND RENCK
Riesling 2000★

| | 0,08 ha | 600 | 8 à 11 € |

Le Schoenenbourg est décidément le terroir du riesling. Dès le XVI⁰s., ses vins étaient réputés dans toute l'Europe du Nord. Jaune plutôt clair, celui-ci livre un nez floral de tilleul et d'acacia. L'attaque, d'une vivacité soutenue, lui confère un certain caractère de virilité. La matière est dense et, en finale, on retrouve les senteurs florales. A attendre cinq ans. (Sucres résiduels : 5,7 g/l.)

⌖ EARL Raymond Renck, 11, rue de Hoën, 68980 Beblenheim, tél. 03.89.47.91.59, fax 03.89.47.91.59 ☑ ⟆ r.-v.

ANTOINE ZIMMER
Riesling 2000★★

| | 0,85 ha | 3 500 | ⊞ 11 à 15 € |

Le Schoenenbourg est un monument parmi les terroirs d'Alsace. Dominant majestueusement Riquewihr, il est exposé sud sud-est sur des pentes relativement fortes.

Constitué d'un sol marneux parsemé de cailloutis siliceux, il donne naissance à de grands vins de garde, à l'image de celui-ci. La robe est jaune doré, de grande brillance. Le nez, intense et expressif, laisse percevoir des arômes de fruits mûrs et un soupçon de minéralité. En bouche, l'attaque est délicate. Ample et complexe, puissant et riche, c'est un vin élaboré avec art. La finale longue parachève l'harmonie. Une garde de cinq à dix ans est permise. (Sucres résiduels : 10 g/l)

☛ Antoine Zimmer, 44, rue du Gal-de-Gaulle, 68340 Riquewihr, tél. 03.89.47.85.01, fax 03.89.47.99.39, e-mail zimmer.antoine@wanadoo.fr ✔ 🏠 ⟀ r.-v.

Alsace grand cru sommerberg

FRANCOIS BOHN
Riesling 2000

	0,5 ha	1 800	▐ 8 à 11 €

François Bohn possède une grande partie de son vignoble en coteau, dont plus de 2 ha sur des terroirs classés grands crus. Sa première mise en bouteilles date de 1998. Jaune soutenu à l'œil, ce vin révèle une bonne expression malgré sa jeunesse. L'attaque assez douce traduit une matière de bonne naissance. L'intensité et la longueur aromatiques sont honorables. (Sucres résiduels : 2 g/l.)

☛ François Bohn, 35, rue des Trois-Epis, 68040 Ingersheim, tél. 03.89.27.31.27, fax 03.89.27.31.27 ✔ ⟀ r.-v.

JUSTIN BOXLER
Riesling 2000★

	0,44 ha	3 500	▥ 8 à 11 €

Cette famille, originaire du canton de Saint-Gall, en Suisse, est établie à Niedermorschwihr depuis 1672. Jaune clair, son vin a une belle expression citronnée. La bouche, fraîche, reprend cette palette. D'une bonne longueur, elle est harmonieuse et équilibrée. (Sucres résiduels : 4,8 g/l.)

☛ GAEC Justin Boxler, 15, rue des Trois-Epis, 68230 Niedermorschwihr, tél. 03.89.27.11.07, fax 03.89.27.01.44, e-mail justin.boxler@online.fr ✔ ⟀ t.l.j. 8h-12h 14h-19h; groupes sur r.-v.

Alsace grand cru sonnenglanz

CAVE VINICOLE DE RIBEAUVILLE
Tokay-pinot gris 2000

	0,18 ha	1 000	▐⟁ 11 à 15 €

La cave de Ribeauvillé se distingue régulièrement par ses actions en faveur d'associations diverses. A ce titre, elle a obtenu le premier prix européen du mécénat. Jaune pâle et d'une grande limpidité, ce vin se distingue par son nez fin de fruits (pêche) et de fleurs blanches. L'impression de douceur en attaque est importante. La fraîcheur du milieu de bouche rétablit l'équilibre. De bonne longueur, la finale mérite cependant de se fondre encore. (Sucres résiduels : 60 g/l.)

☛ Cave vinicole de Ribeauvillé, 2, rte de Colmar, 68150 Ribeauvillé, tél. 03.89.73.61.80, fax 03.89.73.31.21 ✔ ⟀ r.-v.

Alsace grand cru spiegel

DIRLER
Gewurztraminer 2000★

	0,33 ha	2 200	▥ 15 à 23 €

L'une des grandes maisons du sud de l'Alsace. Le domaine s'est agrandi depuis peu en reprenant une partie importante de la propriété Cadé. Ses terroirs en sont d'autant plus diversifiés. Ce gewurztraminer illustre le grand cru Spiegel, au sol essentiellement argilo-sableux. Sa robe jaune pâle traduit toute sa jeunesse. Après un premier nez épicé et brioché, la rose apparaît. La bouche onctueuse, capiteuse révèle une douceur importante en relation avec la grande maturité du raisin. Un vin d'avenir que le consommateur devra encore attendre un peu. (Sucres résiduels : 40 g/l.)

☛ EARL Dirler-Cadé, 13, rue d'Issenheim, 68500 Bergholtz, tél. 03.89.76.91.00, fax 03.89.76.85.97, e-mail jpdirler@terre-net.fr ✔ ⟀ r.-v.
☛ Ludivine et Jean Dirler

Alsace grand cru sporen

HORCHER
Gewurztraminer 2000★★

	0,14 ha	1 100	▐⟁ 11 à 15 €

Le Sporen, situé sur le ban de Riquewihr, est un cirque naturel orienté en pente douce vers le sud-est. La texture argilo-marneuse des terrains donne naissance à un sol profond et riche, propice au gewurztraminer. Jaune d'or avec un disque épais, celui-ci dégage des notes chaudes d'épices au premier nez, puis s'ouvre sur les fruits jaunes et la mirabelle cuite. Le palais s'inscrit dans la même ligne, d'une grande souplesse soutenue par une vivacité délicate et une concentration sensible. L'expression de ce vin parfaitement structuré ne peut que s'améliorer encore avec le temps. (Sucres résiduels : 34 g/l.)

⚲ Ernest Horcher et Fils, 6, rue du Vignoble, 68630 Mittelwihr, tél. 03.89.47.93.26, fax 03.89.49.04.92

☑ ⌂ ⚲ t.l.j. sf dim. 8h-12h 14h-19h

Alsace grand cru steinert

FRANÇOIS FLESCH
Riesling 2000

	0,16 ha	1 200	▮▥	5 à 8 €

A quelques kilomètres au sud de Colmar, Pfaffenheim est un bourg essentiellement viticole. De nombreux vignerons metteurs en marché y sont établis, parmi lesquels François Flesch. Jaune doré à reflets argentés, ce vin libère des notes minérales, mêlées de fleurs et d'un peu de verveine. En bouche, il est marqué par une certaine rondeur qui contrebalance la vivacité. La finale persiste bien, surtout sur la minéralité. (Sucres résiduels : 13 g/l.)

⚲ François Flesch et Fils, 20, rue du Stade, 68250 Pfaffenheim, tél. 03.89.49.66.36, fax 03.89.49.74.71 ☑ ⚲ t.l.j. 8h-12h 14h-19h; dim. sur r.-v.

PIERRE FRICK
Riesling 2000★

	n.c.	n.c.	▥	8 à 11 €

Pierre Frick fut l'un des pionniers de la culture biologique en Alsace (depuis 1970). En 1981, il a opté pour la biodynamie. Jaune doré à reflets verts, ce riesling du Steinert offre un nez intense et fin : fleurs blanches d'abord, puis fruits et, enfin, notes briochées. L'équilibre de la bouche met en valeur la typicité du vin, avec une minéralité bien apparente. L'harmonie générale est presque acquise. Bel avenir. (Sucres résiduels : 3 g/l.)

⚲ Pierre Frick, 5, rue de Baer, 68250 Pfaffenheim, tél. 03.89.49.62.99, fax 03.89.49.73.78, e-mail pierre.frick@wanadoo.fr ☑ ⚲ t.l.j. sf dim. 9h-11h30 13h30-18h30

ROGER HEYBERGER
Gewurztraminer 2000

	0,46 ha	3 900	▮⚬	8 à 11 €

Ce domaine de 20 ha, situé à Obermorschwihr, exploite une partie de ses vignes sur le Steinert voisin. Le sol calcaire de ce terroir convient parfaitement au gewurztraminer, dont il affine l'expression. Celui-ci est jaune intense, avec des reflets verts brillants. Le nez discrètement floral s'épanouit ensuite sur les épices et les arômes variétaux. La bouche est franche, de grande puissance, bien équilibrée. La finale, d'assez bonne longueur, conclut la dégustation sur une nuance épicée très agréable. (Sucres résiduels : 16,40 g/l.)

⚲ Roger Heyberger et Fils, 5, rue Principale, 68420 Obermorschwihr, tél. 03.89.49.30.01, fax 03.89.49.22.28 ☑ ⚲ t.l.j. sf dim. 8h-11h45 14h-18h

DOM. MOLTÈS
Gewurztraminer Vendanges tardives 1999★★

	0,83 ha	900	▥	11 à 15 €

Ce domaine de 11 ha est exploité à Pfaffenheim par la famille Moltès, dont les ancêtres ont élaboré du vin

dès le XVIIIᵉs. Le Steinert possède une structure de calcaire du Dogger oolithique, propice au gewurztraminer. D'un jaune franc, ce millésime développe des senteurs florales nuancées ensuite par le coing, le citron et même la mirabelle. D'une souplesse remarquable, il bénéficie d'une vivacité bien perceptible qui lui assure une structure favorable à une longue conservation. (Bouteilles de 50 cl.)

⚲ Dom. Antoine Moltès et Fils, 8-10, rue du Fossé, 68250 Pfaffenheim, tél. 03.89.49.60.85, fax 03.89.49.50.43, e-mail domaine@vins-moltes.com

☑ ⚲ t.l.j. 8h-12h 14h-19h

DOM. MOLTÈS
Tokay-pinot gris 2000★

	0,31 ha	1 500	▥	8 à 11 €

Cette famille compte aujourd'hui sur Stéphane et Michael, les fils d'Antoine Moltès, pour exploiter un vignoble de 11 ha, dont une partie importante dans le grand cru Steinert. Jaune d'or à reflets clairs, ce vin déjà intense livre des parfums de fruits surmûris puis de pêche et d'abricot cuit. Au palais, on perçoit une grande rondeur soutenue par une vivacité agréable. Ce pinot gris bien charpenté se termine assez longuement sur des arômes confits. (Sucres résiduels : 33 g/l.)

⚲ Dom. Antoine Moltès et Fils, 8-10, rue du Fossé, 68250 Pfaffenheim, tél. 03.89.49.60.85, fax 03.89.49.50.43, e-mail domaine@vins-moltes.com

☑ ⚲ t.l.j. 8h-12h 14h-19h

LES VIGNERONS DE PFAFFENHEIM ET GUEBERSCHWIHR
Tokay-pinot gris 2000

	3 ha	21 500	▮⚬	11 à 15 €

Créée en 1957, la cave de Pfaffenheim a fusionné avec celle de Gueberschwihr en 1968. Ensemble important, elle s'est encore agrandie sur Riquewihr et compte aujourd'hui parmi les coopératives les plus renommées d'Alsace. Jaune à reflets dorés, ce tokay livre des notes intenses de fruits et de fleurs. Au deuxième nez apparaissent la cannelle et le poivre. Le palais laisse une impression de puissance et de gras, bien persistante. Un vin de gastronomie. (Sucres résiduels : 23 g/l.)

⚲ Cave de Pfaffenheim, 5, rue du Chai, BP 33, 68250 Pfaffenheim, tél. 03.89.78.08.08, fax 03.89.49.71.65, e-mail cave@pfaffenheim.com

☑ ⚲ t.l.j. 8h-12h 14h-18h

DOM. RIEFLE
Gewurztraminer 2000

	0,65 ha	5 000	▮⚬	8 à 11 €

Le Steinert se situe en exposition est, au sud de la commune de Pfaffenheim. Il est de structure essentiellement calcaire, et son sol emmagasine la chaleur du jour grâce à la présence d'un cailloutis abondant. Ce vin plaisant, or blanc brillant, laisse de nombreuses jambes sur le verre, présage de sa puissance. Le nez expressif est à dominante épicée. L'attaque, douce en bouche, développe ensuite des flaveurs de poivre, en harmonie avec le gras et la puissance. La finale est de bonne longueur. (Sucres résiduels : 18,4 g/l.)

⚲ Dom. Riefle, 11, pl. de la Mairie, 68250 Pfaffenheim, tél. 03.89.78.52.21, fax 03.89.49.50.98, e-mail riefle@riefle.com ☑ ⚲ r.-v.

WOLFBERGER
Tokay-pinot gris 2000

	n.c.	4 800	8 à 11 €

Wolfberger possède une cave emplie de foudres de chêne de toute beauté, datant de 1902. Celle-ci contient encore les meilleurs crus, notamment ceux qui méritent un long élevage. De couleur jaune d'or, ce vin offre un nez de fruits confits (pêche, poire) nuancé de fumé. Le caractère confit se retrouve dans une bouche ample, assez fine qui a presque atteint son équilibre. La persistance aromatique est satisfaisante. (Sucres résiduels : 50 g/l.)
☛ Wolfberger, 6, Grand-Rue, 68420 Eguisheim, tél. 03.89.22.20.20, fax 03.89.23.47.09 ☑ ⟂ r.-v.

Alsace grand cru steingrübler

BUTTERLIN
Tokay-pinot gris 2000★

	0,25 ha	1 600	8 à 11 €

A l'ouest de Wettolsheim, le Steingrübler domine le village en exposition sud-est. Son sol caillouteux marno-calcaire se réchauffe facilement sous les rayons du soleil, dès le matin. C'est un excellent terroir pour le tokay-pinot gris. Jaune doré de belle brillance, celui-ci présente un premier nez floral avant de s'orienter vers le fumé et le sous-bois. D'une complexité agréable en bouche, il possède de la structure et une matière concentrée marquée par les fruits confits. La finale longue livre une note de bergamote. Un tokay-pinot gris apte à la garde. (Sucres résiduels : 52 g/l.)
☛ Jean Butterlin, 27, rue Herzog, 68920 Wettolsheim, tél. 03.89.80.60.85, fax 03.89.80.58.61, e-mail info@butterlin.fr ☑ ⟂ r.-v.

Alsace grand cru steinklotz

ROMAIN FRITSCH
Muscat Vendanges tardives 1999★

	n.c.	n.c.	15 à 23 €

La commune de Marlenheim est située à l'une des extrémités de la route des Vins d'Alsace, non loin de Strasbourg : son vignoble fait partie de la Couronne d'Or de cette ville. Si autrefois le village était surtout reconnu pour ses vins rouges de pinot noir, il excelle aujourd'hui dans tous les cépages. Les muscats de vendanges tardives sont des denrées rares. Celui-ci, ambré, présente un nez intense légèrement fumé, très typé du muscat. La bouche agréable est une composition complexe de flaveurs variétales et d'épices diverses. Ce vin, d'une grande délicatesse, a encore un bel avenir.
☛ EARL Romain Fritsch, 49, rue du Gal-de-Gaulle, 67520 Marlenheim, tél. 03.88.87.51.23, fax 03.88.87.51.23 ⟂ t.l.j. 8h-19h

Alsace grand cru vorbourg

GRUSS
Gewurztraminer Vendanges tardives 2000★

	0,7 ha	4 000	15 à 23 €

Le domaine Gruss a su diversifier ses terroirs. C'est ainsi qu'il exploite, outre les grands crus d'Eguisheim, le Vorbourg, situé à l'ouest de Rouffach, sur des contreforts marno-calcaires à cailloutis important. Ce cru précoce permet l'expression optimale de tous les cépages. De belle brillance, jaune doré, ce vin se caractérise par des arômes d'agrumes complétés par des nuances de fruits surmûris et d'épices. L'attaque est franche, puissante et équilibrée. Gras et charpenté, ce gewurztraminer offre une finale longue, sur des fruits, à dominante d'agrumes.
☛ Dom. Gruss, 25, Grand-Rue, 68420 Eguisheim, tél. 03.89.41.28.78, fax 03.89.41.76.66, e-mail domainegruss@hotmail.com ☑ ⟂ r.-v.

CLOS SAINT-LANDELIN
Muscat Vendanges tardives 1999★

	0,5 ha	1 160	30 à 38 €

Qui ne connaît le domaine Muré à Rouffach ? C'est l'un des grands noms du vignoble. Couvrant les collines de Rouffach et de Westhalten, ses vignes, souvent en terrasses, sont aujourd'hui conduites en biodynamie. Les vins sont d'une grande typicité, à l'exemple de ce muscat récolté en vendanges tardives. Or brillant dans le verre, il offre des arômes de fruits secs et de raisins secs, alliés à des notes muscatées très fines. La bouche est harmonieuse, « très féminine », suave, tout en dentelle, et persistante. Un des dégustateurs donne son impression finale : « Vin destiné aux amateurs de muscat qui recherchent l'élégance. »
☛ René Muré, Clos Saint-Landelin, rte du Vin, 68250 Rouffach, tél. 03.89.78.58.00, fax 03.89.78.58.01, e-mail rene@mure.com
☑ ⟂ t.l.j. sf dim. 8h-12h 14h-18h

Alsace grand cru wiebelsberg

DOM. ANDRE ET REMY GRESSER
Riesling 2000★

	0,75 ha	3 000	15 à 23 €

Une maison qui a un passé. En effet, un ancêtre, Thiébaut Gresser, fut vigneron et prévôt d'Andlau en 1520. Ce domaine, aujourd'hui l'un des plus connus d'Andlau, exploite plus de 10 ha de vignes. Jaune pâle à reflets verts, riche en larmes persistantes, ce vin montre un nez discret d'agrumes. La bouche souple offre une belle fraîcheur et une agréable puissance. Très persistant, ce 2000 est déjà harmonieux. (Sucres résiduels : 5 g/l.)
☛ Dom. André et Rémy Gresser, 2, rue de l'Ecole, 67140 Andlau, tél. 03.88.08.95.88, fax 03.88.08.55.99, e-mail remy.gresser@wanadoo.fr ☑ ⟂ r.-v.

MARC KREYDENWEISS
Riesling La Dame 2000★

	1,5 ha	6 000	8 à 11 €

Depuis quelques années, Marc Kreydenweiss a opté pour la culture biodynamique. Ses vins sont largement

exportés dans le monde. Jaune pâle à reflets or, son riesling décline une palette impressionnante : fruits (pample-mousse), fleurs blanches et notes minérales apparaissent simultanément. L'attaque est presque parfaite exprimant surtout la minéralité du terroir, minéralité presque aérienne. Ce 2000 devra cependant encore mûrir un peu. (Sucres résiduels : 5 g/l.)
☛ Dom. Marc Kreydenweiss, 12, rue Deharbe, 67140 Andlau, tél. 03.88.08.95.83, fax 03.88.08.41.16 ☑ 𝕐 r.-v.

ANDRE ET LUCAS RIEFFEL
Riesling 2000★★★

| | 0,76 ha | 4 000 | | ▤ ⬗ 11 à 15 € |

Andlau est riche de ses terroirs à grand cru. Le Wiebelsberg, d'exposition sud et à pente très escarpée, est formé d'un sol sableux d'origine gréseuse. Le riesling affectionne cette situation. La preuve en est donnée par ce vin jaune à reflets verts, au bouquet de fleurs blanches (acacia). Cette impression aromatique se prolonge en finesse au palais : l'équilibre y est superbe, avec ce qu'il faut de vivacité pour soutenir un ensemble tout en dentelle, aérien, long et gras, d'un soyeux exceptionnel. (Sucres résiduels : 8 g/l.)
☛ André Rieffel, 11, rue Principale, 67140 Mittelbergheim, tél. 03.88.08.95.48, fax 03.88.08.28.94 ☑ 𝕐 t.l.j. sf dim. 8h-12h 13h30-18h

Alsace grand cru wineck-schlossberg

JEAN-PAUL ECKLE
Gewurztraminer 2000★★

| | 0,45 ha | 3 000 | ⬗⬗ 8 à 11 € |

Jean-Paul Ecklé est l'un des pionniers du vignoble de Katzenthal. Il est aujourd'hui dignement supplée par son fils. Ne prenons pour exemple que ce gewurztraminer. Jaune d'or profond à reflets verts, il laisse d'importantes larmes sur les parois du verre. Son nez, d'une grande finesse, révèle des arômes variétaux caractéristiques : fruits exotiques et épices. Sa belle fraîcheur est celle d'un vin sec, bien charpenté, puissant et persistant. Une bouteille de classe qui accompagnera de nombreux mets. (Sucres résiduels : 20 g/l.) L'alsace grand cru Wineck-Schlossberg riesling 2000 est cité. (Sucres résiduels : 5 g/l.)

☛ Jean-Paul Ecklé et Fils, 29, Grand-Rue, 68230 Katzenthal, tél. 03.89.27.09.41, fax 03.89.80.86.18 ☑ ⌂ 𝕐 t.l.j. 9h-12h 13h-19h; groupes sur r.-v.

ALFRED MEYER
Riesling 2000★

| | 0,23 ha | 1 800 | ▤ 8 à 11 € |

Le Wineck-Schlossberg est un terroir granitique magnifiquement situé au-dessus de Katzenthal. Il doit son nom à la présence d'un château médiéval qui constitue un but de promenade. Jaune brillant, ce riesling offre un nez complexe de fleurs, puis de fruits très mûrs et enfin de fumé et de silex. La bouche attaque sur une certaine rondeur. Ce vin de grande matière devra, avant qu'une bonne vivacité ne la rehausse, être attendu un peu (trois ans). (Sucres résiduels : 12 g/l.)
☛ Maison Alfred Meyer, 98, rue des Trois-Epis, 68230 Katzenthal, tél. 03.89.27.24.50, fax 03.89.27.55.40 ☑ 𝕐 r.-v.

VINCENT SPANNAGEL
Gewurztraminer 2000★

| | 0,54 ha | 4 740 | ⬗⬗ 8 à 11 € |

L'exploitation créée par le père, André Spannagel, est aujourd'hui reprise par le fils, Vincent. Son vignoble se situe en partie dans le grand cru Wineck-Schlossberg, dont le sol se compose de granite à deux micas. Vieil or, ce vin a déjà un nez intense de fruits confits et d'épices. En bouche, il offre une belle matière : fondu, bien équilibré, de bonne onctuosité, il finit sur des arômes de miel et de cire. Il mérite d'être attendu. (Sucres résiduels : 42,1 g/l.)
☛ EARL Vincent Spannagel, 82, rue du Vignoble, 68230 Katzenthal, tél. 03.89.27.52.13, fax 03.89.27.56.48 ☑ 𝕐 r.-v.

PAUL SPANNAGEL
Tokay-pinot gris Sélection de grains nobles 1999★

| | 0,25 ha | 1 100 | ▤ ⬗ 30 à 38 € |

Vignerons, aubergistes, courtiers-gourmets, ou les trois à la fois, les Spannagel élaborent des vins qui ont fait la renommée de Katzenthal et qui ont été cités dès le XVIᵉs. par le chroniqueur Fischart, très connu dans la région. Ce millésime jaune d'or brillant présente un nez intense et plaisant de champignon ; la bouche, riche, ample, onctueuse se développe tout en volume. Des notes de fruits confits agrémentent la finale d'une grande longueur. Un tokay-pinot gris en parfait accord avec le terroir granitique qui l'a produit. L'alsace grand cru Wineck-Schlossberg riesling 2000 (8 à 10,99 €) est cité. (Sucres résiduels : 10 g/l.)

☙ Paul Spannagel et Fils, 1, Grand-Rue,
68230 Katzenthal, tél. 03.89.27.01.70,
fax 03.89.27.45.93 ☑ � t.l.j. sf dim. 8h-12h 14h-19h

Alsace grand cru winzenberg

KIENTZ
Riesling 2000★

	0,2 ha	1 500	▥ 5 à 8 €

Blienschwiller est lové au fond d'un vallon, non loin
de Dambach-la-Ville. Ce bourg est dominé par son grand
cru dont le sol granitique à deux micas convient particulièrement au riesling. Ce vin, jaune brillant, dévoile des
arômes riches de fleurs blanches et d'agrumes (citron),
avec une pointe minérale. Le palais, agréable, est parfaitement équilibré. La première impression est celle d'une
ampleur délicate et élégante. Un millésime sec dont les
notes citronnées persistent longuement. (Sucres résiduels :
5 g/l.)
☙ René Kientz Fils, 51, rte du Vin,
67650 Blienschwiller, tél. 03.88.92.49.06,
fax 03.88.92.45.87 � r.-v.
☙ André Kientz

HUBERT METZ
Riesling 2000★

	0,33 ha	2 400	▥ 8 à 11 €

Cette propriété est installée dans l'ancienne cour de
la dîme datant de 1728. Due jusqu'en 1789, la dîme était
payée ici en raisins. La cave conserve aujourd'hui de
magnifiques foudres de chêne. Ce vin jaune d'or livre des
arômes de surmaturité intenses. Le palais a de la tenue.
Frais, équilibré, il finit plaisamment sur les agrumes. Un
riesling à attendre trois ou quatre ans. (Sucres résiduels :
7 g/l.)
☙ Hubert Metz, 3, rue du Winzenberg,
67650 Blienschwiller, tél. 03.88.92.43.06,
fax 03.88.92.62.08, e-mail hubertmetz@aol.com
☑ � t.l.j. sf dim. 8h-19h

Alsace grand cru zinnkoepflé

DOM. LEON BOESCH
Gewurztraminer 2000

	0,8 ha	n.c.	▥ 11 à 15 €

Issu d'une ancienne famille de vignerons, Gérard
Boesch conduit une exploitation de 11 ha située à l'entrée
de la Vallée Noble. Le grand cru du Zinnkoepflé a donné
naissance à ce vin or jaune brillant, aux arômes intenses de
fruits confits (surtout d'agrumes) et de pêche, nuancés de
rose. Après une attaque fraîche, la bouche présente de la
structure et un bon équilibre, laissant réapparaître des
flaveurs de fruits surmûris. (Sucres résiduels : 30 g/l.)

☙ Dom. Léon Boesch, 6, rue Saint-Blaise,
68250 Westhalten, tél. 03.89.47.01.83,
fax 03.89.47.64.95 ☑ ⌂ � r.-v.
☙ Gérard Boesch

MARCEL ET JOSE EBELMANN
Tokay-pinot gris Sélection de grains nobles 2000★★

	0,14 ha	700	▤▲ 38 à 46 €

Cette exploitation est située à Soultzmatt, bourg
renommé de la Vallée Noble. Ses terroirs sont d'excellente
nature, allant du calcaro-gréseux dans le Zinnkoepflé à
l'argilo-calcaire dans d'autres crus. Le grand cru a donné
ici un pinot gris paré d'une robe vieil or, limpide et
brillante, avec quelques reflets orangés. Le nez complexe
de sous-bois, de noisette ou d'amande grillée, s'inscrit dans
la typicité du cépage. En bouche, c'est un délice, onctueux
à point. Les arômes d'abricot et de gelée de coing
dominent. L'équilibre est parfait.
☙ Marcel et José Ebelmann, 27, rue des Chèvres,
68570 Soultzmatt, tél. 03.89.47.00.09,
fax 03.89.47.65.33 ☑ ⍖ t.l.j. 9h-12h 14h-19h;
dim. sur r.-v.

JEAN-MARIE HAAG
Riesling Cuvée Marion 2000★

	0,12 ha	900	▤▲ 11 à 15 €

Soultzmatt est la capitale de la Vallée Noble. Viticole,
la commune exploite aussi, en association, des sources
minérales (sources Lisbeth) réputées dans la région. Ce
vin, de teinte jaune moyennement intense, s'exprime déjà
bien dans les registres floral puis balsamique et enfin fruité.
Le palais souple révèle des flaveurs d'ananas, de pêche,
d'agrumes (pamplemousse) et de fleurs blanches. Une
grande matière qui s'harmonisera encore dans le temps.
(Sucres résiduels : 10g/l.) **L'alsace grand cru Zinnkoepflé tokay-pinot gris 2000 (15 à 22,99 €)** est cité. (Sucres
résiduels : 43 g/l.)
☙ EARL Jean-Marie Haag, 17, rue des Chèvres,
68570 Soultzmatt, tél. 03.89.47.02.38,
fax 03.89.47.64.79, e-mail jean-marie.haag@wanadoo.fr
☑ ⍖ t.l.j. 9h-12h 14h-18h30; dim. et groupes sur r.-v.

FRANCIS MURE
Tokay-pinot gris Vieilles vignes 2000

	0,28 ha	2 000	8 à 11 €

Westhalten est un petit bourg à vocation surtout
viticole. Situé à l'entrée de la Vallée Noble, il est dominé
vers l'ouest par le coteau du Zinnkoepflé, l'un des terroirs
à grand cru les plus hauts du vignoble. Jaune d'or intense,
ce pinot gris de belle finesse décline notes fumées et
grillées. En bouche, l'équilibre est presque atteint. C'est un
vin très fin, prometteur par sa longueur sur les épices.
(Sucres résiduels : 40 g/l.)
☙ Francis Muré, 30, rue de Rouffach,
68250 Westhalten, tél. 03.89.47.64.20,
fax 03.89.47.09.39 ☑ ⌂ ⍖ r.-v.

LES VIGNERONS DE PFAFFENHEIM
Riesling Westhalten 2000

	0,54 ha	4 000	▤▲ 8 à 11 €

La cave de Pfaffenheim dispose d'une gamme étendue de vins de grands crus. De couleur jaune à reflets
argentés, celui-ci offre un nez d'abord floral, puis fruité
(surtout d'agrumes). Le palais expressif, d'un bon équilibre, laisse apparaître des notes minérales et citronnées en
finale. (Sucres résiduels : 8,2 g/l.)

↱ Cave de Pfaffenheim, 5, rue du Chai, BP 33, 68250 Pfaffenheim, tél. 03.89.78.08.08, fax 03.89.49.71.65, e-mail cave@pfaffenheim.com ☑ ⏍ t.l.j. 8h-12h 14h-18h

ERIC ROMINGER
Riesling Les Sinneles 2000★★

	0,8 ha	3 900	⏛ 11 à 15 €

Avec 3,5 ha de vignes implantées en grands crus, la maison Rominger bénéficie d'une situation privilégiée. Le Zinnkoepflé, grâce à son microclimat et à son sol, favorise l'expression optimale des vins. Jaune à reflets verts brillants, ce riesling révèle des arômes variés, allant du fruité et du floral au balsamique, avec des nuances musquées. Le palais, déjà épanoui, est mûr, équilibré et de bonne vivacité. Il persiste longuement sur la pomme, le citron vert et un léger caractère grillé. (Sucres résiduels : 10 g/l.) Très réussi, l'**alsace grand cru Zinnkoepflé gewurztraminer 2000** est onctueux, long et délicat, marqué par des arômes floraux, des notes d'abricot et d'épices. (Sucres résiduels : 22 g/l.)
↱ Eric Rominger, 16, rue Saint-Blaise, 68250 Westhalten, tél. 03.89.47.68.60, fax 03.89.47.68.61 ☑ ⏍ r.-v.

SCHLEGEL BOEGLIN
Tokay-pinot gris Vendanges tardives 1999★★★

	0,2 ha	1 200	🍶 11 à 15 €

Westhalten, à l'entrée de la Vallée Noble, profite d'un climat particulier. Abrité à l'ouest par les plus hauts sommets vosgiens, son microclimat bénéficie d'influences méditerranéennes, comme en témoignent la faune et la flore. Le terroir, à dominante calcaire, convient parfaitement aux grands cépages d'Alsace. Ce tokay-pinot gris vieil or, presque ambré, est riche d'arômes de fruits secs (datte) et d'orange confite. La bouche présente un superbe équilibre et une grande concentration. « Il explose au palais, sans lourdeur, tout en élégance », rapporte l'un des dégustateurs. Ce vin en dentelle finit sur une note confite en harmonie. Une bouteille à déguster sur des mets aussi simples qu'une tarte aux quetsches ou une salade de fruits frais pour lui laisser la vedette.
↱ Dom. Schlegel-Boeglin, 22 A, rue d'Orschwihr, 68250 Westhalten, tél. 03.89.47.00.93, fax 03.89.47.65.32, e-mail schlegel-boeglin@wanadoo.fr ☑ ⏍ r.-v.

A. WISCHLEN
Gewurztraminer 2000★★★

	0,4 ha	4 000	⏛ 11 à 15 €

La famille Wischlen est très anciennement établie à Westhalten, à l'entrée de la Vallée Noble. Une partie de son vignoble est située sur le Zinnkoepflé, majestueux coteau orienté sud sud-est, constitué de calcaire coquiller particulièrement propice à la vigne. Il a donné ici un petit chef-d'œuvre. Jaune brillant à reflets verts, ce vin révèle des senteurs de rose mêlées au miel et aux épices. Le palais, semblable à du velours, présente du gras, une onctuosité délicate ; puissant, ce gewurztraminer se termine sur une impression de fraîcheur, tout en dentelle. (Sucres résiduels : 50 g/l.)

↱ François Wischlen, 4, rue de Soultzmatt, 68250 Westhalten, tél. 03.89.47.01.24, fax 03.89.47.62.90, e-mail wischlen@wanadoo.fr ☑ ⏠ ⏍ r.-v.

Alsace grand cru zotzenberg

PIERRE ET JEAN-PIERRE RIETSCH
Riesling 2000★

	0,3 ha	2 300	🍶⏛ 8 à 11 €

Le Zotzenberg favorise par son sol marno-calcaire la production de vins de garde, qui évoluent lentement. Jaune paille à reflets verts, celui-ci demeure encore fermé. Quelques effluves d'agrumes et une pointe de minéralité apparaissent après agitation. Le palais, à l'attaque fraîche, s'ouvre sur une sensation citronnée. De bonne persistance, ce riesling « finit sur une petite impression d'amertume, signe de jeunesse », précise une dégustatrice. (Sucres résiduels : 5 g/l.)
↱ EARL Pierre et Jean-Pierre Rietsch, 32, rue Principale, 67140 Mittelbergheim, tél. 03.88.08.00.64, fax 03.88.08.40.91, e-mail contact@alsace-rietsch.com ☑ ⏍ r.-v.

FERNAND SELTZ ET FILS
Riesling 2000★★★

	0,3 ha	2 200	⏛ 8 à 11 €

Mittelbergheim, charmante petite cité à 2 km au sud de Barr, possède ce terroir dont le nom est apparu dès le début du XXᵉs. sur les étiquettes. Ce lieu-dit a donc une antériorité et sa renommée est justifiée par la qualité des vins qui y sont produits. Le riesling de Fernand Seltz en est un exemple. La robe est jaune d'or et le nez évoque des arômes de surmaturation, d'agrumes confits, le tout nuancé d'une pointe de fumé. La bouche présente beaucoup de fraîcheur ; elle révèle une grande matière tout en finesse, dont la finale n'en finit plus. A boire sur une langouste légèrement flambée au cognac. (Sucres résiduels : 5 g/l.)

⌂ EARL Fernand Seltz et Fils, 42, rue Principale, 67140 Mittelbergheim, tél. 03.88.08.93.92, fax 03.88.08.93.92 ☑ ⵦ t.l.j. sf dim. 8h-19h

WITTMANN
Gewurztraminer 2000

| | 0,32 ha | 2 500 | ▮⌄ | 8 à 11 € |

Mittelbergheim, charmant petit village, possède le Zotzenberg, terroir marno-calcaire remarquable pour le gewurztraminer. Dans sa robe jaune d'or, ce vin se révèle presque entièrement au nez. Si le palais est encore fermé, c'est là une caractéristique du terroir. En effet, la maturité optimale n'est acquise qu'après quatre ou cinq ans de garde. A attendre donc. (Sucres résiduels : 26,1 g/l.)
⌂ EARL André Wittmann et Fils, 7-9, rue Principale, 67140 Mittelbergheim, tél. 03.88.08.95.79, fax 03.88.08.53.81, e-mail nicolas.wittmann@wanadoo.fr ☑ ⛫ ⵦ r.-v.

Crémant d'alsace

La création de cette appellation, en 1976, a donné un nouvel essor à la production de vins effervescents élaborés selon la méthode traditionnelle, qui existait depuis longtemps à une échelle réduite. Les cépages qui peuvent entrer dans la composition de ce produit de plus en plus apprécié sont le pinot blanc, l'auxerrois, le pinot gris, le pinot noir, le riesling et le chardonnay. La production de crémant d'Alsace a atteint 158 000 hl en 2001.

CAVE VINICOLE D'ANDLAU-BARR
Cuvée F. Kobus 2000★

| | n.c. | n.c. | ▮⌄ | 5 à 8 € |

Ami de la bonne chère, Fritz Kobus, héros du roman d'Erckmann-Chatrian, a donné son nom à cette cuvée très réussie. A l'instar de l'Ami Fritz, ce crémant se présente en bourgeois : de belle prestance à l'attaque, de bonne tenue, il est vineux et persistant. Le nez ? Un fruité d'agrumes sur des notes vanillées, porté par une mousse très présente au palais.
⌂ Cave vinicole d'Andlau et environs, 15, av. des Vosges, 67140 Barr, tél. 03.88.08.90.53, fax 03.88.47.60.22 ☑ ⵦ r.-v.

HUBERT BECK 1999★

| | 1 ha | 8 000 | | 5 à 8 € |

Ce crémant assemble 20 % de chardonnay et 80 % de pinot blanc. Son effervescence est fine et abondante, et son nez très expressif : on y trouve un peu de pain grillé et des notes de pêche jaune. Au palais, l'attaque est fine et la mousse laisse une impression douce. Malgré une finale un peu fugace, les dégustateurs gardent le souvenir d'un ensemble bien agréable.
⌂ Hubert Beck, 25, rue du Gal-de-Gaulle, 67650 Dambach-la-Ville, tél. 03.88.92.45.90, fax 03.88.92.61.28 ☑ ⵦ r.-v.

JEAN-CLAUDE BUECHER 2000★

| | 5,34 ha | 58 000 | | 5 à 8 € |

Etabli près de Colmar, Jean-Claude Buecher est spécialisé dans le crémant, ce qui constitue une exception parmi les vignerons d'Alsace. Assemblage savant de cinq cépages, dominé par les pinots (pinot blanc et auxerrois, 53 % ; pinot noir, 35 %), celui-ci produit d'entrée une très bonne impression avec ses arômes évoquant l'abricot, nuancés d'une touche beurrée. En bouche, la matière reflète le fruit du raisin et apparaît bien équilibrée. On apprécie également sa persistance.
⌂ Jean-Claude Buecher, 31, rue des Vignes, 68920 Wettolsheim, tél. 03.89.80.14.01, fax 03.89.80.17.78 ☑ ⵦ r.-v.

JOSEPH GRUSS ET FILS
Prestige 2000

| | 1 ha | 10 000 | | 5 à 8 € |

Ce domaine a eu plus d'un coup de cœur en crémant (le dernier distinguant un millésime 99). Assemblage de 80 % d'auxerrois et de 20 % de riesling, cette cuvée spéciale aux reflets dorés libère quelques notes discrètes de pomme et de poire. L'effervescence fine donne une première bouche agréable, avec un peu de gras et de moelleux. A déboucher en toute occasion !
⌂ Dom. Gruss, 25, Grand-Rue, 68420 Eguisheim, tél. 03.89.41.28.78, fax 03.89.41.76.66, e-mail domainegruss@hotmail.com ☑ ⵦ r.-v.

HEIM
Impérial de Heim 2000★★

| | 17,5 ha | n.c. | ▮⌄ | 8 à 11 € |

L'élégance de cette production se traduit par une fine corolle de bulles persistantes et par des arômes de fleurs blanches. Légère à l'attaque, la bouche devient progressivement plus ample. Elle fait preuve d'une belle fraîcheur et d'une longueur remarquable. Un crémant exemplaire.
⌂ SARL Heim, 53, rte de Soultzmatt, 68250 Westhalten, tél. 03.89.78.09.08, fax 03.89.49.09.20 ☑ ⵦ r.-v.

HUNOLD
Cuvée du Paradis 2000

| | 1,4 ha | 15 000 | ▮⌄ | 5 à 8 € |

Lieu-dit argilo-calcaire situé sur les hauteurs de Rouffach, le Paradis est favorable à l'expression des pinots et chardonnays élaborés en crémant ; ce dernier cépage compose 50 % de l'assemblage de cette cuvée, complété par du pinot blanc (30 %) et du riesling. D'un doré pâle, ce vin offre des arômes de fruits plutôt discrets. Assez vineux, frais, bien équilibré, il est facile à boire.
⌂ EARL Bruno Hunold , 29, rue Aux-Quatre-Vents, 68250 Rouffach, tél. 03.89.49.60.57, fax 03.89.49.67.66 ☑ ⛫ ⵦ r.-v.

KOEHLY
Blanc de noirs 2000

| | 0,5 ha | 3 000 | ▮⌄ | 5 à 8 € |

Ce domaine viticole a son siège dans une maison de maître construite par les compagnons du Devoir. Chez Jean-Marie Koehly, le savoir-faire, hérité de trois générations de vignerons, est avantageusement complété par des techniques modernes conduisant à la qualité. Né du pinot noir, son crémant exprime les nuances de fruits rouges de ce cépage. Il est de bonne harmonie, vineux et assez corsé.

⌁ Jean-Marie Koehly, 64, rue du Gal-de-Gaulle, 67600 Kintzheim, tél. 03.88.82.09.77, fax 03.88.82.70.49
☑ Ⴥ t.l.j. 8h-12h 13h30-18h30

KROSSFELDER
Riesling 2000

	n.c.	50 000		8 à 11 €

Dans le verre, une mousse fine, assez abondante, sur une robe or pâle. Au nez, des notes d'agrumes frais et des nuances minérales. La bouche prolonge l'olfaction, en finesse. La finale est harmonieuse et persistante. « A déguster à l'apéritif, sous le soleil », suggère un membre du jury.

⌁ Cave vinicole Krossfelder, 37, rue de la Gare, 67650 Dambach-la-Ville, tél. 03.88.92.40.03, fax 03.88.92.42.89 ☑ Ⴥ r.-v.

JACQUES LINDENLAUB 1999★★

	0,79 ha	9 000		5 à 8 €

Situé au sud-ouest de Strasbourg, à l'entrée de la vallée de la Bruche, Dorlisheim, gros village voué à la vigne, compte de nombreux sites dignes d'intérêt, parmi lesquels on mentionnera une église romane, un puits Renaissance et un sentier viticole. On ne négligera pas davantage sa production viticole, brillamment représentée par ce crémant. Tout en lui est finesse : les bulles, la collerette, les nuances de fleurs blanches. Sa structure est bien présente par sa vivacité et son ampleur. Un « vin dentelle ».

⌁ Jacques Lindenlaub, 6, fbg des Vosges, 67120 Dorlisheim, tél. 03.88.38.21.78, fax 03.88.38.55.38 ☑ Ⴥ t.l.j. sf dim. 8h-11h30 14h-18h

ARTHUR METZ
Cuvée spéciale 1904 1998

	n.c.	6 940		5 à 8 €

Cette cuvée presque confidentielle est produite par la maison de négoce Metz-Laugel, premier producteur de crémant en Alsace. La sélection de cuvées comme celle-ci, née de pinot blanc, est un gage de qualité. Des reflets dorés soulignent la robe, sous une mousse fine et régulière. Les arômes évoluent d'un fruité frais, aux nuances de poire et de pomme, à des notes grillées. Le palais, après une attaque fine et fraîche, se montre assez léger. Si la finale est un peu rustique, la dégustation laisse le souvenir d'un ensemble agréable.

⌁ Metz-Laugel, 102, rue du Gal-de-Gaulle, 67520 Marlenheim, tél. 03.88.59.28.60, fax 03.88.87.67.58 ☑ Ⴥ r.-v.

EDGARD SCHALLER ET FILS
Extra-brut 1999

	2 ha	20 000		8 à 11 €

Une effervescence fine produit une mousse remarquable et abondante. Le nez, un peu discret au départ, s'ouvre sur des nuances d'agrumes et d'herbe sèche. Des notes de fruits exotiques et d'amande agrémentent le palais. Ce vin ample, corsé et persistant trouvera sa place pendant le repas.

⌁ Edgard Schaller et Fils, 1, rue du Château, 68630 Mittelwihr, tél. 03.89.47.90.28, fax 03.89.49.02.66
☑ Ⴥ t.l.j. 9h-12h 14h-18h

JEAN-MARIE ET HERVE SOHLER
Blanc de blancs 1999★

	0,5 ha	7 000		5 à 8 €

Issu d'auxerrois planté sur un terroir granitique, ce crémant a été élaboré et élevé dans une cave construite en 1563. Il libère au premier nez des notes fraîches d'agrumes, avant de révéler une certaine évolution. Son fruité se retrouve dans un palais doté d'une belle attaque et d'une bonne matière, qui laisse une impression presque corsée. Un vin mûr, plutôt destiné au repas, à déguster sur une viande blanche.

⌁ Jean-Marie et Hervé Sohler, 16, rue du Winzenberg, 67650 Blienschwiller, tél. 03.88.92.42.93
☑ ⛫ ⌂ Ⴥ r.-v.

THIERRY-MARTIN 1999★

	0,4 ha	5 000		5 à 8 €

Cette exploitation est implantée à Wangen, dans la vallée de la Mossig, à l'ouest de Strasbourg. Créée en 1998, elle associe deux vignerons (son nom réunit leurs prénoms) adeptes de la biodynamie. Assemblant du pinot blanc et de l'auxerrois à 10 % de pinot noir, ce crémant aux reflets dorés s'annonce par des notes d'abricot nuancées d'une touche un peu herbacée. Rafraîchissant par son attaque vive, il est net et assez vigoureux en bouche. Il conviendra pour l'apéritif.

⌁ Thierry-Martin, rte de Westhoffen, 67520 Wangen, tél. 03.88.04.11.22, fax 03.88.04.11.21, e-mail thierry-martin-vins-alsace@wanadoo.fr ☑ Ⴥ r.-v.

ODILE ET DANIELLE WEBER 1999★★

	0,6 ha	4 000		5 à 8 €

Deux sœurs gèrent cette exploitation familiale dont les 4,25 ha sont conduits en biodynamie. Leur crémant assemble 70 % d'auxerrois et 30 % de pinot noir. Délicat par ses notes de pêche blanche assorties d'une nuance d'amande que l'on retrouve en bouche, il plaît par son très bel équilibre axé sur la fraîcheur et par ses arômes bien présents jusqu'en finale. On pourra le servir de l'apéritif au dessert (un dessert aux fruits de préférence).

⌁ GAEC Odile et Danielle Weber, 14, rue de Colmar, 68420 Eguisheim, tél. 03.89.41.35.56, fax 03.89.41.35.56
☑ Ⴥ r.-v.

Les vins de l'Est

Les vignobles des Côtes de Toul et de la Moselle restent les deux seuls témoins d'une viticulture lorraine autrefois florissante. Florissant, le vignoble lorrain l'était par son étendue, supérieure à 30 000 ha en 1890. Il l'était aussi par sa notoriété. Les deux vignobles connurent leur apogée à la fin du XIXe s. Dès cette époque, plusieurs facteurs se conjuguèrent pour entraîner leur déclin : la crise phylloxérique, qui introduisit l'usage de cépages hybrides de moindre qualité ; la crise économique viticole de 1907 ; la proximité des champs de bataille de la Première Guerre mondiale ; l'industrialisation de la région, à l'origine d'un formidable exode rural. Ce n'est qu'en 1951 que les pouvoirs publics reconnurent l'originalité de ces vignobles et définirent les côtes de toul et vins de moselle, les rangeant ainsi définitivement parmi les grands vins de France.

Côtes de toul

Situé à l'ouest de Toul et du coude caractéristique de la Moselle, le vignoble se trouve sur le territoire de huit communes qui s'échelonnent le long d'une côte résultant de l'érosion de couches sédimentaires du Bassin parisien. On y rencontre des sols de période jurassique, composés d'argiles oxfordiennes, avec des éboulis calcaires en notable quantité, très bien drainés et d'exposition sud ou sud-est. Le climat semi-continental qui renforce les températures estivales est favorable à la vigne. Toutefois, les gelées de printemps sont fréquentes.

Le gamay domine toujours, bien qu'il régresse sensiblement au profit du pinot noir. L'assemblage de ces deux cépages produit des vins gris caractéristiques, obtenus par pressurage direct. En outre, le décret précise l'obligation d'assembler au minimum 10 % de pinot noir au gamay en superficie pour la production de gris, ceci conférant au vin une plus grande rondeur. Le pinot noir seul, vinifié en rouge, donne des vins corsés et agréables, l'auxerrois d'origine locale, en progression constante, des vins blancs tendres.

La vigne couvre actuellement près de 81 ha. Elle a assuré une production de 5 436 hl en 2000.

Parfaitement fléchée au départ de Toul, une route du Vin et de la Mirabelle parcourt le vignoble.

Ce vignoble a accédé à l'appellation d'origine contrôlée (décret du 31 mars 1998).

FRANCIS DEMANGE
Gris 2001

■	n.c.	36 000	■ 3 à 5 €

Installé il y a six ans, Francis Demange possède un vignoble dont l'âge moyen des vignes atteint vingt-deux ans. Malgré une météo peu propice, ce millésime apporte une grande fraîcheur aux gris de Toul. Voyez celui-ci, d'une jolie couleur saumonée. Il est bien agréable au nez avec des arômes floraux. Il se montre souple au palais, malgré une belle acidité. Un vin à boire dès maintenant sur la célèbre quiche lorraine.
➥ Francis Demange, 60, rue Victor-Hugo,
54200 Bruley, tél. 03.83.64.33.47, fax 03.83.64.33.47
☑ ⍻ r.-v.

MARCEL ET MICHEL LAROPPE
Gris 2001

■	10 ha	60 000	■↓ 3 à 5 €

Vendanges manuelles, pressurage en grains entiers, pas de fermentation malolactique pour ce gris d'une délicate couleur rose pâle, qui présente un nez intense au fruité agréable. D'un bon équilibre au palais, il se montre parfumé et souple. Il ne lui manque qu'un peu de longueur en finale. Redégusté cette année, le **pinot noir 99 (5 à 8 €)**, élevé en fût, conserve ses qualités (une étoile) et possède encore un réel avenir.
➥ Marcel et Michel Laroppe,
253, rue de la République, 54200 Bruley,
tél. 03.83.43.11.04, fax 03.83.43.36.92
☑ ⍻ t.l.j. sf dim. 8h-12h 13h30-18h30; groupes sur r.-v.

ANDRE ET ROLAND LELIEVRE
Auxerrois 2001

■	2,6 ha	8 800	■↓ 5 à 8 €

Un sentier viticole permet de découvrir le charmant village de Lucey, sa maison de la Polyculture lorraine et ce domaine familial qui fut pionnier dans la renaissance du vignoble toulois dans les années 1970. Son vin, d'une couleur or pâle, est agréable. Le nez intense offre des notes citronnées. Le palais présente un bon équilibre, marqué par des notes florales d'une belle longueur.
➥ André et Roland Lelièvre, 3, rue de la Gare,
54200 Lucey, tél. 03.83.63.81.36, fax 03.83.63.84.45
☑ ⍻ t.l.j. 8h30-12h30 13h30-19h; groupes sur r.-v.

DOM. DE LA LINOTTE
Gris 2001

■	0,84 ha	8 000	■↓ 3 à 5 €

Bruley, village lorrain, possède une église du XIIe s. Il abrite quelques caves des côtes de toul dont celle de Marc Laroppe, avec ses voûtes et ses cuves émaillées. Agées de

huit ans, ses vignes ont donné ce vin à la belle robe saumonée. D'intensité moyenne au nez, il s'exprime par un palais agréable, aromatique, très bien typé. Jolie longueur en finale.
- Marc Laroppe, 90, rue Victor-Hugo, 54200 Bruley, tél. 03.83.63.29.02, fax 03.83.63.00.39 ☑ ☥ t.l.j. 8h-19h

ISABELLE ET JEAN-MICHEL MANGEOT
Auxerrois 2001

	0,15 ha	1 600	▮	3 à 5 €

Isabelle et Jean-Michel Mangeot se sont installés en 1997 sur un domaine de 4,30 ha travaillé en lutte raisonnée. Agées de vingt ans, les vignes ont donné ce vin net, marqué par un nez aux notes discrètes d'agrumes. Dotée d'une acidité de belle qualité, c'est une bouteille agréable à boire dès maintenant.
- Dom. Régina, 350, rue de la République, 54200 Bruley, tél. 03.83.64.49.52, fax 03.83.64.49.52, e-mail jmmangeot@compuserve.com ☑ ☥ r.-v.
- Jean-Michel Mangeot

Moselle AOVDQS

Le vignoble représentant 23 ha s'étend sur les coteaux qui bordent la vallée de la Moselle ; ceux-ci ont pour origine les couches sédimentaires formant la bordure orientale du Bassin parisien. L'aire délimitée se concentre autour de trois pôles principaux : le premier au sud et à l'ouest de Metz, le second dans la région de Sierck-les-Bains ; le troisième pôle se situe dans la vallée de la Seille autour de Vic-sur-Seille. La viticulture est influencée par celle du Luxembourg tout proche, avec ses vignes hautes et larges et sa dominante de vins blancs secs et fruités. En volume, cette AOVDQS reste très modeste, quelque 1 300 hl ayant été agréés pour le millésime 2001. Son expansion est contrariée par l'extrême morcellement de la région.

GAUTHIER
Réserve des Carmes Auxerrois 2001

	0,5 ha	5 000	▮	3 à 5 €

« Vic » vient de *vicus* qui signifie « village » en latin. Situé sur la Seille, ce bourg exploita des salines jusqu'en 1841 et, de tout temps, un vignoble qui renaît aujourd'hui. Cultivé en lyre, l'auxerrois a donné un vin d'une jolie couleur, jaune pâle brillant. Il est fin, accompagné de notes de fleurs et d'agrumes. Un peu vif au palais, il n'en demeure pas moins agréable, bien typé et d'une belle longueur.
- Claude Gauthier, 4, pl. du Palais, 57630 Vic-sur-Seille, tél. 03.87.01.11.55, fax 03.87.01.11.55 ☑ ☥ r.-v.

ALBERT GOLDSCHMIDT
Auxerrois 2001★

	0,12 ha	1 400	▮	5 à 8 €

Albert Goldschmidt poursuit depuis 1970 la longue tradition viticole de ce domaine familial. D'un beau jaune paille, son vin affiche une belle intensité au nez avec des notes d'agrumes (pamplemousse). D'une grande fraîcheur, bien équilibré, il est aromatique et d'une jolie longueur.
- Albert Goldschmidt, 19, rue du Vignoble, 57480 Rontz-les-Bains, tél. 03.82.83.82.65 ☑ ☥ r.-v.

MICHEL MAURICE
Auxerrois 2001★★

	0,67 ha	6 000	▮♦	3 à 5 €

Une maison qui ne sait élaborer du vin qu'avec application et qui se trouve très souvent récompensée. Déjà coup de cœur pour le millésime 2000, cet auxerrois témoigne de son savoir-faire : d'une superbe couleur jaune pâle brillant, il affiche un nez intense, ample, composé de belles notes d'agrumes (citron vert, pamplemousse). Le palais bien équilibré, très intense lui aussi, révèle des arômes fruités fort longs. Un coup de cœur unanime. Le **Gris 2001**, aromatique et frais, sera apprécié à table avec des spécialités lorraines. Il obtient une citation.
- Michel Maurice, 1-3, pl. Foch, 57130 Ancy-sur-Moselle, tél. 03.87.30.90.07, fax 03.87.30.90.07, e-mail mauricem@netcourrier.com ☑ ☥ r.-v.

DOM. MUR DU CLOITRE
Muller Thurgau 2001★

	0,3 ha	1 930	▮♦	5 à 8 €

Avec une production de 47 hl par hectare, Jean-Paul Paquet, que nous avions découvert l'an dernier, maîtrise les aléas climatiques de ce millésime. Il a particulièrement réussi ce vin d'une couleur jaune pâle limpide, dont le nez aromatique se révèle ample et agréable. Très typique au palais, bien équilibré, cette bouteille présente des notes minérales et des arômes d'ananas.
- Jean-Paul Paquet, chem. des Quatre-Vents, 57570 Berg-sur-Moselle, tél. 06.08.09.83.49, fax 03.87.67.44.29 ☑ ☥ r.-v.

J. SIMON-HOLLRICH
Pinot blanc 2001

	0,4 ha	440	▮	3 à 5 €

Vendangée le 25 octobre 2001, cette petite cuvée jaune à reflets verts a séduit le jury : encore un peu fermée, elle présente néanmoins des notes florales. Après une belle attaque en bouche, où se révèle une bonne acidité, apparaissent des notes citronnées : ce vin frais et long sera plaisant à boire jeune.
- Joseph Simon-Hollrich, 18, rue du Pressoir, 57480 Contz-les-Bains, tél. 06.64.23.74.81, fax 03.82.83.69.70 ☑ ☥ r.-v.

LE BEAUJOLAIS ET LE LYONNAIS

Le Beaujolais

Officiellement - et légalement - rattachée à la Bourgogne viticole, la région du Beaujolais n'en a pas moins une spécificité largement consacrée par l'usage. Celle-ci est d'ailleurs renforcée par la promotion dynamique de ses vins, menée avec ardeur par tous ceux qui ont rendu le beaujolais célèbre dans le monde entier. Ainsi, qui pourrait ignorer, chaque troisième jeudi de novembre, la joyeuse arrivée du beaujolais nouveau ? Déjà, sur le terrain, les paysages diffèrent de ceux de l'illustre voisine ; ici, point de côte linéaire et presque régulière, mais le jeu varié de collines et de vallons, qui multiplient à plaisir les coteaux ensoleillés ; et les maisons elles-mêmes, où les tuiles romaines remplacent les tuiles plates, prennent déjà un petit air du Midi.

Extrême midi de la Bourgogne, et déjà porte du Sud, le Beaujolais s'étend sur 23 000 ha et quatre-vingt-seize communes des départements de Saône-et-Loire et du Rhône, formant une région de 50 km du nord au sud, sur une largeur moyenne d'environ 15 km. Il est plus étroit dans sa partie septentrionale. Au nord, l'Arlois semble être la limite avec le Mâconnais. A l'est, en revanche, la plaine de la Saône, où scintillent les méandres de la majestueuse rivière dont Jules César disait qu' « elle coule avec tant de lenteur que l'œil à peine peut juger de quel côté elle va », est une frontière évidente. A l'ouest, les monts du Beaujolais sont les premiers contreforts du Massif central ; leur point culminant, le mont Saint-Rigaux (1 012 m), apparaît comme une borne entre les pays de Saône et de Loire. Au sud enfin, le vignoble lyonnais prend le relais pour conduire jusqu'à la métropole, irriguée, comme chacun sait, par trois « fleuves » : le Rhône, la Saône et le... beaujolais !

Il est sûr que les vins du Beaujolais doivent beaucoup à Lyon, dont ils alimentent toujours les célèbres « bouchons », et où ils trouvèrent évidemment un marché privilégié après que le vignoble eut pris son essor au XVIIIe s. Deux siècles plus tôt, Villefranche-sur-Saône avait succédé à Beaujeu comme capitale du pays, qui en avait pris le nom. Habiles et sages, les sires de Beaujeu avaient assuré l'expansion et la prospérité de leurs domaines, stimulés en cela par la puissance de leurs illustres voisins, les comtes de Mâcon et du Forez, les abbés de Cluny et les archevêques de Lyon. L'entrée du Beaujolais dans l'étendue des cinq grosses fermes royales dispensées de certains droits pour les transports vers Paris (qui se firent longtemps par le canal de Briare) entraîna donc le développement rapide du vignoble.

Aujourd'hui, le Beaujolais produit en moyenne 1 400 000 hl de vins rouges typés (la production de blancs est extrêmement limitée), mais - et c'est là une différence essentielle avec la Bourgogne - à partir d'un cépage presque exclusif, le gamay. Cette production se répartit entre les trois appellations beaujolais, beaujolais supérieur et beaujolais-villages, ainsi qu'entre les dix « crus » : brouilly, côte-de-brouilly, chénas, chiroubles, fleurie, morgon, juliénas, moulin-à-vent, saint-amour et régnié. Seules les appellations beaujolais et beaujolais-villages peuvent être revendiquées pour les vins rouges, rosés ou blancs, l'appellation beaujolais supérieur étant réservée aux vins rouges ou blancs. Quant aux dix autres, elles concernent uniquement des vins rouges, qui ont légalement la possibilité d'être déclarés en AOC bourgogne, à l'exception du dernier, le régnié. Géologiquement, le Beaujolais a subi successivement les effets des plissements hercyniens à l'ère primaire et alpin à l'ère tertiaire. Ce dernier a façonné le relief actuel, disloquant les couches sédimentaires du secondaire et faisant surgir les roches primaires. Plus près de nous, au quaternaire, les glaciers et les rivières s'écoulant d'ouest en est ont creusé de nombreuses vallées et modelé les terroirs, faisant apparaître des îlots de roches dures résistant à l'érosion, compartimentant le coteau viticole qui, tel un gigantesque escalier, regarde le levant et vient mourir sur les terrasses de la Saône.

De part et d'autre d'une ligne virtuelle passant par Villefranche-sur-Saône, on distingue traditionnellement le Beaujolais Nord du Beaujolais Sud. Le premier présente un relief plutôt doux, aux formes arrondies, aux fonds de vallons en partie comblés par des sables. C'est la région des roches anciennes de type granite, porphyre, schiste, diorite. La lente décomposition du granite donne des sables siliceux, ou « gore », dont l'épaisseur peut varier dans certains endroits d'une dizaine de centimètres à plusieurs mètres, sous forme d'arènes granitiques. Ce sont des sols acides, filtrants et pauvres. Ils retiennent mal les éléments fertilisants en l'absence de matière organique, sont sensibles à la sécheresse mais faciles à travailler. Avec les schistes, ce sont les terrains privilégiés des appellations locales et des beaujolais-villages. Le deuxième secteur, caractérisé par une plus grande proportion de terrains sédimentaires et argilo-calcaires, est marqué par un relief un peu plus accusé. Les sols sont plus riches en calcaire et en grès. C'est la zone des « pierres dorées », dont la couleur, qui vient des oxydes de fer, donne aux constructions un aspect chaleureux. Les sols sont plus riches et gardent mieux l'humidité. C'est la zone de l'AOC beaujolais. Ces deux entités, où la vigne prospère entre 190 et 550 m d'altitude, ont comme toile de fond le haut Beaujolais, constitué de roches métamorphiques plus dures, couvert à plus de 600 m par des forêts de résineux alternant avec des châtaigniers et des fougères. Les meilleurs terroirs, orientés sud-sud-est, sont situés entre 190 et 350 m.

La région beaujolaise jouit d'un climat tempéré, résultat de trois régimes climatiques différents : une tendance continentale, une tendance océanique et une tendance méditerranéenne. Chaque tendance peut dominer, le temps d'une saison, avec des transitions brutales faisant s'affoler baromètre et thermomètre. L'hiver peut être froid ou humide ; le printemps, humide ou sec ; les mois de juillet et août, brûlants quand souffle le vent desséchant du Midi, ou humides avec des pluies orageuses accompagnées de fréquentes chutes de grêle ; l'automne, humide ou chaud. La pluviométrie moyenne est de 750 mm, la température peut varier de - 20 °C à + 38 °C. Mais des microclimats modifient sensiblement ces données, favorisant l'extension de la vigne dans des situations *a priori* moins propices. Dans l'ensemble, le vignoble profite d'un bon ensoleillement et de bonnes conditions pour la maturation.

L'encépagement, en Beaujolais, est réduit à sa plus simple expression, puisque 99 % des surfaces sont plantées en gamay noir. Celui-ci est parfois désigné dans le langage courant sous le terme de « gamay beaujolais ». Banni de la Côte-d'Or par un édit de Philippe le Hardi qui, en 1395, le traitait de « très desloyault plant » (très certainement en comparaison du pinot), il s'adapte pourtant à de nombreux sols et prospère sous des climats très divers ; il couvre en France près de 33 000 ha. Remarquablement bien adapté aux sols du Beaujolais, ce cépage à port retombant doit, durant les dix premières années de sa culture, être soutenu pour se former ; d'où les parcelles avec échalas que l'on peut observer dans le nord de la région. Il est assez sensible aux gelées de printemps, ainsi qu'aux principaux parasites et maladies de la vigne. Le débourrement peut se manifester tôt (fin mars), mais le plus souvent on l'observe au cours de la deuxième semaine d'avril. Ne dit-on pas ici : « Quand la vigne brille à la Saint-Georges, elle n'est pas en retard » ? La floraison a lieu dans la première quinzaine de juin et les vendanges commencent à la mi-septembre.

Les autres cépages ouvrant le droit à l'appellation sont le pinot noir pour les vins rouges et rosés, et, pour les vins blancs, le chardonnay et l'aligoté. Jusqu'en 2015, les parcelles de pinot noir pourront être assemblées dans la limite de 15 % ; l'usage d'incorporer en mélange dans les vignes des plants de pinot noir et gris, de chardonnay, de melon et d'aligoté dans la limite de 15 % reste autorisé pour l'élaboration des vins rouges et rosés. Deux principaux modes de taille sont pratiqués : une taille courte en forme de gobelet ou d'éventail pour toutes les appellations, et une taille avec baguette (ou taille guyot simple) pour l'appellation beaujolais. La taille cordon peut également être pratiquée dans l'AOC beaujolais.

Tous les vins rouges du Beaujolais sont élaborés selon le même principe : respect de l'intégralité de la grappe associé à une macération courte (de trois à sept jours en fonction du type de vin). Cette technique combine la fermentation alcoolique classique dans 10 à 20 % du volume de

Le Beaujolais

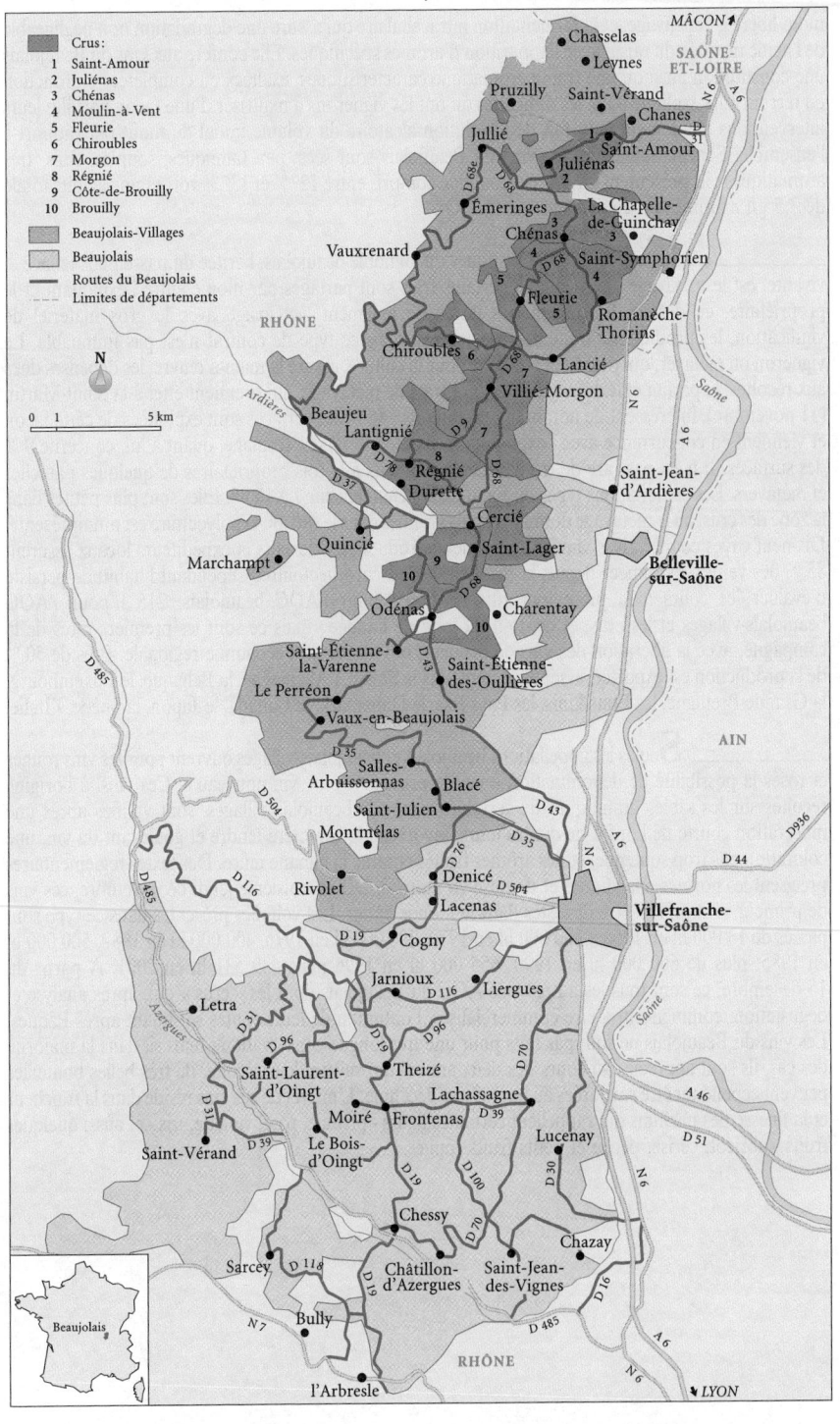

Crus:
1 Saint-Amour
2 Juliénas
3 Chénas
4 Moulin-à-Vent
5 Fleurie
6 Chiroubles
7 Morgon
8 Régnié
9 Côte-de-Brouilly
10 Brouilly

Beaujolais-Villages

Beaujolais

Routes du Beaujolais

Limites de départements

moût libéré à l'encuvage, et la fermentation intracellulaire qui assure une dégradation non négligeable de l'acide malique du raisin avec l'apparition d'arômes spécifiques. Elle confère aux vins du Beaujolais une constitution ainsi qu'une trame aromatique caractéristiques, exaltées ou complétées en fonction du terroir. Elle explique aussi les difficultés qu'ont les vignerons à maîtriser d'une façon parfaite leurs interventions œnologiques, du fait de l'évolution aléatoire du volume initial du moût par rapport à l'ensemble. Schématiquement, les vins du Beaujolais sont secs, peu tanniques, souples, frais, très aromatiques ; ils présentent un degré alcoolique compris entre 12° % et 13° % vol., et une acidité totale de 3,5 g/l exprimée en équivalence de $H_2 SO_4$.

           L'une des caractéristiques du vignoble beaujolais, héritée du passé mais tenace et vivante, est le métayage : la récolte et certains frais sont partagés par moitié entre l'exploitant et le propriétaire, ce dernier fournissant les terres, le logement, le cuvage avec le gros matériel de vinification, les produits de traitement, les plants, mais ce type de contrat n'est pas immuable. Le vigneron ou métayer, qui possède l'outillage pour la culture, assure la main-d'œuvre, les dépenses dues aux récoltes, le parfait état des vignes. Les contrats de métayage, qui prennent effet à la Saint-Martin (11 novembre), intéressent de nombreux exploitants ; 46 % des surfaces sont exploitées de cette façon et viennent en concurrence avec l'exploitation directe (45 %). Le fermage, quant à lui, concerne 9 % des surfaces. Il n'est pas rare de trouver des exploitants à la fois propriétaires de quelques parcelles et métayers. Les exploitations types du Beaujolais s'étendent sur 7 à 10 ha. Elles sont plus petites dans la zone des crus, où le métayage domine, et plus grandes dans le sud, où la polyculture est omniprésente. Dix-neuf caves coopératives vinifient 30 % de la production. Eleveurs et expéditeurs locaux assurent 85 % des ventes, exprimées depuis la récolte 2001 en euro/hectolitre. Cependant l'habitude persiste d'évaluer les cours à la pièce, par fûts de 216 l pour l'AOC beaujolais, 215 l pour l'AOC beaujolais-villages et les crus, et ce, tout au long de l'année ; mais ce sont les premiers mois de la campagne, avec la libération des vins de primeur, qui marquent l'économie régionale. Près de 50 % de la production est exportée, essentiellement vers la Suisse, l'Allemagne, la Belgique, le Luxembourg, la Grande-Bretagne, les Etats-Unis, les Pays-Bas, le Danemark, le Canada, le Japon, la Suède, l'Italie.

           Seules les appellations beaujolais et beaujolais-villages ouvrent pour les vins rouges et rosés la possibilité de dénomination « vin de primeur » ou « vin nouveau ». Ces vins, à l'origine récoltés sur les sables granitiques de certaines zones de beaujolais-villages, sont vinifiés après une macération courte de l'ordre de quatre jours, favorisant le caractère tendre et gouleyant du vin, une coloration pas trop soutenue, et des arômes fruités comme la banane mûre. Des textes réglementaires précisent les normes analytiques et de mise en marché. Dès le troisième jeudi de novembre, ces vins de primeur sont prêts à être dégustés dans le monde entier. Les volumes présentés dans ce type sont passés de 13 000 hl en 1956 à 100 000 hl en 1970, 200 000 hl en 1976, 400 000 hl en 1982, 500 000 hl en 1985, plus de 600 000 hl en 1990, 655 000 hl en 1996 mais 639 531 hl en 2001. A partir du 15 décembre, ce sont tous les autres vins AOC du Beaujolais dont les « crus » qui, après analyse et dégustation, commencent à être commercialisés, l'optimum de leurs ventes se situant après Pâques. Les vins du Beaujolais ne sont pas faits pour une très longue conservation ; mais si, dans la majorité des cas, ils sont appréciés au cours des deux années qui suivent leur récolte, de très belles bouteilles peuvent cependant être savourées au bout d'une décennie. L'intérêt de ces vins réside dans la fraîcheur et la finesse des parfums qui rappellent certaines fleurs - pivoine, rose, violette, iris - et aussi quelques fruits - abricot, cerise, pêche et petits fruits rouges.

Beaujolais et beaujolais supérieur

L'appellation beaujolais est celle de près de la moitié de la production. 10 500 ha, localisés en majorité au sud de Villefranche, ont fourni en 2001, 662 992 hl dont 8 707 hl de vins blancs élaborés à partir du chardonnay et récoltés pour 20 % des volumes dans le canton de La Chapelle-de-Guinchay, zone de transition entre les terrains siliceux des crus et les terrains calcaires du Mâconnais. Dans la zone des « pierres dorées », à l'est du Bois-d'Oingt et au sud de Villefranche, on trouve des vins rouges aux arômes plus fruités que floraux, parfois avec des pointes olfactives végétales ; ces vins colorés, charpentés, un peu rustiques, se conservent assez bien. Dans la partie haute de la vallée de l'Azergues, à l'ouest de la région, on retrouve des roches cristallines qui communiquent aux vins une mâche plus minérale, ce qui les fait apprécier un peu plus tardivement. Enfin, les zones plus en altitude offrent des vins vifs, plus légers en couleur, mais aussi plus frais les années chaudes. Les neuf caves coopératives implantées dans ce secteur ont fait considérablement évoluer les technologies et l'économie de cette région, dont sont issus près de 75 % des vins de primeur.

L'appellation beaujolais supérieur ne comporte pas de territoire délimité spécifique, mais une identification des vignes est réalisée chaque année. Elle peut être revendiquée pour des vins dont les moûts présentent, à la récolte, une richesse en équivalent alcool de 0,5° supérieure à ceux de l'appellation beaujolais. 4 000 hl sont ainsi déclarés chaque année, principalement sur le territoire de l'AOC beaujolais.

L'habitat est dispersé, et l'on admirera l'architecture traditionnelle des maisons vigneronnes : l'escalier extérieur donne accès à un balcon à auvent et à l'habitation, au-dessus de la cave située au niveau du sol. A la fin du XVIIIᵉ s., on construisit de grands cuvages extérieurs à la maison de maître. Celui de Lacenas, à 6 km de Villefranche, dépendance du château de Montauzan, abrite la confrérie des Compagnons du Beaujolais, créée en 1947 pour servir les vins du Beaujolais, et qui a aujourd'hui une audience internationale. Une autre confrérie, les Grappilleurs des Pierres Dorées, anime depuis 1968 les nombreuses manifestations beaujolaises. Quant à déguster un « pot » de beaujolais, ce flacon de 46 cl à fond épais qui garnit les tables des bistrots, on le fera avec gratons, tripes, boudin, cervelas, saucisson et toute cochonnaille, ou sur un gratin de quenelles lyonnaises. Les primeurs iront sur les cardons à la moelle ou les pommes de terre gratinées avec des oignons.

Beaujolais

ANTOINE BARRIER 2001

| ■ | n.c. | 130 000 | ▮♦ | 3 à 5 € |

La sélection pourpre profond de ce négociant libère de beaux parfums de raisin frais mêlés aux fruits rouges. Ce 2001, avec sa finale « réveillée », est à boire dès à présent.

☛ SCAMARK, 52, rue Camille-Desmoulins, 92135 Issy-les-Moulineaux, tél. 01.46.62.76.37, fax 01.46.44.38.32

DOM. DES BAS-CIEUX
Cuvée Terroir Vieilli en fût de chêne 2001

| ■ | 10 ha | n.c. | ▮◖ | 5 à 8 € |

Site de gué sur l'Azergue, Anse est occupée depuis l'époque paléolithique. On y trouve des mosaïques romaines ainsi que les vestiges d'un château. La commune et ses voisines ont favorisé l'implantation d'infrastructures de loisir telles que camping, plan d'eau et golf. D'un rubis limpide et brillant, la cuvée Terroir de Georges Rebut livre sans se faire prier des parfums assez légers de fruits rouges et de cassis. L'attaque franche et aromatique est élégamment secondée d'une trame de fins tanins. Plaisant et gouleyant, un vin pour maintenant.

☛ Georges Rebut, chem. de la Vigne-des-Garçons, 69480 Anse, tél. 04.74.67.07.43, fax 04.74.67.20.83, e-mail domaine.des-bas-cieux@wanadoo.fr
☑ ♈ t.l.j. sf dim. 10h30-12h30 17h-20h

CH. DE BEL-AIR 2001★

| ▦ | 0,5 ha | n.c. | ▮ | 3 à 5 € |

Exploitant 7 ha de vignes, le lycée viticole de Bel-Air se distingue cette année par son beaujolais blanc qui révèle déjà à l'œil sa maturité. Les parfums fins et élégants déclinent les nuances du cépage mêlées à celles de la pomme et laissent une impression de douceur. Prenant son temps pour s'affirmer avec rondeur au palais, ce vin très agréable et complexe est prêt à boire.

☛ Lycée viticole de Bel-Air, rte de Beaujeu, 69220 Saint-Jean-d'Ardières, tél. 04.74.66.45.97, fax 04.74.66.54.55 ☑ ♈ r.-v.

DOM. DE BELLEVUE 2001

| ■ | 10 ha | 80 000 | ▮♦ | 3 à 5 € |

Etabli au pays des Pierres Dorées, le domaine de Bellevue pratique la culture raisonnée selon le cahier des charges de l'association Terra Vitis. Son beaujolais blanc 2001 (5 à 8 €), cité par le jury, fait jeu égal avec ce vin rubis aux fins parfums de framboise. La bouche, d'une bonne longueur, est fraîche et aromatique, assez féminine. A boire dans l'année.

133

🔶 EARL Saint-Cyr, Les Perrelles, 69480 Anse,
tél. 04.74.60.23.69, fax 04.74.60.23.26,
e-mail @beaujolais-saintcyr.com
☑ ⵣ t.l.j. 10h-12h 15h-19h

BELVEDERE DES PIERRES DOREES 2000

	2 ha	8 000	🔳 ⎕⫶	5 à 8 €

Au cœur des Pierres Dorées, à 2 km d'Oingt, village typique, la cave coopérative vinifie 318 ha de vignes. Ce millésime offre des parfums de miel légers et très agréables, complétés en bouche par des arômes de fruits exotiques et d'amande. Ce sympathique beaujolais blanc accompagnera des entrées ou des fromages secs.
🔶 Cave coop. beaujolaise de Saint-Laurent-d'Oingt, Le Gonnet, 69620 Saint-Laurent-d'Oingt, tél. 04.74.71.20.51, fax 04.74.71.23.46 ☑ ⵣ r.-v.

DOM. BERGER DES VIGNES 2000★★

	0,35 ha	2 000	🔳	5 à 8 €

Après avoir rénové son cuvage en 2000, cette exploitation s'est engagée en 2001 dans la démarche Terra Vitis. Tous ses efforts sont couronnés aujourd'hui par un coup de cœur ex æquo décerné par le grand jury des beaujolais blancs. La robe or gris, limpide et brillante de ce 2000 séduit d'emblée, tout comme ses parfums subtils d'aubépine et de fleur d'acacia. Charnu, équilibré et persistant, ce vin élégant, charmeur et d'une grande finesse est à déguster avec un poisson de mer.
🔶 EARL Claude Berger, Le Chalier, 69480 Pommiers, tél. 04.74.65.07.09, fax 04.74.68.34.45 ☑ ⵣ r.-v.

CLAUDE BERNARDIN 2001

⬛	2,5 ha	12 000	🔳⫶	3 à 5 €

Implantées dans un secteur argilo-calcaire, des vignes de soixante-cinq ans sont à l'origine de cette cuvée aux parfums complexes et concentrés de fruits confits, d'agrumes et de cassis. L'attaque séduisante, puissante et ronde est en harmonie avec le nez. A consommer en 2003.
🔶 Claude Bernardin, 606, rue du Genetay, 69480 Lucenay, tél. 04.74.67.02.59, fax 04.74.62.00.19 ☑ ⵣ r.-v.

JEAN BISSUEL 2001

⬛	4,3 ha	4 000	🔳⫶	3 à 5 €

Une petite exploitation (4,3 ha) établie au pays des Pierres Dorées. Implantées dans des sols sablo-argileux, les vignes ont donné un vin rouge léger, au nez de cassis et de bonbon anglais. A l'unisson des premières impressions, la bouche se montre aromatique et fort plaisante. Il n'a manqué à ce joli 2001 qu'un peu de longueur pour obtenir une étoile.

🔶 Jean Bissuel, 295, rue Centrale, 69490 Sarcey, tél. 04.74.26.87.72, fax 04.74.26.22.01 ☑ 🏠 ⵣ r.-v.

DOM. DU BOIS POTHIER 2001

⬛	1 ha	8 500	🔳	3 à 5 €

La plupart des parcelles de l'exploitation sont cadastrées « Chez Berchoux ». D'assez puissants parfums, fruités et épicés, émanent de cette cuvée rouge foncé. L'attaque un peu carrée annonce un vin concentré aux tanins encore jeunes. Bien typée, cette bouteille a de la matière et doit s'affiner encore quelques mois.
🔶 GAEC M. et Th. Berchoux, Le Berthier, 69620 Ternand, tél. 04.74.71.32.40, fax 04.74.71.32.40, e-mail vinberchoux@netup.com ☑ ⵣ r.-v.

YVES BRIGNON 2000★

⬛	0,2 ha	1 800	🔳⫶	3 à 5 €

A 200 m du sémaphore Chappe restauré ont été vinifiés un **beaujolais rosé 2001**, cité par le jury, et ce vin blanc aux élégants parfums de fleur de pêcher qui évoluent en bouche vers un goût d'abricot et de pêche. Plaisante et homogène tant au nez qu'en bouche, équilibrée et d'une belle longueur, une bouteille prête à boire.
🔶 Yves Brignon, Le Bourg, 69480 Marcy-sur-Anse, tél. 04.74.60.24.89 ☑ ⵣ r.-v.

LES VIGNERONS DE LA CAVE DE BULLY 2001★

⬛	310 ha	750 000	🔳⫶	5 à 8 €

La plus importante cave coopérative du Beaujolais (575 ha de vignes) réalise un beau score avec un **beaujolais blanc** et un **beaujolais supérieur** du même millésime cités par le jury, et cette cuvée à la superbe robe grenat foncé striée de reflets violets, presque noirs. Les parfums agréables et de bonne intensité évoquent les raisins très mûrs, le cassis et la rose. L'élégante attaque, ronde et fruitée, cède le pas à une matière riche et persistante. Ce vin harmonieux pourra être apprécié pendant deux ans.
🔶 Cave des vignerons de Bully-en-Beaujolais, 69210 Bully, tél. 04.74.01.27.77, fax 04.74.01.14.53 ☑ ⵣ r.-v.

CH. DE BUSSY 2001

⬛	4 ha	15 000	🔳⫶	3 à 5 €

Restauré en 1892, le château orne l'étiquette de ce vin proposé par la maison de négoce Paquet. Les parfums authentiques et délicats de cette sélection évoquent le raisin frais ; ils sont unanimement salués. La bouche longue, aromatique, dotée de tanins fins exprime le savoir-faire du vinificateur. Sans sophistication excessive, ce 2001 est prêt à boire.
🔶 François Paquet, 435, rte du Beaujolais, 69830 Saint-Georges-de-Reneins, tél. 04.74.09.60.00, fax 04.74.09.60.17

CH. DE CERCY
Cuvée Prestige 2000★★

⬛	1,5 ha	10 000	⎕⫶	5 à 8 €

Issue d'un terroir argilo-calcaire, cette sélection jaune soutenu est marquée par des parfums de noisette associés à des impressions vanillées apportées par un passage en fût. Ce vin riche et puissant, mariant une structure charnue et grasse au boisé, reste harmonieux tout au long de la dégustation. Il peut encore attendre quelques mois.
🔶 Michel Picard, Ch. de Cercy, 69640 Denicé, tél. 04.74.67.34.44, fax 04.74.67.32.35 ☑ ⵣ r.-v.

CH. DE CHANZE 2001

| ■ | n.c. | 40 000 | ■ ↓ | 3 à 5 € |

Cette nouvelle sélection du château de Chanzé, parée d'une robe rouge profond, se révèle par ailleurs bien timide. Ses parfums fruités assez discrets à dominante de groseille sont associés à des nuances de bonbon anglais et d'épices. Sa vivacité égaye le palais. Ce vin bien fait, d'une facture plutôt classique, fera l'affaire avec une assiette de charcuterie.
↬ La Réserve des Domaines, Les Chers,
69840 Juliénas, tél. 04.74.06.78.00, fax 04.74.06.78.71
Ⲩ r.-v.

JACQUES CHARMETANT
Vieilles vignes 2001★★

| ■ | 1,4 ha | 10 000 | ■ ↓ | 5 à 8 € |

Des vignes de plus de quatre-vingts ans, implantées sur un sol sableux et basaltique, sont à l'origine d'une superbe cuvée rubis soutenu à reflets grenat. Des parfums développés de fruits et d'épices (réglisse et clou de girofle), accompagnent une bouche ample harmonieusement structurée par des tanins bien présents mais non agressifs. On aura plaisir à boire dès l'automne ce vin élégant et doté d'une bonne mâche, mais il pourra aussi attendre un à deux ans de plus ; il s'accordera avec un plat de poitrine roulée.
↬ Jacques Charmetant, pl. du 11-Novembre,
69480 Pommiers, tél. 04.74.65.12.34,
fax 04.74.65.12.34,
e-mail jacques.charmetant@wanadoo.fr ☑ Ⲩ r.-v.

DOM. CHATELUS
Cuvée Terroir 2001

| ■ | 18,9 ha | 140 000 | ■ ↓ | 3 à 5 € |

Vinifié dans une cave rénovée en 2000, ce beaujolais rubis limpide aux parfums de framboise et de fraise, associés à des notes de bigarreau et de cassis, se montre plutôt gouleyant. Equilibré dans le style léger et tendre, il est apprécié pour son côté aromatique. A boire dans l'année.
↬ Pascal Chatelus, La Roche,
69620 Saint-Laurent-d'Oingt, tél. 04.74.71.24.78,
fax 04.74.71.28.36 ☑ Ⲩ r.-v.

MICHEL CHATOUX 2001★★

| ■ | 2 ha | 7 000 | ■ | 3 à 5 € |

Il émane de cette cuvée rouge burlat soutenu, issue d'un terroir granitique, de complexes parfums associant la violette et la fraise des bois à des notes minérales. Rond et ample, le vin imprègne longuement la bouche de ses arômes de fraise sauvage. Doté d'une structure équilibrée et harmonieuse, il sera apprécié au cours des deux prochaines années.
↬ Michel Chatoux, Le Favrot, 69620 Sainte-Paule,
tél. 04.74.71.20.50 ☑ Ⲩ t.l.j. 9h-18h
↬ Abel Chatoux

DOM. ALAIN CHATOUX
Cuvée Vieilles vignes 2001

| ■ | 1,5 ha | 6 500 | ■ ⦀ | 3 à 5 € |

Une cuvaison de dix jours a été nécessaire pour élaborer ce beau vin d'un rouge soutenu et jeune. Les parfums intenses et agréables de framboise assortis d'une pointe d'épices parlent plus au nez qu'à la bouche. Cette dernière est néanmoins bien constituée, faite d'une chair assez fine et de tanins fondus. A boire de préférence avec une viande blanche.

↬ Alain Chatoux, Le Bourg, 69620 Sainte-Paule,
tél. 04.74.71.24.02, fax 04.74.71.15.83 ☑ Ⲩ r.-v.

ROLAND CORNU
Tradition 2001★★

| ■ | 1,5 ha | 5 000 | ■ ↓ | 3 à 5 € |

Née de vignes de quarante ans, implantées sur des sols granitiques, cette cuvée Tradition rubis intense, limpide, avec de beaux reflets noirs, livre de généreux parfums aux nuances de fruits bien mûrs, de bonbon anglais et de cannelle. Concentrée, ronde et souple, la bouche est agrémentée d'une pointe de jeunes tanins fondus : ce grain de rusticité passe et laisse la place à une finale équilibrée et harmonieuse. Ce vin riche et sérieux est une bouteille rêvée pour une consommation dans les deux prochaines années... Remarquable.
↬ Roland Cornu, 275, allée du Mas, 69490 Sarcey,
tél. 04.74.26.86.25, fax 04.74.26.86.25,
e-mail roland.cornu@wanadoo.fr ☑ Ⲩ r.-v.

DOM. DES COTEAUX DE CRUIX
Cuvée Tradition 2001★

| ■ | 15 ha | 20 000 | ■ ↓ | 3 à 5 € |

Située au cœur de la région des Pierres Dorées, cette exploitation, dont les origines remontent à 1850, a vinifié un vin rubis intense et limpide aux parfums développés et agréables de banane et de bonbon anglais. Sa belle matière équilibrée, associée à des arômes très primeurs, remplit longuement le palais. Cette bouteille harmonieuse, bien représentative de son AOC, sera appréciée dans l'année.
↬ Paul André Brossette et Fils, Cruix, 69620 Theizé,
tél. 04.74.71.24.83, fax 04.74.71.28.98 ☑ Ⲩ r.-v.

COTEAUX DE LA ROCHE
Cuvée Vieilles vignes 2001

| ■ | 1 ha | 8 000 | ⦀ | 5 à 8 € |

Issue de vignes de soixante-dix ans, cette cuvée rubis profond, au nez expressif, fruité et végétal, révèle une bonne matière, équilibrée mais encore jeune. Un beaujolais classique, fruité et un peu austère pour le moment, qui s'épanouira dans quelques mois.
↬ EARL Joyet, La Roche, 69620 Létra,
tél. 04.74.71.32.77, fax 04.74.71.32.77 ☑ Ⲩ r.-v.

DOM. DES CRETES 2000★★

| ▨ | 0,76 ha | 6 000 | ■ ↓ | 3 à 5 € |

Ce domaine familial, situé à quelques kilomètres du musée de Pierrefolles, de la tour du télégraphe Chappe et d'un château du XII⁰s., a produit une cuvée jaune limpide aux intenses parfums fruités (citron) associés à d'élégantes nuances de tilleul. Les subtiles impressions d'agrumes qui persistent en bouche sont accompagnées de notes de poire et de pomme. Ce vin charnu et frais, harmonieusement structuré, est à boire, pourquoi pas, avec une salade beaujolaise.
↬ GAEC Brondel Père et Fils, rte des Crêtes,
69480 Graves-sur-Anse, tél. 04.74.67.11.62,
fax 04.74.60.24.30,
e-mail domaine.descretes@wanadoo.fr ☑ ⌂ Ⲩ r.-v.

DOM. LA CRUISILLE 2001

| ■ | 1,5 ha | 3 000 | ■ ↓ | 3 à 5 € |

Etablis à 150 m du château de Rochebonne, l'un des pôles œnologiques du Beaujolais, les frères Laverrière ont vinifié un vin rubis limpide et brillant, au nez de groseille

et de griotte. Très fraîche, dotée de tanins fins et serrés, cette bouteille agréable, que l'on peut qualifier de vin de comptoir, pourra être servie avec du fromage de tête.
🕏 Hubert et Vincent Laverrière, GAEC de La Cruisille, rue de la Treille, 69620 Theizé, tél. 04.74.71.14.31, fax 04.74.71.22.90, e-mail gcruisil@terre-net.fr ☑ ⊤ r.-v.

DOM. DE CRUIX 2001

0,22 ha	1 800	5 à 8 €

C'est dans le cuvage en pierres dorées datant de 1897 qu'a été élevé ce vin rosé pâle qui exprime spontanément des parfums de framboise, de groseille et de poire. Fruitée et « réveillée », la bouche n'est pas sans rappeler les agrumes. Une bouteille prête à boire.
🕏 Jean-Claude Brossette, Dom. de Cruix, 69620 Theizé, tél. 04.74.71.24.74, fax 04.74.71.29.16, e-mail jcbrossette@oreka.com ☑ ⊤ t.l.j. 9h-12h 14h-18h

PHILIPPE DESCHAMPS 2001

0,33 ha	2 500	3 à 5 €

Issue de saignée, cette cuvée à la jolie robe œil-de-perdrix soutenu affirme de complexes et fins parfums de fruits blancs associés à des notes de coing. Bien que très ronde et charnue, elle maintient son équilibre grâce à une pointe de vivacité qui la fera apprécier dans l'année avec de la charcuterie.
🕏 Philippe Deschamps, Morne, 69430 Beaujeu, tél. 04.74.04.82.54, fax 04.74.69.51.04 ☑ ⊤ r.-v.

CORINNE ET JEAN-MICHEL DUPRE
Terre Noire Vieilles vignes 2001★

5,5 ha	10 000	5 à 8 €

Des vignes de trente-cinq ans d'âge, implantées sur un sol sablo-limoneux qualifié de terre noire, ont donné un vin rubis limpide aux parfums assez intenses de fraise, de cassis et de cerise bien mûre. Sa chair soutenue par une bonne structure tannique imprègne agréablement le palais de sensations acidulées et fondues. Plaisant, classique, conseillé sur une viande ou une assiette de charcuterie, ce 2001 réjouit le jury : « Enfin du vin », note un expert satisfait.
🕏 Jean-Michel Dupré, Ranfray, 69430 Les Ardillats, tél. 04.26.74.88.14, fax 04.26.74.88.15 ☑ ⊤ r.-v.

JACQUES FERRAND 2000

0,43 ha	2 000	5 à 8 €

A côté d'un beaujolais rouge 2001 (3 à 5 €) cité par le jury, Jacques Ferrand a élaboré une cuvée aux fins et légers parfums fruités. Ce vin équilibré, harmonieux et typé est à boire dans l'année.
🕏 Jacques Ferrand, Porrières, 69380 Saint-Jean-des-Vignes, tél. 04.78.43.72.03 ☑ ⊤ r.-v.

DOM. DE LA FEUILLATA
Cuvée Elégance 2001

2 ha	5 000	3 à 5 €

La version 2001 de cette cuvée, dotée d'une belle robe grenat profond, parle plus à l'œil qu'au nez. Mais des arômes de type cassis et fruits rouges accompagnent une bouche complexe, ronde et riche. Techniquement réussi, ce vin puissant s'accommodera d'une terrine de bécasse à l'anis étoilé.

🕏 Dom. de la Feuillata, 69620 Saint-Vérand, tél. 04.74.71.74.53, fax 04.74.71.83.84 ☑ ⊤ r.-v.
🕏 Rollet

VINCENT FONTAINE
Cuvée Vieilles vignes 2001

1 ha	2 500	3 à 5 €

Installé en 1996, Vincent Fontaine est un ardent défenseur des terroirs et refuse les thermovinifications trop technologiques. Sa sélection de vieilles vignes est à l'origine d'un vin rouge intense, aux reflets violets, qui s'ouvre sur des parfums de bonbon anglais et de fruits des bois. Sa belle matière est empreinte de notes végétales et minérales. Cette cuvée d'avenir doit s'affiner pendant un à deux ans. Elle pourra alors accompagner un gâteau de foie de volailles ou des cochonnailles. Rappelons le coup de cœur reçu par ce jeune viticulteur pour son 98.
🕏 Vincent Fontaine, Les Gondoins, 69480 Pommiers, tél. 04.74.02.59.15, fax 04.74.65.97.68 ☑ ⊤ r.-v.

DOM. DES FORTIERES 2001

0,8 ha	6 000	3 à 5 €

Des vignes exposées au sud-est sont à l'origine de cette cuvée rouge clair aux frais et fins parfums de bonbon anglais et de fruits rouges. Plutôt vif et léger, ce sympathique beaujolais, agréablement rafraîchissant et homogène, accompagne une assiette de charcuterie sur le zinc ou à la maison. Si vous rendez visite à Daniel Texier, passez par Salles-Arbuissonnas, à 2 km, pour admirer l'église et le cloître romans.
🕏 Daniel Texier, Les Fortières, 69460 Blacé, tél. 04.74.67.58.57, fax 04.74.67.58.57, e-mail dtexier@vins-du-beaujolais.com ☑ 🏠 ⊤ r.-v.

DIDIER GERMAIN
Cuvée Alexandre 2000★

0,3 ha	3 000	5 à 8 €

Viticulteurs de père en fils depuis deux siècles, les Germain affichent leur passion pour le métier : le lecteur s'en réjouira car cette cuvée or gris à reflets verts, mêlant des parfums de fruit de la Passion à des notes minérales très nettes, rappelant le calcaire mouillé, est un régal. Les impressions aromatiques en bouche ne déçoivent pas et laissent une bonne fraîcheur. Structurée, équilibrée et persistante, cette bouteille pourra attendre deux ans et accompagner un poisson de rivière.
🕏 Didier Germain, Bel-Air, 69380 Charnay-en-Beaujolais, tél. 04.78.43.96.59, fax 04.78.43.96.59, e-mail germdid@wanadoo.fr ☑ ⊤ r.-v.

DOM. JEAN-FELIX GERMAIN 2001★

0,6 ha	3 500	3 à 5 €

Cette année, c'est une cuvée de rouge qui reçoit une étoile. Dans une robe légère, elle s'ouvre sur des notes de framboise et de cerise et permet d'aborder pédagogiquement la dégustation d'un beaujolais. La bouche souple, équilibrée, aux arômes se rapprochant du bonbon anglais, confirme sa bonne typicité. Ce vin accompagnera agréablement une assiette de charcuterie dans les prochains mois.
🕏 Dom. Jean-Félix Germain, Les Crozettes, 69380 Charnay-en-Beaujolais, tél. 04.78.43.94.52, fax 04.78.43.94.52 ☑ ⊤ t.l.j. 8h-19h

BEAUJOLAIS

HENRI ET BERNARD GIRIN
Cuvée Coteaux du Razet 2001★★

| | 1,5 ha | 10 000 | ▮▯ | 5 à 8 € |

Implantée sur des coteaux granitiques, la vigne a donné naissance à un vin rouge profond qui s'ouvre sur de fines impressions florales évoluant vers le fruit. Le charme de sa bouche souple aux rondeurs généreuses et concentrées accompagne des arômes discrets de cerise et de noyau. Une charpente tannique fondue conforte le bel équilibre de ce millésime qui n'est pas sans analogie avec un cru du Beaujolais. Une garde de deux ans est à sa portée.
☛ GAEC Henri et Bernard Girin, Aucherand, 69620 Saint-Vérand, tél. 04.74.71.63.49, fax 04.74.71.85.61 ☑ ☎ t.l.j. sf dim. 8h-19h

CH. DU GRAND TALANCE 2001★

| | 6 ha | 55 000 | ▮▯ | 3 à 5 € |

Ce coquet domaine pratique la lutte raisonnée. Son beaujolais présente un nez expressif et vineux qui s'ouvre sur d'agréables parfums de bourgeon de cassis et de fruits rouges. La bouche souple et amylique finit sur une pointe plus tannique. Elle laisse, elle aussi, un goût de cassis. Un vin typé et flatteur, à boire dans l'année.
☛ Jean Truchot, GFA du Grand Talancé, 69640 Denicé, tél. 04.74.67.55.04 ☑ ☎ r.-v.

DOM. DE LA GRANGE MENARD
Coteau des Pierres rouges Cuvée Vieilles vignes 2001★★

| | 0,5 ha | 4 000 | ▮▯ | 5 à 8 € |

Cette exploitation familiale a été acquise en 1953 ; elle est, depuis 1983, conduite par Guy Pignard qui a vinifié cette cuvée à la robe profonde et brillante, proclamée à l'unanimité coup de cœur par le grand jury. Les fins parfums de framboise et de cassis un peu confit, associés à des nuances vineuses qui se prolongent au palais, enrobent une belle structure charnue et tannique. Ce vin racé, ample et long sera apprécié maintenant.
☛ Evelyne et Guy Pignard, Dom. de la Grange Ménard, 69400 Arnas, tél. 04.74.62.87.60, fax 04.74.62.87.60, e-mail evelyne-pignard@bonjour.fr
☑ ☎ r.-v.

VIGNOBLE GRANGE-NEUVE 2001★

| | 3,5 ha | 18 000 | ◧ | 3 à 5 € |

Une partie des bâtiments de l'exploitation servait autrefois de vendangeoir pour le compte d'un négociant qui achetait et vinifiait le raisin. Aujourd'hui Denis Carron y a élevé un vin rubis limpide aux parfums bien développés de framboise et de fraise, assortis de nuances de cassis et de banane. La savoureuse attaque fruitée, qui se prolonge harmonieusement avec souplesse en bouche, exprime tout le charme du beaujolais. Une bouteille équilibrée et facile à boire, qui pourrait accompagner une tarte aux pommes.
☛ Denis Carron, chem. des Brosses, 69620 Frontenas, tél. 04.74.71.70.31, fax 04.74.71.86.30 ☑ ☎ ☎ r.-v.

DOM. DE LA GRENOUILLERE 2001★

| | 2,5 ha | 22 000 | ▮▯ | 3 à 5 € |

Installé sur des coteaux granitiques, ce vignoble a été créé en 1745, près du village de Chamelet où l'on pourra admirer des vitraux du XV^{e}s. Ce domaine réputé propose cette belle cuvée violine d'une limpidité parfaite, à dominante de framboise et de cerise. Après une bonne attaque suivie d'impressions tanniques plus marquées, la bouche reste harmonieuse. Ce vin agréable et plaisant se bonifiera avec le temps : deux ans de garde sont à sa portée.
☛ Charles Bréchard, La Grenouillère, 69620 Chamelet, tél. 04.74.71.34.13, e-mail cbrechard@wanadoo.fr
☑ ☎ r.-v.

JEAN-PAUL GRILLET 2000★★

| | 0,1 ha | 900 | ▮ | 3 à 5 € |

Jean-Paul Grillet est à la tête d'un domaine de 18 ha depuis 1995. Des vignes de cinq ans d'âge sont à l'origine de cette petite cuvée couleur or, aux arômes d'agrumes. A l'élégance des parfums qui évoquent le pamplemousse et la mandarine répond une structure équilibrée et fraîche à souhait. Harmonieux, long et typé, un vin prêt à boire.
☛ Jean-Paul Grillet, Saint-Aigues, 69620 Bagnols, tél. 04.74.71.62.98 ☑ ☎ ☎ t.l.j. 8h-20h

DOM. DU GROS BOST 2000

| | 0,6 ha | 3 400 | ▮ | 5 à 8 € |

Né à quelques centaines de mètres de l'exploitation, le pilote automobile Gérard Larousse n'a pas manqué de visiter ce domaine où a été produit un vin jaune pâle brillant. Le nez s'ouvre sur des notes de fleurs, de miel et d'amande. Longue et remplissant bien le palais, de bonne structure, cette cuvée fort plaisante fera bon ménage avec un chèvre sec.
☛ Lucien Cherpaz, 149, rue du Gros-Bois, 69380 Chazay-d'Azergues, tél. 04.78.43.09.79, fax 04.78.43.09.79 ☑ ☎ r.-v.

DOM. DU GUELET 2001

| | 0,3 ha | 2 400 | ▮ | 3 à 5 € |

Dans des caves voûtées datant de 1791 a été élevée cette cuvée rubis clair et limpide, aux parfums discrets et agréables de bonbon anglais. Après une attaque souple et ronde, ce vin de structure légère et à la finale acidulée se montre gouleyant : il est pour maintenant.
☛ Christine et Didier Puillat, Le Fournel, 69640 Rivolet, tél. 04.74.67.34.05, fax 04.74.67.34.05
☑ ☎ r.-v.
☛ Branciard

DOM. DE JASSERON
Cuvée spéciale 2001

| | 8 ha | 4 000 | ▮▯ | 5 à 8 € |

D'un rubis brillant et limpide, ce beaujolais s'ouvre sur des parfums de fraise des bois évoluant vers la pivoine. Equilibré et laissant une impression de fraîcheur, il s'accordera avec une viande blanche.
☛ Georges Barjot, Grille-Midi, 69220 Saint-Jean-d'Ardières, tél. 04.74.66.47.34, fax 04.74.66.47.34 ☑ ☎ t.l.j. 8h-19h

DOM. LAFOND 2001★★

| ■ | 12 ha | 50 000 | ■↓ | 5 à 8 € |

Exploité depuis 1850 par les Lafond, ce domaine d'une vingtaine d'hectares a produit un **brouilly du même millésime** jugé très réussi (une étoile), et ce vin doté d'une somptueuse robe burlat profond aux reflets violets. Les parfums de belle intensité évoquent la griotte, la framboise mais aussi le marc ; des nuances vineuses et florales viennent compléter cette séduisante palette aromatique. Ronde et bien en chair, sa bonne structure est soutenue par des notes de fruits rouges et de violette. La finale ne compromet pas l'harmonie de l'ensemble mais incitera à attendre cette bouteille un an de plus pour la savourer pleinement.
➥ Dom. Lafond, Bel-Air, 69220 Saint-Lager, tél. 04.74.66.04.46, fax 04.74.66.37.91 ☑ ☎ t.l.j. 7h-20h

DOM. LASSALLE 2001★

| ■ | 1,8 ha | 12 000 | ■↓ | 3 à 5 € |

Le domaine date de 1857, et depuis 1990 l'exploitation pratique la lutte raisonnée. Son beaujolais, paré d'une robe rouge aux reflets violets, exprime des parfums de fleurs, de fruits rouges et de cassis. L'attaque fruitée et la rondeur de la bouche sont typiques de l'appellation. Ce vin bien fait, équilibré et très agréable sera apprécié pendant un an. On suggère de le déguster avec un poulet aux écrevisses.
➥ Jean-Pierre Lassalle, 1, chem. de Tredo, 69480 Morancé, tél. 04.78.43.63.97, fax 04.78.43.63.97, e-mail domaine.lassalle @ wanadoo.fr ☑ ☎ r.-v.

CAVE DES VIGNERONS DE LIERGUES 2001★

| ■ | 5 ha | 20 000 | ■⦀↓ | 5 à 8 € |

Un sans faute pour la cave coopérative de Liergues, créée en 1929, à la tête de 520 ha de vignes : elle est citée pour son **beaujolais rosé 2001**, reçoit une étoile pour **blanc 2001** et pour ce vin grenat qui s'affirme au nez par des nuances de fruits mûrs, presque confits, et des notes de grillé. Après une attaque très souple, il monte en puissance, affichant de la chair et des arômes de fruits et de réglisse. Long et typé, unanimement apprécié, cet agréable représentant de l'appellation sera à boire dans l'année.
➥ Cave des Vignerons de Liergues, 69400 Liergues, tél. 04.74.65.86.00, fax 04.74.62.81.20 ☑ ☎ r.-v.

DOM. LONGERE 2001★

| ■ | 0,5 ha | 4 200 | ■↓ | 5 à 8 € |

La plus grande partie des vignes de ce domaine ainsi que ses chais sont situés à Vaux-en-Beaujolais, le Clochemerle de Gabriel Chevallier. Doté d'une robe d'un jaune paille pâle et limpide, ce vin libère d'assez intenses et complexes parfums de fruits secs. Riche, puissant et équilibré, il se montre rond et charnu ; il a été remarqué pour son originalité due au terroir limono-granitique qui lui a donné naissance. Il est à boire dans l'année.
➥ Jean-Luc et Régine Longère, Le Duchamp, 69460 Le Perréon, tél. 04.74.03.27.63, fax 04.74.03.27.63, e-mail jean-luc.longere @ wanadoo.fr ☑ ☎ t.l.j. 9h-12h 14h-19h

DOM. DU LOUP 2001

| ■ | 5 ha | 25 000 | ■↓ | 3 à 5 € |

Paré d'une belle robe grenat, ce beaujolais s'impose par d'intenses parfums de fruits rouges et de raisin. Les impressions de rondeur et de chair sont omniprésentes dès l'attaque. Ce vin assez long et aromatique sera à boire dès l'automne.
➥ Jean Bosse-Platière, Les Places, 69480 Lucenay, tél. 04.74.09.60.00, fax 04.74.09.60.17

VIGNOBLE LA MANTELLIERE 2001★

| ■ | 3 ha | 23 000 | ⦀ | 3 à 5 € |

L'exploitation familiale remonte à 1895 ; aujourd'hui la culture des vignes est partagée entre lutte intégrée et biodynamie. Cette cuvée d'un grenat presque violacé s'ouvre rapidement sur des notes acidulées de groseille, de framboise, de cerise et de mûre. La bouche aromatique, bien structurée, harmonieuse et longue est en phase avec les autres sens. Ce vin typé peut attendre un à deux ans et sera servi avec de la charcuterie lyonnaise.
➥ Christophe Braymand, Le Bourg, 69620 Le Breuil, tél. 04.74.71.85.72, fax 04.74.71.85.72 ☑ ☎ r.-v.

RENE MARCHAND 2001

| ■ | 1 ha | 8 500 | ■ | 5 à 8 € |

Implanté sur des sols argilo-calcaires, le gamay a donné une cuvée pourpre limpide qui s'ouvre sur de discrets parfums de fruits rouges. Des tanins encore jeunes lui confèrent une rudesse bon enfant. Assez longue et structurée, elle peut attendre un an en cave afin de gagner en rondeur.
➥ René Marchand, Les Meules, 69640 Cogny, tél. 04.74.67.33.25, fax 04.74.67.33.94 ☑ ☎ r.-v.

DOM. YVES MATHIEU 2001★

| ■ | 0,42 ha | 3 500 | ■ | 5 à 8 € |

C'est dans un cuvage rénové en 2001 qu'a été élaborée cette cuvée rose pâle qui laisse des jambes sur le verre. Des parfums fruités, nets et fins accompagnent une bouche charnue, agréablement équilibrée. Ce vin friand et distingué pourra faire l'objet d'une garde d'un an.
➥ Yves Mathieu, Mont-Joly, 69460 Blacé, tél. 04.74.67.51.13, fax 04.74.67.51.13 ☑ ☎ r.-v.

DOM. LE MATIRON
Coteaux Matiron 2001

| ■ | 7 ha | 15 000 | ■↓ | 5 à 8 € |

Exposés au sud-est, les coteaux Matiron sont à l'origine de ce vin rubis profond et brillant, aux parfums intenses de raisin et de fruits rouges. A l'attaque ronde et charnue font suite des sensations acidulées. Long, aromatique avec une nuance épicée, ce beaujolais sera prêt dès l'automne 2002.
➥ GAEC Vivier-Merle Frères, Le Matiron, 69620 Saint-Vérand, tél. 04.74.71.73.06, fax 04.74.71.80.75 ☑ ☎ r.-v.

DOM. DE MILHOMME 2001

| ■ | 6 ha | 50 000 | ■ | 5 à 8 € |

Conduit par deux frères, ce domaine se situe sur les coteaux escarpés dominant le pittoresque bourg de Ternand. Leur beaujolais rubis limpide aux reflets cassis libère des parfums assez intenses de fruits rouges (groseille). Ce vin gouleyant, aromatique, guilleret et typé est prêt à boire.
➥ Robert et Bernard Perrin, Dom. de Milhomme, 69620 Ternand, tél. 04.74.71.33.13, fax 04.74.71.30.87 ☑ ☎ r.-v.

DOM. DU MOULIN BLANC 2001★

| ■ | 1,5 ha | 13 000 | ■↓ | 3 à 5 € |

Un domaine de 7,80 ha que les Germain conduisent depuis 1977. Un fromage de chèvre conviendra à leur

beaujolais blanc 2001 (5 à 8 €), qui a obtenu une citation. Quant à cette cuvée rubis limpide, elle exprime des nuances amyliques suivies de parfums de framboise, de cassis et de mûre. L'attaque franche annonce le bel équilibre établi entre la chair aromatique agrémentée de notes de citron et d'épices et la structure souple et « réveillée ». Ce vin fin et plaisant est à boire dans l'année.

🍷 Alain et Danièle Germain, Dom. du Moulin Blanc, Crière, 69380 Charnay, tél. 04.78.43.98.60 ✓ 🏠 ⌶ r.-v.

DOM. DE LA NOISERAIE 2000★

| | 1 ha | 4 000 | ◫ | 8 à 11 € |

En Beaujolais, cette récolte tardive qui a débuté le 25 octobre 2000 paraît être une gageure. La belle couleur jaune pâle limpide de ce vin ne le distingue pas particulièrement. Ses parfums boisés, vanillés comme en Bourgogne, laissent filtrer une très fine nuance de lilas. Rond et fin à la fois, ce beaujolais semble atypique - le lecteur l'aura compris - et plus proche de ses cousins du nord. Equilibré, flatteur et bien fait, il peut prétendre à une garde d'un à deux ans et accompagnera du foie gras.

🍷 Bernard Martin, 140, rue du 8-Mai, Pizay, 69220 Saint-Jean-d'Ardières, tél. 04.74.66.36.58, fax 04.74.66.15.98 ✓ ⌶ r.-v.

JEAN-JACQUES PAIRE 2001

| | 1 ha | 8 000 | 🍴 | 3 à 5 € |

Une exposition permanente de vieux outils, dont certains remontent au Moyen Age, est présentée au domaine, avec un commentaire sur leur histoire. Cette cuvée, d'un rouge cerise burlat brillant, livre de fins et frais parfums amyliques rehaussés de notes vineuses et épicées. Tendre et gouleyante, aromatique et typée, elle est destinée à une consommation cet automne.

🍷 Jean-Jacques Paire, Ronzières, 69620 Ternand, tél. 04.74.71.35.72, fax 04.74.71.38.34, e-mail j.paire@terre-net.fr ⌶ t.l.j. sf sam. dim. lun. 10h-19h; le mar. seulement du 16 sept. au 30 juin

LE PÈRE LA GROLLE 2001

| | n.c. | 350 000 | 🍴 | 5 à 8 € |

Le Père La Grolle, surnom de Gnafron, est une marque déposée en 1993 sous laquelle sont regroupés cent cinquante vignerons réunis dans un engagement de qualité ; elle est commercialisée par la maison de négoce Pellerin. Sa sélection 2001, rouge violacé, exprime d'intenses parfums de cassis et de framboise. La bouche riche et acidulée s'avère simple mais bien équilibrée.

🍷 Ets Pellerin, 435, rte du Beaujolais, BP 8, 69830 Saint-Georges-de-Reneins, tél. 04.74.09.60.00, fax 04.74.09.60.17

DOM. DES PIERRES DORÉES 2000★

| | 1 ha | 6 000 | | 5 à 8 € |

Le millésime 2000 est pour la première fois embouteillé en blanc à la propriété et c'est une réussite. Paré d'une robe or vert très limpide aux reflets dorés, ce vin livre de bonnes odeurs briochées évoluant vers des notes florales. Sa chair structurée et fruitée ne perd pas en finesse. Equilibrée, ample et d'une une longueur, cette bouteille est à boire au cours de l'année 2003.

🍷 Jean-Paul Devay, Bois-Virot, 69620 Le Breuil, tél. 04.74.71.74.29, fax 04.74.71.74.29 ✓ ⌶ t.l.j. sf dim. 9h-18h

DOM. DES SABLES D'OR 2001

| | 10 ha | 80 000 | ◫ | 5 à 8 € |

Propriété familiale depuis quatre générations, ce domaine a élaboré un vin grenat foncé, aux parfums de framboise, de griotte au sirop et de kirsch. La bouche équilibrée est agréable et gouleyante, avec de la vivacité et quelques tanins. C'est la bouteille qu'il faut pour partager une assiette de saucisson de Lyon entre amis.

🍷 EARL Olivier Ravier, Dom. des Sables d'Or, Descours, 69220 Belleville-sur-Saône, tél. 04.74.66.12.66, fax 04.74.66.57.50, e-mail olivier.ravier@wanadoo.fr ⌶ r.-v.

CAVE BEAUJOLAISE DE SAINT-VERAND
Cuvée réservée 2001★

| | n.c. | 40 000 | 🍴 | 3 à 5 € |

On trouve deux Saint-Vérand dans le Beaujolais, à chaque extrémité de la région viticole. Il sera ici question du Saint-Vérand situé dans le Rhône, au sud. Créée en 1959, la cave coopérative vinifie environ 350 ha de vignes. Issue de sols granitiques, sa Cuvée réservée s'habille de rouge clair limpide et se distingue par d'agréables parfums de bonbon anglais associés à la framboise, à la cerise et à une pointe de cassis. Les arômes délicats de fruits rouges accompagnent en bouche une chair soyeuse et ample. Ce vin harmonieux et bien travaillé laisse une bonne impression. Il est prêt.

🍷 Cave beaujolaise de Saint-Vérand, Le Bady, 69620 Saint-Vérand, tél. 04.74.71.73.19, fax 04.74.71.83.45 ✓ ⌶ r.-v.

DOM. DES SOURCES 2001

| | 5 ha | 10 000 | 🍴 | 5 à 8 € |

Des vignes d'une cinquantaine d'années sont à l'origine de cette cuvée rubis clair aux parfums discrets de fruits rouges. La bouche franche et bien faite se termine sur une note légèrement épicée. Ce vin homogène est destiné à une consommation dans l'année.

🍷 Stéphane Lacondemine, Le Perrin, 69460 Le Perréon, tél. 04.74.02.14.20, fax 04.74.02.14.21 ✓ ⌶ r.-v.

TERRES DORÉES 2001★★

| | 3 ha | 20 000 | | 5 à 8 € |

Vous ne devez pas manquer ce beaujolais blanc consacré coup de cœur ex æquo par le grand jury. Limpide, claire, agrémentée de jolis reflets verts, riche de notes de fruits exotiques (ananas, pamplemousse), cette bouteille ne peut que séduire. Le nez très franc et complexe précède une bouche ronde, grasse, structurée sans agressivité ni lourdeur. Un vin fort bien fait, apte à une garde de deux ans, et à boire avec du poisson ou des quenelles.

☛ Jean-Paul Brun, Dom. des Terres Dorées, Crière, 69380 Charnay-en-Beaujolais, tél. 04.78.47.93.45, fax 04.78.47.93.38 ☑ ⲉ r.-v.

DOM. DES TERRES MOREL 2001

■	2,3 ha	3 000	■	3 à 5 €

Non loin du terrain de golf du Beaujolais, ce domaine a élaboré un vin limpide au joli nez de framboise, de fraise et de bonbon anglais. Frais du début à la fin, ses tanins souples, soulignés par le fruité, garnissent longuement le palais. Bien équilibré et ample, aromatique et structuré, ce beaujolais accompagnera une assiette de charcuterie ou pourra s'unir avec un sirop de cassis pour devenir un « communard ».

☛ GAEC des Terres Morel, 587, rte de Morancé, 69480 Lucenay, tél. 04.74.67.17.00, fax 04.74.60.22.08 ☑ 🏠 ⲉ r.-v.

☛ Antoine Riche

DOM. VIDONNEL 2000★

	0,27 ha	2 500	■↓	5 à 8 €

Des vignes de vingt-deux ans d'âge implantées sur un sol argilo-calcaire sont à l'origine de ce vin à la robe or vert parfaitement limpide et plaisante. Ses parfums intenses et complexes de fleurs blanches et de miel restent fins et accompagnent une bouche acidulée et persistante. Bien typée chardonnay, une bouteille à boire dans l'année.

☛ Guy Vignat, 70, rte de Chazay, 69480 Morancé, tél. 04.78.43.64.34, fax 04.78.43.77.31 ☑ ⲉ r.-v.

Beaujolais supérieur

CAVE DU BEAU VALLON
Au pays des Pierres dorées 2001★

■	6,5 ha	50 000	■↓	5 à 8 €

Au cœur du pays des pierres dorées, la cave coopérative du Beau Vallon a élaboré un vin rubis léger, brillant, aux parfums complexes de fruits rouges, de cassis et de pêche. La bouche fraîche, aux arômes d'agrumes et de framboise, apparaît bien constituée et équilibrée. Une bouteille harmonieuse à apprécier dès maintenant.

☛ Cave du Beau Vallon, Le Beau Vallon, 69620 Theizé, tél. 04.74.71.48.00, fax 04.74.71.84.46, e-mail info@cave-beauvallon.com ☑ ⲉ r.-v.

Beaujolais-villages

Le mot « villages » a été adopté pour remplacer la multiplicité des noms de communes qui pouvaient être ajoutés à l'appellation beaujolais pour distinguer des productions considérées comme supérieures. La quasi-totalité des producteurs a opté pour la formule beaujolais-villages.

Trente-huit communes, dont huit dans le canton de La Chapelle-de-Guinchay, ont droit à l'appellation beaujolais-villages, mais seulement trente peuvent ajouter le nom de la commune à celui de beaujolais. Si le terme de beaujolais-villages facilite la commercialisation depuis 1950, certains noms synonymes d'un cru peuvent créer des confusions. Les 6 073 ha, dont la quasi-totalité est comprise entre la zone des beaujolais et celle des crus, ont assuré en 2001 une production de 361 344 hl de rouges et 3 036 hl de blancs.

Les vins de l'appellation se rapprochent des crus et en ont les contraintes culturales (taille en gobelet ou éventail, degré initial des moûts supérieur de 0,5° à ceux des beaujolais). Originaires de sables granitiques, ils sont fruités, gouleyants, parés d'une robe d'un beau rouge vif : ce sont les inimitables têtes de cuvée des vins de primeur. Sur les terrains granitiques, plus en altitude, ils apportent la vivacité requise pour l'élaboration de bouteilles consommables toute l'année. Entre ces extrêmes, toutes les nuances sont représentées, alliant finesse, arôme et corps, s'accommodant aux mets les plus variés, pour la plus grande joie des convives : le brochet à la crème, les terrines, le pavé de charolais iront bien avec un beaujolais-villages plein de finesse.

CAVE DES VIGNERONS DE BEL AIR 2001★★

■	45 ha	55 000		3 à 5 €

Créée en 1929 et régulièrement présente dans le Guide, cette cave coopérative a été rénovée en 2002. D'un grenat intense aux reflets rubis, son beaujolais-villages libère d'agréables parfums de fraise écrasée. Il emplit avec souplesse le palais d'une belle matière vive et persistante. Simple mais plaisant, il va encore mûrir et sera à son apogée dans un an. Il pourra accompagner une tête de veau.

☛ Cave des Vignerons de Bel-Air, 69220 Saint-Jean-d'Ardières, tél. 04.74.06.16.05, fax 04.74.06.16.09, e-mail c.vb@wanadoo.fr ☑ ⲉ t.l.j. sf dim. 9h-12h 14h-18h

DOM. FRANCOIS BEROUJON 2001

■	6 ha	47 000	■↓	3 à 5 €

La troisième génération est à la tête de ce domaine constitué en 1900. Elle propose un 2001 rubis soutenu aux parfums d'épices, de groseille et de cassis évoquant quelque peu la bonne odeur de confiture. L'attaque fraîche est suivie d'impressions plus fermes. Assez puissant et corsé, ce vin pourra être consommé durant un an avec de la charcuterie.

☛ François Béroujon, La Laveuse, 69460 Salles-Arbuissonnas, tél. 04.74.67.52.47, fax 04.74.67.52.47 ☑ ⲉ r.-v.

DOM. DU BOIS DE LA BOSSE
Cuvée Prestige 2001

■	5 ha	30 000	▮♦	5 à 8 €

Des vignes de quarante-cinq ans ont donné un beaujolais-villages d'un rubis clair limpide et brillant, au nez de petits fruits rouges bien mûrs et de pivoine. L'attaque, fruitée et souple, est suivie d'une bouche ample, d'une belle finesse aromatique et d'une bonne longueur. Bien fait et gouleyant, ce vin peut encore se faire attendre un à deux ans. Il accompagnera une volaille en sauce ou une grillade.
⌖ EARL Georges Després, Le Vernay,
69460 Saint-Etienne-des-Oullières, tél. 04.74.03.48.98,
fax 04.74.03.31.55, e-mail georges.despres@wanadoo.fr
☑ ⵋ r.-v.

CAVE DU BOIS DE LA SALLE 2001★

■	72 ha	55 000	▮♦	3 à 5 €

Etablie à Juliénas, cette coopérative regroupe quelque deux cent cinquante-cinq adhérents et vinifie la production de 270 ha. Elle propose un beaujolais-villages habillé de rubis, aux parfums de fruits rouges cuits que l'on retrouve dans une bouche équilibrée, vive à l'attaque et de moyenne structure. Un vin typique par son fruité, à boire maintenant.
⌖ Cave coop. du Bois de la Salle,
Ch. du Bois de la Salle, 69840 Juliénas,
tél. 04.74.04.42.61, fax 04.74.04.47.47 ☑ ⵋ r.-v.

CH. DU BOST 2001

■	10 ha	60 000	▮♦	3 à 5 €

Distribuée par la maison Thorin, cette sélection rubis brillant livre de beaux parfums de fruits rouges accompagnés de notes épicées. Elle emplit le palais de ses arômes fruités généreux et de nuances de sous-bois, et révèle une structure tannique assez fine : à boire.
⌖ Ch. du Bost, 69640 Blacé, tél. 04.74.69.09.10,
fax 04.74.69.09.28
⌖ Mme de Geffrier

DOM. DES BRILLATS
Cuvée Vieilles vignes 2001★

■	1,2 ha	8 000	▮♦	3 à 5 €

Implantées sur des coteaux dominant la commune du Perréon, des vignes de quarante ans ont donné une cuvée d'un rubis franc et brillant, aux parfums élégants de petits fruits rouges et de violette. Souple et friand dès l'attaque, le palais révèle une belle matière charnue et aromatique associée à de fins tanins, et qui se développe longuement. Typé, gouleyant et rafraîchissant, ce vin pourra être dégusté pendant un à deux ans.
⌖ Jean-François Paquet, Les Loges,
69460 Le Perréon, tél. 04.74.03.26.16,
fax 04.74.03.26.16 ☑ ⵋ r.-v.

DOM. DE LA CHAPELLE DE VATRE 2001★

■	5,8 ha	9 500	▮⓪♦	3 à 5 €

Dominé par sa chapelle dont l'origine remonte au XIIᵉˢ., le domaine a vinifié une cuvée grenat limpide aux reflets vieux rose. Le nez intense suggère tout d'abord le bois et la fumée puis laisse poindre des notes assez complexes de groseille et de cassis bien mûr. Après une attaque très souple, des nuances de pivoine et de sous-bois se mêlent aux arômes initiaux. Ample et charpenté, ce vin puissant doit s'ouvrir encore au cours des deux prochaines années. Il pourra accompagner un mignon de veau sauce forestière.

⌖ Dom. de la Chapelle de Vâtre, Le Bourbon,
69840 Jullié, tél. 04.74.04.43.57, fax 04.74.04.40.27,
e-mail dominique.capart@libertysurf.fr
☑ ⌂ ⌂ ⵋ r.-v.
⌖ Dominique Capart

DOM. DES CHARMEUSES 2001★

■	1,2 ha	6 000	▮⓪	3 à 5 €

Le domaine possède une cave voûtée garnie de foudres de bois, où ont été élevés un **morgon 2000 (5 à 8 €)**, cité par le jury, et cette cuvée d'un rubis limpide et brillant aux reflets violets. Le nez puissant est fait de groseille, de framboise, de cassis et de sous-bois, tandis que la bouche, plus fine, révèle d'élégants arômes fruités. Ce vin souple, aux tanins fondus et frais, sera apprécié au cours des deux prochaines années.
⌖ Bruno Jambon, Le Charnay, 69430 Lantignié,
tél. 04.74.69.53.93, fax 04.74.69.53.95 ☑ ⵋ r.-v.

CH. DU CHAYLARD 2001★

■	5,7 ha	8 000	▮	3 à 5 €

Vignerons au château du Chaylard, Josiane et Bernard Canard ont élaboré un vin rouge vif, aux parfums frais et francs de fruits rouges (griotte). La cerise domine encore l'attaque, puis la bouche évolue vers des notes plus poivrées, voire animales. Sa bonne structure tannique et acide reste harmonieuse. Bien équilibrée, une bouteille à boire maintenant sur du fromage ou une viande rouge.
⌖ Bernard et Josiane Canard, Les Grandes Vignes,
69840 Emeringes, tél. 04.74.04.44.49,
fax 04.74.04.45.16, e-mail bernard.canard@wanadoo.fr
☑ ⌂ ⵋ r.-v.

CLOCHEMERLE 2001★★★

■	20 ha	100 000	▮♦	3 à 5 €

Quel meilleur ambassadeur de l'appellation peut-on imaginer que cette sélection au nom évocateur d'humour, de franche gaieté et de joie, titre d'un ouvrage célèbre de Gabriel Chevallier ? Coup de cœur ex æquo des beaujolais-villages, elle se pare d'une robe parfaite, d'un grenat parsemée de quelques reflets plus clairs. Des parfums intenses composent un cocktail de fruits rouges dominé par la framboise. Ils accompagnent, en bouche, une matière ronde et persistante aux tanins soyeux. Irréprochable et très bien équilibrée, cette plaisante bouteille est prête à servir, mais peut encore attendre un à deux ans. On l'acquinera éventuellement avec une andouillette à la beaujolaise.
⌖ François Paquet, 435, rte du Beaujolais,
69830 Saint-Georges-de-Reneins, tél. 04.74.09.60.00,
fax 04.74.09.60.17

DOM. DES COMBIERS 2001*

■ 5 ha 3 000 3 à 5 €

Yves Savoye est à la tête du domaine familial depuis 1990. On retrouve son beaujolais-villages d'un rouge léger, aux parfums de fruits rouges évoquant la cerise confite. Ces mêmes arômes accompagnent une bouche équilibrée, assez puissante, aux tanins bien fondus. Il est conseillé de boire ce vin dans l'année.

⌐ Yves Savoye, Les Combiers, 69820 Vauxrenard, tél. 04.74.69.92.69, fax 04.74.69.92.69 ☑ ☥ r.-v.

DOM. DE LA CROIX SAUNIER

Sélection Vieilles vignes 2001

■ 3 ha 12 000 5 à 8 €

Cette exploitation de 15 ha est souvent présente dans le Guide à travers cette Sélection Vieilles vignes. Le vignoble, implanté sur des coteaux bien exposés, a donné un vin rouge vif à reflets violets. Le nez, d'une intensité moyenne, mêle la cerise et le cassis à des nuances florales. De jeunes tanins marquent leur présence dans une bouche assez vive. Ils révèlent une bonne structure, mais suggèrent d'oublier cette bouteille un à deux ans en cave pour lui permettre de s'affiner.

⌐ GAEC du dom. de la Croix Saunier, Jean Dulac et Fils, 69460 Vaux-en-Beaujolais, tél. 04.74.03.22.46, fax 04.74.03.28.97 ☑ ☥ r.-v.

ANDRE DEPARDON 2001

■ 4,5 ha 10 600 ■♨ 5 à 8 €

Située à la limite des vignobles du Beaujolais et du Mâconnais, l'exploitation a produit un vin d'un beau rouge grenat aux parfums floraux intenses, mêlés à des nuances de fruits rouges et à de légères notes épicées. Sa riche matière, vineuse et aromatique, associée à des tanins ronds, le destine à une consommation dans l'année.

⌐ André Depardon, 71570 Leynes, tél. 04.74.06.10.10, fax 04.74.66.13.77 ☑ ☥ r.-v.

GERARD DUCROUX 2001**

■ 0,5 ha 4 000 ■ 3 à 5 €

Outre un **morgon 2001 (5 à 8 €)**, cité par le jury, cette exploitation a élaboré un beaujolais-villages jugé remarquable. Des parfums de fruits des bois et de cerise accompagnent une attaque charnue. Les tanins donnent ensuite une impression de fermeté, mais constituent un atout certain pour la garde. Cette bouteille pourra attendre un an.

⌐ Gérard Ducroux, Saint-Joseph-en-Beaujolais, 69910 Villié-Morgon, tél. 04.74.69.90.14, fax 04.74.69.90.14 ☑ ☥ r.-v.

CH. DE L'ECLAIR 2001*

■ 2,12 ha 4 000 ■♨ 3 à 5 €

Datant du XIXᵉs., l'ancien domaine expérimental de Victor Vermorel, chercheur et industriel caladois, inventeur du pulvérisateur à dos « l'Eclair », a en partie gardé sa vocation première depuis l'installation dans ses murs de la cuverie expérimentale de la SICAREX. Le domaine, qui s'est illustré dans les dernières éditions par son beaujolais, propose ici un beaujolais-villages des plus réussis. Couleur bigarreau foncé, ce vin dévoile un nez frais et éclatant de fruits rouges bien mûrs. Sa belle matière, aux tanins fondus qui marquent la finale avec une touche de cassis, est particulièrement agréable. Typée et pleine de charme, cette bouteille pourra accompagner pendant deux ans un chausson au lard et aux choux ou des viandes blanches.

⌐ SICAREX Beaujolais, Ch. de l'Eclair, 69400 Liergues, tél. 04.74.68.76.27, fax 04.74.68.76.27 ☑ ☥ r.-v.

DOM. DE LA FLEUR DE BRUYERE 2001

■ 2 ha 5 000 ■♨ 5 à 8 €

Des vignes de soixante ans ont donné cette cuvée à la robe brillante, d'un rouge tirant sur le noir, et aux parfums assez intenses de griotte et de fruits à noyau (pêche). Après une attaque rafraîchissante, la puissance de la belle charpente tannique se manifeste. Une finale légèrement vanillée conclut la dégustation de ce vin à boire dans l'année.

⌐ Jean-Michel Sauzon, Nety, 69460 Saint-Etienne-des-Oullières, tél. 04.74.03.42.84, fax 04.74.03.42.84 ☑ ☥ r.-v.

DOM. DE FORETAL 2001

■ 5 ha 2 500 ■♨ 3 à 5 €

Dans la cave rénovée en 2001 a été élaborée cette cuvée d'un rubis intense et limpide. Le nez mêle la banane et le kiwi à des notes florales. Après une belle attaque franche, des tanins dominants accrochent le palais. Aromatique et persistant, ce vin doit s'arrondir. On l'attendra quelques mois. A signaler encore, le **moulin-à-vent 2001 (5 à 8 €)** de l'exploitation, cité par le jury, à attendre lui aussi.

⌐ Jacques et Marie-Thérèse Perraud, Forétal, 69820 Vauxrenard, tél. 04.74.69.90.45, fax 04.74.69.90.45, e-mail perraud.jacques@libertysurf.fr ☑ ⌂ ☥ t.l.j. 8h-12h 13h-20h; f. septembre

DOM. DES FOUDRES 2001**

■ 1,2 ha 9 600 ■⦿♨ 3 à 5 €

Jean-Philippe Sanlaville est à la tête du domaine familial (une douzaine d'hectares) depuis 1991. Si son **beaujolais blanc 2001** a été jugé très réussi, le jury a préféré ce beaujolais-villages grenat intense. Ses arômes de fruits rouges sont subtilement associés à une bouche charnue, structurée et d'une belle longueur. Harmonieuse et d'une grande finesse, une bouteille pour maintenant.

⌐ Jean-Philippe Sanlaville, Le Plageret, 69460 Vaux-en-Beaujolais, tél. 04.74.03.20.67, fax 04.74.03.21.77 ☑ ☥ t.l.j. 8h-20h

DOM. DE GIMELANDE 2000*

▨ 0,47 ha 1 866 ■ 3 à 5 €

Le domaine a pris le nom que le hameau portait en l'an 990. Il propose un beaujolais blanc d'un bel or pâle, aux parfums d'une grande finesse, mêlant avec bonheur des notes fruitées à quelques impressions vanillées. Sur le même ton, la bouche se montre ronde et charnue, équilibrée et harmonieuse. Ce vin très bien fait est prêt à boire, mais il peut attendre un à deux ans.

⌐ Armand Large, Le Clerjon, 69640 Montmelas, tél. 04.74.67.30.95, fax 04.74.67.47.34, e-mail gimelande@chello.fr ☑ ☥ r.-v.

DOM. GOUILLON 2001

■ 0,5 ha 3 500 5 à 8 €

Installé en 1983, Dominique Gouillon exploite 8,5 ha. Il a rénové sa cave en 2001. Les vignes, conduites en culture raisonnée, ont donné une cuvée rubis limpide qui s'ouvre sur des parfums assez intenses de fruits rouges. Fruité et rond, d'une bonne longueur, mais un peu austère en finale, ce vin est à boire maintenant.

➴ Dominique Gouillon, Les Vayvolets, 69430 Quincié, tél. 04.74.04.38.50, fax 04.74.69.00.67, e-mail gouillon.dominique@club-internet.fr
☑ 🏠 Ⴤ r.-v.

JEAN-PAUL JOMARD 2001★

| ■ | 3 ha | 3 000 | ■ | 3 à 5 € |

Des vignes de soixante ans sont à l'origine de ce vin rubis profond qui s'ouvre sur des parfums flatteurs de fruits rouges. La bouche intense, dotée d'une belle structure de tanins fondus, reste fraîche et pleine de vivacité. Equilibrée et d'une bonne harmonie, cette bouteille est à boire dans les deux ans.
➴ Jean-Paul Jomard, Le Gay, 69460 Blacé, tél. 04.74.67.50.91, fax 04.74.67.50.91 ☑

MICHEL JUILLARD
Cuvée Prestige 2001

| ■ | 0,98 ha | 1 133 | ■ ♦ | 5 à 8 € |

Créée en 1978 avec 6 ha, l'exploitation s'est agrandie pour atteindre 10 ha sur la même commune. Elle propose une cuvée d'un rouge soutenu aux parfums de fruits rouges agrémentés de notes de musc. Assez longue, fruitée, la bouche révèle une structure un peu légère mais équilibrée. Friand et charmeur, ce vin typique est à servir maintenant sur de la charcuterie ou du fromage.
➴ EARL Michel Juillard, Les Bruyères, 71570 Chânes, tél. 03.85.36.53.29, fax 03.85.37.19.02 ☑ Ⴤ r.-v.

VINCENT LACONDEMINE 2001

| ■ | 2 ha | 10 000 | ■ ♦ | 5 à 8 € |

Cette exploitation, fondée en 1966 et reprise par Vincent Lacondemine en 1978, se flatte d'avoir reçu la visite du célèbre marathonien Alain Mimoun. Ses coteaux couverts de vignes ont produit cette cuvée rubis limpide à reflets rosés. Le nez, d'une intensité moyenne mais complexe, révèle des parfums de framboise, de groseille et de cassis avec des notes de fleurs et d'épices. Après une attaque ronde, une bonne structure tannique s'impose sans agressivité. Ce vin un peu léger, mais aromatique et équilibré, peut encore attendre un à deux ans.
➴ Vincent Lacondemine, Le Moulin, 69430 Beaujeu, tél. 04.74.04.82.77, fax 04.74.69.27.61, e-mail vincent.lacondemine@wanadoo.fr ☑ Ⴤ r.-v.

DOM. CEDRIC LATHUILIERE 2001

| ■ | 1,4 ha | 2 000 | ■ | 3 à 5 € |

Installé comme métayer sur 3 ha en novembre 2000, ce fils et gendre de viticulteur a vinifié sa première récolte en 2001 : une cuvée grenat limpide aux parfums de fruits rouges et noirs assortis de quelques nuances végétales. Après une attaque charnue, on découvre une bouche ample et fraîche, dotée d'une bonne structure tannique. Fruité et vif, ce vin peut attendre un an. Il pourra accompagner des diots (saucisses savoyardes) ou une assiette de charcuterie.
➴ Cédric Lathuilière, Vermont, 69910 Villié-Morgon, tél. 04.74.69.17.81, fax 04.74.04.27.76, e-mail c.lathuilier@libertysurf.fr ☑ Ⴤ r.-v.
➴ Gravallon

PATRICK ET ODILE LE BOURLAY 2001

| ■ | 3 ha | 15 000 | ■ | 3 à 5 € |

Dans ce domaine de 12 ha, les vignes sont conduites en lutte raisonnée. Elles ont donné un vin rouge vif aux parfums discrets mais plaisants de fleurs et de fruits. La bouche est aromatique et sans agressivité. Agréable et bien typé beaujolais, un « vin de jeu de boules », à boire maintenant.
➴ EARL Patrick et Odile Le Bourlay, Forétal, 69820 Vauxrenard, tél. 04.74.69.90.44, fax 04.74.69.90.44, e-mail le.bourlay@wanadoo.fr ☑ Ⴤ r.-v.

DOM. DE LA MADONE
Le Perréon 2001★

| ■ | 10 ha | 80 000 | | 3 à 5 € |

Des vignes de quarante ans plantées sur des sols schisteux et granitiques ont donné ce beaujolais-villages d'un rouge intense et limpide. Le nez fruité, d'abord discret, s'affirme sur des nuances capiteuses. La bouche souple et charnue ne manque ni de vinosité ni de jeunes tanins soyeux. Robuste et tendre à la fois, ce vin très harmonieux est bâti pour tenir un an ou deux.
➴ Jean Bérerd et Fils, Dom. de la Madone, 69460 Le Perréon, tél. 04.74.03.21.85, fax 04.74.03.27.19 ☑ Ⴤ r.-v.

CH. DES MALADRETS 2001

| ■ | 15 ha | 30 000 | ■ ♦ | 5 à 8 € |

Dans les caves de ce château, au lieu-dit En Espagne, a été vinifié un vin à la belle robe d'un pourpre limpide. Ses parfums très intenses évoquent le cassis. La bouche, souple et fruitée, se révèle fraîche, presque légère. Cette bouteille gouleyante est à boire dans l'année.
➴ Paul Beaudet, rue Paul-Beaudet, 71570 Pontanevaux, tél. 03.85.36.72.76, fax 03.85.36.72.02, e-mail contact@paulbeaudet.com ☑ Ⴤ t.l.j. 8h-12h 13h30-17h30; f. août
➴ Jean Beaudet

DOM. MANOIR DU CARRA
Cuvée Tradition 2001★

| ■ | 2 ha | 10 000 | ■ ♦ | 3 à 5 € |

La quatrième génération est à la tête de cette exploitation, fondée en 1850. Elle propose un beaujolais-villages grenat limpide, dont les parfums intenses de fruits rouges (framboise) se prolongent en bouche. Ce vin charnu, bien équilibré, aromatique et agréablement persistant sera à déguster tout au long de l'année. Egalement réussi, le **beaujolais rouge 2001** de la propriété est aussi pour maintenant.
➴ Jean-Noël Sambardier, Dom. Manoir du Carra, 69640 Denicé, tél. 04.74.67.38.24, fax 04.74.67.40.61, e-mail jfsambardier@aol.com ☑ Ⴤ r.-v.

DOM. JEAN-PIERRE MARGERAND 2001★★

| ■ | 0,3 ha | 2 500 | ■ | 3 à 5 € |

En 1640 on retrouve des ancêtres de la famille Margerand dans le nord du Beaujolais. Le beaujolais-villages de l'exploitation montre de jolis reflets violets. Il s'épanouit après aération sur de plaisantes notes de raisin frais et d'épices poivrées. Une attaque franche, associée à une belle structure aux tanins assez fermes, confère à ce 2001 riche et charnu une très bonne typicité. Harmonieux du début à la fin, représentatif de l'appellation, ce vin va s'ouvrir davantage et sera prêt à boire pour la nouvelle année.
➴ Jean-Pierre Margerand, Les Crots, 69840 Juliénas, tél. 04.74.04.40.86, fax 04.74.04.46.54, e-mail jp.margerand@libertysurf.fr
☑ Ⴤ t.l.j. 8h-12h 14h-20h

CELLIER DE LA MERLATIERE
Lancié 2001

| | n.c. | 8 000 | | 3 à 5 € |

Provenant de sols sablonneux, cette cuvée d'un rouge presque violet livre des parfums de fruits rouges agréables et bien typés. Ronde, charnue, aromatique, très souple et peu tannique, elle est à boire maintenant.

❧ Paul Pariaud, La Merlatière, 69220 Lancié, tél. 04.74.04.10.16, fax 04.74.69.83.64 ☑ ⓘ r.-v.

DOM. CHRISTIAN MIOLANE 2001

| | 10,5 ha | 30 000 | | 3 à 5 € |

En 2001 un gîte rural a été ouvert au sein de ce domaine. Son beaujolais-villages est un assemblage subtil de raisins vinifiés de façon traditionnelle et de façon plus moderne. De couleur burlat brillant, il livre d'intenses parfums de bonbon anglais, de myrtille et de cassis, assortis de nuances végétales. L'attaque souple et la belle structure, dont les tanins peuvent encore gagner en rondeur, sont accompagnées d'éclatants arômes fruités et floraux. Bien équilibré, agréable à boire, ce vin pourra être servi au cours de l'année avec un rôti de porc et sa garniture printanière.

❧ EARL Dom. Christian Miolane, La Folie, 69460 Salles-Arbuissonnas, tél. 04.74.67.52.67, fax 04.74.67.59.95 ☑ ⓘ ⓘ r.-v.

DOM. DE MONSEPEYS 2001

| | 6 ha | 10 000 | | 5 à 8 € |

Une cuvée caractérisée par des parfums persistants de fraise et de framboise bien mûres. Faisant suite à une belle attaque équilibrée, des tanins de qualité, encore un peu fermes, font sentir leur présence. Un vin réussi qui devra s'affiner un à deux ans.

❧ Jean-Luc et Nathalie Canard, Les Benons, 69840 Emeringes, tél. 04.74.04.45.11, fax 04.74.04.45.19 ☑ ⓘ ⓘ r.-v.

DOM. DES NUGUES 2001★

| | 17,5 ha | 70 000 | | 5 à 8 € |

Cette exploitation, créée par Gérard Gelin en 1968, s'est agrandie au fil des ans. Le fils Gilles s'est depuis peu associé à son père. Leur beaujolais-villages, d'un pourpre brillant, libère d'intenses parfums où les fruits rouges dominent. Il emplit la bouche d'une chair ronde et aromatique associée à des tanins assez fins et frais. Homogène, d'une belle longueur, ce vin est à boire dans les deux années à venir.

❧ EARL Gérard et Gilles Gelin, Dom. des Nugues, Les Pasquiers, 69220 Lancié, tél. 04.74.04.14.00, fax 04.74.04.16.73 ⓘ ⓘ r.-v.

DOM. DU PERRIN 2001★★

| | 5 ha | 8 000 | | 5 à 8 € |

Si le pourpre de la robe se montre très engageant, les parfums de fruits rouges, de pruneau cuit et d'épices sont légèrement en retrait. C'est en bouche que ce vin s'impose de façon magistrale, révélant une très belle ampleur, des tanins souples, fondus dans une palette d'arômes de fruits rouges pleine de charme, qui s'estompe en douceur. Friand et gourmand, il pourra être servi au cours des deux prochaines années « avec une caille aux pruneaux et une mousseline de légumes frais », suggère un dégustateur, qui conclut : « C'est le beaujolais qui fait aimer le beaujolais. »

❧ Roger Lacondemine, Dom. du Perrin, 69460 Le Perréon, tél. 04.74.03.24.69, fax 04.74.03.27.79 ☑ ⓘ r.-v.

CH. DE LA PIERRE 2001

| | n.c. | n.c. | | 3 à 5 € |

Parée d'une robe grenat intense, cette cuvée, mise en bouteilles par les établissements Loron, livre des parfums nets et persistants de framboise et de cassis bien mûrs. Après une attaque ample et aromatique, la bouche révèle des tanins jeunes en finale. Puissant, agréable et long, ce vin peut encore attendre un à deux ans.

❧ Ets Loron, Pontanevaux, 71570 La Chapelle-de-Guinchay, tél. 03.85.36.81.20, fax 03.85.33.83.19, e-mail vinloron@wanadoo.fr ☑ ⓘ r.-v.

DOM. DES PINS 2001

| | 0,5 ha | 2 000 | | 5 à 8 € |

Des sols granitiques sont à l'origine de cette cuvée d'un rouge soutenu limpide, aux parfums assez intenses de framboise, de fraise et de cassis. On retrouve le cassis dans une bouche ronde et pleine, un peu fugace mais équilibrée. A boire.

❧ EARL Gobet, Les Pins, 69430 Lantignié, tél. 04.74.04.84.12, fax 04.74.69.22.10 ☑ ⓘ r.-v.

JEAN-CHARLES PIVOT 2001

| | 12 ha | 90 000 | | 3 à 5 € |

Cette cuvée à la jolie robe rubis livre d'agréables parfums de fruits rouges mêlés à des notes de bonbon acidulé. Après une attaque fraîche, la structure de jeunes tanins prend le pas sur une chair fine. Plutôt vif, ce vin est à boire dans l'année.

❧ Jean-Charles Pivot, 69430 Quincié-en-Beaujolais, tél. 04.74.04.30.32 ⓘ r.-v.

DOM. DE LA PLAIGNE 2001★

| | 3 ha | 24 000 | | 3 à 5 € |

A la tête de 12 ha de vignes, Gilles Roux a rénové sa cave en 2001. Pour ce millésime, c'est toute sa production qui est retenue : un régnié, cité, et ce beaujolais-villages d'un rouge soutenu aux puissantes et agréables évocations de fruits rouges. La bouche, fruitée et tannique, tout en conservant de la souplesse, a du mordant. Ce vin équilibré et bien représentatif de l'appellation accompagnera avec bonheur de la charcuterie pendant deux ans.

❧ Gilles et Cécile Roux, La Plaigne, 69430 Régnié-Durette, tél. 04.74.04.80.86, fax 04.74.04.83.72, e-mail gilles-cecile.roux@wanadoo.fr ☑ ⓘ r.-v.

CAVE BEAUJOLAISE DE QUINCIE 2001

| | 6 ha | 35 000 | | 3 à 5 € |

La cave coopérative de Quincié compte, parmi ses adhérents, l'enfant du pays, Bernard Pivot. Elle a élaboré un beaujolais-villages à la robe rouge soutenu égayée de reflets violines. Ses parfums intenses et frais évoquent la fraise, le cassis, la pivoine et les épices. L'attaque souple se prolonge sur des impressions tendres et des nuances fruitées. Agréable, bien équilibré, net et d'une bonne longueur, ce vin sera apprécié dans l'année avec une volaille rôtie, de la cochonnaille ou une fricassée de pintadeau.

❧ Cave beaujolaise de Quincié, Le Ribouillon, 69430 Quincié-en-Beaujolais, tél. 04.74.04.32.54, fax 04.74.69.01.30 ☑ ⓘ r.-v.

DOM. GABRIEL REMUET 2001

■ 3 ha 24 000 ■↓ 5 à 8 €

Installé en 1991, Gabriel Remuet exploite près de 11 ha de vignes. Des ceps âgés de cinquante ans sont à l'origine de ce beaujolais-villages rouge vif aux parfums de fruits rouges discrets mais bien fondus qui appellent à poursuivre la dégustation. L'attaque souple laisse la place à une bouche ample et longue qui dévoile en finale des tanins assez puissants. Ce beau vin sera prêt à boire à l'automne 2002.

⌐ Gabriel Remuet, Les Mûriers,
69220 Corcelles-en-Beaujolais,
tél. 04.74.66.09.40, fax 04.74.66.06.46,
e-mail beaujolais.domaine.remuet@wanadoo.fr
☑ Ⱦ r.-v.

DOM. DE ROCHEBRUNE 2001

■ 1 ha 5 000 ■↓ 3 à 5 €

Des vignes de quarante ans ont donné cette cuvée bigarreau soutenu et limpide, aux parfums frais de fruits et de fleurs. La bouche, d'abord souple et fruitée, ne manque ni de corps ni de vivacité. Ce beau potentiel ne demande qu'à mûrir. On attendra un an avant de servir ce vin avec un saucisson chaud ou une volaille rôtie.

⌐ EARL dom. de Rochebrune, Le Pont-Mathivet,
69460 Saint-Etienne-des-Oullières, tél. 04.74.03.46.41
☑ Ⱦ r.-v.
⌐ Xavier Dumont

CAVE COOP. DE SAINT-JULIEN 2001★★

■ 10 ha 5 000 5 à 8 €

Beaujolais-Villages
Appellation Beaujolais-Villages Contrôlée
2001

12.5% vol.   MIS EN BOUTEILLE À LA PROPRIÉTÉ PAR
CAVE COOPERATIVE DE SAINT-JULIEN - RHÔNE (FRANCE)   75cl

Dans des installations rénovées en 2000 a été vinifiée une cuvée à la robe d'un rubis intense et limpide, agrémentée de beaux reflets violets. Agréables et francs, des parfums de fruits rouges et d'iris s'en échappent et accompagnent, avec la violette en prime, les volumineuses impressions de chair et l'harmonieuse structure tannique. Très bien équilibré et typique, ce vin gourmand sera apprécié au cours des deux prochaines années.

⌐ Cave beaujolaise de Saint-Julien, Les Fournelles,
69640 Saint-Julien, tél. 04.74.67.57.46,
fax 04.74.67.51.93, e-mail sacha.regourd@free.fr
☑ Ⱦ r.-v.

LE TEMPLE DE BACCHUS 2001★★

■ n.c. 12 000 ■ 5 à 8 €

Capitale historique du Beaujolais, Beaujeu mérite une visite pour ses maisons anciennes, son musée, et pour ce caveau, créé en 1956 entre hôtel de ville et église pour promouvoir l'appellation. Ce dernier a sélectionné un joli beaujolais-villages d'un rouge léger limpide, aux parfums de fruits rouges de bonne intensité. Sa belle structure, équilibrée, charnue et ronde, et son fruité s'imposent d'emblée en bouche. Long et harmonieux, ce vin est à partager dès maintenant.

⌐ Caveau des Beaujolais-Villages, pl. de l'Hôtel-de-Ville, 69430 Beaujeu, tél. 04.74.04.81.18
☑ Ⱦ t.l.j. 10h30-13h 14h-19h30; f. jan.

DOM. DE TERRES MUNIERS

Cuvée Prestige Vieilles vignes 2001★

■ 1 ha n.c. ■↓ 5 à 8 €

Des sols silico-argileux sont à l'origine de cette cuvée rubis soutenu, aux parfums assez intenses de groseille, de fruits des bois et d'épices. La bonne attaque, acidulée et fraîche, annonce la bouche dont la belle matière est constituée de tanins fondus et aromatiques. Agréable, gouleyant, facile à boire, ce vin pourra être servi pendant un à deux ans avec une volaille rôtie ou des cochonnailles.

⌐ Gérard et Jacqueline Trichard, Le Bel Avenir,
71570 La Chapelle-de-Guinchay, tél. 03.85.36.77.54,
fax 03.85.33.83.78, e-mail trichardg@aol.com
☑ ⌂ Ⱦ r.-v.

MAISON THORIN

Sélection de Match 2001★

■ n.c. 50 000 3 à 5 €

Cette sélection mise en bouteilles par la maison Thorin affiche une belle robe rouge vif. Ses parfums agréables et riches évoquent les fruits rouges. Après une attaque souple, sa matière charnue, enrobée de tanins puissants, se prolonge longuement en bouche. Ce vin sera à boire dès l'automne 2002.

⌐ Match, 250, av. du Gal-de-Gaulle, BP 201,
59561 La Madeleine, tél. 04.74.69.09.10,
fax 04.74.69.09.28

DOM. DES VIEUX CHASTYS 2001★

■ 2 ha 10 000 3 à 5 €

Jean-Pierre Joubert exploite en métayage quelque 5 ha de vignes appartenant au château de Pizay. Il a élaboré un vin d'un rubis intense, limpide et brillant, qui s'ouvre sur des parfums de fruits rouges. Equilibrée, assez charnue, aromatique, la bouche persiste agréablement. Une bouteille de bon ton, à boire dans l'année.

⌐ Jean-Pierre Joubert, Les Chastys,
69430 Régnié-Durette, tél. 04.74.66.20.10 ☑
⌐ Ch. de Pizay

Brouilly et côte-de-brouilly

L e dernier samedi d'août, le vignoble retentit de chants et de musique ; les vendanges ne sont pas commencées et pourtant une nuée de marcheurs, panier de victuailles au bras, escaladent les 484 m de la colline de Brouilly, en direction du sommet où s'élève une chapelle près de laquelle seront offerts le pain, le vin et le sel. De là, les pèlerins découvrent le Beaujolais, le Mâconnais, la Dombes, le mont d'Or. Deux appellations sœurs se sont disputé la délimitation des terroirs environnants : brouilly et côte-de-brouilly.

Le vignoble de l'AOC côte-de-brouilly, installé sur les pentes du mont, repose sur des granites et des schistes très durs, vert-bleu, dénommés « cornes-vertes » ou diorites. Cette montagne serait un reliquat de l'activité volcanique du primaire, à défaut d'être, selon la légende, le résultat du déchargement de la hotte d'un géant ayant creusé la Saône... La production (18 661 hl pour 325 ha) est répartie sur quatre communes : Odenas, Saint-Lager, Cercié et Quincié. L'appellation brouilly, elle, ceinture la montagne en position de piémont sur 1 315 ha, et a produit 76 226 hl en 2001. Outre les communes déjà citées, elle déborde sur Saint-Etienne-la-Varenne et Charentay ; sur la commune de Cercié se trouve le terroir bien connu de la « Pisse Vieille ».

Brouilly

L'AME DU TERROIR 2001

| | | n.c. | 40 000 | | 3 à 5 € |

Elaborée par la maison Thorin pour la marque Cora, cette sélection, d'un rouge soutenu limpide, livre de bons parfums fruités aux nuances vineuses. Ce vin bien équilibré, sans défaut, gouleyant à souhait est fait pour être bu dès à présent.

🐦 Cora, 28, rue des Vieilles-Vignes, Croissy-Beaubourg, 77423 Marne-la-Vallée Cédex, tél. 04.74.69.09.10, fax 04.74.69.09.28

ANTOINE BARRIER 2001★

| | | 15 ha | 90 000 | | 5 à 8 € |

D'un pourpre léger et vif, la sélection de ce négociant exprime des parfums flatteurs de fruits rouges frais et de fleurs (aubépine), accompagnés d'une note de curry. La bouche, ample et charnue, révèle de savoureux tanins. Harmonieux, long et complet, ce vin bien typé sera apprécié au cours des deux prochaines années.

🐦 SCAMARK, 52, rue Camille-Desmoulins, 92135 Issy-les-Moulineaux, tél. 01.46.62.76.37, fax 01.46.44.38.32

CH. BEILLARD 2001★

| | | 6 ha | 40 000 | | 5 à 8 € |

La robe est rouge violacé ; les parfums, dominés par les fruits rouges, apparaissent intenses et vifs. Très vite, les tanins, jeunes et serrés, s'emparent d'une bouche charnue, puissante et de bonne longueur. Ce vin de qualité, bien typé, doit encore s'affiner quelques mois.

🐦 GFA des Beillard, Briante, 69220 Saint-Lager, tél. 04.74.09.60.00, fax 04.74.09.60.17 ☑

DOM. LIONEL BERTRAND
Bonnège 2001

| | | 1,7 ha | 13 300 | | 5 à 8 € |

Jeune vigneron, Lionel Bertrand exploite un domaine en métayage. Il a élevé un vin rouge profond qui s'ouvre sur des parfums de fruits rouges et des nuances mentholées. La bouche, légère mais bien équilibrée, révèle des tanins savoureux. Ce brouilly agréable et harmonieux, distribué par l'Eventail des Vignerons à Corcelles, est à boire au cours des deux prochaines années.

🐦 Lionel Bertrand, 69220 Charentay, tél. 04.74.06.10.10, fax 04.74.66.13.77 ☑ ⅄ r.-v.

DOM. BERTRAND 2000★★

| | | 2,47 ha | 5 000 | | 5 à 8 € |

Maryse et Jean-Pierre Bertrand sont depuis 1974 à la tête du domaine familial situé au pied de la colline de Brouilly, et qui compte 17 ha. Issu de vignes de quarante-cinq ans, leur 2000 présente une robe rouge sombre et des parfums assez intenses de cerise et autres fruits rouges, assortis d'une nuance végétale. Il emplit totalement la bouche de ses arômes fruités et laisse percevoir sa bonne structure tannique toujours présente. Persistant et harmonieux, ce vin peut encore gagner en amabilité ; à attendre un an.

🐦 EARL Jean-Pierre et Maryse Bertrand, Bonnège, 69220 Charentay, tél. 04.74.66.85.96, fax 04.74.66.72.46 ☑ ⅄ r.-v.

PIERRE CHANAU 2001

| | | n.c. | 250 000 | | 5 à 8 € |

Destinée à la grande distribution (Auchan), cette sélection rouge léger s'ouvre sur des parfums un peu chauds de fruits rouges et de violette. La bouche puissante révèle des tanins dénués d'agressivité. Ce vin qui a du corps est à boire dans l'année.

🐦 AVF, Les Chers, 69840 Juliénas, tél. 04.74.06.78.00, fax 04.74.06.78.71, e-mail avf@free.fr ⅄ r.-v.

MURIEL ET YVAN CHAVRIER
Cuvée Vieilles vignes Vieilli en fût de chêne 2000★

| | | 1,5 ha | 2 000 | | 5 à 8 € |

Yvan Chavrier est métayer du célèbre château de la Chaize depuis 1991. A la tête de 9 ha de vignes, il a élaboré une cuvée grenat intense aux très beaux reflets rubis. Le nez, d'abord assez discret s'ouvre sur d'élégantes nuances de foin coupé, de fruits et de boisé. Doté de tanins souples, enrobés de notes de cuir et de noyau, ce vin assez long, boisé sans excès, est prêt à boire, mais il peut encore attendre deux à trois ans.

🐦 Yvan Chavrier, Les Caboches, 69460 Odenas, tél. 04.74.03.30.15, fax 04.74.03.30.15 ☑ ⅄ r.-v.
🐦 de Roussy de Salles

DOM. CRET DES GARANCHES 2001

| | | 8 ha | 60 000 | | 5 à 8 € |

Ce domaine de 9 ha produit surtout du brouilly. D'un grenat mat et sombre, celui-ci s'ouvre sur des parfums flatteurs de framboise. Des tanins encore jeunes se partagent une bouche aromatique, un peu rustique, à la finale minérale. Une bouteille pour maintenant.

🐦 Yvonne Dufaitre, Garanches, 69460 Odenas, tél. 04.74.03.41.46, fax 04.74.03.51.65 ☑ ⅄ r.-v.

REMY DARGAUD 2001★★

| ■ | 1 ha | 6 000 | ⑪ | 5 à 8 € |

Cette cuvée rubis profond libère de généreux parfums de bonbon anglais, de framboise, de cassis mêlés d'épices. Après une attaque un peu vive, sa riche matière s'épanouit doucement en bouche. Fruité et plaisant dès à présent, ce vin peut encore mûrir un à deux ans. Il accompagnera des entrées ou des viandes blanches.
➤ Rémy Dargaud, 30, rte de Villié-Morgon, 69220 Cercié-en-Beaujolais, tél. 04.74.66.81.65 ☑ ⵏ r.-v.

DOM. DEMIANE 2001★

| ■ | n.c. | 40 000 | ▮⬥ | 5 à 8 € |

Cette sélection très sombre s'ouvre sur des notes vineuses et des nuances de cuir de bonne intensité. Une très belle attaque, puissante et chaleureuse, des tanins jeunes, qui doivent s'assagir, composent un vin équilibré et solidement bâti qu'il convient d'attendre quelques mois. On le servira avec du gibier.
➤ La Réserve des Domaines, Les Chers, 69840 Juliénas, tél. 04.74.06.78.00, fax 04.74.06.78.71 ⵏ r.-v.

CLAIRE ET FREDERIC DESCOMBES
GAJOWKA 2000★

| ■ | 1 ha | 2 500 | ▮⬥ | 5 à 8 € |

Les Descombes ont acheté le domaine à la fin des années 1950. Depuis 1996, leur petite-fille et son mari sont à la tête de l'exploitation. Grenat profond à reflets violines, leur brouilly libère des parfums timides mais complexes de fruits rouges, de cassis et de réglisse. C'est en bouche que ce vin s'affirme, grâce à une bonne structure de tanins ronds et à des arômes fruités, nets et francs. Apte à une garde d'un an, cette bouteille typée et intéressante accompagnera une viande blanche ou rouge.
➤ C. et F. Descombes Gajowka, La Jonchère, 69460 Saint-Etienne-des-Oullières, tél. 04.74.03.40.34, fax 04.74.03.40.34, e-mail cfgajo@free.fr ☑ ⵏ r.-v.
➤ GFA Descombes

GEORGES DUBŒUF
Prestige 2000★

| ■ | n.c. | 28 000 | ▮⬥ | 5 à 8 € |

Georges Dubœuf, qui dirige la société qu'il a créée en 1964, a développé non loin de ses installations de négoce un espace d'initiation consacré à la vigne et au vin, dénommé le « Hameau en Beaujolais ». Paré d'une robe rubis soutenu, son brouilly exprime des notes de fleurs et de kirsch mêlées de nuances vineuses. La bouche, très marquée par les fruits rouges, assez souple et dotée d'une belle structure tannique, persiste longuement. Corsé mais équilibré, ce vin harmonieux est prêt à boire, mais il peut encore attendre. Tout aussi réussi, le **beaujolais 2001** (3 à 5 €) de la maison (40 000 bouteilles).
➤ SA Les Vins Georges Dubœuf, quartier de la Gare, BP 12, 71570 Romanèche-Thorins, tél. 03.85.35.34.20, fax 03.85.35.34.25, e-mail gduboeuf@duboeuf.com ☑ ⵏ t.l.j. 9h-18h au Hameau en Beaujolais; f. 1er-15 jan.

JEAN-FRANCOIS GAGET 2000

| ■ | 6,2 ha | 12 000 | ▮ | 5 à 8 € |

D'un grenat foncé limpide et brillant, ce brouilly exprime des parfums épicés assortis de nuances minérales. A la bonne attaque assez ronde font suite des impressions corsées et fermes qui laissent une agréable fraîcheur. Ce vin peut être bu dès maintenant mais il peut encore attendre un à deux ans ; il accompagnera du fromage de tête ou du petit gibier.
➤ Jean-François Gaget, La Roche, 69460 Odenas, tél. 04.74.03.46.23, fax 04.74.03.51.40 ☑ ⵏ r.-v.

DOM. DES GAROCHES 2000

| ■ | 5,5 ha | 8 000 | ▮⑪⬥ | 5 à 8 € |

Pierre-Louis Dufaitre a pris en 1996 la suite d'une longue lignée de vignerons remontant à 1750. Une macération préfermentaire à chaud est à l'origine de son brouilly. Un vin d'apparence très jeune, avec sa robe d'un rubis brillant et limpide aux beaux reflets violets. Le bon nez est dominé par la cerise confite et la griotte, tandis que la framboise et le cassis accompagnent une bouche corsée et charpentée, qui a de la mâche. Une bouteille à boire au cours des deux prochaines années avec une entrecôte.
➤ Pierre-Louis Dufaitre, Garanches, 69460 Odenas, tél. 04.74.03.40.16, fax 04.74.03.40.16 ☑ ⵏ t.l.j. 8h-20h

GRAND CLOS DE BRIANTE 2001★

| ■ | 15 ha | 60 000 | ▮⬥ | 5 à 8 € |

Cette sélection est distribuée par les établissements Pellerin ; d'un grenat brillant, elle livre des parfums de fraise et de cerise, de pivoine et de cannelle. L'attaque un peu vive est suivie d'arômes de fruits et de violette qui se prolongent en finale. Ce vin est à boire dans l'année, il sera servi de préférence en entrée ou sur de la charcuterie lyonnaise.
➤ Ets Pellerin, 435, rte du Beaujolais, BP 8, 69830 Saint-Georges-de-Reneins, tél. 04.74.09.60.00, fax 04.74.09.60.17

DOM. DU GRIFFON 2001★

| ■ | 5 ha | 8 000 | ▮⬥ | 5 à 8 € |

Le domaine, qui s'est constitué par achats successifs de différentes métairies, a élaboré à partir de vieilles vignes une cuvée rouge soutenu à reflets violets. Les parfums intenses, flatteurs et frais évoquent la fraise et la framboise. Après une attaque franche et vive, une structure ronde et équilibrée, aux tanins doux, se développe agréablement au palais. Ce 2001, alliant puissance et finesse, est prêt à boire mais il peut encore attendre un an.
➤ Jean-Paul Vincent, Le Bourg, 69220 Saint-Lager, tél. 04.74.66.85.00, fax 04.74.66.73.18 ☑ ⌂ ⵏ t.l.j. 8h-12h 14h-18h

DANIEL GUILLET 2001

| ■ | n.c. | 4 000 | ▮⬥ | 5 à 8 € |

La troisième génération de Guillet se prépare à reprendre cette métairie du château de la Chaize. L'exploitation a vinifié une cuvée foncée, qui séduit par son nez intense mêlant des notes amyliques aux fruits rouges. La bouche élégante est dotée d'une aimable structure. Gourmand, friand et typique, ce vin est à boire dans l'année.
➤ Daniel Guillet, Les Lions, 69460 Odenas, tél. 04.74.03.48.06, fax 04.74.03.48.06 ☑ ⵏ r.-v.

BERNARD JOMAIN 2000★

| ■ | 8 ha | 3 500 | ⑪ | 5 à 8 € |

Devenu viticole au XVIIIᵉs., le château de la Chaize possède un vignoble de 100 ha en brouilly. A la tête de 8,5 ha, Bernard Jomain est l'un des métayers du domaine. Il a rénové sa cave en 2000. De couleur grenat, son brouilly livre des parfums de fruits rouges avec une nuance d'évolution. La très bonne attaque est suivie d'impressions aromatiques et fraîches associées à de fins tanins. Ce vin typé, sans défaut et gouleyant est à boire maintenant.

🕊 Bernard Jomain, Les Clous, 69460 Odenas, tél. 04.74.03.47.60, e-mail jomainb@wanadoo.fr
☑ ⵂ r.-v.

DOM. DE LA JONCHERE 2000★★

■	0,74 ha	5 700	■ ♦	5 à 8 €

Des vignes de soixante ans, implantées sur des arènes granitiques, ont donné une cuvée toujours jeune, d'un pourpre profond. Les parfums assez intenses de fruits rouges et de violette ont gardé de la fraîcheur. La bouche, encore vive, tannique, conserve un bon équilibre. Ce brouilly sérieux, sans exubérance, harmonieusement frais et corsé, peut encore attendre un à deux ans.

🕊 Eric Delaye, La Jonchère, 69460 Saint-Étienne-la-Varenne, tél. 04.74.03.42.34, fax 04.74.03.57.20 ☑ ⵂ r.-v.

🕊 Joseph Michel

JEAN-MARC LAFOREST 2001★★

■	5,8 ha	34 000	■ ♦	3 à 5 €

D'un rouge soutenu aux reflets violets, ce brouilly est issu de sols granitiques et argilo-calcaires. Ses parfums intenses de fruits rouges sont vifs et agréables. Dès l'attaque, les tanins très fins et bien fondus donnent une bonne impression. La bouche, ronde et souple, offre de belles saveurs de fruits. Ce vin fort plaisant et aromatique est à boire dans l'année.

🕊 Jean-Marc Laforest, Chez le Bois, 69430 Régnié-Durette, tél. 04.74.04.35.03, fax 04.74.69.01.67 ☑ ⵂ t.l.j. 8h-20h

DOM. DES MAISONS NEUVES
Fût de chêne 2000★

■	6 ha	5 000	ⵂ	5 à 8 €

Issue de vignes de trente ans, cette cuvée rubis limpide aux légers reflets violets a été élevée en fût. Le jury ne s'y trompe pas, qui relève des nuances de vanille, de café, d'amande grillée dominantes au nez. La bouche, ample et structurée, est naturellement marquée par le bois, qui atténue le fruité. L'ensemble, bien travaillé, ne manque pas d'harmonie. On pourra attendre ce vin deux à trois ans. Il accompagnera une viande rouge, du gibier, voire un pavé d'autruche, comme le suggère un dégustateur.

🕊 Robert Jambon, Bergiron, 69220 Saint-Lager, tél. 04.74.66.81.24, fax 04.74.66.70.00 ⵂ r.-v.

LAURENT MARTRAY
Vieilles vignes 2000★★★

■	3 ha	10 000	ⵂ	5 à 8 €

Installé en 1993 sur un domaine de 9 ha, Laurent Martray exporte 70 % de sa production. Provenant de vignes de cinquante ans cultivées en lutte raisonnée, ce brouilly affiche une robe grenat toujours très jeune. D'intenses et flatteurs parfums de fruits rouges bien mûrs, évoluant doucement vers le kirsch, le coing et les épices, accompagnent longuement une bouche charnue, bien charpentée et chaleureuse. La superbe harmonie de ce vin, puissant et équilibré, a conquis les jurés qui proposent de le servir avec du gibier pendant deux à trois ans.

🕊 Laurent Martray, Combiaty, 69460 Odenas, tél. 04.74.03.51.03, fax 04.74.03.50.92, e-mail laurent.martray@wanadoo.fr ☑ ⵂ r.-v.

DOM. DU MONNET 2001★

■	n.c.	n.c.		5 à 8 €

Cette sélection rouge soutenu aux reflets violets est marquée par des parfums intenses de fruits rouges. La belle attaque franche, prémice d'impressions charnues, rondes et fines, évolue vers une finale plus ferme. Ce vin très aromatique, d'un type léger, sera prêt à boire dans un an.

🕊 Jacques Charlet, 71570 La Chapelle-de-Guinchay, tél. 03.85.36.81.20, fax 03.85.33.83.19

CH. DU MONTCEAU 2000

■	0,5 ha	3 600	■	5 à 8 €

Des vignes de cinquante ans ont donné cette cuvée à la robe grenat à peine évoluée et aux parfums intenses de fruits rouges, d'épices et de cuir. Une bonne mâche, imprégnée d'arômes fruités, emplit assez longuement la bouche. Ce représentant typé de l'appellation est prêt à boire.

🕊 SCI Ch. du Montceau, BP 19, 69830 Saint-Georges-de-Reneins, tél. 04.74.09.70.60, fax 04.74.09.70.61 ☑ ⵂ r.-v.

DOM. DU MOULIN FAVRE
Cuvée Vieilles vignes 2001

■	8,5 ha	25 000	■ ♦	5 à 8 €

Née de vignes de quarante ans, cette cuvée rubis intense livre des parfums de framboise et de fraise avec une note épicée. Gouleyante et fruitée, elle montre plus de vinosité en finale. Elle accompagnera un rôti de veau farci.

🕊 Armand Vernus, Le Vieux-Bourg, 69460 Odenas, tél. 04.74.03.40.63, fax 04.74.03.40.76
☑ ⵂ t.l.j. 8h-12h 13h30-20h

CH. DE NERVERS 2001★★

■	n.c.	60 000	■ ♦	5 à 8 €

La production du château est commercialisée par les établissements Duboeuf ; d'un pourpre intense, ce brouilly livre des parfums assez puissants et harmonieux de fruits rouges mêlés d'expressions florales (violette). Remplissant totalement la bouche d'une matière riche, ample et vive, ce vin aux arômes fruités et à la bonne structure tannique révèle un très bel équilibre. On attendra un an son complet épanouissement.

🕊 SA Les Vins Georges Duboeuf, quartier de la Gare, BP 12, 71570 Romanèche-Thorins, tél. 03.85.35.34.20, fax 03.85.35.34.25, e-mail gduboeuf@duboeuf.com
☑ ⵂ t.l.j. 9h-18h au Hameau en Beaujolais; f. 1er-15 jan.

CAVE BEAUJOLAISE DU PERREON 2001★★

■	4,73 ha	12 000		8 à 11 €

La cave coopérative du Perréon vinifie 355 ha de vignes. Elle a élaboré un brouilly d'un rouge assez léger, aux frais parfums de violette et de bourgeon de cassis, associés à des nuances de fruits rouges et à des notes florales et épicées. Equilibrée, très agréable par son caractère fin et fondu, la bouche révèle un certain potentiel et se montre persistante. Un ensemble plaisant, complet et homogène, à déguster dans l'année.

🕊 Cave Beaujolaise du Perréon, 69460 Le Perréon, tél. 04.74.03.22.83, fax 04.74.03.27.60 ☑ ⵂ r.-v.

CH. DE LA PERRIERE 2000

■	2 ha	20 000	■ ⵂ ♦	5 à 8 €

La robe rouge violacé de cette sélection a conservé toute la jeunesse du millésime 2000. D'agréables parfums à dominante florale émanent de ce vin franc à l'attaque mais plutôt léger en bouche. D'une bonne harmonie et sans défaut, il est à boire maintenant.

🍷 Moillard, 2, rue François-Mignotte, 21700 Nuits-Saint-Georges, tél. 03.80.62.42.22, fax 03.80.61.28.13, e-mail nuicave@wanadoo.fr ☑ 🍸 t.l.j. 10h-18h; f. jan.

ROBERT PERROUD 2001★

| ■ | 6 ha | 25 000 | ■ ♦ | 8 à 11 € |

Les ancêtres de Robert Perroud cultivaient déjà la vigne avant la Révolution. L'exploitation compte aujourd'hui un peu plus de 9 ha. Provenant de coteaux, ce brouilly présente une robe d'un rouge foncé presque violacé. Ses arômes intenses de fruits rouges, associés à des notes affirmées de cassis, accompagnent une bouche riche, ronde et charpentée, aux jeunes tanins très prometteurs. Puissant et agréable, bien typé, ce vin est prêt à boire, mais il peut attendre un à deux ans. A signaler encore, le **côte-de-brouilly 2001** de la propriété, cité par le jury.

🍷 Robert Perroud, Les Balloquets, 69460 Odenas, tél. 04.74.04.35.63, fax 04.74.04.32.46, e-mail robertperroud@wanadoo.fr 🍸 r.-v.

LES ROCHES BLEUES 2000★

| ■ | 4,65 ha | 15 500 | ⫿⫿ | 5 à 8 € |

Le caveau de dégustation du domaine comporte une reproduction en trompe-l'œil d'une tapisserie d'Aubusson. Le **côte-de-brouilly 2001**, cité par le jury, et ce brouilly grenat intense n'ont rien du trompe-l'œil ! Le nez de ce dernier s'ouvre sur des parfums de cerise, de cassis et de fruits à noyau. La bouche riche, charpentée et concentrée conserve un bon équilibre. On y retrouve les plaisants arômes de noyau et de fruits rouges. Ce vin harmonieux est prêt à boire, mais il peut attendre un an.

🍷 Dominique Lacondemine, Dom. les Roches Bleues, 69460 Odenas, tél. 04.74.03.43.11, fax 04.74.03.50.06, e-mail lacondemine.dominique@wanadoo.fr ☑ 🏠 🍸 t.l.j. 8h30-20h; dim. sur r.-v.

DOM. DES ROSES D'OR 2000★★

| ■ | 2 ha | 5 000 | ■ | 5 à 8 € |

Jean-Luc Bernillon est à la tête d'un domaine de 12 ha depuis 1990. Des vignes de quarante ans, implantées sur des terrains argileux et caillouteux, ont donné une cuvée à la robe rouge violet restée très jeune. Ses parfums nets et frais sont complexes : on y trouve des fruits rouges, du pain d'épice, des nuances florales et minérales. L'attaque franche donne le ton. La bouche, ronde avec de la puissance, souple, aromatique et longue, offre une finale très agréable. Harmonieux et élégant, ce vin est prêt à boire.

🍷 Jean-Luc Bernillon, Les Poutoux, 69220 Belleville, tél. 04.74.07.99.95, fax 04.74.07.99.95 ☑ 🍸 r.-v.

DOM. RUET
Voujon 2001★

| ■ | 3 ha | 22 000 | ■ ♦ | 5 à 8 € |

Créé en 1926, ce domaine est dirigé par la troisième génération, et ce sera bientôt le tour de la quatrième avec l'arrivée de la fille sur l'exploitation. Il est régulièrement retenu en brouilly, parfois aux meilleures places. D'un rubis brillant, le 2001 livre des parfums assez fins de framboise, de griotte et de cassis qui se prolongent dans une bouche pleine et ample. Structuré et fruité, très bien équilibré, ce vin accompagnera pendant deux ans de la charcuterie ou de la poitrine roulée. On ne négligera pas non plus le **régnié 2001** de la propriété, cité par le jury.

🍷 Dom. Jean-Paul Ruet, Voujon, 69220 Cercié-en-Beaujolais, tél. 04.74.66.85.00, fax 04.74.66.89.64, e-mail ruet.beaujolais@wanadoo.fr ☑ 🏠 🍸 r.-v.

DOM. DE TANTE ALICE 2001★★

| ■ | 1,2 ha | 5 000 | | 5 à 8 € |

Des vignes de cinquante-cinq ans, plantées sur des sols granitiques, sont à l'origine de cette cuvée grenat limpide aux parfums intenses de cerise, de fraise et de cassis. La très bonne attaque, tout en finesse, est suivie de sensations plus volumineuses qui donnent l'impression que l'on croque un fruit. Bien structuré et équilibré, ce remarquable brouilly est prêt à boire, mais il peut encore attendre deux ans.

🍷 SCEA Dom. de Tante Alice, La Pilonnière, 69220 Saint-Lager, tél. 04.74.66.89.33, fax 04.74.66.86.20 ☑ 🍸 r.-v.

THIVIN 2001★★★

| ■ | 5,7 ha | 32 000 | ■ ♦ | 5 à 8 € |

Née sur des arènes granitiques roses, cette superbe cuvée a été classée premier coup de cœur du grand jury. Ses puissants parfums de cerise bien mûre, de kirsch et de mûre accompagnent une longue bouche charnue aux tanins ronds. Dotée d'une très belle structure, vive et aromatique, la bouche est marquée en finale par la purée de mûres et la réglisse. Un magnifique représentant de l'appellation, « certainement issu de vieilles vignes à petit rendement », écrit un dégustateur. Il a vu juste : les ceps ont quarante ans. On pourra servir ce vin avec du gibier pendant les deux prochaines années.

🍷 Claude Geoffray, Ch. Thivin, la Côte de Brouilly, 69460 Odenas, tél. 04.74.03.47.53, fax 04.74.03.52.87, e-mail geoffray@chateau-thivin.com ☑ 🍸 t.l.j. sf dim. 10h-12h30 14h-19h

CH. DES TOURS 2001★

| ■ | n.c. | 150 000 | ■ ♦ | 5 à 8 € |

Les origines du château remontent au Xᵉs. Le domaine viticole (50 ha) est cultivé en lutte intégrée. Des vignes de trente ans, implantées sur des arènes granitiques, ont donné ce brouilly d'un rouge soutenu, aux parfums intenses et complexes de fruits rouges, accompagnés de notes florales, épicées et animales. La bouche charnue, aux tanins déjà assez ronds, montre une bonne persistance. Fruité et équilibré, ce vin sera apprécié au cours des deux prochaines années.

🍷 Ch. des Tours, 69460 Saint-Etienne-la-Varenne, tél. 04.74.03.40.86, fax 04.74.03.50.22 ☑ 🏠 🍸 r.-v.

LA VANDAME 2001★

■		n.c.	n.c.	▮	5 à 8 €

La sélection 2001 de ce négociant caladois, rouge moyen à reflets brillants, livre des parfums bien développés de fruits rouges et des nuances de fleurs. Fruité et frais, doté d'une structure élégante, cet agréable représentant de l'appellation est à boire maintenant.

🕻 Dupond d'Halluin, BP 79, 235, rue de Thizy, 69653 Villefranche-sur-Saône, tél. 04.74.65.24.32, fax 04.74.68.04.14

DOM. DE VURIL 2000★★

■	11 ha	50 000	▮⬙	5 à 8 €

Cette propriété familiale compte 18 ha, dont 11 consacrés au brouilly. Des vignes de cinquante ans sont à l'origine de cette cuvée à la robe restée très jeune, couleur violine. Le superbe nez, fruité, élégant et fin, n'a pas vieilli non plus. En continuité, la bouche livre aussi de bons arômes fruités, accompagnés de notes de fleurs séchées. Ronde, équilibrée, d'une belle puissance, elle est marquée en finale par des tanins un peu austères qui ont privé ce remarquable vin d'une troisième étoile. On pourra l'apprécier pendant deux ou trois ans avec une viande rouge.

🕻 Jean-Gabriel Jambon, Chapoly, 69220 Charentay, tél. 04.74.66.84.98, fax 04.74.66.80.68, e-mail jambon.gabriel@wanadoo.fr ☑ ⅄ r.-v.

Côte-de-brouilly

DOM. BARON DE L'ECLUSE 2000

■	5,11 ha	9 300	▮⬦	5 à 8 €

Un lieu-dit l'Ecluse a donné son nom à ce domaine qui a ouvert un gîte en juillet 2001. D'un pourpre intense laissant de belles jambes sur le verre, ce vin exprime de complexes parfums aux nuances de cerise sauvage et de fruits rouges ainsi que des notes végétales. Dominée par des arômes de fruits et de bonbon anglais en finale, la bouche assez vive se montre bien structurée. Sa bonne vinosité, associée à des tanins encore fermes, permettra d'apprécier cette bouteille dans quelques mois.

🕻 Dom. Baron de l'Ecluse, Le Sigaud, 69460 Saint-Etienne-la-Varenne, tél. 04.74.03.40.29, fax 04.74.03.53.50, e-mail vinbaron@aol.com ☑ 🏠 ⅄ r.-v.

MAURICE BONNETAIN
Grumage 2000★

■	3 ha	8 000	⬙	8 à 11 €

Cette cuvée a été produite par une métairie appartenant à l'Institut Pasteur, conduite par la même famille depuis 1947. Elle a été sélectionnée par les Grumeurs Compagnons du Beaujolais. Sa robe est grenat intense. Assez puissants, ses parfums fruités et floraux se prolongent en une bouche puissante, charnue et savoureuse, longue et fraîche, aux nuances de fruits rouges et de réglisse. Ce vin pourrait s'exprimer davantage d'ici un à deux ans.

🕻 Maurice Bonnetain, Le Bourg, 69220 Saint-Lager, tél. 04.74.66.81.49, fax 04.74.66.71.95 ☑ ⅄ r.-v.
🕻 Institut Pasteur

DOM. DES BUSSIERES 2001★

■	5,2 ha	3 500	⬙	5 à 8 €

Colette Deverchère aime à rappeler que la commune de Saint-Lager a été promue « Ville internationale de la vigne et du vin » (par l'Office international de la vigne et du vin). Son domaine, qui compte environ 8 ha de vignes, propose une cuvée rubis violacé, très brillante et limpide. Agréables, offrant des notes légèrement minérales, les parfums mêlent la groseille, la fraise et la cerise. Dès l'attaque, de bonnes impressions fruitées et la minéralité du terroir ressortent. Corsée, nette et dotée de tanins très présents, la bouche séduit par son élégance. Harmonieux et racé, ce vin est prêt à boire, mais il peut attendre trois ans. On le servira avec une entrecôte.

🕻 Colette Deverchère, Dom. des Bussières, 144, av. de la Libération, 69400 Villefranche-sur-Saône, tél. 04.74.65.13.51, fax 04.74.65.47.00, e-mail c.deverchere@wanadoo.fr ☑ 🏠 ⅄ r.-v.

DOM. DE CHARDIGNON 2001

■	9 ha	10 000		5 à 8 €

Cette exploitation, établie au flanc de la colline de Brouilly, a élevé une cuvée rubis à reflets violets, aux parfums caractéristiques et agréables de framboise et de cassis. A la bonne attaque tout suite des impressions de souplesse et de légèreté. Gouleyant et plaisant, un vin à boire maintenant.

🕻 Roger Manigand, Les Maisons-Neuves, 69220 Saint-Lager, tél. 04.74.66.84.97, fax 04.74.66.84.97 ☑ ⅄ r.-v.

DOM. DE CONROY 2000

■	7,76 ha	58 000	⬙	5 à 8 €

Etablie en Beaujolais depuis 1625, la famille Saint-Charles détient le château du Bluizard à Saint-Etienne-la-Varenne et le domaine de Conroy à Brouilly, deux propriétés qui totalisent près de 43 ha. Elle se flatte d'avoir reçu la visite de Colette et de Paul Bocuse. Si une rose ancienne illustre l'étiquette de ce côte-de-brouilly, ce vin grenat rappelle plutôt la feuille de cassis et la violette. La bouche fraîche, plutôt corsée, présente des tanins encore fermes et une finale épicée. Cette bouteille sera prête dans quelques mois ; il faudra alors la boire dans l'année.

🕻 SCE des Dom. Saint-Charles, Le Bluizard, 69460 Saint-Etienne-la-Varenne, tél. 04.74.03.30.90, fax 04.74.03.30.80, e-mail saintcharles@sofradi.com ☑ ⅄ r.-v.
🕻 Jean de Saint-Charles

DOM. DU FOUR A PAIN 2001★★

■	2 ha	13 000		5 à 8 €

Grenat intense, ce vin s'ouvre sur des parfums de cerise et de violette mêlés à des notes poivrées et légèrement végétales. La très bonne attaque révèle une fraîcheur bienvenue. La bouche aux tanins légers associés à des nuances de griotte, de mûre et d'amande finit sur une pointe de minéralité. Ce côte-de-brouilly encore jeune, net et franc a un potentiel suffisant pour attendre deux ans. Il pourra accompagner une salade au chèvre chaud ou une viande blanche.

🕻 SCI de l'Ecluse, L'Ecluse, 69220 Saint-Lager, tél. 04.74.09.60.00, fax 04.74.09.60.17

DOM. DES GRANDES VIGNES 2001★

| ■ | 6,13 ha | 40 000 | ■▲ | 5 à 8 € |

Jean-Claude et Jacky Nesme exploitent un coquet vignoble de 17,5 ha répartis dans plusieurs crus du Beaujolais. Issu de ceps de cinquante ans, leur côte-de-brouilly, d'un rouge grenat, libère des parfums de cassis et de fines notes de violette qui se prolongent dans une bouche très agréable, ronde, et d'une bonne longueur. Simple mais gourmand, fruité et floral, ce vin est fait pour le plaisir immédiat, tout comme le **brouilly 2001** du domaine, acidulé, léger et aromatique, qui a obtenu une citation.
🖝 Jean-Claude et Jacky Nesme, Dom. des Grandes Vignes, Chavanne, 69430 Quincié-en-Beaujolais, tél. 04.74.04.31.02, fax 04.74.04.33.97 ☑ ▼ t.l.j. 9h-19h

DOM. DE LA GRAND RAIE 2000★★

| ■ | 1,6 ha | 10 000 | ■ | 5 à 8 € |

Brillants débuts pour Laurent Charrion qui n'a pris les rênes de l'exploitation familiale que depuis 1997 : son côte-de-brouilly 97 figure dans le Guide et, dans cette édition, son 2000 se classe second coup de cœur pour cette même appellation. Né de vignes de soixante-cinq ans, implantées sur des sols variés (limon, argile, sable granitique), ce vin grenat soutenu développe de fins parfums de fruits rouges, de feuille de cassis, de menthe et de violette. La bouche fraîche, fruitée et savoureuse révèle de très agréables tanins fondus et des notes de terroir. Equilibré et bien bâti, ce millésime sera apprécié dans les deux prochaines années.
🖝 EARL Laurent Charrion, La Grand-Raie, 69220 Saint-Lager, tél. 04.74.66.81.69, fax 04.74.66.71.32 ☑ ▼ r.-v.

DOM. J. LARGE 2001

| ■ | 3,2 ha | 12 000 | ⦀ | 5 à 8 € |

Issue de vignes de vingt-cinq ans, cette cuvée rouge clair révèle de subtils parfums de type primeur et des nuances de framboise. Vive, « réveillée », la bouche met en valeur des arômes de fruits rouges, de mûre et de cassis qui se prolongent en finale. Un vin sincère, simple et délicat, à boire maintenant.
🖝 Michel Large, 69460 Odenas, tél. 04.74.06.10.10, fax 04.74.66.13.77 ☑ ▼ r.-v.

DOM. DE LA MADONE 2001★

| ■ | 7,5 ha | 9 000 | ■ | 5 à 8 € |

La Madone dont il s'agit est celle de la chapelle du mont Brouilly que les Amis de Brouilly honorent de leurs agapes chaque dernier samedi d'août. Ce vin d'un rouge vif soutenu livre des parfums subtils et frais de fraise bien mûre et d'agrumes avec des nuances florales ; il garnit la bouche d'une chair ronde et vive aux tanins fondus. Equilibré et assez riche, il finit sur une belle note de minéralité. Très agréable, il peut attendre un an ou deux.
🖝 EARL Dom. de la Madone, Maisons-Neuves, 69220 Saint-Lager, tél. 04.74.66.84.37, fax 04.74.66.70.65 ☑ ▼ r.-v.
🖝 Daniel Trichard

BERNARD MATRAY 2000★★

| ■ | 6 ha | 10 000 | ■▲ | 5 à 8 € |

Le domaine a été pris en métayage par le grand-père de Bernard Matray dans les années 1930. Mise en vente, l'exploitation a été achetée en 1961 par son père. Elle propose un vin d'un rouge intense et profond, au nez associant la cerise bien mûre, des nuances de fleurs, de poivre et de sous-bois. La belle attaque est suivie d'impressions plutôt vives et de tanins assez fins. Typé terroir, ce très joli millésime conjugue finesse et caractère. Il accompagnera durant l'année à venir une viande blanche.
🖝 Bernard Matray, EARL du Dom. du Père Jean, Les Gilets, 69220 Saint-Lager, tél. 04.74.66.85.59, fax 04.74.66.76.29 ☑ ▼ r.-v.

DOM. DE LA MERLETTE
Cuvée Tradition 2000★

| ■ | 0,77 ha | 6 000 | ⦀ | 5 à 8 € |

Cette cuvée Tradition rouge violacé, qui a été amoureusement et savamment peaufinée par le président de la confrérie du Gosier sec, ne peut renier son élevage de douze mois dans le bois. Ses parfums de vanille, d'épices, accompagnés de nuances mentholées se prolongent avec une certaine intensité au palais, s'associant à des tanins souples. Ce vin ample, gras, aux arômes de chêne bien dosés révèle une bonne harmonie. Il pourra être servi pendant deux à trois ans avec une bavette d'aloyau. Le millésime précédent avait obtenu un coup de cœur.
🖝 René Tachon, Le Sottizon, 69460 Vaux-en-Beaujolais, tél. 04.74.03.24.80, fax 04.74.03.24.80, e-mail tachon@worldonline.fr ☑ ▼ r.-v.

MOILLARD 2000★

| ■ | 2 ha | 20 000 | ■⦀▲ | 5 à 8 € |

Le rouge grenat de cette sélection a gardé la couleur de la jeunesse. Les parfums, particulièrement complexes, marient la framboise, la mûre, les fruits à l'eau-de-vie avec des nuances de cannelle et de cuir. Douce et fruitée, la bouche apparaît fine avec ses tanins légers, ce qui ne l'empêche pas de faire preuve de caractère. Un vin étonnant, prêt à boire, et qui pourra s'associer à du parmesan mi-sec.
🖝 Moillard, 2, rue François-Mignotte, 21700 Nuits-Saint-Georges, tél. 03.80.62.42.22, fax 03.80.61.28.13, e-mail nuicave@wanadoo.fr ☑ ▼ t.l.j. 10h-18h; f. jan.

DOM. PAVILLON DE CHAVANNES 2000★★

| ■ | 3,5 ha | 60 000 | ⦀ | 5 à 8 € |

Ce domaine, dont les origines remontent à 1861, est exploité depuis cette date par la même famille. On lui doit l'amélioration du plant gamay et la mise au point de la culture au treuil dans les vignes en forte pente. Son côte-de-brouilly affiche une robe splendide, rubis intense, et livre de superbes parfums de cerise et de groseille confite. Il emplit le palais d'une mâche ample et harmo-

Cote de Brouilly

nieuse aux nuances minérales bien typées par le terroir. Son authenticité, son équilibre remarquable et son réel potentiel lui ont valu d'être classé premier coup de cœur par le grand jury. Ce vin peut attendre au moins cinq ans.
🏠 Dom. du Pavillon de Chavannes,
69430 Quincié-en-Beaujolais, tél. 04.74.04.35.01,
fax 04.74.69.01.09, e-mail pauljambon@aol.com
☑ ▼ t.l.j. 9h-12h 14h-19h
🏠 Paul Jambon

DOM. DU PÈRE BENOIT 2000

■	0,65 ha	4 900	■	3 à 5 €

Dans la même famille depuis quatre générations, ce domaine, situé au pied de la chapelle du mont Brouilly, compte 13 ha de vignes. D'un rubis intense aux reflets grenat limpides et brillants, son côte-de-brouilly livre des parfums de clou de girofle, de réglisse mêlés de fines nuances florales. A la bonne attaque succèdent des impressions corsées. Ce vin charpenté, à la finale quelque peu anguleuse, pourra être bu dans les trois ou quatre prochaines années. Il accompagnera des charcuteries telles que le fromage de tête.
🏠 Dom. du Père Benoit, Bergiron, 69220 Saint-Lager,
tél. 04.74.66.81.20, fax 04.74.66.81.20,
e-mail domaine.benoit@free.fr ☑ ▼ r.-v.
🏠 Pascal Mutin

DOM. DE LA PIERRE BLEUE 2001★

■	4 ha	25 000	▥	5 à 8 €

Les Ravier sont au service du beaujolais depuis quatre générations. Ils ont transformé l'ancien cuvage, construit en 1840, en salle de dégustation très bien équipée. D'un rouge profond et brillant, leur côte-de-brouilly livre des parfums intenses de petits fruits des bois, de cassis et de confiture de cerises, auxquels s'ajoutent des notes vineuses et, au palais, du poivre. Ronde, ample et fruitée, la bouche présente une charpente plutôt légère qui donne à cette bouteille un caractère câlin et tendre. Un cru harmonieux dont il faut goûter les charmes maintenant. Un 2000 avait obtenu le coup de cœur.
🏠 EARL Olivier Ravier, Dom. des Sables d'Or,
Descours, 69220 Belleville-sur-Saône,
tél. 04.74.66.12.66, fax 04.74.66.57.50,
e-mail olivier.ravier@wanadoo.fr ☑ ▼ r.-v.

JACKY PIRET
Vieilles vignes 2000★★

■	1 ha	7 500		5 à 8 €

Jacky Piret exploite 10 ha de vignes sur trois crus du Beaujolais. Des ceps de quatre-vingts ans plantés sur des schistes bleus ont donné ce vin rouge soutenu, au nez puissant de fruits rouges et de cassis, légèrement vanillé.

On retrouve ces arômes dans une bouche bien structurée, fraîche, portée par des tanins fins, encore un peu fermes. A attendre un à trois ans.
🏠 Jacky Piret, La Combe, 69220 Belleville,
tél. 04.74.66.30.13, fax 04.74.66.08.94 ☑ 🏨 ▼ r.-v.

CH. DES RAVATYS
Cuvée Mathilde Courbe 2000★

■	26 ha	80 000	■ ▥	5 à 8 €

Avec 33 ha, le château des Ravatys figure au nombre des domaines viticoles les plus vastes du Beaujolais. Créé sous le second Empire, il a été légué à l'Institut Pasteur par la nièce du fondateur, qui a donné son nom à cette cuvée. Paré d'une robe rubis éclatante, ce vin est marqué par des parfums floraux évoquant la violette, la pivoine et la rose, accompagnés de nuances de cassis. Emplissant la bouche comme du velours, sa belle matière structurée, équilibrée et élégante rappelle son terroir d'origine. Prête à boire, cette bouteille peut encore attendre deux à trois ans. Sous l'étiquette **Le Jardin des Ravatys, le brouilly 2001** du domaine a été cité par le jury.
🏠 Institut Pasteur, Ch. des Ravatys,
69220 Saint-Lager, tél. 04.74.66.80.35
☑ ▼ t.l.j. 8h-12h 14h-18h; sam. dim. sur r.-v.

DOM. DE LA ROCHE SAINT MARTIN 2001★★

■	1 ha	6 000	■ ▥	5 à 8 €

Née sur des sols de granit et de schistes anciens, cette cuvée d'un rubis limpide et brillant à reflets violets s'annonce au nez flatteur marqué par les fruits rouges. Franche, vineuse et corsée, la bouche révèle une belle structure avec des tanins encore vifs et une longueur notable. Ce vin de grande qualité ne demande qu'à être dégusté, mais il peut encore attendre trois ans.
🏠 SCEA Jean-Jacques Bériziat, Briante,
69220 Saint-Lager, tél. 04.74.66.85.39,
fax 04.74.66.70.54 ☑ ▼ r.-v.

DOM. DU SANCILLON 2000

■	1,33 ha	5 000	■ ▥	5 à 8 €

Ce domaine de 5 ha environ a vu toute sa production citée par le jury : le **brouilly 2000**, et ce côte-de-brouilly. D'un rouge profond à reflets violets, sa robe est restée jeune. Le nez s'ouvre sur des fruits rouges et noirs très mûrs associés à des nuances de poivre. Concentrée, puissante et aromatique, la bouche est dominée par des impressions chaleureuses et tanniques qui suggèrent une assez longue cuvaison. La finale est marquée par des notes de violette et de fruits. Plein de sève, un peu « sérieux » sans doute, ce vin peut encore attendre un à deux ans.
🏠 Charles Champier, Dom. du Sancillon,
Le Moulin Favre, 69460 Odenas, tél. 04.74.03.42.18,
fax 04.74.03.30.62 ☑ ▼ r.-v.
🏠 Mme Braillon

DOM. DU SOULIER 2001★

■	5 ha	5 000	▥	5 à 8 €

Diane Julhiet exploite 10 ha sur le flanc sud de la côte de Brouilly. Issus de vignes de quarante ans, son **brouilly 2000** et son côte-de-brouilly 2001 font jeu égal : tous deux reçoivent une étoile. D'un rouge soutenu, le second libère des parfums de bonne intensité, vineux et mêlés à des nuances de petits fruits rouges, à des notes mentholées et à une minéralité caractéristique du terroir. La bouche fraîche se montre tannique. Des arômes de fleurs blanches complètent les impressions du nez. Assez longue et dotée d'une structure équilibrée, cette bouteille peut attendre deux à trois ans.

⚲ Diane Julhiet, Dom. du Soulier, la côte de Brouilly, 69460 Odenas, tél. 04.74.03.49.01, fax 04.74.03.49.01 ☑ ⲃ r.-v.

TRENEL FILS 2000★★

■		n.c.	20 000	🍷	5 à 8 €

Etablie depuis 1928 près du lieu-dit Le Voisinet entre Beaujolais et Mâconnais, cette maison propose un côte-de-brouilly rond, à la robe rubis violacé d'une belle profondeur. Le nez libère d'intenses et subtils parfums floraux mêlés à des nuances de gelée de mûre, de confiture de groseilles et de raisin bien mûr. La bouche ample et vineuse montre une impressionnante structure tannique qui contribue à une remarquable mâche. Ce vin de terroir peut attendre cinq à six ans. Il accompagnera une viande rouge en sauce.

⚲ Trénel Fils, 33, chem. du Buéry, 71850 Charnay-lès-Mâcon, tél. 03.85.34.48.20, fax 03.85.20.55.01, e-mail info@trenel.com ☑ ⲃ t.l.j. sf dim. 8h-18h; lun. 14h-18h et sam. 8h-12h; f. 2ᵉ sem. de fév.

ROBERT VERGER
L'Ecluse 2001

■		9 ha	15 000	🍷↓	5 à 8 €

Adhérant à la charte de lutte raisonnée *Terra Vitis*, l'exploitation a élaboré un vin grenat aux parfums intenses de mûre et de fleurs blanches. La bouche, franche et fraîche à l'attaque, procure des impressions souples et douces. Sans excès de longueur et plutôt léger pour un cru, ce vin est sympathique par son fruité. Il accompagnera un plateau de fromages ou de la charcuterie.

⚲ Robert Verger, L'Ecluse, 69220 Saint-Lager, tél. 04.74.66.82.09, fax 04.74.66.71.31 ☑ ⲃ r.-v.

GEORGES VIORNERY 2001

■		2 ha	6 000	🍷	5 à 8 €

L'ensemble de la production de cette exploitation (7 ha environ) a été retenu, puisque son **brouilly 2001** est également cité. Quant à ce côte-de-brouilly, d'un beau rouge profond, il exprime après une légère aération d'assez intenses et agréables parfums de cerise et de cassis. Rond et plaisant, avec des tanins mûrs vifs mais élégants, il s'épanouit aimablement en bouche. Un vin pour maintenant.

⚲ Georges Viornery, Brouilly, 69460 Odenas, tél. 04.74.03.41.44, fax 04.74.03.41.44 ☑ ⲃ t.l.j. 8h-19h30

DOM. DE LA VOUTE DES CROZES 2001★

■		3,5 ha	25 000		5 à 8 €

Issu de vignes de quarante ans cultivées en mode de lutte raisonnée sur des sols granitiques et schisteux, ce vin livre de beaux parfums fruités évoquant la cerise, le cassis et la mûre, auxquels s'ajoutent de fines nuances minérales bien typées. La bouche est plutôt souple, mais montre aussi de la fraîcheur ; elle révèle des impressions grasses et des tanins fondus et fruités. Cette bouteille bien faite peut attendre un à deux ans.

⚲ Nicole Chanrion, Les Crozes, 80, Grande-Rue, 69220 Cercié-en-Beaujolais, tél. 04.74.66.80.37, fax 04.74.66.89.60 ☑ ⲃ r.-v.

Chénas

La légende explique que ce lieu était autrefois couvert d'une immense forêt de chênes, et qu'un bûcheron, constatant le développement de la vigne plantée naturellement par quelque oiseau, à n'en pas douter divin, se mit en devoir de défricher pour introduire la noble plante ; celle-là même qui aujourd'hui s'appelle gamay noir.

L'une des plus petites appellations du Beaujolais, couvrant 285 ha aux confins du Rhône et de la Saône-et-Loire, en 2001, a donné 15 401 hl récoltés sur les communes de Chénas et de La Chapelle-de-Guinchay. Les chénas produits sur les terrains pentus et granitiques à l'ouest sont colorés, puissants, mais sans agressivité excessive, exprimant des arômes floraux à base de rose et de violette ; ils rappellent ceux du moulin-à-vent qui occupe la plus grande partie des terroirs de la commune. Les chénas issus de vignes du secteur plus limoneux et moins accidenté de l'est, présentent une charpente plus ténue. Cette appellation, qui, sans pour autant démériter, fait figure de parent pauvre par rapport aux autres crus du Beaujolais, souffre de la petitesse de son potentiel de production. La cave coopérative du château vinifie 45 % de l'appellation et offre une belle perspective de fûts de chêne sous ses voûtes datant du XVIIᵉs.

PASCAL AUFRANC
Cuvée Vieilles vignes 2001

■		4,5 ha	15 000	🍷↓	5 à 8 €

Installé en 1992, Pascal Aufranc exploite 6,5 ha de vignes. Dans une cave rénovée en 2001, il a élevé un vin rubis intense aux effluves légers de bonbon anglais et de cassis. La bouche enjouée, vive, faite de jeunes tanins et d'arômes discrets, présente une bonne longueur. Plutôt solide et prometteur, ce chénas devra s'affiner.

⚲ Pascal Aufranc, En Rémont, 69840 Chénas, tél. 04.74.04.47.95, fax 04.74.04.47.95 ☑ ⲃ r.-v.

JEAN BARONNAT 2000

■		n.c.	n.c.	🍷	5 à 8 €

Cette maison de négoce, créée au début du XXᵉs., est dirigée par le petit-fils du fondateur, Jean-Jacques Baronnat. Elle propose une sélection rubis marquée par de bons parfums de griotte à l'eau-de-vie, de rose et de poivre. Sa chair, aux tanins nobles et doux, se montre chaleureuse. Ce vin n'est pas des plus puissants mais offre une bonne harmonie. On peut l'apprécier maintenant ou le garder un an ou deux.

⚲ Maison Baronnat, Les Bruyères, 491, rte de Lacenas, 69400 Gleizé, tél. 04.74.68.59.20, fax 04.74.62.19.21, e-mail info@baronnat.com ☑ ⲃ r.-v.

MICHEL ET REMI BENON 2001

■		3,2 ha	12 000	🍷↓	5 à 8 €

Rubis aux nuances grenat, ce vin s'ouvre sur des parfums d'iris et de pivoine. La bouche associe des arômes fruités et des saveurs minérales, mais de jeunes tanins assez vifs engendrent une fermeté persistante qui incite à oublier cette bouteille un an ou deux en cave.

🕇 Michel et Rémi Benon, Les Blémonts,
71570 La Chapelle-de-Guinchay,
tél. 03.85.33.84.22, fax 03.85.33.89.54,
e-mail benon@vins-du-beaujolais.com ☑ ፐ r.-v.

FRANCK BESSONE
Cuvée Prestige Elevée en fût de chêne 2000★

| | 3,11 ha | 3 000 | ⅢD 8 à 11 € |

Franck Bessone, installé en 1990 sur 34 ares, a repris en 1999 le domaine de ses parents (7 ha de vignes). Il propose un chénas rubis intense élevé en fût de chêne. Le nez livre de fortes nuances de vanille et d'épices. Sans surprise, les impressions boisées marquent la bouche, dissimulant les arômes du gamay. Très bien travaillé dans un style conforme à la tendance actuelle, ce vin harmonieux est prêt à boire, mais peut attendre deux à trois ans.

🕇 Franck Bessone, Les Pinchons, 69840 Chénas,
tél. 04.74.06.77.53, fax 04.74.06.77.13 ☑ ፐ r.-v.

DOM. DES BRUYERES 2000

| | 1 ha | 1 600 | ▮↓ 5 à 8 € |

Cette propriété a été achetée en 1982 par Antoine Durand, rejoint par son fils Nicolas en 1995. Deux de ses cuvées ont été citées : le **beaujolais blanc 2000**, ainsi que ce chénas rouge violacé, très jeune d'apparence. Plutôt discrets mais racés, ses parfums offrent des nuances animales. La bouche révèle une belle structure, sans puissance excessive. Equilibré et harmonieux, voilà un vin sérieux qui satisfait le palais. On peut aussi l'attendre deux ou trois ans.

🕇 Antoine Durand, Les Bruyères,
71570 La Chapelle-de-Guinchay, tél. 03.85.36.55.16,
fax 03.85.37.45.97 ☑ ፐ t.l.j. 9h-20h

DOM. CHAMPAGNON 2000

| | 3 ha | 13 000 | ▮ ⅢD 5 à 8 € |

Des vignes de soixante-cinq ans sont à l'origine de cette cuvée d'un rouge violacé très jeune. Le nez, de bonne intensité, évoque les griottes à l'eau-de-vie avec une nuance de cuir. Equilibrée, chaleureuse et assez longue, la bouche révèle des arômes d'épices et de pruneau. Montrant une certaine maturité, ce chénas est à boire dans l'année.

🕇 EARL du Dom. Champagnon, Les Brureaux,
69840 Chénas, tél. 03.85.36.71.32, fax 03.85.36.72.00
☑ ፐ t.l.j. 8h-20h

CAVE DU CHATEAU DE CHENAS
Sélection de La Hante 2001★

| | 70 ha | 20 000 | ▮↓ 5 à 8 € |

Triple succès pour la coopérative de Chénas qui voit trois de ses vins retenus : avec une citation, un **fleurie 2001** (8 à 11 €) ; sous l'étiquette **Sélection de la Hante, un moulin-à-vent 2000** (8 à 11 €) et avec une étoile, ce chénas. Ses parfums développés et complexes évoquent la banane fraîche, le cassis puis évoluent vers les fruits à l'eau-de-vie. Ample, charnue et franche, la bouche révèle des arômes de fruits très mûrs et se montre riche et bien structuré. Une bonne impression qui laisse supposer que cette bouteille pourrait être appréciée pendant trois ans, et peut-être davantage.

🕇 Cave du Ch. de Chénas, Les Michauds,
69840 Chénas, tél. 04.74.04.48.19, fax 04.74.04.47.48
☑ ፐ t.l.j. 8h-12h 14h-18h

DOM. DE LA CROIX MARZELLE 2001★

| | n.c. | 12 000 | ▮↓ 5 à 8 € |

Cette propriété remonte à 1630. Les 3 ha de vignes implantées sur des sols sablo-limoneux et granitiques ont donné une cuvée rouge franc au nez discret, mais flatteur et complexe, fait de nuances florales et minérales et de bonbon anglais. Assez puissante et aromatique, la bouche est nettement marquée par le terroir. Ce vin, droit et équilibré, pourra attendre un à deux ans.

🕇 Pierre Perrachon, Ch. Bonnet, Les Paquelets,
71570 La Chapelle-de-Guinchay, tél. 03.85.36.70.41,
fax 03.85.36.77.27, e-mail chbonnet@terre-net.fr
☑ ፐ r.-v.

AMEDEE DEGRANGE 2000

| | 0,12 ha | 1 000 | ▮ 5 à 8 € |

Fondée dans les années 1930, cette propriété compte un peu moins de 7 ha. Elle propose une cuvée issue de vignes de cinquante ans implantées sur des sols argilo-siliceux. D'un rubis nuancé de grenat, ce vin libère de discrets parfums floraux. Légèrement poivrée avec des notes minérales, la bouche, dotée de tanins plutôt vifs, est restée jeune. Une bouteille harmonieuse à boire dans l'année 2003.

🕇 Amédée Degrange, Les Vérillats, 69840 Chénas,
tél. 04.74.04.48.48, fax 04.74.04.46.35
☑ ፐ t.l.j. 8h-19h; dim. sur r.-v.

CH. DESVIGNES 2000★

| | 15 ha | 20 000 | ▮↓ 5 à 8 € |

D'un très beau rouge sombre et limpide, ce chénas libère des parfums de fruits rouges confits dignes d'un cru. Après une attaque franche, on découvre une bouche ample, aromatique, puissante et persistante, soutenue par une structure tannique très présente. « Il demande du respect », conclut un membre du jury. A déguster au cours des deux prochaines années.

🕇 Paul Beaudet, rue Paul-Beaudet,
71570 Pontanevaux, tél. 03.85.36.72.76,
fax 03.85.36.72.02, e-mail contact@paulbeaudet.com
☑ ፐ t.l.j. 8h-12h 13h30-17h30; f. août
🕇 Jean Beaudet

PASCAL GRANGER 2001

| | 0,55 ha | 4 000 | ▮↓ 5 à 8 € |

Etablis de longue date à Juliénas, les Granger écoulent 50 % de leur production dans les pays anglo-saxons. Revêtu d'une robe rubis à reflets rosés, leur chénas présente un nez discret mais franc de fruits mûrs. Une bonne structure aux tanins assez doux donne de l'élégance à ce vin aux arômes légers de cerise fraîche, d'épices et de réglisse. Cette bouteille est prête à boire, mais peut encore attendre un an.

🕇 Germaine Granger, Le Bourg, 69840 Juliénas,
tél. 04.74.04.44.79, fax 04.74.04.41.24 ☑ ፐ r.-v.

DOM. DU MATINAL 2001★★

| | 0,24 ha | 1 700 | 5 à 8 € |

Rouge bigarreau avec de beaux reflets violets, cette cuvée libère des parfums expressifs et complexes de fruits rouges et de cassis, accompagnés de nuances d'amande. Après une attaque franche, le vin garnit toute la bouche d'impressions charnues et d'arômes de raisin, puis révèle des tanins jeunes et prometteurs. Persistant et agréable, c'est un excellent ambassadeur de l'appellation, à déguster dans les deux prochaines années.

⌐ EARL Simone et Guy Braillon, Le Bourg, 69840 Chénas, tél. 04.74.04.48.31, fax 04.74.04.47.64
☑ ⍅ t.l.j. 9h-20h; groupes sur r.-v.; f. mi-août

DOM. DES PIERRES 2001

■	n.c.	16 000	▮	5 à 8 €

Provenant d'un terroir caillouteux et schisteux, cette cuvée rubis à reflets violets développe des senteurs de groseille et de framboise. Marquée par des arômes de fruits rouges et des notes minérales, la bouche révèle des tanins fermes et puissants, mais la structure reste équilibrée. Ce vin est à boire dans les deux ans.

⌐ Georges Trichard, rte de Juliénas, 71570 La Chapelle-de-Guinchay, tél. 03.85.36.70.70, fax 03.85.33.82.31 ☑ ⍅ r.-v.

DOM. DE ROCHE NOIRE 2000

■	0,7 ha	4 000	▮	5 à 8 €

Cette cuvée rubis intense offre des parfums de griotte à l'eau-de-vie qui se prolongent en bouche, associés à des notes plus épicées. Assez généreux, vif, c'est un vin de bonne facture. Il est prêt à boire mais peut attendre un an ou deux. Le domaine a également reçu une citation pour un **moulin-à-vent 2000**.

⌐ Patrick Balvay, EARL Le Vieux Bourg, 69840 Chénas, tél. 04.74.04.49.08, fax 04.74.04.49.81
☑ ⍅ t.l.j. 8h-19h30

Chiroubles

Le plus « haut » des crus du Beaujolais. Récolté sur les 376 ha d'une seule commune perchée à près de 400 m d'altitude, dans un site en forme de cirque aux sols constitués de sable granitique léger et maigre, il a produit en 2001, 21 779 hl à partir du gamay noir. Le chiroubles, élégant, fin, peu chargé en tanins, gouleyant, charmeur, évoque la violette. Créée en 1996, la Confrérie des Damoiselles de Chiroubles, assistée de ses chevaliers, fait connaître avec tact ce vin quelquefois désigné comme étant le plus féminin des crus. Rapidement consommable, il a parfois un peu le caractère du fleurie ou du morgon, crus limitrophes. Il accompagne à toute heure quelque plat de charcuterie. Pour s'en convaincre, il suffit de prendre la route au-delà du bourg, en direction du Fût d'Avenas, dont le sommet, à 700 m, domine le village et abrite un « chalet de dégustation ».

Chiroubles célèbre chaque année, en avril, l'un de ses enfants, le grand savant ampélographe Victor Pulliat, né en 1827, dont les travaux consacrés à l'échelle de précocité et au greffage des espèces de vigne sont mondialement connus ; pour parfaire ses observations, il avait rassemblé dans son domaine de Tempéré plus de 2 000 variétés ! Chiroubles possède une cave coopérative qui vinifie 3 000 hl du cru.

DOM. BERLIOZ SAINT-ROCH 2001

■	6,5 ha	45 000	▮	5 à 8 €

D'un rouge profond, ce vin présente un nez très ouvert, mêlant fraise écrasée, mûre et cassis. La bouche, d'une bonne ampleur, révèle une légère amertume due à de jeunes tanins, mais le fruité ressort en rétro-olfaction. Ce vin pourra être apprécié au cours des deux prochaines années.

⌐ Michel Rotival, Saint-Roch, 69115 Chiroubles, tél. 04.74.09.60.08

DOM. DE LA CHAPELLE DES BOIS 2000

■	0,24 ha	n.c.	⬠	5 à 8 €

Installés respectivement en 1990 et en 1997, Chantal et Eric Coudert exploitent un domaine de plus de 8 ha. Ils ont élaboré une cuvée grenat soutenu qui s'ouvre sur des parfums de groseille et de framboise. La bouche, douce comme du velours, révèle des tanins fondus et élégants soulignés par de belles notes de cerise. Pour que le « charme du chiroubles » s'affirme, il est conseillé de servir ce vin en carafe.

⌐ EARL Coudert-Appert, Le Colombier, 69820 Fleurie, tél. 04.74.69.86.07, fax 04.74.04.12.66
☑ ⍅ r.-v.
⌐ Michel Appert

DOM. DE LA COMBE AU LOUP 2000*

■	5 ha	38 000	▮	5 à 8 €

Viticulteurs de père en fils depuis 1870 à Chiroubles, les Méziat ont créé le domaine de la Combe au Loup en 1983. David Méziat a rejoint son père sur l'exploitation en 1993. D'un rouge foncé limpide, leur chiroubles exprime des parfums fruités et floraux, puissants et nets. La bouche ronde, souple et fraîche glisse avec élégance. Equilibré et sans aspérité, ce vin sera dégusté pendant les deux prochaines années.

⌐ Méziat Père et Fils, Dom. de la Combe au Loup, Le Bourg, 69115 Chiroubles, tél. 04.74.04.24.02, fax 04.74.69.14.07
☑ ⍅ t.l.j. sf dim. 8h30-12h 14h-18h30

DOM. DU CRET DES BRUYERES 2001*

■	1,9 ha	5 300	▮	5 à 8 €

Les pilotes automobiles Beltoise et Pescarolo ont musardé dans les caves de l'exploitation achetée en viager en 1983 par les Desplace. Grenat à reflets violacés, ce chiroubles livre des parfums très fruités de framboise et de cassis avec une pointe florale. Sa bouche fraîche, ronde et souple révèle en finale des tanins équilibrés et doux. Une bouteille séduisante, « goûteuse », écrit-on, à consommer dans les deux ans et à servir avec de la poitrine roulée.

⌐ GFA Desplace Frères, Aux Bruyères, 69430 Régnié-Durette, tél. 04.74.04.30.21, fax 04.74.04.30.55 ☑ ⌂ ⍅ r.-v.

DOM. DE FONTRIANTE 2001*

■	3,1 ha	10 000	▮	5 à 8 €

Des vignes de quarante ans ont donné cette cuvée d'un rubis brillant et limpide aux reflets carmin. Assez soutenus, les parfums associent la cerise et la groseille à une pointe de cassis et de pêche. La bouche complexe révèle une matière charnue, de jolis tanins serrés et fondus, des arômes de pulpe de cerise burlat bien mûre et de poivre. Ce vin élégant et racé pourra être apprécié pendant deux à trois ans et s'accordera avec des cochonnailles telles que le fromage de tête.

↳ Jacky Passot, Fontriante, 69910 Villié-Morgon, tél. 04.74.69.10.03, fax 04.74.69.14.29, e-mail jacky.passot@wanadoo.fr ☑ ⟂ r.-v.

DOM. DES GATILLES 2000

■ 5 ha 20 000 ■ 5 à 8 €

On appelle localement « gatilles » les petits lézards gris qui, comme les ceps, se chauffent au soleil. La propriété appartient à la famille Fourneau depuis 1917. Son chiroubles attire par l'intensité de sa robe rouge foncé à reflets violets. Il exprime des parfums développés de fleurs, de cassis et de groseille. Sa bouche fraîche reste dominée par un fruité qui se marie avec des tanins fondus et une bonne vinosité. Ce vin équilibré est à boire dans l'année.

↳ SCE de Javernand, 69115 Chiroubles, tél. 04.74.69.16.04, fax 04.74.69.16.04, e-mail pfourneau@libertysurf.fr ☑ ⟂ r.-v.

DOM. DES MAISONS NEUVES 2000★

■ 0,5 ha 3 600 5 à 8 €

Installé en 1997, Emmanuel Jambon a vinifié une cuvée grenat montrant un léger reflet ocre. Assez puissant et complexe, le nez mêle la cerise, la fraise des bois à une pointe de violette, de pivoine et de réglisse. La bouche est équilibrée, ronde, gouleyante et longue. On retrouve avec plaisir en finale les premiers arômes. Harmonieux et représentatif de son appellation, souple et fin, un vin que l'on appréciera pendant deux à trois ans.

↳ Emmanuel Jambon, Legonnu, 69460 Blacé, tél. 04.74.60.56.36, fax 04.74.66.70.00 ☑ ⟂ r.-v.

DOM. MARQUIS DES PONTHEUX 2000★★

■ 3 ha 12 000 ⬙ 5 à 8 €

Aux Pontheux, lieu-dit de Chiroubles, on trouve le « Marquis » - surnom donné dans le pays à plusieurs générations de Méziat, sans doute pour signifier l'attachement de ces vignerons à leur terre. D'un rubis éclatant, très limpide et brillant, ce vin offre un nez agréable et complexe où, à côté du cassis et de la myrtille, on décèle du guignolet, une pointe exotique, de la réglisse et de la pivoine. Equilibrée entre la rondeur, l'acidité et les tanins, la bouche procure des sensations veloutées et harmonieuses. Une finale aromatique conclut la dégustation de ce remarquable représentant de l'appellation, structuré et racé. Cette bouteille accompagnera pendant deux ou trois ans une viande blanche ou rouge.

↳ Pierre Méziat, Les Pontheux, 69115 Chiroubles, tél. 04.74.69.13.00, fax 04.74.04.21.62, e-mail meziatpierre@aol.com ☑ ⟂ r.-v.

DOM. DU PETIT PUITS 2001★

■ 6 ha 25 000 ■ 5 à 8 €

D'un rouge vif limpide et brillant, cette cuvée est issue de vignes de cinquante ans implantées sur des sables granitiques. Elle a été vinifiée dans un cuvage rénové en 2001. Ses parfums assez intenses et fins évoquent les fruits rouges. La bouche ronde, souple et bien structurée s'épanouit longuement et avec grâce. Equilibré et très plaisant, un vin à boire dans les deux ans.

↳ Gilles Méziat, Le Verdy, 69115 Chiroubles, tél. 04.74.69.15.90, fax 04.74.04.27.71 ☑ ⟂ t.l.j. 8h-19h

DOM. DE PRE-NESME 2000★

■ 6,68 ha 12 000 ■ 5 à 8 €

Le domaine de Pré-Nesme produit uniquement du chiroubles. Il propose un vin grenat foncé montrant de légers reflets orangés. Les nuances de mûre et de groseille qui s'en échappent se distinguent par leur finesse et leur élégance. D'une bonne intensité, parfaitement équilibrée, la bouche se montre particulièrement plaisante en finale avec des arômes de fruits très mûrs et d'épices. Cette bouteille aux caractères affirmés du cru traduit un réel savoir-faire. Elle sera appréciée au cours des deux ou trois prochaines années.

↳ André Dépré, Le Moulin, 69115 Chiroubles, tél. 04.74.69.11.18, fax 04.74.69.12.84, e-mail andre.depre@wanadoo.fr ☑ ⟂ t.l.j. 8h30-12h 13h30-18h30

CH. DE RAOUSSET 2000

■ 6,5 ha 20 000 ⬙ 5 à 8 €

En 1836, un soyeux lyonnais achète des vignes et, en 1850, fait construire un château à Chiroubles. L'exploitation actuelle associe depuis 1989 deux de ses descendants et deux vignerons. La cave a été rénovée en 2001. Le domaine obtient deux citations : pour un **morgon 2000**, et pour ce chiroubles grenat foncé s'ouvrant sur des notes de cerise, d'épices et de cuir. La bouche n'est pas des plus longues, mais possède une belle attaque et une matière équilibrée, ample et riche, qu'agrémentent des notes épicées. A boire dans les deux prochaines années.

↳ SCEA Héritiers de Raousset, Les Prés, 69115 Chiroubles, tél. 04.74.69.16.19, fax 04.74.04.21.93, e-mail remy@scea-de-raousset.fr ☑ ⟂ r.-v.

Fleurie

Posée au sommet d'un mamelon totalement planté de gamay noir, une chapelle semble veiller sur le vignoble : c'est la Madone de Fleurie, qui marque l'emplacement du troisième cru du Beaujolais par ordre d'importance, après le brouilly et le morgon. Les 875 ha de l'appellation ne s'échappent pas des limites communales, où l'on produit un vin issu d'un ensemble géologique assez homogène, constitué de granites à grands cristaux qui communiquent au vin une impression de finesse et de charme. La production a atteint, en 2001, 47 810 hl. Certains l'aiment frais, d'autres tempéré, mais tous, à la suite de la famille Chabert qui créa le célèbre plat, apprécient l'andouillette beaujolaise préparée avec du fleurie. C'est un vin qui apparaît, tel un paysage printanier, plein de promesses, de lumière, d'arômes aux tonalités d'iris et de violette.

Au cœur du village, deux caveaux (l'un près de la mairie, l'autre à la cave coopérative qui est l'une des plus importantes puisqu'elle vinifie 30 % du cru) offrent toute la gamme des vins aux noms de terroirs évocateurs : la Rochette, la Chapelle-des-Bois, les Roches, Grille-Midi, la Joie-du-Palais...

DOM. DE LA BOURONIERE
Bécasse 2000

	2 ha	3 000		8 à 11 €

Des vignes de soixante ans, conduites en lutte raisonnée, sont à l'origine de cette cuvée d'un rouge moyen aux jolis reflets violets. Ses parfums de raisin très mûr sont associés à des notes boisées assez développées qui se prolongent en bouche. Ce vin possède un certain potentiel, mais, dominé par le chêne, il devra s'affiner.
↬ Fabien de Lescure, La Bouronière, 69820 Fleurie, tél. 04.74.69.82.13, fax 04.74.69.85.40, e-mail bouroniere@wanadoo.fr ☑ ☓ r.-v.

DOM. DES CHAFFANGEONS
La Madone Cuvée Michel et Martine 2000★★

	6,05 ha	15 000		5 à 8 €

Fondé en 1955 par Robert Depardon, ce domaine de quelque 8 ha est exploité depuis 1988 par son gendre Michel Perrier. Il propose une cuvée d'un rubis éclatant aux reflets grenat. Le nez mêle des nuances de gibier et de cuir à des notes minérales et à des parfums de fruits rouges. Ample, ronde et charnue, la bouche révèle une bonne vinosité et des tanins séduisants. Alliant structure et puissance à une belle harmonie, ce vin de terroir sera apprécié pendant deux à trois ans avec une viande grillée.
↬ Michel Perrier, La Chapelle-des-Bois, 69820 Fleurie, tél. 04.74.69.83.05, fax 04.74.69.84.92 ☑ ☓ r.-v.

DOM. CHIGNARD
Les Moriers 2000★★

	1 ha	7 000		5 à 8 €

Des vignes de cinquante ans sont à l'origine de ce fleurie grenat brillant qui laisse de belles jambes sur le verre. Le nez développe de puissantes notes florales rappelant la violette. La bouche, à l'unisson des premières impressions, se révèle très riche, équilibrée et structurée. Le boisé, bien fondu dans une chair souple qui a conservé de la fraîcheur, est particulièrement apprécié. Un vin remarquable à déguster pendant les trois ou quatre prochaines années avec une viande rouge. Le 97 avait obtenu un coup de cœur.
↬ Michel Chignard, Le Point du Jour, 69820 Fleurie, tél. 04.74.04.11.87, fax 04.74.69.81.97
☑ ☓ t.l.j. sf dim. 8h-12h 13h30-19h

DOM. DE LA COUR PROFONDE 2001

	4,8 ha	15 000		5 à 8 €

Cyril Revollat s'est installé en 1998, depuis on retrouve régulièrement son fleurie, qui provient de vieux ceps et de raisins triés sur table à la vigne. D'un rubis très intense, ce 2001 livre des parfums complexes et caractéristiques de fraise, de cassis et de mûre, auxquels s'ajoutent des touches de violette. La bouche encore vive présente des tanins jeunes. Une bouteille prometteuse qui doit s'affiner un an.

↬ Revollat, La Cour Profonde, 69115 Chiroubles, tél. 04.74.69.13.72, fax 04.74.04.22.84 ☑ ☓ t.l.j. 8h-19h

CAVE DES PRODUCTEURS DE FLEURIE
Les Garants 2000

	2 ha	14 000		5 à 8 €

Créée dans les années 1930, cette coopérative s'est doté de cuveries modernes au cours des vingt dernières années. Elle obtient deux citations : pour un moulin-à-vent 2000 et pour ce fleurie grenat soutenu, qui s'impose d'entrée avec des notes intenses de cassis, d'iris et de violette. Ample et ronde, la bouche aux tanins soyeux est imprégnée d'arômes fruités qui persistent assez longuement. Bien équilibré et souple, ce vin est à boire dans les deux ans. Il s'accordera avec du petit gibier.
↬ Cave Prod. des Grands Vins de Fleurie, BP 2, 69820 Fleurie, tél. 04.74.04.11.70, fax 04.74.69.84.73, e-mail cave-de-fleurie@wanadoo.fr ☑ ☓ r.-v.

DOM. DE FONTABON 2001

	4,5 ha	18 000		5 à 8 €

Ce domaine dont les origines remontent à 1793 a élaboré un vin d'un rouge violacé et brillant, aux parfums discrets mais fins de framboise et de violette. Après une attaque fraîche, la bouche révèle sa puissance sans agressivité et finit sur des arômes de cerise. A boire dans l'année.
↬ Georges Boulon, pl. Victor-Pulliat, le Bourg, 69115 Chiroubles, tél. 04.74.69.27.27, fax 04.74.69.13.16 ☑ ☓ t.l.j. 9h-12h 14h-18h

CLOS DES GRANDS FERS 2000★★

	0,75 ha	3 200		8 à 11 €

Seuls les meilleurs millésimes, tel ce 2000, sont commercialisés sous l'étiquette du Clos des Grands Fers. Ce vin affiche une robe très profonde. Après dix mois de fût, il s'ouvre sur des notes intenses, complexes et fruitées, qui accompagnent une structure tannique puissante mais dénuée d'agressivité. Son boisé harmonieusement mêlé à sa riche matière laisse espérer dans les quatre ou cinq prochaines années une remarquable bouteille, que l'on servira sur une viande rouge.
↬ SARL Christian Bernard, Les Grands Fers, 69820 Fleurie, tél. 04.74.04.11.27, fax 04.74.69.86.64, e-mail chbernard@beaujolais-christianbernard.com
☑ ☓ r.-v.

DOM. DE GUISE 2000

	1,2 ha	2 000		5 à 8 €

Cette exploitation d'environ 5 ha tire son nom du lieu-dit où elle est établie. Deux de ses vins obtiennent une citation : un chiroubles 2000 et ce fleurie grenat intense, fruité et floral. La bouche aromatique, où perce une pointe acidulée, montre quelques tanins enrobés de parfums de fraise écrasée évoluant vers la framboise. On lui accordera quelques mois pour s'arrondir puis on boira cette bouteille dans l'année.
↬ Michel et Claire Mélinand, Dom. de Guise, 69115 Chiroubles, tél. 04.74.04.24.22
☑ ☓ t.l.j. sf dim. 9h30-18h30

DOM. DU HAUT-PONCIE 2000★★

	3 ha	5 600		5 à 8 €

Dominant la vallée de la Saône, ce domaine a élaboré un moulin-à-vent 2000 jugé très réussi, et ce remarquable fleurie, drapé dans une robe d'un rouge soutenu aux beaux reflets violets. Ses parfums intenses et complexes évoquent les fleurs et les épices (cannelle et poivre). Sa matière riche et puissante délivre des sensations veloutées ; elle n'en est pas moins structurée. Long, doté de tanins prometteurs aux accents vanillés, ce vin est fait pour l'avenir : on l'attendra deux à trois ans.

☞ SCEA Patrick Tranchand, Dom. du Haut-Poncié, 69820 Fleurie, tél. 04.74.04.16.06, fax 04.74.69.89.97
☑ ⌶ t.l.j. 8h-20h; dim. sur r.-v.

DOM. DES HAUTS DE MONTGENAS
Montgenas 2000

	12 ha	35 000	▮♨ 8 à 11 €

Proposée par un négociant beaunois, cette sélection rouge profond livre des parfums flatteurs et assez soutenus de cassis, de framboise et de fraise. L'attaque douce est suivie d'une chair plutôt fine et vineuse où se mêlent de bons arômes de fruits rouges et confits. Ce vin est prêt à boire.

☞ Arthur Barolet et Fils, rue du Dr-Barolet, 21200 Beaune, tél. 03.80.24.94.01, fax 03.80.22.54.31, e-mail gerard.salmon@hdv.fr

DOM. DE LA MADONE
La Madone Cuvée spéciale Vieilles vignes 2000★

	1 ha	6 000	▮ 8 à 11 €

De la chapelle de la Madone, toute proche du domaine, on découvre un beau panorama du Beaujolais. Deux fleurie élaborés par Jean-Marc Després ont été retenus : avec une citation, la **Cuvée spéciale Vieille vignes Grille-Midi 2000**, et, plus appréciée encore, celle-ci, flatteuse par ses parfums de fruits rouges confits aux nuances d'épices et de foin coupé. Ses tanins peu agressifs se fondent dans une chair ronde où l'on retrouve des arômes épicés. Ample et charnu, ce vin pourra accompagner du gros gibier (chevreuil ou sanglier) en sauce pendant deux à trois ans.

☞ Jean-Marc Després, La Madone, 69820 Fleurie, tél. 04.74.69.81.51, fax 04.74.69.81.93, e-mail domainedelamadone@wanadoo.fr
☑ ⌂ ⌶ t.l.j. sf dim. 10h-12h 14h-19h

DOM. DES MARRANS 2000

	10 ha	12 000	▮ 5 à 8 €

Cette exploitation familiale de 16,5 ha a commencé ses vendanges 2000 en août, fait sans précédent sur le domaine. Son fleurie, paré d'une robe violette un peu claire, livre des parfums de cassis de belle intensité. Il est assez puissant mais encore quelque peu tannique. Equilibré et long, il sera à boire dans les deux ou trois prochaines années.

☞ Jean-Jacques et Liliane Melinand, Les Marrans, 69820 Fleurie, tél. 04.74.04.13.21, fax 04.74.69.82.45, e-mail melinand.m@wanadoo.fr ☑ ▥ ⌶ r.-v.

DOM. MONROZIER
Les Moriers 2000

	2,15 ha	3 000	◫ 5 à 8 €

Cette propriété familiale a été citée pour un **moulin-à-vent 2000** ainsi que pour ce fleurie grenat brillant, de groseille et de cassis assorti de légères notes boisées. Sans défaut, ce vin offre suffisamment d'impressions plaisantes, élégantes et gouleyantes pour figurer parmi les élus. Un 2000 tendre, à boire dès à présent.

☞ SCEA du dom. Monrozier, Les Moriers, 69820 Fleurie, tél. 04.74.69.83.78, fax 04.74.04.12.17, e-mail c.monrozier@magic.fr ☑ ⌶ t.l.j. 10h-12h 14h-19h

DOM. MONTANGERON 2000★

▮	1,47 ha	2 700	▮ 5 à 8 €

Frédéric Montangeron s'est installé en 2000 sur un vignoble de près de 6 ha. Ce vin est donc son premier millésime. D'un pourpre limpide et brillant, il séduit par son nez de cassis et de violette. Après une attaque souple, il s'épanouit en bouche, révélant une chair ronde et structurée, de bons tanins et des arômes de fruits rouges. Une bouteille typée, d'une puissance mesurée. A boire dans l'année.

☞ Frédéric Montangeron, Grand-Pré, 69820 Fleurie, tél. 04.74.04.10.97, fax 04.74.04.10.97 ☑ ⌶ r.-v.

DOM. DU POINT DU JOUR 2000★

	5,5 ha	16 000	▮ 5 à 8 €

Installée en 1995 à la tête du domaine familial, Jocelyne Depardon s'est associée en 1997 avec son beau-frère Erick Copéret. La plus grande partie de leur vignoble est consacrée au fleurie dont le millésime 2000 affiche une superbe robe d'un rubis éclatant, limpide et brillante. Le nez s'ouvre sur les fruits rouges, le clou de girofle et la cannelle. Ample, riche, puissante, la bouche est dotée d'une structure tannique impressionnante, ce qui ne l'empêche pas d'être agréable. Un vin à déguster sur une entrecôte au cours des trois prochaines années.

☞ GAEC Depardon-Copéret, Le Point du Jour, 69820 Fleurie, tél. 04.74.69.82.93, fax 04.74.69.82.87
☑ ⌶ r.-v.

DOM. DE LA TREILLE 2001★

	5 ha	15 000	▮ 5 à 8 €

La famille de Jean-Paul et d'Hervé Gauthier est installée depuis 1955 sur ce domaine de 13,5 ha cultivé aujourd'hui en lutte intégrée. Deux cuvées de l'exploitation ont obtenu une citation : un moulin-à-vent et ce fleurie grenat aux parfums assez discrets de fruits rouges, de pêche de vigne et d'abricot. Si l'attaque se montre charnue, la finale apparaît plus tannique. Doté d'une matière riche et plaisante, charpenté et équilibré, ce vin sera apprécié pendant deux ans avec un saucisson de Lyon.

☞ EARL Jean-Paul et Hervé Gauthier, Les Frébouches, 69220 Lancié, tél. 04.74.04.11.03, fax 04.74.69.84.13, e-mail jean-paul.gauthier2@wanadoo.fr ☑ ⌶ r.-v.

ANDRE VAISSE
Grille-Midi 2001

	4 ha	9 300	▮♨ 5 à 8 €

Grille-Midi est un lieu-dit qui, s'il n'a pas de reconnaissance officielle, n'en constitue pas moins un terroir bien connu de l'appellation. Il a donné un vin grenat limpide qui s'ouvre sur des notes de groseille confite, associées à des nuances de coriandre et de vanille. Imprégné d'arômes de fruits rouges, le palais est souple et de constitution un peu fine. A boire.

☞ André Vaisse, 69820 Fleurie, tél. 04.74.06.10.10, fax 04.74.66.13.77 ☑ ⌶ r.-v.

Juliénas

Cru impérial d'après l'étymologie, Juliénas tiendrait en effet son nom de Jules César, de même que Jullié, l'une des quatre communes qui composent l'aire géographique de l'appellation (avec Emeringes et Pruzilly, cette dernière se trouvant en Saône-et-Loire). Occupant des terrains granitiques à l'ouest et des terrains sédimentaires avec des alluvions anciennes à l'est, les 606 ha de gamay noir permettent la production de 34 200 hl de vins bien charpentés, riches en couleur, appréciés au printemps après quelques mois de conservation. Gaillards et espiègles, ils sont à l'image des fresques qui ornent le caveau de la Vieille Église, au centre du bourg. Dans cette chapelle désaffectée, chaque année à la mi-novembre est remis le prix Victor-Peyret à l'artiste, peintre, écrivain ou journaliste qui a le mieux « tasté » les vins du cru ; celui-ci reçoit 104 bouteilles : 2 par week-end... La cave coopérative, installée dans l'enceinte de l'ancien prieuré du château du Bois de la Salle, vinifie 30 % de l'appellation.

CAVE DU BOIS DE LA SALLE 2001
■ | n.c. | 25 000 | ▮ ♨ | 5 à 8 €

Établie dans un ancien prieuré, la cave du Bois de la Salle est une coopérative fondée en 1960. Elle regroupe aujourd'hui deux cent cinquante-cinq adhérents et vinifie 270 ha, plus de la moitié de cette superficie étant consacrée au juliénas. D'un rouge sombre intense, celui-ci livre des parfums assez puissants de cassis, nuancés de notes amyliques. La bouche très concentrée, ronde et structurée finit sur des arômes de fruits bien mûrs. Un vin à boire dans l'année.
☛ Cave coop. du Bois de la Salle, Ch. du Bois de la Salle, 69840 Juliénas, tél. 04.74.04.42.61, fax 04.74.04.47.47 ☑ ⵜ r.-v.

CH. DE LA BOTTIERE 2001
■ | 7 ha | 35 000 | ▮ ◫ | 5 à 8 €

Les Perrachon, viticulteurs de père en fils depuis 1877, cultivent la vigne en lutte raisonnée. Ils présentent une cuvée d'une belle couleur grenat profond, aux parfums assez fins d'iris et de violette. Avec des arômes de fruits noirs, les tanins qui commencent à s'arrondir contribuent à l'harmonie de ce vin à boire dans les deux ou trois prochaines années.
☛ Jacques Perrachon, La Bottière, 69840 Juliénas, tél. 03.85.36.75.42, fax 03.85.33.86.36 ☑ ⵜ r.-v.

CHEVALIER SAINT-VINCENT 2001★★
■ | n.c. | 55 000 | ▮ ♨ | 5 à 8 €

Ce Chevalier porte haut et fort l'étendard du juliénas. Drapé dans une robe d'un rouge profond moiré de reflets violets, il exhale des parfums complexes, intenses et fins de fruits rouges très mûrs (griotte) et de kirsch. L'attaque vive est suivie de puissantes impressions. Rond et charnu, bien structuré, ce vin fait preuve d'une agréable typicité et révèle un bon potentiel de garde. Il est prêt mais pourra aussi être apprécié dans trois ou quatre ans. A signaler encore, une production des Vignerons du Prieuré citée par le jury : le **saint-amour 2001 Pont des Pierres**.
☛ Les Vignerons du Prieuré, Ch. du Bois de la Salle, 69840 Juliénas, tél. 04.74.04.41.66, fax 04.74.04.47.05 ☑ ⵜ r.-v.

LE CLOS DU FIEF 2000★★
■ | 0,5 ha | 2 500 | ▮ ♨ | 5 à 8 €

Franck Besson a rejoint son beau-père sur le domaine en 1999. Les vignes sont conduites en lutte raisonnée. Issue de ceps de soixante ans, cette cuvée affiche une belle robe carmin très franc, limpide et brillante. Elle s'ouvre sur des notes de fruits rouges mûrs, amples et particulièrement agréables. Typée et fort bien structurée, elle est dotée de tanins fondus et fins qui ont encore de la réserve. Un vin de terroir très harmonieux qui sera apprécié au cours des deux à trois prochaines années.
☛ Franck Besson, Les Chanoriers, 69840 Jullié, tél. 04.74.04.46.12, fax 04.74.04.46.12 ☑ ⵜ r.-v.

DOM. DU CLOS DU FIEF 2001★★
■ | 7 ha | 40 000 | ▮ ◫ | 5 à 8 €

Conduisant un domaine de 13 ha, Michel Tête produit deux crus du Beaujolais : du **saint-amour**, dont le millésime 2001 a été cité, et du juliénas, très remarqué cette année. Sa belle couleur rouge foncé et ses parfums développés et nets de fruits rouges (griotte) et de kirsch, assortis de notes minérales, traduisent d'entrée un réel savoir-faire. Riche, intense, vigoureuse, dotée d'une excellente structure, la bouche délivre longuement des arômes de mûre. Harmonieux et complet, ce vin plaira aux plus exigeants pendant deux à trois ans.
☛ Michel Tête, Les Gonnards, 69840 Juliénas, tél. 04.74.04.41.62, fax 04.74.04.47.09 ☑ ⵜ r.-v.

DOM. DE LA CONSEILLERE 2001★★
■ | 4 ha | 26 000 | ▮ ♨ | 5 à 8 €

Cette sélection rouge profond à reflets violets s'affirme d'entrée par des parfums de petits fruits et de fruits à noyau (cerise) et mûre ; on décèle aussi des notes d'amande. La belle attaque fruitée est accompagnée d'impressions charnues, grasses et aromatiques, que le jury attribue à une récolte tardive, favorable pour le gamay. Un ensemble harmonieux, équilibré, structuré et persistant, qui sera à boire au cours des trois prochaines années.
☛ Dom. de la Conseillère, Les Gonnards, 69840 Juliénas, tél. 04.74.04.46.51 ☑ ⵜ r.-v.
☛ Poulachon

DOM. DU COTEAU DES FOUILLOUSES 2001★
■ | 0,4 ha | 3 000 | ▮ | 5 à 8 €

De vieilles vignes sont à l'origine de cette cuvée rubis léger qui exprime d'agréables notes de violette et de réglisse. Savoureuse, chaleureuse et intense, la bouche se distingue par un très bon équilibre entre des tanins encore vifs et le fruité d'une part, l'alcool et l'acidité d'autre part. Ce vin plaisant, fait pour le bœuf bourguignon, sera apprécié pendant deux ans. Le **beaujolais-villages 2001 (3 à 5 €)** du domaine a été cité.
☛ Roland Lattaud, Le Bourg, 69840 Jullié, tél. 04.74.04.43.86, fax 04.74.04.43.86 ☑ ⵜ r.-v.

DOM. DE LA COTE DE CHEVENAL 2001
■ | 1,25 ha | 4 500 | ▮ ♨ | 5 à 8 €

Jean-François et Pierre Bergeron exploitent 24,5 ha de vignes. Leur fruité va très bon égal avec le juliénas aux parfums intenses de cassis, de myrtille et de fruits rouges. L'attaque vive et fruitée laisse la place à une bouche ronde, de structure moyenne. Un vin plaisant, à boire dans l'année.

■ Jean-François et Pierre Bergeron,
Les Rougelons, 69840 Emeringes,
tél. 04.74.04.41.19, fax 04.74.04.40.72,
e-mail domaine-bergeron@wanadoo.fr ☑ ⟁ r.-v.

FRANCK JUILLARD
Vieilles vignes 2001★

	3 ha	13 333	5 à 8 €

Franck Juillard a repris il y a dix ans l'exploitation familiale qu'il conduit en lutte raisonnée. Il propose une cuvée issue de deux parcelles plantées de vignes de cinquante ans. D'un pourpre intense, ce vin livre des notes de fruits rouges acidulés, puis des nuances de fleurs, de poivre et de réglisse. La bouche est plutôt riche en tanins, ce qui ne l'empêche pas de se montrer équilibrée, souple et agréable. Aromatique et assez longue, elle a beaucoup de finesse. Ce vin un peu discret mais typé est à boire dans les deux ans à venir. Il se mariera avec une terrine de foies de volaille.
■ Franck Juillard, Les Poupets, 69840 Juliénas,
tél. 04.74.04.42.56, fax 04.74.04.43.82,
e-mail fjuillard@terre-net.fr ☑ ⟁ r.-v.

JEAN-MARC LAFONT
La Bottière 2000★

	8 ha	3 000	5 à 8 €

Cette sélection grenat foncé révèle des parfums d'iris et des notes minérales d'une grande finesse. Typée, elle se montre très structurée, avec des tanins ronds enrobés d'une bonne chair aux nuances de groseille et de fraise des bois. Ce vin persistant, équilibré et bien représentatif de l'appellation sera apprécié pendant les trois prochaines années.
■ Jean-Marc Lafont, Bel-Air, 69430 Lantignié,
tél. 04.74.04.82.08, fax 04.74.04.89.33,
e-mail lafont.jean-Marc@wanadoo.fr ☑ ⟁ r.-v.

PATRICE MARTIN 2001★

	0,82 ha	n.c.	5 à 8 €

Installé en 1998 comme fermier et métayer, Patrice Martin a acquis ses premières vignes de juliénas en 1999. Avec cette cuvée rouge très foncé, ses débuts sont encourageants. Le nez livre des parfums francs et plaisants de framboise, de cassis et de mûre que l'on retrouve au palais, associés à de belles impressions de rondeur et de chair. Si le côté aromatique l'emporte sur l'expression du terroir, l'ensemble est fort agréable. Ce vin net, bien équilibré, à la structure présente mais discrète sera apprécié au cours des deux prochaines années.
■ Patrice Martin, Le Village, 71570 Chânes,
tél. 03.85.36.53.58, fax 03.85.37.47.43 ☑ ⟁ r.-v.

DOM. DU MAUPAS 2001★

	5,5 ha	10 500	5 à 8 €

En 2000, la troisième génération a pris les rênes de ce domaine créé en 1962. Elle a fort bien réussi ce 2001 d'un rouge foncé limpide, aux discrets parfums de framboise et de mûre assortis de quelques notes végétales. Sur un fond charnu aux arômes de fruits noirs se développe une structure tannique assez puissante et prometteuse. Ce vin équilibré et typé, expression de la tradition, est à boire dans deux à trois ans.
■ Jacques Lespinasse, La Bottière, 69840 Juliénas,
tél. 03.85.33.84.21, fax 03.85.33.86.70,
e-mail jacques.lespinasse@wanadoo.fr ☑ ⟁ r.-v.

DOM. DES MOUILLES 2001★

	4,5 ha	34 000	■ ⊞ ♦	5 à 8 €

Cet autre domaine de la famille Perrachon s'était distingué dans le millésime 99, coup de cœur du Guide. Le 2001, d'un rouge sombre, violacé, s'annonce par des parfums intenses et fins d'amande grillée et de groseille, accompagnés de nuances minérales. Des tanins font sentir leur présence dès l'attaque, sans altérer l'équilibre de la bouche fruitée. Assez puissant et harmonieux, ce vin est à boire dans les trois à cinq prochaines années.
■ Laurent Perrachon, Dom. des Mouilles,
69840 Juliénas, tél. 04.74.04.40.44, fax 04.74.04.40.44
☑ ⟁ r.-v.

BRUNO PELLETIER 2000★

	2 ha	n.c.	5 à 8 €

Des vignes de cinquante ans ont donné ce vin d'un rouge violacé très franc, qui développe des notes de grillé puis des parfums de fruits rouges. On retrouve ces arômes, notamment la groseille, dans une bouche expressive, d'une belle finesse, puissante et structurée, qui s'épanouit agréablement et longuement. Ce vin représentatif de son appellation, à déguster pendant les deux prochaines années, sera mieux apprécié après aération.
■ Bruno Pelletier, Les Fournets, 69840 Juliénas,
tél. 06.72.95.00.06, fax 04.74.04.46.76 ☑ ⟁ r.-v.

DOM. M. PELLETIER
Les Envaux 2001★★

	3,28 ha	8 000	⊞	5 à 8 €

Exposé au sud-ouest, ce vignoble familial, dont les origines remontent à 1840, a élaboré un vin d'un rouge foncé brillant à reflets violets. Les parfums de fruits noirs qui dominent à l'olfaction sont francs et de bonne intensité. Ils accompagnent une attaque vigoureuse. Le palais charnu est soutenu par une structure tannique puissante, très présente en fin de bouche. Doté d'une matière concentrée, ce vin reste harmonieux tout en étant solidement charpenté. Révélant une réelle aptitude à la garde, il sera apprécié pendant trois à cinq ans.
■ Pelletier, 69840 Juliénas, tél. 04.74.06.10.10,
fax 04.74.66.13.77 ☑ ⟁ r.-v.

CELLIER DE LA VIEILLE EGLISE 2000★★

	n.c.	25 000	■ ⊞	5 à 8 €

Victor Peyret, négociant en vins et ami de nombreux journalistes, a beaucoup fait pour la notoriété du juliénas au début du XXᵉs. On lui doit l'idée de transformer l'ancienne église du village, désaffectée depuis 1868, en sanctuaire du cru. Avec ce vin rouge foncé aux beaux reflets violets, c'est toute l'appellation qui est à l'honneur.

Ses parfums vineux et ses fragrances de fruits rouges sont épanouis comme le Bacchus qui orne la fresque du cellier. Ils accompagnent une bouche charnue, ronde, puissante et d'une belle longueur. Ce vin complet, finement fruité, sera apprécié au cours des trois ou quatre prochaines années.
🍷 Cellier de la Vieille Eglise, le Bourg, 69840 Juliénas, tél. 04.74.04.42.98, fax 04.74.04.42.98 ☑ Ɪ r.-v.

DOM. DU VIEUX CERISIER 2001★

■	9,5 ha	70 000	▮♦ 5 à 8 €

La robe est belle, couleur cassis. Le nez livre des parfums intenses et complexes de fruits rouges, de kirsch, de chèvrefeuille et de poivre. La bouche est marquée par une bonne vivacité et des tanins un peu austères qui révèlent un vin très jeune, mais les arômes de cerise et d'abricot sont bien développés. Riche et long, ce vin sera apprécié dans les trois ans.
🍷 GFA des Roches, 69840 Juliénas, tél. 04.74.09.60.00, fax 04.74.09.60.17

Morgon

Le deuxième cru en importance après le brouilly est localisé sur une seule commune. Ses 1 115 ha revendiqués en AOC ont fourni, en 2001, 65 077 hl d'un vin robuste, généreux, fruité, évoquant la cerise, le kirsch et l'abricot. Ces caractéristiques sont dues aux sols issus de la désagrégation des schistes à prédominance basique, imprégnés d'oxyde de fer et de manganèse, que les vignerons désignent par les termes de « terre pourrie » et qui confèrent aux vins des qualités particulières ; celles qui font dire que les vins de Morgon... « morgonnent ». Cette situation est propice à l'élaboration, à partir du gamay noir, d'un vin de garde qui peut prendre des allures de bourgogne, et qui accompagne parfaitement un coq au vin. Non loin de l'ancienne voie romaine reliant Lyon à Autun, le terroir de la colline de Py, situé à 300 m d'altitude sur cette croupe aux formes parfaites, en est l'archétype.

La commune de Villié-Morgon s'enorgueillit à juste titre d'avoir été la première à se préoccuper de l'accueil des amateurs de vin de Beaujolais : son caveau, construit dans les caves du château de Fontcrenne, peut recevoir plusieurs centaines de personnes. Dans ce lieu privilégié qui fait le bonheur des visiteurs et des associations à la recherche d'une « ambiance vigneronne », sont proposés à la vente des vins de producteur représentatifs des différents terroirs de l'appellation.

DOM. AUCŒUR
Cuvée Jean-Claude Aucœur Vieilles vignes 2000

■	4 ha	30 000	▮❶ 5 à 8 €

Des vignes de quarante-sept ans sont à l'origine de cette cuvée couleur cassis, vinifiée selon une façon « Aucœur » tenue secrète ! Ses parfums, qui s'affirment progressivement, s'avèrent très expressifs. On décèle des notes poivrées, florales, et des fruits noirs. Bien vite, des tanins virils envahissent le palais. La riche matière supporte le choc, mais une telle astringence incite à oublier deux ou trois ans en cave, afin qu'il se « civilise », ce vin de garde typé, « élaboré à l'ancienne », écrit un membre du jury. Le 97 avait obtenu un coup de cœur.
🍷 Dom. Aucœur, Le Rochaud, 69910 Villié-Morgon, tél. 04.74.04.22.10, fax 04.74.69.16.82 ☑ Ɪ r.-v.

DOM. DE LA BECHE
Cuvée Vieilles vignes 2001★

■	4,2 ha	3 000	▮❶♦ 5 à 8 €

Le domaine de la Bêche est transmis de père en fils depuis le milieu du XIXᵉ s. Issue de vignes âgées de soixante ans, cette cuvée présente une robe rubis intense à reflets bleus. Le nez évolue à partir de complexes nuances évoquant le sous-bois et le minéral vers des notes florales et fruitées rappelant le cassis. La bouche, assez puissante, est dotée de tanins jeunes et marqués par des arômes de fruits rouges, d'épices et des notes boisées. Charpenté et un peu vif, c'est un vin au fort potentiel, à attendre deux ou trois ans.
🍷 Colette Depardon, Dom. de la Bêche, 69910 Villié-Morgon, tél. 04.74.64.24.47, fax 04.74.69.15.29 ☑ Ɪ r.-v.

DOM. DE LA BECHE
Cuvée Vieilles vignes 2001★

■	2,5 ha	15 000	3 à 5 €

Fils de Colette Depardon, Olivier Depardon s'est installé en 1988. Son morgon Vieilles vignes est rubis clair, limpide et brillant. Il libère des parfums intenses mais fugaces de fraise et de noisette, accompagnés de notes florales. Ample, avec des tanins déjà assagis, la bouche est plus bavarde. S'y mêlent la cerise, la groseille et la framboise. Equilibré, charpenté et expressif, ce vin sera apprécié au cours des trois ou quatre prochaines années.
🍷 Olivier Depardon, Dom. de la Bêche, 69910 Villié-Morgon, tél. 04.74.69.15.89, fax 04.74.04.21.88, e-mail o.depardon@libertysurf.fr ☑ Ɪ r.-v.

DOM. DE LA BONNE TONNE 2000★

■	0,6 ha	4 600	▮ 5 à 8 €

Vignerons de père en fils depuis six générations, les Grillet exploitent une dizaine d'hectares au pied de la colline du Py. D'un grenat profond, marqué d'intenses notes poivrées accompagnées de parfums de fruits rouges, de pêche et de prune nuancés de sous-bois et de fumée, leur morgon révèle d'emblée de la puissance. Bien équilibré, il emplit agréablement et longuement la bouche d'une chair très bien structurée, aux tanins mûrs enrobés d'arômes fruités. On l'appréciera pendant deux ans avec une viande rouge.
🍷 Marcel Grillet, Morgon, 69910 Villié-Morgon, tél. 04.74.69.12.22, fax 04.74.69.12.73 ☑ Ɪ r.-v.

DANIEL BOULAND

Corcelette Vieilles vignes Vieilli en foudre de chêne
2001★★

| ■ | 1,5 ha | 6 600 | ⅛ 5 à 8 € |

Elevée en foudre de chêne, cette cuvée grenat sombre s'ouvre sur des nuances de cerise très mûre, de fraise des bois et d'acacia. L'attaque souple est suivie d'une bouche ronde et de bonne puissance. Fort bien structuré et harmonieux, ce vin typé pourra accompagner une caille farcie et du petit gibier pendant deux à trois ans.
🖝 Daniel Bouland, Corcelette, 69910 Villié-Morgon, tél. 04.74.69.14.71, fax 04.74.69.14.71 ☑ ⵗ r.-v.

DOM. JEAN-PAUL BOULAND 2000

| ■ | 5 ha | 25 000 | ⵎ 5 à 8 € |

Des vignes de cinquante ans ont donné une cuvée rubis foncé aux parfums plutôt discrets de fruits noirs. Dotée d'une belle matière charnue et ronde aux arômes fruités, souple et facile, c'est une bouteille agréable à boire maintenant.
🖝 Dom. Jean-Paul Bouland, Fond-Long, 69910 Villié-Morgon, tél. 04.74.04.25.23, fax 04.74.04.21.06 ☑ ⵗ r.-v.

DOM. PATRICK BOULAND

Vieilles vignes Fût de chêne 2000★★

| ■ | 1,2 ha | 8 000 | ⅛ 5 à 8 € |

Patrick Bouland exploite une dizaine d'hectares et a produit deux cuvées fort bien accueillies : un **chiroubles 2001**, très réussi, et ce remarquable morgon couleur cerise burlat profond, aux parfums de fruits bien mûrs. Ample et corsée, la bouche révèle une structure tannique pleine de promesses et digne d'un cru, soulignée d'arômes de fruits confits. Déjà très agréable au palais, ce vin sera apprécié au cours des deux prochaines années.
🖝 Patrick Bouland, 77, montée des Rochauds, 69910 Villié-Morgon, tél. 04.74.69.16.20, fax 04.74.69.13.55, e-mail patrick.bouland@free.fr ☑ ⵗ r.-v.

DOM. NOEL BULLIAT

Cuvée Vieilles vignes 2000★

| ■ | 0,7 ha | 4 000 | ⅛ 5 à 8 € |

Dans le cuvage rénové en 2000, a été élaborée une cuvée rubis limpide et brillante, au nez de fraise très mûre, de groseille et de griotte. La bouche concentrée et veloutée, aux arômes de groseille bien marqués, présente une grande finesse. Un vin élégant et racé, à boire sur son fruit au cours des trois prochaines années.
🖝 Noël Bulliat, Le Colombier, 69910 Villié-Morgon, tél. 04.74.69.13.51, fax 04.74.69.14.09 ☑ ⵗ r.-v.

DOM. DU CALVAIRE DE ROCHE-GRES

Les Charmes 2001

| ■ | 2,23 ha | 16 000 | 5 à 8 € |

Le domaine tire son nom de treize pierres dressées dans les vignes en 1934 pour former les stations d'un calvaire. Son **fleurie 2001** fait jeu égal avec ce morgon grenat sombre, au nez très fin de groseille et de cassis. Alliant la puissance d'une chair concentrée et ronde à des arômes de fruits cuits, ce jeune représentant de l'appellation se montre déjà bien mûr. Agréable, d'une bonne harmonie, il est à boire dans les deux à trois prochaines années.

EARL Didier Desvignes, Saint-Joseph,
69910 Villié-Morgon, tél. 04.74.69.92.29,
fax 04.74.69.97.54 ☑ ⵗ r.-v.

DOM. DE LA CHAPONNE 2001

| ■ | 5 ha | 19 000 | ▮⬩ 5 à 8 € |

Si la robe, rubis aux nuances bleutées, est intense, le nez est plus réservé. On y retrouve la minéralité du terroir, des épices, les fruits rouges et noirs ainsi que la noisette. Les arômes - mûre et myrtille associées à des notes de terroir en finale - demeurent discrets en bouche. Le palais est souple et équilibré. Un vin ample et fin, à boire dans les deux ans.
🖝 Laurent Guillet, La Briratte, 69910 Villié-Morgon, tél. 04.74.69.15.73, fax 04.74.69.11.43
☑ ⵗ t.l.j. 9h-12h 14h-18h

CYRILLE CHAVY 2001★

| ■ | 6,33 ha | n.c. | ▮⬩ 5 à 8 € |

Cyrille Chavy s'est installé en 1995 sur la propriété familiale et exploite environ 6 ha de vignes. Pourpre foncé à reflets violets, son morgon affiche une robe limpide et brillante. On décèle des parfums de cassis, de fraise et de pivoine. L'attaque franche est suivie d'impressions de rondeur malgré de jeunes tanins ; ces derniers, qui ne sont pas séchants, confèrent à ce vin une structure équilibrée et le rendent très agréable. On retrouve en bouche les arômes de cassis. Une bouteille à attendre un an.
🖝 Cyrille Chavy, Les Versauds, 69910 Villié-Morgon, tél. 04.74.04.20.47, fax 04.74.69.20.00, e-mail chavy.aurelie@wanadoo.fr ☑ ⵗ r.-v.

LA MAISON DES VIGNERONS DE CHIROUBLES

Cuvée de la Chenevrière 2000★

| ■ | 1,33 ha | 10 000 | ▮⬩ 5 à 8 € |

D'un rubis soutenu, cette cuvée s'ouvre sur des notes minérales, les parfums de fleurs et de cerise restant beaucoup plus discrets. La bouche est très vite envahie par un fruité que l'on croque à pleines dents. Les tanins, qui se font oublier, participent d'une structure équilibrée. De bonne longueur, la finale d'épices et de réglisse conclut la dégustation de ce vin bien fait et facile à boire, à apprécier au cours de l'année.
🖝 La Maison des Vignerons de Chiroubles, Le Bourg, 69115 Chiroubles, tél. 04.74.69.14.94, fax 04.74.69.10.59 ☑ ⵗ t.l.j. 9h30-12h30 14h-18h

DOM. DU COTEAU DES LYS 2000★

| ■ | 4 ha | 25 000 | 5 à 8 € |

Parée d'une robe grenat profond, cette cuvée décline des parfums d'une grande finesse évoquant les fruits rouges très mûrs et le cassis avec des nuances de rose et de pivoine. Elle emplit la bouche d'une matière riche et élégante. Ses tanins fondus, accompagnés d'arômes de fruits mûrs, sont plus présents en finale. Si la bouche n'est pas des plus longues, l'ensemble est cependant équilibré. Un vin bien fait, à boire dans les deux ans.
🖝 Maurice Passot, Corcelette, 69910 Villié-Morgon, tél. 04.74.04.20.27, fax 04.74.69.15.57, e-mail maurice.passot@wanadoo.fr ☑ ⌂ ⵗ r.-v.

DOM. DE LA COTE DES CHARMES

Les Charmes Vieilles vignes 2001★

| ■ | 6,3 ha | 12 000 | 5 à 8 € |

Si le **régnié 2000** a été cité, il revient à ce morgon d'être le porte-parole de l'exploitation. Il provient du terroir appelé Les Charmes. Du charme, ce vin n'en manque pas. Affichant une robe rubis foncé, il livre des parfums complexes et intenses de fruits noirs très mûrs, de violette et de poivre. L'attaque généreuse fait place à des tanins structurés et jeunes, de belle qualité. La riche matière exprime des arômes bien francs de cassis, de mûre et de violette. Longue et fort représentative de son appellation, cette bouteille sera à consommer dans les trois ou quatre prochaines années.

🕊 Jacques Trichard, Les Charmes,
69110 Villié-Morgon, tél. 04.74.04.20.35,
fax 04.74.69.13.49 ☑ ⲧ r.-v.

DOM. DONZEL
Cuvée Tradition 2000

■	4 ha	30 000	▮▮	5 à 8 €

Cette exploitation, créée après la Seconde Guerre mondiale, a obtenu deux citations : pour son **beaujolais rouge 2001 (3 à 5 €)**, et pour ce morgon d'un rubis soutenu mêlant au nez notes minérales et violette, fraise et framboise. Après une attaque légère, des arômes de fruits très mûrs assortis d'une originale pointe d'anis se révèlent dans une bouche assez tannique et d'une bonne longueur. Un vin à boire dans l'année.

🕊 Bernard Donzel, Fonlong, 69910 Villié-Morgon,
tél. 04.74.04.20.56, fax 04.74.69.14.52 ☑ ⲧ r.-v.

DOM. GAGET
Grands Cras 2000*

■	0,4 ha	2 800	▮	5 à 8 €

L'Association des producteurs de Morgon innove en présentant des cuvées identifiées par l'un des six *climats* de l'appellation. Celle-ci provient des Grands Cras, qui constituent les contreforts sud et sud-est de la Côte du Py. D'un grenat sombre, elle présente un nez intense, net et complexe où se mêlent la violette, des notes minérales, animales, voire empyreumatiques. On retrouve ces fins arômes de violette dans une bouche à la structure ample, pleine et charnue. Un peu léger, mais bien typé et élégant, ce vin se gardera deux ans.

🕊 EARL Dom. Gaget, La Côte du Py,
69910 Villié-Morgon, tél. 04.74.04.20.75,
fax 04.74.04.21.54 ⲧ t.l.j. 9h-12h 14h-19h; f. jan.

DOM. DE GRY-SABLON 2001*

■	2,37 ha	18 000	▮▮▮	5 à 8 €

La cave de vinification est installée dans l'ancienne distillerie d'Emeringes qui a fonctionné jusqu'en 1950. Rénovée en 2001, elle est équipée de la régulation thermique sur toutes les cuves et tous les locaux sont climatisés. Grenat profond à reflets violets, ce morgon délivre de très bons parfums de fraise, de framboise et de cassis. La bouche, agréablement fruitée, conserve la fraîcheur de la jeunesse et procure assez longuement des impressions savoureuses. Ce vin sort des canons de la vinification mais n'en est pas moins bien fait. Il n'est pas destiné à la garde : on le boira dans l'année.

🕊 Dominique Morel, Les Chavannes,
69840 Emeringes, tél. 04.74.04.45.35,
fax 04.74.04.42.66, e-mail gry-sablon@wanadoo.fr
☑ ⲧ t.l.j. sf dim. 8h-19h

DOM. DOMINIQUE JAMBON 2001

■	1,8 ha	6 000	▮	5 à 8 €

Dominique Jambon a repris l'exploitation familiale en 1995. Il est à la tête de 10 ha de vignes. Son **régnié 2001**

fait jeu égal avec ce morgon couleur cerise burlat, aux parfums expressifs de fraise cuite, de bourgeon de cassis, de mûre, épicés de poivre et de cannelle. Ces arômes accompagnent une bouche souple et ronde aux tanins jeunes mais dénués d'agressivité. C'est un vin gouleyant, à boire dans l'année.

🕊 Dominique Jambon, Arnas, 69430 Lantignié,
tél. 04.74.04.80.59, fax 04.74.04.80.59 ☑ ⲧ r.-v.

DOM. DE JAVERNIERE 2001★★

■	0,7 ha	3 000	▮▮	5 à 8 €

C'est en 1974 que Noël Lacoque a pris les rênes du domaine de Javernière. S'il a transmis la plus grande partie de la propriété à son fils, il a cependant signé cette remarquable cuvée. La vinification des grappes entières a été faite avec immersion du chapeau dans le moût et l'élevage a été mené en fût. Des impressions vineuses, des parfums intenses et complexes de griotte, des notes florales et boisées émanent de ce vin grenat profond. La belle attaque confirme le réel potentiel de ce 2001 assez long et équilibré. Bien fait, il doit attendre trois ans pour permettre au bois de se fondre.

🕊 Noël Lacoque, Javernière, 69910 Villié-Morgon,
tél. 04.74.04.24.26, fax 04.74.69.11.01 ☑ ⲧ r.-v.

DOM. DE JAVERNIERE 2001★

■	3 ha	20 000	▮	3 à 5 €

Fils de Noël, Hervé Lacoque s'est installé en 1985 et exploite 10 ha de vignes. Des ceps de cinquante ans, implantés sur les célèbres « roches pourries » caractéristiques de l'appellation, ont donné un vin grenat violacé qui s'ouvre sur des notes de fleurs, de fruits cuits, d'abricot, accompagnées de nuances épicées assez intenses. La bouche charnue, onctueuse, apparaît puissante et bien structurée. Représentatif de l'AOC, équilibré, ce vin devra attendre un an.

🕊 Hervé Lacoque, Javernière, 69910 Villié-Morgon,
tél. 04.74.04.26.64, fax 04.74.04.27.10 ☑ ⲧ r.-v.

JOEL LACOQUE
Côte du Py 2000★★

■	7 ha	25 000	▮▮▮	5 à 8 €

Des vignes de soixante ans sont à l'origine de cette cuvée pourpre très sombre, au nez vineux exprimant d'intenses parfums de fruits rouges et noirs, des notes minérales, mais aussi des nuances de cacao, de noix muscade et de cuir. La bouche pleine, réglissée, est à la hauteur de cette entrée en matière. Sa structure aux tanins à la fois puissants et fondus est soyeuse, accompagnée d'impressions minérales persistantes. Un vin de terroir qui a du corps, de la complexité et de l'élégance, à déboucher au cours des quatre prochaines années.

🕊 Joël Lacoque, Morgon, 69910 Villié-Morgon,
tél. 04.74.69.16.52, fax 04.74.04.27.03 ☑ ⲧ r.-v.

DOM. LARDY
Côte du Py 2000★★★

■	0,6 ha	4 000		8 à 11 €

Des vignes de quarante ans, plantées sur des sols d'argile et de granit, ont donné une cuvée rubis d'une superbe profondeur, limpide et brillante, désignée premier coup de cœur par le grand jury. De beaux parfums de sous-bois, de mûre confite, de prune et de cassis au sirop accompagnent une bouche charnue et ronde, remarquablement équilibrée, aux tanins d'une extrême finesse. Très

long, d'une harmonie sans pareille, élégant et racé, ce vin accompagnera pendant huit à dix ans chevreuil ou sanglier.

📞 Lucien Lardy, Le Vivier, 69820 Fleurie,
tél. 04.74.69.81.74, fax 04.74.04.12.30 ☑ ⵟ r.-v.

DOM. DE LATHEVALLE 2000★

	5 ha	40 000	⬛⬛	5 à 8 €

Distribué exclusivement par la maison Mommessin, ce vin rubis brillant séduit avant tout par son nez frais, expressif et complexe mêlant la groseille, la prune et le lilas à la violette, au coing et au cuir. Après une attaque souple, les tanins font sentir leur présence. Un morgon de bonne facture, à boire au cours des deux ou trois prochaines années.

📞 Mommessin, Le Pont-des-Samsons,
69430 Quincié-en-Beaujolais,
tél. 04.74.69.09.30, fax 04.74.69.09.28,
e-mail information@mommessin.com ⵟ r.-v.

📞 Brisson

DOM. DE LEYRE-LOUP
Corcelette 2000★

	6,25 ha	24 000	⬛	5 à 8 €

Christophe Lanson a repris en 1993 la petite propriété familiale entièrement consacrée au morgon. Son 2000, d'un rubis clair et limpide, libère des nuances d'amande qui évoluent vers des notes de granit. Corsé, « bien campé sur ses jambes » avec des tanins de bonne ampleur, ce représentant de l'appellation trapu mais convivial pourra être servi pendant deux ou trois ans sur une viande en sauce.

📞 Christophe Lanson, 20, rue de l'Oratoire,
69300 Caluire, tél. 04.78.29.24.10, fax 04.78.28.00.57,
e-mail cclanson@wanadoo.fr ⵟ r.-v.

DOM. MONTANGERON 2000★

	0,93 ha	2 000	⬛	5 à 8 €

Voici le premier millésime de Frédéric Montangeron qui s'est installé en 2000. D'un rouge soutenu, limpide et brillant, son morgon est très parfumé. On y trouve, à côté des fleurs et de la cerise, de la noisette, du cacao, des épices, des nuances minérales et de l'encens. Quant à la bouche, assez grasse et ronde avec des tanins fondus, bien fruitée, elle ne manque pas d'agréments. Un vin friand, harmonieux et sympathique, à boire dans les deux à trois ans.

📞 Frédéric Montangeron, Grand-Pré, 69820 Fleurie,
tél. 04.74.04.10.97, fax 04.74.04.10.97 ☑ ⵟ r.-v.

BERNARD PASSOT
Douby 2000

	0,4 ha	2 800	⬛	5 à 8 €

On pourra découvrir ce vin dans le pittoresque caveau du château de Fontcrenne, aménagé en 1953 par l'Association des Producteurs de Morgon. Il s'agit d'une « cuvée de terroir », issue de l'un des six *climats* de l'appellation, adossé aux coteaux de Fleurie. D'un pourpre intense à reflets violets, ce vin livre des parfums complexes associant fruits confits, fruits à noyau, note minérale et kirsch. Franche, chaleureuse et veloutée, la bouche est imprégnée d'arômes de myrtille et de prune. Équilibré, élégant et typé, ce vin est à boire dans les deux prochaines années.

📞 Bernard Passot, Le Colombier, rte de Fleurie,
69910 Villié-Morgon, tél. 04.74.69.10.77,
fax 04.74.69.13.59, e-mail nbpassot@infonie.fr
ⵟ t.l.j. 9h-12h 14h-19h; f. jan.

BERNARD PICHET 2000★★

	0,5 ha	3 500	⬛⬛	5 à 8 €

Bernard Pichet a aussi proposé un **chiroubles 2000**, cité par le jury, mais celui-ci a préféré son morgon, un vin limpide qui se révèle typique du cru dès l'olfaction, avec ses belles notes minérales accompagnées de parfums de cuir et de cerise. La bouche confirme le nez. Ample, charnue et équilibrée, elle possède des tanins fondus et fait preuve d'une bonne longueur. Une bouteille harmonieuse, à savourer au cours des trois ou quatre prochaines années.

📞 Bernard Pichet, Le Pont, 69115 Chiroubles,
tél. 04.74.69.11.27, fax 04.74.69.14.22 ☑ ⵟ r.-v.

DOM. DES PILLETS
Les Charmes Cuvée Vieilles vignes 2000★★

	1,5 ha	9 000	⬛⬛	5 à 8 €

Ancienne métairie du château de Fontcrenne, ce domaine a été acquis en 1956 par Michel Brisson et repris en 1980 par son fils Gérard, œnologue. Il propose une cuvée issue de vignes de près de soixante ans, et classée seconde au grand jury des deux coups de cœur. De beaux parfums d'iris et de pivoine, associés à des notes de groseille et de mûre, de réglisse et de cannelle, émanent de ce vin paré d'une splendide robe rubis à reflets violets. Ample et velouté, doté d'une superbe mâche, équilibré, il finit sur les arômes de fruits confits assortis d'un léger cassis. Une bouteille racée et d'une grande élégance, qui mettra en valeur une entrecôte pendant les trois à quatre ans à venir.

📞 Gérard Brisson, chem. des Romains, Les Pillets,
69910 Villié-Morgon, tél. 04.74.04.21.60,
fax 04.74.69.15.28 ☑ ⵟ t.l.j. sf dim. 9h-12h 13h30-19h;
f. 15-31 août, 20-31 déc.

DOM. DES PILLETS
Les Charmes 2000*

■	25 ha	50 000	▮♁	5 à 8 €

D'un rubis brillant, cette cuvée révèle des parfums fruités et floraux intenses, sur une palette d'épices variées, telles que la réglisse, le clou de girofle, le safran et la cannelle. Des tanins bien présents mais très fondus et une bonne mâche en finale font écrire au jury que ce tendre morgon a du charme ! Equilibré et racé, il accompagnera un poulet de Bresse.
🔑 GFA Les Pillets, chem. des Romains, Les Pillets, 69910 Villié-Morgon, tél. 04.74.04.21.60, fax 04.74.69.15.28 ☑ Y t.l.j. sf dim. 9h-12h 13h30-19h

DOM. DU PRESSOIR FLEURI
Cuvée de garde 2000*

■	2 ha	9 000	▮♁	8 à 11 €

Grenat profond, cette cuvée s'ouvre sur d'élégants parfums de violette, de réséda et de réglisse, auxquels s'ajoutent des nuances minérales, tandis que la bouche révèle des arômes de fruits rouges et de vanille. Ample et intense, elle affirme sans détour sa puissance et sa chaleur. Un vin franc qui devra patienter deux années en cave. A signaler, du même domaine, un **chiroubles 2000 cuvée Vieilles vignes**, cité par le jury.
🔑 André Méziat, Dom. du Pressoir Fleuri, le Bourg, 69115 Chiroubles, tél. 04.74.04.23.12, fax 04.74.69.12.65
☑ Y t.l.j. 8h-18h; dim. et groupes sur r.-v.

DOM. DU PUITS BENI 2000

■	2,3 ha	15 000	▮♁	5 à 8 €

Créée en 1927, la cave coopérative de Fleurie n'a cessé d'investir pour se moderniser. Elle a élaboré un vin couleur cerise noire qui s'ouvre sur des notes de griotte et d'épices. La bouche, intense et vineuse, est dotée de fins tanins enrobés d'arômes de fraise confite. D'une bonne longueur, cette bouteille est à boire au cours des deux prochaines années.
🔑 Cave Prod. des Grands Vins de Fleurie, BP 2, 69820 Fleurie, tél. 04.74.04.11.70, fax 04.74.69.84.73, e-mail cave-de-fleurie@wanadoo.fr ☑ Y r.-v.

CH. DE RAOUSSET 2000*

■	10 ha	30 000	▮⊕♁	5 à 8 €

Ce domaine de 35 ha est dans la même famille depuis 1850. Il est exploité partie en lutte raisonnée, partie en biodynamie. D'un rubis profond, son morgon « morgonne » : le nez délivre des notes très minérales évoquant le granit désagrégé, mêlées de sous-bois, avant d'évoluer vers la fraise sauvage. La bouche, bien structurée, renoue en finale avec ces accents de granit mouillé. Ce vin de terroir, que l'on conseille d'aérer, pourra être servi pendant cinq ans, voire davantage. Il accompagnera une viande en sauce.
🔑 Ch. de Raousset, Les Prés, 69115 Chiroubles, tél. 04.74.69.17.28, fax 04.74.69.61.38, e-mail chateau.de.raousset@wanadoo.fr ☑ Y t.l.j. 8h-12h 14h-18h; sam. dim. sur r.-v.; f. 1er-15 août

DOM. DES ROCHES DU PY
Côte du Py 2000*

■	n.c.	20 000	▮	5 à 8 €

C'est dans ce domaine que s'enracine le chêne plusieurs fois centenaire dominant la Côte du Py, *climat* caractéristique d'où provient ce morgon. D'un grenat intense, il livre des parfums complexes et intenses de fruits à noyau et de pierre à fusil. Ample et souple, il est doté d'une belle structure, à la fois puissante et veloutée, grâce à des tanins fondus mais encore vifs. Il s'épanouit d'abord sur des notes de fruits frais pour finir sur le cuir. Un élégant vin de terroir, à conseiller pour les deux prochaines années.
🔑 Marcel Jonchet, Côte du Py, 69910 Villié-Morgon, tél. 04.74.04.23.03, fax 04.74.69.10.35 ☑ Y t.l.j. 8h-19h

DOM. DE LA TOUR DES BANS 2001*

■	5,5 ha	35 000	3 à 5 €

Métayer du château de Pizay depuis 1991, Raphaël Blanco a élaboré un vin rubis foncé, limpide et brillant, au nez expressif de fraise, de framboise et de cassis accompagné de nuances de réglisse et de poivre. Après une attaque très complexe, la bouche révèle des tanins concentrés et prometteurs, mis en valeur par des arômes de violette, de framboise et de kirsch. Ce bon vin est à boire pendant les trois prochaines années. Un dégustateur suggère de le marier avec un perdreau rôti aux chanterelles.
🔑 Raphaël Blanco, Pizay, 69220 Saint-Jean-d'Ardières, tél. 04.74.66.26.10, fax 04.74.69.60.66 ☑
🔑 Château de Pizay

Moulin-à-vent

Le « seigneur » des crus du Beaujolais campe ses 676 ha sur les communes de Chénas, dans le Rhône, et de Romanèche-Thorins, en Saône-et-Loire. L'appellation, symbolisée par le vénérable moulin à vent qui a retrouvé ses ailes en 1999, en présence des navigateurs Laurent et Yvan Bourgnon, se dresse à une altitude de 240 m au sommet d'un mamelon aux formes douces, de pur sable granitique, au lieu-dit Les Thorins. En 2001 elle a produit 36 621 hl élaborés à partir de gamay noir. Les sols peu profonds, riches en éléments minéraux tels que le manganèse, apportent aux vins une couleur d'un rouge profond, un arôme rappelant l'iris, du bouquet et du corps, qui, quelquefois, les font comparer à leurs cousins bourguignons de la Côte-d'Or. Selon un rite traditionnel, chaque millésime est porté aux fonts baptismaux, d'abord à Romanèche-Thorins (fin octobre), puis dans tous les villages et, début décembre, dans la « capitale ».

S'il peut être apprécié dans les premiers mois de sa naissance, le moulin-à-vent supporte sans problème une garde de quelques années. Ce « prince » fut l'un des premiers crus reconnus appellation d'origine contrôlée, en 1936, après qu'un jugement du tribunal civil de Mâcon en eut défini les limites. Deux caveaux permettent de le déguster, l'un au pied du moulin, l'autre au bord de la route nationale. Ici ou ailleurs, on appréciera pleinement le moulin-à-vent sur tous les plats généralement accompagnés de vin rouge.

DOM. BERROD 2000★

	7 ha	20 000	▮❙▯	5 à 8 €

Des vignes de cinquante ans, implantées sur des sols granitiques riches en manganèse, sont à l'origine de cette cuvée à la robe rubis soutenu, d'une belle vivacité. Le nez puissant mêle le cassis, les épices, le sous-bois et des notes boisées. L'attaque, plus discrète, reste franche. Ronde et souple, encore dominée par le bois, la bouche montre une bonne longueur. Plus expressif au nez qu'au palais, bien équilibré, ce vin est prêt à boire et se gardera deux ans. Il s'accordera avec des viandes en sauce ou du fromage.
🍴 Dom. Berrod, Le Vivier, 69820 Fleurie, tél. 04.74.69.83.83, fax 04.74.69.86.19 ☑ ❢ r.-v.

DOM. DES CAVES
Cuvée Etalon 2000★★

	3 ha	10 000	❙▯	5 à 8 €

Elevée en pièces de bois dans des caves datant de 1620, cette cuvée affiche une robe rubis soutenu, brillante et profonde. Le nez, vineux mais sobre, livre des parfums de fruits mûrs et de jolies notes de sous-bois et de réglisse. L'attaque fruitée et « réveillée » est suivie d'une bouche aux tanins assez fermes. Très harmonieux et persistant, ce vin révèle une réelle aptitude à la garde (de plus de trois ans).
🍴 Laurent Gauthier, Dom. des Caves, 69840 Chénas, tél. 04.74.69.86.59, fax 04.74.69.83.15 ☑ ❢ r.-v.

JACQUES CHARLET
Champ de Cour 2000★★

	n.c.	n.c.	5 à 8 €

Un cru doit être élevé : le temps lui permet d'acquérir sa véritable dimension. Voyez ce millésime : la robe rubis intense de cette sélection est restée jeune. Son nez très riche, en cours d'évolution, révèle des parfums de fleurs, d'abricot, de poivre, avec des nuances minérales. La bouche puissante aux tanins serrés et fins s'avère un peu austère mais fine. Peu exubérant, ce vin concentré, au fort potentiel de garde, devra être attendu au moins deux à trois ans.
🍴 Jacques Charlet, 71570 La Chapelle-de-Guinchay, tél. 03.85.36.81.20, fax 03.85.33.83.19

DOM. DE CHENEPIERRE 2000★

	4,2 ha	13 500	▮❙▯	5 à 8 €

L'élevage de cette cuvée grenat profond, qui a duré de sept à douze mois, se partage entre fûts et foudres de chêne et cuves en acier inoxydable. Les parfums intenses évoquent la cerise, les fruits cuits, mais aussi les épices et la fève de cacao. La bouche puissante aux tanins nobles mais encore jeunes révèle une très bonne structure. Sa finale longue où dominent les fruits rouges, la vanille et le chocolat est fort appréciée. Cette bouteille sera prête à boire fin 2002 et pourra être servie pendant deux à trois ans.
🍴 Gérard Lapierre, Les Deschamps, 69840 Chénas, tél. 03.85.36.70.74, fax 03.85.33.85.73 ☑ ❢ r.-v.

DOM. LES FINES GRAVES 2000★★

	2 ha	5 000	❙▯	5 à 8 €

Ce domaine de 12 ha, qui tire son nom d'un lieu-dit, a élaboré deux cuvées fort bien venues, un **chénas 2000**, cité par le jury, et surtout ce remarquable moulin-à-vent d'un grenat foncé et brillant. Complexe et expressif, d'une grande vinosité, son nez marie des parfums de fruits noirs et des senteurs automnales de sous-bois et de feuilles séchées. Ample, charnue et structurée par des tanins fondus, la bouche est imprégnée d'arômes de fruits mûrs, de griotte cuite et de pruneau. Ce vin fort bien fait, riche et complet, est à boire dans les deux ou trois prochaines années.
🍴 Jacky Janodet, Les Garniers, 71570 Romanèche-Thorins, tél. 03.85.35.57.17, fax 03.85.35.21.69 ☑ ❢ r.-v.

DOM. CHRISTIAN FLAMY 2001

	0,85 ha	6 660	❙▮	5 à 8 €

Issue de sols argileux, cette cuvée rubis soutenu est très marquée au nez par le cassis et la réglisse, qui s'affirment d'emblée avec intensité. La bouche, de structure assez légère, est imprégnée de tanins fruités mais vifs. Encore jeune, cette bouteille devra patienter un an ou deux en cave.
🍴 Christian Flamy, 71570 Romanèche-Thorins, tél. 04.74.06.10.10, fax 04.74.66.13.77 ☑ ❢ r.-v.

CH. DES GIMARETS 2000★

	n.c.	n.c.	5 à 8 €

Pratiquant la lutte raisonnée, ce domaine a élaboré une cuvée grenat intense et limpide, au nez complexe mêlant les fruits très mûrs ou en confiture (fraise), le poivre, la cannelle et quelques notes florales. Ample, agréablement structurée par des tanins soyeux, la bouche révèle des arômes de compote et des nuances épicées. Généreux, fruité et d'une bonne longueur, ce vin est plaisant et prometteur. On le boira dans les trois ou quatre prochaines années.
🍴 SCEA ch. des Gimarets, Les Gimarets, 71570 Romanèche-Thorins, tél. 03.85.35.53.59, fax 03.85.35.57.30 ☑ ❢ r.-v.
🍴 Jacquemont

MICHEL GUIGNIER
Elevé en fût de chêne 2000★

	0,35 ha	2 500	❙▯	8 à 11 €

A l'origine de cette cuvée grenat violacé, des vignes de trente-cinq ans, conduites en lutte intégrée, et un caveau de vinification rénové en 2000. Le nez, intense et fin, évoque le romarin, la noix muscade et la vanille. Après une attaque souple, des tanins rehaussés par une touche boisée garnissent totalement la bouche sans l'écraser. Bien marié avec le bois, ce vin concentré, à la finale de kirsch et de vanille, accompagnera pendant deux à trois ans des viandes rouges.
🍴 Michel Guignier, Faudon, 69820 Vauxrenard, tél. 04.74.69.91.52, fax 04.74.69.91.59 ☑ ❢ r.-v.

CH. DES JACQUES
La Roche 2000

	1,5 ha	5 000	❙▯	15 à 23 €

Cette maison de négoce beaunoise, propriétaire en Beaujolais, a élevé pendant dix mois en fût ce vin grenat foncé aux parfums de vanille et de grillé très marqués. La bouche fraîche et vive, aux accents de groseille, de cerise

et de myrtille, reste dominée par le boisé. « Vinification bourguignonne ? » s'interroge un dégustateur. Un vin atypique par son style, qu'il faudra attendre deux à trois ans pour permettre au fruit et au chêne de s'harmoniser.
➥ Maison Louis Jadot, 21, rue Eugène-Spuller, 21200 Beaune, tél. 03.80.22.10.57, fax 03.80.22.56.03, e-mail contact@louisjadot.com ⊺ r.-v.

MICHELE ET GERARD **K**INSELLA 2000★

■	2,1 ha	4 000	🍾	5 à 8 €

Le domaine a été constitué en 1999 et la cave rénovée en 2000. Issue de vignes de plus de cinquante ans, cette cuvée grenat foncé libère des parfums intenses et agréables de framboise, de fraise et de cassis, accompagnés de notes florales. Ces arômes fruités et floraux s'épanouissent dans une bouche élégante, souple et franche, à la matière concentrée, à laquelle il ne manque qu'un peu de longueur. Un vin aromatique à boire au cours des deux prochaines années.
➥ EARL des Chassignols, Les Deschamps, 69840 Chénas, tél. 03.85.33.85.70, fax 03.85.33.85.70, e-mail gerard@chassignols.com ☑ ⊺ r.-v.

DOM. JACQUES ET ANNIE L**ORON** 2001

■	n.c.	10 000	🍾🍶	5 à 8 €

Cette production libère des parfums fruités assez puissants, accompagnés de quelques plaisantes notes florales qui se retrouvent au palais, au sein d'une chair concentrée. La finale est un peu fugace, mais fort agréable. Un vin harmonieux à boire dans l'année.
➥ EARL Jacques et Annie Loron, Les Blancs, 69840 Chénas, tél. 04.74.04.48.76, fax 04.74.04.42.14, e-mail jacques.loron@wanadoo.fr ☑ ⊺ r.-v.

DOM. DU M**OULIN** D'EOLE
Les Thorins Réserve 2000★

■			🍶	8 à 11 €

Conduit en lutte raisonnée, ce domaine est régulièrement mentionné dans le Guide, notamment à travers cette cuvée, qui a obtenu un coup de cœur dans le millésime 98. Issue de vignes de quarante ans, elle a été élevée neuf mois en foudre. D'un rouge profond à reflets violacés, le 2000 libère des parfums assez intenses de petits fruits rouges très mûrs. La bouche, charnue et longue, est marquée par des tanins austères tout en restant équilibrée et harmonieuse. Ce vin doit encore s'affiner pour s'ouvrir totalement : on l'attendra un à deux ans.
➥ Philippe Guérin, le Bourg, 69840 Chénas, tél. 04.74.04.46.88, fax 04.74.04.47.29
☑ ⊺ t.l.j. sf dim. 9h-12h 14h-19h

DOM. DES P**ERELLES**
Cuvée spéciale Elevé en fût de chêne 2000★

■	1,5 ha	n.c.	🍶	5 à 8 €

Les textes mentionnent dès 1601 des Perrachon, une famille de Juliénas qui se consacre pleinement à la viticulture depuis 1877. Les héritiers de la lignée ont élaboré une cuvée rouge sombre, limpide et brillante qui décline des nuances de framboise, de fraise des bois, de cuir, de café et de vanille, sans oublier une note de minéralité. Les impressions de rondeur, de chair et de fraîcheur se marient avec élégance et finesse aux sensations boisées. Ce moulin-à-vent très harmonieux fera plaisir dès maintenant et pendant les deux prochaines années.
➥ Jacques Perrachon, La Bottière, 69840 Juliénas, tél. 03.85.36.75.42, fax 03.85.33.86.36 ☑ ⊺ r.-v.

DOM. DU P'TIT PARADIS 2001★

■	0,8 ha	5 600	🍾	5 à 8 €

Le P'tit Paradis n'est guère plus grand qu'un mouchoir de poche (3,5 ha), mais il compte deux élus : un **chénas 2001**, cité, et cette cuvée d'un rouge violacé assez intense pour le millésime. Ses parfums très francs de petits fruits rouges, assortis d'une pointe d'épices, se développent à l'aération. Equilibré, ce vin, aux tanins bien fondus, finit sur le fruit et montre une belle harmonie. On pourra le déguster pendant deux ans, comme le chénas.
➥ Denise et Francis Margerand, Les Pinchons, 69840 Chénas, tél. 04.74.04.48.71, fax 04.74.04.46.29
☑ ⊺ t.l.j. 8h-20h

DOM. R**ASTIN** 2000

■	1 ha	7 600	🍾🍶	5 à 8 €

Fondée en 1820, cette maison de négoce, située dans la capitale historique du Beaujolais, a sélectionné un vin rubis aux parfums discrets mais élégants de cerise, de mûre et de prune. Après une très bonne attaque fruitée, les impressions de chair douce et souple, associées à d'agréables tanins, se font jour. A boire au cours des deux prochaines années.
➥ Pardon et Fils, 39, rue du Gal-Leclerc, 69430 Beaujeu, tél. 04.74.04.86.97, fax 04.74.69.24.08, e-mail pardon-fils.vins@wanadoo.fr
⊺ t.l.j. sf sam. dim. 8h-12h 14h-17h30; f. août

DOM. DE LA R**OCHELLE** 2000★

■	8 ha	10 000	🍾🍶🍶	5 à 8 €

De noblesse suédoise, les Sparre commandaient un régiment, le Royal suédois, qui servit la France au XVIIe et au XVIII[e]s. Le moulin-à-vent du domaine s'annonce par une belle robe grenat foncé très fraîche et par un nez intense mêlant les fruits noirs, les épices et des notes de sous-bois. La bouche ample et d'une grande richesse révèle des tanins à la fois présents et souples, avec quelques nuances grillées. Structuré et persistant, ce vin pourra accompagner des viandes au cours des trois ou quatre prochaines années.
➥ GFA des domaines Sparre, La Tour du Bief, 69840 Chénas, tél. 04.74.66.62.05, fax 04.74.69.61.38
☑ ⊺ r.-v.

DOM. DE LA R**OCHE** MERE 2001★★

■	1,66 ha	4 000	🍶	5 à 8 €

Coopérateur durant dix-neuf ans, Robert Bridet a vinifié sa première vendange en 2000. Pratiquant la taille en vert et récoltant les raisins en caisse de 35 kg, il a obtenu ce vin grenat brillant, aux parfums intenses et très flatteurs de violette, de groseille et de kirsch, complétés de notes épicées et vanillées. On retrouve les fines nuances de violette et les frais arômes de groseille, mêlés d'un boisé « domestiqué », dans une bouche charnue, puissante et structurée. Un moulin-à-vent bien fait, à servir dans les deux ans qui viennent avec une viande blanche ou de la charcuterie.
➥ Robert Bridet, le Bourg, 69840 Jullié, tél. 04.74.04.42.32, fax 04.74.04.42.32, e-mail robert.bridet@wanadoo.fr ☑ ⊺ r.-v.

DOM. R**OMANESCA** 2001★

■	6,5 ha	40 000	🍾🍶	5 à 8 €

C'est une *villa* gallo-romaine du nom de Romanesca qui est à l'origine de la commune de Romanèche-Thorins, d'où le nom de ce domaine. D'un rouge intense limpide et brillant, le vin séduit par son nez complexe, mêlant parfums fruités et floraux rehaussés d'épices. Remplissant avec puissance la bouche de tanins concentrés, d'arômes de fleurs, il finit sur une note fraîche. Typé, il possède un réel potentiel qui s'affirmera si on sait l'attendre un à deux ans.

🍷 Guy Chastel, 71570 Romanèche-Thorins,
tél. 04.74.09.40.00, fax 04.74.09.60.17

DOM. DES ROSIERS 2001★

| ■ | 3,4 ha | 16 000 | 🍷🔢 | 5 à 8 € |

Ce domaine s'est illustré dans les dernières éditions en chénas (coup de cœur pour le 2000) et en moulin-à-vent (coup de cœur pour le 97). Que dire du millésime 2001 ? Il suffit au domaine une citation pour le **chénas** et une étoile pour cette cuvée rubis sombre qui s'éveille sur d'agréables notes de groseille et de cassis aux accents vanillés. Fraîche et acidulée, l'attaque laisse la place à des arômes encore un peu ténus par rapport à la riche matière de la bouche. Les tanins sont présents mais dénués d'agressivité. Un vin long et harmonieux, très réussi pour le millésime, et qui gagnera à attendre trois ou quatre ans.

🍷 Gérard Charvet, Les Rosiers, 69840 Chénas,
tél. 04.74.04.42.62, fax 04.74.04.49.80 ☑ ⊥ t.l.j. 8h-20h

TERRES DOREES 2000★★

| ■ | 3 ha | 12 000 | 🍷🔢 | 11 à 15 € |

Jean-Paul Brun a repris en 1978 le domaine fondé par son père en 1958. Alors qu'à l'origine, la récolte était vinifiée par la coopérative, il élabore désormais lui-même son vin. D'un rubis soutenu, brillant et limpide, son moulin-à-vent a été élevé pour moitié dans le bois. Le fût lui a légué une touche de vanille, qui forme avec les parfums de fruits noirs et de fleurs une palette aromatique complexe. On retrouve ces nuances dans une bouche ample et pleine à l'attaque, dotée de tanins déjà arrondis qui accompagnent la longue finale. Un ensemble harmonieux, où le bois ne domine pas trop le vin. Il pourra encore se bonifier d'ici deux ans.

🍷 Jean-Paul Brun, Dom. des Terres Dorées, Crière, 69380 Charnay-en-Beaujolais, tél. 04.78.47.93.45, fax 04.78.47.93.38 ☑ ⊥ r.-v.

DOM. DE LA TOUR DU BIEF 2000★

| ■ | n.c. | 10 000 | 🍷 | 5 à 8 € |

La sélection de ce négociant provient de vignes de cinquante ans conduites en lutte intégrée. Revêtue d'une robe rouge cerise burlat agrémentée de reflets violets, elle s'ouvre sur d'intenses parfums de petits fruits rouges et de rose. La bouche charnue, aux tanins fondus, ne manque pas d'arômes fruités. Bien structuré et équilibré, ce moulin-à-vent typé est à boire au cours des deux ou trois prochaines années.

🍷 Trénel Fils, 33, chem. du Buéry, 71850 Charnay-lès-Mâcon, tél. 03.85.34.48.20, fax 03.85.20.55.01, e-mail info@trenel.com
☑ ⊥ t.l.j. sf dim. 8h-18h; lun. 14h-18h et sam. 8h-12h; f. 2e sem. de fév.

CLOS DU TREMBLAY 2001★

| ■ | 5 ha | 30 000 | 🔢 | 8 à 11 € |

Elevée dix mois en foudre, cette cuvée provient de très vieilles vignes. D'un rubis profond et brillant, elle libère des parfums complexes, intenses et flatteurs, où se mêlent les fruits rouges, l'iris, la noix muscade et des notes de grillé. Très jeune, pleine de vivacité, la bouche apparaît

structurée, tannique, encore quelque peu austère. Assez longue, elle se termine sur une note fraîche de groseille. Un bon potentiel pour une bouteille à attendre un an ou deux. Le 97 avait obtenu un coup de cœur.

🍷 Paul et Eric Janin, La Chanillière, 71570 Romanèche-Thorins, tél. 03.85.35.52.80, fax 03.85.35.21.77 ☑ ⊥ r.-v.

DOM. BENOIT TRICHARD
Mortperay 2000★

| ■ | 6 ha | 25 000 | 🔢 | 8 à 11 € |

Installé en 1977, Benoît Trichard exploite 13 ha de vignes en lutte intégrée. Sa cuvée Mortperay a figuré plus d'une fois en bonne position dans le Guide (voir le 97). Elle est élevée pendant onze mois en foudre de bois et pour 15 % en fût de chêne de l'Allier. Le 2000, d'un rubis brillant à reflets violets, offre des parfums intenses de fruits rouges, associés à des notes épicées et florales. Plutôt souple, ample et généreuse, la bouche est de bonne facture, harmonieuse, agréablement boisée et assez longue. Une bouteille à boire dans les deux prochaines années.

🍷 Dom. Benoît Trichard, Le Vieux-Bourg, 69460 Odenas, tél. 04.74.03.40.87, fax 04.74.03.52.02, e-mail dbtricha@club-internet.fr ☑ ⊥ r.-v.

LE VIEUX DOMAINE 2000★★

| ■ | 9 ha | 8 000 | 🔢 | 5 à 8 € |

La propriété, régulièrement mentionnée, a obtenu plus d'un coup de cœur (voir en moulin-à-vent les 97 et 92). Cette année, la totalité des vins du millésime a été retenue, puisque le **chénas 2000** est cité par le jury. Quant à ce moulin-à-vent en robe cerise burlat, il est remarquable. Ses parfums de fruits rouges très mûrs enrobés de nuances épicées et boisées accompagnent une bouche charnue aux jolis tanins déjà fondus. Les arômes vanillés du fût, nets et bien dosés, associés à de la réglisse et à des épices, se marient heureusement avec le fruité du vin. De bonne longueur, équilibrée et harmonieuse, cette bouteille pourra être débouchée au cours des trois prochaines années. Elle accompagnera une viande rouge.

🍷 EARL M.-C. et D. Joseph, Le Vieux-Bourg, 69840 Chénas, tél. 04.74.04.48.08, fax 04.74.04.47.36, e-mail le.vieux.domaine@wanadoo.fr ☑ ⊥ r.-v.

Régnié

Officiellement reconnu en 1988, le plus jeune des crus s'insère entre le morgon au nord et le brouilly au sud, confortant ainsi la continuité des limites entre les dix appellations locales beaujolaises.

A l'exception de 5,93 ha sur la commune voisine de Lantigné, les 746 ha délimités de l'appellation sont totalement inclus dans le territoire de la commune de Régnié-Durette. Par analogie avec son aîné le morgon, seul le nom de l'une des communes fusionnées a été retenu pour le désigner. Seuls 500 ha ont été déclarés en AOC régnié en 2001 pour une production de 27 775 hl.

Le territoire de la commune est orienté nord-ouest-sud-est et s'ouvre largement au soleil levant et à son zénith, ce qui a permis au vignoble de s'implanter entre 300 et 500 m d'altitude.

Dans la majorité des cas, les racines de l'unique cépage de l'appellation, le gamay noir, explorent un sous-sol sablonneux et caillouteux ; on est ici dans le massif granitique dit de Fleurie. Mais il y a aussi quelques secteurs à tendance légèrement argileuse.

La conduite des vignes et le mode de vinification sont identiques à ceux des autres appellations locales. Toutefois, une exception d'ordre réglementaire ne permet pas la revendication en AOC bourgogne.

Au Caveau des Deux Clochers, près de l'église dont l'architecture originale symbolise le vin, les amateurs peuvent apprécier quelques échantillons de l'appellation. Les vins aux arômes développés de groseille, de framboise et de fleurs, charnus, souples, équilibrés, élégants sont qualifiés par certains de rieurs et de féminins.

DOM. DU CHAI DES CANUTS 2001★

■	5,8 ha	5 000	■	3 à 5 €

Denis Matray est métayer des hospices de Beaujeu sur ce domaine qui au XVIᵉ. était voué à l'élevage des vers à soie. Pourpre à reflets rubis, son régnié s'ouvre sur des notes de fruits à l'alcool, de pruneau, de fleurs coupées, qui évoluent vers des parfums plus puissants de fruits rouges. L'attaque fraîche est suivie d'impressions de rondeur. La bouche, peu tannique et très souple, révèle des arômes de groseille, de cassis et une pointe exotique qui persistent assez longuement. Un jeune vin à boire dans l'année.
↳ Denis et Valérie Matray, La Plaigne, 69430 Régnié-Durette, tél. 04.74.69.22.54, fax 04.74.69.22.54 ☑ ⵙ r.-v.

DOM. DU CHAZELAY 2001★★

■	1,5 ha	8 000	■↓	5 à 8 €

A l'issue de ses études, Franck Chavy s'est lancé avec 4 ha exploités en métayage. Il s'est depuis constitué patiemment un domaine, en acquérant 3 ha de régnié en 1995, puis 4 ha de morgon. Il s'est fait aussi un nom grâce à des vins d'emblée bien accueillis par les jurys du Guide. Elaboré dans un cuvage rénové en 2001, celui-ci, d'un rouge clair limpide et brillant, mêle au nez des notes de cuir et d'autres nuances animales. C'est surtout en bouche qu'il recueille des éloges : on admire son attaque, la richesse de sa matière charnue et ronde, la complexité de sa palette aromatique où ressortent les fruits rouges (cerise). Un remarquable ensemble, à attendre un à deux ans.

↳ Franck Chavy, Le Chazelet, 69430 Régnié-Durette, tél. 06.07.16.18.85, fax 04.74.69.20.00 ☑ ⵙ r.-v.

DOM. DU COTEAU DE VALLIERES 2001★

■	4,96 ha	10 000	■	3 à 5 €

Lucien Grandjean conduit son domaine en lutte raisonnée. Des vignes de cinquante ans et une vinification après chauffage de la vendange ont donné un vin d'un grenat soutenu, au nez intense, où les épices (vanille) dominent le fruit. L'attaque, où l'on retrouve les notes épicées de l'olfaction avec la cannelle en plus, est suivie d'une bouche pleine et tannique, bien fruitée en finale. Harmonieuse et originale, cette bouteille est à boire dans l'année.
↳ Lucien et Lydie Grandjean, Vallières, 69430 Régnié, tél. 04.74.69.24.92, fax 04.74.69.23.36 ☑ ⵙ t.l.j. 7h-20h

DOM. CROIX DE CHEVRE 2000★

■	2 ha	3 000	■	5 à 8 €

Des vignes de quarante ans plantées sur des sols granitiques ont donné un vin rubis clair, limpide et brillant. Assez intenses et complexes, les parfums évoquent quelques nuances animales. La bouche est ronde et puissante, on y retrouve les arômes du nez auxquels s'ajoutent le cuir et les fruits noirs. Sa bonne matière est marquée par des tanins encore jeunes, ce qui est peu commun dans ce cru. Une bouteille originale et de qualité, qui devra patienter un à deux ans en cave.
↳ EARL Striffling, La Ronze, 69430 Régnié-Durette, tél. 04.74.69.20.16, fax 04.74.04.84.79 ☑

CAVEAU DES DEUX CLOCHERS 2000★

■	n.c.	18 000		5 à 8 €

La sélection 2000 du caveau provient du granit rose de l'appellation. Elle montre une jolie robe rubis soutenu, limpide et brillante. Ses parfums assez discrets évoquent les petits fruits noirs. Après une attaque fraîche, elle garnit le palais d'une chair ronde, aromatique et structurée, d'une bonne longueur. Ce vin équilibré est prêt à boire. Le millésime précédent avait obtenu un coup de cœur.
↳ Caveau des Deux Clochers, Le Bourg, 69430 Régnié-Durette, tél. 04.74.04.38.33 ☑ ⵙ t.l.j. sf lun. 10h-12h 14h30-19h ; f. 22 déc.-18 jan.

ANNE-MARIE JUILLARD 2001

■	0,75 ha	4 000	■↓	5 à 8 €

Le vignoble a été acheté en 1920 par les arrière-grands-parents d'Anne-Marie Juillard. Il recueille deux citations : pour un **brouilly 2000 cuvée Prestige**, élevé sous bois, et pour ce régnié d'un rouge cardinal intense, qui s'ouvre sur des notes végétales. Ce vin garnit pleinement le palais d'une matière ronde où des tanins un peu jeunes font sentir leur présence. Sans défaut et d'une bonne harmonie, il est à boire dans l'année.
↳ Anne-Marie Juillard, Bergeron, rte de Beaujeu, 69220 Saint-Lager-sur-Cercié, tél. 04.74.66.82.28, fax 04.74.66.53.68 ☑ ⵙ r.-v.

STEPHANE LAPUTE ET MARIA FELISBELA BELINNA 2001★

■	7,61 ha	2 500	■↓	3 à 5 €

Dans des bâtiments d'exploitation du XVIIIᵉs. a été élevé un vin à la robe rubis soutenu particulièrement appréciée. Le nez s'ouvre sur de subtils parfums de fleurs et de fruits rouges. Après une bonne attaque, on découvre une bouche pleine, dotée d'une matière riche et complexe,

encore jeune mais prometteuse. Persistant et bien équilibré, ce régnié sera prêt à boire cet automne et pourra être dégusté pendant deux ans avec des spécialités régionales. Le 97 avait obtenu un coup de cœur.
🐦 Stéphane Lapute et Maria Félisbela Belinna, Les Braves, 69430 Régnié-Durette, tél. 04.74.04.36.65, fax 04.74.04.36.65 ☑ ☂ t.l.j. sf dim. 9h-12h30 14h-19h30
🐦 Clément

DOM. PASSOT LES RAMPAUX
La Ronze 2000★

| ▣ | 1,7 ha | 4 100 | ▮ | 5 à 8 € |

L'un des premiers visiteurs reçus sur l'exploitation lors de la création du cru régnié en 1988 fut Maurice Baquet. Ce domaine compte aujourd'hui près de 9 ha. Il propose une cuvée d'un rubis sombre et brillant, aux parfums d'épices complexes et intenses. Sa riche matière, associée à des tanins bien présents et un peu vifs, lui assure un beau potentiel de garde. Ce vin bien structuré pourra accompagner au cours des deux prochaines années une viande rouge ou de la charcuterie.
🐦 Bernard Passot, Le Colombier, rte de Fleurie, 69910 Villié-Morgon, tél. 04.74.69.10.77, fax 04.74.69.13.59, e-mail nbpassot@infonie.fr
☑ 🏠 ☂ r.-v.

DOM. PASSOT LES RAMPAUX
Les Côtes 2000★

| ▣ | 1,2 ha | 7 000 | ▮♦ | 3 à 5 € |

Provenant d'un autre domaine Passot les Rampaux, cette cuvée est issue de vignes de trente-cinq ans implantées sur des sables granitiques. D'un grenat sombre, elle libère des parfums assez intenses et plaisants d'épices, de framboise à l'eau-de-vie, d'abricot, ainsi que des nuances plus évoluées, animales et minérales. Après une bonne attaque, elle révèle des tanins fondus et des arômes de fraise et de framboise confite. Équilibré, harmonieux et d'une longueur suffisante, ce vin est prêt, mais il peut encore attendre un an.
🐦 EARL Dominique et Rémy Passot, Les Prés, 69115 Chiroubles, tél. 04.74.69.16.19, fax 04.74.04.21.93, e-mail passot@terre-net.fr ☑ ☂ r.-v.

JACKY PIRET
La Plaigne 2000★★

| ▣ | 1 ha | 7 500 | | 5 à 8 € |

Le domaine, qui dispose de quatre chambres d'hôte, permettra à l'amateur de découvrir le vignoble et de goûter d'excellentes bouteilles telles que cette cuvée rouge sombre aux reflets violet soutenu. Des parfums persistants et intenses de fruits très mûrs, assortis de notes d'iris,

accompagnent une bouche aux tanins fins et harmonieux enrobés d'une chair ronde et bien structurée. Puissant, équilibré, ce vin est un digne représentant des crus du Beaujolais. Il pourra accompagner pendant deux à trois ans du gibier ou des viandes en sauce.
🐦 Jacky Piret, La Combe, 69220 Belleville, tél. 04.74.66.30.13, fax 04.74.66.08.94 ☑ 🏠 ☂ r.-v.

DOM. DE LA ROCHE ROSE 2000★★

| ▣ | 7,24 ha | 20 000 | ▮♦ | 5 à 8 € |

Georges Demont a pris en 1976 la suite de trois générations de vignerons. Il exporte 80 % de sa production vers l'Angleterre, l'Allemagne et le Benelux. D'un grenat profond, son régnié libère des parfums très expressifs de raisin et de petits fruits. La bouche fruitée et charnue procure des sensations veloutées d'une grande délicatesse et se révèle équilibrée et persistante. Une bouteille d'une remarquable harmonie, à apprécier pendant les deux prochaines années.
🐦 Georges Demont, Les Braves, 69430 Régnié-Durette, tél. 04.74.04.38.98, fax 04.74.04.33.28 ☑ ☂ r.-v.

DOM. DE LA ROCHE THULON 2001★★

| ▣ | 8 ha | 12 000 | ▮♦ | 5 à 8 € |

Pratiquant la lutte raisonnée et un tri rigoureux de la vendange, Pascal Nigay est souvent mentionné en très bonne place dans le Guide. C'est encore le cas avec ce régnié d'un rubis profond, au bon nez de raisin, frais, puissant et flatteur. En bouche, on retrouve ce plaisant goût de raisin, relevé d'une note poivrée. Concentré, harmonieux et typé, ce vin sera dégusté au cours des deux prochaines années. A signaler encore, le **beaujolais-villages 2001** (3 à 5 €), cité par le jury.
🐦 Pascal Nigay, Thulon, 69430 Lantignié, tél. 04.74.69.23.14, fax 04.74.69.26.85, e-mail nigay.pascal.chantal@wanadoo.fr ☑ ☂ r.-v.

DOM. DE LA RONZE
Grande Sélection Vieilli en fût de chêne 2000★

| ▣ | 1 ha | 6 000 | ⦿ | 5 à 8 € |

Ce domaine est exploité par la même famille depuis six générations. Il a produit un vin d'un rouge intense et limpide, aux parfums soutenus de pivoine, de pruneau et de kirsch, accompagnés de nuances appétissantes de pâtisserie. Après une plaisante attaque charnue, on retrouve une même complexité dans la palette aromatique, avec des notes fruitées associées à des accents plus discrets de cannelle, de vanille et de boisé. Une harmonieuse finale, soulignée par des tanins fondus, emporte les suffrages. Agréablement structuré, ce régnié est à boire dans l'année. Le jury accorde par ailleurs une citation au **morgon 2000** du domaine.
🐦 Bernardo Séraphin, La Haute Ronze, 69430 Régnié-Durette, tél. 04.74.69.20.06, fax 04.74.69.21.69 ☑ ☂ t.l.j. 9h-12h 14h-19h

Saint-amour

Totalement inclus dans le département de Saône-et-Loire, les 317 ha de l'appellation produisent 18 278 hl sur des sols argilo-siliceux décalcifiés, de grès et de cailloutis granitiques, faisant la transition entre les terrains purement primaires au sud et les terrains calcaires voisins au nord, qui portent les appellations saint-véran et mâcon. Deux « tendances œnologiques » émergent pour épanouir les qualités du gamay noir : l'une favorise une cuvaison longue dans le respect des traditions beaujolaises, donnant aux vins nés sur les roches granitiques le corps et la couleur nécessaires pour faire de belles bouteilles de garde ; l'autre préconise un traitement de type primeur, donnant des vins consommables plus tôt pour assouvir la curiosité des amateurs. Le saint-amour accompagnera des escargots, de la friture, des grenouilles, des champignons ou une poularde à la crème.

L'appellation a conquis de nombreux consommateurs étrangers et une très grande part des volumes produits alimente le marché extérieur. Le visiteur pourra découvrir le saint-amour dans le caveau créé en 1965, au lieu-dit le Plâtre-Durand, avant de continuer sa route vers l'église et la mairie qui, au sommet d'un mamelon de 309 m d'altitude, dominent la région. A l'angle de l'église, une statuette rappelle la conversion du soldat romain qui donna son nom à la commune ; elle fait oublier les peintures, aujourd'hui disparues, d'une maison du hameau des Thévenins, qui auraient témoigné de la joyeuse vie menée pendant la Révolution dans cet « hôtel des Vierges » et qui expliqueraient, elles aussi, le nom de ce village...

DOM. DES AMPHORES
Cuvée Saint-Valentin 2001

| | 1 ha | 3 000 | | 5 à 8 € |

Ce domaine de 11 ha s'étend sur neuf communes du Beaujolais. D'un rouge limpide et brillant, sa cuvée Saint-Valentin libère des parfums de cuir et de fruits noirs. Frais et équilibré, le palais est dominé par des arômes de fraise, de mûre et de cerise. Un vin de bon aloi, prêt à boire.

🕿 Pascal Gonnachon, La Ville, 71570 Saint-Amour-Bellevue, tél. 03.85.37.42.44, fax 03.85.37.43.01 ☑ ☖ r.-v.

BARONNE DU CHATELARD 2000★★

| | 4 ha | 23 000 | | 5 à 8 € |

Après avoir dirigé pendant quinze ans un important groupe radiophonique privé, Sylvain Rosier, à trente-sept ans, a acheté des vignes en Beaujolais, s'est formé à la viticulture et à l'œnologie et s'est fait vigneron et négociant. D'un rubis intense à reflets légèrement tuilés, ce saint-amour aux belles fragrances florales (pivoine et rose) a été particulièrement apprécié du jury. Au palais, il se montre rond, tout en révélant un bon soutien de tanins serrés en finale. Equilibré, fin, agréable et racé, ce vin s'accordera non seulement avec une viande blanche mais aussi avec du gibier ou du fromage.

🕿 Baronne du Chatelard, Ch. du Chatelard, 69220 Lancié, tél. 04.74.04.12.99, fax 04.74.69.86.17, e-mail vinduchato@aol.com
☑ ☖ t.l.j. sf dim. 9h-12h 14h-18h
🕿 Rosier

DOM. DES BILLARDS 2001★

| | n.c. | n.c. | 5 à 8 € |

Rubis brillant, il s'épanouit dans le verre, libérant d'agréables notes de cassis, de myrtille et de framboise. On sympathise très vite avec ce vin qui séduit non seulement par son côté aromatique, mais aussi par son palais corsé et doté de tanins serrés et prometteurs. Equilibré et structuré, il sera à déguster au cours des deux ou trois prochaines années. On pourra le servir avec de la poitrine roulée ou une viande en sauce.

🕿 Ets Loron, Pontanevaux, 71570 La Chapelle-de-Guinchay, tél. 03.85.36.81.20, fax 03.85.33.83.19, e-mail vinloron@wanadoo.fr ☖ r.-v.

DOM. DU CARJOT 2001

| | n.c. | 20 000 | 5 à 8 € |

Proposé par un négociant, ce 2001 se distingue par une robe tirant sur le rouge brique et par un nez fruité de framboise et de fraise. Doté d'une structure un peu fine, c'est un vin gouleyant malgré quelques tanins jeunes. Des notes amyliques marquent une finale un peu fugace mais agréable. Une bouteille à boire dans l'année.

🕿 La Réserve des Domaines, Les Chers, 69840 Juliénas, tél. 04.74.06.78.00, fax 04.74.06.78.71 ☖ r.-v.
🕿 Gilbert Giloux

DOM. DU CLOS DES CARRIERES 2000★

| | 0,2 ha | 20 000 | | 5 à 8 € |

Grenat brillant, ce 2000 toujours jeune mêle au nez des parfums de cassis et de framboise à des notes minérales évoluant vers le clou de girofle. Sa bonne mâche, imprégnée d'arômes de fruits rouges, s'avère équilibrée et fraîche. Un vin très agréable, armé pour durer deux à trois ans. Il accompagnera un plat de côtes salées.

🕿 Christophe Terrier, Le Clos des Carrières, 71570 Saint-Amour-Bellevue, tél. 03.85.37.19.70, fax 03.85.37.11.45 ☑ ☖ r.-v.

DOM. LES COTES DE LA ROCHE 2001

| | 2,3 ha | 5 000 | | 5 à 8 € |

Au sortir du village de Jullié, il faut gravir une colline pour trouver le domaine fondé par les Descombes il y a bientôt trente ans. Des terrains sablonneux sont à l'origine de cette cuvée d'un rubis foncé limpide et brillant qui s'ouvre après aération sur de délicats parfums de fruits rouges accompagnés de nuances florales. Frais, doté d'une structure plutôt fine, le palais révèle des arômes de foin et de tilleul. Un vin susceptible d'une courte garde (un an).

🕿 EARL Joëlle et Gérard Descombes, Les Préaux, 69840 Jullié, tél. 04.74.04.42.05, fax 04.74.04.48.04 ☑ ☖ r.-v.

DOM. LE COTOYON 2001

| | 3 ha | 6 000 | 5 à 8 € |

Frédéric Bénat exploite 13 ha autour de Pruzilly et produit plusieurs appellations du Beaujolais. L'amateur souhaitant découvrir la région et le tout proche Mâconnais pourra louer un des deux gîtes de l'exploitation. Cette année, c'est un saint-amour rubis brillant qui est cité. Ses parfums de framboise, associés à des notes de banane et d'épices, évoluent vers plus de vinosité. Après une attaque fraîche, la bouche reste imprégnée d'impressions amyliques nettes et plaisantes. Un vin agréable et gouleyant, à servir avec du saucisson.

☛ Frédéric Bénat, Les Ravinets, 71570 Pruzilly, tél. 03.85.35.12.90, fax 03.85.35.12.90 ☑ ⌂ ⲑ r.-v.

DOM. DES DARREZES
Côte de Besset 2000★

■	1,3 ha	9 000	■ 8 à 11 €

La propriété a été achetée en 1923 par les arrière-grands-parents des exploitants actuels et agrandie progressivement par les générations successives. Elle compte aujourd'hui 9,50 ha. Obtenue à partir de raisins récoltés sur les arènes granitiques de la Côte de Besset, cette cuvée rubis foncé, limpide et brillante, livre des parfums complexes de fruits, de fleurs et d'épices associés à des notes animales. Sans agressivité, elle remplit agréablement le palais d'arômes de fruits noirs. Bien équilibrée, elle est prête à boire.

☛ Madeleine et Jacques Janin, Dom. des Darrèzes, 71570 Saint-Amour-Bellevue, tél. 03.85.37.12.96, fax 03.85.37.47.88, e-mail janin.jacques@wanadoo.fr ☑ ⲑ r.-v.

GÉRARD ET NATHALIE MARGERAND
Champs grillés 2000★

■	0,38 ha	3 000	■ 5 à 8 €

D'un rubis foncé limpide et brillant, cette cuvée offre un nez complexe et frais où se mêlent des notes animales et des fruits noirs. On retrouve ces derniers en bouche, un peu confiturés, avec de la cerise en prime. Doté d'une structure aux tanins doux, ce représentant très réussi de l'appellation est prêt à boire.

☛ Gérard et Nathalie Margerand, Les Capitans, 69840 Juliénas, tél. 04.74.04.46.53, fax 04.74.04.46.53 ☑ ⲑ r.-v.

JEAN-JACQUES ET SYLVAINE MARTIN 2001

■	0,5 ha	3 000	■ 5 à 8 €

Jean-Jacques et Sylvaine Martin se sont installés voilà bientôt trente ans. D'abord métayers, ils ont constitué peu à peu un domaine de 8 ha. Ils proposent une cuvée rubis foncé qui s'ouvre sur de fines notes fruitées se prolongeant agréablement en bouche. Bien équilibré et charpenté, cet honnête représentant de l'appellation est à boire dans l'année. Le **beaujolais blanc 2000** du domaine a par ailleurs été cité.

☛ Jean-Jacques Martin, Les Verchères, 71570 Chânes, tél. 03.85.37.42.27, fax 03.85.37.47.43 ☑ ⲑ r.-v.

Le Lyonnais

L'aire de production des vins de l'appellation coteaux du lyonnais, située sur la bordure orientale du Massif central, est limitée à l'est par le Rhône et la Saône, à l'ouest par les monts du Lyonnais, au nord et au sud par les vignobles du Beaujolais et de la vallée du Rhône. Vignoble historique de Lyon depuis l'époque romaine, il connut une période faste à la fin du XVIe s., religieux et riches bourgeois favorisant et protégeant la culture de la vigne. En 1836, le cadastre mentionnait 13 500 ha. La crise phylloxérique et l'expansion de l'agglomération lyonnaise ont réduit la zone de production. Aujourd'hui, la superficie en production s'élève à 350 ha, répartis sur quarante-neuf communes ceinturant la grande ville par l'ouest, depuis le mont d'Or, au nord, jusqu'à la vallée du Gier, au sud.

Cette zone de 40 km de long sur 30 km de large est structurée par un relief sud-ouest-nord-est qui détermine une succession de vallées à 250 m d'altitude et de collines atteignant 500 m. La nature des terrains est variée ; on y rencontre des granites, des roches métamorphiques, sédimentaires, des limons, des alluvions et du lœss. La structure perméable et légère, la faible épaisseur de certains de ces sols sont le facteur commun qui caractérise la zone viticole où prédominent les roches anciennes.

Coteaux du lyonnais

Les trois principales tendances climatiques du Beaujolais sont présentes ici, avec toutefois une influence méditerranéenne plus prononcée. Cependant, le relief, plus ouvert aux aléas climatiques de type océanique et continental, limite l'implantation de la vigne à moins de 500 m d'altitude et l'exclut des expositions nord. Les meilleures situations se trouvent au niveau du plateau. L'encépagement de cette zone est essentiellement à base de gamay noir, cépage qui, vinifié selon la méthode beaujolaise, donne les produits les plus intéressants et les plus recherchés de la clientèle lyonnaise. Les autres cépages admis dans l'appellation sont, en blanc, le chardonnay et l'aligoté. La densité requise est au minimum de 6 000 pieds/ha, les tailles autorisées étant le gobelet ou le cordon et la taille guyot. Le rendement de base est de 60 hl/ha, les degrés d'alcool minimum et maximum étant de 9,5° et 12,5° pour les vins rouges et les vins blancs. La production est de 20 683 hl en rouge et rosé, et 2 027 hl en blanc. Vinifiant les trois quarts de la récolte, la cave coopérative de Sain-Bel est un élément moteur dans cette région de polyculture, où l'arboriculture fruitière est fortement implantée.

Consacrés AOC en 1984, les vins des coteaux du lyonnais sont fruités, gouleyants, riches en parfums, et accompagnent agréablement et simplement toutes les cochonnailles lyonnaises, saucisson, cervelas, queue de cochon, petit salé, pieds de porc, jambonneau, ainsi que les fromages de chèvre.

DOM. DE CHAMP GUICHARD 2001★★

| ■ | 12 ha | 30 000 | ∎ ♦ | 3 à 5 € |

Plus de la moitié de l'appellation est vinifiée par la coopérative de Sain-Bel. Sa production a été maintes fois jugée digne du coup de cœur. C'est encore le cas de cette cuvée d'un grenat sombre et brillant. Ses parfums de cuir et de poivre évoluant vers le cassis se prolongent en bouche, associés à la groseille et à la cerise. Une chair ronde et riche, aux tanins fondus et bien structurés, complète harmonieusement la dégustation de ce vin d'une belle longueur, à boire maintenant. Quant au rosé **Tradition 2001**, il a obtenu une étoile.

☛ Cave de Vignerons réunis de Sain-Bel, RN 89, 69210 Sain-Bel, tél. 04.74.01.11.33, fax 04.74.01.10.27

☑ ⌇ r.-v.

> Plus une vigne est âgée, meilleur est le vin.

DOM. DU CLOS SAINT-MARC
Les Doyennes 2001★★

	3 ha	20 000	▮↧	3 à 5 €

Pourquoi Les Doyennes ? Parce que cette cuvée a été élaborée à partir des plus vieilles vignes de l'exploitation, qui ont atteint soixante ans. D'un grenat sombre, elle libère des parfums complexes et expressifs dans le registre de la groseille, du cassis et du poivre. En bouche, une surprenante palette d'épices imprègne la chair de ce vin rond, doté de fins tanins. Elégante et délicate, une bouteille à boire maintenant. Du même domaine, le vin **blanc 2000** a été cité.

➼ GAEC du Clos Saint-Marc, 60, rte des Fontaines, 69440 Taluyers, tél. 04.78.48.26.78, fax 04.78.48.77.91 ☑ ⦻ r.-v.

MICHEL DESCOTES 2001

	1 ha	8 000	▮↧	5 à 8 €

Jaune pâle à reflets verts, il livre de jolis parfums de citron, de pamplemousse, d'acacia et de réséda qui se prolongent en bouche. Il est doté d'une chair un peu grasse et d'une finale vive. Ce vin jeune, d'une typicité moyenne mais plaisant, sera apprécié dans un à deux ans.

➼ Michel Descotes, 12, rue de la Tourtière, 69390 Millery, tél. 04.78.46.31.03, fax 04.72.30.16.65 ☑ ⦻ r.-v.

REGIS DESCOTES 2001★★

	2,27 ha	12 000	▮↧	3 à 5 €

Cette cuvée jaune pâle résulte de la vinification de raisins de chardonnay et d'aligoté obtenus sur des moraines glaciaires. Elle s'ouvre sur des parfums de citron et des notes florales de plus en plus intenses. Gras et fin à la fois, le palais est imprégné d'agréables arômes d'agrumes et de violette. Elégant et doté d'une belle structure, encore un peu perlant, c'est un vin prometteur qui pourra être consommé au cours des deux prochaines années.

➼ Régis Descotes, 16, av. du Sentier, 69390 Millery, tél. 04.78.46.18.77, fax 04.78.46.16.22, e-mail vinsdescotes@wanadoo.fr ☑ ⦻ r.-v.

ETIENNE DESCOTES ET FILS 2000

	2 ha	11 000	▮↧	5 à 8 €

Assemblage de 15 % d'aligoté et de 85 % de chardonnay, cette cuvée jaune pâle limpide développe des parfums de citron, de fleurs et de cannelle. La bouche fruitée finit sur des nuances plus herbacées. Léger, facile à boire, ce vin n'est pas fait pour une longue garde.

➼ GAEC Etienne Descotes et Fils, 12, rue des Grès, 69390 Millery, tél. 04.78.46.18.38, fax 04.72.30.70.68 ☑ ⦻ r.-v.

PIERRE ET JEAN-MICHEL JOMARD 2000

	1,05 ha	9 000	▮↧	3 à 5 €

Une propriété dont l'histoire se confond avec l'arbre généalogique de la famille, qui remonte à 1520. D'un jaune doré, ce vin laisse deviner des parfums exotiques accompagnés de nuances végétales. Remplissant le palais de sa matière veloutée, il est caractéristique du chardonnay et fait preuve d'une bonne vivacité. A consommer dès maintenant.

➼ Pierre et Jean-Michel Jomard, Le Morillon, 69210 Fleurieux-sur-l'Arbresle, tél. 04.74.01.02.27, fax 04.74.01.24.04 ☑ ⦻ r.-v.

ANNE MAZILLE 2000★★

	0,3 ha	2 000	▮↧	5 à 8 €

Le 99 blanc d'Anne Mazille avait obtenu un coup de cœur. Le millésime suivant ne démérite pas. Cette belle cuvée jaune à reflets verts livre des parfums expressifs de fleurs, de pain d'épice et des notes végétales assez intenses. Ces dernières, que l'on retrouve en bouche, soulignent une pointe de vivacité rafraîchissante. Equilibré avec du gras, ce vin facile à boire et plaisant contentera de nombreux amateurs dès maintenant.

➼ Anne Mazille, 10, rue du 8-Mai, 69390 Millery, tél. 04.72.30.14.91, fax 04.72.30.16.65 ☑ ⦻ r.-v.

DOM. DE LA PETITE GALLEE
Fût de chêne 2000★★

	0,6 ha	3 600	⦿	5 à 8 €

Après un remarquable 99 blanc décrit dans la dernière édition du Guide, ce domaine propose, dans la même couleur, une cuvée tout aussi réussie, élevée en fût. D'un doré limpide, ce vin a conservé de légers reflets verts. Ses parfums vanillés sont subtilement associés à des nuances de fruits exotiques. La bouche charnue, ronde, équilibrée est agréablement imprégnée de notes boisées bien fondues. Marquée par le chêne, cette bouteille pourra attendre un à deux ans. On ne négligera pas le coteaux **rouge 2001 Vieilles vignes** de la propriété, qui a été cité.

➼ Robert et Patrice Thollet, La Petite Gallée, 69390 Millery, tél. 04.78.46.24.30, fax 04.72.30.73.48, e-mail domainethollet@free.fr ☑ ⦻ r.-v.

DOM. DE PETIT FROMENTIN
Vieilles vignes 2001★

	3 ha	13 000	▮↧	3 à 5 €

A sa création, en 1979, l'exploitation comptait 1 800 m². Après remise en état de vieilles parcelles et défrichement, elle couvre aujourd'hui 14 ha. Des vignes âgées de soixante-dix ans ont produit ce vin grenat brillant aux parfums intenses et complexes de fruits rouges, de cassis et d'épices associés à des nuances mentholées et à des notes de civette. La bouche charnue et aromatique montre une belle structure, avec des tanins un peu austères en finale. Ce vin harmonieux et sans défaut, marqué par son terroir, peut déjà être bu mais il gagnera à attendre un an.

➼ André et Franck Decrenisse, Le Petit Fromentin, 69380 Chasselay, tél. 04.78.47.35.11, fax 04.78.47.35.11 ☑ ⦻ t.l.j. sf dim. 18h-19h30; ven. sam. 14h-19h30

DOM. DE PRAPIN 2001

	5 ha	30 000	▮↧	3 à 5 €

Installé en 1989, Henri Jullian représente la cinquième génération sur ce domaine fondé en 1900. Il propose un coteaux rouge d'un grenat profond, aux parfums discrets mais séduisants d'épices, de fraise et de framboise. La bouche ronde et fine conserve la fraîcheur de la groseille et du cassis. Franc, équilibré et harmonieux, ce vin est à boire.

➼ Henri Jullian, Prapin, 69440 Taluyers, tél. 04.78.48.24.84, fax 04.78.48.24.84, e-mail domainedeprapin@free.fr ☑ ⌂ ⦻ t.l.j. sf dim. 9h-12h 14h30-18h30

LE BORDELAIS

_____ **P**artout dans le monde, Bordeaux représente l'image même du vin. Pourtant, le visiteur éprouve aujourd'hui quelques difficultés à déceler l'empreinte vinicole dans une ville délaissée par les beaux alignements de barriques sur le port et par les grands chais du négoce, partis vers les zones industrielles de la périphérie. Et les petits bars-caves où l'on venait le matin boire un verre de liquoreux ont presque tous disparu. Autres temps, autres mœurs.

_____ **I**l est vrai que la longue histoire vinicole de Bordeaux n'en est pas à son premier paradoxe. Songeons qu'ici le vin fut connu avant la vigne, quand, dans la première moitié du Ier s. av. J.-C. (avant même l'arrivée des légions romaines en Aquitaine), des négociants campaniens commençaient à vendre du vin aux Bordelais. Si bien que, d'une certaine façon, c'est par le vin que les Aquitains ont fait l'apprentissage de la romanité Par la suite, au Ier s. de notre ère, la vigne est apparue. Mais il semble que ce soit surtout à partir du XIIe s. qu'elle ait connu une certaine extension : le mariage d'Aliénor d'Aquitaine avec Henri Plantagenêt, futur roi d'Angleterre, favorisa l'exportation des « clarets » sur le marché britannique. Les expéditions de vin de l'année se faisaient par mer, avant Noël. On ne savait pas conserver les vins ; après une année, ils étaient moins prisés parce qu'ils étaient partiellement altérés.

_____ **A** la fin du XVIIe s., les « clarets » ont été concurrencés par l'introduction de nouvelles boissons (thé, café, chocolat) et par les vins plus riches de la péninsule ibérique. D'autre part, les guerres de Louis XIV entraînèrent des mesures de rétorsion économique contre les vins français. Cependant, la haute société anglaise restait attachée au goût des « clarets ». Aussi quelques négociants londoniens cherchèrent-ils, au début du XVIIIe s., à créer un nouveau style de vins plus raffinés, les *new French clarets* qu'ils achetaient jeunes pour les élever. Afin d'accroître leurs bénéfices, ils imaginèrent de les vendre en bouteilles. Bouchées et scellées, celles-ci garantissaient l'origine du vin. Insensiblement, la relation terroir-château-grand vin s'effectua, marquant l'avènement de la qualité. A partir de ce moment, les vins commencèrent à être jugés, appréciés et payés en fonction de leur qualité. Cette situation encouragea les viticulteurs à faire des efforts pour la sélection des terroirs, la limitation des rendements et l'élevage en fût ; parallèlement, ils introduisirent la protection des vins par l'anhydride sulfureux qui permit le vieillissement, ainsi que la clarification par collage et soutirage. A la fin du XVIIIe s., la hiérarchie des crus bordelais était établie. Malgré la Révolution et les guerres de l'Empire, qui fermèrent provisoirement les marchés anglais, le prestige des grands vins de Bordeaux ne cessa de croître au XIXe s., pour aboutir, en 1855, à la célèbre classification des crus du Médoc, qui est toujours en vigueur malgré les critiques que l'on peut émettre à son égard.

_____ **A**près cette période faste, le vignoble fut profondément affecté par les maladies de la vigne, phylloxéra et mildiou ; et par les crises économiques et les guerres mondiales. De 1960 à la fin des années 1980, le vin de Bordeaux a connu un regain de prospérité, lié à une remarquable amélioration de la qualité et à l'intérêt que l'on porte, dans le monde entier, aux grands vins. La notion de hiérarchie des terroirs et des crus retrouve sa valeur originelle ; mais les vins rouges ont mieux bénéficié de cette évolution que les vins blancs. Au début des années 1990, le marché connaît des difficultés qui ne seront pas sans incidence sur la structure du vignoble.

_____ **L**e vignoble bordelais est organisé autour de trois axes fluviaux : la Garonne, la Dordogne et leur estuaire commun, la Gironde. Ils créent des conditions de milieux (coteaux bien exposés et régulation de la température) favorables à la culture de la vigne. En outre, ils ont joué un

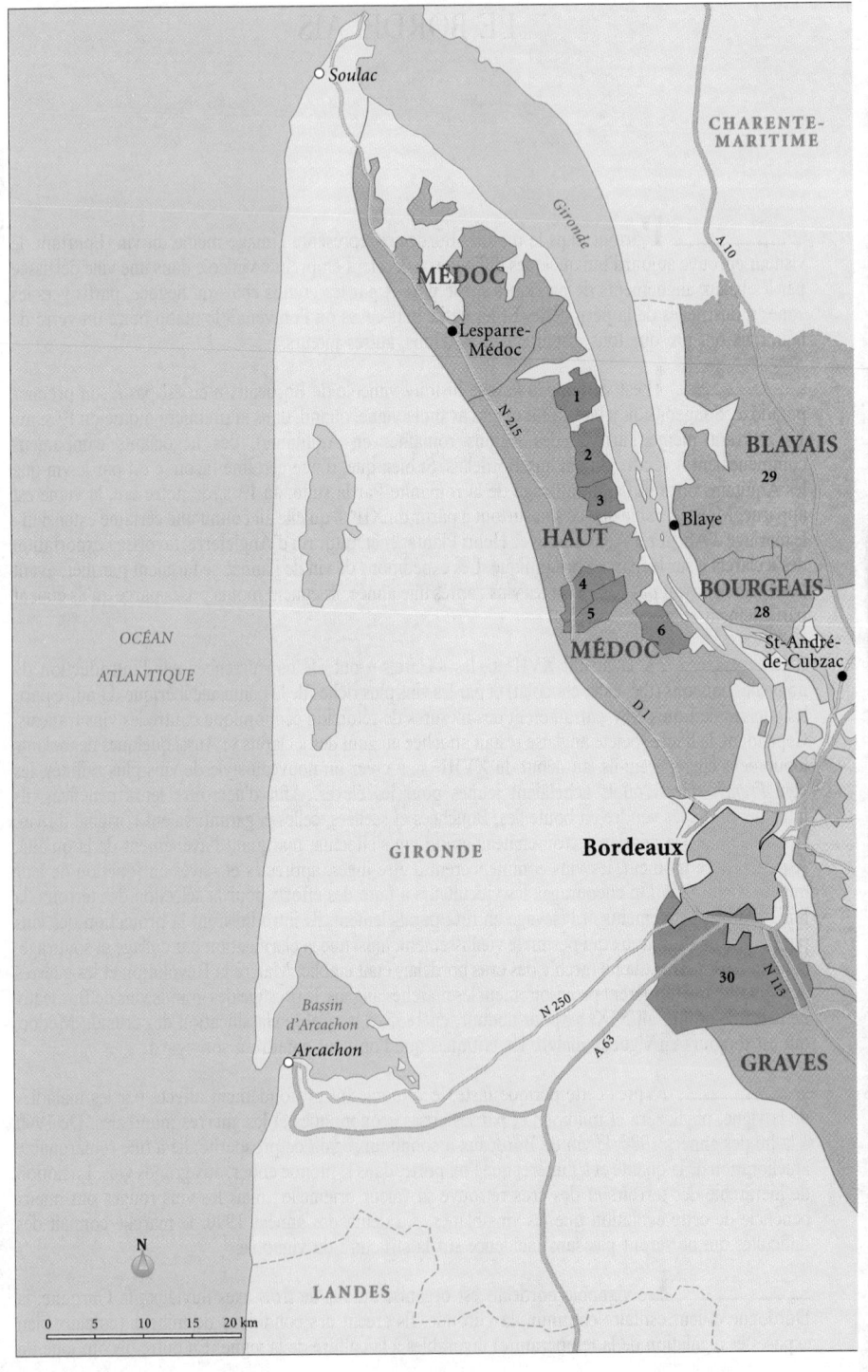

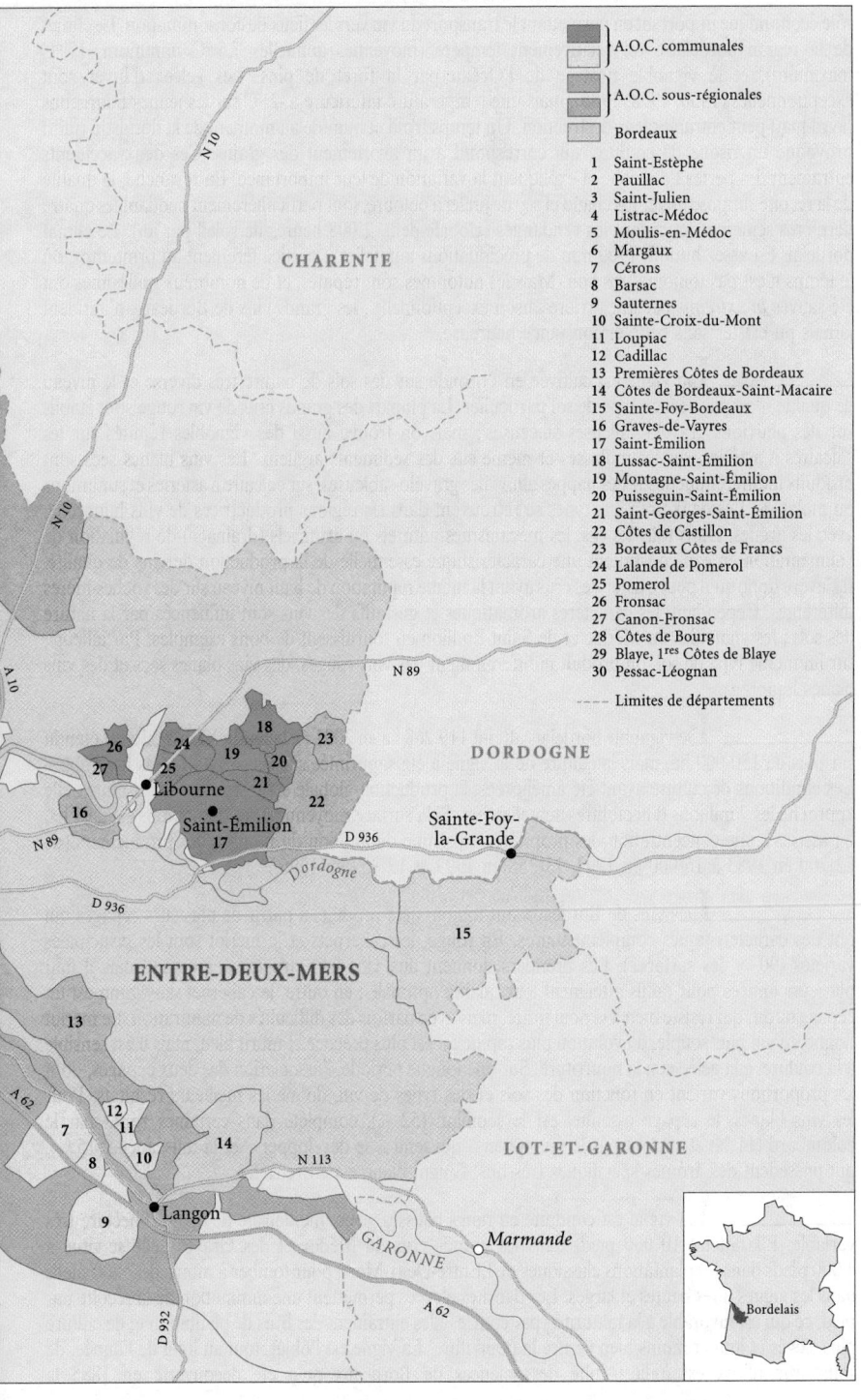

	A.O.C. communales
	A.O.C. sous-régionales
	Bordeaux

1 Saint-Estèphe
2 Pauillac
3 Saint-Julien
4 Listrac-Médoc
5 Moulis-en-Médoc
6 Margaux
7 Cérons
8 Barsac
9 Sauternes
10 Sainte-Croix-du-Mont
11 Loupiac
12 Cadillac
13 Premières Côtes de Bordeaux
14 Côtes de Bordeaux-Saint-Macaire
15 Sainte-Foy-Bordeaux
16 Graves-de-Vayres
17 Saint-Émilion
18 Lussac-Saint-Émilion
19 Montagne-Saint-Émilion
20 Puisseguin-Saint-Émilion
21 Saint-Georges-Saint-Émilion
22 Côtes de Castillon
23 Bordeaux Côtes de Francs
24 Lalande de Pomerol
25 Pomerol
26 Fronsac
27 Canon-Fronsac
28 Côtes de Bourg
29 Blaye, 1res Côtes de Blaye
30 Pessac-Léognan

----- Limites de départements

CHARENTE

DORDOGNE

N 89

26
27
24
25
18
19
20
21
23
Libourne
16
Saint-Émilion
17
22
N 89
Dordogne
D 936
Sainte-Foy-la-Grande

D 936

ENTRE-DEUX-MERS

15

13

LOT-ET-GARONNE

12
7
11
8
10
14
N 113
9
Langon
GARONNE
Marmande

D 932
A 62

Bordelais

rôle économique important en permettant le transport du vin vers les lieux de consommation. Le climat de la région bordelaise est relativement tempéré (moyennes annuelles 7,5 °C minimum, 17 °C maximum), et le vignoble protégé de l'Océan par la forêt de pins. Les gelées d'hiver sont exceptionnelles (1956, 1958, 1985), mais une température inférieure à -2 °C sur les jeunes bourgeons (avril-mai) peut entraîner leur destruction. Un temps froid et humide au moment de la floraison (juin) provoque un risque de coulure, qui correspond à un avortement des grains. Ces deux accidents entraînent des pertes de récolte et expliquent la variation de leur importance. En revanche, la qualité de la récolte suppose un temps chaud et sec de juillet à octobre, tout particulièrement pendant les quatre dernières semaines précédant les vendanges (globalement, 2 008 heures de soleil par an). Le climat bordelais est assez humide (900 mm de précipitations annuelles) ; particulièrement au printemps, où le temps n'est pas toujours très bon. Mais les automnes sont réputées, et de nombreux millésimes ont été sauvés *in extremis* par une arrière-saison exceptionnelle ; les grands vins de Bordeaux n'auraient jamais pu exister sans cette circonstance heureuse.

          La vigne est cultivée en Gironde sur des sols de nature très diverse et le niveau de qualité n'est pas lié à un type de sol particulier. La plupart des grands crus de vin rouge sont établis sur des alluvions gravelo-sableuses siliceuses ; mais on trouve aussi des vignobles réputés sur les calcaires à astéries, sur les molasses et même sur des sédiments argileux. Les vins blancs secs sont produits indifféremment sur des nappes alluviales gravelo-sableuses, sur calcaire à astéries et sur limons ou molasses. Les deux premiers types se retrouvent dans les régions productrices de vins liquoreux, avec les argiles. Dans tous les cas, les mécanismes naturels ou artificiels (drainage) de régulation de l'alimentation en eau constituent une caractéristique essentielle de la production de vins de qualité. Il s'avère donc qu'il peut exister des crus ayant la même réputation de haut niveau sur des roches-mères différentes. Cependant, les caractères aromatiques et gustatifs des vins sont influencés par la nature des sols ; les vignobles du Médoc et de Saint-Emilion en fournissent de bons exemples. Par ailleurs, sur un même type de sol, on produit indifféremment des vins rouges, des vins blancs secs et des vins blancs liquoreux.

          Le vignoble bordelais atteint 119 268 ha en 2001 ; à la fin du XIXᵉ s., il s'est étendu sur plus de 150 000 ha, mais la culture de la vigne a été supprimée sur les sols les moins favorables. Les conditions de culture ayant été améliorées, la production globale est restée assez constante : elle approche les 7 millions d'hectolitres actuellement. Si la surface moyenne des exploitations est de 7 ha, on assiste à une concentration des propriétés, avec une diminution du nombre des producteurs (de 22 200 en 1983 à 16 000 en 1992, 13 358 en 1993 et 12 852 en 1996.)

          Les vins de Bordeaux ont toujours été produits à partir de plusieurs cépages qui ont des caractéristiques complémentaires. En rouge, les cabernets et le merlot sont les principales variétés (90 % des surfaces). Les premiers donnent aux vins leur structure tannique, mais il faut plusieurs années pour qu'ils atteignent leur qualité optimale ; en outre, le cabernet-sauvignon est un cépage tardif, qui résiste bien à la pourriture, mais avec parfois des difficultés de maturation. Le merlot donne un vin plus souple, d'évolution plus rapide ; il est plus précoce et mûrit bien, mais il est sensible à la coulure, à la gelée et à la pourriture. Sur une longue période, l'association des deux cépages, dont les proportions varient en fonction des sols et des types de vin, donne les meilleurs résultats. Pour les vins blancs, le cépage essentiel est le sémillon (52 %), complété dans certaines zones par le colombard (11 %) et surtout par le sauvignon – qui tend à se développer – et la muscadelle (15 %), qui possèdent des arômes spécifiques très fins. L'ugni blanc est en retrait.

          La vigne est conduite en rangs palissés, avec une densité de ceps à l'hectare très variable. Elle atteint 10 000 pieds dans les grands crus du Médoc et des Graves ; elle se situe à 4 000 pieds dans les plantations classiques de l'Entre-Deux-Mers, pour tomber à moins de 2 500 pieds dans les vignes dites hautes et larges. Les densités élevées permettent une diminution de la récolte par pied, ce qui est favorable à la maturité ; par contre, elles entraînent des frais de plantation et de culture plus élevés et luttent moins bien contre la pourriture. La vigne est l'objet, tout au long de l'année, de soins attentifs. C'est à la faculté des sciences de Bordeaux qu'a été découverte en 1885 la

« bouilliebordelaise » (sulfate de cuivre et chaux), pour la lutte contre le mildiou. Connue dans le monde entier, elle est toujours utilisée, bien qu'aujourd'hui les viticulteurs disposent d'un grand nombre de produits de traitement, mis au service de la nature et jamais dirigés contre elle.

_____ Les très grands millésimes ne manquent pas à Bordeaux. Citons pour les rouges les 1990, 1982, 1975, 1961 ou 1959, mais aussi les 1989, 1988, 1985, 1983, 1981, 1979, 1978, 1976, 1970 et 1966, sans oublier, dans les années antérieures, les fameux millésimes que furent les 1955, 1949, 1947, 1945, 1929 et 1928. On note, dans un passé récent, l'augmentation des millésimes de qualité et, réciproquement, la diminution des millésimes médiocres. Peut-être le vignoble a-t-il profité de conditions climatiques favorables ; mais il faut y voir essentiellement le résultat des efforts des viticulteurs, s'appuyant sur les acquisitions de la recherche pour affiner les conditions de culture de la vigne et la vinification. La viticulture bordelaise dispose de terroirs exceptionnels, mais elle sait les mettre en valeur par la technologie la plus raffinée qui puisse exister ; ainsi peut-on affirmer qu'il n'y aura plus en Gironde de mauvais millésimes.

Médoc - Graves - Saint-Émilion - Pomerol - Fronsac

millésimes	à boire	à attendre	à boire ou à attendre
exceptionnels	45 47 61 70 75		82 85
très réussis	49 53 55 59 62 64 66 67 71* 76 78 79	88 89 90 95 96 98	81 83 86 89 93 94
réussis	50 73 74 77 80 84 87 92	97 99	91

* Pour Pomerol, ce millésime est exceptionnel.
– Les vins des appellations bordeaux et les vins de côte, rouges, doivent être consommés dans les cinq ou six ans. Certains peuvent supporter un vieillissement d'une dizaine d'années.

Vins blancs secs des Graves

millésimes	à boire	à attendre	à boire ou à attendre
exceptionnels	78 81 82 83		
très réussis	76 85 87 88 92 93 94	98 99 2000	95 96
réussis	79 80 84 86 97	2001	89 90

– Il est préférable de consommer les autres blancs secs du Bordelais très jeunes, dans les deux ans.

Vins blancs liquoreux

millésimes	à boire	à attendre	à boire ou à attendre
exceptionnels	47 67 70 71 75 76	90 95 97	83 88 89
très réussis	49 59 62 81 82	96	86
réussis	50 55 77 78 79 80 84 91	98 99	85 87 94 2000

– Si les liquoreux peuvent être consommés jeunes (à l'apéritif où l'on appréciera alors leur fruité), ils n'acquièrent leurs qualités propres qu'après un long vieillissement.

_____ Si la notion de qualité des millésimes est moins marquée dans le cas des vins blancs secs, elle reprend toute son importance avec les vins liquoreux, pour lesquels les conditions du développement de la pourriture noble sont essentielles (voir l'introduction : « Le Vin », et les différentes fiches des vins concernés).

_____ La mise en bouteilles à la propriété se fait depuis longtemps dans les grands crus ; cependant, pour beaucoup d'entre eux, elle n'est complète que depuis dix ou quinze ans à peine. Pour les autres vins (appellations régionales), le viticulteur assurait traditionnellement la culture de la vigne et la transformation du raisin en vin, puis le négoce prenait en charge non seulement la distribution des vins, mais aussi leur élevage, c'est-à-dire leurs assemblages pour régulariser la qualité jusqu'à la mise en bouteilles. La situation se modifie graduellement et l'on peut affirmer qu'actuellement la grande majorité des AOC est élevée, vieillie et stockée par la production. Les progrès de l'œnologie permettent aujourd'hui de vinifier régulièrement des vins consommables en l'état ; tout naturellement, les viticulteurs cherchent donc à les valoriser en les mettant eux-mêmes en bouteilles ; les caves coopératives ont joué un rôle dans cette évolution, en créant des unions qui assurent le conditionnement et la commercialisation des vins. Le négoce conserve toujours un rôle important au niveau de la distribution, en particulier à l'exportation, grâce à ses réseaux bien implantés depuis longtemps. Il n'est pas impossible cependant que, dans l'avenir, les vins de marque des négociants trouvent un regain d'intérêt auprès de la grande distribution de détail.

La commercialisation de l'importante production de vin de Bordeaux est bien sûr soumise aux aléas de la conjoncture économique, au volume et à la qualité de la récolte. Dans un passé récent, le Conseil interprofessionnel des vins de Bordeaux a pu jouer un grand rôle en matière de commercialisation, par la mise en place d'un stock régulateur, d'une mise en réserve qualitative et de mesures financières d'organisation du marché.

Les syndicats viticoles, eux, assurent la protection des différentes appellations d'origine contrôlée, en définissant les critères de la qualité. Ils effectuent sous le contrôle de l'INAO des dégustations d'agréage de tous les vins produits chaque année ; elles peuvent donner lieu à la perte du droit à l'appellation si la qualité est jugée insuffisante.

Les confréries vineuses (Jurade de Saint-Emilion, Commanderie du Bontemps du Médoc et des Graves, Connétablie de Guyenne, etc.) organisent régulièrement des manifestations à caractère folklorique dont le but est l'information en faveur des vins de Bordeaux ; leur action est coordonnée au sein du Grand Conseil du vin de Bordeaux.

Toutes ces actions de promotion, de commercialisation et de production le démontrent : le vin de Bordeaux est aujourd'hui un produit économique géré avec rigueur. Représentant plus du quart de la production AOC de France avec un volume de 6 679 310 hl en 2001, la production s'évalue en milliards d'euros, dont 1,188 milliard à l'exportation. Son importance dans la vie régionale aussi, puisque l'on estime qu'un Girondin sur six dépend directement ou indirectement des activités viti-vinicoles. Mais qu'il soit rouge, blanc sec ou liquoreux, dans ce pays gascon qu'est le Bordelais, le vin n'est pas seulement un produit économique. C'est aussi et surtout un fait de culture. Car derrière chaque étiquette se cachent tantôt des châteaux à l'architecture de rêve, tantôt de simples maisons paysannes, mais toujours des vignes et des chais où travaillent des hommes, apportant, avec leur savoir-faire, leurs traditions et leurs souvenirs.

Les appellations régionales bordeaux

Si le public situe assez facilement les appellations communales, il lui est souvent plus difficile de se faire une idée exacte de ce que représente l'appellation bordeaux. Pourtant, la définir est apparemment simple : ont droit à cette appellation tous les vins de qualité produits dans la zone délimitée du département de la Gironde, à l'exclusion de ceux qui viendraient de la zone sablonneuse située à l'ouest et au sud (la lande, consacrée depuis le XIXᵉ s. à la forêt de pins). Autrement dit, ce sont tous les terroirs à vocation viticole de la Gironde qui ont droit à cette appellation. Et tous les vins qui y sont produits peuvent l'utiliser, à condition qu'ils soient conformes aux règles assez strictes fixées pour son attribution (sélection des cépages, rendements à ne pas dépasser...). Mais derrière cette simplicité se cache une grande variété. Variété, tout d'abord, des types de vins. En effet, plus que d'une appellation bordeaux, il convient de parler des appellations bordeaux, celles-ci comportant des vins rouges, mais aussi des rosés et des clairets, des vins blancs (secs et liquoreux) et des mousseux (blancs ou rosés). Variété des origines ensuite, les bordeaux pouvant être de plusieurs types : pour les uns, il s'agit de vins produits dans des secteurs de la Gironde n'ayant droit qu'à la seule appellation bordeaux, comme les régions de palus (certains sols alluviaux) proches des fleuves, ou quelques zones du Libournais (communes de Saint-André-de-Cubzac, Guîtres, Coutras...). Pour les autres, il s'agit de vins provenant de régions ayant droit à une appellation spécifique (Médoc, Saint-Emilion, Pomerol, etc.). Dans certains cas, l'utilisation de l'appellation régionale s'explique alors par le fait que l'appellation locale est commercialement peu connue (comme pour les bordeaux côtes-de-francs, les bordeaux haut-benauge, les bordeaux sainte-foy ou les bordeaux saint-macaire) ; l'appellation spécifique n'est, en définitive, qu'un complément de l'appellation régionale, et, en outre, n'apporte rien de plus à la valorisation du produit. Aussi les viticulteurs préfèrent-ils se contenter de l'image de marque bordeaux. Mais il arrive également que l'on trouve des bordeaux provenant d'une propriété située dans l'aire de production d'une appellation spécifique prestigieuse, ce qui ne manque pas d'intriguer certains amateurs curieux. Mais là aussi l'explication est aisée à trouver : traditionnellement, beaucoup de propriétés en Gironde produisent plusieurs types de vins (notamment des rouges et des blancs) ; or dans de nombreux cas (médoc, saint-émilion, entre-deux-mers ou sauternes), l'appellation spécifique ne s'applique qu'à un seul type. Les autres productions sont donc commercialisées comme bordeaux ou bordeaux supérieurs.

S'ils sont moins célèbres que les grands crus, tous ces bordeaux n'en constituent pas moins quantitativement la première appellation de la Gironde, avec, en 2001, en rouge, 3 314 624 hl, 433 210 hl pour les blancs et 12 045 hl pour les crémants de bordeaux.

L'importance de cette production et l'impressionnante surface du vignoble pourraient laisser penser qu'il n'existe guère de similitudes entre deux bordeaux. Pourtant, si l'on trouve une certaine diversité de caractères, il existe aussi des points communs, donnant leur unité aux différentes appellations régionales. Ainsi les bordeaux rouges sont des vins équilibrés, harmonieux, délicats ; généralement, ils doivent être fruités, mais pas trop corsés, pour pouvoir être consommés jeunes. Les bordeaux supérieurs rouges se veulent des vins plus complets. Ils utilisent les meilleurs raisins, sont vinifiés de façon à leur assurer une certaine longévité. Ils constituent en somme une sélection parmi les bordeaux.

Les bordeaux clairets et rosés, eux, sont obtenus par faible macération de raisins de cépages rouges ; les clairets ont une couleur un peu plus soutenue. Ils sont frais et fruités, mais leur production reste très limitée.

Les bordeaux blancs sont des vins secs, nerveux et fruités. Leur qualité a été récemment améliorée par les progrès réalisés dans les techniques de conduite de la vinification, mais cette appellation ne jouit pas encore de la notoriété à laquelle elle devrait pouvoir prétendre. Ce qui explique que certains vins soient « repliés » en vins de table, puisque, la différence de cotation étant parfois assez faible, il est plus avantageux commercialement de vendre du vin de table que du bordeaux blanc. Constituant une sélection, les bordeaux supérieurs blancs sont moelleux et onctueux ; leur production est limitée.

Il existe enfin une appellation crémant de bordeaux. Les vins de base doivent être produits dans l'aire d'appellation bordeaux. La deuxième fermentation (prise de mousse) doit être effectuée en bouteilles dans la région de Bordeaux.

Bordeaux

BARON CLOSSMANN
Elevé en fût de chêne 2000★

| | n.c. | 220 000 | ❙❙❙ | 5 à 8 € |

Créée par Clossmann et Cie – groupement de quatre négociants bordelais –, cette marque a été favorablement appréciée par les dégustateurs. Rubis intense, exprimant le pain d'épice et la noix de coco, elle révèle à l'agitation un fruité léger. La solide structure tannique s'enrobe d'une chair généreuse empreinte d'arômes de pain grillé et d'amande qui répondent au retour toasté d'un merrain de qualité. Cette bouteille sera à point d'ici deux ans.
⌐ SARL Les vins Clossmann, Groupe Œno-alliance, rte du Petit-Conseiller, 33750 Beychac-et-Cailleau, tél. 05.57.97.39.17, fax 05.57.97.39.18

CH. BASTIAN 2000★

| | 7 ha | 50 000 | ❙↓ | 3 à 5 € |

Auros, commune du grand sud du vignoble bordelais, mérite une visite pour son ancienne abbaye cistercienne – Le Rivet – et les restes d'un château fort du XIIIᵉs., aux murs épais d'un bon double mètre. Le château Bastian a produit un bordeaux attachant et authentique. Cuir et fruits rouges apparaissent au nez, tandis que la bouche souple et fraîche propose un équilibre agréable, un fruité fondu et une matière consistante. Du beau travail.
⌐ Stéphane Savigneux, Ch. Bastian, 33124 Auros, tél. 05.56.65.51.59, fax 05.56.65.43.78, e-mail stephane.savigneux@wanadoo.fr ☑ ❚ r.-v.

CH. BEL AIR 2000★★

| | 20 ha | 80 000 | ❙ | 5 à 8 € |

Le château Bel Air, chartreuse des XVIIᵉ-XVIIIᵉs. de fort belle allure, était le rendez-vous de chasse des seigneurs de Rudel, propriétaires du château féodal de Rauzan.

Aujourd'hui, il se distingue par ce vin grenat, dont le nez riche libère profusion d'arômes sauvages, viandés et de notes de sous-bois. En rétro-olfaction, la prune d'Ente et le cassis surmûri prennent le relais. La bouche charnue et épicée bénéficie du soutien de tanins puissants mais enrobés. Elle se laisse savourer longuement jusqu'à une finale envoûtante. Le **bordeaux 99 élevé en fût de chêne** obtient une étoile : mûr, harmonieux, délicatement boisé, il atteindra un parfait équilibre dans un ou deux ans.

⊶ Philippe Moysson, Ch. Bel Air-Bedat, 33540 Blasimon, tél. 05.57.84.10.74, fax 05.57.84.00.51 ☑ Y r.-v.

CH. BELLE-GARDE

Elevé en fût de chêne 2000★

■ 12 ha 80 000 5 à 8 €

Dans sa robe amarante à reflets grenat, ce bordeaux livre un bouquet de fruits rouges (cerise, mûre) aux fines nuances épicées. La bouche, volumineuse et vanillée, tapisse les papilles d'un grain velouté. « L'odoration qui s'opère dans l'arrière-bouche » (comme disait Brillat-Savarin) évoque les senteurs de bons tanins, de sous-bois, de cèpe. Un vin appelé à vivre et à réjouir longtemps.

⊶ Eric Duffau, Monplaisir, 33420 Génissac, tél. 05.57.24.49.12, fax 05.57.24.41.28, e-mail duffau.eric@wanadoo.fr
☑ Y t.l.j. sf dim. 9h-12h 14h-18h

CH. BELLEVUE 2000★

■ 36 ha 200 000 3 à 5 €

Ce château compte non seulement 68 ha de vignes, mais aussi 32 ha de bois, de pruniers d'Agen et de prairies. Son bordeaux se présente dans une robe incarnat, intense. Le nez complexe souligne ses arômes de fruits mûrs (cassis) d'un boisé léger. Une attaque nette annonce un vin droit, bien campé sur de beaux tanins. L'ensemble, corsé, concentré, n'en est pas moins goûteux et promet de se parfaire d'ici deux à six ans.

⊶ SCEA Ch. Bellevue, Saint-Romain, 33540 Sauveterre-de-Guyenne, tél. 05.56.71.54.56, fax 05.56.71.83.95 Y r.-v.
⊶ Bruno de Ponton d'Amécourt

CH. BELLEVUE LA MONGIE 2000

■ 8 ha 60 000 3 à 5 €

La robe pourpre d'une belle profondeur livre un bouquet naissant évocateur de l'automne : champignons, sous-bois, truffe. La matière ne fait pas défaut, sans manquer de souplesse jusqu'à la finale rappelant le tabac et le thym. Une lamproie à la bordelaise serait à la convenance de ce vin.

⊶ Michel Boyer, Ch. Bellevue La Mongie, 33420 Génissac, tél. 05.57.24.48.43, fax 05.57.24.48.63, e-mail boyer.michel@worldonline.fr ☑ Y r.-v.

CH. BOIS BOUSQUET 2000★

■ 8,3 ha 26 350 3 à 5 €

Ecarlate à reflets bruns, ce bordeaux a de quoi séduire les amateurs de vins puissants. Son nez de cuir et de musc s'épanouit à l'aération. La chair dense trouve un bon équilibre entre le fruit mûr et une trame tannique consistante. Long et charpenté, ce 2000 fera longtemps briller son étoile.

⊶ André Quancard-André, chem. de la Cabeyre, 33240 Saint-André-de-Cubzac, tél. 05.57.33.42.42, fax 05.57.33.42.05, e-mail aqa@andrequancard.com

CH. DE BOISSAC 2000★

■ 3 ha 24 000 5 à 8 €

Cette cuvée est à l'image de la belle demeure bourgeoise, si harmonieusement inscrite dans les parcelles vallonnées de l'Entre-Deux-Mers. Imposante, drapée d'une robe grenat, elle offre un nez fruité de framboise, de cassis et de griotte. Sa bouche charpentée par des tanins solides accorde une place aux flaveurs de fruits surmûris et d'épices : écorce d'orange, réglisse. Cette bouteille devra attendre trois ou quatre ans pour fondre une matière d'un tel potentiel.

⊶ André Quancard-André, chem. de la Cabeyre, 33240 Saint-André-de-Cubzac, tél. 05.57.33.42.42, fax 05.57.33.42.05, e-mail aqa@andrequancard.com
⊶ de Boissac

CH. BONNET

Réserve Elevé en fût de chêne 2000★

■ n.c. n.c. 8 à 11 €

Des chais de ce domaine prestigieux sortent chaque année des vins de qualité, tel ce Château Bonnet rouge éclatant. La palette de fruits mûrs rappelle le cassis et la framboise, tandis que la bouche marie un boisé élégant à une matière enveloppante, soutenue par de jolis tanins qui laissent augurer une longue et bénéfique garde.

⊶ Vignobles André Lurton, Ch. Bonnet, 33420 Grézillac, tél. 05.57.25.58.58, fax 05.57.74.98.59, e-mail andrelurton@andrelurton.com ☑

CH. LA BORNE 2000★

■ 65,93 ha 200 000 3 à 5 €

Le vignoble d'une centaine d'hectares est implanté sur une juxtaposition de terrains argilo-calcaires et sablo-limoneux. Il a donné naissance à un bordeaux grenat foncé, au nez légèrement confituré. Puissante et structurée, la bouche s'oriente vers un bouquet de prunelle et de mûre sur une matière ample, mais encore délicate et aux tanins un peu sauvages. Quelques années suffiront à harmoniser l'ensemble.

⊶ EARL Cardarelli, La Borne-Nord, 33790 Massugas, tél. 05.56.61.48.13, fax 05.56.61.32.38 ☑ Y r.-v.

CH. BOURDICOTTE 2000★

■ 14 ha 113 000 3 à 5 €

Ces dernières années, le château Bourdicotte se distinguait par ses vins blancs secs dans le Guide. Aujourd'hui, il rappelle que son talent ne s'arrête pas là. Ce bordeaux livre un nez surmûri, confituré, de fruits

confits et de pêche de vigne. La bouche gourmande et charpentée entretient les flaveurs chaudes de l'été. Dans deux ou trois ans, ce vin parviendra à son apogée et sera prêt à accompagner un filet de sanglier à la bordelaise.
🍴 Ch. Bourdicotte, 33790 Cazaugitat,
tél. 05.56.61.32.55, fax 05.56.61.38.26 ☑
🍴 Rolet Jarbin

CH. LES BRUGES 2000★

| ■ | n.c. | 50 000 | ■ ↓ | 3 à 5 € |

La robe rubis à reflets violines annonce un bouquet frais où le cassis mûr voisine avec la fraise des bois. La bouche entretient cette note fruitée plaisante qui glisse vers la framboise et s'accompagne d'une nuance végétale. Les tanins s'intègrent bien dans l'ensemble et laissent espérer un bel équilibre à maturité.
🍴 Dulong Frères et Fils, 29, rue Jules-Guesde, 33270 Floirac, tél. 05.56.86.51.15, fax 05.56.40.66.41, e-mail jm.dulong@dulong.com ⟂ r.-v.

CH. DE BRUSSAC 2000

| ■ | 6 ha | 40 000 | ■ ↓ | 3 à 5 € |

Ce bordeaux couleur pivoine révèle à l'agitation un bouquet de cassis et de framboise encore discret. L'équilibre prévaut dans une matière où les tanins n'imposent pas trop leur présence, accompagnés de quelques légères flaveurs de venaison et de fourrure. Ce vin, actuellement en phase d'évolution, s'ouvrira doucement avec le temps.
🍴 Noël Ronssarie, 33500 Lugaignac, tél. 05.57.55.58.00, fax 05.57.74.18.47, e-mail contact@moueix-lebegue.com

CH. BUJEAU LA GRAVE 2000★

| ■ | 7 ha | 40 000 | ■ | 3 à 5 € |

Les boulbènes argilo-calcaires des côtes de Saint-Macaire, près de Langon, ont été favorables à cet assemblage de merlot et de cabernet-sauvignon à parts égales. Le vin, habillé d'une robe carminée, intense, laisse le souvenir de la groseille et de la mûre. Sa chair ample et ronde emplit le palais de manière persistante jusqu'à une finale briochée. Un vin élégant à consommer dès aujourd'hui.
🍴 Claude Reaut, Ch. Bujeau-La-Grave, 33540 Saint-Laurent-du-Bois, tél. 05.56.76.45.34, fax 05.56.76.45.34

DOM. DE LA CAILLEBOSSE 2000★

| ■ | 3,12 ha | 8 000 | ■ ↓ | 3 à 5 € |

Ancien cuisinier à l'hôtel Méridien Etoile à Paris, Fabrice Lascaux réussit sa reconversion dans la viticulture. Il soigne ses vinifications par la pratique des cuvaisons longues et des macérations des marcs immergés. Les polyphénols sont bien au rendez-vous dans cette cuvée : voyez sa robe rouge profond, sentez ses arômes de fruits rouges et noirs ; goûtez sa matière structurée et charnue, aux flaveurs de raisin. A attendre quelques années en toute confiance, puisque le producteur est un homme de goût.
🍴 Fabrice Lascaux, Ch. Lascaux, dom. de la Caillebosse, 33910 Saint-Martin-du-Bois, tél. 05.57.84.72.16, fax 05.57.84.72.17 ☑ ⟂ r.-v.

CALVET
Réserve Elevé en fût de chêne 2000★★

| ■ | n.c. | 220 000 | ⦀ | 3 à 5 € |

Cette bouteille marquée du sceau de la tradition bordelaise maintient sa place dans le Guide ; elle est aussi très largement distribuée dans le monde et plus particu-

lièrement au Royaume-Uni. De teinte carminée, intense et brillante, elle offre un boisé fin qui ne nuit pas aux notes suaves de litchi et de groseille. La bouche vineuse possède du corps ; les tanins dominent encore, mais la richesse aromatique est déjà perceptible : vanille et cacao se découvrent discrètement dans une finale longue et harmonieuse.
🍴 Calvet, 75, cours du Médoc, BP 11, 33028 Bordeaux Cedex, tél. 05.56.43.59.00, fax 05.56.43.17.78, e-mail calvet@calvet.com

CH. DE CAMARSAC 2000★

| ■ | 40 ha | 263 288 | ■ | 3 à 5 € |

L'imposante forteresse médiévale de Camarsac, surnommée château du Prince Noir, fut assiégée par Du Guesclin au XIVᵉs. Elle élève aujourd'hui encore sa haute silhouette dans les vallons de l'Entre-Deux-Mers et commande un domaine viticole de 60 ha. Bérénice Lurton exerce ici ses talents ; elle propose un vin incarnat, vineux à souhait. La bouche évolue favorablement sur des notes de cerise noire et de mûre. La trame de tanins puissants annonce une longue garde.
🍴 Bérénice Lurton, Ch. de Camarsac, 33750 Camarsac, tél. 05.57.83.10.13, fax 05.57.83.10.64, e-mail chateaudecamarsac@wanadoo.fr ☑ ⟂ r.-v.

CH. DE CAPPES 2000

| ■ | 16 ha | 30 000 | ■ ↓ | 3 à 5 € |

A 2 km du château de Malromé, le château de Cappes veille sur un vignoble de 20 ha, dont les vendanges de merlot et de cabernet-sauvignon, assemblées à parts égales, ont produit ce bordeaux rouge profond, au bouquet naissant de fleur de vigne et de violette. La bouche ample laisse encore percevoir un rempart de tanins, avant de s'achever dans la gamme épicée. Une bouteille qui trouvera son élégance après une garde de cinq ans.
🍴 EARL Boulin, Ch. de Cappes, 33490 Saint-André-du-Bois, tél. 05.56.76.40.88, fax 05.56.76.47.47 ☑ ⟂ r.-v.
🍴 Patrick Boulin

CH. DE CATHALOGNE 2000★

| ■ | n.c. | 89 000 | ■ ↓ | 3 à 5 € |

Ce bordeaux se distingue par son aptitude à acquérir dès son jeune âge ce que d'autres vins mettraient des années à réaliser. De teinte tuilée, il livre un nez animal et musqué, accompagné de notes riches de venaison. Sa bouche ronde et structurée bénéficie de tanins déjà lisses et savoureux. Il ne servirait à rien d'attendre davantage pour apprécier ce 2000.
🍴 Dulong Frères et Fils, 29, rue Jules-Guesde, 33270 Floirac, tél. 05.56.86.51.15, fax 05.56.40.66.41, e-mail jm.dulong@dulong.com ⟂ r.-v.

CH. CAZEAU
Cuvée Prestige Elevé en fût de chêne 2000★

| ■ | 180 ha | 100 000 | ⦀ | 3 à 5 € |

Cazeau, chartreuse du XVIIIᵉs., se trouve à trois portées d'arquebuse de la bastide de Sauveterre-de-Guyenne, construite par les moines de l'abbaye de Saint-Ferme sur ordre d'Edouard Iᵉʳ, roi d'Angleterre. Cette cuvée, rubis brillant, charme par sa palette qui associe un boisé de qualité au fruité du pruneau. La bouche volumineuse, dense, évoque à la fois le cuir et la venaison. Une matière aussi consistante assure à cette bouteille une espérance de vie d'une douzaine d'années.

🔈 SCI Domaines Cazeau et Perey,
33540 Sauveterre-de-Guyenne,
tél. 05.56.71.50.76, fax 05.56.71.87.70,
e-mail cfontaniol@laguyennoise.com
🔈 Anne-Marie et Michel Martin

PIERRE CHANAU
Elevé en fût de chêne 2000★

■	n.c.	200 000	Ⅲ	3 à 5 €

Yvon Mau a imaginé pour Auchan un bordeaux d'un rouge intense, presque impénétrable. Un bouquet attachant, d'une grande finesse, évoque les épices et la violette, soulignées de notes végétales plaisantes : lierre, humus. La bouche possède un bon équilibre entre les tanins d'une vendange mûre et une chair ample, encore marquée par le bois de l'élevage. Cette personnalité complexe évoluera favorablement dans le temps.
🔈 SA Yvon Mau, BP 1,
33193 Gironde-sur-Dropt Cedex,
tél. 05.56.61.54.54, fax 05.56.61.54.61

CH. LES CHENES DU MAGNAN 1999★

■	9,8 ha	7 800	▮♦	3 à 5 €

Le merlot et les cabernets ont mûri à point sur les croupes argilo-calcaires de Sainte-Radegonde. La robe grenat se pare d'une frange à reflets mordorés. La griotte et le cassis se répondent au nez, puis agrémentent une bouche souple et ronde, dont les tanins se sont assagis. Moelleuse et concentrée, la finale est une promesse de longue garde (de deux à cinq ans).
🔈 Philippe Lopez, Le Magnan,
33350 Sainte-Radegonde,
tél. 05.57.40.50.78, fax 05.57.40.52.12,
e-mail phlop@free.fr ☑ ⸺ r.-v.

CITADELLE SAINT-VINCENT 2000★

■	200 ha	80 000	▮♦	3 à 5 €

Ce vin, marque des producteurs des Hauts de Gironde, doit ses arômes de pruneau, de truffe et de cuir au cépage merlot qui règne presque seul sur les croupes argilo-sableuses du vignoble. L'éclat de la robe incarnat n'a d'égal que l'onctuosité d'une bouche souple et caressante, dans laquelle s'inscrivent des tanins si mûrs qu'ils en paraissent gras. Ce millésime charmeur, très riche, doit être aéré en carafe avant le service.
🔈 Cave des Hauts de Gironde, La Cafourche,
33860 Marcillac, tél. 05.57.32.48.33, fax 05.57.32.49.63,
e-mail contact@tutiac.com ⸺ r.-v.;
magasin t.l.j. sf dim. 8h-12h 14h-16h

DOM. DU CLAOUSET 2000★

■	30 ha	20 000	▮♦	3 à 5 €

Le vieux village de Lugaignac possède une belle église médiévale et se défend derrière d'abrupts escarpements argilo-calcaires où la vigne a trouvé un terrain d'élection. Au domaine du Claouset, on tire le meilleur du raisin par une macération préfermentaire à froid. Si le nez de ce vin évoque épices et tabac, le fruit se manifeste dans une bouche séveuse, nette, qui finit sur des notes de groseille et de raisin de Corinthe. La **Réserve du domaine 2000** (5 à 8 €), élevée en fût de chêne, obtient également une étoile : elle livre des arômes de prune et de mûre, une matière souple qui s'accommode de tanins encore jeunes. Elle s'embellira au terme d'une garde d'un ou deux ans.

🔈 EARL Vignobles Siozard,
au Claouset, 33420 Lugaignac,
tél. 05.57.74.90.05, fax 05.57.84.67.10 ☑ ⸺ r.-v.

CH. CLUZAN 2000★★

■	25 ha	170 000	▮♦	5 à 8 €

Vêtue d'une robe rouge cramoisi, cette bouteille explose en un bouquet de framboise écrasée, de cerise et de raisin de Corinthe. Sa bouche est tout aussi expressive, sur des flaveurs de fruits rouges et noirs. La trame ample bénéficie de tanins fins et fondus. Ce vin de taffetas, tout en devenir, réjouira le palais tout au long de la prochaine décennie.
🔈 Maison Sichel, 8, rue de la Poste, 33210 Langon,
tél. 05.56.63.50.52, fax 05.56.63.42.28

CH. DE LA COUR D'ARGENT 2000★

■	22 ha	146 000	▮Ⅲ♦	5 à 8 €

Denis Barraud montre avec fierté son chai à barriques aménagé dans un bâtiment du XIIᵉs., qui servit de décor au film *La Rivière Espérance*, d'après l'œuvre de Christian Signol. Velours incarnat, ce bordeaux livre un nez confit avant de s'ouvrir tout en souplesse en bouche. Les tanins du bois et du raisin se mêlent harmonieusement, témoins d'une bonne maîtrise des rendements à la vigne et de l'usage équilibré du fût. Le vigneron trouve ici sa récompense.
🔈 SCEA des Vignobles Denis Barraud,
Haut-Renaissance, 33330 Saint-Sulpice-de-Faleyrens,
tél. 05.57.84.54.73, fax 05.57.84.52.07,
e-mail denis-barraud@wanadoo.fr ☑ ⸺ r.-v.

CH. COURTEY
Cuvée Léon 2000★★

■	3 ha	9 000	▮Ⅲ♦	3 à 5 €

Coup de cœur pour cette cuvée à la belle robe rubis, festonnée de reflets violacés persistants. Le bouquet légèrement grillé et finement boisé s'agrémente d'un soupçon de fruits (pruneau et cassis). Harmonieux, il fait preuve d'intensité. En bouche, les tanins bien évolués donnent à ce vin un caractère déjà bien affirmé. La finale, longue et doucement vanillée, ajoute à l'impression de souplesse. A boire dès aujourd'hui, mais sans se presser.
🔈 SCEA Courtey, Courtey Nord, 33490 Saint-Martial,
tél. 05.56.76.42.56, fax 05.56.76.42.56 ☑ 🏠 ⸺ r.-v.

CH. CRABITAN-BELLEVUE
Cuvée spéciale 2000

■	12 ha	20 000	Ⅲ	5 à 8 €

Quatre fois nommé dans le Guide 2002, le château Crabitan-Bellevue a soutenu ses efforts pour maintenir sa place : la récolte manuelle est ainsi de règle chaque année. Ce millésime exprime profusion d'arômes primaires qui font le charme des vins jeunes bien vinifiés. Le boisé reste discret jusqu'en bouche, s'effaçant au profit d'une matière ample, aux nuances poivrées. La finale anisée et mentholée laisse une impression de fraîcheur.

☙ GFA Bernard Solane et Fils, 33410 Sainte-Croix-du-Mont, tél. 05.56.62.01.53, fax 05.56.76.72.09
☑ Ⴤ t.l.j. sf dim. 8h-12h 14h-18h

DOM. DE LA CROIX 2000★

| ■ | 14 ha | 30 000 | ■ ♦ | 3 à 5 € |

La robe sombre comme les notes de fruits cuits et confiturés attestent de la maturité de ce vin soutenu par des tanins bien présents. Si la bouche reste quelque peu recueillie, elle libère un bouquet intense, mêlant une pointe de poivre à la résine et à la feuille de tabac. L'harmonie est en construction... Un peu de patience.

☙ SCEA Vignobles Jean-Yves Arnaud, La Croix, 33410 Gabarnac, tél. 05.56.20.23.52, fax 05.56.20.23.52
☑ Ⴤ r.-v.

CH. DES DEUX RIVES 2000★

| ■ | n.c. | 169 400 | ■ ♦ | 3 à 5 € |

Une autre jolie bouteille de la société Dulong, qui fait honneur à son œnologue, V. Cachau. Ce bordeaux affiche une teinte écarlate et un nez aux mille parfums, concentré, presque capiteux. Après une attaque franche, la bouche ronde déroule ses arômes : la girofle et la muscade le disputent au fruit mûr. Corpulent, ce vin devra attendre quelques années pour s'accomplir.

☙ Dulong Frères et Fils, 29, rue Jules-Guesde, 33270 Floirac, tél. 05.56.86.51.15, fax 05.56.40.66.41, e-mail jm.dulong@dulong.com Ⴤ r.-v.

DOURTHE
Numéro 1 2000★

| ■ | n.c. | 600 000 | ❚❚❙ | 5 à 8 € |

Le nom de ce bordeaux traduit bien l'ambition de la maison Dourthe : une volonté de produire des vins de haute qualité. Objectif atteint à en juger l'élégance de ce Numéro 1 d'un pourpre éclatant, dont le bouquet naissant livre des notes de petits fruits rouges et d'épices mêlées à des nuances vanillées. Les mêmes arômes perdurent dans une bouche charnue et charpentée à la fois. Souple et tendre, il pourra être dégusté bientôt.

☙ Dourthe, 35, rue de Bordeaux, 33290 Parempuyre, tél. 05.56.35.53.00, fax 05.56.35.53.29, e-mail contact@cvbg.com ☑ Ⴤ r.-v.

ESSENCE DE DOURTHE 2000★★

| ■ | 10 ha | 6 000 | ❚❚❙ | 38 à 46 € |

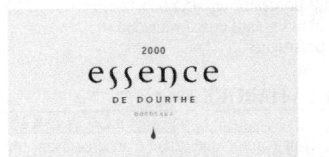

Sélection des terroirs, des parcelles de vignes âgées, des cépages, limitation des rendements, choix des méthodes culturales, vendanges manuelles... Rien n'a été négligé pour obtenir ce coup de cœur. Majestueux dans sa robe

grenat profond, ce vin l'est tout autant dans son expression aromatique puissante et riche : cannelle, noix de coco, vanille. Ample et savoureux, il inscrit ses tanins dans une matière dense, pralinée et balsamique. Un ou deux ans de garde seront nécessaires pour parfaire cette alchimie.

☙ Dourthe, 35, rue de Bordeaux, 33290 Parempuyre, tél. 05.56.35.53.00, fax 05.56.35.53.29, e-mail contact@cvbg.com Ⴤ r.-v.

CH. LE DROT 1999

| ■ | 15 ha | 10 000 | ■ ♦ | 3 à 5 € |

Elevé à deux pas du moulin fortifié de Bagas, sur la rivière Dropt, ce vin joue d'abord les modestes. Le cabernet dominant ne caracole pas encore au nez du dégustateur. Il se réserve pour la bouche. La matière est là, en effet, fruit d'une longue macération, dense et riche, soutenue par la structure tannique. Le fruité du cassis et de la myrtille participe à l'impression chaleureuse. Un 2000 que deux ans de garde bonifieront.

☙ Jean-Guy Issard, Ch. Le Drot, 33190 Bagas, tél. 05.56.71.46.25, fax 05.56.71.46.25 ☑ Ⴤ r.-v.

EPICURE
Elevé en fût de chêne 1999★

| ■ | 35 ha | 16 896 | ❚❚❙ | 5 à 8 € |

Epicure doit à sa forte proportion en merlot sa robe pourpre, intense et brillante. Le nez puissant, raisiné et réglissé traduit cette même origine. Le boisé reste élégant et mesuré. La bouche équilibrée possède une matière dense et souple. Des tanins de qualité et une certaine fraîcheur assurent à l'ensemble une bonne longévité. Typique de son appellation, ce vin donnera entière satisfaction dans les deux ou trois ans à venir.

☙ SARL Bordeaux Vins Sélection, 27, rue Roullet, 33800 Bordeaux, tél. 05.57.35.12.35, fax 05.57.35.12.36, e-mail bvs.grands.crus@wanadoo.fr

DOM. DE L'ESCOUACH 2000★

| ■ | 5 ha | n.c. | ■ | 3 à 5 € |

Pierre Rabouy, qui a repris ce vignoble de 23 ha en 1998, produit du vin pour la deuxième année. Vêtu d'une robe intense à reflets mordorés, celui-ci offre beaucoup de rondeur dans une bouche structurée par de sages tanins qui s'achève sur des arômes de groseille puis de réglisse. A déguster aujourd'hui comme demain.

☙ Pierre Rabouy, 33350 Saint-Pey-de-Castets, tél. 05.57.40.51.16, fax 05.57.40.51.16, e-mail pierre-rabouy@wanadoo.fr ☑ Ⴤ r.-v.

DOM. FLORIMOND-LA-BREDE 2000★

| ■ | 15 ha | 32 000 | ■ ♦ | 3 à 5 € |

Lors de la création de ce Guide, il y a dix-huit ans, Louis Marinier présidait aux destinées des appellations régionales du Bordelais. Ses deux filles lui ont succédé. Leur cuvée exprime la richesse de ce vignoble argilo-calcaire. De fines senteurs fruitées forment un bouquet avenant. La bouche, agrémentée de notes de cassis fondues, se développe de façon mesurée sur des tanins mûrs et doux. Une garde d'un ou deux ans suffira à augmenter tout le charme de ce vin.

☙ Vignobles Louis Marinier, Dom. Florimond-La Brède, 33390 Berson, tél. 05.57.64.39.07, fax 05.57.64.23.27, e-mail vignobleslouismarinier@wanadoo.fr
☑ Ⴤ t.l.j. 8h-12h 14h-17h; sam. dim. sur r.-v.

CH. FONT-VIDAL 2000

| ■ | 10 ha | 72 000 | 🍾 | - de 3 € |

Dans le canton de Pujols, près des rives de la Dordogne, Juillac est un lieu paisible où le vacancier pourra découvrir une belle église romane, intéressante par ses clefs de voûtes et ses vitraux. Le château Font-Vidal a produit dans ce cadre un bordeaux vermillon, nuancé de pourpre, dont le nez complexe livre un fruit intense, mêlé de notes musquées. La bouche monte en puissance sur des tanins bien mariés au retour fruité de cassis et de mûre. Une bouteille à ouvrir dans les deux ans à venir.

🍷 Pascale Poncet, Ch. Font-Vidal, 33890 Juillac, tél. 05.57.40.55.58, fax 05.57.40.58.39, e-mail poncet-fontvidal@wanadoo.fr ☑ 🍷 r.-v.

CH. LE FREGNE
Elevé en fût de chêne 2000*

| ■ | 5 ha | 30 000 | 🍷 | 5 à 8 € |

Fruit d'un vignoble implanté sur sol argilo-calcaire, qui fait la part belle au merlot (80 %), ce vin possède un nez puissant de fruits rouges et noirs (cassis) et d'épices. Il saura convaincre par l'élégance de ses tanins et la souplesse de son corps séveux et rond. Sincère, il séduira jusqu'à ses nuances finales pralinées. A savourer aujourd'hui sur toute bonne cuisine familiale.

🍷 Serge Rizzetto, EARL Le Frègne, 33540 Castelviel, tél. 05.56.61.97.56 ☑ 🍷 r.-v.

CH. LA FREYNELLE
Emotion 2000*

| ■ | 3 ha | 18 000 | 🍷 | 8 à 11 € |

La robe grenat translucide annonce un vin plein de jeunesse et de fraîcheur dans ses expressions florales d'iris et de pivoine. Les arômes de fleur de vigne et de griotte apparaissent en bouche, bien mariés à une matière dense, concentrée. Finement toastée jusqu'en finale, cette bouteille pourra être appréciée prochainement.

🍷 Vignobles Philippe Barthe, Peyrefus, 33420 Daignac, tél. 05.57.84.55.90, fax 05.57.74.96.57, e-mail vbarthe@club-internet.fr ☑ 🍷 r.-v.

CH. DE GADRAS 2000*

| ■ | 13 ha | 50 000 | 🍾🍷🍯 | 5 à 8 € |

Il faut prendre son temps pour appréhender ce vin à la robe carminée et brillante. Son nez est en effet un peu sur la retenue et tarde à révéler ses atouts dans la gamme des fruits rouges confits. Encore un peu austère, la bouche évolue sur des saveurs chocolatées, douces. Sa rondeur traduit la forte présence du merlot (60 %) dans l'assemblage. Un 2000 déjà harmonieux.

🍷 Claude et Michèle Delpech, 4, Gadras, 33580 Saint-Vivien-de-Monségur, tél. 05.56.61.82.69, fax 05.56.61.82.69 ☑ 🍷 r.-v.

CH. GAILLARTEAU 1999*

| ■ | 8 ha | 7 000 | 🍾 | 3 à 5 € |

Emmanuel Videau a eu raison d'attendre cette édition du Guide pour mettre en valeur sa cuvée 99, parvenue à son apogée. Un nez intense de cacao laisse place à une bouche charnue, riche en fruits à l'eau-de-vie. Cet ensemble équilibré se prolonge dans une finale complexe qui lui donne beaucoup de charme.

🍷 GFA Ch. Gaillarteau, 5, Gaillarteau, 33410 Mourens, tél. 05.56.61.98.21, fax 05.56.61.98.21 ☑ 🍷 r.-v.

CH. GIRUNDIA 2000*

| ■ | 3 ha | 23 000 | 🍾🍯 | 3 à 5 € |

D'un rouge éclatant, ce vin a été élevé à l'ombre des remparts de la citadelle de Blaye. Il affiche des arômes concentrés de fruits rouges et noirs (cassis), parmi lesquels les notes estivales de groseille et de framboise dues au malbec dominent (60 %). Riche en matière mais encore fermé à ce jour, ce vin réserve pour 2003-2004 un moment de plaisir.

🍷 SCEA Ch. Segonzac, 39, Segonzac, 33390 Saint-Genès-de-Blaye, tél. 05.57.42.18.16, fax 05.57.42.24.80, e-mail segonzac@chateau-segonzac.com ☑ 🍷 r.-v.
🍷 Ch. Herter

CH. LE GRAND CHEMIN 2000*

| ■ | 11,26 ha | 20 000 | 🍾 | 3 à 5 € |

Créé en 1987, ce domaine de près de 19 ha a élaboré une jolie cuvée à partir de 70 % de merlot. La robe grenat à reflets mordorés invite à faire plus ample connaissance avec ce vin. Tout en fruits rouges, il offre une belle structure aux tanins assez fondus et longs. A boire pendant cinq ans.

🍷 Christiane Bourseau, SCEA Le Grand-Chemin, Pradelle, 33240 Virsac, tél. 05.57.43.29.32, fax 05.57.43.39.57, e-mail christiane.bourseau@voila.fr ☑ 🍷 t.l.j. 9h-12h30 14h30-19h

CH. GROSSOMBRE
Elevé en fût de chêne 2000

| ■ | 7 ha | n.c. | 🍷 | 8 à 11 € |

Rouge éclatant, complexe dans ses arômes de tubéreuse et de violette, nuancés d'un côté boisé et beurré, ce bordeaux possède une trame puissante et ferme révélant la prédominance du cabernet-sauvignon. La matière n'en est pas moins onctueuse et réglissée, et l'harmonie se dessine dans ce vin apte à un vieillissement de quatre ou cinq ans.

🍷 Béatrice Lurton, BP 10, 33420 Grézillac, tél. 05.57.25.58.58, fax 05.57.74.98.59, e-mail andrelurton@andrelurton.com ☑

CH. LA GUILLAUMETTE
Cuvée Prestige Elevé en fût de chêne 1999*

| ■ | 35 ha | 20 000 | 🍷 | 5 à 8 € |

S'il a de nombreuses autres responsabilités professionnelles, Bernard Artigues se réserve du temps pour soigner ses vinifications. La souplesse du merlot signe ce vin chaleureux, d'un pourpre intense. Le bois se fait discret, s'effaçant devant les caractères du cépage : rondeur chocolatée. Le fruité rappelle la prune à l'eau-de-vie. A servir sur une entrecôte bordelaise.

🍷 SARL Bordeaux Vins Sélection, 27, rue Roullet, 33800 Bordeaux, tél. 05.57.35.12.35, fax 05.57.35.12.36, e-mail bvs.grands-crus@wanadoo.fr
🍷 B. Artigues

CH. LA HARGUE 2000*

| ■ | 15 ha | n.c. | 🍾🍯 | 5 à 8 € |

Noir comme une cerise d'arrière-saison, fort d'arômes de fruits mûrs, ce vin emplit la bouche de sa matière fruitée harmonieuse, aux tanins déjà affinés. La finale, enrichie d'une ligne toastée, lui confère un charme durable.

🍷 Omnivins, 17, rue Pistoley,BP 30, 33502 Libourne Cedex, tél. 05.57.51.32.10, fax 05.57.51.05.68 🍷 r.-v.

CH. HAUT BLAGNAC 2000★★

■   2,5 ha   20 000   ▮⌣   3 à 5 €

La famille Carl, également propriétaire du château de Seguin, apporte ses méthodes de travail à ce vignoble implanté sur un sol limono-argilo-calcaire, à quelques kilomètres de Bordeaux. Ce millésime montre déjà de remarquables dispositions. Les dégustateurs manquent de mots pour exprimer la richesse de son bouquet puissant : fumé, grillé, beurre se fondent. La bouche ronde dévoile du fruité sur un fond tannique plaisant. L'apogée sera atteint d'ici deux ou trois ans.

✦ Michael et Gert Carl, SCI Ch. de Seguin,
33360 Lignan-de-Bordeaux,
tél. 05.57.97.19.75, fax 05.57.97.19.72,
e-mail info @ chateau-seguin.fr ☑ ⍳ r.-v.

CH. HAUT-GANTELAIS 2000★

■   n.c.   63 200   ▮⌣   3 à 5 €

Aux confins orientaux de la Gironde, les coteaux de Gensac se mirent dans les eaux de la Dordogne ; ils n'en produisent pas moins des vins très bordelais, telle cette cuvée aux arômes de groseille et de cassis. Ample et grasse, celle-ci coule sur la langue sans aucune aspérité. Le plaisir est là. Les tanins ronds participent à cette harmonie générale et laissent présager un vieillissement bénéfique.

✦ Dulong Frères et Fils, 29, rue Jules-Guesde,
33270 Floirac, tél. 05.56.86.51.15, fax 05.56.40.66.41,
e-mail jm.dulong @ dulong.com ⍳ r.-v.

CH. HAUT-MARCHAND

Elevé en fût de chêne 2000★

■   1 ha   6 000   ▥   5 à 8 €

Premier millésime à être mis en bouteilles à la propriété, cette cuvée doit à son élevage en barrique l'alliance parfaite entre un boisé raffiné et les arômes propres au vin. Les flaveurs de café et d'épices (cannelle) s'épanouissent dans une bouche bien fondue, relayés en finale par une longue note balsamique. La **cuvée Prestige 2000** élevée en fût de chêne (3 à 5 €) obtient également une étoile. Elle séduit par sa bouche ronde et grillée, aux tanins sages. Réglisse et caramel signent une finale douce et harmonieuse.

✦ EARL Vignobles Dufourg, Ch. Haut-Marchand,
33760 Targon, tél. 05.56.23.90.16, fax 05.56.23.45.30,
e-mail vignoblesdufourg @ wanadoo.fr ☑ ⍳ r.-v.

CH. HAUT-MAZIERES 2000★

■   n.c.   174 000   ▥   5 à 8 €

Les terrains argileux à forte proportion en calcaire expliquent en partie l'élegance et la finesse des vins de ce château. Celui-ci compose un bouquet attachant avec des notes de fruits confits et de mûre. Rondeur et souplesse caractérisent la bouche ; les arômes fruités (framboise) se marient bien à une pointe de cannelle. Un 2000 bien fait qui accompagnera dès aujourd'hui un plat régional, comme une caille farcie.

✦ Union de producteurs de Rauzan, L'Aiguilley,
33420 Rauzan, tél. 05.57.84.13.22, fax 05.57.84.12.67,
e-mail cavesderauzan @ cavesderauzan.com ☑ ⍳ r.-v.

CH. HAUT-MEDOU 2000★

■   36,67 ha   311 500   ▮⌣   5 à 8 €

La robe bigarreau, intense, annonce bien le plaisir que l'on éprouvera à humer le bouquet riche en notes estivales : cassis, groseille. Le corps harmonieux et rond trouve un soutien tannique qui n'entame en rien son élégance. Un soupçon de kirsch s'inscrit dans la finale soyeuse. Une petite garde suffira à épanouir ce vin.

✦ Grands Vins de Gironde, Dom. du Ribet, BP 59,
33451 Saint-Loubès Cedex, tél. 05.57.97.07.20,
fax 05.57.97.07.27, e-mail gvg @ gvg.fr
✦ SCEA CSA

CH. HAUT-MONDAIN 1999

■   8 ha   30 000   ▥   3 à 5 €

Sur les pentes vallonnées qui dominent la cité des ducs d'Epernon, la famille Yung exploite de longue date un important vignoble à dominante de merlot. Cette cuvée livre un nez intense et fin à la fois. Puissant et doté de flaveurs fruitées, ce vin possède des tanins polis. Il fait déjà honneur à une table bien garnie, mais peut aussi se garder trois ou quatre ans.

✦ SCEA Charles Yung et Fils, 8, chem. de Palette,
33410 Béguey, tél. 05.56.62.94.85, fax 05.56.62.18.11
☑ ⍳ r.-v.

CH. HAUT-MONTAURAN 2000★

■   8,2 ha   10 000   ▮   3 à 5 €

Un coup de maître pour cette première mise en bouteilles au château. Ce bordeaux rubis à reflets violacés offre une symphonie d'arômes de fruits rouges. En bouche, tout est justement dosé : la vivacité et les tanins s'équilibrent grâce à la rondeur de la matière. A servir sur une poularde en croûte de sel.

✦ Ludovic Roussillon, Le Coin, 33420 Jugazan,
tél. 05.57.84.03.23, fax 05.57.84.03.23 ☑ ⍳ r.-v.

CH. HAUT PEYRUGUET 2000

■   26 ha   200 000   ▮⌣   3 à 5 €

La famille Jolivet a produit un vin franc et sans ambages, appétant dès le regard. Grenat brillant, ce 2000 laisse au nez comme en bouche le souvenir d'un raisin gorgé de soleil, concentré, évoquant le raisiné. Charnu à souhait, il l'enveloppe si bien ses tanins qu'il semble superflu d'attendre plus longtemps pour le servir.

✦ Jean-Marc Jolivet, Ch. Saint-Florin, 33790 Soussac,
tél. 05.56.61.31.61, fax 05.56.61.34.87 ☑ ⍳ r.-v.

CH. JULIAN 2000★

■   23 ha   196 000   ▮⌣   3 à 5 €

Elaboré en plein pays de Benauge, entre une ancienne forteresse militaire et une abbatiale médiévale, ce vin porte toute la noblesse de sa terre d'origine. Grenat à reflets carminés, il décline des arômes frais et intenses d'humus, de mousse, de fruits à noyau. Après une attaque souple et nette, sa bouche délivre de beaux tanins qui signent la dominante du cabernet-sauvignon dans l'assemblage. Une bouteille à boire dans les deux ou trois ans à venir.

✦ SC Ch. Julian, Grand-Jean, 33760 Soulignac,
tél. 05.56.23.69.16, fax 05.57.34.41.29,
e-mail julian.vignobles @ wanadoo.fr ⍳ r.-v.

LAFITE BARONS DE ROTHSCHILD

Réserve spéciale 1999

■   n.c.   500 000   ▮⌣   5 à 8 €

Du charme dans cette Réserve spéciale élaborée pour séduire. Sa robe d'un pourpre éclatant annonce un bouquet aux tonalités fraîches de groseille et de genêt. Des notes plus intenses de pruneau et de fruits compotés s'y mêlent. La bouche fondue prolonge l'impression de fruité jusque dans une finale persistante et veloutée. A boire sans plus attendre.

� Les Domaines barons de Rothschild (Lafite distribution), 40-50, cours du Médoc, 33000 Bordeaux, tél. 05.57.57.79.79, fax 05.57.57.79.80

LE BORDEAUX DE LEBEGUE 2000

| ■ | 7 ha | 40 000 | ⦀ | 5 à 8 € |

La maison Lebègue, une fois et demie centenaire, signe ses étiquettes d'une diagonale rouge. Elle démontre son savoir-faire en matière d'élevage dans cette toute récente marque. Le 2000 doit sans doute à une dominante de merlot (deux tiers de l'encépagement) sa rondeur et cette touche chaleureuse, animale et musquée. Le boisé bien dosé s'allie à des tanins soyeux. Ce vin très mûr accompagnera les viandes rouges grillées comme les fromages secs dès aujourd'hui.

� J. Lebègue et Cie, BP 100, 33330 Saint-Emilion, tél. 05.57.55.58.00, fax 05.57.74.18.47, e-mail contact@moueix-lebegue.com

CH. LESTOURS 2000

| ■ | 2 ha | 10 000 | ▮◢ | 5 à 8 € |

Issu du seul merlot, ce vin habillé d'une robe rouge intense laisse deviner un bouquet de mûre et de prune noire. Solide en attaque, rehaussée de tanins pleins d'ardeur, la bouche évoque le gibier et la truffe, puis s'achemine vers des arômes d'écorce légèrement poivrés. La complexité aromatique l'emporte sur la charpente pour inviter à une dégustation dans deux ans à peine.

� SCEA Ch. de Virazel, au Château, 33190 Saint-Hilaire-de-la-Noaille, tél. 05.56.61.27.05, fax 05.56.61.27.05, e-mail chateaulestours@libertysurf.fr
☑ Ⴏ r.-v.
� Nicole et Hervé Lucot

CH. LEYTRIE 2000★

| ■ | 6 ha | 4 000 | ▮ | 3 à 5 € |

Cette cuvée, jouant de son charme, ne se dévoile pas d'emblée. Mais si son nez ne s'est pas encore totalement ouvert, sa bouche voluptueuse livre sans retenue les caractères du merlot dominant (90 %) : rondeur d'une matière aux arômes de truffe et de cuir, évoluant vers les épices (réglisse) qui ajoutent encore à la sensation de gras et de générosité. Les tanins, en bonne complicité, participent à la réussite de ce vin.

� EARL Roberts, 1, La Longa, 33240 Verac, tél. 05.57.84.81.57, fax 05.57.84.81.57, e-mail earlroberts@free.fr ☑ Ⴏ r.-v.

CH. DE LOS 2000★

| ■ | 6 ha | 35 000 | ▮ | 3 à 5 € |

70 % de merlot planté sur graves ont donné ce vin expressif. Il séduit par sa robe prune et limpide, ses parfums de raisin mûr qui se prolongent sur une note chaude de cassis. Savoureuse et puissante, une bouteille à ouvrir sur une entrecôte à la bordelaise.

➴ Frédéric Signé, 505, Petit-Moulin-Sud, 33760 Arbis, tél. 05.56.23.93.22, fax 05.56.23.45.75, e-mail signevignobles@wanadoo.fr ☑ Ⴏ r.-v.

MAITRE D'ESTOURNEL 2000

| ■ | n.c. | n.c. | ▮◢ | 5 à 8 € |

Cette marque créée en 1970 rend hommage à Louis Gaspard d'Estournel, fondateur du célèbre château Cos d'Estournel. Les trois grands cépages s'affichent dans la robe de velours incarnat comme dans le bouquet fin et mûr, aux nuances poivrées. La matière ronde et fruitée

enveloppe le palais. Elle se heurte à ce jour à quelques tanins encore saillants, mais ceux-ci s'arrondiront au terme de deux ou trois ans de garde.

➴ Domaines Prats, 33180 Saint-Estèphe, tél. 05.56.73.15.50, fax 05.56.59.72.59, e-mail administration@estournel.com Ⴏ r.-v.

CH. MALARTIC LAURIOL
Cuvée Prestige 1999★

| ■ | 3 ha | 14 000 | ⦀ | 5 à 8 € |

Cette cuvée Prestige est le fruit d'un assemblage à large dominante de merlot. Son élevage a été mené de manière traditionnelle ; les opérations de collage ou de filtration ont été supprimées ou réduites. Ainsi est-elle l'expression authentique du fruit de la vigne. Elle livre des arômes subtils et fondus, une bouche souple et soyeuse qui finit sur la cannelle et la brioche beurrée.

➴ EARL vignobles Menaut, 5, la Font-de-l'Ourme, 33420 Grézillac, tél. 05.57.84.52.11, fax 05.57.84.52.11
☑ Ⴏ r.-v.
➴ GFA La Font de l'Ourme

CH. MALBEC 2000★

| ■ | 21 ha | 165 700 | ▮⦀◢ | 5 à 8 € |

Le nom de ce château évoque un cépage peu courant en Gironde, qui représente 4 % de cet assemblage. Puissant, plein de fruits, riche de notes déjà évoluées, celui-ci possède un bon équilibre. La bouche attaque en douceur, puis évolue sur une trame de tanins serrés qui portent loin la finale sur la cerise confite.

➴ Castel Frères, 21-24, rue Georges-Guynemer, 33290 Blanquefort, tél. 05.56.95.54.00, fax 05.56.95.54.20

CH. LA MAUBERTE 2000★

| ■ | 20,93 ha | 177 600 | ▮◢ | 5 à 8 € |

Au Moyen Age, la vigne n'était plantée qu'à l'ombre du Castrum de Burdigala. De nos jours, même les terroirs les plus extrêmes produisent un authentique vin de Bordeaux, à l'exemple de ce château situé à Landerrouat et dont les coteaux viticoles regardent le Lot et la Garonne. Une teinte légèrement tuilée et un nez réglissé signent ce millésime. Au palais, le vin reste sur le même ton, en y ajoutant des arômes d'amande grillée. Les tanins s'étant déjà fondus, la finale se fait suave. Un poisson grillé aux fines herbes serait de bonne compagnie.

➴ Grands Vins de Gironde, Dom. du Ribet, BP 59, 33451 Saint-Loubès Cedex, tél. 05.57.97.07.20, fax 05.57.97.07.27, e-mail gvg@gvg.fr
➴ SCEA La Mauberte

CH. LA MOTHE DU BARRY 2000★

| ■ | 9 ha | 80 000 | ▮◢ | 3 à 5 € |

Les amateurs de vins concentrés auront plaisir à goûter cette cuvée presque exclusivement issue du merlot cultivé sur pentes argilo-graveleuses. Vêtue d'une robe épaisse aux replis violacés, elle offre un fruit intense, presque confituré. Le volume de la bouche, son gras et sa chair ronde traduisent une vendange parfaitement mûre. Parce que les tanins sont encore très présents, attendez une année avant d'ouvrir cette bouteille.

➴ Joël Duffau, Les Arromans n°2, 33420 Moulon, tél. 05.57.74.93.98, fax 05.57.84.66.10, e-mail lamothed@club-internet.fr
☑ Ⴏ t.l.j. sf dim. 8h-12h 14h-19h

CH. LA MOTHE DU BARRY

Cuvée Le Barry 2000★★★

| ■ | 3 ha | 15 000 | ❶❶ | 5 à 8 € |

2000
LE BARRY
JOËL ET ISABELLE DUFFAU
PROPRIÉTAIRES A MOULON - GIRONDE - FRANCE

Cette toute jeune cuvée est la dernière-née de la vaste gamme de ce château. Incarnat brillant, elle dévoile un bouquet intense de fruits très mûrs. Dans une bouche complexe et riche, l'humus et la truffe prennent le pas sur les arômes du verger. Le corps rond et velouté est soutenu par de beaux tanins, tandis qu'une agréable douceur (caramel) ajoute au plaisir final de ce vin de garde à servir sur des gibiers.

🖝 Joël Duffau, Les Arromans n°2, 33420 Moulon, tél. 05.57.74.93.98, fax 05.57.84.66.10, e-mail lamothed@club-internet.fr ☑ ☖ t.l.j. sf dim. 8h-12h 14h-19h

CH. MOTTE MAUCOURT

Vieilli en fût de chêne 2000★

| ■ | 10 ha | 10 000 | ❶❶ | 5 à 8 € |

A Saint-Genis-du-Bois, visitez la minuscule église du XIIᵉs., puis allez taquiner la tanche et le vairon dans l'Eugranne toute proche. Terminez l'après-midi à la Motte Maucourt pour goûter ce millésime. Rubis brillant, le vin dispense sans compter ses arômes fruités aux nuances épicées. Sa chair savoureuse et dense se prolonge généreusement sur des flaveurs gourmandes de cassis et de pruneau. Du plaisir en bouteille, à conserver longuement à l'ombre de sa cave.

🖝 Vignobles Villeneuve, 33760 Saint-Genis-du-Bois, tél. 05.56.71.54.77, fax 05.56.71.64.23 ☑ ☖ t.l.j. sf dim. 9h-12h 14h-18h

CH. MOULIN DE PONCET

Emotion 2000★

| ■ | 2 ha | 12 000 | ❶❶ | 8 à 11 € |

Grenat foncé, ce bordeaux évoque les agrumes et la figue sèche sur un fond discrètement grillé. Sa bouche volumineuse accueille des arômes de bonne intensité, marqués par des caractères boisés et torréfiés soulignés d'humus. L'ensemble est bien équilibré, mais les tanins encore un peu anguleux demandent un peu de temps pour se fondre totalement.

🖝 Vignobles Philippe Barthe, Peyrefus, 33420 Daignac, tél. 05.57.84.55.90, fax 05.57.74.96.57, e-mail vbarthe@club-internet.fr ☑ ☖ r.-v.

CH. MOUSSEYRON 2000★

| ■ | 18 ha | 50 000 | ■☖ | 3 à 5 € |

Un assemblage de 70 % de cabernets et de 30 % de merlot, apte à un bon vieillissement. Riche en arômes de fruits rouges mûrs, il présente une bouche expressive et puissante, rehaussée de poivre et de girofle. La structure tannique s'impose vite : elle mérite de s'assagir au cours de trois ou quatre ans de garde.

🖝 Jacques Larriaut, Jean-Redon, 33490 Saint-Pierre-d'Aurillac, tél. 05.56.76.44.53, fax 05.56.76.44.04 ☑ ☖ r.-v.

MOUTON CADET 1999★

| ■ | n.c. | n.c. | ■ | 8 à 11 € |

Ce vin bien construit démontre que le prestige d'une grande marque ne s'appuie pas seulement sur le marketing. Vêtu d'une robe grenat intense et brillant, il offre la séduction d'un fruit mûr et épicé. La cerise et la prune d'Ente s'inscrivent dans une bouche charnue, aux tanins lissés, annonçant une finale puissante. Cette bouteille ne déméritera pas durant les trois ou quatre années à venir.

🖝 Baron Philippe de Rothschild SA, BP 117, 33250 Pauillac, tél. 05.56.73.20.20, fax 05.56.73.20.44, e-mail webmaster@bphr.com

CH. LES MURAILLES 2000★

| ■ | 4 ha | 27 000 | ■☖ | 3 à 5 € |

La famille Garzaro a hérité du savoir-faire de quatre générations de viticulteurs et conduit en culture raisonnée un vignoble de 70 ha. Sa cuvée s'habille d'une robe pourpre intense. Son bouquet complexe révèle tour à tour le fruit du raisin et les épices. La bouche encore un peu « musclée » libère des notes épicées savoureuses. La finale vanillée se développe harmonieusement, accompagnée de tanins que deux ou trois ans de garde assagiront.

🖝 EARL Vignobles Garzaro, Ch. Le Prieur, 33750 Baron, tél. 05.56.30.16.16, fax 05.56.30.12.63, e-mail garzaro@vingarzaro.com ☑ ☗ ☖ r.-v.

CH. LE NOBLE 2000★

| ■ | 23 ha | 130 000 | ■☖ | 5 à 8 € |

Rouge sombre, tirant sur le pruneau et le raisiné, ce vin évoque bien le merlot. Dans sa bouche à la trame fine et serrée, le retour aromatique ne tarde pas : une alliance d'arômes d'iris, de violette et de fruits du verger. Flatteuse, facile à boire, cette bouteille peut être mise à table sans aucun délai de convenance.

🖝 Maison Sichel, 8, rue de la Poste, 33210 Langon, tél. 05.56.63.50.52, fax 05.56.63.42.28

DOM. DE PUYRENARD 2000★

| ■ | 6 ha | 9 000 | ■ | 3 à 5 € |

Pourpre à nuances bleutées, ce vin séduit par son nez complexe où cassis et mûre se sont donné rendez-vous. Les flaveurs confites de pruneau viennent enrichir une bouche savoureuse, corsée qui finit amplement. A accompagner de mets relevés : gibier, canard à l'orange.

🖝 SCEA du Ch. Coudreau, vignobles Henri-Vacher, 1, rte de Robin, 33910 Saint-Denis-de-Pile, tél. 06.82.17.85.28, fax 05.57.74.26.77, e-mail chateau.coudreau@laposte.net ☑ ☖ r.-v.

CH. DE RIVERET

Vieilli en barrique 2000★

| ■ | 16 ha | 136 500 | ■☖ | 3 à 5 € |

Acquis par la famille Carl, également propriétaire du château de Seguin, ce domaine très ancien possède un chai vénérable dans lequel ont mûri nombre de millésimes prestigieux. Celui-ci se distingue par sa robe sombre à reflets violacés et son nez de menthol et de fruits rouges.

Gras et complexe, il joue sur les fruits macérés et emplit bien la bouche de sa matière. Il grandira encore lorsque ses tanins se seront un peu adoucis.

➤ Michael et Gert Carl, SCI Ch. de Seguin, 33360 Lignan-de-Bordeaux, tél. 05.57.97.19.75, fax 05.57.97.19.72, e-mail info@chateau-seguin.fr ☑ Ⴒ r.-v.

CH. ROBERPEROTS
Elevé en fût de chêne 2000★

■	30,14 ha	n.c.	ⅠⅠ 3 à 5 €

Intensément pourpre à reflets violacés, ce bordeaux livre un nez complexe de fruits rouges mûrs, d'humus et de pain d'épice. Son corps puissant et gras évoque le raisin, tout en s'appuyant sur une trame solide de tanins denses. Une cuvée qui atteindra sa plénitude dans deux ou trois ans.

➤ Prodiffu, 17-19, rte des Vignerons, 33790 Landerrouat, tél. 05.56.61.33.73, fax 05.56.61.40.57, e-mail prodiffu@prodiffu.com

CH. ROQUEFORT
Roquefortissime 2000★★

■	2,1 ha	6 000	ⅠⅠ 8 à 11 €

Les buts de visite ne manquent pas à Lugasson : la vieille église fortifiée à cinq arcs en plein cintre, le site néolithique, le cimetière mérovingien... et le château Roquefort. Celui-ci a produit ce vin aux arômes fins et complexes, évocateurs de fruits confits, de cacao, de réglisse. La bouche gourmande, charnue et pleine s'agrémente d'un boisé noble et de tanins bien fondus. « Parfait ! », conclut un des experts. Et le grand jury de confirmer : « classé premier coup de cœur ». Cette bouteille peut être servie dès maintenant, mais se conserve encore six à huit ans.

➤ Ch. Roquefort, 33760 Lugasson, tél. 05.56.23.97.48, fax 05.56.23.51.44, e-mail chateau-roquefort@wanadoo.fr ☑ Ⴒ r.-v.
➤ F. Bellanger

CH. LA ROSE SAINT-GERMAIN 2000

■	n.c.	n.c.	■ ♦ 5 à 8 €

Vinifiée de manière traditionnelle et dominée par le cabernet-sauvignon, cette cuvée représente bien le type bordeaux. Un joli fruité de cassis et de cerise fait place à une pointe animale au nez, tandis qu'en bouche la matière vineuse s'accommode de tanins francs de goût. Rendez-vous dans deux petites années pour redécouvrir cette bouteille.

➤ Vins de Crus, 60, bd Pierre-1er, 33000 Bordeaux, tél. 05.56.52.53.06, fax 05.56.44.81.01, e-mail mostermans.mas@wanadoo.fr Ⴒ r.-v.
➤ Vignobles Ducourt

DOM. DU ROUYET 2000★★

■	2 ha	13 000	■ ♦ 3 à 5 €

La côte argilo-sableuse dont ce bordeaux est issu lui a légué son caractère. D'un rouge franc festonné de reflets grenat, il est passé près du coup de cœur. Il surprend par la maturité de son fruité : mûre et cassis. Sa bouche marie harmonieusement des tanins encore vigoureux et de subtiles saveurs épicées. Sa charpente lui assure une longue garde.

➤ SCEA du dom. du Rouyet, 33240 Lalande-de-Fronsac, tél. 05.57.58.17.59, fax 05.57.58.17.59 ☑ Ⴒ t.l.j. 9h-12h 14h-18h
➤ S. Etourneaud

CH. SAINT-ANTOINE
Réserve du Château 2000★

■	70 ha	400 000	■ ♦ 5 à 8 €

Ce vaste domaine de 100 ha bénéficie de sols argilo-calcaires complantés de merlot, de cabernet franc et de cabernet-sauvignon. A majorité de merlot (55 %), ce vin séduit par son bouquet de fruits rouges, de cerise à l'eau-de-vie. D'une structure bien fondue, le corps allie finesse et puissance. Il finit sur une note tendre et harmonieuse.

➤ SCE Vignobles Aubert, Ch. La Couspaude, 33330 Saint-Emilion, tél. 05.57.40.15.76, fax 05.57.40.10.14, e-mail vignobles.aubert@wanadoo.fr ☑

CH. DES SEIGNEURS DE POMMYERS 2000★

■	9 ha	25 000	■ ♦ 5 à 8 €

Du haut des tours de ce château construit avant la guerre de Cent ans, la vue embrasse un vignoble séculaire dont le roi Edouard d'Angleterre appréciait déjà les vins. Quelque sept cents ans plus tard, les dégustateurs affirment que la cuvée du domaine n'a pas démérité et que les méthodes d'agriculture biologique lui réussissent. Sans être totalement ouvert, le nez offre un agréable fruité sur fond de sous-bois et d'humus. La bouche attaque avec finesse et souplesse, puis dévoile sa charpente enrobée d'une matière riche et ample.

➤ Jean-Luc Piva, Ch. des Seigneurs de Pommyers, 33540 Saint-Félix-de-Foncaude, tél. 05.56.71.65.16, fax 05.56.71.61.82 ☑ Ⴒ r.-v.

CH. DU SIRON 2000

■	42,73 ha	336 000	■ 3 à 5 €

En 1993, Claude Miller choisit le cadre de cette exploitation de près de 47 ha pour y tourner son film Le Sourire, avec Jean-Pierre Marielle. Metteur en scène comme acteurs ont pu apprécier la gamme de vins. Celui-ci offre des arômes d'amande et de fruits rouges à noyau (cerise confite) qu'il marie à des nuances persistantes d'humus et de sous-bois. Fin et friand, il charme par son retour fruité qui invite à une dégustation prochaine.

➤ Pierre Ginelli, EARL Ch. du Siron, Le Siron, 33490 Saint-Martin-de-Sescas, tél. 05.56.76.44.79, fax 05.56.76.43.10, e-mail pierre.ginelli@wanadoo.fr ☑ Ⴒ r.-v.

TERRE RECONNUE 2000★

■	20 ha	130 000	ⅠⅠ 5 à 8 €

Cette cuvée de marque compose dans sa version 2000 une douce symphonie d'arômes floraux et fruités : framboise et cerise se mêlent à la fraîcheur de la violette et du

muscaris. La bouche grasse, en accord avec la robe d'un rouge profond, s'achemine vers une finale élégamment vanillée, laissant un plaisant souvenir de brioche dorée.
🔹 SA Milhade, 6, Daupin, 33133 Galgon, tél. 05.57.55.48.90, fax 05.57.84.31.27

CH. TIRE PE
La Côte 2000★

■	3 ha	18 000	◫	8 à 11 €

Pleine de vivacité et de fraîcheur, cette cuvée n'a pas encore fait évoluer ses arômes primaires en bouquet, mais les atouts de la jeunesse sont là. Ce vin se glisse en douceur sous le palais, sur un fond finement torréfié. Les tanins n'apparaissent qu'en finale, encore un peu austères. Une bouteille à boire sur son fruit ou à attendre deux ou trois ans pour que jeunesse se passe.
🔹 David Barrault, Ch. Tire Pé, 33190 Gironde-sur-Dropt, tél. 05.56.71.10.09, fax 05.56.71.10.09, e-mail tirepe@aol.com ☑ ⌇ r.-v.

CH. TOUDENAC 2000★

■	15 ha	120 000	▮⬗	5 à 8 €

Ce vin pourpre à reflets violets offre un bouquet assez complexe relevant à la fois du végétal (fougère, tabac) et de l'épice. La chair généreuse reprend les tonalités épicées sur un fond de tanins en passe de s'assouplir. A déguster d'ici deux à quatre ans.
🔹 SCE Vignobles Aubert, Ch. La Couspaude, 33330 Saint-Emilion, tél. 05.57.40.15.76, fax 05.57.40.10.14, e-mail vignobles.aubert@wanadoo.fr ☑

CH. TOUR DE BIOT
Cuvée Vieilles vignes 2000

■	3 ha	20 000	◫	5 à 8 €

Gilles Gremen a sélectionné trois de ses 20 ha pour produire cette bouteille marquée par le merlot (60 %). Le nez de cassis, aux nuances réglissées, se prolonge accompagné des senteurs torréfiées d'un merrain de bonne origine. Le fruit ressort dans une bouche équilibrée, mais encore marquée par l'empreinte boisée. Un ou deux ans suffiront à parfaire cette harmonie naissante.
🔹 Gilles Gremen, EARL La Tour Rouge, 33220 La Roquille, tél. 05.57.41.26.49, fax 05.57.41.29.84 ☑ ⌇ r.-v.

CH. LE TREBUCHET
Elevé en fût de chêne 1999★

■	2 ha	10 000	◫	5 à 8 €

Remarqué pour son crémant 99, coup de cœur du Guide 2002, ce château se distingue également en vins tranquilles. Son bordeaux élevé dix mois en fût s'habille d'une robe incarnat, légèrement transparente. Son nez délicat évoque la violette, la rose fanée et la cannelle, arômes qui se retrouvent en bouche pour un doux mariage dans une trame satinée. Le boisé très mesuré permet de déguster ce vin dès aujourd'hui.
🔹 Bernard Berger, Ch. Le Trébuchet, 33190 Les Esseintes, tél. 05.56.71.42.28, fax 05.56.71.30.16 ☑ ⌇ t.l.j. sf dim. 8h-12h 14h-18h

ELISABETH TROCARD 2000★

■	n.c.	20 000	▮⬗	3 à 5 €

C'est un panier de fruits rouges que nous offre dans cette cuvée Elisabeth Trocard, sûrement experte en es-

sences estivales : prunelle, baies sauvages et gamme d'arrière-saison forment un bouquet dont la bouche a retenu quelques flaveurs. Sur un discret fond minéral, le vin conserve son caractère et se prolonge dans une finale assez longue.
🔹 Cellier des Charmettes, le Bourg, 33570 Les Artigues-de-Lussac, tél. 05.57.55.57.99, fax 05.57.55.57.98, e-mail contact@trocard.com ☑ ⌇ r.-v.
🔹 Elisabeth Trocard

LES TROIS COLONNES 2000★

■	n.c.	600 000	▮ 3 à 5 €

Frédéric Salin gère une maison familiale fondée au lendemain de la Révolution et regroupant quelques étiquettes typiquement girondines. Celle-ci offre sous une teinte prune à reflets fauves un nez de fruits rouges mûrs. Rustique et cependant racée, la bouche séduit par ses notes de noyau de cerise. La finale encore ferme, mais longue, pourrait faire un clin d'œil à un solide civet de sanglier.
🔹 Frédéric Salin, 8, rue Descartes, 33290 Blanquefort, tél. 05.56.95.28.22, fax 05.56.95.24.72, e-mail salin@salin-bordeaux.com

TUTIAC 2000★

■	100 ha	150 000	▮⬗	5 à 8 €

Fruit d'une politique qualitative ambitieuse, Tutiac est aussi relevé dans son nez que par sa robe qui étincelle de reflets carminés. Ce vin très rond et caressant se plaît bien au palais. Veloutés, les tanins accompagnent une impression persistante de fruits rouges légèrement confits.
🔹 Cave des Hauts de Gironde, La Cafourche, 33860 Marcillac, tél. 05.57.32.48.33, fax 05.57.32.49.63, e-mail contact@tutiac.com
☑ ⌇ r.-v.; magasin t.l.j. sf dim. 8h-12h 14h-16h

DOM. DE VALMENGAUX 2000★

■	n.c.	5 500	◫	15 à 23 €

Issu de 80 % de merlot, complété par les deux cabernets, ce bordeaux revêt une robe rubis à reflets violines. Son nez délicat fait la part belle aux fruits noirs (mûre et cassis), qui alternent avec des notes de terre humide et de champignon. La bouche ample aux tanins de velours finit sur des notes de torréfaction, de vanille et de moka. Un vin à suivre sur les trois prochaines années.
🔹 Vincent et Béatrice Rapin, 7, Godineau, 33240 Vérac, tél. 06.15.42.39.12, fax 05.57.74.46.19, e-mail vincent.rapin@libertysurf.fr

DOM. DU VIEIL ORME 2000

■	2 ha	16 000	▮⬗	3 à 5 €

Sous cet orme vénérable, la comtesse de ces lieux rendait autrefois justice. Il est juste de citer ce vin apte à être servi dès aujourd'hui tant il est ample, charnu, équilibré déjà. Le nez et la bouche s'inscrivent dans la même gamme aromatique : la figue sèche et les agrumes prédominent, tandis que le raisin surmûri et passerillé accompagne une finale très douce, presque moelleuse.
🔹 Jean-Pierre Peyrondet, 2, Oustaouneou, 33760 Saint-Pierre-de-Bat, tél. 05.56.23.93.96, fax 05.57.33.40.17, e-mail ppbx@hotmail.com
☑ ⌇ t.l.j. sf dim. 9h-18h

VIEUX CHATEAU RENAISSANCE 2000★

■	30 ha	30 000	▮⬗	5 à 8 €

Vêtu de rouge frangé de nuances orangées, ce vin évoque la prune et la cerise avant de proposer sa matière ample et fruitée, bien orchestrée par des tanins vigoureux. Une bouteille à boire dès cette année, mais que vous pourrez suivre dans le temps.

⌖ J.C. Turtaud, 33230 Saint-Sulpice-Pommiers, tél. 05.57.55.58.00, fax 05.57.74.18.97, e-mail contact@moueix-lebegue.com

LE VIEUX MOULIN 2000★

| ■ | | n.c. | 300 000 | ■↓ | 5 à 8 € |

C'est là un vin dans la grande tradition du négoce bordelais dont l'étiquette rappelle un temps où les céréales couvraient en Gironde autant de terre que la vigne. Cette marque presque centenaire démontre la permanence de l'aptitude au vieillissement qui caractérise les productions girondines. Dans ce millésime 2000, les notes fruitées et un très bon équilibre accompagnent toute la dégustation jusqu'à une finale longue et moelleuse.

⌖ SA Mähler-Besse, 49, rue Camille-Godard, 33000 Bordeaux, tél. 05.56.56.04.30, fax 05.56.56.04.59, e-mail france@mahler-besse.com ☑ ⊻ r.-v.

CH. VILLOTTE 2000★

| ■ | | 23,87 ha | 64 000 | ■↓ | 3 à 5 € |

L'Union des producteurs de Rauzan met en scène le château Villotte qui associe 65 % de merlot à 23 % de cabernet franc et à 12 % de cabernet-sauvignon. D'une bonne vinosité, le corps charnu et ample enveloppe des tanins de raisin bien ronds et se prolonge dans une finale douce où se fondent fruits et épices. A boire dès la sortie du Guide.

⌖ Union de producteurs de Rauzan, L'Aiguilley, 33420 Rauzan, tél. 05.57.84.13.22, fax 05.57.84.12.67, e-mail cavesderauzan@cavesderauzan.com ☑ ⊻ r.-v.
⌖ Denis Baro

CH. LA VINCETTE 2000★

| ■ | | 7 ha | 46 660 | ■ | 5 à 8 € |

Il était une fois une cuvée née au cœur des croupes viticoles de Bellevue, à l'extrême est de la Gironde. Non loin de là, le château du Puch de Gensac fut témoin des guerres de Cent ans. Un nez doux et fin, aux notes réglissées, invite à découvrir la bouche souple et charnue. La violette et la réglisse envahissent le palais.

⌖ André Quancard-André, chem. de la Cabeyre, 33240 Saint-André-de-Cubzac, tél. 05.57.33.42.42, fax 05.57.33.42.05, e-mail aqa@andrequancard.com
⌖ SCEA Vincette

Bordeaux clairet

CH. BELLEVUE LA MONGIE 2001★★

| ■ | | 1 ha | 8 000 | ■↓ | 3 à 5 € |

Le château Bellevue La Mongie a de la ressource et voit passer dans ce Guide toutes ses productions les unes après les autres. Ici, c'est le clairet qui est à l'honneur avec un coup de cœur admiratif du grand jury unanime. Robe très soutenue, comme il se doit, nez explosif de framboise et de cassis, étonnant de puissance aromatique. Le merlot (ici dominant : 80 %) apporte rondeur et moelleux et fait donner en finale une plaisante note exotique.

⌖ Michel Boyer, Ch. Bellevue La Mongie, 33420 Génissac, tél. 05.57.24.48.43, fax 05.57.24.48.63, e-mail boyer.michel@worldonline.fr ☑ ⊻ r.-v.

LE CLAIRET DU CH. DU GRAND-MOUEYS 2001★

| ■ | | n.c. | 12 600 | ■↓ | 3 à 5 € |

C'est une longue macération à froid de plusieurs jours qui a donné sa puissance à ce clairet d'une belle teinte rose pourpre. Tous les fruits de l'automne embaument le nez et se retrouvent dans une bouche à la chair généreuse et dense, avivée par un léger perlant. Noisette et amande douce collaborent efficacement dans une finale harmonieuse et longue.

⌖ SCA Les Trois Collines, Ch. du Grand Mouëys, 33550 Capian, tél. 05.57.97.04.44, fax 05.57.97.04.60, e-mail cavif.gm@ifrance.com ☑ 🏠 ⊻ r.-v.

CH. PENIN 2001★

| ■ | | n.c. | 40 000 | ■↓ | 5 à 8 € |

Le clairet du château Penin conserve son étoile avec ce millésime 2001 et confirme ainsi l'intérêt d'une fermentation à très basse température, suivie d'un élevage sur lie. Cerise écrasée et fraise des bois additionnent leurs séductions au nez comme en bouche, et quelques tanins légers et savoureux viennent soutenir une chair moelleuse.

⌖ SCEA Patrick Carteyron, Ch. Penin, 33420 Génissac, tél. 05.57.24.46.98, fax 05.57.24.41.99, e-mail vignoblescarteyron@wanadoo.fr ☑ ⊻ r.-v.

CH. PIOTE-AUBRION 2001

| ■ | | 0,35 ha | 2 500 | ◖| 5 à 8 € |

Ce bordeaux clairet est une œuvre « d'amateurs » dans le bon sens du terme, travaillant avec amour (et respect de la nature) une toute petite parcelle de vieilles vignes. L'élégance de ses arômes de raisin très mûr séduit, de même que la souplesse d'une bouche où le fruit se croque à pleines dents. Des senteurs de sous-bois renforcent l'agrément de ce clairet rond, bien construit, très agréable.

⌖ Virginie Aubrion, Dom. de Piote, 33240 Aubie-Espessas, tél. 05.57.43.96.10, fax 05.57.43.96.10, e-mail chateau.piote-aubrion@wanadoo.fr ☑

PREMIUS CLAIRET 2001★

| ■ | | n.c. | 50 000 | ■↓ | 3 à 5 € |

La transparence rose pourpre de ce clairet est l'un de ses atouts, auquel s'ajoute un bouquet intense où se mêlent pâte de fruits, litchi et mangue. Le corps est séveux et vif : les tanins forment un bon équilibre avec un vin suffisamment corpulent pour assurer durablement une finale tonique et harmonieuse.

BORDELAIS

⌐ SA Yvon Mau, BP 1, 33190 Gironde-sur-Dropt,
tél. 05.56.61.54.54, fax 05.56.61.54.61,
e-mail jpmau@yvonmau.fr ⊤ r.-v.

CH. ROQUEBERT 2001

	15 ha	32 000	🍷↓	3 à 5 €

Les clairets de Quinsac sont célèbres à Bordeaux, et celui-ci en est une bonne illustration, avec sa teinte rose pourpre et son nez intense de fruits blancs (pêche, poire). Son attaque a juste assez de fraîcheur pour ne pas nuire à l'opulence d'une chair caressante au palais, conservant jusqu'au bout une saveur finement réglissée.
⌐ Christian Neys, Ch. Roquebert, 33360 Quinsac,
tél. 05.56.20.84.14, fax 05.56.20.84.14
☑ ⊤ t.l.j. sf sam. dim. 10h-12h 14h-18h

LES VIGNERONS DE SAINT-MARTIN 2001★★

	1,32 ha	12 000	🍷↓	3 à 5 €

Les Vignerons de Saint-Martin ont tiré le meilleur de leur merlot (à l'exclusion de tout autre cépage) pour ce clairet aussi vif de couleur que de caractère. La fraise des bois et la prune noire voisinent au nez comme en bouche et agrémentent une trame fondue, équilibrée et très mûre. Une touche de venaison vient renforcer l'onctuosité d'une finale volumineuse et longue. Le coup de cœur n'est pas loin...
⌐ Cave coop. vinicole de Génissac,
Les Vignerons de Génissac, 54, le Bourg,
33420 Génissac, tél. 05.57.55.55.65, fax 05.57.55.11.61,
e-mail cave.genissac@wanadoo.fr ☑ ⊤ t.l.j. sf dim.
9h-12h 14h-18h; sam. 9h-12h; groupes sur r.-v.

CH. LE TREBUCHET 2001★

	0,5 ha	3 000	🍷↓	3 à 5 €

Tout le talent de ce 2001 vient d'un pur cabernet-sauvignon né sur argilo-calcaire, vinifié avec art. Une robe grenat à franges violacées, un nez expressif mariant bien le chèvrefeuille et l'aubépine à la cannelle et au pain d'épice. Le corps est rond, dense et d'une bonne vinosité. Il fera des heureux.
⌐ Bernard Berger, Ch. Le Trébuchet,
33190 Les Esseintes, tél. 05.56.71.42.28,
fax 05.56.71.30.16 ☑ ⊤ t.l.j. sf dim. 8h-12h 14h-18h

Bordeaux sec

CH. DE L'AUBRADE 2001★

	5,9 ha	10 000	🍷↓	5 à 8 €

Originaire d'un assemblage de sauvignon et de sémillon (avec une majorité de ce dernier) cette édition 2001 de L'Aubrade est le fruit d'une collaboration familiale entre deux générations où les uns apportent leur expérience, et les autres leur science. Son bouquet est de beurre et de noisette, et la belle maturité du raisin se lit dans une bouche épanouie. Un vin à découvrir, sans délai.
⌐ GAEC Jean-Pierre et Paulette Lobre,
33580 Rimons, tél. 05.56.71.55.10, fax 05.56.71.61.94
⊤ r.-v.

CH. BAUDUC 2001

	7,36 ha	40 000	🍷↓	5 à 8 €

Acquis en 1999 par une famille anglaise, Bauduc a connu d'importants investissements. Entouré par un parc de 70 ha, ce château possède un vignoble de 30 ha. Une robe d'or pâle à reflets verts habille cette bouteille au nez très net d'écorce d'orange, d'abricot mûr et de pamplemousse. Séveux et fruité, le corps, soutenu par un léger perlé, fusionne toutes ces flaveurs et laisse en bouche une finale persistante et de bonne amertume.
⌐ SARL Vignobles Quinney, Ch. Bauduc,
33670 Créon, tél. 05.56.23.22.22, fax 05.56.23.06.05,
e-mail team@bauduc.com ☑ ⊤ r.-v.

CH. BELLE-GARDE 2001

	1 ha	6 500	🍷↓	3 à 5 €

Fervent partisan des meilleures techniques de vinification, Eric Duffau signe ici une cuvée fort réussie. Sous sa tunique or vert, ce vin livre à profusion un bouquet naissant de fleurs blanches et de fruit de la Passion et affirme sa rondeur dans une bouche moelleuse et souple. Il serait un parfait compagnon pour toute viande blanche en sauce.
⌐ Eric Duffau, Monplaisir, 33420 Génissac,
tél. 05.57.24.49.12, fax 05.57.24.41.28,
e-mail duffau.eric@wanadoo.fr
☑ ⊤ t.l.j. sf dim. 9h-12h 14h-18h

BICHON LOUVET 2001

	n.c.	n.c.	🍷↓	3 à 5 €

Bichon Louvet est un bordeaux sec particulièrement apprécié et importé par la Maison des Futailles au Québec, et cela se comprend : un nez intense aux nuances florales persistantes, amalgame savant de jasmin et de menthe poivrée. La bouche, onctueuse et vive, étire ces flaveurs printanières dans une finale distinguée et de bonne longueur.
⌐ Dulong Frères et Fils, 29, rue Jules-Guesde,
33270 Floirac, tél. 05.56.86.51.15, fax 05.56.40.66.41,
e-mail jm.dulong@dulong.com ☑ ⊤ r.-v.

CH. BOIS-MALOT
Tradition 2000★

	0,5 ha	4 000	🍾	5 à 8 €

Tradition du château Bois-Malot. On pourrait dire tradition et modernisme tant cette belle cuvée doit à la technicité : macération, débourbage, fût neuf, bâtonnage sur lies pendant six mois... Résultat : un vin ample et gras, aux arômes très mûrs (ananas, abricot, orange confite). La bouche garde jalousement cette opulence aromatique, bien après la finale.
⌐ SCA Meynard et Fils, 133, rte des Valentons,
33450 Saint-Loubès, tél. 05.56.38.94.18,
fax 05.56.38.92.47 ☑ ⊤ t.l.j. sf dim. 8h-12h
13h30-18h30; sam. a.-m. sur r.-v.

CH. DU BRU 2001★

	2,5 ha	15 000	🍷↓	5 à 8 €

Un sauvignon pur de vingt-cinq ans, planté sur limons et graves, a mis son empreinte sur cette cuvée 2001 du château du Bru. Des notes de mangue et de miel de fleurs sauvages, émoustillées par un léger perlé, lui confèrent de la fraîcheur et un charme certain. La bouche ne s'en laisse pas conter et s'impose par sa concentration et son ampleur. Quelle personnalité !
⌐ SCEA du Bru, 33220 Saint-Avit-Saint-Nazaire,
tél. 05.57.46.12.71, fax 05.57.46.10.64 ☑ 🏠 ⊤ r.-v.

LA CHAPELLE D'ALIENOR 2001★

	n.c.	13 500	🍷🍾↓	8 à 11 €

Les deux nouveaux propriétaires de ce château se donnent la peine de récolter à la main cet assemblage de sauvignon, de sémillon et de muscadelle (avec 25 % pour cette dernière). A cette vigne âgée (trente-cinq ans en moyenne) et à un très bel élevage en barrique nous devons une teinte vieil or très pâle et des arômes de tilleul, de pain grillé, très finement toastés. Une floralité raffinée s'exprime encore dans une bouche pleine et très racée.

☛ Aliénor et Alexandre de Malet Roquefort, Ch. Chapelle Maracan, BP 12, 33330 Saint-Emilion, tél. 05.57.56.40.80, fax 05.57.56.40.89 ▼

CHARTRON LA FLEUR 2001★

	35 ha	240 000	▮↓	3 à 5 €

Voici un vin qui ne renie pas ses origines et évoque poétiquement ce très vieux quartier du négoce bordelais. Il lui fait même honneur par la superbe de sa robe brillante et claire, et la fraîcheur de ses arômes fruités (poire, pêche et pamplemousse). Riche, complexe, longue et fruitée, c'est une très jolie bouteille.

☛ Maison Schröder et Schÿler, 55, quai des Chartrons, 33000 Bordeaux, tél. 05.57.87.64.55, fax 05.57.87.57.20, e-mail mail@schroder-schyler.com

COLLECTION PRIVEE D. CORDIER 2001

	n.c.	n.c.	▮⏲	3 à 5 €

Ce blanc sec de la Collection privée Désiré Cordier démontre un savoir-faire qui a bâti la réputation mondiale des bordeaux. Une robe dorée et brillante prépare au plaisir d'un nez vif et plein de fraîcheur, où le pamplemousse et une pointe de citronnelle émoustillent agréablement les narines. En bouche, c'est un cœur tendre et satiné, finement toasté, qui s'offre pour un plaisir immédiat.

☛ Cordier-Mestrezat et Domaines, 109, rue Achard, 33042 Bordeaux cedex, tél. 05.56.11.29.00, fax 05.56.11.29.01

NUMERO 1 DE DOURTHE 2001★

	n.c.	600 000	▮↓	5 à 8 €

L'équipe technique de Jean-Marie Chadronnier signe cette année encore une très belle édition de ce Numéro 1, étonnante par la vivacité de ses notes florales. La bouche puissante et nette, avec une pointe de minéralité, évolue dans une parfaite harmonie et s'éteint sur une finale d'une grande finesse.

☛ Vignobles Dourthe, 35, rue de Bordeaux, 33290 Parempuyre, tél. 05.56.35.53.00, fax 05.56.35.53.29, e-mail contact@cvbg.com ▼ ⍑ r.-v.
☛ J. M. Chadronnier

CH. D'ESTHER
Elevé en fût de chêne 2001★

	0,57 ha	2 500	▮	3 à 5 €

Thomas Fabian exploite cette petite propriété en bordure de Dordogne, tout près de Bordeaux, qu'il a reprise début 2001 et y produit, à faibles rendements, des bordeaux de qualité. Cette première cuvée de blanc à l'élégante parure d'or gris offre un nez qui « interpelle » par son intensité aromatique : coing, fruit de la Passion, litchi... L'attaque suave et ronde joue sur le même fruité exotique, puis l'on savoure longuement ce vin équilibré et parfumé.

☛ Thomas Fabian, 37, chem. de Caderot, 33450 Saint-Loubès, tél. 05.56.68.69.56, fax 05.56.68.69.56 ▼ ⍑ r.-v.

CH. FRANC-PERAT 2001

	6 ha	n.c.	▮↓	8 à 11 €

Cette cuvée illustre la maxime inscrite sur l'étiquette : « Au savoir-faire ancestral du vigneron se greffe, au fil du temps, la science moderne. » Quel vin, en effet, laissé hors de la bienveillante attention de l'œnologue, nous offrirait cette robe brillante aux fines stries vertes et ce nez à la fois floral et fruité ? Non, une telle bouche guillerette et subtilement citronnée ne doit rien au hasard et séduira même les plus réfractaires à la technicité...

☛ SCEA de Mont-Pérat, 33550 Capian, tél. 05.57.84.55.08, fax 05.57.84.57.31, e-mail contact@vignobles-despagne.com

CH. GABARON 2001★

	19,21 ha	200 000	▮↓	3 à 5 €

Les trois générations de Latorse ont beaucoup œuvré pour produire des vins d'une classe maintenant reconnue. Ce bordeaux sec manifeste une élégance « joyeuse » (dixit l'un de nos jurés) et mêle des fragrances de buis, de genêt et de sureau. La fête se prolonge sur une bouche caressante et vous laisse, tout guilleret, sur l'envie d'y revenir.

☛ SC des vignobles Latorse, Gabaron, 33670 La Sauve, tél. 05.56.23.92.76, fax 05.56.23.61.65 ▼ ⍑ t.l.j. sf sam. dim. 8h-12h 14h-18h

MARQUE G DE GINESTET 2001

	15 ha	120 000	▮↓	- de 3 €

Ginestet présente ce bordeaux blanc à la teinte paille clair et aux nuances d'herbe fraîche. Le nez est dans la même veine, un peu végétal, marqué par un buis sans excès. L'attaque est souple et évolue vers une certaine rondeur bienfaisante. Une expression délicatement odorante compense ce que la finale n'a pas en puissance et lui vaut cette citation.

☛ Maison Ginestet, 19, av. de Fontenilles, 33360 Carignan-de-Bordeaux, tél. 05.56.68.81.82, fax 05.56.20.96.99, e-mail contact@ginestet.fr ⍑ r.-v.

CH. GRAND BIREAU 2001

	3 ha	6 000	▮↓	3 à 5 €

Sa robe blanc-gris est de faible intensité, mais ses arômes très fleurs blanches compensent largement et incitent à poursuivre plus avant cette plaisante inspection. Un peu acidulé mais bien équilibré, ce vin joue sur la fraîcheur et la souplesse. Il accompagnera un plateau de fruits de mer.

☛ SCEA Michel Barthe, 18, Girolatte, 33420 Naujan-et-Postiac, tél. 05.57.84.55.23, fax 05.57.84.57.37 ▼ ⍑ r.-v.

CH. GRAND-JEAN
Elevé en fût de chêne 2000★

	83 ha	3 000	⏲	5 à 8 €

Cette exploitation (de création antérieure à l'époque révolutionnaire) produit une gamme complète de vins de Bordeaux, dont ce blanc sec issu d'un assemblage de sémillon et sauvignon (80 % et 20 %). Généreux en arômes, il déroule en bouche une matière à la fois vive et ronde, où la réglisse s'accommode d'une pointe mentholée pour finir sur une longue note vanillée et douce. Il est tout désigné pour les viandes blanches en sauce.

☛ Michel Dulon, Ch. Grand-Jean, 33760 Soulignac, tél. 05.56.23.69.16, fax 05.57.34.41.29, e-mail dulon.vignobles@wanadoo.fr ▼ ⍑ r.-v.

CH. DU GRAND MOUEYS 2001★

	17 ha	30 000	▮↓	3 à 5 €

Grand Mouëys ! Le nom seul rappelle aux autochtones l'époque terrible des Templiers, avec son cortège de cachots, de souterrains, d'instruments de torture et de bûchers... mais peut-être n'est-ce qu'une légende ? Sur cette terre désormais pacifiée, le Grand Mouëys produit maintenant d'excellents vins, tel ce bordeaux sec 2001, tout paré de vieil or et fleurant bon la pêche, le lys et quelques flaveurs citronnées. L'entrée en bouche s'opère sur une matière bien soutenue. **Grand Mouëys 2000, élevé en fût de chêne (8 à 11 €)**, obtient une étoile. Choisissez-le pour une entrée de saumon fumé.

🐦 SCA Les Trois Collines, Ch. du Grand Mouëys, 33550 Capian, tél. 05.57.97.04.44, fax 05.57.97.04.60, e-mail cavif.gm@ifrance.com ✓ 🏠 ➤ r.-v.

CH. DU GRAND PLANTIER 2001★

	3 ha	20 000	🍶🌿	5 à 8 €

Ce bordeaux sec du Grand Plantier étonne par l'intensité et la richesse de ses arômes : l'ananas et le citron confit, le litchi et quelques notes muscatées confirment que le raisin, ici récolté manuellement, a atteint sa pleine maturité. La bouche, ample, délicate et complexe, réalise un amalgame heureux (et persistant) de toutes ces senteurs.

🐦 GAEC des Vignobles Albucher, Ch. du Grand Plantier, 33410 Monprimblanc, tél. 05.56.62.99.03, fax 05.56.76.91.35 ✓ ➤ r.-v.

CH. HAUT-GARRIGA 2001★

	2 ha	14 000	🍶🌿	3 à 5 €

Quelques heures de macération pelliculaire avant fermentation ont donné à ce sémillon (90 %) toute son ampleur et sa consistance. Sa belle teinte paille doré semble refléter la richesse de ses arômes. Cette bouteille grandira encore si on lui en laisse le temps...

🐦 EARL Vignobles C. Barreau et Fils, Garriga, 33420 Grézillac, tél. 05.57.74.90.06, fax 05.57.74.96.63 ✓ ➤ r.-v.

CH. HAUT RIAN 2001★

	11,14 ha	96 000	🍶🌿	3 à 5 €

Viticulteur alsacien, Michel Dietrich vient faire ses études d'œnologie à Bordeaux. Puis il part six ans avant de revenir s'installer à Haut-Rian. Souplesse et élégance sont les deux vertus de cette cuvée assemblant sémillon (60 %) et sauvignon. D'un bel or pâle elle offre ses arômes délicats d'agrumes. Pleine de caractère et bien équilibrée, ample et de belle persistance, elle semble appeler de ses vœux poissons et fruits de mer.

🐦 Michel Dietrich, La Bastide, 33410 Rions, tél. 05.56.76.95.01, fax 05.56.76.93.51 ✓ ➤ t.l.j. sf dim. 9h-12h 14h-17h30

CH. HAUT-TUCOT 2001★

	2 ha	4 000	🍶🌿	3 à 5 €

Les limons argilo-sableux de Casseuil, complantés ici même de sauvignon et de sémillon, ont donné en 2001 cette bouteille à la robe d'or fin assez chatoyant, au nez fleuri d'acacia et de seringa, très expressif. D'un grand classicisme, d'une bonne rondeur, soulignée en finale d'un léger trait d'amertume, un vin pour salade niçoise.

🐦 EARL Vignobles Peyvergès, La Courtiade, 33190 Casseuil, tél. 05.56.71.10.46, fax 05.56.71.16.31, e-mail vignobles-peyverges@wanadoo.fr ✓ ➤ r.-v.

CUVÉE IDRIS 2001

	1 ha	2 400	🍶🌿	3 à 5 €

Une robe très pâle et d'une belle brillance, un bouquet séduisant où les fleurs (acacia surtout) le disputent aux fruits (pêche blanche). Ainsi s'offre cette cuvée Idris dont la bouche apporte une petite pointe acidulée et minérale. Un compagnon tout désigné pour un repas en famille.

🐦 SCEA Courtey, Courtey Nord, 33490 Saint-Martial, tél. 05.56.76.42.56, fax 05.56.76.42.56 ✓ 🏠 ➤ r.-v.

CH. DU JUGE
Cru Quinette 2000★★

	0,5 ha	2 400	🍷	5 à 8 €

Sa robe est jaune doré et son nez associe la pâte d'amande à l'ananas bien mûr et à la bergamote. Cette diversité aromatique n'est que le reflet d'une bouche complexe, ronde et briochée. Une certaine vivacité citronnée, à nuances minérales, confère à ce produit une fraîcheur et une jeunesse très séduisantes.

🐦 Pierre Dupleich, Ch. du Juge, rte de Branne, 33410 Cadillac, tél. 05.56.62.17.77, fax 05.56.62.17.59, e-mail pierre.dupleich@wanadoo.fr ✓ ➤ r.-v.
🐦 David

LABOTTIÈRE 2001★

	n.c.	n.c.	🍷	3 à 5 €

Labottière : superbe château en pleine ville, quinze ans avant la Révolution, l'une des perles architecturales du Bordeaux du XVIIIᵉs. Cette cuvée 2001 est digne de son patronyme et évoque par son bouquet les mille fleurs des jardins à l'anglaise de château. Un corps ample et gras, au boisé très discret, embaume l'amande grillée et la noisette et se fond dans une finale délicate et tendre. Un charme certain.

🐦 Cordier-Mestrezat et Domaines, 109, rue Achard, 33042 Bordeaux cedex, tél. 05.56.11.29.00, fax 05.56.11.29.01

CH. LAUDUC 2001★

	0,52 ha	4 500	🍶🌿	3 à 5 €

Les graves de Tresses (tout près de Bordeaux) ont fécondé en 2001 une récolte cueillie de la main de l'homme et qui a tenu toutes ses promesses : un bouquet printanier, mêlant les fleurs blanches à quelques touches de cire d'abeille. C'est un vin charmeur, caressant le palais de flaveurs exotiques (mangue, litchi). Sincère, il est prêt à passer à table.

🐦 GAEC Grandeau et Fils, Ch. Lauduc, 33370 Tresses, tél. 05.57.34.43.56, fax 05.57.34.43.58, e-mail m.grandeau@lauduc.fr ✓ ➤ r.-v.

LEGEND'R 2001★★

	n.c.	n.c.		8 à 11 €

R pour Rothschild : ce vin de marque, élaboré par l'équipe de Lafite, révèle d'emblée sa finesse et sa subtilité. Associant les trois cépages blancs bordelais (sauvignon, sémillon et muscadelle), il est d'une extrême pâleur et affiche un bouquet aux notes fraîches et élégantes de chèvrefeuille et de fleur d'oranger. Vif, ample et expressif, le palais en fait un vrai vin plaisir qui sera aussi agréable dans un ou deux ans qu'aujourd'hui.

🐦 Ch. Lafite Rothschild, 33250 Pauillac, tél. 01.53.89.78.00, fax 01.53.89.78.01 ➤ r.-v.

CH. DE MARSAN 2001

	6 ha	48 000	🍷	3 à 5 €

Les seigneurs de Marsan (fondateurs de la ville de Mont-de-Marsan) qui bâtirent ce château au XVIIᵉs. n'auraient pas dédaigné ce vin à la robe d'or pâle et brillante, sentant l'acacia et le coing. Fraîche et harmonieuse à la fois, la bouche apporte une grande complexité de baies bien mûres et semble toute disposée à un vieillissement bonificateur.

🔥 SCEA Gonfrier Frères,
Ch. de Marsan, 33550 Lestiac-sur-Garonne,
tél. 05.56.72.14.38, fax 05.56.72.10.38,
e-mail gonfrier@terre-net.fr ☑ ⍭ r.-v.

MAYNE D'OLIVET 2000★★

	2 ha	12 000		11 à 15 €

Pour obtenir l'optimum qualitatif, J.-N. Boidron ne craint pas une certaine originalité et a complété son encépagement avec un pourcentage significatif de sauvignon gris. Cette vendange, cueillie à la main, a donné une cuvée 2000 à la teinte jaune paille et aux arômes variés, fleurant bon le pamplemousse et le fruit de la Passion. Amande douce et noisette offrent une bouche ample, nuancée de coco, finissant sur une longue note épicée.

🔥 Jean-Noël Boidron, Corbin Michotte,
33330 Saint-Emilion,
tél. 05.57.51.64.88, fax 05.57.51.56.30 ☑ ⍭ r.-v.

CH. MEMOIRES
Fleur d'Opale Elevé en fût de chêne 2000★

	2 ha	7 000		5 à 8 €

Un beau terroir argilo-sableux, complanté de sauvignon à 90 %, et le reste de sémillon, est dédié à cette cuvée Fleur d'Opale particulièrement réussie sur ce millésime 2000. La transparence de sa robe ne fait que mieux ressortir la vivacité de ses arômes (vanille, épices et pâte de coing). Un vin gras, ample et riche, où surgit le fruité de l'ananas. Harmonieux et subtil, jusqu'en finale.

🔥 SCEA Vignobles Jean-François Ménard,
Ch. Mémoires, 33490 Saint-Maixant,
tél. 05.56.62.06.43, fax 05.56.62.04.32,
e-mail memoires1@aol.com ☑ ⍭ t.l.j. 8h-12h 13h30-18h

NONY BORIE
La Cuvée du Fondateur 2001

	n.c.	400 000		- de 3 €

Cette bouteille à la robe jaune pâle traversée de rayons verts se vend dans toute l'Europe à des centaines de milliers d'exemplaires. Elle a donc des charmes cachés que seul un nez attentif saura déceler : la menthe, le buis et le jasmin s'entrelacent pour séduire. Tendre et fraîche, elle est équilibrée et agréable.

🔥 Sovex Grands Châteaux, Rue Ampère,
BP 42, ZI , 33560 Carbon Blanc,
tél. 05.56.77.81.00, fax 05.56.38.07.66,
e-mail sovexgrandschateaux@sovex-vins.com

PAVILLON BLANC 2000★★

	n.c.	n.c.		30 à 38 €

Né sur une grande parcelle de fins graviers plantée de sauvignon, le Pavillon Blanc a la réputation de faire preuve d'originalité. Ce millésime ne fait pas exception à la règle avec une superbe couleur or et une palette aromatique étendue (citron, tilleul, chèvrefeuille, orange, raisin mûr). Sa longue finale légèrement poivrée et son onctuosité ne nuisent en rien à sa fraîcheur. Une belle bouteille, déjà très plaisante et apte à une bonne garde (cinq ou six ans).

🔥 SC du Ch. Margaux, 33460 Margaux,
tél. 05.57.88.83.83, fax 05.57.88.83.32 ⍭ r.-v.

CUVEE PERAYNE 2001★

	n.c.	n.c.		3 à 5 €

Cette cuvée porte en elle la marque de la philosophie environnementale de son auteur : Heinrich Luddecke, pionnier d'une culture vraiment écologique de la vigne. Sous une robe dorée, claire et brillante, apparaît un vin d'une droiture parfaite, aux arômes fins de fleurs blanches, et dont la bouche très nette respire la citronnelle et le pamplemousse. Un 2001 très élégant, qui se suffit à lui-même.

🔥 Henri Luddecke, Ch. Perayne,
33490 Saint-André-du-Bois,
tél. 05.57.98.16.20, fax 05.56.76.45.71,
e-mail chateau.perayne@wanadoo.fr ⍭ r.-v.

CH. PETIT MOULIN 2001

	20 ha	100 000		3 à 5 €

Cette très ancienne propriété de la famille Signé allie un sémillon dominant (60 %) à un sauvignon plein d'ardeur expressive, aboutissant ainsi à un fondu aromatique des plus plaisants. Bien structuré et rond, ce vin entretient jusqu'en finale une fraîcheur finement citronnée, propice à une consommation prochaine.

🔥 SCEA Vignobles Signé, 505, Petit Moulin Sud,
33760 Arbis, tél. 05.56.29.93.22, fax 05.56.23.45.75,
e-mail signevignoble@wanadoo.fr ☑ ⍭ r.-v.

PREMIUS
Elevé en fût de chêne 2001★★

	n.c.	100 000		5 à 8 €

Le bien nommé « Premius » édition 2001 n'a pas ménagé ses charmes, auxquels les jurés ont succombé. Sa parure d'or fin pailletée d'éclats verts et son nez au fruité intense, sous-tendu de nuances vanillées, ont fait des ravages. Sa consistance lui permettra de réjouir les cœurs plusieurs années durant.

🔥 SA Yvon Mau, BP 1, 33193 Gironde-sur-Dropt
Cedex, tél. 05.56.61.54.54, fax 05.56.61.54.61

CH. RAUZAN DESPAGNE
Grande Réserve 2000★★★

	n.c.	n.c.		11 à 15 €

Cette Grande Réserve du château Rauzan Despagne a frôlé le coup de cœur : elle mêle les fruits frais, la pomme et le coing. Cette cuvée d'une insolente jeunesse emprunte à un bois de qualité le complément finement vanillé qui confirme sa classe : attaque assez vive (pamplemousse, citron) ouvrant sur une bouche parfumée à la noisette, onctueuse et pleine de caractère.

🔥 GFA de Landeron, 33420 Naujan-et-Postiac,
tél. 05.57.84.55.08, fax 05.57.84.57.31,
e-mail contact@vignobles-despagne.com
🔥 J.-L. Despagne

LE SEC DE RAYNE VIGNEAU 2001★

	76 ha	6 900		3 à 5 €

Les bouleversements géologiques intervenus depuis l'Eocène ont eu ici un curieux résultat : un terroir gravelo-sablonneux recelant d'étonnantes richesses : agates, améthystes, saphirs... et les composantes de ce bordeaux blanc « Le sec de Rayne Vigneau », sur une base exclusive de sauvignon venu de Sauternes. Paille et d'une belle brillance, joli nez fruité et floral (citron, verveine) : tout est fraîcheur et séduction dans ce vin ample et séveux où le cépage démontre sa capacité à se suffire à lui-même. Vif et équilibré, il est à déguster sans attendre sur son fruit juvénile, et sur un repas de classe.

SC du Ch. de Rayne Vigneau, La Croix Bacalan, 109, rue Achard BP 154, 33042 Bordeaux Cedex, tél. 05.56.11.29.00, fax 05.56.11.29.01 ⵐ r.-v.

CH. LE RELAIS DE CHEVAL BLANC 2001★

n.c.	24 000	ⵐ - de 3 €

Ce vin a su se faire aimer pour sa corpulence et sa chair étoffée, ronde et vivante. Le gras en bouche s'anime par une saveur finement perlée, et les senteurs douces de fleurs des champs lui confèrent élégance et harmonie. Un vin délicat, qui conviendrait bien à une potée de pois gourmands. Autre marque présentée par cette grande maison familiale fondée en 1873, **Marquis d'Alban 2001** (3 à 5 €) qui obtient également une étoile.
Dulong Frères et Fils, 29, rue Jules-Guesde, 33270 Floirac, tél. 05.56.86.51.15, fax 05.56.40.66.41, e-mail jm.dulong@dulong.com ⵐ r.-v.

CH. DE RICAUD 2001★

1 ha	6 500	ⵐ 5 à 8 €

Restauré par Viollet-le-Duc, Ricaud a le charme des châteaux médiévaux revisités par le XIXᵉs. Sur une vaste propriété de 120 ha, il produit de jolis vins tel celui-ci. Dans sa robe doré clair, cette bouteille a beaucoup d'allant : l'amande, l'aubépine et le chèvrefeuille, même la fleur d'acacia, se partagent les flaveurs et feraient presque oublier l'appétissante distinction d'une bouche épanouie.
Ch. de Ricaud, 33410 Loupiac, tél. 05.56.62.66.16, fax 05.56.76.93.30 ✓ ⵐ r.-v.
Alain Thiénot

CH. ROQUEFORT 2001★

33 ha	130 000	ⵐ 3 à 5 €

Les amateurs d'Histoire peuvent se rendre à Lugasson où existe une importante station néolithique ainsi qu'au château Roquefort, lequel présente un double intérêt : culturel et gourmand. C'est en effet sur le site d'un ancien *oppidum* gaulois que renaissent chaque année les productions viticoles de ce château. L'édition 2001 de son bordeaux sec est une démonstration de savoir-faire : d'un or brillant, cette bouteille embaume les fruits du plein été (poire, pêche) et gratifie le palais de sensations caressantes. Le fruit de la Passion apporte une note exotique et confère longueur et plaisir à la finale.
Ch. Roquefort, 33760 Lugasson, tél. 05.56.23.97.48, fax 05.56.23.51.44, e-mail chateau-roquefort@wanadoo.fr ⵐ r.-v.

CH. DE SEGUIN 2001★

1,3 ha	11 000	ⵐ 5 à 8 €

Vaste propriété, Seguin a fort bien réussi sa petite production de bordeaux sec. D'un jaune clair traversé de rayons verts, sa robe brillante séduit et impose une longue olfaction, bien vite récompensée : le buis et le genêt, les notes mentholées et un soupçon de pamplemousse annoncent une bouche séveuse, ronde, presque charnue. Une finale longue, concentrée et assez fraîche, promet un beau potentiel.
SC Ch. de Seguin, 33360 Lignan-de-Bordeaux, tél. 05.57.97.19.75, fax 05.57.97.19.72, e-mail info@chateau-seguin.fr ✓ ⵐ r.-v.
Michaël et Gert Carl

CH. STREVIC-GODINEAU 2001★

0,77 ha	3 000	ⵐ 3 à 5 €

Originaire d'une seule parcelle complantée de vieilles vignes de sauvignon et récoltée à la main, cette petite cuvée fait l'objet de soins attentifs et connaît les bienfaits de l'élevage sur lies. Des rayons jaune paille étincellent dans le verre. Le nez a le charme discret d'un sauvignon récolté à bonne maturité, teinté de citronnelle et de cire d'abeille. Un joli vin bien fait, pour accompagner un vrai poulet fermier rôti.
EARL Roberts, 1, La Longa, 33240 Verac, tél. 05.57.84.81.57, fax 05.57.84.81.57, e-mail earlroberts@free.fr ✓ ⵐ r.-v.

CH. THIEULEY
Cuvée Francis Courselle 2000★★★

10 ha	80 000	ⵐ 8 à 11 €

Les bordeaux blancs du château Thieuley ont l'habitude des honneurs, et personne ne s'étonnera de ce coup de cœur. D'ordinaire très mesurés, les jurés ne cachent pas leur admiration devant ce nez exceptionnel de lys, de muguet et de chèvrefeuille. Le boisé est parfaitement maîtrisé dans une attaque « superbe ». L'évolution en bouche est onctueuse, ronde, magnifique d'équilibre et d'une belle longueur. Une réussite vraiment enviable...
Sté des Vignobles Francis Courselle, Ch. Thieuley, 33670 La Sauve, tél. 05.56.23.00.01, fax 05.56.23.34.37 ✓ ⵐ r.-v.

CH. TOUR DE MIRAMBEAU
Cuvée Passion 2000★★★

n.c.	n.c.	ⵐ 11 à 15 €

Jouant toujours dans la catégorie des élites, l'équipe des Vignobles Despagne présente sa cuvée Passion, élue unanimement coup de cœur par le grand jury. Un joli début de nez, nimbé d'épices douces et de fleurs exotiques, nous conduit vers une suavité briochée, miellée et ronde au palais. Une torréfaction discrète fait cortège à toutes ces douceurs et laisse le dégustateur sous le charme, comblé !
SCEA Vignobles Despagne, 33420 Naujan-et-Postiac, tél. 05.57.84.55.08, fax 05.57.84.57.31, e-mail contact@vignobles-despagne.com ✓
J.-L. Despagne

CH. TOUR DE MIRAMBEAU 2001★

	88 ha	n.c.	■↓	5 à 8 €

Avec ce vin, le château Tour de Mirambeau campe sur ses positions (parmi les premières places, naturellement) et offre un somptueux bouquet floral et fruité composé de fruits d'automne (pomme reinette, noisette), de tilleul et de réminiscences exotiques. L'attaque est douce, souple et d'un bon volume. Sémillon et muscadelle maintiennent une arrière-bouche parfumée et soyeuse. **Le Château Bel Air Perponcher 2000** obtient la même note dans cette AOC, à la fois pour sa cuvée principale élevée en cuve et pour sa **Grande Cuvée 2000 (11 à 15 €)** élevée en fût, dont les arômes de torréfaction équilibrent la fraîcheur du pamplemousse.

🍷 SCEA Vignobles Despagne,
33420 Naujan-et-Postiac,
tél. 05.57.84.55.08, fax 05.57.84.57.31,
e-mail contact@vignobles-despagne.com ☑

Bordeaux rosé

CH. DE L'AUBRADE 2001★

	1,47 ha	13 000	■	5 à 8 €

C'est un rosé de belle facture qui complète heureusement une gamme de renom, souvent citée dans ce Guide. Associant fleurs et fruits blancs au nez, le vin réunit élégance et complexité puis finit sur une tonalité fraîche et aromatique, d'une grande longueur.

🍷 GAEC Jean-Pierre et Paulette Lobre,
33580 Rimons, tél. 05.56.71.55.10, fax 05.56.71.61.94
☑ Ⲧ r.-v.

CH. BELLE GARDE 2001★

	2,5 ha	20 000	■↓	3 à 5 €

Une macération préfermentaire à froid pendant quarante-huit heures a conféré à ce rosé de saignée un potentiel aromatique reposant sur le fruité d'un raisin de qualité et une jolie couleur rose vive et brillante. Suivent une attaque ample et ronde, puis un bon volume associant fraîcheur et moelleux jusque dans une finale harmonieuse et longue.

🍷 Eric Duffau, Monplaisir, 33420 Génissac,
tél. 05.57.24.49.12, fax 05.57.24.41.28,
e-mail duffau.eric@wanadoo.fr
☑ Ⲧ t.l.j. sf dim. 9h-12h 14h-18h

CH. BELLEVUE LA MONGIE 2001★

	0,63 ha	5 000	■↓	3 à 5 €

La brillance de sa robe transparente renvoie des éclairs de lumière saumonée, et ses arômes de fruits rouges et de cassis séduisent. Cette harmonie odorante s'installe en conquérante dans une bouche ample et souple. Ce vin fera de tout repas un vrai moment de fête.

🍷 Michel Boyer, Ch. Bellevue La Mongie,
33420 Génissac, tél. 05.57.24.48.43, fax 05.57.24.48.63,
e-mail boyer.michel@worldonline.fr ☑ Ⲧ r.-v.

CH. DE BONHOSTE 2001★★

	6,92 ha	12 000	■↓	5 à 8 €

Ce rosé fin et élégant conjugue une robe d'un rose tendre et brillant à la fraîcheur et à l'harmonie d'un produit issu d'une vendange cueillie à parfaite maturité. L'ampleur en bouche s'agrémente de nuances de fruits rouges et de pétales de rose. Une évolution ronde et chaude qui s'accommodera fort bien de l'exubérance d'une salade exotique.

🍷 SCEA des Vignobles Fournier, Ch. de Bonhoste,
33420 Saint-Jean-de-Blaignac, tél. 05.57.84.12.18,
fax 05.57.84.15.36 ☑ Ⲧ t.l.j. 8h30-12h 14h-18h

CH. BONNET 2001★

	n.c.	n.c.	■↓	5 à 8 €

Magnifique demeure du XVIIᵉs., fleuron de l'Entre-Deux-Mers, le château Bonnet commande un important vignoble produisant une belle gamme de vins réputés. Ce bordeaux rosé ne déroge pas et s'impose par la netteté et la fraîcheur fruitée de son bouquet. La noisette et l'amande grillée voisinent dans une bouche d'une finesse exemplaire, d'une belle typicité.

🍷 Vignobles André Lurton, Ch. Bonnet,
33420 Grézillac, tél. 05.57.25.58.58, fax 05.57.74.98.59,
e-mail andrelurton@andrelurton.com ☑

CHAI DE BORDES 2001★

	n.c.	60 000	■↓	3 à 5 €

Le Chai de Bordes propose un vin d'un rose tendre, orné d'un joli disque saumon, qui embaume le thym, les épices les plus délicates, le miel d'acacia, la menthe poivrée et l'anis. A une attaque ample et suave succède le ballet des cerises et du cassis, conduisant à une finale très douce et parfumée. Sous l'étiquette **Cellier de Bordes le rosé 2001** obtient la même note.

🍷 Cheval Quancard, La Mouline,
4, rue du Carbouney, BP 36, 33560 Carbon-Blanc,
tél. 05.57.77.88.88, fax 05.57.77.88.99,
e-mail chevalquancard@chevalquancard.com Ⲧ r.-v.

LES MURAILLES DE CH. CABLANC 2001★

	1,5 ha	13 000	■↓	5 à 8 €

Voici un rosé d'une belle vigueur, qui emprunte à la chair du bigarreau sa teinte rose vif traversée d'éclats violines. Son nez charmeur engage un chemin bordé d'aubépines et de jacinthes et débouche sur une matière tendre et compotée, parfumée à la groseille, installant le palais dans un moelleux cajoleur. A boire sans délai.

🍷 Jean-Lou Debart, SCEA de Ch. Cablanc,
33350 Saint-Pey-de-Castets, tél. 05.57.40.52.20,
fax 05.57.40.72.65, e-mail chcablanc@aol.com
☑ ⌂ Ⲧ r.-v.

CH. LA CROIX DE ROCHE 2001★

	1,4 ha	10 000	■↓	3 à 5 €

Ce rosé provient d'une association de merlot (75 %) et le solde en cabernet franc, en culture traditionnelle (« biologiquement raisonnable »), nous dit avec sagesse le propriétaire. Une saignée partielle (30 %) produit néanmoins une belle teinte rose intense et un nez puissant, prodiguant généreusement la cerise et la fraise écrasée. Superbement expressif, il méritera des menus de choix.

🍷 GFA La Croix de Roche, 33133 Galgon,
tél. 05.57.84.38.52, fax 05.57.84.39.11 ☑ Ⲧ r.-v.
🍷 F. Maurin

CH. DUCLA 2001★★

	5 ha	32 000	■↓	- de 3 €

Sa belle étiquette ornée d'une peinture de P. Mahut vient heureusement compléter les commentaires flatteurs

des jurés sur ce bordeaux rosé du château Ducla, propriété restée dans la famille Mau lors du rachat de leur maison de négoce. Ce vin présente un nez intense et complexe de fleurs à bulbe et de pivoine, et une bouche onctueuse et pralinée, chaleureuse dans une belle harmonie fruitée.
🐓 GFA Dom. Mau, BP 1 rue Sainte-Pétroville, 33190 Gironde-sur-Dropt, tél. 05.56.61.54.54, fax 05.56.61.54.61, e-mail fpmau@yvonmau.fr

CH. LE GRAND CHEMIN 2001★

	2 ha	15 000	🍴🍷	3 à 5 €

Ce rosé à la teinte vigoureuse et framboisée fait assaut de complexité aromatique dans un nez de fruits (cassis, cerise, framboise) et de nuances épicées (réglisse et moka). Une bouche ample et corsée dénote une extraction un peu surprenante pour un rosé, mais confère longueur et volume à une finale non dépourvue de caractère.
🐓 Christiane Bourseau,
SCEA Le Grand-Chemin, Pradelle, 33240 Virsac, tél. 05.57.43.29.32, fax 05.57.43.39.57, e-mail christiane.bourseau@voila.fr
Ⓥ ⵝ t.l.j. 9h-12h30 14h30-19h

CH. LA GRANDE METAIRIE 2001★

	1,2 ha	9 600	🍴🍷	3 à 5 €

Sa teinte claire et tendre (pétale de rose) incite à poursuivre vers un nez qui se révèle très ouvert et d'une bonne fraîcheur, riche de fruits rouges et de quelques notes florales. Une bonne acidité soutient une attaque assez nerveuse, évoluant vers le moelleux apaisant d'un sirop de groseille. Un rosé très printanier, pour se souvenir des longues soirées d'été.
🐓 SCEA Vignobles Buffeteau, LD Dambert, 33540 Gornac, tél. 05.56.61.97.59, fax 05.56.61.97.65
Ⓥ

GRANDES VERSANNES 2001

	5 ha	42 000	🍴🍷	3 à 5 €

Ce rosé des Grandes Versannes bénéficie des derniers développements de la technologie œnologique. Le nez de cire d'abeille est agrémenté d'un soupçon de noix de coco. La complexité persiste dans une bouche ronde et équilibrée, ainsi que dans une jolie finale veloutée. Pensez à lui pour vos prochaines entrées.
🐓 Union de producteurs de Lugon, 6, rue Louis-Pasteur, 33240 Lugon, tél. 05.57.55.00.88, fax 05.57.84.83.16 Ⓥ ⵝ r.-v.

GRANGENEUVE 2001★

	29,41 ha	6 700	🍴🍷	3 à 5 €

C'est un cabernet-sauvignon pur qui est à l'origine de ce bordeaux rosé élevé sur lies par les producteurs de Romagne : les jurés ont beaucoup apprécié les fins arômes issus d'une fermentation lente et à température contrôlée. Les notes balsamiques et épicées (menthe poivrée, réglisse) dominent en bouche et persistent agréablement après dégustation.
🐓 Cave de Grangeneuve, 33760 Romagne, tél. 05.57.34.57.57, fax 05.57.34.57.57
Ⓥ ⵝ t.l.j. sf dim. lun. 8h30-12h 14h-17h

CH. GROSSOMBRE 2001★★

	n.c.	n.c.	🍷	5 à 8 €

Ce très ancien domaine repris en 1989 par Béatrice Lurton comporte un vignoble de 35 ha établi sur un terroir argilo-siliceux et argilo-calcaire. Un assemblage de

cabernet et de merlot à parts égales a donné ce bordeaux rosé remarquable par sa palette où se mêlent fleurs blanches et notes anisées. Le vin offre un corps gracile, charnu et fruité dont la persistance et l'extrême fraîcheur font tout le charme.
🐓 Vignobles André Lurton, Ch. Bonnet, 33420 Grézillac, tél. 05.57.25.58.58, fax 05.57.74.98.59, e-mail andrelurton@andrelurton.com Ⓥ

CH. HAUT-D'ARZAC 2001★

	2 ha	10 000	🍴🍷	3 à 5 €

Ce rosé du château Haut-d'Arzac est un pur-sang de cabernet-sauvignon vinifié par saignée. De cette origine, il tire cet écrin de soie rubis soutenu et ce nez expressif de bigarreau en pleine maturité. Sa bouche ample, savoureuse et pleine caractérise un rosé mûr et apte à un bel épanouissement.
🐓 Gérard Boissonneau, 18, rte de Bordeaux, 33420 Naujan-et-Postiac, tél. 05.57.74.91.12, fax 05.57.74.99.60 Ⓥ ⵝ r.-v.

CH. HAUT GUILLEBOT 2001★

	5 ha	40 000	🍴🍷	3 à 5 €

Haut Guillebot est un lieu où le charme règne en maître, depuis les propriétaires (toutes des femmes depuis plusieurs générations), la demeure elle-même, les jardins fleuris, et, naturellement, les vins, comme ce bordeaux rosé délicat et frais. Issu de pressurage (et non de saignée), c'est un corps tendre et souple qui se coule en bouche, avec la douceur de la soie et le parfum du chèvrefeuille : décidément très féminin !
🐓 Evelyne Rénier, Ch. Haut Guillebot, 33420 Lugaignac, tél. 05.57.84.53.92, fax 05.57.84.62.73, e-mail chateauhautguillebot@wanadoo.fr Ⓥ ⵝ r.-v.

LE ROSE DU CH. HAUT NIVELLE 2001★

	1 ha	9 000	🍴🍷	3 à 5 €

Sa belle robe à reflets saumonés et son bouquet délicat de rose et d'œillet ne laissent pas indifférent. La palette aromatique au palais décline plutôt les fruits du jardin (figue, pêche, cassis). Rond et d'un bon volume, ce vin gagnera à être aéré un peu avant le repas.
🐓 SCEA les Ducs d'Aquitaine, Favereau, 33660 Saint-Sauveur-de-Puynormand, tél. 05.57.69.69.69, fax 05.57.69.62.84, e-mail vignobles@lepottier.com Ⓥ ⵝ r.-v.
🐓 Le Pottier

CH. MAISON NOBLE SAINT-MARTIN 2001★

	6 ha	48 000	🍷	3 à 5 €

Les origines du château Maison Noble remontent au cœur du Moyen Age, mais ses productions vinicoles sont d'une incontestable actualité. Seule concession (heureuse) à la tradition : la récolte manuelle des 6 ha affectés à ce rosé pâle, traversé de fugitifs reflets orangés. Un beau nez de fruits confits et de sirop de cassis conduit à une bouche rafraîchissante et équilibrée. A servir frais, à la première occasion.
🐓 Ch. Maison Noble Saint-Martin, 33540 Saint-Martin-du-Puy, tél. 05.56.71.86.53, fax 05.56.71.86.12, e-mail maison-noble@wanadoo.fr
Ⓥ ⵝ r.-v.
🐓 Michel Pelissie

CH. MAUROS 2001★

| | 4,06 ha | 2 666 | ᵭᵭ | 3 à 5 € |

Paul Claudel, alors ambassadeur en Chine et ami de l'ancien propriétaire, écrivait à ce dernier et lui parlait avec émotion des bons vins de Guillac... Issu d'une vieille vigne de quarante-cinq ans, le bordeaux rosé 2001 de ce château Mauros aurait mérité les éloges du grand poète, ne serait-ce que pour son parfum intense de fruits aux multiples nuances et sa robe d'un rose clair éclatant... Ses arômes en bouche sont fumés et finement grillés, et la noisette lui fait un délectable cortège final.

☛ Vignobles André Barreau, Ch. Mauros, 33420 Guillac, tél. 05.57.84.50.31, fax 05.57.84.54.27 ✓ ⵁ r.-v.

CH. MÉMOIRES 2001★

| | 2 ha | 12 000 | ᵭᵭ | 3 à 5 € |

Les curiosités touristiques autour de Saint-Maixant ne manquent pas (Malagar, Malromé, Verdelais...) et l'on peut admirer la vallée de la Garonne du haut de la tour du château Mémoires avant de descendre à la cave pour contempler les reflets saumonés de ce bordeaux rosé dans le taste-vin. Son nez de fleurs blanches et de brioche a de quoi mettre en appétit et sa bouche a le moelleux du sirop de fraise. Cette puissance aromatique se maintient jusqu'en finale : l'ensemble manifeste une belle persistance.

☛ SCEA Vignobles Jean-François Ménard, Ch. Mémoires, 33490 Saint-Maixant, tél. 05.56.62.06.43, fax 05.56.62.04.32, e-mail memoires1@aol.com ✓ ⵁ t.l.j. 8h-12h 13h30-18h

CH. LA MOTHE DU BARRY 2001★★

| | 1,8 ha | 7 000 | ᵭᵭ | 3 à 5 € |

Sur cette parcelle réservée de 1,80 ha Joël Duffau sait faire les rosés que l'on aime avoir dans sa cave. Celui-ci, très expressif, nous parle de fraise et de framboise. Le vin en bouche apparaît riche, élégant, fruité et rond. Une touche finale d'amande grillée et de pomme cuite lui confère originalité et caractère. Une belle harmonie que l'on appréciera en de multiples occasions.

☛ Joël Duffau, Les Arromans n° 2, 33420 Moulon, tél. 05.57.74.93.98, fax 05.57.84.66.10, e-mail lamothed@club-internet.fr ✓ ⵁ t.l.j. sf dim. 8h-12h 14h-19h

CH. PASSE CRABY 2001★

| | 1,6 ha | 12 000 | ᵭᵭ | 3 à 5 € |

Argile, calcaire et silice sont ici associés sur un terroir particulièrement propice à la culture de la vigne, comme en témoigne ce rosé floral, à l'attaque vive, aux saveurs de myrtille et de mûre. L'arôme de bouche se fait plus discret, un soupçon de framboise et de groseille éveillant les papilles et accompagnant une finale flatteuse.

☛ Vincent Boyé, 33133 Galgon, tél. 05.57.55.05.38, fax 05.57.55.49.81, e-mail v.boye@wanadoo.fr ✓ ⵁ t.l.j. sf dim. 8h-12h 13h30-18h; f. août

CH. PIERRAIL 2001★

| | 5 ha | 31 000 | ᵭᵭ | 5 à 8 € |

Cette très ancienne demeure fut témoin de l'une des péripéties qui marquèrent les derniers soubresauts de la monarchie, avec le passage de la duchesse de Berry fomentant un complot contre Louis-Philippe. Château Pierrail propose un rosé 2001 très attachant, avec sa robe rose pâle aux reflets ambrés et son nez d'abricot surmûri

et de fruits secs. Fraîche au début, la bouche développe gras et moelleux et s'orne de parfums de fleurs blanches et de litchi. Une puissance aromatique qui se prolonge longuement en finale.

☛ EARL Ch. Pierrail, 33220 Margueron, tél. 05.57.41.21.75, fax 05.57.41.23.77, e-mail alice@chateau-pierrail.com ✓ ⵁ r.-v.
☛ Jacques et Alice Demonchaux

CH. RAUZAN DESPAGNE 2001★

| | n.c. | n.c. | ᵭᵭ | 5 à 8 € |

Ce bordeaux rosé ne court pas les sentiers battus et puise sa source dans un cabernet-sauvignon pur, ce qui est rare. Sans doute la robe est-elle un peu évoluée, mais le nez conserve toute sa jeunesse, marqué par la poire, le fruit et la pâte de coing. La bouche apporte volume, élégance et fermeté : un vin très typé.

☛ GFA de Landeron, 33420 Naujan-et-Postiac, tél. 05.57.84.55.08, fax 05.57.84.57.31, e-mail contact@vignobles-despagne.com
☛ J.-L. Despagne

CH. LA RIVALERIE 2001★

| | 1,2 ha | 8 000 | ᵭᵭ | 5 à 8 € |

Ce terroir très « qualitatif » avait été abandonné à la suite du gel de 1956, puis replanté depuis, jusqu'à reconstituer un domaine de 35 ha maintenant. Ce rosé provient d'un assemblage de merlot pour les deux tiers et de cabernet-sauvignon. Il arbore, sous une robe légèrement saumonée, un nez très fin, de pêche et de fruits exotiques. Une certaine fraîcheur, compatible avec du gras et de la vinosité, lui confère un caractère apéritif très appréciable.

☛ SCEA La Rivalerie, 33390 Saint-Paul-de-Blaye, tél. 05.57.42.18.84, fax 05.57.42.14.27, e-mail info@la-rivalerie.fr ✓ ⵁ r.-v.

CH. DE SOURS 2001★

| | 15 ha | 120 000 | ᵭᵭ | 8 à 11 € |

Une vendange de merlot presque pur (90 %) cueillie à la main et vinifiée par saignée totale, telle est l'origine de ce rosé, à la teinte soutenue et brillante. Sa palette aromatique décline les fruits juteux de l'été (pêche, poire), et son corps charnu laisse savourer à satiété la rondeur épicée du cépage bien mûr.

☛ SCEA Ch. de Sours, 33750 Saint-Quentin-de-Baron, tél. 05.57.24.10.81, fax 05.57.24.10.83 ✓ ⵁ r.-v.
☛ Esme-Johnston

CH. VIEUX CARREFOUR 2001★★

| | 0,76 ha | 4 000 | ᵭᵭ | 3 à 5 € |

Né d'un assemblage à parts égales de merlot et de cabernet-sauvignon, ce rosé à la jolie teinte rubis léger séduit par la grâce et la fraîcheur de ses notes fruitées : poire, pêche blanche, mirabelle... Le plaisir atteint son apogée dans une bouche souple, qui apporte de l'épaisseur et du gras. Finale confiturée et très harmonieuse : le coup de cœur est au bord des lèvres..

☛ EARL François Gabard, Le Carrefour, 33133 Galgon, tél. 05.57.74.30.77, fax 05.57.84.35.73 ✓ ⵁ r.-v.

YVECOURT 2001★

| | n.c. | 100 000 | ᵭᵭ | 3 à 5 € |

Ce rosé œil de perdrix sent à plaisir le coing et la pomme reinette et offre une bouche attachante, légèrement teintée d'alcool de marc et de cannelle. L'harmonie découle d'une certaine sucrosité et l'on adhère pleinement à sa finale longue et douce.

🕁 SA Yvon Mau, BP 1, 33190 Gironde-sur-Dropt, tél. 05.56.61.54.54, fax 05.56.61.54.61, e-mail jpmau@yvonmau.fr

Bordeaux supérieur

CH. DE L'AUBRADE 1999★

	6 ha	15 000	▮▲	5 à 8 €

A proximité de la plus petite ville de France, Castelmoran-d'Albret, ce château est conduit par une ancienne famille de vignerons aussi chaleureuse et franche que son vin. Rouge cerise à reflets grenat, ce 99 accorde sa tenue à ses arômes de fruits rouges confits mêlés de sous-bois et de champignon. Puis vient une trame généreuse, aux tanins bien enveloppés. Un joli vin pour un plaisir durable.

🕁 GAEC Jean-Pierre et Paulette Lobre, 33580 Rimons, tél. 05.56.71.55.10, fax 05.56.71.61.94 ☑ ¥ r.-v.

BARON DE LUBERNAC
Elevé en fût de chêne 2000★

	n.c.	180 000	▮ ⑪	3 à 5 €

Cet aimable Baron de Lubernac a endossé son pourpoint de velours rouge pivoine moiré de rubis brillant. Le fruit confit et le boisé grillé s'équilibrent au nez, tandis que la bouche mûre, réglissée, offre une chair croquante, plaisamment parfumée. La finale encore ferme invite à retarder d'un ou deux ans le mariage avec un pâté en croûte ou une viande rouge grillée.

🕁 Baron de Lubernac, BP 43, 33220 Pineuilh, tél. 05.57.41.91.50, fax 05.57.46.42.76

LA BASTIDE MONGIRON
Cuvée noire 2000★

	1 ha	6 000	⑪	5 à 8 €

Issu exclusivement de merlot planté sur sol argilo-calcaire, ce vin à la robe cramoisie offre un nez déjà évolué de musc, de résine et de tabac. La bouche ample et séveuse assure la continuité du bouquet, étayée par une trame tannique vigoureuse. La maturité sera atteinte au terme d'une petite année de garde.

🕁 Jean-Michel Quéron, Mongiron, 33750 Nerigean, tél. 05.57.24.53.16, fax 05.57.24.06.36 ☑ ¥ r.-v.

CH. BAUDUC 2000★

	3,42 ha	26 500	⑪	5 à 8 €

Les amoureux des paysages de l'Entre-Deux-Mers rendront grâce au nouveau propriétaire de ce domaine – citoyen britannique – qui a su conserver 70 ha de parcs et de bois à côté de 30 ha de vignes. Son vin est un modèle d'élégance tant dans ses évocations de cannelle et de noix

de coco qu'un léger boisé souligne, que dans sa bouche satinée et moelleuse, presque impalpable, à la saveur pralinée. Il se fera apprécier dans cette fraîcheur juvénile.

🕁 SARL Vignobles Quinney, Ch. Bauduc, 33670 Créon, tél. 05.56.23.22.22, fax 05.56.23.06.05, e-mail team@bauduc.com ☑ ¥ r.-v.

CH. BEAU RIVAGE 2000★★

	6 ha	31 000	⑪	8 à 11 €

Un assemblage complexe de cinq cépages, dont 60 % de merlot, a fait de ce Beau Rivage une bouteille remarquable. Au nez, le cuir, la muscade et la cannelle s'expriment sur un fond boisé doux et élégant. La bouche puissante et longue possède une structure tannique assez imposante, assurant un potentiel de garde de cinq à huit ans. Le **Château Beau Rivage cuvée Prestige 2000 (11 à 15 €)** obtient une étoile : issu d'une parcelle limono-argileuse plantée à 80 % de merlot, ce vin affirme une réelle capacité de vieillissement, mais flatte déjà les sens par son soyeux et ses arômes de fruits à noyau.

🕁 SCEA Ch. Beau Rivage, 7, chem. du Bord-de-l'eau, 33460 Macau-en-Médoc, tél. 05.57.10.03.70, fax 05.57.10.02.00, e-mail beaurivage@aol.com ☑ ¥ t.l.j. 8h-17h30; sam. dim. sur r.-v.

🕁 Christine Nadalie

CH. BEL AIR PERPONCHER
Grande Cuvée 2000★★

	3,5 ha	30 000	⑪	11 à 15 €

La rigueur du vigneron et l'art du vinificateur se traduisent dans cette bouteille d'un pourpre éclatant, dont le nez associe cannelle et vanille aux délicieuses framboise et fraise des bois. La bouche onctueuse et grasse finit de conquérir le jury. Ce vin grandira encore en vieillissant deux ou trois ans, si l'on résiste à la tentation.

🕁 GFA de Perponcher, 33420 Naujan-et-Postiac, tél. 05.57.84.55.08, fax 05.57.84.57.31, e-mail contact@vignobles-despagne.com ¥ r.-v.

🕁 J.-L. Despagne

CH. BELLE-GARDE
L'excellence 2000★

	2,5 ha	13 000	⑪	8 à 11 €

Un assemblage à parts égales de cabernet-sauvignon et de merlot provenant de vignes de trente-cinq ans a donné à ce vin une belle typicité bordelaise : une robe grenat intense, un nez balsamique souligné de notes de violette. Tabac, pruneau, réglisse s'accordent aux tanins polissés d'une bouche fondue et persistante. Vous pourrez remonter cette bouteille de votre cave à partir de 2003.

➤ Eric Duffau, Monplaisir, 33420 Génissac,
tél. 05.57.24.49.12, fax 05.57.24.41.28,
e-mail duffau.eric@wanadoo.fr
☑ ☏ t.l.j. sf dim. 9h-12h 14h-18h

CH. BELLEVUE LA MONGIE
Cuvée vieillie en fût de chêne 2000★

■	2,5 ha	18 000	■ ⑪ ↓	5 à 8 €

D'une belle teinte amarante, ce vin propose un nez franc, assez élégant sur un caractère grillé-vanillé, car, si le boisé est puissant, il laisse s'exprimer un joli fruité de fraise écrasée. Souple et ronde dès l'attaque, la bouche s'appuie sur des tanins enrobés, laissant une légère amertume qui ne nuit en rien à la maturité de l'ensemble. Elle est la traduction d'une extraction mesurée de la matière. Une bouteille de garde (cinq ans).
➤ Michel Boyer, Ch. Bellevue La Mongie,
33420 Génissac, tél. 05.57.24.48.43, fax 05.57.24.48.63,
e-mail boyer.michel@worldonline.fr ☑ ☏ r.-v.

CH. BELLEVUE-PEYCHARNEAU 2000★★

■	12,5 ha	60 000	⑪	5 à 8 €

Les 14 ha d'un seul tenant de ce domaine ont été vendangés tardivement dans le millésime 2000. Soigneusement vinifié, l'assemblage du merlot (60 %) et des deux cabernets a donné naissance à une cuvée harmonieuse, dont le nez de fruits secs (noisette) s'accompagne de notes de café et d'un boisé élégant. Les arômes de mûre et de myrtille offrent leur douceur à une bouche consistante et séveuse. Ce vin mettra en valeur des mets aussi riches qu'une poularde aux morilles.
➤ SCEA Pécharnaud, 33220 Pineuilh,
tél. 05.57.46.04.46, fax 05.57.46.47.56 ☑ ☏ r.-v.
➤ Laulan

CH. BLANCHET
Vieilli en fût de chêne 2000★

■	4,8 ha	35 000	⑪	5 à 8 €

Une grande et belle demeure du début du XIXᵉs. veille sur ce vignoble de 13 ha, exposé plein sud, classiquement complanté de merlot et de cabernet. Son coteau culminant à près de 100 m offre en outre un joli point de vue. Le vin, grenat à reflets bruns, livre un nez fondu duquel se distinguent le cassis et le pruneau macéré. La bouche offre des accents animaux de cuir et de gibier, puis se nuance d'épices en finale sur fond de tanins serrés. Un bordeaux supérieur à ouvrir à partir de 2003 et jusqu'en 2010.
➤ SCEA Yves Broquin, Ch. Blanchet,
33790 Massugas, tél. 05.56.61.40.19, fax 05.56.61.31.40
☑ ☏ t.l.j. 8h-20h

CH. DE BLASSAN
Cuvée fûts de chêne 2000★

■	11 ha	70 000	■ ⑪ ↓	5 à 8 €

Du terroir argilo-calcaire de Blassan est né cet assemblage de 70 % de merlot et de 30 % de cabernets. Attachant dès le premier regard grâce à sa robe grenat à reflets orangés, ce vin l'est aussi à la perception de son bouquet délicat de jonquille et de violette. Un soupçon d'orange amère apparaît au palais, dans une matière veloutée. La finale délicatement toastée signe la dégustation de ce vin prêt à boire.
➤ Guy Cenni, SCEA Ch. de Blassan, 4, Blassan,
33240 Lugon, tél. 05.57.84.40.91, fax 05.57.84.82.93
☑ ☏ r.-v.

CH. BOIS-MALOT 1999

■	6 ha	38 000	■ ↓	5 à 8 €

A Bois-Malot, on n'a pas fait le choix de la facilité. Un vignoble à forte majorité de cabernets, franc et sauvignon, des vendanges manuelles... Ce vin rouge cerise développe d'intenses arômes de fruits mûrs (raisin, prune confite, cassis). Du même producteur, un bordeaux supérieur **Château des Nalentons-Canteloup 99** obtient une citation pour ses arômes de truffe, d'épices, pour sa chair savoureuse et sa typicité de vin de garde.
➤ SCA Meynard et Fils, 133, rte des Valentons,
33450 Saint-Loubès, tél. 05.56.38.94.18,
fax 05.56.38.92.47 ☑ ☏ t.l.j. sf dim. 8h-12h
13h30-18h30; sam. a-m. sur r.-v.

DOM. DU BOUSCAT
Cuvée la Gargone 1999

■	2,5 ha	10 200	⑪	8 à 11 €

La robe pourpre de cette cuvée présente quelques nuances d'évolution. Le nez fruité révèle des arômes de cassis et de prunelle. La complexité apparaît en bouche : dans la matière ronde et harmonieuse s'inscrivent des flaveurs épicées et torréfiées (café, cacao). Un ensemble bien fondu qui accompagnera grillades et fromages.
➤ EARL dom. du Bouscat, 2, Le Bouscat,
33240 Saint-Romain-la-Virvée,
tél. 05.57.58.20.82, fax 05.57.58.23.59,
e-mail francois.dubernard@wanadoo.fr ☑ ☏ r.-v.
➤ François Dubernard

BRION DE LAGASSE 1999

■	2,8 ha	6 000	⑪	5 à 8 €

La commune de Baron, où résida souvent Montesquieu, est célèbre pour sa belle église romane à trois nefs, ancien lieu de pèlerinage car l'on y guérissait les enfants de la peur, d'où l'expression « La Peur de Baron ». Cette cuvée presque exclusivement issue de merlot offre une robe rouge intense à reflets orangés. Le nez complexe mêle les notes florales d'églantine et de bourgeon de cassis à des touches d'écorce d'agrume séchée. Le corps volumineux est soutenu par des tanins assez présents, réglissés. La finale s'enrichit de notes torréfiées, puis de douces flaveurs cacaotées.
➤ Roux, Brion de Lagasse, 33460 Baron,
tél. 05.56.95.06.37, fax 05.56.95.06.37 ☑ ☏ r.-v.

CH. LA CADERIE
Elixir Elevé en fût de chêne 1999

■	2 ha	n.c.	⑪	11 à 15 €

Elixir est le fruit d'une sélection des meilleures parcelles de la propriété : 2 ha sur les 18 ha que compte le vignoble. Vinifié après macération préfermentaire, il est riche d'arômes mentholés, réglissés, soulignés de notes fraîches de grenade et de cassis. La bouche corsée repose sur des tanins encore fermes. Cette structure un peu austère à ce jour laisse augurer un épanouissement dans les deux ou trois années à venir.
➤ François Landais, Ch. La Caderie,
33910 Saint-Martin-du-Bois,
tél. 05.57.49.41.32, fax 05.57.49.41.32 ☑ 🏠 ☏ r.-v.

DOM. DE CANTEMERLE
Elevé en fût de chêne 2000★

■	1,8 ha	15 000	■ ⑪ ↓	5 à 8 €

Les cinq cépages traditionnels sont cultivés dans ce vignoble de 36 ha, dont le malbec (9 % de cet assemblage) et le petit verdot, avec une densité de plantation élevée. Après un élevage de deux mois en cuve et de dix mois sous bois, ce vin apparaît aussi riche au nez qu'en bouche. La chair avenante et souple développe des arômes toastés, puis s'étire dans une finale épicée, promettant un plaisir simple et immédiat.

🍷 Vignobles Mabille, Cantemerle, 33240 Saint-Gervais, tél. 05.57.43.11.39, fax 05.57.43.42.28 ☑ ⵏ r.-v.

CH. DE CAZENOVE 2000★★

■	11,44 ha	80 000	▮▥⚬	5 à 8 €

Implanté sur les meilleurs palus jouxtant les grands crus médocains, le château de Cazenove présente ce millésime 2000 paré d'une étoffe pourpre à reflets mauves qui libère les arômes fondus d'un bois bien chauffé. A la fois ample et fine, la bouche évoque le chocolat vanillé avant de se prolonger sur une longue note balsamique. Idéal pour un repas entre amis, aujourd'hui comme demain.

🍷 EARL de Cazenove van Essen, Ch. de Cazenove, 33460 Macau-en-Médoc, tél. 05.57.88.79.98, fax 05.57.88.79.98, e-mail cazessen@club-internet.fr ☑ ⵏ r.-v.

CH. CHAPELLE MARACAN
Elevé en fût de chêne 2000

■	10 ha	40 000	▥	5 à 8 €

Sous la protection d'une chapelle, le vignoble de 15 ha occupe deux coteaux qui se font face. Sa destinée est désormais entre les mains de deux nouveaux propriétaires, Aliénor et Alexandre de Malet Roquefort. Le millésime 2000, dont la vendange fut manuelle, est une première. Les arômes juvéniles forment le subtil bouquet d'un vin plein de fruits : le pruneau et la mûre, l'écorce d'orange et le miel s'offrent au nez comme en bouche. Le corps ample et souple, riche de tanins fortifiants, témoigne d'une constitution suffisante pour faire honneur à une viande rouge. A boire ou à garder cinq ans.

🍷 Aliénor et Alexandre de Malet Roquefort, Ch. Chapelle Maracan, BP 12, 33330 Saint-Emilion, tél. 05.57.56.40.80, fax 05.57.56.40.89 ☑

CH. DE CORNEMPS
Cuvée Prestige 2000★★

■	n.c.	20 000	▮▥⚬	5 à 8 €

Le jury a éprouvé beaucoup de plaisir à la dégustation de ce vin habillé de velours noir. Une telle robe traduit une longue macération du raisin et annonce la concentration d'un bouquet intense sur le cassis et la fraise écrasée. Elégante et ronde, la bouche réalise l'alliance d'une matière structurée et d'un caractère aromatique com-

plexe : noisette et amande se mêlent sur un fond légèrement vanillé. Une bouteille apte à un vieillissement de cinq à huit ans, avant un mariage avec une viande en sauce ou un fromage fin.

🍷 EARL Vignobles Fagard, Cornemps, 33570 Petit-Palais, tél. 05.57.69.73.19, fax 05.57.69.73.75, e-mail vignobles.fagard@wanadoo.fr ☑ ⵏ r.-v.

CH. COTES DE CASSAGNE
Fanny 2000★

■	0,7 ha	2 700	▥	8 à 11 €

Cette cuvée porte le nom de la fille de ce jeune couple exploitant un tout petit domaine de 2 ha. Ainsi Fanny est-elle devenue une jolie bouteille aux joues pourpres et au nez frais de muscaris et de violette. La bouche plus évoluée débute sur un caractère soyeux, exprimant le pruneau et la mûre. Ample et assez corsé, le corps s'étire dans une longue note grillée. L'impression tannique est là, mais le temps saura l'adoucir.

🍷 Cyril et Myriam Chancelier, 4, Cassagne, 33350 Ruch, tél. 05.57.40.53.13 ☑ ⵏ r.-v.

CH. COURONNEAU
Elevé en barrique 2000

■	6 ha	120 000	▥	5 à 8 €

Dans cette ancienne demeure médiévale entourée de douves, qui appartint deux siècles durant aux descendants de Jacques Cartier, on parle aujourd'hui de macération préfermentaire à froid et d'agriculture biologique. Ce bordeaux supérieur est donc bien dans son temps. Paré d'une robe rubis intense et d'un bouquet aux notes de gibier et d'épices, il est élégant jusque dans ses tanins satinés, savamment fondus dans une bouche bien évoluée. Il enchantera les repas dès 2003.

🍷 Christophe Piat, Ch. Couronneau, 33220 Ligueux, tél. 05.57.41.26.55, fax 05.57.41.27.58 ☑ 🏠 ⵏ r.-v.

DOM. DE COURTEILLAC 2000★

■	18,99 ha	96 000	▥	8 à 11 €

Rachetée en 1998, cette propriété est maintenant entre les mains de Dominique Meneret. Son bordeaux supérieur, issu des trois grands cépages girondins avec une large dominante de merlot, exhale un bouquet fondu, où le raisiné et la figue sèche se mêlent à d'agréables nuances balsamiques. La bouche soyeuse reste légère, ses tanins commençant à s'effacer. Un compagnon de vos prochains repas.

🍷 Dom. de Courteillac, 2, Courteillac, 33350 Ruch, tél. 05.57.40.79.48, fax 05.57.40.57.05 ⵏ r.-v.
🍷 Dominique Meneret

CH. COURTEY
Cuvée Margo 1999

■	1,25 ha	5 000	▥	5 à 8 €

Cette cuvée ne manque pas d'originalité puisqu'elle se compose de cabernet franc récolté sur un sol sablo-limoneux. Intense est son nez qui s'exprime dans des tonalités fruitées de groseille, de mûre et de noyau de cerise. La bouche ample, complexe et soyeuse laisse augurer une bonne évolution. L'harmonie se dessine.

🍷 SCEA Courtey, Courtey Nord, 33490 Saint-Martial, tél. 05.56.76.42.56, fax 05.56.76.42.56 ☑ 🏠 ⵏ r.-v.

CH. DE CRAIN 1999

| | 25 ha | 10 000 | ▮♦ | 3 à 5 € |

De teinte rubis léger, cette cuvée livre un nez aérien et fin. Des flaveurs de tabac et de foin coupé persistent jusqu'au palais. Elles se fondent à une matière fruitée, ronde, très souple.

🕯 SCA de Crain, Ch. de Crain, 33750 Baron, tél. 05.57.24.50.66, fax 05.45.25.03.73 ☑ ⅄ r.-v.

🕯 Fougère

CH. DE CUGAT

Cuvée première Elevé en barrique de chêne 2000★

| | 6,95 ha | 36 000 | ⅏ | 5 à 8 € |

A Blasimon, le château de Cugat avec sa porte fortifiée du XVᵉs. est une curiosité. Dans un style radicalement différent, la cave ultramoderne mérite aussi une visite. Elle a accueilli cette cuvée rubis soutenu à reflets violacés. Intensément fruité (framboise, cassis), le nez est souligné d'un fin boisé grillé et vanillé, tandis que la bouche attaque en vivacité sur les fruits des bois. Plein, rond et élégant, ce vin pourra accompagner viandes rouges et blanches en sauce d'ici deux ans. Citée, la **cuvée Francis Meyer 2000** (8 à 11 €) concentre le fruit et la chair d'un merlot bien mûr.

🕯 Benoît Meyer, Ch. de Cugat, 33540 Blasimon, tél. 05.56.71.52.08, fax 05.56.71.60.29 ☑ ⅄ r.-v.

CH. DARZAC

Cuvée Claude Barthe Elevé en fût de chêne 2000

| | 3,25 ha | 26 000 | ⅏ | 5 à 8 € |

D'une ancienne lignée de vignerons, la famille Barthe se remémore avec fierté l'un de ses ancêtres, « grognard » de son état, qui planta ici les premières vignes. De teinte grenat foncé à nuances pourpres, cette cuvée séduit par son bouquet naissant, déjà concentré et riche. En bouche, c'est un vin bien campé sur des tanins domptés, pourvu de flaveurs douces de cannelle et de café torréfié. Une bouteille prête à accompagner un repas.

🕯 SCA Vignobles Claude Barthe, 22, rte de Bordeaux, 33420 Naujan-et-Postiac, tél. 05.57.84.55.04, fax 05.57.84.60.23, e-mail chateau.fondarzac@wanadoo.fr ☑ ⅄ r.-v.

CH. DUCLA

Permanence VI 2000★

| | 2,5 ha | 11 000 | ⅏ | 5 à 8 € |

Une sévère sélection parcellaire a donné le jour à un vin de teinte purpurine, au nez de pain de mie et de brioche. Assez robuste et volumineuse, la bouche traduit une vinification bien conduite et un élevage soigné de dix-huit mois en barrique. La finale tannique et épicée invite à une garde de un ou deux ans avant un service à table.

🕯 SA Yvon Mau, BP 1, 33190 Gironde-sur-Dropt, tél. 05.56.61.54.54, fax 05.56.61.54.61, e-mail jpmau@yvonmau.fr ⅄ r.-v.

🕯 GFA Dom. Mau

CH. L'ESCART

Cuvée Omar Khayam 2000★

| | 1,6 ha | 10 200 | ⅏ | 11 à 15 € |

La cuvée Omar Khayam figurait déjà en bonne place dans le Guide 2000. Le poète et astronome persan se réjouirait de ce nouveau millésime étoilé. Brillant et profondément coloré, le vin livre d'amples parfums de cire, de réglisse et de menthe poivrée. Son corps assez musclé, tout tendu de cuir, mêle ses essences torréfiées et vanillées à une étoffe tannique fondue. L'alchimie s'accomplira d'ici un ou deux ans.

🕯 SCEA Ch. l'Escart, 70, chem. Couvertaire, BP 8, 33450 Saint-Loubès, tél. 05.56.77.53.19, fax 05.56.77.68.59, e-mail lescart@wanadoo.fr ☑ ⅄ r.-v.

🕯 Gérard Laurent

CH. FLEUR DE RIGAUD

Elevé en fût de chêne 2000★

| | 6,3 ha | 39 200 | ▮⅏♦ | 5 à 8 € |

Ce bordeaux présente beaucoup d'agrément au nez par son côté floral, sa note de menthe poivrée, ses arômes de mûre et de cassis. Après une attaque assez vive, il offre un joli fruit autour d'une structure encore sur la défensive mais prometteuse. La finale dense est savoureusement aromatique. Tous les atouts sont là pour assurer l'équilibre dans les prochaines années.

🕯 SA Promocom, rte du Petit-Conseiller, 33750 Beychac-et-Cailleau, tél. 05.57.97.39.73, fax 05.57.97.39.74

🕯 Vignobles Cholet

CH. FLEUR HAUT GAUSSENS

Elevé en fût de chêne 2000★

| | 0,73 ha | 5 860 | ⅏ | 5 à 8 € |

A cheval sur une longue bande argilo-calcaire venant de Fronsac, ce vignoble se compose de merlot exclusivement et fait face au midi. La groseille et la framboise dialoguent, soulignées d'une fine ligne grillée-vanillée. La matière friande laisse poindre en bouche une légère touche végétale. La charpente déjà souple invite à une dégustation prochaine sur une viande rouge ou une épaule d'agneau boulangère.

🕯 Vignobles Pierre Lhuillier et Fils, Guiard, 33620 Laruscade, tél. 05.57.68.50.99, fax 05.57.68.50.99 ☑ ⅄ r.-v.

CH. FONCHEREAU 1999

| | 20,05 ha | 28 000 | ▮ | 3 à 5 € |

Ce 99, à dominante de merlot, s'inscrit bien dans la tradition de ce beau domaine de près de 30 ha qui appartenait autrefois à la famille de Montargue. C'est un vin puissant et de longue garde, au caractère marqué de cuir et de sous-bois. Ferme en bouche, il est fortement charpenté par des tanins savoureux mais encore un peu farouches. Quelques années de garde révéleront pleinement son potentiel. La **Cuvée spéciale élevée en fût de chêne 99** (5 à 8 €) est également citée. Elle offre des arômes évolués de venaison et de résine. Sa chair délicate et légère se mariera bien à celle d'une fricassée de lapin.

🕯 SCA Ch. Fonchereau, BP 9, 33450 Montussan, tél. 05.56.72.96.12, fax 05.56.72.44.91, e-mail courrier@fonchereau.com ☑ ⅄ r.-v.

🕯 Madar

CH. FREYNEAU

Cuvée traditionnelle Vieilli en fût de chêne 1999★★

| | 17 ha | 65 000 | ⅏ | 5 à 8 € |

La vinification allie tradition et modernisme au château Freynau : tri du raisin, très longue macération, lutte raisonnée à la vigne. Et c'est le coup de cœur pour ce bordeaux supérieur qui réunit richesse aromatique, plénitude en bouche et équilibre. Un boisé de qualité apporte à l'ensemble des notes toastées et une pointe de cannelle dont la finale longue tire tout son charme.

➤ GAEC Maulin et Fils,
Ch. Freyneau, 33450 Montussan,
tél. 05.56.72.95.46, fax 05.56.72.84.29,
e-mail accueil@chateau-freyneau.com ☑ ⵏ r.-v.

CH. DE FUSSIGNAC 2000

	16 ha	85 000	⁜🍶	8 à 11 €

On peut visiter Saint-Palais pour son église romane du XIIIᵉ s., dont la façade ouest, richement décorée, est un chef-d'œuvre de l'architecture religieuse du Sud-Ouest. On peut aussi aller déguster ce bordeaux supérieur au château de Fussignac, et faire miroiter dans le verre ses reflets incarnats, humer son bouquet naissant de cassis et de myrtille, goûter à sa matière souple et légère, aux tanins très sages. L'ensemble fondu et réglissé se prête à un service prochain à table.

➤ Jean-François Carrille,
pl. Marcadieu, 33330 Saint-Emilion,
tél. 05.57.24.74.46, fax 05.57.24.64.40,
e-mail jeanfrançois-carrille@wanadoo.fr ☑ ⵏ r.-v.

CH. GAILLARTEAU
Vieilli en fût de chêne 1999

	1,5 ha	7 000	⏛	3 à 5 €

Mourens, son église romane et son petit clocher fortifié avec bretèche et mâchicoulis constituent une bonne halte spirituelle avant d'aller goûter aux plaisirs de ce monde au château Gaillarteau. Derrière sa robe intense, incarnat profond, se profile un nez d'abord légèrement végétal qui affirme ensuite des notes de pruneau et de réglisse. Le caractère toasté s'impose en bouche sur une trame tannique encore un peu anguleuse, mais que le temps saura assouplir.

➤ GFA Ch. Gaillarteau, 5, Gaillarteau,
33410 Mourens, tél. 05.56.61.98.21, fax 05.56.61.98.21
☑ ⵏ r.-v.

CH. GALAND
Elevé en fût de chêne 2000★

	3,48 ha	15 870	⏛	8 à 11 €

Le château Galand a fait le choix de vignes âgées cultivées à l'ancienne avec labours, conduites à petits rendements et vendangées à la main. Il en résulte un vin rouge intense, aux arômes de griotte et de violette. Souple et velouté, le corps charnu enrobe de sa belle matière fruitée des tanins encore robustes. De longues flaveurs grillées concluent la dégustation. Une bouteille déjà agréable, mais qui gagnera à attendre en cave.

➤ SCEA vignobles Jean Galand et Enfants,
La Malatie, 33126 Fronsac,
tél. 05.57.25.20.72, fax 05.57.58.20.81 ☑ ⵏ r.-v.

CH. LA GALANTE
Le Grand Vin 2000

	1,5 ha	6 600	⏛	11 à 15 €

D'origine charentaise, Christophe Pinard, propriétaire de ce château depuis 1991, ne ménage pas ses efforts. Eclaircissage des grappes, effeuillage, vendanges... Tout est fait à la main. Il en résulte ce vin rubis lumineux, ourlé de reflets violacés, dont le nez livre volontiers café, réglisse et notes de merrain chauffé à point. La bouche possède assez de corps pour équilibrer cette exubérance et se prolonger sur une longue note de torréfaction.

➤ SC du Ch. la Galante, rte de la Joncasse,
33750 Beychac-et-Caillau,
tél. 05.56.72.86.77, fax 05.56.68.34.31,
e-mail chateau.lagalante@wanadoo.fr ☑ ⵏ r.-v.
➤ Christophe Pinard

CH. DE GOELANE 2000★

	73 ha	329 500	⁜⏛🍶	5 à 8 €

La famille Castel exploite cette propriété depuis 1957 avec succès. Ce millésime n'inversera pas la tendance. Rubis violacé, il offre un bouquet fin de fruits rouges surmûris qui trouve écho dans une bouche riche et pulpeuse sur des arômes de fraise des bois, relayés en finale par une note pralinée. A boire dès 2003.

➤ Castel Frères, 21-24, rue Georges-Guynemer,
33290 Blanquefort,
tél. 05.56.95.54.00, fax 05.56.95.54.20
➤ SCCH Goëlane

CH. LE GRAND MOULIN
Fruit d'Automne 2001

	0,45 ha	3 000	⏛	5 à 8 €

Original par son origine géographique blayaise, ce vin sait se rendre sympathique tant par sa fraîcheur que par son aimable expression aromatique associant pêche blanche, pomme verte, agrumes et notes grillées.

➤ GAEC du Grand Moulin, La Champagne,
33820 Saint-Aubin-de-Blaye, tél. 05.57.32.62.06,
fax 05.57.32.73.73, e-mail jf@grandmoulin.com
☑ 🏠 ⵏ t.l.j. sf dim. 9h-12h 14h-19h

CH. LE GRAND VERDUS
Grande Réserve 2000★

	7 ha	15 000	⏛	11 à 15 €

Cette gentilhommière fortifiée du XVIᵉ s. veille sur 85 ha de vignes aux abords de Bordeaux, entre Garonne et Dordogne. Issu de 90 % de merlot, ce vin tient de ce cépage généreux l'intensité de sa robe. Violette, menthe poivrée et réglisse composent un bouquet harmonieux qui se retrouve en bouche, accompagné de flaveurs balsamiques. Un bordeaux supérieur structuré, onctueux et puissant, à laisser vieillir entre deux et cinq ans.

➤ Ph. et A. Legrix de La Salle, Ch. le Grand Verdus,
33670 Sadirac, tél. 05.56.30.50.90, fax 05.56.30.50.98,
e-mail le.grand.verdus@wanadoo.fr ☑ ⵏ r.-v.

CH. LES GRAVES DE PICON
Elevé en fût de chêne 2000

	13,5 ha	106 700	⏛	5 à 8 €

Ce bordeaux supérieur élevé douze mois sous bois, provient d'une sélection de parcelles complantées de cabernets (60 %) et de merlot (40 %). Son bouquet encore naissant possède une bonne base fruitée : pruneau, mûre, compote de fruits. Après une attaque franche et droite, des tanins puissants s'expriment en bouche, invitant à une garde de deux ou trois ans pour apaiser leur fougue. Un réel potentiel.

🦅 SA Promocom, rte du Petit-Conseiller, 33750 Beychac-et-Cailleau, tél. 05.57.97.39.73, fax 05.57.97.39.74
🦅 SCEA Ch. de Picon

CH. LA GRAVETTE DES LUCQUES
Elevé en fût de chêne 2000★

| ■ | 5 ha | 40 000 | 🍷🍾⬇ | 5 à 8 € |

Dans ce vignoble de 20 ha croît un cep en forme de Christ en croix, surnommé le Petit Jésus de Lucques, qui reçut la bénédiction d'un évêque de Rhodhésie. Le jury a retenu pour sa part la réussite de ce vin dont les notes grillées et torréfiées se prolongent en bouche. Le fruité ne s'exprime pas encore complètement, laissant dominer les épices et la résine en finale.

🦅 EARL Patrice Haverlan, 11, rue de l'Hospital, 33640 Portets, tél. 05.56.67.11.32, fax 05.56.67.11.32, e-mail patrice.haverlan@worldonline.fr ☑ ☖ r.-v.

CH. GREE-LAROQUE
Elevé en fût de chêne 2000

| ■ | 1,7 ha | 8 500 | 🍾 | 11 à 15 € |

Un sol de graves, d'argile et de calcaire, une vigne âgée et une récolte manuelle sont quelques-unes des clés de la typicité de ce vin. Le nez beurré, légèrement torréfié, évoque aussi les fruits des bois. La bouche ronde et séveuse bénéficie d'une structure fondue ; elle doit à un élevage sur lies son opulence. Un vin sympathique, à boire prochainement.

🦅 Arnaud Benoît de Nyvenheim, Laroque, 33910 Saint-Ciers-d'Abzac, tél. 05.57.49.45.42, fax 05.57.49.45.42 ☑ ☖ r.-v.

CH. GUILLAUME BLANC
Elevé en fût de chêne 2000★

| ■ | 20 ha | 100 000 | 🍾 | 3 à 5 € |

Ce château dont son nom à un ancien propriétaire, haut magistrat et jurat de la ville de Sainte-Foy-la-Grande au XIIIᵉs. Partisan des techniques modernes, l'exploitant actuel présente un vin noir comme la cerise bigarreau d'arrière-saison, dont le nez est aussi parfumé qu'un marché du Sud-Ouest : fraise des bois, prune. La bouche aromatique laisse le souvenir du fruit mûr, soulignée de notes mentholées. Elle est si souple et charnue que vous pourrez déguster ce vin dès 2003.

🦅 SCEA Ch. Guillaume, lieu-dit Guillaume-Blanc, 33220 Saint-Philippe-du-Seignal, tél. 05.57.41.91.50, fax 05.57.46.42.76 ☑
🦅 M. Guiraud

CH. HAUTE BRANDE
Cuvée Prestige 2000★

| ■ | 10 ha | 80 000 | 🍾 | 3 à 5 € |

Sous une robe sombre à reflets mauves se dévoilent à l'agitation des notes de cuir et de musc. Le corps ferme mais équilibré traduit bien la qualité d'une vendange mûre et concentrée dans ses arômes de fruits rouges et noirs (bigarreau, pruneau, mûre). Après quelques années de garde, cette bouteille fera honneur à une viande rouge grillée ou à un gibier en sauce.

🦅 R. Boudigue et Fils, GAEC Haute Brande, 33580 Rimons, tél. 05.56.61.60.55, fax 05.56.61.89.07 ☑ ☖ t.l.j. 8h-12h 14h-18h

CH. HAUT NADEAU
Cuvée Prestige Elevé en fût de chêne 2000★

| ■ | 0,7 ha | 4 600 | 🍾 | 8 à 11 € |

Quand le vigneron est aussi un œnologue de renom, il n'est pas étonnant de découvrir un vin de si grande qualité. Cette cuvée, pourpre éclatant et brillant, est d'une fraîcheur printanière dans ses évocations de violette. Un boisé agréable, fin et toasté, souligne toute la dégustation. La bouche ronde s'appuie sur des tanins savoureux jusqu'à une finale de cassis et de noix de coco. Un vin au bon potentiel de vieillissement.

🦅 SCEA Ch. Haut Nadeau, 3, chem. d'Estévenadeau, 33760 Targon, tél. 05.56.20.44.07, fax 05.56.20.44.07 ☑
🦅 Audouit

DOM. DE L'ILE MARGAUX
Cuvée Hugues Lawton 1999

| ■ | 1 ha | 6 000 | 🍾 | 8 à 11 € |

La douceur du climat de l'Ile Margaux se retrouve dans cette cuvée dédiée à Hugues Lawton, négociant d'origine irlandaise. Le raisin, vendangé à la main, a bénéficié d'une longue macération qui se traduit par une robe sombre aux nuances grenat. Le nez puissant marie le fruit d'un raisin mûr à la cannelle et à la vanille d'un merrain de bonne origine. Franche et d'un beau volume, la bouche possède des tanins encore fermes. On peut l'attendre un ou deux ans.

🦅 SCEA du Dom. de l' Ile Margaux, 33460 Margaux, tél. 05.57.88.30.46, fax 05.57.88.35.87 ☑ ☖ r.-v.
🦅 Gérard Favarel

CH. JALOUSIE-BEAULIEU 1999

| ■ | n.c. | 333 000 | 🍾 | 3 à 5 € |

Les coteaux de Galgon réchauffent en leur sein le vignoble du château Jalousie-Beaulieu. Le soleil doit y briller avec plus d'ardeur qu'ailleurs si l'on en juge par la puissance aromatique de ce vin riche de notes épicées et d'arômes de fruits rouges (cerise noire). La bouche vineuse, ample et chaleureuse bénéficie de tanins mûrs. Un vin que vous pouvez savourer dès aujourd'hui.

🦅 SA Yvon Mau, BP 1, 33193 Gironde-sur-Dropt Cedex, tél. 05.56.61.54.54, fax 05.56.61.54.61

MAISON JOHANES BOUBEE 1999★

| ■ | n.c. | 1000 000 | 🍾 | 3 à 5 € |

Yvon Mau confirme le savoir-faire de son équipe en proposant une cuvée de teinte grenat, nette et brillante. Le bouquet aux accents épicés (poivre et noix de muscade) attire l'attention par son élégance. L'équilibre est perceptible dans la bouche harmonieuse, mûre, aux tanins aimables. Une étoile qui brillera pendant au moins deux ans.

🦅 SA Yvon Mau, BP 1, 33193 Gironde-sur-Dropt Cedex, tél. 05.56.61.54.54, fax 05.56.61.54.61

CH. JONQUEYRES 2000★

| ■ | 36 ha | 263 000 | 🍾 | 5 à 8 € |

Le château de Jonqueyres, ancienne maison forte des XIᵉ et XIIᵉs., offre encore de beaux vestiges du Moyen Age. 36 ha sur les 38 ha que compte son vignoble ont donné naissance à ce vin intense et complexe, dominé par le merlot. Celui-ci sent bon le raisin arrivé à pleine maturité. Il emplit la bouche d'une matière ronde, d'abord réglissée, puis florale et épicée, fortement charpentée. Une bouteille à boire ou à attendre.

🕿 Anne-Marie Audy-Arcaute, SV Ch. Jonqueyres, 33750 Saint-Germain-du-Puch, tél. 05.56.68.55.88, fax 05.56.30.18.42 ☑ r.-v.

CH. LAMARCHE
Lutet 2000★

| ■ | 6 ha | 40 000 | ⑪ 5 à 8 € |

Si cette cuvée de teinte prune noire paraît un peu effacée au premier abord, elle libère à l'agitation profusion d'arômes épicés (muscade, menthe poivrée entre autres) qui préparent une mise en bouche rafraîchissante. Fruits rouges et flaveurs balsamiques agrémentent une matière caressante, comme une invitation à une dégustation prochaine.

🕿 Eric Julien, Ch. Lamarche, 33126 Fronsac, tél. 05.57.51.28.13, fax 05.57.51.28.13, e-mail bordeaux@vgas.com
☑ ⵣ t.l.j. sf dim. 8h-12h 14h-18h

CH. LAMOTHE VINCENT
Réserve Saint-Vincent Elevé en fût de chêne 2000★

| ■ | 4,84 ha | 32 000 | ⑪ 5 à 8 € |

Quatre générations de Vincent ont fait de ce château un domaine représentatif du vignoble de l'Entre-Deux-Mers. Cette cuvée habillée d'une robe noire presque opaque affiche un nez de fruits rouges encore un peu dominé par un boisé conquérant. Cependant, la bouche offre une chair généreuse, soutenue par de bons et longs tanins qui portent en finale des flaveurs anisées et réglissées. Cette bouteille pourra se conserver longuement – et même grandir – en cave.

🕿 SC Vignobles JBC Vincent, 3, chem. Laurenceau, 33760 Montignac, tél. 05.56.23.96.55, fax 05.56.23.97.72, e-mail info@lamothe-vincent.com
☑ ⵣ t.l.j. sf sam. dim. 8h30-12h 14h-18h

CH. LANDEREAU
Prestige 2000★★

| ■ | 6 ha | 30 000 | ⑪ 11 à 15 € |

Le château Landereau est une exploitation de référence pratiquant la lutte intégrée au vignoble, vinifiant et élevant ses vins dans un chai ultramoderne au moyen des techniques de pointe. La cuvée Prestige, lancée en 1997, obtient dans le millésime 2000 la reconnaissance du jury. De tempérament généreux, elle se décline dans le registre épicé, agrémenté de moka, de réglisse et de caramel. La bouche est plus impressionnante encore par sa rondeur autour de tanins savoureux. Des flaveurs balsamiques et pralinées marquent la dégustation de ce vin persistant qui saura attendre.

🕿 SC Vignobles Baylet, Ch. Landereau, 33670 Sadirac, tél. 05.56.30.64.28, fax 05.56.30.63.90, e-mail vignoblesbaylet@free.fr ☑ ⵣ r.-v.

CH. LAUDUC
Tradition 2000★

| ■ | 6 ha | 47 000 | ⑪ 3 à 5 € |

Naguère, cette exploitation produisait des fruits, du raisin de table de chasselas et... du lait. La révolution agricole de l'après-guerre fit de Lauduc un domaine viticole de pointe aux portes de la capitale aquitaine. Ce vin ne manque pas de matière. Une teinte bigarreau annonce un nez de muscade, de menthe poivrée et de grillé. Une chair puissante et charnue se développe autour de tanins encore un peu vifs mais qui initient leur lente mutation. Le charme et la pondération apparaîtront avec le temps.

🕿 GAEC Grandeau et Fils, Ch. Lauduc, 33370 Tresses, tél. 05.57.34.43.56, fax 05.57.34.43.58, e-mail m.grandeau@lauduc.fr ☑ ⵣ r.-v.

CH. LESCALLE 2000★

| ■ | 17,5 ha | 130 000 | ⑪ 5 à 8 € |

La robe pourpre à reflets chatoyants invite à découvrir le charme de ce vin réglissé et fumé, un peu réservé encore, mais prometteur. La bouche, plus expressive, est un velours au grain fin, pulpeux, aux flaveurs de biscuit et de vanille. Cette bouteille dévoilera son harmonie au cours d'un bon repas de fête.

🕿 EURL Ch. Lescalle, 33460 Macau, tél. 05.57.88.07.64, fax 05.57.88.07.00 ☑ ⵣ r.-v.

CH. LESTRILLE CAPMARTIN
Cuvée Prestige Elevé en fût de chêne 2000★

| ■ | 4,1 ha | 32 800 | ⑪ 8 à 11 € |

Jean-Louis Roumage est l'une des figures de la viticulture bordelaise qui s'impliquent dans l'économie régionale. Cette cuvée vermillon offre un bouquet encore marqué par un boisé grillé, mais déjà élégant. Elle révèle sa vraie nature dans la bouche, dans une rondeur chaleureuse qu'accompagnent les arômes d'épices, de poivre et de cacao ; le cuir et le gibier apparaissent dans une finale dense pour accomplir l'ouvrage.

🕿 Jean-Louis Roumage, Lestrille, 33750 Saint-Germain-du-Puch, tél. 05.57.24.51.02, fax 05.57.24.04.58, e-mail jlroumage@wanadoo.fr ☑ ⵣ r.-v.

CH. DE LISENNES
Cuvée Prestige Elevé en fût de chêne 1999★

| ■ | n.c. | 33 000 | ⑪ 5 à 8 € |

Les agronomes contemporains de Rabelais nommaient « lize » la terre « grasse et forte, retenant l'humidité », à qui cet ancien domaine, dont l'origine remonte au XIII^{e}s., doit son nom. Cette argile convient bien au merlot qui a donné naissance à cette cuvée écarlate, au nez complexe et épicé. Les flaveurs balsamiques et vanillées s'inscrivent dans une bouche ample, aux tanins aimables. Le merrain apporte sa note toastée, sans jamais dominer le fruit du raisin.

🕿 Jean-Luc Soubie, Ch. de Lisennes, 33370 Tresses, tél. 05.57.34.13.03, fax 05.57.34.05.36, e-mail contact@lisennes.fr ☑ ⵣ r.-v.

CH. LA MALATIE 2000★

| ■ | 1,5 ha | 7 800 | ⑪ 5 à 8 € |

Ce bordeaux supérieur est un vin d'artisan, produit sur un tout petit terroir de 1,5 ha, dont le raisin a été vendangé à la main. Découvrez sa robe à reflets mordorés, son bouquet marqué par un début d'évolution bénéfique, qui s'épanouit sur des notes fruitées et vanillées élégantes. Rond et finement grillé en bouche, il est déjà prêt à boire, mais trouvera aussi son avantage à vieillir en bouteille.

↬ Sautanier-Goumard, 33126 Fronsac, tél. 06.81.42.24.56, fax 05.57.25.32.32, e-mail chateau.la.malatie@wanadoo.fr ☑ ♈ r.-v.

CH. LES MAUBATS
Elevé en fût de chêne 2000

■		2,3 ha	17 000	⦷	5 à 8 €

Robert Armellin a reçu le trophée du Vigneron 2001 pour son action en faveur de la protection de la nature et pour la qualité de son accueil. Sa cuvée jouit d'une bonne vinosité et d'un nez mi-fruits rouges mi-raisin de Corinthe. Les fruits secs et la praline donnent du charme à la bouche, mais quelques tanins encore musclés invitent à patienter avant d'ouvrir cette bouteille.

↬ Robert Armellin, Ch. Les Maubats, 33580 Roquebrune, tél. 05.56.61.68.36, fax 05.56.61.69.10, e-mail chateau-les-maubats@wanadoo.fr ☑ ♈ r.-v.

CH. MESTE JEAN
Elevé en fût de chêne 2000

■		3 ha	15 000	⦷	5 à 8 €

Née au cœur de l'Entre-Deux-Mers sur un terroir argileux, cette cuvée 2000 se compose de merlot et de cabernet-sauvignon à parts égales. Sa robe rubis intense et ses arômes de fruits rouges mûrs ouvrent la voie à la découverte d'une bouche dense et volumineuse. Le long retour aromatique sur le fruit et le cacao confère de l'élégance à cette bouteille qui devra attendre trois petites années pour se parfaire.

↬ EARL Vignobles Cailleux, La Pereyre, 33760 Escoussans, tél. 05.56.23.63.23, fax 05.56.23.64.21 ☑ ♈ r.-v.

CH. MIRAMBEAU PAPIN 1999

■		5 ha	30 000	⦷	5 à 8 €

Vêtu d'une robe pourpre à reflets violets, ce vin offre un nez complexe de noisette, d'écorce d'orange et de fruits cuits. De discrètes notes grillées se révèlent dans une bouche charnue qui s'épanouit dans une longue finale. Une bouteille qui peut s'apprécier dès aujourd'hui, mais qui ne perdra rien à attendre.

↬ Vignobles Landeau, dom. Grange-Brûlée, Mondion, 33440 Saint-Vincent-de-Paul, tél. 05.56.77.03.64, fax 05.56.77.11.17, e-mail xavier.landeau@wanadoo.fr ☑ ♈ r.-v.

CH. MONIER-LA FRAISSE 1999★

■		12 ha	22 000	▐↓	5 à 8 €

Une cuvée séduisante, habillée d'une robe carminée qui reflète la lumière. Le nez riche joue sur les notes mentholées et légèrement amyliques, très fruitées. Ample et structuré, le vin réussit l'alliance du gras et du fruit, avec toujours beaucoup de fraîcheur.

↬ Cellier de la Bastide, Cave coopérative, 33540 Sauveterre-de-Guyenne, tél. 05.56.61.55.21, fax 05.56.61.59.10 ☑ ♈ r.-v.

↬ Claude Laveix

CH. DE MONTVAL
Caractère Elevé en fût de chêne 2000★

■		4 ha	20 000	▐ ⦷	5 à 8 €

Non loin d'une église romane qui mérite une visite, un tout jeune viticulteur mène les 20 ha du château de Montval, plantés sur graves pures. Cette cuvée s'annonce par des arômes délicatement vanillés, presque biscuités. Le corps, tout en douceur, possède du gras. Des tanins bien extraits accompagnent cet ensemble caressant vers une finale élégante. Une dégustation prochaine semble parfaitement possible.

↬ Frédéric Signé, 505, Petit-Moulin-Sud, 33760 Arbis, tél. 05.56.23.93.22, fax 05.56.23.45.75, e-mail signevignobles@wanadoo.fr ☑ ♈ r.-v.

CH. PANCHILLE
Cuvée Alix 2000★

■		4 ha	18 000	⦷	5 à 8 €

Pascal Sirat est un perfectionniste. A en juger ses vins, il fait bien de persévérer dans ce sens. Cette cuvée est le reflet fidèle d'un merlot parvenu à parfaite maturité, récolté méticuleusement à la main. Sa teinte pourpre s'accorde bien aux flaveurs d'écorce et de truffe, aux nuances fugaces de cacao. Déjà, les tanins s'assagissent et font place à une harmonie ascendante jusqu'à une longue finale.

↬ Pascal Sirat, Penchille, 33500 Arveyres, tél. 05.57.51.57.39, fax 05.57.51.57.39 ☑ ♈ r.-v.

CH. PENIN
Grande Sélection 2000★★

■		8,5 ha	60 000	⦷	8 à 11 €

Au château Penin tout est réfléchi, pesé, évalué, à commencer par le terroir réservé à cette Grande Sélection : un sol de graves reposant sur un socle sableux de 8 m de profondeur. La robe grenat profond annonce un nez de noisette, de vanille, presque beurré. La matière aux flaveurs épicées et torréfiées (réglisse, moka) est un vrai ravissement pour le palais. Les tanins savoureux commencent à s'assagir, invitant à redécouvrir cette bouteille généreuse vers 2004.

↬ SCEA Patrick Carteyron, Ch. Penin, 33420 Génissac, tél. 05.57.24.46.98, fax 05.57.24.41.99, e-mail vignoblescarteyron@wanadoo.fr ☑ ♈ r.-v.

CH. PERAYNE
Elevé en fût de chêne 1999★

■		6,76 ha	22 000	⦷	5 à 8 €

Depuis 1994, Henri Luddecke, agriculteur originaire de Hanovre, cultive un vignoble de 22 ha d'un seul tenant à Saint-Macaire. Cette cuvée écarlate et brillante s'annonce par un bouquet de petits fruits rouges (cassis, framboise). Une matière douce tapisse le palais de saveurs vanillées. Une discrète présence tannique accompagne un retour aromatique sur le fruit surmûri de la vigne. Une bouteille prête à boire.

↬ Henri Luddecke, Ch. Perayne, 33490 Saint-André-du-Bois, tél. 05.57.98.16.20, fax 05.56.76.45.71, e-mail chateau.perayne@wanadoo.fr ☑ ♈ r.-v.

CH. PETIT FREYLON 2000★

■		3,5 ha	10 000	⦷	5 à 8 €

Attrayant, ce vin l'est par sa teinte cerise fraîche et par son nez intense de fruits rouges, de vanille et de torréfaction. Peut-être doit-il à la culture en lyre du vignoble ou à la vendange manuelle cette vinosité et cette tenue en bouche ? Outre de bons tanins puissants et élégants, les saveurs du raisin mûr et de la myrtille se pressent dans une finale harmonieuse. Une bouteille prête à boire, mais qui saura aussi attendre.

🍷 EARL Vignobles Lagrange, Ch. Petit-Freylon, 33760 Saint-Genis-du-Bois, tél. 05.56.71.54.79, fax 05.56.71.59.90 ☑ 🏠 � r.-v.

CH. PEYAU 2000★

■	n.c.	39 300	ⅲ 3 à 5 €

Les amateurs d'insolite peuvent aller à Saint-Louis-de-Montferrant sur les rives de la Garonne. Ils verront les superstructures des paquebots modernes traverser lentement le décor champêtre de marais fleuris où paissent les bovins. Ce bordeaux n'a rien d'un mirage. Ample, tout en fruit, en violette et en épices (cannelle), il charme par sa richesse et son opulence. Les flaveurs réglissées font oublier quelques tanins encore robustes et annoncent une finale racée. Tout mets de caractère s'associera bien à cette bouteille.

🍷 Dulong Frères et Fils, 29, rue Jules-Guesde, 33270 Floirac, tél. 05.56.86.51.15, fax 05.56.40.66.41, e-mail jm.dulong@dulong.com

CH. LE PIN BEAUSOLEIL 2000

■	5 ha	20 000	ⅲ 15 à 23 €

La maison noble du Pin est presque aussi ancienne que l'église romane du village, dont on ne saurait trop recommander la visite. Au Pin Beausoleil, Arnaud Pauchet a produit un vin de caractère, aussi intense à l'œil qu'au nez (cuir et bois toasté). Puissant, le corps est bâti sur des tanins encore un peu sévères, mais il exprime des volutes complexes de fumée, de thym et de cire préfigurant une finale concentrée. Une belle harmonie récompensera ceux qui sauront attendre un peu.

🍷 Arnaud Pauchet, Le Pin, 33420 Saint-Vincent-de-Pertignas, tél. 05.57.84.02.56, fax 05.57.84.02.56, e-mail arno.pauchet@wanadoo.fr ☑ touche r.-v.

CH. LE PRIEUR
Cuvée Passion 1999★

■	4 ha	26 000	🍾ⅲ♿ 5 à 8 €

Les pèlerins de Saint-Jacques-de-Compostelle faisaient halte en ce lieu pour prier. Aujourd'hui, le château mérite que l'on s'y arrête pour découvrir ce 99 pourpre éclatant, aux multiples arômes : figue sèche, coing, raisin de Corinthe. La matière veloutée emplit la bouche et réjouit les papilles par un juste équilibre entre puissance et arômes. A marier à une cuisine bourgeoise.

🍷 EARL Vignobles Garzaro, Ch. Le Prieur, 33750 Baron, tél. 05.56.30.16.16, fax 05.56.30.12.63, e-mail garzaro@vingarzaro.com ☑ 🏠 touche r.-v.

CH. RAUZAN DESPAGNE
Grande Réserve 2000★★

■	1,5 ha	n.c.	ⅲ 11 à 15 €

Les vignobles Despagne ont pris l'habitude de figurer à une digne place dans le Guide. Leur cuvée Grande Réserve fait honneur à l'appellation, riche de sa robe pourpre intense et de son bouquet de fruits rouges, d'épices et de pain grillé. Ample et suave, la bouche évoque la violette et se prolonge grâce à une structure solide jusqu'à une finale sur le tabac. Ce vin grandira en s'assouplissant dans les trois à cinq ans.

🍷 GFA de Landeron, 33420 Naujan-et-Postiac, tél. 05.57.84.55.08, fax 05.57.84.57.31, e-mail contact@vignobles-despagne.com

🍷 J.-L. Despagne

CH. RECOUGNE 2000★

■	50 ha	250 000	ⅲ 5 à 8 €

Les collines calcaires du Fronsadais forment l'écrin de ce château complanté en merlot et cabernet (respectivement 70 % et 30 %). La griotte et le cassis s'imposent dans une bouche grasse et dense, au corps consistant. L'harmonie, qui se précise en finale, devrait être totale après quelques années de garde. Egalement très réussie, la cuvée **Terra Recognita 2000** (8 à 11 €), élevée douze mois en fût, provient des plus vieilles vignes du domaine. Riche d'arômes de truffe et de fruits noirs, elle traduit bien l'opulence d'un raisin charnu en bouche et se prête d'ores et déjà à la dégustation. Citons enfin le **château Tour d'Auron 2000** à servir dans les deux prochaines années.

🍷 SCE Vignobles Jean Milhade, Ch. Recougne, 33133 Galgon, tél. 05.57.55.48.90, fax 05.57.84.31.27, e-mail g.milhade@milhade.com touche r.-v.

CH. ROQUES-MAURIAC
Cuvée Hélène 2000★

■	7 ha	35 000	ⅲ 5 à 8 €

Hélène Levieux a fait œuvre d'artiste inspirée sur le domaine racheté par les Leclerc en 1985 et entièrement rénové. Cette cuvée offre une brassée de fleurs des champs où domine la violette sur un fond doucement toasté. L'amande grillée et la praline montent au palais, tandis que la matière soyeuse s'emploie à intégrer un boisé encore marqué. L'harmonie sera atteinte d'ici douze mois.

🍷 GFA Leclerc, Ch. Lagnet, 33350 Doulezon, tél. 05.57.40.51.84, fax 05.57.40.55.48 ☑ touche r.-v.

CH. DE SEGUIN
Cuvée Prestige Vieilli en barrique neuve 1999★

■	72,5 ha	600 000	ⅲ 5 à 8 €

Le château de Seguin, souvent au rendez-vous du Guide, offre cette année une cuvée à la robe pivoine éclatante et limpide. Le nez reflète la surmaturité : raisin bien sûr, mais aussi myrtille et cerise. Ses arômes se mêlent en bouche à un boisé finement torréfié, tandis que la cannelle apporte un rayon de soleil à une finale longue et harmonieuse. Egalement une étoile, la **cuvée Prestige 2000** (8 à 11 €) est ronde et intensément fruitée.

🍷 Michael et Gert Carl, SCI Ch. de Seguin, 33360 Lignan-de-Bordeaux, tél. 05.57.97.19.75, fax 05.57.97.19.72, e-mail info@chateau-seguin.fr ☑ touche r.-v.

CH. TECHENEY 2000

■	40 ha	110 000	🍾ⅲ♿ 5 à 8 €

Cet ancien domaine entièrement rénové par la maison Castel a produit un vin agréablement bouqueté, épicé, grillé. Charnue et riche de notes animales (venaison et cuir), la bouche se prolonge dans une finale dense et délicatement toastée.

🍷 Castel Frères, 21-24, rue Georges-Guynemer, 33290 Blanquefort, tél. 05.56.95.54.00, fax 05.56.95.54.20

CH. TERTRE CABARON
Elevé en fût de chêne 1999

■	1 ha	8 000	⑪	5 à 8 €

Saint-Brice est un charmant petit village girondin : on peut y cheminer sur une voie romaine, passer près des ruines d'un château du XIVᵉˢ., entendre le son de la cloche fondue en 1578, boire un verre et admirant le vignoble. On s'arrêtera au Tertre Cabaron pour goûter ce bordeaux supérieur aux senteurs raisinées et musquées. En bouche, on perçoit une matière chaleureuse, à l'étoffe tannique encore un peu vive, mais qui se fondra dans le temps. La finale légèrement torréfiée invite à servir ce vin sur une viande blanche en sauce.

❧ SCEA Dom. de Bastorre, 33540 Saint-Brice, tél. 05.56.71.54.19, fax 05.56.71.50.29 ☑ r.-v.
❧ Valérie Dugrand

CH. DE LA TOUR
Réserve du château 1999★

■	104 ha	175 000	⑪	8 à 11 €

Ce domaine doit son nom à un ancien château, dont les ruines sont encore visibles, propriété de Bertrand de Got, futur pape Clément V, à la fin du XIIIᵉs. Le chai, situé au sommet de la colline de Sallebœuf, ménage un beau point de vue sur le vignoble. Cette Réserve brille d'éclats violacés dans le verre, et ses arômes complexes empruntent beaucoup au registre floral (violette, iris). D'un abord franc et consistant, elle impose sa structure en bouche. Sa chaleur épicée conduit vers une finale tendre et fruitée. L'avenir lui appartient.

❧ Vignoble Dourthe, Ch. de la Tour, 35, rue de Bordeaux, 33290 Parempuyre, tél. 05.56.35.53.00, fax 05.56.35.53.29, e-mail contac@cvbg.com ☑ r.-v.

CH. TOUR DE GILET 2000★

■	1,5 ha	9 000	⑪	8 à 11 €

Un encépagement très exceptionnel (60 % de petit verdot et 40 % de cabernet-sauvignon) fait de ce vin une bouteille rare qui est bien « l'Expression du Petit Verdot » comme le mentionne la contre-étiquette. La cerise, les petits fruits rouges et l'épice (clou de girofle) cohabitent avec le toasté fin d'un beau merrain. Structure ample et charnue, un corps riche de tanins puissants mais savoureux. La rondeur de la finale en fait un vin de caractère.

❧ SC Tour de Gilet, 33290 Ludon-Médoc, tél. 05.57.88.07.64, fax 05.57.88.07.00 ☑ ⵛ r.-v.

CH. TOUR DE MIRAMBEAU
Cuvée Passion Elevé en fût de chêne 2000★★

■	3,5 ha	30 000	⑪	11 à 15 €

Déjà remarqué dans le précédent Guide, le Château Tour de Mirambeau se distingue par une cuvée modèle, de teinte amarante ourlée de velours. Le nez explose en arômes fruités de framboise, de groseille et de cassis, soulignés d'une délicate note toastée. La chair, souple et ronde, trouve le soutien de tanins lisses pour composer un ensemble fondu, accompagné d'un boisé élégant. Une bouteille d'avenir.

❧ SCEA Vignobles Despagne, 33420 Naujan-et-Postiac, tél. 05.57.84.55.08, fax 05.57.84.57.31, e-mail contact@vignobles-despagne.com ☑
❧ J.-L. Despagne

CH. TROCARD
Monrepos 1999★

■	5 ha	25 000	▐⑪⎜	8 à 11 €

La cuvée Monrepos avait obtenu une étoile dans le millésime 1998. Elle trouve à nouveau une bonne place dans le Guide dans sa version 1999. Après des notes animales de gibier et de cuir, le nez s'enrichit de fruits rouges (framboise). En bouche, les saveurs épicées montent doucement en puissance. La structure solide n'occulte pas le retour aromatique. Un vin à garder trois ou quatre ans.

❧ Jean-Louis Trocard, Ch. Trocard, 2, les Petits-Jays-Ouest, 33570 Les Artigues-de-Lussac, tél. 05.57.55.57.90, fax 05.57.55.57.98, e-mail contact@trocard.com ☑ ⵛ r.-v.

CH. LA VERRIERE
Cuvée Passion 2000★

■	1 ha	4 000	⑪	5 à 8 €

Cette cuvée Passion correspond à une sélection des meilleures parcelles de La Verrière. Couleur vive, d'un grenat intense, et nez épanoui de cassis, légèrement mentholé mettent en appétit. Une bouche ample et ferme révèle peu à peu une structure tannique assez vigoureuse qui se fondra dans le temps. Cannelle et merrain bien toasté signent cette harmonie naissante.

❧ EARL André Bessette, 8, La Verrière, 33790 Landerrouat, tél. 05.56.61.33.21, fax 05.56.61.44.25 ☑ ⵛ r.-v.
❧ André et Alain Bessette

CH. DE VIAUT 2000★

■	52 ha	100 000	⑪	5 à 8 €

Le GAEC Cigana-Boudat, qui exploite ce domaine depuis cinq générations, présente une cuvée au nez brioché, vanillé, riche d'épices douces. Des tanins présents mais sans rudesse renforcent un caractère aromatique de pain d'épice et d'amande grillée. Le corps opulent et rond destine ce vin à accompagner toute bonne cuisine familiale.

❧ F. Boudat, Ch. de Viaut, 33410 Mourens, tél. 05.56.61.98.13, fax 05.56.61.99.46 ☑ ⵛ r.-v.

CH. VIGNOL 1999★

■	5 ha	n.c.	▐⎜	5 à 8 €

Le chai du château Vignol, charmante demeure de style Louisiane, est d'une grande élégance. C'est dans ce cadre qu'est né ce vin tout aussi distingué dans sa robe grenat à reflets bleutés qui s'accorde à un bouquet de petits fruits noirs (mûre, myrtille), plein de fraîcheur. Cette bouteille séveuse et délicate est prête.

❧ Bernard et Dominique Doublet, Ch. Vignol, 33750 Saint-Quentin-de-Baron, tél. 05.57.24.12.93, fax 05.57.24.12.83, e-mail d.doublet@free.fr ☑ ⵛ r.-v.

CH. VILATTE 1999

■	8 ha	25 000	▐⎜	3 à 5 €

La robe rouge carminé abrite un fruit encore naissant, plein de finesse. La bouche ferme, aux tanins un peu vifs, se développe avec une nette dominante épicée (girofle). Une garde de deux ou trois ans sera bénéfique à ce vin qui pourra alors accompagner un plat de viande consistant, comme un bœuf bourguignon.

❧ GAEC Ch. Vilatte, 33660 Puynormand, tél. 05.57.49.77.60, fax 05.57.49.67.89 ☑ ⵛ r.-v.
❧ Massart

Y 2000★★

| | n.c. | 25 000 | **❚❙ 23 à 30 €** |

S'annonçant par une simple lettre mais qui est la plus prestigieuse signature dont puisse rêver un bordeaux blanc, ce vin est à la hauteur de son origine. La jeunesse de sa robe est prometteuse et s'accorde à la délicatesse du bouquet. Exprimant la dualité de l'encépagement (sémillon et sauvignon), ses fines notes fruitées se mêlent aux apports du bois pour donner un ensemble d'une grande complexité : abricot, pamplemousse, pêche blanche, confiserie, rose, fleurs blanches, vanille, épices, pain grillé... Le palais faisant preuve d'autant de finesse que de puissance, on obtient un vrai grand vin liquoreux harmonieux. A attendre quelques années avant de le servir sur des poissons en sauce, des fromages à pâte dure ou, mieux encore, des langoustines au basilic.

🖙 Comte Alexandre de Lur-Saluces, Ch. d'Yquem, 33210 Sauternes, tél. 05.57.98.07.07, fax 05.57.98.07.08, e-mail info@yquem.fr ⵣ r.-v.

🖙 LVHM

Crémant de bordeaux

Créé en 1990, le crémant est élaboré selon des règles très strictes communes à toutes les appellations de crémant, à partir de cépages traditionnels du Bordelais. En forte expansion, les crémants sont généralement blancs (10 791 hl en 2001) mais ils peuvent aussi être rosés (1 254 hl).

JEAN-LOUIS BALLARIN
Etiquette crème

| | n.c. | n.c. | 5 à 8 € |

Né d'un assemblage de sémillon et de muscadelle, ce crémant de Ballarin se distingue par une belle transparence jaune pâle à reflets verts et un nez plein de fraîcheur, aux fines notes citronnées. Une puissance vive et nerveuse se révèle en attaque, puis laisse place aux fruits secs. La finale est d'une longueur fort plaisante.

🖙 Jean-Louis Ballarin, 33550 Haux, tél. 05.56.67.11.30, fax 05.56.67.54.60, e-mail ballarin@wanadoo.fr ⵣ ⵣ r.-v.

GRANGENEUVE★

| | 12,82 ha | 6 000 | 5 à 8 € |

Parée d'une robe aux nuances tendres, jaune pâle frangé de vieil or, Grangeneuve s'entoure de beaux arômes de pomme et de bergamote et presse le consommateur de poursuivre vers une bouche en dentelle, d'un abord très séduisant. Ce crémant, délicat et frais, fleure bon l'abricot et la pâte de coing et vous donne des envies de l'engager sur un filet de sole au beurre blanc.

🖙 Cave de Grangeneuve, 33760 Romagne, tél. 05.57.34.57.57, fax 05.57.34.57.57

ⵣ ⵣ t.l.j. sf dim. lun. 8h30-12h 14h-17h

LATEYRON

| | n.c. | 24 643 | 5 à 8 € |

La fraîcheur des caves quadricentenaires de Montagne a bien mûri ce crémant de Lateyron au nez vif et jeune, citronné, très séduisant. Bouche riche et ferme, mais sans raideur. Harmonieux, long et d'un classicisme accompli, il tiendra son rang aussi bien à l'apéritif que sur une tarte aux poires.

🖙 SA Lateyron, Ch. Tour Calon, BP 1, 33570 Montagne, tél. 05.57.74.62.05, fax 05.57.74.58.58, e-mail lateyron@wanadoo.fr ⵣ ⵣ r.-v.

PAULIAN★

| | n.c. | 6 807 | 5 à 8 € |

Cette maison familiale fondée en 1897 jouit d'une réputation et d'un savoir-faire qui en font une référence dans le domaine des crémants de Bordeaux. Sa cuvée Paulian, à la belle transparence jaune clair, offre à l'œil une bulle discrète mais fine et régulière, et une belle complexité aromatique associant fleurs blanches et notes biscuitées. Une rondeur finement beurrée, balsamique, témoignant d'une certaine évolution, lui prête un caractère attachant et durable.

🖙 SA Lateyron, Ch. Tour Calon, BP 1, 33570 Montagne, tél. 05.57.74.62.05, fax 05.57.74.58.58, e-mail lateyron@wanadoo.fr ⵣ ⵣ r.-v.

PRINCESSE LEA

| | n.c. | n.c. | 5 à 8 € |

Cette princesse Léa apparaît vêtue d'une fine mousseline d'un or très pâle, parée d'un flot de perles virevoltantes. Des flaveurs florales, printanières, embaument le nez plein de charme de ce crémant léger, frais et gracile. Les parfums délicats d'une fermentation lente persistent en bouche (bouton de rose, bonbon anglais) jusque dans la finale rafraîchissante.

🖙 Jean-Louis Ballarin, 33550 Haux, tél. 05.56.67.11.30, fax 05.56.67.54.60, e-mail ballarin@wanadoo.fr ⵣ ⵣ r.-v.

PERLE DE SEGUIN
Cuvée Prestige 2000

| | 3,4 ha | 30 000 | 8 à 11 € |

Un cordon de bulles imperceptibles s'élève dans la brillance vieil or de cette Perle de Seguin, et le nez a la finesse aromatique d'une essence de rose, délicate et envoûtante. Une bouche légère égrène quelques notes exotiques puis affirme dans son évolution une bonne vinosité et une finale qui, sans être d'une grande longueur, atteint une harmonie très satisfaisante.

🖙 Michael et Gert Carl, SCI Ch. de Seguin, 33360 Lignan-de-Bordeaux, tél. 05.57.97.19.75, fax 05.57.97.19.72, e-mail info@chateau-seguin.fr ⵣ ⵣ r.-v.

Le Blayais et le Bourgeais

Blayais et Bourgeais, deux petits pays aux confins charentais de la Gironde que l'on découvre toujours avec plaisir. Peut-être en raison de leurs sites historiques, de la grotte de Pair-Non-Pair (avec ses fresques préhistoriques, presque dignes de Lascaux), de la citadelle de Blaye ou de celle de Bourg, ou des petits châteaux et autres anciens pavillons de chasse. Mais plus encore parce que de cette région très vallonnée se dégage une atmosphère intimiste, apportée par de nombreuses vallées et qui contraste avec l'horizon presque marin des bords de l'estuaire. Pays de l'esturgeon et du caviar, c'est aussi celui d'un vignoble qui, depuis les temps gallo-romains, contribue à son charme particulier. Pendant longtemps, la production de vins blancs a été importante ; jusqu'au début du XXᵉ s., ils étaient utilisés pour la distillation du cognac. Mais aujourd'hui, les vins blancs sont en très nette régression, car les rouges jouissent d'une prospérité économique beaucoup plus grande.

Blaye, premières côtes de blaye, côtes de blaye, bourg, bourgeais, côtes de bourg, rouges et blancs : il est parfois un peu difficile de se retrouver dans les appellations de cette région. Toutefois, on peut distinguer deux grands groupes : celui de Blaye, avec des sols assez diversifiés, et celui de Bourg, géologiquement plus homogène.

Côtes de blaye et premières côtes de blaye

Sous la protection, désormais toute morale, de la citadelle de Blaye due à Vauban, le vignoble blayais s'étend sur environ 6 066 ha plantés de vignes rouges et blanches. Les appellations blaye et blayais sont désormais de moins en moins utilisées, la plupart des viticulteurs préférant produire des vins à partir de cépages plus nobles qui ont droit aux appellations côtes de blaye et premières côtes de blaye. Cependant l'AOC blaye a revendiqué 2 449 hl en 2001. Les premières côtes de blaye rouges (313 091 hl en 2001) sont des vins puissants et fruités. Les blancs (5 631 hl en 2001) sont aromatiques. Les côtes de blaye blancs (2 237 hl en 2001) sont en général des vins secs, d'une couleur légère, que l'on sert en début de repas, alors que les premières côtes rouges vont plutôt sur des viandes ou des fromages.

La nouvelle charte qualitative de l'AOC blaye exigeant une mise en bouteilles après 18 mois d'élevage remet à l'édition 2004 la dégustation de millésime.

Premières côtes de blaye

CH. L'ABBAYE 2001★

	0,43 ha	3 300		5 à 8 €

Cuvée confidentielle issue de pur sauvignon planté sur un sol argilo-graveleux, ce vin montre un fort caractère.

La teinte est encore pâle, et après aération paraissent des notes florales et fruitées, à dominante agrumes (pamplemousse). Fraîche et équilibrée, la saveur fruitée est très persistante. Pourra s'apprécier sur fruits de mer (huîtres) ou poissons grillés. La **cuvée vieillie en fût de chêne du Château l'Abbaye 99 rouge (8 à 11 €)** obtient la même note. A attendre deux ans.

GAEC Rossignol et Gendre, L'Abbaye, 33820 Pleine-Selve, tél. 05.57.32.64.63, fax 05.57.32.74.35 ☑ Ⴒ r.-v.

CH. BERNARD DU ROC
Elevé en fût de chêne 2000★★

	0,5 ha	1 200		5 à 8 €

Microcuvée de 0,5 ha sur les 12 ha que Jacky Bernard exploite sur graves argileuses complantées à 80 % de merlot et 20 % de cabernets. La couleur, très foncée, a des reflets rubis et violines. Mûre et framboise s'expriment au long de la dégustation. Puissante et ample, cette bouteille très bien équilibrée pourra attendre à cinq ans pour accompagner viandes blanches ou rouges.

Jacky Bernard, Ch. Guiraud, 33710 Saint-Ciers-de-Canesse, tél. 05.57.64.91.02, fax 05.57.64.91.46 ☑ Ⴒ r.-v.

CH. BERTINERIE
Elevé en fût de chêne 2000★★

	16 ha	120 000		5 à 8 €

Important domaine viticole de 60 ha appartenant aux Bantégnies, vignerons de grande renommée. Ce vin de caractère est produit par 16 ha d'argilo-calcaires complantés à 60 % de merlot, 30 % de cabernet-sauvignon et 10 % de cabernet franc. Rubis profond, il affiche un bouquet déjà très complexe, à la fois fruité et boisé, au fumet grillé. Corsé et charnu, structuré par des tanins de merrain à la saveur persistante, ce millésime de garde pourra accompagner des magrets de canard dans trois ou quatre ans.

SCEA Bantégnies et Fils, Ch. Bertinerie, 33620 Cubnezais, tél. 05.57.68.70.74, fax 05.57.68.01.03, e-mail contact@chateaubertinerie.com ☑ Ⴒ r.-v.

CH. LES BERTRANDS
Cuvée Prestige Elevé en fût de chêne 2001★★

	3 ha	20 000		5 à 8 €

Après un coup de cœur pour cette cuvée en 1999, ce cru confirme son talent avec un 2001 remarquable. Il s'agit d'une sélection de 3 ha sur les 88 qui composent cet important domaine viticole. La vigne est uniquement composée de sauvignon sur sol sablo-gravelo-argileux. Le vin, élevé en fût de chêne en macération pelliculaire, est d'un bel or gris. Les arômes très intenses et très complexes introduisent une bouche savoureuse, souple, corsée dont la finale perdure sur une note tabac. Bons raisins, bonnes lies, bon bois, tout est parfait. Idéal sur coquilles Saint-Jacques. La **cuvée Nectar des Bertrands 2000 rouge (15 à 23 €)** obtient une étoile. Puissant et racé, ample et suave, ce millésime est à attendre.

EARL Vignobles Dubois et Fils, Les Bertrands, 33860 Reignac, tél. 05.57.32.40.27, fax 05.57.32.41.36, e-mail chateau.les.bertrands@wanadoo.fr ☑ Ⴒ r.-v.

CH. LES BILLAUDS
Elevé en fût de chêne 2000★

	1 ha	8 000		8 à 11 €

Sur les 15,5 ha qu'elle exploite, la famille Plisson réserve 1 ha d'argiles graveleuses pour cette cuvée élevée en fût de chêne à partir de 80 % de merlot. Avec une belle robe rubis à reflets noirs et un bouquet de fruits rouges et de prunelle finement boisée, ce vin, souple et gouleyant en entrée de bouche, s'achève sur des tanins fins et un boisé bien fondu qui permettra de le boire assez prochainement et pendant les cinq ans à venir.

⌂ SCEA Vignobles Plisson, 5, les Billauds, 33860 Marcillac, tél. 05.57.32.77.57, fax 05.57.32.95.27 ☑ Ⱶ r.-v.

CH. BOIS-VERT 2001★

▣	5 ha	26 000	⬛▯ 3 à 5 €

Patrick Penaud exploite 25 ha et réserve 5 ha à ce blanc produit sur un sol argilo-sabloneux planté de 65 % de sauvignon blanc, 30 % de sauvignon gris et d'un soupçon de muscadelle. Cela donne un vin or pâle d'une belle complexité. Le nez très fruité exprime la rose, l'abricot et le sauvignon bien sûr. La bouche est très

fraîche, avec une saveur friande qui demande à s'ouvrir encore un peu. En rouge, la **cuvée Prestige 2000 (5 à 8 €)** est citée.

⌂ Patrick Penaud, 12, Bois-Vert, 33820 Saint-Caprais-de-Blaye, tél. 05.57.32.98.10, fax 05.57.32.98.10 ☑ Ⱶ r.-v.

CH. LA BOTTE
Cuvée Prestige 1999★

▪	1,51 ha	5 000	⬛ 3 à 5 €

Dans la même famille depuis près de deux siècles, ce domaine propose un 99 très réussi, teinté de rubis sombre. Joliment boisé, il s'ouvre à l'agitation sur des notes florales et des fruits rouges frais. L'harmonie s'établit entre le vin et la bonne barrique. Sa forte charpente tannique lui permettra de vieillir quelques années avant d'accompagner lamproies ou viandes rouges. La cuvée **Le Pied de la Botte rouge 2000 élevé en fût (5 à 8 €)** obtient une citation.

Le Blayais et le Bourgeais

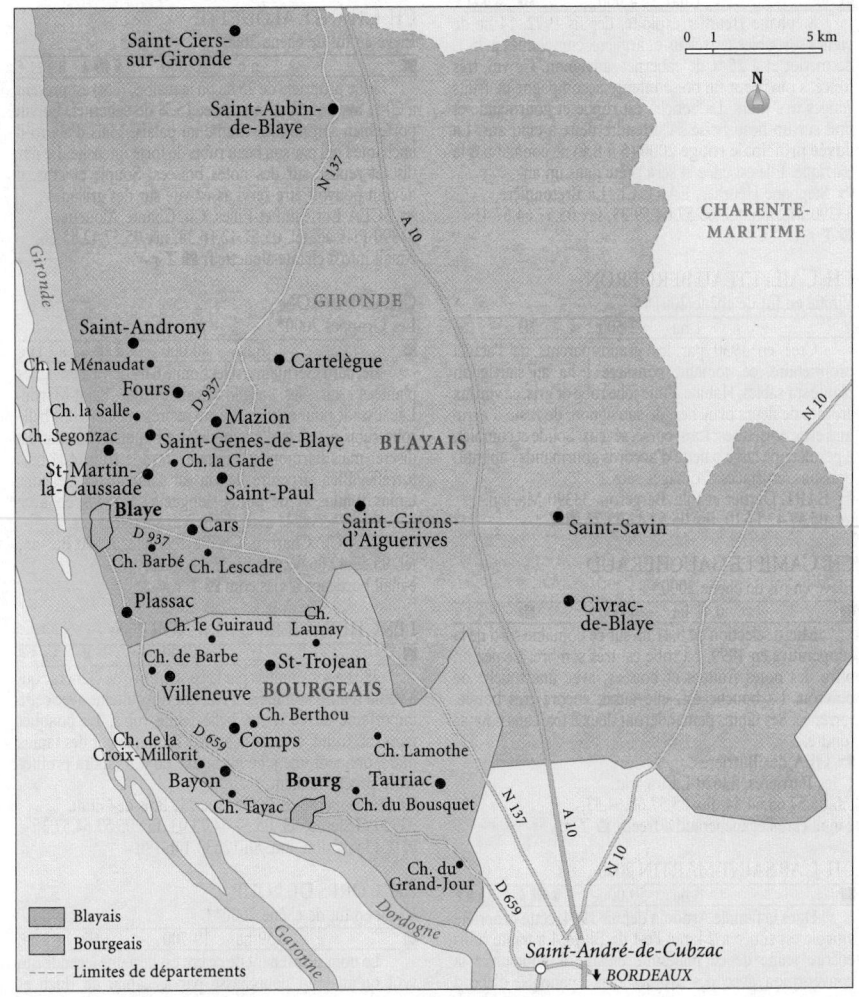

🍇 SCEA Vignobles Blanchard, 21, la Botte,
Ch. La Botte, 33390 Campugnan,
tél. 05.57.64.71.45, fax 05.57.64.71.45,
e-mail blanchard@chateau-labotte.com ☑ Ⲧ r.-v.

CH. LA BRAULTERIE DE PEYRAUD 2000★

| ■ | 3 ha | 20 000 | Ⅲ | 5 à 8 € |

Cette cuvée issue d'un terroir argilo-graveleux, est élevée en fût de chêne neuf. La couleur est d'un beau rubis intense et profond. Encore très fruité (confiture de mûres), souple, ample et puissant, ce vin est structuré par des tanins un peu sévères qui devraient s'assagir d'ici deux ans pour accompagner volailles ou gibiers.
🍇 SARL La Braulterie-Morisset, les Graves,
33390 Berson, tél. 05.57.64.39.51, fax 05.57.64.23.60,
e-mail braulterie@wanadoo.fr ☑ Ⲧ t.l.j. sf dim. 9h-18h

CH. LA BRETONNIERE
Elevé en fût de chêne 2000

| ■ | 1 ha | 4 000 | Ⅲ | 8 à 11 € |

Stéphane Heurlier exploite, depuis 1992, 14 ha de vignes sur sables graveleux et argileux complantés à 75 % de merlot et à 25 % de cabernet-sauvignon. Ce vin, très foncé, s'ouvre sur un boisé intense accompagné de fruits rouges très mûrs. La bouche est ronde et gourmande et finit sur un beau boisé. A attendre deux à cinq ans. La **cuvée principale rouge 2000 (5 à 8 €)** ne connaît pas la barrique. Elle est citée et sera prête dans un an.
🍇 Stéphane Heurlier, EARL Ch. La Bretonnière,
33390 Mazion, tél. 05.57.64.59.23, fax 05.57.64.67.41
☑ Ⲧ r.-v.

CH. CAILLETEAU BERGERON
Vinifié en fût de chêne 2001★★

| ■ | 1 ha | 2 500 | Ⅲ | 5 à 8 € |

Créé en 1930 par les grands-parents de l'actuel propriétaire, ce domaine consacre 1 ha au sauvignon planté sur sables. Habillé d'une jolie robe or gris, ce vin aux arômes de fleurs blanches, de sauvignon, de zeste d'agrumes et de noisette est frais, corsé, séveux. Solide et complet, il permet une large palette d'accords gourmands : apéritif, poissons, crustacés, fromages secs...
🍇 EARL Dartier et Fils, Bergeron, 33390 Mazion,
tél. 05.57.42.11.10, fax 05.57.42.37.72 ☑ Ⲧ r.-v.

CH. CAMILLE GAUCHERAUD
Elevé en fût de chêne 2000★

| ■ | 0,41 ha | 4 000 | ⅢⅢ | 5 à 8 € |

Micro sélection de 0,41 ha sur ce domaine sorti de la coopérative en 1999. La robe est très sombre. Le nez fin offre des notes fruitées et boisées, avec une touche de poivron. La bouche est, elle aussi, encore très boisée, torréfiée. Ses tanins demanderont deux à trois ans pour se fondre.
🍇 GFA des Barrières,
1, les Barrières, 33620 Laruscade,
tél. 05.57.68.64.54, fax 05.57.68.64.53,
e-mail camillegaucheraud@free.fr ☑ Ⲧ r.-v.

CH. CAP SAINT-MARTIN 2000

| ■ | 8 ha | 50 000 | ⅢⅢ⅃ | 5 à 8 € |

Dans la famille Ardouin depuis 1904, cette propriété viticole est située à 2 km à l'est de Blaye. La teinte rubis encore jeune de ce millésime engage à poursuivre la conversation avec des arômes déjà épanouis, d'abord

boisés, puis fruités, mentholés, épicés, assez élégants. La bouche souple et ronde est encore fruitée (framboisée), construite sur des tanins épicés, déjà ronds. Un vin plaisir qui pourra se boire d'ici un à sept ans.
🍇 SCEA des Vignobles Ardoin,
13, rte de Mazerolles, 33390 Saint-Martin-Lacaussade,
tél. 05.57.42.91.73, fax 05.57.42.91.73,
e-mail vignobles.ardoin@wanadoo.fr ☑ Ⲧ r.-v.

CH. CAZAUX-NORMAND 2001★

| ■ | 1 ha | 5 000 | Ⅲ⅃ | 3 à 5 € |

Issu de sauvignon né sur graves, ce vin se présente avec une jolie teinte champagne et un nez sauvignonné (buis, agrumes). La bouche est fraîche, souple et savoureuse, prête à accompagner des fruits de mer ou des hors-d'œuvre divers.
🍇 GAEC Egretier Père et Fils, Palard, 33390 Anglade,
tél. 05.57.64.73.81, fax 05.57.64.79.49 ☑ Ⲧ t.l.j. sf lun. 8h30-18h30; dim. sur r.-v.; f. 15 sep.-15 oct.

CH. CHANTE ALOUETTE
Elevé en fût de chêne 2000

| ■ | n.c. | 20 000 | ■Ⅲ⅃ | 8 à 11 € |

Jolie propriété de 25 ha où le malbec (cot) est présent à 20 % avec 65 % de merlot et 15 % de cabernet. Le vin porte bien son nom, il chante au palais. Mais d'abord il enchante l'œil par son beau rubis de forte intensité. Le nez discret repose sur des notes boisées. Souple et gras, il devrait pouvoir être servi assez vite sur des grillades.
🍇 SCEA Lorteaud et Filles, Ch. Chante Alouette,
33390 Plassac, tél. 05.57.42.16.38, fax 05.57.42.85.66,
e-mail info@chante-alouette.fr ☑ Ⲧ r.-v.

CH. CHARRON
Les Gruppes 2000★

| ■ | 6 ha | 40 000 | ■Ⅲ⅃ | 8 à 11 € |

Bernard Germain a sélectionné 6 ha de vieilles vignes plantées sur les argilo-calcaires de Saint-Martin-Lacaussade pour cette cuvée qui se présente dans une belle robe rubis à reflets d'évolution. Le bouquet naissant est discret mais harmonieux, jouant entre le fruit et le bois torréfié. Bien structuré, le vin est soutenu par de bons tanins fondus et de bonne longueur. Si vous en avez l'occasion, servez-le avec des grives sur sarments.
🍇 SCEA Ch. Charron, Ch. Peyredoulle, 33390 Berson,
tél. 05.57.42.66.66, fax 05.57.64.36.20,
e-mail bordeaux@vjas.com ☑ Ⲧ r.-v.

LES CHEVALIERS D'ALIENOR 2000

| ■ | n.c. | 80 000 | ■ | 3 à 5 € |

230 ha sont vinifiés par la coopérative de Générac qui a voulu rendre hommage à Aliénor d'Aquitaine avec cette importante cuvée d'une belle teinte rubis. Le bouquet naissant, fruité, comme la saveur soutenue par des tanins mûrs, donnent une jolie harmonie dont il faudra profiter assez prochainement.
🍇 Sté coopérative de Générac, 1, Bois-de-Girau,
33920 Générac, tél. 05.57.64.73.03, fax 05.57.64.57.30
☑ Ⲧ t.l.j. sf dim. lun. 8h-12h30 14h-18h

CH. CORPS DE LOUP
Vieilli en fût de chêne 2000★★

| ■ | 6,59 ha | 19 700 | ⅢⅢ | 5 à 8 € |

Le nom surprenant de ce cru est lié à une légende qui veut qu'un loup pourchassé par le captal de Buch et

Henri IV s'en vint mourir en ces lieux en l'an 1589. En 2000, c'est une femme qui élabore ce vin remarquable qui a séduit nos dégustateurs. La robe rubis vif miroite de reflets violines. Le bouquet naissant s'ouvre sur de jolis fruits mûrs et un boisé grillé très élégant. La bouche est ample et charnue, soutenue par une belle structure tannique. Dans deux ans il sera parfait sur des lamproies ou une entrecôte à la bordelaise.

🔑 Françoise Vidal-Le Guénédal, Ch. Corps de Loup, 33390 Anglade, tél. 05.57.64.45.10, fax 05.57.64.45.10, e-mail chateau-corps-de-loup@wanadoo.fr ☒ Ɪ t.l.j. 10h-12h 15h-18h30; sam. dim. sur r.-v.

CH. CRUSQUET DE LAGARCIE 2000★

■ 20 ha 100 000 ⓘ 5 à 8 €

Ce cru, titulaire de nombreux coups de cœur, est une valeur sûre de l'appellation, dans la famille de Lagarcie depuis 1863. Ce 2000, rubis vif, très jeune, est encore sous le bois toasté ; il s'ouvre à l'aération sur des fruits noirs (mûre) et un fumet très élégant. La bouche est savoureuse, mentholée, beurrée et animale. Les tanins boisés présents, mais soyeux, assureront une bonne garde (deux à sept ans). Savez-vous que depuis plus d'un siècle, ce sont les Normands qui se partagent 90 % de ce vin ?

🔑 SAS Vignobles Ph. de Lagarcie, Le Crusquet, 33390 Cars, tél. 05.57.42.15.21, fax 05.57.42.90.87, e-mail vignobles.delagarcie@free.fr ☒ Ɪ r.-v.

CH. DUBRAUD 2000

■ 12 ha 50 000 ▮ⓘ⫰ 5 à 8 €

Installés en 1998, les Vidal labourent les sols, et n'utilisent pas de désherbants. Ce millésime aux senteurs discrètes, mais élégantes de griotte, aux notes torréfiées et épicées, repose sur des tanins serrés qui demandent à se fondre.

🔑 SARL Vignobles Alain et Céline Vidal, Ch. Dubraud, 33920 Saint-Christoly-de-Blaye, tél. 05.57.42.45.30, fax 05.57.42.50.92, e-mail avida@terre-net.fr ☒ Ɪ r.-v.

DUCHESSE DES JOUBERTS 2001★

□ 12 ha 50 000 ▮⫰ 5 à 8 €

Depuis cette cave, située tout au nord de l'appellation, James Espiot et Olivier Bourdet Pees présentent régulièrement de bons blancs secs. C'est le cas avec cette cuvée dans laquelle le sauvignon domine à 90 %, avec un soupçon de sémillon. Cela donne un vin encore pâle, des arômes floraux et fruités (agrumes, fraise), une saveur fraîche et friande. Sa structure très équilibrée permet de le boire rapidement, mais aussi de le garder un peu. Cette même **Duchesse des Jouberts en rouge 99** obtient une citation, tout comme la **cuvée Excellence de la Citadelle de Tutiac rouge 99**.

🔑 Cave des Hauts de Gironde, La Cafourche, 33860 Marcillac, tél. 05.57.32.48.33, fax 05.57.32.49.63, e-mail contact@tutiac.com
Ɪ r.-v.; magasin t.l.j. sf dim. 8h-12h 14h-16h

CH. GARDUT HAUT-CLUZEAU

Cuvée Prestige Elevé en fût de chêne 2000★

■ n.c. 25 000 ⓘ 5 à 8 €

Rubis profond à reflets violines, ce vin affiche sa jeunesse. Le bouquet s'ouvre sur du bois grillé suivi de fruits rouges intenses. L'attaque est vive, et la structure imposante repose sur des tanins qui demanderont deux ans pour s'affiner. La **cuvée Prestige du Château Graulet 2000 rouge** obtient la même note.

🔑 Vignobles Denis Lafon, Bracaille 1, 33390 Cars, tél. 05.57.42.33.04, fax 05.57.42.08.92, e-mail denis-lafon@wanadoo.fr ☒ Ɪ r.-v.

CH. LES GRAVES

Elevé en fût de chêne 2000★★

■ 5 ha 27 000 ⓘ 5 à 8 €

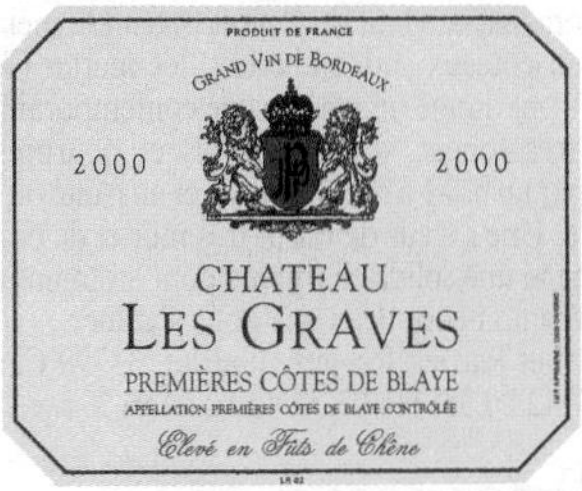

Cette cuvée significative (5 ha) est très régulièrement retenue par nos jurys. En 2000 elle fait mieux puisqu'elle décroche un coup de cœur grâce à une magnifique dégustation. Parée d'une somptueuse robe bordeaux sombre à reflets rubis et noirs, elle laisse son bouquet fin et élégant exprimer la myrtille, les épices, le merrain vanillé et fondu. Riche et concentrée, elle offre une saveur de fruits confits et des tanins raffinés et persistants. Déjà séducteur, ce vin remarquable est très prometteur pour les sept à huit prochaines années. Une grande bouteille à un prix raisonnable.

🔑 SCEA Pauvif, 15, rue Favereau, 33920 Saint-Vivien-de-Blaye, tél. 05.57.42.47.37, fax 05.57.42.55.89, e-mail chateau.les.graves@wanadoo.fr ☒ Ɪ r.-v.

DOM. DES GRAVES D'ARDONNEAU

Cuvée Prestige Vieilli en fût de chêne 2000★

■ 5 ha 33 000 ⓘ 5 à 8 €

Des graves argileuses ont donné naissance à cette cuvée élevée en fût de chêne. Le 2000 est très réussi. La robe grenat est très foncée. Le fumet boisé et épicé évolue sur des notes fruitées et mentholées. L'équilibre, la saveur de fruits confits et les notes de merrain grillé jouent dans une bouche corsée par des tanins bien enrobés. La longue finale ajoute à son charme. Quatre à cinq ans de garde assurée.

🔑 Simon Rey et Fils, Ardonneau, 33620 Saint-Mariens, tél. 05.57.68.66.98, fax 05.57.68.19.30
☒ Ɪ t.l.j. sf dim. 8h-12h30 14h30-19h
🔑 Christian Rey

CH. HAUT COLOMBIER 1999

■ 16,5 ha n.c. ▮ⓘ 3 à 5 €

A 500 m de l'église de Cars (XIe et XIIe s.), vous ne manquerez pas cet important domaine viticole de 54 ha, sur lesquels la famille Chéty sélectionne 16,5 ha d'argilo-calcaires plantés à 75 % de merlot, 20 % de cabernet et 5 % de malbec (cot) pour élaborer cette cuvée. La teinte, d'intensité moyenne, a des reflets rubis et grenat. Le nez discret s'ouvre sur des fruits rouges frais, finement boisés. La mise en bouche est souple, la saveur fruitée, les tanins puissants. A boire d'ici deux à quatre ans.

🍂 EARL Vignobles Jean Chéty et Fils,
2, La Maisonnette, 33390 Cars,
tél. 05.57.42.10.28, fax 05.57.42.17.65 ☑ Ⓨ r.-v.

CH. HAUT DU PEYRAT 2000★

■	10 ha	n.c.	🍶⬙⬙	5 à 8 €

A côté d'un **Clos Lascombes cuvée Prestige rouge 2000**, né sur un beau terroir argilo-calcaire situé au pied de l'église romane, ce Haut du Peyrat obtient la même note. Plantés en coteaux sud, sud-ouest, les merlot (75 %) et cabernets ont donné un vin au style contemporain. D'une couleur très foncée, à reflets rubis et pourpres, il est marqué par un boisé à notes de coco et un fruité où le cassis l'emporte. Une saveur de raisin très mûr et de bois toasté accompagne une solide charpente dont les tanins enrobés demanderont encore deux ans pour s'affiner.
🍂 Muriel et Patrick Reivaire, Gardut, 33390 Cars,
tél. 05.57.42.20.35, fax 05.57.42.12.84 ☑ Ⓨ r.-v.

CH. HAUT GRELOT 2001★★

■	14 ha	100 000	🍶⬙	3 à 5 €

En tant que président régional de l'Institut technique du Vin, Joël Bonneau se voit donner l'exemple sur la qualité. C'est le cas avec un coup de cœur sur une cuvée de rouge 98, édition 2001 du Guide, ou avec ce blanc sec 2001 remarquable. Paré d'or franc, il explose sur des notes de miel et sur une palette de fruits très mûrs (agrumes, pêche, pruneau). La bouche est ample, élégante, fraîche avec une saveur fine et longue de raisin bien mûr. La **cuvée Coteau de Méthez rouge 2000 (5 à 8 €)** obtient une citation. Il faut lui laisser le temps de digérer le bois.
🍂 Joël Bonneau, Ch. Haut Grelot,
33820 Saint-Ciers-sur-Gironde,
tél. 05.57.32.65.98, fax 05.57.32.71.81 ☑ Ⓨ t.l.j.
8h30-12h30 14h-18h

CH. DU HAUT GUERIN
Vieilli en fût de chêne 2000

■	2,9 ha	23 400	⬙	5 à 8 €

Vignoble de 8,20 ha acheté, dans les années 1920, par l'arrière-grand-père. Ce vin, à la jolie robe grenat à reflets cerise, est encore jeune. Fruité (framboise), soutenu par un boisé brioché, il se montre cependant déjà souple : les tanins fondus permettront de le boire d'ici un à trois ans.
🍂 Alain Coureau, Ch. du Haut Guérin,
33920 Saint-Savin, tél. 05.57.58.40.47,
fax 05.57.58.93.09, e-mail j.coureau@cgmvins.com
☑ Ⓨ t.l.j. 10h-12h30 14h-19h; f. août

CH. HAUT-MENEAU
La Clie 2000★★

■	2 ha	9 300	🍶⬙⬙	5 à 8 €

Un vin de caractère : sa robe bordeaux à reflets sombres, pourpres, violines, révèle toute sa jeunesse. Le bouquet intense repose sur des notes de fruits noirs très mûrs. Rond et gras, construit sur des tanins fins, il est élégant jusqu'en finale. Dans trois à cinq ans il sera parfait pour accompagner les viandes grillées. La cuvée principale **Château Haut-Meneau vieillie en fût de chêne, rouge 2000** obtient une citation.
🍂 Bravard, SCE Ch. Haut-Meneau,
51, Le Bourg, 33390 Saint-Paul-de-Blaye,
tél. 05.57.42.15.67, fax 05.57.42.15.67,
e-mail cjbravard@club-internet.fr ☑ Ⓨ r.-v.

CH. LES HAUTS DE FONTARABIE 2000★

■	15 ha	110 000	🍶⬙	5 à 8 €

Domaine acheté en 1995 par les deux filles d'Alain Faure. La pourpre de ce 2000 est très sombre. Le bouquet complexe se montre floral puis très fruité (cerise, mûre, pruneau). Rond et charnu, équilibré par des tanins élégants, ce vin sera à point d'ici trois à sept ans.
🍂 Vignobles Alain Faure, Ch. Belair-Coubet,
33710 Saint-Ciers-de-Canesse,
tél. 05.57.42.68.80, fax 05.57.42.68.81,
e-mail belair-coubet@wanadoo.fr Ⓨ r.-v.

CH. LES HUBERTS
Elevé en fût de chêne 1999★

■	11,21 ha	40 000	⬙	5 à 8 €

Ce vin provient de l'exploitation de Denis Bergeon implantée à Pugnac, sur argilo-calcaire. Mi-merlot et mi-cabernet-sauvignon, ce 99, dans une belle robe grenat de bonne intensité, propose un bouquet finement boisé, qui s'ouvre sur des notes de fruits confits. Souple et rond, ce vin dispose d'un bon équilibre entre le raisin et le merrain. Ses tanins fins permettront de l'apprécier d'ici deux ans.
🍂 Union de producteurs de Pugnac, Bellevue,
33710 Pugnac, tél. 05.57.68.81.01, fax 05.57.68.83.17,
e-mail udep.pugnac@wanadoo.fr ☑ Ⓨ r.-v.
🍂 Denis Bergeon

CH. LACAUSSADE SAINT-MARTIN
Trois Moulins 2000

■	6 ha	40 000	🍶⬙⬙	8 à 11 €

Œnologue, Jacques Chardat est aussi vigneron. Issu de vieilles vignes, d'une couleur rubis présentant quelques nuances d'évolution, son vin est discret mais déjà fin. En bouche, la saveur des fruits noirs (cassis) est soutenue par des tanins assez enrobés. La finale est épicée. L'ensemble homogène pourra être goûté sur une terrine de chevreuil dans deux ou trois ans. Cette **même cuvée en blanc 2001** est citée pour sa fraîcheur ; elle devra attendre que le boisé toasté se fonde. Signalons l'élégance des étiquettes.
🍂 Jacques Chardat, SCEA Ch. Labrousse,
33390 Berjon, tél. 05.57.42.66.66, fax 05.57.64.36.20,
e-mail bordeaux@vgus.com ☑ Ⓨ r.-v.

CH. MAINE-GAZIN
Livenne Vieilles vignes 2000★★

■	4 ha	30 000	🍶⬙⬙	8 à 11 €

Cuvée sélectionnée à partir de très vieilles vignes de soixante-dix ans, à 90 % merlot et 10 % malbec (cot). D'un rubis très foncé, ce 2000 est remarquable. Le bouquet, encore naissant, s'ouvre sur de très beaux fruits surmûris et des notes finement boisées. La bouche est exubérante, chaleureuse, puissante, pleine de fruits, soutenue par une bonne structure tannique et un boisé grillé persistant.
🍂 Sylvie Laffargue, Ch. Maine Gazin, 33390 Plassac,
tél. 05.57.42.66.66, fax 05.57.64.36.20,
e-mail bordeaux@vgus.com ☑ Ⓨ r.-v.

CH. DES MATARDS
Cuvée Nathan Elevé en fût de chêne 2000★

■	5 ha	40 000	⬙	5 à 8 €

Le terroir argilo-siliceux, complanté à 80 % de merlot et à 20 % de cabernet-sauvignon, a donné un vin à la robe profonde parsemée de reflets rubis et grenat. Le nez fruité est soutenu par un boisé discret. La bouche est très agréable, délicatement vanillée et structurée par des tanins bien fondus qui permettront de servir cette bouteille assez prochainement. Elle devrait atteindre son apogée dans deux à quatre ans.

🕊 GAEC Terrigeol et Fils, 27, av. du Pont-de-la-Grâce, BP 19, 33820 Saint-Ciers-sur-Gironde, tél. 05.57.32.61.96, fax 05.57.32.79.21 ☑ 𝖸 r.-v.

CH. MAYNE-GUYON
Cuvée Héribert Elevé en fût de chêne 2000

■	8,5 ha	55 000	🍷⬛⬤	8 à 11 €

Repris en 1995, ce domaine propose un vin d'une belle couleur rubis intense dont le bouquet s'ouvre sur un élégant bois vanillé accompagné de fruits rouges. En bouche aussi, l'équilibre entre le fruit (pruneau) et la barrique est intéressant. Bien fait, il pourra s'apprécier d'ici un à quatre ans.

🕊 SARL Mayne-Guyon, Mazerolles, 33390 Cars, tél. 05.57.42.09.59, fax 05.57.42.27.93 ☑ 𝖸 r.-v.

CH. LE MENAUDAT
Elevé en fût de chêne 2000

■	1 ha	5 200	⬛⬤	5 à 8 €

Il existe aussi deux cent cinquante magnums de ce vin à la robe pourpre intense parsemée de reflets violines. Le nez de fruits rouges, l'attaque souple et ronde, la structure soutenue par des tanins boisés qui assurent une bonne longueur sauront séduire dans deux à quatre ans.

🕊 SCEA FJDN Cruse, Le Menaudat, 33390 Saint-Androny, tél. 05.56.65.20.08, fax 05.57.64.40.29 ☑ 𝖸 r.-v.

CH. MONCONSEIL GAZIN
Elevé en fût de chêne 2000★

■	14 ha	95 000	⬛⬤	5 à 8 €

Plassac est célèbre pour la *villa* gallo-romaine mise au jour en 1963. Une visite de la belle demeure de Michel Baudet s'impose également pour ses vins. Le terroir argilo-calcaire est complanté à 60 % de merlot, 30 % de cabernet-sauvignon et 10 % de malbec (cot). Le tout élevé en fût de chêne. Cela donne un 2000 rubis très foncé à l'œil, discret au nez, surtout fruité (poire, pêche). Chaleureux et puissant en bouche, doté de tanins fins, il est déjà sympathique, et devrait être prêt d'ici deux à sept ans. Plus simple, le **Château Ricaud rouge 2000** obtient une citation.

🕊 Vignobles Michel Baudet, Ch. Monconseil Gazin, 33390 Plassac, tél. 05.57.42.16.63, fax 05.57.42.31.22, e-mail mbaudet@terre-net.fr
☑ 𝖸 t.l.j. sf dim. 9h-12h30 14h-18h30
🕊 Jean-Michel Baudet

CH. MONDESIR-GAZIN
Cuvée Prestige 1999★

■	4 ha	20 000	⬛⬤	8 à 11 €

A 3 km au sud de Blaye, Plassac possède un petit musée gallo-romain. Cette cuvée Prestige peut intéresser l'amateur d'archéologie. Sa couleur est encore jeune, rubis à reflets violines. Le bouquet égrène des notes de fruits rouges et de boisé vanillé. Après une attaque souple, la finesse des tanins soyeux apparaît. Equilibré, ce vin charmeur sera à point dans deux à trois ans.

🕊 Marc Pasquet, Ch. Mondesir-Gazin, BP 7, 33390 Plassac, tél. 05.57.42.29.80, fax 05.57.42.84.86
☑ 🏠 𝖸 r.-v.

CH. MONTFOLLET
Vieilles vignes 2000★

■	5 ha	30 000	⬛⬤	8 à 11 €

Le vin a une belle couleur rubis intense à reflets pourpres. Le nez très agréable, d'abord boisé, vanillé, toasté, évolue vers des notes fruitées. Un bel équilibre s'établit entre le raisin bien mûr et la barrique chauffée. Sa structure tannique solide lui permettra de bien vieillir.

🕊 Cave coop. du Blayais, 9, Le Piquet, 33390 Cars, tél. 05.57.42.13.15, fax 05.57.42.84.92, e-mail contact@la-cave-des-chateaux.com ☑ 𝖸 r.-v.
🕊 Raimond

CH. MOULIN NEUF 2000★

■	0,6 ha	3 500	⬛⬤	5 à 8 €

Microsélection de 0,60 ha sur les 5,98 ha qu'exploite Laurent Glémet. Il s'agit de pur merlot né sur argilo-calcaire. Belle robe rubis avec des nuances d'évolution, nez élégant et harmonieux de fruits confits et de bois vanillé et torréfié. La saveur compotée est soutenue par de bons tanins qui lui permettront de bien vieillir.

🕊 Laurent Glémet, Le Moulin Neuf, 33920 Saint-Christoly-de-Blaye, tél. 05.57.42.55.38, fax 05.57.42.55.08 ☑ 𝖸 t.l.j. 8h-12h 14h-19h

NUMERO 10 2000

■	3 ha	10 000	⬛⬤	8 à 11 €

« Numéro 10 » comme il existe des « Numéro 1 » et des « Numéro 5 ». Ici, le nombre célèbre les dix ans de la fille du vigneron. La couleur est très jeune bien sûr, rubis à reflets violines. Le raisin très mûr, les fruits confits, le boisé fin et toasté s'expriment agréablement jusque dans une bouche ample, ronde et grasse, longue et harmonieuse.

🕊 Vignobles Bruno Lafon, 7, pl. de La Libération, 33710 Bourg-sur-Gironde, tél. 05.57.68.36.84, fax 05.57.68.36.84 ☑ 𝖸 r.-v.

CH. LES PETITS ARNAUDS 2000★

■	28 ha	20 000	🍷⬛⬤	5 à 8 €

Le terroir argilo-calcaire planté aux trois quarts de merlot pour un quart de cabernet-sauvignon a donné un vin de belle couleur rubis foncé. Déjà complexes, les arômes légèrement boisés mêlent épices, fruits rouges et pruneau. La bouche, dotée de tanins bien fondus, est charnue et, elle aussi, fruitée. Déjà agréable, cette bouteille devrait être à son apogée entre quatre et sept ans.

🕊 SCEV G. Carreau et Fils, les Petits Arnauds, 33390 Cars, tél. 05.57.42.36.57, fax 05.57.42.14.02, e-mail scevcarreau@wanadoo.fr ☑ 𝖸 t.l.j. sf dim. 8h-12h 14h-16h30; sam. sur r.-v.; f. 15-31 août

CH. PETITS-GRAVIERS 2000

■	1,55 ha	5 000	🍷⬤	8 à 11 €

Petite vigne de 1,55 ha sur sol sablo-graveleux planté à 65 % de merlot et à 35 % de cabernet-sauvignon. D'une jolie couleur rubis intense, ce vin, encore un peu fermé, demande de l'aération pour laisser s'exprimer des notes de fruits rouges. La structure est bien équilibrée entre la vinosité et les tanins. Il pourra se boire assez rapidement sur une entrecôte à la bordelaise.

🕊 EARL des Vignobles Francis Petit, 20, Gravier, 33710 Pugnac, tél. 05.57.68.90.91, fax 05.57.68.85.01, e-mail tire.bouchon@wanadoo.fr ☑ 𝖸 r.-v.
🕊 Christine Roy

BORDELAIS

QUINTESSENCE DE PEYBONHOMME 2000★

■	1,8 ha	10 000	Ⅲ 11 à 15 €

Une étiquette originale représentant les célèbres fresques de scènes de vendanges de la Vallée des Nobles dans le Haut-Nil, pour un vin moderne, élevé en fut neuf, dont la teinte profonde miroite de reflets rubis et grenat. L'agitation du verre libère des notes de fruits cuits (pruneau) et de bois vanillé, bien mariées. La bouche est puissante et savoureuse (figue, cerise) bien que les tanins, encore un peu austères, demandent trois à quatre ans pour s'affiner.

⚑ SCEA Vignobles Bossuet-Hubert,
Ch. Peybonhomme-les-Tours, 33390 Cars,
tél. 05.57.42.11.95, fax 05.57.42.78.15
☑ 🏠 ⅄ t.l.j. 9h-12h 14h-17h; sam. dim. sur r.-v.
⚑ J.-L. Hubert

CH. PEYMELON 1999★

■	1 ha	6 500	Ⅲ 5 à 8 €

Exploité par la même famille depuis trois siècles, ce domaine imposant a vinifié 1 ha planté à 90 % de merlot. Le 99 a une jolie couleur rubis, un bouquet déjà expressif, torréfié (café) et brioché. Souples, bien qu'encore un peu sous le bois, les tanins denses lui permettront de vieillir quelques années pour accompagner viandes rouges ou gibiers.

⚑ SCEV Chapard-Tuffreau, Les Petits, 33390 Cars,
tél. 05.57.42.19.09, fax 05.57.42.00.73 ☑ ⅄ r.-v.

CH. PRIEURE MALESAN

Elevé en fût de chêne 2000★★

■	55 ha	390 000	Ⅲ 5 à 8 €

Il ne s'agit pas ici d'une microcuvée, mais de près de 400 000 bouteilles élaborées par Bernard Magrez, forte personnalité bordelaise, qui a acquis la propriété en 1997. Compte tenu de ce volume, il est doublement remarquable que nos experts lui aient décerné deux étoiles, à l'aveugle. Ils ont apprécié la belle robe rubis à la fois sombre et vive, le bouquet aussi complexe que fin, encore sur les fruits très mûrs. Rond, charnu, ample, structuré par des tanins très fins, c'est un vin très harmonieux.

⚑ SCA Ch. Prieuré Malesan, 1, Perenne,
33390 Saint-Genès-de-Blaye,
tél. 05.57.42.18.25, fax 05.57.42.15.86 ⅄ r.-v.

CH. LE QUEYROUX 2000

■	1,48 ha	9 300	Ⅲ 11 à 15 €

Petit vignoble de 1,48 ha travaillé à la main et au cheval. Merlot et cabernet-sauvignon sont à parité sur un terroir d'argilo-calcaires et de pierruche. Le vin encore très jeune est très coloré : rubis à reflets noirs. Le bouquet naissant exhale des notes de fruits rouges et de sous-bois. La saveur elle aussi est fruitée et fraîche, portée par une charpente tannique très solide, qui demandera deux ans d'attente avant de le servir sur des plats épicés.

⚑ Dominique Léandre-Chevalier, 6, lieu-dit Coulon,
33390 Anglade, tél. 05.57.64.46.54, fax 05.57.64.42.41
☑ 🏠 ⅄ t.l.j. 8h-21h

CH. LA RAZ CAMAN 2000★★

■	n.c.	60 000	Ⅲ 8 à 11 €

L'encépagement assez complexe implanté sur argilo-calcaire pierreux comporte 8 % de malbec, 62 % de merlot complétés par les deux cabernets. Le 2000 est remarquable. Sa robe bordeaux très sombre scintille de reflets

rubis annonçant des flaveurs de fruits mûrs, de bois fin, de notes toastées et torréfiées. Sa structure de tanins puissants lui assure un grand potentiel.

⚑ Jean-François Pommeraud, Ch. La Raz Caman,
33390 Anglade, tél. 05.57.64.41.82, fax 05.57.64.41.77,
e-mail jean-francois.pommeraud@wanadoo.fr ☑ ⅄ r.-v.

CH. LA RIVALERIE

Cuvée Majoral Elevé en fût de chêne 1999★

■	2 ha	12 000	■ Ⅲ↓ 8 à 11 €

Abandonné après le gel de 1956, ce domaine de 35 ha a été repris en 1973 par deux pépiniéristes. Leur cuvée rubis à reflets violine est sélectionnée sur 2 ha d'argilo-calcaires plantés à parité merlot et cabernet-sauvignon. Le bouquet naissant est fin, à notes de fruits rouges et de sous-bois tout comme le palais, souple et fin, structuré par des tanins aimables qui permettront de le boire d'ici deux à trois ans sur un civet de lotte.

⚑ SCEA La Rivalerie, 33390 Saint-Paul-de-Blaye,
tél. 05.57.42.18.84, fax 05.57.42.14.27,
e-mail info@la-rivalerie.fr ☑ ⅄ r.-v.

CH. ROLAND LA GARDE

Prestige 2000★

■	11 ha	70 000	■ Ⅲ↓ 8 à 11 €

Une valeur sûre de l'appellation, qui avait décroché un coup de cœur avec le 98 et deux étoiles avec le 99. En 2000, parée d'une belle robe grenat foncée, cette nouvelle cuvée, encore un peu sur la réserve, exprime les fruits confits et le bois vanillé. Chaleureuse et riche, elle est bien structurée par des tanins denses et persistants qui lui assureront une bonne garde. Devrait être parfaite entre 2004 et 2010. Pour les archéologues, signalons que ce domaine expose les poternes et outils taillés (50 000 av. J.-C.) découverts sur son sol.

⚑ Ch. Roland La Garde, 8, La Garde,
33390 Saint-Seurin-de-Cursac,
tél. 05.57.42.32.29, fax 05.57.42.01.86,
e-mail bruno.martin30@libertysurf.fr ☑ ⅄ t.l.j. sf dim.
8h-12h 14h-19h
⚑ Bruno Martin

CH. LA ROSE BELLEVUE

Cuvée Prestige Elevé en fût de chêne 2000★

■	5 ha	30 000	Ⅲ 5 à 8 €

Acquis en 1997 par la famille Eymas, ce domaine propose un vin rubis foncé presque noir. Cassis et merrain grillé, vanillé, cacaoté se partagent une bouche ronde et charnue, aux tanins fins et élégants. Devrait être parfait d'ici trois à cinq ans. La cuvée Prestige blanc 2001 obtient une étoile. Le boisé bien dosé accompagne des notes de rose, de poire williams et de miel...

⚑ EARL Vignobles Eymas et Fils,
5, Les Mouriers, 33820 Saint-Palais,
tél. 05.57.32.66.54, fax 05.57.32.78.78,
e-mail service.commercial@chateau-larosebellevue.fr
☑ ⅄ t.l.j. 8h30-12h30 14h-19h

DOM. DES ROSIERS

Elevé en fût de chêne 2000★

■	2,5 ha	19 000	Ⅲ 5 à 8 €

Saint-Ciers-sur-Gironde (église des XIIe et XIIIe s.) permet d'accéder aux jolis petits ports de pêche de l'estuaire de la Gironde. Le blanc 2001, cité par le jury, se mariera bien avec les poissons. Quant à ce vin à la couleur très foncée, il mêle harmonieusement les notes de bois fin et de fruits noirs. La bouche, encore fraîche et fruitée, offre une finale tannique qui devra être attendue deux à trois ans.

☙ Christian Blanchet, 12, La Borderie, 33820 Saint-Ciers-sur-Gironde, tél. 05.57.32.75.97, fax 05.57.32.78.37 ☑ ☂ r.-v.

CH. SAINT-AULAYE
Harmonie Elevé en fût de chêne 2000★★

	2 ha	13 000		5 à 8 €

Christèle Berneaud a succédé à James et Huguette en 1960. Elle propose ici une remarquable cuvée élevée quatorze mois en barrique. Elle séduit par sa très belle robe rubis sombre, et ses parfums de raisin très mûr, de cerise, de pruneau, soutenus par un bois vanillé. Ronde et charnue, la structure, certes puissante, s'appuie sur un boisé discret et des tanins soyeux. Devrait être à son apogée dans quatre à sept ans. La **cuvée principale rouge 2000 (3 à 5 €)** ne connaît pas le fût. Elle obtient une citation.

☙ SCEA Vignoble J. et H. Berneaud, 4, Saint-Aulaye, 33390 Mazion, tél. 05.57.42.11.14, fax 05.57.42.11.14, e-mail cberneaud@aol.com ☑ ☂ r.-v.

CH. DE LA SALLE 2000★

	13 ha	106 000		8 à 11 €

Un joli manoir avec chambres d'hôte, et deux vins très réussis : le **blanc 2001 (5 à 8 €)**, fait pour les fruits de mer (crustacés), et cette cuvée bien représentative du domaine. Parée d'une belle robe rubis très foncé, elle se révèle très fruitée (fruits rouges). Souples, ses tanins sont fins et persistants. Très bon équilibre général. Pour le gigot de mouton du dimanche.

☙ SCEA Ch. de La Salle, 33390 Saint-Genès-de-Blaye, tél. 05.57.42.12.15, fax 05.57.42.87.11, e-mail marc.bonnin19@voila.fr ☑ 🏠 ☂ r.-v.

☙ Bonnin

CH. SEGONZAC
Héritage 2000★★★

	3 ha	17 000		11 à 15 €

Créé par un ministre de l'Agriculture, fondateur du journal le *Petit Parisien*, en 1887, ce domaine a été racheté en 1990 et est aujourd'hui exploité par une femme. Cette bouteille est une sélection de 3 ha sur les 30,66 ha que compte cet important domaine. 50 % de cabernet-sauvignon, 40 % de merlot et 10 % de cabernet franc composent ce vin élevé quatorze mois en barrique. Sa superbe robe presque noire prélude à un bouquet à la fois fin et intense. Sa magnifique structure équilibrée entre des raisins très mûrs et un boisé très fin enthousiasme le grand

jury. D'élégants tanins assureront sa longévité. Exceptionnel. Du même millésime les **Vieilles vignes du Château Segonzac (8 à 11 €)** obtiennent une citation.

☙ SCEA Ch. Segonzac, 39, Segonzac, 33390 Saint-Genès-de-Blaye, tél. 05.57.42.18.16, fax 05.57.42.24.80, e-mail segonzac@chateau-segonzac.com ☑ ☂ r.-v.

☙ Charlotte Herter

CH. TAYAT
Cuvée Tradition Elevée en barrique de chêne 2000★★

	2 ha	15 000		5 à 8 €

Sur l'important vignoble de 32 ha d'argilo-calcaires qu'elle exploite depuis 1972, la famille Favereaud sélectionne 2 ha pour cette cuvée Tradition élevée douze mois en barrique de chêne. Paré d'une superbe pourpre sombre, ce vin s'ouvre au nez sur des fruits très mûrs, confiturés, accompagnant un boisé intense mais fondu. Rond, ce vin riche et plein, signe d'un parfait équilibre entre le raisin et la barrique, enchante le jury. Les tanins présents, mais fins et soyeux, ne sont pas en reste ; ils assureront une bonne garde.

☙ SCEA Favereaud, 2, Tayat, 33620 Cézac, tél. 05.57.68.62.10, fax 05.57.68.15.07 ☑ ☂ t.l.j. sf dim. 8h30-13h 15h-19h

CH. TERRE-BLANQUE
Cuvée Noémie 2000★★

	1,5 ha	7 000		11 à 15 €

De très petits rendements, un soin attentif porté à la vigne, à l'équilibre souhaité entre la qualité du raisin et l'élevage : depuis 1995, ce viticulteur fait des prodiges dont témoigne ce millésime. Avec des reflets pourpres et grenat très profonds, un bouquet délicat et fin, alliant le raisin mûr et le bois grillé, l'objectif est atteint. Une belle concentration en bouche ne nuit en rien au fruité. Lorsqu'il aura un peu vieilli, ce vin tiendra tête aux gibiers et aux viandes en sauce.

☙ Paul-Emmanuel Boulmé, Ch. Terre-Blanque, 33390 Saint-Genès-de-Blaye, tél. 05.57.42.18.48, fax 05.57.42.19.48, e-mail pe-boulme@chateau-terreblanque.com ☑ ☂ t.l.j. sf dim. 8h-18h

CH. TOUR GALINEAU
Elevé en fût de chêne 2000★

	7 ha	24 098		3 à 5 €

Cette cuvée présentée par la maison André Quancard-André provient de 7 ha de vignes de J. Chety, à Blaye. Rubis foncé à reflets violines, elle offre un bouquet puissant mêlant fruits mûrs, épices, cassis et bois torréfié. Ronde et consistante, elle dispose de tanins bien enrobés.

Sera à point entre deux et sept ans. Ce négociant a proposé le **Château Maine Blanc rouge 2000** qui obtient une citation.

🔊 André Quancard-André, chem. de la Cabeyre, 33240 Saint-André-de-Cubzac, tél. 05.57.33.42.42, fax 05.57.33.42.05, e-mail aqa@andrequancard.com

CH. DES TOURTES
Cuvée Prestige Vinifié en fût de chêne 2000★★

	5 ha	25 000	⏚ 8 à 11 €

Sur les 52 ha qu'il exploite en société, Philippe Raguenot sélectionne 5 ha de terroir argilo-siliceux exclusivement planté de sauvignon pour élaborer ce blanc haut de gamme d'une belle teinte or gris. Le bouquet naissant est déjà très complexe : d'abord s'exprime le raisin bien mûr, accompagné d'un fumet d'épices et de noix de coco, puis la saveur souple et minérale s'ouvre sur un volume rond et corsé, qui évolue en finesse. Idéal hors repas, ou sur des poissons. La **cuvée Prestige rouge 2000** obtient une étoile. La laisser trois ou quatre ans dans une bonne cave.

🔊 EARL Raguenot-Lallez-Miller, Ch. des Tourtes, Le Bourg, 33820 Saint-Caprais-de-Blaye, tél. 05.57.32.65.15, fax 05.57.32.99.38
☑ ☍ t.l.j. 9h-12h30 14h-19h; dim. sur r.-v.

Côtes de bourg

L'AOC couvre environ 3 927 ha. Avec le merlot comme cépage dominant, les rouges (221 604 hl en 2001) se distinguent souvent par une belle couleur et des arômes assez typés de fruits rouges. Assez tanniques, ils permettent dans bien des cas d'envisager favorablement un certain vieillissement. Peu nombreux, les blancs (1 056 hl) sont en général secs, avec un bouquet assez typé.

CH. BARAIL-JOLLET 2000

	4,3 ha	27 000	⬛⏚ 5 à 8 €

Ce vin a été récolté à Mazion. Rubis foncé à reflets noirs, il demande un peu d'aération pour libérer des notes de raisin surmûri avec une touche animale. La bouche ronde et grasse finit sur des tanins assez typiques du millésime : d'ici deux à trois ans il sera parfait sur une cuisine familiale, un navarin d'agneau par exemple.

🔊 Grands Vins de Gironde, Dom. du Ribet, BP 59, 33451 Saint-Loubès Cedex, tél. 05.57.97.07.20, fax 05.57.97.07.27, e-mail gvg@gvg.fr
🔊 EARL La Bretonnière

CH. DE BARBE 2000★★

	35 ha	270 000	⬛⏚ 5 à 8 €

Vaste domaine viticole dominant la Gironde entre Bourg et Blaye, ce grand château XVIIIᵉs. propose un remarquable millésime paré d'une somptueuse robe bordeaux sombre aux reflets rubis. Son bouquet est fin et

fruité : on y trouve le raisin bien mûr, accompagné de notes de cerise, de fruits cuits et d'agrumes. La bouche confirme la finesse du nez et révèle le terroir, avec une persistance subtile et élégante. Dans les trois à six ans, il sera parfait sur toutes les viandes, blanches ou rouges.

🔊 SC villeneuvoise, Ch. de Barbe, 33710 Villeneuve, tél. 05.57.42.64.00, fax 05.57.64.94.10
☑ ☍ t.l.j. sf sam. dim. 9h-12h 14h-17h
🔊 Richard

CH. BEGOT
Cuvée Prestige Elevé en fût de chêne 2000

	2 ha	12 800	⏚ 5 à 8 €

Sur les 16 ha qu'exploitent Alain et Martine Gracia, 2 ha sont réservés à cette cuvée Prestige très colorée, pourpre sombre à reflets violines. Le premier nez s'ouvre sur un joli boisé puis l'agitation libère des notes de fruits confits ou à l'eau-de-vie. L'attaque est agréable, ronde et fruitée, les tanins arrivent vite et demanderont à s'assagir, avant de servir ce vin dans deux à trois ans sur un magret.

🔊 Alain Gracia, Bégot, 33710 Lansac, tél. 05.57.68.42.14, fax 05.57.68.29.90, e-mail chateau.begot@libertysurf.fr ☑ ☍ r.-v.

CH. BEL-AIR
Vieilli en fût de chêne 1999★★

	0,48 ha	3 680	⏚ 5 à 8 €

Il s'agit d'une sélection très poussée, puisque ce vin est issu de 0,48 ha sur les 20,67 qu'exploitent les frères Gayet. Le terroir et l'encépagement sont très particuliers : graves rouges et argilo-calcaires, dominante cabernets à 60 %. Evidemment le vin ne peut être que remarquable. C'est le cas de ce 99 à la pourpre sombre, au parfum complexe mêlant notes de fleurs, de fruits noirs très mûrs et de boisé discret (balsamique et réglissé). Concentration et rondeur se conjuguent dans une bouche structurée par des tanins nobles. Un côtes de bourg de forte personnalité qui pourrait accompagner un mets de caractère, par exemple une bécasse rôtie à la ficelle. **La cuvée traditionnelle 2000 du Château Bel-Air (3 à 5 €)** obtient une étoile.

🔊 GAEC Gayet Frères, Ch. Bel-Air, 33710 Samonac, tél. 05.57.68.26.67, fax 05.57.68.26.67 ☑ ☍ r.-v.

CH. BELAIR-COUBET 2000

	n.c.	150 000	⬛⏚↧ 5 à 8 €

Cette bouteille représente une production importante des vignobles A. Faure. Prometteur, ce 2000, soutenu par un boisé discret, se révèle fruité, chaleureux et demande un à deux ans de garde, tout comme le **Château du Bois de Tau 2000** du même producteur ou le **Château Jansenant 2000**, également cités.

🔊 Vignobles Alain Faure, Ch. Belair-Coubet, 33710 Saint-Ciers-de-Canesse, tél. 05.57.42.68.80, fax 05.57.42.68.81, e-mail belair-coubet@wanadoo.fr ☑ ☍ r.-v.

CH. BRULESECAILLE 2000★★

	15 ha	80 000	⏚ 8 à 11 €

Créé en 1868, ce vignoble repose sur un beau terroir argilo-calcaire. Sombre et dense, presque noire, la robe annonce un vin de caractère. Encore un peu fermé, il demande à être aéré pour libérer des parfums de fruits mûrs et de bois torréfié (café). Souple et ample à la fois, il laisse sur le souvenir de tanins boisés qui devront se fondre. Dans quelques années, il pourra accompagner un pigeon rôti en cocotte ou un baron d'agneau. Le deuxième vin, le **Château la Gravière 2000 (5 à 8 €)**, bien typé, obtient une citation.

🍷 Rodet , Brulesécaille, 33710 Tauriac,
tél. 05.57.68.40.31, fax 05.57.68.21.27,
e-mail cht.brulesecaille@freesbee.fr ☑ 🏠 ⅄ r.-v.
🍷 GFA Rodet

CH. DE LA BRUNETTE
Chêne de Brunette Elevé en fût 2000★

■	1 ha	4 800	Ⅲ	5 à 8 €

Cuvée sélectionnée sur 1 ha des 4,11 ha de vignes exploitées par Gil et Dorota Lagarde sur des sols argilo-calcaires et argilo-siliceux complantés à 72 % de merlot, 20 % de malbec (cot) et 8 % de cabernet-sauvignon. Tout est dense dans ce vin, la couleur, le nez puissant finement boisé, la bouche ronde et bien équilibrée, charpentée par des tanins serrés mais bien élevés.

🍷 SCEA Lagarde Père et Fils,
Dom. de La Brunette, 33710 Prignac-et-Marcamps,
tél. 05.57.43.58.23, fax 05.57.43.01.21,
e-mail chateau.de.labrunette@wanadoo.fr ☑ 🏠 ⅄ r.-v.

CH. BUJAN 2000★

■	9 ha	50 000	ⅢⅡ	8 à 11 €

Pascal Méli organise des visites du vignoble bordelais. On pourra commencer par le sien et par la découverte de ce millésime dont la robe rubis sombre miroite de reflets pourpres. A l'aération, il libère des arômes de raisin très mûr, de cerise, de pruneau et de bois réglissé. Bien structuré et fruité, il évolue sur une saveur épicée (coriandre, muscade) et des tanins vanillés en finale. Tout cela est déjà très agréable, et devrait l'être encore plus dans deux ou trois ans.

🍷 Pascal Méli, Ch. Bujan, 33710 Gauriac,
tél. 05.57.64.86.56, fax 05.57.64.93.96,
e-mail pmeli@alienor.fr
☑ 🏠 ⅄ t.l.j. 9h-12h 14h30-19h; dim. sur r.-v.

CH. CASTEL LA ROSE
Cuvée rosissime Vieilli en fût de chêne 2000★

■	2 ha	10 000	Ⅲ	8 à 11 €

Sélection très poussée pour cette cuvée qui ne représente qu'un dixième de la production de la famille Castel. La robe, rubis très foncé, a quelques reflets violines. Encore sous l'emprise de l'élevage, ce vin se montre corsé et charpenté ; cependant on devine le fruit confit de raisin mûr qui lui permettra de tenir longtemps pour accompagner lamproie et grillades.

🍷 GAEC Rémy Castel et Fils, 3, Laforêt,
33710 Villeneuve, tél. 05.57.64.86.61, fax 05.57.64.90.07
☑ 🏠 ⅄ r.-v.

PIERRE CHANAU 2000★

■		n.c.	450 000	🍾⅄	3 à 5 €

Anagramme d'Auchan, cette marque est élaborée par l'excellente maison de négoce Dulong fondée en 1873. Vous ne manquerez pas cette bouteille lors des Foires aux vins d'automne. Rouge velouté, brillant dans le verre, ce côtes de bourg offre de complexes arômes de fruits noirs. Ample, doté de tanins fondus, il développe une belle finale sur les fruits à l'alcool. A boire, si vous aimez, avec un gigot de chevreuil !

🍷 Dulong Frères et Fils, 29, rue Jules-Guesde,
33270 Floirac, tél. 05.56.86.51.15, fax 05.56.40.66.41,
e-mail jm.dulong@dulong.com ☑ ⅄ r.-v.

CH. LE CLOS DU NOTAIRE
Cuvée sélectionnée 2000

■	6 ha	40 000	🍾Ⅲ↓	8 à 11 €

Le terroir de graves sur calcaire à astéries est complanté à 75 % de merlot pour 25 % de cabernets. La vigne entoure un petit oratoire qui surplombe le confluent de la Garonne et de la Dordogne. Le vin a une couleur griotte à reflets grenat. Le nez très fruité (mûre, framboise) évolue sur des notes d'épices, d'humus et de cuir. La bouche a belle allure, solide et puissante, encore un peu ferme. Ce 2000 s'affinera d'ici deux à quatre ans.

🍷 SCEA Ch. le Clos du Notaire,
33710 Bourg-sur-Gironde,
tél. 05.57.68.44.36, fax 05.57.68.32.87,
e-mail closnot@club-internet.fr ☑ ⅄ r.-v.
🍷 R. Charbonnier

CH. COLBERT
Cuvée Prestige 2000★★

■	3 ha	13 000	Ⅲ	5 à 8 €

Voilà une cuvée Prestige qui mérite bien sa mention. Elle est issue de 3 ha sélectionnés sur les 22 ha de vignes qui entourent le château néogothique de ce joli domaine viticole. C'est un vrai vin de garde. La robe presque noire scintille de reflets grenat. Le bouquet, succession de fruits noirs, de boisé discret vanillé et réglissé, est intense. Très fruitée, la structure, ample et généreuse, est soutenue par des tanins élégants. Beaucoup de personnalité, sans excès de sophistication. Le **Château Colbert 2000**, cuvée principale qui ne connaît pas la barrique, obtient une étoile : à ouvrir en 2004.

🍷 SCEA Ch. Colbert Duwer, 33710 Comps,
tél. 05.57.64.95.04, fax 05.57.64.88.41
☑ ⅄ t.l.j. 9h-12h 14h-19h

CH. CONILH HAUTE-LIBARDE
Elevé en fût de chêne 2000

■ Cru bourg.	5,5 ha	17 000	🍾Ⅲ	5 à 8 €

Un des vignobles Bernier entourant une belle demeure dominant le fleuve. Ce vin a une jolie couleur rubis intense avec des reflets d'évolution. Le nez demande un peu d'aération pour s'ouvrir sur des notes de bois grillé et de fruits mûrs. La bouche est très structurée par des tanins encore un peu fermes qui demanderont un à deux ans pour s'affiner. Le vin pourra alors accompagner une lamproie à la bordelaise. Le **Château Font-Guilhem 2000** obtient une citation.

🍷 Dom. Bernier, 33710 Lansac, tél. 05.57.68.46.46,
fax 05.57.68.36.09, e-mail maxime@berniervins.fr
☑ ⅄ t.l.j. 8h30-12h 14h-18h

CH. DE COTS
Cuvée Prestige Elevé en fût de chêne 1999

■	2 ha	3 000	Ⅲ	8 à 11 €

Sélection de 2 ha sur les 15 ha de la propriété, ce cru bénéficie des méthodes de culture biologique et d'élevage en barrique neuve. Le vin se présente avec une belle couleur rubis profond. Son bouquet intense joue sur les notes de raisin très mûr et de boisé toasté et épicé. Les tanins très présents devraient s'affiner dans les prochaines années pour donner une bouteille agréable sur gibier et viande rouge.

🍷 Gilles et Anne-Marie Bergon, 3, Cots,
33710 Bayon-sur-Gironde, tél. 05.57.64.82.79,
fax 05.57.64.95.82 ☑ ⅄ t.l.j. 10h-12h 14h-19h

BORDELAIS

LA COULEE DE BAYON 2000★★

■	0,5 ha	1 900	ⓤ 8 à 11 €

Jean-Marc Delhaye aimait déguster. Lui vint, en 1995, l'envie de se confronter à la pratique d'un art difficile : il devient vigneron sur une superficie confidentielle. Le résultat est remarquable. D'une ravissante couleur rubis foncé aux éclats grenat, ce vin s'ouvre sur un premier nez très boisé mais fin (vanille, girofle) ; l'aération libère des arômes de petits fruits mûrs. La bouche, charmeuse et savoureuse, est construite sur un bon raisin et un bon merrain mêlés en un équilibre parfait. D'ici deux ans et pour dix ans il sera à point sur un gigot de mouton. Ah ! N'oubliez pas, en face de ce cru, une chapelle romane (XIIᵉs.) attend aussi votre visite.
☛ Jean-Marc Delhaye, 2, Le Bourg, 33710 Bayon, tél. 05.57.64.81.74 ☑ ⵏ r.-v.

CH. LA CROIX DE MILLORIT 2000

■	5 ha	33 300	■♦ 5 à 8 €

La famille Jaubert exploite une vingtaine d'hectares autour d'une demeure typiquement bordelaise du XIXᵉs. dominant la Gironde. Le sol argilo-calcaire repose sur la roche tufière. L'encépagement est original : 36 % de malbec (cot), 32 % de merlot, 32 % de cabernet. En dégustation, le vin est très « nature ». Sa couleur grenat est vive. Cassis et griotte confite se retrouvent au nez et en bouche. Encore dominé par les tanins du raisin, ce 2000 demande deux à trois ans de garde. Le **Château Civrac 2000** obtient la même note.
☛ SCEA Vignobles A. Jaubert, Ch. La Croix de Millorit, Bayon, 33710 Bourg-sur-Gironde, tél. 05.57.64.84.13, fax 05.57.64.94.11 ☑

CH. CROUTE-CHARLUS
Vieilli en fût de chêne 2000★

■	2,5 ha	8 000	ⓤ 5 à 8 €

Après dix-huit mois de fût, ce vin né sur argilo-calcaire pourra plaire à beaucoup. Paré de reflets rubis intenses et jeunes, il affiche un nez déjà puissant et une bouche très chaleureuse qui allie bien le raisin mûr et le bois. Un style moderne mais qui respecte le terroir et le raisin.
☛ EARL Sicard-Baudouin, 5, rte de Croûte, 33710 Bourg-sur-Gironde, tél. 05.57.68.25.67, fax 05.57.68.25.77, e-mail cedric-baudouin-vigneron@wanadoo.fr
☑ ⵏ t.l.j. 8h-12h 14h-18h; sam. dim. sur r.-v.
☛ Cédric Baudouin

EVIDENCE 1999★

■	10 ha	40 000	ⓤ 11 à 15 €

Sélection très poussée d'une dizaine d'hectares sur les quatre cents vinifiés par la Cave de Bourg-Tauriac. Cela donne un 99 vermillon aux arômes complexes de fleurs, de prune à l'eau-de-vie et de bois épicé. Suave et ronde, la bouche évolue sur des tanins fondus. Un ensemble élégant, bien dans l'appellation, qui pourra s'apprécier dans deux à quatre ans. La cuvée **Etienne de Tauriac 99 (3 à 5 €)** obtient une citation et pourra être servie dès maintenant.
☛ Cave de Bourg-Tauriac, 3, av. des Côtes-de-Bourg, 33710 Tauriac, tél. 05.57.94.07.07, fax 05.57.94.07.00, e-mail cave.bourg-tauriac@wanadoo.fr
☑ ⵏ t.l.j. sf dim. 9h-12h30 13h30-18h

CH. FOUGAS
Cuvée Prestige 2000★★

■	4 ha	30 000	ⓤ 8 à 11 €

Fougas est l'une des grandes vedettes de l'AOC. Tant par sa charmante chartreuse que par ses cuvées hautement récompensées. Voici un nouveau coup de cœur. Issue d'un terroir de colluvions sableuses, ce vin assemble à parité le merlot et les cabernets. Il est élégant et charmeur. Paré d'un grenat intense, il exhale des arômes de raisin bien mûr et de merrain torréfié à point. La bouche, ample et charnue, est structurée par des tanins prometteurs pour les trois à cinq ans à venir. Du grand art ! Coup de cœur pour son 98, la **cuvée Maldoror 2000 (15 à 23 €)** obtient une étoile. L'attendre entre deux et quatre ans pour savourer son élégance.
☛ Jean-Yves Béchet, Ch. Fougas, 33710 Lansac, tél. 05.57.68.42.15, fax 05.57.68.28.59, e-mail jean-yvesbéchet@wanadoo.fr
☑ ⵏ t.l.j. sf sam. dim. 9h-12h 14h-18h
☛ GFA Fougas

CH. GALET CHEVAL BLANC 2000

■	21 ha	80 000	■ 3 à 5 €

Ce joli vignoble de 21 ha fait partie du Club Cordier, l'un des meilleurs négociants-éleveurs bordelais. Ce millésime est d'une belle couleur grenat foncé. Son bouquet naissant est fruité tout comme la bouche, elle aussi sur le raisin. Souple et fraîche, cette bouteille devrait pouvoir se boire dans les deux à trois ans.
☛ Vincent Hoclet, 3, Ch. Galet de Cheval Blanc, 33710 Saint-Ciers-de-Canesse, tél. 05.56.11.29.00, fax 05.56.11.29.01

CH. GARREAU 2000★★

■	2,67 ha	13 000	ⓤ 11 à 15 €

Il s'agit d'une sélection de 2,67 ha sur les 9,30 ha de ce domaine viticole au terroir argilo-calcaire. Le maître de chai est à féliciter pour ce vin salué par le grand jury. Paré d'une somptueuse robe bordeaux, presque noire, il a déjà un nez de caractère, puissant et fin à la fois. La bouche, elle aussi, allie force et élégance. La première impression est chaleureuse, puis les tanins fins tapissent bien le palais. D'une grande harmonie entre le raisin mûr et le fin bois, cette bouteille possède un beau potentiel.

🕯 SCEA Ch. Garreau, Lafosse, 33710 Pugnac, tél. 05.57.68.90.75, fax 05.57.68.90.84 ☑ ⲩ t.l.j. sf sam. dim. 9h15-12h 14h-17h15

🕯 Mme Guez

CH. GENIBON-BLANCHEREAU
Améthyste de Genibon Elevé en fût de chêne 2000

■	0,5 ha	4 000	⏸ 5 à 8 €

Vaste domaine de 23,77 ha, ce cru familial propose une cuvée confidentielle élevée douze mois en barrique. Celle-ci ne se fait pas oublier tant au nez où le raisin surmûri et le bois torréfié (café, chocolat) font bon ménage qu'au palais qui s'ouvre sur du fruit confit puis laisse le bois prendre le dessus. Trois à cinq ans de garde sont nécessaires avant de servir ce vin sur un gigot d'agneau.

🕯 EARL Eynard-Sudre, Genibon, 33710 Bourg-sur-Gironde, tél. 05.57.68.25.34, fax 05.57.68.25.34 ☑ ⲩ r.-v.

CH. GRAND LAUNAY
Réserve Lion noir 2000

■	5 ha	30 000	⏸ 8 à 11 €

Sur les 26,80 ha exploités par la famille Cosyns, 6 ha sont consacrés à la cuvée principale **Grand Launay 2000 (5 à 8 €)** qui, élevée en cuve, a été citée par le jury, et à cette Réserve Lion noir qui a passé douze mois en barrique. Ce vin de caractère peut surprendre. Grenat de forte intensité, il a besoin d'aération pour s'exprimer d'abord sur des fruits rouges très mûrs, puis sur un boisé à note de coco et du cuir. Une trame solide mais bien enrobée constitue une mâche tannique encore jeune, qui devrait s'affiner d'ici deux à cinq ans.

🕯 Michel Cosyns, Ch. Grand Launay, 33710 Teuillac, tél. 05.57.64.39.03, fax 05.57.64.22.32 ☑ 🏠 ⲩ r.-v.

CH. LES GRANDS THIBAUDS
Réserve du Château Elevé en fût de chêne 2000★

■	2 ha	11 000	⏸ 5 à 8 €

10 % de malbec complètent 10 % de cabernet et 80 % de merlot nés sur des graves fines dans cette cuvée élevée quinze mois en barrique. Rubis profond, elle propose des senteurs fruitées sur un boisé encore présent. En revanche, structurée et équilibrée, elle associe au palais une belle matière et un fût bien dosé.

🕯 Daniel Plantey et Fils, Les Grands-Thibauds, 33240 Saint-Laurent-d'Arce, tél. 05.57.43.08.37, fax 05.57.43.08.37 ☑ ⲩ t.l.j. 9h-19h

CH. DE LA GRAVE
Caractère Elevé en barrique 2000★★

■	20 ha	130 000	⏸ 5 à 8 €

Restauré dans le style Louis XIII, ce château commande un vignoble de 45 ha. Sa cuvée **Nectar 2000 (11 à 15 €)** a obtenu une étoile pour son élégance, ses tanins de qualité et ses arômes subtils jouant sur la pivoine, la framboise, le cassis et les épices. Elle sera d'aussi longue garde sans doute que cette cuvée « de caractère » qui porte bien son nom. D'une grande harmonie, elle charme l'œil par sa robe bordeaux sombre. Ses arômes floraux et fruités,

finement boisés, s'imposent tout au long de la dégustation jusque dans une bouche comblée par le fruit frais, la chair dense et les tanins puissants. Un grand millésime.

🕯 Philippe Bassereau, Ch. de La Grave, 33710 Bourg-sur-Gironde, tél. 05.57.68.41.49, fax 05.57.68.49.26, e-mail chateau.de.la.grave@wanadoo.fr ☑ 🏠 ⲩ r.-v.

CH. LES GRAVES DE VIAUD
Grande Cuvée Elevé et vieilli en fût de chêne 2000

■	n.c.	12 000	🍶 🏠 ⏸ 11 à 15 €

Viaud sort de la coopérative en 1994 et vinifie ses 11 ha. Voici une sélection élevée douze mois en barrique. Le vin a une couleur rubis foncé, encore jeune. Le premier nez est très boisé, toasté, café, cacao ; puis il évolue sur des notes de fruits rouges et d'épices. La bouche, souple en attaque, est également encore sous le bois de la barrique très chauffée. Il faudra patienter environ deux ans pour que tout cela se marie bien. Cette cuvée est également distribuée par le négociant André Quancard.

🕯 Dom. de Viaud, 33710 Pugnac, tél. 05.57.68.94.37, fax 05.57.68.94.49 ☑ ⲩ r.-v.

🕯 Derouineau

CH. GRAVETTES-SAMONAC
Prestige Vieilli en fût de chêne 2000★★

■	4 ha	25 000	⏸ 5 à 8 €

Gérard Giresse exploite 28 ha d'un domaine familial, régulièrement retenu dans notre Guide. Cette cuvée est remarquablement réussie en 2000. La robe bordeaux foncé a des reflets noirs. Le bouquet est déjà intense : moka, cacao, réglisse, épices (girofle), fruits noirs. La bouche est à la fois savoureuse, puissante et élégante, dotée d'une structure tannique pleine de potentiel. Un très bon côtes de bourg de garde.

🕯 Gérard Giresse, Ch. Gravettes-Samonac, 33710 Samonac, tél. 05.57.68.21.16, fax 05.57.68.36.43 ☑ ⲩ r.-v.

CH. LA GROLET
Tête de cuvée 2000

■	2,81 ha	21 500	⏸ 8 à 11 €

Comme l'indique son nom, il s'agit d'une sélection de 2,81 ha sur les 25 ha qu'exploite Jean-Luc Hubert autour de cette ancienne maison noble déjà connue au XVIIᵉs. Le vin, élevé en fût neuf, se présente avec une belle robe grenat très foncé et s'ouvre à l'agitation sur des arômes de fruits noirs et d'épices. Bien structuré par des tanins qui demandent à se fondre un peu mais qui assurent une bonne longueur, il devrait être prêt dans deux à quatre ans. La cuvée principale, **Château La Grolet 2000 (5 à 8 €)** obtient la même note.

🕯 SCEA Vignobles Bossuet-Hubert, Ch. La Grolet, 33710 Saint-Ciers-de-Canesse, tél. 05.57.42.11.95, fax 05.57.42.38.15 ☑ ⲩ r.-v.

🕯 J.-L. Hubert

CH. GUIRAUD
Vieilli en fût de chêne 1999★

■	1 ha	4 300	⏸ 5 à 8 €

Jacky Bernard cultive 12,5 ha sur les argilo-calcaires et graves de Saint-Ciers-de-Canesse. Cette microcuvée est vieillie en fût de chêne. Déjà expressive, elle est encore sous le bois, mais l'agitation dégage des notes de fruits noirs. Souple, elle offre une saveur originale (chocolatée) et des tanins fondus qui permettront de la boire assez prochainement sur une large palette de mets.

BORDELAIS

◗┓ Jacky Bernard, Ch. Guiraud,
33710 Saint-Ciers-de-Canesse,
tél. 05.57.64.91.02, fax 05.57.64.91.46 ☑ ⍫ r.-v.

CH. HAUT-BAJAC 2000

| ■ | 11 ha | 53 000 | ■↓ | 5 à 8 € |

Œnologue, Jacques Pautrizel s'installe comme jeune agriculteur en 1996. Ce vin est produit par la quasi-totalité des vignes du château Haut-Bajac, une petite cuvée de 6 000 bouteilles étant élevée douze mois complète sa gamme. Cette dernière **Vieillie en fût de chêne 2000** obtient également une citation. La cuvée principale se présente avec une belle pourpre intense. La bouche, très fraîche, a de jolies rondeurs, structurée par des tanins élégants. Typique de l'appellation et du millésime, il lui faudra encore un ou deux ans d'affinage.
◗┓ Jacques Pautrizel, Ch. Haut-Bajac,
33710 Bourg-sur-Gironde,
tél. 05.57.68.35.99, fax 05.57.68.32.15 ☑ ⍫ r.-v.

CH. HAUT-GUIRAUD
Péché du Roy 2000★★

| ■ | 10 ha | 20 000 | ⅏ | 8 à 11 € |

Cette cuvée, sélectionnée sur 10 ha des Vignobles Bonnet, doit son nom à la légende qui veut que Louis XIV enfant, lors de son séjour à Bourg, appréciait particulièrement les pêches de Guiraud. En 2000 ce ne sont pas les pêches qui sont royales mais bien le vin. Avec son superbe pourpoint bordeaux aux reflets de jeunesse et ses arômes harmonieux associant dans un équilibre parfait le raisin à maturité et le merrain finement vanillé. Son corps ample et onctueux est soutenu par des tanins soyeux et réglissés. Bref, un vin digne de la légende. Le **Château Castaing 2000 (5 à 8 €)** du même propriétaire obtient une citation car il est bien fait et typé.
◗┓ EARL Bonnet et Fils, Ch. Haut-Guiraud,
33710 Saint-Ciers-de-Canesse,
tél. 05.57.64.91.39, fax 05.57.64.88.05 ☑ ⍫ r.-v.

CH. HAUT-MACO
Cuvée Jean Bernard 1999★

| ■ | 6 ha | 38 138 | ■⅏↓ | 5 à 8 € |

Sélection plus poussée que pour le **Haut Macô 99 (3 à 5 €)** cité par le jury puisque seuls 6 ha sont retenus sur les 49 ha de vignes de l'important domaine viticole exploité par les frères Mallet. Ce millésime présente une bonne intensité à tous les niveaux : la robe est d'un rubis brillant à reflets grenat, le bouquet est concentré sur du fruit confit, un boisé vanillé et toasté. Élégant et équilibré, avec des tanins mûrs, bien enrobés par le boisé, ce vin devrait être bon à boire assez prochainement, sur une large palette culinaire.

◗┓ Jean et Bernard Mallet, Ch. Haut-Macô,
33710 Tauriac, tél. 05.57.68.81.26, fax 05.57.68.91.97,
e-mail hautmaco@wanadoo.fr
☑ ⍫ t.l.j. sf dim. 8h-12h 14h-18h

CH. HAUT MOUSSEAU
Elevé en fût de chêne 2000★★

| ■ | n.c. | 40 000 | ⅏ | 8 à 11 € |

Propriétaires de trois beaux domaines bordelais, les Briolais ont particulièrement réussi en côtes de bourg. Cette cuvée, issue d'une vigne de plus de quarante ans, est complantée à 60 % de merlot pour 40 % de cabernets. Tout dans la dégustation séduit : ce vin remarquable porte une superbe robe, arbore un bouquet puissant et une bouche harmonieuse. Plein de race, il est le produit d'un bon terroir, de bon raisin, de bon merrain, d'un bel élevage et d'une bonne garde... tout y est, avec en prime un potentiel de deux à quinze ans.
◗┓ Dominique Briolais, 1, Ch. Haut-Mousseau,
33710 Teuillac, tél. 05.57.64.34.38, fax 05.57.64.31.73
☑ ⍫ r.-v.

CH. L'HOSPITAL
Elevé en fût 2001★

| ■ | 0,35 ha | 1000 | ⅏ | 8 à 11 € |

Sur leur vignoble, Christine et Bruno Duhamel réservent 0,35 ha pour produire cette bouteille de blanc sec à 50 % de sémillon associé à 50 % de colombard. Jaune pâle, ce 2001 s'éveille sur des arômes d'agrumes, puis s'ouvre sur l'abricot et la pêche jaune. La bouche est à la fois fraîche et charnue, la saveur très fruitée. En **rouge le Château l'Hospital 2000 (8 à 11 €)**, élevé en cuve, assemble 70 % de merlot au malbec. Il obtient aussi une étoile et devra attendre deux ou trois ans.
◗┓ Christine et Bruno Duhamel, Ch. L'Hospital,
33710 Saint-Trojan, tél. 05.57.64.33.60,
fax 05.57.64.33.60, e-mail alvitis@wanadoo.fr ☑ ⍫ r.-v.

CH. LABADIE
Vieilli en fût de chêne 2000★

| ■ | 10,5 ha | 84 000 | ■⅏↓ | 5 à 8 € |

Cette cuvée sélectionnée sur l'important vignoble de 47 ha exploité par la famille Dupuy témoigne du travail sérieux et régulier de ce domaine qui avait mérité un coup de cœur pour le millésime 98. Le 2000 n'est pas mal du tout dans sa belle robe bordeaux jeune. Le bouquet, déjà expressif, s'ouvre d'abord sur des notes boisées, beurrées, et des senteurs de noisette et d'amande (terroir de graves ?) ; puis le fruit apparaît à l'agitation. Élégante et racée, le raisin et le bois étant bien mariés, cette bouteille aux tanins encore un peu austères devra être un peu attendue. Dans deux ans, on pourra commencer à la servir sur une cuisine fine et du gibier en sauce.
◗┓ SCEA Vignobles Joël Dupuy,
1, Cagna, 33710 Mombrier,
tél. 05.57.64.23.84, fax 05.57.64.23.85,
e-mail vignoblesjdupuy@aol.com ☑ ⍫ r.-v.

CH. LAMBLIN 2000★

| ■ | 0,88 ha | 3 200 | ■⅏ | 8 à 11 € |

Francis Lamblin vient de reprendre ce petit vignoble. En 2000, il a sélectionné 0,88 ha pour cette bouteille née sur un terroir argilo-calcaire. Le premier nez est très boisé, puis l'agitation libère des arômes de fruits confits. La bouche, elle aussi, est sous le bois. Celui-ci devrait s'affiner au profit du fruit pour donner un vin de caractère d'ici deux à six ans.

🐓 Francis Lamblin, 1, Dom. de Beauséjour, 33710 Comps, tél. 06.82.00.83.50, fax 05.57.64.96.05, e-mail fpml33@aol.com ☑ ⊤ r.-v.

CH. LAMOTHE 2000★

| ■ | 5 ha | 8 600 | ▮↓ | 5 à 8 € |

Sur les 23 ha que la famille Pessonnier exploite depuis 1900, 5 ha sont consacrés à cette bouteille qui fête les cent ans d'amour de cette famille pour son terroir. La robe rubis profond scintille de reflets grenat. Discret mais fin, floral et fruité (note de griotte), le vin est souple et chaleureux, très équilibré : charnu sans mollesse, vif sans agressivité. Son style très naturel lui permettra d'accompagner assez rapidement une large palette culinaire.

🐓 A. Pousse et M. Pessonnier, Ch. Lamothe, 33710 Lansac, tél. 05.57.68.41.07, fax 05.57.68.46.62, e-mail chateaulamothe@yahoo.fr ☑ ⊤ t.l.j. 10h-19h

CH. LANGUIREAU
Elevé en fût 2000★★

| ■ | 0,75 ha | 6 000 | ▥ | 5 à 8 € |

Une même passion a réuni en 1993 deux jeunes hommes qui travaillaient dans le secteur para-viticole. Quel succès avec ce vin bordeaux foncé, presque noir, il offre un bouquet magnifique d'intensité et de finesse : floral (rose), petits fruits et bon bois. D'abord dominé par le fût, le vin reprend le dessus en milieu de bouche pour finir sur un beau mariage des saveurs. Déjà très bon, ce vin pourra s'apprécier au moins pendant dix ans.

🐓 Fabien Vitu et H. Cwiklinski, 147, av Gal-de-Gaulle, 33450 Izon, tél. 05.57.75.86.52 ☑ ⊤ r.-v.

CH. LAROCHE
Elevé en fût de chêne 2000★

| ■ | 15 ha | 110 000 | ▥ | 5 à 8 € |

Rebâti au XXᵉs., ce château avait été brûlé deux fois : durant la guerre de Cent ans puis sous la Révolution. Equipé de chais modernes et disposant de 40 ha, il propose un vin paré d'une pourpre sombre, aux reflets de jeunesse. Il s'exprime déjà tout d'abord par un beau boisé, puis du fruit mûr et une touche animale. Concentrée et charnue, structurée par des tanins frais, cette bouteille élégante devrait être prête d'ici deux à quatre ans.

🐓 Baron Roland de Onffroy, Ch. Laroche, 33710 Tauriac, tél. 05.57.68.20.72, fax 05.57.68.20.72, e-mail rdeonffroy@aol.com ☑ ⊤ r.-v.

CH. MACAY 2000★

| ■ | 13 ha | 90 000 | ▮▥↓ | 5 à 8 € |

Voici la cuvée principale de l'un des crus les plus renommés de l'AOC. Née sur un sol argilo-graveleux et calcaire, associant 10 % de malbec à 25 % de cabernets et à 65 % de merlot, élevé douze mois en fût, ce 2000 porte une robe à reflets violines de jeunesse. Le bouquet naissant est intense et exprime les fruits noirs (pruneau) et le bois légèrement vanillé. Bien équilibrée, finement fruitée et boisée, avec d'agréables tanins soyeux en finale, cette bouteille sera parfaite pour accompagner un gigot d'agneau dans trois ans.

🐓 Eric et Bernard Latouche, Ch. Macay, 33710 Samonac, tél. 05.57.68.41.50, fax 05.57.68.35.23, e-mail chateaumacay@wanadoo.fr ☑ ⊤ r.-v.

CH. MARGUERITE DE FONT NEUVE 1999★

| ■ | 7 ha | 24 000 | ▮↓ | 3 à 5 € |

Ce vin, présenté par la maison André Quancard, est issu de 7 ha de vignes appartenant à la famille Chéty à Saint-Trojan. Le merlot y domine à 90 %. Rubis très sombre, presque noir, il exprime des senteurs fruitées (cerise). Sa structure ample et ses tanins puissants et fondus incitent à le servir sur une cuisine traditionnelle.

🐓 André Quancard-André, chem. de la Cabeyre, 33240 Saint-André-de-Cubzac, tél. 05.57.33.42.42, fax 05.57.33.42.05, e-mail aqa@andrequancard.com

🐓 Chety

CH. MARTINAT
Vieilli en fût de chêne 2000★★

| ■ | 9 ha | 52 000 | ▥ | 8 à 11 € |

Il s'agit ici de la quasi-totalité de la production de la propriété, ce qui est remarquable. « Beau travail ! » s'exclame le jury : la robe est presque noire avec des reflets griotte et rubis. D'abord floral (iris, pivoine), le nez se révèle fruité (pruneau, cassis), et s'achève sur un fumet de merrain torréfié. En bouche la palette est également très ouverte : un raisin mûr, une saveur réglissée, épicée (cannelle), d'élégants tanins de chêne forment un ensemble harmonieux, qui, dans deux à cinq ans, tiendra tête aux plats en sauce et aux gibiers.

🐓 SCEV Marsaux-Donze, Ch. Martinat, 33710 Lansac, tél. 05.57.68.34.98, fax 05.57.68.35.39, e-mail donzels@aol.com ☑ ⊤ r.-v.

🐓 Mr et Mme Donze

CH. DE MENDOCE
Grande Réserve Elevé en fût de chêne 2000

| ■ | 3 ha | 16 800 | ▥ | 5 à 8 € |

Sélection de 3 ha sur les 15 ha de vignes de ce très ancien domaine. Au VIIᵉs., Bertechramnus, riche Gallo-Romain y avait déjà implanté la vigne. Au XVᵉs., les Mendoza, d'origine espagnole, achètent le domaine et lui donnent son nom. En l'an 2000, la vigne est toujours là. Elle a produit un vin d'un rubis intense, avec quelques reflets d'évolution. Une bonne harmonie olfactive, entre le fruit rouge et le bois torréfié. Une bouche équilibrée, structurée par des tanins fins. Il pourra se boire assez prochainement sur une lamproie ou une entrecôte à la bordelaise.

🐓 Philippe Darricarrère, Ch. de Mendoce, 33710 Villeneuve, tél. 05.57.68.34.95, fax 05.57.68.34.91, e-mail info@mendoce.com ☑ ⊤ t.l.j. sf dim. 9h-12h 14h-18h; sam. sur r.-v.

CH. MERCIER
Cuvée Prestige 2000★★

| ■ | 9 ha | 55 000 | ▮▥↓ | 5 à 8 € |

C'est presque ici qu'est née l'agriculture raisonnée. Du moins Philippe Chéty s'est montré précurseur avec quelques vignerons soucieux de l'environnement. Ce millésime, issu d'une sélection de 9 ha sur les 23 ha de vignes du domaine, mérite bien la mention cuvée Prestige, qui est parfois un peu galvaudée. En dégustation il exprime bien le millésime, le terroir, le bon raisin, un élevage bien mené, tout ce que l'on attend d'un authentique grand vin. L'œil, le nez, la bouche sont comblés par cette complexité de concentration et de finesse. L'équilibre parfait. La **cuvée Jade du Clos du Piat 2000 en rouge (11 à 15 €)** réalisée par Christophe Chéty, obtient une citation. Il faudra attendre que les tanins du bois se fondent.

🐓 SCEA Famille Chéty, Ch. Mercier, 33710 Saint-Trojan, tél. 05.57.42.66.99, fax 05.57.42.66.96, e-mail vin@chateaumercier.fr ☑ ⊤ t.l.j. 8h-12h 14h-18h; sam. dim. sur r.-v.

CH. MERCIER 2000★

	1,5 ha	6 000	▮❶▯⌀	5 à 8 €

Il a droit à son entrée, ce rare blanc des côtes de bourg ! Car ses parfums sont délicieux (fruits frais, agrumes). L'attaque de bouche est fraîche et perlante, la saveur très fruitée, citronnée, muscatée. La chair et l'acidité s'équilibrent bien. Jeune, il est déjà plaisant sur des crustacés ; plus vieux il sera parfait sur des poissons.
☛ SCEA Famille Chéty, Ch. Mercier,
33710 Saint-Trojan, tél. 05.57.42.66.99,
fax 05.57.42.66.96, e-mail vin@chateaumercier.fr
☑ ⵒ t.l.j. 8h-12h 14h-18h; sam. dim. sur r.-v.

CH. MONTAIGUT
Veilli et élevé en fût de chêne 2000★

	6 ha	42 000	❶▯	5 à 8 €

Sur le beau domaine viticole de 32 ha qu'il exploite, François de Pardieu sélectionne 6 ha pour cette bouteille régulièrement retenue par nos dégustateurs. Pourpre foncé, la robe brille de reflets rubis. Il faut agiter le verre pour que se libèrent des arômes de fruits cuits finement boisés. D'abord charnue, la bouche est vite dominée par des tanins denses, encore virils. Lorsqu'il se sera assagi, dans trois à six ans, il tiendra tête à une entrecôte ou à un gibier.
☛ SCEA vignobles de Pardieu,
2, Nodeau, 33710 Saint-Ciers-de-Canesse,
tél. 05.57.64.92.49, fax 05.57.64.94.20,
e-mail françois-de-pardieu@wanadoo.fr
☑ ⵒ t.l.j. 13h30-17h30; sam. dim. sur r.-v.

LES MOULINS DU HAUT LANSAC 2000

	n.c.	60 000	▮⌀	3 à 5 €

La couleur est d'un joli grenat intense. Le nez, encore un peu fermé, demande un peu d'aération pour exprimer des notes de noyau de cerise. L'attaque de bouche est soyeuse, mais les tanins pointent vite. Ils assureront une bonne garde.
☛ Les Vignerons de la Cave de Lansac, La Croix,
33710 Lansac, tél. 05.57.68.41.01, fax 05.57.68.21.09,
e-mail cavedelansac@free.fr
☑ ⵒ t.l.j. sf sam. dim. lun. 8h-12h 14h-18h

CH. DU MOULIN VIEUX
Cuvée Tradition 2000★

	16 ha	100 000	▮❶▯	5 à 8 €

Il s'agit de la production principale de Jean-Pierre Gorphe : 16 ha sur les 24 ha qu'il cultive sur argilo-calcaires complantés à 60 % de merlot pour 40 % de cabernets. D'une jolie couleur cerise noire, cette cuvée présente un nez concentré sur du raisin bien mûr soutenu par une barrique discrète. Charnu et volumineux, étoffé par des tanins de qualité, d'un bon potentiel, ce vin à l'ancienne tiendra de deux à douze ans sur une cuisine traditionnelle. La **cuvée Sélection 1999** obtient également une étoile. Déjà plaisant, il pourra être apprécié pendant quelques années.
☛ Jean-Pierre Gorphe, 20, chem. du Moulin-Vieux,
33710 Tauriac, tél. 05.57.68.26.21, fax 05.57.68.29.75
☑ ⵒ r.-v.

CH. NODOZ
Elevé en barrique de chêne 2000★★

	5,5 ha	30 000	❶▯	8 à 11 €

Titulaire de plusieurs coups de cœur, Nodoz est l'une des valeurs sûres des vignobles Magdeleine. Dans une robe presque noire, très élégante, ce 2000 se montre discret, mais fin au nez (fruits mûrs finement boisés). Construit sur une belle matière autour des tanins encore un peu fermes, il pourra se marier parfaitement avec une entrecôte aux cèpes dans deux ou trois ans. Le **Château Galau 2000 (5 à 8 €)** obtient une étoile.
☛ Jean-Louis Magdeleine, Ch. Nodoz Tauriac,
33710 Tauriac, tél. 05.57.68.41.03, fax 05.57.68.37.34
☑ ⵒ ⵒ t.l.j. sf sam. dim. 8h-12h 14h-19h

LA PETITE CHARDONNE
Elevé en fût de chêne 2000★

	6 ha	30 000	▮❶▯⌀	8 à 11 €

Les vignes de Teuillac élevées en barrique portent ici depuis le millésime 99 ce nom poétique. Derrière une belle robe bordeaux classique, le bouquet déjà ouvert se montre floral, fruité, et signe des vendanges bien mûres. Souple, riche en fruits, doté d'une agréable saveur d'amande et de noyau de cerise, le vin se repose sur les tanins soyeux, qui permettront de le boire dans deux ans avec de la cuisine contemporaine.
☛ Vignobles Louis Marinier,
Dom. Florimond-La Brède, 33390 Berson,
tél. 05.57.64.39.07, fax 05.57.64.23.27,
e-mail vignobleslouismarinier@wanadoo.fr
☑ ⵒ t.l.j. 8h-12h 14h-17h; sam. dim. sur r.-v.
☛ Mesnard Marinier, Martin Marin

CH. PEYCHAUD
Maisonneuve Vieilles vignes 2000★

	6 ha	40 000	❶▯	8 à 11 €

Une jolie étiquette moderne pour cette cuvée spéciale de longue garde comme beaucoup de 2000. La robe rubis sombre a des reflets violines de jeunesse. Les fruits rouges, le pain d'épice (cannelle, girofle), un boisé discret marquent la personnalité intéressante de ce vin aux tanins de qualité, très présents, qui demanderont à être attendus deux ou trois ans.
☛ SCEA Ch. Peychaud, Ch. Peyredoulle,
33390 Berson, tél. 05.57.42.66.66, fax 05.57.64.36.20,
e-mail bordeaux@vgas.com ☑ ⵒ r.-v.

CH. PONT DE LA TONNELLE
Elevé en fût de chêne 2000★

	7 ha	26 700	❶▯	5 à 8 €

Ce vin, destiné à un civet de chevreuil, est né dans les vignes de Teuillac. Rubis à reflets noirs, il s'ouvre à l'aération sur des fruits noirs (myrtilles), des notes de cuir et un boisé de bon aloi. La bouche est corsée et séveuse, avec une saveur persistante de fruits et de bois torréfié. Dans deux à quatre ans, il devrait être parfait.
☛ André Quancard-André, chem. de la Cabeyre,
33240 Saint-André-de-Cubzac, tél. 05.57.33.42.42,
fax 05.57.33.42.05, e-mail aqa@andrequancard.com
☛ SCA du Vieux Plantier

CH. POYANNE 1999

	17 ha	85 000	▮❶▯⌀	5 à 8 €

Un des crus des vignobles Schweitzer, 17 ha plantés à 60 % de merlot et 40 % de cabernet. Le 99 présente des reflets d'évolution. Le nez est délicat sur des notes grillées, de pain, de noisette et de sous-bois. Construit sur des tanins satinés, il pourra se boire assez rapidement avec des mets délicats.

⊶ SCEA Vignobles Schweitzer et Fils, Ch. de Thau, 33710 Gauriac, tél. 05.57.64.80.79, fax 05.57.64.83.72, e-mail schweitzer.vignoble@free.fr ☑ ⵣ r.-v.

CH. PUY-BARBE 2000

| ■ | n.c. | 64 000 | ▮⤓ | 3 à 5 € |

Ce vin, présenté par la maison Dulong, est issu d'un vignoble de Mombrier. D'un joli grenat, soutenu, il évoque les fruits noirs, avec des touches animales et mentholées. Après une bonne attaque les tanins encore un peu rustiques s'imposent. Ils assureront une bonne garde à une bouteille qui sera bonne dans une petite année.
⊶ Dulong Frères et Fils, 29, rue Jules-Guesde, 33270 Floirac, tél. 05.56.86.51.15, fax 05.56.40.66.41, e-mail jm.dulong@dulong.com ⵣ r.-v.
⊶ Orlandi

CH. PUY D'AMOUR 2000★

| ■ | 10,5 ha | 1 300 | ⪫ | 11 à 15 € |

Nouveau dans le Guide, ce cru tire son nom des coteaux qui ressemblent à de petits volcans (puy) et de la passion qui anime les producteurs. L'étiquette est moderne, le vin ausi dans sa belle robe rubis brillante. Le bouquet est très boisé (noix de coco, eucalyptus) puis l'agitation libère un peu de fruit. La bouche est bien structurée, mais le fruit et le terroir sont encore masqués par le bois de style contemporain. Il faudra attendre deux à trois ans qu'il s'affine pour l'apprécier sur du gibier ou des viandes grillées.
⊶ Johann et Murielle Demel, Ch. Puy d'Amour, 33710 Saint-Seurin-de-Bourg, tél. 05.57.68.38.01, fax 05.57.68.38.01
☑ ⵣ t.l.j. 8h30-12h30 14h-18h; groupes sur r.-v.

CH. RELAIS DE LA POSTE
Vieilli en fût de chêne 1999

| ■ | 2 ha | 14 000 | ⪫ | 5 à 8 € |

Issue d'une sélection de 2 ha sur les 18 qu'exploite la famille Drode à Teuillac sur l'emplacement d'un ancien relais de poste, cette cuvée a passé un an en barrique. Le nez est déjà expressif : fruit, café, fumet viandé se déchiffrent sans mal. Gouleyant et tendre, ce vin devrait bien se marier avec une cuisine sucrée-salée.
⊶ Vignobles Drode, Relais de la Poste, 33710 Teuillac, tél. 05.57.64.37.95, fax 05.57.64.37.95 ☑ ⵣ r.-v.

CH. REPIMPLET 2000★

| ■ | 5 ha | 40 000 | ▮⪫⤓ | 5 à 8 € |

Coup de cœur l'an dernier, la **cuvée Amélie Julien 2000** (8 à 11 €) obtient une étoile, tout comme la cuvée principale. L'œil est séduit par un rubis brillant à reflets grenat. Le bouquet, déjà intense, évoque les fruits noirs, les fruits confits et la vanille. Encore fruitée, à la fois ample et concentrée, la bouche s'achève sur des tanins puissants qui assureront une bonne évolution. Dans ces deux cuvées, on voit que le fruit apparaît sous un bois bien dosé.
⊶ Michèle et Patrick Touret, 4, Repimplet, 33710 Saint-Ciers-de-Canesse, tél. 05.57.64.31.78, fax 05.57.64.31.78, e-mail chateau.repimplet@wanadoo.fr ⵣ r.-v.

CH. DE REYNAUD 2000★

| ■ | 1,68 ha | 13 600 | ▮ | 5 à 8 € |

Sur les 5,5 ha que Bernard et Sandrine Capdeville exploitent depuis 1999 (après avoir été journalistes à Paris), 1,68 ha est consacré à cette bouteille, deuxième récolte pleine de promesses. La robe foncée a de jolis reflets grenat. Fruité et bien structuré, équilibré, ce vin est parfaitement dans le style des côtes de bourg.
⊶ Bernard Capdevielle, Ch. de Reynaud, 33710 Bourg-sur-Gironde, tél. 05.57.68.44.13, fax 05.57.68.44.13, e-mail chateau.reynaud@libertysurf.fr ☑

CH. LES ROCQUES
Cuvée Elégance Elevé en fût de chêne 1999

| ■ | 1,2 ha | 6 000 | ▮⪫⤓ | 8 à 11 € |

Douze mois de barrique neuve pour ce vin très foncé, aux arômes intenses de fruits noirs, fumet grillé et épicé. Les tanins assurent une forte charpente et une réelle persistance, ils devront évoluer quelques années.
⊶ Feillon Frères et Fils, Ch. Les Rocques, 33710 Saint-Seurin-de-Bourg, tél. 05.57.68.42.82, fax 05.57.68.36.25, e-mail feillon.vins.de.bordeaux@wanadoo.fr
☑ ⵣ t.l.j. 9h-12h 14h-18h; sam. dim. sur r.-v.

CH. DE ROUSSELET
Vieilli en fût de chêne 1999★

| ■ | 3,5 ha | 24 000 | ⪫ | 5 à 8 € |

Nés sur un terroir argilo-graveleux 70 % de merlot, 20 % de cabernets et 10 % de cot participent à ce vin à la robe grenat intense à reflets violines. Floral mais aussi fruité, épicé, boisé toasté, ce vin est rond et suave, même si ses tanins sont solides car ils se marient bien avec le boisé. Un ensemble équilibré et élégant qui sera prêt d'ici deux à trois ans.
⊶ Emmanuel Sou, 5, Rousselet, 33710 Saint-Trojan, tél. 05.57.64.32.18, fax 05.57.64.32.18, e-mail chateau.de.rousselet@wanadoo.fr ☑ ⵣ r.-v.

CH. ROUSSELLE
Cuvée Prestige 2000★★

| ■ | 3,5 ha | 18 000 | | 11 à 15 € |

Sur ce domaine de 18 ha qu'ils ont repris en 1999, Vincent et Nathalie Lemaitre proposent deux cuvées dont la hiérarchie est bien respectée à la dégustation. Parée d'un pourpoint aux reflets noirs, celle-ci explose au nez sur des arômes d'abord de bois toasté et, ensuite, de mûre, de réglisse, de coriandre et de poivre blanc. L'attaque de bouche, concentrée et séveuse, a l'impétuosité de la jeunesse. La saveur reprend la même palette aromatique au nez, avec une consistance crémeuse. Au final les tanins de qualité sont bien là pour assurer le vieillissement. Conclusion d'un de nos dégustateurs : magnifique ! La cuvée principale **Château Rousselle 2000** (5 à 8 €), très belle, obtient une étoile.
⊶ Vincent et Nathalie Lemaitre, Ch. Rousselle, 33710 Saint-Ciers-de-Canesse, tél. 05.57.42.16.62, fax 05.57.42.19.51 ☑ 🏠 ⵣ t.l.j. 10h-18h; sam. dim. sur r.-v.; f. 20 déc.-10 jan.

CH. LA ROZETTE
Elevé en fût de chêne 2000★

| ■ | n.c. | 9 000 | ▮⪫⤓ | 3 à 5 € |

Ce vin, présenté par la maison Dulong, est issu des vignes de Serge Bligardi à Bourg-sur-Gironde. Assez boisé, il laisse s'exprimer les fruits noirs. Le palais traduit un bon équilibre entre le raisin et la barrique. Un joli vin qui pourra s'apprécier entre trois et huit ans.

🐓 Dulong Frères et Fils, 29, rue Jules-Guesde,
33270 Floirac, tél. 05.56.86.51.15, fax 05.56.40.66.41,
e-mail jm.dulong@dulong.com ☎ r.-v.

CH. LE SABLARD
Cuvée Prestige Elevée en fût de chêne 2000

| ■ | 1,5 ha | 8 000 | ■ ⑪ ↓ | 5 à 8 € |

Sélection de 1,50 ha sur les 9,50 ha qu'exploite Jacques Buratti, ce vin a une belle couleur rubis profond. Le bouquet naissant s'ouvre sur des notes torréfiées (moka). En bouche, la saveur est également boisée, mais la matière est là. Si les tanins sont un peu austères aujourd'hui, c'est qu'ils demandent deux à cinq ans pour s'assagir.
🐓 SCEA Jacques Buratti, 7, Le Rioucreux,
33920 Saint-Christoly-de-Blaye,
tél. 05.57.42.57.67, fax 05.57.42.43.06
☑ ☎ t.l.j. sf dim. 8h30-12h 14h-19h

CH. DE TASTE
Réserve 1999★

| ■ | 15,43 ha | 10 000 | ⑪ | 5 à 8 € |

Il s'agit ici d'une Réserve de 10 000 bouteilles sur les 80 000 produites sur l'exploitation de Jean-Paul Martin. Nos jurés ont apprécié ce vin de caractère à la pourpre profonde, produit sur un coteau argilo-calcaire. Expressif, le nez se montre complexe, à la fois floral, fruité et épicé. Corpulent et généreux, construit sur des tanins solides, il pourra tenir tête à une lamproie à la bordelaise ou à un lièvre à la royale.
🐓 SCEA des Vignobles de Taste et Barrié, La Sablière,
33710 Lansac, tél. 05.57.68.40.34, fax 05.57.68.40.34,
e-mail chateaudetaste@free.fr ☑ ☎ r.-v.

CH. TAYAC
Prestige 1999★

| ■ | 10 ha | 50 000 | ⑪ | 11 à 15 € |

Cette cuvée de tête des vins Saturny représente tout de même 10 ha sur les 30 ha exploités. Le cabernet-sauvignon y domine à 75 % ; en appoint on trouve un original « merlot à queue rouge ». Le tout élevé en barrique neuve. Ajoutez un magnifique château construit au XIXᵉs., mais dont l'origine remonte au Prince Noir, vers 1356. On a là tous les éléments d'un authentique cru bordelais. Cela se vérifie dans le verre, avec ce 99 plein de caractère. A la pourpre profonde répond un bouquet d'épices, de cuir et de merrain grillé. Très charpenté, il demande quelques années de garde pour accompagner un boeuf de Bazas aux cèpes ou un gibier à plume frais.
🐓 SC Ch. Tayac, Saint-Seurin-de-Bourg,
33710 Bourg-sur-Gironde, tél. 05.57.68.40.60,
fax 05.57.68.29.93, e-mail tayac-saturny@wanadoo.fr
☑ ☎ t.l.j. 9h30-12h30 14h30-19h; sam. dim. sur r.-v.
🐓 P. Saturny et Fils

CH. TERREFORT-BELLEGRAVE
Cuvée Prestige 2000★★

| ■ | n.c. | 12 000 | ⑪ | 11 à 15 € |

Une cuvée issue d'une sélection de 100 % de vieux merlot, cela donne évidemment un 2000 remarquable. Paré d'une robe bordeaux classique, il affiche des parfums expressifs de chêne frais et de pruneau. Ample et charnue, la saveur de mûre et de fruits à l'eau-de-vie est étoffée par des tanins de merrain fin. Dans les deux à quinze ans qui viennent, il pourra accompagner une large palette culinaire.

🐓 Dominique Briolais, 1, Ch. Haut-Mousseau,
33710 Teuillac, tél. 05.57.64.34.38, fax 05.57.64.31.73
☑ ☎ r.-v.

CH. TOUR DE GUIET 2000★★

| ■ | 5 ha | 30 000 | ■ ↓ | 5 à 8 € |

Stéphane Heurlier exploite 10 ha sur un terroir argilo-sableux. D'une magnifique couleur bordeaux, presque noire, ce millésime offre un bouquet déjà très complexe signant la bonne vendange (notes florales, fruits cuits, épices). L'attaque est fine et discrète, puis le volume s'impose, soutenu par de bons tanins de raisins. Entier, solide, authentique, sans fard. Quant à la cuvée Elevée en fût de chêne 2000 (8 à 11 €), elle obtient deux étoiles. Joli travail !
🐓 Stéphane Heurlier, EARL Ch. la Bretonnière,
33390 Mazion, tél. 05.57.64.59.23, fax 05.57.64.67.41
☑ ☎ r.-v.

CH. LA TUILIERE
Les Armoiries 2000★

| ■ | 3,02 ha | 16 000 | ⑪ | 11 à 15 € |

Philippe Estournet est installé ici depuis une dizaine d'années. Il a déjà fait ses preuves et passe à nouveau la barre avec ce 2000 à la robe brillant de reflets pourpres et grenat. Le bouquet, déjà de bonne intensité, exprime les fruits rouges, les épices, le bois empyreumatique. La bouche s'ouvre sur le fruit frais, et affiche une structure équilibrée. La finale tannique, encore un peu sévère, est prometteuse. D'ici deux à quatre ans, ce vin sera prêt. La cuvée principale La Tuilière 2000 (5 à 8 €) obtient également une étoile.
🐓 Les Vignobles Philippe Estournet,
Ch. La Tuilière, 33710 Saint-Ciers-de-Canesse,
tél. 05.57.64.80.90, fax 05.57.64.89.97,
e-mail chateaulatuiliere@minitel.net ☑ ☎ r.-v.

CH. VIEUX LIGAT 2000★

| ■ | n.c. | 12 000 | ■ ↓ | 3 à 5 € |

Ce vin, présenté par la maison Dulong, provient des vignes de Serge Seguin à Bourg-sur-Gironde. C'est un vin sans fioritures mais que nos dégustateurs ont apprécié parce qu'il exprime bien le raisin et le millésime. On a la sensation de croquer le raisin, depuis l'attaque souple et ronde jusqu'aux tanins fondus de la finale. Entre deux et dix ans, il plaira à tous.
🐓 Dulong Frères et Fils, 29, rue Jules-Guesde,
33270 Floirac, tél. 05.56.86.51.15, fax 05.56.40.66.41,
e-mail jm.dulong@dulong.com ☎ r.-v.

Le Libournais

Même s'il n'existe aucune appellation « Libourne », le Libournais est bien une réalité. Avec la ville-filleule de Bordeaux comme centre et la Dordogne comme axe, il s'individualise fortement par rapport au reste de la Gironde en dépendant moins directement de la métropole régionale. Il n'est pas rare, d'ailleurs, que l'on oppose le Libournais au Bordelais proprement dit, en invoquant par exemple l'architecture, moins ostentatoire, des châteaux du vin », ou la place des « Corréziens » dans le négoce de Libourne. Mais ce qui individualise le plus le Libournais, c'est sans doute la concentration du vignoble, qui apparaît dès la sortie de la ville et recouvre presque intégralement plusieurs communes aux appellations renommées comme Fronsac, Pomerol ou Saint-Emilion, avec un morcellement en une multitude de petites ou moyennes propriétés. Les grands domaines, du type médocain, ou les grands espaces caractéristiques de l'Aquitaine étant presque d'un autre monde.

L e vignoble s'individualise également par son encépagement dans lequel domine le merlot, qui donne finesse et fruité aux vins et leur permet de bien vieillir, même s'ils sont de moins longue garde que ceux d'appellations à dominante de cabernet-sauvignon. En revanche, ils peuvent être bus un peu plus tôt, et s'accommodent de beaucoup de mets (viandes rouges ou blanches, fromages, mais aussi certains poissons, comme la lamproie).

Canon-fronsac et fronsac

B ordé par la Dordogne et l'Isle, le Fronsadais offre de beaux paysages, très tourmentés, avec deux sommets, ou « tertres », atteignant 60 et 75 mètres, d'où la vue est magnifique. Point stratégique, cette région joua un rôle important, notamment au Moyen Age et lors de la Fronde de Bordeaux, une puissante forteresse y ayant été édifiée dès l'époque de Charlemagne. Aujourd'hui, celle-ci n'existe plus, mais le Fronsadais possède de belles églises et de nombreux châteaux. Très ancien, le vignoble produit sur six communes des vins personnalisés, complets et corsés, tout en étant fins et distingués. Toutes les communes peuvent revendiquer l'appellation fronsac (42 567 hl en 2001), mais Fronsac et Saint-Michel-de-Fronsac sont les seules à avoir droit, pour les vins produits sur leurs coteaux (sols argilo-calcaires sur banc de calcaire à astéries), à l'appellation canon-fronsac (15 424 hl).

Canon-fronsac

CH. BARRABAQUE
Prestige 1999★★

	n.c.	25 000		⦅⦆ 15 à 23 €

88 |89| |90| 91 92 |94| ⑨⑤ ⑨⑥ **97 98 99**

Régulièrement distingué dans le Guide par des coups de cœur, ce château était tout près de renouveler ses

exploits avec ce magnifique 99. La robe bordeaux sombre et intense possède de jolis reflets rubis. Les parfums de bons raisins mûrs, d'épices et de boisé vanillé sont en totale harmonie. Les tanins gras et veloutés en attaque développent ensuite beaucoup de charpente, de maturité et de longueur. La finale, particulièrement fruitée et typée, laisse augurer un bel avenir pour ce vin à ne pas ouvrir avant trois à six ans.
⤚ SCEA Noël Père et Fils, Ch. Barrabaque, 33126 Fronsac, tél. 05.57.55.09.09, fax 05.57.55.09.00, e-mail chateaubarrabaque@yahoo.fr ☑ ⅄ r.-v.

CH. BELLOY
Cuvée Prestige 1999★★

	2 ha	11 774		⦅⦆ 11 à 15 €

Cette propriété bénéficie depuis le Second Empire d'un emplacement de choix sur un terroir de calcaire, d'argiles et de quartz. Sa cuvée Prestige, issue d'une sélection rigoureuse de 60 % de merlot et de 40 % de cabernet franc, décroche un coup de cœur unanime du grand jury. La robe grenat est profonde et brillante ; le bouquet intense et complexe évoque les fruits confits, la vanille, le cuir et le pain grillé. En bouche, le vin se distingue par le velouté de ses tanins très mûrs, fondus par un élevage en barrique bien maîtrisé. La finale équilibrée et persistante demande à s'épanouir à la faveur d'une garde de deux à cinq ans dans une belle cave.
⤚ SA Travers, BP 1, 33126 Fronsac, tél. 05.57.24.98.05, fax 05.57.24.97.79, e-mail helene.texier-travers@wanadoo.fr ☑ ⅄ r.-v.
⤚ GAF Bardibel

CH. CANON SAINT-MICHEL 1999

	4,02 ha	16 000		⦅⦆ 8 à 11 €

Petit-fils du créateur de ce domaine, Jean-Yves Millaire a pris la responsabilité du vignoble en 1998. Son 99 pourra séduire le consommateur amateur de vins bien faits, au fruité franc et net et aux tanins veloutés et mûrs, déjà fondus et équilibrés. Une bouteille à ouvrir dès aujourd'hui ou à garder deux à trois ans.
⤚ Jean-Yves Millaire, Lamarche, 33126 Fronsac, tél. 06.08.33.81.11, fax 05.57.25.07.38 ☑ ⅄ r.-v.

CH. CAPET BEGAUD 1999★

	4 ha	15 000	▮⦅⦆◗ 8 à 11 €

Ce petit cru présente un 99 fort agréable : robe rubis profond, arômes de boisé, de framboise avec des notes animales. La structure tannique est puissante en attaque puis évolue avec finesse. Harmonieuse et d'un bon équilibre en finale, c'est une bouteille à boire dans deux à cinq ans, par exemple sur un gibier.

⌐ GFA Vignobles Alain Roux,
Ch. Coustolle, 33126 Fronsac,
tél. 05.57.51.31.25, fax 05.57.74.00.32 ☑ ⵣ r.-v.

CH. CASSAGNE HAUT-CANON
La Truffière 1999★★

■	12,94 ha	42 000	ⅠⅠⅠ 11 à 15 €

86 88 **89** 90 91 |93| |94| 96 97 98 **99**

Cette cuvée tire son nom d'une truffière créée en 1972, où les propriétaires récoltent chaque année quelques truffes noires. Ce 99 se présente sous une belle robe rubis intense ; ses arômes évoquent le boisé toasté et vanillé, rehaussé de notes florales et épicées. Les tanins charpentés et élégants sont persistants. Une bouteille typée, à garder dans une bonne cave au moins trois ans avant de l'ouvrir. La cuvée classique, le **Château Cassagne Haut-Canon 99 (8 à 11 €)**, recueille une étoile et se caractérise par un fruité intense et des tanins veloutés. Elle peut être bue ou vieillir deux à trois ans.
⌐ Jean-Jacques Dubois,
Ch. Cassagne Haut-Canon,
33126 Saint-Michel-de-Fronsac,
tél. 05.57.51.63.98, fax 05.57.51.62.20 ⵣ r.-v.

CH. COUSTOLLE 1999

■	20 ha	60 000	🍷ⅠⅠⅠ⌇ 8 à 11 €

90 93 94 95 96 |97| 98 |99|

70 % de merlot, 29 % de cabernet franc et 1 % de malbec récoltés du 25 au 28 septembre ont donné ce 99 qui possède une jolie robe rubis brillant, un bouquet déjà expressif de fleurs, de cerise et d'épices grillées et des tanins souples et tendres, voire féminins pour un de nos dégustateurs. C'est un vin qu'on pourra apprécier dans sa jeunesse sur des mets délicats, mais également laisser vieillir deux à quatre ans.
⌐ GFA Vignobles Alain Roux, Ch. Coustolle,
33126 Fronsac, tél. 05.57.51.31.25, fax 05.57.74.00.32
☑ ⵣ r.-v.

CH. LA FLEUR CAILLEAU 1999★

■	n.c.	12 000	ⅠⅠⅠ 11 à 15 €

85 86 88 92 |93| |94| **95 96 98** 99

Sur ce beau terrain argilo-calcaire du Fronsadais poussent 95 % de merlot et du cabernet-sauvignon. Le château pratique, depuis 1990, la culture en biodynamie. La robe grenat de son vin brille de beaux reflets rubis. Le bouquet intense évoque la vanille, le cacao, les fruits mûrs, avec une agréable note florale. Les tanins suaves et veloutés, très présents mais équilibrés, évoluent avec beaucoup de persistance aromatique. Une bouteille typée, à ouvrir dans deux à cinq ans.
⌐ Paul et Pascale Barre, La Grave, 33126 Fronsac, tél. 05.57.51.31.11, fax 05.57.25.08.61 ⵣ r.-v.

CH. DU GABY 1999★

■	3,8 ha	22 000	ⅠⅠⅠ 11 à 15 €

85 % de merlot travaillés en lutte raisonnée sur un sol argilo-calcaire ont donné ce 99 à la robe pourpre, brillante et soutenue, au bouquet naissant de bons raisins, de boisé vanillé et d'épices. Les tanins corsés et étoffés sont très présents et bien mûrs ; ils ne manquent pas d'élégance et devraient évoluer avec beaucoup d'harmonie. Un vin bien typique de l'appellation, à apprécier dans deux à trois ans.

⌐ SCEA Vignobles famille Khayat,
Ch. du Gaby, 33126 Fronsac,
tél. 05.57.51.24.97, fax 05.57.25.18.99,
e-mail chateau.du.gaby@wanadoo.fr ⵣ r.-v.

CH. MOULIN PEY-LABRIE 1999

■	6,5 ha	20 000	ⅠⅠⅠ 15 à 23 €

88 |89| |90| 91 92 |93| |94| **95** 96 97 99

Ce château, offrant une superbe vue sur la région, propose une bouteille 100 % merlot, qui se distingue dans le millésime 99 par une couleur rubis déjà légèrement tuilée, un bouquet assez intense de boisé, de cuir et de pruneau. La bouche est encore étonnante de jeunesse, puissante, charpentée, « pleine de flamme », note un dégustateur. A laisser vieillir deux ou trois ans pour lui donner le temps de s'exprimer.
⌐ B. et G. Hubau, Ch. Moulin Pey-Labrie,
33126 Fronsac, tél. 05.57.51.14.37, fax 05.57.51.53.45
☑ ⵣ r.-v.

CH. ROULLET 1999

■	2,61 ha	10 000	ⅠⅠⅠ 8 à 11 €

Cette propriété familiale traditionnelle de 28 ha a réussi un 99 élaboré avec 5 % de cabernet-sauvignon, 15 % de cabernet franc et du merlot. Très agréable dans sa robe grenat brillante aux reflets tuilés, il offre un bouquet intense de fruits et d'épices, délicatement boisé. Ses tanins puissants mais encore jeunes demandent à se fondre par un vieillissement de deux à quatre ans. Le **Château Haut Gros Bonnet 99** reçoit la même note.
⌐ SCEA Dorneau, Ch. La Croix, 33126 Fronsac, tél. 05.57.51.31.28, fax 05.57.51.31.88,
e-mail scea-dorneau@wanadoo.fr ☑ ⵣ r.-v.

CH. TOUMALIN SAINT-CRIC
Elevé en fût de chêne 1999

■	4,7 ha	37 000	🍷ⅠⅠⅠ⌇ 8 à 11 €

Créée en 1937, cette cave regroupe 280 vignerons cultivant 1 180 ha de vignes. Ce 99 mérite l'attention du lecteur pour son bouquet original de noisette, d'épices avec une note de beurre. Souple en attaque, la structure évolue avec finesse et une bonne longueur. Une bouteille aimable, à boire ou à garder de deux à cinq ans.
⌐ Union de producteurs de Lugon,
6, rue Louis-Pasteur, 33240 Lugon,
tél. 05.57.55.00.88, fax 05.57.84.83.16 ☑ ⵣ r.-v.

CH. VRAI CANON BOUCHE 1999★

■	8 ha	40 000	ⅠⅠⅠ 8 à 11 €

|90| 91 |94| |95| |96| 97 98 99

Situé sur le tertre de Canon, à l'origine du nom de l'appellation, ce vignoble est planté à 95 % de merlot sur des carrières d'où furent extraites certaines pierres qui servirent à construire au XVIIIᵉs le grand théâtre de Bordeaux, chef-d'œuvre de Victor Louis. Avec 99 % de merlot, ce vin présente une robe grenat à reflets rubis, des arômes discrets et fins de mûre, d'épices et de boisé grillé. Ses tanins suaves et veloutés évoluent harmonieusement jusqu'à une feuille de fruits confits. Une bouteille classique, à ouvrir dans deux à cinq ans.
⌐ Françoise Roux, Ch. Lagüe, 33126 Fronsac, tél. 05.57.51.24.68, fax 05.57.25.98.67 ☑ ⵣ r.-v.

Fronsac

CH. BARBEY 1999★

| | 4 ha | 4 000 | | 8 à 11 € |

La famille Trocard est présente ici depuis plus de trois siècles et demi. Mais Benoît ne tient les rênes que depuis 1997, conseillé par Gilles Pauquet. Vous pourrez y découvrir ce vin très agréable. Sa robe pourpre brillante, son bouquet expressif de fruits rouges, tels les framboises, et de boisé léger lui confèrent un charme certain. Ses tanins souples et élégants évoluent avec une bonne typicité. Une bouteille à attendre un ou deux ans.

➴ Benoît Trocard, Ch. Barbey, 33141 Saillans, tél. 05.57.84.37.35, fax 05.57.74.39.86, e-mail winemaker@chateau-barbey.com ☑ ⛧ r.-v.

CH. BARRABAQUE 1999★

| | n.c. | 28 000 | | 8 à 11 € |

Habitué aux honneurs de ce Guide dans l'appellation voisine de canon-fronsac, ce château propose également un excellent fronsac. La robe est vive et limpide. Le bouquet boisé se marie aux notes épicées alors que les tanins fins et fruités prennent de l'ampleur et de la complexité jusqu'en finale. Un très bon vin qui demande à s'assagir par trois à six ans de vieillissement.

➴ SCEA Noël Père et Fils, Ch. Barrabaque, 33126 Fronsac, tél. 05.57.55.09.09, fax 05.57.55.09.00, e-mail chateaubarrabaque@yahoo.fr ☑ ⛧ r.-v.

CH. LA BRANDE 1999★

| | 4 ha | 25 000 | | 8 à 11 € |

Ici, on aime recevoir, expliquer la géographie viticole, faire découvrir l'analyse sensorielle des vins. C'est le fruit d'une longue tradition viticole. Dans une robe vive et soutenue, ce millésime offre des arômes de fruits rouges et d'épices très attrayants. Ses tanins, racés et puissants, sont en parfait équilibre avec un boisé discret. Une bouteille très typée fronsac, à boire ou à garder deux à cinq ans.

➴ Vignoble Pierre Béraud, La Brande, 33141 Saillans, tél. 05.57.74.36.38, fax 05.57.74.38.46, e-mail labrande.saillans@wanadoo.fr
☑ ⛧ t.l.j. 9h-12h30 14h-19h; dim. et groupes sur r.-v.

CH. DU CARILLON
Elevé en fût de chêne 1999★

| | 12 ha | 50 000 | | 5 à 8 € |

Un assemblage de merlot (70 %) complété par 30 % de cabernet-sauvignon a donné ce vin très réussi. Dès l'approche, l'œil est séduit par une robe concentrée et brillante. Le bouquet de fruits, d'épices et de boisé élégant se retrouve dans une bouche ferme et riche qui demande à s'épanouir par un vieillissement de deux à cinq ans minimum dans une bonne cave.

➴ Vignobles J. Leprince, BP 100, 33330 Saint-Emilion, tél. 05.57.55.58.00, fax 05.57.74.17.47, e-mail contact@novere-lebegue.com

DE CAROLUS 1999★★

| | 2,26 ha | 13 000 | | 15 à 23 € |

Ce cru fait appel à toutes les techniques modernes de vinification – la malo se fait à 100 % en barriques neuves – et d'élevage pour arriver à ce très beau résultat. La robe profonde brille de superbes reflets pourpres. Les arômes intenses évoquent les fruits rouges, les épices et un bois délicat. Les tanins veloutés et boisés évoluent avec puissance et charme jusqu'à un retour aromatique agréable et très persistant. Une bouteille remarquable à ouvrir dans trois à six ans.

➴ Arnaud Roux Oulié, Palais du Fronsadais, BP 12, 33126 Fronsac, tél. 06.08.32.26.59, fax 05.57.25.98.67 ⛧ r.-v.

CLOS DU ROY
Cuvée Arthur 1999

| | 5 ha | 30 000 | | 11 à 15 € |

Avec sa belle couleur rouge cerise brillante et ses arômes de pain d'épice, de grillé et de framboise, ce vin est

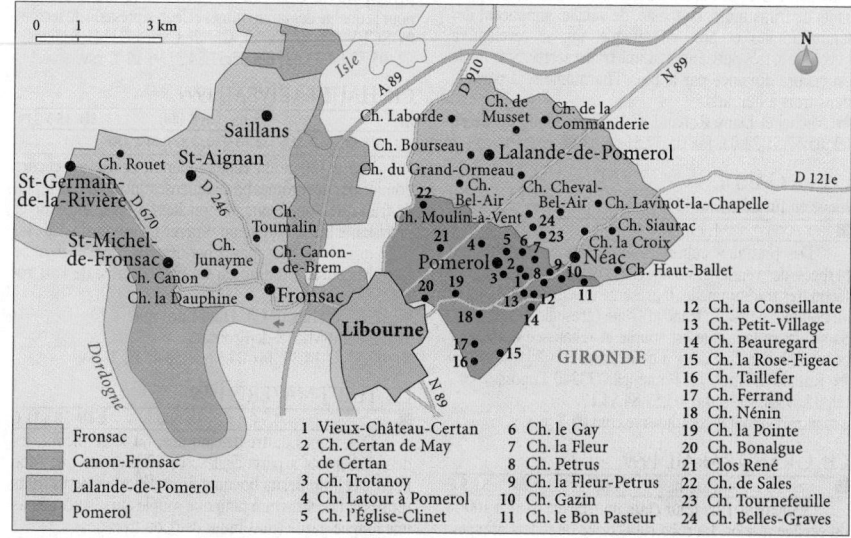

Le Libournais

Fronsac	1 Vieux-Château-Certan	6 Ch. le Gay	12 Ch. la Conseillante
Canon-Fronsac	2 Ch. Certan de May de Certan	7 Ch. la Fleur	13 Ch. Petit-Village
Lalande-de-Pomerol	3 Ch. Trotanoy	8 Ch. Petrus	14 Ch. Beauregard
Pomerol	4 Ch. Latour à Pomerol	9 Ch. la Fleur-Petrus	15 Ch. la Rose-Figeac
	5 Ch. l'Église-Clinet	10 Ch. Gazin	16 Ch. Taillefer
		11 Ch. le Bon Pasteur	17 Ch. Ferrand
			18 Ch. Nénin
			19 Ch. la Pointe
			20 Ch. Bonalgue
			21 Clos René
			22 Ch. de Sales
			23 Ch. Tournefeuille
			24 Ch. Belles-Graves

BORDELAIS

d'emblée séduisant. En bouche, la structure est dominée par des tanins encore jeunes qui demandent à se fondre au cours de deux ou trois ans de garde.

🐦 Philippe Hermouet, Clos du Roy, 33141 Saillans, tél. 05.57.55.07.41, fax 05.57.55.07.45, e-mail hermouetclosduroy@wanadoo.fr ☑ 🍷 r.-v.

CH. LA CROIX 1999

■	10 ha	20 000	🍶 🍷 ♦	8 à 11 €

Ce millésime mérite le détour pour son bouquet boisé chaleureux et sa structure tannique, ample et équilibrée, déjà très harmonieuse en finale. Une bouteille à boire dans les trois à cinq ans à venir.

🐦 SCEA Dorneau, Ch. La Croix, 33126 Fronsac, tél. 05.57.51.31.28, fax 05.57.51.31.88, e-mail scea-dorneau@wanadoo.fr ☑ 🍷 r.-v.

CH. DALEM 1999★★

■	10,6 ha	56 000	🍷	15 à 23 €

88 89 90 92 93 94 |95| |96| |97| 98 99

Classé régulièrement parmi les fleurons de l'appellation, le château Dalem a remarquablement réussi son 99 : la robe grenat est profonde et brillante ; les arômes fins et bien mûrs évoquent les fruits rouges, le confit, le boisé toasté et vanillé. Veloutés en attaque, les tanins se caractérisent ensuite par une belle ampleur et beaucoup de typicité. Il faut cependant attendre trois à six ans pour que ce vin s'ouvre totalement. Il est issu de 92 % de merlot, de 2 % de cabernet-sauvignon et de 6 % de cabernet franc.

🐦 Michel Rullier, SCEA Ch. Dalem, 33141 Saillans, tél. 05.57.84.34.18, fax 05.57.74.39.85, e-mail château-dalem@wanadoo.fr ☑ 🍷 r.-v.

CH. FONTENIL 1999★★

■	9 ha	55 000	🍷	15 à 23 €

|88| |89| |⑨| 92 |93| 94 95 96 |97| 98 99

Dany et Michel Rolland ont investi en 1986 à Fronsac, attirés par la beauté et la qualité des terroirs et des paysages. Depuis, la renommée du vin qu'ils y produisent n'a cessé de grandir. Ce 99 en est un parfait exemple. Sa robe sombre et brillante, ses arômes complexes et puissants de fruits mûrs, de toasté, de vanille, annoncent des tanins amples et gras en attaque, qui se révèlent, à l'évolution, très puissants et d'une trame serrée. Si la finale est encore dominée par le bois, l'harmonie sera parfaite dans trois à huit ans.

🐦 Michel et Dany Rolland, Catusseau, 33500 Pomerol, tél. 05.57.51.23.05, fax 05.57.51.66.08 ☑

CH. LA GARDE

Elevé en fût de chêne 1999

■	1,73 ha	12 000	🍷	5 à 8 €

Des pratiques culturales avec labours et vignes enherbées, des vendanges manuelles : ce château travaille de façon très traditionnelle. Il présente un vin bien classique, au bouquet naissant, franc et fruité (groseille, framboise). Sa structure tannique est souple et rehaussée d'un léger boisé. A boire d'ici deux à quatre ans.

🐦 Ronald Wilmot, La Fontenelle, 33240 Lugon, tél. 05.57.84.82.13, fax 05.57.84.84.17, e-mail ronwilmot@compuserve.com ☑ 🍷 r.-v.

CH. GRAND BARAIL 1999

■	1,02 ha	7 000	🍷	5 à 8 €

Seulement 1 ha pour cette mini-cuvée issue à 100 % du cépage merlot. La robe rubis brille de reflets orangés.

Le nez évoque un boisé tendre et les épices, puis la structure apparaît, souple et équilibrée. En fait, tout est là pour faire apprécier ce vin dès aujourd'hui.

🐦 GFA Pierre Goujon, Ch. Loiseau, 33240 Lalande-de-Fronsac, tél. 05.57.58.14.02, fax 05.57.58.15.46 ☑ 🍷 r.-v.

CH. LA GRAVE 1999

■	3,7 ha	15 000	🍷	8 à 11 €

Converti à la biodynamie, ce cru propose un 99 de couleur pourpre intense ; les arômes de fruits mûrs, un peu cuits, les tanins sincères et délicatement épicés, la finale déjà très souple et agréable n'autorisent pas une longue garde. A boire d'ici trois ans.

🐦 Paul et Pascale Barre, La Grave, 33126 Fronsac, tél. 05.57.51.31.11, fax 05.57.25.08.61 ☑ 🍷 r.-v.

HAUT-CARLES 1999★★

■	8 ha	23 500	🍷	15 à 23 €

GRAND VIN DE BORDEAUX

FRONSAC

HAUT-CARLES

1999

Mis en bouteille à la propriété
APPELLATION FRONSAC CONTRÔLÉE
G.F.A. Château de Carles, 33141 Saillans, Gironde, France - A. Chastenet, S. Droulers, gérants

Haut-Carles est une sélection parcellaire du vignoble du château de Carles, travaillée avec une exigence de tous les instants : autant dire que ce coup de cœur unanime du grand jury n'est pas dû au hasard. La robe pourpre profonde est somptueuse. Les parfums intenses et complexes rappellent la noisette, les fruits confits et le boisé vanillé. Les tanins très présents et parfaitement mûrs sont bien enrobés par un remarquable élevage en barrique. Une grande bouteille à ouvrir dans cinq à cinq ans. La **cuvée principale du Château de Carles 99 (5 à 8 €)** est citée pour la qualité des tanins fumés et leur expression du terroir.

🐦 SCEV Ch. de Carles, Ch. de Carles, 33141 Saillans, tél. 05.57.84.32.03, fax 05.57.84.31.91 ☑ 🍷 r.-v.

CH. HAUT LARIVEAU 1999

■	6,5 ha	8 000	🍷	15 à 23 €

89 |90| 91 92 93 94 |95| |96| |97| |98| 99

Issu à 100 % du cépage merlot, ce vin est encore dominé par des arômes boisés intenses qui masquent le peu de fruit que l'on devine en bouche. La finale élégante et persistante laisse cependant espérer un avenir de deux ou trois ans. N'oubliez pas, cher lecteur, que l'église de Saint-Michel-de-Fronsac est un chef-d'œuvre de l'art roman.

🐦 B. et G. Hubau, Ch. Haut-Lariveau, 33126 Saint-Michel-de-Fronsac, tél. 05.57.51.14.37, fax 05.57.51.53.45 ☑ 🍷 r.-v.

CH. HAUT-MAZERIS 1999

■	4,94 ha	38 000	🍶 🍷	8 à 11 €

Des vignes de trente-cinq ans, 60 % de merlot, les deux cabernets à parts égales : ce 99 présente une robe intense et limpide, un bouquet fin et délicat de petits fruits rouges et une structure tannique souple qui n'autorise pas une longue garde (maximum deux ou trois ans).

◆┓ SCEA Ch. Haut-Mazeris,
33126 Saint-Michel-de-Fronsac,
tél. 05.57.24.98.14, fax 05.57.24.91.07 ⊤ r.-v.

CH. DE LA HUSTE 1999★

■	4 ha	20 000	▮⏷⛊ 15 à 23 €

Autre propriété des Rullier, ce cru propose un excellent 99 : d'une robe vive et profonde émanent des arômes intenses et mûrs de fruits noirs, de vanille. Les tanins présents et veloutés sont en parfaite harmonie avec un boisé « intelligent » et de bonne persistance. En résumé, un vin qui s'épanouira totalement dans trois à cinq ans.
◆┓ Michel Rullier, SCEA Ch. de la Huste, 1, Dalem, 33141 Saillans, tél. 05.57.84.34.18, fax 05.57.74.39.85, e-mail chateau-dalem@wanadoo.fr ☑ ⊤ r.-v.

CH. JEANDEMAN 1999★

■	20 ha	40 000	⏷ 5 à 8 €

Propriété de 25 ha d'un seul tenant, ce cru assemble 90 % de merlot aux cabernets. Son vin, délicatement fruité (framboise) et épicé possède une structure tannique ample et persistante. « Typique d'un fronsac naturel », note un dégustateur qui conseille de le boire ou de le garder pendant deux à quatre ans. La cuvée **La Chêneraie du Château Jeandeman 99 (8 à 11 €)**, élevée en barriques neuves, obtient la même note. Il faudra l'oublier en cave pendant que vous servirez la bouteille principale.
◆┓ M. Roy-Trocard, Ch. Jeandeman, 33126 Fronsac, tél. 05.57.74.30.52, fax 05.57.74.39.96, e-mail roy.trocard@vnumail.com ☑ ⊤ r.-v.

CH. LAGUE 1999

■	7,8 ha	40 000	▮⏷⛊ 5 à 8 €

Situé au sommet d'un tertre, ce château pratique les vendanges manuelles. A majorité de merlot (80 %) complété par le cabernet franc, ce vin rubis brillant offre un bouquet élégant de petits fruits rouges, de cassis et de truffe. Il s'épanouit en bouche ; les tanins souples et équilibrés lui permettront d'être déjà servi ou gardé deux à trois ans.
◆┓ Françoise Roux, Ch. Lagüe, 33126 Fronsac, tél. 05.57.51.24.68, fax 05.57.25.98.67 ☑ ⊤ r.-v.

CH. MAYNE-VIEIL 1999

■	27 ha	160 000	▮⏷ 5 à 8 €

Cette ancienne et grande propriété, dont les chais datent du XVIIᵉs., propose deux vins dans ce millésime, tous les deux cités. Cette cuvée classique se caractérise par des arômes fruités et bien mûrs, des tanins très présents, encore rudes en finale. La **cuvée Aliénor 99 (8 à 11 €)**, composée exclusivement de merlot, développe un bouquet très fin et des tanins puissants. Ces deux vins doivent s'épanouir avec deux ou trois ans de garde.
◆┓ SCEA du Mayne-Vieil, 33133 Galgon, tél. 05.57.74.30.06, fax 05.57.84.39.33, e-mail maynevieil@aol.com
☑ ⊤ t.l.j. sf sam. dim. 8h30-12h30 14h-17h
◆┓ Famille Sèze

CH. MOULIN DE REYNAUD 1999★

■	2 ha	15 000	⏷ 11 à 15 €

Dans la famille depuis douze générations, ce cru profite de sa longue expérience pour réussir un 99 au bouquet intense de fruits mûrs confits et de kirsch. Sa structure veloutée et élégante évolue avec beaucoup de tendreté et de longueur. C'est une bouteille déjà agréable à boire mais qui vieillira également quelques années.

◆┓ Vignoble Pierre Béraud, La Brande, 33141 Saillans, tél. 05.57.74.36.38, fax 05.57.74.38.46, e-mail labrande.saillans@wanadoo.fr
☑ ⊤ t.l.j. 9h-12h30 14h-19h ; dim. et groupes sur r.-v.

CH. MOULIN HAUT-LAROQUE 1999★★

■	10 ha	50 000	⏷ 15 à 23 €

86 |88| |⟨89⟩| |90| 91 92 93 94 |95| 96 |97| 98 99

Ce château régulièrement distingué dans notre Guide fait partie des fleurons de l'appellation et, à ce titre, est membre du club « Expression de Fronsac ». Il décroche un nouveau coup de cœur unanime du grand jury, avec ce 99 à la robe très profonde, presque noire. Les arômes complexes et intenses évoquent les fruits frais, la vanille, le pain grillé. En bouche, après une attaque ronde et épicée, les tanins se révèlent concentrés, mûrs et puissants, précédant une finale fruitée, longue et élégante. Tout est réuni pour que ce vin se révèle magnifiquement dans cinq à dix ans.
◆┓ Jean-Noël Hervé, Ch. Cardeneau, 33141 Saillans, tél. 05.57.84.32.07, fax 05.57.84.31.84, e-mail hervejnoel@aol.com ⊤ r.-v.

CH. PUY GUILHEM 1999

■	7 ha	44 000	⏷ 11 à 15 €

Situé en bordure du bourg, ce cru offre une agréable vue sur la vallée de l'Isle. Son vin, très intéressant, porte une robe cerise brillante. Son bouquet développe des notes de caramel, de boisé fondu alors que sa structure se montre tannique, puissante et persistante ; elle demande à se fondre avec un vieillissement de deux ou trois ans.
◆┓ SCEA Ch. Puy Guilhem, 33141 Saillans, tél. 05.57.84.32.08, fax 05.57.74.36.45, e-mail puy.guilhem@infonie.fr
☑ ⊤ r.-v.
◆┓ Jean-François Enixon

CH. RENARD MONDESIR 1999★

■	7,2 ha	22 500	▮⏷⛊ 11 à 15 €

|93| 94 |95| 96 |97| 98 |99|

Ce château appartient au club « Expression de Fronsac » qui regroupe quelques-unes des propriétés phares de l'appellation. En 99, le vin est très réussi : robe intense et profonde, parfums délicats de café, de fruits rouges bien mûrs, tanins gras et veloutés en attaque puis finissant avec harmonie et fraîcheur. A boire ou à garder trois à cinq ans.
◆┓ Xavier Chassagnoux, Ch. Renard-Mondésir, 33126 La Rivière, tél. 05.57.24.96.37, fax 05.57.24.90.18, e-mail chateau.renard.mondesir@wanadoo.fr ☑ ⊤ r.-v.

CH. RICHELIEU 1999★

■	12,5 ha	16 400	⏷ 8 à 11 €

Petit-neveu du cardinal, le maréchal de Richelieu (1696-1788) porta tout d'abord le nom de duc de Fronsac,

BORDELAIS

ce domaine fondé en 1630 appartenant à sa famille. Le cru est régulièrement retenu par nos experts. Son 99, millésime difficile, est un vin très bien fait, possédant une intensité de couleur intéressante, des parfums complexes de boisé torréfié et des tanins intenses et mûrs qui demandent à s'épanouir. Un vieillissement de deux à cinq ans en fera un grand vin.

🕭 EARL Ch. Richelieu, 1, chem. du Tertre, 33126 Fronsac, tél. 05.57.51.13.94, fax 05.57.51.13.94 ☑ ⟁ t.l.j. 9h-12h 14h-17h30

CH. DE LA RIVIERE 1999★★
■	59 ha	180 000	🍾⏧⬇ 11 à 15 €

Idéalement situé sur les coteaux dominant la vallée de la Dordogne, ce magnifique château connaît, avec son nouveau propriétaire, une progression constante. La robe pourpre de son 99 est brillante. Le bouquet expressif et complexe évoque les fruits, le pain grillé et la vanille. Amples et francs en attaque, les tanins bien mûrs se révèlent ensuite très présents mais élégants et remarquablement équilibrés en finale. Une bouteille à ouvrir dans quatre à huit ans.

🕭 SA Ch. de La Rivière, 33126 La Rivière, tél. 05.57.55.56.56, fax 05.57.24.94.39, e-mail info@chateau-de-la-riviere.com ☑ ⟁ r.-v.
🕭 Jean Leprince

CH. LES ROCHES DE FERRAND
Elevé en fût de chêne 1999
■	6 ha	40 000	🍾⏧⬇ 8 à 11 €

Situé à 200 m de l'église Saint-Aignan du XIVᵉˢ., ce vaste domaine produit 85 % de merlot et le reste en cabernets. La robe rubis intense de son 99 annonce des arômes épicés, soulignés par un fruité délicat. La structure se montre aimable et harmonieuse. Une bouteille à boire dans les deux à trois ans. Le second vin, le **Château Vray Houchat 99 (5 à 8 €)**, est également cité pour sa typicité, même si les dégustateurs l'ont trouvé moins complexe.

🕭 Rémy Rousselot, Ch. Les Roches de Ferrand, 33126 Saint-Aignan, tél. 05.57.24.95.16, fax 05.57.24.91.44, e-mail vignobles.remy.rousselot@wanadoo.fr ☑ ⟁ r.-v.

CH. LES TONNELLES
Cuvée Prestige 1999★
■	1 ha	6 000	⏧ 8 à 11 €

Une cuvée Prestige composée exclusivement de merlot : la robe est brillante avec des reflets pourpres. Le bouquet expressif évoque le grillé, les fruits rouges. Dotée de tanins souples et équilibrés, la bouche est encore dominée par un boisé très présent mais de qualité. Ce vin mérite une garde de deux à cinq ans.

🕭 SCEA les Tonnelles, 33126 Saint-Aignan, tél. 06.09.73.12.78, fax 05.57.51.99.94 ☑

CH. TOUR DU MOULIN
Cuvée particulière 1999
■	n.c.	n.c.	🍾⏧⬇ 11 à 15 €

70 % de merlot, 20 % de cabernet-sauvignon et 10 % de franc composent la cuvée particulière dont le bouquet naissant est dominé par un boisé grillé et vanillé. En bouche, elle se montre onctueuse et nette, mais peu puissante. A boire d'ici deux à trois ans. Les dégustateurs ont aimé la **cuvée classique 99 (8 à 11 €)** pour son intensité aromatique et sa complexité en bouche, particulièrement en finale, où les tanins se révèlent délicats, pleins et harmonieux.

🕭 SCEA Ch. Tour du Moulin, Le Moulin, 33141 Saillans, tél. 05.57.74.34.26, fax 05.57.74.34.26 ☑ ⟁ r.-v.
🕭 J. et V. Dupuch

CH. LES TROIS CROIX 1999★
■	13,71 ha	63 000	⏧ 15 à 23 €

Les techniques les plus récentes sont appliquées dans ce domaine épris de qualité. N'a-t-il pas déjà reçu deux coups de cœur et la Grappe d'argent du Guide Hachette 2001 ? Il a très bien réussi ce millésime difficile : la robe est soutenue et le bouquet agréable évoque les fruits rouges, un bon boisé grillé et vanillé. La structure tannique, ample et généreuse, bien équilibrée par un élevage en barrique parfaitement maîtrisé permettra de boire ou de garder ce vin pendant cinq ans.

🕭 SCEA les Trois Croix, Ch. Les Trois Croix, 33126 Fronsac, tél. 05.57.84.32.09, fax 05.57.84.34.03 ☑ ⟁ r.-v.

CH. LA VIEILLE CROIX
Cuvée DM 1999★
■	5 ha	30 000	⏧ 5 à 8 €

Un château dirigé depuis des lustres par des générations de femmes et qui a aujourd'hui une femme pour chef de culture. Son 99 témoigne encore une fois de la qualité de sa production. Derrière un bouquet naissant de bois grillé et de fruits rouges très mûrs, les tanins élégants et épicés, de bonne longueur, offrent une grande complexité. Un vin de belle expression, à attendre de un à trois ans.

🕭 SCEA de la Vieille Croix, La Croix, 33141 Saillans, tél. 05.57.74.30.50, fax 05.57.84.30.96 ☑ ⟁ r.-v.
🕭 Isabelle Dupuy

CH. LA VIEILLE CURE 1999
■	n.c.	60 000	⏧ 11 à 15 €
	88		89		90	91	92		93		94		95		96		97		98		99		

Coup de cœur l'an dernier pour le millésime 98, ce château présente un 99 brillant, au bouquet développé de fruits et de boisé fondu. Sa structure tannique équilibrée est déjà souple. Une bouteille à boire dans les trois à cinq ans.

🕭 SNC Ch. la Vieille Cure, Coutreau, 33141 Saillans, tél. 05.57.84.32.05, fax 05.57.74.39.83 ⟁ r.-v.

CH. VILLARS 1999★
■	20 ha	96 000	⏧ 11 à 15 €
93	94	95 96 98 99		

Régulièrement distingué parmi les meilleurs crus de l'appellation, le château Villars se distingue encore avec son 99 : vendanges manuelles, malo en barrique, rien n'est négligé. D'une couleur intense et vive, doté d'un nez boisé et élégant, avec une pointe de cerise, ce vin possède des tanins ronds et équilibrés qui révèlent leur puissance et leur typicité en fin de bouche. Un classique de fronsac, à boire dans trois à sept ans. Le deuxième vin, le **Château Moulin Haut Villars 99 (5 à 8 €)**, se voit également décerner une étoile pour ses élégants arômes de fruits rouges et sa structure très typée ; à boire d'ici un à trois ans.

🕭 Jean-Claude Gaudrie, Villars, 33141 Saillans, tél. 05.57.84.32.17, fax 05.57.84.31.25, e-mail chateau.villars@wanadoo.fr ☑ ⟁ r.-v.

Pomerol

Avec environ 800 ha, Pomerol est l'une des plus petites appellations girondines, et l'une des plus discrètes sur le plan architectural.

Au XIXᵉs., la mode des châteaux du vin, d'architecture éclectique, ne semble pas avoir séduit les Pomerolais, qui sont restés fidèles à leurs habitations rurales ou bourgeoises. Néanmoins, l'aire d'appellation possède la demeure qui est sans doute l'ancêtre de toutes les chartreuses girondines, le château de Sales (XVIIᵉs.), et l'une des plus charmantes constructions du XVIIIᵉs., le château Beauregard, qui a été reproduit par les Guggenheim, dans leur propriété new-yorkaise de Long Island.

Cette modestie du bâti sied à une AOC dont l'une des originalités est de constituer une sorte de petite « république villageoise » où chaque habitant cherche à conserver l'harmonie et la cohésion de la communauté ; souci qui explique pourquoi les producteurs sont toujours restés plus que réservés quant au bien-fondé d'un classement des crus.

La qualité et la spécificité des terroirs auraient justifié une reconnaissance officielle du mérite des vins de l'appellation. Comme tous les grands terroirs, celui de Pomerol est né du travail d'une rivière, l'Isle, qui a commencé par démanteler la table calcaire pour y déposer en désordre des nappes de cailloux, que s'est chargée de travailler l'érosion. Le résultat est un enchevêtrement complexe de graves, ou cailloux roulés, originaires du Massif central. La complexité des terrains semble inextricable : toutefois il est possible de distinguer quatre grands ensembles : au sud, vers Libourne, une zone sablonneuse ; près de Saint-Emilion, des graves sur sables ou argiles (terroir proche de celui du plateau de Figeac) ; au centre de l'AOC, des graves sur, ou parfois sous des argiles (Petrus) ; enfin, au nord-est et au nord-ouest, des graves plus fines et plus sablonneuses.

Cette diversité n'empêche pas les pomerol de présenter une analogie de structure. Très bouquetés, ils allient la rondeur et la souplesse à une réelle puissance, ce qui leur permet d'être de longue garde tout en pouvant être bus assez jeunes. Ce caractère leur ouvre une large palette d'accords gourmands, aussi bien avec des mets sophistiqués qu'avec des plats très simples. En 2001, l'appellation a produit 36 041 hl.

CH. LA BASSONNERIE 1999
■   3,07 ha   18 000   ❚❚❙ 15 à 23 €
96 97 98 99

Ce petit domaine viticole doit son nom à son propriétaire, M. Faisandier, qui était un célèbre basson ; il est exploité par Dominique Leymarie. Le 99 a une couleur grenat intense ; il demande un peu d'aération pour libérer des senteurs agréables, florales (rose, violette), et un fumet épicé. La bouche, encore un peu fermée, s'ouvre sur une structure équilibrée qui devrait évoluer d'ici trois à quatre ans.
➥ SCEA la Bassonnerie, « René », 33500 Pomerol, tél. 06.09.73.12.78, fax 06.57.51.99.94, e-mail leymarie@ch-leymarie.com ☑ ❙ r.-v.
➥ Faisandier

CH. BEAUREGARD 1999★
■   12 ha   54 000   ❚❚❙ 38 à 46 €
75 78 81 ⑧2 83 84 85 86 |88| 89 |90| 92 |93| |94| 95 96 |97| ⑨8 99

L'un des rares châteaux XVIIIᵉs. du Libournais et un vignoble établi sur un sol argilo-graveleux, tel se présente Beauregard qui obtint deux coups de cœur pour ses millésimes 97 et 98. Associant 85 % de merlot au cabernet franc, le 99, vêtu d'une robe profonde et intense, se signale tout d'abord par des notes animales et un boisé délicat. Il attaque avec élégance et développe une structure tout en dentelle, accompagnée de notes de fruits rouges (cerise, fraise des bois) et noirs (cassis), d'arômes épicés et toastés. La finale est plus musclée, les tanins serrés étant bien présents. Deux à quatre ans de garde.
➥ SCEA Ch. Beauregard, 33500 Pomerol, tél. 05.57.51.13.36, fax 05.57.25.09.55, e-mail beauregard@dial.oleane.com ☑ ❙ r.-v.

CH. BELLEGRAVE 1999★
■   7 ha   40 000   ❚❚❙ 15 à 23 €
88 89 91 92 |93| |94| |95| |96| |97| 98 99

Joli vignoble sur graves (comme son nom l'indique), complanté aux trois quarts de merlot noir pour un quart de cabernet franc. La couleur de son 99 est d'un rubis profond à reflets grenat. Le nez exprime un raisin très mûr, des fruits cuits, un boisé vanillé, épicé. D'un caractère chaleureux et puissant, ce vin offre un bon volume, structuré par des tanins persistants, encore un peu dominants : il gagnera à être attendu trois à quatre ans.
➥ Jean-Marie Bouldy, Lieu-dit René, 33500 Pomerol, tél. 05.57.51.20.47, fax 05.57.51.23.14 ☑ ❙ r.-v.

CH. BONALGUE 1999
■   5 ha   27 000   ❚❚❙ 23 à 30 €
85 86 |88| |89| |90| 93 94 95 96 97 98 99

Régulièrement retenu dans le Guide, ce cru de 5 ha est installé sur sables, argiles et graves. 15 % de cabernet franc complètent le merlot dans ce millésime à la robe sombre, qui révèle un bouquet vineux avec des nuances animales marquées et des arômes de fruits cuits à l'alcool. La structure est puissante et exprime une grande maturité. La finale chaleureuse engage à une consommation rapide. Egalement cité, le second vin (**Château Burgrave** (15 à 23 €), peut aussi se boire sans déplaisir.
➥ SA Pierre Bourotte, 62, quai du Priourat, 33500 Libourne, tél. 05.57.51.62.17, fax 05.57.51.28.28, e-mail jeanbaptiste.audy@wanadoo.fr ❙ r.-v.

CH. LE BON PASTEUR 1999★★

■ 7 ha 35 000 ❙❚❙ 46 à 76 €

78 79 81 |⑧②| 83 |85| |86| |88| |89| |90| 92 93 94 ⑨⑤ 96 97 ⑨⑧ 99

Ce cru est le porte-drapeau des domaines de Michel et Dany Rolland, œnologues libournais. Il est situé à Maillet, à l'est de l'appellation, sur un terroir argilo-gravelo-sableux planté aux trois quarts de merlot pour un quart de cabernets. Nos dégustateurs ont jugé le 99 d'un niveau remarquable, tant pour sa couleur d'un grenat intense que pour son bouquet puissant et complexe, aux arômes de fruits mûrs, d'épices et de boisé. Le volume n'est pas en reste, marqué par une belle concentration. Charpenté par des tanins encore un peu rugueux qui demanderont quelques années de garde, ce vin ne pourra décevoir, l'élevage en barrique neuve ayant été bien conduit.

➼ SCEA Fermière des domaines Rolland, Maillet, 33500 Pomerol, tél. 05.57.51.23.05, fax 05.57.51.66.08 ☑ ❙ r.-v.

CH. BOURGNEUF-VAYRON 1999★

■ 9 ha 38 000 ❙❚❙ 38 à 46 €

|89| |90| 91 93 94 95 |96| |97| 98 99

Ce cru appartient à la famille Vayron depuis 1890. Le vignoble quarantenaire, à base de merlot avec 10 % de cabernet franc, est installé sur des argiles souvent recouvertes de graves. Paré d'une robe rubis, vive et intense, ce vin révèle un bouquet fin et élégant où le boisé discret et fondu enveloppe harmonieusement les arômes de fruits rouges frais. D'abord souple et suave, il évolue sur une structure tannique puissante et un peu ferme en finale, qui demandera trois à cinq ans de vieillissement.

➼ Xavier Vayron, Ch. Bourgneuf-Vayron, 1, le Bourgneuf, 33500 Pomerol, tél. 05.57.51.42.03, fax 05.57.25.01.40 ☑

CH. CANTELAUZE 1999

■ 1 ha 3 700 ❙❚❙ 38 à 46 €

92 94 95 |96| 98 99

« Tonneliers et viticulteurs de père en fils depuis 1890 », aime à dire Jean-Noël Boidron, oubliant humblement de parler de ses années d'enseignement à la faculté d'œnologie de Bordeaux. Son petit vignoble pomerolais est composé à 90 % de merlot. Elevé deux ans en barrique neuve, doté d'une belle couleur pourpre soutenu et sombre, ce 99 a des senteurs de marc de raisin et de cerise cuite, avec des nuances de cuir et d'épices. Structuré et puissant, il développe une belle matière. La fermeté des tanins devrait s'assagir avec deux ou trois ans de garde.

➼ Jean-Noël Boidron, 6, pl. Joffre, 33500 Libourne, tél. 05.57.51.64.88, fax 05.57.51.56.30 ❙ ❙ r.-v.

CH. LE CASTELET 1999★

■ 0,55 ha 3 500 ❙❚❙ 30 à 38 €

Cru confidentiel créé en 1979 sur sol sablo-graveleux uniquement planté de merlot noir. Ce « vin de garage » porte une robe grenat soutenu, et son bouquet intense exprime des notes de fruits rouges bien mûrs, de violette, de cachou et un fumet épicé (poivre). Concentrée, la bouche, à la saveur fruitée et boisée, est soutenue par de bons tanins du fût. Plaisant et riche, ce 99 devrait se bonifier en vieillissant deux ou trois ans.

➼ Les vins Dominique Robin, 26, rue Michel-de-Montaigne, 33500 Libourne, tél. 05.57.51.36.58, fax 05.57.51.03.77 ☑ ❙ r.-v.

CH. CERTAN DE MAY DE CERTAN 1999

■ 5 ha 24 000 ❙❚❙ + de 76 €

85 86 88 |89| |90| |94| 95 96 97 98 99

Tout petit domaine dont l'origine remonte au Moyen Age, lorsque l'Ecosse choisit la France contre l'Angleterre ; les descendants des May se voient offrir Certan au XVIᵉs. C'est le fût qui s'exprime aujourd'hui dans ce vin associant 70 % de merlot aux deux cabernets. D'une très belle couleur soutenue et limpide, rubis brillant, il laisse percevoir quelques notes de fruits mûrs derrière d'intéressantes nuances grillées et de café. La finale, encore sévère, conclut une dégustation équilibrée, assez complexe.

➼ Mme Barreau-Badar, Ch. Certan de May de Certan, 33500 Pomerol, tél. 05.57.51.41.53, fax 05.57.51.88.51 ☑ ❙ r.-v.

CH. CLOS DE SALLES 1999★

■ 1,3 ha 8 000 ❙❚❙ 15 à 23 €

Parcelle détachée du château de Salles par le passage de la voie ferrée lors de la création de la ligne Bordeaux-Paris. Le vin, d'une couleur grenat très jeune, a des parfums bien fruités, framboisés, soutenus par un boisé discret et fin. La bouche est déjà fort harmonieuse : d'abord suave, elle s'ouvre sur des arômes puissants, vanillés, et s'achève sur des tanins élégants. Dans trois ans, ce 99 tiendra tête à des plats de gibier.

➼ EARL du Ch. Clos de Salles, Ch. du Pintey, 33500 Libourne, tél. 05.57.51.03.04, fax 05.57.51.03.04, e-mail cmerlet@club-internet.fr ☑ ❙ r.-v.

CLOS DES AMANDIERS 1999

■ 1,5 ha 10 000 ❙❚❙ 15 à 23 €

En 1987, la famille Garzaro, établie depuis plusieurs générations dans l'Entre-Deux-Mers, fait l'acquisition de 4 ha de vignes à Pomerol. 1,50 ha est consacré à ce cru. Le 99 présente une jolie robe rubis, un nez franc développant des arômes fruités et un agréable boisé grillé, bien fondu. Les tanins sont puissants et fermes, avec une belle matière, du relief et de la chaleur. Cela donne un ensemble aujourd'hui un peu austère, mais prometteur.

➼ EARL Vignobles Garzaro, Ch. Le Prieur, 33750 Baron, tél. 05.56.30.16.16, fax 05.56.30.12.63, e-mail garzaro@vingarzaro.com ☑ ⌂ ❙ r.-v.

CLOS DU CLOCHER 1999★

■ 4,3 ha 21 000 ❙❚❙ 30 à 38 €

82 83 |85| ⑧⑥ |88| |89| |90| 92 |93| |94| 95 97 98 99

Autre vignoble de Pierre Bourotte, ce cru, situé à l'ombre du clocher de Pomerol, propose un vin élevé seize mois en barrique. Sous une couleur bordeaux, très profonde, avec des reflets noirs, le bouquet est encore un peu discret, mais devrait rapidement s'ouvrir sur des arômes de fruits mûrs et confits associés à un élégant boisé. Riche et charnu en bouche, ce 99 développe une belle structure tannique et une grande vinosité. Une bouteille de garde, à oublier en cave trois à quatre ans.

➼ SC Clos du Clocher, BP 79, 33500 Libourne, tél. 05.57.51.62.17, fax 05.57.51.28.28, e-mail jeanbaptiste.audy@wanadoo.fr ❙ r.-v.

CH. LA CONSEILLANTE 1999★

■ 12 ha 60 000 ❙❚❙ 46 à 76 €

82 85 88 |89| |90| 91 92 |93| |95| |96| 97 98 99

Un sous-sol riche en crasse de fer bien drainé et un vignoble constitué entre 1735 et 1776 par Catherine

Conseillant qui était marchande de métaux à Libourne... Ce domaine est géré depuis plus de cent trente ans par la famille Nicolas qui l'a placé aux premiers rangs de l'appellation. Le 99 associe 80 % de merlot au cabernet franc. D'une superbe couleur, il mêle les arômes de fruits mûrs à un boisé élégant, épicé, fumé et grillé. Ample et charnu, doté d'une structure riche et puissante et de tanins gras et racés qui persistent longuement en finale, ce vin s'attire un compliment rare : « Du bel ouvrage ». Une bouteille de grande garde.

➤ SC Héritiers Nicolas, Ch. La Conseillante, 33500 Pomerol, tél. 05.57.51.15.32, fax 05.57.51.42.39, e-mail chateau.la.conseillante@wanadoo.fr ☂ r.-v.

CH. LA CROIX DE GAY 1999

	10 ha	44 223	⑪ 23 à 30 €

⑧⑤ 86 88 89 91 92 |93| |95| |99|

Cette belle propriété viticole est tenue par la même famille depuis le XVᵉs. Elle est actuellement dirigée par Chantal Lebreton. La vigne, à 90 % de merlot, est plantée sur graves argileuses et siliceuses. La robe du vin, pourpre et grenat, présente des reflets d'évolution. Le nez est encore un peu sous le bois, vanillé et réglissé, mais libère dès l'agitation des notes de fruits rouges et de pruneau. Ronde et suave, la bouche est faite de fruits rouges et de tanins qui commencent à évoluer et devraient permettre de boire ce 99 assez prochainement.

➤ SCEV Ch. La Croix de Gay, 33500 Pomerol, tél. 05.57.51.19.05, fax 05.57.74.15.62, e-mail contact@chateau-lacroixdegay.com ☑ ☂ r.-v.

CH. LA CROIX SAINT GEORGES 1999★★

	4,5 ha	18 000	⑪ 46 à 76 €

⑧② 83 85 86 |88| |89| 90 93 |96| 97 98 99

La famille de Joseph Janoueix, fondateur d'une maison de vin libournaise et d'origine corrézienne, met en œuvre d'importants moyens pour hisser ce cru parmi les tout meilleurs de Pomerol. C'est déjà le cas pour ce 99 à l'élevage très moderne, selon notre jury. Sa superbe couleur mauve est dense. Son bouquet de fruits rouges mûrs, accompagnés à l'agitation d'un boisé délicat, contraste avec la grande présence en bouche liée à une saveur de fruits sauvages, de réglisse, à une structure volumineuse, à des tanins présents et néanmoins harmonieux. En fait, il est peut-être moderne mais aussi très pomerol.

➤ SC Ch. La Croix, 37, rue Pline-Parmentier, BP 192, 33506 Libourne Cedex, tél. 05.57.51.41.86, fax 05.57.51.53.16, e-mail info@j-janoueix-bordeaux.com ☑ ☂ r.-v.

CH. LA CROIX-TOULIFAUT 1999

	1,62 ha	8 900	⑪ 38 à 46 €

75 78 79 81 82 83 85 86 88 89 90 92 93 94 |95| ⑨⑥ |97| 99

Ce petit vignoble, exclusivement composé de merlot planté sur sables et graves ferrugineux, appartient à une branche de la famille Janoueix qui exporte une part importante de ses productions. Le 99 a une robe dense, légèrement évoluée. Encore fermé au nez, il demande un peu d'aération pour exprimer des arômes de cerise noire et des notes vanillées que l'on retrouve au palais. Élégant, celui-ci s'achève sur des tanins à texture serrée et à saveur boisée. A attendre trois ans.

➤ Jean-François Janoueix, 37, rue Pline-Parmentier, BP 192, 33506 Libourne Cedex, tél. 05.57.51.41.86, fax 05.57.51.53.16, e-mail info@janoueix-bordeaux.com ☑ ☂ r.-v.

CH. DELTOUR 1999

	1,7 ha	10 000	⑪ 8 à 11 €

Ce petit cru de 2 ha est installé sur des sols silico-graveleux avec un encépagement original : 70 % de merlot, 9 % de cabernet-sauvignon, 14 % de cabernet franc et 7 % de pressac (cot rouge). Cela donne un vin simple, bien fait, frais, à boire dans les cinq ans à venir. De teinte grenat, limpide et brillante, il dégage des arômes fruités accompagnés de notes de sous-bois. Franc et souple, il offre un bon rapport prix-plaisir.

➤ Jeanne Thouraud, lieu-dit René n°12, 33500 Pomerol, tél. 05.57.51.47.98, fax 05.57.25.99.23 ☑ ☂ r.-v.

CH. DU DOMAINE DE L'EGLISE 1999★★

	7 ha	n.c.	⑪ 23 à 30 €

Ce cru de 7 ha est une exclusivité de la société de négoce bordelaise Borie-Manoux. Son 99 a séduit le jury par sa couleur pourpre, intense et sombre, par son bouquet, puissant et complexe, marqué par des arômes de fruits mûrs et de torréfaction, et par un beau boisé vanillé et grillé. La bouche n'est pas en reste : sa chair et son volume, ses tanins veloutés, très denses, et sa grande longueur en finale font assurément de ce millésime un grand vin de garde.

➤ Indivision Castéja-Preben-Hansen, 33500 Pomerol, tél. 05.56.00.00.70, fax 05.57.87.48.61 ☂ r.-v.

ESPRIT DE L'EGLISE 1999

	2 ha	12 000	⑪ 23 à 30 €

Cette cuvée, créée en 1997, utilise deux des six hectares du Clos de l'Eglise, installé sur un terroir argilo-graveleux. Pour ce 99, la composition comprend 65 % de cabernet franc et 35 % de merlot issus de vignes de quinze ans. Cela donne un vin séduisant, paré d'une belle couleur grenat. Le bouquet est épanoui, avec des arômes de fruits bien mûrs et d'élégantes notes boisées et grillées. Corsé, rond et charnu, il affiche des tanins riches et fondus qui se raffermissent un peu en finale et demandent donc quelques années de patience.

➤ Sylviane Garcin-Cathiard, SC Clos L'Eglise, 33500 Pomerol, tél. 05.56.64.05.22, fax 05.56.64.06.98, e-mail haut.bergey@wanadoo.fr ☑

CH. ELISEE
Vieilli en fût de chêne 1999

	1 ha	6 000	⑪⬇ 15 à 23 €

Ce vin a pris le prénom d'un aïeul de la famille. D'un beau grenat, il développe un bouquet fin, fruité et floral, avec un élégant boisé grillé, des notes de moka et de réglisse. Friand et charnu, il repose sur une texture tannique équilibrée et harmonieuse, apte à supporter quelques années de garde.

➤ EARL Vignobles Garzaro, Ch. Le Prieur, 33750 Baron, tél. 05.56.30.16.16, fax 05.56.30.12.63, e-mail garzaro@vingarzaro.com ☎ ☂ r.-v.

CH. L'ENCLOS 1999★★

	9,45 ha	58 240	⑪⬇ 23 à 30 €

|85| 86 |88| |89| 91 |95| |96| 98 99

Aujourd'hui, ce cru est géré par Hugues Weydert qui a remarquablement réussi son 99, car si l'étiquette est

modeste, le vin ne l'est pas. Paré d'une jolie robe rubis, frangée de carmin, il offre des parfums déjà expressifs de fruits rouges cuits, de boisé délicat, de gibier et de cuir. La saveur est encore fraîche. La trame tannique tapisse élégamment et longuement le palais. Un pomerol bien élevé et de caractère, qui s'appréciera dans trois à neuf ans sur des viandes grillées, des gibiers et des fromages doux.
↬ SCEA du Ch. L'Enclos, 20, rue du Grand-Moulinet, 33500 Pomerol, tél. 05.57.51.04.62, fax 05.57.51.43.15, e-mail chateaulenclos@wanadoo.fr ☑ ♈ r.-v.

CH. LA FLEUR-PETRUS 1999

■	10,41 ha	n.c.	ⅠⅠⅠ 46 à 76 €

82 83 |85| 86 |88| |89| 90 92 |94| 95 |96| |97| 98 99

Encore un joli vignoble d'une dizaine d'hectares, travaillé par les mêmes hommes que Petrus dont une simple route le sépare. Le terroir est ici plus graveleux, le cabernet franc plus présent (presque un quart de l'assemblage). Cela donne un vin sérieux et élégant, d'une jolie couleur rubis franc. Le bouquet s'ouvre à peine sur des notes d'amande et de noyau de cerise mêlées de quelques touches animales. Puis l'attaque affiche de belles saveurs qui se développent sur des tanins fermes et mûrs, bien constitués, mais encore jeunes. A attendre deux ans, puis à servir sur des mets délicats.
↬ SC du Ch. La Fleur-Pétrus, 33500 Pomerol

CH. FRANC-MAILLET

Cuvée Jean-Baptiste 1999★★

■	0,7 ha	3 600	ⅠⅠⅠ 30 à 38 €

Ce vin est issu d'une parcelle de 0,70 ha sur les 26 ha qu'exploite la famille Arpin. Ceci en l'honneur de Jean-Baptiste qui fonda le vignoble, en 1919, au retour de la Grande Guerre. Inutile de dire que ce vin, élaboré avec les conseils de Gilles Pauquet, est hors du commun. Sa robe, presque noire, a quelques reflets d'évolution à la marge. Son bouquet naissant exhale des senteurs de fruits noirs (mûre) et de merrain torréfié. Sa saveur, à la fois puissante, crémeuse et racée, s'exprime sur une texture dont les rondeurs sont très pomerolaises. Un dégustateur conclut : « Un pomerol que je garderais volontiers dans ma cave pour 2010. » Le grand vin **Château Franc-Maillet 99** (**15 à 23 €**) obtient une étoile.
↬ Vignobles G. Arpin, Maillet, 33500 Pomerol, tél. 06.09.73.69.47, fax 05.57.51.96.75, e-mail vignobles_g_arpin@hotmail.com ☑ ♈ r.-v.

DOM. LA GANNE 1999★

■	3 ha	13 800	ⅠⅠⅠ 11 à 15 €

86 88 |90| 93 94 |96| 97 **98** 99

Le terroir sablo-ferrugineux est complanté à 80 % de merlot et à 20 % de cabernet franc. D'un grenat bien dense, ce 99 est dominé par le bois torréfié, comme le montrent les notes épicées. Ronde et ample, la charpente est construite sur des tanins qui assureront un bon vieillissement (trois à huit ans).
↬ Michel Dubois, 224, av. Foch, 33500 Libourne, tél. 05.57.51.18.24, fax 05.57.51.62.20, e-mail laganne@aol.com ☑ ♈ r.-v.

CH. GAZIN 1999★

■	24 ha	79 962	ⅠⅠⅠ 46 à 76 €

70 75 76 78 79 80 81 82 **83** 84 85 86 87 |88| |89| |90| 91 92 93 |94| ⑨⑤ ⑨⑥ 97 **98** 99

Important domaine viticole de Pomerol, actuellement géré par Nicolas de Bailliencourt dont un ancêtre reçut le surnom de « Courcol » du roi de France Philippe Auguste, pour faits d'armes en 1214. Gazin est l'une des valeurs sûres de Pomerol. En 99, le vin, paré de pourpre dense, est encore un peu sous le bois : chaleureux et puissant, il se montre légèrement fermé, mais son équilibre est prometteur ; il faudra l'attendre quelques années et le décanter pour l'apprécier sur du gibier, un lièvre à la royale par exemple.
↬ SCEA Ch. Gazin, Le Gazin, 33500 Pomerol, tél. 05.57.51.07.05, fax 05.57.51.69.96, e-mail contact@gazin.com ☑ ♈ r.-v.

CH. GOMBAUDE-GUILLOT 1999★

■	7,85 ha	28 000	ⅠⅠⅠ 23 à 30 €

86 |89| |90| 91 |93| |94| 95 96 98 99

85 % de merlot et 15 % de cabernet franc, nés sur des graves reposant sur des argiles, ont donné ce 99 rubis, intense et sombre. Puissants et riches, les arômes de fruits noirs et de cerise à l'alcool sont bien associés à un élégant boisé, grillé, toasté et réglissé. La structure dense se développe sur des tanins mûrs, très serrés, qui demanderont plusieurs années de vieillissement pour se fondre.
↬ SCEA Famille Laval, 4, chem. des Grand-Vignes, 33500 Pomerol, tél. 05.57.51.17.40, fax 05.57.51.16.89, e-mail chateaugombaude-guillot@wanadoo.fr ☑ ♈ r.-v.
↬ Claire Laval

CH. GRAND BEAUSEJOUR 1999★★

■	0,6 ha	3 000	ⅠⅠⅠ 38 à 46 €

Cette parcelle de merlot né sur des graves profondes est située à 200 m du château Figeac. Elle a été achetée en 1998 par Daniel Mouty dont les lecteurs connaissent par ailleurs le talent. Le 99 confirme les deux étoiles du 98. La robe, sombre et profonde, est remarquable. Le nez exprime puissamment les fruits rouges mariés à un boisé racé, avec des notes grillées et réglissées que l'on retrouve au palais. Celui-ci offre beaucoup de volume, de la chair et une superbe présence tannique, certes un peu ferme aujourd'hui, mais très prometteuse pour l'avenir.
↬ SCEA Vignobles Daniel Mouty, Ch. du Barry, BP 5, 33350 Sainte-Terre, tél. 05.57.84.55.88, fax 05.57.74.92.99
☑ ♈ t.l.j. sf sam. dim. 9h-13h 14h-17h30; ven. 15h

CH. GRAND MOULINET 1999★

■		3 ha	20 000	ⅠⅠⅠ 15 à 23 €

94 |96| |97| 98 99

Elevé un an en barrique neuve, ce millésime comporte 90 % de merlot et les deux cabernets à parts égales. D'une belle couleur rubis avec quelques reflets grenat, ce vin, élégant et charmeur, évoque les fruits rouges et noirs, rehaussés d'une petite pointe épicée. Sa structure agréable et fine, équilibrée par des tanins mûrs, mais encore fermes, longs en finale, lui assurera une bonne garde.
↬ GFA Ch. Haut-Surget, Chevrol, 33500 Néac, tél. 05.57.51.28.68, fax 05.57.51.91.79 ☑ ♈ r.-v.
↬ Fourreau

CH. GRANGE-NEUVE 1999

■	n.c.	32 000	ⅠⅠⅠ 15 à 23 €

Joli vignoble de 7 ha de vieux merlot planté sur un sol silico-argileux entre la nationale 89 et l'église. Ce vin encore jeune est sur le fruit. Corsée, sa structure tannique reste un peu ferme, accompagnée de notes minérales et de nuances de gibier. Ce pomerol, un peu austère mais bien fait, devrait agréablement accompagner les viandes blanches, dans les deux à sept ans qui viennent.

🔑 SCE Gros et Fils, Grange-Neuve, 33500 Pomerol, tél. 05.57.51.23.03, fax 05.57.25.36.14 ☑ 🍷 r.-v.

CH. LA GRAVE TRIGANT DE BOISSET 1999

■ 8,68 ha n.c. 30 à 38 €

82 83 85 86 |88| |89| |90| 92 |94| 95 98 99

Le vignoble, encore relativement jeune, est complanté à 89 % de merlot noir et à 11 % de cabernet franc sur un terroir argilo-graveleux. Rubis à reflets grenat, ce vin possède un bon caractère olfactif, à base de fruits rouges, de vanille et de cuir. Corsé et charnu, il finit sur des tanins droits. Cette bouteille exprime bien son raisin, son terroir, son millésime. D'ici deux à cinq ans, elle sera parfaite sur les viandes en sauce et le gibier.

🔑 Ets Jean-Pierre Moueix, 54, quai du Priourat, 33500 Libourne

CH. GUILLOT 1999

■ 4,3 ha 27 000 23 à 30 €

82 83 85 86 88 |89| |93| |94| 95 96 |97| 98 99

Ce cru couvre près de 5 ha de graves argilo-siliceuses et assemble dans ce millésime 80 % de merlot et 20 % de cabernet franc. Doté d'une belle couleur grenat, profonde et intense, le vin est encore discret, mais laisse entrevoir de beaux arômes de fruirs mûrs associés à des notes cacaotées et boisées. Souple et bien équilibré, il est construit sur une charpente fine et élégante qui persiste en finale avec beaucoup d'harmonie.

🔑 SCEA Vignobles Luquot, 152, av. de l'Epinette, 33500 Libourne, tél. 05.57.51.18.95, fax 05.57.25.10.59 ☑ 🍷 r.-v.

CH. LAFLEUR 1999

■ 3 ha 12 000 38 à 46 €

|85| |86| |88| 89 |90| |92| |93| 94 95 96 97 98 99

Coup de cœur l'an dernier, Lafleur dispose d'un vignoble de 4,5 ha associant à parts égales merlot et cabernet franc. Le millésime 99 est plus délicat que les précédents. La robe, ici limpide, annonce un nez fruité agréable, associé à des notes de vanille. Ample, construit sur des tanins assez volumineux, mais équilibrés, le vin n'exprime encore que des arômes boisés et une sensation prometteuse de fruits mûrs (pruneau). Il faudra l'attendre trois à cinq ans.

🔑 Sylvie et Jacques Guinaudeau, Grand Village, 33240 Mouillac, tél. 05.57.84.44.03, fax 05.57.84.83.31

🔑 Robin

CH. LATOUR A POMEROL 1999*

■ 7,93 ha n.c. 38 à 46 €

61 64 66 67 70 71 75 (76) 80 81 82 83 85 86 |87| 88 89 90 92 |93| 94 95 |96| 97 98 99

La production de ce cru, archétype du vignoble libournais et propriété d'une vieille famille de Libourne, est vinifiée et commercialisée par un grand négociant. Son terroir sablo-graveleux sur argiles local profite au merlot, présent à plus de 90 % dans ce 99 dont la robe d'un grenat dense se frange de carmin. Le bouquet est déjà élégant et racé, avec des notes de pruneau, de chêne réglissé et de cuir. En bouche, la finesse l'emporte, grâce à des raisins mûrs et à des tanins doux. Un caractère charmeur qui s'appréciera d'ici trois à huit ans sur des mets délicats.

🔑 Ets Jean-Pierre Moueix, 54, quai du Priourat, 33500 Libourne, tél. 05.57.55.05.80, fax 05.57.25.13.30

🔑 Lily Lacoste

CH. MONREGARD LA CROIX 1999*

■ 1,5 ha 13 500 15 à 23 €

Produit par Clos du Clocher, ce cru assemble essentiellement du merlot à 10 % de cabernet franc. Paré d'une jolie robe grenat à reflets carminés, le 99 dévoile un bouquet très agréable, avec des arômes de fruits mûrs, mêlés de notes réglissées et anisées. La bouche est ronde et suave en attaque, avec un bon équilibre tannique et une finale un peu ferme aujourd'hui, mais qui devrait rapidement s'affiner.

🔑 SC Clos du Clocher, BP 79, 33500 Libourne, tél. 05.57.51.62.17, fax 05.57.51.28.28, e-mail jeanbaptiste.audy@wanadoo.fr 🍷 r.-v.

CH. MONTVIEL 1999**

■ 5 ha 17 000 23 à 30 €

88 89 |90| 91 |93| 94 |95| 96 97 98 99

Ce joli cru étend ses 5 ha de vignes sur des sols graveleux mêlés de sable et d'argile. Principalement composé de merlot, il dispose d'un appoint de 20 % en cabernet franc dans ce millésime. Très bien présenté dans une robe sombre à reflets noirs, ce 99 a séduit par son bouquet intense et complexe qui associe les arômes de fruits rouges mûrs à des odeurs de cuir agréables. La bouche n'est pas en reste : elle a du volume, du gras et de la chair, ainsi qu'une structure tannique ferme et puissante qui subsiste longuement en finale. Un beau vin de garde.

🔑 SCEA Vignobles Y. et C. Père-Vergé, 33500 Pomerol, tél. 05.57.51.87.92, fax 03.21.93.21.03 ☑ 🍷 r.-v.

CH. MOULINET 1999

■ 14,04 ha 80 000 23 à 30 €

93 94 |95| |96| 98 99

Petit domaine de 18 ha acheté en 1971 par Armand Moueix, père de Nathalie, l'actuelle propriétaire. Sont assemblés 80 % de merlot, 10 % de cabernet franc et 10 % de cabernet-sauvignon dans ce 99 d'une belle couleur rubis. Le bouquet, intense et complexe, rappelle les fruits cuits et confits, avec un joli boisé grillé et une agréable touche mentholée. La bouche est souple et suave en attaque, avec des tanins qui s'expriment un peu fermement en finale.

🔑 Nathalie et Marie-José Moueix, Ch. Fonplégade, 33330 Saint-Emilion, tél. 05.57.74.43.11, fax 05.57.74.44.67, e-mail domaines.armand-moueix@wanadoo.fr ☑ 🍷 r.-v.

CH. MOULINET-LASSERRE 1999

■ 5 ha 25 000 15 à 23 €

|89| |90| 91 92 93 94 95 96 97 98 99

Limitrophe du Clos René, ce cru de 5 ha est également géré par Jean-Marie Garde. Il est planté sur un sol sablo-graveleux reposant sur de la crasse de fer. Paré d'une belle couleur bordeaux sombre et intense, le vin s'exprime au nez sur des arômes de fruits rouges et de bon bois grillé, avec des notes balsamiques à l'agitation. La bouche, riche et puissante, révèle une structure tannique massive et un peu austère en finale. Il lui faudra quelques années de garde pour s'affiner.

🔑 SCEA Garde-Lasserre, Clos René, 33500 Pomerol, tél. 05.57.51.10.41, fax 05.57.51.16.28 🍷 r.-v.

🔑 J.-M. Garde

CH. PETIT VILLAGE 1999★

■	11 ha	40 000	ⅠⅠⅠ 46 à 76 €

85 86 88 |89| 90 92 93 94 95 96 |97| 98 99

Un château sans « château », mais l'un des crus les plus connus de Pomerol, implanté sur un terroir argilo-graveleux exceptionnel. Le 99, d'une belle robe grenat foncé, offre un bouquet déjà expressif, à dominante cuir et bois vanillé. Sa structure est à la fois chaleureuse et puissante ; la saveur exprime bien le terroir. Les tanins fermes ne rompent pas l'harmonie générale de ce vin de garde qui sera parfait dans trois à huit ans.
🍷 Christian Seely, Ch. Petit Village, 33500 Pomerol, tél. 05.57.51.21.08, fax 05.57.51.87.31, e-mail infochato@petit-village.com ☑ Ⲩ r.-v.
🍷 AXA Millésimes

PETRUS 1999★★

■	11,42 ha	n.c.	ⅠⅠⅠ + de 76 €

61 67 71 74 75 76 78 |79| |81| ⑧②|83| |85| |86| |87| ⑧⑧|
|89| 90 |92| |93| |94| ⑨⑤ ⑨⑥ |97| ⑨⑧ 99

Cru mythique par son sol inouï, qui fut l'objet de nombreuses thèses universitaires, et par l'histoire de la femme et des hommes qui en assurèrent le destin, Petrus poursuit sur la route des succès, même dans les millésimes les plus difficiles, avec la constante exigence de respecter l'expression de son terroir. Les quatre dégustateurs ont été unanimes à louer, à l'aveugle, l'intelligence de la vinification de ce 99 élaboré à partir de 95 % de merlot. Les jurés aiment la beauté de sa teinte bordeaux sombre à reflets grenat. Le nez complexe mêle la cerise à l'eau-de-vie, le fruit rouge légèrement confit, la violette, la truffe... Ample dès l'attaque, le vin se révèle savoureux, « structuré par des tanins élégants et profonds qui mettent en valeur une forte personnalité gardant le caractère pomerol ». La finale épicée et longue ne contredit aucune des étapes de la dégustation d'un grand classique de garde.
🍷 SC du Ch. Petrus, 33500 Pomerol

CH. POMEAUX 1999★★

■	3 ha	18 000	ⅠⅠⅠ 38 à 46 €

Petit vignoble géré par A.T. Powers, uniquement planté de merlot sur crasse ferrugineuse du secteur de Toulifaut. Ce cru a fait une entrée remarquée dans notre Guide avec son 98 qui avait décroché deux étoiles. Le 99 fait mieux encore, puisqu'il obtient un coup de cœur. Nos dégustateurs ont été impressionnés par sa concentration hors du commun : la robe bordeaux est jeune et sombre, presque noire. Le bouquet, d'une remarquable complexité, exprime le raisin bien mûr, le merrain réglissé, la truffe. La bouche, séveuse et sensuelle, est structurée par des tanins

épicés (girofle, poivre). Un superbe pomerol de garde. Dans cinq à quinze ans, il sera parfait sur de la grande cuisine classique.
🍷 SCEA du Ch. Pomeaux, 6, Lieu-dit Toulifaut, 33500 Pomerol, tél. 05.57.51.98.88, fax 05.57.51.88.99, e-mail info@pomeaux.com ☑ Ⲩ r.-v.

CH. PRIEURS DE LA COMMANDERIE 1999

■	3,5 ha	6 000	ⅠⅠⅠ 23 à 30 €

86 88 |89| |90| 91 ⑨③ |94| |96| |97| 98 99

Né en 1984 du regroupement de plusieurs parcelles au profil morphologique similaire, ce cru est géré par l'équipe technique de La Dominique, grand cru classé de Saint-Emilion, qui appartient également à Clément Fayat. Il propose un 99 à la robe grenat déjà un peu évoluée et au bouquet fin, floral et fruité à la fois, et légèrement épicé, avec des notes de poivre vert très fraîches. La bouche, corsée et généreuse à l'attaque, se déploie sur une belle structure tannique, serrée et dense, digne d'un bon vin de garde.
🍷 Clément Fayat, Ch. Prieurs de La Commanderie, La Dominique, 33330 Saint-Emilion, tél. 05.57.51.31.36, fax 05.57.51.63.04, e-mail info@vignobles.fayat-group.com

CH. RATOUIN 1999★

■	3,2 ha	15 000	■ ⅠⅠⅠ ↧ 11 à 15 €

Une étiquette inspirée de Millet, célébrant l'angélus à l'ombre du clocher de Pomerol... Cette petite propriété familiale est installée sur les sols silico-graveleux. Composé à 80 % de merlot complété de cabernet franc, son 99 constitue un bon pomerol, grenat limpide et de belle intensité. Le bouquet, encore un peu discret, laisse percer des arômes de petits fruits rouges avec des nuances mentholées fraîches. Suave et harmonieux, doté de tanins mûrs et équilibrés, ce vin a beaucoup de charme.
🍷 SCEA Ch. Ratouin, Village de René, 33500 Pomerol, tél. 05.57.51.19.58, fax 05.57.51.47.92 ☑ Ⲩ r.-v.

CLOS RENE 1999

■	n.c.	65 000	ⅠⅠⅠ 15 à 23 €

86 88 |89| |90| 91 92 93 95 96 97 98 99

Cette belle propriété viticole de 12 ha appartient à la famille Garde-Lasserre depuis plusieurs générations. Assemblant 70 % de merlot aux deux cabernets, ce millésime a été élevé seize mois en barrique. Dans une robe grenat sombre à reflets carminés, il mêle au nez des arômes de fruits rouges et de vanille, avec des touches de bois grillé. La structure est dense et ferme ; les tanins, un peu sévères aujourd'hui, demanderont plusieurs années de vieillissement pour s'assouplir.

**SCEA Garde-Lasserre, Clos René, 33500 Pomerol,
tél. 05.57.51.10.41, fax 05.57.51.16.28 ☑ ⊤ r.-v.
J.-M. Garde**

CH. ROUGET 1999★★

	18,5 ha	33 000		30 à 38 €

|94| |95| |96| |97| 98 **99**

Ses pentes douces argilo-graveleuses constituent un excellent terroir ; les Templiers les avaient déjà conquises. Aujourd'hui, issu à 85 % de merlot et à 15 % de cabernet franc, ce 99 impressionne les dégustateurs par sa superbe robe pourpre, très sombre et très dense, avec des reflets noirs en profondeur et violines en surface. Le bouquet, riche et complexe, associe des arômes de fruits bien mûrs et confits à un boisé racé, grillé et toasté, de belle facture. Puissante, ample et charnue, la structure repose sur des tanins certes serrés mais harmonieux, qui demanderont plus de cinq ans de garde pour s'épanouir. Etonnant dans ce millésime !

**Ch. Rouget, 33500 Pomerol,
tél. 05.57.51.05.85, fax 05.57.55.22.45 ☑ ⊤ r.-v.
Labruyère**

CH. SAINT PIERRE 1999

	3 ha	20 000		11 à 15 €

Ce petit vignoble est situé à l'ombre du clocher de Pomerol, sur des graves portées par un sous-sol sablo-argileux typique de l'AOC. Le vin a une jolie couleur pourpre aux reflets jeunes, et son nez frais égrène des notes de prunelle, de violette et de bois réglissé. Bien équilibrée, sa structure relativement légère permettra de le boire assez rapidement.

**SCEA de Lavaux, Ch. Martinet,
64 av. du Gal-de-Gaulle, 33500 Libourne,
tél. 05.57.51.06.07, fax 05.57.51.59.61 ☑ ⊤ r.-v.**

CH. THIBEAUD-MAILLET 1999

	1 ha	6 550		15 à 23 €

88 89 |90| 92 |93| |94| 95 |96| |97| 98 99

Ce tout petit cru, situé à l'est de la commune sur le secteur de Maillet, a élevé ce millésime en barrique pour moitié neuve et pour moitié d'un vin. Dans une robe encore vive, le vin exprime des notes de fruits noirs et un fin boisé. Bien équilibré entre le fruit et le tanin de chêne, il affirme un caractère chaleureux. Déjà harmonieux, il pourra bientôt accompagner les viandes fines, les gibiers non faisandés et les fromages crémeux doux.

**Roger et Andrée Duroux, Ch. Thibeaud-Maillet,
33500 Pomerol, tél. 05.57.51.82.68, fax 05.57.51.58.43
☑ ⌂ ⊤ t.l.j. 9h-12h 14h-20h; f. mars**

CH. TOUR MAILLET 1999★

	2,22 ha	12 000		15 à 23 €

Ce petit cru compte 2,2 ha de merlot installé sur des sols sablo-graveleux. Il propose un 99 admirablement paré d'une robe jeune, de teinte rubis vif. Le bouquet puissant associe agréablement les fruits rouges et noirs aux notes vanillées et épicées d'un très joli boisé. En bouche, la dégustation révèle une réelle richesse, du gras, de la chair et une structure tannique équilibrée et ferme qui permettra une bonne garde.

**SCEV Lagardère, Négrit, 33570 Montagne,
tél. 05.57.74.61.63, fax 05.57.74.59.62 ☑ ⊤ r.-v.**

CH. TOUR ROBERT 1999★★

	1,2 ha	6 000		15 à 23 €

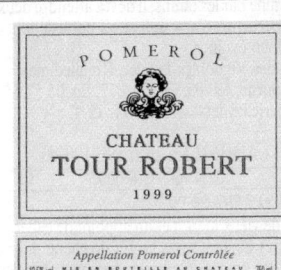

Il s'agit ici d'une parcelle de 1,2 ha sur les 4,65 ha que Dominique Leymarie exploite en tant que fermier. A 95 % merlot noir, elle est plantée sur un sol sablo-graveleux. Le 99, paré d'un grenat intense, s'ouvre (après aération) sur des arômes complexes de raisins très mûrs, de réglisse et un fumet de merrain épicé. La bouche est chaleureuse, avec du gras et du volume, charpentée par des tanins concentrés et persistants. Un très bon pomerol de garde.

**Dominique Leymarie, B.P. 132, 33500 Libourne,
tél. 06.09.73.12.78, fax 05.57.51.99.94,
e-mail leymarie@ch-leymarie.com ☑ ⊤ r.-v.**

CH. TROTANOY 1999★★

	7,16 ha	n.c.		+ de 76 €

75 79 80 ⑧ 85 86 87 |88| |89| |90| |92| |94| ⑨ ⑨ |97| **98 99**

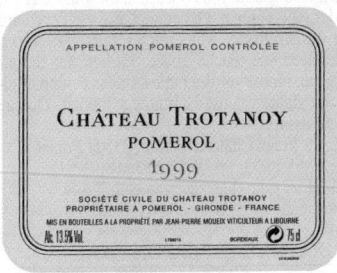

Ce cru est un fleuron de la maison libournaise de négoce Jean-Pierre Moueix, établie sur le quai du Priourat, au bord de la Dordogne sur laquelle les gabarres ont descendu les vins du haut pays pendant des siècles. Ici, la tradition est une valeur respectée. Cela se sent dans ce vin de Trotanoy à la robe pourpre sombre. Le nez élégant et racé, délicieusement fruité, évolue sur des notes de café et de tabac blond. La saveur, très chaleureuse, est soutenue par des tanins élégants qui n'écrasent pas la bouche, mais dont la persistance est la garante d'un réel avenir. Un pomerol de grande classe.

SC du Ch. Trotanoy, 33500 Pomerol

CH. DE VALOIS 1999

	7,66 ha	31 000		15 à 23 €

Vignoble acquis en 1862 et agrandi depuis, reposant sur un terroir de sables éoliens avec graves et crasse de fer. Le vin est d'une jolie couleur pourpre. Le bouquet naissant demande une légère agitation pour exprimer des arômes de fraise, de framboise, de violette et de réglisse. Encore un peu dominé par les tanins, il devra attendre deux à trois ans que sa structure s'assouplisse : il possède tout ce qu'il faut pour bien évoluer.

🍷 EARL des Vignobles Leydet, Rouilledimat, 33500 Libourne, tél. 05.57.51.19.77, fax 05.57.51.00.62, e-mail frederic.leydet@wanadoo.fr ☑ ☕ r.-v.

CLOS DE LA VIEILLE EGLISE 1999★

■	1,4 ha	8 000	🍾 30 à 38 €
92 93 |94| |95| |96| ⑨⑧ 99			

90 % de vieux merlot et un appoint de cabernet franc ont été élevés dix-huit mois en fût de chêne pour donner ce 99 à la robe grenat, intense et soutenue, avec des reflets carminés sur la frange. Le bouquet est actuellement sous l'influence de l'élevage, avec des odeurs épicées et un beau boisé grillé. La bouche, riche et puissante, est encore ferme et un peu sévère, mais très prometteuse.

🍷 Jean-Louis Trocard, Clos de la Vieille Eglise, BP 3, 33570 Artigues-de-Lussac, tél. 05.57.55.57.92, fax 05.57.55.57.98, e-mail bt@trocard.com ☑ ☕ t.l.j. sf sam. dim. 8h-12h 14h-17h

VIEUX CHATEAU CERTAN 1999★

■	14 ha	40 000	🍾 + de 76 €
81 82 83 85 86 |⑧⑧| ||89| |90| 92 |93| |94| 95 96 97 ⑨⑧ 99			

On ne compte pas les coups de cœur obtenus par les Thienpont, qui ont su faire de ce cru emblématique, superbe château fondé au XVIᵉs., l'un des phares du vignoble français. Vieux Château Certan propose un 99 élégant et chaleureux qui sera plus rapidement prêt à boire, millésime oblige. La robe bordeaux est sombre et intense avec des reflets grenat. Le bouquet, expressif et complexe, révèle des arômes de fruits rouges mûrs, de cacao et de vanille, avec une touche grillée. La bouche, charnue et séduisante, repose sur des tanins fondus et amples jusque dans une finale vineuse et fruitée à souhait. Dix ans de bonheur assurés.

🍷 SC du Vieux Château Certan, 33500 Pomerol, tél. 05.57.51.17.33, fax 05.57.25.35.08, e-mail info@vieuxchateaucertan.com ☕ r.-v.

🍷 Thienpont

VIEUX CHATEAU FERRON 1999

■	1,5 ha	10 000	🍾 30 à 38 €
	89		90	93	95		96		97	98 99			

Composé de merlot quadragénaire avec un appoint de 10 % de cabernet franc, ce 99 est installé sur un terroir sablo-graveleux. Doté d'une belle couleur grenat, ce 99 révèle un nez épanoui et chaleureux, aux arômes de cacao, de pruneau cuit et de pain grillé. La bouche a beaucoup de mâche et de vinosité, mais la fermeté actuelle des tanins invite à laisser le vin vieillir plusieurs années pour une meilleure harmonie.

🍷 EARL Vignobles Garzaro, Ch. Le Prieur, 33750 Baron, tél. 05.56.30.16.16, fax 05.56.30.12.63, e-mail garzaro@vingarzaro.com ☑ ⛪ ☕ r.-v.

CH. VIEUX MAILLET 1999★★

■	2,62 ha	12 500	🍾 23 à 30 €
95	96		97	98 99			

Repris depuis moins de dix ans par l'actuelle exploitante, ce petit vignoble est en progression constante. Paré d'une belle robe bordeaux, sombre et dense, son 99 est concentré et déjà complexe : merlot mûr, merrain toasté, fruits rouges, senteurs animales s'expriment. La bouche est corsée et séveuse, charpentée par des tanins solides, avec une saveur de café serré. Un beau pomerol de garde. A boire dans cinq à douze ans, sur une cuisine traditionnelle.

🍷 Isabelle Motte, Ch. Vieux Maillet, 33500 Pomerol, tél. 05.57.51.04.67, fax 05.57.51.04.67 ☑ ☕ r.-v.

CH. VRAY CROIX DE GAY 1999

■	3,67 ha	24 000	🍾 15 à 23 €
85 86 88	89		90		93		94		95		97	98 99			

Ancien ministre du général de Gaulle, Olivier Guichard possède trois propriétés viticoles dans le Libournais, dont ce cru installé sur des sols argilo-graveleux avec 90 % de merlot et 10 % de cabernet franc. Bien présenté dans une robe pourpre assez intense, ce 99 marie harmonieusement des arômes de fruits rouges à un élégant boisé bien fondu, accompagné d'une touche de réglisse. Equilibré, il est structuré par de bons tanins, ronds et veloutés. La finale, un peu ferme aujourd'hui, réclame deux à trois ans d'attente.

🍷 SCE Baronne Guichard, Ch. Siaurac, 33500 Néac, tél. 05.57.51.64.58, fax 05.57.51.41.56 ☑ ☕ r.-v.

🍷 Olivier Guichard

Lalande de pomerol

Créé, comme celui de pomerol dont il est voisin, par les hospitaliers de Saint-Jean (à qui l'on doit aussi la belle église de Lalande qui date du XIIᵉ s.), ce vignoble d'environ 1 120 ha, produit, à partir des cépages classiques du Bordelais, des vins rouges colorés, puissants et bouquetés, qui jouissent d'une bonne réputation, les meilleurs pouvant rivaliser avec les pomerol et les saint-émilion. 56 595 hl ont été revendiqués en 2001.

CH. BECHEREAU
Cuvée spéciale Elevé en fût de chêne 1999

■	3 ha	15 000	🍾 8 à 11 €

Née à 80 % de merlot et à 20 % de cabernet franc, plantés sur un sol argilo-sableux, cette Cuvée spéciale présente une teinte pourpre intense et un bouquet naissant pour l'heure très discret. Sa structure, à la fois souple et dense, se développe avec charme. Assez persistant, ce vin n'exprime pas encore tout son potentiel, qui se révélera d'ici deux ou trois ans.

🍷 SCEA Jean-Michel Bertrand, Béchereau, 33570 Les Artigues-de-Lussac, tél. 05.57.24.31.22, fax 05.57.24.34.69, e-mail contact@chateaubechereau.com ☑ ☕ r.-v.

CH. BELLES-GRAVES 1999

■	15,9 ha	85 000	🍾 11 à 15 €

Cette très belle chartreuse du XVIIIᵉs., installée au sommet du coteau, possède un parc où le promeneur peut s'aventurer dans un labyrinthe végétal. Ses vignes fournirent longtemps *La Calypso* et *L'Alcyone*, navires du commandant Cousteau. Le caractère fruité intense (cerise) de ce millésime se marie avec des notes florales délicatement boisées. En bouche, c'est un vin souple et rond, léger, mais assez élégant. A boire dans les trois ans à venir.

⌐ GFA Theallet-Piton, SC du Ch. Belles-Graves, 33500 Néac, tél. 05.57.51.09.61, fax 05.57.51.01.41
☑ 🏠 ⊥ t.l.j. 9h-18h; sam. dim. sur r.-v.

CH. BERTINEAU-SAINT-VINCENT 1999★★
| ■ | 5,6 ha | 20 000 | 〛 11 à 15 € |

Cette propriété appartient à Dany et Michel Rolland, qu'on ne présente plus dans le monde du vin. Son 99 est remarquable en tout point. La robe grenat soutenu, brillant de reflets mauves, séduit. Les arômes intenses et élégants mêlent les fruits rouges (framboise), la truffe et la vanille grillée ; les tanins souples et ronds en attaque évoluent avec beaucoup de puissance, d'équilibre et de sucrosité. La finale est marquée par un boisé très présent, mais de qualité : il faudra attendre quatre ou cinq ans avant d'ouvrir cette excellente bouteille.

⌐ SCEA Fermière des domaines Rolland, Maillet, 33500 Pomerol, tél. 05.57.51.23.05, fax 05.57.51.66.08
☑ ⊥ r.-v.

CH. LA BORDERIE-MONDESIR 1999★
| ■ | 2,2 ha | 12 000 | ■〛 11 à 15 € |

Cette propriété familiale, située sur un bon terroir de graves, travaille ses vignes en biodynamie. Son 99 est paré d'une robe rubis aux reflets noirs. Ses arômes puissants de confiture de fruits rouges, de gibier et de boisé élégant accompagnent toute la dégustation. Ce vin très tannique, mais équilibré, possède un potentiel de vieillissement certain (à ouvrir dans trois à six ans). La **cuvée Excellence 99 (15 à 23 €)** obtient une citation.

⌐ SCE Vignobles Rousseau, 1, Petit-Sorillon, 33230 Abzac, tél. 05.57.49.06.10, fax 05.57.49.38.96
☑ ⊥ r.-v.

DOM. LES CHAGNASSES 1999
| ■ | n.c. | 6 000 | ■〛↓ 8 à 11 € |

Autrefois planté de chênes, d'où le nom de « chagnasses », ce terroir produit aujourd'hui un très bon vin, comme ce 99 au bouquet naissant de fruits mûrs, de caramel et de léger boisé. En bouche, les tanins sont souples et charnus, racés. La finale intéressante demande un peu de temps. Six mois ? Une bouteille à boire ou à garder deux à trois ans.

⌐ Georges Abecassis, Dom. Les Chagnasses, Marchesseau, 33500 Lalande-de-Pomerol, tél. 05.57.51.49.74, fax 05.57.71.49.74 ☑ ⊥ r.-v.

CH. LES CHAGNIASSES 1999
| ■ | 0,7 ha | 4 400 | 〛 8 à 11 € |

Pendant dix ans Isabelle Fort a enseigné l'œnologie, avant de prendre en 1997 la suite de son père à la direction du château. Son 99 (80 % de merlot et pratique du microbullage) a une couleur grenat profond, un bouquet fruité (cerise noire) et floral (pivoine), et une structure tannique, ample et ferme, qui ne demande qu'à s'épanouir avec le temps. Un vin bien typique de son appellation, à boire dans deux à cinq ans.

⌐ EARL Vignobles Carrère, 9, rte de Lyon, Lamarche, 33910 Saint-Denis-de-Pile, tél. 05.57.24.31.75, fax 05.57.24.30.17 ☑ ⊥ r.-v.
⌐ Isabelle Fort

CH. CHATAIN PINEAU 1999
| ■ | 5,45 ha | 26 000 | 〛 8 à 11 € |

Un vignoble d'un seul tenant, situé sur une boutonnière d'argile. Ce 99 se distingue par un bouquet très fruité (framboise, fraise), rehaussé de notes florales et de vanille, et par une structure tannique bien ronde, assez charnue, encore un peu rustique en finale. Un vin à attendre deux ou trois ans.

⌐ René Micheau-Maillou, la Vieille Eglise, 33330 Saint-Hippolyte, tél. 05.57.24.61.99, fax 05.57.74.45.37 ☑ ⊥ r.-v.

CLOS LES FOUGERAILLES 1999★
| ■ | 3,2 ha | n.c. | ■〛 5 à 8 € |

Issu à 100 % du cépage merlot, ce vin se caractérise par une robe cerise aux reflets rubis et par un bouquet élégant de fleurs (violette) et de fruits rouges bien mûrs (cerise, fraise des bois). Sa structure tannique, souple et soyeuse, évolue avec beaucoup de finesse et d'élégance, ainsi que la finale tout en dentelle : nos dégustateurs notent ce vin comme très féminin – et c'est là un compliment. Il est bon à boire dès à présent, mais vieillira fort bien trois à cinq ans dans une bonne cave.

⌐ SCEA du Ch. Coudreau, Vignobles Henri-Vacher, 1, rte de Robin, 33910 Saint-Denis-de-Pile, tél. 06.82.17.85.28, fax 05.57.74.26.77, e-mail chateau.coudreau@laposte.net ☑ ⊥ r.-v.
⌐ Famille Vacher

CH. LA CROIX 1999★
| ■ | 6,47 ha | 35 000 | 〛 8 à 11 € |

Né sur un sol graveleux, assemblant 50 % de merlot et 50 % de cabernet franc, ce 99 présente une teinte noire presque opaque, des parfums de réglisse, d'épices et de fruits rouges. Sa structure est charnue et équilibrée, mais la finale, encore un peu austère, nécessite un vieillissement en bouteilles de deux à cinq ans. La **Cuvée spéciale 99 (23 à 30 €)** porte une étiquette tout en longueur, mais pas de mention spéciale. Elle est citée et comblera les amateurs de vins extrêmement boisés.

⌐ SARL Roc de Boissac, 33570 Puisseguin, tél. 05.57.74.61.22, fax 05.57.74.59.54 ☑ ⊥ r.-v.

L'AMBROISIE DU CH. LA CROIX DES MOINES 1999★
| ■ | 1 ha | 1 700 | 〛 46 à 76 € |

Cette cuvée spéciale de Jean-Louis Trocard est le fruit d'une sélection de vieux merlot (cinquante ans) implanté sur un terroir de graves argileuses et élevé vingt mois en barrique. La teinte grenat brille de reflets rubis. Les fruits rouges (framboise) se mêlent à des notes boisées, toastées et vanillées dans un bouquet fort expressif. La structure, veloutée et équilibrée, est marquée par la présence du fût. Il faudra impérativement attendre trois à cinq ans pour que ce vin atteigne sa pleine harmonie. Le chef Michel Gautier a créé l'Ambroisie de rognon de veau en robe de chou pour accompagner ce cru.

⌐ SCI Ch. la Croix des Moines, BP 3, 33570 Artigues-de-Lussac, tél. 05.57.55.57.99, fax 05.57.55.57.98 ☑

CH. LA CROIX SAINT ANDRE 1999★
| ■ | 16,2 ha | n.c. | 〛 11 à 15 € |

Situé sur un bon terroir argilo-graveleux, ce cru propose un très bon 99, issu à 80 % de merlot et à 20 % de cabernet. La teinte pourpre est soutenue. Le bouquet,

BORDEAIS

encore discret, ne manque pas de charme avec ses notes de fumé, de fruits mûrs et de gousse de vanille. Sa structure est généreuse, équilibrée et persistante, presque virile en finale. Une bouteille bien typée, à ouvrir dans deux à cinq ans. On vous propose de cuisiner une fondue de magret avec ce vin en cuisson.

↬ GFA Ch. La Croix Saint André, 1, av. de la Mairie, 33500 Néac, tél. 05.57.84.36.67, fax 05.57.74.32.58
☑ ⊺ t.l.j. sf dim. 9h-12h 14h-18h

CH. LA CROIX SAINT-JEAN 1999★

| | 1,34 ha | 8 000 | ▮ ❶ 11 à 15 € |

Cette micropropriété complantée à 99 % de merlot tient son nom des hospitaliers de Saint-Jean qui ont planté beaucoup de vignes. Ce vin, de couleur grenat foncé, évoque le cassis, la cerise, la framboise, mais aussi la vanille. Ses tanins équilibrés et veloutés offrent une bonne persistance finale. Un beau vin qui a besoin de deux à cinq ans de vieillissement pour s'épanouir totalement.

↬ Vignobles Raymond Tapon, Lafleur Vachon, 33330 Saint-Emilion, tél. 05.57.74.61.20, fax 05.57.74.61.19, e-mail vinstapon@aol.com ☑ ⊺ r.-v.

CH. DE L'EVECHE 1999

| | 10 ha | 20 300 | ❶ 8 à 11 € |

Ce 99 est intéressant à citer pour son bouquet naissant déjà agréable de fruits rouges, d'eau-de-vie et de notes de gibier. Frais et généreux, les tanins se révèlent ensuite avec finesse et équilibre. Il sera facile à boire jeune, c'est-à-dire d'ici à trois ou quatre ans.

↬ Vignobles Chaumet, RN 89, Goujon, 33500 Lalande-de-Pomerol, tél. 05.57.25.50.12, fax 05.57.25.51.48, e-mail vignobles.chaumet@wanadoo.fr ☑ ⊺ r.-v.

CH. LA FAURIE MAISON NEUVE
Elevé en fût de chêne 1999

| | 3,8 ha | 25 000 | ❶ 8 à 11 € |

Elevé douze mois en barriques dont un tiers sont neuves, ce 99 provient à 80 % du cépage merlot et se distingue par son bouquet de cerise à l'eau-de-vie, de cuir et de boisé fondu. Sa structure est harmonieuse. Un vin à boire dans deux ou trois ans.

↬ SCEA vignobles Michel Coudroy, Maison-Neuve, 33570 Montagne, tél. 05.57.74.62.23, fax 05.57.74.64.18
☑ ⊺ t.l.j. 8h-12h 14h-17h; f. août

LA FLEUR DE BOUARD 1999★★

| | 11 ha | 64 000 | ❶ 23 à 30 € |

Achetée en 1998 par Hubert de Boüard, copropriétaire de château Angelus (1ᵉʳ cru classé de saint-émilion), cette propriété, idéalement située sur un terroir de grosses

graves, n'a pas tardé à faire parler d'elle : le grand jury lui a décerné un coup de cœur unanime pour le millésime 99. La robe noire, parée de mystère, évoquent les épices, les fruits noirs bien mûrs, la truffe et la vanille. Les tanins gras, veloutés et très amples, évoluent avec fougue et une grande persistance. Un vin remarquablement travaillé, à boire dans quatre à dix ans. Le deuxième vin, le **Château La Fleur Saint Georges 99 (11 à 15 €)**, élevé douze mois en barrique, est cité pour son caractère très fruité ; il est à boire plus jeune.

↬ La Fleur de Boüard, Ch. La Fleur Saint-Georges, BP 7, 33500 Pomerol, tél. 05.57.25.25.13, fax 05.57.51.65.14, e-mail contact@lafleurdebouard.com ☑ ⊺ r.-v.

CH. GARRAUD 1999★★

| | 20 ha | 80 000 | ❶ 11 à 15 € |

Ce vignoble, remarquablement situé sur un terroir argilo-graveleux, est complanté à 91 % de merlot et à 9 % de cabernet franc. Créé au XIXᵉs., le domaine a été depuis considérablement modernisé, tant à la vigne qu'aux chais. La qualité des millésimes est là pour le prouver. Le 99, dans une robe grenat aux reflets noirs et profonds, s'ouvre sur des notes de fruits rouges et noirs bien mûrs qui se mêlent ensuite aux effluves de torréfaction et de vanille. Puis les tanins, denses et très veloutés, évoluent avec beaucoup de volume et d'harmonie, sans excès d'extraction. Un grand vin qu'il est nécessaire d'attendre quatre à huit ans.

↬ Vignobles Léon Nony, Ch. Garraud, 33500 Néac, tél. 05.57.55.58.58, fax 05.57.25.13.43, e-mail info@vln.fr ☑ ⊺ t.l.j. sf sam. dim. 9h-12h 14h-17h

CH. GRAND ORMEAU 1999★★

| | 8 ha | 37 000 | ❶ 15 à 23 € |

On ne compte plus les coups de cœur obtenus par ce cru de 11,66 ha qui fut créé, en 1988, par Jean-Claude Beton, autrefois fondateur du groupe Orangina. Celui-ci a hissé cette propriété au sommet de son appellation. Alors que 99 est un millésime difficile dans le Libournais, il a élaboré des cuvées en tout point remarquables : parée d'une robe profonde, presque noire, ce vin arbore des arômes puissants et complexes de torréfaction, de vanille, d'épices douces et de fruits mûrs. La structure tannique, riche et veloutée en attaque, évolue avec un support aromatique très boisé, mais également beaucoup de puissance et d'équilibre jusqu'en finale. L'harmonie et le plaisir seront parfaits après trois à huit ans de garde.

↬ Jean-Claude Beton, Ch. Grand Ormeau, 33500 Lalande-de-Pomerol, tél. 05.57.25.30.20, fax 05.57.25.22.80, e-mail grand.ormeau@wanadoo.fr ☑ ⊺ r.-v.

CH. LE GRAVILLOT 1999★

| | 1,1 ha | 7 000 | ❶ 11 à 15 € |

Acquise en 1998, cette propriété d'à peine plus de 1 ha de merlot se distingue dans le millésime 99. Après un élevage de dix-huit mois en barrique, la robe grenat est profonde. Les arômes puissants sont empyreumatiques puis fruités, alors accompagnés par des notes de pain grillé et de vanille. En bouche, les tanins sont très soyeux, presque sucrés, évoluent avec charme dans un bel équilibre. Un vin complexe, racé, qui vieillira favorablement pendant trois à six ans.

☛ SCEA J.-B. Brunot et Fils,
1, Jean-Melin, 33330 Saint-Emilion,
tél. 05.57.55.09.99, fax 05.57.55.09.95,
e-mail vignobles.brunot@wanadoo.fr ☑ ⍦ r.-v.

CH. HAUT-CHAIGNEAU
Cuvée Prestige Elevé en fût de chêne 1999★

| ■ | 11 ha | 60 000 | ⅢⅠ 15 à 23 € |

Créé en 1967 et parfaitement équipé, ce château, régulièrement distingué parmi les valeurs sûres de l'appellation, possède un excellent terroir argilo-siliceux. Son 99, qui a accompli sa fermentation malolactique en barrique et qui a passé quinze mois sous bois, est paré d'une teinte grenat soutenue et brille de reflets mauves. Le bouquet naissant évoque le fruit mûr et la truffe. Les tanins, ronds et très présents en même temps, évoluent avec puissance, bien soutenus par le boisé. A attendre impérativement trois à six ans.
☛ GFA J. et A. Chatonnet, Haut-Chaigneau,
33500 Néac, tél. 05.57.51.31.31, fax 05.57.25.08.93
☑ ⍦ r.-v.

CH. LES HAUTS-CONSEILLANTS 1999★

| ■ | 9 ha | 46 000 | ⅢⅠ 11 à 15 € |

Provenant à 70 % de merlot et à 30 % de cabernets élevés douze mois en barrique, ce vin mérite l'intérêt aussi bien pour sa teinte pourpre soutenu, son bouquet puissant de torréfaction, de fumé et de cuir, que pour sa structure solide et son boisé de qualité. Une bouteille qui devrait s'épanouir dans deux à trois ans.
☛ SA Pierre Bourotte, 62, quai du Priourat,
33500 Libourne, tél. 05.57.51.62.17, fax 05.57.51.28.28,
e-mail jeanbaptiste.audy@wanadoo.fr ⍦ r.-v.

CH. JEAN DE GUE
Cuvée Prestige 1999

| ■ | 6 ha | 40 000 | ⅢⅠ 11 à 15 € |

Ce château est habitué aux honneurs de l'appellation. Associant au merlot 12 % de cabernet-sauvignon et 10 % de cabernet franc élevés douze mois en barrique, le 99 se présente dans une belle robe pourpre soutenu ; ses parfums, dominés aujourd'hui par d'intenses notes boisées, laissent peu de place aux fruits, cependant discernables. Si la bouche est élégante, souple à l'attaque, soyeuse ensuite, sa finale boisée plus austère incite à une garde de deux à quatre ans. L'harmonie sera alors complète et probablement digne d'une étoile.
☛ SCE Vignobles Aubert,
Ch. La Couspaude, 33330 Saint-Emilion,
tél. 05.57.40.15.76, fax 05.57.40.10.14,
e-mail vignobles.aubert@wanadoo.fr ☑

DOM. PONT DE GUESTRES
Elevé en fût de chêne 1999★

| ■ | 2 ha | 12 000 | ⅠⅢ⍦ 15 à 23 € |

Le grand vin du domaine en 99, est issu de 2 ha de merlot de vingt ans, plantés sur un sol de graves sableux, et d'un élevage de douze mois en barrique. La robe profonde et noire présente de beaux reflets rubis. Le bouquet de cassis est subtilement grillé et vanillé. La stucture, souple et bien mûre, évolue avec équilibre grâce à des tanins de qualité. Un bon vin à boire dans deux à cinq ans. Le deuxième vin, le **Château Au Pont de Guestres 99 (11 à 15 €)**, assemblage de 80 % de merlot et de 20 % de cabernet franc, élevé neuf mois en fût de chêne, est équilibré. Il est cité pour son caractère fruité et ses tanins harmonieux qui lui permettront d'être bu jeune.

☛ Rémy Rousselot,
Ch. Les Roches de Ferrand, 33126 Saint-Aignan,
tél. 05.57.24.95.16, fax 05.57.24.91.44,
e-mail vignobles.remy.rousselot@wanadoo.fr ☑ ⍦ r.-v.

CH. REAL-CAILLOU 1999

| ■ | 4,31 ha | 25 000 | ⅢⅠ 11 à 15 € |

Ce château fait partie des 40 ha du lycée viticole de Montagne, et sert à la formation des futurs acteurs de la filière. Le vin possède du caractère : robe rubis aux reflets pourpres, arômes de fruits mûrs, d'épices avec des notes empyreumatiques, tanins encore jeunes qui devraient s'épanouir et gagner en équilibre d'ici deux à trois ans.
☛ Lycée viticole de Libourne-Montagne,
7, le Grand Barail, 33570 Montagne,
tél. 05.57.55.21.22, fax 05.57.51.66.13 ☑ ⍦ r.-v.
☛ Ministère de l'Agriculture

CH. LA ROSE SAINT-VINCENT 1999★

| ■ | 3 ha | 14 000 | Ⅰ ⅢⅠ⍦ 8 à 11 € |

Situé sur un terroir argilo-siliceux, ce cru présente un 99 élaboré à partir de 90 % de merlot. Dans une robe rouge sombre aux reflets orangés, celui-ci affiche des parfums expressifs de griotte, de résine et de boisé discret. Les tanins, intenses et aromatiques, évoluent avec onctuosité et beaucoup de charme jusqu'à une finale élégante. Un vin très bien fait qui s'appréciera sur une bonne grillade dans deux ou trois ans.
☛ SCEA Garde et Fils, Goujon, 33570 Montagne,
tél. 05.57.51.50.05, fax 05.57.25.33.93 ☑ ⍦ r.-v.

CH. LA SERGUE 1999★★

| ■ | 4,5 ha | 15 800 | ⅢⅠ 23 à 30 € |

Château
La Sergue
1999
LALANDE DE POMEROL
Appellation Lalande de Pomerol Contrôlée

Il a été récolté 500 magnums
et 15200 bouteilles de ce millésime.

Pascal Chatonnet

GFA J. & A. Chatonnet - Propriétaires à Néac - Gironde - FRANCE
MIS EN BOUTEILLE AU CHÂTEAU
13% vol.   Produce of France - Grand Vin de Bordeaux   75 cl

Né en 1996, ce château est la « création » de l'œnologue Pascal Chatonnet, fils des propriétaires, qui sélectionne et assemble les meilleurs raisins de vieilles vignes issus de différents terroirs. Le coup de cœur est décerné au millésime 99 pour la robe pourpre profonde, les arômes puissants et complexes de fruits rouges et noirs, de vanille, de toasté. Les tanins souples et gras, parfaitement mûrs et extraits, évoluent avec puissance et élégance. D'une grande persistance aromatique, c'est assurément un vin remarquable qui s'épanouira totalement après cinq à dix ans de vieillissement dans une bonne cave. A choisir alors pour des mets de roi (gibier, cèpes...).
☛ GFA J. et A. Chatonnet, Haut-Chaigneau,
33500 Néac, tél. 05.57.51.31.31, fax 05.57.25.08.93
☑ ⍦ r.-v.

CH. TOUR DE MARCHESSEAU 1999★

| ■ | 5 ha | 30 000 | ⅢⅠ 8 à 11 € |

Cette propriété de Jean-Louis Trocard, personnalité du monde viticole français, est située sur un excellent terroir de graves. Avec 80 % de merlot et un élevage de douze mois en barrique, son 99 porte une robe élégante, de couleur intense avec des reflets violets. Les parfums de fruits mûrs (cassis, cerise) sont rehaussés de notes de pain grillé. Les tanins sont concentrés, épicés, encore un peu austères en finale : ils sont francs et bien faits, prometteurs. Une bouteille classique, à ouvrir dans deux à cinq ans pour accompagner un civet de lièvre... ou de lapin.

➥ Jean-Louis Trocard, Ch. Tour de Marchesseau, BP 3, 33570 Artigues-de-Lussac, tél. 05.57.55.57.92, fax 05.57.55.57.98, e-mail bt@trocard.com

☑ 𝐘 t.l.j. sf sam. dim. 8h-12h 14h-17h

CH. TOURNEFEUILLE 1999★

■	10 ha	50 000	⑪ 11 à 15 €

Racheté en 1998, ce château est situé sur le haut d'un coteau argilo-graveleux dominant la Barbanne, frontière historique entre pays franc et anglais, aujourd'hui frontière entre les AOC pomerol et lalande. Son 99, d'une couleur grenat limpide, offre des senteurs fruitées bien expressives. Les tanins veloutés et équilibrés sont enrobés d'un boisé intelligent. Une bouteille à savourer dans trois à cinq ans. Le deuxième vin, le **Château Rosala 99 (5 à 8 €)**, issu des jeunes vignes, est cité pour son caractère fruité et son aptitude à être bu dès maintenant.

➥ SCEA Ch. Tournefeuille, 33500 Néac, tél. 05.57.51.18.61, fax 05.57.51.00.04

☑ 𝐘 t.l.j. sf sam. dim. 8h-12h 14h-18h

➥ Petit et Cambier

DOM. DE VIAUD 1999

■	7 ha	35 000	🍴 ⑪ 15 à 23 €

Situé sur un sol de graves, ce domaine propose deux vins qui ont obtenu la même note en 99. La cuvée classique est très fruitée avec une bouche boisée et un équilibre tannique ; de bonne qualité c'est un vin à boire dans un à trois ans. La **cuvée spéciale 99 (23 à 30 €)**, bien que plus boisée encore, garde un élégant bouquet de fruits rouges. Sa structure est plus puissante, mais reste peu complexe. A attendre un an ou deux. Deux styles différents – on peut préférer le premier.

➥ Lucette Bielle, 16, rue des Gauthiers, 33500 Les Billaux, tél. 05.57.51.06.12, fax 05.57.25.10.14, e-mail bielle@wanadoo.fr ☑ 𝐘 r.-v.

➥ GFA Vignobles Marius Bielle

CH. DE VIAUD 1999★

■	19,3 ha	80 000	⑪ 15 à 23 €

Lalande est célèbre pour son église, caractéristique des bâtiments religieux construits par les hospitaliers de Saint-Jean. C'est bien sûr un lieu de visite. Mais ce château l'est également. Datant du XVIIIᵉs., régulièrement cité parmi les valeurs sûres de l'appellation, idéalement situé sur un sol argilo-graveleux, il propose un 99 à la robe grenat intense et profond. Les parfums de cassis se fondent avec élégance aux notes boisées et toastées, et les tanins, francs et veloutés, bien mûrs, évoluent avec beaucoup d'équilibre, soutenus par l'élevage en barrique. La finale persistante laisse présager à cette très belle bouteille un avenir de trois à cinq ans.

➥ SAS du Ch. de Viaud, 33500 Lalande-de-Pomerol, tél. 05.57.51.17.86, fax 05.57.51.79.77 𝐘 r.-v.

VIEUX CLOS CHAMBRUN 1999★

■	n.c.	2 736	⑪ 30 à 38 €

Jean-Jacques Chollet possède deux domaines situés à Néac, mais dont le siège est domicilié dans la Manche. Le

Clos Chambrun tout d'abord, issu de vieilles vignes de merlot plantées sur un terroir argilo-siliceux légèrement calcaire. Son 99, d'une teinte pourpre intense, exhale des parfums de fruits très mûrs, presque confiturés, de vanille et de toasté. Ses tanins, fermes et puissants, évoluent avec beaucoup de fraîcheur et de délicatesse, même si la présence du boisé est aujourd'hui importante. Une bouteille d'avenir, à apprécier dans deux à cinq ans. Quant au **Château Bouquet de Violette 99 (23 à 30 €)**, également 100 % merlot et tout aussi marqué par la barrique, il obtient une citation.

➥ Jean-Jacques Chollet, La Chapelle, 50210 Camprond, tél. 02.33.45.19.61, fax 02.33.45.35.54 ☑ 𝐘 r.-v.

Saint-émilion et saint-émilion grand cru

Étalé sur les pentes d'une colline dominant la vallée de la Dordogne, Saint-Emilion (3 300 habitants) est une petite ville viticole charmante et paisible. Mais c'est aussi une cité chargée d'histoire. Etape sur le chemin de Saint-Jacques-de-Compostelle, ville forte pendant la guerre de Cent Ans et refuge des députés girondins proscrits sous la Convention, elle possède de nombreux vestiges évoquant son passé. La légende fait remonter le vignoble à l'époque romaine et attribue sa plantation à des légionnaires. Mais il semble que son véritable début, du moins sur une certaine surface, se situe au XIIIᵉ s. Quoi qu'il en soit, Saint-Emilion est aujourd'hui le centre de l'un des plus célèbres vignobles du monde. Celui-ci, réparti sur neuf communes, comporte une riche gamme de sols. Tout autour de la ville, le plateau calcaire et la côte argilo-calcaire (d'où proviennent de nombreux crus classés) donnent des vins d'une belle couleur, corsés et charpentés. Aux confins de Pomerol, les graves produisent des vins qui se remarquent par leur très grande finesse (cette région possédant aussi de nombreux grands crus). Mais l'essentiel de l'appellation saint-émilion est représenté par les terrains d'alluvions sableuses, descendant vers la Dordogne, qui produisent de bons vins. Pour les cépages, on note une nette domination du merlot, que complètent le cabernet franc, appelé bouchet dans cette région, et, dans une moindre mesure, le cabernet-sauvignon.

L'une des originalités de la région de Saint-Emilion est son classement. Assez récent (il ne date que de 1955), il est régulièrement et systématiquement revu (la première révision a eu lieu en 1958, la dernière en 1996). L'appellation saint-émilion peut être revendiquée par tous les vins produits sur la commune et sur huit autres communes l'entourant. La seconde appellation, saint-émilion grand cru, ne correspond donc pas à un terroir défini, mais à une sélection de vins, devant satisfaire à des critères qualitatifs plus exigeants, attestés par la dégustation. Les vins doivent subir une seconde dégustation avant la mise en bouteilles. C'est parmi les saint-émilion grand cru que sont choisis les châteaux qui font l'objet d'un classement. En 1986, 74 ont été classés, dont 11 premiers grands crus. Dans le classement de 1996, 68 ont été classés dont 13 en premiers crus. Ceux-ci se répartissent en deux groupes : A pour deux d'entre eux (Ausone et Cheval Blanc) et B pour les onze autres. Il faut signaler que l'Union des producteurs de Saint-Emilion est sans nul doute la plus importante cave coopérative française située dans une zone de grande appellation. En 2001, l'AOC saint-émilion a produit 96 533 hl et saint-émilion grand cru 164 473 hl.

La dégustation Hachette n'a pas été globale au sein de l'appellation saint-émilion grand cru. Une commission a sélectionné les saint-émilion grand cru classé (sans distinction des premiers) ; une autre commission a dégusté les saint-émilion grand cru. Les étoiles correspondent donc à ces deux critères.

Saint-émilion

CH. BARRAIL-DESTIEU
Elevé en fût de chêne 1999

	1,17 ha	6 000	▮⑪⌄	8 à 11 €

Petit vignoble sur sols argileux à l'est de l'appellation, planté aux trois quarts de merlot avec un quart de cabernet franc. Ce vin, floral et fruité, a une jolie couleur aux reflets rubis. Suave et bien équilibré, jouant davantage sur la finesse que sur la puissance, il pourra se boire assez rapidement, par exemple avec une lamproie à la bordelaise.
⌐ GAEC Bernard et Gilles Verger,
4, chem. de Beauséjour,
33350 Saint-Magne-de-Castillon,
tél. 05.57.40.13.14, fax 05.57.40.34.06 ☑ ⵎ r.-v.

CH. BELLE ASSISE COUREAU 1999★

	10 ha	n.c.	▮⌄	5 à 8 €

Comme son nom l'indique, ce cru est une belle propriété viticole appartenant à la famille Brun. Ce 99, à la robe discrète, offre un bouquet concentré sur les fruits rouges et le cuir. Souple en bouche, avec une saveur épicée et des tanins mûrs en finale, il pourra être apprécié assez rapidement.

⌐ SCEA Vignobles Yvan Brun,
Ch. Belle-Assise, Coureau,
33330 Saint-Sulpice-de-Faleyrens,
tél. 05.57.24.61.62, fax 05.57.24.68.82
ⵎ t.l.j. sf dim. 9h-17h; sam. 8h-12h30 14h-18h

CH. BELLECOMBE
Vieilli en barrique de chêne 1999

	0,8 ha	3 500	▮⑪⌄	5 à 8 €

Un cru confidentiel (moins d'un hectare) installé à Vignonet sur des sables mêlés de crasse de fer, et planté de vieux merlot avec un appoint de 10 % en cabernet franc. Agréablement paré d'une robe rubis, sombre et brillante, ce 99 s'exprime sur des arômes de fruits rouges avec une dominante de griotte et des nuances animales et boisées assez fines. La bouche, d'abord souple et ronde, développe une belle structure tannique, encore un peu ferme aujourd'hui, mais prometteuse.
⌐ Jean-Marc Carteyron, 43, rue de Vincennes,
33000 Bordeaux, tél. 06.82.84.84.63, fax 05.56.96.49.56
☑ ⵎ r.-v.

CH. BERTINAT LARTIGUE 1999

	3 ha	20 000	▮⑪⌄	8 à 11 €

Ces viticulteurs-œnologues poursuivent une longue tradition familiale en exploitant une vingtaine d'hectares de vignes, dont trois sont consacrés à ce cru. Le vin se pare d'une robe grenat profond. Le nez commence à s'ouvrir sur des senteurs de fruits rouges (griotte) et d'aromates (menthe, eucalyptus) qui lui donnent un caractère original. La bouche, souple et fine, est bien dans son millésime.

La région de Saint-Émilion

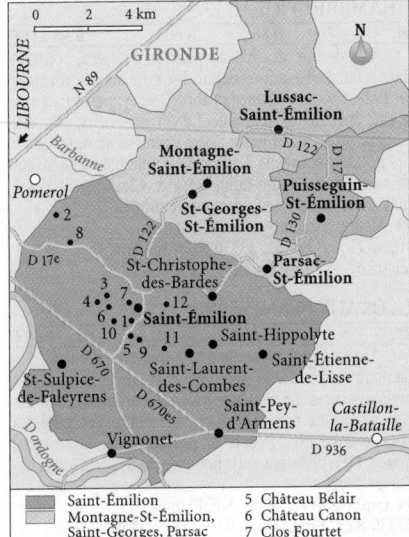

▨ Saint-Émilion	5	Château Bélair
▨ Montagne-St-Émilion, Saint-Georges, Parsac	6	Château Canon
	7	Clos Fourtet
▨ Puisseguin-St-Émilion	8	Château Figeac
▨ Lussac-Saint-Émilion	9	Château la Gaffelière
1 Château Ausone	10	Château Magdelaine
2 Château Cheval-Blanc	11	Château Pavie
3 Ch. Beauséjour-Bécot	12	Château Trottevieille
4 Ch. Beauséjour-Duffau		

☛ Richard et Danielle Dubois,
Lieu-dit Lartigue, 33330 Saint-Sulpice-de-Faleyrens,
tél. 05.57.24.72.75, fax 05.57.74.45.43,
e-mail dubricru@aol.com ☑ ⟐ r.-v.

CH. BOIS GROULEY 1999★

◾	5,8 ha	10 000	⑪ 8 à 11 €

Jolie propriété familiale sur les sols sablo-graveleux du sud-ouest de l'appellation. Assemblant 70 % de merlot, 20 % de bouchet et 10 % de cabernet-sauvignon, ce 99 d'une belle teinte grenat sombre est très bien fait. Le nez déjà expressif laisse percevoir des senteurs de noyau, de fruits cuits, de vieux cuir. La bouche souple et pleine, finissant sur des tanins veloutés, révèle un bon équilibre raisin-barrique. Ce vin est conseillé sur viandes rouges et gibiers.
☛ Raymonde Lusseau, 276, Bois Grouley,
33330 Saint-Sulpice-de-Faleyrens, tél. 05.57.24.74.03,
fax 05.57.74.46.09 ☑ ⟐ r.-v.

CH. LA CAZE BELLEVUE 1999★

◾	10 ha	45 000	▮⑪⬇ 5 à 8 €

Depuis 1978, Philippe Faure exploite un important vignoble à Saint-Sulpice-de-Faleyrens, au sud-ouest de l'appellation. Il consacre 10 ha à ce cru situé au lieu-dit « Lacaze », sur des sols bruns graveleux, complantés à 80 % de merlot et à 20 % de cabernet franc. Cela donne une belle couleur cerise burlat, un nez fin et racé, aux notes de fruits cuits, au boisé discret et vanillé. Structuré par des tanins encore un peu virils, ce joli saint-émilion, à attendre un peu, accompagnera une pièce de bœuf.
☛ Philippe Faure, 7, rue de la Cité,
33330 Saint-Sulpice-de-Faleyrens,
tél. 05.57.74.41.85, fax 05.57.74.42.39,
e-mail vignobles.philippe.faure@wanadoo.fr ☑ ⟐ r.-v.

CHAMBRET-FIGEAC 1999

◾	0,88 ha	6 600	▮ 8 à 11 €

Pas de titre de château pour ce petit cru, pourtant dans la famille Chambret depuis 1868. La marque fut créée en 1928, époque à laquelle l'abbé Bergey, personnage de la cité, était ami de la famille. Le vin est sérieux, avec une couleur profonde et jeune ; déjà expressif au nez, il offre des notes de sous-bois. La bouche équilibrée a une saveur de raisins mûrs et des tanins soyeux. Classique dans son millésime, une bouteille à attendre un peu.
☛ Alain Chambret,
10, au Grand-Pontet, 33330 Saint-Emilion,
tél. 05.57.24.74.04, fax 05.57.51.44.27 ☑

CLOS AUX PLANTES 1999

◾	0,77 ha	5 000	⑪ 5 à 8 €

Un tout petit vignoble de 77 ares, complanté à 70 % de merlot noir et à 30 % de cabernet-sauvignon, sur sols argilo-calcaires. Le vin a une jolie couleur, avec des reflets d'évolution. Le nez est frais et fin, mentholé et boisé. La bouche aussi est agréable et délicate, avec une touche boisée. Déjà plaisante, cette bouteille pourra être servie dès l'hiver 2002.
☛ Gustave Venat, Clos Aux Plantes,
33330 Saint-Emilion, tél. 05.57.24.78.43 ☑

CLOS LE BREGNET 1999★★

◾	n.c.	10 000	▮ 5 à 8 €

Doté d'un encépagement classique (70 % de merlot, 20 % de cabernet franc et 10 % de cabernet-sauvignon

implantés sur sables et graves), ce clos de 7,30 ha propose une sélection remarquable, avantagée par une robe rubis, profonde et intense. Le nez est fort agréable, avec des arômes de pruneau cuit et de fruits rouges mûrs. Ample et charnue, relevée de bons tanins ronds et veloutés, très harmonieuse et longs en finale, cette superbe bouteille sera à convier au déjeuner dominical entre 2004 et 2006.
☛ EARL vignobles Coureau, Le Brégnet,
33330 Saint-Sulpice-de-Faleyrens,
tél. 05.57.24.76.43, fax 05.57.24.76.43
☑ ⟐ t.l.j. sf dim. 8h30-12h 13h-18h30

CH. LA CROIX FOURCHE MALLARD
Mathilde 1999★

◾	2,5 ha	14 000	⑪ 8 à 11 €

Composé uniquement de merlot planté sur sables et graves, ce vin possède une belle couleur rubis, sombre et intense. Le bouquet élégant marie les arômes de fruits rouges mûrs à un joli boisé fin. La structure équilibrée révèle une bonne harmonie entre les tanins du bois et ceux du raisin. Une bouteille sympathique, à ouvrir dans deux à trois ans.
☛ Danielle Mallard, Ch. Naudonnet-Plaisance,
33760 Escoussans,
tél. 05.56.23.93.04, fax 05.57.34.40.78,
e-mail l.mallard@wanadoo.fr ☑ ⟐ r.-v.

LE «D» DE DASSAULT 1999

◾	9,06 ha	45 000	⑪ 15 à 23 €

Composé de quatre cinquièmes de merlot pour un cinquième de cabernet franc, ce 99 se présente en jolie robe rubis, vive et brillante. Le nez évoque les petits fruits rouges, avec quelques nuances épicées et animales. Après une attaque souple et douce, la bouche révèle une belle structure tannique, équilibrée et longue, et des arômes de fruits persistants. Une bouteille intéressante, à conserver deux à trois ans en cave.
☛ SARL Ch. Dassault, 33330 Saint-Emilion,
tél. 05.57.55.10.00, fax 05.57.55.10.01,
e-mail lbo@chateaudassault.com ☑ ⟐ r.-v.

DOURTHE
La Grande Cuvée 1999★

◾	n.c.	n.c.	⑪ 8 à 11 €

Cette marque créée en 1995 par la maison Dourthe, négociant réputé de Bordeaux, observe un cahier des charges très contraignant, tant pour le choix des raisins que pour l'élevage dans un chai de deux mille cinq cents barriques neuves remplacées chaque année. Du chêne français pour cette Grande Cuvée parée d'une belle couleur bordeaux classique. Le bouquet naissant exprime des senteurs de sous-bois, avec une touche animale. Un bon volume accompagne en bouche une saveur fruitée, discrètement boisée, finissant sur des tanins qui demandent à se fondre un peu. Un saint-émilion typique, bien dans son millésime.
☛ Dourthe, 35, rue de Bordeaux, 33290 Parempuyre,
tél. 05.56.35.53.00, fax 05.56.35.53.29,
e-mail contact@cvbg.com ☑ ⟐ r.-v.

CH. GRAND BERT 1999★

◾	3 ha	22 000	▮⑪ 5 à 8 €

Vignerons depuis six générations dans les Côtes de Castillon et le Saint-Emilionnais, les Lavigne conduisent un domaine de 11 ha. Elevé moitié en cuve, moitié en barrique, pendant dix-huit mois, ce 99 porte une belle robe rubis franc. Fin et fruité, avec une touche grillée, vanillée, il offre un bon volume, une saveur de fruits confits, un boisé fin. Les tanins, encore frais et persistants, laissent augurer une bonne garde.

🐓 SCEA Lavigne, Tuillac,
33350 Saint-Philippe-d'Aiguilhe,
tél. 05.57.40.60.09, fax 05.57.40.66.67 ☑ ⵠ r.-v.

HAUT-RENAISSANCE 1999★

▪	1 ha	6 666	⫿ 8 à 11 €

Toujours présent dans notre Guide depuis le millésime 88, ce cru fait vraiment preuve d'une remarquable régularité dans la qualité de ses produits. Constitué uniquement de vieux merlot cultivé sur des sols argilo-calcaires, le 99 a bénéficié d'un très bel élevage en fût de chêne, dans un chai à barriques datant du XVIIes. Doté d'une très belle robe rubis, sombre et intense, il exhale un bouquet élégant marqué par des arômes grillés de torréfaction, d'épices et de vanille, sur un joli fruité bien mûr. La bouche, corsée et souple, est bien équilibrée et charnue, avec une bonne structure de garde.

🐓 SCEA des Vignobles Denis Barraud,
Haut-Renaissance, 33330 Saint-Sulpice-de-Faleyrens,
tél. 05.57.84.54.73, fax 05.57.84.52.07,
e-mail denis-barraud@wanadoo.fr ☑ ⵠ r.-v.

KRESSMANN
Grande Réserve 1999

▪	n.c.	n.c.	▮◖ 5 à 8 €

Issu d'un assemblage comptant 70 % de merlot pour 30 % de cabernets, cette cuvée est élevée et mise en bouteilles par la société de négoce bordelaise Kressmann à hauteur de quatre vingt mille cols. De couleur rubis, vive et limpide, le 99 est encore assez discret au nez, où seuls percent quelques arômes de fruits rouges frais. Il est souple et fruité, avec une bonne fraîcheur acidulée qui lui permettra de se garder deux à trois ans.

🐓 Kressmann, 35, rue de Bordeaux,
33290 Parempuyre, tél. 05.56.35.53.00,
fax 05.56.35.53.29, e-mail contact@cvbg.com ☑ ⵠ r.-v.

CH. LAGARDE BELLEVUE
Vieilli en fût de chêne 1999

▪	1,2 ha	6 600	⫿ 5 à 8 €

En 1994, la famille Bouvier a acheté la jolie propriété viticole dont une parcelle de 1,2 ha, sur sables profonds et graves, produit ce Lagarde Bellevue. Assemblant 80 % de merlot à 20 % de cabernet franc, il est d'une jolie couleur. Encore dominé par les notes boisées, il doit être aéré pour libérer ses arômes de fruits noirs. A attendre un à deux ans.

🐓 SARL SOVIFA, 36 A, rue de la Dordogne,
33330 Saint-Sulpice-de-Faleyrens,
tél. 05.57.24.68.83, fax 05.57.24.63.12 ☑ ⵠ r.-v.
🐓 Richard Bouvier

CH. LES MAURINS 1999

▪	3,5 ha	4 000	▮◖ 5 à 8 €

Ce petit cru, exploité par Chantal Pargade avec l'aide de son fils Ludovic, est installé sur des sols siliceux à substrat de calcaire. Il est composé de deux tiers de merlot et d'un tiers de cabernets. D'un beau rouge rubis, vif et brillant, il exhale des arômes de fruits rouges et noirs mêlés de notes épicées. La bouche est souple et ronde, très fruitée, et bien équilibrée : cela donne un vin très « nature », bien sur le fruit.

🐓 Chantal Pargade, 172, Les Maurins,
33330 Saint-Sulpice-de-Faleyrens,
tél. 05.57.24.62.84, fax 05.57.24.62.84,
e-mail ludovic.pargade@free.fr ☑ ⵠ r.-v.

CH. MOULIN DE LAGNET 1999

▪	5 ha	18 000	▮ 5 à 8 €

Cette propriété familiale de 7 ha de vignes est installée sur les sols argilo-sablonneux de la commune de Saint-Christophe-des-Bardes, avec quatre cinquièmes de merlot et un cinquième de cabernets. Dans une belle robe rubis, chatoyante, ce 99 au bouquet naissant, encore discret, évoque les petits fruits rouges et devrait s'ouvrir rapidement. La bouche est simple et équilibrée, avec un joli fruité qui rend ce vin agréable à boire dès maintenant.

🐓 Anne-Lise Goujon et Pierre Chatenet, Moulin de Lagnet, 33330 Saint-Christophe-des-Bardes,
tél. 05.57.74.40.06, fax 05.57.24.62.80,
e-mail pierre.chatenet@wanadoo.fr ☑ ⵠ r.-v.
🐓 GFA des héritiers Olivet

MOULIN DE SARPE 1999

▪	3,86 ha	26 000	⫿ 11 à 15 €

Encore un des nombreux crus de la maison Joseph Janoueix, figure emblématique du négoce libournais d'origine corrézienne. Celui-ci, de 3,86 ha, est rattaché aux 21 ha du château Haut-Sarpe à Saint-Christophe-des-Bardes, au nord de l'appellation. La vigne est dominée par un moulin, répertorié par l'Association des moulins de France, qui a été construit en 1732. Le vin est intéressant par son nez évoquant à la fois les fruits noirs et des notes animales, plus une touche de bois réglissé. L'attaque est souple et chaleureuse, alors que les tanins encore austères demandent à se fondre à la garde.

🐓 Sté d'Exploitation du Ch. Haut-Sarpe,
BP 192, 33506 Libourne Cedex,
tél. 05.57.51.41.86, fax 05.57.51.53.16,
e-mail info@j-janoueix-bordeaux.com ☑ ⵠ r.-v.

CH. PEREY-GROULEY 1999

▪	4,35 ha	30 000	▮⫿◖ 8 à 11 €

Créé en 1880, ce domaine familial est dirigé depuis 1989 par Alain et Florence Xans. Plantés sur des sols sablo-graveleux au sud de l'appellation, 90 % de merlot complétés par les deux cabernets à parts égales donnent dans ce millésime un vin de couleur rubis, intense et profonde. Le bouquet, puissant, mêle les fruits rouges à des notes animales de cuir. L'attaque vive et fraîche laisse place à une structure ferme et nerveuse qui demandera un peu de temps pour s'assouplir.

🐓 Vignobles Florence et Alain Xans,
Ch. la Fleur-Perey, 33330 Saint-Sulpice-de-Faleyrens,
tél. 06.80.72.84.87, fax 05.07.24.63.61 ☑ ⵠ r.-v.

PETIT CORBIN-DESPAGNE 1999★

▪	3,5 ha	18 000	▮◖ 8 à 11 €

Jusqu'en 1997, il n'y avait que le Château Grand Corbin-Despagne. Depuis, on peut trouver un second vin, sans mention de château. D'une teinte encore jeune, avec un bouquet très expressif, très épicé, presque poivré, aux notes de fruits rouges, il affiche un bon volume, de la mâche et des tanins serrés. Harmonieux, il montre une belle concentration pour le millésime.

⌐ SCEV Consorts Despagne,
Ch. Grand Corbin-Despagne, 33330 Saint-Emilion,
tél. 05.57.51.08.38, fax 05.57.51.29.18,
e-mail f-despagne@grand-corbin-despagne.com
☑ ☓ r.-v.

CH. LA POINTE CHANTECAILLE 1999

| ■ | 1,2 ha | 7 300 | ⑪ 11 à 15 € |

Ce tout petit cru est installé à la limide de l'appellation pomerol, sur des graves siliceuses, mêlées d'argile et de crasse de fer. Appartenant à la même famille depuis 1848, il compte aujourd'hui 80 % de merlot pour 20 % de cabernet franc. Cela donne un vin à la robe rubis, légère, avec des arômes de fruits mûrs et des notes de bonbon au caramel. La bouche, souple et fine, sans grande puissance mais très plaisante, offre des tanins doux et faciles. Une bouteille agréable et prête à boire.
⌐ Propriété P. Estager, 55, rue des
Quatre-Frères-Robert, 33500 Libourne,
tél. 05.57.51.06.97, fax 05.57.25.90.01,
e-mail vignoblesestager@aol.com ☑ ☓ r.-v.

CH. RASTOUILLET LESCURE 1999

| ■ | 8,23 ha | 52 400 | ▮◆ 8 à 11 € |

Issu de sols argilo-siliceux et siliceux, ce vin assemble 77 % de merlot, 16 % de cabernet franc et 7 % de cabernet-sauvignon. D'une belle couleur rubis, vive et brillante, il développe un joli bouquet fruité et frais. La bouche, souple et charnue en attaque, évolue sur une bonne structure tannique qui permettra une garde de deux à trois ans.
⌐ Union des producteurs de Saint-Emilion,
Haut-Gravet, BP 27, 33330 Saint-Emilion,
tél. 05.57.24.70.71, fax 05.57.24.65.18,
e-mail udp-vins.saint-emilion@gofornet.com
☓ t.l.j. sf dim. 8h-12h 14h-18h
⌐ Geneviève Dumery

LA GARENNE DE RIPEAU 1999

| ■ | 1,5 ha | 10 000 | ▮◆ 8 à 11 € |

Première édition du second vin du château Ripeau, exploité par Françoise de Wilde, fondatrice des « Aliénor » (une association de viticultrices). Celui-ci, élaboré à parité entre merlot et cabernet-sauvignon, se pare d'une robe rouge intense, frangée de reflets tuilés. Le bouquet, déjà expressif et fin, s'ouvre sur les fruits mûrs, la menthe et le cuir. Souple et délicat, déjà agréable, ce vin pourra être bu assez prochainement.
⌐ Françoise de Wilde, Ch. Ripeau,
33330 Saint-Emilion,
tél. 05.57.74.41.41, fax 05.57.74.41.57,
e-mail chat.ripeau@wanadoo.fr ☑ ☓ r.-v.

CH. DE SARPE 1999★★

| ■ | 2,1 ha | 14 000 | ⑪ 11 à 15 € |

Sur les nombreux vignobles que Jean-François Janoueix exploite dans le grand Libournais, 2,1 ha sont consacrés à ce cru installé sur le plateau calcaire. Assemblant 60 % de merlot et 40 % de bouchet, il a produit un vin remarquable pour l'appellation. La couleur, d'un pourpre soutenu, offre quelques nuances d'évolution. Le bouquet déjà complexe, aux senteurs de vanille, de cannelle, de prune cuite avec un boisé bien marié au fruit, annonce un palais ample et chaleureux, finissant sur de beaux tanins. Beaucoup de charme.

⌐ Jean-François Janoueix, 37, rue Pline-Parmentier,
BP 192, 33506 Libourne Cedex, tél. 05.57.51.41.86,
fax 05.57.51.53.16,
e-mail info@j-janoueix-bordeaux.com ☑ ☓ r.-v.

DOM. DU SEME 1999★★

| ■ | 1,44 ha | 5 000 | ▮⑪◆ 8 à 11 € |

Ce petit cru à la production confidentielle a été acquis en 1995 par Gilles et Brigitte Mérias, déjà présents en montagne et lussac-saint-émilion. Issu uniquement de merlot, leur vin a une belle robe rubis, soutenue et limpide. Le bouquet, très expressif, est aujourd'hui dominé par des arômes toastés et vanillés qui masquent un peu les notes de fruits mûrs. La bouche est, elle, plus fruitée, avec une matière tannique équilibrée, beaucoup de volume et de longueur. Une très bonne bouteille, à garder de trois à quatre ans.
⌐ SCEA du Moulin Blanc, Le Moulin Blanc,
33570 Lussac-Saint-Emilion,
tél. 05.57.74.50.27, fax 05.57.74.58.88,
e-mail lemoulinblanc@wanadoo.fr ☑ ☓ r.-v.
⌐ Brigitte Mérias

CH. TOINET-FOMBRAUGE 1999

| ■ | 6,05 ha | 4 000 | ▮⑪ 8 à 11 € |

Achetée il y a plus d'un siècle au château de Fombrauge, cette petite propriété familiale se situe sur les sols argilo-calcaires de Saint-Christophe-des-Bardes. Son 99 est issu d'un assemblage de 80 % de merlot pour 20 % de cabernet franc. Paré d'une superbe robe rubis à nuances violines, il se révèle encore très jeune au nez, avec des arômes de petits fruits rouges acidulés. La bouche fruitée, souple et corsée, avec une finale encore un peu sévère, demandera aux amateurs deux à trois ans de patience.
⌐ Bernard Sierra, Ch. Toinet-Fombrauge,
33330 Saint-Christophe-des-Bardes, tél. 05.57.24.77.70,
fax 05.57.24.76.49 ☑ ⌂ ☓ t.l.j. 10h-12h 15h-19h

CH. TOUR BELLEGRAVE 1999

| ■ | 1 ha | 6 000 | 5 à 8 € |

Installé sur des sables avec une majorité de merlot et un appoint de 10 % de cabernet franc, ce petit cru propose un 99 équilibré, à la jolie robe rubis, brillante. Encore un peu fermés, les parfums évoquent les fruits mûrs avec des notes épicées et animales. Souple et rond, le palais repose sur des tanins agréables mais peu persistants. A servir dès à présent.
⌐ SCEA des Vignobles J.-P. Arnaud et Fils,
76, Nerlande, 33350 Sainte-Terre,
tél. 05.57.84.61.58, fax 05.57.74.91.32 ☑ ☓ r.-v.

CH. VACHON
Cuvée Prestige 1999

| ■ | n.c. | 8 000 | ▮⑪ 8 à 11 € |

La famille Bareige, venue du négoce, exploite plusieurs petits vignobles en pomerol, montagne et saint-émilion. Ici nous sommes sur la bordure nord de l'appellation, plantée à 80 % de merlot et à 20 % de cabernets. Le vin se pare d'une robe grenat sombre. Le bouquet naissant demande un peu d'agitation pour exprimer des notes fruitées (cerise, pruneaux) et des nuances animales. La bouche, souple et charmante, évolue sur des tanins soyeux qui permettront d'ouvrir cette bouteille d'ici deux ans.
⌐ E. Bareige, Ch. Vachon, 33330 Saint-Emilion,
tél. 05.57.24.71.88, fax 05.57.24.60.33 ☑ ☓ r.-v.

CH. LES VIEUX MAURINS
Cuvée Prestige Vieilli en fût de chêne 1999★

■	1,5 ha	7 800	⑪ 11 à 15 €

Présent depuis 1984 sur un terroir de 8 ha, Michel Goudal obtint un coup de cœur l'an dernier pour cette cuvée Prestige, millésime 98, issue de vieux merlot et soigneusement élevée quinze mois en fût de chêne. Sans démériter et bien présenté dans une robe rubis, sombre et profonde, le 99 révèle déjà des arômes de bon bois grillé sur des notes de fruits mûrs. Ample et puissant, constant sur une structure tannique certes un peu ferme, mais garante d'une bonne garde, ce vin ne devra être servi qu'après 2004. La cuvée principale **Les Vieux Maurins 99 (8 à 11 €)** obtient une citation. Elle n'a pas connu le chêne, et sa belle matière, qui persiste en finale, présage également un bon avenir.

☛ Michel et Jocelyne Goudal, Les Vieux-Maurins, 33330 Saint-Sulpice-de-Faleyrens,
tél. 05.57.24.62.96, fax 05.57.24.65.03,
e-mail les-vieux-maurins@wanadoo.fr ☑ ⵏ r.-v.

Saint-émilion grand cru

LE CARILLON DE L'ANGELUS 1999★

■	3 ha	50 000	⑪ 30 à 38 €

Issu de 3 ha non classés et du vin non retenu pour l'élaboration du premier grand cru classé, voici le second vin de l'Angelus, élevé quinze mois en barrique d'un an. Son terroir est varié : sable, calcaire, argile. L'assemblage est pratiquement à parité entre le merlot et les cabernets. D'une couleur rubis intense, ce 99 offre une belle harmonie olfactive, mariant les fruits rouges, les cerises noires à un boisé finement toasté. La bouche est déjà très plaisante, avec de jolies rondeurs et des tanins soyeux qui permettront de le boire pendant cinq ans sur des viandes blanches ou des fromages doux.

☛ SA Ch. Angelus, 33330 Saint-Emilion,
tél. 05.57.24.71.39, fax 05.57.24.68.56,
e-mail chateau-angelus@chateau-angelus.com
☑ ⵏ r.-v.
☛ De Bouard

CH. DE L'ANNONCIATION 1999

■	4 ha	22 000	▮⑪♦ 8 à 11 €

Ce petit cru est installé sur des sols sableux : 80 % de merlot, 15 % de cabernet franc et 5 % de cabernet-sauvignon entrent dans l'assemblage. D'une belle couleur bordeaux présentant un début d'évolution, ce 99 évoque au nez les fruits rouges cuits et confits, nuancés de cacao et de vanille. Equilibré par une bonne structure, beaucoup de fruit et un boisé bien dosé, il offre une finale un peu ferme, demandant quelques années de patience aux amateurs.

☛ SCEA du Ch. de l'Annonciation,
Lieu-dit les Cabanes-Nord, 33330 Saint-Emilion,
tél. 05.57.51.76.88, fax 05.57.49.48.33 ☑ ⵏ r.-v.
☛ GFA des vignobles Callégarin

CH. AUSONE 1999★★

■ 1er gd cru clas. A 7,3 ha	24 000	⑪ + de 76 €
61 64 75 76 78 79 80 81 ⑧ 83 85 86 88 Ⅰ⑧⑨Ⅰ Ⅰ⑨⓪Ⅰ 92 93 Ⅰ⑨④Ⅰ ⑨⑥ **97** ⑨⑧ **99**		

On est ici parmi les plus anciens crus de Saint-Emilion, même si le château ne date que du XIXᵉ s. et s'il n'est pas historiquement prouvé qu'Ausone, poète latin du IVᵉ s., possédait sur ces terres une *villa*. Alain Vauthier, son heureux propriétaire, s'intéresse aux divers modes de culture : il s'essaye autant à la production intégrée qu'à l'agriculture biologique, sans exclure la biodynamie. Associant merlot noir et cabernet franc à parts égales, son 99 est parfait – malgré un millésime difficile. Dès le premier regard on tombe sous le charme, tant la couleur bordeaux est sombre, presque noire. Le nez a la violence de la jeunesse : fruits noirs, noisette, amande, notes animales et épicées. Autant d'arômes précurseurs d'un grand bouquet. Puis le vin se révèle très savoureux, le bois respectant le fruit et l'élégance. Ses tanins denses lui permettront de braver le temps. Tout est en place.

☛ Famille Vauthier, Ch. Ausone, 33330 Saint-Emilion,
tél. 05.57.24.70.26, fax 05.57.74.47.39

CH. BALESTARD LA TONNELLE 1999

■ Gd cru clas.	10,35 ha	57 000	▮⑪♦ 15 à 23 €
⑧③ 85 86 Ⅰ88Ⅰ Ⅰ89Ⅰ Ⅰ90Ⅰ Ⅰ94Ⅰ Ⅰ95Ⅰ Ⅰ96Ⅰ 99			

Balestard était un chanoine du chapitre de Saint-Emilion ; la Tonnelle est une très ancienne tour située au cœur des vignes ; voici pour le nom de ce cru, connu depuis le XVᵉs. Aujourd'hui, le vin, né de 70 % de merlot, porte une robe sombre à reflets d'évolution sur les bords. Les senteurs de vanille et de tabac blond se révèlent fines. Après l'ampleur de l'attaque, la bouche se montre réservée : les tanins soyeux conseillent d'attendre deux ou trois ans ce vin typique du millésime.

☛ SCEA Capdemourlin,
Ch. Roudier, 33570 Montagne,
tél. 05.57.74.62.06, fax 05.57.74.59.34,
e-mail info@vignoblescapdemourlin.com ☑ ⵏ r.-v.

LE VALLON DE BARDE-HAUT 1999

■	7,25 ha	38 000	⑪ 15 à 23 €

Second vin du château Barde-Haut, produit sur les sols argilo-calcaires de Saint-Christophe-des-Bardes, au nord-est de l'appellation. Le merlot noir domine à 90 %. Ce 99 a une jolie robe pourpre brillant. Après aération, on perçoit du fruit rouge (cerise) et des notes toastées. L'attaque fraîche est suivie d'un bon volume, équilibré par d'élégants tanins de merrain ; à attendre un peu avant de l'apprécier sur des viandes rouges et des gibiers.

⌐ SC Ch. Barde-Haut,
33330 Saint-Christophe-des-Bardes,
tél. 05.56.64.05.22, fax 05.56.64.06.98,
e-mail haut.bergey@wanadoo.fr ☑ ⊺ r.-v.
⌐ S. Garcin-Cathiard

CH. DU BARRY 1999★

■	8 ha	48 000	⊞ 15 à 23 €

89 |90| 91 92 |93| **95 98** 99

Daniel Mouty, président régional des Vignerons indépendants, exploite 47 ha en Libournais. Huit sont consacrés à ce cru qui lui vient de son grand-père et qu'il exploite maintenant avec sa fille Sabine. Le 98 avait décroché un coup de cœur. Le 99, d'une couleur rubis vive à reflets sombres, ne démérite pas. A l'agitation il s'ouvre sur des odeurs de fruits cuits, puis le boisé arrive vite, accompagné de notes de tabac et de torréfaction. La très bonne impression en bouche, à la fois chaleureuse et ample, avec une saveur de raisins mûrs, soutenue par des tanins de merrain soyeux, témoigne d'une vinification réussie.
⌐ SCEA Vignobles Daniel Mouty,
Ch. du Barry, BP 5, 33350 Sainte-Terre,
tél. 05.57.84.55.88, fax 05.57.74.92.99
☑ ⊺ t.l.j. sf sam. dim. 9h-13h 14h-17h30; ven. 15h

CH. BEAU-MAYNE 1999

■	2,5 ha	13 000	▤ ⊞ ↓ 23 à 30 €

Petit vignoble argilo-siliceux sur crasse de fer, acheté en 1965 et situé en pied de côte exposé au sud-ouest. Assemblant 80 % de merlot et 20 % de cabernet franc, ce millésime d'un joli rubis à reflets pourpres s'exprime par une succession intéressante de fruits rouges, de bois toasté, de menthe et d'eucalyptus. Après une attaque ample et soyeuse, les tanins se révèlent fins et respectent le terroir qui apporte quelques notes minérales. Il s'appréciera sur des viandes blanches rôties et des fromages doux.
⌐ SCEV Joinaud-Borde,
10, rue Guadet, 33330 Saint-Emilion,
tél. 05.57.24.70.66, fax 05.57.24.62.51 ⊺ r.-v.

CH. BEAUSEJOUR 1999

■ 1er gd cru clas. B	6,06 ha	12 968	⊞ 46 à 76 €

75 79 81 |82| |83| 85 86 |(88)| |89| |(90)| |92| |93| |94| **95 96** 97 99

Ravissante demeure appartenant depuis plus de cent cinquante ans à la même famille et jouissant d'un superbe terroir argilo-calcaire, Beauséjour assemble 75 % de merlot à 25 % de cabernet franc élevés quatorze mois dans les caves creusées dans la belle pierre de Saint-Emilion. Ce millésime à la robe rubis brillant offre des parfums discrets, jouant sur une trilogie fruitée, florale et boisée. La bouche tire sa révérence sans s'être confiée. Il demande deux à trois ans de garde.
⌐ Héritiers Duffau-Lagarrosse,
Ch. Beauséjour, 33330 Saint-Emilion,
tél. 05.57.24.71.61, fax 05.57.74.48.40 ☑ ⊺ r.-v.

CH. BEAU-SEJOUR BECOT 1999★★

■ 1er gd cru clas. B	16,52 ha	76 000	⊞ 38 à 46 €

75 78 79 81 82 83 85 |(86)| 87 |88| |89| |90| 91 |92| |93| |94| **95 96** |97| 98 **99**

La famille Bécot s'est considérablement investie pour donner ses lettres de noblesse à ce cru. Avec quel succès ! Voyez, dans ce millésime si difficile, comme ses efforts

portent leurs fruits : son vin décroche une fois de plus un coup de cœur. Splendide, la robe bordeaux est encore sombre et jeune. Le bouquet intense et complexe mêle des notes de raisin très mûr, des épices, du fumet, du pruneau, un boisé vanillé et chocolaté. La bouche est dense et savoureuse, construite sur des tanins mûrs, élégants. Une belle harmonie qui satisfera les classiques et les modernes.
⌐ SCEA Beau-Séjour Bécot, 33330 Saint-Emilion,
tél. 05.57.74.46.87, fax 05.57.24.66.88 ⊺ r.-v.
⌐ G. et D. Bécot

CH. BELLEFONT-BELCIER 1999

■	9 ha	24 000	⊞ 15 à 23 €

95 96 |97| 98 99

Ce cru, régulièrement retenu par les jurys dans notre Guide, appartient aujourd'hui à un groupe de partenaires investisseurs. Il associe 70 % de merlot à 30 % de cabernet franc dans ce 99 à la couleur grenat clair. Le nez est encore fruité mais il évolue sur des nuances grillées, réglissées, poivrées. Sympathique, avec une attaque souple et une saveur de fruits rouges, ce vin est charpenté par des tanins pour l'heure un peu carrés, qui demanderont un à deux ans pour s'affiner.
⌐ SC Bellefont-Belcier,
33330 Saint-Laurent-des-Combes,
tél. 05.57.24.72.16, fax 05.57.74.45.06,
e-mail bellefontbelcier@aol.com ⊺ r.-v.

CH. BELLISLE MONDOTTE 1999

■	4,54 ha	20 000	⊞ 15 à 23 €

Installée sur des sols argilo-calcaires très bien exposés en coteau sud et en haut-plateau, cette propriété de 4,5 ha située à Saint-Laurent-des-Combes est plantée à 80 % de merlot pour 20 % de cabernet franc. Elle propose un 99 rouge cerise, éclatant et soutenu, aux parfums encore un peu discrets, mais agréables par leur fruité et une légère fraîcheur réglissée. Equilibré, doté de tanins ronds et fondus, le vin n'est pas très puissant, quoique de bonne tenue et fort plaisant.
⌐ SCEA Héritiers Escure, Grand Pey Lescours,
33330 Saint-Sulpice-de-Faleyrens,
tél. 05.57.51.20.47, fax 05.57.24.67.81 ☑ ⊺ r.-v.

CH. BERLIQUET 1999★

■ Gd cru clas.	8,2 ha	17 000	⊞ 38 à 46 €

88 89 93 94 |95| |96| 97 **98** 99

Beau domaine viticole bénéficiant d'un terroir et d'une exposition privilégiés, au sud-ouest de la cité. Seul un merlot de quarante ans, né sur un terroir argilo-calcaire, entre dans ce millésime. La couleur bordeaux est traversée de reflets rubis. Le fruit s'exprime au nez (notes de groseille

CLASSEMENT 1996 DES GRANDS CRUS DE SAINT-ÉMILION

SAINT-ÉMILION, PREMIERS GRANDS CRUS CLASSÉS

A Château Ausone
     Château Cheval Blanc

B Château Angelus
     Château Beau-Séjour (Bécot)
     Château Beauséjour
        (Duffau-Lagarrosse)

Château Belair
Château Canon
Clos Fourtet
Château Figeac
Château La Gaffelière
Château Magdelaine
Château Pavie
Château Trottevieille

SAINT-ÉMILION, GRANDS CRUS CLASSÉS

Château Balestard La Tonnelle
Château Bellevue
Château Bergat
Château Berliquet
Château Cadet-Bon
Château Cadet-Piola
Château Canon-La Gaffelière
Château Cap de Mourlin
Château Chauvin
Clos des Jacobins
Clos de L'Oratoire
Clos Saint-Martin
Château Corbin
Château Corbin-Michotte
Couvent des Jacobins
Château Curé Bon La Madeleine
Château Dassault
Château Faurie de Souchard
Château Fonplégade
Château Fonroque
Château Franc-Mayne
Château Grand Mayne
Château Grand-Pontet
Château Guadet Saint-Julien
Château Haut-Corbin
Château Haut-Sarpe
Château La Clotte
Château La Clusière
Château La Couspaude

Château La Dominique
Château La Marzelle
Château Laniote
Château Larcis-Ducasse
Château Larmande
Château Laroque
Château Laroze
Château L'Arrosée
Château La Serre
Château La Tour du Pin-Figeac
   (Giraud-Belivier)
Château La Tour du Pin-Figeac
   (Moueix)
Château La Tour-Figeac
Château Le Prieuré
Château Les Grandes Murailles
Château Matras
Château Moulin du Cadet
Château Pavie-Decesse
Château Pavie-Macquin
Château Petit-Faurie-de-Soutard
Château Ripeau
Château Saint-Georges Côte Pavie
Château Soutard
Château Tertre Daugay
Château Troplong-Mondot
Château Villemaurine
Château Yon-Figeac

et de fraise des bois) malgré une barrique encore un peu envahissante. L'attaque chaleureuse et onctueuse laisse place à de jolis arômes de fruits mûrs. Les tanins élégants permettront à cette bouteille d'atteindre l'harmonie parfaite dans quatre à cinq ans. Le second vin, **Les Ailes de Berliquet 99 (15 à 33 €)**, obtient une citation. Mi-merlot, mi-cabernet franc, il repose sur des tanins soyeux, déjà agréables.

↬ Patrick de Lesquen,
Ch. Berliquet, 33330 Saint-Emilion,
tél. 05.57.24.70.48, fax 05.57.24.70.24 ⌇ r.-v.

CH. LA BIENFAISANCE 1999

■	12 ha	65 000	⦀ 11 à 15 €

Composé à 80 % de merlot et à 20 % de cabernet franc ce beau vignoble de 12 ha, est installé sur le plateau argilo-calcaire séparant Saint-Emilion de Saint-Christophe-des-Bardes. D'une couleur rubis, vive et intense, son 99 garde un côté très frais au nez, avec des arômes de fruits rouges, de noyau et de vanille. Équilibré et rond, disposant d'un bon volume et de tanins veloutés bien présents en finale, il gagnera encore en harmonie avec une garde de deux à trois ans.

↬ SA Ch. La Bienfaisance, 39, le Bourg,
33330 Saint-Christophe-des-Bardes,
tél. 05.57.24.65.83, fax 05.57.24.78.26 ☑ ⌇ r.-v.

CH. LA BONNELLE 1999

■	8 ha	60 000	⦀⦀↓ 11 à 15 €
93 94	95	96 97 98 99			

Jolie propriété familiale située sur les argilo-siliceux du sud-est de l'appellation. Assemblant 70 % de merlot, 25 % de cabernet franc et 5 % de cabernet-sauvignon, ce vin a subi un élevage traditionnel de douze mois en barrique. Rouge cerise, il présente quelques reflets d'évolution. Le bouquet naissant demande un peu d'aération pour exprimer des arômes de fruits noirs et des senteurs animales. La saveur est équilibrée entre fruits noirs et boisé discret. On pourra assez rapidement le choisir pour accompagner un coq au vin et des lamproies ou une entrecôte à la bordelaise.

↬ Vignobles Sulzer, La Bonnelle,
33330 Saint-Pey-d'Armens,
tél. 05.57.47.15.12, fax 05.57.47.16.83 ☑ ⌇ r.-v.

CH. BOUTISSE 1999★

■	12 ha	n.c.	⦀ 11 à 15 €
	97	98 99			

Distribué par le négoce, ce cru occupe 12 des 22 ha de l'exploitation, installée sur les coteaux argilo-calcaires de Saint-Christophe-des-Bardes. Avec une majorité de merlot et un appoint de 10 % de cabernet, son 99, superbe dans sa robe rouge rubis éclatante et très soutenue, développe un bouquet frais, aux arômes de fruits rouges et noirs relevés d'un élégant boisé grillé et fumé. La bouche est ronde et charnue, avec une bonne ampleur et des tanins encore un peu fermes en finale, mais prometteurs. Le second vin, **Baron de Boutisse 99 (8 à 11 €)**, est cité. Sa composition (60 % de merlot et 40 % de cabernet) lui permettra d'attendre deux ou trois ans.

↬ SCE des Domaines du Ch. Boutisse,
Ch. Boutisse, 33330 Saint-Christophe-des-Bardes,
tél. 05.57.55.48.90, fax 05.57.84.31.27

↬ Xavier et Gérard Milhade

CH. CADET-BON 1999

■ Gd cru clas.	4,48 ha	29 160	⦀ 30 à 38 €
|90| 92 93 |94| 95 ⊚|97| **98** 99			

Cadet-Bon avait perdu son classement en 1986... et l'a retrouvé en 1996. Son beau terroir argilo-calcaire, planté à 70 % de merlot et à 30 % de cabernet franc a donné dans ce millésime si difficile un vin que l'œil apprécie. Quelques notes fruitées s'annoncent au nez, délicates mais brèves, puis se retrouvent au palais. Équilibré par des tanins fins et un boisé bien dosé, ce 99 demandera deux ou trois ans pour mieux se révéler.

↬ SCEV Ch. Cadet-Bon,
1, Le Cadet, 33330 Saint-Emilion,
tél. 05.57.74.43.20, fax 05.57.24.66.41 ☑ ⌇ r.-v.

CH. CADET-PEYCHEZ 1999

■	1,2 ha	n.c.	▤⦀ 11 à 15 €

Frère de Faurie de Souchard et installé sur des sols argilo-calcaires, ce petit cru adjoint au merlot 20 % de cabernet franc. La robe grenat soutenu de son 99 est encore assez vive. Le bouquet, complexe, associe des arômes de fruits rouges, d'épices et de poivre à des nuances animales et à des notes de fumée. La bouche bien structurée et équilibrée, avec des tanins ronds et souples, offre une bonne tenue en finale.

↬ SAS Françoise Sciard Jabiol,
Ch. Faurie de Souchard, 33330 Saint-Emilion,
tél. 05.57.74.43.80, fax 05.57.74.43.96,
e-mail fauriedesouchard@wanadoo.fr ☑

CH. CADET-PIOLA 1999★

■ Gd cru clas.	6,8 ha	33 000	⦀ 30 à 38 €
86	89		90	93	95		96	99			

Les 7 ha de Cadet-Piola couvrent une des collines argilo-calcaires les plus élevées de Saint-Emilion, à quelques centaines de mètres de la cité. L'encépagement est assez original : 51 % de merlot, 28 % de cabernet-sauvignon, 18 % de cabernet franc et 3 % de malbec. Cela a produit un vin jeune et frais, paré d'une belle couleur rubis, vive et éclatante. Le bouquet est intense, avec beaucoup de fruits rouges, des nuances florales et minérales et un boisé fondu sur des notes de vanille et de cannelle. La bouche, soyeuse et élégante, révèle des tanins vifs et persistants qui rendront rapidement ce 99 prêt à la consommation, mais lui conserveront longtemps sa fraîcheur.

↬ Alain Jabiol,
SCEA du Ch. Cadet-Piola, 33330 Saint-Emilion,
tél. 05.57.74.47.69, fax 05.57.24.68.28,
e-mail info@chateaucadetpiola.com ☑ ⌇ r.-v.

CH. CANON 1999

■ 1er gd cru clas. B	3 ha	12 000	⦀ 46 à 76 €
|89| |90| 96 97 **98** 99			

Depuis 1996, ce 1er cru classé, comme la maison Chanel, appartient à la famille Wertheimer qui a beaucoup investi pour le renouveau du domaine viticole et des chais. Le 99 est le fruit d'une sélection très sévère, de 3 ha sur les 15 que compte le vignoble. Sa teinte bordeaux est traversée de reflets rubis. Le bouquet naissant est déjà complexe : notes florales, fruits noirs (cassis), amande grillée, cannelle, cuir neuf se succèdent et se marient aux notes fraîches de menthe poivrée et de sous-bois. Après une attaque ronde et charmeuse, les tanins du merrain arrivent vite et donnent un caractère un peu austère à la finale. Ils devraient s'assagir d'ici trois à quatre ans.

� SC Ch. Canon, 33330 Saint-Emilion,
tél. 05.57.55.23.45, fax 05.57.24.68.00 ⍓ r.-v.
➤ Wertheimer

CH. CAP DE MOURLIN 1999

■ Gd cru clas.	13,81 ha	69 000	🍴 ⦆ ⚲ 15 à 23 €

⑧② 83 **85 86** 88 |89| |90| 92 93 |94| 96 98 99

Installée à Saint-Emilion depuis près de cinq siècles, la famille Capdemoulin a donné son nom à ce cru classé, situé sur le plateau nord de l'appellation. Le vignoble, composé aux deux tiers de merlot pour un tiers de cabernets, est planté sur des sols tantôt argilo-siliceux, tantôt argilo-calcaires. De couleur grenat, sombre et profonde, ce 99 développe un bouquet plaisant, déclinant des arômes de cerise mûre et confite, associés à un boisé fin et délicat, sur des notes de vanille et de noix de coco. Après une belle attaque séveuse et élégante, la bouche évolue sur une structure tannique riche et persistante, gage d'un bon vieillissement.

➤ SCEA Capdemoulin,
Ch. Roudier, 33570 Montagne,
tél. 05.57.74.62.06, fax 05.57.74.59.34,
e-mail info@vignoblescapdemoulin.com ☑ ⍓ r.-v.

CH. CARTEAU COTES DAUGAY 1999★

■	15 ha	70 000	🍴 ⦆ 11 à 15 €

82 83 86 88 |89| |90| 92 93 |94| |95| |96| |97| 98 99

Ce cru est devenu une valeur sûre de saint-émilion. Son beau 99 de couleur rubis, vive et intense, associe 70 % de merlot à 25 % de cabernet franc et à 5 % de cabernet-sauvignon élevés douze mois en barrique. Le bouquet, plaisant et flatteur, trouve une assise harmonieuse entre les arômes de cerise et autres fruits rouges, et les notes boisées grillées et réglissées. La bouche est bien équilibrée, avec des tanins souples et soyeux qui compensent un petit manque de puissance par beaucoup de finesse et d'élégance.

➤ SCEA Vignobles Jacques Bertrand,
Carteau, 33330 Saint-Emilion,
tél. 05.57.24.73.94, fax 05.57.24.69.07 ☑ ⍓ r.-v.

CH. CHAMPION 1999★

■	7 ha	32 000	🍴 ⦆ 8 à 11 €

93 94 |95| |96| |98| 99

Le château appartient aux Bourrigaud depuis le début du XVIIIᵉˢ. Né au nord de Saint-Emilion sur des terroirs argilo-calcaires, ce 99 est composé à 70 % de merlot, à 15 % de cabernet franc et à 15 % de cabernet-sauvignon. Derrière une jolie robe grenat sombre qui laisse encore percer des reflets violines, le bouquet, complexe et riche, associe harmonieusement les arômes de fruits rouges mûrs aux effluves vanillées et épicées d'un boisé délicat. La bouche corsée et charnue offre beaucoup de volume, et ses tanins fins et élégants sont très longs en finale.

➤ SCEA Bourrigaud et Fils, Ch. Champion,
33330 Saint-Christophe-des-Bardes,
tél. 05.57.74.43.98, fax 05.57.74.41.07,
e-mail info@chateauchampion.com ☑ ⍓ r.-v.

CH. CHAUVIN 1999★

■ Gd cru clas.	13,5 ha	52 000	⦆ 23 à 30 €

82 **85** 86 88 **89** 90 93 |94| |96| 98 99

Béatrice Ondet et Marie-France Février ont hérité de ce vignoble acquis par leurs ancêtres en 1891. Installé sur des sols sablo-graveleux, avec 80 % de merlot et 20 % de

cabernets, ce cru a produit un 99 très réussi, paré d'une belle robe bordeaux, sombre et profonde. Le bouquet, intense et complexe, exprime les fruits bien mûrs, mariés à un boisé fondu et élégant, avec en arrière-plan une note de gibier. Ample, charnu, ce vin charpenté et puissant possède des tanins goûteux et fermes, prometteurs.

➤ SCEA Ch. Chauvin, Les Cabanes-Nord,
BP 67, 33330 Saint-Emilion,
tél. 05.57.24.76.25, fax 05.57.74.41.34,
e-mail chateauchauvinge@aol.com ☑ ⍓ r.-v.
➤ Mmes Ondet et Février

CH. CHEVAL BLANC 1999★★

■ 1er gd cru clas. A	37 ha	100 000	⦆ + de 76 €

61 64 66 69 **70** 71 72 73 74 |75| 76 77 |78| |79| 80|81| |82| 83 85 86 87 **88 89** ⑨⓪|92| |93| 94 95 ⑨⑥ |97| 98 99

L'un des crus les plus intéressants de l'appellation. Et pourtant, le terroir est plutôt pomerolais et l'encépagement plutôt médocain. Mystère de la nature et du savoir-faire des hommes : les conditions de récolte ont valu à ce 99 d'assembler 61 % de merlot, 38 % de cabernet franc et 1 % de cabernet-sauvignon. Après dix-huit mois d'élevage en barrique, la robe pourpre, aux reflets sombres, est superbe. Le bouquet, déjà complexe, offre des nuances de mûre, des notes minérales, épicées et boisées. Fruit, chair, volume s'affirment dès l'attaque. Le corps reste élégant, étoffé par des tanins très mûrs qui assurent une finale épicée et persistante. Une grande richesse d'ensemble, à goûter à partir de 2006 et pendant longtemps.

➤ SC du Cheval Blanc, 33330 Saint-Emilion,
tél. 05.57.55.55.55, fax 05.57.55.55.50 ⍓ r.-v.
➤ B. Arnault, A. Frère

CH. CHEVALIER BLANC 1999

■	1 ha	6 000	⦆ 11 à 15 €

Installée en Saint-Emilionnais depuis 1994, la famille Bouvier réserve à la production de ce vin 1 ha planté à 70 % de merlot et à 30 % de bouchet, sur sables et graves profonds au sud-ouest de l'appellation. La couleur est jeune et vive. Le bouquet, encore timide, s'ouvre à l'agitation sur des fruits rouges mûrs (cerise) et un boisé finement toasté. Après une attaque souple, la bouche évolue sur une structure équilibrée, étayée en finale par des tanins pour l'heure un peu rigides, mais qui pourront évoluer au cours de quatre à cinq ans de garde.

➤ SARL SOVIFA, 36 A, rue de la Dordogne,
33330 Saint-Sulpice-de-Faleyrens,
tél. 05.57.24.68.83, fax 05.57.24.63.12 ☑ ⍓ r.-v.
➤ Richard Bouvier

CH. CLOS DE SARPE 1999★★

■	3,68 ha	9 300	⦆ 46 à 76 €

Petit vignoble familial très soigné, travaillant en agriculture biologique et situé sur des sols argilo-calcaires plantés à 85 % de vieux merlot et à 15 % de bouchet. Vendanges à partir du 1ᵉʳ octobre, tri rigoureux, élevage en barrique neuve : le 99 est choyé et remarquable. Paré d'une belle robe bordeaux foncé à reflets pourpres, il exhale un bouquet déjà complexe, d'abord griotte, noyau, puis merrain élégant. Ample et harmonieux, doté d'une saveur encore très fruitée de raisins très mûrs et finissant sur des tanins soyeux et persistants, un vin idéal pour accompagner viandes rouges et gibiers dans deux ou trois ans.

☛ SCA Beyney, Ch. Clos de Sarpe,
33330 Saint-Christophe-des-Bardes,
tél. 05.57.24.72.39, fax 05.57.74.47.54 ☑ Ⴤ r.-v.

CLOS FOURTET 1999★

■ 1er gd cru clas. B	15 ha	50 000	⬙ 38 à 46 €

71 73 74 75 **76 78 79 81** 82 **83 85 86** 87 |88| |89|
|90| 91 92 |93| |94| Ⓖ **96 97 98** 99

Un des derniers millésimes produits par les frères
Lurton avant qu'ils ne passent le relais à Philippe Cuvelier.
Ce 1er grand cru classé se situe tout près du cœur de la cité,
à quelques dizaines de mètres seulement à l'ouest de
l'abbatiale. Le terroir argilo-calcaire repose sur trois niveaux de caves creusées dans le rocher. Le vin se pare de
pourpre à reflets grenat. Le bouquet naissant est extrêmement concentré, partagé entre le chocolat noir et le gibier.
On trouve aussi des nuances de pruneau, de vanille et de
sous-bois. Ample et puissant, doté de tanins fermes encore
un peu austères, ce 99 demandera quatre à cinq ans pour
s'affiner en cave.
☛ Clos Fourtet, 33330 Saint-Emilion,
tél. 05.57.24.70.90, fax 05.57.74.46.52 ☑ Ⴤ r.-v.
☛ M. Cuvelier

CLOS LA GRACE DIEU 1999★

■	1 ha	4 000	⬙ 15 à 23 €

Ce petit cru, situé en lisière de la propriété, a été
acheté en 1997 par Odile Audier ; il est composé de merlot
auquel s'ajoutent 20 % de cabernets, le tout planté il y a
quarante ans sur des sables bruns, des sables argileux et de
la crasse de fer. Une robe grenat, vive et soutenue, habille
ce 99 au bouquet dominé par des arômes boisés de
torréfaction et de pain grillé, avec des nuances chocolatées.
Charnu, dense et rond, le vin repose sur des tanins bien
mûrs et gras qui persistent longuement en finale.
☛ Odile Audier, Ch. Haut-Troquart La Grâce Dieu,
33330 Saint-Emilion, tél. 05.57.24.73.10,
fax 05.57.74.40.44 ☑ Ⴤ r.-v.

CLOS LA MADELEINE 1999★

■	2 ha	8 400	⬙ 30 à 38 €

Ce petit clos fait partie de la même exploitation que
Magnan La Gaffelière. Le terroir argilo-calcaire est planté
à 60 % de merlot et à 40 % de cabernet franc. Après un
élevage de quinze mois en barrique dans les carrières
souterraines, le 99, d'un beau grenat profond, est encore
dominé par le chêne mais l'agitation laisse apparaître des
senteurs de rose, de cerise et de mûre. Volumineux et gras
en attaque, il évolue sur une structure charpentée par des
tanins de merrain encore un peu austères, mais de bonne
qualité. A attendre deux ou trois ans.
☛ SA du Clos La Madeleine,
La Gaffelière Ouest, BP 78, 33330 Saint-Emilion,
tél. 05.57.55.38.03, fax 05.57.55.38.01 ☑ Ⴤ r.-v.

CH. CLOS SAINT EMILION PHILIPPE 1999

■	4 ha	24 000	⬙ 11 à 15 €

Exploitation familiale depuis quatre générations,
cette propriété de 7,8 ha consacre ses plus vieilles vignes
à l'élaboration de ce vin. Située aux portes de Libourne,
elle est installée sur sables, argiles et mâchefer, avec 70 %
de merlot et 30 % de cabernet franc. Dans une belle robe
grenat sombre et profonde, ce 99 développe un bouquet
complexe de pain grillé, de violette, d'épices et de moka.
La bouche est corsée et charnue. La finale encore un peu
ferme demande trois à quatre ans de patience aux amateurs.

☛ Jenn-Claude Philippe, 101, av. Gallieni,
33500 Libourne, tél. 05.57.51.05.93, fax 05.57.25.96.39,
e-mail vignobles.philippe@libertysurf.fr ☑ Ⴤ r.-v.

CLOS SAINT-MARTIN 1999★

■ Gd cru clas.	1,33 ha	6 500	■ ⬙ ⬇ 38 à 46 €

88 89 |90| 92 93 |95| |96| |97| 98 99

Ancien vignoble du presbytère de la paroisse Saint-
Martin, ce cru classé est dirigé par Sophie Fourcade. 70 %
de merlot, 20 % de cabernet franc et 10 % de cabernet-
sauvignon, nés sur argilo-calcaire, produisent ce 99 drapé
dans une robe rubis intense. Le bouquet, toasté et grillé,
encore marqué par le bois, se montre fin avec une touche
mentholée fraîche sur du fruit bien mûr. Corsé et séveux,
ce vin encore très jeune mais déjà bien équilibré et long en
finale demande juste quelques années pour s'affiner.
☛ GFA Les Grandes Murailles,
Ch. Côte de Baleau, 33330 Saint-Emilion,
tél. 05.57.24.71.09, fax 05.57.24.69.72,
e-mail lesgrandesmurailles@wanadoo.fr Ⴤ r.-v.

CLOS VILLEMAURINE 1999★

■	2,5 ha	10 000	⬙ 30 à 38 €

Ce petit vignoble, situé à l'emplacement d'un ancien
camp maure, vient d'être repris en main par Jean-François
Carrille, personnalité bordelaise. Le terroir argilo-calcaire
est complanté à 70 % de merlot. La fermentation malolactique et l'élevage, effectués en barrique neuve ont
permis d'élaborer ce 99 d'un beau rubis foncé, encore
jeune. Racé et fin, son bouquet déjà complexe joue sur des
notes grillées et réglissées. Ample et équilibré, riche d'une
saveur de fruits noirs et d'un boisé sophistiqué, ce vin
repose sur une belle et persistante structure tannique.
Parfait pour viandes rouges et mets traditionnels dans trois
à cinq ans.
☛ Jean-François Carrille,
pl. Marcadieu, 33330 Saint-Emilion,
tél. 05.57.24.74.46, fax 05.57.24.64.40,
e-mail jeanfrançois-carrille@wanadoo.fr ☑ Ⴤ r.-v.

CH. LA CLOTTE 1999★

■ Gd cru clas.	n.c.	14 000	⬙ 23 à 30 €

Situé le long des remparts de la vieille cité, ce domaine
appartenait à la famille de Grailly et fut acheté en 1913 par
M. Chailleau, arrière-grand-père des actuels propriétaires.
Agées de quarante ans, les vignes sont plantées sur des sols
argilo-sableux recouvrant le roc calcaire, avec une dominante de merlot et 20 % de cabernets. En belle robe rubis
frangée de carmin, ce 99 révèle un bouquet naissant de
qualité, dans lequel les notes fruitées s'allient à un joli boisé
vanillé. La bouche ronde et suave est étoffée par une bonne
trame de tanins mûrs et soyeux. Un saint-émilion moderne,
prêt pour une cuisine légère.
☛ SCEA du Ch. La Clotte, 33330 Saint-Emilion,
tél. 05.57.24.66.85, fax 05.57.24.79.67,
e-mail chateau-la-clotte@wanadoo.fr ☑ Ⴤ r.-v.

CH. LA COMMANDERIE 1999★

■	6 ha	33 000	⬙ 11 à 15 €

82 85 88 |89| |90| 91 92 93 94 |95| |96| 98 99

En janvier 2001, M. Frydman rachète le cru aux
domaines Cordier. C'est donc l'équipe du clos des Jacobins qui a élevé ce millésime né sur les sols silico-graveleux
avec 90 % de merlot. Se présentant dans une robe grenat
limpide, il offre un nez très vineux qui exprime les fruits

rouges mûrs et confits. Souple et ronde, fine et élégante, la structure très équilibrée permettra une garde de quatre à cinq ans.

🖝 M. Frydman, Ch. La Commanderie,
33330 Saint-Emilion,
tél. 05.57.24.70.14, fax 05.57.24.68.08 ☎ r.-v.

CH. CORBIN 1999

■ Gd cru clas.	12,67 ha	80 000	ⅢⅠ 15 à 23 €

64 75 79 81 ⑧②83 85 86 |88||89||90| 93 94 |95||96| 98 99

Ce beau domaine viticole situé à 3 km au nord-ouest de la cité médiévale a été repris en main par une nouvelle équipe en 1999. Les vignes trentenaires, composées à 80 % de merlot, à 17 % de cabernet franc et à 3 % de malbec, sont établies sur des sables anciens et des argiles. La couleur carmin est flatteuse. Le bouquet naissant exhale d'abord des arômes de fruits noirs (cassis, myrtille) puis d'amande, de noyau et enfin de sous-bois. Souple et délicate, la saveur encore fruitée est soutenue par des tanins discrets. Ensemble un peu léger mais sincère.

🖝 SC Ch. Corbin, 33330 Saint-Emilion,
tél. 05.57.25.20.30, fax 05.57.25.22.00,
e-mail chateau.corbin@wanadoo.fr ☑ ☎ r.-v.

COTES ROCHEUSES 1999

■	14 ha	90 000	■ⅢⅠ↓ 8 à 11 €

L'une des plus vieilles marques de l'Union de producteurs de Saint-Emilion, mettant en œuvre 60 % de merlot, 30 % de cabernet franc et 10 % de cabernet-sauvignon produits sur divers terroirs. Le vin revêt une jolie couleur rubis clair. Le bouquet est fin, plutôt moderne avec des arômes de chêne blanc, de toast, de vanille. La bouche souple et fraîche s'appuie sur des tanins caramélisés. Devrait être agréable d'ici trois à quatre ans.

🖝 Union de producteurs de Saint-Emilion,
Haut-Gravet, BP 27, 33330 Saint-Emilion,
tél. 05.57.24.70.71, fax 05.57.24.65.18,
e-mail udp-vins.saint-emilion@gofornet.com
☑ ☎ t.l.j. sf dim. 8h-12h 14h-18h

CH. LA COURONNE 1999

■	10 ha	60 000	ⅢⅠ 11 à 15 €

Important vignoble appartenant à la maison Mähler-Besse, négociant à Bordeaux. Situé sur les sols argilo-sableux du sud-est de la cité, il est planté à 60 % de merlot noir, à 25 % de cabernet-sauvignon et à 15 % de bouchet. Le bouquet naissant repose sur des nuances minérales et fruitées (groseille, framboise). La dégustation s'ouvre sur des fruits rouges, puis la structure élégante s'impose pour s'achever sur des tanins bien fondus qui permettront de boire ce vin assez rapidement. N'oublions pas la robe très engageante, cerise rouge éclatante,.

🖝 SA Mähler-Besse, 49, rue Camille-Godard,
33000 Bordeaux, tél. 05.56.56.04.30, fax 05.56.56.04.59,
e-mail france@mahler-besse.com ☑ ☎ r.-v.

COUVENT DES JACOBINS 1999

■ Gd cru clas.	8 ha	15 000	ⅢⅠ 46 à 76 €

Couvent construit sur la route de Saint-Jacques-de-Compostelle, abandonné par les religieux à la Révolution française, ce domaine, classé par les Monuments historiques, est aussi un cru réputé, possédant une dizaine d'hectares de vieux merlot et 10 % de cabernet franc. Elevé quinze mois en barrique, le 99 dévoile une belle couleur rubis pleine de vivacité. Le nez, racé et fin, mêle des parfums de fleurs blanches, des arômes de fruits des bois et d'épices, et un élégant boisé vanillé. Le corps harmonieux, riche et ample, repose sur des tanins charnus et persistants. Seule la finale un peu ferme conseille un léger vieillissement de deux à trois ans.

🖝 SCEV Joinaud-Borde, 10, rue Guadet,
33330 Saint-Emilion, tél. 05.57.24.70.66,
fax 05.57.24.62.51 ☎ r.-v.

CH. LA CROIX CANTENAC 1999

■	2,33 ha	15 000	■ⅢⅠ 11 à 15 €

Des sols sablo-graveleux, avec 70 % de merlot et 20 % de cabernet franc, les 10 % restants étant partagés entre cabernet-sauvignon et cot, ont donné un vin agréable, de couleur grenat, légère, limpide et brillante. Encore un peu fermé, il demande une certaine aération pour livrer des parfums de fruits rouges mêlés d'élégantes notes boisées, vanillées et grillées. Bien équilibrée, souple et tendre, d'une bonne persistance aromatique en finale, c'est une bouteille prête à boire d'ici un ou deux ans.

🖝 EARL des Vignobles Benoît Richard,
Le Vieux-Bourg, 33330 Saint-Christophe-des-Bardes,
tél. 05.57.74.19.08, fax 05.57.74.19.08 ☑ ☎ r.-v.

CH. CROIX-MUSSET 1999

■	13 ha	104 667	■ⅢⅠ↓ 8 à 11 €

Cette propriété qui appartient au groupe Raivico, négociant à Saint-Gervais, se trouve à Saint-Pey-d'Armens, au sud-est de l'appellation. A la variété du sol répond la variété de l'encépagement (les cabernets sont à parité avec le merlot). Le 99 est agréable dans une robe rubis frangée de reflets brique. Cassis et myrtille s'expriment au nez. Souple et fruitée, la structure fine permettra de le boire assez rapidement avec une entrecôte grillée sur sarments et des fromages doux.

🖝 SC du Ch. Musset-Chevalier,
Saint-Pey-d'Armens, 33240 Saint-Gervais,
tél. 05.57.94.00.20, fax 05.57.43.45.72,
e-mail info@bertranddetavernay.com ☎ r.-v.
🖝 Raivico SA

CH. LA CROIZILLE 1999★

■	1,5 ha	4 500	ⅢⅠ 38 à 46 €

Acquise en 1996 par la famille de Schepper de Moor, ce tout petit cru de 5 ha repose sur des sols argilo-calcaires. Dix-huit mois de barrique neuve ont donné cette sélection issue à 70 % de merlot qui se présente dans une belle robe soutenue à reflets rubis. Le nez, très puissant et complexe, évoque les fruits rouges, la violette, le pain d'épice et la vanille. La bouche ample et charnue possède une structure équilibrée et des tanins gras et riches qui persistent longuement en finale et assureront un excellent vieillissement.

🖝 SCEA Ch. Tour Baladoz,
33330 Saint-Laurent-des-Combes,
tél. 05.57.88.94.17, fax 05.57.88.39.14,
e-mail ch-baladoz@aol.com ☑ ☎ r.-v.
🖝 de Schepper

CH. CROS FIGEAC 1999

■	2,3 ha	8 000	ⅢⅠ 23 à 30 €

Acquise par la famille Querre en 1998, cette petite propriété de 2,3 ha, au sous-sol sableux, est plantée de merlot avec un appoint de 10 % en cabernet franc. Il en naît un 99 drapé de rubis intense. Son bouquet puissant mêle joliment les arômes de fruits rouges et les effluves de bon bois brûlé. La structure est équilibrée et encore ferme en finale ; il faudra patienter deux à trois ans pour que le mariage bois-raisin s'harmonise.

⌐ SCEA Ch. Cros-Figeac, Hospices La Madeleine, rue A.-Loiseau, BP 51, 33330 Saint-Emilion, tél. 05.57.55.51.60, fax 05.57.55.51.61 ☑ 🍷 r.-v.

CH. DASSAULT 1999★

■ Gd cru clas.	15,03 ha	68 000	⏐⏐⏐ 30 à 38 €

83 86 88 |89| |90| 92 |94| |95| 96 98 99

Cet important cru classé qui portait autrefois le nom de château Couprie fut acheté en 1955 par Marcel Dassault qui le rebaptisa. Assemblant 60 % de merlot aux deux cabernets à parts égales, le vin est bien fait. La couleur bigarreau a gardé sa jeunesse. Toute la dégustation s'appuie sur un fruité persistant (framboisé), bien que le fumet de bois neuf devienne vite dominant. La structure équilibrée finit sur des tanins encore fermes qui demandent deux à trois ans de garde. Vous pourrez ensuite le servir sur une lamproie à la bordelaise ou des mets truffés.

⌐ SARL Ch. Dassault, 33330 Saint-Emilion, tél. 05.57.55.10.00, fax 05.57.55.10.01, e-mail lbo@chateaudassault.com 🍷 r.-v.

CH. DESTIEUX 1999★

■		8,12 ha	27 000	⏐⏐⏐ 15 à 23 €

85 86 |(88)| |89| |90| 92 93 |94| |95| |96| |97| 98 99

Christian Dauriac préside depuis 1971 aux destinées de ce cru remarquablement situé. Issu de deux tiers de merlot et d'un tiers de cabernets plantés sur des sols argilo-calcaires mêlés de silice, ce 99 se présente dans une jolie robe rubis vive et brillante. Le bouquet, subtil mais encore un peu fermé, évoque les arômes fruités du raisin soutenus par un boisé légèrement brûlé. La bouche est puissante, charpentée et séveuse avec des tanins aujourd'hui un peu sévères, mais très prometteurs.

⌐ Dauriac, Ch. Destieux, 33330 Saint-Hippolyte, tél. 05.57.24.77.44, fax 05.57.40.37.42 ☑ 🍷 r.-v.

CH. LA DOMINIQUE 1999

■ Gd cru clas.	18,5 ha	55 000	⏐⏐⏐ 46 à 76 €

(82) 86 87 88 |89| |90| 91 92 93 |94| |95| |96| |97| 98 99

Un marchand libournais partit, au XVIIIes, faire fortune sur l'île de La Dominique. Rentré « au pays », il acheta ce domaine auquel il attribua ce nom exotique qui enchantait son passé. Clément Fayat l'acquit en 1969 et lui donna un nouveau souffle. Bien libournais par son encépagement aux 80 % de merlot, ce vin 99 propose un 99 à la robe grenat profond. Le fruit est encore discret mais le boisé de qualité est plaisant à l'olfaction. La dégustation va crescendo, prenant de l'ampleur en milieu de bouche.

⌐ Clément Fayat, Ch. La Dominique, 33330 Saint-Emilion, tél. 05.57.51.31.36, fax 05.57.51.63.04, e-mail info@vignobles.fayat-group.com ☑ 🍷 r.-v.

CH. LA FAGNOUSE 1999

■		10 ha	50 000	⎨⏐⏐⎬ 8 à 11 €

Situé à l'est de l'AOC sur un sol argilo-calcaire, ce cru assemble 66 % de merlot à 34 % de cabernet franc. La teinte pourpre est légère mais fraîche. Le vin, encore un peu fermé, demande à être aéré pour libérer du fruit, un fumet de tabac et quelques notes animales. La saveur plaisante et harmonieuse repose sur un style traditionnel qui respecte le caractère du terroir.

⌐ SCE du Ch. La Fagnouse, 33330 Saint-Etienne-de-Lisse, tél. 05.57.40.11.49, fax 05.57.40.46.20 ☑ 🍷 r.-v.

⌐ Coutant

CH. FAUGERES 1999★

■	22 ha	120 000	⏐⏐⏐ 23 à 30 €

|93| |94| |95| |96| |97| 98 99

Cette vaste propriété de 57 ha jouit d'une remarquable exposition sur des sols argilo-calcaires. 22 ha sont classés en AOC saint-émilion grand cru. Ce millésime, composé à 80 % de merlot, à 5 % de cabernet-sauvignon et à 15 % de cabernet franc, est drapé dans une ravissante robe rubis sombre signalant une belle concentration. Il libère un bouquet complexe et expressif, mariant élégamment les arômes de fruits cuits et de noyau à un boisé toasté, légèrement épicé. Après une attaque ronde et charnue, la dégustation révèle une structure tannique ferme et racée qui persiste longuement et garantira un bon vieillissement.

⌐ Corinne Guisez, Ch. Faugères, 33330 Saint-Etienne-de-Lisse, tél. 05.57.40.34.99, fax 05.57.40.36.14, e-mail faugeres@club-internet.fr ☑ 🍷 r.-v.

LE FER 1999★

■	2 ha	5 600	⏐⏐⏐ 30 à 38 €

Déjà très réussi en 98 (premier millésime produit sous ce nom), Le Fer confirme le succès de cette micro-vinification moderne de la maison Mähler-Besse, bien connue en Bordelais. Celle-ci a sélectionné 2 ha de pur merlot sur un terroir argilo-sableux du château Cheval Noir pour l'élaborer. La robe d'un grenat intense s'illumine de reflets vifs. Le vin est encore très boisé (vanille, café, notes toastées). En bouche, la saveur de fruit surmûri est vite dominée par le merrain très chauffé. Cela lui donne un caractère chaleureux, mais un peu austère en finale. Un ou deux ans l'aideront à se fondre.

⌐ SA Mähler-Besse, 49, rue Camille-Godard, 33000 Bordeaux, tél. 05.56.56.04.30, fax 05.56.56.04.59, e-mail france@mahler-besse.com 🍷 r.-v.

CH. FERRAND-LARTIGUE 1999

■	4,5 ha	24 000	⏐⏐⏐ 38 à 46 €

94 |95| |96| |97| 98 99

Créé en 1993, ce cru conseillé par Jean-François Chaine se montre très régulier. Associant 80 % de merlot aux deux cabernets, élevé dix-huit mois en barrique, son 99 mérite attention. La belle couleur bordeaux, sombre et profonde, révèle une réelle concentration de vin de garde. Le bouquet, puissant mais charmeur, est dominé par un boisé grillé et toasté avec des arômes de fruits rouges et noirs. La structure est intense, portée par des tanins fermes et un peu sévères qui demanderont plusieurs années pour s'assouplir.

⌐ Pierre et Michelle Ferrand, Lartigue, 33330 Saint-Emilion, tél. 05.57.74.46.19, fax 05.57.74.46.19, e-mail vincent.rapin@libertysurf.fr

CH. FIGEAC 1999★

■ 1er gd cru clas. B	37,5 ha	100 000	⏐⏐⏐ + de 76 €

62 64 66 (70) 71 74 75 76 77 78 79 80 |81| |82| |83| |85| |86| 87 |88| |89| 90 92 |93| |94| (95) 96 97 98 99

Au cœur des vignes et d'un parc arboré, ravissante demeure du XVIIIes. et célèbre domaine viticole dirigé par

Thierry Manoncourt depuis 1947, Figeac, dont les origines remontent à la conquête romaine, est original par son encépagement : il associe les deux cabernets à hauteur de 35 % chacun à 30 % de merlot nés sur des croupes gravelo-sableuses. Plus médocain que saint-émilionnais ? Non, on se trouve là dans un type parfaitement libournais : la robe rubis de ce 99 se teinte de reflets annonçant une légère évolution. Cependant, le bouquet naissant, déjà complexe, apparaît très jeune : il offre de fines senteurs de sous-bois (humus), de fruits noirs et un boisé épicé. Après une attaque capiteuse, le développement se révèle concentré et s'achève sur des tanins frais et mentholés. Trois ans de garde, et l'on pourra ensuite l'apprécier pendant longtemps.

🍇 SCEA Famille Manoncourt,
Ch. Figeac, 33330 Saint-Emilion,
tél. 05.57.24.72.26, fax 05.57.74.45.74,
e-mail chateau-figeac@chateau-figeac.com ⲧ r.-v.

CH. FLEUR CARDINALE 1999

	10 ha	45 000		15 à 23 €

82 83 85 86 88 89 ⑨⓪ 93 94 95 96 97 98 99

Repris en mai 2001 par les Decoster, ce cru jouissait d'une très bonne renommée avec la famille Asséo dont le 99 était l'avant-dernier millésime. Issu d'un terroir argilo-calcaire reposant sur fonds rocheux et de 70 % de merlot, le vin est sérieux. Rubis intense, il découvre un bouquet naissant de fruits rouges sur un boisé discret et une légère touche animale. La bouche équilibrée et corsée, d'une saveur fruitée (cerise, groseille), finit sur des tanins encore un peu sévères qui demandent deux ans pour se fondre. Une bouteille typique de l'appellation et du millésime.

🍇 Dominique et Florence Decoster,
Ch. Fleur Cardinale, 33330 Saint-Etienne-de-Lisse,
tél. 05.57.40.14.05, fax 05.57.40.28.62,
e-mail fleurcardinale@terre-net.fr ☑ ⲧ r.-v.

CH. FLEUR DE LISSE 1999

	n.c.	7 800		8 à 11 €

Exposé plein sud, au pied et à flanc du coteau argilo-calcaire de Saint-Etienne-de-Lisse, ce vignoble de 9 ha dispose d'un encépagement équilibré : deux tiers de merlot pour un tiers de cabernet franc. Il propose une sélection à la belle robe rubis pleine de fraîcheur. Le bouquet puissant et complexe résulte d'un mariage réussi entre les arômes de fruits rouges des raisins et les notes épicées et vanillées d'un bon boisé. La structure est équilibrée, malgré des tanins encore un peu fermes, garants d'une bonne aptitude à la garde.

🍇 SCPA Xavier Minvielle,
lieu-dit Giraud, 33330 Saint-Etienne-de-Lisse,
tél. 05.57.40.18.46, fax 05.57.40.35.74 ☑ ⲧ r.-v.

CH. LA FLEUR DU CASSE 1999

	1,2 ha	7 020		15 à 23 €

Douze mois de barrique neuve pour ce 99 dans lequel le merlot domine à 95 %. Sa couleur rubis présente quelques reflets d'évolution. Le bouquet s'ouvre sur des fruits rouges et un boisé toasté et poivré. Souples et fins, les tanins bien fondus permettront dans un an de boire cette bouteille sur une entrecôte bordelaise ou un fromage sec.

🍇 EARL Vignobles Garzaro, Ch. Le Prieur,
33750 Baron, tél. 05.56.30.16.16, fax 05.56.30.12.63,
e-mail garzaro@vingarzaro.com 🏠 ⲧ r.-v.

CH. LA FLEUR PEREY
Cuvée Prestige Vieillie en fût de chêne 1999★★

	3,6 ha	24 000		11 à 15 €

93 94 |95| |96| |97| |98| 99

Depuis 1880 aux commandes de ce vignoble de 14,70 ha, les Xans élaborent aujourd'hui, à partir de vieilles vignes plantées sur des sols sablo-graveleux, une cuvée Prestige remarquable dans ce millésime. Derrière une robe d'une sombre profondeur, le bouquet, puissant et complexe, évoque les fruits mûrs et confits mêlés à un boisé racé aux notes grillées et torréfiées. La bouche est souple, charnue et ronde, soutenue par des tanins fondus et veloutés, très élégants et longs en finale. Une superbe bouteille plaisir.

🍇 Vignobles Florence et Alain Xans,
Ch. la Fleur-Perey, 33330 Saint-Sulpice-de-Faleyrens,
tél. 06.80.72.84.87, fax 05.07.24.63.61 ☑ ⲧ r.-v.

CH. LA FLEUR PLAISANCE 1999

	4,5 ha	27 000		8 à 11 €

Second vin du château Plaisance, ce cru occupe 4,5 ha des 16,5 ha acquis en 1997 par Xavier Mareschal, sur les graves argilo-siliceuses de Saint-Sulpice-de-Faleyrens. Issu pour 85 % de merlot et pour 15 % de cabernet-sauvignon, le 99 revêt une robe carminée et limpide, montrant des reflets orangés d'évolution. Le bouquet révèle une belle intensité, avec des notes de fruits rouges et noirs surmûris, nuancées de pain grillé et de vanille. Harmonieuse et équilibrée, cette bouteille dispose de tanins soyeux et fondus qui la rendront vite apte à la consommation.

🍇 SCEA Ch. Plaisance,
33330 Saint-Sulpice-de-Faleyrens,
tél. 05.57.24.78.85, fax 05.57.74.44.94 ☑ ⲧ r.-v.
🍇 X. Mareschal

CH. FOMBRAUGE 1999★

	27 ha	160 000		15 à 23 €

86 88 |90| 91 92 93 |95| |96| |97| 98 99

Bernard Magrez possède depuis 1999 ce joli cru commandé par une petite chartreuse du XVIIᵉs. Son premier millésime est issu de merlot à 80 %. Elevé dix-huit mois en barriques neuves pour moitié, ce 99 vif et intense montre encore des reflets violines. Le bouquet laisse percer des arômes de fruits frais mêlés de notes grillées, vanillées et épicées. Riche et élégante, dotée de tanins mûrs et suaves, bien fondus, d'une grande harmonie aromatique, cette bouteille pourra être attendue deux à trois ans.

🍇 SA Ch. Fombrauge,
33330 Saint-Christophe-des-Bardes,
tél. 05.57.24.77.12, fax 05.57.24.66.95,
e-mail chateau@fombrauge.com ⲧ r.-v.
🍇 B. Magrez

CH. FONPLEGADE 1999★

Gd cru clas.	10,4 ha	50 000		23 à 30 €

82 83 85 86 88 |90| 92 93 94 |95| |96| |97| 98 99

Cru classé dont l'histoire remonte aux Romains, Fonplégade occupe 18 ha d'un seul tenant sur le versant sud de Saint-Emilion. Depuis la disparition d'Armand Moueix, ses héritières ont entrepris de gros travaux de rénovation. Produit avec 80 % de merlot et 20 % de cabernet franc, ce 99 présente une belle couleur sombre et intense. Les parfums évoquent les cerises confites associées à un boisé délicat et grillé, nuancé de notes de cuir et de tabac. La bouche est souple et ronde, avec des tanins bien fondus et une bonne persistance en finale relevée d'arômes de pruneau et de cacao. A attendre deux à cinq ans.

☞ Nathalie et Marie-José Moueix,
Ch. Fonplégade, 33330 Saint-Emilion,
tél. 05.57.74.43.11, fax 05.57.74.44.67,
e-mail domaines.armand-moueix@wanadoo.fr ☑ ⴼ r.-v.

LA CLOSERIE DE FOURTET 1999

■		5 ha	25 000	⑪ 15 à 23 €

Un nouveau nom pour ce second vin de Clos Fourtet ; créé en 1983, auparavant Domaine de Montjolis, il devient donc, à compter du millésime 99, La Closerie de Fourtet. La robe grenat, sombre et intense, chatoie de reflets carmin, signes d'un début d'évolution. Le bouquet, puissant et fin, libère des arômes floraux de violette et des notes épicées et boisées. Bien structuré par des tanins fermes et puissants, ce vin demandera deux à cinq ans de vieillissement.

☞ Clos Fourtet, 33330 Saint-Emilion,
tél. 05.57.24.70.90, fax 05.57.74.46.52 ⴼ r.-v.
☞ M. Cuvelier

CH. FRANC BIGAROUX 1999★

■		n.c.	12 000	▮⑪↓ 11 à 15 €

Cette propriété familiale est facile à trouver sur la route qui mène de Libourne à Castillon, au sud de la cité et de la cave coopérative. N'hésitez pas à prendre rendez-vous pour découvrir l'excellent vin du cru. Le 99 le mérite. Sa belle couleur pourpre a des reflets d'évolution. Son bouquet déjà ouvert exhale des senteurs florales et fruitées, accompagnée d'un boisé respectant la fraîcheur. Equilibrée et complexe, avec un merrain encore un peu sévère mais vanillé, cette bouteille sera de bonne garde. On la conseille sur des perdreaux aux choux, des gibiers ou un chapon au vin. Beau programme !

☞ EARL Gilles Teyssier, 50, av. de Saint-Emilion,
33330 Saint-Sulpice-de-Faleyrens,
tél. 05.57.24.64.77, fax 05.57.24.64.77,
e-mail gilles.teyssier@free.fr ☑ ⴼ r.-v.

CH. FRANC LA ROSE 1999

■		6 ha	40 000	▮⑪↓ 15 à 23 €

Jean-Louis Trocard exploite 82 ha en Libournais. Il consacre 6 ha à ce cru, situé dans le secteur de La Rose, au nord de la cité de Saint-Emilion, sur terroir argilo-calcaire. Associant 85 % de merlot et 15 % de cabernet franc, le vin arbore une belle robe aux reflets intenses. Le bouquet naissant est épicé (muscade), boisé, relevé d'un fumet légèrement animal. La bouche est chaleureuse, charnue : ses tanins soyeux devraient permettre de boire ce 99 assez rapidement, par exemple sur des gibiers à plume.

☞ Jean-Louis Trocard, Ch. Trocard,
2, Les Petits-Jays-Ouest, 33570 Les Artigues-de-Lussac,
tél. 05.57.55.57.90, fax 05.57.55.57.98,
e-mail contact@trocard.com ☑ ⴼ r.-v.

CH. FRANC LARTIGUE 1999★

■		7 ha	40 000	⑪ 11 à 15 €

Il s'agit de l'un des trois domaines viticoles exploités par la famille de Marcel Petit dans le Saint-Emilionnais et les Côtes de Castillon. Ici nous sommes sur sables et graves, plantés à 80 % de merlot et à 20 % des deux cabernets à parts égales. Ce 99 à la robe rubis sombre offre un bouquet élégant, fruité, boisé, poivré, avec une touche

de glycine. Pourvu d'une belle charpente tannique en finale, ce vin complexe est conseillé dans deux à cinq ans sur viandes rouges, gibiers, bœuf Périgueux.

☞ Vignobles Marcel Petit, 6, chem. de Pillebois,
33250 Saint-Magne-de-Castillon,
tél. 05.57.40.33.03, fax 05.57.40.06.05,
e-mail vignobles.marcel.petit@wanadoo.fr ☑ ⴼ r.-v.

CH. FRANC-MAYNE 1999

■ Gd cru clas.	7,02 ha	18 000	⑪ 30 à 38 €
85 86	88		89		90	92	95		96	97 98 99		

Ce cru, situé à l'ouest de la cité, a été en 1996 racheté aux assurances AXA par un groupe d'associés. La vigne, pour 95 % du merlot âgé de quarante ans, est plantée sur sol argilo-calcaire. Le vin se pare d'une belle robe bigarreau et pourpre. Le bouquet, encore un peu fermé, demande que l'on agite le verre pour livrer du fruit rouge, du bois neuf et un fumet de croûte de pain, de cacao, de torréfaction. Si l'attaque est souple, la saveur boisée est charpentée par des tanins un peu austères qui ont besoin de vieillir deux ou trois ans ; ce 99 accompagnera alors des gibiers, par exemple.

☞ Fourcroy et Associés, SCEA Ch. Franc-Mayne,
La Gomerie, 33330 Saint-Emilion,
tél. 05.57.24.62.61, fax 05.57.24.68.25 ☑ 🏠 ⴼ r.-v.

CH. FRANC PATARABET 1999

■		6 ha	25 000	▮⑪↓ 8 à 11 €
86 88 89 90	97	98	99				

L'exploitant de cette propriété familiale a assemblé en 99, 70 % de merlot, 25 % de cabernet franc et 5 % de cabernet-sauvignon dans un chai situé au cœur de la cité. Les bouteilles attendent ensuite dans une jolie cave monolithe creusée dans la roche de Saint-Emilion. Ce vin à la pourpre frangée de reflets orangés est sympathique. Le nez, encore un peu fermé, demande à être aéré pour dégager des notes de fruits rouges et de bois. La saveur repose sur le cassis et, là aussi, sur le merrain. La structure plutôt légère incite à une petite garde.

☞ GFA Faure-Barraud, rue Guadet,
BP 72, 33330 Saint-Emilion,
tél. 05.57.24.65.93, fax 05.57.24.69.05 ☑ ⴼ r.-v.

CH. FRANC PIPEAU
Descombes 1999

■		5,3 ha	33 000	▮⑪↓ 11 à 15 €

Cette ancienne propriété viticole (1880) est installée sur les sables et argilo-calcaires de Saint-Hippolyte, à l'est de Saint-Emilion. Assemblant 70 % de merlot, 25 % de cabernet franc et 5 % de cabernet-sauvignon, son vin de couleur rubis intense offre des reflets carminés d'évolution. Le bouquet est équilibré entre les arômes de fruits rouges et un joli boisé, avec quelques nuances animales de cuir. Rond et charnu, bien structuré par des tanins fondus, soyeux et élégants jusqu'en finale, ce millésime pourra être servi dans deux ou trois ans.

☞ SCEA Vignobles Jacques Bertrand,
Carteau, 33330 Saint-Emilion,
tél. 05.57.24.73.94, fax 05.57.24.69.07 ☑ ⴼ r.-v.

CH. LA GAFFELIERE 1999

■ 1er gd cru clas. B	22 ha	82 000	⑪ 38 à 46 €
75 78 79 80 81 (82) 83 84 85 |86| 87 88 89 |90| 91			
92	93		94	95	97	99			

Ce cru important plonge ses racines non seulement dans le terroir argilo-calcaire, mais aussi dans l'histoire puisque la culture de la vigne y est attestée depuis l'époque gallo-romaine. Le 99, à l'encépagement bien saint-émilionnais est paré d'une robe pourpre à reflets rubis. Le bouquet déjà expressif libère des notes de tubéreuse et de jacinthe, de cassis, de bois vanillé, de chocolat noir et de merrain. Corpulent et charpenté, ce vin semble être le produit d'une forte extraction et finit sur une touche épicée. Il gagnera à être attendu trois à quatre ans.

⌐ Léo de Malet Roquefort, Ch. La Gaffelière, BP 65, 33330 Saint-Emilion, tél. 05.57.24.72.15, fax 05.57.24.69.06, e-mail chateau-la-gaffelière@chateau-la-gaffeli ☑ ⵏ r.-v.

CH. GAILLARD 1999★

■	11 ha	70 000	ⵏⵏ 11 à 15 €

Beau domaine viticole familial datant de 1792. Depuis peu, Catherine Papon-Nouvel, viticultrice-œnologue, s'implique dans l'élaboration de ce cru. Elle présente un 99 très prometteur. Sa robe est d'un beau rubis très sombre, presque noir, débordant de jeunesse. Le bouquet intense et complexe mêle les notes d'épices, de gibier, de fruits rouges et de merrain. Ample et charnu, ce vin charpenté par des tanins encore un peu fermes offre une saveur de fruits rouges aujourd'hui dominée par le bois. A la fois élégant et consistant, il pourra accompagner dans quatre à cinq ans la cuisine traditionnelle, y compris les sauces au vin.

⌐ SCEA Vignobles J.-J. Nouvel, Ch. Gaillard, BP 84, 33330 Saint-Emilion, tél. 05.57.24.72.44, fax 05.57.24.74.84, e-mail chateau.gaillard@wanadoo.fr ☑ ⵏ r.-v.

CH. LA GARELLE 1999

■	8,35 ha	55 000	ⵏⵏ 11 à 15 €

|94| |96| |97| 98 99

Acquis en 1993 par Jean-Luc Marette, ce château vient d'être repris en septembre 2001 par la famille Billon. Composé par 80 % de merlot, 10 % de cabernet-sauvignon et 10 % de cabernet franc, son vin est né sur les sables et argilo-calcaires du pied de la côte Pavie. L'œil est séduit pour une belle couleur rubis soutenue. Le nez s'ouvre rapidement sur les arômes fins de fruits rouges bien mûrs. La bouche est souple, fraîche et agréable, avec des tanins élégants et soyeux, une bonne présence et beaucoup de fruit. Un saint-émilion classique, à attendre deux à trois ans.

⌐ Jean-Luc Marette, Ch. La Garelle, 33330 Saint-Emilion, tél. 05.57.24.61.98, fax 05.57.24.75.22 ☑ ⵏ r.-v.
⌐ GFA Billon-La Garelle

CH. GODEAU 1999★

■	5,5 ha	34 000	ⵏⵏ 11 à 15 €

Ce vignoble couvre les coteaux argilo-calcaires de Saint-Laurent-des-Combes. Le 99, dans lequel le merlot règne à 85 %, présente bien dans sa robe grenat limpide et brillante. Les fruits rouges (cerise, framboise) accompagnent en arrière-plan des notes torréfiées et épicées. La bouche est souple et douce, avec en finale des tanins fins et soyeux très flatteurs et de bonne tenue. A servir dans deux ou trois ans.

⌐ Grégoire Bonte, Ch. Godeau, 33330 Saint-Laurent-des-Combes, tél. 05.57.24.72.64, fax 05.57.24.65.89, e-mail chateau.godeau@free.fr ☑ ⵏ r.-v.

CH. LA GOMERIE 1999★

■	2,52 ha	11 950	ⵏⵏ 46 à 76 €

95 96 97 98 99

Exploitée depuis 1995 par les propriétaires de Beauséjour-Bécot, La Gomerie apparaît dans les écrits dès 1276. Il ne reste aujourd'hui que les 2,5 ha correspondant à l'enclos de l'ancien prieuré. Si la surface est modeste, la qualité du vin, elle, est tout à fait satisfaisante. Issu de pur merlot quarantenaire, le 99 est d'une belle couleur grenat foncé. Le bouquet encore fermé demande un peu d'aération pour s'ouvrir sur des senteurs complexes de fruits confits, de pruneau et de bois toasté. Une bouteille équilibrée, à laquelle une saveur de fruits noirs confère du caractère. A ouvrir dans trois ou quatre ans et même plus tard.

⌐ G. et D. Bécot, GFA La Gomerie, 33330 Saint-Emilion, tél. 05.57.74.46.87, fax 05.57.24.66.88 ⵏ r.-v.

CH. GONTEY 1999

■	2,4 ha	14 000	ⵏⵏ 15 à 23 €

Deux vignerons du Blayais-Bourgeais ont repris ce domaine en 1997. Leurs deux premières récoltes ont été retenues par nos dégustateurs. La vigne cinquantenaire, sur sables anciens, est complantée à 80 % de merlot, à 15 % de cabernet franc et à 5 % de cabernet-sauvignon. La robe grenat s'éclaire encore de quelques nuances violines alors que le bouquet fruité, réglissé, vanillé et boisé est déjà complexe. L'attaque est souple, prolongée par une saveur de pain toasté et de fruits cuits. Le boisé déjà bien fondu permettra de boire ce 99 assez rapidement.

⌐ Laurence et Marc Pasquet, Grand Gontey, 33330 Saint-Emilion, tél. 05.57.42.29.80, fax 05.57.42.84.86 ☑ ⵏ r.-v.

CH. LA GRACE DIEU 1999

■	11,73 ha	73 066	■ ⵏⵏ ♦ 11 à 15 €

A mi-chemin entre Libourne et Saint-Emilion, cette belle propriété compte 13 ha de vignes, avec une majorité de merlot épaulé par 10 % de cabernet-sauvignon et 10 % de cabernet franc, plantés sur des sols argilo-calcaires et sablonneux. D'un rouge vif et léger à la fois, ce 99 distille des arômes discrets de fruits rouges, avec des notes florales de violette. La bouche, peu puissante, ne manque pas d'harmonie. Une bouteille agréable, qui sera vite prête à boire.

⌐ SCEA Pauty, Ch. La Grâce Dieu, 33330 Saint-Emilion, tél. 05.57.24.71.10, fax 05.57.24.67.24 ☑

CH. LA GRACE DIEU DES PRIEURS 1999

■	7 ha	40 000	ⵏⵏ 11 à 15 €

Situé au nord-ouest de l'AOC, cette propriété familiale repose sur des sables et des graves. Le merlot, largement dominant puisque seuls 10 % de cabernet franc entrent dans l'assemblage, a subi un élevage de vingt mois en barrique de chêne français. Pourpre léger avec quelques reflets d'évolution, ce vin déjà expressif exhale des senteurs de fleurs et de fruits, suivies d'un agréable fumet boisé. La saveur est fraîche et une légère sucrosité est encore dominée par le merrain. Sa structure plutôt fine devrait cependant permettre de le boire assez rapidement.

⌐ SCEA Laubie-Prach, Fortin, 33330 Saint-Emilion, tél. 05.57.69.02.78, fax 05.57.24.69.59 ☑ ⵏ r.-v.

BORDELAIS

GRACIA 1999★★

■	1,83 ha	5 000	▥ + de 76 €

Première apparition remarquée pour ce cru issu d'un tout petit vignoble planté à 90 % de merlot sur terroir argilo-calcaire et dont le raisin est vinifié dans la cité médiévale. Le vin est très intéressant : pour sa pourpre sombre, pour sa complexité aromatique qui demande un peu d'aération pour exprimer des fruits bien mûrs, des notes de tabac, de poivre et de bon boisé. La bouche est pleine et concentrée, puissante. Ses tanins vigoureux lui assureront un bel avenir.

🕤 Michel Gracia, rue du Thau, 33330 Saint-Emilion, tél. 05.57.24.70.35, fax 05.57.74.46.72 ⵏ r.-v.

CH. GRAND BARRAIL LAMARZELLE FIGEAC 1999★

■	19,12 ha	n.c.	▥ 15 à 23 €

Cette belle propriété de 19 ha résulte de la réunion au XIX[e]s. de trois anciennes métairies. Le château fut bâti en 1903, mais, détaché de la propriété en 1956, il est aujourd'hui devenu un hôtel de luxe. De teinte grenat encore vive, ce 99 développe un bouquet complexe et agréable avec des arômes de fruits rouges, de vanille, de cacao et une note épicée. Rond et charnu, assez vineux, mais peu puissant, il a beaucoup de charme et d'élégance aromatique. A ouvrir en 2004.

🕤 Ch. Grand Barrail Lamarzelle Figeac, 33330 Saint-Emilion, tél. 05.57.24.71.43, fax 05.57.24.63.44, e-mail grandbarrail2@wanadoo.fr ☑ ⵏ r.-v.

🕤 BCN

CH. GRAND CORBIN-DESPAGNE 1999★

■	20 ha	86 000	▥ 15 à 23 €

|89| |90| 93 |94| 95 96 |97| 98 |99|

On aime ici raconter que Pierre Perret a connu sa première émotion vineuse avec un 47 du cru – l'un des plus grands millésimes du XX[e]s. Cet important domaine viticole est actuellement dirigé par François Despagne. Œnologue, celui-ci a choisi d'assembler 80 % de merlot au cabernet franc. Elevé quinze mois en barrique, son 99 a une jolie teinte rubis intense. Le nez demande un peu d'aération pour laisser percevoir un fruité assez complexe et plaisant. La bouche dense et équilibrée exprime le merlot très mûr. Une valeur sûre, qui pourra accompagner prochainement des volailles (poule au pot) ou une lamproie à la bordelaise.

🕤 SCEV Consorts Despagne, Ch. Grand Corbin-Despagne, 33330 Saint-Emilion, tél. 05.57.51.08.38, fax 05.57.51.29.18, e-mail f-despagne@grand-corbin-despagne.com ☑ ⵏ r.-v.

CH. LES GRANDES MURAILLES 1999★★

■	Gd cru clas.	2 ha	7 500	▥ 30 à 38 €

88 |89| 94 |95| |96| |97| 98 **99**

Sophie Fourcade, dont la famille, les Reiffers, est propriétaire du vignoble depuis 1643, dirige ce cru depuis 1996. Ce millésime est à la hauteur du cadre historique où il a vu le jour : les ruines d'un couvent jacobin du XII[e]s., monument emblématique de Saint-Emilion. Il a séduit les dégustateurs par sa belle couleur bordeaux, sombre et profonde, puis par son bouquet concentré et racé, où s'expriment remarquablement les arômes de fruits rouges du merlot très mûr, élégamment mariés à un beau boisé

grillé. La bouche est corsée, ample et séveuse, superbement charpentée et chaleureuse, très riche et très longue. Assurément un grand vin de garde.

🕤 GFA Les Grandes Murailles, Ch. Côte de Baleau, 33330 Saint-Emilion, tél. 05.57.24.71.09, fax 05.57.24.69.72, e-mail lesgrandesmurailles@wanadoo.fr ⵏ r.-v.

CH. GRAND MAYNE 1999★★

■	Gd cru clas.	17 ha	38 000	▥ 38 à 46 €

75 78 81 82 83 85 86 88 |89| |90| 91 92 93 94 95 96 |97| 99

Cet important vignoble entoure un manoir du XVI[e]s. Après un coup de cœur sur le 96, ce grand cru classé s'était fait oublier. Il revient en force avec son 99 qui renouvelle l'exploit. Nos experts ont été impressionnés par sa concentration et sa complexité. Sa magnifique robe presque noire annonce sa puissance et sa jeunesse : beaucoup de raisins mûrs soutenus par un boisé torréfié confirment cette première impression, puis la bouche, à la fois onctueuse et charpentée, conclut la dégustation sur de très beaux tanins, presque excessifs aujourd'hui, mais qui augurent un grand avenir pour ce millésime.

🕤 GFA Jean-Pierre Nony, Ch. Grand-Mayne, 33330 Saint-Emilion, tél. 05.57.74.42.50, fax 05.57.74.41.89, e-mail grand-mayne@grand-mayne.com ☑ ⵏ r.-v.

CH. LES GRAVIERES

Cuvée Prestige Elevé en fût de chêne neuf 1999★

■	3,5 ha	19 000	▥ 11 à 15 €

89 90 |93| |94| |95| |96| |97| 99

Les lecteurs se souviennent peut-être que les caves, situées sur les quais de Branne, ont servi de décor au tournage de la série télévisée *La Rivière Espérance*. Si beaucoup de grands acteurs sont fidèles à ce cru du sud de l'appellation, c'est que le vin y est bon. Celui-ci provient d'une petite surface (un dixième des 35 ha de l'exploitation), au sol de graves et exclusivement plantée de merlot âgé de quarante ans. Le millésime 99 porte une robe cerise sombre. Son nez surmûri est soutenu par un boisé discret, avec une touche de rancio. Après une attaque suave et chaude, les tanins du bois s'imposent. Il faudra attendre un peu avant de boire ce saint-émilion sur une pièce de bœuf, un magret de canard ou des fromages de caractère.

🕭 SCEA des Vignobles Denis Barraud,
Haut-Renaissance, 33330 Saint-Sulpice-de-Faleyrens,
tél. 05.57.84.54.73, fax 05.57.84.52.07,
e-mail denis-barraud@wanadoo.fr ☑ ⵐ r.-v.

CH. GUEYROSSE 1999

■	4,6 ha	19 000	🍷 🕮 🍴 11 à 15 €

86 90 96 |97| 98 |99|

Des vignes de trente ans implantées sur sables et graves ont donné ce vin dont la teinte cerise se pare de reflets tuilés. Le nez est un peu vif : il exprime à l'agitation des notes fruitées et de cuir. Soyeuse à l'attaque, la saveur exprime ensuite une touche animale puis les tanins s'annoncent.

🕭 EARL Vignobles Yves Delol,
Ch. Gueyrosse, 33500 Libourne,
tél. 05.57.51.02.63, fax 05.57.51.93.39 ☑ ⵐ r.-v.

CH. HAUT-BADETTE 1999★★

■	1,32 ha	8 100	🕮 15 à 23 €

Le nom de Badette figurait déjà sur la carte établie en 1763 par Pierre de Beleyme, géographe de Louis XV. Aujourd'hui, ce cru compte à peine plus de 1 ha de merlot avec un appoint de 10 % de cabernet-sauvignon, installé sur les contreforts orientaux et argilo-siliceux du plateau de Saint-Emilion. Paré d'une somptueuse robe vive et profonde, le 99 séduit par la complexité de son bouquet mêlant des arômes de fruits rouges bien mûrs à des notes de fumée et de cuir. La bouche, riche et puissante, avec beaucoup de chair et de volume, possède des tanins denses et racés qui persistent longuement en finale.

🕭 Sté d'Exploitation du Ch. Haut-Sarpe,
BP 192, 33506 Libourne Cedex,
tél. 05.57.51.41.86, fax 05.57.51.53.16,
e-mail info@j-janoueix-bordeaux.com ☑ ⵐ r.-v.
🕭 J.-F. Janoueix

CH. HAUT-BRISSON 1999★

■	5 ha	30 000	🕮 15 à 23 €

Troisième récolte pour Elaine Kwok-Moulinet, propriétaire de ce cru de 13 ha. Désormais entièrement élevé en barrique neuve, et assemblant dans ce millésime 60 % de merlot à 30 % de cabernet franc, son vin flatte l'œil par sa belle couleur rubis éclatante et bien soutenue. Le nez, très expressif, libère des arômes de fruits rouges mûrs associés à un beau boisé, grillé, toasté et torréfié. Suave et savoureux, doté de tanins soyeux, veloutés et bien mûrs, ce 99 plein de charme trouve un élégant équilibre entre le raisin et le bois. Autre production, le **Château Haut-Brisson La Grave 99**, dont 50 % sont élevés en fût neuf, obtient une même note. Deux vins de garde.

🕭 SCEA Ch. Haut-Brisson, 33330 Vignonet,
tél. 05.57.84.69.57, fax 05.57.74.93.11,
e-mail haut.brisson@wanadoo.fr ☑ ⵐ r.-v.

CH. HAUT-CORBIN 1999

■ Gd cru clas.	6,01 ha	33 500	🕮 23 à 30 €

81 ⑧② 83 85 86 |88| |90| |91| |93| |94| |97| |98| 99

Dirigé par Philippe Dambrine, ce cru appartient au groupe SMABTP. Situé à 4 km au nord de la cité, vers Pomerol, son terroir de sable repose sur une matrice argilo-calcaire. La vigne, quarantenaire, est complantée à 65 % de merlot pour 35 % de cabernets. La robe, couleur cerise, se pare de jolis reflets rubis. Le bouquet naissant est fin et élégant, les fruits rouges bien mûrs accompagnent des notes épicées et grillées. Après une attaque gracieuse, la structure affiche des tanins fins qui jouent davantage sur la délicatesse que sur la puissance. Devrait être bon à boire d'ici deux à trois ans.

🕭 SC Ch. Haut-Corbin, 33330 Saint-Emilion,
tél. 05.57.51.95.54, fax 05.57.51.90.93 ☑ ⵐ r.-v.

CH. HAUT-GRAVET 1999★★

■	6,5 ha	45 000	🕮 15 à 23 €

Un des nombreux vignobles exploités par la famille Aubert. Il est situé à Saint-Sulpice-de-Faleyrens sur des graves, et se partage entre merlot et cabernets. Le 98 avait fait une entrée remarquée dans le Guide en obtenant un coup de cœur. Le millésime 99, plus difficile, est cependant très apprécié. Sa couleur est d'un rubis intense et jeune. Le nez, intéressant, mêle le cassis, la noisette, les épices et un élégant fumet de bois. La bouche chaleureuse, séduisante, offre des saveurs de fruits confits et d'épices, soutenues par de bons tanins. Ce vin devrait être à son apogée dans cinq ou six ans.

🕭 Alain Aubert, 57 bis, av. de l'Europe,
33350 Saint-Magne-de-Castillon,
tél. 05.57.40.04.30, fax 05.57.56.07.10,
e-mail domaines.a.aubert@wanadoo.fr

CH. HAUT GROS CAILLOU
Cassagne 1999★

■	1 ha	6 000	🕮 15 à 23 €

La mention « Cassagne » distingue le saint-émilion grand cru du saint-émilion homonyme. Une parcelle de 1 ha, sur les sept que compte la propriété située au sud de l'appellation, a produit ce vin à la robe brillante, d'un rouge éclatant à reflets grenat. Le nez mêle fruits mûrs et arômes de torréfaction et de cacao. La bouche harmonieuse, d'abord fruitée et chaleureuse, évolue sur des tanins fins et grillés, avec une fraîche touche mentholée. Il devrait être très bon dans trois à quatre ans.

🕭 SCEA Haut Gros Caillou,
33330 Saint-Sulpice-de-Faleyrens,
tél. 05.56.62.66.16, fax 05.56.76.93.30 ☑ ⵐ r.-v.
🕭 Alain Thienot

CH. HAUT LA GRACE DIEU 1999

■	2,1 ha	7 600	🕮 23 à 30 €

Ce petit cru de 2 ha résulte de la réunion de deux parcelles et du mariage de deux terroirs, l'un argilo-calcaire et l'autre sablo-graveleux. L'encépagement, à base de merlot, comprend également 10 % de cabernet franc. De couleur rubis franche et vive, ce vin expressif est marqué par des arômes de bon bois neuf, alliés à des notes de toast, de café, de moka et de noix de coco. Une bouteille structurée et étoffée par des tanins encore fermes, mais de belle facture, qui devraient assurer un bon vieillissement.

🕭 EARL Vignobles Jean-Bernard Saby et Fils,
Ch. Rozier, 33330 Saint-Laurent-des-Combes,
tél. 05.57.24.73.03, fax 05.57.24.67.77,
e-mail info@vignobles-saby.com ☑ ⵐ r.-v.

CH. HAUT-MONTIL 1999

■	7,22 ha	44 533	🍷 🕮 ⵐ 8 à 11 €

Né à Saint-Sulpice-de-Faleyrens, ce cru est vinifié par l'Union de Producteurs de Saint-Emilion. Principalement

BORDELAIS

issu de merlot, auquel s'ajoutent 14 % de cabernet franc, le 99, d'une belle couleur rubis limpide et brillante, s'anime de reflets carminés. Le bouquet naissant révèle des arômes de fruits cuits et de pruneau avec des nuances boisées, fines et discrètes. Corsé et charnu, soutenu par des tanins bien présents et longs qui devraient se fondre dans les deux à trois ans, c'est un vin assez flatteur.

🠿 Union des producteurs de Saint-Emilion, Haut-Gravet, BP 27, 33330 Saint-Emilion, tél. 05.57.24.70.71, fax 05.57.24.65.18, e-mail udp-vins.saint-emilion@gofornet.com
Ⲧ t.l.j. sf dim. 8h-12h 14h-18h
🠿 SCEA Famille Vimeney

CH. HAUT-POURRET 1999

	2,75 ha	15 000	🖩 ⏚ ⏦ 8 à 11 €

Etabli sur un sol argilo-calcaire à substrat rocheux, avec 70 % de merlot, 20 % de cabernet franc et 10 % de cabernet-sauvignon, ce cru est situé à 1 km du village, sur la route conduisant à Libourne. Il nous propose un 99 à la jolie robe bordeaux, sombre et profonde. Le bouquet rappelle le pruneau, avec des notes boisées agréables. La bouche est corsée et charpentée par des tanins solides, encore un peu austères, mais gages d'un bel avenir.

🠿 Mourgout-Lepoutre, Ch. Haut-Pourret, 33330 Saint-Emilion, tél. 05.57.74.46.76, fax 05.57.74.45.17, e-mail serge.lepoutre@worldonline.fr
☑ Ⲧ t.l.j. sf dim. 9h-19h; groupes sur r.-v.; f. 1er-15 août

CH. HAUT ROCHER 1999★

	6 ha	38 500	🖩 ⏚ ⏦ 11 à 15 €

Beau domaine viticole de 16 ha, situé à l'est de l'appellation. Agées de quarante ans et plantées sur des sols argilo-calcaires, les vignes sont constituées pour 65 % de merlot, 20 % de cabernet franc, 12 % de cabernet-sauvignon et 3 % de malbec. Cela donne un vin à la robe rubis clair. Au bouquet discret, mais fin et complexe (fleurs, fruits, épices), répond un palais également fin et harmonieux : l'attaque fruitée, suivie d'une note de tabac, finit sur un boisé discret. Un style traditionnel, bien réussi dans le millésime.

🠿 Jean de Monteil, Ch. Haut Rocher, 33330 Saint-Etienne-de-Lisse, tél. 05.57.40.18.09, fax 05.57.40.08.23, e-mail ht-rocher@vins-jean-de-monteil.com ☑ Ⲧ r.-v.

CH. HAUT-SARPE 1999

■ Gd cru clas.	11,67 ha	69 000	⏚ 23 à 30 €
85 86	88 89	90	92	93		94	95 96 98	99			

Reconstruite à la fin du XIXe s. en style néo-classique, cette ravissante chartreuse appartient à un important négociant bordelais. Seule une moitié des 21 ha de vignes a produit, dans ce millésime, le grand vin du château. La robe est bigarreau à reflets carmin ; fines et délicates, les senteurs déclinent fruits rouges, pain léger, noyau de cerise et notes mentholées. Avec des tanins veloutés et fondus, ce vin n'est pas un colosse mais laisse une réelle impression d'élégance. A servir d'ici trois à cinq ans.

🠿 Sté d'Exploitation du Ch. Haut-Sarpe, BP 192, 33506 Libourne Cedex, tél. 05.57.51.41.86, fax 05.57.51.53.16, e-mail info@j-janoueix-bordeaux.com ☑ Ⲧ r.-v.

CH. HAUT-SEGOTTES 1999★

	8,82 ha	32 000	🖩 ⏚ 11 à 15 €
88 89 90 92 93 94	96	98 99			

Propriété familiale depuis quatre générations, ce vignoble implanté sur des sols sablo-argileux reposant sur de la crasse de fer propose un 99 à la robe grenat soutenu. Les parfums agréables jouent sur des notes fruitées, des nuances florales et un fin boisé. Vif et franc, bien structuré, le vin révèle une finale tannique encore un peu ferme, qui demandera trois à quatre ans de vieillissement pour s'assouplir.

🠿 Vignobles Danielle André-Meunier, Ch. Haut-Segottes, 33330 Saint-Emilion, tél. 05.57.24.60.98, fax 05.57.74.47.29 ☑ Ⲧ r.-v.

CH. HAUT-VILLET 1999★

	6,1 ha	31 000	⏚ 15 à 23 €
88	89		90	92 93	95	98 99			

Eric Lenormand exploite depuis 1985 ce cru de 7,5 ha installé sur le plateau de Saint-Etienne-de-Lisse, où les sols argilo-calcaires brun-rouge reposent sur un entablement rocheux de calcaire à astéries. Produit avec trois quarts de merlot et un quart de cabernet franc, ce 99 arbore une magnifique robe rubis très vif. Il s'ouvre sur des arômes de fruits rouges mûrs et de bonbons acidulés, avec des nuances fraîches de sous-bois et un boisé très fin. Bien structuré par des tanins présents mais de belle qualité, un bon saint-émilion à attendre trois à quatre ans.

🠿 Eric Lenormand, Ch. Haut-Villet, BP 17, 33330 Saint-Etienne-de-Lisse, tél. 05.57.47.97.60, fax 05.57.47.92.94, e-mail haut.villet@free.fr ☑ Ⲧ r.-v.

CH. JEAN VOISIN
Cuvée Amédée 1999

	14 ha	30 000	🖩 ⏚ ⏦ 15 à 23 €
93 94 |⑨⑤| |96| 97 98 99			

Jolie propriété viticole représentative de l'exploitation familiale saint-émilionnaise. La vigne (80 % de merlot et 20 % de cabernet franc) est plantée sur des sols sablo-argileux. Le vin a une couleur intense et brillante. Il s'ouvre sur des arômes de fruits rouges et de boisé. Charpentée par des tanins encore un peu fermes qui demanderont à être attendus un petit moment, la bouche n'en est pas moins fraîche et fruitée.

🠿 SCEA du Ch. Jean Voisin, 33330 Saint-Emilion, tél. 05.57.24.70.40, fax 05.57.24.79.57 ☑ Ⲧ r.-v.
🠿 Chassagnoux

CH. LANIOTE 1999

■ Gd cru clas.	5 ha	29 000	⏚ 15 à 23 €
89 93	94	95 96 98 99			

Emblématique du village, l'ermitage où aurait vécu saint Emilion (VIIIe s.). appartient, avec divers autres monuments, à cette jeune famille. Avec 70 % de merlot, le 99, élevé un an en barrique, est fort bien habillé (pourpre à jolis reflets). Equilibré après une attaque sincère, ce vin révèle des tanins qui demandent deux ou trois ans de garde

🠿 de La Filolie, Ch. Laniote, 33330 Saint-Emilion, tél. 05.57.24.70.80, fax 05.57.24.60.11, e-mail laniote@wanadoo.fr
☑ Ⲧ t.l.j. 8h-12h 13h30-18h; groupes sur r.-v.

CH. LARGUET 1999

	9 ha	28 933	🖩 ⏚ ⏦ 8 à 11 €

Cette propriété, installée sur des sols argilo-siliceux avec 70 % de merlot et 30 % de cabernets, est très largement tournée vers l'export. D'une jolie couleur rubis à reflets carmin chatoyants, son 99 évoque à la fois les fruits rouges (griotte, cerise écrasée), des parfums floraux et des notes fumées. Souple et équilibrée par des tanins fondus et soyeux, sans grande puissance mais élégants, une bouteille aimable, prête à la consommation.

🕿 Union de producteurs de Saint-Emilion, Haut-Gravet, BP 27, 33330 Saint-Emilion, tél. 05.57.24.70.71, fax 05.57.24.65.18, e-mail udp-vins.saint-emilion@gofornet.com ☎ t.l.j. sf dim. 8h-12h 14h-18h

🕿 SCEA Ch. Larguet

CH. LARMANDE 1999

■ Gd cru clas.	22,4 ha	94 000	⦀ + de 76 €

85 86 |⑧⑧| |89| |90| 92 |93| 94 96 97 98 99

Situé au nord de la cité, sur un terroir argilo-calcaire et siliceux planté aux deux tiers de merlot pour un tiers de cabernets, ce cru appartient à une compagnie d'assurances. Géré par Pascal Maniez, il est dirigé par Claire Chenard, jeune œnologue bordelaise. La robe carminée de son 99 présente quelques reflets d'évolution. Le premier nez discerne les fruits confits, les pruneaux, accompagnés d'un boisé finement vanillé. La bouche est souple et charnue, charpentée par de bons tanins ; cette bouteille au boisé bien dosé joue davantage sur la finesse que sur la puissance.

🕿 SCE du Ch. Larmande, 33330 Saint-Emilion, tél. 05.57.24.71.41, fax 05.57.74.42.80, e-mail chateau-larmande@wanadoo.fr ☑ ☎ r.-v.

🕿 La Mondiale

CH. LAROZE 1999

■ Gd cru clas.	25,26 ha	100 000	⦀ 23 à 30 €

85 86 88 89 |90| 91 92 |93| |94| |95| 96 |97| 98 99

D'une famille implantée depuis le XVIIᵉs. à Saint-Emilion, Guy Meslin est un homme respectueux du terroir et fort sympathique. Il a élevé douze mois en barrique ce millésime composé de trois quarts de merlot et d'un quart de cabernets. Agrémenté d'une jolie robe rubis, vive et brillante, le vin se montre fin et délicat, mêlant des parfums de noyau, de violette et de bon bois grillé. La bouche est séveuse et racée, avec des tanins bien serrés. La finale est encore un peu austère aujourd'hui et demandera quelques années de patience pour s'affiner. Cette bouteille conviendra alors à des mets raffinés.

🕿 Famille Meslin, SCE Ch. Laroze, 33330 Saint-Emilion, tél. 05.57.24.79.79, fax 05.57.24.79.80, e-mail ch.laroze@wanadoo.fr ☑ ☎ r.-v.

CH. DES LAUDES 1999

■	2,5 ha	15 000	⦀ 15 à 23 €

Cru apparu l'an dernier dans le Guide, avec un 98 très réussi. Installée sur les sables graveleux de Vignonet, au sud de l'appellation, la vigne est complantée à 70 % de merlot, à 20 % de cabernet-sauvignon et à 10 % de cabernet franc. Le 99 a une couleur grenat, ambrée de quelques reflets. Le fumet naissant exprime surtout des nuances réglissées. En bouche, le raisin est mûr, mais vite dominé par le bois torréfié qui demandera un ou deux ans pour se calmer un peu.

🕿 GFA du Haut-Saint-Georges, BP 80, 33330 Saint-Emilion, tél. 05.57.55.38.00, fax 05.57.55.38.01 ☑ ☎ t.l.j. sf sam. dim. 9h-18h

🕿 B. Banton

CH. LAVALLADE
Cuvée Roxana 1999

■	1 ha	2 000	⦀ 15 à 23 €

Cette cuvée spéciale du château Lavallade a été créée pour ce millésime. Composée pour 85 % de merlot et 15 % de cabernets, elle est élevée quinze mois en fût de chêne. Superbe dans une robe rubis intense et sombre, elle développe un puissant bouquet où les odeurs de bon bois vanillé et grillé dominent encore les arômes de fruits rouges et noirs. La bouche est, elle aussi, sous l'emprise de la barrique. Si sa structure le permet, cette bouteille sera prête dans quelques années.

🕿 SCEA Gaury et Fils, Ch. Lavallade, 33330 Saint-Christophe-des-Bardes, tél. 05.57.24.77.49, fax 05.57.24.64.83, e-mail chateau.lavallade@wanadoo.fr ☑ ☎ r.-v.

CH. LEYDET-FIGEAC 1999★

■	3,85 ha	n.c.	▤ ⦀ ♣ 8 à 11 €

Créé au XIXᵉs., ce vignoble propose un 99 composé de 61 % de merlot, 30 % de cabernet franc et 9 % de cabernet-sauvignon plantés qui sur des sols argilo-siliceux, qui sur un mélange de graves fines et d'alios, dans la zone de Figeac. Dans sa belle robe rubis, vive et éclatante, il mêle des arômes de fruits cuits aux parfums floraux associés à des nuances fraîches de sous-bois. D'abord souple et soyeux, il repose sur des tanins fermes et puissants, un peu austères aujourd'hui, mais prometteurs.

🕿 EARL des Vignobles Leydet, Rouilledimat, 33500 Libourne, tél. 05.57.51.19.77, fax 05.57.51.00.62, e-mail frederic.leydet@wanadoo.fr ☑ ☎ r.-v.

CH. LUSSEAU 1999★★

■	0,42 ha	2 700	⦀ 23 à 30 €

Cru certes minuscule, mais ô combien grand par sa qualité ! Le jury a été séduit par l'harmonie et la finesse de ce vin qui se pare d'une magnifique robe bordeaux à reflets grenat vif. Son bouquet exhale des nuances fruitées, respectées par un bois épicé, mais discret. L'attaque est moelleuse et fruitée (notes de cerise, de noyau), puis la belle structure se montre charpentée par des tanins fins et veloutés. « Sera bon jeune, sera bon vieux », note un dégustateur. Dommage qu'il y en ait si peu...

🕿 Laurent Lusseau, 287, Perey-Nord, 33330 Saint-Sulpice-de-Faleyrens, tél. 05.57.74.46.54, fax 05.57.74.46.09 ☑ ☎ r.-v.

CH. MAGDELAINE 1999★

■ 1er gd cru clas. B	10,37 ha	31 000	⦀ 30 à 38 €

70 75 78 79 80 82 ⑧③ 85 |86| |87| |88| |89| |90| |92| |93| |94| 95 |96| |97| 98 99

Ce 1ᵉʳ grand cru classé est exploité depuis 1952 par la maison Jean-Pierre Moueix, figure emblématique du négoce libournais d'origine corrézienne. Ici, la vigne, à 90 % de merlot, est plantée sur le plateau calcaire et la côte argilo-calcaire exposée au midi, face à la vallée de la Dordogne. Ce 99, de teinte rubis, montre une légère évolution. Le bouquet naissant évoque le sous-bois, la violette, les fruits noirs et un boisé réglissé. En bouche, la saveur est fruitée, la texture serrée, les tanins fins quoique encore insuffisamment fondus. L'ensemble laisse une impression d'élégance.

🕿 Ets Jean-Pierre Moueix, 54, quai du Priourat, 33500 Libourne, tél. 05.57.55.05.80, fax 05.57.25.13.30

CH. MAGNAN LA GAFFELIERE 1999

| | 8,33 ha | 54 000 | ▌▐▌↓ 11 à 15 € |

Propriété familiale établie sur un terroir de glacis sableux, en pied de côte et plantée à 65 % de merlot, 25 % de cabernet franc et à 10 % de cabernet-sauvignon. Ce vin sombre, encore discret, joue sur des notes de fruits et de caramel. Après une attaque assez douce, les tanins virils dominent vite le palais. Plutôt classique, ce 99 devrait s'apprécier dans trois à quatre ans sur des viandes rouges.
↬ SA du Clos La Madeleine,
La Gaffelière Ouest, BP 78, 33330 Saint-Emilion,
tél. 05.57.55.38.03, fax 05.57.55.38.01 ☑ ⵙ r.-v.

CH. MAINE REYNAUD 1999

| | 2 ha | 13 000 | ▐▌ 11 à 15 € |

Installé au sud-est de l'appellation, sur des sols argilo-sableux mêlés de graves, ce cru est planté à 80 % de merlot et à 20 % de cabernet-sauvignon. Elevé dix-huit mois en barrique, habillé d'une belle robe bordeaux, le 99 révèle une réelle concentration au nez, marquée par des arômes intenses de fruits rouges et noirs associés à un boisé fin. Puissante, charpentée et étoffée, la structure tannique, aujourd'hui un peu sévère, est pleine de promesses pour l'avenir.
↬ Chantal Veyry, Ch. Maine-Reynaud,
33330 Saint-Pey-d'Armens,
tél. 05.57.24.74.09, fax 05.57.24.64.81 ☑ ⵙ r.-v.

CH. MANGOT
Cuvée Quintessence 1999★

| | 2,75 ha | 12 000 | ▐▌ 23 à 30 € |
96 97 98 99

Jean Petit, à qui succèdent Anne-Marie et Jean-Guy Todeschini, a créé un important domaine viticole d'une soixantaine d'hectares sur Saint-Emilion et sur les Côtes de Castillon. La cuvée Quintessence représente une sélection de 2,75 ha sur calcaires à astéries et est exclusivement composée de merlot noir âgé de quarante ans. La robe sombre au bouquet complexe (fruits mûrs, notes florales et boisé délicat) annoncent une bouche pleine, corsée par des tanins élégants. Beau vin, à attendre quelques années. La cuvée principale, **Château Mangot 99 (11 à 15 €)**, obtient une citation.
↬ Vignobles Jean Petit, Ch. Mangot,
33330 Saint-Etienne-de-Lisse, tél. 05.57.40.18.23,
fax 05.57.56.43.97, e-mail todeschini@chateaumangot.fr
☑ ⵙ t.l.j. 8h30-12h 13h45-17h; sam. dim. sur r.-v.

CH. LA MARZELLE 1999★★

| ▪ Gd cru clas. | 13 ha | 66 000 | ▐▌ 23 à 30 € |

Ce cru de 13 ha installé sur les sols silico-graveleux assemble 84 % de merlot et 16 % de cabernet franc élevés douze mois en barrique ; de là ce 99 remarquable, très imprégné de son terroir, bien vinifié et superbement élaboré. La robe grenat, très dense, annonce déjà la concentration d'un vin au bouquet élégant et complexe qui marie les arômes de merlot mûr, les parfums floraux et un boisé fin à une touche crayeuse et terroitée. La bouche est riche, ample et séveuse, avec des tanins mûrs ayant gardé leur fraîcheur, et une belle longueur. Assurément un grand vin de garde.
↬ SCEA Ch. La Marzelle, 33330 Saint-Emilion,
tél. 05.57.55.10.55, fax 05.57.55.10.56,
e-mail chateau.lamarzelle@wanadoo.fr
↬ Sioen

CH. MATRAS 1999★

| ▪ Gd cru clas. | 9 ha | 20 714 | ▌▐▌↓ 23 à 30 € |
83 85 86 |90| 92 93 |94| |97| 98 99

Aménagé dans la chapelle de Mazerat construite au XIIᵉˢ., le chai abrite ce vin né de merlot et de cabernet franc, à parts égales, issus de sols argilo-calcaires et siliceux. Sous une belle robe rubis se dessine un nez puissant et évocateur : arômes de pruneau et de cassis, nuances florales et notes épicées, avec un soupçon de tabac blond. La bouche corsée et racée prend appui sur de beaux tanins charnus et fermes qui persistent longuement en finale sur des saveurs grillées et réglissées. Une bouteille élégante, particulièrement bien élevée.
↬ Vignobles Véronique Gaboriaud-Bernard,
Ch. Matras, 33330 Saint-Emilion,
tél. 05.57.51.52.39, fax 05.57.51.70.19,
e-mail chateau.bourseau@wanadoo.fr ☑ ⵙ r.-v.

CH. MAUVEZIN 1999

| | 3,5 ha | 15 000 | ▐▌ 15 à 23 € |
90 |94| |95| 96 |97| 98 99

Ce cru appartient depuis 1968 à la famille Cassat qui a été parmi les premières à pratiquer le tri de la vendange sur une table brevetée. Le vin a une jolie robe rubis avec quelques reflets d'évolution. Le nez s'ouvre sur des notes fruitées, framboisées, vite estompées par un boisé très toasté. L'attaque est soyeuse, mais le bois domine vite le fruit et demande à s'assagir un peu.
↬ GFA Cassat et Fils, BP 44, 33330 Saint-Emilion,
tél. 05.57.24.72.36, fax 05.57.74.48.54 ☑ ⵙ r.-v.

CH. LE MERLE 1999

| | 5 ha | 40 000 | ▌▐▌↓ 15 à 23 € |

Ce 99 composé uniquement de merlot planté sur sols argilo-calcaires est le deuxième millésime de la société des Vignobles Réunis présidée par M. Vongsoravatana. De teinte rubis, vive et intense, il associe de fines notes boisées à un bel ensemble aromatique de fruits rouges. Bien équilibrée, avec des tanins souples et fruités et une agréable fraîcheur, c'est une bouteille simple et plaisante, à consommer dans les cinq ans à venir.
↬ SA les Vignobles Réunis, 41, av. de la Libération,
33110 Le Bouscat, tél. 05.57.47.15.22,
fax 05.57.47.14.98 ☑ ⵙ r.-v.

CH. MOINE VIEUX 1999★★

| | 1 ha | 6 000 | ▐▌ 15 à 23 € |

Depuis 1993 Patrice Dentraygues, à la tête de ses 3,5 ha , améliore ses vignes et investit dans les chais. Le millésime était difficile : il a sélectionné le meilleur pour cet assemblage composé de 85 % de merlot et de 15 % de cabernet franc élevés dix-huit mois en barrique. Paré d'une remarquable robe grenat sombre, celui-ci libère des parfums puissants de bon bois brûlé, de réglisse, de moka et d'épices qui ne gomment pas les fruits rouges. La bouche, ronde et charnue en attaque, révèle ensuite une structure tannique ferme et puissante, très longue, gage d'un bel avenir.
↬ Patrice Dentraygues, Lanseman,
33330 Saint-Sulpice-de-Faleyrens,
tél. 05.57.74.40.54, fax 05.57.74.40.54 ☑ ⵙ r.-v.

CH. MONBOUSQUET 1999

| | 33 ha | 80 000 | ▐▌ 46 à 76 € |
93 94 |95| |96| |97| 98 99

Important domaine viticole situé sur les sables et graves au sud des Bigarroux, près de la route Libourne-

Castillon. Le 99 a une couleur rubis un peu évoluée. Son nez est intense, d'abord fruité, puis finement boisé. La dégustation s'ouvre fraîchement, avec des arômes de fruits très mûrs et des tanins de bois à la saveur vanillée, caramélisée. L'harmonie procède plus de la finesse que de la puissance. Ce vin devrait pouvoir se boire dans les deux ou trois années à venir.

🔹 SA Ch. Monbousquet,
33330 Saint-Sulpice-de-Faleyrens, tél. 05.57.55.43.43, fax 05.57.24.63.99, e-mail vignobles.perse@wanadoo.fr

🔹 Gérard Perse

CH. MONLOT CAPET 1999

■	7 ha	45 000	🍷 15 à 23 €

90 92 **93 94** |95| |96| |97| |98| |99|

Installé à Saint-Hippolyte sur des terroirs argilo-calcaires, ce cru faisait partie de la seigneurie de Capet. Avec 70 % de merlot pour 30 % de cabernets, le 99 se présente dans une robe grenat à reflets orangés. Le nez est flatteur par ses arômes de bois grillé et d'épices. La bouche délicieusement fraîche et fruitée égrène des notes de réglisse et de bon bois toasté. Compensant une légèreté due au millésime par des tanins souples et fondus, ce vin pourra être consommé rapidement.

🔹 Bernard Rivals, Ch. Monlot Capet,
33330 Saint-Hippolyte,
tél. 05.57.74.49.47, fax 05.57.24.62.33,
e-mail musset-rivals@belair-monlot.com
☑ 🏠 ⵂ t.l.j. 9h-12h 14h-18h

CH. LA MOULEYRE 1999★

■	6 ha	36 000	ⵂ🍷⬥ 11 à 15 €

Le petit dernier de Philippe Bardet : le domaine, acheté en 1996, remonterait à 1426... Son propriétaire rénove terrasses et coteaux en suivant les conseils de l'ENITA, qui en a étudié avec lui les sols et l'écosystème. Située sur le plateau et les côtes sud, argilo-calcaires, de Saint-Etienne-de-Lisse, la vigne se partage entre 88 % de merlot et 12 % de cabernet franc. Elevé pour moitié douze mois en barrique, le 99 est grenat intense. Le bouquet est déjà puissant, avec du fruit noir un peu surmûri, du pruneau et un boisé bien présent. Des notes cuites et grillées accompagnent une bouche équilibrée, finissant sur des tanins fins. A attendre un peu (deux à quatre ans).

🔹 SCEA des Vignobles Bardet, 17, La Cale,
33330 Vignonet, tél. 05.57.84.53.16, fax 05.57.74.93.47, e-mail vignobles@vignobles-bardet.fr ☑ ⵂ r.-v.

CH. MOULIN GALHAUD 1999★

■	2 ha	6 000	ⵂ🍷⬥ 15 à 23 €

97 |98| 99

Le domaine, régulièrement retenu par nos dégustateurs, n'a été fondé qu'en 1997 ; en revanche, les noms de Galhaud (ancienne famille de pépiniéristes) et de Poussevin (l'œnologue) sont bien connus ici. Sur les graves du sud de l'appellation, un vignoble exclusivement constitué de merlot cinquantenaire donne un 99 pourpre sombre, au bouquet naissant, exhalant des odeurs de croûte de pain chaud, de chêne torréfié. La bouche harmonieuse allie rondeur et charpente. La forte concentration en tanins de bois incite à attendre un peu cette bouteille.

🔹 SCEA Martine Galhaud, Rouchonne,
33330 Vignonet, tél. 06.63.77.39.75, fax 05.57.97.39.74
☑ ⵂ r.-v.

CH. MOULIN SAINT-GEORGES 1999

■	7 ha	42 000	🍷 30 à 38 €

86 89 ⑨⓪ 93 94 |95| |96| |97| 98 99

Propriété familiale, achetée en 1921 par l'arrière-grand-père d'Alain Vauthier qui l'exploite actuellement. Assemblant 70 % de merlot aux deux cabernets à parts égales, le vin est élevé en barrique neuve. Le grenat de la robe s'orne de quelques reflets d'évolution. Le nez encore discret exprime surtout des notes épicées, réglissées, avec une nuance de bois torréfié et une touche animale. La bouche s'ouvre sur du bon raisin, relayé par des tanins bien présents mais sans agressivité. Ce 99 devrait être prêt dans trois, quatre ans.

🔹 Famille Vauthier, Ch. Ausone, 33330 Saint-Emilion,
tél. 05.57.24.70.26, fax 05.57.74.47.39
☑ ⵂ t.l.j. sf dim. 10h-18h

CH. MUSSET CHEVALIER 1999★

■	13 ha	104 667	📖ⵂ⬥ 8 à 11 €

Un des deux crus que la société Raivico, négociant à Saint-Gervais, possède à Saint-Pey-d'Armens, au sud-est de l'appellation. La teinte cerise présente des reflets d'évolution. Au nez, le fruit rouge évolue vite vers un fumet toasté. La bouche est harmonieuse et fruitée, bien réussie dans son millésime. Ce vin pourra se boire d'ici deux à trois ans sur des grillades, des gibiers et des fromages doux.

🔹 SC du Ch. Musset-Chevalier,
Saint-Pey-d'Armens, 33240 Saint-Gervais,
tél. 05.57.94.00.20, fax 05.57.43.45.72,
e-mail info@bertranddetavernay.com ⵂ r.-v.

🔹 Raivico SA

CH. ORISSE DU CASSE 1999★

■	2 ha	14 000	📖ⵂ⬥ 11 à 15 €

85 86 |88| |89| 92 94 |95| 96 98 99

Œnologues, les Dubois ont repris le cru familial en 1985 ; on ne connaît pas leurs secrets d'élaboration (nature de l'assemblage, mode de vinification et d'élevage), mais leur vin est un authentique saint-émilion, se présentant dans une jolie robe grenat sombre. Le nez, intense et fin, rappelle les fruits rouges et noirs (cassis, framboise, mûre), avec de fraîches notes mentholées et un boisé élégant. La structure ample repose sur des tanins charnus et veloutés qui persistent longuement en finale. A attendre quatre ou cinq ans.

🔹 Richard et Danielle Dubois, Lieu-dit Lartigue,
33330 Saint-Sulpice-de-Faleyrens, tél. 05.57.24.72.75, fax 05.57.74.45.43, e-mail dubricru@aol.com ⵂ ⵂ r.-v.

CH. ORME BRUN 1999

■	4 ha	n.c.	🍷 8 à 11 €

Cette belle exploitation de 14 ha au total, située sur des sols sablo-graveleux, réserve une de ses parcelles à cet assemblage de merlot (90 %) et de cabernet (10 %). Le 99 d'une belle couleur rubis, vive, devra dormir dans votre cave : les odeurs grillées et vanillées du bois dominent les arômes de petits fruits rouges du raisin. La bouche est fraîche et bien équilibrée, persistante en finale.

🔹 SCEA vignobles Yvan Brun, Ch. Belle-Assise,
Coureau, 33330 Saint-Sulpice-de-Faleyrens,
tél. 05.57.24.61.62, fax 05.57.24.68.82
☑ ⵂ t.l.j. sf dim. 9h-17h; sam. 8h-12h30 14h-18h

CH. DU PARC 1999

■	2,1 ha	10 000	🍷 11 à 15 €

Petit vignoble acquis en 1997 et installé sur les sols sablo-graveleux du sud-ouest de l'appellation, avec trois quarts de merlot et un quart de cabernets. Voici un vin plaisir. La teinte rubis est d'une bonne intensité. Le bouquet déjà ouvert exprime les fruits rouges et un boisé vanillé. La bouche est fraîche, encore dominée par le bois. Style moderne qui devrait s'accorder avec une cuisine de même nature.

☛ Philippe Lavau, Ch. du Parc, 33330 Saint-Emilion, tél. 05.57.24.77.30, fax 05.57.24.66.24 ☑ ⊻ r.-v.

CH. PATRIS 1999

■		5 ha	25 000	⦅⦆ 23 à 30 €

88 |90| 92 93 95 |96| |97| **98** 99

Un des vignobles bordelais de Michel Querre, qui l'exploite depuis 1967. Essentiellement issu de merlot planté sur des sols sablo-argileux et des limons, ce 99 doté d'une belle couleur rubis, très dense, est dominé au nez par les arômes vanillés et grillés de ses dix-huit mois de fût. La structure de la bouche est puissante et équilibrée, avec de bons tanins fermes et riches qui demanderont quatre à cinq ans de patience aux amateurs pour se goûter au mieux.

☛ Michel Querre, SCEA Ch. Patris, Hospices de la Madeleine, 33330 Saint-Emilion, tél. 05.57.55.51.60, fax 05.57.55.51.61 ☑ ⊻ r.-v.

CH. PAVIE 1999★

■ 1er gd cru clas. B	37 ha	n.c.	⦅⦆ + de 76 €

70 71 75 76 78 79 80 **81 82 83** |85| |86| 87 |88| |89| |90| 91 92 |93| |94| 95 |96| 98 99

D'une surface importante pour l'appellation, ce cru occupe le coteau exposé au midi, à droite de la route qui monte de la plaine vers la cité médiévale. Le 99 associe 60 % de merlot, 30 % de cabernet franc et 10 % de cabernet-sauvignon. Il se présente dans une robe bigarreau à reflets grenat. Le bouquet naissant est encore sous le bois. L'agitation valorise les senteurs de fruits rouges, de vanille, de cacao, de caramel et de réglisse. La bouche est charnue, mais sans lourdeur : la race et l'élégance sont là. Les tanins épicés et poivrés laissent une amertume qui devrait s'effacer d'ici quatre à cinq ans.

☛ Gérard Perse, SCA Ch. Pavie, 33330 Saint-Emilion, tél. 05.57.55.43.43, fax 05.57.24.63.99

CH. PAVIE DECESSE 1999

■ Gd cru clas.	9 ha	30 000	⦅⦆ + de 76 €

83 85 86 |88| |89| |90| 92 93 94 |96| |97| 98 |99|

Homme d'affaires avisé, Gérard Perse a acquis en 1997 de grands crus classés à Saint-Emilion, ainsi que l'un de ses meilleurs hôtels-restaurants, le Plaisance. Ce cru, exposé plein sud, associe 10 % de cabernet franc à 90 % de merlot dans ce 99 élevé dix-huit mois en barrique et bien mis dans une robe rubis à reflets carminés chatoyants. Le bouquet, expressif, annonce des fruits mûrs, des parfums floraux et épicés et un élégant boisé finement marié. La bouche, souple et tendre à l'attaque, évolue longuement avec des tanins soyeux et veloutés, jusqu'à une finale douce, chaude et harmonieuse.

☛ SCA Ch. Pavie-Decesse, 33330 Saint-Emilion, tél. 05.57.55.43.43, fax 05.57.24.63.99, e-mail vignobles.perse@wanadoo.fr
☛ Gérard Perse

CH. PAVIE MACQUIN 1999★

■ Gd cru clas.	10 ha	56 000	⦅⦆ 46 à 76 €

83 85 86 88 |89| |90| |93| |94| |96| |97| **98** 99

Les vignes de ce cru magnifiquement situé comprennent quatre cinquièmes de merlot et un cinquième de cabernet franc, cultivés en méthode comparative, c'est-à-dire pour partie en biodynamie et pour partie en lutte raisonnée. Paré d'une jolie robe rubis à reflets carminés, ce vin a un bouquet riche et puissant : des arômes de fruits très mûrs, de pruneau et de caramel s'associent à des notes de cuir et de bon bois brûlé. La bouche est bien structurée par une trame tannique ferme et serrée, certes un peu austère aujourd'hui, mais très prometteuse. A attendre trois à quatre ans.

☛ SCEA Ch. Pavie Macquin, 33330 Saint-Emilion, tél. 05.57.24.74.23, fax 05.57.24.63.78, e-mail pavie.macquin@wanadoo.fr ⊻ r.-v.
☛ Famille Corre-Macquin

CH. PAVILLON FIGEAC 1999

■	1,1 ha	6 500	■ ⦅⦆ ⅃ 11 à 15 €

Constitué en 1850 et dirigé par Jean-Pierre Clauzel depuis 1993, près de Cheval Blanc et de Figeac, ce tout petit cru est installé sur sols sablo-graveleux, avec deux tiers de merlot pour un tiers de cabernet franc. La robe rubis de son 99 brille d'un bel éclat animé de reflets carminés. Le nez, fin et expressif, libère des arômes de fruits rouges, des odeurs de violette et un boisé discret et bien fondu. Soyeuse, bien équilibrée, avec des tanins souples, une bouteille à ne pas laisser dormir trop longtemps en cave.

☛ Jean-Pierre Clauzel, Ch. La Grave Figeac, 33330 Saint-Emilion, tél. 05.57.74.11.74, fax 05.57.74.17.18, e-mail lagrave-figeac@chateau-la-grave-figeac.f ☑ ⊻ r.-v.

CH. PETIT-GRAVET 1999★

■	2,66 ha	n.c.	■ ⦅⦆ 11 à 15 €

Ce cru est installé sur des sables profonds, avec trois quarts de merlot et un quart de cabernet. Les vignes, âgées en moyenne de quarante-cinq ans, ont produit un 99 de couleur rubis intense. Agréables et complexes, les parfums évoquent la confiture de prunes mêlée de notes vanillées et chocolatées. Corsée et charnue, avec des tanins mûrs et veloutés qui persistent longuement en finale, c'est une bouteille élégante qui pourra être consommée d'ici deux à trois ans.

☛ Claude Nouvel, 2, rue de la Madeleine, 33330 Saint-Emilion, tél. 06.82.10.64.75, fax 05.57.24.72.34 ☑ ⊻ r.-v.
☛ Josette Nouvel

CH. PIERRE DE LUNE 1999★★

■	0,81 ha	4 000	⦅⦆ 38 à 46 €

Créé en 1999 par Véronique et Tony Ballu, ce cru confidentiel, planté de merlot, a produit un vin remarquable qui fait son entrée avec éclat dans notre Guide. En somptueuse robe pourpre, très sombre et très profonde, il a séduit le jury par son bouquet puissant et complexe, qui exprime les fruits bien mûrs et la confiture, le tout relevé par un boisé racé, avec des notes brûlées, sans excès, du cèdre et des épices. La bouche n'est pas en reste : volume, charpente, concentration, tout y est, y compris des tanins puissants et fermes, garants d'une longue garde.

☛ Véronique et Tony Ballu, 1, Châtelet-Sud, 33330 Saint-Emilion, tél. 05.57.74.49.72, fax 05.57.74.49.72

CH. PIGANEAU 1999

■	5 ha	30 000	⦅⦆ 11 à 15 €

Vignoble sur sables et graves, planté presque exclusivement de merlot (90 %) pour 10 % de cabernet franc, et situé à 50 m d'un site classé où l'on admire un mégalithe : le menhir de Pierrefitte. La robe de ce 99 est légère et brillante. Le nez est à la fois floral et fruité. La structure fine mais intéressante est accompagnée d'arômes floraux, boisés, très torréfiés. Un certain esprit, presque féminin. Pourra se boire assez rapidement sur des charcuteries, une lamproie ou une entrecôte à la bordelaise.

⬥ SCEA J.-B. Brunot et Fils,
1, Jean-Melin, 33330 Saint-Emilion,
tél. 05.57.55.09.99, fax 05.57.55.09.95,
e-mail vignobles.brunot@wanadoo.fr ☑ ⍦ r.-v.

CH. PIPEAU 1999★

■	35 ha	190 000	⑪ 11 à 15 €

86 88 89 92 93 |94| |95| 96 |97| 98 99

Seulement douze mois de barrique pour ce 99, et cela est parfaitement justifié : 80 % de merlot, complétés par les deux cabernets à parts égales, donnent un vin d'une belle couleur grenat, sombre et profonde. Il évoque les fruits rouges et noirs bien mûrs, soutenus par un joli boisé. La dégustation révèle une belle concentration, beaucoup de volume et d'ampleur, du corps et de la chair, avec une finale longue et savoureuse. Une belle bouteille de garde.

⬥ GAEC Mestreguilhem, Ch. Pipeau,
33330 Saint-Laurent-des-Combes,
tél. 05.57.24.72.95, fax 05.57.24.71.25,
e-mail chateau.pipeau@wanadoo.fr ☑ ⍦ r.-v.

LES PLANTES DU MAYNE 1999★

■	5 ha	15 000	⑪ 15 à 23 €

Second vin du château Grand-Mayne, ce cru est composé pour 70 % de merlot, 15 % de cabernet franc et 15 % de cabernet-sauvignon plantés sur sols argilo-calcaires. Par son intensité, la robe bordeaux fait écho au bouquet expressif et complexe dans lequel les arômes de fruits mûrs s'associent à des notes de violette et de bon bois. Bien structurée, la matière riche et puissante possède beaucoup de gras et de volume. Sa finale, certes encore un peu ferme, mais très longue, apporte la preuve que cette bouteille est digne d'une grande garde.

⬥ GFA Jean-Pierre Nony,
Ch. Grand-Mayne, 33330 Saint-Emilion,
tél. 05.57.74.42.50, fax 05.57.74.41.89,
e-mail grand-mayne@grand-mayne.com ☑ ⍦ r.-v.

CH. PONTET FUMET 1999★

■	11 ha	76 000	⍰ ⑪ ⬥ 11 à 15 €

86 88 |89| 92 |93| |94| 95 96 |97| 99

Un des nombreux crus créés par Roger Bardet et exploités par son fils Philippe. Ici nous sommes sur les sables graveleux et argileux de Vignonet, au sud de l'appellation. La vigne est complantée à 72 % de merlot, à 21 % de cabernet franc et à 7 % de cabernet-sauvignon. Le 99, dans une belle robe grenat foncé, offre un bouquet déjà expressif et concentré : le fruit est associé à un boisé vanillé, balsamique. La bouche harmonieuse joue sur les notes ensoleillées de fruits très mûrs, épaulées par des tanins à la fois présents et discrets. Du bel ouvrage, note un dégustateur. Un autre écrit : « Quelle élégance ! »

⬥ SCEA des Vignobles Bardet, 17, la Cale,
33330 Vignonet, tél. 05.57.84.53.16, fax 05.57.74.93.47,
e-mail vignobles@vignobles-bardet.fr ☑ ⍦ r.-v.

A quelle température servir un vin ? Consultez la p. 39.

CH. DE PRESSAC 1999

■	11 ha	49 000	⑪ 15 à 23 €

|96| |97| 98 |99|

Ici fut signé le 20 juillet 1453 l'acte qui mit fin à la guerre de Cent Ans. Ce château fut témoin d'un autre événement historique ; en effet, Vassal de Montviel créa ici au XVIIIᵉs. Le même château vit, au XVIIᵉs., la création du cépage noir de Pressac, aujourd'hui plus connu sous le nom de malbec (ou auxerrois ou cot rouge). Propriétaires depuis 1997, J.-F. et D. Quenin proposent un vin rubis à reflets carminés, signe d'une évolution. Le bouquet, très expressif, libère des arômes de caramel, d'amande grillée et de tabac. La bouche, souple et soyeuse, a peu de puissance mais beaucoup de délicatesse et d'élégance.

⬥ GFA Ch. de Pressac, 33330 Saint-Etienne-de-Lisse,
tél. 05.57.40.18.02, fax 05.57.40.10.07,
e-mail jfetdquenin@libertysurf.fr ☑ ⍦ r.-v.

⬥ J.-F. et D. Quenin

CH. PUY MOUTON 1999

■	3 ha	23 000	⍰ ⑪ ⬥ 15 à 23 €

Exploitant plusieurs propriétés en Libournais, la famille Devaud possède ce cru installé sur les sols argilo-calcaires de Saint-Christophe-des-Bardes, au nord-est de l'appellation. Le merlot y domine à 90 %. Le vin est très foncé. Le bouquet expressif est fortement marqué par le bois. La bouche, elle aussi, est charpentée par la barrique. Il faudra l'attendre deux à trois ans avant d'apprécier son potentiel intéressant.

⬥ EARL Vignobles D. et C. Devaud,
Ch. de Faise, 33570 Les Artigues-de-Lussac,
tél. 05.57.24.31.39, fax 05.57.24.34.17 ☑ ⍦ r.-v.

CH. QUERCY 1999

■	4 ha	18 000	⑪ 15 à 23 €

88 89 **90** 92 |93| 94 |95| 96 **98** 99

Edifié à la fin du XVIIIᵉs., et flanqué de deux tours octogonales, ce château doit vraisemblablement son nom à la présence de très vieux chênes verts (*Quercus*). Comme l'indique l'adresse, le terroir est à dominante de graves. Exclusivement élaboré à partir de merlot de plus de quarante ans, ce vin, rubis brillant, est encore un peu fermé mais possède un potentiel intéressant. Le nez libère du fruit rouge et de la vanille à l'aération. La bouche fruitée évolue sur des tanins serrés qui équilibrent sa charpente et lui permettront de vieillir encore quelques années.

⬥ GFA du Ch. Quercy, 3, Grave, 33330 Vignonet,
tél. 05.57.84.56.07, fax 05.57.84.54.82,
e-mail chateauquercy@wanadoo.fr ☑ ⍦ r.-v.

⬥ Apelbaum-Pidoux

CH. QUERCY
Marina Carine 1999★

■	0,5 ha	2 000	⑪ 30 à 38 €

Cette cuvée provient de vignes de quatre-vingts ans (100 % merlot) que possède la famille Apelbaum-Pidoux (d'origine suisse). Cela donne évidemment beaucoup de concentration à tous les stades de la dégustation. La robe rubis est très foncée au cœur, la frange étant plus grenat. Au nez, les arômes de fruits rouges bien mûrs sont vite dominés par le bois torréfié (café, épices, cacao). La bouche charnue et concentrée reste élégante, soutenue par des tanins déjà ronds. Idéal pour viandes et gibiers dans trois à cinq ans.

BORDELAIS

⌖ GFA du Ch. Quercy, 3, Grave, 33330 Vignonet,
tél. 05.57.84.56.07, fax 05.57.84.54.82,
e-mail chateauquercy@wanadoo.fr ☑ ⏀ r.-v.

CH. RIOU DE THAILLAS 1999★

■	2,45 ha	n.c.	⏀ 23 à 30 €

Nous sommes ici près du ruisseau (« riou ») séparant
saint-émilion de pomerol. Après une première entrée
réussie dans notre Guide avec son 98, ce cru confirme les
espoirs placés en lui. La robe est sombre et jeune ; le
bouquet déjà très expressif affiche des notes vanillées,
toastées, et quelques touches animales. Avec à la fois du
volume et de l'élégance, une saveur de fruits confits et des
tanins présents mais fins, cette bouteille se montre très
harmonieuse.

⌖ Michèle Béchet, Ch. Riou de Thaillas,
33330 Saint-Emilion, tél. 05.57.68.27.36,
fax 05.57.68.28.59, e-mail m.bechet@wanadoo.fr
☑ ⏀ r.-v.

CH. RIPEAU 1999★

■ Gd cru clas.	13,5 ha	55 000	⏀ 15 à 23 €

85 88 |89| |90| 91 92 |93| |94| |95| 99

Beau domaine viticole de plus de 15 ha, Ripeau fut
acquis en 1917 par l'arrière-grand-père de Françoise de
Wilde, qui l'exploite depuis 1976. Installé sur des sables
mêlés de graves, le vignoble, âgé en moyenne de trente-
cinq ans, est composé pour deux tiers de merlot et un tiers
de cabernets. Cela donne un joli 99 élevé douze mois en fût,
à la robe rubis, éclatante et intense. Le nez évoque les fruits
mûrs mariés à un élégant boisé, légèrement toasté. Ample
et charnu, ce vin repose sur de beaux tanins, riches et
fermes, qui persistent longuement en finale, avec des
retours fruités, épicés et vanillés. Une vinification en
parfaite adéquation avec la matière première.

⌖ Françoise de Wilde,
Ch. Ripeau, 33330 Saint-Emilion,
tél. 05.57.74.41.41, fax 05.57.74.41.57,
e-mail chat.ripeau@wanadoo.fr ☑ ⏀ r.-v.

CH. ROC DE BOISSEAUX 1999★

■	5 ha	32 000	⏀ 8 à 11 €

92 |93| |94| |97| 98 99

En 1980, venant du Nord, la famille Clowez a acquis
ce cru dans le sud de l'appellation. Implanté sur sols
sablo-graveleux, il comporte 70 % de merlot, 25 % de
cabernet franc et 5 % de cabernet-sauvignon. Le 99, dans
une belle robe rubis foncé, offre un élégant bouquet
naissant, à base de fruits mûrs. L'attaque suave et savoureuse est suivie d'une bouche dense, volumineuse, soutenue par des tanins fondus. Idéal sur une cuisine traditionnelle (gigot aux haricots, par exemple) dans trois à cinq
ans.

⌖ SCEA du Ch. Roc de Boisseaux, Trapeau,
33330 Saint-Sulpice-de-Faleyrens,
tél. 05.57.74.45.40, fax 05.57.88.07.00 ☑ ⏀ r.-v.

⌖ GFA Mme Clowez

CH. ROCHEBELLE 1999

■	3 ha	15 000	⏀ 23 à 30 €

88 |89| |93| 96 |97| 98 99

Situé à 30 m de l'église de Saint-Laurent-des-Combes,
ce petit vignoble issu d'un partage familial repose sur un
terroir argilo-calcaire. La vigne cinquantenaire est complantée à 85 % de merlot et à 15 % de cabernet franc. Le

vinificateur applique les techniques les plus modernes
(microbullage...). Si le vignoble est petit, le vin peut être
grand : le 96 avait décroché un coup de cœur, le 98 deux
étoiles. En 99, millésime plus difficile, le vin a une couleur
grenat intense, avec des reflets d'évolution ; pourtant le nez
est encore un peu fermé, réglissé, avec un caractère de
boisé marqué. Le volume et la concentration sont néanmoins de qualité, tout comme les tanins persistants, encore
un peu austères. Son style peut surprendre.

⌖ SCEA Philippe Faniest, Ch. Rochebelle,
33330 Saint-Laurent-des-Combes,
tél. 05.57.51.30.71, fax 05.57.51.01.99,
e-mail faniest@archimedia.fr ☑ ⏀ r.-v.

CH. DU ROCHER 1999

■	15 ha	90 000	⏀ 8 à 11 €

Cette belle propriété viticole de 15 ha date du XVIIᵉˢ.
Elle est installée sur les coteaux argilo-calcaires de Saint-
Etienne-de-Lisse avec 70 % de merlot et 30 % de cabernets.
De couleur rubis, parée encore de reflets violines, ce vin se
montre fruité et frais, légèrement alcooleux, avec des notes
de fumée. La bouche est corsée et nerveuse, soutenue par
des tanins fermes qui demandent à vieillir un peu pour
s'affiner.

⌖ SCEA baron de Montfort, Ch. du Rocher,
33330 Saint-Etienne-de-Lisse,
tél. 05.57.40.18.20, fax 05.57.40.18.20 ☑ ⏀ r.-v.

CH. LA ROSE-POURRET 1999★

■	7,8 ha	45 000	⏀ 11 à 15 €

94 |95| |96| 97 99

Situé à 1 km à l'ouest de la cité, sur la route de
Libourne, ce cru dispose d'un terroir sablo-argileux sur
crasse de fer. Assemblant 70 % de merlot et 30 % de
cabernets, son 99 porte une robe pourpre, fraîche et vive.
Son bouquet naissant livre du fruit noir et un bois vanillé.
L'attaque est fruitée et friande, puis la structure s'impose,
charpentée par des tanins un peu austères qui nécessitent
un vieillissement de quatre à cinq ans.

⌖ Warion, SCEA Ch. La Rose-Pourret,
33330 Saint-Emilion,
tél. 05.57.24.71.13, fax 05.57.74.43.93,
e-mail contact@la-rose-pourret.com ☑ ⏀ r.-v.

ROYAL 1999★

■	22 ha	143 500	⏀ 8 à 11 €

Une des plus importantes et des plus anciennes
marques de l'Union des producteurs de Saint-Emilion.
Elaboré à partir de 60 % de merlot noir, 30 % de cabernet
franc et 10 % de cabernet-sauvignon cultivés sur terroirs
silico-graveleux, le 99 a une jolie couleur rubis éclairée de
quelques reflets d'évolution. Le bouquet est agréable,
nuancé de fruits noirs et de cannelle, discrètement boisé.
L'attaque est chaleureuse, les tanins un peu fermes. Il
devrait être harmonieux dans quatre à cinq ans.

⌖ Union des producteurs de Saint-Emilion,
Haut-Gravet, BP 27, 33330 Saint-Emilion,
tél. 05.57.24.70.71, fax 05.57.24.65.18,
e-mail udp-vins.saint-emilion@gofornet.com
☑ ⏀ t.l.j. sf dim. 8h-12h 14h-18h

CH. ROZIER 1999★

■	20 ha	85 000	⏀ 15 à 23 €

86 88 89 90 |93| |94| |96| |97| 98 99

Installée depuis le XVIIIᵉˢ. en Bordelais, la famille
Saby choisit des méthodes classiques de vinification. Avec

une majorité de merlot et 10 % de cabernet franc cultivés sur cinq communes aux terroirs variés, ce 99 de couleur rubis vif a enthousiasmé le jury par sa complexité et sa richesse aromatique : fruits mûrs, pain grillé, vanille et autres épices, notes florales. La bouche n'est pas en reste avec beaucoup de gras, de volume, de chair, et des tanins riches et fondus qui persistent longuement et agréablement en finale.

🐦 EARL Vignobles Jean-Bernard Saby et Fils,
Ch. Rozier, 33330 Saint-Laurent-des-Combes,
tél. 05.57.24.73.03, fax 05.57.24.67.77,
e-mail info@vignobles-saby.com ☑ Ⳬ r.-v.

SAINT DOMINGUE 1999★★

■	2,7 ha	6 000	🍷 38 à 46 €

Clément Fayat a acquis cette vigne limitrophe de La Dominique, cru classé. Bien que n'étant pas intégrée à l'assiette foncière du cru classé, cette parcelle constituée de graves sur sables anciens est de qualité comme le démontrent les deux premières récoltes : un 98 coup de cœur et deux étoiles pour ce 99, millésime difficile. La couleur intense offre des reflets pourpres et grenat. Le bouquet naissant est à la fois très fruité et très boisé, plein de promesses. La bouche, riche d'une belle mâche et dotée d'un volume remarquable, repose sur des tanins mûrs et longs. Dans quatre à cinq ans il pourra accompagner la cuisine traditionnelle (gibiers, civets, sauces, viandes rouges).

🐦 Clément Fayat,
Ch. La Dominique, 33330 Saint-Emilion,
tél. 05.57.51.31.36, fax 05.57.51.63.04,
e-mail info@vignobles.fayat-group.com Ⳬ r.-v.

CH. SAINT-HUBERT 1999

■	n.c.	20 000	🍷 15 à 23 €

La famille Aubert exploite plusieurs domaines en Libournais. Celui-ci est un petit vignoble de 3 ha situé sur les sols argilo-sableux de Saint-Pey-d'Armens, au sud-est de l'appellation. Pourpre clair, le vin possède un nez agréable, avec des notes boisées, vanillées, réglissées. Souple et fraîche, la bouche évolue sur une charpente affirmée. A ouvrir trois ou quatre ans sur des viandes rouges.

🐦 SCE Vignobles Aubert,
Ch. La Couspaude, 33330 Saint-Emilion,
tél. 05.57.40.15.76, fax 05.57.40.10.14,
e-mail vignobles.aubert@wanadoo.fr ☑

CH. SAINT-LO 1999

■	10 ha	60 000	■ 🍷 ↓ 11 à 15 €

Les chais du XVIᵉs. ont été restaurés en 1992 par le consul de Thaïlande à Bordeaux. Né de merlot avec un appoint de 10 % de cabernet franc, plantés sur sols argilo-sableux, ce 99 se présente dans une belle robe rubis brillant. Le bouquet, fin et élégant, marie agréablement les arômes de fruits, les notes florales et les parfums vanillés d'un joli boisé. Souple et ronde, avec des tanins soyeux, cette bouteille sera rapidement prête pour la consommation.

🐦 SA Vignobles Réunis,
Ch. Saint-Lô, 33330 Saint-Pey-d'Armens,
tél. 05.57.47.15.22, fax 05.57.47.14.98 ☑ Ⳬ r.-v.

CH. SAINT-VALERY
Elevé en fût de chêne 1999

■	0,5 ha	3 300	🍷 11 à 15 €

Ce petit cru, créé en 1997, est constitué de vieux merlots, rigoureusement sélectionnés et plantés sur des sols sablo-graveleux. La production est confidentielle pour ce 99 vinifié traditionnellement puis élevé douze mois en fût de chêne. Sa robe rubis, à reflets violines, est du plus bel effet. Les arômes de fruits mûrs sont agréablement associés à un boisé fondu, avec quelques nuances animales de cuir. Equilibré, avec une bonne vinosité et un fruité plaisant, ce vin pourra être apprécié dès maintenant.

🐦 GFA Perey-Chevreuil, Ch. Saint-Valéry,
283, Perey, 33330 Saint-Sulpice-de-Faleyrens,
tél. 05.57.74.41.14, fax 05.57.74.41.14,
e-mail f.moquet@wanadoo.fr
☑ Ⳬ t.l.j. 8h-12h 14h-18h; f. 24 déc.-3 jan.
🐦 Famille Moquet

SANCTUS 1999

■	3,7 ha	12 000	🍷 38 à 46 €

Créée en 1998, cette marque est vinifiée par un œnologue chilien : Aurelio Montes. Issu de trois quarts de merlot et d'un quart de cabernet franc plantés sur deux types de sols (sables alios et argilo-calcaires), le vin est élevé vingt mois en fût de chêne neuf. Cela donne une superbe couleur grenat, sombre et intense, à reflets carminés. Le nez, encore discret, laisse percer des arômes de cerise, de noyau et de pain grillé, avec des nuances fraîches de résine et de menthol. La bouche est d'abord charnue et chaleureuse, d'un beau volume, puis les tanins puissants et fermes prennent le dessus, demandant plusieurs années de vieillissement pour s'assouplir.

🐦 SA Ch. La Bienfaisance, 39, le Bourg,
33330 Saint-Christophe-des-Bardes,
tél. 05.57.24.65.83, fax 05.57.24.78.26 Ⳬ r.-v.

CH. SANSONNET 1999

■	6,5 ha	15 000	🍷 30 à 38 €

En 1999, le marquis d'Aulan vend Piper-Heidsieck et quitte la Champagne pour acquérir ce cru saint-émilionnais qui appartint au XIXᵉs. au duc Decazes, premier ministre de Louis XVIII. Cette même année, le vin se pare d'une pourpre très sombre. Le bouquet naissant est fin et discret, bien équilibré entre raisin et bois. La bouche est ample, structurée par des tanins encore un peu fermes qui demanderont deux à trois ans de maturation. Une réussite pour ce millésime difficile.

🐦 Patrick d'Aulan, GAM-AUDY Château Jonqueyres,
33750 Saint-Germain-du-Puch, tél. 05.57.34.51.66,
fax 05.56.30.11.45, e-mail info@gamaudy.com Ⳬ r.-v.

CH. LA SERRE 1999★

■ Gd cru clas.	7 ha	25 000	🍷 23 à 30 €
	90	92	93		95		96	98			

Construit sur d'anciens monastères détruits à la fin du XVIᵉs., ce cru est situé à 200 m des remparts de Saint-Emilion, à l'est de la cité. Il est constitué de quatre cinquièmes de merlot et d'un cinquième de cabernet franc. En harmonie avec sa flatteuse couleur rubis, sombre et profonde, ce 99 révèle un bouquet riche et complexe dans lequel les arômes de fruits cuits et de pruneau sont associés à un bon boisé toasté et épicé. La bouche, d'abord ronde et ample, évolue sur une belle structure aux tanins fermes et serrés qui permettent d'envisager une longue garde.

🐦 SCE Luc d'Arfeuille,
Ch. La Serre, 33330 Saint-Emilion,
tél. 05.57.24.71.38, fax 05.57.24.63.01,
e-mail lucdarfeuille@wanadoo.fr Ⳬ r.-v.

CH. TERTRE DAUGAY 1999★

■ Gd cru clas.	13 ha	n.c.	◖❙▶ 23 à 30 €

82 **83 86 88** |89| |90| 93 94 96 98 99

Ce grand cru classé est très visible depuis la route Libourne-Castillon qu'il domine du haut de ses 24 m. Excellent observatoire, d'où son nom premier, « tertre du guet », il permettait d'apercevoir les éventuels envahisseurs qui progessaient dans la vallée de la Dordogne. Le vin lui aussi, mérite une bonne observation : sa robe aux reflets chatoyants charme l'œil. Son nez est déjà expressif, où se succèdent fruits rouges, noyau, muscade et un élégant bois toasté. L'attaque est soyeuse, puis l'évolution est davantage marquée par des tanins encore austères qui demandent deux à trois ans de garde pour être appréciés sur viandes blanches ou gibiers.

➥ Léo de Malet Roquefort, Ch. La Gaffelière, BP 65, 33330 Saint-Emilion, tél. 05.57.24.72.15, fax 05.57.24.69.06, ☑ ⵟ r.-v.
e-mail chateau-la-gaffeliere@chateau-la-gaffeliere.com

CH. TOINET FOMBRAUGE 1999★

■	1,25 ha	8 000	▮◖❙▶ 11 à 15 €

93 94 |95| |96| |97| 98 99

Ce cru, dans la famille depuis un siècle, est très régulièrement retenu par nos dégustateurs. Il consiste en une sélection de vieilles vignes sur les 7,3 ha que cultive Bernard Sierra sur les argilo-calcaires du nord-est de l'appellation. Le vin porte une jolie robe sombre aux reflets grenat. Encore un peu fermé, il a besoin d'être agité pour dégager des arômes de café, de pain grillé et de vanille. Il révèle ensuite une grande concentration, une saveur chaleureuse et fruitée finissant sur des tanins qui demandent à s'assagir un peu. Quelques excès de jeunesse, mais un bon potentiel.

➥ Bernard Sierra, Ch. Toinet-Fombrauge, 33330 Saint-Christophe-des-Bardes, tél. 05.57.24.77.70, fax 05.57.24.76.49 ☑ 🏠 ⵟ t.l.j. 10h-12h 15h-19h

CH. TOUR BALADOZ 1999

■	6 ha	45 000	▮◖❙▶ 11 à 15 €

|93| |94| |95| |96| |97| 98 99

Cette belle propriété de 9 ha date du début du XIXᵉs. Dominant la vallée de la Dordogne, elle est complantée à 70 % de merlot et à 30 % de cabernets sur des sols argilo-calcaires à substrat rocheux. Limpide, de teinte carminée, le 99 développe un bouquet boisé et épicé, nuancé d'arômes de prune et de réglisse. La bouche, d'abord souple et veloutée, évolue sur des tanins encore un peu fermes en finale, mais garants d'une bonne garde.

➥ SCEA Ch. Tour Baladoz, 33330 Saint-Laurent-des-Combes, tél. 05.57.88.94.17, fax 05.57.88.39.14, e-mail ch-baladoz@aol.com ☑ ⵟ r.-v.
➥ de Schepper

TOUR DU SEME 1999★

■	3 ha	25 000	▮◖❙▶ 15 à 23 €

Ce petit cru de 3 ha, créé en 1998, s'enracine sur des sables profonds et présente un encépagement inhabituel dans l'appellation : trois quarts de cabernet franc pour un quart de merlot. Cela donne un vin très réussi, d'une teinte grenat encore vive et soutenue. Le bouquet évoque des arômes de confiture et de fruits rouges cuits, agréablement mêlés d'odeurs grillées et vanillées. Ample, charnue et ronde, la bouche repose sur une belle structure tannique, persistante en finale. Signalons qu'il s'agit du second vin du château Milens.

➥ SARL Ch. Milens, Le 5ème, 33330 Saint-Hippolyte, tél. 05.57.55.24.47, fax 05.57.55.24.44, e-mail chateau.milens@wanadoo.fr ☑ ⵟ r.-v.

CH. TOUR GRAND FAURIE 1999

■	7 ha	45 000	▮◖❙▶⌀ 11 à 15 €

88 |90| 94 |95| |96| 97 98 99

Une femme est aux commandes de ce cru familial. Elle a assemblé 90 % de merlot à un appoint de cabernets et à un soupçon de malbec (cot). Paré d'une belle couleur grenat, bien soutenue, ce 99 mêle au nez des arômes de fruits rouges, de pain grillé et de vanille. La bouche est franche, souple et ronde, assez simple, mais bien équilibrée. La souplesse des tanins permettra une consommation rapide, d'ici deux à trois ans.

➥ SCEA Vignobles Georgette Feytit, Ch. Tour Grand Faurie, 33330 Saint-Emilion, tél. 05.57.24.73.75, fax 05.57.74.47.38, e-mail feytit@hotmail.com ☑ ⵟ t.l.j. 9h-12h 14h-20h

CH. TOUR POURRET 1999

■	3,25 ha	20 000	◖❙▶ 11 à 15 €

Installée en bord de route, entre Saint-Emilion et Libourne, sur des sols sableux, cette exploitation est familiale depuis trois générations. Composé par deux tiers de cabernet franc pour seulement un tiers de merlot, assemblage plutôt original dans l'appellation, ce millésime d'une couleur rubis, brillante et de bonne intensité, se distingue par un bouquet délicat mariant harmonieusement les arômes de fruits rouges à un élégant boisé. La bouche est corsée et souple, bien équilibrée avec des tanins fins, très agréables et de bonne persistance.

➥ Ch. Tour Pourret, 33330 Saint-Emilion, tél. 05.57.24.72.61, fax 05.57.74.48.82
☑ ⵟ t.l.j. 9h-12h 14h-19h
➥ Seberon

CH. TOUR RENAISSANCE 1999★

■	3 ha	18 000	◖❙▶ 11 à 15 €

89 |90| 91 92 93 94 96 97 98 99

Un des nombreux crus exploités en Libournais par Daniel Mouty. Celui-ci lui vient de son épouse Françoise Barraud ; il est situé sur les graves de Saint-Sulpice, au sud de l'appellation. Une jolie étiquette orne la bouteille de ce 99 à la robe grenat sombre, élevé douze mois en barrique. Son bouquet naissant est fin et discret, à la fois fruité, boisé et épicé (poivre). Sa bouche montante, d'abord sur les fruits confits, révèle ensuite une matière riche dont les tanins un peu fermes demanderont trois à quatre ans pour s'assagir. L'ensemble très prometteur est d'une réelle harmonie.

➥ SCEA Vignobles Daniel Mouty, Ch. du Barry, BP 5, 33350 Sainte-Terre, tél. 05.57.84.55.88, fax 05.57.74.92.99
☑ ⵟ t.l.j. sf sam. dim. 9h-13h 14h-17h30; ven. 15h

CH. TROTTEVIEILLE 1999★

■ 1er cru clas. B	n.c.	34 000	◖❙▶ 38 à 46 €

82 **85 86 88 90** 93 94 |95| |96| |97| 98 99

Ce cru situé à quelques centaines de mètres au nord-est de la cité offre un beau point de vue sur Saint-Emilion et sur la vallée de la Dordogne. Son nom est écrit en un seul mot dans la littérature et en deux mots sur l'étiquette ; quoi qu'il en soit il est lié à l'histoire de la petite vieille qui trottait après la diligence pour aller aux nouvelles.... Le vin se présente dans une jolie robe rubis. Ses arômes de fruits à l'eau-de-vie se conjuguent à des notes florales et boisées. Sa structure équilibrée repose sur des tanins fins. De quoi accompagner agréablement une lamproie à la bordelaise, une selle de chevreuil, un rôti de marcassin ou un gouda sec.

🍴 Indivision Castéja-Preben-Hansen, Ch. Trottevieille, 33330 Saint-Emilion, tél. 05.56.00.00.70, fax 05.57.87.48.61 ☑ ⏇ r.-v.

CH. DU VAL D'OR 1999★★

■	12 ha	76 000	🍴⏇⬇ 11 à 15 €
94 |95| |96| 97 98 **99**		

Philippe Bardet exploite 106 ha en Saint-Emilionnais et Castillonnais. La vigne de ce cru établi sur sables et graves, au sud de l'appellation, est complantée à 82 % de merlot, à 12 % de cabernet franc et à 6 % de cabernet-sauvignon. Régulièrement retenu dans le Guide, le vin s'est illustré en 99, millésime qui pourtant ne fut pas particulièrement facile. Les dégustateurs l'ont apprécié pour sa belle robe bordeaux, éclatante, pour son bouquet mariant le fruit noir (cassis), le merrain toasté et les épices (cardamome). Ample et chaleureux, étoffé par des tanins denses, ce vin sera agréable pendant les cinq prochaines années, voire davantage.

🍴 SCEA des Vignobles Bardet, 17, La Cale, 33330 Vignonet, tél. 05.57.84.53.16, fax 05.57.74.93.47, e-mail vignobles@vignobles-bardet.fr ☑ ⏇ r.-v.

VIEUX CHATEAU CROIX DE FIGEAC 1999

■	2 ha	18 000	🍴⏇ 8 à 11 €

Petit vignoble repris en 1997. Le sol y est sablonneux. 60 % de merlot et 40 % de cabernet franc donnent un 99 très honnête, d'une jolie couleur rubis brillante. Encore sous l'emprise du fruit rouge (fraise, framboise) et d'un boisé réglissé, ce vin, d'une réelle fraîcheur, affiche des tanins fermes qui devront attendre trois à quatre ans pour s'affiner.

🍴 SCEA Meunier et Fils, Croix de Figeac, 33330 Saint-Emilion, tél. 05.57.24.72.54, fax 05.57.24.72.54, e-mail sand.pierre.meunier@wanadoo.fr ☑ ⏇ t.l.j. sf sam. dim. 9h-19h30

VIEUX CHATEAU L'ABBAYE 1999★

■	1,73 ha	10 000	⏇ 15 à 23 €
	95		96	97 98 99		

Tout petit vignoble situé près de l'église de Saint-Christophe-des-Bardes, au nord-est de l'appellation. Le terroir argilo-calcaire est complanté à 85 % de merlot et à

15 % de cabernet franc âgés de quarante-cinq ans. Le 99 se pare d'une belle robe rubis dense. Le bouquet très élégant et complexe se révèle à la fois floral et fruité, agrémenté de notes de bois fin, de pâtisserie, de noisette et de réglisse. Souple mais chaleureux, soutenus par des tanins frais, c'est un vin féminin qui devrait être agréable dans deux à cinq ans.

🍴 Famille Lladères, Vieux Château l'Abbaye, le Bourg, BP 69, 33330 Saint-Christophe-des-Bardes, tél. 05.57.47.98.76, fax 05.57.47.93.03 ☑ ⏇ r.-v.

VIEUX CHATEAU PELLETAN 1999

■	5,93 ha	12 200	🍴⏇ 11 à 15 €

Créée en 1924, cette propriété familiale est actuellement exploitée par la quatrième génération. La vigne pousse ici depuis deux millénaires, mais aujourd'hui, ce sont de magnifiques tulipes rouges qui fleurissent entre les ceps, au mois de mars ; ce qui ajoute au charme sauvage et coloré de ce vignoble déjà très beau. Revenons au vin (rouge lui aussi) : son bouquet encore un peu fermé demande qu'on agite le verre pour exhaler des arômes essentiellement boisés. Souple et fruitée, la bouche s'achève sur un boisé discret qui permettra de boire ce 99 assez rapidement.

🍴 SCEA Vignobles Magnaudeix, Ch. Vieux Larmande, 33330 Saint-Emilion, tél. 05.57.24.60.49, fax 05.57.24.61.91, e-mail vignobles-magnaudeix@wanadoo.fr ☑ ⏇ r.-v.

CH. VIEUX FORTIN 1999★

■	5,39 ha	32 000	⏇ 30 à 38 €

Acheté en 1993 par Claude Sellan, ce cru est installé sur un terroir argilo-graveleux. Les vignes, âgées de trente-cinq ans en moyenne, comptent 60 % de merlot et 40 % de cabernet franc élevés vingt mois en barrique neuve. La teinte du 99, rouge carmin à reflets orangés, indique un début d'évolution. Les arômes boisés dominent le fruit avec des notes de torréfaction, de noix de coco et de tabac, alors que la bouche, soyeuse et harmonieuse, repose sur des tanins fins et fondus qui persistent longuement et savoureusement en finale.

🍴 Claude Sellan, Ch. Vieux Fortin, 33330 Saint-Emilion, tél. 05.57.24.69.97, fax 05.57.24.69.97, e-mail vieuxfortin@hotmail.com ☑ ⏇ r.-v.

CH. VIEUX LARTIGUE 1999

■	6,14 ha	33 000	⏇ 11 à 15 €

Joli vignoble établi sur les sables graveleux de Saint-Sulpice, au sud de l'appellation, et complanté à 80 % de merlot et à 20 % de bouchet. Rubis sombre, ce vin exhale d'abord des parfums de cerise, de noyau, puis un boisé vanillé. Après une attaque souple mais chaleureuse, les tanins du bois s'affirment ; encore un peu vifs, ils nécessiteront une attente d'un à deux ans.

🍴 SC du Ch. Vieux Lartigue, BP 80, 33330 Saint-Emilion, tél. 05.57.55.38.03, fax 05.57.55.38.01 ⏇ r.-v.

CH. VIEUX SARPE 1999★

■	3 ha	18 600	⏇ 15 à 23 €

On discerne encore, à Saint-Emilion, les sillons creusés dans le roc et qu'on remplissait de terre, selon une méthode prônée par l'empereur romain Valerius Probus. Propriété Janoueix depuis 1964, ce cru propose un 99 à la belle robe rubis, sombre et intense. Ses parfums très vineux mêlent des arômes de pruneau cuit et de noyau, agréablement enveloppés d'un joli boisé vanillé. Corsée, souple et charnue, la structure équilibrée et des tanins fondus et mûrs assureront un bel avenir à ce vin.

☛ Sté d'Exploitation du Ch. Haut-Sarpe,
BP 192, 33506 Libourne Cedex,
tél. 05.57.51.41.86, fax 05.57.51.53.16,
e-mail info@j-janoueix-bordeaux.com ☑ Ⴒ r.-v.
☛ J.F. Janoueix

CH. VILLEMAURINE 1999

■ Gd cru clas.	7 ha	45 000	ⅢD 23 à 30 €

85 86 88 |89| |90| 93 94 |97| |98| |99|

Le lecteur se souvient que ce cru recouvre un immense réseau de caves souterraines qui servirent autrefois de refuge aux Maures. Aujourd'hui élaboré avec 85 % de merlot, 10 % de cabernet-sauvignon et 5 % de cabernet franc, le 99 porte une robe grenat, légère et brillante, qui chatoie de reflets carmin. Le bouquet, agréable et complexe, marie les arômes de fruits mûrs (cerise, mûre) à des notes épicées et poivrées. Souple et délicat, doté de tanins soyeux et bien fondus, ce vin pourra être consommé rapidement.

☛ SC Vignobles Robert Giraud, 33330 Saint-Emilion,
tél. 05.57.43.01.44, fax 04.57.43.08.75 ☑ Ⴒ r.-v.

CH. YON FIGEAC 1999

■ Gd cru clas.	22 ha	140 000	▌ⅢD⌖ 23 à 30 €

|88| |89| 92 93 94 |95| |96| 99

Acquis par B. Germain en 1985, ce cru s'est développé au rythme d'investissements importants. Il possède même sa propre tonnellerie. Le merlot représente 90 % de l'assemblage de ce sympathique 99 qui gagnera à être un peu attendu. La teinte mêle les reflets rubis et grenat intense. A l'aération, on perçoit des senteurs de fruits noirs (mûre) et de boisé empyreumatique. La structure est encore dominée par des tanins un peu abrupts qui devraient s'assagir d'ici deux à trois ans.

☛ Ch. Yon-Figeac, 33330 Saint-Emilion,
tél. 05.57.74.47.58, fax 05.57.74.47.58,
e-mail bordeaux@vgas.com ☑ Ⴒ r.-v.
☛ B. Germain

Les autres appellations de la région de Saint-Emilion

Plusieurs communes, limitrophes de Saint-Emilion et placées jadis sous l'autorité de sa jurade, sont autorisées à faire suivre leur nom de celui de leur célèbre voisine. Ce sont les appellations de lussac saint-émilion (1 433 ha, 80 928 hl), montagne saint-émilion (1 579 ha, 88 122 hl), puisseguin saint-émilion (746 ha, 41 040 hl), saint-georges saint-émilion (191 ha, 10 810 hl), les deux dernières correspondant d'ailleurs à des communes aujourd'hui fusionnées avec Montagne. Toutes sont situées au nord-est de la petite ville, dans une région au relief tourmenté qui en fait le charme, avec des collines dominées par nombre de prestigieuses demeures historiques. Les sols sont très variés et l'encépagement est le même qu'à Saint-Emilion ; aussi la qualité des vins est-elle proche de celle des saint-émilion.

Lussac saint-émilion

CH. BEL-AIR
Cuvée Jean-Gabriel 1999★

■	2 ha	12 000	ⅢD 11 à 15 €

Née sur un terroir d'argile et de crasse de fer, cette cuvée est élevée dix-huit mois en barrique neuve. La robe est noire et profonde. Les arômes intenses rappellent le bon raisin, le tabac, la vanille et le pain grillé. En bouche, c'est un vin frais et séveux dont la structure évolue avec du volume et un équilibre aromatique très agréable. Une bouteille à boire dans deux à six ans.

☛ Jean-Noël Roi, Ch. Bel-Air, 33570 Lussac,
tél. 05.57.74.60.40, fax 05.57.74.52.11,
e-mail jean.roi@wanadoo.fr ☑ Ⴒ r.-v.

CH. BONNIN 1999★★

■	2,5 ha	10 000	ⅢD 8 à 11 €

Acquise en 1997, cette propriété nous étonne encore une fois avec ce remarquable 99, dont la robe pourpre aux reflets rubis est chatoyante. Le bouquet intense évoque le fruit mûr, la vanille, la noix. Puis les tanins soyeux et gras en attaque évoluent avec charme, élégance et puissance à la fois. La finale, remarquablement persistante et aromatique (mûre, cerise), autorise une garde de cinq à huit ans mais il est déjà possible de boire ce vin pour son équilibre actuel. Il ne lui a manqué qu'une voix pour être coup de cœur.

☛ Philippe Bonnin, Pichon,
33570 Lussac-Saint-Emilion,
tél. 05.57.74.53.12, fax 05.57.74.58.26 ☑ Ⴒ r.-v.

CH. DE BORDES
B de B 1999★

■	0,25 ha	2 100	ⅢD 8 à 11 €

Ce 99 provient de merlot de trente ans, avec 10 % seulement de cabernet franc, plantés sur un terroir argilosiliceux. Sa robe soutenue possède de beaux reflets violets. Elégant, le nez est marqué par un grillé toasté, des fruits confits et de la vanille. Les tanins puissants, voire trapus, évoluent avec une certaine race. L'harmonie sera plus intéressante dans deux à trois ans, lorsque le boisé très présent sera fondu.

☛ Vignobles Paul Bordes, Faize,
33570 Les Artigues-de-Lussac,
tél. 05.57.24.33.66, fax 05.57.24.30.42,
e-mail vignobles.bordes.paul@wanadoo.fr ☑ Ⴒ r.-v.

CH. CHEREAU 1999

■	20 ha	30 000	▌⌖ 5 à 8 €

Pour les amateurs de vin non boisé, voici une bouteille bien typée. Elle possède une couleur vive et brillante, un bouquet naissant de gibier et de fruits rouges très mûrs. Expressifs en bouche, les tanins se révèlent gras et veloutés, équilibrés en finale. Un vin à boire dans les trois prochaines années.

➦ SCEA Vignobles Silvestrini, 8, Chéreau, 33570 Lussac, tél. 05.57.74.50.76, fax 05.57.74.53.22 ☑ ♈ r.-v.

CH. DU COURLAT 1999

◾	12 ha	54 000	⦿	8 à 11 €

Ce vin, dominé dans sa composition par le merlot (90 %), possède une robe grenat profond, des arômes de réglisse et de fruits mûrs, des tanins souples et tendres en attaque. La finale bien équilibrée devrait s'arrondir et permettre de goûter cette bouteille dès janvier 2004 – si votre cave est bonne.

➦ SA Pierre Bourotte, 62, quai du Priourat, 33500 Libourne, tél. 05.57.51.62.17, fax 05.57.51.28.28, e-mail jeanbaptiste.audy@wanadoo.fr ♈ r.-v.

CH. COURRIERE-RONGIERAS 1999★

◾	1,45 ha	9 000	⦿	8 à 11 €

Appartenant à la même famille depuis neuf générations, ce cru propose un 99 assemblant 85 % de merlot au cabernet franc. Dans une robe grenat aux reflets noirs, des arômes plaisants s'expriment autour de notes de cuir, de fourrure et de fruits confits. La structure franche et équilibrée se révèle très puissante en finale. Le vin demande un minimum de trois à six ans de vieillissement pour gagner en harmonie.

➦ EARL Vignobles Jean-Bernard Saby et Fils, Ch. Rozier, 33330 Saint-Laurent-des-Combes, tél. 05.57.24.73.03, fax 05.57.24.67.77, e-mail info@vignobles-saby.com ☑ ♈ r.-v.

CH. LE GRAND BOIS 1999

◾	0,85 ha	6 500	⦿	8 à 11 €

Provenant à 100 % du cépage merlot, ce vin grenat intense offre des parfums flatteurs de boisé vanillé et de fruits rouges. Sa structure tannique, déjà agréable et légère, en fera une bouteille facile à boire dès aujourd'hui et pendant deux à trois ans.

➦ SARL Roc de Boissac, 33570 Puisseguin, tél. 05.57.74.61.22, fax 05.57.74.59.54 ☑ ♈ r.-v.

CH. DE LA GRENIERE
Cuvée de la Chartreuse
Elevé en barrique de chêne 1999

◾	2,5 ha	15 000	⦿	11 à 15 €

La cuvée de la Chartreuse est issue d'une parcelle autrefois cultivée par des moines. La robe de ce 99 a de jolis reflets rubis. Le bouquet de cacao et de tabac est expressif. Les tanins étoffés, encore dominés par un boisé très présent, demandent à se fondre par deux à trois ans de garde.

➦ EARL Vignobles Dubreuil, La Grenière, 33570 Lussac, tél. 05.57.74.64.96, fax 05.57.74.56.28 ☑ ♈ r.-v.

HAUT-JAMARD 1999

◾	8,5 ha	15 000	▮	5 à 8 €

Il s'agit là de la cuvée traditionnelle, qui n'a pas connu le bois. Elle présente bien : robe rubis orangé brillant et arômes de fruits très mûrs et de terroir. En bouche, les tanins sont souples et sincères, avec une finale agréable ;

c'est un vin bien typique de son AOC, qui est déjà bon à boire et le restera deux ou trois ans encore sur tout un repas familial.

➦ Jean-Claude Charpentier, Jamard, 33570 Lussac, tél. 05.57.74.51.28, fax 05.57.74.57.72 ☑ ♈ r.-v.

CH. JAMARD BELCOUR 1999

◾	4,5 ha	12 000	▮	5 à 8 €

Difficile millésime, 99 se prête bien à un élevage en cuve après tri sévère du raisin. Ce vin se caractérise par une couleur rubis brillant, des arômes complexes de fruits très mûrs et une structure bien présente, peut-être encore un peu vive en milieu de bouche – mais l'équilibre tanins – acidité est réussi et promet une bouteille qui devrait s'épanouir dans deux ou trois ans.

➦ SCEV Despagne et Fils, 3, Bonneau, 33570 Montagne, tél. 05.57.74.60.72, fax 05.57.74.58.22 ☑ ♈ t.l.j. sf dim. 8h-12h 14h-18h

CH. DES LANDES 1999★

◾	20 ha	120 000	▮◆	5 à 8 €

Né sur un terroir d'argile blanche et de crasse de fer, ce vin très intéressant présente une couleur pourpre soutenu, un bouquet naissant et discret de groseille et des tanins puissants, très longs et aromatiques en finale. Une bouteille authentique, à apprécier dans deux à cinq ans sur un magret de canard.

➦ Daniel Lassagne, Ch. des Landes, 33570 Lussac-Saint-Emilion, tél. 05.57.74.68.05, fax 05.57.74.68.05, e-mail chateaudeslandes@aol.com ☑ ♈ t.l.j. 8h-20h

CH. LUCAS
Grand de Lucas Cuvée Prestige
Vieilli en fût de chêne 1999★

◾	7 ha	40 000	⦿	8 à 11 €

Des vendanges manuelles après un travail en culture intégrée et contrôlée, un encépagement mi-merlot, mi-cabernet franc ont donné cette cuvée fort bien réussie, comme le montrent la robe sombre et brillante et les parfums élégants de fruits mûrs, de cacao et de pain grillé. Les tanins aimables et délicats sont harmonieux jusqu'en finale. C'est une bouteille à boire ou à laisser vieillir deux à cinq ans. A noter aussi, la **cuvée classique 99 (5 à 8 €)**, citée pour son intensité fruitée et sa sincérité en bouche : elle est déjà prête à boire. Deux cuvées destinées à des mets délicats comme un chapon.

➦ Frédéric Vauthier, Ch. Lucas, 33570 Lussac, tél. 05.57.74.60.21, fax 05.57.74.62.46, e-mail chateau.lucas.fred.vauthier@wanadoo.fr ☑ ♈ r.-v.

CH. LYONNAT 1999★

◾	36 ha	240 000	⦿	8 à 11 €

Classée parmi les plus grandes de l'appellation, cette propriété bénéficie des techniques les plus récentes, au vignoble comme au chai. Le vin affiche une robe intense presque noire, un bouquet de fruits rouges mariés à des notes fumées et épicées, et des tanins fermes, bien présents en finale. Il est préférable d'attendre deux ou trois ans avant de le déguster.

➦ SCE Vignobles Jean Milhade, Ch. Recougne, 33133 Galgon, tél. 05.57.55.48.90, fax 05.57.84.31.27, e-mail g.milhade@milhade.com ☑ ♈ r.-v.

BORDELAIS

CH. MAYNE-BLANC
Cuvée Saint-Vincent 1999★★

| ■ | 6 ha | 27 000 | ▮⬛♨ 11 à 15 € |

Un étang, un parc, ... un vignoble vendangé à la main, un assemblage équilibré (65 % de merlot, 20 % de cabernet-sauvignon et 15 % de cabernet franc), douze mois de barrique neuve : tout semble réuni pour que ce vin soit grand. Il a fait l'unanimité de notre grand jury. La robe pourpre intense annonce des arômes complexes et profonds, évoquant le fruit noir très mûr, presque confit, le fumé, le boisé grillé et vanillé. Les tanins séveux et corsés en attaque sont parfaitement mûrs et extraits avec discernement. L'élevage en barrique, bien dosé, permet à l'ensemble d'acquérir beaucoup de complexité et de persistance. Un vin racé, qui s'épanouira totalement dans deux à six ans.
↪ EARL Jean Boncheau, Ch. Mayne-Blanc, 33570 Lussac, tél. 05.57.74.60.56, fax 05.57.74.51.77 ☑ ⅋ t.l.j. sf dim. 8h-12h 14h-19h

CH. MAYNE-BLANC
Cuvée Tradition 1999★★

| ■ | 11 ha | 45 000 | ▮⬛♨ 8 à 11 € |

Le second vin de ce château – étiquette noire – est digne de son aîné qui décroche le coup de cœur. La robe pourpre brille de jolis reflets carminés. L'élégant bouquet de bon raisin se marie harmonieusement avec des notes de boisé, d'épices et de cuir. Les tanins francs et mentholés sont très soyeux, concentrés et mûrs. Ils évoluent avec finesse et une persistance aromatique importante, dominée par les épices et l'élevage en barrique. Une bouteille à boire dans deux à six ans, avec une bonne grillade ou un plat du Sud-Ouest.
↪ EARL Jean Boncheau, Ch. Mayne-Blanc, 33570 Lussac, tél. 05.57.74.60.56, fax 05.57.74.51.77 ☑ ⅋ t.l.j. sf dim. 8h-12h 14h-19h

CH. DES ROCHERS 1999

| ■ | 2,78 ha | 19 000 | ▮⬛♨ 11 à 15 € |

Acheté en 1987 par son actuel propriétaire, partisan de la biodynamie, le château pratique le microbullage. Ce 99 présente une robe sombre, presque noire, et un bouquet expressif de fruits et de boisé grillé. Ses tanins, fermes et pleins, évoluent avec chaleur et harmonie. La finale, encore très austère, demande deux ans de garde.
↪ SCE Vignobles Rousseau, 1, Petit Sorillon, 33230 Abzac, tél. 05.57.49.06.10, fax 05.57.49.38.96, e-mail chateau@vignoblesrousseau.com ☑ ⅋ r.-v.

CH. TOUR DE SEGUR 1999★

| ■ | 6 ha | 24 000 | ⬛♨ 8 à 11 € |

Appartenant depuis l'an 2000 à André Lurton (La Louvière, Bonnet, etc.), ce château présente un joli vin à

la robe grenat aux reflets rubis et au bouquet expressif de pruneau, de boisé cacaoté. Ses tanins, chaleureux et étoffés, évoluent avec finesse, équilibre et une agréable persistance aromatique. Une bouteille d'avenir (trois à six ans), mais qui peut aussi être bue jeune, sur un gibier.
↪ Vignobles André Lurton, Ch. Bonnet, 33420 Grézillac, tél. 05.57.25.58.58, fax 05.57.74.98.59, e-mail andrelurton@andrelurton.com ☑

Montagne saint-émilion

CH. D'ARVOUET 1999

| ■ | 3,8 ha | 23 000 | ⬛ 8 à 11 € |

Douze mois de barrique pour ce 99 associant 80 % de merlot au cabernet-sauvignon. Il se distingue par une couleur grenat soutenu et un bouquet naissant de noix de coco, de poivre et de tabac. Sa structure tannique puissante ainsi que la finale boisée conseillent deux ou trois ans de garde.
↪ EARL Moreau, Ch. d'Arvouet, 33570 Montagne, tél. 05.57.74.56.60, fax 05.57.74.58.33, e-mail moreaulavoute@aol.com ☑ ⅋ r.-v.

L'AS DE ROUDIER
Elevé en fût de chêne 1999

| ■ | 29,73 ha | 12 000 | ▮⬛ 8 à 11 € |

Appartenant à la famille Capdemourlin, également propriétaire à Saint-Emilion, ce château propose une cuvée agréable : le bouquet naissant évolue sur des notes mentholées et épicées. Les tanins élégants et équilibrés, déjà fondus, autorisent une consommation dans les trois ans.
↪ SCEA Capdemourlin, Ch. Roudier, 33570 Montagne, tél. 05.57.74.62.06, fax 05.57.74.59.34, e-mail info@vignoblescapdemourlin.com ☑ ⅋ r.-v.
↪ GFA Capdemourlin

CH. BAUDRON 1999★

| ■ | 10,12 ha | 79 000 | ▮♨ 5 à 8 € |

Le vin du président de la cave coopérative : il provient de 70 % de merlot et de 30 % de cabernet. La robe est d'un grenat intense, et les parfums de fruits rouges très mûrs (fraise, cerise) se marient avec des notes de réglisse et d'épices. La structure est dense et veloutée jusque dans la finale concentrée et persistante. Une bouteille à oublier trois ans dans une bonne cave.
↪ Groupe de Producteurs de Montagne, La Tour Mont d'Or, 33570 Montagne, tél. 05.57.74.62.15, fax 05.57.74.50.51 ☑ ⅋ t.l.j. sf sam. dim. 8h-12h 14h-18h
↪ J. Boireau

CH. BEAUSEJOUR 1999★

| ■ | 5 ha | 50 000 | ▮⬛♨ 5 à 8 € |

Ce Château est vinifié par le négociant Germain, qui présente deux 99 notés chacun une étoile. La cuvée principale, celle-ci, a des arômes de fruits très mûrs, presque de confiture, et de fleurs blanches. Les tanins sont charnus et puissants, bien équilibrés par un élevage boisé judicieusement dosé. C'est un vin qui sera totalement ouvert dans deux ou trois ans. Le **Clos l'Eglise 99 (8 à 11 €)**, issu de vignes de cent ans, possède une robe sombre et un bouquet encore fermé, mais élégant. Doté de tanins soyeux et charpentés à la fois, il demande également deux ou trois ans de vieillissement.

🖢 SARL Beauséjour, Vignobles Germain et Associés, 33570 Montagne, tél. 05.57.42.66.66, fax 05.57.64.36.20, e-mail bordeaux@vgas.com
☑ ⵂ r.-v.

CH. MARQUISAT DE BINET 1999

■	n.c.	50 000	▮	5 à 8 €

Issu à 90 % de merlot, ce 99 présente une couleur grenat encore vive, un bouquet de fruits (cassis, mûre) et d'épices. Ses tanins charnus et équilibrés sont très classiques. C'est un vin typé, sans artifice, qui sera encore plus harmonieux dans un à deux ans.

🖢 SCV Ch. Binet, 33570 Montagne, tél. 05.57.74.41.50, fax 05.40.70.00.68 ☑ ⵂ r.-v.
🖢 Janie Spinasse

CH. BONFORT 1999★

■	n.c.	12 000	⑪	8 à 11 €

Né sur la commune de Néac, ce joli vin se présente sous une robe rouge grenat aux reflets déjà tuilés et offre un bouquet complexe de fumé, de grillé et d'épices. Les tanins souples, équilibrés et harmonieux, sont veloutés et racés. Prêt à boire dans deux ou trois ans. Son petit frère, le **Château Vernay-Bonfort (5 à 8 €)**, obtient une citation.

🖢 Cheval Quancard, La Mouline, 4, rue du Carbouney, BP 36, 33560 Carbon-Blanc, tél. 05.57.77.88.88, fax 05.57.77.88.99, e-mail chevalquancard@chevalquancard.com ⵂ r.-v.
🖢 SCE de Bertineau

CH. CALON 1999★★

■	32 ha	140 000	▮⑪⌣	8 à 11 €

Ce vignoble a été constitué au cours des trois derniers siècles par la famille de Jean-Noël Boidron, ancien professeur de la faculté d'œnologie de Bordeaux, qui a restauré les cinq moulins à vent (XVᵉs.) du domaine. 70 % de merlot, 5 % de malbec et le reste en cabernets : remarquable dans une robe grenat soutenu, ce 99 exhale des parfums puissants de fruits confits, d'épices, de thé et de café. Généreux en attaque, les tanins se révèlent ensuite élégants et très équilibrés, bien enrobés. Une bouteille à boire dans deux ou trois ans, et qui devrait vieillir une bonne dizaine d'années.

🖢 Jean-Noël Boidron, Ch. Calon, 33570 Montagne, tél. 05.57.51.64.88, fax 05.57.51.56.30
☑ ⵂ t.l.j. sf sam. dim. 8h-11h 14h-17h

CH. CARDINAL 1999★

■	8,5 ha	50 000	▮	8 à 11 €

Cette propriété appartient à la même famille depuis 1742, ce qui doit constituer un record dans le vignoble bordelais. La tradition est au service de la viticulture, et vous y trouverez un 99 très réussi : sa robe grenat intense séduit, tout comme ses parfums délicats et frais de framboise, de violette, de cannelle. Ses tanins puissants et épicés évoluent avec une bonne longueur et de la race. Une bouteille d'avenir, à ouvrir dans deux à cinq ans.

🖢 SCEA Bertin, Dallau, 8, rte de Lamarche, 33910 Saint-Denis-de-Pile, tél. 05.57.84.21.17, fax 05.57.84.29.44, e-mail vignoblebertin@wanadoo.fr ☑

CH. LA COUROLLE
Elevé en fût de chêne 1999★

■	8 ha	50 000	▮⑪⌣	5 à 8 €

Cette propriété familiale est complantée à 90 % de merlot et à 10 % de cabernet franc. Le 99 se présente très bien avec une couleur rubis soutenue et des arômes de fumé, de pain grillé et de vanille. Ses tanins, fermes et chaleureux en même temps, n'empêchent pas l'expression agréable d'une finale fruitée et équilibrée qui laisse présager une évolution favorable après trois à six ans de vieillissement.

🖢 SARL Vignobles Claude Guimberteau, Arriailh, 33570 Montagne, tél. 05.57.74.62.38, fax 05.57.74.50.78
☑ ⵂ r.-v.

CLOS LA CROIX D'ARRIAILH 1999★★

■	0,8 ha	4 700	▮⑪⌣	8 à 11 €

Ce clos rassemble des vignes de plus de cinquante ans, sévèrement sélectionnées. Vinifié et élevé suivant les techniques les plus récentes, le 99 est remarquable par sa robe rouge grenat profond et ses arômes complexes et puissants de fruits mûrs, d'épices, de boisé grillé. Frais en attaque, les tanins révèlent ensuite beaucoup de matière, de fruit et d'équilibre jusque dans une finale charnue et persistante. Une grande bouteille d'avenir, à ouvrir dans trois à cinq ans. La cuvée principale, **Château Croix Beauséjour 99 élevée en fût (5 à 8 €)**, obtient une étoile.

🖢 Olivier Laporte, Ch. Croix-Beauséjour, Arriailh, 33570 Montagne, tél. 05.57.74.69.62, fax 05.57.74.59.21
☑ 🏠 ⵂ r.-v.

CLOS CROIX DE MIRANDE 1999

■	1,24 ha	9 500	▮⑪	8 à 11 €

Ce vin mérite l'intérêt pour son bouquet expressif et plaisant de cuir, de petits fruits rouges, d'épices, et pour la douceur des tanins bien mûrs, aromatiques, persistants. Une bouteille déjà agréable qui devrait évoluer favorablement deux à cinq ans ; on l'essayera sur une pintade rôtie.

🖢 Michel Bosc, Clos Croix de Mirande, 33570 Montagne, tél. 05.57.74.68.70, fax 05.57.74.50.61
☑ ⵂ r.-v.

L'ENVIE 1999★

■	2 ha	5 000	⑪	8 à 11 €

Un nom original pour ce vin issu de merlot de quarante-cinq ans, au rendement faible. La robe grenat est soutenue. Les arômes complexes de fruits noirs sont bien fondus avec les notes boisées de torréfaction, de vanille, de fumée. La structure ample des tanins évolue avec puissance alors que le boisé domine encore. Il est nécessaire d'attendre trois ou quatre ans avant d'ouvrir cette bouteille.

🖢 SCEV Despagne et Fils, 3, Bonneau, 33570 Montagne, tél. 05.57.74.60.72, fax 05.57.74.58.22
☑ ⵂ t.l.j. sf dim. 8h-12h 14h-18h

CH. FAIZEAU
Sélection Vieilles vignes 1999★

■	n.c.	39 000	▮⑪⌣	11 à 15 €

Régulièrement cité parmi les meilleurs crus de l'appellation, ce château, coup de cœur l'an dernier, a réussi un 99 de pur merlot. La robe est grenat profond. Le bouquet expressif égrène des notes de fruits cuits et de fleurs. Les tanins charnus, bien enrobés par un agréable boisé grillé, donnent une bouteille à boire jeune, d'ici deux ans, ou à garder quelques années de plus.

❧ SCE du Ch. Faizeau, 33570 Montagne,
tél. 05.57.24.68.94, fax 05.57.24.60.37,
e-mail contact@chateau.faizeau.com ✓ ⊥ r.-v.
❧ Chantal Lebreton

CH. GRAND BARAIL 1999★★

| ■ | 9 ha | n.c. | ⊞ 11 à 15 € |

Après un excellent 98, ce château réussit, dans un millésime difficile, un remarquable vin issu de très vieilles vignes. La robe pourpre profond, a de jolis reflets rubis ; les arômes intenses évoquent la cerise noire, le pain grillé et la vanille ; les tanins puissants, très mûrs et charnus, évoluent progressivement tout en finesse et en équilibre. La finale est particulièrement aromatique et persistante ; c'est un vin qui devrait se bonifier par trois à huit ans de vieillissement

❧ EARL Vignobles D. et C. Devaud, Ch. de Faise, 33570 Les Artigues-de-Lussac,
tél. 05.57.24.31.39, fax 05.57.24.34.17 ✓ ⊥ r.-v.

CH. LA GRANDE BARDE 1999★

| ■ | 9 ha | 60 000 | ⊞ ⬥ 8 à 11 € |

4 % de malbec, 6 % de cabernet-sauvignon, 10 % de cabernet franc et 80 % de merlot : ce 99 est paré d'une robe grenat profond et soutenu ; le nez, légèrement toasté, développe également des notes de muscade, de réglisse et de vanille. Souples et frais en attaque, les tanins évoluent avec puissance et équilibre, bien fondus, témoignant d'un élevage sous bois maîtrisé. Cette bouteille, à ouvrir dans deux à cinq ans, procurera un grand plaisir !

❧ SCE De La Grande Barde, 33570 Montagne,
tél. 05.57.74.64.98, fax 05.57.74.64.98 ✓ ⊥ r.-v.

CH. GUADET-PLAISANCE

Cuvée Saint-Vincent Elevé en fût de chêne 1999★

| ■ | 1 ha | 6 000 | ⊞ 8 à 11 € |

Cette cuvée prestige d'une propriété de 10 ha comporte 65 % de merlot, 25 % de cabernet franc et 10 % de cabernet-sauvignon. Dans une robe noire intense, elle exprime des arômes complexes et puissants de fruits rouges, d'épices (muscade, cannelle) et de bon boisé grillé. Les tanins sont mûrs, fruités et équilibrés. Doté d'une finale persistante, c'est un vin à garder entre deux et six ans.

❧ Vignobles Jean-Paul Deson, 2, au Piney,
33330 Saint-Christophe-des-Bardes,
tél. 05.57.24.77.40, fax 05.57.74.46.34 ✓ ⊥ r.-v.

CH. HAUT-GOUJON 1999

| ■ | 7,5 ha | 15 000 | ▮⊞⬥ 5 à 8 € |

Né sur un terroir argilo-graveleux à partir de 80 % de merlot, ce vin présente une couleur délicatement tuilée alors que les parfums de fruits rouges et de cèdre et les tanins corsés affirment une réelle jeunesse. Equilibré, ce vin devra vieillir deux ans minimum dans une bonne cave.

❧ SCEA Garde et Fils, Goujon, 33570 Montagne,
tél. 05.57.51.50.05, fax 05.57.25.33.93 ⊥ r.-v.

CH. DE MAISON NEUVE 1999

| ■ | 62,64 ha | 400 000 | ▮⊞ 5 à 8 € |

Après avoir visité l'écomusée du Vigneron de Montagne, allez rencontrer Michel Coudroy. Il vous dira que

80 % de merlot entrent dans ce 99 déjà très agréable, à la robe brillante, légèrement tuilée. Le bouquet évoque le pruneau et le grillé. La structure légère, mais équilibrée et aromatique, compose un vin à boire dans les trois ans à venir.

❧ SCEA Vignobles Michel Coudroy, Maison-Neuve, 33570 Montagne, tél. 05.57.74.62.23, fax 05.57.74.64.18
✓ ⊥ t.l.j. 8h-12h 14h-17h; f. août

CH. DES MOINES 1999

| ■ | 18,5 ha | 60 000 | ▮⊞⬥ 8 à 11 € |

80 % de merlot, 2 % de cabernet-sauvignon, le reste en cabernet franc. Ce millésime difficile n'a été élevé que pour 60 % en barrique. Le bouquet évoque les fruits rouges, la cannelle et la résine. Souples déjà et savoureux, les tanins permettent d'ouvrir cette bouteille dès 2003, ou de la garder deux à trois ans.

❧ Vignobles Raymond Tapon, Ch. des Moines,
33570 Montagne, tél. 05.57.74.61.20,
fax 05.57.74.61.19, e-mail vinstapon@aol.com ✓ ⊥ r.-v.

CH. MONTAIGUILLON 1999★

| ■ | 26 ha | 120 000 | ⊞ 8 à 11 € |

Du haut du vignoble on peut apercevoir les huit clochers qui ponctuent le très beau paysage. Avec 50 % de merlot complétés par les deux cabernets, ce 99 porte une robe grenat aux reflets carminés. Riches de fruits mûrs, de notes de cachou, de moka, de vanille, les arômes persistent sur des tanins denses et puissants. L'évolution en bouche est veloutée, harmonieuse et autorise un vieillissement de trois à cinq ans en cave.

❧ Amart, Ch. Montaiguillon, 33570 Montagne,
tél. 05.57.74.62.34, fax 05.57.74.59.07,
e-mail chantalamart@montaiguillon.com ✓ ⊥ r.-v.

CH. DU MOULIN NOIR 1999

| ■ | 6,2 ha | 48 000 | ▮⊞⬥ 8 à 11 € |

Créée en 1990, la propriété est gérée par Vitigestion qui a en charge de belles entités médocaines. 45 % de cabernet franc entrent dans l'assemblage de ce 99 : c'est beaucoup et c'est réussi. Le bouquet assez intense évoque les fruits rouges écrasés, le cuir, le boisé du fût. Les tanins, fruités et soyeux en attaque, s'affirment davantage en finale. L'harmonie devrait être atteinte dans deux ou trois ans.

❧ SC Ch. du Moulin Noir, Lescalle, 33460 Macau,
tél. 05.57.88.07.64, fax 05.57.88.07.00 ✓ ⊥ r.-v.

CH. PALON GRAND SEIGNEUR 1999

| ■ | 6,14 ha | 48 000 | ▮⬥ 5 à 8 € |

Produit par la cave coopérative, ce 99 possède des arômes très frais et élégants de fruits et de poivre. En bouche, les tanins gras et intenses ont beaucoup de charme, même si la finale paraît légèrement rustique. Un vin qui a un avenir d'au moins deux à trois ans.

❧ Groupe de Producteurs de Montagne,
La Tour Mont d'Or, 33570 Montagne,
tél. 05.57.74.62.15, fax 05.57.74.50.51
✓ ⊥ t.l.j. sf sam. dim. 8h-12h 14h-18h
❧ André Fellonneau

CH. LE PETIT SAUVAGE 1999

| ■ | 1 ha | 15 000 | ⊞ 11 à 15 € |

Une petite production pour ce 99 issu exclusivement du cépage merlot. La couleur est belle, et le bouquet expressif affiche des nuances complexes et épicées. Les tanins ronds et soyeux en attaque, légèrement fumés, en font un vin de plaisir immédiat.

➤ Hubert Boidron,
1, Petit-Corbin, 33330 Saint-Emilion,
tél. 05.57.48.00.59, fax 05.57.48.00.59,
e-mail hubert.boidron@libertysurf.fr ☑ ☒ r.-v.

CH. LA PICHERIE
Cuvée Privilège 1999★★

| ■ | 1 ha | 4 500 | ■ ⑪ ♨ | 11 à 15 € |

Acheté en 1997, ce petit vignoble de 3,50 ha conserve une de ses parcelles choisies à ce millésime. Le résultat est magnifique : robe pourpre intense, parfums puissants de boisé grillé et vanillé. Les tanins francs et chaleureux en attaque évoluent avec beaucoup de richesse, de complexité et d'intensité due au bois. Ce vin déjà très impressionnant devrait cependant gagner en harmonie et en équilibre après un vieillissement de trois à cinq ans dans une bonne cave.

➤ Rodolphe Guimberteau, Guitard, 33570 Montagne, tél. 05.57.74.57.66, fax 05.57.74.50.78 ☑ ☒ r.-v.

CH. PLAISANCE 1999

| ■ | 17,44 ha | 60 000 | ⑪ | 8 à 11 € |

Le malbec (2 %) est associé à 34 % de cabernet franc et à 64 % de merlot dans ce 99 à la couleur vive et soutenue, au bouquet ouvert de fruits bien mûrs, de réglisse et de boisé discret. Les tanins souples et équilibrés permettront de consommer ce vin dans les trois prochaines années.

➤ Celliers de Bordeaux Benauge,
18, rte de Montignac, 33760 Ladaux,
tél. 05.57.34.54.00, fax 05.56.23.48.78,
e-mail celliers-bxbenauge@wanadoo.fr ☑ ☒ r.-v.

CH. PUY RIGAUD 1999★

| ■ | 5 ha | 12 000 | ■ ⑪ ♨ | 8 à 11 € |

80 % de merlot et 20 % de cabernets nés sur un terroir argilo-calcaire classique telle est l'origine de ce très bon 99 à la robe rubis soutenu. Le bouquet fruité et boisé est intense mais bien fondu ; il annonce une structure dense, souple et mûre. La finale harmonieuse se révèle particulièrement aromatique (réglisse, pain grillé). Ce vin devrait harmonieusement vieillir, au moins pendant deux à cinq ans.

➤ Guy et Dany Desplat, Grand Rigaud, BP 13,
33570 Puisseguin, tél. 05.57.74.61.10, fax 05.57.74.58.30
☑ ☒ r.-v.

CH. LE RAMBEAUD 1999

| ■ | n.c. | 6 000 | ⑪ | 5 à 8 € |

Cette ancienne seigneurie datant de 1600 fut divisée à la Révolution française. Aujourd'hui on y produit un vin très agréable : d'une couleur soutenue, il arbore des parfums élégants de fruits rouges (framboise), de myrtille et de boisé discret. Souple et franc, il est prêt à boire mais se gardera également quelques années. La cuvée principale, qui ne connaît pas la barrique, est tout aussi intéressante : ce Château Corbin 99, aux tanins frais et équilibrés, obtient une citation.

➤ SCEA François Rambeaud,
Corbin, 33570 Montagne, tél. 05.57.74.62.41,
fax 05.57.74.55.91, e-mail chateau.corbin@free.fr
☑ ☒ t.l.j. sf dim. 10h-12h30 14h-18h30

CH. ROC DE CALON
Cuvée Prestige 1999★

| ■ | 3 ha | 16 000 | ⑪ | 8 à 11 € |

Près de 23 ha pour ce cru de qualité. Sa cuvée principale Roc de Calon 99 (5 à 8 €), ne connaît pas le bois. Elle obtient une citation et promet un plaisir immédiat. La cuvée Prestige porte bien son nom et présente une robe rubis soutenu. Le bouquet boisé (vanille), poivré et fruité, et les tanins mûrs, puissants et bien équilibrés, composent une bouteille qui sera parfaite dans deux ou trois ans.

➤ Bernard Laydis, 2, Barreau, 33570 Montagne, tél. 05.57.74.63.99, fax 05.57.74.51.47 ☑ ☒ r.-v.

CH. ROCHER CORBIN 1999★

| ■ | 9,4 ha | 60 000 | ⑪ | 11 à 15 € |

Exportant 60 % de sa production, ce cru propose un joli vin, à la superbe robe pourpre. Ses arômes frais et complexes de petits fruits noirs et de boisé grillé, ainsi que sa structure dense et volumineuse, évoluant plus en finesse qu'en puissance, sont à découvrir dans trois à six ans.

➤ SCE du Ch. Rocher Corbin, 33570 Montagne, tél. 05.57.74.55.92, fax 05.57.74.53.15 ☑ ☒ r.-v.
➤ Philippe Durand

CH. TREYTINS 1999

| ■ | 2,5 ha | 16 300 | ⑪ | 8 à 11 € |

Situé à flanc de colline sur un sol graveleux, ce château mérite d'être cité pour son vin déjà très ouvert : le bouquet de fruits mûrs est en harmonie avec les notes de vanille venues de la barrique, ainsi qu'avec les tanins puissants, racés et équilibrés. Une bouteille à apprécier dans deux ou trois ans.

➤ Vignobles Léon Nony, Ch. Garraud, 33500 Néac, tél. 05.57.55.58.58, fax 05.57.25.13.43,
e-mail info@vln.fr
☑ ☒ t.l.j. sf sam. dim. 9h-12h 14h-17h

CH. VIEUX MOULINS DE CHEREAU 1999

| ■ | 5,5 ha | 25 000 | ■ ♨ | 5 à 8 € |

Si vous aimez les circuits de grande randonnée et si vous voulez goûter un vin qui n'a pas connu la barrique, passez chez les Silvestrini, dont le 99 se signale par la qualité de ses arômes fruités et par une structure tannique assez élégante. Bien équilibré, c'est un vin déjà bon à boire.

➤ SCEA Vignobles Silvestrini, 8, Chéreau,
33570 Lussac, tél. 05.57.74.50.76, fax 05.57.74.53.22
☑ ☒ r.-v.

Puisseguin saint-émilion

CH. BEL-AIR
Cuvée de Bacchus Vieilli en fût de chêne 1999

| ■ | 4 ha | 20 000 | ■ ⑪ ♨ | 8 à 11 € |

Situé sur le plateau argilo-calcaire de Puisseguin, ce château présente un 99 intéressant par sa couleur rouge brillant, son nez élégant de fruits et ses tanins présents et mûrs, un peu simples cependant, en évolution finale. Un vin sincère, à apprécier dès maintenant.

➤ SCEA Adoue Bel-Air, Bel-Air, 33570 Puisseguin,
tél. 05.57.74.51.82, fax 05.57.74.59.94
☑ ☒ t.l.j. 9h-13h 14h-19h
➤ Adoue Frères

BORDELAIS

CH. BRANDA 1999★

■   8 ha   38 000   🍾 15 à 23 €

A la tête de l'appellation depuis de nombreuses années, ce château utilise toutes les techniques de sélection au vignoble et dans les chais afin de produire de très grands vins. Il y réussit fort bien avec ce millésime si difficile en Libournais. Son 99, à la couleur intense et aux reflets brillants, offre des arômes de caramel et de fruits noirs bien mûrs qui se fondent dans un boisé puissant mais fondu ; les tanins veloutés et gras évoluent avec richesse et équilibre, autorisant une longue garde de trois à six ans ou plus.
🍷 SC Ch. du Branda, Roques, 33570 Puisseguin, tél. 05.57.74.62.55, fax 05.57.74.57.33 ☑ ⅄ r.-v.

CH. FAYAN

Elevé en fût de chêne 1999

■   10,77 ha   20 000   📖🍾↓ 5 à 8 €

Des vignes enherbées, une vinification traditionnelle avec 90 % de merlot, douze mois de barrique : le résultat est ce 99 à la robe rouge cerise soutenu. Ses arômes de pruneau, de grillé, de cuir et d'épices annoncent des tanins solides qui devront évoluer : il faudra attendre un an ou deux avant de boire cette bouteille sur le rôti de bœuf du dimanche.
🍷 SCEA Philippe Mounet, Ch. Fayan, 33570 Puisseguin, tél. 05.57.74.63.49, fax 05.57.74.54.73 ☑ ⅄ t.l.j. sf dim. 8h-12h 14h-17h

CH. FONGABAN 1999★★

■   8 ha   30 000   🍾 8 à 11 €

Après son remarquable 98, ce château réussit l'exploit d'obtenir encore deux étoiles dans le millésime 99, plus difficile. La robe rouge vif a des reflets violines. Les arômes puissants et complexes évoquent les fruits rouges bien mûrs, le boisé grillé et vanillé. Les tanins veloutés et charmeurs en attaque évoluent ensuite avec beaucoup de puissance, de gras et d'équilibre. La finale est marquée par des parfums de noisette très persistants. Ce vin racé s'épanouira encore mieux après trois à cinq ans de vieillissement.
🍷 SARL de Fongaban, Monbadon, 33570 Puisseguin, tél. 05.57.74.54.07, fax 05.57.74.50.97
☑ ⅄ t.l.j. sf sam. dim. 9h-12h 14h-18h
🍷 Georges Taïx

CH. GUIBOT LA FOURVIEILLE

Sélection Henri Bourlon 1999★

■   10 ha   60 000   📖🍾↓ 8 à 11 €

Visitez le château féodal de Monbadon, puis parcourez 1 km pour découvrir cette famille intéressante, ainsi que ce très bon vin, à la robe rubis profond, aux arômes concentrés de fruits noirs, de torréfaction et de pain grillé. Les tanins riches et mûrs, en harmonie avec un boisé assez marqué, composent un vin de garde, à apprécier dans deux à six ans.
🍷 Henri Bourlon, Ch. Guibeau, 33570 Puisseguin, tél. 05.57.55.22.75, fax 05.57.74.58.52, e-mail vignobles.henri.bourlon@wanadoo.fr ☑ ⅄ r.-v.

CH. HAUT-BERNAT

Elevé en fût de chêne 1999

■   5,65 ha   32 000   🍾 8 à 11 €

Après ses réussites des millésimes 97 (coup de cœur) et 98 (une étoile), ce vin 100 % merlot, élevé douze mois en barrique, est cité : sa robe est dense. Le bouquet discret

est marqué par les fruits noirs mûrs. Ses tanins agréables sont assez simples et ne permettront pas une longue garde. Une bouteille à boire ou à garder quelques années.
🍷 SA vignobles Bessineau, 8, Brousse, BP 42, 33350 Belvès-de-Castillon, tél. 05.57.56.05.55, fax 05.57.56.05.56, e-mail bessineau@cote-montpezat.com
☑ ⅄ t.l.j. sf sam. dim. 9h-12h 14h-18h; f. août

CH. LAFAURIE 1999

■   5 ha   30 000   🍾 5 à 8 €

Paul Maugein est l'œnologue conseil de ce domaine de 10 ha où l'on associe 60 % de merlot aux deux cabernets. Le 99 possède une couleur jeune et soutenue, un bouquet naissant de fruits mûrs (cerise) avec des notes animales et une solide structure en bouche : une bouteille à ouvrir dans un à trois ans, en l'aérant quelques heures avant de la servir.
🍷 Vignobles Paul Bordes, Faize, 33570 Les Artigues-de-Lussac, tél. 05.57.24.33.66, fax 05.57.24.30.42, e-mail vignobles.bordes.paul@wanadoo.fr ☑ ⅄ r.-v.

CH. DE MOLE 1999★

■   9,35 ha   60 000   📖🍾↓ 8 à 11 €

Ce n'est que depuis 2000 qu'est pratiquée ici la micro-oxygénation, sur les conseils de Michel Rolland. Issu d'un encépagement dominé par le merlot (85 %), ce 99 présente une robe rubis, profonde et brillante, un bouquet expressif de fumé, de grillé et d'épices. Les tanins, riches et concentrés en attaque, sont bien soutenus par un boisé « intelligent » qui donne beaucoup d'harmonie à ce vin. Une bouteille à oublier trois à cinq ans dans une bonne cave.
🍷 Ginette Lenier, Ch. de Môle, BP 15, 33570 Puisseguin, tél. 05.57.74.60.86, fax 05.57.74.60.86 ☑ ⅄ r.-v.

CH. DU MOULIN 1999

■   8 ha   50 000   📖🍾↓ 5 à 8 €

Des vignes de trente-cinq ans, 80 % de merlot, six mois de barrique : ce 99 mérite un intérêt certain par son bouquet naissant de fraise et de poivron et une structure tannique solide mais harmonieuse. La persistance aromatique autorise une petite garde de deux ou trois ans.
🍷 SCEA Chanet et Fils, n° 1 A Jacques, 33570 Puisseguin, tél. 05.57.74.60.85, fax 05.57.74.59.00 ☑ ⅄ t.l.j. 8h-12h 14h-18h

CH. RIGAUD 1999★★

■   4 ha   20 000   🍾 8 à 11 €

Dans la même famille depuis 1850, cette propriété a appartenu à des femmes pendant tout le XXᵉs. Issu d'un assemblage où le merlot domine (80 %), le 99 est remarquable : robe dense et profonde ; arômes complexes de fruits noirs un peu brûlés, de boisé vanillé ; tanins généreux et corsés en attaque, évoluant avec puissance, et une race certaine. C'est une bouteille sincère, bien typique de son appellation, à apprécier dans deux à cinq ans sur un bon gibier, par exemple.
🍷 Josette Taïx, Rigaud, 33570 Puisseguin, tél. 05.57.74.54.07, fax 05.57.74.50.34 ☑ ⅄ r.-v.

CH. ROC DE BOISSAC 1999★

■   29,17 ha   25 000   🍾 8 à 11 €

A la fin du XIXᵉs., l'ancien propriétaire de ce château, le Dr Poitou, a contribué à la découverte de la

bouillie bordelaise qui permet de lutter contre le mildiou et l'oïdium, et qui est aujourd'hui remise en pratique par les partisans de l'agro-biologie. Le vin est ici toujours de qualité, à l'image de ce 99 aux arômes complexes (noyau de cerise, boisé épicé). En bouche, les tanins racés, mûrs et vineux, évoluent avec un bon équilibre général. Un vin à boire dans deux à cinq ans.
☛ SARL Roc de Boissac, 33570 Puisseguin, tél. 05.57.74.61.22, fax 05.57.74.59.54 ☑ 🍷 r.-v.
☛ SCI de Boissac

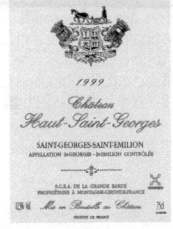

Saint-georges saint-émilion

CH. CAP D'OR 1999*
| ■ | 4,85 ha | 38 173 | ■ ⬛ 🍷 11 à 15 € |

Appartenant à un négociant belge, Roger Geens, ce vignoble est situé sur un bon terroir argilo-calcaire, bien exposé. Le 99 est un vin à la robe rubis qui commence à se tuiler. Le bouquet de caractère est fruité et épicé alors que les tanins élégants et soyeux, généreux et gras, évoluent avec maturité, longueur et un bel équilibre final. Une bouteille typée, à boire dans deux à cinq ans.
☛ SCEA Vignobles Rocher Cap de Rive 1, Ch. Cap d'Or, 33570 Montagne, tél. 05.57.40.08.88, fax 05.57.40.19.93, e-mail vignoblesrochercaprive@wanadoo.fr ☑

CH. LA CROIX DE SAINT-GEORGES 1999
| ■ | 6,58 ha | 45 000 | ■ ⬛ 🍷 11 à 15 € |

|96| 97 98 |99|

Créé en 1966, ce château est conseillé par Gilles Pauquet. Régulièrement retenu dans le Guide, il propose un 99, à la robe pourpre, aux reflets brillants ; les arômes intenses évoquent le fruit mûr, le cuir et les épices. Se tanins étant ronds et fondus, ce vin pourra être bu dans les trois ans à venir.
☛ Jean de Coninck, Ch. du Pintey, 33500 Libourne, tél. 05.57.51.03.04, fax 05.57.51.03.04 ☑ 🍷 r.-v.

CH. DIVON 1999
| ■ | 4,75 ha | 7 600 | ■ ⬛ 🍷 8 à 11 € |

Dans la même famille depuis 1860, ce château présente un vin agréable, au bouquet encore discret d'épices, de fleurs et de fruits confits bien mûrs. Très présent en bouche, les tanins demandent cependant à se fondre par un vieillissement de deux ou trois ans dans une bonne cave.
☛ Christian Andrieu, SCEA Ch. Divon, Divon, 33570 Montagne, tél. 05.57.74.66.07, fax 05.57.74.53.79 ☑ 🍷 r.-v.

CH. HAUT-SAINT-GEORGES 1999**
| ■ | 3,5 ha | 19 000 | ■ ⬛ 🍷 11 à 15 € |

Régulièrement distingué dans le Guide, ce château reçoit pour son magnifique 99 un coup de cœur unanime de notre jury. Issu d'un terroir d'argile et de crasse de fer, et associant à parts égales les deux cabernets à 90 % de merlot, il porte une robe grenat profond aux reflets pourpres annonçant les arômes intenses et élégants de fruits mûrs, de vanille, de poivre et de fruits secs. Suaves

et veloutés en attaque, les tanins révèlent petit à petit tout leur potentiel en bouche, où l'équilibre est déjà remarquable. Il faudra du temps pour que l'harmonie soit parfaite, ce qui devrait être le cas dans trois à six ans. Un grand vin de caractère.
☛ SCE de la Grande Barde, 33570 Montagne, tél. 05.57.74.64.98, fax 05.57.74.64.98 ☑ 🍷 r.-v.

CH. LE ROC DE TROQUARD 1999
| ■ | 3,05 ha | 4 500 | ■ 5 à 8 € |

Isabelle Visage gère cette propriété familiale depuis 1997. Assemblant 15 % de cabernet au merlot, son vin présente une robe rubis d'intensité moyenne, des arômes de fruits rouges (framboise), de bonbon, avec des notes animales et une structure tannique souple et équilibrée. A boire dans les trois ou quatre prochaines années.
☛ SCEA des Vignobles Visage, Jupille, 33330 Saint-Sulpice-de-Faleyrens, tél. 05.57.24.62.92, fax 05.57.24.69.40 ☑ 🍷 r.-v.
☛ Isabelle Visage

CH. SAINT-ANDRE CORBIN 1999*
| ■ | 17,5 ha | 73 000 | ⬛ 8 à 11 € |

Vinifié par l'équipe de Petrus à Pomerol, ce cru bénéficie de soins attentifs, et son rendement est maîtrisé. Le vin possède une robe pourpre aux reflets rubis, un bouquet naissant d'épices, de feuilles mortes et de fruits mûrs. Souples et ronds en attaque, les tanins sont équilibrés et de bonne longueur, accompagnés d'un boisé bien dosé. A boire ou à garder quelques années.
☛ SAS Alain Moueix, 56, av. Georges-Pompidou, 33500 Libourne, tél. 05.57.51.00.48, fax 05.57.25.22.56 ☑

CH. SAINT-GEORGES 1999*
| ■ | 43 ha | 300 000 | ⬛ 15 à 23 € |

92 93 94 |95| 96 |97| ⑨⑧ 99

Fleuron de son appellation, ce magnifique château du XVIIIe s., que tout amateur d'architecture doit connaître, a très bien réussi le difficile millésime 99. La robe grenat est brillante ; les parfums de fruits mûrs et confits, bien mariés avec les notes de boisé élégantes (vanille, cacao), annoncent des tanins suaves et soyeux, extraits sans excès et agréablement persistants. Une bouteille bien typée, à ouvrir dans deux à cinq ans.
☛ Famille Desbois, Ch. Saint-Georges, 33570 Montagne, tél. 05.57.74.62.11, fax 05.57.74.58.62, e-mail g.desbois@chateau-saint-georges.com ☑ 🍷 r.-v.

CH. TROQUART 1999
| ■ | 5,19 ha | 33 000 | ⬛ 5 à 8 € |

Acquise en 1999, cette propriété présente un vin bien fait, associant 10 % de malbec aux cabernets (20 %) et au merlot (70 %) : robe grenat, bouquet épicé et floral, avec une note vanillée et des tanins ronds à l'attaque. Leur légère dureté en finale conseille d'ouvrir cette bonne bouteille dans un à deux ans.

🏬 GFA du Ch. Troquart, Troquart, 33570 Montagne, tél. 05.57.74.62.45, fax 05.57.74.56.20 ☑ ⍦ r.-v.

🏬 Grégoire

Côtes de castillon

En 1989, une nouvelle appellation est née, côtes de castillon. Elle reprend sur 3 019 ha la zone qui était dévolue à l'appellation bordeaux côtes de castillon, c'est-à-dire les neuf communes de Belvès-de-Castillon, Castillon-la-Bataille, Saint-Magne-de-Castillon, Gardegan-et-Tourtirac, Sainte-Colombe, Saint-Genès-de-Castillon, Saint-Philippe-d'Aiguilhe, Les Salles-de-Castillon et Monbadon. Néanmoins, pour quitter le groupe « bordeaux » les viticulteurs doivent respecter des normes de production plus sévères, notamment en ce qui concerne les densités de plantation, qui sont fixées à 5 000 pieds par hectare. Un délai est laissé jusqu'en 2010, pour tenir compte des vignes existantes. En 2001, la production de côtes de castillon a atteint 170 224 hl.

AETOS 2000★

	20 ha	22 345		⑪ 11 à 15 €

Nouveau venu dans la production de la grande maison de négoce Calvet, Aetos est une sélection de vignes de merlot. La réussite est au rendez-vous avec ce 2000 paré d'une superbe robe rubis profond. Les fruits frais (cerise), la vanille et le pain grillé s'expriment avec élégance, annonçant une structure tannique équilibrée et plaisamment enveloppée. La complexité finale confirme que ce vin bien fait saura plaire dès aujourd'hui, mais qu'il pourra également vieillir deux à trois ans.

🏬 Calvet, 75, cours du Médoc, BP 11, 33028 Bordeaux Cedex, tél. 05.56.43.59.00, fax 05.56.43.17.78, e-mail calvet@calvet.com

L'AME DE FONTBAUDE 1999★★

	0,5 ha	1 500		⑪ 11 à 15 €

Cette cuvée spéciale obtient un coup de cœur unanime du grand jury. Le vin est composé à 45 % de cabernet franc et à 55 % de merlot, élevés dix-huit mois en barrique, et le résultat est impressionnant : la robe grenat foncé est brillante de jeunesse. Les arômes puissants et complexes évoquent un boisé fumé et des fruits rouges bien mûrs. Pleins et onctueux en attaque, les tanins se révèlent ensuite racés et aromatiques (fruits noirs) ; la finale profonde et

très longue apportant un plaisir certain. L'harmonie sera parfaite après un vieillissement de trois à cinq ans dans une bonne cave.

🏬 GAEC Sabaté-Zavan, 34, rue de l'Eglise, 33350 Saint-Magne-de-Castillon, tél. 05.57.40.06.58, fax 05.57.40.26.54 ☑ ⍦ r.-v.

CH. BEAUSEJOUR
Elevé en fût de chêne 1999★

	5 ha	20 000	▮⑪↓	5 à 8 €

Dans la même famille depuis cinq générations, ce château est situé sur un terroir argilo-siliceux. Aujourd'hui travaillé en lutte intégrée, le vignoble de 22 ha réserve 5 ha à une culture appliquant les principes de la biodynamie. Le 99, rouge clair et brillant, évoque les petits fruits rouges et un léger boisé. Ses tanins, vifs et nets en attaque, évoluent avec élégance sur un bon équilibre aromatique. Une bouteille qui sera prête à boire rapidement, d'ici un à trois ans.

🏬 GAEC Bernard et Gilles Verger, 4, chem. de Beauséjour, 33350 Saint-Magne-de-Castillon, tél. 05.57.40.13.14, fax 05.57.40.34.06 ☑ ⍦ r.-v.

CH. BEL-AIR
Elevé en fût de chêne 1999★

	13,5 ha	60 000	⑪	8 à 11 €

Ecuyer du roi Charles IX en 1565, Jean Dupouget fut propriétaire de ce vignoble. Aujourd'hui, on y produit un excellent vin, tel ce 99 à la robe pourpre brillante, au nez très expressif de fumé, de violette, de cuir et de boisé marqué. Dense, puissante et équilibrée jusqu'en finale, la structure est, elle aussi, imprégnée par la barrique sans que cela nuise le moins du monde à une harmonie qui sera encore plus intéressante dans deux à cinq ans.

🏬 SCEA du Dom. de Bellair, 33350 Belvès-de-Castillon, tél. 06.80.13.02.12, fax 06.56.42.44.47, e-mail patrick.david.cgc@ ☑ ⍦ r.-v.

🏬 Patrick David

CH. DE BELCIER
Elevé en barrique de chêne 1999★

	52 ha	116 000	⑪	8 à 11 €

Ce très beau château propose régulièrement d'excellents vins. Le millésime 99 contient 57 % de merlot pour 28 % de cabernet franc, 9 % de cabernet-sauvignon et 6 % de malbec. Sous une robe déjà délicatement tuilée apparaît un bouquet très jeune de fruits rouges et de pain grillé. La bouche, agréable, bien équilibrée par des tanins serrés et mûrs, se développe harmonieusement jusqu'à une finale fraîche et franche. Une bouteille à servir dans les trois ans à venir.

🏬 SCA Ch. de Belcier, 33350 Les Salles-de-Castillon, tél. 05.57.40.67.58, fax 05.57.40.67.58 ☑ ⍦ r.-v.

🏬 Macif

CH. BELLEVUE
Cuvée Vieilles vignes Elevé en fût de chêne 2000

| | | 4 ha | 16 800 | ❚❙❚ | 5 à 8 € |

85 % de merlot et du cabernet franc âgés de trente-cinq ans composent ce 2000 qui mérite l'attention pour son bouquet naissant de cuir, de poivre et de fruits noirs, ainsi que pour sa structure ample et assez puissante. Son potentiel semble réel et justifie une garde de deux à trois ans ; on le servira alors sur un gibier à plume ou un rôti de bœuf.

🍷 Michel Lydoire, Ch. Bellevue,
33350 Belvès-de-Castillon,
tél. 05.57.47.94.29, fax 05.57.47.94.29 ☑ ⏳ r.-v.

CH. BEYNAT
Cuvée Léonard 1999★

| | ▮❚❙❚ | 2 ha | 6 600 | | 8 à 11 € |

Un assemblage équitable de merlot et de cabernet-sauvignon, nés sur argilo-calcaire, a produit cette cuvée Léonard très bien vinifiée. La robe grenat est profonde et les arômes de cuir et de fleurs sont en harmonie avec des notes boisées vanillées. Les tanins amples et bien mûrs structurent avec élégance un vin équilibré, tout en gardant une bonne puissance. Attendre deux à trois ans pour ouvrir cette belle bouteille.

🍷 Xavier Borliachon, 27, rue de Beynat,
33350 Saint-Magne-de-Castillon, tél. 05.57.40.01.14,
fax 05.57.40.18.51 ☑ ⏳ t.l.j. sf dim. 9h-19h

CH. LA BRANDE 2000★★

| | 15 ha | 75 000 | ▮❚❙❚ | 5 à 8 € |

Ce château a multiplié les investissements depuis une dizaine d'années, d'abord au vignoble avec un programme de restructuration et de drainage, puis avec la construction de nouveaux chais. Le résultat est à la hauteur des ambitions avec ce 2000 : robe très intense, presque noire, complexité des senteurs de fruits cuits, de menthol, élégance d'un boisé grillé et vanillé. Ce vin, remarquablement équilibré par des tanins encore très jeunes, laisse entrevoir un fort potentiel d'évolution sur au moins quatre à six ans. Ne pas hésiter à le décanter avant de le servir sur un agneau rôti.

🍷 Vignobles Jean Petit, Ch. Mangot,
33330 Saint-Etienne-de-Lisse, tél. 05.57.40.18.23,
fax 05.57.56.43.97, e-mail todeschini@chateaumangot.fr
☑ ⏳ t.l.j. 8h30-12h 13h45-17h; sam. dim. sur r.-v.
🍷 GFA Château Mangot

CH. BREHAT 1999

| | 8 ha | 33 000 | ▮❙ | 5 à 8 € |

65 % de merlot dans ce vin rubis à reflets grenat, dont les parfums sont encore peu expressifs. Assez fruité au palais, il possède assez de gras et de vivacité finale pour constituer une bouteille plaisante à boire dans sa jeunesse, c'est-à-dire d'ici 2004.

🍷 Jean de Monteil, Ch. Haut Rocher,
33330 Saint-Etienne-de-Lisse,
tél. 05.57.40.18.09, fax 05.57.40.08.23,
e-mail ht-rocher@vins-jean-de-monteil.com ☑ ⏳ r.-v.

CH. CANTEGRIVE 1999★

| | 16,73 ha | 40 000 | ▮❚❙❚ | 5 à 8 € |

Ce château produit de très bons vins, à l'image de son 99. La robe violine brille de reflets tuilés. Le bouquet expressif de fruits très mûrs se marie à des notes minérales et animales, et les tanins fins et vifs en attaque évoluent avec puissance et équilibre. Un vin « à l'ancienne », selon les dégustateurs, et qui a du charme. A apprécier dans un à trois ans.

🍷 SC Ch. Cantegrive, Terrasson,
33570 Monbadon-Puisseguin,
tél. 03.26.52.14.74, fax 03.26.52.24.02 ☑ ⏳ r.-v.
🍷 Doyard Frères

DOM. DE LA CARESSE
Cuvée Sélection 2000

| | 15 ha | 100 000 | ▮❚❙❚ | 5 à 8 € |

Située sur un sol sableux et argilo-calcaire, cette propriété a réussi un bon vin en 2000. Ses arômes complexes de petits fruits cuits, de vanille, de brioche, ses tanins épicés et bien structurés signent un vin très jeune que deux ou trois ans de cave rendront plus harmonieux.

🍷 SCEA Ch. Grands Champs, 2, av. de la Bourrée,
33350 Saint-Magne-de-Castillon, tél. 05.57.40.07.59,
fax 05.57.40.42.53 ☑ ⏳ t.l.j. 9h-12h 14h-18h

CH. COTE MONTPEZAT
Elevé en fût de chêne 2000★

| | 30 ha | 145 000 | ▮❚❙❚ | 8 à 11 € |

Acquis par son nouveau propriétaire en 1989, ce cru est installé sur un sol argilo-calcaire. Assemblant 70 % de merlot aux deux cabernets, ce millésime a été élevé douze mois en barrique. Sa robe rubis est brillante. Son bouquet encore discret est marqué par le fruit (cassis, mûre) et des notes mesurées de vanille. Les tanins sont, à la fois, souples et présents. Une bouteille qui joue plus sur le fruit que sur la puissance, à boire dans deux ou trois ans.

🍷 SA Vignobles Bessineau, 8, Brousse,
BP 42, 33350 Belvès-de-Castillon,
tél. 05.57.56.05.55, fax 05.57.56.05.56,
e-mail bessineau@cote-montpezat.com
☑ ⏳ t.l.j. sf sam. dim. 9h-12h 14h-18h; f. août

CH. LA CROIX LARTIGUE 1999

| | 8,18 ha | 60 000 | ▮❚❙❚ | 5 à 8 € |

Premier millésime produit par les nouveaux proprié-taires, venus de Saint-Emilion. Le résultat est encoura-geant : derrière une robe grenat aux reflets tuilés s'élèvent des parfums délicats et séveux. Les tanins amples, bien mûrs, évoluent avec un bel équilibre. A boire ou à laisser vieillir dans à trois ans dans une bonne cave.

🍷 SCEA Fourcaud-Laussac, Laplagnotte-Bellevue,
33330 Saint-Christophe-des-Bardes, tél. 05.57.24.78.67,
fax 05.57.24.63.62, e-mail arnauddl@aol.com ☑ ⏳ r.-v.

CH. FILLIOL 2000

| | 2 ha | 3 600 | ❚❙❚ | 8 à 11 € |

Le 2000 est le premier millésime du château. Il a été vinifié par un viticulteur de Côte Rôtie à partir de 90 % de merlot complété de cabernet franc. La couleur est intense et brillante, puis les parfums de fruits rouges, de kirsch et de pruneau s'affichent avec élégance. Les tanins, souples et équilibrés, sont encore un peu sévères en finale et demandent un à trois ans de garde.

🍷 Sandrine Ferrer, Mattetournier,
33350 Gardegan-et-Tourtirac,
tél. 05.57.40.13.09, fax 05.57.40.14.04 ☑ ⏳ r.-v.

CH. LA FLEUR HAUT BRISSON 2000

| | 2,5 ha | 18 000 | ▮❚❙❚ | 8 à 11 € |

Nouveau venu dans l'appellation, ce cru créé en 2000 présente son premier millésime. Sombre et brillant, ce dernier offre des parfums agréables de fruits, de vanille, et un corps harmonieux. Relativement long, avec des tanins bien fondus, il est à boire dans deux ou trois ans.

🗪 SCEA la Fleur Haut Brisson, 78, Catusseau, 33500 Pomerol, tél. 05.57.74.15.26, fax 05.57.74.15.27, e-mail gvbpc@wanadoo.fr ☑ Υ r.-v.

🗪 M. Choukroun et M. Menandez

CH. FONGABAN 1999★

| ■ | 9,18 ha | 60 000 | ■❶♨ | 5 à 8 € |

Depuis 1950 dans la famille Taix, Fongaban exporte 70 % de sa production. Ce 99 séduira tous les continents : sa robe grenat a des reflets rubis, et ses parfums de cassis et de confiture se mêlent aux notes boisées et grillées de l'élevage en barrique. Les tanins sont gras, puissants, bien mûrs et veloutés. L'ensemble ne manque pas de charme. A boire dans deux ou trois ans.

🗪 SARL de Fongaban, Monbadon, 33570 Puisseguin, tél. 05.57.74.54.07, fax 05.57.74.50.97

☑ Υ t.l.j. sf sam. dim. 9h-12h 14h-18h

🗪 Georges Taix

CH. FONTBAUDE

Sélection de vieilles vignes Elevé en fût de chêne 2000★

| ■ | 4 ha | 20 000 | ❶♨ | 8 à 11 € |

Ce château, idéalement situé sur un bon terroir argilo-calcaire, a produit en 2000 une cuvée issue de vieilles vignes de merlot (55 %) et de cabernets (45 %), élevée douze mois en barrique. La robe rubis est limpide, le bouquet de fruits rouges (cerise) se marie bien aux notes boisées (vanille et pain grillé). Les tanins sont mûrs et veloutés, enveloppés par un boisé encore très présent. Attendre au minimum de deux à quatre ans avant d'ouvrir cette bouteille.

🗪 GAEC Sabaté-Zavan, 34, rue de l'Eglise, 33350 Saint-Magne-de-Castillon, tél. 05.57.40.06.58, fax 05.57.40.26.54 ☑ Υ r.-v.

CH. LA FONT DU JEU 1999★★

| ■ | 4 ha | 13 000 | ❶♨ | 8 à 11 € |

GRAND VIN DE BORDEAUX

Château
La Font Du Jeu

CÔTES DE CASTILLON

APPELLATION COTES DE CASTILLON CONTROLÉE
S.C.E.A. LAPEYRONIE
PROPRIÉTAIRE A 33350 SAINTE-COLOMBE - FRANCE
MIS EN BOUTEILLE AU CHATEAU

75 cl   12,5% vol.

Au sommet de son appellation, ce cru obtient pour son 99 un coup de cœur unanime du grand jury. Avec 70 % de merlot complété par les deux cabernets à parts égales, le tout vinifié selon des techniques modernes et dans un souci de qualité, le résultat est splendide : robe pourpre brillante, arômes vineux de fruits rouges très mûrs (griotte), de boisé fondu (pain grillé, vanille). L'attaque souple et riche est suivie d'une sensation de puissance, de densité et surtout d'harmonie. La finale racée, persistante reste élégante. L'attendre quatre à cinq ans pour en jouir pleinement.

🗪 Jean-Christophe Lapeyronie, 4, Castelmerle, 33350 Sainte-Colombe, tél. 05.57.40.19.27, fax 05.57.40.14.38, e-mail lapeyronie.fred@wanadoo.fr ☑ Υ r.-v.

CH. LA GRANDE MAYE

Elevé et vieilli en barrique de chêne 1999★

| ■ | 12 ha | 60 000 | ❶ | 8 à 11 € |

Ce 99 est issu d'un assemblage de 85 % de merlot et de 15 % de cabernet. La couleur grenat brille de reflets tuilés, puis le bouquet intense affiche des notes animales et boisées. Souple en attaque, ce vin évolue ensuite avec beaucoup de maturité, de puissance et de complexité en finale. Une bouteille à ouvrir dans deux ans minimum sur une viande de caractère – faisandée, pour les amateurs de gibiers.

🗪 EARL P.L. Valade, 1, Le Plantey, 33350 Belvès-de-Castillon, tél. 05.57.47.93.92, fax 05.57.47.93.92, e-mail paul-valade@wanadoo.fr ☑ Υ r.-v.

CH. GRAND TUILLAC

Cuvée Elégance Elevé en fût de chêne 2000

| ■ | 6 ha | 36 000 | ■❶ | 5 à 8 € |

Un domaine de 27 ha, huit générations de viticulteurs et une cuvée spéciale composée à 80 % de merlot, élevée douze mois en fût. La robe est soutenue et les parfums de fruits confits se marient avec des notes de vanille et de pain grillé. Les tanins suaves et équilibrés accompagnent la dégustation de ce vin chaleureux qui donnera beaucoup de plaisir dans deux à trois ans.

🗪 SCEA Lavigne, Tuillac, 33350 Saint-Philippe-d'Aiguilhe, tél. 05.57.40.60.09, fax 05.57.40.66.67 ☑ Υ r.-v.

CH. GRIMON 1999

| ■ | 4,5 ha | 35 000 | ❶ | 5 à 8 € |

Onze mois de barrique pour ce 99 dont la robe grenat montre déjà des reflets tuilés. Le bouquet laisse percevoir des notes de bois vanillé et de fruits mûrs. Ronde, fraîche et assez équilibrée, la bouche autorise une consommation rapide de ce vin, d'ici à trois ans maximum.

🗪 Gilbert Dubois, Ch. Grimon, 33350 Saint-Philippe-d'Aiguilhe, tél. 05.57.40.67.58, fax 05.57.40.67.58 ☑

CH. HAUTE TERRASSE 2000★★★

| ■ | 2,5 ha | 9 580 | ■❶♨ | 5 à 8 € |

Présente à Saint-Emilion, depuis le début du XVIIIᵉs., la famille Bourrigaud a récemment acheté cette propriété située sur le versant sud de Saint-Magne-de-Castillon. Moitié merlot, moitié cabernets, ce 2000 est en tout point exceptionnel : robe pourpre intense et brillante, arômes complexes de torréfaction, de kirsch et de fruits mûrs. Sa structure puissante mais déjà agréable est marquée par des tanins harmonieusement équilibrés et par un boisé de qualité. Un vin au potentiel certain, au sommet de son appellation, à boire dans trois à cinq ans.

🗪 Pascal Bourrigaud, Ch. Champion, 33330 Saint-Emilion, tél. 05.57.74.43.98, fax 05.57.74.41.07 ☑ Υ r.-v.

CH. HAUT-TUQUET 2000

| ■ | n.c. | n.c. | ■ | 5 à 8 € |

Sur un beau terroir argilo-calcaire sont implantés des ceps de vingt-cinq ans. Assemblant 70 % de merlot à 25 %

de cabernet-sauvignon et à 5 % de cabernet franc, ce 2000 possède un bouquet intense de fruits mûrs (cassis) et d'épices. Les tanins très présents, amples et équilibrés, demandent deux à trois ans de garde. Un vin typique de son appellation.

🌢 Vignobles Lafaye Père et Fils,
Ch. Viramon, 33330 Saint-Etienne-de-Lisse,
tél. 05.57.40.18.28, fax 05.57.40.02.70 ☑ 🍷 r.-v.

CH. LAGRAVE AUBERT 1999

■	n.c.	40 000	ⅠⅠ 8 à 11 €

Situé sur un sol sablo-graveleux, ce château présente un 99 élevé douze mois en barriques dont 20 % sont neuves. C'est un vin marqué par des arômes de petits fruits rouges et par des tanins présents mais bien enrobés, avec un boisé discret de qualité. Cette bouteille agréable est à boire dans sa jeunesse, d'ici 2004.

🌢 SCE Vignobles Aubert,
Ch. La Couspaude, 33330 Saint-Emilion,
tél. 05.57.40.15.76, fax 05.57.40.10.14,
e-mail vignobles.aubert@wanadoo.fr ☑

EXCELLENCE DE LAMARTINE 2000★★

■	1 ha	7 000	ⅠⅠ 11 à 15 €

Issue d'une sélection, cette cuvée est passée tout près du coup de cœur. La robe rubis brille de beaux reflets pourpres. Intenses, les notes de boisé-vanillé et de grillé se fondent dans des arômes de fruits noirs (mûre). Les tanins veloutés en attaque évoluent à la fois avec souplesse, puissance et harmonie. La finale, complexe et longue, signe un vin de grande qualité, au potentiel de vieillissement important (quatre à six ans).

🌢 EARL Gourraud, 1, la Nauze,
33350 Saint-Philippe-d'Aiguilhe, tél. 05.57.40.60.46,
fax 05.57.40.66.01 ☑ 🍷 t.l.j. sf dim. 9h-12h 14h-18h

CH. LAPEYRONIE 1999★

■	4 ha	13 000	ⅠⅠ 11 à 15 €

Un très petit rendement, une fermentation malolactique en barriques neuves pour 70 % et d'un an pour le reste, un assemblage classique dans cette AOC, tout est fait pour réussir ce millésime complexe : sa robe grenat intense présente un liseré légèrement ambré. Fumé, grillé, fruits confits se marient au nez avec des notes boisées et résineuses. Les tanins très présents, encore dominés par le merrain, demandent deux à trois ans pour s'arrondir. Ce vin sera alors très intéressant.

🌢 Jean-Christophe Lapeyronie,
4, Castelmerle, 33350 Sainte-Colombe,
tél. 05.57.40.19.27, fax 05.57.40.14.38,
e-mail lapeyronie.fred@wanadoo.fr ☑ 🍷 r.-v.

CH. MONBADON

Cuvée Jeanne de l'Isle 1999

■	25 ha	26 000	ⅠⅠ 5 à 8 €

Monbadon, château du XIVᵉs., rénové au XVIIᵉs., a fière allure. Le deuxième millésime de cette cuvée spéciale est cité pour ses arômes élégants de fruits mûrs et de boisé bien fondu. Ses tanins se révèlent gras et enrobés par un élevage en barrique bien dosé. Un vin à boire dans les trois ans à venir.

🌢 J. Lebègue et Cie, BP 100, 33330 Saint-Emilion,
tél. 05.57.55.58.00, fax 05.57.74.18.47,
e-mail contact@moueix-lebegue.com

LES MOULINS DE COUSSILLON 2000

■	3,2 ha	5 200	ⅠⅠ 3 à 5 €

Acheté en 1995, ce cru mérite un détour pour son agréable 2000 à la robe rubis brillante, aux parfums complexes de fruits rouges, d'épices, de pruneau. Sa structure volumineuse est fruitée en bouche, mais la finale encore tannique demande deux à trois ans de vieillissement dans une bonne cave.

🌢 EARL Arbo, Godard, 33570 Francs,
tél. 05.57.40.65.77, fax 05.57.40.65.77
☑ 🍷 t.l.j. sf dim. 8h-12h30 14h-20h

CH. LA NAUZE

Emotion Elevé en fût de chêne 2000★

■	n.c.	5 000	ⅠⅠ 5 à 8 €

Acheté en 1998, ce château est situé sur un plateau argilo-calcaire et graveleux. Il propose en 2000 une cuvée Emotion dont la robe grenat présente de beaux reflets violines. Les arômes vineux évoquent les fruits mûrs (pruneau), le fumé, la vanille et le poivre. Ce vin frais et gras évolue avec un bel équilibre et une persistance de bon augure. Attendre deux à cinq ans pour ouvrir cette bouteille.

🌢 SARL vignoble C. et L. Jamet, 33570 Puisseguin,
tél. 05.53.80.71.34, fax 05.53.81.39.15,
e-mail li.jamet@wanadoo.fr 🍷 r.-v.

CH. LA PERRIERE

Cuvée Prestige 1999★

■	6 ha	42 000	ⅠⅠ 5 à 8 €

Cette propriété dont les origines remontent au XIIIᵉs. (voyez le dessin de la forteresse figurant sur l'étiquette) est dans la même famille depuis 1607. Elle mérite votre visite ; vous y découvrirez cette cuvée Prestige fort réussie. La teinte grenat intense présente des reflets pourpres, et les parfums d'épices, de fruits frais, de menthe sont relevés par des notes boisées discrètes et une pointe animale. Souple et harmonieuse grâce à des tanins élégants et bien extraits, sans excès, c'est une bouteille de garde (au minimum trois à cinq ans).

🌢 R. et D. de Marcillac, Ch. la Pierrière,
33350 Gardegan, tél. 05.57.47.99.77, fax 05.57.47.92.58,
e-mail chateau.lapierriere@free.fr ☑ 🍷 r.-v.

CH. PERVENCHE-PUY ARNAUD 2000★

■	1 ha	7 000	ⅠⅠ 11 à 15 €

Acheté en 2000 par Thierry Valette, ex-copropriétaire du château Pavie à Saint-Emilion, ce cru s'est doté des équipements les plus modernes de vinification et d'élevage. Le vin (95 % merlot) est très réussi dans sa robe rubis intense. Son bouquet d'épices, de vanille et de cacao masque encore un peu le fruit, mais les tanins sont ronds et fruités, bien mûrs et de bonne longueur. A attendre deux à cinq ans.

🌢 EARL Thierry Valette,
7, Puy Arnaud, 33350 Belvès-de-Castillon,
tél. 05.57.47.90.33, fax 05.57.47.90.53,
e-mail thierry.valette2@wanadoo.fr 🍷 r.-v.

CH. PEYROU 1999

■	5 ha	25 000	ⅠⅠ 8 à 11 €

Après un coup de cœur pour son magnifique 98, ce château propose un 99 très agréable : la robe est rubis profond ; le bouquet intense évoque la réglisse, le cacao et la violette ; les tanins sont gras et amples, très souples en

BORDELAIS

évolution, malgré une présence finale du boisé un peu trop dominante aujourd'hui. A laisser vieillir deux à quatre ans.

🐓 Catherine Papon-Nouvel, Peyrou, 33350 Saint-Magne-de-Castillon, tél. 05.57.24.72.44, fax 05.57.24.74.84 ✓ ⚲ r.-v.

CH. PUY GARANCE 2000

■	2 ha	6 000	🍶	3 à 5 €

Constitué essentiellement de merlot (98 %), ce vin n'a pas connu la barrique. D'une couleur profonde et brillante, il présente des arômes de cassis et de mûre. En bouche, les tanins sont amples et gras, bien équilibrés. A boire dans deux à quatre ans.

🐓 Frédéric Burriel, 8, résidence Moulin-Rouge, 33350 Belvès-de-Castillon, tél. 05.57.40.11.15, fax 05.57.40.11.15 ✓ ⚲ r.-v.

CH. ROBIN 1999

■	11 ha	54 000	⦀	8 à 11 €

Situé sur un bon terroir de coteau, ce château propose un 99 facile à boire jeune. En effet, le bouquet de fraise, de menthol et de boisé est déjà en début d'évolution et la structure en bouche est souple. Une bouteille élégante et plaisante, à boire dans les trois ans à venir.

🐓 SCEA Ch. Robin, 33350 Belvès-de-Castillon, tél. 05.57.47.92.47, fax 05.57.47.94.45, e-mail chateau.robin@wanadoo.fr ✓ ⚲ r.-v.

🐓 Sté Lurckroft

CH. ROC DE JOANIN 1999

■	1,2 ha	9 000	■⦀⚬	5 à 8 €

Ce 99 mérite l'attention pour son bouquet agréable de fruits mûrs, de cannelle et de notes boisées grillées. En bouche, les tanins sont gras, mûrs et équilibrés, avec une petite pointe d'alcool en finale. A boire d'ici un à trois ans.

🐓 SCEA Vignobles Mirande, La Rose Côtes Rol, 33330 Saint-Emilion, tél. 05.57.24.71.28, fax 05.57.74.40.42, e-mail pierremirande@aol.com ✓ ⚲ r.-v.

CH. ROC DE TIFAYNE

Elevé en fût de chêne 1999

■	2 ha	15 000	⦀	8 à 11 €

Propriété familiale reprise en 1997 par deux jeunes agronomes. 1 % de pressac (cot) dans un assemblage bien libournais, élevé quinze mois en barrique. Ce 99 est d'une couleur rouge cerise. Son bouquet élégant égrène des notes de fumé, de grillé et d'épices. Sa structure tannique est souple et ronde, peu puissante, mais bien équilibrée.

🐓 SCEA des Vignobles Limbosch-Zavagli, Tifayne, 33570 Puisseguin, tél. 05.57.40.61.29, fax 05.57.40.60.98, e-mail info@tifayne.com ✓ ⚲ r.-v.

🐓 CFA Côtes à côtes

CH. LA ROCHE BEAULIEU

Cuvée Prestige Sélection vieilles vignes 1999★

■	8,3 ha	5 000	⦀	5 à 8 €

Acheté en mai 2001 par Serge Tchekhov et quelques amis du Libournais, ce château présente un excellent 99 vinifié par les anciens propriétaires. La robe cerise et limpide annonce des parfums très harmonieux de fruits rouges confits et de grillé toasté. Francs et épicés, les tanins sont assez longs et équilibrés, mais l'impétuosité du boisé nécessite une garde de deux à trois ans.

🐓 SCEA Tchekhov et Associés, Ch. la Roche Beaulieu, 1, Peyrelebade, 33350 Les Salles-de-Castillon, tél. 05.57.40.64.37, fax 05.57.40.65.05, e-mail serge.tchekhov@wanadoo.fr ✓ ⚲ r.-v.

CH. LA ROCHE-PRESSAC 2000

■	1,5 ha	5 000	⦀	15 à 23 €

Avec 15 % de cabernet franc complétant le merlot et un long élevage en barrique neuve, ce vin se caractérise par une robe rubis profond, un bouquet de fruits rouges encore dominé par un boisé grillé et vanillé. Il sera prêt dans deux à trois ans.

🐓 SCEA Ch. La Roche-Pressac, Clos Puylazat, 33350 Saint-Magne-de-Castillon, tél. 05.57.40.48.24, fax 05.57.40.48.24, e-mail contact@laroche-pressac.com ✓ ⚲ r.-v.

CH. LA RONCHERAIE TERRASSON

Cuvée Terroir 1999

■	5 ha	16 000	■	3 à 5 €

Issu à 100 % de merlot, né sur argilo-calcaire, ce 99 est néanmoins bien typé et mérite l'intérêt. Le bouquet naissant est agréable. Le corps est souple et fruité, avec du gras. C'est un vin à boire ou à garder deux ou trois ans maximum. La **Cuvée Sereine 99 (5 à 8 €)** comporte 10 % de cabernet franc et a passé dix-huit mois en fût. On retrouve les fruits noirs sur des tanins de bois puissants qui demandent trois ans de garde.

🐓 EARL Roy-Vittaut, La Roncheraie-Terrasson, 33350 Belvès-de-Castillon, tél. 05.57.47.94.12, fax 05.57.47.94.12, e-mail la.roncheraie.terrasson@club-internet.fr ✓ ⚲ r.-v.

🐓 G. et A. Roy de Pianelli

CH. ROQUE LE MAYNE

Elevé en fût de chêne 2000★★

■	10 ha	53 000	■⦀	8 à 11 €

Créé en 1998, lors d'un achat de vignes situées sur un coteau argilo-calcaire bien exposé, ce château a élaboré un millésime 2000 remarquable : sa robe intense présente de magnifiques reflets violacés. Ses arômes d'épices et de noyau de cerise se fondent parfaitement dans un agréable ensemble boisé. En bouche, les tanins présents développent beaucoup de charme et de caractère : ils sont bien enrobés par un boisé qui respecte le vin jusque dans une finale très persistante. Une bouteille au caractère « terroité », à ouvrir dans deux à cinq ans.

🐓 SCEA des vignobles Meynard, 10, av. de Labourrée, 33350 Saint-Magne-de-Castillon, tél. 05.57.40.17.32, fax 05.57.40.38.93, e-mail vignobles-meynard@wanadoo.fr ✓ ⚲ r.-v.

CH. LA TREILLE DES GIRONDINS

Cuvée Cronos Olympium Elevé en fût de chêne 2000★

■	1,5 ha	7 000	■⦀⚬	5 à 8 €

Les Girondins évoqués ici n'ont rien à voir avec le club de football bordelais ! Ils appartenaient à un groupe politique sous la Révolution française qui, autour de Condorcet, s'opposèrent aux monarchistes constitutionnels en 1792 puis aux Montagnards et finirent guillotinés en 1793. 2000 est une excellente année : cette cuvée porte une robe rubis à reflets brillants ; ses arômes de fruits confits, de fleurs et de vanille sont très élégants tout comme sa structure fraîche et puissante à la fois, évoluant vers un boisé bien grillé et flatteur. Un vin à apprécier dès maintenant sur un civet ou une simple entrecôte, qui vieillira sans problème cinq ans ou plus.

Alain Goumaud, Mézières,
33350 Saint-Magne-de-Castillon,
tél. 05.57.40.05.38, fax 05.57.40.26.60 ☑ ⊥ r.-v.

VALMY DUBOURDIEU LANGE 2000★

■	4 ha	20 000	⊞ 15 à 23 €

Situé au sud de l'appellation, c'est un château de
20 ha qui produit chaque année cette cuvée portant le nom
de l'arrière-grand-père de l'actuel propriétaire. Le millésime 2000 associe 5 % de cabernet-sauvignon au merlot et
est élevé douze mois en barrique. La robe sombre a de jolis
reflets rubis et le bouquet complexe évoque le cuir, le
pruneau, les fleurs puis la vanille. Son corps, structuré par
des tanins puissants, est encore très jeune. Le boisé qui,
heureusement est de qualité, devrait se fondre au cours de
trois à cinq ans de vieillissement.
Patrick Erésué, Ch. de Chainchon,
33350 Castillon-la-Bataille,
tél. 05.57.40.14.78, fax 05.57.40.25.45 ☑ ⊥ r.-v.

JOHANNA DE VIEUX CHATEAU CHAMPS DE MARS 1999★

■	7 ha	12 000	⊞ 15 à 23 €

80 % de merlot et 20 % de cabernet franc âgés de
cinquante ans, des tris rigoureux, une fermentation malolactique en barrique, dix-huit mois d'élevage, une mise en
bouteille sans filtration, tout est ici mis en œuvre pour
satisfaire les exigences modernes de qualité. La robe
pourpre foncé est intense, prélude à des arômes de fruits
noirs très mûrs et de réglisse qui se mêlent à des notes de
bois neuf toasté. La structure tannique, suave et généreuse,
évolue avec puissance et harmonie à la fois, jusqu'à une
finale encore très boisée qui rendra nécessaire une garde
de deux à quatre ans.
GFA Régis et Sébastien Moro, Le Pin,
33350 Les Salles-de-Castillon, tél. 05.57.40.63.49,
fax 05.57.40.61.41 ☑ ⊥ r.-v.

VIEUX CHATEAU DE NOAILLES
Vieilli en fût de chêne 2000

■	14,75 ha	13 000	⊞ 5 à 8 €

Vous trouverez ce domaine à 500 m du château
féodal. Avec sa belle robe grenat intense, son 2000 se
présente bien. Le bouquet de fruits confits évoque également la figue. Les tanins souples et ronds, très mûrs et bien
fruités, évoluent avec harmonie jusqu'en finale. A ouvrir
dans deux ou trois ans.
Roland Mas, Ch. des Faures,
Monbadon, 33570 Puisseguin,
tél. 05.57.40.61.07, fax 05.57.40.64.87,
e-mail cdesfaures@aol.com ☑ ⊥ r.-v.

Bordeaux côtes de francs

S'étendant, à 12 km à l'est de
Saint-Emilion, sur les communes de Francs,
Saint-Cibard et Tayac, le vignoble de bordeaux
côtes de francs (524 ha en production pour un
volume de 29 313 hl en rouge et 525 hl en blanc)

bénéficie d'une situation privilégiée sur des coteaux argilo-calcaires et marneux parmi les plus
élevés de la Gironde. Presque intégralement
consacré aux vins rouges (à l'exception d'une
vingtaine d'hectares), il est exploité par quelques
viticulteurs dynamiques et une cave coopérative,
qui produisent de très jolis vins, riches et bouquetés.

CH. LES CHARMES-GODARD 2000★★

■	1,65 ha	10 400	⊞ 11 à 15 €

Château
Les Charmes-Godard
2000

BORDEAUX CÔTES DE FRANCS
APPELLATION BORDEAUX CÔTES DE FRANCS CONTRÔLÉE
13% Vol.   G.F.A. LES CHARMES-GODARD PROPRIÉTAIRE À SAINT-CIBARD FRANCE   750 ML
NICOLAS THIENPONT VITICULTEUR
MIS EN BOUTEILLES AU CHÂTEAU

Habitué du Guide, ce château obtient une nouvelle
fois un coup de cœur pour son magnifique blanc 2000. A
base de sémillon (65 %), de sauvignon (20 %) et de
muscadelle (15 %), celui-ci présente une teinte or pâle
brillante. Ses arômes puissants évoquent un élevage en
barrique : vanillés, ils associent des notes de noix de coco
et de fumé. Souple et chaleureux à la fois en attaque, il
évolue avec beaucoup d'ampleur et une jolie persistance
aromatique. Nicolas Thienpont est un excellent vinificateur. Le vin rouge 99 (5 à 8 €) est cité : constitué à 70 %
de merlot, il est élégant et déjà agréable à boire.
GFA Les Charmes-Godard,
Lauriol, 33570 Saint-Cibard,
tél. 05.57.56.07.47, fax 05.57.56.07.48,
e-mail ch.puygueraud@wanadoo.fr ☑ ⊥ r.-v.

DOMINIQUE 1999★

■	6 ha	40 000	▬ 5 à 8 €

Issu à 80 % de merlot et à 20 % de cabernet franc, ce
99 porte une robe grenat aux reflets tuilés. Ses parfums
élégants évoquent les fruits noirs et les épices. La structure
tannique, souple et harmonieuse, évolue avec beaucoup de
finesse et de présence jusqu'en finale. Une bouteille bien
typée, sans artifices, qui apportera beaucoup de plaisir
dans un à trois ans.
Dominique Thienpont,
Le Bourg, 33570 Saint-Cibard,
tél. 05.57.56.06.06, fax 05.57.40.67.45,
e-mail thienpont@imaginet.fr ☑ ⊥ r.-v.

CH. DE FRANCS
Les Cerisiers Vieilli en fût de chêne 1999★★

■	6 ha	13 000	⊞ 8 à 11 €

Portant le nom de son appellation, ce château en est
l'un des porte-drapeaux. Pour le millésime 99, il a sélectionné de vieilles vignes de merlot (90 %) et de cabernet
franc (10 %). Soigneusement vinifié et élevé quatorze mois
en barrique neuve, son vin reçoit un coup de cœur
unanime. Paré d'une robe grenat très brillante, il affiche

des arômes complexes et puissants de fruits noirs, de réglisse et de torréfaction. Ses tanins, fort présents et mûrs, sont relevés par beaucoup de fruit (cerise) et par un boisé bien fondu. La finale assez tannique et néanmoins équilibrée incite à laisser vieillir cette bouteille deux à six ans.
🐓 SCEA Ch. de Francs, 33570 Francs,
tél. 05.57.40.65.91, fax 05.57.40.63.04 ☑ ☒ r.-v.
🐓 D. Hébrard et H. de Bouärd

CH. LACLAVERIE 1999★

| ■ | 9,5 ha | 22 900 | ⏍ | 5 à 8 € |

Ici, bien sûr, les vendanges manuelles sont de mise. Ce 99 provient d'un assemblage équilibré entre merlot (50 %) et cabernets (50 %), nés sur un sol argilo-limoneux et élevés douze mois en barrique. La robe grenat est soutenue. Les arômes de fruits rouges et de cuir se fondent avec des notes boisées élégantes. La structure est charnue, très fruitée et équilibrée jusqu'en finale. Voilà un vin authentique, bien fait, déjà agréable à boire, mais qui vieillira sans problème quelques années.
🐓 GFA les Charmes-Godard,
Lauriol, 33570 Saint-Cibard,
tél. 05.57.56.07.47, fax 05.57.56.07.48,
e-mail ch.puygueraud@wanadoo.fr ☑ ☒ r.-v.

CH. LALANDE DE TAYAC 2000

| ■ | 11 ha | n.c. | ▮ | 5 à 8 € |

70 % de merlot et 30 % de cabernets sont à l'origine de ce 2000. Déjà très aromatique (fraise, cassis), franc et équilibré, il évolue avec une bonne persistance mais également une certaine fermeté qui devrait s'estomper d'ici un an ou deux.
🐓 Vignobles Lafaye Père et Fils,
Ch. Viramon, 33330 Saint-Etienne-de-Lisse,
tél. 05.57.40.18.28, fax 05.57.40.02.70 ☑ ☒ r.-v.

L'EDEN DE LAPEYRONIE 1999★★

| ■ | 2 ha | 1000 | ⏍ | 15 à 23 € |

Producteur du célèbre « Vignoble d'Alfred », ce cru, équipé pour vinifier de petites cuvées, propose une bouteille qui porte bien son nom. Elaborée en barrique neuve à partir d'un assemblage de merlot (50 %), de cabernet-sauvignon (40 %) et de cabernet franc, celle-ci offre une robe soutenue, intense à reflets violines. Elle évoque au nez le café, le grillé toasté, la cerise et le pruneau confit. En bouche, les tanins ronds et plaisants évoluent avec un bon équilibre général, mais encore dominé par le bois (vanille et pain grillé). Très persistant, c'est un vin qui affirmera toute son harmonie après deux à cinq ans de vieillissement.

🐓 Jean-Christophe Lapeyronie,
4, Castelmerle, 33350 Sainte-Colombe,
tél. 05.57.40.19.27, fax 05.57.40.14.38,
e-mail lapeyronie.fred@wanadoo.fr ☑ ☒ r.-v.
🐓 A. Charrier

CH. LAULAN 2000

| ■ | 8 ha | 30 000 | ▮⏍ | 5 à 8 € |

A la tête des 11 ha de cette propriété depuis 1997, Bruno Citerne a assemblé pour ce millésime 80 % de merlot aux deux cabernets jouant à parts égales. Le vin se distingue par une robe cerise aux reflets violacés et par un bouquet naissant de petits fruits rouges. Ses tanins souples et bien enrobés, équilibrés en finale, donnent un vin de plaisir immédiat, qui vieillira également quelques années.
🐓 Bruno Citerne, Seignade, 33570 Francs,
tél. 05.57.40.63.37, fax 05.57.40.68.05 ☑ ☒ r.-v.

CH. MARSAU 1999★

| ■ | 9 ha | 31 000 | ⏍ | 11 à 15 € |

Acheté en 1994 par Jean-Marie Chadronnier, brillant PDG de Dourthe, ce château idéalement situé sur un beau terroir argilo-calcaire complanté à 100 % de merlot produit depuis quelques années de magnifiques vins, tel ce 99 paré d'une robe grenat soutenu ; ses arômes intenses évoquent les fruits rouges et les épices (vanille). Ses tanins se révèlent riches, pleins, très aromatiques en finale. Concentrée, cette bouteille demande deux à cinq ans de garde pour que le boisé s'intègre parfaitement.
🐓 Ch. Marsau, Bernaderie, 33570 Francs,
tél. 05.57.40.67.23, e-mail contact@cobg.com ☑ ☒ r.-v.
🐓 S. et J.-M. Chadronnier

CH. MOULIN DE LA ROQUILLE 2000

| ■ | 0,62 ha | 5 000 | ⏍ | 5 à 8 € |

Dans un rayon de 5 km, vous visiterez les églises romanes, et admirerez les paysages de cette jolie région. Le père et ses deux fils possèdent ici 34 ha. Leur 2000 se distingue par sa robe pourpre intense, et un bouquet de fleurs accompagnant une touche boisée. La structure est encore ferme et puissante. Deux à trois ans de garde semblent nécessaires pour que ce vin dégage une meilleure harmonie.
🐓 EARL Didier et Jérôme Audouin, Lapourcaud,
33570 Tayac, tél. 05.57.40.64.97, fax 05.57.40.64.97
☑ ☒ r.-v.

CH. NARDOU 2000★

| ■ | 4 ha | 28 000 | ⏍ | 5 à 8 € |

Ce château, situé sur un terroir argilo-limoneux, ne produit ses propres vins que depuis trois ans. Le 2000, à 90 % merlot et 10 % cabernet-sauvignon, porte une éclatante robe grenat. Les arômes de fleurs et de fruits mûrs sont en harmonie avec les notes boisées vanillées. En bouche, le vin se révèle soyeux et équilibré, les tanins évoluant avec finesse et beaucoup de fruit. Une bouteille à laisser vieillir au moins deux ou trois ans dans une bonne cave.
🐓 EARL Vignobles Florent Dubard, Nardou,
33570 Tayac, tél. 05.57.40.69.60, fax 05.57.40.69.20,
e-mail chateau.nardou@worldonline.fr ☑ ⌂ ☒ r.-v.

PELAN 1999

| ■ | 4 ha | 15 000 | ⏍ | 15 à 23 € |

Très souvent coup de cœur, Pelan est légèrement en retrait cette année car il était très marqué par l'élevage en

barrique lors de la dégustation. Il mérite néanmoins l'attention du lecteur car sa robe est brillante, pleine de promesses. Le bouquet légèrement animal est encore dominé par des notes boisées, vanillées. Les tanins mûrs et concentrés confèrent une grande austérité au palais. Ce millésime aurait sans doute mérité moins de fût neuf.
🔸 GFA Régis et Sébastien Moro, Le Pin,
33350 Les Salles-de-Castillon, tél. 05.57.40.63.49,
fax 05.57.40.61.41 ☑ ☓ r.-v.

CH. PUY-GALLAND 2000

■	6 ha	20 000	⑪	3 à 5 €

Trois générations de Labatut ont dirigé ce domaine situé sur sol argilo-calcaire. Assemblant 90 % de merlot au cabernet-sauvignon, le 2000 se présente sous une belle robe cerise brillante. Son bouquet naissant égrène des notes de menthol, de réglisse et de petits fruits rouges. Vifs en attaque, les tanins sont cependant équilibrés : ils demandent à s'assouplir grâce à une garde d'à trois ans.
🔸 Bernard Labatut, 12, le Bourg, 33570 Saint-Cibard,
tél. 05.57.40.63.50, fax 05.57.40.63.50 ☑ ☓ r.-v.

CH. PUYGUERAUD 1999★

■	35 ha	62 000	⑪	11 à 15 €

Ce très beau château, construit au XVIᵉs., dispose d'un vaste vignoble implanté sur argilo-calcaire. Assemblant 50 % de merlot aux deux cabernets et à 5 % de malbec, le 99 a été sagement élevé douze mois en barrique. Dans une robe grenat intense et profond naît un bouquet de fruits noirs. Les tanins ronds et mûrs sont soutenus par une bonne acidité et un boisé discret. Une bouteille racée, qui s'ouvrira totalement dans deux à cinq ans.
🔸 SC Ch. de Puygueraud, 33570 Saint-Cibard,
tél. 05.57.56.07.47, fax 05.57.56.07.48,
e-mail ch.puygueraud@wanadoo.fr ☑ ☓ r.-v.

CH. VIEUX SAULE 2000★

■	4 ha	14 000	⑪	5 à 8 €

Situé sur un bon terroir argilo-calcaire, ce cru mérite qu'on aille y découvrir son 2000 dont la robe profonde a des reflets grenats. Les parfums de boisé toasté se marient élégamment avec des notes de fruits noirs bien mûrs. Les tanins, souples et très présents à la fois, offrent un retour aromatique fort agréable et harmonieux. Une bouteille à ouvrir dans deux à trois ans environ.
🔸 Thierry Moro, La Vergnasse, 33570 Saint-Cibard,
tél. 05.57.40.65.75, fax 05.57.40.65.75 ☑ ☓ r.-v.

Entre Garonne et Dordogne

La région géographique de l'Entre-Deux-Mers forme un vaste triangle délimité par la Garonne, la Dordogne et la frontière sud-est du département de la Gironde ; c'est sûrement l'une des plus riantes et des plus agréables de tout le Bordelais, avec ses vignes qui couvrent 23 000 ha, soit le quart de tout le vignoble. Très accidentée, elle permet de découvrir de vastes horizons comme de petits coins tranquilles qu'agrémentent de splendides monuments, souvent très caractéristiques (maisons

fortes, petits châteaux nichés dans la verdure et, surtout, moulins fortifiés). C'est aussi un haut lieu de la Gironde de l'imaginaire, avec ses croyances et traditions venues de la nuit des temps.

Entre-deux-mers

L'appellation entre-deux-mers ne correspond pas exactement à l'Entre-Deux-Mers géographique, puisque, regroupant les communes situées entre les deux fleuves, elle en exclut celles qui disposent d'une appellation spécifique. Il s'agit d'une appellation de vins blancs secs dont la réglementation n'est guère plus contraignante que pour l'appellation bordeaux. Mais dans la pratique, les viticulteurs cherchent à réserver pour cette appellation leurs meilleurs vins blancs. Aussi la production est-elle volontairement limitée (1 483 ha en production, 90 775 hl en 2001), et les dégustations d'agréage sont-elles particulièrement exigeantes. Le cépage le plus important est le sauvignon qui communique aux entre-deux-mers un arôme particulier très apprécié, surtout lorsque le vin est jeune.

BARON D'ESPIET 2001★★

□	n.c.	6 000	⑪ ⬤	- de 3 €

Cette coopérative fut la première créée en Gironde (1932), rassemblant les efforts d'agriculteurs menacés de ruine par une crise économique sévère. Ses transformations furent profondes – en particulier avec le développement du vignoble rouge – mais la réussite qualitative a toujours été un objectif majeur : témoin ce vin. Un perlé rafraîchissant porte les arômes intenses et fins du sauvignon (50 %) et du sémillon (50 %) dans une harmonie florale de genêt, oranger et acacia ou fruitée des pomelos et miel de printemps. La persistance est belle, sur un corps alerte, joyeux. Goûtons ce vin d'apéritif et de poissons grillés.
🔸 Union de producteurs Baron d'Espiet,
Lieu-dit Fourcade, 33420 Espiet,
tél. 05.57.24.24.08, fax 05.57.24.18.91,
e-mail baron-espiet@dial.oleane.com ☑ ☓ r.-v.

CH. BEL AIR 2001

□	n.c.	n.c.	⬤ ⬤	5 à 8 €

Coup de cœur l'an dernier pour le millésime précédent, ce cru est dirigé par une équipe ingénieuse. Ce vin associe les trois cépages de l'AOC à parts égales. La rondeur de l'attaque a surpris les dégustateurs. Puis la complexité aromatique (agrumes, miel d'acacia, litchi tendre) et la finale un peu plus nerveuse, ont rassuré. Il faut suivre ce vin de raisins mûrs délicatement travaillé.
🔸 GFA de Perponcher, 33420 Naujan-et-Postiac,
tél. 05.57.84.55.08, fax 05.57.84.57.31,
e-mail contact@vignobles-despagne.com ☓ r.-v.
🔸 J.-L. Despagne

CH. BELLEVUE 2001

| | 1,5 ha | 8 000 | ▦ ⅏ ♨ | 3 à 5 € |

Cuvée boisée de ce château dont les fondations sembleraient remonter au XVII^{e}s., et associant 80 % de sauvignon au sémillon. La robe jaune paille retient le regard, et le nez, d'approche discrète, harmonise pomme, agrumes (pamplemousse, citron), fleurs blanches, melon, sur un fond boisé vanillé. Puissance et fraîcheur en bouche sont elles aussi équilibrées par le bois : un vin que l'on pourra s'amuser à suivre dans le temps en le goûtant sur des crustacés.

➥ SCEA Ch. Bellevue, Saint-Romain,
33540 Sauveterre-de-Guyenne,
tél. 05.56.71.54.56, fax 05.56.71.83.95 ☑ ☍ r.-v.
➥ Ponton d'Amécourt

CH. BONNET 2001

| | n.c. | n.c. | ▦♨ | 5 à 8 € |

Propriété emblématique d'une famille engagée de la viticulture bordelaise, Bonnet est une belle chartreuse. Associant sauvignon et sémillon à parts égales à la muscadelle, ce millésime séduit : habit paille blanche, parfums intenses de fleurs blanches et de fruits exotiques proches de leur maturité naturelle, bouche souple bientôt avivée par un perlant malicieux, une élégance un peu minérale que l'on pourrait envier... Très classique ? Peut-être, mais l'amateur s'en réjouira.

➥ Vignobles André Lurton,
Ch. Bonnet, 33420 Grézillac,
tél. 05.57.25.58.58, fax 05.57.74.98.59,
e-mail andrelurton@andrelurton.com ☑ ☍ r.-v.

CH. BRIDOIRE 2001

| | 9,3 ha | 173 000 | ▦♨ | 3 à 5 € |

La muscadelle est ici légèrement privilégiée par rapport aux deux autres cépages : 40 %, 30 %, 30 %. L'équilibre du vin y gagne en complexité aromatique (pomme, verger, fleurs blanches, genêt, mangue, acacia). Un perlant léger anime un corps frais, élégant, délicatement sauvignonné. Un vin plaisir, pour des crustacés et des viandes blanches.

➥ SCEA du Ch. de Launay, La Moussante,
33790 Soussac, tél. 05.56.61.31.44, fax 05.56.61.39.76
☍ r.-v.
➥ M. de Raignac

CH. CASTENET-GREFFIER 2001

| | 8 ha | 65 000 | ▦♨ | 3 à 5 € |

Les amateurs de sauvignon trouveront ici leur plaisir : ce cépage (70 %) tempéré par la muscadelle fraîche et le sémillon mentholé, affirme fermement, en parfums comme en bouche, une personnalité chaleureuse et vive, qui chantera sur les coquillages. Un classique né à 80 % de macération pelliculaire.

➥ François Greffier, Castenet, 33790 Auriolles,
tél. 05.56.61.40.67, fax 05.56.61.38.82,
e-mail ch.castenet@wanadoo.fr ☑ ☍ r.-v.

CH. CHANTELOUVE 2001

| | 3,2 ha | 22 000 | ▦♨ | 3 à 5 € |

Une harmonie sémillon (50 %), sauvignon (30 %), muscadelle de vignes relativement vieilles : le vin exprime équilibre et vigueur, des flaveurs de fruits exotiques, d'abricot mûr, et le buis souligne la finale d'une pointe fraîche ; un compagnon des fruits de mer et volaille froide.

➥ EARL J.C. Lescoutras et Fils, Le Bourg,
33760 Faleyras, tél. 05.56.23.90.87, fax 05.56.23.61.37
☑ ☍ r.-v.

COMTE DE RUDEL 2001

| | 13 ha | 70 000 | ▦♨ | 3 à 5 € |

Les parfums de Comte de Rudel (35 % de sémillon pour 65 % de sauvignon) sont sans doute un peu discrets mais fins, beurrés et mentholés. Le corps (replet et acidulé) recèle des charmes certains. Ce faux timide accompagnera les gâteaux salés de l'apéritif. Autre marque de la grande coopérative de Rauzan, **Fleur 2001** obtient la même note. A peine citronné à l'attaque, puis développant des fragrances d'agrumes mûrs jusqu'à une finale discrètement mentholée : un classique.

➥ Union de producteurs de Rauzan, L'Aiguilley,
33420 Rauzan, tél. 05.57.84.13.22, fax 05.57.84.12.67,
e-mail cavesderauzan@cavesderauzan.com ☑ ☍ r.-v.

CH. DE FONTENILLE 2001★

| | 5 ha | 40 000 | ▦ | 3 à 5 € |

Les notes dorées de l'habit attirent l'attention. Le nez s'ouvre en parfums tendres et complexes sur fond d'agrumes. La chair est grasse, ample, voire puissante, mais demeure fraîche. Elle embaume les fruits exotiques mûrs, la mangue, le fruit de la Passion, tels qu'on peut les goûter à la Réunion par exemple... Un vin de viandes blanches et de fromages.

➥ SC Ch. de Fontenille, 33670 La Sauve,
tél. 05.56.23.03.26, fax 05.56.23.30.03,
e-mail contact@chateau-fontenille.com ☑ ☍ r.-v.
➥ Stéphane Defraine

CH. LA FREYNELLE 2001★★

| | 4 ha | 30 000 | ▦♨ | 5 à 8 € |

La propriété est dans la famille depuis 1789, et Véronique Barthe en est la première femme héritière depuis sept générations. Magistralement élaborée, La Freynelle est bâtie sur un équilibre sauvignon (50 %), muscadelle (25 %) et sémillon où la qualité de la maturité compte autant que la typicité des cépages : la rondeur, les flaveurs de miel, de noisette, de fruits exotiques (litchis), la finale longue, aromatique, presque apaisante, signent un très joli vin, à boire et à suivre dans le temps, en le goûtant sur des viandes en sauce, poissons grillés et fromages. Du même producteur, le **Château Moulin de Poncet 2001** aimera les poissons en sauce. Il obtient une étoile.

➥ Vignobles Philippe Barthe, Peyrefus,
33420 Daignac, tél. 05.57.84.55.90, fax 05.57.74.96.57,
e-mail vbarthe@club-internet.fr ☑ ☍ r.-v.

CH. GRAND BIREAU 2001★

| | 5 ha | 20 000 | ▦♨ | 3 à 5 € |

Sauvignon (55 %) et sémillon (40 %) se partagent ce vin, avec un appoint (5 %) de muscadelle. L'élégance et la délicatesse définissent la dégustation : les parfums des cépages embaument, subtils et bien soutenus de notes de miel et de brioche. Le corps, finement perlé, révèle un charme certain, par sa souplesse et sa longueur bien équilibrées. Les flaveurs fines, nettes mais discrètes, réclament et retiennent l'attention. Le plaisir est pour aujourd'hui, mais pourrait être prolongé. Un vin d'apéritif, ou de crustacés, de viandes blanches.

➥ SCEA Michel Barthe, 18, Girolatte,
33420 Naujan-et-Postiac,
tél. 05.57.84.55.23, fax 05.57.84.57.37 ☑ ☍ r.-v.

CH. GROSSOMBRE 2001

	n.c.	n.c.	▯ ▮	5 à 8 €

Il est des monuments dont le classicisme rassure : la construction de ce vin est maîtrisée, cossue, élégante (qualité et abondance des arômes de fleurs blanches, bouche de pamplemousse, finale bien enlevée). Tout est bien à sa place.

↰ Vignobles André Lurton, Ch. Bonnet, 33420 Grézillac, tél. 05.57.25.58.58, fax 05.57.74.98.59, e-mail andrelurton@andrelurton.com ☑

CH. HAUT D'ARZAC 2001★

	2 ha	12 000	▯ ▮	3 à 5 €

Ce classique de belle facture reflète l'équilibre des trois cépages : d'abord un peu fermé, il ne demande qu'une petite agitation pour amplifier son côté fruité (écorce d'orange, mandarine) en accompagnement avec les notes de buis typiques du sauvignon. La bouche est ronde, ferme, fruitée, la finale bien enlevée, vive. C'est un vin de viandes blanches.

↰ Gérard Boissonneau, 18, rte de Bordeaux, 33420 Naujan-et-Postiac, tél. 05.57.74.91.12, fax 05.57.74.99.60 ☑ ☶ r.-v.

CH. HAUT-GARRIGA 2001★

	3 ha	15 000	▯ ▮	3 à 5 €

Voici un vin appétissant, qui fleure bon le seringa, la noisette, la brioche et le pomelo mûr. La bouche est fraîche, soyeuse, pimpante, parfumée de pêche jaune, et la petite pointe minérale rappelle qu'il s'agit bien d'un entre-deux-mers. « Doit être bien agréable sur un poisson cuisiné », signale un juré.

↰ EARL Vignobles C. Barreau et Fils, Garriga, 33420 Grézillac, tél. 05.57.74.90.06, fax 05.57.74.96.63 ☑ ☶ r.-v.

CH. HAUT GUILLEBOT 2001★

	20 ha	n.c.	▮	3 à 5 €

Si le sauvignon domine ici (60 % du vin), il est fermement tempéré par le sémillon et la qualité de la vinification puis de l'élevage sur lies. Les arômes discrets mais nets couvrent une jolie gamme florale (genêt, verger) soutenue de notes plus lourdes (mie de pain frais, amande douce, noisette). Le corps rond offre une grande élégance de structure comme de flaveurs. Un « vin de jeunesse », compliment un juré. À goûter sur des viandes blanches ou des poissons grillés.

↰ Evelyne Rénier, Ch. Haut Guillebot, 33420 Lugaignac, tél. 05.57.84.53.92, fax 05.57.84.62.73, e-mail chateauhautguillebot@wanadoo.fr ☑ ☶ r.-v.

CH. JANDILLE 2001★

	n.c.	15 000	▯ ▮	3 à 5 €

Le sauvignon anime le Château Jandille. Il y chante avec le sémillon (25 %) en notes délicates de fruits exotiques, d'ananas, de litchi mais aussi de pêche blanche et d'abricot sec. La qualité du raisin et le soin porté à la vinification par les vignerons et l'œnologue de la coopérative se traduisent par un développement tout de souplesse (notes très marquées de poire). Pourra accompagner apéritif, viandes blanches et poissons.

BORDELAIS

Entre Garonne et Dordogne

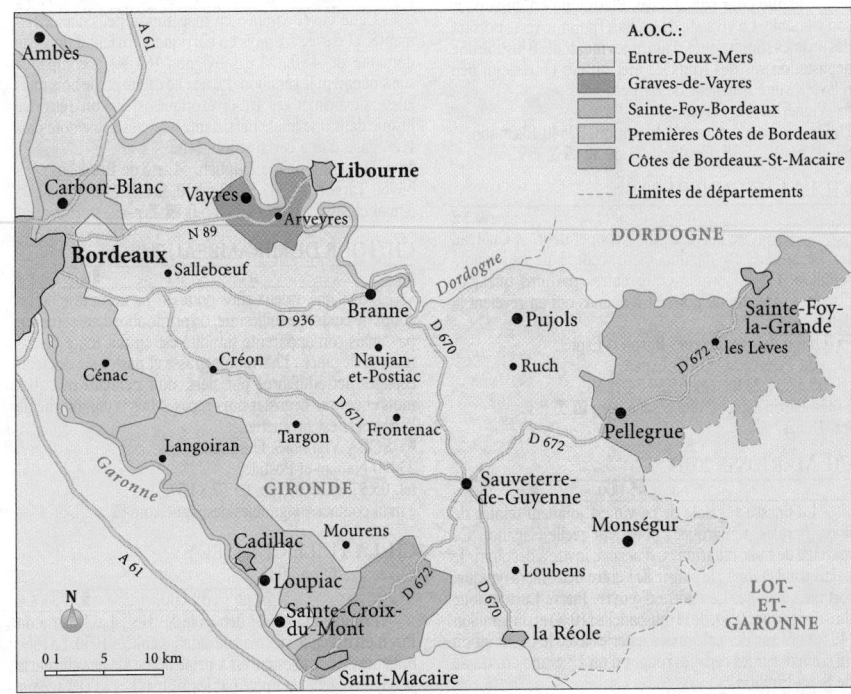

➤ Producteurs réunis Chais de Vaure, 33350 Ruch,
tél. 05.57.40.54.09, fax 05.57.40.70.22 ☑ ⵟ r.-v.
➤ EARL Chaume

CH. LALANDE LABATUT 2001

| | 1,4 ha | 12 000 | ⚫⬇ | 5 à 8 € |

Les senteurs florales immédiatement présentes au
nez (églantine, seringa), s'habillent au cours de la dégustation d'une rondeur fondante de fruits mûrs, de miel et de
confiture de coing : le sauvignon modelé de sémillon et de
muscadelle, chante ici en un plaisir réel, frais et vivant, que
l'on aura plaisir à partager avec ses amis sur une viande
froide ou en apéritif.
➤ SCEA Vignobles Falxa, 38, Labatut,
33370 Sallebœuf, tél. 05.56.21.23.18, fax 05.56.21.20.98,
e-mail chateau.lalande-labatut@wanadoo.fr ☑ ⵟ r.-v.

CH. LA LANDE DE TALEYRAN 2001

| | 8 ha | 50 000 | ⚫⬇ | 3 à 5 € |

Le sémillon compte pour 50 % dans ce vignoble et la
muscadelle pour 20 %. Voici donc un vin ample et gras. La
gamme complexe des flaveurs se révèle plus proche des
fruits (du pomelo à l'abricot sec) et du miel que des fleurs.
La vivacité s'éteint au profit d'un certain confort en
bouche : un vin de poisson au four ou de viandes blanches,
mais aussi de fromages.
➤ GAEC la Lande de Taleyran,
Ch. Polin, 33750 Beychac-et-Caillau,
tél. 05.56.72.98.93, fax 05.56.72.81.94,
e-mail chateau.lalandedetaleyran@wanadoo.fr ☑ ⵟ r.-v.
➤ Jacques Burliga

CH. LANGEL-MAURIAC 2001

| | 1,5 ha | 10 800 | ⚫⬇ | 3 à 5 € |

Connue pour son abbaye, Blasimon l'est aussi pour
son vignoble. La vivacité de la chair (pomme verte portant
des arômes sophistiqués d'agrumes mentholés) justifie une
dégustation sur des fruits de mer ou des entrées un peu
relevées : une fraîcheur de barbecue.
➤ Vignerons de Guyenne,
Union des producteurs de Blasimon, 33540 Blasimon,
tél. 05.56.71.55.28, fax 05.56.71.59.32 ☑ ⵟ r.-v.

CH. LA LEZARDIERE 2001

| | n.c. | 6 000 | | - de 3 € |

Sélection de parcelles d'un coopérateur, le Château
La Lézardière est un duo bien accordé de sauvignon-
sémillon. Le vin distille entre autres parfums quelques
discrètes senteurs de poire et d'ananas qui en révèlent la
délicatesse.
➤ Union de producteurs Baron d'Espiet,
Lieu-dit Fourcade, 33420 Espiet,
tél. 05.57.24.24.08, fax 05.57.24.18.91,
e-mail baron-espiet@dial.oleane.com ☑ ⵟ r.-v.
➤ Thillet

CH. MARJOSSE 2001★

| | 5,5 ha | 45 000 | ⚫⬇ | 5 à 8 € |

La finesse végétale de ce vin est joliment teintée de
notes florales, remarquées pour leur réelle élégance. Ce
mariage de buis, d'agrumes, d'acacia, invite à découvrir le
palais rond et long : le plaisir de l'entre-deux-mers typique,
fort bien élaboré. Le maître d'œuvre, Pierre Lurton, joue
du sauvignon (50 %), de la muscadelle (10 %) et du sémillon
(40 %) nés sur des calcaires à astéries avec le talent qu'on
lui connaît sur les cépages rouges d'un 1ᵉʳ grand cru classé
de Saint-Emilion.

➤ EARL Pierre Lurton,
Ch. Marjosse, 33420 Tizac-de-Curton,
tél. 05.57.55.57.80, fax 05.57.55.57.84

CH. MAYNE-CABANOT 2001

| | 4,25 ha | 30 000 | ⚫⬇ | 3 à 5 € |

Toujours présente dans le Guide, cette cave coopérative
située aux portes de Rauzan, grosse bourgade riche d'un
château médiéval puissant, avait reçu pour ce cru, un coup
de cœur dans le millésime 2000. Elle propose cette année
un sauvignon pur, au nez épicé, poivré, avec un retour sur
la noisette et le muscat. L'attaque est souple, mais très vite
une fraîcheur minérale envahit la bouche et emporte la
finale. Un complice d'huîtres et de coquillages.
➤ Union de producteurs de Rauzan, L'Aiguilley,
33420 Rauzan, tél. 05.57.84.13.22, fax 05.57.84.12.67,
e-mail cavesderauzan@cavesderauzan.com ☑ ⵟ r.-v.
➤ GFA Corbière

CH. MYLORD 2001

| | 18 ha | 150 000 | ⚫⬇ | 3 à 5 € |

Non loin de l'église du XIIᵉs. de Grézillac, ce domaine
de 50 ha propose un classique signé par les trois cépages à
égalité et par la maîtrise des vinifications. La complexité
florale du nez chante des notes poivrées et minérales. La
chair est vivante, fraîche, finement mentholée ; un perlant
citronné prolonge la finale. Choisir un poisson.
➤ Michel Alain Large, Ch. Mylord, 33420 Grézillac,
tél. 05.57.84.52.19, fax 05.57.74.93.95,
e-mail large@chateau-mylord.com ☑ ⵟ r.-v.

CH. SAINTE-MARIE
Cuvée Madlys 2001

| | 2,5 ha | 8 000 | ⬛ | 5 à 8 € |

Cette cuvée vinifiée en macération pelliculaire, fermentée et élevée six mois en barrique, provient d'un vaste
domaine de 45 ha. Le sauvignon (60 %) accompagne
classiquement le sémillon. Le nez ne cache pas le bois mais
laisse s'exprimer les fruits exotiques que l'on retrouve
jusque dans une finale persistante associés à une note plus
vive, gage d'une certaine longévité.
➤ Gilles et Stéphane Dupuch, 51, rte de Bordeaux,
33760 Targon, tél. 05.56.23.64.30, fax 05.56.23.66.80,
e-mail ch.ste.marie@wanadoo.fr ☑ ⵟ r.-v.

CH. TOUR DE MIRAMBEAU 2001

| | n.c. | n.c. | ⚫⬇ | 5 à 8 € |

Voici une valeur sûre dont on ne compte plus les
coups de cœur. Ce millésime, de prime abord, ne s'impose
pas, mais son apparente timidité est en fait toute délicatesse et élégance : l'harmonie grasse et parfumée des trois
cépages, ici équilibrés par tiers, doit pendant quelques
mois encore se déguster hors repas. Mais la complexité de
l'ensemble est prometteuse.
➤ SCEA Vignobles Despagne,
33420 Naujan-et-Postiac,
tél. 05.57.84.55.08, fax 05.57.84.57.31,
e-mail contact@vignobles-despagne.com ☑

CH. LA TUILERIE DU PUY
Cuvée Tradition 2001

| | 4,74 ha | 39 000 | ⚫ | 3 à 5 € |

Propriété familiale depuis le XVIIᵉs., la Tuilerie du
Puy n'est devenue viticole que dans les années 1930. La robe
brillante de ce millésime est à peine dorée ; le nez affirme le
sauvignon (genêt tempéré par les arômes liés à l'élevage sur

lies fines, bonbon anglais, brioche) ; l'attaque est souple, puis la vivacité aux notes de bourgeon de cassis et de pierre à feu domine la dégustation et la finale : c'est l'exemple même du compagnon des huîtres et des poissons grillés.

↳ SCEA Regaud, La Tuilerie, 33580 Le Puy, tél. 05.56.61.61.92, fax 05.56.61.86.90, e-mail regaud@free.fr

☑ ⏳ t.l.j. 8h-12h 14h-18h; sam. dim. sur r.-v.

CH. TURCAUD 2001

| | 11,6 ha | 93 500 | 🍶🍷 | 5 à 8 € |

Plus que sa conception classique, ce vin tire son originalité de la qualité de la vinification et de l'élevage sur lies fines (six mois) : tout respire le raisin mûr, le travail soigné des levures, le bâtonnage ou remuage maîtrisé. La complexité intense des flaveurs flâne du pétale de rose, de la pêche blanche, à l'abricot et au fruit de la Passion en glissant sur des notes de buis et des touches minérales. La bouche est charnue, ample, un peu lourde pour un entre-deux-mers, mais la finale vive demeure longuement fruitée.

↳ EARL Vignobles Robert, Ch. Turcaud, 33670 La Sauve-Majeure, tél. 05.56.23.04.41, fax 05.56.23.35.85, e-mail chateau-turcaud@wanadoo.fr ☑ ⏳ r.-v.

CH. DE VAURE 2001★

| | n.c. | 10 000 | 🍶🍷 | 3 à 5 € |

Les chais de la coopérative dominent la vallée harmonieuse d'un minuscule affluent de la Dordogne. Ce vin est à dominante sémillon (75 %). Jaune pâle à reflets d'or, il hume les fruits mûrs (poire), avec des notes sensuelles de muscat, de fleur d'acacia et de violette. La bouche ronde, volumineuse, laisse éclater des flaveurs d'agrumes et de pêche blanche portées par un perlant efficace. Ce vin, de belle complexité et de longue persistance, pourra être goûté seul ou sur des viandes blanches ou des fromages.

↳ Producteurs réunis Chais de Vaure, 33350 Ruch, tél. 05.57.40.54.09, fax 05.57.40.70.22 ☑ ⏳ r.-v.

LES VEYRIERS 2001

| | n.c. | 10 000 | 🍶🍷 | - de 3 € |

L'équilibre sauvignon-sémillon favorise ce dernier (60 %), mais le premier cépage reste dominant tout au long de la dégustation : les senteurs de fleurs blanches, de buis, d'écorces d'agrumes dansent sur une vivacité fruitée. Nous trouvons, ici, le charme classique et vrai d'un vin d'apéritif ou de tonnelle.

↳ C.C. Viticulteurs réunis de Sainte-Radegonde, 33350 Sainte-Radegonde, tél. 05.57.40.53.82, fax 05.57.40.55.99

⏳ t.l.j. sf sam. dim. 8h30-12h30 14h-17h

CH. VIGNOL 2001★★

| | 6,55 ha | 40 000 | 🍶🍷 | 5 à 8 € |

Bernard et Dominique Doublet sont nés dans l'Entre-Deux-Mers et sont très attachés à ses paysages traversés de bois autant que de vignes. Vous partagerez cette admiration en allant goûter leur vin équilibré, où le sauvignon est assagi par le sémillon (30 %) et la muscadelle (4 %). Délicieusement parfumé, rond et fondant à la mise en bouche, confortable et souple dans son développement, vif et très long en finale (un juré mentionne une « queue de paon en agrumes verts »), ce 2001 offre une élégance racée, riche de flaveurs de fleurs de vigne et d'oranger, de

miel d'acacia, d'amande douce... Il faut se laisser séduire par cette harmonie de fruits, que le temps modulera encore.

↳ Bernard et Dominique Doublet, Ch. Vignol, 33750 Saint-Quentin-de-Baron, tél. 05.57.24.12.93, fax 05.57.24.12.83, e-mail d.doublet@free.fr ☑ ⏳ r.-v.

CH. VRAI CAILLOU 2001★

| | n.c. | n.c. | 🍶🍷 | 5 à 8 € |

A quelques pas de promenade, un moulin ruiné coiffe la butte de Launay, point culminant de la Gironde. Le sauvignon gris, mutant qualitatif du sauvignon, entre pour 20 % dans la composition de ce vin, et signe une part du plaisir de la dégustation : rondeur et finesse du corps, flaveurs affirmées de fruits mûrs, de litchi, d'agrumes, de fleurs de vigne et de genêt, simplement teintés de buis, finale fraîche et persistante ; un très joli classique.

↳ Michel Pommier, Ch. Vrai Caillou, 33790 Soussac, tél. 05.56.61.31.56, fax 05.56.61.33.52, e-mail mpomm527339@aol.com ☑ ⏳ r.-v.

Entre-deux-mers haut-benauge

CH. TERTRE DE MONT SAINT PEY 2001★★

| | 5 ha | 42 000 | 🍶 | 3 à 5 € |

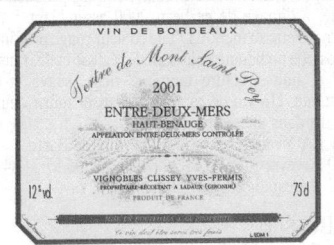

La propriété familiale est ancienne, mais les 5 ha de ce vignoble du haut-benauge ont vingt ans, et l'équipe actuelle œuvre depuis dix ans. Voici le résultat remarquable de l'alliance des traditions retrouvées (élevage sur lies fines) et des techniques modernes (cuverie inox, températures de fermentation contrôlées...). Dès le service, ce vin embaume le sauvignon apprivoisé. Sur un fond de pamplemousse mûr, discrètement citronné, apparaissent la fleur de raisin et l'abricot sec. Porté par un perlant ténu, un concerto contrasté et fringant, se joue entre la vivacité aromatique et la chair dense, souple et soyeuse. La finale persiste, fraîche, teintée de menthe. Conclusion d'un juré : « Le savoir-faire, sur un vin ambitieux et complexe ».

🍇 Vignobles Clissey-Fermis, 24, rte de Cantois, 33760 Ladaux, tél. 05.57.34.40.50, fax 05.57.34.40.50, e-mail clissey.fermis@wanadoo.fr ☑ ᵀ r.-v.

Graves de vayres

Malgré l'analogie du nom, cette région viticole, située sur la rive gauche de la Dordogne, non loin de Libourne, est sans rapport avec la zone viticole des Graves. Les graves de vayres correspondent à une enclave relativement restreinte de terrains graveleux, différents de ceux de l'Entre-Deux-Mers. Cette appellation a été utilisée depuis le XIXe s., avant d'être officialisée en 1931. Initialement, elle correspondait à des vins blancs secs ou moelleux, mais la conjoncture actuelle tend à augmenter la production des vins rouges qui peuvent bénéficier de la même appellation.

La superficie totale du vignoble de cette région représente environ 490 ha de vignes rouges et 110 ha de vignes à raisins blancs ; une part importante des vins rouges est commercialisée sous l'appellation régionale bordeaux. En AOC graves de vayres, la production a atteint 35 543 hl dont 6 292 en blanc en 2001.

CH. BARRE GENTILLOT 2000★

	9,75 ha	65 000	▪️↓	5 à 8 €

Ce château a brûlé pendant la Révolution française mais aujourd'hui tout a été rebâti pour une production de qualité, à l'image de ce beau 2000 assemblant 5 % de cabernet franc au merlot. D'une couleur rouge profond, ce vin possède un bouquet naissant de réglisse et de fruits très mûrs et une structure tannique riche, suave et bien persistante. Un vin de caractère à laisser mûrir deux ou trois ans dans une bonne cave.

🍇 SCEA Yvette Cazenave-Mahé, Ch. de Barre, 33500 Arveyres, tél. 05.57.24.80.26, fax 05.57.24.84.54, e-mail chateau.de.barre@online.fr ☑ ᵀ r.-v.

CH. BUSSAC
Cuvée Prestige Elevé en fût de chêne 2000★★

	3,7 ha	20 000	⦀	3 à 5 €

Cette cuvée Prestige a fermenté et a été élevée en fût de chêne neuf, le résultat est superbe dans ce millésime. La robe jaune pâle a des jolis reflets or. Le bouquet naissant, très complexe, évoque le citron, la pêche, le boisé fin. En bouche, c'est un vin fort élégant, à la saveur à la fois fruitée et boisée, avec un retour aromatique exotique plutôt

flatteur. Un vin blanc qui peut se boire aujourd'hui mais qui vieillira également trois à cinq ans. Du même producteur, le **Château Peyrere rouge 2000 vieilli en fût de chêne (5 à 8 €)** obtient une étoile.

🍇 SCEA Vignoble Cassignard, 33870 Vayres, tél. 05.57.24.52.14, fax 05.57.24.06.00 ☑ ᵀ r.-v.

CH. CANTELOUP 2001★

	1,5 ha	5 500	▪️↓	3 à 5 €

20 % de muscadelle complètent l'assemblage de ce millésime blanc à base de sauvignon. La teinte or gris a des reflets argentés, les arômes intenses de pêche et d'ananas sont bien mûrs. Légèrement perlant en attaque, ce vin évolue avec de délicates saveurs d'agrumes et possède beaucoup de fraîcheur en finale. Il est déjà prêt à boire sur des fruits de mer.

🍇 EARL Landreau, L'Hermette, 33750 Beychac-et-Caillau, tél. 05.56.72.97.72, fax 05.56.72.49.48 ☑

CH. LA CHAPELLE BELLEVUE
Prestige Elevé en barrique 1999

	2 ha	9 000	⦀	8 à 11 €

Assemblage de vignes cinquantenaires de merlot (60 %) et de cabernet-sauvignon élevés douze mois en barrique, ce vin se présente dans une belle robe rubis. Parfumé par des notes de sous-bois et doté de tanins souples et équilibrés, il est déjà prêt à boire.

🍇 Lisette Labeille, Ch. la Chapelle Bellevue, chem. du Pin, 33870 Vayres, tél. 05.57.84.90.39, fax 05.57.74.82.40 ☑ ᵀ r.-v.

CH. FAGE
Elevé en fût de chêne 2000

	12 ha	60 000	⦀	5 à 8 €

Joël Quancard et Max Cazottes rénovent les chais de ce domaine de 30 ha acquis en 1999. Ils proposent deux vins ayant obtenu chacun une citation. Celui-ci a un bouquet discret de fruits confits et une structure souple et équilibrée, délicatement boisée. Le **blanc 2001 (3 à 5 €)** qui n'a pas connu le bois a de jolis reflets d'or gris pâle, des arômes délicats de noisette et de beurre ; son caractère élégant est très rafraîchissant en bouche. On pourra apprécier l'un comme l'autre dès aujourd'hui.

🍇 SA Ch. Fage, 33500 Arveyres, tél. 04.67.39.10.51, fax 04.67.39.15.33, e-mail maxcazottes@domaineaton.com ☑ ᵀ r.-v.

CH. GOUDICHAUD 2000★

	12,45 ha	10 000	▪️⦀↓	5 à 8 €

Parmi les crus les plus réputés, ce vaste domaine repose sur un sol argilo-calcaire. Ce millésime possède un encépagement dominé par le cabernet-sauvignon (60 %), complété par le merlot. La robe pourpre est marquée de reflets cerise. Le bouquet intense rappelle les fruits très mûrs et le bon boisé. Doté de tanins souples et fruités, ce vin à la bouche volumineuse et persistante s'épanouira totalement dans deux à quatre ans.

🍇 Paul Glotin, Ch. Goudichaud, 33750 Saint-Germain-du-Puch, tél. 05.57.22.27.60, fax 05.57.22.27.61 ☑ ᵀ r.-v.

CH. HAUT-GAYAT 2000★

	12 ha	100 000	⦀	5 à 8 €

Un assemblage exactement équilibré entre merlot et cabernet-sauvignon pour cet excellent 2000 ; la robe pourpre est profonde et les arômes de confiture de cerises sont bien fondus avec des notes de vanille et de café. Souple en attaque, la structure évolue ensuite avec beaucoup de présence, de maturité et d'équilibre : c'est un vin qui s'ouvrira dans deux à trois ans. On se souvient du coup de cœur reçu pour le millésime 98.

🕯 Marie-José Degas, La Souloire,
33750 Saint-Germain-du-Puch,
tél. 05.57.24.52.32, fax 05.57.24.03.72 ☑ ⟂ r.-v.

CH. L'HOSANNE
Elevé en fût de chêne 2001★

	1 ha	5 000	ⅢⅠ	5 à 8 €

Repris en 1988, ce château a reçu le nom de l'hommage rendu au Moyen Age par le clergé au seigneur du château de Vayres. Le vin blanc 2001 est issu du cépage sémillon et se révèle très réussi tant par sa robe jaune pâle à reflets verts que par ses arômes délicats de poire et d'amande rehaussés de discrètes touches boisées. En bouche, il est frais et nerveux, bien équilibré par des tanins de bois encore un peu fermes en finale : il sera prêt à boire entre 2003 et 2006. La **cuvée rouge 2000**, élevée douze mois en barrique, obtient également une étoile pour son bouquet naissant de pruneau et pour sa structure riche, harmonieuse et parfaitement mûre. A boire d'ici trois ans. Du même producteur, le **Château Saint Pardon rouge 2000** obtient la même note.

🕯 SCEA Chastel-Labat, 124, av. de Libourne,
33870 Vayres, tél. 05.57.74.70.55, fax 05.57.74.70.36
☑ ⟂ r.-v.

CH. LESPARRE Vinifié en fût 2001★★

	7 ha	56 000	ⅢⅠ	5 à 8 €

Venus de la Côte des Blancs en Champagne, Michel Gonet et ses enfants ont élu domicile en 1986 dans cette appellation. Le coup de cœur va à ce remarquable vin blanc qui se distingue par une couleur pâle à reflets dorés. Ses parfums évocateurs d'acacia, de miel et de fruits confits annoncent une bouche séveuse et concentrée évoluant sur un boisé élégant. La finale révèle une pointe d'acidité lui conférant une agréable fraîcheur. Il sera à son apogée dans deux ans. Le **château Lesparre rouge 2000** obtient une étoile pour la qualité de ses arômes de raisin très mûr et sa structure harmonieuse. A boire dans trois à cinq ans. Le **Château Durand-Bayle rouge 2000** du même propriétaire a mérité également une étoile.

🕯 Michel Gonet et Fils,
Ch. Lesparre, 33750 Beychac-et-Caillau,
tél. 05.57.24.51.23, fax 05.57.24.03.99,
e-mail vins.gonet@wanadoo.fr ☑ ⟂ r.-v.

CH. PICHON-BELLEVUE
Cuvée Elisée 2000★

	3 ha	15 000	ⅢⅠ	5 à 8 €

Portant le prénom du célèbre géographe Elisée Reclus qui collabora aux *Guides Joanne* devenus les *Guides Bleus Hachette*, et fut aussi un théoricien de l'anarchisme, cette cuvée est une sélection parcellaire de vieilles vignes de merlot (80 %) plantées sur un terroir de graves. La robe rouge sombre et très vive annonce des arômes de fruits mûrs et de cuir, en harmonie avec des notes boisées toastées. Les tanins gras, riches et de bonne longueur, promettent un joli vin qui se révèlera totalement dans deux à trois ans. Le **vin blanc sec 2001 (3 à 5 €)** élevé en cuves ciment et Inox obtient également une étoile : il possède d'excellents arômes de sauvignon et un fruité intense (pêche, ananas). Souple et frais à la fois, il fait preuve d'une belle harmonie. Très bon rapport qualité-prix.

🕯 EARL Ch. Pichon-Bellevue, 33870 Vayres,
tél. 05.57.74.84.08, fax 05.57.84.95.04 ☑ ⟂ r.-v.
🕯 Reclus

CH. LE TERTRE
Cuvée du Baron Charles Elevé en fût de chêne 2000★

	28 ha	120 000	ⅢⅠ	5 à 8 €

Cette cuvée est issue d'une sélection de parcelles du château le Tertre, sur des terroirs de graves. La couleur grenat est soutenue. Le bouquet, encore fermé, évoque le cuir et le sous-bois. Ronds, souples et bien mûrs, les tanins évoluent avec beaucoup d'élégance jusque dans une jolie finale. A boire dans deux à trois ans.

🕯 Pierrette et Christian Labeille,
Ch. Le Tertre, Vignobles Labeille, 33870 Vayres,
tél. 05.57.74.76.91, fax 05.57.74.87.40,
e-mail vignobles.labeille.le.tertre@wanadoo.fr
☑ ⟂ t.l.j. sf sam. dim. 9h-12h 14h-19h

CH. TOUR DE GUEYRON 2000

	1 ha	n.c.	ⅠⅢⅠↆ	5 à 8 €

Seulement 1 ha de vieilles vignes de merlot (60 %) et de cabernet franc (40 %) a été sélectionné pour ce 2000 à la robe pourpre soutenu. Le bouquet élégant de confiture et de réglisse se retrouve en bouche, où les tanins présents sont équilibrés. Deux à trois ans de vieillissement dans une bonne cave sont conseillés.

🕯 Pascal Sirat, Penchille, 33500 Arveyres,
tél. 05.57.51.57.39, fax 05.57.51.57.39 ☑ ⟂ r.-v.

Sainte-foy-bordeaux

Cité médiévale à l'intérêt touristique évident, mais aussi cité du vin entre Lot-et-Garonne et Dordogne, Sainte-Foy a produit 1 977 hl de vin blanc et 9 647 hl de vin rouge en 2001 sur les 253 ha du vignoble.

CH. CAPELLE 2000★

	5 ha	33 000	ⅢⅠ	3 à 5 €

Ce 2000, issu exclusivement du cépage merlot, présente une couleur profonde et vive, des arômes complexes de fumé, de cerise, de fleurs et de réglisse. En bouche, la structure tannique, veloutée et puissante à la fois, se révèle équilibrée et fruitée. Un très bon vin à boire ou à laisser vieillir de deux à quatre ans.

🐓 Closerie d'Estiac, Les Lèves-et-Thoumeyragues, 33320 Sainte-Foy-la-Grande,
tél. 05.57.56.02.02, fax 05.57.56.02.22
☑ ⍑ t.l.j. sf dim. lun. 9h30-12h30 15h30-18h

CH. DU CHAMP DES TREILLES 2000★

■	1,5 ha	7 500	🍷 8 à 11 €

Œnologue, Jean-Michel Comme a décidé en 2001 de doubler la densité de plantation du vignoble familial, qui était jusque-là de cinq mille pieds à l'hectare. Seulement 1,5 ha a été consacré à l'élaboration de ce 2000 fort bien vinifié. La robe profonde a des reflets mauves. Les arômes boisés, très subtils, sont fondus avec des notes fruitées agréables. Les tanins, puissants et équilibrés, demandent deux à trois ans de vieillissement dans une bonne cave.

🐓 Corinne et Jean-Michel Comme, Pibran, 33250 Pauillac, tél. 05.56.59.15.88, fax 05.56.59.15.88
☑ ⍑ r.-v.

CH. DES CHAPELAINS
Cuvée Les Temps modernes
Elevé en fût de chêne 2000★★

■	3 ha	20 000	🍷 8 à 11 €

Depuis le XVIIe s. dans la même famille, ce château a prouvé son savoir-faire ces dernières années, et ce millésime 2000 révèle un grand talent à la fois en blanc et en rouge. D'une belle complexité aromatique (fruits noirs, vanille, cuir), cette cuvée offre une harmonie parfaite en bouche : les tanins sont en effet puissants et mûrs ; ils devraient évoluer remarquablement pendant trois à cinq ans. La **cuvée Momus rouge 2000 (5 à 8 €)** décroche une étoile : sa robe pourpre brillante, son bouquet boisé et floral, sa structure tannique, souple et équilibrée, permettront de la consommer plus vite, d'ici un à trois ans.

🐓 Pierre Charlot, Les Chapelains, 33220 Saint-André-et-Appelles, tél. 05.57.41.21.74, fax 05.57.41.27.42, e-mail chateaudeschapelains @ wanadoo.fr
☑ ⍑ t.l.j. 8h30-12h 14h-17h30; sam. dim. sur r.-v.

CH. DES CHAPELAINS
La Découverte 2000★★★

■	1,55 ha	14 000	🍷 8 à 11 €

GRAND VIN DE BORDEAUX
2000
Château
Des Chapelains
SAINTE FOY BORDEAUX
LA DÉCOUVERTE

Une fois encore, ce château a réussi un excellent vin blanc, coup de cœur unanime et enthousiaste du grand jury. La robe brillante jaune pâle a de remarquables reflets dorés. Les parfums de fruits confits, de miel et de fleurs se marient harmonieusement avec les notes boisées et minérales. Souple et chaleureux, ce vin affiche une belle matière

équilibrée et une finale savoureuse. Une bouteille exceptionnelle, au sommet de son appellation, à apprécier aujourd'hui ou à laisser vieillir quelques années. Sur l'étiquette, dont n'est ici reproduite que la partie gauche, est inscrit le conseil du sommelier : « Servir avec un dos de sandre rôti au pied de cochon confit ». Nos dégustateurs ont plus simplement noté : tout poisson fin.

🐓 Pierre Charlot, Les Chapelains, 33220 Saint-André-et-Appelles, tél. 05.57.41.21.74, fax 05.57.41.27.42, e-mail chateaudeschapelains @ wanadoo.fr
☑ ⍑ t.l.j. 8h30-12h 14h-17h30; sam. dim. sur r.-v.

CH. CLAIRE ABBAYE
Cuvée Prestige Elevé en fût de chêne 2000★★

■	n.c.	3 000	🍷 11 à 15 €

CUVÉE PRESTIGE
Château
CLAIRE ABBAYE
2000
Sainte-Foy Bordeaux

Ce château est situé sur un terroir argilo-calcaire autrefois occupé par les Gallo-Romains. En 2000, deux vins élevés en fût de chêne ont été dégustés et ont obtenu deux étoiles : la **cuvée principale (5 à 8 €)**, 17 000 bouteilles, et cette cuvée Prestige de 3 000 bouteilles qui décroche en plus un coup de cœur. Ces deux vins se ressemblent beaucoup : robe grenat exceptionnelle à reflets rubis, arômes intenses et complexes de fruits mûrs (pruneau), de cerise, de toasté et d'amande. En bouche, les tanins veloutés et gras évoluent tout en puissance et en équilibre. La finale est longue, racée et parfaitement fondue avec le boisé. Deux vins de garde, à ouvrir dans trois à huit ans. On en redemande !

🐓 Bruno Sellier de Brugière, Ch. Claire Abbaye, 33890 Gensac, tél. 05.57.47.42.04, fax 05.57.47.48.16, e-mail bruno.sellier @ free.fr ☑ ⍑ r.-v.

CH. L'ENCLOS
Réserve de la Marquise Elevé en fût de chêne 2000

■	5,6 ha	4 000	🍷🍷🍷 5 à 8 €

Ce Réserve de la Marquise est issu de 55 % de merlot et de 45 % de cabernets : sa robe est pourpre cerise. Le bouquet évoque les épices, les fruits noirs et une note fleurie. En bouche, c'est un vin franc et bien fruité qui devra attendre un à deux ans que le boisé se fonde. L'accord gourmand de l'année ? « Des aiguillettes de canard en sauce truffée servies sur paillassons de navets ». Osé, n'est-ce pas ?

🐓 SCEA Ch. l'Enclos, Dom. de L'Enclos, 33220 Pineuilh, tél. 05.57.46.55.97, fax 05.57.46.55.97, e-mail sceachateaulenclos @ wanadoo.fr ☑ ⍑ r.-v.
🐓 Armelle de Pianelli

> Plus une vigne est âgée meilleur est son vin.

CH. GALOUCHEY
Elevé en barrique 2000

| ■ | 1 ha | 6 000 | ◫ | 5 à 8 € |

Cette propriété familiale de 26 ha présente une cuvée intéressante par ses arômes de petits fruits très mûrs de type groseille, de sous-bois et d'orange confite. Les tanins ronds et frais se révèlent bien présents en finale et conseillent une garde de deux ans en cave. Sa bonne constitution promet alors une belle bouteille.
☛ EARL Deffarge, 23, La Beysse, 33220 Eynesse, tél. 05.57.41.02.65, fax 05.57.41.01.42 ☑ ☓ r.-v.

CH. HOSTENS-PICANT
Cuvée des Demoiselles 2001★

| ▢ | 6,25 ha | 26 000 | ◫ | 11 à 15 € |

Célèbre propriété constituée par Yves Picant en 1986, Hostens-Picant possède un beau vignoble implanté sur argilo-calcaire, sur graves et sur silex. Le domaine a proposé trois cuvées. Sous une très belle étiquette, la cuvée **Lucullus rouge 2000 (23 à 30 €)**, 41 000 bouteilles, mérite une étoile : c'est un vin moderne, à la fois puissant, bien mûr et boisé à attendre de deux à cinq ans. La cuvée principale, **Château Hostens-Picant rouge 2000 (11 à 15 €)**, tout aussi réussie mais un peu moins boisée, est à garder deux à trois ans avant de l'offrir sur un rôti du dimanche. Enfin ces Demoiselles blanches, parfumées de miel, de genêt, d'acacia, tout en fraîcheur et élégance, qui accompagneront un poisson en sauce et un fromage de brebis.
☛ Ch. Hostens-Picant, Grangeneuve Nord, 33220 Les Lèves-et-Thoumeyragues, tél. 05.57.46.38.11, fax 05.57.46.26.23, e-mail chateauhp@aol.com
☑ 🏠 ☓ t.l.j. sf dim. 9h-12h 14h-18h
☛ Yves Picant

CH. LES MANGONS
Vieilles vignes 2000

| ■ | 3,15 ha | 18 000 | ◫ | 8 à 11 € |

Ce 2000 présente une couleur soutenue aux reflets orangés, un bouquet naissant de cassis et de fruits confits à l'eau-de-vie, une structure souple et fruitée et une pointe épicée en finale. Un vin à boire dans les trois ans à venir. **Les Mangons blanc 2001**, également cité, est issu d'un assemblage de 75 % de sémillon et de 25 % de sauvignon. Assez vif en bouche, il se démarque par des arômes de fruits citronnés et de réglisse. Harmonieux, il est à boire ou à garder deux ou trois ans.
☛ EARL Ch. les Mangons, Les Mangons 3, 33220 Pineuilh, tél. 05.57.46.17.27, fax 05.57.46.17.67 ☑ ☓ r.-v.
☛ M. et B. Comps

CH. MARTET
Réserve de Famille 2000★

| ■ | 5,5 ha | 32 000 | ◫ | 15 à 23 € |

Ce château produit d'excellents vins, et le millésime 2000 est dans la lignée de ses prédécesseurs. Le Réserve de Famille est issu exclusivement du cépage merlot : la robe profonde a des reflets mauves. Les arômes intenses, boisés et vanillés, annoncent des tanins bien mûrs, racés et qui évoluent vers une dominante boisée. Une bouteille à laisser dormir deux à cinq ans en cave. Le second vin, **Les Hauts de Martet rouge 2000 (5 à 8 €)**, est cité pour son bouquet

très élégant de fleurs (violette), de fruits confits à l'eau-de-vie et pour sa structure en bouche déjà agréable et fondue. A boire dans les trois prochaines années.
☛ Ch. Martet, 33220 Eynesse, tél. 05.57.41.00.49, fax 05.57.41.09.36 ☑ ☓ r.-v.
☛ Patrick de Coninck

CH. LES PARIS 2000

| ■ | 10 ha | 66 000 | ◫ | 3 à 5 € |

Assemblage de 75 % de merlot et de cabernet-sauvignon, ce vin possède une belle robe grenat sombre, un bouquet naissant de fruits rouges, de cassis et de fleurs, ainsi que des tanins ronds et frais encore sur la réserve. Une bouteille à boire dans deux ou trois ans.
☛ Domaine de Sansac, Les Lèves, 33220 Sainte-Foy-la-Grande, tél. 05.57.56.02.33, fax 05.57.56.02.22 ☓ r.-v.
☛ Huguette Comme

CH. PICHAUD SOLIGNAC
Cuvée des Danaïdes 1999★★

| ■ | 0,3 ha | 2 140 | ◫ | 5 à 8 € |

Ce château est situé sur un terroir argilo-limoneux. Sa cuvée principale, **Château Pichaud Solignac rouge 99** qui ne connaît pas le bois (43 600 bouteilles), est très expressive et agréable. Elle obtient une étoile. Mais il existe aussi cette micro-cuvée où le cabernet-sauvignon (70 %) associé au merlot, a été élevé douze mois en barrique. Le bouquet intense de sous-bois, de vanille, de pruneau et de menthol, ainsi que l'équilibre tannique puissant et mûr parfaitement intégré au boisé concourent à la qualité du vin. Une bouteille d'avenir (cinq à huit ans au moins).
☛ EARL Pichaud Solignac, La Nicoaise, 33790 Pellegrue, tél. 05.56.61.43.55, fax 05.56.61.43.55, e-mail ch-pic-sol@tefre-net.fr ☑ ☓ t.l.j. 10h-20h
☛ Delbeuf

CH. DES THIBEAUD
Elevé en fût de chêne 2000★

| ■ | 1,82 ha | 13 333 | ▣ ◫ ♦ | 5 à 8 € |

70 % de cabernet pour seulement 30 % de merlot dans cet excellent 2000. Derrière une robe sombre, presque noire, les parfums intenses évoquent le pruneau cuit, la liqueur d'amande et le pain grillé. Les tanins gras et vineux à l'attaque évoluent avec beaucoup de finesse et d'équilibre, la finale étant harmonieuse. Un vin de plaisir immédiat mais qui vieillira également bien, au moins deux à quatre ans.
☛ EARL Dom. le Canton, Ch. des Thibeaud, 33220 Caplong, tél. 05.57.41.25.65, fax 05.57.41.27.84, e-mail thibeaud@libertysurf.fr
☑ ☓ t.l.j. sf sam. dim. 9h-12h 14h-17h
☛ Delaplace

CH. DE VACQUES 2000

| ■ | 3 ha | 15 000 | ▣ | 5 à 8 € |

90 % de merlot dans ce vin qui se caractérise par une couleur pourpre profond, un bouquet naissant de fruits confits, d'épices et de fleurs sauvages et une structure pleine et équilibrée. A boire d'ici un à trois ans.
☛ Christian Birac, 6 Vacques, 33220 Pineuilh, tél. 05.57.46.15.01, fax 05.57.46.16.12
☑ 🏠 ☓ t.l.j. sf dim. 11h-12h 17h-18h30 ; f. 20-30 août

Premières côtes de bordeaux

La région des premières côtes de bordeaux s'étend, sur une soixantaine de kilomètres, le long de la rive droite de la Garonne, depuis les portes de Bordeaux jusqu'à Cadillac. Les vignobles sont implantés sur des coteaux qui dominent le fleuve et offrent de magnifiques points de vue. Les sols y sont très variés : en bordure de la Garonne, ils sont constitués d'alluvions récentes, et certains donnent d'excellents vins rouges ; sur les coteaux, on trouve des sols graveleux ou calcaires ; l'argile devient de plus en plus abondante au fur et à mesure que l'on s'éloigne du fleuve. L'encépagement, les conditions de culture et de vinification sont classiques. Le vignoble pouvant revendiquer cette appellation représente 3 572 ha en rouge et 315 ha en blanc doux ; une part importante des vins, surtout blancs, est commercialisée sous des appellations régionales bordeaux. Les vins rouges (191 421 hl en 2001) ont acquis depuis longtemps une réelle notoriété. Ils sont colorés, corsés, puissants ; les vins produits sur les coteaux ont en outre une certaine finesse. Les vins blancs (11 500 hl) sont des moelleux qui tendent de plus en plus à se rapprocher des liquoreux.

L'appellation côtes de bordeaux saint-macaire prolonge, vers le sud-est, celle des premières côtes de bordeaux. Elle produit des vins blancs souples et liquoreux qui ont représenté 1 879 hl en 2001.

DOM. DU BARRAIL
La Charmille 2000★★

■	6 ha	30 000	❚❙ 8 à 11 €

Issu des meilleures parcelles de premières côtes, ce vin est à dominante merlot (60 %). Intense, limpide et brillante, sa robe met incontestablement en confiance. Dès la première approche il bois manifeste vigoureusement sa présence et invite à la garde. Au palais, le vin n'est cependant pas absent : élégant par ses notes fruitées, il se montre équilibré par les fins tanins du chêne.
↬ Yves Armand, Ch. La Rame,
33410 Sainte-Croix-du-Mont, tél. 05.56.62.01.50,
fax 05.56.62.01.94, e-mail chateau.larame@wanadoo.fr
☑ ☎ t.l.j. 9h-12h 13h30-18h30; sam. dim. sur r.-v.

CH. BARREYRE
Cuvée spéciale Elevé en fût de chêne 2000

■	n.c.	9 200	❚❙ᵈ 5 à 8 €

Merlot et cabernet-sauvignon à parts égales pour cette petite cuvée née sur un domaine de 18 ha. Elevée quinze mois en fût, elle se révèle déjà ronde et souple, et offre un bon équilibre général.
↬ Vignoble Ch. Barreyre, 33550 Langoiran,
tél. 05.56.67.02.03, fax 05.56.67.59.07
☑ ☎ t.l.j. 9h-12h 14h-18h; f. août
↬ Alain Martung, Ph. Labreveux

CH. DU BIAC 2000★

■	5,5 ha	21 600	❚❙ 5 à 8 €

Le panorama qu'offre ce château sur la vallée de la Garonne justifie en soi la visite ou la halte dans le gîte. Mais la découverte de vins comme ce 2000 est aussi une raison convaincante. Si sa robe grenat est riche en promesses, ses fines et intenses notes de fruits rouges et son palais, gras, ample et long, se chargent de les tenir. Une jolie bouteille à attendre deux ou trois ans.
↬ SCEA Ch. du Biac,
19, rte de Ruasse, 33550 Langoiran,
tél. 05.56.67.19.98, fax 05.56.67.32.63,
e-mail palas@quaternet.fr ☑ ⌂ ☎ r.-v.
↬ Rossini

CH. BRETHOUS
Cuvée Prestige 1999★

■	12,7 ha	50 000	❚❙ 8 à 11 €

Après un joli coup de cœur l'an dernier pour leur cuvée Prestige 98, les Verdier proposent un millésime 99 qui marque l'arrivée de leur fille Cécile, œnologue. Si la présence du bois se fait encore sentir, il est de qualité, et le palais suffisamment riche est doté d'une belle matière. Un séjour en cave de deux ou trois ans permettra à l'ensemble de se fondre. Une bouteille de belle tenue.
↬ Denise et Cécile Verdier,
Ch. Brethous, 33360 Camblanes, tél. 05.56.20.77.76,
fax 05.56.20.08.45, e-mail brethous@libertysurf.fr
☑ ☎ t.l.j. 8h30-12h 14h-18h; sam. dim. sur r.-v.

CH. DE CAILLAVET
Cuvée Prestige Elevé en fût de chêne 2000★

■	4,52 ha	36 000	❚❙ 5 à 8 €

Une balade dans les coteaux abrupts et verdoyants qui entourent le domaine fait comprendre pourquoi Anatole France vint y chercher son inspiration. Nul doute qu'il n'aurait pas tenu pour peu ce vin dont la robe à reflets pourpres est aussi agréable que le bouquet, aux fines nuances grillées, et le palais, rond, long et soyeux. Une bouteille bien constituée et équilibrée, à ouvrir d'ici deux ans.
↬ SA Ch. de Caillavet, Morin, 33550 Capian,
tél. 05.57.97.75.75, fax 05.56.72.13.23 ☑ ☎ r.-v.
↬ MAAF Assurances

CH. CARIGNAN PRIMA 2000★★

■	12 ha	60 000	❚❙ 23 à 30 €

Superbe château bâti en 1452 par un compagnon d'armes de Jeanne d'Arc, Carignan dispose d'installations vinicoles de pointe. Cuvée de prestige, ce vin a fait l'objet d'un élevage en fût, dont le bouquet porte encore la marque, même si le bois n'est pas dominant. Ensuite, il révèle une belle et solide structure tannique. Longue et agrémentée d'une jolie note fumée, la finale achève de confirmer que cette remarquable bouteille est tout à fait apte à une garde de cinq ou six ans.
↬ GFA Philippe Pieraerts, Ch. Carignan,
33360 Carignan-de-Bordeaux,
tél. 05.56.21.21.30, fax 05.56.78.36.65,
e-mail tt@chateau-carignan.com ☑ ☎ r.-v.

CARMINA 2000★

■	2 ha	7 000	❚❙ 11 à 15 €

Soucieux de faire évoluer leur cru, Vincent Priou et Jean-François Rontein inaugurent avec le millésime 2000 une cuvée prestige. Mariant les fruits rouges à l'apport d'un bois bien dosé (épices), les arômes procurent une sensation d'harmonie qui se retrouve au palais. Bien enrobés, les tanins donnent à la structure l'ampleur et la souplesse qui lui permettront d'atteindre un très beau niveau d'ici vingt-quatre à trente-six mois. Egalement bien constituée, la **cuvée principale Château La Chèze rouge 2000 (5 à 8 €)** a obtenu elle aussi une étoile.

🛥 SCEA Ch. la Chèze, La Chèze, 33550 Capian, tél. 05.56.72.11.77, fax 05.56.23.01.51 ☑ ✕ r.-v.

🛥 Priou-Rontein

CH. CARSIN
Cuvée noire 2000★

■	21 ha	19 000	ⅠⅠ	5 à 8 €

Signée par le seul propriétaire finlandais du vignoble bordelais, installé depuis 1990, cette Cuvée noire sait se faire séductrice par son bouquet avec ses notes de confiseries et de fruits confits. Chaleureux, charnu et bien équilibré, le palais invite autant à la boire jeune qu'à la garder quelques années. Souple et bien structurée, la **cuvée principale Château Carsin rouge (3 à 5 €)** a également obtenu une étoile.

🛥 Juha Berglund, Ch. Carsin, 33410 Rions, tél. 05.56.76.93.06, fax 05.56.62.64.80 ☑ ✕ r.-v.

CH. DES CEDRES 2000

■	3,5 ha	20 000	ⅠⅠ	5 à 8 €

Un peu surprenant par son bouquet aux notes de kirsch et de noix de coco, ce vin se montre souple à l'attaque avant de révéler son caractère tannique qui appellera une garde de quatre ou cinq ans.

🛥 SCEA Vignobles Larroque, Ch. des Cèdres, 33550 Paillet, tél. 05.56.72.16.02, fax 05.56.72.34.44, e-mail vignobles.larroque@wanadoo.fr ☑ ✕ r.-v.

CH. CHRYSALIDE-REMAZIERE
Vieilli en fût de chêne 2000

■	0,85 ha	2 700	ⅠⅠ	5 à 8 €

Petite propriété (1,7 ha) qui était vinifiée autrefois en coopérative et créée sous cette marque en 1999, ce cru inaugure heureusement son histoire avec ce vin au bouquet un peu sévère, mais bien armé pour pouvoir évoluer favorablement d'ici trois à quatre ans. Signalons ici que chaque millésime sera signé par une étiquette reproduisant une œuvre d'art différente.

🛥 Patrick Sorin, 11, chem. d'Aymon, 33550 Paillet, tél. 05.56.76.97.01 ☑ ✕ r.-v.

CLOS BOURBON
Vieilli en fût de chêne 2000★★

■	3,3 ha	26 000	ⅠⅠ	8 à 11 €

L'élevage en barrique a nettement marqué l'expression aromatique de cette cuvée, mais sans annihiler le fruit qui reste sensible. De plus, la structure tannique, solide et bien équilibrée, garantit à cette bouteille le potentiel nécessaire pour que le bois puisse se fondre, dans un à deux ans.

🛥 SCEA Clos Bourbon, 33550 Paillet, tél. 05.56.72.11.58, fax 05.56.72.13.76 ☑ ✕ r.-v.

🛥 D. Halluin

CH. CLOS CHAUMONT 1999★★

■	n.c.	n.c.	ⅠⅠ	15 à 23 €

Pieter Verbeck, venu de Hollande, s'installe ici en 1990. La vigne avait été arrachée dans les années 1920, il

fallait tout reprendre. Aujourd'hui, après avoir acquis une parcelle de vieilles vignes, il se trouve à la tête de 10 ha en production. Il propose un vin solidement constitué dont les tanins fermes demandent à se fondre. Mais sa structure est loin d'être son seul atout. Du bouquet, résolument typé merlot par une agréable note de cuir, au palais complexe et bien équilibré, tout contribue à parer d'une réelle élégance cette très jolie bouteille à laquelle le jury n'a pu résister.

🛥 EARL Ch. Clos Chaumont, 8, Chomar, 33550 Haux, tél. 05.56.23.37.23, fax 05.56.23.30.54 ☑ ✕ r.-v.

🛥 Pieter Verbeck

CLOS SAINTE-ANNE 2000★

■	n.c.	24 000	ⅠⅠ	8 à 11 €

90 % de merlot complété par le cabernet franc, élevés en barrique, ce vin est fortement marqué par le bois dans sa jeunesse. Mais il est suffisamment charpenté pour pouvoir assimiler les tanins de merrain d'ici quelques années.

🛥 Sté des Vignobles Francis Courselle, Ch. Thieuley, 33670 La Sauve, tél. 05.56.23.00.01, fax 05.56.23.34.37 ☑ ✕ r.-v.

CH. LA COTE DE MONS
Elevé en fût de chêne 2000

■	18 ha	60 121	🍾	3 à 5 €

Produit en partenariat par la maison Cordier et les frères Subra, viticulteurs à Cénac, ce vin se montre déjà agréable par sa rondeur, sa finesse et sa fraîcheur tout en possédant un potentiel suffisant pour être attendu deux ou trois ans.

🛥 Messieurs Subra, Ch. de Mons, Ch. du Garde, 33360 Cénac

CH. COURTADE-DUBUC
Cuvée Rubis Elevé en fût de chêne 1999★

■	1,5 ha	6 700	🍾ⅠⅠ◆	5 à 8 €

Cuvée numérotée issue d'un vignoble à forte proportion de merlot (80 %), ce vin en porte la marque dans sa puissante expression aromatique. Celle-ci (fruits mûrs et boisé fin) ainsi que sa rondeur le rendent déjà agréable même si sa structure permet tout aussi bien de l'attendre trois ou quatre ans.

🛥 SARL Hubert Daron, Ch. Courtade, 33360 Camblanes, tél. 05.56.20.77.07, fax 05.56.20.64.66, e-mail courtade.dubuc@wanadoo.fr ☑ ✕ r.-v.

CH. DE FONTES
Cuvée Marie-Pierre Elevé en fût de chêne 2000

■	2 ha	16 000	ⅠⅠ	5 à 8 €

Assemblant 70 % de merlot au cabernet-sauvignon nés sur argilo-calcaire, ce vin élevé douze mois en fût demandera quelques années de garde pour que le bois puisse se fondre dans l'ensemble. Mais sa structure et son intensité aromatique aux notes de fruits rouges lui permettront d'évoluer dans de bonnes conditions.

🕿 Bernard Balan, 101, dom. de Loustalet, 33550 Capian, tél. 05.56.23.60.49, fax 05.56.23.65.41
☑ ☙ t.l.j. sf dim. 8h-12h 14h-18h

CH. LA FORÊT
Cuvée Prestige Elevé en fût de chêne 2000★

■	1,75 ha	11 500	⑪ 5 à 8 €

Couvrant l'un des sommets calcaires de l'appellation, ce cru comporte 80 % de merlot et du cabernet. Cuvée Prestige élevée douze mois en fût, ce vin en porte la marque dans son bouquet aux notes vanillées. Mais celles-ci n'empêchent pas les autres composantes de s'exprimer. Au palais, il se révèle suffisamment structuré pour mériter une garde de deux ou trois ans.

🕿 SCEA Ch. la Forêt, 33880 Cambes, tél. 05.56.21.31.25, fax 05.56.78.71.80 ☑ ☙ r.-v.
🕿 A. d'Herbigny

CH. DU GRAND MOUEYS 1999

■	18 ha	101 000	⑪ 8 à 11 €

Selon la tradition, ce cru serait l'héritier d'un établissement des Templiers, qui y auraient caché un trésor. A défaut de le découvrir, la visite des chais vous permettra d'apprécier un vin plaisant par sa souplesse, son équilibre et son expression aromatique aux notes de fruits rouges et de vanille.

🕿 SCA les Trois Collines, Ch. du Grand Mouëys, 33550 Capian, tél. 05.57.97.04.44, fax 05.57.97.04.60, e-mail cavif.gm@ifrance.com ☑ 🏛 ☙ r.-v.

CH. LA GRANGE CLINET 2000★★

■	22,91 ha	120 000	⑪ 5 à 8 €

Un sol argilo-graveleux, 60 % de merlot, neuf mois d'élevage en barrique de chêne : intéressant par son volume de production, ce vin l'est aussi, et surtout, par sa personnalité. A la fois souple et bien structuré, il développe avec élégance un bouquet fruité et un palais rond et bien équilibré. Bel exemple dans ce millésime, il pourra être apprécié jeune ou attendu.

🕿 Michel Haury, Ch. La Grange Clinet, 4, rte de Saint-Genès, 33880 Saint-Caprais-de-Bordeaux, tél. 05.56.78.70.88, fax 05.56.21.33.23, e-mail lagrangeclinet@wanadoo.fr ☑ ☙ r.-v.

CH. GRAVELINES
Cuvée Aliénor 2000★★★

■	12,5 ha	50 000	⑪ 5 à 8 €

Ancienne maison noble campée sur un tertre, ce cru jouit d'un terroir vallonné et exposé au midi. Son potentiel qualitatif trouve une belle expression avec cette cuvée. Se développant à l'aération, son bouquet est à la fois fin et complexe, avec d'attirantes notes de résine, d'eucalyptus, de fruits mûrs et d'épices. Le palais décline cette même finesse aromatique sans que celle-ci nuise à la puissance de la structure dont les tanins sont bien enrobés par une riche matière. La **cuvée Tradition (5 à 8 €)** a obtenu une citation.

🕿 SARL Ch. Gravelines, 33490 Semens, tél. 05.56.62.02.01, fax 05.56.62.02.55, e-mail chateaugravelines@wanadoo.fr
☑ ☙ t.l.j. sf sam. dim. 8h-18h
🕿 Thérasse

CH. HAUT-GOUTEY
Cuvée Noémie 2000★★

	n.c.	6 000	▮⑪⬥ 3 à 5 €

Issue de l'une des propriétés appartenant à Denis Chassagnol, cette cuvée fait honneur aux premières côtes blancs. Tant par sa robe or brillant, que par son bouquet aux notes élégantes de miel, de fruits confits et de léger grillé. Sa structure, grasse et équilibrée, sert de support à une remarquable expression aromatique.

🕿 Denis Chassagnol, Le Mathelot, 33410 Gabarnac, tél. 05.56.62.19.74, fax 05.56.62.93.23 ☑ ☙ r.-v.

CH. HAUT MAURIN 2000★

	n.c.	3 000	⑪ 5 à 8 €

Les hauts lieux touristiques sont nombreux dans cette région, mais il ne faut pas négliger ses richesses viticoles. Si elle est d'un volume assez confidentiel, cette cuvée 100 % sémillon n'en est pas moins fort intéressante par son élégance. Visible dans la robe dorée, celle-ci se confirme par de belles notes florales et un équilibre très réussi.

🕿 EARL Vignobles Sanfourche, rue Grand-Village, 33410 Donzac, tél. 05.56.62.97.43, fax 05.56.62.16.87
☑ ☙ t.l.j. sf dim. 9h-12h30 14h-18h30; groupes plus de 10 pers. sur r.-v.

CH. DU JUGE
Cru Quinette 1999★

	3 ha	n.c.	⑪ 8 à 11 €

Etiquette de prestige du Château du Juge, ce vin remplit parfaitement son rôle avec ce 99 fort réussi. L'intensité de la robe, rouge rubis, se retrouve dans les parfums qui déploient un tapis de fraîches notes florales. Soutenue par des tanins soyeux, la structure est suffisamment ronde et fine pour permettre de profiter de cette bouteille dès à présent comme de l'attendre un peu.

🕿 Pierre Dupleich, Ch. du Juge, rte de Branne, 33410 Cadillac, tél. 05.56.62.17.77, fax 05.56.62.17.59, e-mail pierre.dupleich@wanadoo.fr ☑ ☙ r.-v.

CH. LAMOTHE DE HAUX
Cuvée Valentine 2000

	2 ha	13 000	⑪ 3 à 5 €

A la tête d'un bel ensemble de quelque 75 ha, la famille Néel-Chombart propose ici sa cuvée Valentine. D'une belle couleur et agréablement bouquetée avec des notes grillées et empyreumatiques, celle-ci développe une aimable matière, ronde et flatteuse, qui permettra de l'apprécier jeune.

🕿 Les Caves du Ch. Lamothe, 33550 Haux, tél. 05.57.34.53.00, fax 05.56.23.24.49, e-mail neel-chombart@chateau-lamothe.com ☑ ☙ r.-v.
🕿 Néel-Chombart

CH. LANGOIRAN
Cuvée La Gravière 2000★

	2 700		▮⑪⬥ 8 à 11 €

Aucun passionné d'architecture castrale ne manquera la visite de ce château fort perché sur le coteau. Surtout s'il est aussi amateur de vins bien faits. Témoin, cette cuvée dont le bouquet gourmand joue d'abord sur les notes vanillées et grillées avant de passer aux arômes de café. Au palais, il retrouve l'élégance de sa robe grenat pour développer de fins tanins bien enrobés et une expression aromatique d'une grande fraîcheur.

↰ SC Ch. Langoiran,
Le Pied du Château, 33550 Langoiran,
tél. 05.56.67.08.55, fax 05.56.67.32.87,
e-mail chateaulangoiran@wanadoo.fr
☑ **Υ** t.l.j. 9h-12h 14h-17h; sam. dim. et groupes sur r.-v.
↰ Nicolas Filou

CH. LAROCHE BEL AIR 2000★

■	5 ha	30 000	❼	5 à 8 €

Mené avec beaucoup de sérieux et de compétence par Martine Palau, ce cru de 25 ha fait preuve d'une bonne régularité que n'interrompra pas ce millésime. Souple et bien constitué, il s'appuie sur des tanins de qualité et sur la longueur de sa finale pour demander un séjour en cave de trois ou quatre ans et atteindre son apogée.
↰ Martine Palau, Ch. Laroche, 33880 Baurech,
tél. 05.56.21.31.03, fax 05.56.21.36.58,
e-mail chateau.laroche@wanadoo.fr ☑ **Υ** r.-v.

L'ENCLOS DU CH. LEZONGARS 2000

■	11 ha	63 000	❼❼	8 à 11 €

Cette propriété appartient depuis 1998 à un couple d'Anglais. La place du merlot dans l'encépagement se traduit dans le bouquet de cette cuvée spéciale par des notes de petits fruits rouges cuits. Très présents, les tanins invitent à laisser à ce millésime le temps de s'arrondir.
↰ SC du Ch. Lezongars,
324, Roques-Nord, 33550 Villenave-de-Rions,
tél. 05.56.72.18.06, fax 05.56.72.31.44,
e-mail info@chateau-lezongars.com ☑ **Υ** r.-v.

CH. MELIN
Elevé en fût de chêne 2000

■	5 ha	35 000	❼❼	5 à 8 €

Situé à 95 m d'altitude, ce vignoble familial compte 34 ha. Sans viser à une longue garde, son vin se montre sympathique par sa souplesse qui s'accorde bien avec les arômes de fruits rouges, présents dans le bouquet, comme au palais où ils sont appuyés par une jolie note de vanille léguée par l'élevage.
↰ EARL Vignobles Claude Modet et Fils,
Constantin, 33880 Baurech,
tél. 05.56.21.34.71, fax 05.56.21.37.72,
e-mail vmodet@wanadoo.fr ☑ **Υ** r.-v.

CH. MEMOIRES 2000★

■	17 ha	55 000	❼❼	5 à 8 €

Ce millésime plaira beaucoup aux amateurs de vins « tendance », avec une forte présence du bois. D'une très belle couleur bigarreau brillante la robe est engageante. Son volume, sa matière et sa concentration permettent à ce 2000 de s'arrondir avec le temps.
↰ SCEA Vignobles Jean-François Ménard,
Ch. Mémoires, 33490 Saint-Maixant,
tél. 05.56.62.06.43, fax 05.56.62.04.32,
e-mail memoires1@aol.com ☑ **Υ** t.l.j. 8h-12h 13h30-18h

CH. MESTREPEYROT
Cuvée Prestige Elevé en fût de chêne 1999★

■	12 ha	30 000	❼❼	5 à 8 €

Cuvée Prestige élevée en fût, ce vin a tiré un bon profit de l'apport du bois avec des notes vanillées et grillées qui se mêlent harmonieusement aux arômes de fruits

---

confits. Rond et soyeux, le palais conduit en douceur vers une belle finale tannique qui annonce un réel potentiel de garde.
↰ GAEC Vignobles Chassagnol, Bern,
33410 Gabarnac, tél. 05.56.62.98.00, fax 05.56.62.93.23
☑ **Υ** r.-v.

CH. MONTJOUAN 2000★

■	7 ha	50 000	❼	8 à 11 €

Signé par une femme, ce vin développe des tanins ronds et soyeux. Avec les arômes d'épices, de fruits mûrs et de confiture, ils tiennent les promesses de la robe, d'une teinte vive et intense. D'un classicisme de bon aloi, cette bouteille mérite un séjour en cave de quatre ou cinq ans.
↰ Anne-Marie Le Barazer, Ch. Montjouan,
1, côte du Piquet, 33270 Bouliac,
tél. 05.56.20.52.18, fax 05.56.20.90.31 ☑ **Υ** r.-v.

CH. MONT-PERAT 2000★★

■	6 ha	30 000	❼	15 à 23 €

Chez les Despagne, la maîtrise des techniques de vinification atteint un niveau rare. Une pointe de cabernet franc est associée aux 90 % de merlot, tous deux étant élevés douze mois en barrique. Le résultat est ce vin superbe qui a encore une fois fait l'objet d'un coup de cœur accordé à l'unanimité. Il est vrai qu'il est difficile de rester insensible à la densité de sa robe, à la complexité de son bouquet qui monte en puissance à l'aération, comme au côté moelleux et aromatique du palais. Une belle structure tannique et une longue finale couronnant le tout, on devine que cette très jolie bouteille méritera d'être attendue cinq ans voire davantage.
↰ SCEA de Mont-Pérat, 33550 Capian,
tél. 05.57.84.55.08, fax 05.57.84.57.31,
e-mail contact@vignobles-despagne.com
↰ J.-L. Despagne

CH. MOULIN DE CORNEIL
Elevé en fût de chêne 2000★

■	8 ha	15 000	❼	5 à 8 €

Fidèle à l'esprit du Bordelais par son encépagement, ce cru l'est aussi par un dosage du bois qui sait respecter l'expression aromatique (fruits rouges) et la matière du vin. Porté par de bons tanins, l'ensemble demande à être attendu deux ou trois ans pour arriver à une maturité parfaite.
↰ SCEA Bonneau et Fils,
Ch. Moulin de Corneil, 33490 Pian-sur-Garonne,
tél. 05.56.76.44.26, fax 05.56.76.43.70,
e-mail bonneau@terre-net.fr **Υ** t.l.j. 8h-19h

CH. NAUJAN LAPEREYRE
Cuvée Tradition Elevé en fût de chêne 2000★

| ■ | 8,9 ha | 70 000 | ❙❙❙ | 5 à 8 € |

Créée en 2000, cette étiquette fait une jolie entrée dans le Guide avec ce millésime qui est beaucoup mieux qu'un simple coup d'essai. Si les arômes ne s'expriment pas énormément, le développement au palais se montre plaisant par sa fine structure tannique bien soutenue par le bois.
➼ SARL Grands Châteaux de Naujan, 33420 Saint-Vincent-de-Pertignas, tél. 05.57.55.22.07, fax 05.57.84.04.98 ⵂ r.-v.

CH. NENINE 2000★★

| ■ | 12 ha | 45 000 | ■❙❙❙⬦ | 8 à 11 € |

Valeur sûre et reconnue, ce cru est à la hauteur de sa réputation avec ce millésime. Riches et complexes, les parfums évoquent les fruits mûrs, les épices et un boisé grillé élégant, confirmant les promesses de la robe profonde. Charpenté par une belle matière parfaitement équilibrée, ce vin d'une longueur délicieuse pourra être attendu quatre à cinq ans. Le jury dit aussi son plaisir à le goûter jeune.
➼ SCEA des coteaux de Nénine, Ch. Nénine, 33880 Baurech, tél. 05.56.78.70.78, fax 05.56.78.70.78 ⵂ r.-v.

CH. PASCOT
Cuvée Prestige Elevé en fût de chêne 1999★

| ■ | 2,5 ha | 14 000 | ■❙❙❙ | 5 à 8 € |

Planté sur des coteaux graveleux et argilo-calcaires, ce vignoble comprend de vieilles vignes. Sans doute, celles-ci ont-elles aidé ce vin à acquérir une bonne structure, bien équilibrée, qui permettra de l'attendre deux ou trois ans. Ses parfums finement boisés mêlent aussi notes de gibier et de fruits rouges.
➼ Nicole et Frédéric Doermann, chem. de Rambal, 33360 Latresne, tél. 05.56.20.78.19, fax 05.56.20.78.19 ☑ ⵂ r.-v.

CH. DE PIC 2000

| ■ | n.c. | n.c. | ■ | 5 à 8 € |

Date-t-il du XIVe ou du XVIes. ? Est-il lié à Pic de la Mirandole, savant italien de la Renaissance ? Ce beau domaine de 42 ha est en tout cas intéressant. Le merlot (55 %) et les deux cabernets nés sur un sol argilo-graveleux ont donné un vin à la robe bordeaux, rond et complexe par ses notes fruitées et animales. Ce 2000 devra cependant attendre que sa finale s'amabilise.
➼ Ch. de Pic, 33550 Le Tourne, tél. 05.56.67.07.51, fax 05.56.67.21.22, e-mail planet-fmr@terre-net.fr ☑ ⵂ r.-v.

CH. PLAISANCE
Cuvée Tradition 2000★★

| ■ | 15 ha | 90 000 | ❙❙❙ | 8 à 11 € |

Dominant les coteaux bordant la Garonne, ce cru jouit d'une solide réputation. Ce millésime ne risque pas de la ternir. L'intensité de la robe se retrouve au palais où se mêlent des notes de grillé et de fruits rouges. Equilibré et harmonieux, le palais développe des tanins souples et une belle matière qui annoncent un bon potentiel.
➼ Patrick Bayle, Ch. Plaisance, 33550 Capian, tél. 05.56.72.15.06, fax 05.56.72.13.40, e-mail contact@chateauplaisance.fr ☑ ⵂ r.-v.

CH. REYNON 2000★★

| ■ | 19,23 ha | 85 000 | ❙❙❙ | 11 à 15 € |

Belle demeure de style néoclassique ayant remplacé en 1848 une ancienne maison noble, ce château commande un vignoble au terroir classique des premières côtes avec un coteau argilo-calcaire à mi-pente couronné de graves sur argiles. Agronome et œnologue, Denis Dubourdieu sait en tirer la quintessence comme le prouve ce 2000. Doté d'un bouquet fin et complexe (fruits, épices, pain grillé), celui-ci développe un palais frais et gras, bien équilibré et long, en un mot élégant, comme la plupart des vins Dubourdieu.
➼ Denis et Florence Dubourdieu, Ch. Reynon, 33410 Béguey, tél. 05.56.62.96.51, fax 05.56.62.14.89, e-mail reynon@gofornet.com ☑ ⵂ r.-v.

CH. ROLLAND
Cuvée Emma 2000★

| ■ | n.c. | 3 000 | ❙❙❙ | 5 à 8 € |

Petite cuvée presque entièrement à base de merlot (90 %), ce vin marie avec succès l'apport du bois aux parfums du cépage. Rond, bien que les tanins soient présents, le palais s'achève par une longue finale qui invitera à attendre cette bouteille pendant environ trois ans.
➼ SCEA Gautier et Fils, lieu-dit Rolland, 33490 Saint-Maixant, tél. 05.56.62.02.41, fax 05.56.76.70.22 ☑ ⵂ r.-v.

CH. LA RONDE 2000★

| ■ | 2 ha | 12 000 | ❙❙❙ | 3 à 5 € |

Marquant l'entrée de ce cru dans le Guide, ce millésime élevé en fût de chêne se montre expressif tout au long de la dégustation. Soutenu par une bonne structure tannique entourée d'une matière ronde et grasse, il pourra être attendu deux ou trois ans, mais son élégance n'interdit pas d'en profiter dès à présent.
➼ SCEA Catherine Moncho-Yung, Ch. Lapeyrere, 4, chem. de Palette, 33410 Béguey, tél. 05.56.62.69.25, fax 05.56.62.69.25 ☑ ⵂ r.-v.

CH. ROQUEBERT
Cuvée spéciale Oanna 2000★★

| ■ | 1,5 ha | 10 000 | ❙❙❙ | 8 à 11 € |

Ici les vignes sont soigneusement sélectionnées comme le prouve cette Cuvée spéciale qui remplit parfaitement sa mission d'ambassadeur du cru. Riche et complexe, il joue sur les notes de café, de noisette et de grillé. Le palais est tout aussi généreux avec une remarquable structure, grasse et charpentée. Soutenus par un bois de qualité, les tanins demandent à s'assouplir, mais ils possèdent la puissance nécessaire pour bien évoluer si on sait attendre cette bouteille pendant quatre ou cinq ans.
➼ Christian Neys, Ch. Roquebert, 33360 Quinsac, tél. 05.56.20.84.14, fax 05.56.20.84.14 ☑ ⵂ t.l.j. sf sam. dim. 10h-12h 14h-18h

CH. SAINT-HUBERT
Vieilli en fût de chêne 2000

| ■ | 5,5 ha | 18 000 | ■❙❙❙⬦ | 8 à 11 € |

Laurent Réglat est à la tête de plusieurs crus. Celui-ci, constitué par 55 % de merlot et 45 % de cabernet-sauvignon, a donné, après dix mois de barrique, un vin où le bois est encore très présent ; cependant, il possède l'expression aromatique et la force tannique nécessaires pour évoluer favorablement et être prêt à boire d'ici un à deux ans.

EARL Laurent Réglat,
Ch. de Teste, 33410 Monprimblanc,
tél. 05.56.62.92.76, fax 05.56.62.98.80 ☑ � r.-v.

CH. SAINT-OURENS 2000★

■	9 ha	26 000	❶ 5 à 8 €

Ingénieur agricole picard, Michel Maës décide en 1990 de s'installer sur un vignoble bordelais. Des coteaux bien exposés et un travail soigné de la conduite de la vigne à l'élevage, il n'en faut pas plus pour obtenir un vin au bouquet agréablement fruité et au palais souple et généreux. S'achevant par une longue finale encore tannique, il demande un à deux ans de garde.
↪ Michel Maës, 57, rte de Capian, Ch. Saint-Ourens, 33550 Langoiran, tél. 05.56.67.39.45, fax 05.56.67.61.14 ☑ � r.-v.

CH. LE SENS

Vieilli en fût de chêne 2000★

■	11 ha	12 000	❶ 5 à 8 €

Œnologue et héritier d'une longue tradition familiale sur ce cru, Francis Courrèges cumule les atouts pour réussir deux vins de qualité. Cette cuvée tout d'abord : l'intensité de la robe à reflets violacés se joint à la puissance du bouquet pour indiquer sa jeunesse. Rond, plein, charnu et porté par de solides tanins, le palais s'inscrit dans le droit fil et invite à une attente de deux ou trois ans avant d'ouvrir cette bouteille qui n'a pas dit son dernier mot. Encore plus tannique et demandant à s'arrondir, illustré par une ravissante étiquette moderne, le **Château la Joffrière rouge 2000**, vieilli en fût de chêne neuf (8 à 11 €) a également obtenu une étoile.
↪ Vignobles F. et F. Courrèges, 31, chem. des Vignes, 33880 Saint-Caprais-de-Bordeaux, tél. 05.56.21.32.87, fax 05.56.21.37.18, e-mail f.courreges@gt-sa.com
☑ � t.l.j. sf dim. 8h-12h 14h-18h

DOM. DU SEUIL 2000★

■	6,14 ha	17 000	❶❶⚲ 5 à 8 €

Un coteau escarpé permet à ce vignoble de bénéficier d'un ensoleillement favorable. Celui-ci a certainement contribué à l'intensité de la couleur de ce vin. Tout aussi expressif qu'elle, le nez fait preuve d'une bonne complexité, les notes boisées s'ajoutant aux parfums fruités. Rond, tannique et long, le palais suit très heureusement et garantit une évolution positive d'ici deux à trois ans.
↪ SCEA Ch. du Seuil, 33720 Cérons, tél. 05.56.27.11.56, fax 05.56.27.28.79, e-mail chateau-du-seuil@wanadoo.fr ☑ � r.-v.

CH. SISSAN

Grande Réserve Vieilli en fût de chêne 2000★

■	5 ha	40 000	❶ 5 à 8 €

Cuvée prestige, ce Grande Réserve a tiré le meilleur profit de son élevage, le bois sachant manifester sa présence sans écraser les parfums ou le palais. Intense et complexe, mariant les notes fruitées et grillées, solidement bâti, il développe des tanins puissants et bien enrobés. Caractéristique des 2000, cette bouteille appelle un séjour en cave de deux ou trois ans. Souple et bien équilibré, le **Château Grimont cuvée Prestige rouge 2000** a également obtenu une étoile. Il est lui aussi joliment boisé.
↪ SCEA Pierre Yung et Fils, 33360 Quinsac, tél. 05.56.20.86.18, fax 05.56.20.82.50 ☑

CH. SUAU

Elevé en fût de chêne 2000★★

■	12,5 ha	82 000	❶ 8 à 11 €

Lutte raisonnée, micro-oxygénation, ce cru qui vient de rénover ses installations en 2001 ne néglige rien pour produire un vin de qualité. Le résultat est largement atteint avec ce très beau 2000. Affirmant sa typicité par l'intensité de sa robe, il la confirme par ses arômes expressifs, que sait respecter le bois, comme par sa structure, à la fois ronde et bien charpentée : cette remarquable bouteille donnera le meilleur d'elle-même dans deux ou trois ans.
↪ Monique Bonnet, Ch. Suau, 33550 Capian, tél. 05.56.72.19.06, fax 05.56.72.12.43, e-mail bonnet.suau@wanadoo.fr ☑ � r.-v.

Côtes de bordeaux saint-macaire

DOM. DE BOUILLEROT 1999★

■	1 ha	1000	❶ 5 à 8 €

Dominant la vallée du Dropt, ce très ancien domaine viticole propose un fort bon vin moelleux : la robe brille de jolis reflets dorés. Les parfums de bons raisins concentrés évoquent la cire, le miel et les fruits confits. En bouche, ce 99 harmonieux, délicatement boisé et persistant, montre qu'il est déjà prêt à boire, mais il vieillira également quelques années avec bonheur. Accord gourmand classique recommandé (foie gras ou roquefort).
↪ Thierry Bos, Lacombe, 33190 Gironde-sur-Dropt, tél. 05.56.71.46.04, fax 05.56.71.46.04, e-mail thierry.bos@wanadoo.fr ☑ � r.-v.

CH. FAYARD 2000★★

■	2,7 ha	14 000	❶ 11 à 15 €

Ce château du XVIIe s., situé sur un excellent terroir graveleux au sous-sol pierreux, présente un encépagement classique à base de sémillon et de sauvignon. Dans son millésime 2000, le vin est remarquable et obtient un coup de cœur unanime pour sa robe jaune pâle à reflets dorés, ses arômes intenses grillés et fruités, avec une pointe de vanille et d'agrumes lui donnant beaucoup de caractère. Souple et rond en bouche, il évolue avec du corps et une saveur particulièrement élégante. Une bouteille de garde qui demande à s'assagir avec deux à cinq ans de vieillissement.

🍷 Jacques-Charles de Musset, Ch. Fayard,
33490 Le Pian-sur-Garonne,
tél. 05.56.63.33.81, fax 05.56.63.60.20,
e-mail chateau.fayard@wanadoo.fr ⵏ r.-v.
🍷 Saint-Michel SA

CH. PERAYNE
Elevé en fût de chêne Sec 2000★

	2,25 ha	2 930	⬤▮ 8 à 11 €

Situé à 8 km de la cité médiévale de Saint-Macaire, ce château présente deux vins blancs en 2000 : le sec obtient une étoile pour sa robe jaune pâle aux reflets dorés, ses arômes élégants de sauvignon et de boisé. Souple et frais à l'attaque, il évolue ensuite avec une certaine nervosité et une bonne harmonie. Le **moelleux 2000**, 100% sémillon, est cité pour ses parfums de fruits confits, de miel et de truffe. Très gras en bouche, bien fait et équilibré, avec une finale un peu champignonnée, il se révélera dans deux à cinq ans.
🍷 Henri Luddecke, Ch. Perayne,
33490 Saint-André-du-Bois,
tél. 05.57.98.16.20, fax 05.56.76.45.71,
e-mail chateau.perayne@wanadoo.fr ☑ ⵏ r.-v.

La région des Graves

Vignoble bordelais par excellence, les graves n'ont plus à prouver leur antériorité : dès l'époque romaine, leurs rangs de vignes ont commencé à encercler la capitale de l'Aquitaine et à produire, selon l'agronome Columelle, « un vin se gardant longtemps et se bonifiant au bout de quelques années ». C'est au Moyen Age qu'apparaît le nom de Graves. Il désigne alors tous les pays situés en amont de Bordeaux, entre la rive gauche de la Garonne et le plateau landais. Par la suite, le Sauternais s'individualise pour constituer une enclave, vouée aux liquoreux, dans la région des Graves.

Graves et graves supérieures

S'allongeant sur une cinquantaine de kilomètres, la région des Graves doit son nom à la nature de son terroir : celui-ci est constitué principalement par des terrasses construites par la Garonne et ses ancêtres qui ont déposé une grande variété de débris caillouteux (galets et graviers originaires des Pyrénées et du Massif central).

Depuis 1987, les vins qui y sont produits ne sont pas tous commercialisés comme graves, le secteur de Pessac-Léognan bénéficie d'une appellation spécifique, tout en conservant la possibilité de préciser sur les étiquettes les mentions « vin de graves », « grand vin de graves » ou « cru classé de graves ». Concrètement, ce sont les crus du sud de la région qui revendiquent l'appellation graves.

L'une des particularités de l'AOC graves réside dans l'équilibre qui s'est établi entre les superficies consacrées aux vignobles rouges (2 538 ha, pessac-léognan non compris) et blancs secs (1 686 ha). Les graves rouges (128 624 hl en 2001) possèdent une structure corsée et élégante qui permet un bon vieillissement. Leur bouquet, finement fumé, est particulièrement typé. Les blancs secs (51 915 hl en 2001), élégants et charnus, sont parmi les meilleurs de la Gironde. Les plus grands, maintenant fréquemment élevés en barrique, gagnent en richesse et en complexité après quelques années de garde. On trouve aussi des vins moelleux qui ont toujours leurs amateurs et qui sont vendus sous l'appellation graves supérieures.

Graves

CH. D'ARDENNES 2000★

	20 ha	100 000	▮⬤▮↓ 8 à 11 €

88 ⑧⑨ 90 92 93 94 |96| 97 |98| 99 00

Jeanne de Lestonac, nièce de Montaigne, fut propriétaire de ce cru qui, aujourd'hui, jouit d'une grande renommée comme le confirme ce 2000 fort réussi. D'un beau rouge rubis étincelant, traversé de reflets violacés, la robe est prometteuse. Complexe, le bouquet marie avec élégance les fruits rouges et le bois. Le palais est soutenu par de fins tanins bien enrobés par la chair. Ici, on sent, à la qualité de l'extraction, que l'on respecte l'esprit de l'appellation sans sacrifier aux modes.
🍷 SCEA Ch. d'Ardennes, 33720 Illats,
tél. 05.56.62.53.66, fax 05.56.62.53.47 ☑ ⵏ r.-v.
🍷 François Dubrey

CH. D'ARGUIN 2000★

	1,78 ha	2 600	⬤▮ 8 à 11 €

Un accord gourmand avec des huîtres semble s'imposer quand on regarde la robe à reflets vert marine. Mais le choix d'alliances avec les mets ne se limitera pas à ce seul coquillage. Le bouquet aux délicats arômes de genêt et d'agrumes avec quelques notes miellées, le palais gras et équilibré, et la finale tout en finesse, permettront en effet à cette bouteille de se trouver parfaitement à l'aise sur un poisson en sauce.
🍷 SA Pouey International,
chem. de Gaillardas, Jeansotte, 33650 Saint-Selve,
tél. 05.56.78.49.10, fax 05.56.78.49.11,
e-mail bertrand.lacampagne@pouey-international.fr
☑ ⵏ r.-v.

CH. D'ARRICAUD 1999

	6 ha	40 000	▮↓ 8 à 11 €

Bien qu'un peu rustique en finale, ce vin se montre intéressant, avec une belle robe franche et limpide, un

bouquet aux agréables notes de fruits cuits et une structure à la fois ronde à l'attaque et tannique dans son évolution. Il faudra l'attendre un à deux ans pour que la finale s'amabilise. La **cuvée Prestige du Château d'Arricaud rouge 99**, boisée, devra être conservée plus longtemps.
➥ EARL Bouyx, Ch. d'Arricaud, 33720 Landiras, tél. 05.56.62.51.29, fax 05.56.62.41.47 ☑ ⵎ r.-v.

CH. BEAUREGARD-DUCASSE
Albert Duran 1999★

| | 5 ha | 30 000 | ⊞ 8 à 11 € |

Issue d'un vignoble où le merlot et le cabernet-sauvignon jouent à parts égales, cette cuvée élevée en fût fait preuve d'un bon équilibre, tant dans son bouquet, où les fruits rouges ne se laissent pas dominer par le bois, qu'au palais à la fois rond et ample. Véritable point d'orgue, la finale doit au cabernet son côté explosif. Digne d'un gibier dans deux ou trois ans.
➥ Jacques Perromat, Ducasse, 33210 Mazères, tél. 05.56.76.18.97, fax 05.56.76.17.73 ☑ ⵎ r.-v.
➥ GFA de Gaillote

CH. DE BEAU-SITE 2000★

| | 5 ha | 17 000 | ⊞ 11 à 15 € |

Ici, le merlot domine largement avec 80 % de l'encépagement. Mais au bouquet, le bois masque encore les arômes primaires qui se résument à des notes de fruits rouges très mûrs. Heureusement, le merrain est de qualité et la texture du vin, puissante et dense, permettra à l'ensemble de se fondre et de donner une belle bouteille dans trois ou quatre ans.
➥ SA Ch. de Beau-Site, Beau-Site, 33640 Portets, tél. 05.56.67.18.15, fax 05.56.67.38.12, e-mail chateaudebeausite@dial.oleane.com ☑ ⵎ r.-v.
➥ Mme Dumergue

CH. BICHON CASSIGNOLS
Grande Réserve 1999★

| | 1 ha | 4 000 | ⊞ 11 à 15 € |

Si elle demande encore à s'arrondir, cette cuvée numérotée et élevée en fût n'en demeure pas moins intéressante par sa richesse tannique comme par ses arômes épicés et boisés qui se dégagent à l'aération et au palais. Le **blanc 2000 (8 à 11 €)**, vinifié en partie en barrique neuve et en partie en cuve, a reçu une citation.
➥ Jean-François Lespinasse, 50, av. Edouard-Capdeville, 33650 La Brède, tél. 05.56.20.28.20, fax 05.56.20.20.08, e-mail bichon.cassignols@wanadoo.fr ☑ ⵎ r.-v.

CH. LE BOURDILLOT
Cuvée Prestige 2000★★★

| | 15 ha | 25 000 | ⎗⊞ 11 à 15 € |

Si les Haverlan tirent une grande fierté du cep en forme de crucifix qui trône dans le chai, ils pourront aussi se réjouir de la qualité de ce vin. Drapé dans une robe d'un superbe bordeaux sombre à reflets cassis, il retient l'attention par son bouquet mûr et aussi concentré que complexe : raisin bien attendu, fruits rouges et fines notes boisées (torréfaction, pain grillé, épices et vanille). Gras, rond, charnu et chaleureux, le palais témoigne d'un excellent mariage entre le raisin et le bois, avec une structure qui annonce un très bon potentiel de garde. Une belle bouteille à attendre cinq ans ou plus et à réserver à un moment mémorable. Aromatique et suave, la **cuvée**

CUVÉE PRESTIGE
ÉLEVÉ EN FÛTS DE CHÊNE

Valentine en blanc 2000 a obtenu une étoile, de même que les **Tentation rouge** et **blanc** du même millésime (8 à 10 € chacune).
➥ EARL Patrice Haverlan, 11, rue de l'Hospital, 33640 Portets, tél. 05.56.67.11.32, fax 05.56.67.11.32, e-mail patrice.haverlan@worldonline.fr ☑ ⵎ r.-v.

CH. BRONDELLE
Cuvée Anaïs Vinifié en fût de chêne neuf 2000

| | 3 ha | n.c. | ⊞ 11 à 15 € |

Sans égaler certains millésimes antérieurs, cette cuvée évolue très agréablement tout au long de la dégustation, avec un bouquet fringant et délicat que suivent un palais bien équilibré et une jolie finale fruitée. Le **Château La Rose Sarron blanc 2001 (5 à 8 €)**, élevé en cuve, a reçu lui aussi une citation.
➥ Vignobles Belloc-Rochet, Ch. Brondelle, 33210 Langon, tél. 05.56.62.38.14, fax 05.56.62.23.14, e-mail chateau.brondelle@wanadoo.fr
☑ ⵎ t.l.j. 9h-12h30 14h-18h

CH. CABANNIEUX
Réserve du château Elevé en barrique 1999★

| | 13,42 ha | 36 000 | ⊞ 8 à 11 € |

Assemblant 50 % de merlot aux deux cabernets, cette cuvée porte la marque de son élevage de dix-huit mois en barrique. Ses arômes de grillé s'associent aux parfums de fruits mûrs et aux tanins solides, mais bien enrobés par la chair pour former un ensemble plaisant.
➥ SCEA du Ch. Cabannieux, 44, rte du Courneau, 33640 Portets, tél. 05.56.67.22.01, fax 05.56.67.32.54, e-mail dudignacbarrière@free.fr
☑ ⵎ t.l.j. 9h-12h 14h-19h
➥ Mme Dudignac

CH. DU CAILLOU
Cuvée Saint-Cricq 2000

| | 2 ha | 7 000 | ⊞ 5 à 8 € |

Vinifiée en barrique et élevée sur lie, cette cuvée assemble 60 % de sémillon à 20 % de sauvignon blanc et 20 % de sauvignon gris. Elle se caractérise par une belle complexité aromatique (bois, fruits secs, eucalyptus, rose) et une attaque très moelleuse. Le **graves rouge 2000 élevé en fût (5 à 8 €)** a également reçu une citation.
➥ Ch. du Caillou, rte de Saint-Cricq, 33720 Cérons, tél. 05.56.27.17.60, fax 05.56.27.00.31 ☑ ⵎ r.-v.

CH. DE CALLAC 2000★

| | 3 ha | 12 000 | ⊞ 8 à 11 € |

Belle et ancienne unité située à Illats, le château de Callac possède un petit vignoble blanc à majorité de sauvignon. En 2000, il a produit un vin fermenté et élevé sur lie en barrique, au bouquet marqué par le bois avec des notes de pain grillé et de caramel. Plus complexe dans son expression aromatique au palais, dévoilant d'originales nuances de melon mûr, ce graves se montre rond et souple. Il pourra être bu maintenant comme dans un ou deux ans.

🕊 Philippe Rivière, Ch. de Callac,
33720 Illats, tél. 05.57.55.59.59, fax 05.57.55.59.51,
e-mail priviere@riviere-stemilion.com ☑ ⵛ r.-v.

CH. CAMARSET 1999

■	1,43 ha	6 500	Ⅲ	5 à 8 €

Ayant appartenu à la noblesse et à la bourgeoisie parlementaire sous l'Ancien Régime, de nombreuses propriétés ont conservé leur vocation viticole. C'est le cas de Camarset. Simple mais bien constitué, son vin se montre plaisant par son bouquet, dont les notes de fruits rouges mûrs et de léger boisé s'accordent bien avec l'amabilité et la souplesse de la structure.

🕊 SCEA Ch. Camarset, 33650 Saint-Morillon,
tél. 05.56.20.31.94, fax 05.56.20.31.94 ☑ ⵛ r.-v.
🕊 M. et Mme Lagardère

CH. CAMUS
Cuvée Maud 2000★★

■	2 ha	8 000	Ⅲ	8 à 11 €

Cuvée prestige de ce cru situé près de Langon, ce vin est digne des soins qui lui ont été prodigués. Encore jeune dans sa robe à reflets violacés, il se montre élégant et racé dans son bouquet où le bois et les notes de fruits noirs très mûrs, de pruneau, de fumée et de gibier forment un ensemble d'une belle complexité. Plaisant, gras, charnu et aromatique, il promet une très jolie bouteille d'ici cinq ou six ans. En **blanc 2000, la cuvée Zoé** a également obtenu deux étoiles, la complexité et la puissance des arômes étant à l'égal de l'équilibre du palais.

🕊 Vignobles de Bordeaux, Saint-Pierre-de-Mons, BP 114, 33212 Langon Cedex, tél. 05.56.63.19.34, fax 05.56.63.21.60, e-mail lvb.sica@libertysurf.fr ☑ ⵛ r.-v.
🕊 Jean-Luc Larriaut

CH. CANTEGRIL 2000★

■	7 ha	35 000	Ⅲ	11 à 15 €

Dépendant du château barsacais Doisy-Daëne, ce cru offre un vin jouant naturellement la carte de l'élégance. Celle-ci se lit dans la robe comme dans les agréables parfums vanillés et fruités. Les tanins soyeux s'accordent parfaitement aux saveurs vanillées et épicées qui les accompagnent jusqu'à la longue finale.

🕊 EARL Pierre et Denis Dubourdieu,
Ch. Doisy-Daëne, quartier Gravas, 33720 Barsac,
tél. 05.56.27.15.84, fax 05.56.27.18.99,
e-mail doisy.daene@terre-net.fr ☑ ⵛ r.-v.

CH. DE CASTRES 2000★

■	14 ha	70 000	Ⅲ	11 à 15 €

Belle propriété commandée par une demeure du XVIIIᵉs., ce cru a fait l'objet d'un important travail de rénovation au cours des dernières années. Fructueux, de tels efforts lui ont permis d'acquérir une bonne régularité que ne rompra pas ce vin. D'une couleur profonde à reflets noirs, celui-ci développe un bouquet complexe (violette,

mûre, myrtille, pruneau cuit et notes de grillé). Solidement structuré, gras et chaleureux, il se fait charmeur tout en invitant l'amateur à attendre cinq ans avant d'ouvrir cette bouteille.

🕊 EARL vignobles Rodrigues-Lalande,
Ch. de Castres, 33640 Castres-sur-Gironde,
tél. 05.56.67.51.51, fax 05.56.67.52.22 ☑ ⵛ t.l.j. 8h-18h

CH. CAZEBONNE 2000★★

■	5 ha	15 000	■↓	5 à 8 €

Elaboré par les Vignobles de Bordeaux, comme le Château Camus, mais issu d'une propriété différente, ce vin est lui aussi d'une très belle tenue. Au charme d'un bouquet aux frais parfums de pêche, il ajoute le double attrait d'un palais alliant une grande complexité aromatique avec de fines notes de fruits (ananas et mangue) et d'une texture de qualité s'ouvrant sur une finale persistante. Friand et assez « mode », le **Cazebonne rouge 99** a reçu une citation.

🕊 Jean-Marc et Marie-Jo Bridet,
Vignobles de Bordeaux,
Saint-Pierre-de-Mons, BP 14, 33212 Langon Cedex,
tél. 05.56.63.19.34, fax 05.56.63.21.60,
e-mail lvb.sica@libertysurf.fr ☑ ⵛ r.-v.

CH. DE CHANTEGRIVE
Caroline 2000★★

	14 ha	77 000	ⅢⅢ	11 à 15 €

Importants courtiers de la place de Bordeaux, les Lévêque sont aussi à la tête d'un vaste vignoble dans les Graves. Leur cuvée Caroline est une bonne ambassadrice de leur production, tant par sa robe brillante que par son bouquet aux notes de buis et de menthol. Son palais, équilibré par une excellente acidité, se montre frais, riche et long. Un vin qui a du « punch », comme l'a écrit un des membres du jury. Fine et délicate, la **cuvée principale Château Chantegrive blanc 2000** (5 à 8 €), élevée en cuve, a obtenu une citation.

🕊 GFA des vignobles Lévêque, Ch. de Chantegrive,
33720 Podensac, tél. 05.56.27.17.38, fax 05.56.27.29.42
☑ ⵛ t.l.j. sf dim. 8h30-18h

CH. LE CHEC 2000

■	3 ha	12 000	ⅢⅢ	5 à 8 €

Fidèle aux traditions bordelaises par la diversité de son encépagement, ce cru offre un vin plaisant. Il n'est pour s'en convaincre que de découvrir son bouquet aux notes de fumée et de tabac, puis son développement au palais, où il révèle une chair délicate.

🕊 Christian Auney, La Girotte, 33650 La Brède,
tél. 05.56.20.31.94, fax 05.56.20.31.94 ☑ ⵛ r.-v.

CH. CHERET-PITRES 1999★

■	6,05 ha	11 162		5 à 8 €

Implanté dans une zone aux terroirs mêlant sables et graves, ce cru cherche à privilégier la finesse. L'objectif est atteint avec ce vin doté d'une robe fraîche et d'un bouquet développant de jolies notes fruitées. Ce qui ne l'empêche pas de révéler une bonne tenue au palais et une solide charpente. Déjà agréable, il pourra cependant être attendu deux ou trois ans.

🕊 Caroline et Pascal Dulugat, Ch. Cheret-Pitres,
33640 Portets, tél. 05.56.67.27.76, fax 05.56.67.27.76
☑ ⵛ r.-v.

CH. LES CLAUZOTS
Cuvée Maxime 2001★

		6 ha	26 000	🗓 ⏶	5 à 8 €

La macération pelliculaire se traduit dans cette cuvée par des arômes de fruits exotiques et par un gras caractéristiques. Son apport s'associe à celui du bois, reconnaissable aux notes de grillé, et au fruit pour donner un ensemble de qualité, frais, subtil et bien équilibré. La **cuvée Maxime rouge 99 (8 à 11 €)**, classique, a reçu une citation.

🛏 Frédéric Tach, Vignobles de Bordeaux, Langon, B.P. 114, 33212 Saint-Pierre-de-Mons Cedex, tél. 05.56.63.19.34, fax 05.56.63.21.60, e-mail lvb.sica.@libertysurf.fr ☑ ⏶ r.-v.

CLOS FLORIDENE 2000★★

		5 ha	27 000	⏶	11 à 15 €
85 86 88 89 ⑨⓪ 92 93 94 95 96 **98 99 00**					

Si le professeur Dubourdieu est célèbre pour ses travaux révolutionnaires sur les vins blancs, le viticulteur s'y entend aussi en matière de vins rouges. Bordeaux oblige, la robe ne perd pas d'un classicisme que personne ne regrettera. Très jeunes, les arômes de fruits mûrs et le boisé bien dosé laissent percevoir les notes du terroir argilo-

calcaire. Souple à l'attaque, le palais monte progressivement en puissance pour composer un ensemble équilibré, harmonieux et racé, que clôt une très jolie finale.

🛏 Denis et Florence Dubourdieu, Ch. Reynon, 33410 Béguey, tél. 05.56.62.96.51, fax 05.56.62.14.89, e-mail reynon@gofornet.com ☑ ⏶ r.-v.

CLOS LA MAURASSE 2000★

		2 ha	10 000	🍶⏶	5 à 8 €

Né sur un petit cru du sud de l'appellation, ce vin sera très agréable à boire jeune. On profitera alors pleinement de sa fraîcheur et du charme de son expression aromatique aux fines notes de fruits et de fleurs blanches.

🛏 Rémy Sessacq, Clos La Maurasse, rte de Bazas, BP 78, 33210 Langon, tél. 05.56.63.39.27, fax 05.56.63.11.82, e-mail r-sessacq@infonie.fr ☑ ⏶ t.l.j. 9h-12h30 14h-18h; sam. dim. sur r.-v.

GRAND VIN DE CH. CRABITEY 2000★★

		7 ha	45 000	⏶	11 à 15 €

Comme beaucoup de domaines de la région, ce cru fut de 1868 à 1992 la propriété de congrégations religieuses. Avec ce millésime, il termine en apothéose son XX^{e}s. Très sombre, la robe est aussi intense que le bouquet dont les parfums de fruits noirs mûrs sont mis en valeur par un

La région des Graves

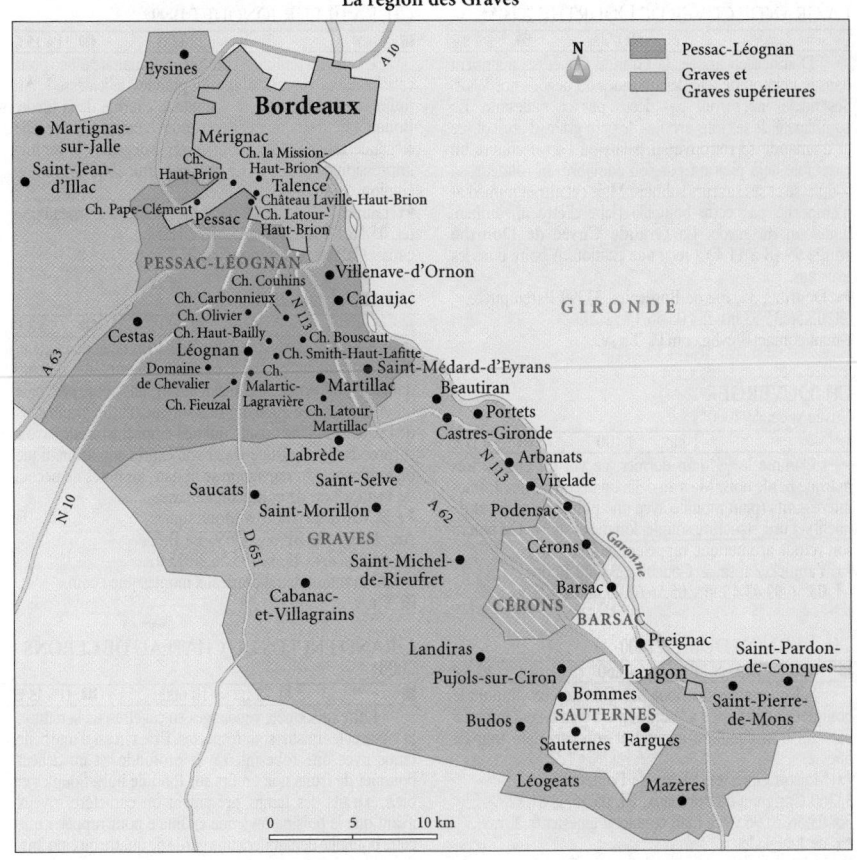

La région des Graves

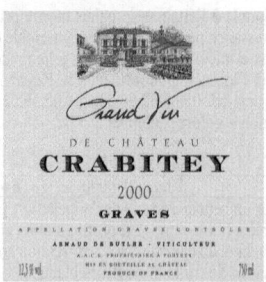

boisé de qualité. Souple à l'attaque, le vin révèle ensuite sa solide constitution avec de beaux tanins, denses et veloutés. Bien équilibré, l'ensemble possède une classe incontestable que confirme la finale par sa longueur. Une grande réussite à attendre cinq ou six ans pour profiter pleinement de ses qualités. Le **Château Trebiac rouge 2000 (5 à 8 €)**, du même producteur, a obtenu une citation.

☛ Ass. les Amis de la Chartreuse de Seillon, 63, rte du Courneau, 33640 Portets, tél. 05.56.67.18.64, fax 05.56.67.14.73, e-mail chateau.crabitey@libertysurf.fr ☑ ☥ r.-v.

LA GRANDE CUVÉE DE DOURTHE 2000★★

	n.c.	50 000	⅏	5 à 8 €

D'année en année, la Grande Cuvée se maintient dans le peloton de tête des marques du négoce bordelais. Ses fidèles ne seront pas déçus par ce millésime. La complexité de ses jolis arômes de pain grillé, d'abricot sec et d'amande se retrouve au palais où l'on découvre un ensemble déjà plaisant par son équilibre, sa rondeur, sa souplesse et ses saveurs subtiles. Mais cet attrait immédiat n'empêche pas cette bouteille riche d'être un authentique vin de garde. La **Grande Cuvée de Dourthe rouge 99 (8 à 11 €)** a reçu une citation. A boire dans les trois ans.

☛ Dourthe, 35, rue de Bordeaux, 33290 Parempuyre, tél. 05.56.35.53.00, fax 05.56.35.53.29, e-mail contact@cvbg.com ☑ ☥ r.-v.

CH. DUVERGER
Cuvée spéciale 2000★

	1 ha	4 100	⅏	8 à 11 €

Comme le 99, l'an dernier, ce vin est encore très marqué par le bois. Mais au-delà, on découvre des arômes intéressants (pain mouillé avec une pointe de genêt et de tilleul) et une structure souple, longue et suave. On notera son retour aromatique rappelant le miel.

☛ Yannick Zausa, 2, Couchire, 33720 Budos, tél. 05.56.62.43.45, fax 05.56.62.43.40 ☑ ☥ r.-v.

CH. FERNON DUMEZ 2000

■	8,11 ha	64 860	ⅱ♨	3 à 5 €

Sélectionné et distribué par Ginestet, ce vin dont le bouquet se développe à l'aération est bien typé « graves » par son bon équilibre général et son caractère tout en finesse.

☛ Maison Ginestet, 19, av. de Fontenilles, 33360 Carignan-de-Bordeaux, tél. 05.56.68.81.82, fax 05.56.20.96.99, e-mail contact@ginestet.fr ☥ r.-v.
☛ de Langlade

CH. FERRANDE 2000★

■	37 ha	275 000	⅏	5 à 8 €

Belle unité située à Castres, ce cru possède un terroir de graves qui lui permet d'offrir un vin à la robe d'un parfait style bordeaux, au puissant bouquet de fruits mûrs. Le palais complet et équilibré offre d'agréables saveurs fruitées et boisées. La finale est à l'image des prémices de la dégustation : prometteuse.

☛ Castel Frères, 21-24, rue Georges-Guynemer, 33290 Blanquefort, tél. 05.56.95.54.00, fax 05.56.95.54.20

CH. LA FLEUR CLEMENCE 2000★

■	5,5 ha	30 000	⅏	8 à 11 €

L'extraction assez poussée pratiquée sur ce cru en 2000 explique la couleur grenat et la puissante structure tannique. Celle-ci étant accompagnée d'une matière intéressante et d'une expression aromatique assez complexe (fumée, réglisse, cerise et cacao), cette bouteille pourra être goûtée en exercice de dégustation (exercice proposé : recherchez la part de fût français et de fût américain. Réponse : 50-50), ou attendue trois à quatre ans pour être servie à table.

☛ Ch. Carbon d'Artigues, 33720 Landiras, tél. 05.56.62.53.24, fax 05.56.62.53.24 ☑ ☥ r.-v.

CH. LA FLEUR JONQUET 1999★

■	2,9 ha	22 000	⅏	11 à 15 €

Une main féminine conduit ce domaine ; est-ce pour cela que ce vin est d'une si grande délicatesse ? Au raffinement de la matière s'ajoute le charme de la finale. Bouquet de fruits mûrs et de caramel, tanins d'une réelle élégance, tout s'accorde pour laisser le dégustateur sur une impression de douceur. Le **graves blanc 2000** a reçu une citation.

☛ Laurence Lataste, 5, rue Amélie, 33200 Bordeaux, tél. 05.56.17.08.18, fax 05.57.22.12.54, e-mail l.lataste@enfrance.com ☑ ☥ r.-v.

CH. DES FOUGERES 2000★

■	8 ha	12 000	⅏	5 à 8 €

A quelques pas de l'église de La Brède et du château de Montesquieu, ce cru appartient toujours aux descendants du philosophe. Celui-ci n'aurait sans doute pas renié un vin comme ce 2000 qui se distingue par un grand sens de l'équilibre. Une qualité qui ne l'empêche pas de savoir surprendre le dégustateur par son expression aromatique où l'influence du sauvignon se lit dans les notes de pêche, de menthol ou de bourgeon de cassis.

☛ SCEA des vignobles Montesquieu, Aux Fougères, BP 53, 33650 La Brède, tél. 05.56.78.45.45, fax 05.56.20.25.07, e-mail montesquieu@bordeaux-montesquieu.com ☑ ☥ r.-v.

GRAND ENCLOS DU CHATEAU DE CERONS
2000★

■	11,73 ha	10 000	⅏	11 à 15 €

Lutte raisonnée, vendanges en cagettes, ici la nature, la vigne et les raisins sont respectés. Et le vin est d'une belle tenue avec une robe intense et profonde, et un délicat bouquet de fruits noirs mûrs sur fond de bois. Souples et bien extraits, les tanins présentent un caractère soyeux avant que le bois ne revienne en finale pour rappeler que cette bouteille demandera une garde de quatre ou cinq ans.

◦┐ SCEA du Grand Enclos de Cérons, Grand Enclos de Cérons, 33720 Cérons, tél. 05.56.27.01.53, fax 05.56.27.08.86 ☑ ⲧ r.-v.

CH. GRAND MOUTA 1999★

■	3 ha	20 000	🍷 5 à 8 €

Marque des domaines Latrille-Bonnin pour distinguer leur cuvée barrique. Le bois est en effet présent dans le bouquet, mais il a été suffisamment délicat pour enrichir l'ensemble de fines notes vanillées sans masquer le reste. Franc et bien fait, le palais appelle un petit séjour en cave.
◦┐ SCEA Domaines Latrille-Bonnin, Petit-Mouta, 33210 Mazères, tél. 05.56.63.41.70, fax 05.56.76.83.25 ☑ ⲧ t.l.j. 9h-12h30 14h-17h
◦┐ GFA du Brion

CH. DE LA GRAVELIERE
Cuvée Prestige 2000★★

■	12 ha	50 000	🍷 8 à 11 €

Propriétaire de plusieurs crus sur les deux rives de la Garonne, Bernard Réglat propose ici une cuvée spéciale d'une belle tenue, tant par sa teinte grenat sombre, que par son bouquet aux intenses notes de grillé et de fruits mûrs, ou par son palais. Soyeuse à l'attaque, elle révèle ensuite une expression riche et complexe avec des nuances empyreumatiques et toastées. Soutenue par des tanins à la fois fins et puissants, sa structure lui assurera un beau vieillissement. Le **Gravelière blanc 2001 (5 à 8 €)** a reçu du jury une citation.
◦┐ Bernard Réglat,
Ch. de La Gravelière, 33410 Monprimblanc, tél. 05.56.62.98.63, fax 05.56.62.17.98, e-mail reglat.bernard@wanadoo.fr ☑ ⲧ r.-v.

CH. HAUT-GRAMONS
Vieilli en fût de chêne 2000★★

■	12 ha	79 000	🍷 8 à 11 €

GRAND VIN DE BORDEAUX
CHATEAU
HAUT-GRAMONS
GRAVES
APPELLATION GRAVES CONTRÔLÉE
12,5% vol   2000   750 ml
F. BOUDAT PROPRIÉTAIRE-RÉCOLTANT
CHATEAU DE VIAUT - MOURENS 33410 - GIRONDE - FRANCE
MIS EN BOUTEILLE À LA PROPRIÉTÉ
PRODUCE OF FRANCE

Même si la famille Boudat est établie de part et d'autre de la Garonne, avec des vignobles en rive droite, elle porte une attention toute particulière à ce cru des Graves. Ce millésime en témoigne par son caractère harmonieux. Celui-ci s'annonce dès l'examen visuel et olfactif, avec une belle teinte rouge presque noire et un bouquet aux élégantes nuances boisées. Opulent, le palais intègre des fragrances multiples, fruitées ici, de porto vintage jeune là. Les sensations d'épices et de fruits confits s'associent à des tanins savoureux pour conduire en douceur vers une longue finale promettant un vieillissement de qualité. Souple mais apte à la garde, le **Haut-Gramons blanc 2000 (5 à 8 €)** a obtenu une étoile.

◦┐ F. Boudat, Ch. de Viaut, 33410 Mourens, tél. 05.56.61.98.13, fax 05.56.61.99.46 ☑ ⲧ r.-v.

CH. HAUT-GRAVIER
Elevé en barrique 2001★

■	6 ha	38 000	🍷 3 à 5 €

Né d'un vignoble à très forte majorité de sémillon, ce vin en porte la marque dans ses arômes d'agrumes qui viennent s'ajouter au grillé de l'élevage en barrique et aux notes de litchi pour former un ensemble expressif. Gras, ample et long, le palais fait preuve du même sens de l'équilibre entre le fruit et le bois.
◦┐ Jean-Claude Labat, Téouley, 33720 Illats, tél. 05.56.62.54.17, fax 05.56.62.54.17 ☑ ⲧ r.-v.

CH. HAUT-MAYNE
Prestige 1999★

■	4,5 ha	26 000	🍷 8 à 11 €

Un domaine de 22 ha a donné le jour à ce vin (55 % merlot et 45 % cabernet-sauvignon) qui a l'art de se présenter dans une robe vive et profonde. Complexe et subtil, celui-ci développe de jolies notes boisées avant de laisser place à un palais souple et rond, mais qui a encore besoin de se faire. Pour l'heure dominée par le bois, mais fraîche et expressive, la **cuvée Jeanne en blanc 2000** a obtenu une étoile.
◦┐ SC Haut-Mayne-Gravaillas, 10, Cambillon, 33720 Cérons, tél. 05.56.27.08.53, fax 05.56.27.08.53

CH. HAUT REYS
Vieilles vignes 2000

■	4 ha	10 000	🍷 5 à 8 €

Cette cuvée, issue des vignes trentenaires d'un cru de 20 ha, est assez originale par ses nuances mentholées qui s'associent aux notes de raisin mûr. Elle possède une jolie matière, ronde et bien concentrée. Au total, un vin nature et sympathique.
◦┐ EARL Gabin, 18, allée Perrucade, 33650 La Brède, tél. 05.56.20.38.29, fax 05.56.78.47.78 ☑ ⲧ r.-v.

CH. HAUT SELVE 2000★★

▦	14,75 ha	32 800	🍷 11 à 15 €

Appartenant au vaste ensemble que constituent les vignobles de Jean-Jacques Lesgourgues, ce cru a fait l'objet d'importants investissements ; il est ainsi devenu l'une des locomotives du secteur central des Graves. La visite de ses installations sera l'occasion de découvrir ce vin aussi agréable dans sa présentation, entre jaune et vert, que fin dans ses arômes de pierre à fusil, de grillé et d'agrumes. Rond à l'attaque, il développe ensuite un beau volume et joue sur des notes d'orange et de pêche avant d'exploser en finale. Un très beau travail à apprécier d'ici deux ou trois ans. Elégant et généreux, le **Haut-Selve rouge 99 (15 à 23 €)** a obtenu une étoile ; le **Château le Bonnat blanc 2000 (5 à 8 €)** reçoit une citation.
◦┐ SCA des Ch. de Branda et de Cadillac, Ch. Haut-Selve, 33650 Saint-Selve, tél. 05.56.20.29.25, fax 05.56.78.47.63 ☑ ⲧ r.-v.
◦┐ J.-J. Lesgourgues

CH. DE L'HOSPITAL 1999★

■	10,65 ha	55 000	🍷 11 à 15 €

Avec sa belle demeure du XVIIIᵉs. où Lamartine passa un automne, ce cru portésien intéressera le visiteur. Mais l'amateur y appréciera plus encore l'harmonie olfactive de son vin mariant les notes grillées et toastées aux fruits mûrs et confits. Rond, fin et équilibré, celui-ci révèle un beau volume avant de conclure par une finale d'une réelle élégance. Le **blanc 2000** a reçu une citation : encore marqué par la barrique, il demande quelques mois de garde.

🕳 SCS Vignobles Lafragette, Darrouban Nord, 33640 Portets, tél. 05.56.67.54.73, fax 05.56.67.09.93
☑ ☿ r.-v.

CH. HOUNADE 2000★★

| ■ | 11,5 ha | 50 000 | ▮ ▥ ♦ | 5 à 8 € |

Marque de Michel Pascaud, ce vin provient d'un vignoble situé aux portes du Sauternais. D'une belle couleur rubis à reflets entre grenat et carmin, il exprime déjà des notes animales et des arômes de noyau. Souple, rond, gras et bien équilibré, le palais est dans l'esprit de l'appellation par ses tanins soyeux. Du même producteur, le **Château Lamoignon blanc 2001** (5 à 8 €) a reçu une citation.

🕳 Michel Pascaud, Ch. de Carles, 33720 Barsac, tél. 05.56.27.07.19, fax 05.56.27.13.18, e-mail chateaudecarles@aol.com ☑ ☿ r.-v.

CH. JOUVENTE
Elevé en fût de chêne 2000★

| | 1 ha | 5 000 | ▥ | 5 à 8 € |

La part du sauvignon dans l'encépagement (60 %) se traduit au bouquet par une note de buis caractéristique. Mais là ne s'arrête pas la palette aromatique qui n'ignore ni les fleurs (acacia) ni les fruits (pêche blanche). Au palais, le moelleux est présent mais sans parvenir à remettre en question la prédominance de la vivacité, qui fera le bonheur des amateurs de vin frais, destiné aux coquillages.

🕳 SEV René Gruet, Le Bourg, Ch. Jouvente, 33720 Illats, tél. 05.56.62.49.69, fax 05.56.27.05.97, e-mail olivier.bernadet@free.fr ☑ ☿ r.-v.

CH. DU JUGE 2000★

| ■ | n.c. | 2 400 | ▥ | 8 à 11 € |

Du même producteur que le premières côtes homonyme, ce vin est lui aussi d'une belle tenue, tant par sa robe chatoyante, tout en nuances, que par ses puissantes notes animales et de fruits cuits sur un fond boisé (résineux). Le palais n'est pas en reste, avec du fruit et des tanins très soyeux. Toutefois, en finale, le bois domine, appelant à trois ou quatre ans de garde. Le **Château du Juge blanc 2000** a reçu une citation.

🕳 Pierre Dupleich, Ch. du Juge, rte de Branne, 33410 Cadillac, tél. 05.56.62.17.77, fax 05.56.62.17.59, e-mail pierre.dupleich@wanadoo.fr ☑ ☿ r.-v.
🕳 May

CH. LANETTE 2000★

| ■ | 5 ha | 18 000 | ▮ ♦ | 8 à 11 € |

Né sur un vignoble dont une partie a appartenu jadis à la famille de Hauteclocque, ce vin s'exprime naturellement avec élégance. D'un rouge intense, il offre un bouquet aux notes de pruneau et de compote de fruits. Rond et soutenu par des tanins doux et bien extraits, le palais s'inscrit dans le droit fil et permettra de profiter de cette bouteille dès à présent comme dans quelques années.

🕳 SCEA Counilh et Fils, 51-53, rte des Graves, 33640 Portets, tél. 05.56.67.18.61, fax 05.56.67.32.43
☿ t.l.j. 9h-12h 14h-18h, groupes sur r.-v.

CH. LASSALLE 1999★★

| ■ | 4 ha | 25 000 | ▮ ▥ ♦ | 5 à 8 € |

Resté fidèle à l'esprit de l'appellation par son encépagement à majorité de cabernet, ce cru l'est aussi par son vin. Très élégant dans sa robe profonde et soutenue, ce 99 marque sa typicité par une note de fumé qui vient enrichir un bouquet d'une belle complexité. Celle-ci se retrouve au palais, où le bois respecte le vin. Riche, ample et velouté, l'ensemble constitue une authentique bouteille de garde.

🕳 Louis Michel Labbé, 7, allée Lassalle, 33650 La Brède, tél. 05.56.20.20.19, fax 05.56.78.42.75
☑ ☿ r.-v.

CH. LAUBAREDE COURVIELLE 2000★

| | 1,52 ha | 1 500 | ▥ | 3 à 5 € |

Propriété d'une vingtaine d'hectares au sud de la Gironde, le domaine du château de Courvielle (bordeaux) possède aussi une production de graves. Celle-ci est d'une belle tenue, avec une jolie robe jaune clair, un bouquet original de notes boisées et d'amande. Le palais, aussi équilibré que tendre, se montre complexe grâce à ses saveurs grillées, de noisette et de praliné. Le **graves rouge 1999** (5 à 8 €) a reçu une citation.

🕳 EARL Delpeuch et Fils, 33210 Castets-en-Dorthe, tél. 05.56.62.86.81, fax 05.56.62.78.50 ☑ ☿ r.-v.

CH. LEHOUL
Plénitude 1999★★

| | 2,2 ha | 11 800 | ▥ | 11 à 15 € |

Ce vin affiche de grandes ambitions. Et il se donne les moyens de les atteindre. Tenant toutes les promesses de la robe, d'un grenat soutenu, le palais s'appuie sur une solide charpente pour développer des tanins aussi fougueux que jeunes. Ses arômes marient les petits fruits rouges aux notes empyreumatiques sur fond boisé. De belle facture, ce 99 appelle une garde de trois ou quatre ans qui lui permettra de s'assagir. La **cuvée principale Lehoul rouge 99** a été citée par le jury et la **cuvée Léhoul blanc 2000 élevée en fût de chêne** (tous entre 8 et 11 €) a reçu une étoile.

🕳 EARL Fonta et Fils, rte d'Auros, 33210 Langon, tél. 05.56.63.17.74, fax 05.56.63.06.06
☑ ☿ t.l.j. 9h-12h 14h-19h

CH. LUDEMAN LA COTE
Alix de Ludeman 2000★★

| ■ | 3,5 ha | 20 000 | ▥ | 5 à 8 € |

Cuvée prestige des vignobles Chaloupin, ce vin est une belle vitrine pour ce producteur. Sa robe grenat à reflets foncés met le dégustateur en confiance. Sans déparer, le bouquet suit, aussi intense que friand par ses notes de fruits fondus, presque de confiture. Délicat, le bois renforce et respecte le fruit, un caractère qui se retrouve au palais. Toutefois, la puissance de l'attaque, comme la corpulence de la structure ou la finale tannique sont autant de caractères invitant à la garde. Souple, la **cuvée principale 2000** a obtenu une citation, de même que le **Clos Les Majureaux rouge 2000**, du même producteur.

🕳 SCEA Chaloupin-Lambrot, Ludeman, 33210 Langon, tél. 05.56.63.07.15, fax 05.56.63.48.17
☑ ☿ r.-v.

CH. LUSSEAU 1999★

| ■ | 3,99 ha | 6 000 | ▥ | 8 à 11 € |

Petite propriété commandée par un château construit en 1805, ce cru a assemblé 40 % de merlot aux deux

cabernets et à 15 % de malbec. Ce joli 99, d'un rouge
soutenu, développe un bouquet expressif et des tanins
d'une bonne ampleur que soutient un bois judicieusement
dosé. Déjà plaisant par sa rondeur, il pourra aussi être
attendu trois ou quatre ans.
➽ Anne-Marie de Granvilliers-Quellien, Ch. Lusseau,
33640 Ayguemortes-les-Graves, tél. 05.56.67.01.67,
fax 05.56.37.17.82, e-mail bengere.quellien@wanadoo.fr
☑ ⌂ ☖ t.l.j. sf lun. jeu. ven. 10h-12h 14h-18h

CH. MAGNEAU
Cuvée Julien 2000★★

	4 ha	10 000	⦀ 8 à 11 €

Vinifiée en fût neuf et élevée sur lie, cette cuvée fera
la fierté de son producteur. S'annonçant par une belle robe
jaune pâle, elle séduit par ses parfums de grillé, d'agrumes,
de mangue et d'ananas. Au palais, de fines notes d'agrumes réapparaissent derrière le boisé. Gras et frais, le vin est
déjà fort plaisant mais pourra être attendu deux ou trois
ans. La cuvée principale **Château Magneau blanc 2001**
(5 à 8 €), qui ne connaît pas la barrique, reçoit une étoile.
➽ Henri Ardurats et Fils, EARL Les Cabanasses,12,
chem. Maxime-Ardurats, 33650 La Brède,
tél. 05.56.20.20.57, fax 05.56.20.39.95,
e-mail ardurats@chateau-magneau.com
☑ ☖ t.l.j. 9h-12h 14h-18h; sam. dim. sur r.-v.

CH. MAMIN
Arbanats Elevé en fût de chêne 2000

	9,5 ha	n.c.	⦀ 8 à 11 €

L'encépagement à dominante de merlot a apporté sa
marque aux arômes parmi lesquels le cuir, qui vient
s'ajouter aux notes boisées. Le merrain s'impose, de même
que les tanins austères et très présents. On perçoit cependant une matière subtile qui ne demande qu'à s'exprimer
après deux à quatre ans de garde.
➽ Vignoble Vincent Lataste, Ch. de Lardiley,
33410 Cadillac, tél. 05.57.98.19.81, fax 05.57.98.19.83,
e-mail v.lataste@wanadoo.fr ☑ ☖ r.-v.

CH. DU MAYNE 2000★

	3,5 ha	21 000	▮☖ 5 à 8 €

Né sur un cru situé à 900 m de l'église de Cérons
(XIIᵉs.), ce vin, à la couleur paille brillante, révèle un
équilibre intéressant et une fraîcheur qui s'exprime notamment par des notes acidulées et des arômes d'agrumes ;
le côté vif de la finale joue sur le même registre. Tel est le
fruit d'un assemblage de 60 % de sauvignon au sémillon.
➽ Jean-Xavier Perromat, Ch. de Cérons,
33720 Cérons, tél. 05.56.27.01.13, fax 05.56.27.22.17,
e-mail perromat@chateaudecerons.com ☑ ☖ r.-v.

CH. MAYNE D'IMBERT 2000★

	5 ha	24 000	▮☖ 5 à 8 €

Fidèle à l'esprit de l'appellation, ce cru a conservé une
majorité de sémillon. D'une jolie couleur jaune clair, son
2000 se montre intéressant par sa palette aromatique
(mangue, litchi et fleurs blanches) comme par son évolution au palais. En effet, il attaque en souplesse avant
d'évoluer progressivement vers plus de rondeur, de gras et
une belle expression jusqu'en finale.
➽ SCEA Vignobles Bouche,
23, rue François-Mauriac, BP 58, 33720 Podensac,
tél. 05.56.27.18.17, fax 05.56.27.21.16 ☑ ☖ r.-v.

CH. DE MONGENAN 2000★

	1,45 ha	11 600	⦀ 11 à 15 €

Folie d'époque Louis XV où vécut Antoine Valdec de
Lessart, ministre de Louis XVI et disciple de Rousseau, ce
château passionnera autant l'amateur de botanique que
celui d'histoire avec son jardin dessiné au XVIIIᵉs. Par sa
robe jaune à reflets verts et son bouquet complexe, boisé
et fruité à la fois, ce 2000 est en harmonie avec l'élégance
du domaine. Il ne traversera peut-être pas les siècles aussi
bien, mais pourra être attendu un ou deux ans. Assemblant
75 % de sémillon au sauvignon, élevé douze mois en
barrique, il pourra accompagner une terrine de poisson.
Autre cru de Florence Mothe, le **Château Lagueloup
blanc 2000**, très délicat, obtient une citation.
➽ Florence Mothe, Ch. de Mongenan, 33640 Portets,
tél. 05.56.67.18.11, fax 05.56.67.23.88
☑ ☖ t.l.j. 10h-12h 14h-19h
➽ Suzanne Faivre-Mangou

CH. DU MONT 2000

	1 ha	5 600	⦀ 5 à 8 €

Complément dans l'AOC graves du cru homonyme
situé à Sainte-Croix-du-Mont, ce vignoble propose un vin
à la robe très jeune. Les notes surmûries et confites
annoncent une concentration importante et accompagnent un boisé encore riche. Deux années de garde
conféreront à ce 2000 une plus grande élégance.
➽ Vignobles Chouvac, Ch. du Mont,
33410 Sainte-Croix-du-Mont,
tél. 05.56.62.07.65, fax 05.56.62.07.58 ☑ ☖ r.-v.

CH. MONTALIVET 2000★★

	1 ha	4 540	⦀ 8 à 11 €

Ce graves étant signé par Denis Dubourdieu, personne ne sera étonné qu'il soit remarquable. Les arômes
du sauvignon (40 %) complètent ceux du sémillon (50 %)
et de la muscadelle (10 %) dans un festival fruité-fumé
nuancé des notes grillées du chêne. Séduisant dans sa robe
d'un jaune brillant à reflets verts, le vin se montre gras,
intense et très bien équilibré. Le palais permet de choisir,
en toute liberté, de profiter dès à présent de cette belle
bouteille ou de l'attendre deux ou trois ans.
➽ Denis et Florence Dubourdieu, Ch. Reynon,
33410 Béguey, tél. 05.56.62.96.51, fax 05.56.62.14.89,
e-mail reynon@gofornet.com ☑ ☖ r.-v.

CH. MOURAS 2000

	2,3 ha	10 000	⦀ 5 à 8 €

Avec son millésime 2000, ce château fait une entrée
sympathique dans le Guide au chapitre des graves. D'une
bonne complexité aromatique et bien structuré, le vin a tiré
profit d'un élevage mesuré qui lui a apporté des notes
grillées et vanillées. Tout conduit sans violence à une finale
simple et de bon goût.
➽ EARL du Ch. Laville, 33210 Preignac,
tél. 05.56.63.59.45, fax 05.56.63.16.28 ☑ ☖ r.-v.
➽ Y. et C. Barbe

CH. LE PAVILLON DE BOYREIN 2001★

	12 ha	100 000	▮ 3 à 5 €

S'il ne cherche pas à étonner le dégustateur, ce vin
simple et bien fait sait se rendre plaisant, tant par sa jolie
robe jaune pâle aux reflets argent que par son évolution au
cours de la dégustation. Son expression aromatique,
fraîche et fleurie ne demande qu'à s'épanouir.

⊶ SCEA Vignobles Pierre Bonnet,
Le Pavillon de Boyrein, 33210 Roaillan,
tél. 05.56.63.24.24, fax 05.56.62.31.59,
e-mail vignobles-bonnet@wanadoo.fr ☑ ⏳ r.-v.

CH. PERIN DE NAUDINE 1999★

■	8 ha	50 000	⦀	5 à 8 €

Chartreuse érigée sur les rives du Gat-Mort, ce château propose un vin grenat soutenu à reflets pourprés, dont le bouquet fin présente une bonne concentration. Encore austères, ses tanins demandent une garde d'environ deux ans.
⊶ Ch. Périn de Naudine, 8, imp. des Domaines,
33640 Castres, tél. 05.56.67.06.65, fax 05.56.67.59.68,
e-mail chateauperin@wanadoo.fr ☑ ⏳ r.-v.
⊶ Olivier Colas

CH. PEYRAGUE
Elevé en fût de chêne 2000★

■	12 ha	30 000	⦀	5 à 8 €

Vinifié et distribué par la maison Ginestet, ce vin reste discret dans sa présentation. Mais l'attaque lui permet de se réveiller et de se révéler. Sa progression au palais fait apparaître de la richesse et du gras. La finale est encore dominée par le bois, mais sa longueur et sa fraîcheur acidulée la rendent agréable. Le **Peyragué rouge 2000 (8 à 11 €)** a obtenu une citation.
⊶ Maison Ginestet, 19, av. de Fontenilles,
33360 Carignan-de-Bordeaux, tél. 05.56.68.81.82,
fax 05.56.20.96.99, e-mail contact@ginestet.fr ⏳ r.-v.

CH. PIRON
Elevé en fût de chêne 1999

■	8 ha	28 000	▌⦀↓	5 à 8 €

Assez original par son étiquette où figure une carte de situation de la commune, ce vin est bien typé graves par la couleur rubis de sa robe, par la concentration de son bouquet fruité comme par sa charpente tannique et sa rondeur.
⊶ Lionel Boyreau, Piron, 33650 Saint-Morillon,
tél. 05.56.20.25.61, fax 05.56.78.48.36,
e-mail l.b@rouge-blanc.com
☑ ⏳ t.l.j. sf dim. 8h-12h 14h-18h

CH. DES PLACES
Cuvée Prestige Vieilli en fût de chêne 2000

■	2,1 ha	16 000	⦀	5 à 8 €

Même si la mention ne figurait pas sur l'étiquette, il serait difficile d'ignorer que cette cuvée a été élevée en fût, tant le bois est présent dans le bouquet comme au palais. Toutefois, l'équilibre général du vin est respecté et la structure tannique est suffisante pour permettre au merrain de se fondre d'ici trois à quatre ans.
⊶ EARL Vignobles Reynaud,
46, av. Maurice La Chatre, 33640 Arbanats,
tél. 05.56.67.20.13, fax 05.56.67.17.05,
e-mail vignobles.reynaud@wanadoo.fr ☑ ⏳ r.-v.

CH. DE PONTAC
Elevé en fût de chêne 2000

■	1 ha	4 000	⦀	8 à 11 €

D'une durée de dix-huit mois, l'élevage en barrique aurait pu dominer ce vin. Heureusement, il n'en est rien, sa structure étant suffisamment ample et concentrée pour intégrer l'apport du bois. Sans être d'une grande complexité, l'expression aromatique est de qualité et très élégante par ses notes de torréfaction et de framboise.

⊶ EARL Vignobles Albert Yung, Ch. Haut-Calens,
33640 Beautiran, tél. 05.56.67.05.25 ☑ ⏳ t.l.j. 9h-11h30 15h-17h30; f. août

CH. PONT DE BRION 2000★

■	7 ha	40 000	⦀	8 à 11 €

Issu des vignes les plus anciennes du château Ludeman les Cèdres, ce vin tient les promesses de sa robe d'un beau pourpre. Cette élégance se retrouve dans le bouquet aux notes boisées et fruitées à la fois, avec une pointe florale de bon aloi. Puis, au palais, apparaît un agréable caractère moelleux qui se prolonge dans sur une finale longue et chaleureuse. Le **Château Ludeman les Cèdres (5 à 8 €)** a reçu une citation.
⊶ SCEA Molinari et Fils, Ludeman, 33210 Langon,
tél. 05.56.63.09.52, fax 05.56.63.13.47 ☑ ⏳ r.-v.

CH. DE PORTETS 2000★★

▨	3,13 ha	23 400	▌⦀↓	8 à 11 €

Beau château du XIXᵉs., la demeure est l'héritière d'une maison noble remontant au XIIIᵉs. Un air de noblesse se retrouve dans la belle robe jaune-vert de ce vin 100 % sémillon issu d'un son expression aromatique. Complexe à souhait, celle-ci s'étend des notes grillées ou fumées à la figue blanche, au brugnon et à l'ananas. Le fruit exotique domine le palais équilibré qui s'ouvre sur une longue et délicate finale. Pour un poisson en sauce.
⊶ SCEA Théron-Portets, Ch. de Portets,
33640 Portets, tél. 05.56.67.12.30, fax 05.56.67.33.47,
e-mail vignobles.theron@wanadoo.fr ☑ ⏳ r.-v.
⊶ Jean-Pierre Théron

PRIMO PALATUM 1999★

■	n.c.	2 400	⦀	15 à 23 €

Si elle offre une large gamme de vins, du bordeaux au côtes du roussillon, cette maison de négoce est implantée en Langonnais, à Morizès. Il était donc logique qu'elle réussît son graves. D'une belle couleur rubis, très aromatique (pain grillé avec des notes de confiture de mûres) et bien constitué, avec du gras et de la charpente, son 99 est solidement armé pour affronter la garde de trois ans nécessaire à l'harmonisation du merrain.
⊶ Primo Palatum, 1, Cirette, 33190 Morizès,
tél. 05.56.71.39.39, fax 05.56.71.39.40,
e-mail xavier-copel@primo-palatum.com ☑ ⏳ r.-v.

CH. RAHOUL 1999★

■	20 ha	95 000	⦀	11 à 15 €

Le château Rahoul appartient depuis 1986 au bel ensemble des domaines Thiénot. Son vin, constitué de 75 % de merlot complété de cabernet-sauvignon, développe un bouquet classique (cassis, cerise, framboise), avant de révéler une riche matière et une bonne structure. Les tanins bien mûrs participent à une finale plaisante. Le **Rahoul blanc 2000**, à 80 % sémillon, obtient une citation. Rond, soyeux et joliment boisé, il saura accompagner les plats de poisson à la crème. Le **Château la Garance blanc 2000 (8 à 11 €)** est également cité.
⊶ Alain Thiénot, Ch. Rahoul, 4, rte du Courneau,
33640 Portets, tél. 05.56.67.01.12, fax 05.56.67.02.88,
e-mail chateau-rahoul@alain-thienot.fr ☑ ⏳ r.-v.

CH. DE RESPIDE
Cuvée Callipyge 1999★★

■	6 ha	24 000	⦀	8 à 11 €

Cuvée prestige, ce vin est issu d'un vignoble se partageant équitablement entre merlot et cabernets. Cela n'a pu que contribuer à l'équilibre dont il fait preuve, tant dans son bouquet qu'au palais. Le premier résulte de la complicité des notes de chocolat et de grillé. Le second associe un côté suave à une solide concentration pour donner un ensemble séduisant dont la finale puissante et boisée se révèle goûteuse. La cuvée principale **Respide rouge 2000 (5 à 8 €)** a reçu une citation.

🍷 SCEA Vignobles Franck Bonnet, Ch. de Respide, 33210 Langon, tél. 05.56.63.24.24, fax 05.56.62.31.59, e-mail vignobles-bonnet@wanadoo.fr ☑ ⵏ r.-v.

CH. RESPIDE-MEDEVILLE 1999★

■	7,7 ha	30 000	⫙ 15 à 23 €

Le vignoble étant à dominante de cabernet-sauvignon, le bouquet étoffé de ce vin n'étonnera pas. La marque du cépage est moins évidente au palais, où le boisé grillé est relayé par un joli fruité. L'élégance est là pour rappeler la signature du cabernet.

🍷 Christian Médeville, Ch. Gilette, 33210 Preignac, tél. 05.56.76.28.44, fax 05.56.76.28.43, e-mail christian.medeville@wanadoo.fr ☑ ⵏ r.-v.

CH. ROQUETAILLADE LA GRANGE 1999★

■	23 ha	150 000	⫙ 8 à 11 €

Héritier du vignoble qui dépendait jadis du superbe château féodal de Roquetaillade, ce cru offre aujourd'hui un graves qui n'a, fort heureusement, pas grand-chose à voir avec le *claret* médiéval, ce vin rouge léger à boire très jeune. D'une belle couleur rubis à reflets noirs, le Roquetaillade actuel est un vin de bonne garde. La complexité du bouquet et l'ampleur du palais permettront d'attendre sans problème les trois ou quatre ans que demandent les tanins du merrain pour se fondre complètement.

🍷 GAEC Guignard Frères, 33210 Mazères, tél. 05.56.76.14.23, fax 05.56.62.30.62, e-mail contact@vignobles-guignard.com ☑ ⵏ r.-v.

CH. SAINT-ROBERT
Cuvée Poncet-Deville 2000★★

■	6 ha	30 000	⫙ 11 à 15 €

89 90 92 93 94 **95** 96 **97 98 99 00**

Dix ans après son premier coup de cœur, ce cru montre une fois encore qu'il est devenu l'une des valeurs de référence de l'appellation. Un résultat qu'il doit autant à son terroir qu'à l'équipe qui le conduit. Il est difficile de rester insensible devant sa robe brillante ou son bouquet. De grande qualité, celui-ci joue sur les notes de croûte de pain et de brioche sur fond fruité de fraise cuite. Doux et crémeux, les tanins contribuent à la saveur et à la rondeur du palais, tout en apportant beaucoup de force. Parfaite, leur extraction témoigne d'un grand savoir-faire. Une promesse de belle garde que confirme la longueur de la finale. Un vrai grand vin de graves à boire entre 2005 et

2010, ou 2015. Les cuvées principales du **Château Saint-Robert rouge 2000** et **blanc 2001 (5 à 8 €)** ont obtenu une étoile.

🍷 SCEA Vignobles Bastor et Saint-Robert, Dom. de Lamontagne, 33210 Preignac, tél. 05.56.63.27.66, fax 05.56.76.87.03, e-mail bastor-lamontagne@dial.oleane.com ☑ ⵏ r.-v.

🍷 Foncier-Vignobles

CH. SAINT-THOMAS 2000★

■	9 ha	15 000	⫙ 8 à 11 €

Parmi une large gamme de vins (liquoreux, premières côtes), Guillaume Réglat propose ce graves d'une jolie robe rouge sombre encore violacé. La suite ne déçoit pas, notamment son expression aromatique, tant au bouquet (fruits rouges un peu confiturés et relevés par des notes d'épices, de cannelle et de vanille) qu'au palais où s'affichent de savoureuses nuances de truffe et de réglisse. Souple, rond et assez généreux, l'ensemble montre par ses tanins soyeux qu'il tirera profit d'une garde de deux ou trois ans.

🍷 Guillaume Réglat, Ch. Cousteau, 33410 Monprimblanc, tél. 05.56.62.98.63, fax 05.56.62.17.98 ☑ ⵏ r.-v.

CH. SIMON 1999

■	6,19 ha	20 000	⫙ 8 à 11 €

Assemblant 70 % de merlot au cabernet-sauvignon et élevé douze mois en fût, ce millésime possède un bel équilibre qui soutient une expression aromatique à la fois fine et complexe, dans laquelle le bois sait parfaitement trouver sa place. Rappelons le remarquable 98, deux étoiles l'an dernier.

🍷 EARL Dufour, Ch. Simon, 33720 Barsac, tél. 05.56.27.15.35, fax 05.56.27.24.79
☑ ⵏ t.l.j. sf sam. dim. 8h-12h 13h30-18h

T DU TEIGNEY 1999★★

■	22 ha	6 200	⫙ 11 à 15 €

Première étiquette du château Teigney, dans le Langonnais, ce vin du Sud ne manque pas d'atouts pour retenir l'attention : outre une belle teinte, soutenue et profonde, il déploie d'intenses arômes épicés et empyreumatiques, avant de se révéler flatteur à l'attaque avec une petite note de myrtille. Ample et complexe, la structure est parfaitement mise en valeur par le bois et la matière. Une remarquable bouteille à laisser en cave pendant quatre ou cinq ans.

🍷 EARL Buytet et Fils, Ch. Teigney, 33210 Langon, tél. 05.56.63.17.15, fax 05.56.76.20.19 ☑ ⵏ r.-v.

DOM. TERREFORT
Cuvée spéciale Elevé en fût de chêne 2000★

■	3 ha	2 500	⫙ 5 à 8 €

Bel ensemble de domaines à cheval sur les Graves et le Sauternais, les vignobles Dumon proposent ici une cuvée dont l'élevage en fût se lit dans la couleur d'un jaune soutenu à reflets. La marque du bois apparaît dans le bouquet qui exhale aussi de fines notes fruitées. Suivant une attaque vive, le palais révèle une matière de qualité.

🍷 Les Vignobles Dumon, Ch. Bêchereau de Ruat, 33210 Bommes, tél. 05.56.76.61.73, fax 05.56.76.67.84 ☑ ⵏ t.l.j. 9h-12h 14h-17h30; sam. dim. et groupes sur r.-v.

CH. TOUMILON 2000

| | 2,5 ha | 15 000 | | ▮♦ 5 à 8 € |

Harmonieuse mais simple, la finale n'apporte pas le point d'orgue que mériteraient le bouquet, aux jolies notes de citron, de fleurs blanches et de bourgeon de cassis, comme le palais, vif et frais, de ce vin.

🕿 SCE Vignobles Sévenet, Vignobles de Bordeaux, BP 114, St-Pierre-de-Mons, 33212 Langon Cedex, tél. 05.56.63.19.34, fax 05.56.63.21.60, e-mail lvb.sica@libertysurf.fr ☑ ☖ r.-v.

🕿 L. Lateyron

CH. TOUR DE CALENS 2001

| | 1,1 ha | 8 000 | | ▮▮♦ 5 à 8 € |

Petit vignoble régulier en qualité, ce cru reste fidèle à lui-même avec ce vin qui associe autant de sémillon que de sauvignon. Elevé six mois en fût, ce 2001 se montre frais, bien équilibré et sait se rendre agréable par son expression aromatique aux notes de toast, de grillé et de fleurs, comme par sa finale séveuse.

🕿 Bernard et Dominique Doublet, Ch. Tour de Calens, 33640 Beautiran, tél. 05.57.24.12.93, fax 05.57.24.12.83, e-mail d.doublet@free.fr ☑ ☖ r.-v.

CH. DU TOURTE 2000★

| | 4 ha | 18 000 | | ▮▮ 11 à 15 € |

Issu d'un encépagement à dominante de sémillon (85 %), ce vin offre l'originalité d'arômes très fumés accompagnés de notes de rose. A l'aération, ces notes évoluent vers le fruit mûr et le pain grillé. Frais et gras, le palais ample s'achemine vers une finale exotique.

🕿 Ch. du Tourte, 33210 Toulenne, tél. 01.46.88.40.08, fax 01.46.88.01.45, e-mail hubert.arnaud@c2a.fr ☑ ☖ r.-v.

🕿 Arnaud

CH. LA VIEILLE FRANCE 1999★

| ▮ | 3 ha | 20 000 | | ▮▮ 8 à 11 € |

Valeur sûre, ce cru fait preuve d'une bonne régularité que ne démentira pas ce 99. La robe à reflets noirs est d'une jeunesse prometteuse. De leur côté, le bouquet, aux notes suaves de confiture et de fruits rouges mûrs, et le palais, solide et concentré, se chargent de confirmer le potentiel de ce vin dont les tanins s'intègrent bien à la matière tout au long de la dégustation, de l'attaque à la finale.

🕿 Michel Dugoua, Ch. La Vieille France, 1, chem. du Malbec BP8, 33640 Portets, tél. 05.56.67.19.11, fax 05.56.67.17.54, e-mail courrier@chateau-la-vieille-france.fr ☑ ☖ r.-v.

VIEUX CHATEAU GAUBERT 2000★★

| ▮ | 25 ha | 60 000 | | ▮▮ 11 à 15 € |

| 83 | 85 | 86 | 87 | 88 | 89 |90| |93| |94| |95| |96| |97| 98 | 99 |
| 00 | | | | | | | | | | | | | | |

On a déjà tout dit sur ce domaine remarquable, sa demeure du XVIIIe s. et le savoir-faire de son propriétaire. Il ne manquait qu'une voix à ce millésime pour obtenir la récompense suprême, car il fait preuve d'une solide personnalité. Sa concentration est annoncée par la robe d'un beau rouge sombre presque noir. Le bouquet participe sans réserve à l'expression en offrant généreusement une foule de parfums ; les notes épicées et toastées s'unissent ainsi aux petits fruits (cassis et myrtille). Char-

penté, le palais impose la force de ses tanins qui appellent une solide garde. Egalement d'une bonne puissance, le graves **blanc 2001** (8 à 11 €) a obtenu une étoile, tout comme le second vin **rouge, Le Benjamin de Vieux Château Gaubert 2000** (8 à 11 €) qui devra attendre trois à quatre ans en cave.

🕿 Dominique Haverlan, Vieux Château Gaubert, 33640 Portets, tél. 05.56.67.18.63, fax 05.56.67.52.76, e-mail dominique.haverlan@libertysurf.fr ☑ ☖ r.-v.

CH. VILLA BEL-AIR 2001★★

| | 11 ha | 40 000 | | ▮▮ 8 à 11 € |

Une étape indispensable pour qui veut comprendre l'architecture des chartreuses bordelaises. D'autant plus que son directeur, Guy Delestrac, sait rendre la visite du domaine passionnante. A son amour de la région et de son passé, il ajoute une parfaite connaissance de la vigne et du vin, dont témoigne l'excellence de ce 2001, millésime pourtant difficile. La robe aux brillants reflets verts, le bouquet aux délicates notes de fruits secs, de vanille et de brioche, le palais ample, gras et bien équilibré, laissent le dégustateur sur le souvenir d'un ensemble d'une grande finesse. Le **Villa Bel-Air rouge 2000** obtient deux étoiles : c'est là aussi un très belle signature.

🕿 Jean-Michel Cazes, Ch. Villa Bel-Air, 33650 Saint-Morillon, tél. 05.56.20.29.35, fax 05.56.78.44.80 ☖ r.-v.

Graves supérieures

CH. DE ROCHEFORT 2000★★

| | 2 ha | 4 000 | | ▮▮ 5 à 8 € |

Château de Rochefort

GRAVES SUPÉRIEURES
APPELLATION GRAVES SUPÉRIEURES CONTRÔLÉE
2000
JC BARBE PROPRIÉTAIRE A PREIGNAC - FRANCE
13,5 % Vol.   MIS EN BOUTEILLE AU CHATEAU   750 mL.
L GS 00   PRODUCE OF BORDEAUX FRANCE

Confirmant la progression qualitative de ce cru au cours des dernières années, ce millésime (95 % sémillon) séduira l'amateur le plus exigeant. Drapé dans une robe jaune légèrement ambrée, il déploie un bouquet d'une grande complexité, avec des notes de fruits confits, d'agrumes, de mangue et d'abricot confit. Gras, concentré et moelleux, le palais révèle un équilibre parfait entre la vivacité et l'onctuosité, avant de s'ouvrir sur une finale particulièrement goûteuse.

🕿 Jean-Christophe Barbe, Ch. Laville, 33210 Preignac, tél. 05.56.63.59.45, fax 05.56.63.16.28 ☑ ☖ r.-v.

Pessac-léognan

Correspondant à la partie nord des Graves (appelée autrefois Hautes-Graves), la région de Pessac et Léognan est aujourd'hui une appellation communale, inspirée de celles du Médoc. Sa création, qui aurait pu se justifier par son rôle historique (c'est l'ancien vignoble périurbain qui produisait les clarets médiévaux), s'explique par l'originalité de son sol. Les terrasses que l'on trouve plus au sud cèdent la place à une topographie plus accidentée. Le secteur compris entre Martillac et Mérignac est constitué d'un archipel de croupes graveleuses qui présentent d'excellentes aptitudes vitivinicoles par leurs sols, composés de galets très mélangés, et par leurs fortes pentes. Celles-ci garantissent un très bon drainage. Les pessac-léognan présentent une grande originalité ; les spécialistes l'ont d'ailleurs remarquée depuis fort longtemps, sans attendre la création de l'appellation. Ainsi, lors du classement impérial de 1855, Haut-Brion fut le seul château non médocain à être classé (premier cru). Puis, lorsque, en 1959, seize crus de graves furent classés, tous se trouvaient dans l'aire de l'actuelle appellation communale.

Les vins rouges (53 230 hl en 2001) possèdent les caractéristiques générales des graves, tout en se distinguant par leur bouquet, leur velouté et leur charpente. Quant aux blancs secs (12 216 hl), ils se prêtent tout particulièrement à l'élevage en fût et au vieillissement qui leur permet d'acquérir une très grande richesse aromatique, avec de fines notes de genêt et de tilleul.

CH. BAHANS HAUT-BRION 1999★

■	n.c.	n.c.	◫ 38 à 46 €

Affirmer sa personnalité quand on a un aîné aussi prestigieux que Haut-Brion n'est pas chose aisée. Mais le Bahans y parvient tant par ses arômes de fruits mûrs, de cuir avec de légères notes épicées, que par son volume et ses tanins qui osent montrer leur puissance tout en s'inscrivant dans un contexte général de finesse et de rondeur.

🍷 Dom. Clarence Dillon, Ch. Haut-Brion,
33608 Pessac Cedex, tél. 05.56.00.29.30,
fax 05.56.98.75.14, e-mail info@haut-brion.com ⏃ r.-v.

CH. BOUSCAUT 1999★★

■ Cru clas.	20 ha	100 000	◫ 15 à 23 €

76 79 80 81 82 83 84 85 ⑧⑥ 87 |88| 89 90 93 |94| 95 |96| 97 98 **99**

A Bouscaut on reste insensible à l'influence des gourous et des modes. Personne ne le regrettera en découvrant ce vin d'un rouge intense. Explosif et complexe, il affirme sa personnalité par des notes d'amande grillée. Au palais se développent de bons tanins, enrobés et fondus, qui s'associent aux arômes de fruits rouges confits pour promettre une bouteille, qui s'exprimera pleinement dans quelques années.

🍷 SA Ch. Bouscaut, rte de Toulouse, 33140 Cadaujac, tél. 05.57.83.12.20, fax 05.57.83.12.21,
e-mail cb@chateau-bouscaut.com ☑ ⏃ r.-v.
🍷 S. et L. Cogombles

CH. BOUSCAUT 2000★

▨ Cru clas.	3 ha	16 000	◫ 15 à 23 €

82 83 85 86 88 89 90 93 |95| |96| 97 |98| **99** |00|

Sophie Lurton Cogombles ne limite pas la recherche de la finesse au seul cru rouge. La robe très claire de ce pessac-léognan blanc d'un beau jaune à reflets verts, comme le bouquet expressif, où la jonquille et le mimosa font alliance avec le bois, en apportent la preuve, ainsi que la texture du palais.

🍷 SA Ch. Bouscaut, rte de Toulouse, 33140 Cadaujac, tél. 05.57.83.12.20, fax 05.57.83.12.21,
e-mail cb@chateau-bouscaut.com ☑ ⏃ r.-v.

CH. BROWN 2000★

	3,61 ha	22 400	◫ 15 à 23 €

96 97 |98| 99 00

Récolte en cagettes, pressurage lent en grains entiers... tout est mis en œuvre pour obtenir un résultat de qualité. L'objectif est atteint, comme en témoigne ce vin d'une belle couleur jaune paille soutenu et ambré. Ses arômes bien fondus sont marqués par le sauvignon (70 % de l'encépagement) et enrichis de notes de caramel au lait. Ample, gras, puissant et long, le palais tire un excellent profit du bois. Encore très marqué par l'élevage, le **Château Brown rouge 99 (15 à 23 €)** a reçu une citation.

🍷 Ch. Brown, allée John-Lewis-Brown,
33850 Léognan, tél. 05.56.87.08.10, fax 05.56.87.87.34,
e-mail chateau.brown@wanadoo.fr ☑
🍷 Bernard Barthe

CH. CARBONNIEUX 1999★

■ Cru clas.	45 ha	300 000	◫ 15 à 23 €

75 81 82 83 85 ⑧⑥ 87 |88| |89| |90| |91| |92| |93| |94| |95| 96 |97| 98 |99|

Très beau château dont les fondations remontent au XVIᵉ s., Carbonnieux possède 90 ha admirablement répartis entre cépages blancs et rouges. Sans rivaliser avec le blanc 2000, ce vin ne manque pas de caractère, avec de jolies notes mentholées sur fond de petits fruits rouges. Riche et construit sur des tanins de bonne origine, l'ensemble pourra être apprécié assez jeune.

🍷 SC des Grandes Graves, Ch. Carbonnieux,
33850 Léognan, tél. 05.57.96.56.20, fax 05.57.96.59.19,
e-mail chateau.carbonnieux@wanadoo.fr ⏃ r.-v.
🍷 Perrin

CH. CARBONNIEUX 2000★★

▨ Cru clas.	45 ha	220 000	◫ 15 à 23 €

81 82 83 85 86 87 88 |89| |90| |91| 92 |93| |94| |95| |96| |97| |98| 99 |⑩|

Le Carbonnieux blanc est sans doute le vin de Bordeaux auquel est liée l'anecdote la plus originale, les bénédictins l'ayant vendu au Grand Turc sous le nom d'« eau minérale de Carbonnieux ». Aujourd'hui conseillés par Denis Dubourdieu, les Perrin ont magnifiquement réussi ce vin. Chacun pourra apprécier la belle teinte jaune ambrée à reflets verts. L'élégance de la robe n'a d'égale que celle du bouquet aux fines notes mentholées et aux senteurs de fruits à chair blanche sur un fond délicatement grillé et toasté. Rond et ample, le palais

s'inscrit dans le droit fil de la présentation par son remarquable équilibre entre la finesse et la puissance qui donne sa personnalité à cette très belle bouteille.

☞ SC des Grandes Graves, Ch. Carbonnieux, 33850 Léognan, tél. 05.57.96.56.20, fax 05.57.96.59.19, e-mail chateau.carbonnieux@wanadoo.fr ☖ r.-v.

CH. LES CARMES HAUT-BRION 1999★★

■	4,66 ha	n.c.	⦀ 38 à 46 €

80 82 83 85 **88** |89| **90 91** 92 93 94 |95| **96** 97 |98| 99

Proche de Haut-Brion, ce cru doit son nom à l'ordre religieux des Grands Carmes. Fidèle à sa tradition, il propose un 99 remarquable dont le dégustateur peut apprécier le bouquet puissant et fin, comme le palais que soutient une solide structure. Bien fondu, le bois contribue à l'épanouissement d'un ensemble riche, doté d'une belle matière. Longue et complexe, la finale conclut fort heureusement l'excellente prestation de ce vin qui mérite un séjour en cave de quatre à six ans.

☞ SCEA du Ch. les Carmes Haut-Brion, 197, av. Jean-Cordier, 33600 Pessac, tél. 05.56.51.49.43, fax 05.56.93.10.71, e-mail chateau@les-carmes-haut-brion.com ☖ r.-v.
☞ Didier Furt

DOM. DE CHEVALIER 1999★

■ Cru clas.	n.c.	80 000	⦀ 30 à 38 €

64 66 70 73 75 78 79 83 84 |85| |86| 87 88 |89| |90| 91 92 |93| |94| 96 |97| 98 99

Né sur de belles graves, ce vin associe 30 % de merlot au cabernet-sauvignon. Sa livrée grenat foncé met en confiance ; tout comme le bouquet aux fins parfums de fruits rouges agréablement rehaussés d'une note boisée. Suave et généreuse, l'attaque prépare à la rencontre de tanins ronds et puissants et d'arômes de moka et de réglisse. Ne vous y trompez pas, sa puissance lui permettra de parfaire son harmonie au cours d'une bonne garde.

☞ SC Dom. de Chevalier, 33850 Léognan, tél. 05.56.64.16.16, fax 05.56.64.18.18, e-mail domainedechevalier@domainedechevalier.com ☖ r.-v.
☞ Famille Bernard

DOM. DE CHEVALIER 1999★★★

■ Cru clas.	5 ha	12 000	⦀ 38 à 46 €

82 83 85 86 |89| |⑨⓪| 91 92 93 94 |96| |97| 98 ⑨⑨

Le Chevalier blanc appartient à la petite troupe des vins de légende dont la renommée a fait le tour du monde. Une fois encore, il justifie sa réputation par ses qualités. La marque d'un élevage bien maîtrisé se lit dans les arômes grillés et vanillés du bouquet, tandis que la teinte jaune paille témoigne de l'arrivée à maturité. Mais si l'on peut déjà apprécier les saveurs de citron mûr de ce vin exceptionnel, son volume et son gras laissent libre de l'attendre trois ou quatre ans. Le tout sera de le servir sur un mets digne de lui, comme un turbot au beurre blanc. Egalement rond, gras et ample, l'**Esprit de Chevalier blanc 99 (15 à 23 €)** a obtenu une étoile.

☞ SC Dom. de Chevalier, 33850 Léognan, tél. 05.56.64.16.16, fax 05.56.64.18.18, e-mail domainedechevalier@domainedechevalier.com ☖ r.-v.

LES CRUS CLASSÉS DES GRAVES

NOM DU CRU CLASSÉ	VIN CLASSÉ	NOM DU CRU CLASSÉ	VIN CLASSÉ
Château Bouscaut	en rouge et en blanc	Château Laville-Haut-Brion	en blanc
Château Carbonnieux	en rouge et en blanc	Château Malartic-Lagravière	en rouge et en blanc
Domaine de Chevalier	en rouge et en blanc	Château La Mission Haut-Brion	en rouge
		Château Olivier	en rouge et en blanc
Château Couhins	en blanc		
Château Couhins-Lurton	en blanc	Château Pape Clément	en rouge
Château Fieuzal	en rouge	Château Smith Haut Lafitte	en rouge
Château Haut-Bailly	en rouge	Château La Tour-Haut-Brion	en rouge
Château Haut-Brion	en rouge	Château Latour-Martillac	en rouge et en blanc

CH. COUHINS-LURTON 2000★

Cru clas.	5,5 ha	n.c.	🍶 23 à 30 €

82 83 85 86 87 88 89 |90| 91 |92| 93 |94| **95** |96| **97 98** |99| **00**

Partagé en 1968 entre l'Inra (Institut national de la recherche agronomique) et André Lurton, ce domaine est réputé depuis le XVIIᵉs. Il est difficile d'ignorer la part du sauvignon (100 %) en humant le bouquet de ce vin. Hautement expressif, il affirme son origine par des notes très marquées de fruits exotiques qui se marient avec les fleurs blanches et une touche mentholée pour composer un ensemble complexe. Rond et gras, élégant en finale, il saura affronter une garde de trois ou quatre ans.

🍇 Vignobles André Lurton, Ch. Bonnet, 33420 Grézillac, tél. 05.57.25.58.58, fax 05.57.74.98.59, e-mail andrelurton@andrelurton.com ☑ 🍷 r.-v.

CH. DE CRUZEAU 1999★

■	n.c.	n.c.	🍶 11 à 15 €

81 82 83 **85 86 88** 89 90 |93| |94| 95 96 |97| 98 99

Si le château est de 1912, le cru est ancien, le tracé de son vignoble figurant déjà en 1760 sur la carte de Belleyme. Il atteint aujourd'hui 101 ha. Agréablement bouqueté, d'une structure souple et tendre, ce 99 méritera des mets délicats respectant ses saveurs boisées de vanille et ses tanins à la fois discrets, soyeux et fins. Très sauvignon par son bouquet, le **Cruzeau blanc 2000 (8 à 11 €)** obtient également une étoile.

🍇 Vignobles André Lurton, Ch. Bonnet, 33420 Grézillac, tél. 05.57.25.58.58, fax 05.57.74.98.59, e-mail andrelurton@andrelurton.com ☑ 🍷 r.-v.

CH. FERRAN 1999★

■	10 ha	60 000	🍶 8 à 11 €

83 85 88 89 |90| 94 |95| |97| 98 99

Composé de vignobles d'origine parlementaire ayant fait partie des anciens domaines de Montesquieu, ce cru bénéficie d'une bonne régularité que ne rompra pas ce millésime. Le bouquet aux fines notes fruitées que soutient un boisé discret et bien fondu, et le palais que clôt une longue finale savent le rendre intéressant. Une jolie bouteille à ouvrir d'ici deux ou trois ans.

🍇 Ch. Ferran, 33650 Martillac, tél. 06.07.41.86.00, fax 05.56.72.62.73 ☑ 🍷 r.-v.
🍇 Hervé Béraud-Sudreau

CH. DE FIEUZAL 1999★

■ Cru clas.	60 ha	140 000	🍶 30 à 38 €

70 75 76 77 78 79 80 **81 82 83** 84 |85| |86| |88| |89| |90| **91 92 93 94** |95| |96| **97 98** 99

L'année 1999 a été importante pour ce cru qui est devenu propriété irlandaise (M. et Mme Lochlann Quinn). Elle laissera aussi le souvenir d'un beau millésime, bien servi par la complexité du bouquet : les fruits, le grillé, le toasté et quelques notes de fourrure composent un tableau fort séduisant. Au palais on découvre la structure et la matière soyeuse aux saveurs mûres et chaleureuses. Un vin plaisir, à apprécier dans deux ou trois ans.

🍇 SC Ch. de Fieuzal, 124, av. de Mont-de-Marsan, 33850 Léognan, tél. 05.56.64.77.86, fax 05.56.64.18.88 ☑ 🍷 r.-v.
🍇 Lochlann Quinn

CH. DE FIEUZAL 2000★

	18 ha	30 000	🍶 30 à 38 €

83 84 85 86 87 |88| |89| |90| **91 92** |93| |94| |95| |96| **97 98** ⑨⑨ **00**

Une parure d'un or étincelant, un bouquet aux notes subtiles de fleur de vigne, de tilleul, de vanille et de caramel au lait : la présentation de ce vin ne laisse pas indifférent. Et la suite de la dégustation ne déçoit pas, le palais réussissant à être à la fois frais, ample et gras. Le résultat est une belle montée en puissance aboutissant à une finale de caractère.

🍇 SC Ch. de Fieuzal, 124, av. de Mont-de-Marsan, 33850 Léognan, tél. 05.56.64.77.86, fax 05.56.64.18.88 ☑ 🍷 r.-v.

CH. DE FRANCE 2000★

	2,33 ha	10 000	🍶 11 à 15 €

88 89 **90 95 96 97 99 00**

Situé sur l'un des plus hauts coteaux de l'appellation, ce cru de 34 ha bénéficie d'un fort ensoleillement. Faut-il y voir l'origine de la sève de ce 2000 ? D'une belle couleur jaune pâle à reflets verts et dorés, bouqueté avec des notes d'ananas mûr et de grillé, plein à l'attaque, ample et bien équilibré, il laisse le souvenir d'un ensemble des plus harmonieux. Le **Château de France 99 rouge (15 à 23 €)** est cité ; d'un joli rubis, boisé (notes balsamiques et de fumé), il n'oublie pas le fruit.

🍇 SA Bernard Thomassin, Ch. de France, 98, av. de Mont-de-Marsan, 33850 Léognan, tél. 05.56.64.75.39, fax 05.56.64.72.13, e-mail chateau-de-france@chateau-de-france.com ☑ 🍷 r.-v.

CH. LA GARDE 1999★

■	42,12 ha	150 600	🍶 15 à 23 €

⑨⑩ **91 93 94** |95| **96** |97| **98 99**

Comme la chartreuse (1793), la cuverie (1882) possède un réel intérêt architectural ; mais c'est son équipement que retiendra surtout l'œnophile, avec des cuves de petite capacité et, pour certaines, un système de pigeage. Ce vin qui fut coup de cœur dans le millésime 95 ne surprendra donc pas par sa qualité. Le 99 se montre typé, tant par sa robe scintillante que par l'harmonie du bouquet où se marient les senteurs du raisin et du merrain. Charnu et bien équilibré, le palais permet d'envisager une garde fructueuse de quelques années. Le **Château la Garde blanc 2000 (15 à 23 €)**, rond et plaisant, a reçu une citation : 100 % sauvignon, il exhale de délicieux parfums d'acacia suivis de notes de miel, de cire et de litchi.

🍇 Vignobles Dourthe, 35, rue de Bordeaux, 33290 Parempuyre, tél. 05.56.35.53.00, fax 05.56.35.53.29, e-mail contact@cvbg.com ☑

CH. GAZIN ROCQUENCOURT 1999★

■	8 ha	50 000	🍶 11 à 15 €

|97| **98 99**

Un sol de graves et un encépagement à dominante de cabernet, toutes les conditions sont réunies pour obtenir un vin bien typé. Et le résultat est là avec ce 99, même si la robe surprend par sa teinte évoluée aux reflets carminés. Le bouquet s'empresse de rétablir les choses en jouant sur les notes fruitées. Souple et étoffé, le palais s'appuie sur une bonne concentration pour mener à une finale tannique appelant une garde de trois ou quatre ans.

BORDELAIS

➤ Ch. Gazin Rocquencourt,
74, av. de Cestas, 33850 Léognan,
tél. 05.56.64.77.89, fax 05.56.64.77.89 🗹
➤ Michotte

DOM. DE GRANDMAISON 2000

	3 ha	20 000	🍷🎁⚘ 8 à 11 €
85 86	88 89 90 93 96 97 98 00		

Le sauvignon étant fortement majoritaire, personne ne s'étonnera de voir le buis dominer le bouquet d'autant que seuls 30 % de la récolte ont été vinifiés en barrique. S'il s'achève sur une finale assez simple, le palais se montre intéressant par son volume comme par son expression aromatique évoluant des fleurs blanches aux fruits mûrs.
➤ Jean et François Bouquier, Dom. de Grandmaison, 33850 Léognan, tél. 05.56.64.75.37, fax 05.56.64.55.24, e-mail courrier @domaine-de-grandmaison.fr 🗹 ⚱ t.l.j. sf dim. 8h30-12h 14h30-18h30

CH. HAUT-BAILLY 1999★★

■ Cru clas.	25 ha	80 000	🍷 30 à 38 €
78 79 80 81 82 83 85	86	87 88	89		90	92	93	94			
	95	96 97 98 99			

Belle unité d'un seul tenant, ce cru jouit de bonnes conditions d'ensoleillement et de drainage. Ce vin, en tout cas, montre qu'il a bénéficié d'un environnement favorable, tant dans la vigne qu'au chai. Il a l'art de se présenter dans une robe grenat et avec un bouquet expressif. S'appuyant ensuite sur une structure bien équilibrée et une matière concentrée, il se développe agréablement au palais pour déboucher sur une finale fort plaisante.
➤ SCA du Ch. Haut-Bailly, 103, rte de Cadaujac, 33850 Léognan, tél. 05.56.64.75.11, fax 05.56.64.53.60, e-mail mail @chateau-haut-bailly.com ⚱ r.-v.
➤ Robert G. Wilmers

CH. HAUT-BERGEY 1999

■	15 ha	52 000	🍷 23 à 30 €
91 92 93 94	96	97 98 99			

Né au cœur même de la commune de Léognan, ce vin allie la complexité aromatique, avec des notes animales et des parfums de fruits rouges, de moka et de grillé, à un palais bien constitué. Encore très marqué par l'élevage, il demandera quatre ou cinq ans pour se fondre. Assez proche par son expression et son potentiel de garde, **L'Etoile de Bergey 99 (11 à 15 €)** a également obtenu une citation, tout comme le **Château Haut-Bergey blanc 2000**.
➤ SC Ch. Haut-Bergey, 69, cours Gambetta, BP 49, 33850 Léognan, tél. 05.56.64.05.22, fax 05.56.64.06.98, e-mail haut-bergey@wanadoo.fr 🗹 ⚱ r.-v.
➤ Sylviane Garcin-Cathiard

CH. HAUT-BRION 1999★★★

■ 1er cru clas.	43,2 ha	n.c.	🍷 + de 76 €
73 74	75	76 77 78	79	81	82		83	84	85	86	87			
88 89	90		91		92		93	94	95		96	97	98	99			

De la naissance des *new French clarets* aux mutations techniques des dernières décennies, Haut-Brion a été l'un des sites qui ont fait, depuis le XVIe s., la grandeur du vin de Bordeaux. Ce vin encore, sa production se montre à la hauteur de l'Histoire avec un millésime assemblant 60 % de merlot à 30 % de cabernet-sauvignon et à 10 % de cabernet franc nés sur l'un des plus beaux terroirs gravelo-sableux sous-sol argileux. D'une teinte bordeaux som-

bre et profonde, ce 99 développe un bouquet riche à souhait : aux fruits rouges cuits, presque confiturés, s'adjoint une plaisante note de réglisse. A l'attaque, l'élevage est encore très présent, puis il se fond dans l'ensemble, en révélant des tanins à la fois puissants, sensuels et élégants d'une grande persistance. Bien dans la lignée du cru, cette bouteille méritera d'être attendue une dizaine d'années.
➤ Dom. Clarence Dillon, Ch. Haut-Brion, 33608 Pessac Cedex, tél. 05.56.00.29.30, fax 05.56.98.75.14, e-mail info@haut-brion.com ⚱ r.-v.

CH. HAUT-BRION 2000★★★

	2,7 ha	n.c.	🍷 + de 76 €
	82	83 85 87 88	89		90		94		95		96		97	98	99		00				

Exceptionnel par son histoire et sa situation en pleine agglomération, Haut-Brion l'est aussi par la personnalité de ses vins rouges ou blancs. Témoin, ce 2000, dont on ne sait ce qui est le plus admirable en lui, du bouquet fourni ou du magnifique équilibre. Pamplemousse et brioche éveillent d'agréables souvenirs aromatiques, tandis que le kirsch, la pêche blanche et l'ananas parfaitement mûr unissent leurs flaveurs dans un ensemble harmonieux, ample, gras et si riche qu'il laisse la sensation de croquer le raisin. L'exemple même du grand vin de graves de garde, que vous conserverez précieusement de trois à sept ans. Son frère rouge lui ravit l'honneur de l'illustration par l'étiquette, mais ce Haut-Brion blanc n'en est pas moins coup de cœur.
➤ Dom. Clarence Dillon, Ch. Haut-Brion, 33608 Pessac Cedex, tél. 05.56.00.29.30, fax 05.56.98.75.14, e-mail info@haut-brion.com ⚱ r.-v.

CH. HAUT LAGRANGE 2000★

	1,7 ha	12 000	🍶🍷⚘ 11 à 15 €
92 94 95	96	97	98		99		00				

A Haut Lagrange la fermentation est systématiquement conduite pour 90 % en cuve et pour 10 % en barrique. Le résultat est concluant comme le montre ce vin or pâle, à reflets mordorés. On notera tout particulièrement son expression aromatique originale, presque exotique (litchi) et complexe (grillé, rose séchée, pamplemousse). Le palais évolue en douceur vers une finale élégante et suave.
➤ Francis Boutemy, SA Ch. Haut-Lagrange, 31, rte de Loustalade, 33850 Léognan, tél. 05.56.64.09.09, fax 05.56.64.10.08, e-mail chateau-haut-lagrange@wanadoo.fr 🗹 ⚱ r.-v.

CH. HAUT-NOUCHET 2000★

	11 ha	22 000	🍷 8 à 11 €

Attaché aux traditions et à la nature, Louis Lurton s'est fait un devoir d'appliquer les méthodes de l'agrobiologie qui protègent l'environnement. Ce qui ne réussit pas mal au vin, comme en témoigne ce millésime d'une belle couleur jaune clair à reflets dorés et d'un bouquet aux fines notes de grillé, de brioche, de pamplemousse et de mangue. Rond, souple, charnu, aromatique et élégant, le palais promet une garde de trois ou quatre ans.

🕭 SCEA Louis Lurton, Ch. Haut-Nouchet,
33650 Martillac, tél. 05.56.72.69.74, fax 05.56.72.56.11,
e-mail chateau.haut-nouchet@libertysurf.fr

CH. HAUT-VIGNEAU 1999★

■		n.c.	120 000		🍷 8 à 11 €

Issu d'un vignoble appartenant au même propriétaire que Carbonnieux, mais situé à Martillac, ce vin possède sa propre personnalité. Il s'affirme par une robe d'un classicisme du meilleur aloi et par un bouquet mariant harmonieusement le bois (toasts) avec le gibier et le poivre. C'est aussi une sensation d'équilibre qui marque le palais ; la charpente tannique et la chair préparent à une garde de cinq ou six ans et à un accord avec des grillades ou des petits gibiers.

🕭 GFA du Ch. Haut-Vigneau, 20, rue Jules-Guesde,
33850 Léognan, tél. 05.57.96.56.20, fax 05.57.96.59.19,
e-mail chateau.carbonnieux@wanadoo.fr ☑ ⚚ r.-v.
🕭 E. Perrin

CH. LAFONT MENAUT 2000★

▨		3 ha	20 000	8 à 11 €

L'auteur des *Lettres persanes*, Montesquieu, fut l'un des plus grands propriétaires de vignobles à Bordeaux au XVIIIe s. Ce cru faisait partie de ses terres. Il a récemment fait l'objet d'un important travail de rénovation par Philibert Perrin. Celui-ci trouve sa récompense dans ce vin qui séduit par ses beaux arômes de grillé et de fruits, comme par son palais souple, rond et gras. L'ensemble équilibré et raffiné laisse une impression d'harmonie.

🕭 Philibert Perrin, Ch. Lafont Menaut,
33650 Martillac, tél. 05.57.96.56.20, fax 05.57.96.59.19
⚚ r.-v.

LAGRAVE-MARTILLAC 2000★

▨		10 ha	n.c.	🍷 11 à 15 €

Second vin de Latour-Martillac, ce 2000 est lui aussi d'une agréable présentation, avec une robe jaune doré à reflets verts et un bouquet aux fraîches notes de fleurs blanches et d'agrumes. Rond, souple et bien équilibré, il fait preuve d'un classicisme de fort bon aloi qui appellera une garde de trois à quatre ans pour qu'il finisse de s'ouvrir. Le **Lagrave-Martillac rouge 99** a reçu une citation.

🕭 Domaines Kressmann, Ch. Latour-Martillac,
33650 Martillac, tél. 05.57.97.71.11, fax 05.57.97.71.17,
e-mail latour-martillac@latour-martillac.com ⚚ r.-v.
🕭 Famille Jean Kressmann

CH. LARRIVET-HAUT-BRION 2000★

▨		9 ha	25 000	🍷 23 à 30 €

88 89 90 |96| 97 |98| |99| 00

Formant la moitié de l'encépagement, le sauvignon marque nettement sa présence au bouquet par des parfums de buis et de genêt. Mais il n'exclut pas les autres arômes, dont la palette va du pamplemousse à la fleur d'oranger en passant par l'ananas très mûr. Elégance et complexité se retrouvent dans l'expression aromatique du palais qui monte en puissance pour arriver à un ensemble fin, goûteux et vif que soutient une trame légère. Longue et

savoureuse, la finale conclut très heureusement la prestation de ce joli vin. Ample, gras et de bonne garde, le **Château Larrivet-Haut-Brion rouge 99** a reçu une citation.

🕭 SCEA du Ch. Larrivet-Haut-Brion, rue Haut-Brion,
33850 Léognan, tél. 05.56.64.75.51, fax 05.56.64.53.47
☑ ⚚ r.-v.
🕭 Ph. Gervoson

CH. LATOUR-MARTILLAC 2000★★

▨ Cru clas.	10 ha	40 800		🍷 23 à 30 €

81 82 83 84 85 86 87 ⑧ 89 90 91 92 93 |94| |95| 96 97 |98| |99| ⑩

On ne fera pas aux vignes de Latour-Martillac le reproche d'être trop jeunes. Une parcelle de sémillon et de muscadelle a même été plantée en 1884. Elle contribue assurément à donner son caractère à ce très joli vin. Laissant deviner sa jeunesse à sa robe jaune pâle à reflets verts, il se montre frais, délicat et complexe dans son expression aromatique, où se mêlent les notes de pêche blanche, de fruits exotiques et de toasté. Elégant, suave, gras, ample et bien équilibré, le palais monte en puissance et invite à une garde de cinq ou six ans.

🕭 Domaines Kressmann, Ch. Latour-Martillac,
33650 Martillac, tél. 05.57.97.71.11, fax 05.57.97.71.17,
e-mail latour-martillac@latour-martillac.com ⚚ r.-v.
🕭 Famille Jean Kressmann

CH. LATOUR-MARTILLAC 1999★

■ Cru clas.	30 ha	132 000		🍷 23 à 30 €

79 81 ⑧ 83 84 85 86 87 88 |89| |90| 91 92 |93| |94| 95 96 |97| 98 99

Sans rivaliser avec le blanc du même millésime qui fut coup de cœur l'an dernier, ce vin est néanmoins fort intéressant tant par sa belle teinte rubis que par son bouquet, aux délicates notes d'épices et de cuir, ou par sa matière et sa concentration. Encore un peu ferme en finale, il demande une garde de deux ou trois ans, voire plus.

🕭 Domaines Kressmann, Ch. Latour-Martillac,
33650 Martillac, tél. 05.57.97.71.11, fax 05.57.97.71.17,
e-mail latour-martillac@latour-martillac.com ⚚ r.-v.

CH. LAVILLE HAUT-BRION 2000★★

▨ Cru clas.	3,7 ha	n.c.		🍷 46 à 76 €

81 82 83 |85| 87 88 |89| |90| 92 |93| |94| |95| |96| |97| |98| 99 00

Le plus petit cru des domaines Dillon, mais pas le moindre. Témoins sa robe mariant le jaune citronné et l'or vert, sa complexité aromatique (menthol, tilleul typique des graves, fleurs blanches et même une petite note anisée), sa finesse, son équilibre, et sa puissance qui permettra de

l'attendre quatre ou cinq ans. Il associe 3 % de muscadelle à 70 % de sémillon et à 27 % de sauvignon dans un élevage parfaitement maîtrisé de douze mois en barrique de qualité. « Délicieux », conclut le jury.
🕿 Dom. Clarence Dillon, Ch. Haut-Brion, 33608 Pessac Cedex, tél. 05.56.00.29.30, fax 05.56.98.75.14, e-mail info@haut-brion.com ⊥ r.-v.

CH. LESPAULT 2000

	1 ha	n.c.	🍷 11 à 15 €

L'encépagement étant intégralement composé de sauvignon, personne ne sera surpris que ce vin, élevé en barrique avec bâtonnage sur lies, présente un bouquet assez riche et puissant dont on pourra profiter sans attendre, le palais au léger boisé étant frais, rond et gras.
🕿 Domaines Kressmann, Ch. Latour-Martillac, 33650 Martillac, tél. 05.57.97.71.11, fax 05.57.97.71.17, e-mail latour-martillac@latour-martillac.com ⊥ r.-v.
🕿 SC Bolleau

CH. LA LOUVIERE 1999★★

	n.c.	n.c.	🍷 23 à 30 €

75 80 81 82 83 85 86 |88| |89| |90| 91 92 |93| |94| 95 96 97 98 99

Des plans signés par François Lhote et des salons décorés par le peintre flamand Louis Lonsing font de la Louvière, monument classé, l'une des plus belles demeures de la région. Ce 99 se plaît à lui ressembler par le classicisme de sa somptueuse robe bordeaux. Concentré et complexe, le bouquet intègre bien l'apport du bois et s'accorde parfaitement avec les saveurs (raisin mûr, note viandée et boîte à cigares) et la charpente tannique du palais pour garantir l'évolution de cette bouteille dans le temps. Déjà plaisant mais pouvant être attendu cinq ou six ans, le **L de la Louvière rouge 99 (11 à 15 €)** a obtenu une étoile : bien typé et très charmeur, il repose sur des tanins soyeux qui permettent déjà de le boire tout en lui offrant une jolie durée de vie.
🕿 Vignobles André Lurton, Ch. Bonnet, 33420 Grézillac, tél. 05.57.25.58.58, fax 05.57.74.98.59, e-mail andrelurton@andrelurton.com 🆅

CH. LA LOUVIERE 2000

	n.c.	n.c.	🍷 23 à 30 €

86 88 89 |90| 91 92 93 |94| |95| |96| |97| 98 99 |00|

Récoltes manuelles, pressurage des raisins entiers, fermentation et élevage en barrique avec bâtonnage, tout est fait dans les règles de l'art. Ce 2000 est composé de 85 % de sauvignon et de 15 % de sémillon. Il est brillant, très clair avec des reflets verts ; il a le nez citronné et la bouche fraîche et vive, bien typée.
🕿 Vignobles André Lurton, Ch. Bonnet, 33420 Grézillac, tél. 05.57.25.58.58, fax 05.57.74.98.59, e-mail andrelurton@andrelurton.com 🆅

CH. MALARTIC-LAGRAVIERE 1999★

■ Cru clas.	23 ha	42 000	🍷 23 à 30 €

64 66 |70| 71 75 76 79 81 82 83 |85| |86| |88| |89| |90| |91| 92 |93| 95 96 97 98 99

Un beau chai octogonal équipé de cuves de petite taille : ce cru a fait l'objet de gros investissements après son rachat en 1997 par l'homme d'affaires belge A.-A. Bonnie. Profonde, la robe rubis annonce clairement un ensemble de qualité. Riche et complexe, le bouquet marie les notes

d'épices, de cuir et de bois. Rond, net et très structuré, le palais promet de réserver de bonnes surprises après un vieillissement de trois à cinq ans.
🕿 Ch. Malartic-Lagravière, 43, av. de Mont-de-Marsan, 33850 Léognan, tél. 05.56.64.75.08, fax 05.56.64.99.66, e-mail malartic-lagraviere@malartic-lagraviere.com ⊥ r.-v.
🕿 A.-A. Bonnie

CH. MALARTIC-LAGRAVIERE 2000★

Cru clas.	4 ha	14 000	🍷 23 à 30 €

97 |98| |99| |00|

A la fois classé en blanc et en rouge, ce cru justifie une fois encore ce privilège par la qualité de sa production dans les deux couleurs. A la richesse du bouquet, avec de belles notes de cannelle et de vanille, ce 2000 ajoute le caractère chaleureux d'un palais gras qui met en valeur les arômes de noisette et de fruits secs. Douce et longue, la finale laisse sur le souvenir d'un ensemble heureux. Plus simple et déjà agréable, le second vin **Sillage de Malartic 2000 (11 à 15 €)** a été retenu avec une citation.
🕿 Ch. Malartic-Lagravière, 43, av. de Mont-de-Marsan, 33850 Léognan, tél. 05.56.64.75.08, fax 05.56.64.99.66, e-mail malartic-lagravière@malartic-lagravière.com ⊥ r.-v.

CLOS MARSALETTE 1999

■	6,4 ha	30 000	🍶🍷 🧊 11 à 15 €

Un expert géologue et deux propriétaires s'associent en 1991 pour acheter ce cru de 7 ha situé sur trois croupes de graves. Le cabernet-sauvignon dominant largement l'encépagement, nul ne s'étonnera du caractère charpenté de ce vin qui mérite une garde de cinq ou six ans pour permettre au bois de se fondre. Il pourra aussi être servi plus jeune pour accompagner du gibier à poil. Le **Clos Marsalette blanc 2000** a également été cité pour ses charmants arômes associant fruits et fleurs (rose séchée et giroflée) jusqu'en finale.
🕿 SCEA Marsalette, 31, rte de Loustalade, 33850 Léognan, tél. 05.56.64.09.93, fax 05.56.64.10.08 🆅
🕿 Boutemy-Von Nepperg-Sarpoulet

DOM. DE MERLET 1999

■	3,2 ha	18 000	🍷 8 à 11 €

Abandonné lors de la crise phylloxérique, ce cru a été reconstitué en 1989. Célébrant ainsi ses dix ans, le 99 se montre intéressant par son équilibre qui lui permet d'être à la fois souple, rond et bien construit. On pourra profiter de son élégance pendant les trois à cinq prochaines années.
🕿 Indivision Tauzin, 35, cours du Mal-Leclerc, 33850 Léognan, tél. 05.56.64.77.74, fax 05.56.64.77.74 🆅 ⊥ r.-v.

CH. MIREBEAU 1999

■	4,28 ha	27 000	🍶🍷 🧊 15 à 23 €

Ce petit cru, géré par le château d'Ardennes (graves) et entièrement consacré aux cépages rouges, offre un vin souple et velouté qui évoluera assez rapidement, mais que son expression aromatique rendra très agréable pendant les deux à trois ans à venir. Ses notes de fruits, de caramel, d'amande grillée et de tabac sont aussi élégantes que ses tanins veloutés.

⌐ SCEA Ch. d' Ardennes, 33650 Martillac,
tél. 05.56.72.61.76, fax 05.56.62.43.67 ☑ ⵏ r.-v.
⌐ Cyril Dubeney

CH. LA MISSION HAUT-BRION 1999★★

■ Cru clas.	n.c.	n.c.	⦿ 46 à 76 €

78 80 81 |82| |83| 84 |85| |86| 87 |88| 89 ⑨ 92 |93| |94|
95 ⑨ 97 98 99

Les lazaristes, auxquels ce cru doit son nom, avaient
le sens du terroir. Et ce sont bien les grandes qualités du
sol qui l'a vu naître qui s'expriment pleinement dans ce vin
d'une très belle teinte et d'une grande complexité aromatique (cannelle, myrtille, petits fruits rouges, fruits mûrs).
Celui-ci attaque avec beaucoup de moelleux avant de
révéler une trame serrée, une matière élégante et une
délicate expression de cerise mûre et de boisé. Pleine, riche
et persistante, la finale clôt avec beaucoup de bonheur la
dégustation de cette bouteille qui méritera un séjour en
cave d'une dizaine ou d'une douzaine d'années. Seconde
étiquette du cru, **La Chapelle de la Mission Haut-
Brion (30 à 38 €)** a reçu une citation. Son nez de fruits
rouges et d'épices, ses tanins serrés, son boisé fondu le
rendent agréable dès à présent et pour cinq à six ans au
moins.
⌐ Dom. Clarence Dillon, Ch. Haut-Brion,
33608 Pessac Cedex, tél. 05.56.00.29.30,
fax 05.56.98.75.14, e-mail info@haut-brion.com ⵏ r.-v.

CH. OLIVIER 1999★

■ Cru clas.	35,8 ha	n.c.	⦿ 15 à 23 €

82 83 |85| |86| 87 |88| |89| |90| 91 92 |93| |94| 95 96 |97|
98 99

Fondé au XIIᵉ s., entouré de douves en eau, Olivier est
depuis ses origines un domaine viticole. Pour les amateurs
d'architecture et d'histoire, s'il n'y avait qu'une étape à
retenir dans l'appellation ce serait celle-ci, car elle offre
l'occasion de découvrir ce vin qui s'inscrit dans l'esprit du
pessac-léognan et du Bordelais par son élégance. Celle-ci
s'exprime non seulement à travers la limpidité de la robe,
mais aussi à travers la complexité du bouquet, aux jolis
accents de fruits noirs (mûre cuite) et de torréfaction
(moka), ou la grande distinction du palais, tout en nuances,
et de la longue finale.
⌐ Jean-Jacques de Bethmann, Ch. Olivier,
175, avenue de Bordeaux, 33850 Léognan,
tél. 05.56.64.73.31, fax 05.56.64.54.23,
e-mail chateau-olivier@wanadoo.fr ☑ ⵏ r.-v.

CH. PAPE CLEMENT 1999★★

■ Cru clas.	n.c.	85 000	⦿ 38 à 46 €

75 78 79 80 ⑧ 82 83 85 |86| 87 |88| 89 90 91 92
|93| |94| 95 96 97 98 99

Avec une belle nappe de graves recouvrant une assise
calcaire, le domaine de Pape Clément bénéficie d'un grand
terroir viticole. Mais celui-ci serait sans fruits si la conduite
de la vigne et le travail du chai n'étaient pas à la hauteur
des conditions naturelles. Le résultat est un vin dont l'éclat
apparaît dès le premier regard porté sur sa robe grenat.
Racé et délicat, son bouquet joue sur les notes animales
(cuir, musc) et les fruits confits pour préparer à la
rencontre d'un palais rond et moelleux, avec des tanins
mûrs. En finale le fruit resurgit en compagnie de saveurs
poivrées. Une très jolie bouteille à attendre trois ou quatre
ans.

⌐ Ch. Pape Clément, 216, av du Dr-Nancel-Penard,
BP 164, 33600 Pessac, tél. 05.57.26.38.38,
fax 05.57.26.38.39, e-mail chateau@pape-clement.com
ⵏ r.-v.
⌐ Bernard Magrez

CH. PAPE CLEMENT 2000

■	2,5 ha	6 000	⦿ 38 à 46 €

92 ⑨ 94 96 |97| 98 99 |00|

S'il est moins étendu que celui de rouge et n'est pas
classé, le vignoble blanc de Pape Clément n'en est pas
négligé pour autant. Assemblant 10 % de muscadelle aux
sauvignon et sémillon à parts égales, ce vin laisse une
impression de délicatesse dans sa robe légèrement jaune
citron, comme dans son bouquet aux notes de noix fraîche,
de coing et de beurre. Frais à l'attaque, le palais fait preuve
ensuite d'originalité par ses saveurs douces que relaie une
finale pleine et vive.
⌐ Ch. Pape Clément,
216, av du Dr-Nancel-Penard, BP 164, 33600 Pessac,
tél. 05.57.26.38.38, fax 05.57.26.38.39,
e-mail chateau@pape-clement.com ⵏ r.-v.

CH. PICQUE CAILLOU 1999★

■	14 ha	60 000	⦿ 15 à 23 €

81 86 |88| |89| |90| 93 94 95 |96| 98 99

Comme l'indique son nom, ce cru bénéficie d'un
terroir de qualité. A cela s'ajoutant un travail méticuleux,
on obtient un vin annonçant sa jeunesse par les reflets
violets de sa robe comme par la puissance du bouquet
(fruits très mûrs avec des notes animales et boisées).
Souple, tout en nuances et d'une belle ampleur, le palais
mène en douceur vers une longue finale aux tanins soyeux.
Très réussie, cette bouteille méritera une garde supérieure
à cinq ans. Rond et gras, le **Picque Caillou blanc 2000
(11 à 15 €)** a obtenu une citation. Il saura vieillir en
conservant son expression aromatique.
⌐ GFA Ch. Picque Caillou,
av. Pierre-Mendès-France, 33700 Mérignac,
tél. 05.56.47.37.98, fax 05.56.97.99.37 ☑ ⵏ r.-v.
⌐ Pauline et Isabelle Calvet

CH. PONTAC MONPLAISIR 2000

■	3 ha	23 000	⦿ 8 à 11 €

90 93 ⑨ ⑨ 97 |98| 00

Appartenant depuis les XVIᵉ et XVIIᵉs. aux Pontac
qui firent la gloire des vins de Bordeaux, ce cru de 16 ha
propose un millésime au caractère enjoué : les petites
fragrances de miel, d'agrumes et de vanille s'accordent
bien avec le côté gras et séveux. L'attendre deux ou trois
ans.
⌐ Jean et Alain Maufras, Ch. Pontac Monplaisir,
33140 Villenave-d'Ornon, tél. 05.56.87.08.21,
fax 05.56.87.35.10 ☑ ⵏ r.-v.

CH. DE ROCHEMORIN 1999★

■	n.c.	n.c.	⦿ 11 à 15 €

85 86 88 89 90 91 92 93 94 |95| |96| 97 98 99

Ce domaine était en vignes quand Montesquieu,
enfant, jouait dans la vieille bâtisse. Aujourd'hui, son vin
est toujours à la hauteur de sa réputation, comme en
témoigne ce millésime. D'une belle robe rubis à la frange
carmin, il développe un bouquet déjà expressif (amande et
tabac soutenus par des odeurs de bois) et un palais ample,
charnu. Les tanins bien enrobés et le bois de qualité le

BORDELAIS

destinent à une garde de quatre ou cinq ans. Le **Rochemorin blanc 2000** s'est vu attribuer une citation. Gras et joliment boisé, il est déjà agréable.

🐦 Vignobles André Lurton, Ch. Bonnet,
33420 Grézillac, tél. 05.57.25.58.58, fax 05.57.74.98.59,
e-mail andrelurton @ andrelurton.com ☑ ⵏ r.-v.

CH. DE ROUILLAC 1999★★

■	7,5 ha	n.c.	🍶 🕮 ⬇ 15 à 23 €

Des mêmes producteurs que les Châteaux Loudenne (médoc) et l'Hospital (graves), ce pessac-léognan de conception moderne est d'une belle tenue. Tant par sa robe sombre presque noire que par son bouquet naissant aux profondes notes de pruneau. Le bois est encore très présent, mais les solides tanins de la charpente ne demandent qu'à laisser le temps au merrain de se fondre. Une illustration du style de l'œnologue Michel Rolland.

🐦 SCS Vignobles Lafragette, Ch. de Rouillac,
33610 Canéjan, tél. 05.56.89.41.68, fax 05.56.89.41.68,
e-mail vincent-painturaud @ free.fr ☑ ⵏ r.-v.

CH. LE SARTRE 2000★

■	7 ha	30 000	🕮 8 à 11 €

92 93 94 95 |**96**| 97 |98| |99| |00|

Né au sud-ouest de Léognan dans un vignoble restauré par Anthony Perrin en 1981, ce vin assemble 70 % de sauvignon au sémillon. Dans une robe jaune pâle à reflets verdâtres, il convainc le dégustateur : le palais complexe (fruits exotiques, agrumes et pain d'épice) et le palais fin, frais et bien constitué sont réellement raffinés. On pourra le boire jeune ou l'attendre quelques années.

🐦 GFA du Sartre et de Bois Martin, Ch. Le Sartre,
33850 Léognan, tél. 05.57.96.56.20, fax 05.57.96.59.19,
e-mail chateau.carbonnieux @ wanadoo.fr ☑ ⵏ r.-v.
🐦 Perrin

CH. SEGUIN 1999★★

■	17 ha	20 000	🕮 8 à 11 €

Nous avons déjà eu l'occasion de signaler les importants efforts qualitatifs entrepris par la famille Darriet et le groupe Loticis sur ce cru depuis 1990. Ils trouvent leur concrétisation dans ce millésime parfaitement réussi. Très soutenue, la couleur offre une palette de nuances de rouge. Le bouquet, où les notes de fruits noirs (cassis) et de torréfaction se marient avec heurt, et le palais aux tanins généreux et mûrs font preuve du même sens de l'équilibre. Ample, imposant, charnu, ce vin marque sa personnalité de belles notes aromatiques qui conduisent tout naturellement vers une finale puissante et subtile qu'enrichissent de savoureuses sensations de chocolat noir et de poivre.

🐦 SC Dom. de Seguin, chem. de la House,
33610 Canéjan, tél. 05.56.75.02.43, fax 05.56.89.35.41,
e-mail chateau-seguin @ wanadoo.fr
☑ ⵏ t.l.j. sf dim. 9h-12h 14h-18h

CH. SMITH HAUT LAFITTE 2000★★

■	11 ha	30 000	🕮 38 à 46 €

88 89 90 91 **92** 93 94 |95| **96** |97| ⑨ **99** 00

Modernisation des équipements, rénovation du château, valorisation du terroir, sélection des méthodes de conduite de la vigne, construction d'un complexe hôtel et vinothérapie, peu de crus ont connu autant de mutations que Smith. Rien d'étonnant d'y voir naître des vins comme ce très beau 2000. Jaune paille, il est un rien sauvage dans son bouquet qui porte la marque du sauvignon. Au palais,

les notes de pamplemousse et d'orange bien mûre laissent la place à des arômes floraux et fruités, tandis que le dégustateur est séduit par la rondeur et le côté chaleureux. La finale apporte une volute de fumée et laisse sur le souvenir d'un ensemble d'une réelle finesse. La seconde étiquette, **les Hauts de Smith blanc 2000** (11 à 15 €), n'est pas sans rappeler son grand frère par ses arômes ; elle reçoit une étoile.

🐦 Daniel Cathiard, Ch. Smith Haut Lafitte,
33650 Martillac, tél. 05.57.83.11.22, fax 05.57.83.11.21,
e-mail cathiard @ smith-haut-lafitte.com ☑ ⵏ r.-v.

CH. SMITH HAUT LAFITTE 1999★

■ Cru clas.	45 ha	96 000	🕮 23 à 30 €

61 62 70 **71** 72 73 ⑦ 80 82 **83** 85 86 87 |**88**| |**89**| |**90**| |**91**| **92 93 94** |**95**| 96 |97| **98** 99

Ce vin possède beaucoup d'élégance, notamment au bouquet où les fruits rouges mûrs s'associent heureusement aux notes empyreumatiques. Souple à l'attaque, puis généreux et puissant, le palais développe des tanins doux, mais présents et d'agréables saveurs réglissées qui donnent son caractère délicat à la finale.

🐦 Daniel Cathiard, Ch. Smith Haut Lafitte,
33650 Martillac, tél. 05.57.83.11.22, fax 05.57.83.11.21,
e-mail cathiard @ smith-haut-lafitte.com ☑ ⵏ r.-v.

DOM. DE LA SOLITUDE 1999

■	n.c.	10 000	🕮 15 à 23 €

Si son appartenance à la congrégation religieuse de la Sainte-Famille fit la renommée de ce vignoble, c'est aujourd'hui l'équipe de Chevalier qui en est fermier et qui signe le vin. Fidèle à la teinte pâle du cru, ce 2000 s'ouvre sur des notes délicates de pêche de vendange et d'agrumes. Rond à l'attaque et vif en finale, le palais est plaisant et joue sur les notes du sauvignon.

🐦 SC Dom. de Chevalier, 33850 Léognan,
tél. 05.56.64.16.16, fax 05.56.64.18.18,
e-mail domainedechevalier @ domainedechevalier.com
☑ ⵏ r.-v.

CH. LE THIL COMTE CLARY 1999★

■	8,5 ha	45 000	🕮 11 à 15 €

La nature des sols, argilo-calcaires et graveleux, a déterminé la faveur accordée au merlot dans l'encépagement. Le bon équilibre semble avoir été trouvé si l'on en juge d'après la qualité de ce vin. Celle-ci apparaît dès la robe, limpide à souhait, et se confirme tout au long de la dégustation avec un bouquet puissant, puis des tanins veloutés et poivrés. Souple et doux, le palais permet au fruit de s'exprimer avec beaucoup de nuances jusqu'à la longue et riche finale. Seconde étiquette du cru, le **Reflets du Château Le Thil Comte Clary** (8 à 11 €) a reçu une citation. Il ne sera pas de longue garde.

🐦 Ch. le Thil Comte Clary, Le Thil, 33850 Léognan,
tél. 05.56.30.01.02, fax 05.56.30.04.32,
e-mail jean-de-laitre @ chateau.le.thil.com ☑ ⵏ r.-v.
🐦 Barons de Laitre

CH. LA TOUR HAUT-BRION 1999★

■ Cru clas.	4,9 ha	n.c.	🕮 38 à 46 €

78 79 80 81 |82| |**83**| 84 |**85**| |86| 87 |88| |89| |90| 92 |93| |**94**| **95** 96 97 98 99

Situé à côté de la Mission, ce cru est constitué par 55 % de cabernet-sauvignon, 20 % de cabernet franc et 25 % de merlot. Ce millésime, élevé vingt mois en barrique, offre bien des qualités. Paré d'une robe grenat à reflets sombres, très profonds, il affiche un bouquet dense avec de chaleureux parfums mariant les notes de cacao et de cannelle. Le palais parfaitement construit sur de frais tanins se révèle marqué par le fût sans que le fruit soit masqué. A attendre de six à dix ans.

↝ Dom. Clarence Dillon, Ch. Haut-Brion,
33608 Pessac Cedex, tél. 05.56.00.29.30,
fax 05.56.98.75.14, e-mail info@haut-brion.com ⌇ r.-v.

CH. LA TOUR LEOGNAN 2000★

	10 ha	60 000	⊞ 8 à 11 €
96 97 98	99	00			

Né sur un cru voisin de Carbonnieux et vinifié par la même équipe, ce vin (60 % sauvignon, 40 % sémillon) affirme sa personnalité par la diversité de son bouquet qu'agrémentent des notes de fleurs blanches (acacia, aubépine) et de pêche de vendange. Suave, bien équilibré et séveux, c'est incontestablement un vin de garde à attendre deux ou trois ans.

↝ SC des Grandes Graves, Ch. Carbonnieux,
33850 Léognan, tél. 05.57.96.56.20, fax 05.57.96.59.19,
e-mail chateau.carbonnieux@wanadoo.fr ☑ ⌇ r.-v.
↝ Perrin

CH. TRIGANT 1999

	3,1 ha	22 600	▮⊞⬇ 8 à 11 €

A l'ancienneté de sa chartreuse et de son histoire, ce cru ajoute l'attrait de son vin dont le bouquet frais et fruité est suivi d'une structure souple et équilibrée. Puissante et longue, la finale vient rappeler que cette bouteille pourra être attendue, même si elle est déjà agréable.

↝ GFA du Ch. Trigant, 149, av. des Pyrénées,
33140 Villenave-d'Ornon, tél. 05.56.75.82.49,
fax 05.56.75.82.49, e-mail jbecquert@wanadoo.fr
☑ ⌇ r.-v.

Le Médoc

Dans l'ensemble girondin, le Médoc occupe une place à part. A la fois enclavés dans leur presqu'île et largement ouverts sur le monde par un profond estuaire, le Médoc et les Médocains apparaissent comme une parfaite illustration du tempérament aquitain, oscillant entre le repli sur soi et la tendance à l'universel. Et il n'est pas étonnant d'y trouver aussi bien de petites exploitations familiales presque inconnues que de grands domaines prestigieux appartenant à de puissantes sociétés françaises ou étrangères.

S'en étonner serait oublier que le vignoble médocain (qui ne représente qu'une partie du Médoc historique et géographique) s'étend sur plus de 80 km de long et 10 de large. Le visiteur peut donc admirer non seulement les grands châteaux du vin du siècle dernier, avec leurs splendides chais-monuments, mais aussi partir à la découverte approfondie du pays. Très varié, celui-ci offre aussi bien des horizons plats et uniformes (près de Margaux) que de belles croupes (vers Pauillac), ou l'univers tout à fait original du Médoc dans sa partie nord, à la fois terrestre et maritime. La superficie des AOC du Médoc représente environ 15 400 ha.

Pour qui sait quitter les sentiers battus, le Médoc réserve plus d'une heureuse surprise. Mais sa grande richesse, ce sont ses sols graveleux, descendant en pentes douces vers l'estuaire de la Gironde. Pauvre en éléments fertilisants, ce terroir est particulièrement favorable à la production de vins de qualité, la topographie permettant un drainage parfait des eaux.

On a pris l'habitude de distinguer le haut-Médoc, de Blanquefort à Saint-Seurin-de-Cadourne, et le nord Médoc, de Saint-Germain-d'Esteuil à Saint-Vivien. Au sein de la première zone, six appellations communales produisent les vins les plus réputés. Les soixante crus classés sont essentiellement implantés sur ces appellations communales ; cependant, cinq d'entre eux portent exclusivement l'appellation haut-médoc. Les crus classés représentent approximativement 25 % de la surface totale des vignes du Médoc, 20 % de la production de vins et plus de 40 % du chiffre d'affaires. A côté des crus classés, le Médoc compte de nombreux crus bourgeois qui assurent la mise en bouteilles au château et jouissent d'une excellente réputation. Plusieurs caves coopératives existent dans les appellations médoc et haut-médoc, mais aussi dans trois appellations communales.

Le vignoble du Médoc s'étend sur 15 140 ha répartis du nord au sud entre huit appellations d'origine contrôlées. Il existe deux appellations sous-régionales, médoc et haut médoc (60 % du vignoble médocain), et six appellations communales : saint-estèphe, pauillac, saint-julien, listrac-médoc, moulis en médoc et margaux (40 % du vignoble médocain). L'appellation régionale étant bordeaux comme le reste du vignoble du Bordelais.

Cépage traditionnel en Médoc, le cabernet-sauvignon est probablement moins important qu'autrefois, mais il couvre 52 % de la totalité du vignoble. Avec 34 %, le merlot vient en deuxième position ; son vin, souple, est aussi d'excellente qualité et d'évolution plus rapide, il peut être consommé plus jeune. Le cabernet franc, qui apporte de la finesse, représente 10 %. Enfin, le petit verdot et le malbec ne jouent pas un bien grand rôle.

Les vins du Médoc jouissent d'une réputation exceptionnelle ; ils sont parmi les plus prestigieux vins rouges de France et du monde. Ils se remarquent à leur couleur rubis, évoluant vers une teinte tuilée, ainsi qu'à leur bouquet fruité dans lequel les notes épicées de cabernet se mêlent souvent à celles, vanillées, qu'apporte le chêne neuf. Leur structure tannique, dense et complète en même temps qu'élégante et moelleuse, et leur parfait équilibre autorisent un excellent comportement au vieillissement ; ils s'assouplissent sans maigrir et gagnent en richesse olfactive et gustative.

Médoc

L'ensemble du vignoble médocain (15 400 ha) a droit à l'appellation médoc ; mais en pratique celle-ci n'est utilisée que dans le nord de la presqu'île, à proximité de Lesparre, les communes situées entre Blanquefort et Saint-Seurin-de-Cadourne pouvant revendiquer celle de haut-médoc ou des communales, dans le cadre de leurs zones délimitées spécifiques. Malgré cela, l'appellation médoc est la plus importante avec 5 188 ha et une production de 302 081 hl en 2001.

Les médoc se distinguent par une couleur généralement très soutenue. Avec un pourcentage de merlot plus important que dans les vins du haut Médoc et des appellations communales, ils possèdent souvent un bouquet fruité et beaucoup de rondeur en bouche. Certains, provenant de belles croupes graveleuses isolées, présentent aussi une grande finesse et une richesse tannique.

CH. L'ARGENTEYRE
Vieilles vignes Elevé en barrique 1999★★

■	8,5 ha	50 000	🍷⑪	5 à 8 €

Il n'y a pas de secret, le vigneron doit s'armer de patience même s'il bénéficie d'un grand terroir. Seules des vignes d'un âge respectable peuvent donner sa plénitude au vin. Cette cuvée Vieilles vignes en apporte une brillante démonstration tout au long de la dégustation. De la robe, à la belle couleur rubis, jusqu'au palais, très bien équilibré, « tout est bon », comme l'a noté un des dégustateurs. Déjà plaisante par son bouquet fin et fruité, cette bouteille pourra être attendue. Plus rustiques mais également bien constituées, la **cuvée principale 99** et la **cuvée Prestige 99 élevée en barrique** ont obtenu chacune une citation.
➤ GAEC des vignobles Reich, Ch. L'Argenteyre, rte de Courbian, 33340 Bégadan, tél. 05.56.41.52.34, fax 05.56.41.52.34
☑ 丫 t.l.j. 9h-12h 14h-18h

CH. BEJAC ROMELYS
Elevé en fût de chêne 1999★★

■ Cru artisan	14,88 ha	8 060	🍷⑪	5 à 8 €

Avec ce 99, ce cru et les jeunes viticulteurs qui le conduisent font une belle entrée dans le Guide. Dicté par le terroir agilo-calcaire, le choix d'accorder une large place au merlot (50 % de l'encépagement) a marqué le vin. D'une teinte profonde et intense, celui-ci développe un bouquet finement boisé-grillé avec, en arrière-plan, d'agréables nuances de fruits mûrs, avant de laisser de jolies sensations veloutées en attaque. Riche, élégant, l'ensemble est de belle facture et ses tanins croquants le promettent à un grand avenir.
➤ Xavier et Sylvie Berrouet, 4, rue de Rigon, 33340 Saint-Yzans-de-Médoc, tél. 05.56.09.08.21, fax 05.56.09.06.68, e-mail romelys@aol.com ☑ 丫 r.-v.

CH. BELLEGRAVE
Cuvée spéciale Vieilli en fût de chêne neuf 1999★

■ Cru bourg.	2 ha	3 000	⑪	11 à 15 €

Propriété centenaire d'une vingtaine d'hectares, ce château propose une Cuvée spéciale assemblant à parts égales merlot et cabernet-sauvignon. Le passage de dix-huit mois en barrique a profondément marqué (notes torréfiées) ce vin. Porté par une structure honorable, l'ensemble exprimera sa personnalité sur une entrecôte bordelaise. Encore un peu fermée, la cuvée principale **Château Bellegrave 99 (5 à 8 €)** a obtenu une citation.
➤ EARL des Vignobles Caussèque, 8, rue de Janton, 33340 Valeyrac, tél. 05.56.41.53.82, fax 05.56.41.50.10
☑ 丫 r.-v.

CH. BELLERIVE 1999

■ Cru bourg.	13 ha	90 000	🍷⑪	5 à 8 €

Figure emblématique de Valeyrac, M. Perrin a passé la main en 1997 à sa fille Annie. Avec ce 99 né sur de belles graves garonnaises, celle-ci a joué la carte de la souplesse et de la rondeur, mais sans sacrifier le côté tannique qui permettra à ce vin d'une couleur soutenue d'être attendu deux ou trois ans.
➤ SCEA Ch. Bellerive-Perrin, 1, rte des Tourterelles, 33340 Valeyrac, tél. 05.56.41.52.13, fax 05.56.41.52.13 ☑ 丫 r.-v.
➤ Annie Perrin

CH. DE BENSSE 1999

■	7,9 ha	60 000	🍷⑪♨	5 à 8 €

Propriété de l'actuel président de la cave de Prignac, ce cru bénéficie de tous les principes qualitatifs mis en place par cette coopérative, y compris la traçabilité. Encore un peu dominé par le bois, son 99, souple mais bien structuré, sera d'ici un à deux ans le bon compagnon d'une viande grillée au barbecue.
➤ Cave Les Vieux Colombiers, 23, rue des Colombiers, 33340 Prignac-en-Médoc, tél. 05.56.09.01.02, fax 05.56.09.03.67, e-mail vieuxcolombiers@wanadoo.fr ☑ 丫 t.l.j. sf sam. dim. 8h30-12h30 14h-17h30
➤ Marc Bahougne

CH. BESSAN SEGUR
Elevé en fût de chêne 1999★

■ Cru bourg.	49,89 ha	303 000	⑪	5 à 8 €

Il faut saluer la volonté de Rémi Lacombe, qui a su passer en peu de temps de la culture du maïs à celle de la vigne. Avec succès, comme en témoigne ce 99 qui ne se contente pas d'arborer une robe limpide d'un rouge vif et profond. De discrètes notes de vanille et de pain grillé donnent de la complexité au bouquet, tandis que le palais s'inscrit dans la tradition médocaine par sa persistance et sa structure qui invite à attendre quatre ou cinq ans avant d'ouvrir cette bouteille.

➤ Rémi Lacombe, Bessan Ségur,
33340 Civrac-en-Médoc,
tél. 05.56.41.56.91, fax 05.56.41.59.06,
e-mail scflacombe@free.fr ☑ ⊺ r.-v.

Pour trouver un vin, consultez l'Index en fin de volume.

BORDELAIS

Le Médoc et le Haut-Médoc

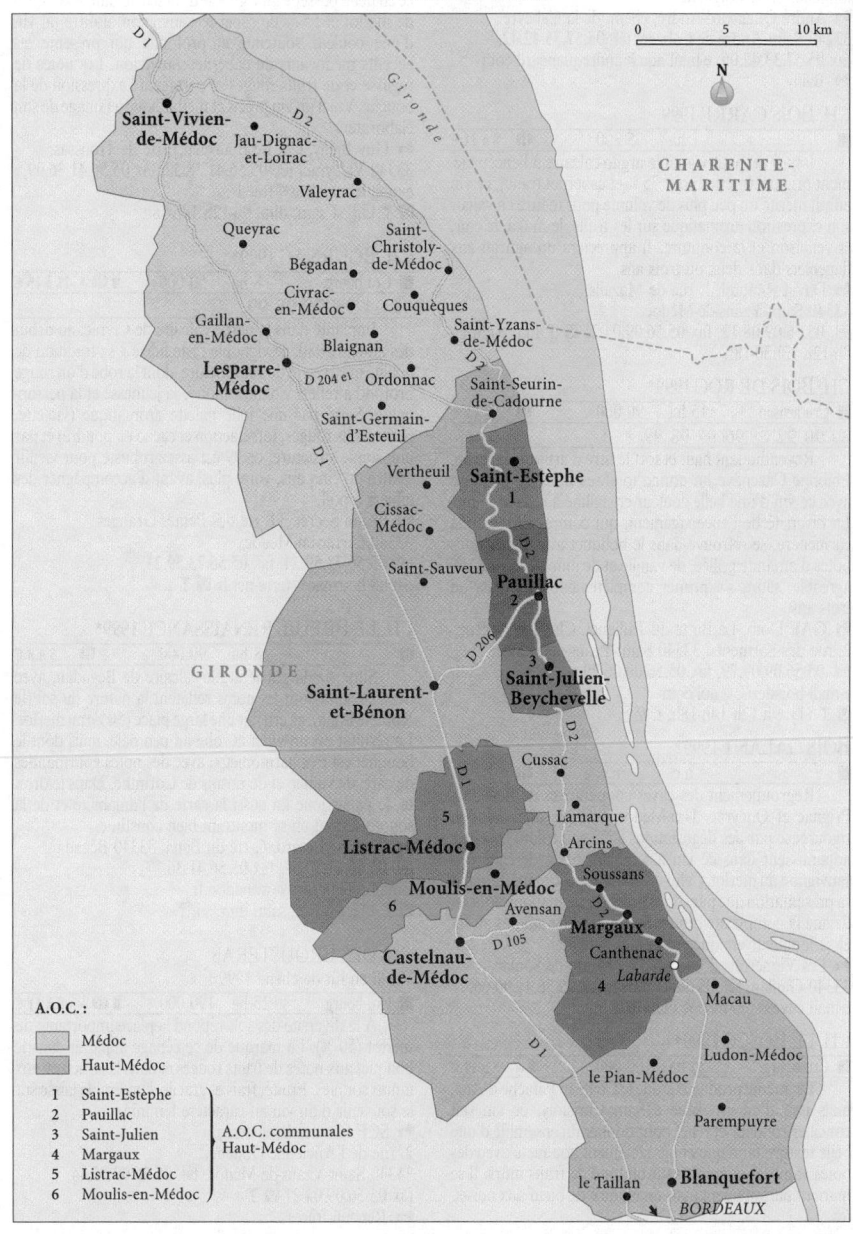

A.O.C. :

▢ Médoc
▣ Haut-Médoc

1   Saint-Estèphe
2   Pauillac
3   Saint-Julien   A.O.C. communales
4   Margaux   Haut-Médoc
5   Listrac-Médoc
6   Moulis-en-Médoc

CH. BOIS CARDON

Elevé en fût de chêne 1999

■ Cru bourg.	n.c.	46 600	❶❶ 5 à 8 €

Issu d'un vignoble du château Le Bourdieu replanté à Valeyrac dans les années 1980, ce vin n'a pas souffert de la jeunesse relative des ceps. Sa jolie teinte rouge à reflets carmin, son bouquet fin et frais, avec des notes de vanille légèrement poivrée, son gras, son volume, ses tanins et sa longueur en témoignent.

➤ André Quancard-André, chem. de la Cabeyre, 33340 Saint-André-de-Cubzac, tél. 05.57.33.42.42, fax 05.57.33.42.05, e-mail aqa@andrequancard.com
➤ Bailly

CH. BOIS CARRE 1999

■	1 ha	5 300	❶❶ 8 à 11 €

Issu d'un petit vignoble argilo-calcaire à l'encépagement original (merlot pour 75 % et cabernet franc), ce vin aurait mérité un peu plus de volume pour mettre en valeur son expression aromatique sur les fruits, le moka, le cuir, la venaison et la confiture. Il appréciera un agneau aux flageolets dans deux ou trois ans.

➤ David Renouil, 1, rue de Mazails, 33340 Saint-Yzans-de-Médoc, tél. 05.56.09.08.12, fax 05.56.09.04.21 ☑ ⵙ t.l.j. sf dim. 8h-12h 13h30-18h

CH. BOIS DE ROC 1999★

■ Cru artisan	15 ha	90 000	❶❶ 5 à 8 €

89 90 92 ⓐ |96| 97 98 99

Revendiquant haut et fort le titre d'artisan vigneron, Philippe Cazenave lui donne tous ses titres de noblesse avec ce vin d'une belle couleur cristalline à reflets violine. La diversité de l'encépagement, qui comprend même la carmenère, se retrouve dans le bouquet avec d'élégantes notes d'amande grillée, de vanille et de mûre. L'ensemble, agréable, saura s'exprimer complètement d'ici deux ou trois ans.

➤ GAF Dom. La Butte du Taillanet, Ch. Bois de Roc, 2, rue des Sarments, 33340 Saint-Yzans-de-Médoc, tél. 05.56.09.09.79, fax 05.56.09.06.29, e-mail boisderoc@aol.com
☑ ⵙ t.l.j. 9h-12h 14h-18h; f. fév.

BOIS GALANT 1999★

■	n.c.	n.c.	❶❶ 5 à 8 €

Regroupement des caves coopératives de Bégadan, Prignac et Queyrac, Uni-Médoc pratique une sélection rigoureuse par des dégustations à l'aveugle dont les effets apparaissent dans ce vin assemblant 65 % de cabernet-sauvignon au merlot. Celui-ci est d'une belle tenue, tant par sa présentation que par son expression aromatique dont on devine la complexité future. Ses tanins bien mariés au fût et sa longueur annoncent un réel potentiel.

➤ Les Vignerons d'Uni-Médoc, 14, rte de Soulac, 33340 Gaillan, tél. 05.56.41.03.12, fax 05.56.41.00.66, e-mail cave@uni-medoc.com ☑ ⵙ r.-v.

CH. LE BOSCQ 1999★

■ Cru bourg.	15 ha	100 000	❶❷ 8 à 11 €

Du même producteur que le Château Patache d'Aux, mais issu d'un cru situé à Saint-Christoly, ce vin sait concilier rondeur et relief pour donner un ensemble d'une belle texture tannique et agréablement bouqueté avec des notes vanillées et épicées sur un fond de fruits mûrs. Il se mariera parfaitement avec un émincé de bœuf aux noisettes.

➤ SA Patache d'Aux, 1, rue du 19-Mars, 33340 Bégadan, tél. 05.56.41.50.18, fax 05.56.41.54.65, e-mail info@domaineslapalu.com ⵙ r.-v.

CH. LE BOURDIEU 1999

■ Cru bourg.	25 ha	186 130	❶❶ 8 à 11 €

90 91 92 93 |95| |96| 97 98 99

Reconstitué en 1978 sur une croupe sablo-graveleuse, ce château possède un vignoble d'un seul tenant. Avec 45 % de merlot et 55 % de cabernet-sauvignon, il offre un vin d'une couleur soutenue et profonde qui présente les accents médocains du cabernet-sauvignon. Les notes de réglisse et de fruits rouges se partagent l'expression de la bouche. Voici un vin précis et méthodique à l'image de son élaboration.

➤ Guy Bailly, Ch. Le Bourdieu,1, rte de Troussas, 33340 Valeyrac, tél. 05.56.41.58.52, fax 05.56.41.36.09, e-mail lebourdieu@free.fr
☑ ⵙ t.l.j. sf sam. dim. 9h-12h 14h-18h

CH. BOURNAC 1999★★

■ Cru bourg.	8 ha	50 000	❶❶❶ 11 à 15 €

93 94 |95| |96| 98 99

Implanté dans la partie calcaire de Civrac, au début des années 1980, ce vignoble reste fidèle à sa tradition de qualité avec ce vin de belle facture, dont la robe d'un rouge profond à reflets violine annonce la jeunesse et la personnalité. Servi par une jolie palette aromatique (violette, petits fruits rouges, torréfaction et cacao en poudre) et par une solide structure, ce 99 est assez robuste pour vieillir quatre ou cinq ans, voire plus, avant d'accompagner des gibiers à poil.

➤ Bruno Secret, 11, rte des Petites-Granges, 33340 Civrac-en-Médoc, tél. 05.56.73.59.24, fax 05.56.73.59.23, e-mail bournac@terre-net.fr ☑ ⵙ r.-v.

CH. LE BREUIL RENAISSANCE 1999★

■	18 ha	90 000	❶❶ 5 à 8 €

Situé sur la partie argilo-calcaire de Bégadan, avec des lieux-dits dont les noms reflètent la nature du sol (le Rôtit, le Bana), ce cru fait une large place (50 %) au merlot. Le résultat est un vin à la robe un peu pâle, mais dont le bouquet est très harmonieux, avec des notes gourmandes de café, de vanille et de raisins de Corinthe. Dans le droit fil, le palais joue lui aussi la carte de l'amabilité et de la souplesse tout en se montrant bien constitué.

➤ Philippe Bérard, 6, rte du Bana, 33340 Bégadan, tél. 05.56.41.50.67, fax 05.56.41.36.77, e-mail phil.berard@wanadoo.fr
☑ ⵙ t.l.j. 9h-17h; sam. dim. sur r.-v.

CH. DES BROUSTERAS

Vieilli en fût de chêne 1999

■ Cru bourg.	25 ha	190 000	❶❶❶ 8 à 11 €

A la diversité des sols répond la place importante du merlot (50 %). La marque de ce cépage apparaît dans le bouquet aux notes de fruits rouges et dans la structure aux tanins souples. Fruité, frais et gracile, l'ensemble laisse sur le souvenir d'un vin au caractère féminin.

➤ SCF Ch. des Brousteras, 2, rue de l'Ancienne-Douane, 33340 Saint-Yzans-de-Médoc, tél. 05.56.09.05.44, fax 05.56.09.04.21 ☑ ⵙ r.-v.
➤ Renouil frères

CH. CANTEGRIC 1999★

■ Cru artisan	1 ha	6 000	◫ 5 à 8 €

95 |96| |97| 98 99

Issu d'un petit vignoble de cabernets (majoritaires) et de merlot établi sur un terroir argilo-calcaire, ce vin est d'une production très confidentielle mais de qualité. D'une couleur rubis, il développe un bouquet aux notes de clou de girofle sur fond de fruits mûrs. Franc, dense et gras, le palais tire profit d'un boisé bien dosé et fondu. Tout invite à attendre cette jolie bouteille trois ou quatre ans.

↰ GFA du Ch. Cantegric,
10, av. Charles-de-Gaulle, 33340 Saint-Christoly-Médoc,
tél. 05.56.41.57.00, fax 05.56.41.89.36,
e-mail ch.cantegric@wanadoo.fr ☑ ⊤ r.-v.

↰ Joany-Feugas

CH. LA CARDONNE 1999★★

■ Cru bourg.	87,4 ha	450 000	◫ 15 à 23 €

88 89 90 94 |95| |96| 97 98 99

Fer de lance des domaines CGR, ce cru fait partie des classiques de l'AOC médoc. Une fois encore, il justifie sa réputation par la qualité de son vin. Tout au long de la dégustation, le 99 apporte la démonstration de son aptitude au vieillissement : robe rubis foncé, bouquet aux puissantes notes de torréfaction, structure riche et pleine. Egalement tannique et de garde, son voisin du même producteur, le **Château Ramafort 99**, a obtenu une étoile.

↰ Les Domaines CGR, rte de la Cardonne,
33340 Blaignan, tél. 05.56.73.31.51, fax 05.56.73.31.52,
e-mail mguyon@domaines-cgr.com ☑ ⊤ t.l.j. sf sam.
dim. 8h30-12h 13h30-17h; groupes sur r.-v.

CH. LA CAUSSADE 1999★

■	8,84 ha	13 000	▮◫⚘ 5 à 8 €

Aux détracteurs des Châteaux vinifiés en coopérative, la cave de Bégadan répond par un système de traçabilité de ses productions et par la qualité de vins comme celui-ci. Agréable par sa couleur et par la complexité de son bouquet, il développe non seulement une solide structure tannique, mais aussi un côté charnu.

↰ Les Vignerons d'Uni-Médoc, Cave Saint-Jean,
2, rte de Canissac, 33340 Bégadan, tél. 05.56.41.50.13,
fax 05.56.41.50.78, e-mail saintjean@uni-medoc.com
☑ ⊤ t.l.j. sf dim. 8h30-12h30 14h-17h30; sam. 9h-12h

CH. CHANTELYS 1999

■ Cru bourg.	8 ha	30 000	◫ 11 à 15 €

Né sur argilo-calcaire, ce vin s'inscrit dans la tradition médocaine par son encépagement. D'une belle couleur sombre, marqué de notes florales, de fruits rouges et de boisé, il se montre tannique et équilibré. Le **Pavillon Saint-James du Château Gauthier 99** (5 à 8 €), diffusé par le négoce (Yvon Mau), obtient une citation.

↰ Christine Courrian, Lafon, 33340 Prignac-en-Médoc,
tél. 06.10.02.12.92, fax 06.56.09.09.07,
e-mail jfbraq@aol.com
☑ ⊤ t.l.j. 8h-18h; sam. dim. sur r.-v.

CHANTET BLANET

Elevé en fût de chêne 1999

■	20 ha	150 000	◫ 5 à 8 €

Marque de la maison Mau, aujourd'hui entrée dans le groupe catalan Freixenet, ce vin déploie une jolie robe sombre et un bouquet où l'apport du bois se marie aux petits fruits rouges (framboise). Souple et puissant, avec

des tanins très ronds, il mérite un séjour de deux ou trois ans à la cave. Autre marque de la firme, le **de Martimont 99**, qui ne connaît pas le fût, a également reçu une citation et justifiera lui aussi la garde.

↰ Mau, BP 1, 33193 Gironde-sur-Dropt,
tél. 05.56.61.54.54, fax 05.56.71.10.45,
e-mail info@chateau-ducla.com

CH. DE LA CROIX 1999

■ Cru bourg.	11 ha	68 000	▮◫⚘ 8 à 11 €

Pour la petite histoire signalons que ce cru s'est longtemps appelé « domaine de La Croix ». Château ou domaine, son vin n'en demeure pas moins intéressant, tant par la fraîcheur de son bouquet aux notes de fruits rouges acidulés que par ses petits tanins fondus qui se marieront bien, dès maintenant, avec des médaillons de porc au curry. Le **Château Terre Rouge 99**, diffusé par la maison Sichel de Langon, a également reçu une citation.

↰ SCF Dom. de la Croix,
6, chem. de la Croix, Plautignan, 33340 Ordonnac,
tél. 05.56.09.04.14, fax 05.56.09.01.32
☑ ⊤ t.l.j. sf sam. dim. 9h-12h 14h-18h30;
groupes sur r.-v.

CH. DAVID 1999

■ Cru bourg.	10,31 ha	20 190	◫ 8 à 11 €

A direction féminine depuis 1998, ce cru offre un vin d'une belle couleur grenat qui cultive un élégant côté fruité tout en développant une solide structure. S'il se montre sensible à la mode par son bois, celui-ci est de qualité et les tanins encore jeunes donnent un certain relief à l'ensemble. Cette bouteille demande une attente de deux ou trois ans avant d'être servie sur un quasi de veau aux girolles.

↰ EARL Coutreau, Ch. David, 40, Grande-Rue,
33590 Vensac, tél. 05.56.09.44.62, fax 05.56.09.59.09,
e-mail chateaudavid@online.fr
☑ ⊤ t.l.j. sf dim. 9h-12h30 14h-19h; f. oct.

CH. DES DEUX MOULINS 1999★

■ Cru bourg.	6 ha	40 000	◫ 8 à 11 €

Côté tradition, une belle densité à l'hectare et un vignoble qui « regarde » la rivière ; côté tendance, une assez forte proportion de merlot. La robe, d'une jolie intensité colorante, et le bouquet, aux agréables nuances boisées, reflètent aussi ce double visage qui trouve sa synthèse au palais où les tanins du vin, plus élégants qu'imposants, sont bien enrobés par ceux du bois.

↰ SCEA Vignobles Moriau,
2, rte de Lesparre, 33340 Saint-Christoly-Médoc,
tél. 05.56.41.54.20, fax 05.56.41.37.63 ☑ ⊤ r.-v.

ELITE SAINT-ROCH

Vieilli en fût de chêne 1999★

■	5 ha	37 688	◫ 5 à 8 €

Pouvoir jouer sur une large palette de sols (sables, graves et calcaires) est un atout à condition de posséder un réel savoir-faire. Cette sélection issue de terroirs de choix, élevée en fût et mise en bouteilles par Uni-Médoc à Gaillan, montre que c'est le cas à la cave de Queyrac. Une robe brillante, un bouquet d'une bonne complexité (fruits rouges, épices) et de beaux tanins, tout confirme le potentiel de garde.

↰ Cave Saint-Roch, 27, chem. de la Cave,
33340 Queyrac, tél. 05.56.59.83.36, fax 05.56.59.86.57,
e-mail saintroch@unimedoc.com
☑ ⊤ t.l.j. sf dim. 8h30-12h30 14h-17h30; sam. 9h-12h

EPICURE 1999★

| ■ | n.c. | 30 000 | Ⅲ 11 à 15 € |

Avec cette marque, H. de Boüard et B. Pujol souhaitent proposer un vin haut de gamme élevé en barrique de chêne français. L'objectif est atteint avec ce médoc 99 qui sait garder son équilibre tout au long de la dégustation. Le fruit, soutenu par des notes boisées, s'inscrit dans un volume assez imposant pour déboucher sur une finale aussi longue qu'aromatique. A mettre en cave de trois à cinq ans.

☛ SARL Bordeaux Vins Sélection, 27, rue Roullet, 33800 Bordeaux, tél. 05.57.35.12.35, fax 05.57.35.12.36, e-mail bvs.grands.crus@wanadoo.fr Ⓥ
☛ Bernard Pujol

CH. D'ESCOT 1999★

| ■ Cru bourg. | 10 ha | 80 000 | Ⅲ 8 à 11 € |

Issu de deux terroirs différents, l'un établi sur des graves à Saint-Christoly avec beaucoup de vieilles vignes, l'autre à Lesparre sur des terrains sablo-graveleux, ce vin d'une teinte profonde et soutenue, affiche une réelle personnalité, tant par son bouquet où les notes empyreumatiques se marient aux fruits rouges que par son palais riche et charnu qui révèle des arômes de fruits rouges, originaux par leur côté bien mûr.

☛ SCEA du Ch. d' Escot, 33340 Lesparre-Médoc, tél. 05.56.41.06.92, fax 05.56.41.82.42
Ⓥ ⅄ t.l.j. sf sam. dim. 8h30-12h30 13h30-17h30

CH. D'ESCURAC 1999★

| ■ Cru bourg. | 15 ha | 70 000 | ⅢⅢ 11 à 15 € |

Egalement forestier, Jean-Marc Landureau connut l'année noire de la tempête de 1999. Les vendanges avaient été moins catastrophiques. Ici, le terroir dicte l'encépagement : les sols argilo-graveleux et argilo-calcaires font jeu égal, comme le cabernet-sauvignon et le merlot. Le résultat est un vin agréable à l'œil et au bouquet sympathique par ses notes boisées (épices et noix de coco). La bonne structure invite à attendre cette bouteille de trois à cinq ans pour profiter pleinement de ses qualités. La **Chapelle d'Escurac 99 (5 à 8 €)**, second vin du cru, a obtenu une citation.

☛ Jean-Marc Landureau, Ch. d'Escurac, 33340 Civrac-en-Médoc, tél. 05.56.41.50.81, fax 05.56.41.36.48 Ⓥ ⅄ r.-v.

FLEUR DE BLAISSAC 1999

| ■ | n.c. | 96 000 | ■Ⅲ 11 à 15 € |

Signé par l'importante maison Castel, ce vin a fait l'objet d'un élevage sous bois, dont la marque apparaît dès le premier nez sans attendre l'agitation. Néanmoins souple et persistant, le palais laisse sur le souvenir d'un ensemble d'une bonne qualité. A boire dans les deux ans.

☛ Castel Frères, 21-24, rue Georges-Guynemer, 33290 Blanquefort, tél. 05.56.95.54.00, fax 05.56.95.54.20

CH. FONTIS 1999

| ■ Cru bourg. | 10 ha | 40 000 | Ⅲ 11 à 15 € |

Vincent Boivert, œnologue, a repris ce vignoble en 1995. Ce 99 témoigne de son savoir-faire par sa jolie robe à nuances rubis comme par son bouquet aux notes d'épices douces ou par son équilibre au palais. Une bouteille à ouvrir dans deux ou trois ans.

☛ Vincent Boivert, Ch. Fontis, 33340 Ordonnac, tél. 05.56.73.30.30, fax 05.56.73.30.31 Ⓥ ⅄ r.-v.

CH. GARANCE HAUT GRENAT 1999★

| ■ | 4,1 ha | 14 000 | Ⅲ 8 à 11 € |

Par son histoire comme par son terroir, cette fort ancienne propriété familiale s'inscrit résolument dans l'univers médocain. Son vin est lui aussi bien typé. Justifiant le nom du cru par sa couleur garance, il développe un bouquet aux délicats parfums de fruits très mûrs et intègre avec bonheur l'apport du merrain. Ample et gras, le palais reste dans les mêmes tonalités, avec des tanins bien mûrs et des arômes persistants. Après une solide garde, cette bouteille s'associera à une poularde farcie exhalant de beaux parfums de truffe.

☛ Laurent Rebes, 14, rte de la Reille, 33340 Bégadan, tél. 05.56.41.37.61, fax 05.56.41.37.61, e-mail l.rebes@free.fr Ⓥ ⅄ r.-v.

CH. LA GORCE 1999★

| ■ Cru bourg. | 20 ha | 150 000 | Ⅲ 5 à 8 € |

Parce que le sol est à dominante argilo-calcaire, ce cru a été plus fortement planté de merlot. Fin et fruité, le bouquet de ce vin en porte la marque. Au palais, le bois vient soutenir la matière sans la dominer. Le résultat est un ensemble riche, élégant et harmonieux qui sera à boire d'ici deux à trois ans.

☛ Denis Fabre, Ch. La Gorce, 33340 Blaignan, tél. 05.56.09.01.22, fax 05.56.09.03.27, e-mail info@chateaulagorce.com
Ⓥ ⅄ t.l.j. 8h-12h30 13h30-19h

CH. GRAND BERTIN DE SAINT CLAIR 1999★★

| ■ | 2,03 ha | 15 000 | ⅢⅢ 8 à 11 € |

Acquis en 1998 par O. Compagnet et P. Coyault, ce petit vignoble assemble à parts égales cabernet-sauvignon et merlot. Dense et profonde, la robe annonce un nez où la cerise ne se laisse pas dominer par la vanille de la barrique. La bouche est saisie par la puissance des tanins accompagnés de notes de tabac et de cerise noire. A ouvrir dans deux ou trois ans sur un gibier.

☛ SCEA Ch. Grand Bertin de Saint Clair, 10, rte de l'Esparre, 33340 Bagadan, tél. 05.56.41.57.75, fax 05.56.41.53.22
Ⓥ ⅄ t.l.j. sf sam. dim. 9h-12h 14h-18h

CH. LES GRANDS CHENES
Cuvée Prestige 1999★★

| ■ Cru bourg. | n.c. | 39 000 | Ⅲ 15 à 23 € |

| 86 | 88 | 89 | 90 | 91 | 92 | 93 | 94 | 95 | |96| |97| 98 | 99 |

Ce vin a reçu les soins attentifs des grands vinificateurs qui président à la destinée de ce cru. On n'en doute pas en découvrant sa robe d'un rouge intense et brillant. Mariant les fruits rouges aux notes toastées, le bouquet trouve un bon appui sur un bois de qualité. Des tanins serrés de belle maturité donnent une structure concentrée, solide et persistante. Parfaitement réussi, ce millésime s'inscrit dans la meilleure tradition médocaine.

☛ Ch. Les Grands Chênes, rte de Lesparre, 33340 Saint-Christoly-Médoc, tél. 05.56.41.53.12, fax 15.56.41.35.69 ⅄ r.-v.
☛ Bernard Magrez

CH. LE GRAND SIGOGNAC 1999★

| ■ | 5 ha | 30 800 | ■ 5 à 8 € |

Après avoir pratiqué l'élevage des chèvres, Philippe Olivier défricha des terroirs riches en pierres calcaires pour y planter de la vigne. Une jolie histoire au dénouement

heureux pusique sont nés des médoc comme ce millésime d'un rouge brillant et profond. Riche dans son expression aromatique (torréfaction, cacao, réglisse et fruits rouges) et tannique, le vin est encore austère mais promet de belles choses d'ici quatre à cinq ans.
☞ Philippe Olivier, Le Grand Sigognac, 33340 Saint-Yzans-de-Médoc, tél. 05.56.09.06.38, fax 05.56.09.06.38

CH. LES GRAVES DE LOIRAC 1999

■ Cru artisan	6,76 ha	43 000	🍴 ⬤ 5 à 8 €

Après avoir soigné les vins de Jean-Michel Lapalus en tant que maîtres de chai, les Gillet se sont mis à leur compte sur cette petite propriété familiale. Bien que le vignoble soit encore relativement jeune, le vin est d'une bonne tenue. Tant par sa couleur soutenue que par son bouquet, où le bois est présent tout en respectant les notes fruitées, ou par sa structure, encore un peu austère mais bien équilibrée.
☞ Jean-François Gillet, 21, chem. du Centre, 33590 Jau-Dignac-et-Loirac, tél. 05.56.09.48.97, fax 05.56.09.48.97 ☑ ☿ lun. mar. jeu. ven. 12h-13h30 17h-19h; mer. sam. dim. 10h-18h

CH. GREYSAC 1999★

■ Cru bourg.	70 ha	500 000	⬤ 11 à 15 €
85 86	88		89	91 93 94	95		96		97	98 99			

Imposant vignoble situé sur de jolies croupes de graves à By (commune de Bégadan), ce cru constitue une unité à la production soignée. Témoin, ce 99 bien réussi dont le bouquet de torréfaction, de grillé et de fruits rouges précède un palais bien bâti. Solide structure, bonne concentration, ampleur, gras, équilibre, arômes d'épices et de menthe, tout invite à laisser cette jolie bouteille à la cave pendant deux ou trois ans.
☞ SA Domaines Codem, Ch. Greysac, 33340 Bégadan, tél. 05.56.73.26.56, fax 05.56.73.26.58 ☑ ☿ r.-v.

CH. GRIVIERE 1999★★

■ Cru bourg.	17,8 ha	40 000	⬤ 15 à 23 €
93 94 95 96	97	98 99			

Achetée dans les années 1980 à Georges de Rozières, cette propriété est aujourd'hui associée à La Cardonne, mais elle garde sa personnalité, avec un terroir argilo-calcaire spécifique. Celui-ci commande l'encépagement, à majorité de merlot (55 %). Ce n'est pas ce millésime qui permettra de critiquer ce choix. D'une belle teinte entre pourpre et grenat, ce 99 développe un bouquet puissant, fin et complexe (torréfaction, réglisse, épices et fruits noirs) et une structure dont l'ampleur et les tanins veloutés sont prometteurs. Une superbe bouteille, déjà plaisante, mais qui mérite d'être attendue six ou sept ans avant d'être servie sur un chevreuil grand veneur.
☞ Les Domaines CGR, rte de la Cardonne, 33340 Blaignan, tél. 05.56.73.31.51, fax 05.56.73.31.52, e-mail mguyon@domaines-cgr.com ☑ ☿ t.l.j. sf sam. dim. 8h30-12h 13h30-17h; groupes sur r.-v.

CH. HAUT-BALIRAC
Cuvée Prestige Vieilli en fût de chêne 1999★★

■	2 ha	7 500	⬤ 8 à 11 €

Une petite exploitation familiale, avec des vignes d'un âge respectable (trente-cinq ans). Une fois encore, elle a bien travaillé comme le prouvent la robe sombre de ce vin et le puissant bouquet aux notes de cacao et de fruits mûrs. Débutant par une attaque explosive, le palais n'est

pas en reste. Harmonieux et complexe, il confirme le potentiel de garde de cette bouteille. Plus simple mais également d'une belle tenue, le second vin, **Les Graves de Balirac 99**, a obtenu une étoile.
☞ SCEA Haut-Balirac, 1, rte de Lousteauneuf, 33340 Valeyrac, tél. 06.86.82.01.99 ☑ ☿ r.-v.
☞ Chamaison

CH. HAUT BARRAIL 1999★★

■ Cru bourg.	6 ha	20 000	⬤ 8 à 11 €

Se cachant derrière son mur de moellons, sur la route de Couquèques, cette ancienne colonie de vacances réserve au visiteur un parc où courent quelques daims. Juste fruit d'un long travail de rénovation – les sols argilo-calcaires ont favorisé le merlot (70 %) –, ce vin se montre très médoc par sa robe grenat. D'une belle expression aromatique (pruneau, moka, vanille et boîte à cigares), il est aussi bien typé par son solide potentiel de garde. On l'attendra quatre ou cinq ans avant de l'offrir sur un agneau.
☞ EARL Philippe Gillet et Fils, 6, rte du Château-Landon, 33340 Bégadan, tél. 05.56.41.50.42, fax 05.56.41.57.10, e-mail chateaulandon@wanadoo.fr ☑ ☿ r.-v.

CH. HAUT BLAIGNAN 1999

■ Cru artisan	16 ha	14 400	⬤ 5 à 8 €

Né sur un vignoble se partageant de façon égale entre le merlot et le cabernet-sauvignon, ce vin cherche plus l'équilibre que la puissance. Rond et élégant, il sait se montrer agréable.
☞ EARL Brochard-Cahier, 19, rue de Verdun, 33340 Blaignan, tél. 05.56.09.04.70, fax 05.56.09.00.08 ☑ ☿ t.l.j. 9h-12h 14h-19h

CH. HAUT BRISEY 1999

■ Cru bourg.	n.c.	n.c.	🍴 ⬤ ♿ 5 à 8 €
⑧⑥ 87 88 89 90 91 93 94 95 96 97 98 |99|			

Produit sur la butte de Goulée, graves à matrice argileuse plantées dans les années 1980 en cabernet-sauvignon (70 %) et merlot (30 %), ce vin présente une robe à reflets déjà tuilés, ainsi que des arômes d'épices (poivre) sur un fond légèrement animal. Après une bonne attaque, il évolue sur des tanins assez ronds.
☞ SCEA Ch. Haut Brisey, 4, chem. de Sestignan, 33590 Jau-Dignac-et-Loirac, tél. 05.56.09.56.77, fax 05.56.73.98.36, e-mail hautbrisey@wanadoo.fr ☑ ☿ t.l.j. 9h-12h 14h-17h
☞ Christian Denis

CH. HAUT-CANTELOUP
Collection 1999★★

■ Cru bourg.	10 ha	80 000	🍴 ⬤ 8 à 11 €
94 95	96		97	98 99			

Née au bord de la Gironde, dans le petit port de Saint-Christoly, cette cuvée de prestige n'entend pas rivaliser avec le superbe 98 (coup de cœur l'an dernier), mais elle a tout pour plaire à l'amateur le plus exigeant. Agréable à l'œil, elle sait aussi séduire par son bouquet où le pain grillé rejoint la cerise et le cassis. Aromatique et charpenté, son palais fera bonne figure sur un magret de canard rossini. Le **château Les Mourlanes 99 (5 à 8 €)**, autre étiquette du domaine diffusée par le négoce (Quancard), a reçu une citation.

BORDELAIS

SARL du Ch. Haut-Canteloup,
33340 Saint-Christoly-Médoc,
tél. 05.56.41.58.98, fax 05.56.41.36.08 ☑ ⏀ r.-v.

CH. HAUT-GARIN 1999

■ Cru bourg.	7 ha	8 000	🍴 ⏀	5 à 8 €

Le côté fruité a été résolument privilégié dans ce vin à l'encépagement bien médocain – avec 5 % de petit-verdot. Soutenu par un bois qui sait respecter la matière, ce 99 trouvera sa pleine expression d'ici deux à trois ans.
**Gilles Hue, Lafon, 33340 Prignac-en-Médoc,
tél. 05.56.09.00.02 ☑ ⏀ t.l.j. 9h-12h 14h-19h;
dim. sur r.-v.; f. pendant les vendanges

CH. HAUT-GRIGNON 1999

■	3 ha	20 000	⏀	5 à 8 €

S'annonçant par une étiquette placée sous les signes zodiacaux des propriétaires (le Lion et le Verseau), ce vin est à l'image de sa robe d'un rouge élégant mais léger. Souple et d'une réelle finesse aromatique, il développe une structure gracile et ne demandera pas une trop longue garde pour livrer son charme.
**Léa Ducos, 14, rte du Port-de-Goulée,
33340 Valleyrac, tél. 05.56.41.58.76, fax 05.56.41.35.12,
e-mail dmarelf@aol.com ☑ ⏀ r.-v.
**Jean-Denis Ducos

CH. HAUT LIGNAN
Elevé en fût de chêne 1999★

■	12 ha	135 000	🍴⬇	5 à 8 €

Propriété discrète de Saint-Christoly, ce cru offre un vin rond et bien équilibré qui pourra être apprécié sans attendre. La complexité de son bouquet, où les fruits et les épices composent un ensemble fort plaisant, a dû séduire le négociant La Guyennoise qui commercialise ce vin.
**La Guyennoise, 3, rue Bourrassat, BP 17,
33540 Sauveterre-de-Guyenne, tél. 05.56.71.50.76,
fax 05.56.71.87.70, e-mail cfontaniol@laguyennoise.com
**Castet

CH. HOURBANON 1999★★

■ Cru bourg.	7,2 ha	48 000	⏀	8 à 11 €

Situé presque à l'entrée de Lesparre, ce cru s'est adapté au terroir sablo-graveleux en privilégiant le cabernet-sauvignon. Un choix que personne ne regrettera en contemplant la robe foncée de ce vin qui s'exprime à l'aération sur des notes de fruits noirs, de vanille et de pain grillé. Ample, rond, puissant et persistant, il montre qu'il est « bien dans sa peau » et qu'il mérite d'être attendu trois ou quatre ans.
**SCEA Delayat-Chemin,
Ch. Hourbanon, 33340 Prignac-en-Médoc,
tél. 05.56.41.02.88, fax 05.56.41.24.33,
e-mail hourbanon@chateauhourbanon.com ☑ ⏀ r.-v.

CH. LA HOURCADE
Elevé en fût de chêne 1999

■	4 ha	30 000	⏀	5 à 8 €
96	97	98 99			

Gino Cecchini et son frère Florent sont passés à la lutte raisonnée sur leur domaine qui compte aujourd'hui 16 ha. Ce 99 est aimable. D'une structure tendre et gracile, il sera à boire sur son fruit.
**SCEA Gino et Florent Cecchini, Ch. La Hourcade,
7, rte de Noaillac, 33590 Jau-Dignac-et-Loirac,
tél. 05.56.09.53.61, fax 05.56.09.57.53
☑ ⏀ t.l.j. 8h-12h 15h-19h

CH. LABADIE 1999★

■ Cru bourg.	12 ha	80 000	⏀	5 à 8 €
	90	94	95	96	97	98 99			

Relève des générations sur ce cru : Jérôme Bibey, qui a pris la suite de ses parents, hérite d'un bel outil de travail, comme le prouve ce millésime. La couleur d'un rouge intense, le bouquet aux délicats parfums fruités et floraux relevés, mais pas dominés, par le bois, la structure ronde et bien constituée, les tanins mûrs : tout annonce un bon potentiel de garde et appelle un accord gourmand raffiné, comme une pintade aux asperges et aux morilles.
**GFA Bibey, Ch. Labadie, 1, rte de Chassereau,
33340 Bégadan, tél. 05.56.41.55.58, fax 05.56.41.39.47
☑ ⏀ r.-v.

CH. LAFON 1999★★

■ Cru bourg.	8 ha	57 000	⏀	11 à 15 €
	93	95 96 97 98 99			

Malgré son jeune âge (vingt-trois ans), la fille de Rémy Fauchey commence à seconder son père. Un bon maître qui reçoit un coup de cœur pour la deuxième année consécutive. Tout tient les promesses d'une belle robe sombre à reflets violets : le bouquet puissant et complexe (fruits rouges, vanille, fruits confits), l'attaque somptueuse, le palais où la matière montre sa force tout en faisant preuve d'une grande finesse. Un bois bien dosé enrichissant l'ensemble, cette superbe bouteille mérite d'être oubliée jusque vers 2005-2006. Second vin, le **Château Fontaine de l'Aubier 99 (8 à 11 €)** obtient une étoile. Il est lui aussi un très bon médoc.
**Rémy Fauchey, 33340 Prignac-en-Médoc,
tél. 05.56.09.02.17, fax 05.56.09.04.96
☑ ⏀ t.l.j. 9h-30-18h

CH. LALANDE D'AUVION 1999

■ Cru bourg.	20,1 ha	120 000	🍴⏀	5 à 8 €

A Blaignan, la réputation de dynamisme de Christian Benillan n'est plus à faire. Il reçut un coup de cœur pour le millésime 95. S'il est également connu pour son amour des rallyes, c'est un caractère beaucoup plus sage que découvrira l'amateur dans ce 99. D'emblée, la robe d'un rouge intense et soutenu annonce son sérieux. Au bouquet apparaissent de fraîches senteurs fruitées qui s'associent aux tanins, sans agressivité, et aux arômes du palais pour donner un ensemble des plus aimables, avec un petit côté « rive droite » (Libournais).
**Christian Benillan, 3, rue de Verdun,
33340 Blaignan, tél. 05.56.09.05.52, fax 05.56.09.08.54
☑ ⏀ t.l.j. sf dim. 9h-12h 13h30-18h

CH. LALANDE DE GRAVELONGUE
La Croix Tête de cuvée 1999★

■	7,5 ha	30 000	⊞ 15 à 23 €

Cuvée Prestige, ce vin montre qu'il est de bonne origine par sa robe d'un rouge soutenu. Expressif dans ses notes de café et d'amande grillée, le bouquet n'est pas en reste, de même que le palais. Massif et d'une bonne concentration aromatique, ce 99 appelle la garde et méritera un mariage heureux avec une pintade aux pêches sauce vinaigre, par exemple. La **cuvée principale 99 (11 à 15 €)** a obtenu une citation.
⌁ SCEA Lalande de Gravelongue, 19, rte de Troussas, 33340 Valeyrac, tél. 05.56.41.59.68, fax 05.88.53.08.31, e-mail gravelongue@aol.com ☑ ⏀ r.-v.

CH. LASSUS 1999★★

■ Cru bourg.	2 ha	7 500	⊞ 5 à 8 €

Sorti de la coopérative en 1995, ce cru a mis à profit son indépendance en choisissant la voie de l'exigence qualitative. Avec succès, comme en témoigne ce millésime particulièrement bien réussi. S'annonçant par une robe d'une grande profondeur, à reflets carminés, le vin développe un bouquet complexe aux jolies notes vanillées et épicées. Tout aussi expressif, le palais gras et riche offre des tanins friands. Couronnant le tout, la finale flatteuse confirme la bonne impression générale. Quatre à cinq ans de garde.
⌁ SCEA Vignobles Chaumont, 7, rte du Port-de-By, 33340 Bégadan, tél. 05.56.41.50.79, fax 05.56.41.51.36 ☑ ⏀ t.l.j. 8h-12h 14h-18h30

CH. LAULAN DUCOS 1999

■	22 ha	20 000	⊞ 5 à 8 €

Issu d'un vignoble à dominante de cabernet-sauvignon (68 %) planté sur des graves à Jau et Dignac, ce vin à la robe limpide légèrement tuilée sait se rendre attachant car la finesse de ses arômes fruités et épicés.
⌁ SCEA Ch. Laulan Ducos, 4, rte de Vertamont, 33590 Jau-Dignac-et-Loirac, tél. 05.56.09.42.37, fax 05.56.09.48.40, e-mail chateau@laulanducos.com ☑ ⏀ t.l.j. 9h-17h30
⌁ Indivision Ducos

CH. LISTRAN 1999

■ Cru bourg.	10 ha	40 000	⊞ 5 à 8 €

Difficile de trouver de la vigne plus au nord en Médoc que sur cette jolie butte de graves dominant des prairies où paissent des charolaises et... quelques autruches. Assez original par ses notes de gibier au bouquet, ce vin attaque comme un félin avant de développer sa rondeur autour d'une bonne structure tannique.
⌁ SC Crété, Ch. Listran, 33590 Jau-Dignac-et-Loirac, tél. 05.56.09.48.59, fax 05.56.09.58.70, e-mail crete@listran.com
☑ ⏀ t.l.j. sf dim. 10h-12h30 15h-19h

CH. LOIRAC
Sélection Elevé en fût de chêne 1999

■	7,5 ha	14 000	⊞ 8 à 11 €

Même s'il est un peu handicapé par la proportion de jeunes vignes, ce vin est malgré tout d'une belle prestance. Tant dans sa présentation, d'un rouge assez soutenu, que dans son expression aromatique de fruits rouges et de sous-bois. Il trouvera son bonheur sur des plats simples, mais bien cuisinés. Le **Château Tour de Loirac 99** élevé en cuve, diffusé par la maison Barrière, a aussi reçu une citation.

⌁ J.-L. Camelot, 1, rte de Queyrac, 33590 Jau-Dignac-et-Loirac, tél. 05.56.73.98.22, fax 05.56.73.98.22, e-mail jllchtloirac@aol.com ☑ ⏀ r.-v.

CH. LOUDENNE 1999★

■ Cru bourg.	48 ha	217 000	▮⊞⬇ 11 à 15 €

⑧② 83 85 86 88 89 90 93 94 95 ⑨⑥ 97 98 99

Les domaines Lafragette ont acheté en mars 2000 cette belle chartreuse dominant l'estuaire. Ils n'ont donc réalisé que l'élevage de ce vin, à ouvrir dans deux à cinq ans, marquant la transition. Celle-ci est heureuse si l'on en juge d'après la prestation de cette bouteille au cours de la dégustation : une robe brillante, un bouquet puissant et élégant (toast, fruits, tabac), une attaque fraîche et ronde, une structure grasse et longue. Tout est à la hauteur du terroir, constitué par l'une des dernières buttes de graves garonnaises bordant la Gironde.
⌁ Ch. Loudenne, 33340 Saint-Yzans-de-Médoc, tél. 05.56.73.17.80, fax 05.56.09.02.87, e-mail chateau.loudenne@wanadoo.fr
☑ 🏠 ⏀ t.l.j. 9h-12h30 14h-17h30; sam. dim. sur r.-v.
⌁ M. Lafragette

CH. LOUSTEAUNEUF
Art et Tradition 1999★

■ Cru bourg.	n.c.	60 000	⊞ 8 à 11 €

93 94 ⑨⑤ |96| 97 98 99

Situé à la limite de Bégadan et de Valeyrac sur des sols sablo-graveleux, ce cru a opté pour un encépagement équilibré. Sans être un athlète, son 99 est bien constitué avec une structure qui met en valeur son expression aromatique. Très complexe, celle-ci joue sur les notes de poivron, de groseille, de fraise des bois, de porto et de cassis. Une bouteille à ouvrir d'ici deux à trois ans.
⌁ Bruno Segond, EARL Ch. Lousteauneuf, 2, rte de Lousteauneuf, 33340 Valeyrac, tél. 05.56.41.52.11, fax 05.56.41.38.52, e-mail chateau.lousteauneuf@wanadoo.fr
☑ 🏠 ⏀ t.l.j. sf dim. 8h-12h 14h-18h

CH. MERIC
Elevé en barrique 1999★★

■ Cru bourg.	10 ha	65 000	⊞ 8 à 11 €

Un cuvier neuf, des vignes mieux entretenues : le rachat de cette propriété a permis de donner un nouvel essor à ce cru. Il suffit de goûter ce 99 pour s'en convaincre. Sans s'arrêter à sa jolie teinte, on peut profiter de la promenade gourmande qu'offre le bouquet où les fruits confits cèdent la place à la réglisse. Gras, ample et riche, le palais témoigne d'une extraction et d'un élevage bien mené.
⌁ SCEA Ch. Méric, 19, rte de Vensac, 33590 Jau-Dignac-et-Loirac, tél. 05.57.75.01.55, fax 05.57.75.01.57, e-mail denis.hecquet@libertysurf.fr ☑ ⏀ r.-v.

CH. LES MOINES
Prestige 1999★

■ Cru bourg.	20 ha	140 000	▮⊞⬇ 8 à 11 €

86 88 89 90 91 92 |93| 94 ⑨⑤ 96 |97| 98 99

Viticulteur dans l'âme et homme d'une rare gentillesse, Claude Pourreau a l'art de communiquer son amour de la vigne à ses visiteurs. Il sait aussi tirer la quintessence de son terroir au calcaire coquillier de

Couquèques, très perméable. Si le bois est encore bien présent, il est de qualité ; derrière, on sent une solide matière ample et puissante, invitation à attendre jusqu'en 2005.

☛ SCEA Vignobles Pourreau,
9, rue Château-Plumeau, 33340 Couquèques,
tél. 05.56.41.38.06, fax 05.56.41.37.81 ☑ ⏃ r.-v.

CH. DES MOULINS 1999

| ■ Cru artisan | 1 ha | 7 000 | ⦀ | 5 à 8 € |

Né dans un havre de fraîcheur entre des vestiges de moulins à vent et à eau, ce vin retient l'attention par la personnalité de son bouquet : le bonbon acidulé s'associe à la jacinthe, au miel et au pruneau un peu rancioté. Il composera dès maintenant un accord gourmand original avec un foie de veau.

☛ Charles Prévosteau, Le Gouat, 33180 Vertheuil,
tél. 05.56.41.98.07, fax 05.56.41.97.25 ☑ ⏃ r.-v.

CH. NOAILLAC 1999

| ■ Cru bourg. | 43 ha | 204 000 | ⦀ | 8 à 11 € |

86 88 91 92 93 94 |95| |96| 97 98 99

Issu d'un vignoble qui s'agrandit chaque année, ce vin souffre sans doute un peu de la jeunesse de certaines vignes. Toutefois, ce handicap est très relatif et n'empêche pas le développement d'un bouquet fort agréable, mariant fruits rouges et notes grillées. Une bouteille sympathique que l'on pourra apprécier sans avoir à attendre.

☛ Ch. Noaillac, 33590 Jau-Dignac-et-Loirac,
tél. 05.56.09.52.20, fax 05.56.09.58.75,
e-mail noaillac@noaillac.com
☑ ⏃ t.l.j. sf sam. dim. 8h-12h 13h30-17h30
☛ Xavier Pagès

CH. LES ORMES SORBET 1999★★

| ■ Cru bourg. | 19 ha | 100 000 | ⦀ | 15 à 23 € |

78 81 83 85 86 88 89 |90| 91 92 93 94 95 96 |97|
98 99

Un joli terroir, un producteur sérieux, Jean Boivert, des conseillers compétents, les Boissenot, il n'en faut pas plus pour avoir un cru régulier en qualité. Une fois encore, cette propriété prouve que c'est le cas avec un vin se distinguant par son élégance. De la robe pourpre au développement tannique sans agressivité, en passant par les notes réglissées et torréfiées du bouquet, tout est avenant et prometteur.

☛ Jean Boivert, Ch. Les Ormes-Sorbet,
33340 Couquèques, tél. 05.56.73.30.30,
fax 05.56.73.30.31, e-mail ormes.sorbet@wanadoo.fr
☑ ⏃ t.l.j. sf dim. 9h-12h 14h-18h; sam. sur r.-v.

CH. PATACHE D'AUX 1999★

| ■ Cru bourg. | 43 ha | 300 000 | ⦀ | 11 à 15 € |

82 83 85 86 88 89 |90| 91 92 93 |94| 95 96 |97| 98
99

Belle propriété située au cœur de Bégadan, ce cru permettra au promeneur de profiter de sa visite pour admirer la nef romane de l'église qui se trouve juste à côté. Fidèle à sa tradition, le château propose un vin réussi. Vêtu d'une robe seyante, le 99 déploie un bouquet assez intense pour s'exprimer au repos, avant d'évoluer vers un cocktail de fruits rouges et de bois. Celui-ci respecte la structure qui s'annonce d'un bon potentiel, tout en restant ronde et charnue.

☛ SA Patache d'Aux, 1, rue du 19-Mars,
33340 Bégadan, tél. 05.56.41.50.18, fax 05.56.41.54.65,
e-mail info@domaineslapalu.com ☑ ⏃ r.-v.

PAVILLON DE BELLEVUE 1999

| ■ | 100 ha | 100 000 | ⦀ | 8 à 11 € |

Signé par la cave d'Ordonnac, ce vin d'une teinte profonde et brillante évolue heureusement tout au long de la dégustation. Si le bouquet privilégie les notes grillées, il sait éviter la monotonie par sa complexité, que le bois enrichit d'un délicat parfum de vanille. C'est une même sensation d'équilibre que procure le palais où la chair assez légère donne un ensemble goûteux.

☛ SCAV Pavillon de Bellevue, 1, rte de Peyressan,
33340 Ordonnac, tél. 05.56.09.04.13, fax 05.56.09.03.29
☑ ⏃ r.-v.

CH. DU PERIER 1999★

| ■ Cru bourg. | n.c. | n.c. | ⦀ | 8 à 11 € |

90 91 92 93 94 |95| 96 |97| 98 99

Médoc, haut-médoc, saint-julien : Bruno Saintout est l'un des rares propriétaires à offrir une gamme aussi complète de vins du Médoc. Tous sont d'un bon niveau, à commencer par celui-ci dont on peut apprécier la complexité aromatique et la texture. Riche et ample, il s'appuie sur des tanins élégants pour se développer agréablement au palais. Un joli produit que l'un de nos dégustateurs, fine fourchette, verrait bien sur des pigeonneaux braisés aux pommes. La **cuvée commercialisée par le négoce** (Yvon Mau), portant le même nom mais une étiquette blanche, qui ne semble pas connaître le fût, a également obtenu une étoile.

☛ Bruno Saintout, Cartujac,
33112 Saint-Laurent-Médoc,
tél. 05.56.59.91.70, fax 05.56.59.46.13 ☑ ⏃ r.-v.

CH. LE PEY 1999★★

| ■ Cru bourg. | 14 ha | 106 000 | ⦀ | 8 à 11 € |

Un bon terroir (le « pey » est un petit coteau en médocain), un encépagement bien équilibré, un travail de la vigne soigné, une prise de risques maximum pour la date des vendanges, voilà les recettes qui expliquent les qualités de ce vin. Celles-ci s'expriment par une jolie robe d'un grenat profond, un bouquet complexe (raisin mûr, bois et épices) et un palais au développement harmonieux et aromatique. Très bien constitué, l'ensemble promet une belle évolution justifiant un séjour en cave de plusieurs années.

☛ SCEA Compagnet, Ch. Le Pey, 10, rte de Lesparre,
33340 Bégadan, tél. 05.56.41.57.75, fax 05.56.41.53.22
☑ ⏃ t.l.j. sf sam. dim. 9h-12h 14h-18h

CH. PEY DE PONT 1999★

■ Cru bourg.   n.c.   92 000   ■↓   5 à 8 €

Cuvée élaborée pour la maison de négoce Dulong, ce vin ne manque pas d'atouts : une belle robe d'un rouge intense, un bouquet fruité, une structure et un style très « médoc » par leur puissance et leur volume.
↬ Dulong Frères et Fils, 29, rue Jules-Guesde, 33270 Floirac, tél. 05.56.86.51.15, fax 05.56.40.66.41, e-mail jm.dulong@dulong.com ⟙ r.-v.
↬ EARL Henri Reich et Fils

CH. PLANQUETTE
Elevé en fût de chêne 1999

■   1,7 ha   7 200   ■⑪↓   5 à 8 €

Si la taille du vignoble et son encépagement, à majorité de merlot (60 %), ont un côté tendance, la robe sombre, le bouquet (fruits confits, réglisse, vanille) et l'attaque de ce vin sont résolument classiques. Rond et persistant, celui-ci donnera le meilleur de lui-même d'ici trois ans.
↬ Didier Michaud, 5, rue de l'Abreuvoir, 33340 Saint-Yzans-de-Médoc, tél. 05.56.09.07.50, fax 05.56.09.02.66, e-mail didier.michaud@planquette.com ☑ ⟙ r.-v.

CH. PONTEY 1999

■ Cru bourg.   n.c.   60 000   ⑪   8 à 11 €

Planté sur des terrains argilo-graveleux, ce vignoble s'est adapté au terroir avec une légère prédominance du merlot (55 %). D'abord très marqué par le bois neuf, son 99 porte la marque du cépage, le côté fruité du second bouquet se développant à l'aération. Le merrain étant de qualité, cette bouteille pourra être appréciée assez jeune par les amateurs avertis.
↬ GFA du Ch. Pontey, 33340 Blaignan-Médoc, tél. 05.56.20.71.03, fax 05.56.20.11.30 ☑ ⟙ r.-v.

CH. PREUILLAC 1999

■ Cru bourg.   20 ha   130 000   ⑪   11 à 15 €

Ce cru ayant été acheté par la famille Mau en 1998, il s'agit des premières vendanges réalisées par cette nouvelle équipe. Celle-ci a su éviter le piège de la surextraction. Si la couleur est assez légère, les tanins sont de qualité et le bouquet de fruits mûrs et d'amande grillée, fin et expressif.
↬ Yvon Mau, 33340 Lesparre-Médoc, tél. 05.56.09.00.29, fax 05.56.09.00.34, e-mail christophe.mau@yvonmau.fr ☑ ⟙ r.-v.

CH. RENE GEORGES
Cuvée Prestige Elevé en barrique de chêne 1999★

■   1 ha   4 600   ⑪   8 à 11 €

Agrandissement du vignoble (36 ha), extension de la cuverie, ici le développement est à l'ordre du jour. Mais pas à n'importe quel prix comme le montre cette cuvée Prestige issue des plus vieilles vignes. D'une belle présentation (rubis intense), elle développe un bouquet généreux de fruits noirs et d'épices (réglisse), puis un palais corsé et charnu. Plus simple, la **cuvée principale Château Poitevin 99** a reçu une citation.
↬ EARL Poitevin, 16, rue du 15-Mars-1962, 33590 Jau-Dignac-et-Loirac, tél. 05.56.09.45.32, fax 05.56.09.45.32, e-mail chateau.poitevin@voila.fr
☑ ⟙ t.l.j. 8h-13h 14h-18h

CH. RICAUDET 1999★

■ Cru bourg.   6,62 ha   13 000   ■↓   5 à 8 €

Situé sur des terroirs silico-graveleux et sablo-argileux dominant l'estuaire, ce cru confie ses vinifications à la cave Saint-Jean de Bégadan. Le choix est certainement judicieux si l'on en juge d'après ce vin que sa robe d'un rouge profond et son bouquet complexe (cuir, épices, cannelle et poivre noir) annoncent avec bonheur. Après une attaque en rondeur, le palais monte en puissance sur des tanins mûrs et une belle matière bien maîtrisée. Une jolie bouteille à attendre un petit peu.
↬ Les Vignerons d'Uni-Médoc, Cave Saint-Jean, 2, rte de Canissac, 33340 Bégadan, tél. 05.56.41.50.13, fax 05.56.41.50.78, e-mail saintjean@uni-medoc.com
☑ ⟙ t.l.j. sf dim. 8h30-12h30 14h-17h30; sam. 9h-12h
↬ Robert Couthures

CH. ROSE DU PONT 1999★

■   1,19 ha   6 800   ■⑪   8 à 11 €

Un microvignoble sur Bégadan, mais pas un vin de garage. Pour Pierre Lambert, responsable qualité d'une grande maison de négoce, il s'agit surtout de ne pas perdre la main. Ce 99 montre d'ailleurs que ce n'est pas le cas : une somptueuse couleur pourpre foncé, un bouquet aux fines notes entre fruits confits et fruits secs, des tanins bien présents, une belle finale. On a là un vrai médoc à l'ancienne.
↬ Pierre Lambert, Courbian, 33340 Bégadan, tél. 05.56.41.36.04 ☑ ⟙ t.l.j. 9h-19h

CH. ROUSSEAU DE SIPIAN
Elevé en barrique 1999

■ Cru bourg.   5,06 ha   22 000   ⑪   8 à 11 €

Commandé par une vaste demeure Second Empire (1850), ce cru a été acquis en 2000 par une famille galloise, les Racey. Ce vin est donc le dernier à être signé par l'ancienne équipe. Frais et bien constitué, il sera à son optimum d'ici trois à quatre ans. Encore très marquée par le bois, la **cuvée Prestige 99 (11 à 15 €)** a également reçu une citation.
↬ Ch. Rousseau de Sipian LTD, rte du Port de Goulée, 33340 Valeyrac, tél. 05.56.41.54.92, fax 05.56.41.53.26, e-mail rouseaudesipian@aol.fr ☑ 🏠 ⟙ r.-v.

CH. SAINT-CHRISTOPHE 1999

■ Cru bourg.   20 ha   140 000   ■⑪   8 à 11 €
94 |95| |96| 98

Graves, argilo-calcaires et sables graveleux, sur ce cru la palette des terrains est large. Son 99 pourra surprendre par un côté Nouveau Monde qu'a relevé le jury, mais il saura se montrer séduisant par l'élégance de son bouquet que prolonge une belle attaque, lorsque le bois omniprésent se sera fondu.
↬ Patrick Gillet, SARL Ch. Saint-Christophe, 33340 Saint-Christoly-Médoc, tél. 05.56.41.57.22, fax 05.56.41.59.95
☑ ⟙ t.l.j. 10h-12h 14h-17h30; f. 15 jan.-28 fév.

CH. SAINT-HILAIRE
Vieilli en fût de chêne 1999★

■   10 ha   60 000   ⑪   8 à 11 €

Situé à Queyrac et Jau-et-Dignac, ce vignoble commence à prendre de l'âge. Installé il y a dix-huit ans, son propriétaire venait de Hollande. Son vin d'une belle robe rubis offre un bouquet où le grillé et les épices viennent soutenir le cassis et la framboise : il sait se présenter. Corsé, gras et long, son palais n'est pas en reste et appelle une bonne garde.

⌁ Adrien Uijttewaal, Ch. Saint-Hilaire,
13, chem. de La Rivière, 33340 Queyrac,
tél. 05.56.59.80.88, fax 05.56.59.87.68
☑ ⍢ t.l.j. sf dim. 9h-12h 14h-18h

CAVE SAINT-JEAN
Le Grand Art 1999★

■		10 ha	48 000	⏅	5 à 8 €

Consciente du rôle essentiel du suivi de la vigne dans la qualité du vin, la cave de Bégadan a mis en place un système de surveillance et de contrôle du vignoble avant les vendanges, dont les notes rentrent dans la rétribution du coopérateur. Ce souci qualitatif apparaît lors de la dégustation de ce vin. Bien soutenue par le bois, la structure s'appuie sur une solide trame tannique pour former un ensemble sérieux et de bonne garde. Ronde, ample et agréablement bouquetée (fruits rouges et fleurs), la **cuvée principale Cave Saint-Jean 99** a également obtenu une étoile.

⌁ Les Vignerons d'Uni-Médoc, Cave Saint-Jean,
2, rte de Canissac, 33340 Bégadan, tél. 05.56.41.50.13,
fax 05.56.41.50.78, e-mail saintjean@uni-medoc.com
☑ ⍢ t.l.j. sf dim. 8h30-12h30 14h-17h30; sam. 9h-12h

CH. SEGUE LONGUE
Elevé en fût de chêne 1999★

■ Cru bourg.	22,25 ha	171 000	⏅	8 à 11 €

Créé à la fin des années 1970, ce cru est presque un miraculé, son terroir ayant échappé de peu à la destruction pour cause de gravières. L'encépagement s'est adapté au sol de graves, avec une dominante de cabernet-sauvignon. Le résultat est un vin souple, rond et d'une belle texture. Bien dosé, le bois respecte les tanins et les arômes de fruits mûrs. A ouvrir dans un ou deux ans.

⌁ SCV Segue Longue, 13, chem. de Lamale,
33590 Jau-Dignac-et-Loirac, tél. 06.11.77.30.25,
fax 05.56.09.57.28 ☑ ⍢ r.-v.

CH. LE TEMPLE 1999

■ Cru bourg.	14,8 ha	80 000	⏅	8 à 11 €

S'ils sont toujours restés des passionnés d'élevage, les Bergey sont aussi de bons vinificateurs. Privilégiant l'équilibre plutôt que la puissance, ils proposent ce vin d'une structure douce, dont l'amabilité et la tendreté se retrouvent dans les arômes fruités.

⌁ Denis Bergey, Ch. Le Temple, 33340 Valeyrac,
tél. 05.56.41.53.62, fax 05.56.41.57.35,
e-mail letemple@terre-net.fr
☑ ⍢ t.l.j. sf dim. 8h30-12h30 13h30-19h

CH. TOUR BLANCHE 1999

■ Cru bourg.	27 ha	170 000	⏅⏅⌁	8 à 11 €

Né sur un beau terroir de graves, ce vin assemble 40 % de cabernet-sauvignon, 10 % de cabernet franc, 45 % de merlot et 5 % de petit-verdot. Bien médocain, il se montre équilibré, avec une évolution sans heurt. Après la souplesse de l'attaque, une bonne complexité aromatique, allant des agrumes au gibier, s'affirme sur des tanins fins, encore serrés. A servir dans deux à trois ans sur des viandes rôties.

⌁ SVA Ch. Tour Blanche,
15, rte du Breuil, 33340 Saint-Christoly-Médoc,
tél. 05.56.58.15.79, fax 05.56.58.39.89,
e-mail hessel@moulin-a-vent.com ☑ ⍢ r.-v.

CH. LA TOUR DE BY 1999★★

■ Cru bourg.	64 ha	480 000	⏅⏅	11 à 15 €

82 83 85 86 |88| |89| |90| 91 |93| |94| 95 **96** |97| 98 **99**

L'imposante demeure du XIXᵉs. fut achetée par Marc Pagès en 1965. Surmontée par la célèbre tour à feu qui sert d'emblème au cru, la croupe de graves de la Tour de By convient particulièrement au cabernet-sauvignon. Majoritaire dans l'encépagement, celui-ci trouve une belle expression dans ce vin dont les promesses de la robe grenat sont tenues par le bouquet (sous-bois, fruits rouges et notes de l'élevage en barrique) comme par le palais où des tanins bien extraits reçoivent un appui fort à propos d'un bois judicieusement dosé.

⌁ Marc Pagès, Ch. La Tour de By, 33340 Bégadan,
tél. 05.56.41.50.03, fax 05.56.41.36.10,
e-mail la.tour.de.by@wanadoo.fr ☑ ⍢ r.-v.

CH. TOUR HAUT-CAUSSAN 1999★★

■ Cru bourg.	15 ha	108 025	⏅	11 à 15 €

82 83 85 86 |89| ⊚ 91 92 93 94 |95| ⊚ |97| 98 **99**

Si le terroir est important, l'homme l'est tout autant. Qui pourrait penser que le Château Tour-Haut-Caussan serait ce qu'il est sans Philippe Courrian ? On sent sa patte dans ce vin encore marqué par les notes grillées du bois, mais dont on découvre bien vite le potentiel. Ample et porté par des tanins puissants, il possède encore la fougue de la jeunesse et mérite d'être oublié quelque temps à la cave. Le **Château La Landotte 99 (5 à 8 €)**, second vin, a reçu une citation.

⌁ Philippe Courrian, 33340 Blaignan,
tél. 05.56.09.00.77, fax 05.56.09.06.26 ☑ ⍢ r.-v.

CH. TOUR PRIGNAC 1999

■ Cru bourg.	n.c.	593 000	⏅	11 à 15 €

Propriété de la famille Castel, ce domaine est l'un des plus vastes crus de l'appellation. La diversité des terroirs lui a permis de faire preuve d'originalité dans l'encépagement avec 9 % de malbec. Celui-ci a apporté sa marque au vin en l'arrondissant, lui permettant de jouer pleinement la carte de l'équilibre et de la finesse aromatique, avec de délicates notes boisées.

⌁ Castel Frères, 21-24, rue Georges-Guynemer,
33290 Blanquefort,
tél. 05.56.95.54.00, fax 05.56.95.54.20 ☑

CH. LES TUILERIES
Cuvée Prestige 1999★★

■ Cru bourg.	3 ha	6 000	⏅	11 à 15 €

90 91 92 93 |94| **96** 98 **99**

Issue des plus vieilles vignes du cru (quarante-cinq ans contre trente-six pour les autres), cette cuvée a pleinement profité de cet avantage. Très médoc par sa teinte d'un rouge sombre et brillant, elle fait preuve d'une grande complexité dans son expression aromatique où les notes beurrées et toastées viennent compléter les fruits rouges. Franc, plein et concentré, avec des touches de vanille et de réglisse, le palais témoigne d'un choix des cuves judicieux pour soutenir un passage en fût. Le résultat est une très jolie bouteille à ouvrir d'ici trois à quatre ans. Egalement de garde mais pouvant être bue plus jeune, la **cuvée principale 99 (8 à 11 €)** a obtenu une étoile.

Jean-Luc Dartiguenave,
Ch. Les Tuileries, 33340 Saint-Yzans-de-Médoc,
tél. 05.56.09.05.31, fax 05.56.09.02.43 ☑ ⵣ r.-v.

CH. VERNOUS
Elevé en fût de chêne 1999

| ■ Cru bourg. | 21,85 ha | 90 000 | ⫴ 8 à 11 € |

Situé aux portes de Lesparre sur un terroir de belles graves jaunes, le domaine a plusieurs fois changé de mains au cours des dernières décennies. Ces convoitises ne semblent pas avoir perturbé ce vin dont le bouquet aux notes de fruits mûrs et de noix de coco s'appuie sur une structure ronde que soutiennent des tanins bien fondus. Il pourra être bu jeune sur un magret aux navets confits.
SCA Ch. Vernous, Saint-Trélody, 33340 Lesparre, tél. 05.56.41.13.57, fax 05.56.41.21.12

LES VIEUX COLOMBIERS 1999★

| ■ | 200 ha | 100 000 | ⫴▮ 3 à 5 € |

Marque de la cave coopérative de Prignac, ce vin a fait l'objet de soins attentifs, notamment dans la maîtrise de l'élevage. Sa teinte d'un joli rouge carmin, son bouquet frais et floral avec une petite note animale, et sa structure prometteuse en témoignent. Le **Tradition des Colombiers 99 (5 à 8 €)** élevé douze mois sous bois, autre marque de la cave, a obtenu une citation.
Cave Les Vieux Colombiers,
23, rue des Colombiers, 33340 Prignac-en-Médoc,
tél. 05.56.09.01.02, fax 05.56.09.03.67,
e-mail vieuxcolombiers@wanadoo.fr
☑ ⵣ t.l.j. sf sam. dim. 8h30-12h30 14h-17h30

CH. VIEUX GADET
Elevé en fût de chêne 1999

| ■ | 1,2 ha | 6 500 | ⫴ 5 à 8 € |

Avec une allée majestueuse et une belle demeure, cette propriété en bordure de forêt a fière allure. Ses vignes à dominante de cabernet-sauvignon ont donné un vin portant la marque du cépage dans son bouquet aux notes de poivron. S'il est un peu court en finale, le vin n'en demeure pas moins équilibré et goûteux.
Thierry Trento, EARL Ch. Vieux Gadet,
1, chem. des Chambres, 33340 Gaillan-Médoc,
tél. 05.56.41.21.98, fax 05.56.41.21.98 ☑ ⵣ r.-v.

CH. VIEUX ROBIN
Bois de Lunier 1999★★

| ■ Cru bourg. | 14,25 ha | 60 000 | ▮⫴▮ 11 à 15 € |

|82| 83 |85||86| 87 |88| |89| |90| 91 |93| 94 95 96 97 98 99

Sur ce cru, le travail est à la hauteur du terroir. Le rendez-vous avec le succès qui se renouvelle de millésime en millésime n'a rien d'étonnant. Ce Bois de Lunier 99, le grand vin du domaine, ne fait pas exception à la règle. A l'élégance de la robe rouge s'ajoutent un bouquet expressif (parfums de fruits rouges relevés de notes grillées) et un bon équilibre entre les tanins du vin et ceux du bois. Bien construite, cette bouteille gagnera à être attendue trois ou quatre ans.
SCE Ch. Vieux Robin, 3, rte des Anguilleys,
33340 Bégadan, tél. 05.56.41.50.64, fax 05.56.41.37.85,
e-mail contact@chateau-vieux-robin.com ☑ ⵣ r.-v.
Maryse et Didier Roba

Haut-médoc

Le territoire spécifique de l'appellation haut-médoc serpente autour des appellations communales. Cette AOC est la seconde en importance avec 4 512 ha et une production en 2001 de 239 025 hl. Ses vins jouissent d'une grande réputation, due en partie à la présence de cinq crus classés dans leur région, les autres se trouvant dans les six appellations communales enclavées dans l'aire d'appellation.

En haut-médoc, le classement des vins a été réalisé en 1855, soit près d'un siècle avant celui des graves. Cela s'explique par l'avance prise par la viticulture médocaine à partir du XVIIIe s. ; car c'est là que s'est en grande partie produit « l'avènement de la qualité », avec la découverte des notions de terroir et de cru, c'est-à-dire la prise de conscience de l'existence d'une relation entre le milieu naturel et la qualité du vin. Les haut-médoc se caractérisent par leur générosité, mais sans excès de puissance. D'une réelle finesse au nez, ils présentent généralement une bonne aptitude au vieillissement. Ils devront alors être bus chambrés et iront très bien avec des viandes blanches et des volailles ou du gibier à plume. Mais bus plus jeunes et servis frais, ils pourront aussi accompagner d'autres plats, comme certains poissons.

CH. D'AGASSAC 1999★

| ■ Cru bourg. | 25,5 ha | 143 000 | ⫴ 11 à 15 € |

95 96 |97| 98 99

Cette maison forte du XIIe s. a fière allure et mérite l'important travail de restauration qui y est entrepris et qui lui vaudra de devenir une étape majeure de toute visite en Médoc. Celle-ci sera l'occasion de découvrir ce vin né de 50 % de merlot, 47 % de cabernet-sauvignon et 3 % de cabernet franc, à la structure ronde, franche et solide. Ses arômes qui mêlent les fruits rouges aux notes de gibier et ses tanins épicés lui permettront d'accompagner des pigeons rôtis.
SCA du Ch. d'Agassac,
15, rue du Château-d'Agassac, 33290 Ludon-Médoc,
tél. 05.57.88.15.47, fax 05.57.88.17.61,
e-mail contact@agassac.com ☑ ⵣ r.-v.
Groupama

CH. D'ARCHE 1999★★

| ■ Cru bourg. | 9 ha | 55 000 | ⫴ 15 à 23 € |

|94| |95| |96| |97| |98| 99

Ce cru est de plus en plus cerné par la banlieue bordelaise. Très sains, ses sols ont de quoi tenter les promoteurs. Heureusement, il semble bien qu'une unanimité se soit faite pour préserver sa vocation viticole. La qualité de ce vin en est la meilleure preuve. Son bouquet aux belles notes de pruneau, de musc, de cerise et de fruits mûrs, comme son palais qui sait trouver un bon équilibre entre la structure et la finesse constituent un plaidoyer éloquent, ne laissant planer aucun doute sur la qualité du terroir.

➥ SA Mähler-Besse, 49, rue Camille-Godard,
33000 Bordeaux, tél. 05.56.56.04.30, fax 05.56.56.04.59,
e-mail france@mahler-besse.com ☑ ⊻ r.-v.

CH. D'ARCINS 1999

■ Cru bourg.	90,52 ha	675 600	⊞ 11 à 15 €

Vaste unité à l'encépagement très médocain (60 % de
cabernet-sauvignon), ce cru appartenait à la Commanderie
des Templiers au XIVes., alors que les derniers jours de
l'Ordre étaient comptés. Réhabilité en... 1970 par les
Castel, le vignoble est d'une bonne régularité que confirme
ce vin souple, simple et agréable par son bouquet de fruits
rouges et de notes animales.
➥ Castel Frères, 21-24, rue Georges-Guynemer,
33290 Blanquefort,
tél. 05.56.95.54.00, fax 05.56.95.54.20 ☑

CH. D'AURILHAC 1999★

■ Cru bourg.	11 ha	82 000	⊞ 8 à 11 €
96 97 98 99			

Ici les vignes sont jeunes, mais dans l'esprit médocain
par la diversité des cépages ; elles se montrent parfaitement adaptées au terroir argilo-calcaire par la vigueur des
porte-greffes. Grâce à quoi Erik Nieuwaal peut offrir une
nouvelle fois un vin bien construit (on se souvient du 96,
coup de cœur). D'une belle robe presque noire, ce 99
enchaîne sur un bouquet encore discret, mais agréable par
ses notes de fruits rouges, avant de se révéler pleinement
au palais. Ses tanins fondus invitent à le boire d'ici deux à
trois ans. Du même producteur, le **Château La Fagotte
99** obtient une citation.
➥ SCEA Ch. d'Aurilhac et La Fagotte, Sénilhac,
33180 Saint-Seurin-de-Cadourne,
tél. 05.56.59.35.32, fax 05.56.59.35.32 ☑ ⊻ r.-v.
➥ Erik Nieuwaal

CH. BALAC 1999

■ Cru bourg.	15 ha	100 000	▤⊞⬇ 11 à 15 €
88 89 90 92 93 94	95	96	97	99			

Jolie chartreuse à la sortie de Saint-Laurent vers
Soulac, ce cru propose un vin rubis dont la matière ronde,
franche et gourmande met en valeur les tanins épicés, ainsi
que les arômes de fruits et de gibier qui se marieront
heureusement avec des pigeons rôtis dès 2003.
➥ Luc Touchais, Ch. Balac,
33112 Saint-Laurent-Médoc,
tél. 05.56.59.41.76, fax 05.56.59.93.90,
e-mail chateau.balac@wanadoo.fr
☑ ⊻ t.l.j. 10h-12h 14h-16h

CH. BARATEAU 1999

■ Cru bourg.	15 ha	90 000	⊞ 8 à 11 €
85 86	88		89		90	93 94 95 96	97	98 99			

Le petit-verdot (5 %) et le cabernet franc (5 %) font
partie de l'encépagement complémentaire bien médocain
de ce cru au terroir argilo-calcaire. Marqué par les parfums
de fruits rouges et de bois, ample et gras, son 99 est porté
par des tanins austères qui ont besoin de quelques années
pour s'amabiliser, comme c'est généralement le cas des
vins de cette propriété.
➥ Sté Fermière du Ch. Barateau,
33112 Saint-Laurent-Médoc, tél. 05.56.59.42.07,
fax 05.56.59.49.91, e-mail cb@hroy.com ☑ ⊻ r.-v.
➥ Famille Leroy

CH. BARREYRES 1999★

■ Cru bourg.	85,74 ha	645 000	⊞ 11 à 15 €

Une propriété pleine de charme avec sa belle demeure du XIXes. entourée d'une garenne aux essences
variées et un bon terroir de graves sablo-argileuses. Très
original par sa façon de mêler les arômes de fruits blancs
aux épices (poivre), son 99 développe un palais fort bien
bâti que couronne une belle finale aux notes confites. Il
accompagnera tout un repas en 2004.
➥ Castel Frères, 21-24, rue Georges-Guynemer,
33290 Blanquefort,
tél. 05.56.95.54.00, fax 05.56.95.54.20 ☑

CH. BEAUMONT 1999★

■ Cru bourg.	n.c.	n.c.	⊞ 8 à 11 €
86 88 89 90 93 94	95	96 97 98 99			

Un château néorenaissance mâtiné de néoclassicisme
et un vignoble de plus de 100 ha : à l'image de la demeure,
ce vin fait preuve d'une forte personnalité qui s'affirme dès
l'examen visuel par une teinte rubis foncé. Le bouquet la
confirme avec une fusion réussie des notes fruitées et
épicées. Enfin, le palais ne la dément pas, sa charpente et
son corps ayant le potentiel nécessaire pour laisser au bois
le temps (quatre ou cinq ans) de se fondre.
➥ SCE Ch. Beaumont, 33460 Cussac-Fort-Médoc,
tél. 05.56.58.92.29, fax 05.56.58.90.94,
e-mail chateau.beaumont@wanadoo.fr ☑ 🏠 ⊻ r.-v.

CH. BEL AIR 1999★

■ Cru bourg.	37 ha	235 000	⊞ 5 à 8 €

Jadis simple passerelle hantée par le diable, le pont dit
de l'Archevêque qui sépare Cussac de Saint-Julien a
longtemps marqué la frontière entre deux mondes. Cela
n'a pas empêché certains viticulteurs d'œuvrer avec bonheur des deux côtés. Les domaines Martin (château Gloria
à Saint-Julien) sont de ceux-là. Ce 99 est doté de beaux
arômes de tabac et de pruneau. Sa souplesse et sa rondeur
lui confèrent beaucoup de charme.
➥ Domaines Martin, Ch. Gloria,
33250 Saint-Julien-Beychevelle,
tél. 05.56.59.08.18, fax 05.56.59.16.18 ☑ ⊻ r.-v.
➥ Françoise Triaud

CH. BELGRAVE 1999★★

■ 5ème cru clas.	55,5 ha	234 665	⊞ 23 à 30 €
82 83 84 85 86 87 88 89 ⑨⓪ 91 92 93 |94| 95 |96| |97| 98 99			

Même si c'est au quartier londonien de Belgrave qu'il
doit son nom, ce cru n'en possède pas moins un très beau
terroir que l'équipe de Jean-Marie Chadronnier met en
valeur avec succès. Une fois encore, son vin saura séduire

LE CLASSEMENT DE 1855 REVU EN 1973

PREMIERS CRUS
Château Lafite-Rothschild (Pauillac)
Château Latour (Pauillac)
Château Margaux (Margaux)
Château Mouton-Rothschild (Pauillac)
Château Haut-Brion (Pessac-Léognan)

SECOND CRUS
Château Brane-Cantenac (Margaux)
Château Cos-d'Estournel (Saint-Estèphe)
Château Ducru-Beaucaillou (Saint-Julien)
Château Durfort-Vivens (Margaux)
Château Gruaud-Larose (Saint-Julien)
Château Lascombes (Margaux)
Château Léoville-Barton (Saint-Julien)
Château Léoville-Las-Cases (Saint-Julien)
Château Léoville-Poyferré (Saint-Julien)
Château Montrose (Saint-Estèphe)
Château Pichon-Longueville-Baron (Pauillac)
Château Pichon-Longueville
     Comtesse-de-Lalande (Pauillac)
Château Rauzan-Ségla (Margaux)
Château Rauzan-Gassies (Margaux)

TROISIÈME CRUS
Château Boyd-Cantenac (Margaux)
Château Cantenac-Brown (Margaux)
Château Calon-Ségur (Saint-Estèphe)
Château Desmirail (Margaux)
Château Ferrière (Margaux)
Château Giscours (Margaux)
Château d'Issan (Margaux)
Château Kirwan (Margaux)
Château Lagrange (Saint-Julien)
Château La Lagune (Haut-Médoc)

Château Langoa (Saint-Julien)
Château Malescot-Saint-Exupéry (Margaux)
Château Marquis d'Alesme-Becker (Margaux)
Château Palmer (Margaux)

QUATRIÈMES CRUS
Château Beychevelle (Saint-Julien)
Château Branaire-Ducru (Saint-Julien)
Château Duhart-Milon-Rothschild (Pauillac)
Château Lafont-Rochet (Saint-Estèphe)
Château Marquis de Terme (Margaux)
Château Pouget (Margaux)
Château Prieuré-Lichine (Margaux)
Château Saint-Pierre (Saint-Julien)
Château Talbot (Saint-Julien)
Château La Tour-Carnet (Haut-Médoc)

CINQUIÈMES CRUS
Château d'Armailhac (Pauillac)
Château Batailley (Pauillac)
Château Belgrave (Haut-Médoc)
Château Camensac (Haut-Médoc)
Château Cantemerle (Haut-Médoc)
Château Clerc-Milon (Pauillac)
Château Clos-Labory (Saint-Estèphe)
Château Croizet-Bages (Pauillac)
Château Dauzac (Margaux)
Château Grand-Puy-Ducasse (Pauillac)
Château Grand-Puy-Lacoste (Pauillac)
Château Haut-Bages-Libéral (Pauillac)
Château Haut-Batailley (Pauillac)
Château Lynch-Bages (Pauillac)
Château Lynch-Moussas (Pauillac)
Château Pédesclaux (Pauillac)
Château Pontet-Canet (Pauillac)
Château du Tertre (Margaux)

LES CRUS CLASSÉS DU SAUTERNAIS EN 1855

PREMIER CRU SUPÉRIEUR
Château d'Yquem

PREMIERS CRUS
Château Climens
Château Coutet
Château Guiraud
Château Lafaurie-Peyraguey
Château La Tour-Blanche
Clos Haut-Peyraguey
Château Rabaud-Promis
Château Rayne-Vigneau
Château Rieussec
Château Sigalas-Rabaud
Château Suduiraut

SECOND CRUS
Château d'Arche
Château Broustet
Château Caillou
Château Doisy-Daëne
Château Doisy-Dubroca
Château Doisy-Védrines
Château Filhot
Château Lamothe (Despujols)
Château Lamothe (Guignard)
Château de Malle
Château Myrat
Château Nairac
Château Romer
Château Romer-Du-Hayot
Château Suau

les palais les plus exigeants. D'une superbe couleur sombre, il développe une matière complexe et puissante qui témoigne d'un bon potentiel. Fruits rouges et noirs, confiture, cèdre, le bouquet montre lui aussi sa richesse et son élégance. Le résultat est une bouteille de garde illustrant l'esprit bordeaux par son harmonie. Digne des grands gibiers.

🍷 Dourthe, Ch. Belgrave,
35, rue de Bordeaux, 33290 Parempuyre,
tél. 05.56.35.53.00, fax 05.56.35.53.29,
e-mail contact@cvbg.com ☑ ⵎ r.-v.

CH. BELLEGRAVE DU POUJEAU 1999

■	4 ha	25 000	🗏🔟🍷 8 à 11 €

Né sur un cru aux sols de graves, planté à majorité de cabernet-sauvignon (66 %), ce vin porte la marque du cépage tant dans son bouquet aux notes fruitées qu'au palais. Si l'on découvre un solide côté tannique, encore un peu austère, la chair s'annonce prometteuse. Une bouteille à attendre quatre ou cinq ans.

🍷 Vignoble Cantelaube, chem. des Vignes,
Le Poujeau, 33290 Le Pian-Médoc,
tél. 05.56.79.36.20, fax 05.56.39.22.98 ☑ ⵎ r.-v.

CH. BEL ORME

Tronquoy de Lalande 1999

■ Cru bourg.	26 ha	150 000	🔟 11 à 15 €
95 96 97 98 99			

Œuvre de Victor Louis, ce château des hauts de Saint-Seurin de Cadourne affiche un style classique que l'on retrouve dans le vin dont la structure est à la fois austère et suffisamment équilibrée pour laisser s'exprimer l'amabilité des arômes de fruits rouges. Une bouteille à attendre un ou deux ans.

🍷 Jean-Michel Quié, Ch. Bel Orme,
33180 Saint-Seurin-de-Cadourne,
tél. 05.56.59.38.29, fax 05.56.59.72.83
☑ ⵎ t.l.j. sf sam. dim. 9h-12h 14h-17h

CH. BERNADOTTE 1999

■ Cru bourg.	30 ha	n.c.	🔟 11 à 15 €

Aujourd'hui rattaché au domaine de Pichon-Lalande (pauillac), ce cru n'entend pas rivaliser avec celui-ci, mais il possède de solides arguments pour figurer sur les tables des gourmets. Ses tanins aussi mûrs que les fruits du bouquet sauront former un bel accord avec une bécasse.

🍷 SC Ch. Le Fournas,
Le Fournas-Nord, 33250 Saint-Sauveur,
tél. 05.56.59.57.04, fax 05.56.59.54.84,
e-mail bernadotte@chateau-bernadotte.com ☑ ⵎ r.-v.
🍷 May-Eliane de Lencquesaing

CH. LE BOURDIEU VERTHEUIL 1999

■ Cru bourg.	40 ha	180 000	🔟 8 à 11 €

Agrémenté d'une garenne très fraîche en été, ce cru doit sa vocation viticole aux bénédictions de la splendide abbaye de Vertheuil. Faut-il y voir la cause de l'austérité quasi monacale de son 99 ? En tout cas, celle-ci lui permettra de bien évoluer dans le temps, en laissant au bouquet le temps de s'ouvrir complètement.

🍷 SC Ch. Le Bourdieu-Vertheuil, 33180 Vertheuil,
tél. 05.56.41.98.01, fax 05.56.41.99.32 ☑ ⵎ r.-v.

CH. BRAUDE-FELLONNEAU 1999★★

■	0,5 ha	3 000	🔟 11 à 15 €

Issu d'un vignoble très bien situé sur Macau, ce vin assemblant 45 % de merlot au cabernet-sauvignon ne cache

pas qu'il ambitionne d'affronter la garde même s'il se montre déjà agréable. Ses arômes de fruits noirs soutenus par un bois bien dosé, son équilibre et sa constitution en feront une bouteille de qualité pendant dix ans. Le **Château de Braude 99 (8 à 11 €)**, dont le cru est situé sur Arsac, a obtenu une étoile : il est beau à l'œil, fruité et boisé au nez, bon en bouche.

🍷 Régis Bernaleau, Ch. Braude-Fellonneau,
33460 Macau, tél. 05.56.58.84.51, fax 05.56.58.83.39,
e-mail chateau.mongravey@wanadoo.fr ☑ ⵎ r.-v.

LES BRULIERES DE BEYCHEVELLE 1999★

■	13 ha	800 000	🔟 5 à 8 €

Ce cru, dépendant du célèbre château de Beychevelle (saint-julien), est situé à l'orée de la forêt dans la commune de Cussac. Ce qui lui vaut un terroir de qualité, mais nécessitant une forte protection contre le gel de printemps. L'équipe qui le conduit sait en tirer le meilleur parti, comme en témoigne ce vin. D'une belle couleur grenat et évoquant une coupe de fruits frais par son bouquet, celui-ci développe une bonne structure tannique au palais, où il fait preuve d'une expression aromatique de qualité.

🍷 SC Ch. Beychevelle, 33250 Saint-Julien-Beychevelle,
tél. 05.56.73.20.70, fax 05.56.73.20.71,
e-mail beychevelle@beychevelle.com ⵎ r.-v.

CH. CAMBON LA PELOUSE 1999★

■ Cru bourg.	35 ha	230 000	🔟 11 à 15 €

Bien connue des Bordelais pour ses restaurants aux airs de guinguettes du port, la commune de Macau a vu éclore ces dernières années quelques jolis crus où l'on sait bien travailler. Cambon La Pelouse en est la parfaite illustration (coup de cœur pour le 98). D'un rubis foncé frangé de violine, la robe dit clairement que ce vin est destiné à la garde. Le bouquet aux délicates notes de fruits mûrs et de toast comme le palais ample et riche promettent de belles choses d'ici deux à trois ans.

🍷 Jean-Pierre Marie, SCEA Cambon La Pelouse,
5, chem. de Canteloup, 33460 Macau,
tél. 05.57.88.40.32, fax 05.57.88.19.12,
e-mail contact@cambon-la-pelouse.com ☑ ⵎ r.-v.

CH. CAMENSAC 1999★★

■ 5ème cru clas.	70 ha	280 000	🔟 23 à 30 €
85 86 88 92 94 95 96 97 98 99			

Situé sur une ligne de hauteurs à l'est de Saint-Laurent, cette propriété offre l'un des plus jolis spectacles du Médoc en automne, quand les vignes prennent des couleurs fauves et rouges. Son vin est lui aussi d'une belle teinte grenat. Ses tanins sont encore un peu sauvages, mais dans cinq ou six ans ils révéleront le côté charnu qui commence à s'annoncer et qui s'accordera bien avec l'expression aromatique de petits fruits rouges et de vanille. Perdreaux ou bécasses à partir de 2006.

🍷 Ch. Camensac, rte de Saint-Julien,
BP 9, 33112 Saint-Laurent-Médoc,
tél. 05.56.59.41.69, fax 05.56.59.41.73 ☑ ⵎ r.-v.

CH. CANTEMERLE 1999★★

■ 5ème cru clas.	85 ha	397 400	🔟 23 à 30 €
81 82 83 85 86 87 88 89 90 91 92 93 94 95 96 97 98 99			

Il est difficile d'ignorer le superbe parc de Cantemerle quand on s'engage sur la route des vins du Médoc. Mais son attrait ne doit pas faire négliger le vignoble, bien situé sur de belles graves dont la qualité est attestée par celle de ce vin d'une couleur supérieure à la moyenne. Le bouquet complexe joue sur les notes boisées et animales. Ces arômes rejoignent les fruits mûrs pour composer un bel ensemble que prolonge au palais un bon équilibre entre les saveurs et les tanins. D'ici quelques années, ce 99 s'exprimera avec éloquence sur des pigeons en cocotte.

🠒 Ch. Cantemerle, 1, chem. Guittot, 33460 Macau, tél. 05.57.97.02.82, fax 05.57.97.02.84, e-mail cantemerle@cantemerle.com ⅄ r.-v.

🠒 groupe SMABTP

CH. CARONNE SAINTE GEMME 1999★

■ Cru bourg.	40 ha	280 000	⅏ 11 à 15 €

Bel exemple de chartreuse médocaine, ce château doit sans doute son nom à l'existence autrefois d'une source sur l'un des chemins de Saint-Jacques. Discret au début de la dégustation, son 99 monte ensuite en puissance pour révéler une bonne charpente et du corps. Bien typé, l'ensemble s'inscrit dans le meilleur classicisme médocain. Assez proche, le **Château Labat 99 (8 à 11 €)** du même producteur a obtenu une citation.

🠒 Vignobles Nony-Borie, Caronne, 33112 Saint-Laurent-Médoc, tél. 05.57.87.56.81, fax 05.56.51.71.51, e-mail fnony@aol.com ⅄ r.-v.

DOM. DE CARTUJAC 1999

■ Cru paysan	7 ha	n.c.	⅏ 5 à 8 €

Domaine et cru paysan, ces deux titres conviennent bien à ce cru et à son vin né de 60 % de cabernet-sauvignon complétés par le merlot. D'une rusticité de bon aloi, il montre sa solide constitution tout au long de la dégustation, de la robe, sombre à souhait, à la puissante structure tannique qui demandera quelques années pour s'assouplir.

🠒 Bruno Saintout, Dom. de Cartujac, 33112 Saint-Laurent-Médoc, tél. 05.56.59.91.70, fax 05.56.59.46.13 ☑ ⅄ r.-v.

CH. CHARMAIL 1999★★

■ Cru bourg.	22,5 ha	105 000	⅃ ⅏ 11 à 15 €

88 89 90 91 **92** 93 |**94**| |**95**| **96**| |**97**| **98** 99

Un vin doit beaucoup au terroir et tout autant aux hommes. La belle remontée qualitative de ce cru depuis quelques années est due au travail acharné d'Olivier Sèze qui, une fois encore, a signé un joli vin. D'une belle couleur sombre à reflets bleu-noir, celui-ci déploie un bouquet complexe et généreux où se développent des arômes de torréfaction et de pain sur un fond fruité. Souple et charnu à l'attaque, il s'appuie ensuite sur des tanins soyeux comme pour indiquer qu'il est bien armé pour la garde. N'oubliez pas que ce cru reçut de nombreux coups de cœur (millésimes 96, 97 et 98).

🠒 Olivier Sèze, Ch. Charmail, 33180 Saint-Seurin-de-Cadourne, tél. 05.56.59.70.63, fax 05.56.59.39.20 ☑ ⅄ r.-v.

CH. CISSAC 1999★

■ Cru bourg.	36 ha	220 000	⅏ 15 à 23 €

97 **98** 99

Issu d'une belle unité que représente une élégante chartreuse construite sur le site d'une *villa* romaine, ce vin n'a rien de confidentiel, ce qui ne rend que plus appréciables ses nombreuses qualités : une robe grenat vif et profond, un bouquet de cuir et d'humus, un palais rond,

séveux, riche, aux notes de réglisse et de mûre, une finale ferme et persistante. Deux à six ans de garde et un plaisir assuré avec une grillade sur feu de bois.

🠒 Vialard, SCEA du Ch. Cissac, 33250 Cissac-Médoc, tél. 05.56.59.58.13, fax 05.56.59.55.67, e-mail marie.vialard@chateau-cissac.com ☑ ⅄ r.-v.

CH. CITRAN 1999★★

■ Cru bourg.	48 ha	325 000	⅏ 15 à 23 €

88 |89| ⑨⓪ 91 92 93 |94| ⑨⑤ 96 97 98 99

D'une régularité exemplaire, ce cru, entré dans l'empire Merlaut en 1996, reste fidèle à lui-même avec ce vin dont le maître-mot est harmonie. Véritable fil rouge de la dégustation, celle-ci se perçoit autant dans la robe riche en promesses que dans le bouquet où les fruits rouges s'entendent à merveille avec l'apport du bois. Le palais montre sa rondeur tout en révélant une belle puissance qui appelle une garde de trois ou quatre ans avant un accord gourmand réussi avec une lamproie à la bordelaise.

🠒 Antoine Merlaut, Ch. Citran, chem. de Citran, 33480 Avensan, tél. 05.56.58.21.01, fax 05.57.88.84.60, e-mail info@citran.com ☑ ⅄ r.-v.

CH. CLEMENT-PICHON 1999★★

■ Cru bourg.	25 ha	115 000	⅏ 11 à 15 €

85 86 88 89 90 94 |95| 97 **98** 99

Véritable château de la Loire exilé dans la « presqu'île du vin », cette étonnante bâtisse du XIXes. a retrouvé son éclat d'antan dans les années 1980 grâce à Clément Fayat. S'il a restauré le château, celui-ci n'a pas oublié la vigne et les chais. La qualité de son 99 le montre clairement par sa belle robe d'un pourpre satiné. La suite est de la même veine, qu'il s'agisse du bouquet, aux puissantes notes de fruits rouges et d'épices, ou de la structure au parfait équilibre entre un boisé torréfié et une matière charpentée. Un vrai grand vin à la fois moderne et classique, à associer à une cuisine traditionnelle (gigot à la ficelle) à partir de 2006.

🠒 Clément Fayat, Ch. Clément-Pichon, 33290 Parempuyre, tél. 05.56.35.23.79, fax 05.56.35.85.23, e-mail info@vignobles.fayat-group.com ☑ ⅄ r.-v.

CH. COLOMBE PEYLANDE

L'Aïeul Léontin 1999

■	0,6 ha	3 500	⅏ 11 à 15 €

Née sur un domaine familial, cette cuvée spéciale assez confidentielle a passé dix-huit mois en fût. Elle est encore très marquée par sa texture tannique et ses notes de gibier qui demanderont trois ou quatre ans pour se fondre dans l'ensemble.

● EARL Dedieu-Benoit, 6, chem. des Vignes,
33460 Cussac-Fort-Médoc,
tél. 05.56.58.93.08, fax 05.57.88.50.81 ☑ ⵏ r.-v.

CH. CORCONNAC 1999
■ Cru bourg.	8,11 ha	17 000	⑪ 8 à 11 €

Né à Saint-Laurent, en limite de la forêt, et élaboré
avec la même équipe que le Château Teynac à Saint-Julien,
ce vin est simple mais agréable et séveux, avec une jolie
robe d'un rubis intense, un bouquet naissant annonçant un
bon mariage entre le fruit et le bois, de bons tanins de
raisins et du corps.
● Ch. Corconnac, 33112 Saint-Laurent-Médoc,
tél. 05.56.59.93.04, fax 05.56.59.46.12,
e-mail philetfab3@wanadoo.fr ☑ ⵏ r.-v.
● F. et Ph. Pairault

CLOS DU CHATEAU LE COTEAU 1999★
■	0,9 ha	6 000	■⭗ 5 à 8 €

Produit sur un petit vignoble du château Le Coteau
n'ayant pas droit à l'appellation margaux, ce vin montre
qu'il est de bonne origine, tant par sa belle teinte rouge que
par ses parfums de fruits frais ou par son équilibre au palais
qui trouve son point d'orgue dans une finale soyeuse. A
ouvrir en 2004.
● Eric Léglise, SCE Ch. Le Coteau,
39, av. J.-L.-Vonderheyden, 33460 Arsac,
tél. 05.56.58.82.30, fax 05.56.58.82.30 ☑ ⵏ r.-v.

CH. DE COUDOT
Vieilli en fût de chêne 1999
■ Cru artisan	5 ha	30 000	■⑪ 5 à 8 €

Petit-verdot, cabernet-sauvignon (60 %), cabernet
franc, merlot : aucun cépage n'est ignoré dans ce cru
artisan. Le résultat est un vin simple mais qui n'en possède
pas moins quelques tanins assez chaleureux et un bouquet
épicé bien typé. A servir pendant deux à trois ans.
● SC du Ch. de Coudot,
9, imp. de Coudot, 33460 Cussac-Fort-Médoc,
tél. 05.56.58.03.34, fax 05.57.88.50.47 ☑ ⵏ r.-v.
● Blanchard

CH. COUFRAN 1999★
■ Cru bourg.	76 ha	n.c.	⑪ 11 à 15 €
82 83 85 86 88 89 90 93 94	95	96 97 98 99			

Coufran domine la Gironde : sa situation répond au
critère de qualité des grands Médocains. Pourtant son
encépagement est à forte majorité de merlot – trait plus
rive droite que rive gauche. Le bouquet aux fraîches notes
fruitées comme le palais, qui a résolument choisi la voie de
l'élégance, portent la marque du cépage. Rond, souple et
bien équilibré, l'ensemble appelle une garde de deux à trois
ans.
● SCA Ch. Coufran, 33180 Saint-Seurin-de-Cadourne,
tél. 05.56.59.31.02, fax 05.56.59.32.85 ⵏ r.-v.
● Miailhe

CH. DEVISE D'ARDILLEY 1999
■	6,84 ha	22 660	⑪ 8 à 11 €

Le vignoble situé sur graves et argilo-calcaires ayant
changé de mains en 2000, ce millésime est le dernier
élaboré par Hervé Godin qui a fait progresser ce cru. Ce
vin au bouquet complexe (fruits rouges et bois) et aux
tanins souples témoigne de son savoir-faire. A boire sur la
fraîcheur du fruit.

● Vignobles Vimes-Philippe SAS,
Ch. Devise d'Ardilley, 33112 Saint-Laurent-Médoc,
tél. 05.57.75.14.26, fax 05.57.75.14.26 ☑ ⵏ r.-v.

CH. DILLON 1999
■ Cru bourg.	30 ha	200 000	⑪ 8 à 11 €
82 83 85 ⑧⑥ |88| |89| |90| 91 93 |95| |96| |97| 98 |99|			

Peut-être est-ce grâce à son statut de lycée agricole
que ce cru résiste à la pression urbaine de plus en plus forte
dans la commune de Blanquefort. Discrètement bouqueté
et bien construit, son 99, assemblant 50 % de merlot au
cabernet-sauvignon et à 10 % de petit-verdot, pourra être
bu assez jeune, comme l'indique sa couleur légère. Il a de
la rondeur et un bouquet fumé-boisé.
● Lycée agricole de Blanquefort,
Ch. Dillon, rue Arlot de Saint-Saud, 33290 Blanquefort,
tél. 05.56.95.39.94, fax 05.56.95.36.75,
e-mail chateau-dillon@chateau-dillon.com ☑ ⵏ r.-v.
● Ministère de l'Agriculture

L'ERMITAGE DE CHASSE-SPLEEN 1999★
■	40 ha	250 000	⑪ 15 à 23 €

Comme beaucoup de crus situés dans les communales, Chasse-Spleen possède également un vignoble d'AOC
haut-médoc. Mais celui-ci se singularise par sa taille
(40 ha). Souple, fin et d'une agréable expression aromatique, son 99 se montre déjà plaisant en détenant de
bonnes réserves d'évolution : il pourra être attendu deux
ou trois ans. Il est proposé de le servir sur une tarte au
fromage ou une volaille.
● Céline Villars-Foubet, SA Ch. Chasse-Spleen,
Grand-Poujeaux, 33480 Moulis-en-Médoc,
tél. 05.56.58.02.37, fax 05.57.88.84.40,
e-mail info@chasse-spleen.com ⵏ r.-v.

CH. LA FON DU BERGER 1999★
■	15 ha	60 000	⑪ 8 à 11 €

Respectueux des traditions médocaines, ce cru dispose d'un encépagement diversifié avec une majorité de
cabernet-sauvignon (60 %). Ce souci joint à la qualité du
travail explique sa présence très régulière dans le Guide et
l'attrait de ce 99. D'une teinte profonde, celui-ci marie avec
bonheur les tanins du vin à ceux du bois pour former un
ensemble qui méritera d'être apprécié dans deux ou trois
ans sur une pièce de viande rouge ou un gibier.
● Gérard Bougès, Le Fournas, 33250 Saint-Sauveur,
tél. 05.56.59.51.43, fax 05.56.73.90.61
☑ ⵏ t.l.j. 9h-12h 14h-18h

CH. FORT DE VAUBAN
Vieilli en fût de chêne 1999
■ Cru bourg.	9 ha	50 000	■⑪ 8 à 11 €

Par son nom ce cru veut honorer la puissante
forteresse bâtie par Vauban (maréchal de France et grand
bâtisseur d'ouvrages militaires sous Louis XIV) au bord de
l'estuaire et plus connue sous l'appellation de Fort
Médoc. S'il reste un peu sur la réserve en finale, son 99 se
montre intéressant par sa robe grenat, ses arômes de fruits
mûrs et ses tanins à la fois ronds et puissants. A ouvrir en
2004.
● Jean-Noël Noleau, 1, rue du Vieux Cussac,
33460 Cussac-Fort-Médoc,
tél. 05.56.58.98.47, fax 05.57.88.50.43 ☑ ⵏ r.-v.

FORT DU ROY
Le Grand Art 1999*

| ■ | 5 ha | 22 000 | � | 5 à 8 € |

Cette coopérative, la plus jeune du Médoc, a soufflé cette année sa trentième bougie. Elle réunit quinze viticulteurs de Cussac. Une fois encore sa sélection des meilleures cuves s'annonce sous des auspices favorables. La robe sombre, l'élégant bouquet fruité, l'ampleur et les tanins charnus rendront ce haut-médoc très séduisant auprès des amateurs de vin bien fait et sans fard. Plus simple, mais également élégante et chaleureuse, la cuvée principale baptisée **Fort Médoc 99 (5 à 8 €)** a reçu une citation. Elle ne connaît pas la barrique.
↬ SCA les Viticulteurs du Fort-Médoc,
105, av. du Haut-Médoc, 33460 Cussac-Fort-Médoc,
tél. 05.56.58.92.85, fax 05.56.58.92.86,
e-mail cave-fort-medoc@wanadoo.fr
☑ ☏ t.l.j. sf dim. 9h30-12h30 14h-18h

LE HAUT-MEDOC DE GISCOURS 1999*

| ■ | 40 ha | 250 000 | � | 8 à 11 € |

Signé par l'équipe du château Giscours, mais élaboré à partir de vignes d'appellation haut-médoc à majorité de merlot, ce vin se présente dans une jolie robe à reflets rubis. Peu intense au départ, le bouquet se développe à l'aération avec beaucoup de finesse permettant au merlot de s'exprimer sur un fond boisé. L'attaque très ronde et l'évolution au palais, d'une grande souplesse, laissent sur le souvenir d'un ensemble d'une agréable finesse. Le **Château Duthil 99 (11 à 15 €)**, également produit par la SAE de Giscours, a reçu une citation.
↬ SAE Ch. Giscours, 10, rte de Giscours,
33460 Labarde, tél. 05.57.97.09.09, fax 05.57.97.09.00,
e-mail giscours@chateau-giscours.fr ☎ ☏ r.-v.

CH. GRANDIS 1999*

| ■ Cru bourg. | 9,6 ha | 36 937 | � | 8 à 11 € |

88 |89| 90| 91 92 93| 95| 96 97| 98 99

Sobre et élégant, le château Grandis possède le charme des chartreuses bordelaises. Son vin ne manque pas d'attrait : bien construit, il développe un bouquet très fruité qu'agrémente de jolies notes de tabac, de café et de girofle. Son palais suit d'une façon harmonieuse pour s'ouvrir sur une séduisante finale, chaude et séveuse. A ouvrir entre 2004 et 2010.
↬ François-Joseph Vergez,
Ch. Grandis, 33180 Saint-Seurin-de-Cadourne,
tél. 05.56.59.31.16, fax 05.56.59.39.85 ☑ ☏ r.-v.

DOM. GRAND LAFONT 1999*

| ■ Cru artisan | 3,14 ha | 15 000 | � | 8 à 11 € |

82 85 86 88 89 **90** 91 |93| 94 |95| |96| |97| 98 |99|

Gens de passion, les Lavanceau communiquent leur amour de la vigne et du travail bien fait. Ils bénéficient d'un beau terroir de graves garonnaises entouré par les châteaux La Lagune et Cantemerle. La sincérité de leur engagement transparaît dans ce vin. L'élevage a su respecter la matière et les parfums permettent au bouquet de faire preuve d'élégance, tandis qu'au palais apparaissent une rondeur et une souplesse qui le rendent déjà agréable tout en lui assurant de bonnes chances d'évolution.
↬ M. et Mme Lavanceau,
Dom. Grand Lafont, 33290 Ludon-Médoc,
tél. 05.57.88.44.31, fax 05.57.88.44.31 ☑ ☏ r.-v.

LE GRAND PAROISSIEN
Elevé et vieilli en fût de chêne 1999

| ■ | 2,5 ha | 14 000 | � | 5 à 8 € |

Sélection issue des meilleures vignes des coopérateurs de Saint-Seurin-de-Cadourne, ce vin souple et bien équilibré montre qu'il ne manque pas d'atouts pour séduire dès à présent. A commencer par une belle couleur et de savoureux parfums de confiture et de cuir. Souple, d'une bonne présence tannique, il offre une sympathique finale fumée. L'autre étiquette de la cave, **La Paroisse 99**, élevée en cuve, a obtenu une citation.
↬ Cave coop. de vinification La Paroisse,
33180 Saint-Seurin-de-Cadourne,
tél. 05.56.59.31.28, fax 05.56.59.39.01
☑ ☏ t.l.j sf dim. 8h30-12h30 14h-18h; sam. 8h30-12h30

CH. GUITTOT-FELLONNEAU 1999*

| ■ Cru artisan | 5,4 ha | 20 000 | �ⅠⅠⅠ believe | 8 à 11 € |

Situé aux portes de Bordeaux, ce cru, ferme-auberge, maintient la tradition de la cuisine du Sud-Ouest grâce aux rillettes de canard, au magret ou à l'entrecôte sur les sarments de Maryse Fellonneau. Ce 99 se mariera avec tous ces mets : s'il est un peu sévère, il se montre solidement constitué pour pouvoir affronter les ans. Plus aimable, la palette aromatique joue sur les notes fruitées et grillées dont la longueur est prometteuse.
↬ Guy Constantin, Ch. Guittot-Fellonneau,
33460 Macau, tél. 05.57.88.47.81, fax 05.57.88.09.94
☑ ⌂ ☏ r.-v.

CH. HANTEILLAN 1999*

| ■ Cru bourg. | 49,13 ha | 380 000 | ⅠⅠⅠ believe | 8 à 11 € |

A 3 km de l'abbaye romane de Vertheuil, ce cru a su adapter son encépagement au terroir argilo-calcaire avec une courte majorité de merlot (52 %), tout en respectant l'esprit médocain grâce à une diversité assurée par la présence du petit-verdot (8 %). Le résultat est un vin fort intéressant, dont le bouquet ne s'exprime pas encore pleinement mais qui révèle un très bon équilibre au palais. Jouant résolument la carte de l'élégance, l'ensemble laisse sur une plaisante impression d'harmonie générale. A servir le dimanche au cours des quatre à cinq prochaines années.
↬ SA Ch. Hanteillan, 12, rte d'Hanteillan,
33250 Cissac, tél. 05.56.59.35.31, fax 05.56.59.31.51,
e-mail chateau.hanteillan@wanadoo.fr
☑ ☏ t.l.j. sf sam. dim. 9h-12h 14h-17h30
↬ Catherine Blasco

CH. HAUT-BREGA 1999*

| ■ Cru artisan | n.c. | n.c. | � | 8 à 11 € |

Il faut assister aux vendanges, toujours manuelles, et partager l'ambiance du travail, dur mais festif, pour comprendre comment les Ambach font progresser leur cru artisan à la force du poignet. Et pour apprécier l'efficacité de leur méthode, il suffit de déguster un verre de ce joli vin à la robe profonde, qui sait être tannique tout en développant une sympathique matière, ronde et charnue. Bien équilibré, l'ensemble s'accorde heureusement avec la délicatesse du bouquet mariant bois et fruit.
↬ Joseph Ambach, 16, rue des Frères-Razeau,
33180 Saint-Seurin-de-Cadourne, tél. 05.56.59.70.77,
fax 05.56.59.62.50, e-mail cht.haut.brega@wanadoo.fr
☑ ☏ t.l.j. 10h-20h; hiver sur r.-v.

CH. HAUT-MADRAC 1999

■ Cru bourg.   20 ha   160 000   ◫ 8 à 11 €

Né sur un terroir argilo-calcaire à la limite de Pauillac et de Saint-Sauveur, mis en bouteilles par Borie-Manoux, ce vin est simple mais bien fait, avec une belle robe rubis soutenu, un bouquet encore très jeune aux fines notes variétales et un palais déjà souple et rond.
☛ Héritiers Castéja, 33250 Pauillac,
tél. 05.56.00.00.70, fax 05.57.87.48.61 ⵁ r.-v.

CH. JULIEN 1999

■ Cru bourg.   15 ha   60 000   ◫ 8 à 11 €

Assez étrangement ce vignoble possède un encépagement dominé par le merlot (52 % pour ce millésime) avec un zeste de petit-verdot, alors qu'il est planté sur un terroir de graves garonnaises. C'est donc son expression aromatique qui constitue son point fort, avec de jolies notes de fraise cuite et de sous-bois. La bouche a suffisamment de matière pour une petite garde.
☛ SCEA Vignobles Alain Meyre,
Donissan, 33480 Listrac-Médoc,
tél. 05.56.58.07.28, fax 05.56.58.07.50
ⓥ 🏠 🏠 ⵁ t.l.j. sf dim. 9h-12h 14h-18h

KRESSMANN GRANDE RESERVE 1999★

■   n.c.   n.c.   ▯◆ 8 à 11 €

Fidèle à l'esprit de l'appellation par son encépagement à majorité de cabernet-sauvignon (60 %), ce vin est aussi très représentatif du millésime par sa matière, tendre et charnue, et ses tanins non agressifs. En parfait accord avec eux, le bouquet développe de délicats parfums de fruits cuits et de cannelle. L'ensemble invite à une garde de deux à quatre ans.
☛ Kressmann,
35, rue de Bordeaux, 33290 Parempuyre,
tél. 05.56.35.53.00, fax 05.56.35.53.29,
e-mail contact @ cvbg.com ⓥ ⵁ r.-v.

CH. LABARDE 1999★

■   4,82 ha   26 000   ◫ 8 à 11 €

Issu de vignes du domaine du château Dauzac situées hors de l'AOC margaux, ce vin sait montrer qu'il est de bonne origine. Sa présentation est prometteuse avec une robe profonde et un bouquet aussi explosif que complexe (fruits rouges et vanille). Souple, suave et bien structuré, le millésime est encore très marqué par le bois et demande une garde de quelques années avant de rejoindre un grand gibier.
☛ SA Ch. Dauzac, 33460 Labarde-Margaux,
tél. 05.57.88.32.10, fax 05.57.88.96.00 ⓥ ⵁ r.-v.

CH. LACHESNAYE 1999★★

■ Cru bourg.   n.c.   100 000   ◫ 11 à 15 €

Représentatif des tendances architecturales du XIXes. par son château néotudor, ce cru est aussi bien ancré dans le Médoc par son beau terroir où s'épanouissent merlot et cabernet-sauvignon à parts égales. Prometteur par sa robe foncée, ce vin s'annonce très intéressant par son bouquet qui ne s'est pas encore complètement ouvert, mais dont on sent déjà la complexité (épices et fruits confits). Ample, puissant, concentré et persistant, le palais appelle un séjour en cave d'au moins trois ou quatre ans.

☛ SCEA Delbos-Bouteiller, Ch. Lachesnaye,
33460 Cussac-Fort-Médoc, tél. 05.56.58.94.80,
fax 05.57.88.89.92, e-mail bouteiller @ bouteiller.com
ⓥ ⵁ t.l.j. 9h15-12h 14h-18h; groupes sur r.-v.

CH. LACOUR JACQUET 1999★

■   6 ha   40 000   ◫ 5 à 8 €

89 90 94 |95| |96| |97| 98 99

A l'écart des visées spéculatives qui ont frappé certaines de ses voisines, la commune de Cussac a gardé son tissu de propriétés familiales, dont Lacour Jacquet est représentatif. Ce vin est bien typé par ses tanins. Souples, concentrés et bien enrobés, ceux-ci s'accordent avec la complexité du bouquet pour inviter à un mariage avec une épaule d'agneau aux pistaches.
☛ GAEC Lartigue, 70, av. du Haut-Médoc,
33460 Cussac-Fort-Médoc, tél. 05.56.58.91.55,
fax 05.56.58.94.82 ⓥ ⵁ t.l.j. 10h-19h; dim. sur r.-v.

CH. LA LAGUNE 1999★★

■ 3ème cru clas. 71,23 ha 255 000   ◫ 23 à 30 €

75 78 81 |82| 83 85 |86| 87 88 ⑧⑨90 91 92 |93| 94 95 96 97 98 99

Indifférents à la course au profit de certains investisseurs, les Champagnes Ayala sont restés fidèles à ce cru depuis 1961. Leur souci de défendre l'esprit de l'appellation transparaît dans le choix de Thierry Burdin comme nouveau directeur général. Des vins comme celui-ci, pour lequel on n'a pas recherché la concentration à tout prix mais l'équilibre et l'élégance qui sont la signature des grands bordeaux, disent le même souci. Des tanins soyeux et ronds, qui appellent une bonne garde, un bouquet fin, puissant et complexe, où le bois sait prendre toute sa place mais rien que sa place, tout contribue à rendre harmonieuse cette très belle bouteille. Avec certes un peu moins de puissance, le **Moulin de La Lagune 99**, deuxième vin du cru, partage l'essentiel des qualités de son grand frère, la puissance en moins. Il a obtenu une étoile et demande d'être attendu environ trois ans.

🍷 Ch. La Lagune,
81, av. de l'Europe, 33290 Ludon-Médoc,
tél. 05.57.88.82.77, fax 05.57.88.82.70,
e-mail lalagune@club-internet.fr ⛶ r.-v.

CH. DE LAMARQUE 1999★

■ Cru bourg.	35 ha	145 000	⏃ 11 à 15 €

83 86 88 89 90 **91** 92 93 94 95 |96| 97 98 99

Selon la tradition, une forteresse aurait été construite ici (le château actuel date du XIVᵉ s.) pour contenir les Vikings, et leur élan aurait été si bien brisé que certains s'installèrent sur les lieux pour jouir de la douceur du climat. Cette clémence n'est sans doute pas restée sans influence sur les qualités de ce vin de caractère et bien médocain. D'une présentation irréprochable, il développe un bouquet dont les notes animales annoncent la force du palais. Porté par une puissante structure tannique et aromatique, il se montre très classique et accompagnera avec succès les viandes en sauce d'ici environ cinq ans.

🍷 SC Gromand d'Evry,
Ch. de Lamarque, 33460 Lamarque,
tél. 05.56.58.90.03, fax 05.56.58.93.43,
e-mail chdelamarq@aol.com ☑ ⛶ r.-v.

CH. LAMOTHE BERGERON 1999

■ Cru bourg.	66,54 ha	272 800	⏃ 11 à 15 €

95 96 |97| |99|

Rendant hommage à l'une des figures de l'agronomie bordelaise au XVIIIᵉ s., Jacques de Bergeron, dont la famille a possédé le domaine jusqu'en 1850-1860, ce vin à la robe rutilante se montre intéressant, tant par son bouquet ensoleillé (raisins mûrs) que par son palais, d'une grande finesse. Il sera plaisant à déguster sur une entrecôte de bœuf de Bazas en 2004.

🍷 SC du Ch. Grand-Puy Ducasse, La Croix Bacalan,
109, rue Achard, BP 154, 33042 Bordeaux Cedex,
tél. 05.56.11.29.00, fax 05.56.11.29.01 ⛶ r.-v.

CH. LAMOTHE-CISSAC 1999

■ Cru bourg.	35,92 ha	n.c.	■⏃⚭ 11 à 15 €

85 86 89 |90| |94| **95** 96 |98| 99

Un toponyme (« la mothe », le monticule) assez fréquent en Gironde où on dénombre officiellement une bonne vingtaine de lieux-dits ainsi nommés. Les qualités du terroir se retrouvent dans ce vin dont on pourra apprécier dans quelques années l'ampleur au palais, ainsi que le bouquet puissant et bien typé.

🍷 SC Ch. Lamothe, BP 3, 33250 Cissac-Médoc,
tél. 05.56.59.58.16, fax 05.56.59.57.97,
e-mail domaines.fabre@enfrance.com ☑ ⛶ r.-v.

CH. LANESSAN 1999★★

■ Cru bourg.	n.c.	280 000	⏃ 15 à 23 €

86 88 **90** 91 92 |93| |94| 95 96 |97| 98 **99**

Si les petites et moyennes exploitations dominent à Cussac, les grands domaines ne sont pas absents. Lanessan, qui appartient à la même famille depuis deux siècles, est le plus célèbre d'entre eux. La qualité de son terroir apparaît tout au long de la dégustation. Une belle teinte rubis, un bouquet très expressif (épices, sous-bois et marmelade avec un boisé de qualité en arrière-plan), une attaque fraîche et une structure tannique bien assise, avec de la mâche, une longue finale, tout est donné et bien dans l'esprit de l'appellation.

🍷 SCEA Delbos-Bouteiller,
Ch. Lanessan, 33460 Cussac-Fort-Médoc,
tél. 05.56.58.94.80, fax 05.57.88.89.92,
e-mail bouteiller@bouteiller.com
☑ ⛶ t.l.j. 9h15-12h 14h-18h

CH. LAROSE-TRINTAUDON 1999★

■ Cru bourg.	119 ha	800 000	⏃ 8 à 11 €

81 82 83 85 **86** 87 **88** 89 |90| 91 92 93 |94| 95 96 |97| 98 99

Chai, étendue du domaine et du vignoble (175 ha), volume de production, ici on voit grand. Mais on ne néglige pas pour autant la qualité, comme en témoigne ce vin issu d'un encépagement bien équilibré, avec 60 % de cabernet-sauvignon, 35 % de merlot et 5 % de cabernet franc. Soutenus par un bois bien maîtrisé, le bouquet fruité et la structure aux tanins ronds préparent le terrain pour que puisse s'exprimer pleinement la longue et harmonieuse finale. Egalement bien bouqueté et structuré, le **Château Larose-Perganson 99 (11 à 15 €)**, du même producteur, a obtenu une étoile.

🍷 SA Ch. Larose-Trintaudon,
rte de Pauillac, 33112 Saint-Laurent-Médoc,
tél. 05.56.59.41.72, fax 05.56.59.93.22,
e-mail info@trintaudon.com ☑ ⛶ r.-v.
🍷 AGF

CH. LESTAGE SIMON 1999★

■ Cru bourg.	26 ha	200 000	■⏃⚭ 11 à 15 €

L'année 2002 a été tristement marquée pour Lestage par la disparition de Charles Simon, qui avait porté le cru de cinq petits hectares en 1975 à quarante aujourd'hui. Issu d'un encépagement à forte marjorité merlot (70 %) qu'explique un terroir argilo-calcaire, ce vin lui rend hommage par son mariage réussi entre de solides tanins et de sympathiques arômes de fruits rouges et de merrain.

🍷 Charles Simon, rte de Troupian,
33180 Saint-Seurin-de-Cadourne,
tél. 05.56.59.70.56, fax 05.56.59.70.56,
e-mail chateau@lestage-simon.com
☑ ⛶ t.l.j. sf sam. dim. 8h-12h 14h-16h30

CH. LIEUJEAN
Cuvée Prestige 1999★

■ Cru bourg.	3 ha	15 000	⏃ 11 à 15 €

Provenant des vieilles vignes de cabernet-sauvignon, cette cuvée Prestige est d'un grand classicisme dans sa robe qui la rend presque sévère. C'est en revanche l'impression d'un vin charmeur que laisse en souvenir le reste de la dégustation. Les arômes d'épices et de grillé s'allient au côté fondu des tanins pour former un ensemble déjà agréable, mais qui pourra être attendu deux ou trois ans.

🍷 SCEA Garri du Gai, Ch. Lieujean,
33250 Saint-Sauveur-Médoc,
tél. 05.56.41.50.18, fax 05.56.41.54.65 ☑ ⛶ r.-v.

CH. LIVERSAN 1999★

■ Cru bourg.	25 ha	160 000	⏃ 11 à 15 €

Des marquis de Latresne au XVIIIᵉ s. aux princes de Polignac de 1984 à 1995, cette propriété a été l'une des plus aristocratiques du Médoc. Placée aujourd'hui sous la férule de la famille Lapalu, elle propose un vin au bouquet de fruits rouges et au palais bien composé, avec des tanins lisses et fondus qui permettront de l'attendre deux à trois ans.

BORDELAIS

🕭 SCEA Ch. Liversan, 1, rte de Fonpiqueyre,
33250 Saint-Sauveur-Médoc,
tél. 05.56.41.50.18, fax 05.56.41.54.65,
e-mail info@domaineslapalu.com ☑ ⵧ r.-v.

CH. MALESCASSE 1999★

| ■ Cru bourg. | 37 ha | 170 550 | ⑪ 11 à 15 € |

82 83 |88| |89| |90| 91 93 |94| |95| |96| |97| 98 99

A l'image des bâtiments, caractéristiques de l'architecture viticole, ce vin assemblant 35 % de merlot à 55 %
de cabernet-sauvignon et à 10 % de cabernet franc nés sur
de belles graves garonnaises affirme fièrement son identité
médocaine par sa typicité et son classicisme. Des qualités
qui s'expriment au travers de ses tanins, très présents,
presque exubérants, et de ses arômes qui mêlent la violette,
le cassis et la cannelle.
🕭 Ch. Malescasse, 6, rte du Moulin-Rose,
33460 Lamarque, tél. 05.56.58.90.09, fax 05.56.58.97.89
☑ ⵧ r.-v.
🕭 Alcatel

CH. MAUCAMPS 1999★

| ■ Cru bourg. | 18 ha | 106 552 | ⑪ 11 à 15 € |

82 83 85 ⑧⑥ 88 |89| |90| 93 94 |95| |96| |97| 98 99

Ce vin charpenté sait mettre en valeur ses arômes de
griotte et de fruits confits. Soutenu par des tanins encore
jeunes mais bien construits, l'ensemble s'exprimera complètement dans quatre à cinq ans et sera le compagnon
idéal d'un pâté de faisan chaud.
🕭 Ch. Maucamps, BP 11, 33460 Macau,
tél. 05.57.88.07.64, fax 05.57.88.07.00
☑ ⵧ t.l.j. sf sam. dim. 9h-12h 14h-18h

CH. MAURAC
Les Vignes de Cabaleyran 1999★

| ■ | 5 ha | 21 300 | ⑪ 11 à 15 € |

Né à Saint-Seurin-de-Cadourne, ce vin a bénéficié
d'un terroir de belles graves profondes. Sa teinte, entre
rubis et pourpre, son bouquet, où les notes animales et
boisées s'équilibrent, sa matière et sa finale montrent qu'il
a réellement su tirer profit de la qualité du sol, en même
temps qu'ils se chargent d'annoncer un bon potentiel de
garde.
🕭 SCEA Ch. Maurac, Le Trale,
33180 Saint-Seurin-de-Cadourne,
tél. 05.57.88.07.64, fax 05.57.88.07.00 ☑ ⵧ r.-v.

CH. MEYRE
Optima 1999

| ■ Cru bourg. | 15,5 ha | 15 000 | 🖥⑪♣ 8 à 11 € |

88 89 90 91 93 94 |95| 96 |97| **98** 99

Optima, cuvée prestige du château Meyre, d'une
belle couleur rubis, développe des arômes de petits fruits
rouges, ainsi qu'un palais rond et savoureux qui la rendent
déjà plaisante. A associer aux viandes blanches.
🕭 SA Ch. Meyre, 16, rte de Castelnau,
33480 Avensan, tél. 05.56.58.10.77, fax 05.56.58.13.20,
e-mail chateau.meyre@wanadoo.fr
☑ ⵧ t.l.j. sf sam. dim. 14h-17h; f. 1ᵉʳ nov.-30 mars

CH. MICALET
Elevé en fût de chêne 1999★

| ■ Cru artisan | 6 ha | 35 000 | 🖥⑪ 5 à 8 € |

Denis Fédieu s'est beaucoup investi dans la défense
de l'AOC haut-médoc, un combat qui passe aussi et

d'abord par la qualité de la production. Ce vin montre qu'il
prêche par l'exemple. Une belle robe rubis, un bouquet de
fruits rouges où percent des notes de cerise noire et de cuir,
un palais ample et généreux dans lequel l'apport du bois se
fond harmonieusement, tout ici est un joli plaidoyer pour
les haut-médoc.
🕭 EARL Denis Fédieu, Ch. Micalet,
10, rue Jeanne-d'Arc, 33460 Cussac-Fort-Médoc,
tél. 05.56.58.95.48, fax 05.56.58.96.85
☑ ⵧ t.l.j. sf dim. 9h30-12h 15h-19h

CH. MILLE ROSES 1999★

| ■ | 5 ha | 3 800 | ⑪ 11 à 15 € |

Petite propriété de 5 ha, ce cru au nom poétique fait
une belle entrée dans le Guide. Terroir de graves, vieilles
vignes de merlot (65 %) et de cabernet-sauvignon (35 %),
rendement raisonnable, soins sérieux, il semble que tous les
ingrédients soient réunis pour faire un bon vin. Avec
succès si l'on en juge d'après la robe grenat, le bouquet aux
notes de chocolat et de fruits mûrs, ou le palais puissant et
élégant. Une bouteille appelée à une solide garde (de cinq
à six ans).
🕭 David Faure, Ch. Mille Roses,
16, chem. de Canteloup, 33460 Macau,
tél. 05.57.88.42.16, fax 05.57.88.42.16,
e-mail davidfaure@mageos.com ☑ ⵧ r.-v.

CH. MILOUCA 1999★★

| ■ | 1,5 ha | 3 300 | ⑪ 5 à 8 € |

Régulière en qualité, cette petite exploitation, située
dans le bourg de Cussac, reste fidèle à sa tradition avec ce
nouveau millésime. Rond, plein et souple, celui-ci porte la
marque de la place du merlot (60 %) dans l'encépagement.
Un rien sauvage dans son expression aromatique, il
demandera à être décanté. Soutenu par des tanins bien
fondus, il a l'ampleur nécessaire pour bien vieillir. On sent
un vin issu d'un terroir de qualité.
🕭 Ind. Lartigue-Coulary, 6, chem. des Sallies,
33460 Cussac-Fort-Médoc,
tél. 05.56.58.93.23 ☑ ⵧ r.-v.

CH. MOULIN DE BLANCHON 1999★★

| ■ | 10 ha | 50 000 | ⑪ 5 à 8 € |

Exploitation familiale sur Saint-Seurin-de-Cadourne,
ce cru bénéficie de graves profondes. La qualité du terroir
se lit dans la personnalité de ce vin associant merlot et
cabernet-sauvignon à parts égales. Ample et long, celui-ci
est suffisamment bien construit pour pouvoir tenir les
promesses de la robe presque noire. Sa trame tannique
serrée et son expression aromatique, aux généreuses notes
de brioche, de beurre et de café, témoignent d'un solide
potentiel de garde.
🕭 Henri Négrier, Ch. Moulin de Blanchon,
33180 Saint-Seurin-de-Cadourne,
tél. 05.56.59.38.66, fax 05.56.59.32.31,
e-mail vignoblesnegrier@terre-net.fr
☑ ⵧ t.l.j. 8h30-19h, dim. 8h30-12h

CH. MOUTTE BLANC
Marguerite Déjean 1999★

| ■ Cru artisan | 0,36 ha | 1 800 | ⑪ 11 à 15 € |

Microcuvée entièrement à base de merlot, élevée
dix-huit mois en barrique, ce vin porte la marque du cépage
dans son bouquet aux fortes notes de cuir et de fruits mûrs.
Bien que la finale soit encore austère, il laisse sur le
souvenir d'un ensemble bien constitué, suave et d'une
bonne concentration.

⊶ Patrice de Bortoli-Dejean, 6, imp. de la Libération, 33460 Macau, tél. 05.57.88.40.39, fax 05.57.88.40.39 ☑ **Ⴗ** r.-v.

CH. MURET 1999★

■ Cru bourg.	10 ha	75 000	🛯⑪⑃	8 à 11 €

91 93 94 |95| 96 97 98 99

Les amateurs de tourisme culturel retiendront que ce cru est proche de Brion, l'un des plus importants sites archéologiques médocains. Perceront-ils l'énigme de la ville engloutie ? Rien n'est moins sûr, mais ce qui l'est c'est la qualité de ce beau vin. S'annonçant par une robe très sombre et un bouquet aux délicates notes de fruits mûrs, il développe une structure ample et généreuse que couronne une finale aussi longue que séveuse. Un séjour en cave de quatre à huit ou dix ans lui sera favorable.

⊶ SCA de Muret, Ch. Muret, 33180 Saint-Seurin-de-Cadourne, tél. 05.56.59.38.11, fax 05.56.59.37.03 ☑ **Ⴗ** r.-v.

⊶ Boufflerd

CH. PALOUMEY 1999★★

■ Cru bourg.	13 ha	90 000	⑪	11 à 15 €

La jeunesse des vignes, plantées à la fin des années 1980, pourrait être un handicap pour ce cru. Mais il a su le compenser par un travail rigoureux et une sélection drastique. Comment expliquer autrement l'élégance et l'équilibre de ce 99 des plus réussis. Cerise à reflets rubis contre prune, épices et grillé, la robe et le bouquet rivalisent de richesse. Ample, plein et bien équilibré, le palais n'a rien à leur envier et laisse le souvenir d'un ensemble fort harmonieux. Le **Château Haut Carmaillet 99 (8 à 11 €)**, second vin du domaine, est d'une belle tenue, ce qui lui a valu une étoile.

⊶ Ch. Paloumey, 50, rue Pouge-de-Beau, 33290 Ludon-Médoc, tél. 05.57.88.00.66, fax 05.57.88.00.67, e-mail info @ chateaupaloumey.com ☑ **Ⴗ** r.-v.

CH. PEYRABON 1999

■ Cru bourg.	40,72 ha	215 000	🛯⑪⑃	11 à 15 €

86 88 |89| |90| 91 92 93 |94| 96 |97| 98 |99|

Propriétaire de ce cru depuis 1998, la société Millesima, présidée par Patrick Bernard, a entrepris de gros travaux d'amélioration. Ce millésime n'a pas pu en bénéficier complètement. Toutefois, si le bouquet est un peu discret, on sent au palais une bonne trame et d'agréables notes de cannelle. Un cru conseillé par Jacques Boissenot qui a donc tous les atouts pour bien évoluer.

⊶ SARL Ch. Peyrabon, 33250 Saint-Sauveur, tél. 05.56.59.57.10, fax 05.56.59.59.45, e-mail chateau.peyrabon @ wanadoo.fr ☑ **Ⴗ** t.l.j. sf sam. dim. 9h-12h 14h-17h

⊶ Millesima

CH. LA PEYRE 1999

■ Cru artisan	1,2 ha	8 000	⑪	5 à 8 €

|95| 96 |97| **98** 99

Né sur un vignoble se partageant équitablement entre le merlot et le cabernet-sauvignon, ce vin est encore très marqué par le bois. Les tanins règnent en maîtres mais ils sont bien structurés et s'entourent de suffisamment de chair pour se fondre avec l'âge.

⊶ Vignobles Rabiller, Le Cendrayre, Leyssac, 33180 Saint-Estèphe, tél. 05.56.59.32.51, fax 05.56.59.70.09 ☑ **Ⴗ** t.l.j. 10h-12h 14h30-19h

CH. PONTOISE-CABARRUS 1999★

■ Cru bourg.	25 ha	190 000	🛯⑪⑃	8 à 11 €

85 ⑧⑥ **88** 89 |90| 92 93 94 95 |96| |97| 98 99

Quand la famille Tereygeol a acheté la propriété à la fin des années 1950 c'était pour ses prairies et ses possibilités d'élevage. La vigne n'était alors qu'une culture secondaire. Depuis cela a bien changé et personne ne regrettera la place qu'elle a prise en découvrant ce vin au caractère médocain. Tout chez lui est typé, qu'il s'agisse de sa robe brillante, de ses arômes de petits fruits rouges ou de l'équilibre parfait qui s'établit entre la chair et la trame tannique. Une belle bouteille à ouvrir dans quatre ou cinq ans.

⊶ François Tereygeol, SCIA du Haut-Médoc, Ch. Pontoise-Cabarrus, 33180 Saint-Seurin-de-Cadourne, tél. 05.56.59.34.92, fax 05.56.59.72.42, e-mail pontoisecabarrus @ wanadoo.fr ☑ **Ⴗ** r.-v.

CH. RAMAGE LA BATISSE 1999★★

■ Cru bourg.	43,68 ha	253 350	🛯⑪⑃	11 à 15 €

85 86 88 89 |90| **91** 92 94 |95| |96| |97| 98 **99**

Doté d'un terroir mêlant les sables et les graves, ce cru assemble 53 % de cabernet-sauvignon, 38 % de merlot complétés par le cabernet franc et le petit-verdot. Drapé dans une belle robe rouge sombre à reflets noirs, il déploie un élégant bouquet dont la diversité reflète celle de l'encépagement. Révélant une matière dense et soyeuse, le palais confirme la présentation et annonce un bon potentiel de garde.

⊶ Ch. Ramage La Batisse, Tourteran, 33250 Saint-Sauveur, tél. 05.56.59.57.24, fax 05.56.59.54.14 ☑ **Ⴗ** r.-v.

⊶ MACIF

CH. DU RETOUT 1999

■ Cru bourg.	14 ha	86 000	🛯⑪⑃	5 à 8 €

Un joli vignoble dominé par les vestiges d'un ancien moulin. Le caractère médocain de l'encépagement et des sols se retrouve dans le vin d'une couleur rouge sombre. Les arômes expressifs, aux puissantes notes de fruits secs et de réglisse, s'accordent avec les tanins pour promettre une bonne garde.

⊶ Gérard Kopp, Ch. du Retout, 33460 Cussac-Fort-Médoc, tél. 05.56.58.91.08, fax 05.56.58.91.08 ☑ **Ⴗ** r.-v.

CH. SAINT-AHON 1999

■ Cru bourg.	n.c.	12 300	🛯⑪⑃	8 à 11 €

Commandé par un château caractéristique de l'architecture Second Empire, ce cru, faisant fi de l'urbanisation de la commune de Blanquefort, s'individualise par la finesse de son vin déjà friand qui offre un élégant bouquet fruité et légèrement floral.

⊶ Comte Bernard de Colbert, Ch. Saint-Ahon, Caychac, 33290 Blanquefort, tél. 05.56.35.06.45, fax 05.56.35.87.16, e-mail bernard.de-colbert @ wanadoo.fr ☑ **Ⴗ** r.-v.

CH. DE SAINTE-GEMME 1999★

■ Cru bourg.	n.c.	80 000	⑪	11 à 15 €

Si certains crus sont les héritiers d'une ancienne maison noble, plus rares sont ceux qui le sont de toute une paroisse disparue. C'est le cas de cette propriété associée à Lachesnaye mais dont la production garde sa person-

BORDELAIS

nalité, comme en témoigne ce vin ample, puissant et généreux dans son expression aromatique associant les épices aux fruits rouges.

🐦 SCEA Delbos-Bouteiller, Ch. de Sainte-Gemme, 33460 Cussac-Fort-Médoc, tél. 05.56.58.94.80, fax 05.57.88.89.92, e-mail bouteiller@bouteiller.com ☑

CH. SENEJAC 1999★★

■ Cru bourg.	17 ha	100 000	🍷⓵💧 11 à 15 €

89 90 91 |93| 94 95 96 97 98 99

Première récolte pour la famille Rustmann (de Talbot à saint-julien) qui a acquis cette exploitation renommée en 1999. Ce millésime est bien dans la lignée des vins de Charles de Guigné. Sa robe grenat, son bouquet intense où la vanille se fond dans les fruits rouges, sa puissante structure aux tanins de qualité, sa persistance ne laissent aucun doute sur sa vocation à la garde. Cuvée spéciale, **Karolus 99 (30 à 38 €)** a obtenu une étoile pour son bouquet complexe et l'équilibre de ses tanins.

🐦 M. et Mme Thierry Rustmann, Ch. Sénéjac, 33290 Le Pian-Médoc, tél. 05.56.70.20.11, fax 05.56.70.23.91 ⊤ r.-v.

BEL AIR DE SIRAN 1999★

■		0,93 ha	6 000	🍷⓵💧 8 à 11 €

Petit vignoble complémentaire de celui de Siran (margaux), ce cru est original par son encépagement 100 % cabernet-sauvignon. Originalité perceptible à la dégustation, aussi bien à l'œil, avec une teinte rouge sombre très jeune, qu'au bouquet, avec des fragrances de fruits rouges. Puissant, tannique et ample, l'ensemble s'inscrit dans la tradition médocaine et méritera un séjour en cave de quatre ou cinq ans.

🐦 SC du Ch. Siran, Ch. Siran, 33460 Labarde, tél. 05.57.88.34.04, fax 05.57.88.70.05, e-mail chateau.siran@wanadoo.fr
☑ ⊤ t.l.j. 10h-12h30 13h-18h
🐦 Alain Miailhe

CH. SOCIANDO-MALLET 1999★★

■ Cru bourg.	46 ha	260 000	⓵💧 30 à 38 €

75 76 78 80 81 |82| 83 84 85 86 87 |88| |89| |90| 91 |92| |93| |94| |95| |96| |97| |98| 99

Valeur sûre et reconnue de l'appellation, ce cru créé au XVIIᵉˢ. reste fidèle à lui-même avec ce vin qui annonce sans ambages ses prétentions : être un grand classique. L'assemblage, très médocain, associe à 60 % de cabernet-sauvignon 10 % de cabernet franc, 25 % de merlot et 5 % de petit-verdot nés sur de belles graves. Dense et sombre, la robe produit une forte impression sur le dégustateur, de même que le bouquet délicieusement toasté et fruité (cassis) dont la finesse n'a d'égale que la complexité. Au palais, les tanins sont sensibles mais sans agressivité ; ils indiquent clairement que cette bouteille mérite un séjour en cave de cinq ans avant d'accompagner des cuisses de canard.

🐦 SCEA Jean Gautreau, Ch. Sociando-Mallet, 33180 Saint-Seurin-de-Cadourne, tél. 05.56.73.38.80, fax 05.56.73.38.88, e-mail scea-jean-gautreau@wanadoo.fr ☑ ⊤ r.-v.

CH. SOUDARS 1999★

■ Cru bourg.	22 ha	n.c.	⓵💧 11 à 15 €

82 83 85 86 |89| |90| 91 92 93 94 |95| |96| |97| 98 99

Fort d'une expérience familiale trois fois centenaire, Eric Miailhe sait profiter des qualités du beau terroir de Soudars. Encore jeune par sa robe et très médocain par son bouquet fruité (cassis et airelle bien enrobés de vanille), son 99 réussit l'alliance des tanins du raisin et du chêne dans un ensemble rendu fort plaisant par sa rondeur et sa souplesse.

🐦 Vignobles E. F. Miailhe, 33180 Saint-Seurin-de-Cadourne, tél. 05.56.59.31.02, fax 05.56.59.72.39 ⊤ r.-v.
🐦 Eric Miailhe

CH. DU TAILLAN 1999

■ Cru bourg.	24,76 ha	128 000	🍷⓵💧 8 à 11 €

Le premier vignoble de la périphérie urbaine de Bordeaux situé juste après la Jalle de Blanquefort qui marque la limite sud du Médoc. Le bois est encore très présent dans le bouquet de ce vin né sur argilo-calcaire et qui privilégie le merlot (60 %). La bouche veloutée bénéficie de tanins bien extraits qui se fondront dans l'ensemble d'ici quatre ou cinq ans.

🐦 SCEA Ch. du Taillan, 56, av. de La Croix, 33320 Le Taillan-Médoc, tél. 05.56.57.47.00, fax 05.56.57.47.01, e-mail chateau.taillan@wanadoo.fr ☑ ⊤ r.-v.

CH. LA TONNELLE 1999

■ Cru bourg.	29 ha	150 000	🍷⓵💧 5 à 8 €

Né dans un cru où le cuvier et le chai ont été refaits en 1998, ce vin inaugure heureusement ces nouvelles installations : il offre une robe d'une belle couleur rouge sang, des arômes de fruits rouges, de la rondeur et des tanins qui ne renient pas leur origine et témoignent de la place du cabernet-sauvignon dans l'encépagement.

🐦 GAEC La Tonnelle, Fonsèche, BP 3, 33250 Cissac-Médoc, tél. 05.56.59.58.16, fax 05.56.59.57.97, e-mail domaines.fabre@enfrance.com ☑ ⊤ r.-v.
🐦 Luc et Vincent Fabre

CH. LA TOUR CARNET 1999★★

■ 4ème cru clas.	44 ha	186 427	⓵💧 15 à 23 €

79 81 82 83 85 86 |(88)| |89| |90| 93 94 |(96)| |97| 98 99

Assez étrangement pour une maison forte, le château se trouve en position basse, contre la jalle. Comme si les seigneurs au Moyen Age, avaient voulu laisser les hauteurs pour le vignoble. Les œnophiles ne s'en plaignent pas en dégustant des vins comme ce 99. S'il sacrifie un peu à la mode avec une présence du bois légèrement marquée, celui-ci n'en demeure pas moins un authentique vin de caractère qui pourra s'arrondir à la garde. Puissant et harmonieux, avec une belle expression aromatique, l'ensemble est incontestablement de qualité.

🐦 Ch. La Tour-Carnet, 33112 Saint-Laurent-Médoc, tél. 05.56.73.30.90, fax 05.56.59.48.54 ⊤ r.-v.
🐦 Bernard Magrez

CH. TOUR DU HAUT-MOULIN 1999★

■ Cru bourg.	30 ha	170 000	⓵💧 11 à 15 €

78 79 81 82 |83| 84 85 |86| 87 |88| |89| |90| 91 92 93 94 |95| 96 |97| 98 99

Terroir, microclimat, encépagement, homme ? Nul ne sait lequel de ces éléments joue le plus grand rôle dans la qualité de ce cru, dont la régularité est attestée par sa présence constante dans le Guide depuis la première édition. Une fois encore, son vin a l'art de se présenter tant par sa belle couleur soutenue que par son bouquet complexe où les arômes de torréfaction se mêlent aux parfums de fruits mûrs. Le palais fait preuve de souplesse tout en révélant une sève et une structure annonçant un bon potentiel de garde.

➤ SCEA Ch. Tour du Haut-Moulin,
7, rue des Aubarèdes, 33460 Cussac-Fort-Médoc,
tél. 05.56.58.91.10, fax 05.56.58.99.30
☑ ⊤ t.l.j. 9h-12h 14h-17h30
➤ Lionel Poitou

CH. VERDIGNAN 1999★

■ Cru bourg.	50 ha	n.c.	ⅢⅡ 11 à 15 €
⑧⑥ 88 89 90 93 94 |95| |96| 98 99			

Si son parc porte toujours les traces des ravages de la tempête de 1999, ce domaine constitue une belle propriété. Ses graves argileuses dominant la Gironde et un encépagement bien équilibré ont donné un 99 bien armé pour vous séduire. Son bouquet de fraise des bois rehaussée d'une note vanillée et sa structure aux tanins charnus forment un ensemble élégant à marier avec des tournedos Rossini après trois ou quatre ans de garde.

➤ SC Ch. Verdignan, 33180 Saint-Seurin-de-Cadourne, tél. 05.56.59.31.02, fax 05.56.81.32.35 ⊤ r.-v.

CH. VICTORIA 1999★

■ Cru bourg.	80 ha	150 000	ⅢⅡ 11 à 15 €

La demeure est située au milieu de ses vignes et des pins. Issu de 50 % de cabernet-sauvignon, 10 % de cabernet franc et 40 % de merlot implantés sur des sols mêlant argilo-calcaires et graves, ce vin offre des parfums fins et élégants de vanille et de fruits, ainsi qu'une matière harmonieuse et équilibrée. Il sera du meilleur effet sur une canette aux navets pendant quelques années.

➤ SC Ch. le Bourdieu, 33180 Vertheuil,
tél. 05.56.41.98.01, fax 05.56.41.99.32 ☑ ⊤ r.-v.

CH. VIEUX GABAREY 1999

■ Cru artisan	5 ha	15 000	ⅢⅡ 5 à 8 €

Un nom évocateur du temps des gabares, ces bateaux qui sillonnaient l'estuaire pour assurer le transport du vin vers Bordeaux. Et un vin bien ancré dans la tradition avec sa robe profonde et ses solides tanins qui appellent la garde.

➤ Serge Saint-Martin, 7 bis, chem. de Saint-Seurin, 33460 Lamarque, tél. 05.56.58.97.72, fax 05.56.58.97.72 ☑ ⊤ r.-v.

CH. DE VILLEGEORGE 1999★

■ Cru bourg.	17,99 ha	57 346	■ ⅢⅡ ↓ 11 à 15 €
83 85	86	87	89	90 93	94		95	96	97	98	99				

De son père, Lucien, Marie-Laure Lurton n'a pas seulement reçu ce cru. Elle partage aussi sa passion des terroirs viticoles. Le Villegeorge 99 en témoigne par sa belle robe rouge comme par son bouquet de pain grillé et de réglisse ou par son palais souple et harmonieux bâti sur un assemblage où le merlot domine très nettement (69 %). Le second vin du cru, **Refrain du Château Villegeorge 99 (8 à 11 €)**, a reçu une citation.

➤ SC les Grands Crus Réunis,
2036, Chalet, 33480 Moulis-en-Médoc,
tél. 05.56.58.22.01, fax 05.56.58.15.10,
e-mail lgcr@wanadoo.fr ⊤ r.-v.
➤ M.-L. Lurton-Roux

Listrac-médoc

Correspondant exclusivement à la commune homonyme, l'appellation est la communale la plus éloignée de l'estuaire. C'est l'un des seuls vignobles que traverse le touriste se rendant à Soulac ou venant de la Pointe-de-Grave. Très original, son terroir correspond au dôme évidé d'un anticlinal, où l'érosion a créé une inversion de relief. A l'ouest, à la lisière de la forêt, se développent trois croupes de graves pyrénéennes, dont les pentes et le sous-sol souvent calcaire favorisent le drainage naturel des sols. Le centre de l'AOC, le dôme évidé, est occupé par la plaine de Peyrelebade, aux sols argilo-calcaires. Enfin, à l'est, s'étendent des croupes de graves garonnaises.

Le listrac est un vin vigoureux et robuste. Cependant, contrairement à ce qui se passait autrefois, sa robustesse n'implique plus aujourd'hui une certaine rudesse. Si certains vins restent un peu durs dans leur jeunesse, la plupart contrebalancent leur force tannique par leur rondeur. Tous offrent un bon potentiel de garde, entre sept et dix-huit ans selon les millésimes. En 2001, les 669 ha ont produit 35 916 hl.

CH. CAPDET 1999★

■	12 ha	20 000	■ 8 à 11 €

Ici le merlot et le cabernet-sauvignon jouent à parts égales. Le résultat est un vin authentique au bouquet flatteur de fruits confits (angélique) et dont l'étoffe et la solidité tiennent les promesses de la robe sombre et vive.

➤ Cave de vinification de Listrac,
21, av. de Soulac, 33480 Listrac-Médoc,
tél. 05.56.58.03.19, fax 05.56.58.07.22,
e-mail grandlistrac@cave-listrac-médoc.com
☑ ⊤ r.-v.
➤ J.-M. Raymond

Moulis et Listrac

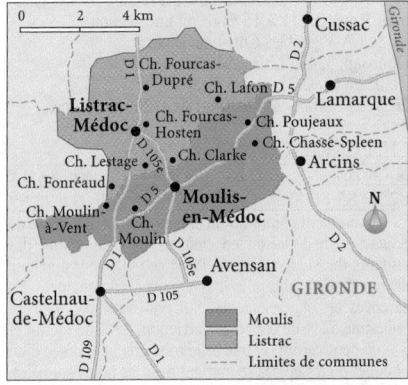

CH. CLARKE 1999★★

| ■ Cru bourg. | 54 ha | 300 000 | | ▥ 15 à 23 € |

⑧⑥ 88 89 90 93 |95| |96| 97 98 99

Ce cru, belle unité de 134 ha, dispose d'un équipement des plus performants utilisé à bon escient, comme le montre ce vin où le merlot est majoriatire (70 % de l'assemblage). S'annonçant par une belle couleur rubis soutenu, cette cuvée développe un bouquet complexe, avec d'agréables parfums de fruits rouges rehaussés d'une pointe d'épices. Viril, il est porté par une solide structure que soutiennent des tanins qui invitent à attendre quatre ou cinq avant de profiter de ses qualités sur un gibier.

↬ Cie vinicole des barons Edmond
et Benjamin de Rothschild,
Ch. Clarke, 33480 Listrac-Médoc,
tél. 05.56.58.38.00, fax 05.56.58.26.46,
e-mail chateau.clarke@wanadoo.fr ☑
↬ B. de Rothschild

CH. DUCLUZEAU 1999★

| ■ Cru bourg. | 4,5 ha | 38 000 | ▤▥⬇ | 8 à 11 € |

81 ⑧② 83 85 86 |88| |89| |90| 91 92 |94| 96 |97| 98 99

Présidé aujourd'hui par François-Xavier Borie, ce cru propose un vin qui assemble 90 % de merlot au cabernet-sauvignon. D'un beau grenat tendre – adjectif noté par l'un des plus éminents membres du jury –, ce millésime offre un bouquet mentholé, épicé et toasté ; la bouche, bien faite, construite sur des tanins fondus, devrait être parfaite dans deux ou trois ans.

↬ Mme J.-E. Borie, Ch. Ducluzeau,
33480 Listrac-Médoc,
tél. 05.56.73.16.73, fax 05.56.59.27.37

CH. L'ERMITAGE 1998★★

| ■ Cru bourg. | 10 ha | 72 000 | ▥ 8 à 11 € |

Marquée par la rénovation des chais, l'année l'aura été aussi par un beau millésime. Le bois est bien sûr encore très présent, mais il sait respecter et soutenir les tanins et la matière. Le bouquet fait lui aussi preuve d'un réel sens de l'équilibre en mariant les notes de cassis, de chocolat, de vanille et de marron glacé. Quant à la robe, d'un beau grenat, elle rejoint la structure pour indiquer un bon potentiel de garde, que confirme une finale tannique. Le **Château Reverdi 99** du même producteur a obtenu une étoile. Il devra attendre deux ou trois ans avant d'être servi sur un gibier. Présentée par la maison Quancard de Saint-André-de-Cubzac, la **cuvée Prestige 99 du Château Reverdi (11 à 15 €)** reçoit une citation.

↬ SCEA Vignobles Christian Thomas,
Donissan, 33480 Listrac-Médoc,
tél. 05.56.58.02.25, fax 05.56.58.06.56
☑ ⵒ t.l.j. sf dim. 9h-12h 14h-18h; f. 20 sept.-20 oct.

CH. FONREAUD 1999★

| ■ Cru bourg. | 32 ha | 190 000 | ▥ 8 à 11 € |

82 83 85 86 88 |89| |90| 91 92 |93| |95| |96| |97| 98 99

Fièrement planté sur un coteau dominant la route de Soulac et de l'Océan, ce château est bien connu des visiteurs du Médoc. Depuis 1999, ce viticulteur applique des méthodes culturales qui corrigent uniquement les carences en oligo-éléments. Son vin assemble pour ce millésime 52 % de cabernet-sauvignon, 45 % de merlot et 3 % de petit verdot. D'une belle robe grenat et dotée d'un bouquet où les épices se marient avec les notes animales,

cette bouteille révèle des tanins bien fondus et du fruit. Le **Château Lestage 99** du même producteur a obtenu une citation.

↬ SC Ch. Fonréaud, 33480 Listrac-Médoc,
tél. 05.56.58.02.43, fax 05.56.58.04.33
☑ ⵒ t.l.j. sf sam. dim. 9h-12h 14h-17h
↬ Jean Chanfreau

CH. FOURCAS-DUMONT 1999★★

| ■ | 8 ha | 60 000 | ▥ 11 à 15 € |

Comptant parmi ses aïeux Ernest David, qui expérimenta avec Millardet la bouillie bordelaise, Jean-Jacques Lescoutra, copropriétaire du cru, ne manque pas de références en matière de viticulture. Avec Alain Miquau, il prouve que celles-ci ne sont pas lettre morte en présentant un vin dont la complexité aromatique (fleur, cacao, épices...) rivalise avec l'élégance du palais. Bien constituée, portée par des tanins enveloppés par la chair, ample et séveuse, cette cuvée mérite d'être oubliée pendant quatre ou cinq ans avant d'écrire quelques belles pages de la mémoire gourmande du livre de cave. Le second vin, plus simple mais bien typé, **Château Moulin du Bourg (8 à 11€)**, a reçu une citation.

↬ SCA Ch. Fourcas-Dumont,
12, rue Odilon-Redon, 33480 Listrac-Médoc,
tél. 05.56.58.03.84, fax 05.56.58.01.20,
e-mail info@chateau-fourcas-dumont.com
☑ ⵒ t.l.j. 9h-12h 14h-17h; sam. dim. sur r.-v.
↬ Lescoutra et Miquau

CH. FOURCAS DUPRE 1999★

| ■ Cru bourg. | 44,08 ha | 248 500 | ▥ 11 à 15 € |

⑦⑧ 79 81 82 83 |85| |86| |88| |89| |90| 91 92 93 94 |95| |96| |97| 98 99

Une architecture bien médocaine, dont on peut admirer le cuvier datant du XIXᵉs. Associant les cabernets (sauvignon 44 % et franc 10 %) au merlot (44 %) et au petit verdot (2 %), ce millésime a passé douze mois en fût, élevage que le dégustateur ne peut ignorer. Cependant sa matière et sa structure lui permettront une belle évolution. Aujourd'hui, ce sont les notes de chocolat et de pain grillé qui dominent.

↬ Ch. Fourcas Dupré,
Le Fourcas, 33480 Listrac-Médoc,
tél. 05.56.58.01.07, fax 05.56.58.02.27,
e-mail chateau-fourcas-dupre@wanadoo.fr
☑ ⵒ t.l.j. 8h-12h 14h-17h

CH. FOURCAS HOSTEN 1999

| ■ Cru bourg. | 46,67 ha | 252 000 | ▥ 11 à 15 € |

75 78 81 |⑧②| 83 |85| |86| 88 |89| |90| 91 92 93 94 95 96 |97| 98 99

À quelques pas de l'église romane de Listrac, ce château est entouré d'un superbe parc de 3 ha créé en 1840 par un paysagiste anglais. Bien médocain, assemblant 45 % de cabernet-sauvignon, 10 % de cabernet franc et 45 % de merlot, son 99 est sans doute à réserver aux amateurs de vins boisés. Mais les notes de poivron ne sont pas absentes de l'expression aromatique, et le caractère moelleux de son attaque fera l'unanimité dans deux ou trois ans.

↬ SC du Ch. Fourcas-Hosten, rue de l'Eglise,
33480 Listrac-Médoc, tél. 05.56.58.01.15,
fax 05.56.58.06.73, e-mail fourcas@club-internet.fr
☑ ⵒ r.-v.

CH. FOURCAS LOUBANEY 1999★

| ■ | n.c. | n.c. | | 11 à 15 € |

Propriété du CDR (Crédit Lyonnais), ce cru affiche ses ambitions avec ce vin. Si son bouquet reste encore fermé, cette cuvée laisse apparaître sa personnalité naissante à travers des notes de fruits noirs. Ample et puissant, le palais annonce un bon potentiel de garde. Une bouteille qui sera appréciée dans quatre ou cinq ans sur un faisan ou un agneau. Autre étiquette de la même propriété, le **Château Moulin de Laborde** a obtenu une citation.

☛ SEA Fourcas-Loubaney,
Moulin de Laborde, 33480 Listrac-Médoc,
tél. 05.56.58.03.83, fax 05.56.58.06.30
♈ t.l.j. sf sam. dim. 9h-12h30 14h-17h30

CH. JANDER 1999★

| ■ | n.c. | n.c. | ⚭ | 11 à 15 € |

Confirmant le 98, première récolte du cru, ce millésime montre que cette propriété est sur la bonne voie. Agréable à l'œil par sa teinte pourpre, il développe un bouquet élégant, avec un mariage réussi des notes de fruits frais (griotte) et de fleurs (acacia). S'appuyant sur des tanins serrés, le palais joue lui aussi la carte de la finesse tout en révélant un joli potentiel qui invite à une garde de quatre à six ans. Seconde étiquette de Jander, le **Château Sémeillan Mazeau 99 (8 à 11 €)** s'est vu attribuer une citation.

☛ SCE Les Vignobles Jander, 41, av. de Soulac,
33480 Listrac-Médoc, tél. 05.56.58.01.12,
fax 05.56.58.01.57, e-mail vignobles.jander@wanadoo.fr
☑ ♈ t.l.j. 9h-12h 14h-18h

CH. LALANDE
Cuvée spéciale 1999★

| ■ Cru bourg. | 11 ha | 70 000 | ⚭⚭ | 8 à 11 € |

S'il appartient à la cuvée spéciale, ce vin n'a rien de confidentiel par son volume de production. Cela rend encore plus intéressantes des qualités : belle robe grenat, bouquet délicat s'ouvrant à l'aération sur des notes épicées et réglissées, structure portée par des tanins mûrs, bonne matière, riche expression aromatique. Du même producteur, le **Château Larosey (11 à 15 €)**, présenté par le négociant Robert Giraud, a également obtenu une étoile. Très bien constitué, il appelle une garde de quatre à cinq ans.

☛ EARL Darriet-Lescoutra,
Ch. Lalande, 33480 Listrac-Médoc,
tél. 05.56.58.19.45, fax 05.56.58.15.62
☑ ♈ t.l.j. 9h-12h 14h-19h; dim. sur r.-v.
☛ F. Lescoutra

CH. MAYNE LALANDE 1999★

| ■ Cru bourg. | 15 ha | 50 000 | ⚭ | 11 à 15 € |
| 85 86 88 |89| |90| 91 92 94 |95| |96| 97 98 99 |

Médocain authentique, Bernard Lartigue sait qu'un vrai médoc doit être d'un encépagement suffisamment varié. Le petit verdot (5 %) trouve donc sa place aux côtés des cabernets (50 %) et du merlot (45 %). Le résultat est une production dont la qualité se manifeste tout au long de la dégustation. Débutant par une couleur d'un rouge grenat profond, celle-ci se poursuit par un bouquet de fruits rouges relevés de notes épicées (poivre, cannelle) et par un palais aux solides tanins, pour laisser sur le souvenir d'un ensemble riche et viril qui appelle la garde.

☛ Bernard Lartigue,
Ch. Mayne Lalande, 33480 Listrac-Médoc,
tél. 05.56.58.27.63, fax 05.56.58.22.41,
e-mail b.lartigue@terre-net.fr ☑ ♈ r.-v.

CH. PEYREDON LAGRAVETTE 1999★

| ■ Cru bourg. | 5,03 ha | 35 000 | ⚭ | 8 à 11 € |
| 81 |82| 83 85 86 88 |89| |90| |94| |95| |96| |97| 98 99 |

S'il sacrifie un peu à la mode par son côté boisé (dix-huit mois de barrique) très présent en finale, ce vin, assemblant 60 % de cabernet-sauvignon à 40 % de merlot, n'en demeure pas moins bien équilibré avec des tanins mûrs et fins et un bouquet d'une belle complexité (torréfaction, fruits secs, tabac, épices). Le mettre trois à quatre ans dans une bonne cave.

☛ Paul Hostein,
2062, Médrac-Est, 33480 Listrac-Médoc,
tél. 05.56.58.05.55, fax 05.56.58.05.50 ☑ ♈ r.-v.

CH. SAINT-MARTIN 1999

| ■ | 10 ha | 30 000 | ⚭⚭ | 8 à 11 € |

Cette propriété à forte majorité de merlot (70 %) vinifie à la cave coopérative. S'il n'est pas voué à une longue garde, son 99 n'en demeure pas moins très agréable par la douceur de ses tanins comme par sa rondeur et son expression aromatique aux sympathiques notes de fruits noirs et de réglisse.

☛ Cave de vinification de Listrac,
21, av. de Soulac, 33480 Listrac-Médoc,
tél. 05.56.58.03.19, fax 05.56.58.07.22,
e-mail grandlistrac@cave-listrac-médoc.com ☑ ♈ r.-v.
☛ Michel Chevalier

CH. SARANSOT-DUPRE 1999★

■ Cru bourg.	12 ha	65 000	⚭	11 à 15 €
70 71 75 78 81	82	83 85	86	88	89		90	91 93	94	
95 96 97	98	99

Le terroir argilo-calcaire a conduit ce cru à privilégier le merlot dans l'encépagement. Sa présence (63 %) est particulièrement sensible dans ce millésime bien dans l'esprit de la propriété par ses tanins soyeux. D'un beau grenat sombre, ce vin exprime des notes intenses de fruits noirs, de truffe et de torréfaction qui se poursuivent en bouche autour de fruits à l'alcool. D'une belle tenue, il mérite trois à six ans de garde.

☛ Yves Raymond, 4, Grand-Rue,
33480 Listrac-Médoc, tél. 05.56.58.03.02,
fax 05.56.58.07.64, e-mail yraymond@wanadoo.fr
☑ ♈ t.l.j. sf sam. dim. 9h-12h 14h-18h

CH. VIEUX MOULIN 1999★

| ■ | 7 ha | 30 000 | ⚭ | 11 à 15 € |

Marque de la cave coopérative de Listrac, ce vin témoigne du savoir-faire de l'équipe qui l'anime. Confirmant les promesses de la robe grenat, les tanins solides et bien enveloppés par la chair invitent à une garde de trois ou quatre ans. Le bouquet se montre lui aussi très intéressant avec ses délicates notes de fruits rouges et d'épices. Le jury a attribué une citation à la marque principale de la cave, le **Grand Listrac 99**, qui se révèle plus facile.

☛ Cave de vinification de Listrac,
21, av. de Soulac, 33480 Listrac-Médoc,
tél. 05.56.58.03.19, fax 05.56.58.07.22,
e-mail grandlistrac@cave-listrac-médoc.com ☑ ♈ r.-v.
☛ SCE Fort-Boscq

Margaux

Si Margaux est le seul nom d'appellation à être aussi un prénom féminin, ce n'est sans doute pas par pur hasard. Il suffit de goûter un vin bien typé provenant du terroir margalais pour saisir les liens subtils qui unissent les deux.

Les margaux présentent une excellente aptitude à la garde, mais ils se distinguent aussi par leur souplesse et leur délicatesse que soutiennent des arômes fruités d'une grande élégance. Ils constituent l'exemple même des bouteilles tanniques généreuses et suaves, à enregistrer sur le livre de cave dans la classe des vins de grande garde.

L'originalité des margaux tient à de nombreux facteurs. Les aspects humains ne sont pas à négliger. A l'écart des autres grandes communales médocaines, les viticulteurs margalais ont moins privilégié le cabernet-sauvignon. Ici, tout en restant minoritaire, le merlot prend une importance accrue. D'autre part, l'appellation s'étend sur le territoire de cinq communes : Margaux et Cantenac, Soussans, Labarde et Arsac. Dans chacune d'elles tous les terrains ne font pas partie de l'AOC ; seuls les sols présentant les meilleures aptitudes viti-vinicoles ont été retenus. Le résultat est un terroir homogène qui se compose d'une série de croupes de graves.

Celles-ci s'articulent en deux ensembles : à la périphérie se développe un système faisant penser à une sorte d'archipel continental, dont les « îles » sont séparées par des vallons, ruisseaux ou marais tourbeux ; au cœur de l'appellation, dans les communes de Margaux et de Cantenac, s'étend un plateau de graves blanches, d'environ 6 km sur 2, que l'érosion a découpé en croupes. C'est dans ce secteur que sont situés nombre des dix-huit grands crus classés de l'appellation.

Remarquables par leur élégance, les margaux sont des vins qui appellent des mets raffinés, comme le chateaubriand, le canard, le perdreau ou, bordeaux oblige, l'entrecôte à la bordelaise. En 2001, 65 840 hl ont été produits sur 1 409 ha.

ALTER EGO DE PALMER 1999★

■	n.c.	100 000	⦿ 23 à 30 €

Créée par Palmer, cette étiquette n'est pas un second vin mais une marque à part entière. Elle assemble 67 % de merlot au cabernet-sauvignon, pratique peu médocaine. Elle offre cependant toute l'élégance requise par sa finesse qu'elle doit à des tanins soyeux et à l'harmonie entre les arômes du bois et du fruit. Bien constituée, cette bouteille mérite d'être attendue quatre ou cinq ans, voire plus.

⤚ Ch. Palmer, Cantenac, 33460 Margaux, tél. 05.57.88.72.72, fax 05.57.88.37.16, e-mail chateau-palmer@chateau-palmer.com ⵟ r.-v.

CH. D'ARSAC 1999

■ Cru bourg.	40,84 ha	292 000	⦿ 11 à 15 €

Vaste demeure de 1830 formant un bel ensemble entièrement rénové, avec un cuvier qui ne passe pas inaperçu, ce château propose ici un vin jouant résolument la carte de la puissance ; tant par son bouquet, aux notes de fruits rouges et de torréfaction, que par sa structure tannique qui demande à s'affiner trois à quatre ans en cave.
⤚ Philippe Raoux, les Vins de la Marjolaine, Ch. d'Arsac, 33460 Arsac, tél. 05.56.58.83.90, fax 05.56.58.83.08 ☑ ⵟ r.-v.

LA BERLANDE 1999

■	n.c.	18 000	⦿ 8 à 11 €
94 95 96 |97| 98 99			

Pour Henri Duboscq, le millésime 99 aura été moins heureux avec ce vin de marque (négoce) qu'à Saint-Estèphe avec son cru Haut Marbuzet. Toutefois, 99 sait se rendre séduisant par ses fraîches notes mentholées, sa souplesse et sa rondeur qui n'excluent pas une certaine présence tannique permettant une petite garde.
⤚ Brusina-Brandler, 3, quai de Bacalan, 33300 Bordeaux, tél. 05.56.39.26.77, fax 05.56.69.16.84 ☑ ⵟ r.-v.

CH. LA BESSANE 1999★★

■	3 ha	12 000	⦿ 30 à 38 €

S'il est toujours assez étonnant par son encépagement, avec 60 % de petit verdot, ce cru montre avec ce vin que ce choix lui a bien réussi. Sa robe porte bien évidemment la marque du cépage avec une très jolie couleur, intense et profonde, comme le bouquet aux notes fruitées. Rond, plein et équilibré, le palais offre d'agréables sensations tactiles et une charpente aux tanins nobles. De belle facture, ce 99 mérite une garde de cinq ou six ans.
⤚ Ch. Paloumey, 50, rue Pouge-de-Beau, 33290 Ludon-Médoc, tél. 05.57.88.00.66, fax 05.57.88.00.67, e-mail info@chateaupaloumey.com ☑ ⵟ r.-v.

CH. BOYD-CANTENAC 1999★★

■ 3ème cru clas.	16 ha	71 000	⦿ 15 à 23 €
70 75 79 80 81 ⑧② 83 |85| 86 |88| |89| |90| 91 92 94 95 |96| |97| 98 99			

Avec son terroir de graves sur le plateau de Cantenac, ainsi que par son encépagement où le cabernet-sauvignon (60 %) est complété par le cabernet franc, le merlot (27 %) et le petit verdot (7 %), Boyd est un cru authentiquement margalais. Une qualité que partage ce vin. D'un rouge intense à reflets violines, il offre un bouquet généreux où la vanille, dominante, s'allie au moka et aux fruits noirs. Tout en faisant preuve de rondeur et de gras, le palais révèle une belle structure avec des tanins soyeux et de qualité ; sa longue finale s'achève sur une pointe de cannelle. Complexe, long et très bien équilibré, l'ensemble appelle une garde de six ou sept ans.

🐦 SCE Ch. Boyd-Cantenac et Pouget,
33460 Cantenac, tél. 05.57.88.90.82, fax 05.57.88.33.27,
e-mail contact@boyd-cantenac.fr ☑ ⵖ r.-v.

CH. BRANE-CANTENAC 1999★★

■ 2ème cru clas.	90 ha	120 000		🍶 38 à 46 €

70 71 75 76 78 79 81 82 83 84 85 |86| 87 |88| |89|
|90| 91 92 93 **94 95** |96||97| **98** 99

Propriété du baron de Brane au XIXᵉs., et, plus récemment, cœur de l'empire de Lucien Lurton, le domaine de Brane Cantenac est un très beau terroir ; mais c'est aussi une suite de belles aventures que poursuit Henri Lurton. Après de nombreux autres, ce vin, dans lequel les cabernets atteignent 54 %, témoigne de son efficacité. D'un beau rouge soutenu, il se montre fort agréable avec ses notes beurrées et boisées qui précèdent le cassis et la réglisse. Au palais, le type margaux apparaît dans la finesse et l'élégance des tanins soyeux, bien enrobés par la chair. Une jolie bouteille d'excellente origine, comme le note, à l'aveugle, un juré. A attendre au moins quatre ans. Le second vin, **Baron de Brane 99 (15 à 23 €)**, avec ses notes de cassis

et de Zan appuyées par des tanins qui ressemblent à ceux de son aîné, obtient une étoile. C'est lui aussi un vrai margaux.

🐦 SCEA du Ch. Brane-Cantenac, 33460 Cantenac,
tél. 05.57.88.83.33, fax 05.57.88.72.51,
e-mail hlurton@chateaubranecantenac.fr ☑ ⵖ r.-v.
🐦 Henri Lurton

CH. CANTENAC-BROWN 1999

■ 3ème cru clas.	42 ha	144 000		🍶 23 à 30 €

75 76 79 80 81 **82** |83| 85 |86| |88| |89| |90| 91 92 93
94 **95 96** 97 **98** 99

Fenêtres à meneaux, pignons, hautes cheminées, association de la pierre et des briques, tout contribue à donner un air néotudor à cet imposant château. Peut-être parce qu'il ne semble pas encore avoir trouvé son expression aromatique définitive, son 99 ne présente pas un caractère aussi monumental. Toutefois, bien construit, souple et chaleureux en finale, il gagnera à être attendu trois ou quatre ans.

🐦 Christian Seely, Ch. Cantenac-Brown,
33460 Cantenac, tél. 05.57.88.81.81, fax 05.57.88.81.90,
e-mail infochato@cantenacbrown.com ☑ ⵖ r.-v.
🐦 Axa Millésimes

CH. CHARMANT 1999

■	4,7 ha	33 000		🍶 11 à 15 €

Bien nommé, ce vin né sur une croupe de graves fines associe 50 % de merlot aux deux cabernets. Il se montre très agréable par sa robe pourpre comme par son bouquet où

Margaux

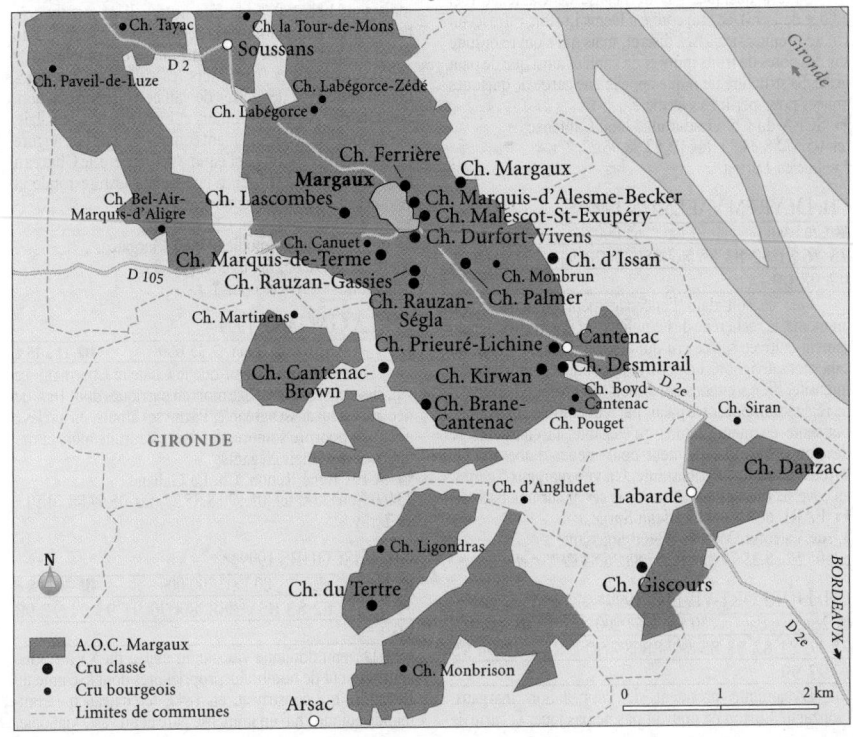

A.O.C. Margaux
● Cru classé
● Cru bourgeois
--- Limites de communes

0   1   2 km

se mêlent les fruits mûrs et de délicates notes boisées. Son palais demande deux à trois ans de garde pour arrondir sa finale.

🕯 SCEA René Renon, Ch. Charmant,
33460 Margaux, tél. 05.57.88.35.27, fax 05.57.88.70.59
☑ ⊤ r.-v.

CH. DAUZAC 1999★★

■ 5ème cru clas.	25 ha	130 000	ⅢⅠ 30 à 38 €

78 79 80 **81 82 83** 84 85 |86| 87 |88| |89| |90| 91 92 |93| **95 96 97 98 99**

Célèbre depuis longtemps, notamment pour avoir été l'une des propriétés où est née la bouillie bordelaise, ce cru est toujours réputé pour la qualité de sa production. Née de 65 % de cabernet-sauvignon, de 5 % de cabernet franc et de 30 % de merlot, ce vin s'exprime par la complexité de sa palette aromatique qui s'étend de la confiture de fraises à la réglisse. Pour ne pas faire de jaloux, la vanille, apportée par l'élevage en fût, s'associe au cuir du merlot et au cassis du cabernet. La richesse du palais n'a rien à envier à celle du bouquet. Ses tanins, ronds et soyeux, et sa longue finale laissent sur le souvenir d'un ensemble harmonieux que tout destine à une longue garde.

🕯 SA Ch. Dauzac, 33460 Labarde-Margaux,
tél. 05.57.88.32.10, fax 05.57.88.96.00 ☑ ⊤ r.-v.
🕯 MAIF

CH. DESMIRAIL 1999

■ 3ème cru clas.	30 ha	n.c.	ⅢⅠ 23 à 30 €

81 82 |83| |85| |86| 87 |88| |89| |90| 91 92 93 94 95 |97| 99

Situé à quelques pas de l'église de Cantenac (bel édifice de 1773), ce cru, confié à Denis Lurton, offre ici un vin au premier nez assez discret, mais qui s'ouvre ensuite sur des notes de fruits mûrs et de vanillés ainsi que de pain grillé. Sa structure tannique appelle une garde de quelques années pour perdre sa fermeté.

🕯 SCEA du Ch. Desmirail, 33460 Cantenac,
tél. 05.57.88.34.33, fax 05.57.88.96.27 ⊤ r.-v.
🕯 Lucien Lurton

CH. DEYREM VALENTIN 1999★★

■ Cru bourg.	11 ha	65 000	ⅢⅠ 15 à 23 €

75 76 81 82 **83** 85 |86| |88| |89| |90| 91 92 |93| |94| 95 |97| 98 **99**

Que ce soit dans l'encépagement ou dans le vin lui-même, la recherche de l'équilibre est une vertu soigneusement cultivée sur ce cru qui associe 45 % de merlot au cabernet-sauvignon. La robe et le bouquet montrent leur intensité. Bien soutenus par le bois, les arômes de fruits et de réglisse annoncent le palais par leur complexité. Ample, puissante en même temps qu'élégante, la charpente se développe harmonieusement pour mener d'une attaque soyeuse à une finale persistante. Un vrai margaux à garder en cave six ou sept ans avant de le servir sur une bécasse.

🕯 EARL des Vignobles Jean Sorge,
1, rue Valentin-Deyrem, 33460 Soussans,
tél. 05.57.88.35.70, fax 05.57.88.36.84 ☑ ⊤ r.-v.

CH. DURFORT-VIVENS 1999★

■ 2ème cru clas.	30 ha	67 200	ⅢⅠ 23 à 30 €

75 76 81 82 83 85 |86| |88| |89| |90| |91| 92 |93| **94 95** |96| **97** 99

Dynamique président de l'appellation margaux, Gonzague Lurton ne pouvait pas ne pas jouer la carte de

la finesse. L'élégance est en effet la clef de toute la dégustation de son 99, tant dans le bouquet où le bois sait respecter les fruits rouges qu'au palais où la grâce et la délicatesse apparaissent dès l'attaque. Le résultat est un ensemble de qualité que soutiennent de savoureux tanins.

🕯 Gonzague Lurton, SCEA Ch. Durfort,
33460 Margaux, tél. 05.57.88.31.02, fax 05.57.88.60.60,
e-mail infos @ durfort-vivens.com ⊤ r.-v.

L'ENCLOS GALLEN 1999★

■	1,58 ha	7 500	🍶 ⅢⅠ 15 à 23 €

Issu d'un petit vignoble margalais dépendant du château Meyre, dont l'un des bâtiments est réservé à une fonction hôtelière, ce vin s'annonce par une robe dont la couleur soutenue et franche met en confiance. Discret mais agréable, le bouquet aux notes de fruits mûrs trouve un bon soutien dans l'appui du bois. C'est aussi une impression d'équilibre réussi qui se dégage du palais où apparaissent des tanins bien extraits et mûrs. On remarque un merlot dominant (80 %).

🕯 SA Ch. Meyre, 16, rte de Castelnau,
33480 Avensan, tél. 05.56.58.10.77, fax 05.56.58.13.20,
e-mail chateau.meyre @ wanadoo.fr
☑ ⊤ t.l.j. sf sam. dim. 14h-17h; f. 1er nov.-30 mars

CH. FERRIERE 1999★★

■ 3ème cru clas.	8 ha	30 000	ⅢⅠ 23 à 30 €

70 75 78 81 83 84 |85| |86| 87 |88| 89 92 **93 94 95 96 97 98 99**

L'un des plus anciens crus margalais dans les mains d'une grande dame du vin. Après une fermentation malolactique faite en barrique neuve, le vin est élevé seize mois sous bois (60 % de fûts neufs). Il se montre très harmonieux tout au long de la dégustation, de sa robe d'un rouge pourpre intense à sa longue finale. La complexité de son bouquet va des fruits mûrs (cassis, mûre) aux notes mentholées, avec des zestes de vanille et de torréfaction. Soutenu par des tanins fondus et bien enrobés, le palais, très homogène et parfaitement équilibré, est de bon augure pour l'avenir. Produit par l'équipe de Ferrière, le **Château la Gurgue (11 à 15 €)**, d'une bonne texture ronde et veloutée, a obtenu une citation.

🕯 Claire Villars-Lurton, Ch. Ferrière,
33 bis, rue de la Trémoille, 33460 Margaux,
tél. 05.57.88.76.65, fax 05.57.88.98.33,
e-mail infos @ ferrière.com ⊤ r.-v.

CH. LA GALIANE 1999

■	5,71 ha	35 000	ⅢⅠ 11 à 15 €

Du même producteur que le Château Charmant, ce vin, élevé également douze mois en barriques dont 16 % de neuves, est lui aussi agréable. Parmi ses atouts, on a relevé une robe pourpre sombre, des notes de fruits mûrs et des tanins serrés, mais élégants.

🕯 SCEA René Renon, Ch. La Galiane,
33460 Soussans, tél. 05.57.88.35.27, fax 05.57.88.70.59
☑ ⊤ r.-v.

CH. GISCOURS 1999★★

■ 3ème cru clas.	80 ha	300 000	ⅢⅠ 30 à 38 €

75 78 81 **82 83** 85 |86| |88| |89| |90| 91 **93 94** |97| 98 99

Devenu domaine viticole au milieu du XVIe s., Giscours connut de nombreux propriétaires dont le comte de Pescatore qui construisit, en 1847, le château qui commande aujourd'hui un immense parc et un vaste vignoble.

PRODUCE OF FRANCE

Château Giscours

GRAND CRU CLASSÉ EN 1855

MARGAUX

1999

APPELLATION MARGAUX CONTRÔLÉE

MIS EN BOUTEILLE AU CHATEAU

750 ml   PAR S.A.E. DU CHÂTEAU GISCOURS À LABARDE 33460 MARGAUX - FRANCE - BORDEAUX   13% vol

Présidée par Eric Albada Jelgersma, l'équipe de Giscours a réalisé avec ce millésime un très grand vin où 3 % de petit verdot dialoguent avec 35 % de merlot, 55 % de cabernet-sauvignon et 7 % de cabernet franc. Toute la puissance annoncée par la robe grenat foncé se retrouve dans le bouquet et au palais. Le premier témoigne d'un élevage bien mené avec des notes grillées et balsamiques qui viennent soutenir, sans les écraser, les fruits rouges mûrs. Le second ne laisse planer aucune ombre sur le potentiel de garde, la concentration, le gras, les tanins fins fondus et la belle finale, qui reste sur le fruit mûr. De beaux plaisirs gourmands en perspective d'ici cinq ou six ans, voire beaucoup plus.

🍂 SAE Ch. Giscours, 10, rte de Giscours, 33460 Labarde, tél. 05.57.97.09.09, fax 05.57.97.09.00, e-mail giscours @chateau-giscours.fr ☑ 🏠 ♈ r.-v.

🍂 Albada Jelgersma

CH. HAUT BRETON LARIGAUDIERE 1999

■ Cru bourg.	15 ha	n.c.	🍴 ⅡⅡ 💧 15 à 23 €
90 91 92 93 94	95		96		97		98	99		

Né sur un vignoble se répartissant entre le nord (trois quarts sur Soussans) et le sud (un quart sur Arsac) de l'appellation, ce vin à la robe profonde offre des parfums de fruits confiturés associés à des notes grillées. Après une attaque souple, il évolue d'une rondeur sympathique à une finale ferme où s'affirment les tanins de la barrique. Il faudra l'attendre deux ou trois ans.

🍂 SCEA Ch. Haut Breton Larigaudière, 33460 Soussans, tél. 05.57.88.94.17, fax 05.57.88.39.14 ☑ ♈ r.-v.

🍂 de Schepper

CH. D'ISSAN 1999★

■ 3ème cru clas.	30 ha	120 000	ⅡⅡ 30 à 38 €
82 **83** 85 86 87 |88| |89| |90| 92 93 **94** 95 96 |97| 98 99		

Le château d'Issan offre une belle illustration de l'architecture du XVIIes. et ne peut manquer de séduire le visiteur. C'est aussi la grâce qui apporte sa personnalité à ce vin aux tanins ronds et aux savoureuses notes chocolatées. Mais sa palette aromatique ne s'arrête pas là. Elle associe aussi les notes de pain grillé de l'élevage aux fruits rouges du cabernet-sauvignon (70 % de l'encépagement). Riche d'une matière très bien exploitée et marquée par une finale élégante, cette bouteille mérite un séjour en cave de quatre ou cinq ans.

🍂 SFV de Cantenac, Ch. d'Issan, 33460 Cantenac, tél. 05.57.88.35.91, fax 05.57.88.74.24, e-mail issan @chateau-issan.com ☑ ♈ r.-v.

🍂 Famille Cruse

CH. KIRWAN 1999★★

■ 3ème cru clas.	35 ha	80 000	ⅡⅡ 38 à 46 €
75 79 81 82 83 85 ⑧⑥ |88| 89 93 94 **95** 96 |97| 98 99		

L'histoire de ce cru est représentative de celle de beaucoup de crus appartenant au négoce : d'abord commercialisé par les Schÿler avec un abonnement à la fin du XIXes., il a été acquis par cette famille en 1925. Son 99 se veut assez tendance par son côté boisé, mais ne plonge cependant pas le bouquet dans le monolithisme. C'est au contraire une sensation de complexité que créent ses odeurs de fruits confits, de confiture, de réglisse, de cassis et de chocolat. Suit un palais que son caractère plein, riche, concentré et tannique promet à une longue garde. Il faudra s'armer de patience et attendre de cinq à dix ans pour ouvrir cette bouteille à la forte personnalité.

🍂 Famille Schÿler, Ch. Kirwan, 33460 Cantenac, tél. 05.57.88.71.00, fax 05.57.88.77.62, e-mail mail @chateau-kirwan.com ☑ ♈ t.l.j. 9h30-12h30 14h-17h; sam. dim. sur r.-v.

🍂 J. H. Schÿler

CH. LABEGORCE-ZEDE 1999

■	27 ha	80 000	ⅡⅡ 15 à 23 €
82 ⑧③ **85** 86 |88| 89 90 91 **92** |93| |94| |95| 96 |97| 98 99		

Passé entre de nombreuses mains au cours des quatre derniers siècles, Labégorce-Zédé est dirigé par Luc Thienpont depuis 1979. Ce cru fête ses vingt ans avec ce millésime et ne peut rivaliser avec les précédents, mais il saura rassurer les amateurs par ses tanins bien extraits et son bouquet d'une bonne complexité qui témoigne d'un bel assemblage (5 % de petit verdot, 35 % de merlot, 50 % de cabernet-sauvignon et 10 % de cabernet franc). Le boisé, encore dominant, demande quelques années (quatre ou cinq) de patience qui seront largement récompensées.

🍂 SCEA du Ch. Labégorce-Zédé, 33460 Soussans, tél. 05.57.88.71.31, fax 05.57.88.72.54, e-mail labegorce.zede @wanadoo.fr ☑ ♈ t.l.j. 8h-12h 13h30-17h

🍂 Luc Thienpont

CH. LARRUAU 1999

■ Cru bourg.	11,5 ha	70 000	ⅡⅡ 11 à 15 €
86	88		89	90	93		94	95 96 97	98		99			

Les vendanges ont débuté le 27 septembre sur ce domaine dont Bernard Château est propriétaire depuis 1980. D'une qualité régulière, ce cru reste fidèle à lui-même avec ce vin assemblant 55 % de cabernet-sauvignon à 45 % de merlot. Elevé dix-huit mois en barriques, dont 30 % sont neuves, ce millésime se montre rond, soyeux et agréablement bouqueté. Une dentelle élégante dont on pourra profiter dès à présent ou d'ici deux à trois ans.

🍂 Bernard Château, 4, rue de La Trémoille, 33460 Margaux, tél. 05.57.88.35.50, fax 05.57.88.76.69 ☑ ♈ r.-v.

CH. MALESCOT SAINT-EXUPERY 1999★★

■ 3ème cru clas.	n.c.	90 920	ⅡⅡ 38 à 46 €
81 82 83 |85| |86| 88 89 90 |91| 92 93 **94 95 96** 98 99		

Si certains châteaux médocains sont parfois difficiles à trouver, ce n'est pas le cas ici, les bâtiments se situant au cœur du bourg de Margaux. Très régulière en qualité, cette propriété se distingue tout particulièrement avec ce mil-

BORDELAIS

lésime d'un assemblage typiquement margalais, élevé quatorze mois en barrique. D'emblée sa livrée grenat annonce sa superbe construction, que confirment le palais comme le bouquet. Discret au départ, celui-ci se fait de plus en plus intense et élégant à l'aération, avec des nuances complexes allant des raisins mûrs au toast et à la torréfaction. Ronde et grasse, dotée d'un bel équilibre entre le fruit et la mâche, la structure s'appuie sur des tanins à la fois solides et fins qui garantissent une belle garde. Longue et harmonieuse, la finale confirme le potentiel de cette superbe bouteille à attendre de quatre à six ans.

☛ SCEA Ch. Malescot Saint-Exupéry, 33460 Margaux, tél. 05.57.88.97.20, fax 05.57.88.97.21 ☑ ☨ r.-v.

☛ Roger Zuger

MARGALLAINE 1999

| ■ | | 3 ha | 8 200 | ▮❶♦ 15 à 23 € |

« Faire le premier vin de garage à Margaux », était l'objectif de Philippe Porcheron lorsqu'il acheta ce vignoble arsacais en 1999. Y parviendra-t-il ? Il faudra attendre pour le savoir, son premier millésime étant encore assez fermé après vingt-quatre mois de fût. Cependant l'équilibre entre la chair et les tanins bien mûrs laisse sur le souvenir d'un ensemble harmonieux.

☛ SARL des Grands Crus,
287, av. de la Libération, 33110 Le Bouscat,
tél. 05.56.42.69.50, fax 05.56.42.69.88,
e-mail porcheron.philippe@wanadoo.fr ☨ r.-v.

☛ Philippe Porcheron

CH. MARGAUX 1999★★★

| ■ | 1er cru clas. | 78 ha | n.c. | ❶ + de 76 € |

59 |61| 66 70 71 |75| 77 78 |79| 80 |81| |82| |83| 84 |85| |86| |87| 88 89 90 91 |92| 93 94 ⑨⑤ ⑨⑥ 97 ⑨⑧ ⑨⑨

Du règne d'Edouard III au XIIe s. à la dynastie fondée en 1977 par les Mentzelopoulos, Margaux a toujours été l'un des symboles universellement reconnus du grand vin. Ce millésime s'inscrit dans la tradition de haute qualité du cru. Profonde et brillante, sa robe annonce déjà un joli potentiel de garde. Bien qu'encore naissant, le bouquet n'appelle qu'un qualificatif : exceptionnel. Les notes vanillées et grillées, fines et élégantes, s'associent au cassis et aux fruits rouges pour former la trame d'une composition d'une agréable complexité. Riche, plein, rond et soutenu par de très beaux tanins, le palais possède une belle texture. Agrémenté de savoureux arômes de cerises cuites et d'épices, sa longue finale achève d'en faire à la fois un vrai vin de plaisir et de longue garde (cinq ou dix ans).

☛ SC du Ch. Margaux, 33460 Margaux,
tél. 05.57.88.83.83, fax 05.57.88.83.32 ☨ r.-v.

CH. MARQUIS D'ALESME
Becker 1999

| ■ | 3ème cru clas. | 15,52 ha | 100 000 | ❶ 15 à 23 € |

Ce vaste château de style Louis XIII, bien que situé le long de la rue principale de Margaux, est presque invisible, son beau parc le protégeant des regards. A son image, ce vin reste un peu sur la réserve par son expression aromatique aux discrètes notes de jacinthe et de vanille. Mais sa souplesse à l'attaque et le côté harmonieux de ses tanins ronds laissent sur le souvenir d'un ensemble facile et chaleureux, qui pourra être bu d'ici deux à trois ans.

☛ Jean-Claude Zuger, Ch. Marquis d'Alesme,
33460 Margaux, tél. 05.57.88.70.27, fax 05.57.88.73.78
☑ ☨ t.l.j. sf sam. dim. 8h-12h 14h-17h

CH. MARQUIS DE TERME 1999★

| ■ | 4ème cru clas. | 38 ha | 160 000 | ❶ 30 à 38 € |

75 81 82 ⑧③ 85 |86| 89 90 |93| |94| 95 96 97 98 99

Ce marquis de Terme eut la chance d'épouser en 1762 une femme dont la dot était constituée de parcelles de vignes... Ainsi va souvent l'histoire des domaines viticoles. Sans chercher à rivaliser en potentiel de garde avec certains millésimes antérieurs, ce vin, né d'un bel assemblage de 66 % de cabernet-sauvignon, de 4 % de petit verdot et de 30 % de merlot, se montre déjà fort séduisant par ses tanins souples et ronds comme par son expression aromatique aux notes complexes de griotte, de vanille, de cannelle, de café et de cacao.

☛ Ch. Marquis de Terme, 3, rte de Rauzan, BP 11,
33460 Margaux, tél. 05.57.88.30.01, fax 05.57.88.32.51,
e-mail marquisterme@terre-net.fr ☑ ☨ r.-v.

☛ Sénéclauze

CH. MARTINENS 1999

| ■ | Cru bourg. | 25 ha | 81 718 | ▮❶♦ 11 à 15 € |

Un peu à l'écart des grands axes de circulation, ce château est souvent oublié des touristes. C'est dommage, car son architecture est caractéristique de la belle demeure viticole traditionnelle du XVIIIe s. A son image, ce vin privilégie la finesse et l'élégance. Il ne sera peut-être pas d'une très longue garde, mais il reste bien structuré. Sa souplesse et son velouté le rendent fort agréable.

☛ Jean-Pierre Seynat-Dulos, Ch. Martinens,
33460 Cantenac, tél. 05.57.88.71.37, fax 05.57.88.38.35
☑ ☨ r.-v.

CH. MONGRAVEY
Cuvée de Tradition 1999★★

| ■ | | 9,7 ha | 30 000 | ❶ 15 à 23 € |

De façon assez originale pour un cru d'appellation communale, ce domaine propose toute une gamme de cuvées, dont cette Tradition particulièrement réussie. Sa robe, d'un grenat soutenu, n'est pas chiche en promesses. Fort heureusement, elles sont tenues par la suite. Fin, racé et complexe, le bouquet joue sur une multitude de nuances, allant des fruits mûrs à la vanille en passant par le pruneau. Soyeux à l'attaque, le palais révèle ensuite beaucoup de souplesse avant de céder la place à une finale pleine et goûteuse que soutiennent des tanins serrés. Au total, une bouteille harmonieuse à laisser mûrir deux à trois ans en cave. Egalement agréable par son côté velouté, la **cuvée Prestige 99** a obtenu une étoile. Quant au **Mongravey 99 (30 à 38 €)**, il obtient aussi une étoile : c'est une microcuvée de 3 000 bouteilles, élevée vingt-quatre mois en barrique neuve, et qui demande quelques années pour pouvoir s'exprimer.

➥ Régis Bernaleau, 8, av. Jean-Luc-Vonderneyden, 33460 Arsac, tél. 05.56.58.84.51, fax 05.56.58.83.39, e-mail chateau.mongravey@wanadoo.fr ☑ ⊺ r.-v.

CH. PALMER 1999★★

■ 3ème cru clas.	50 ha	1 200 000	⠶ + de 76 €

78 79 80 |81| |82| |83| 84 |85| |⑧⑥| |88| |89| 90 |91| |92| |93| |94| 95 96 97 98 99

Très beau coup de cœur l'an dernier avec le 98, ce cru affiche des ambitions plus modestes avec son 99. Cela n'empêche cependant pas d'affirmer une forte et belle personnalité, et pas seulement par la puissance de sa robe pourpre sombre. Son bouquet, où le bois manifeste sa domination, se montre très flatteur tout en laissant apparaître des notes plurielles aussi bien animales que confiturées. Son potentiel est garanti par l'ampleur de sa structure grasse et ronde, dans laquelle le raisin est bien respecté. Ses tanins sont déjà soyeux, mais il conviendra toutefois d'attendre quatre ou cinq ans, peut-être plus, pour apprécier pleinement cette très belle bouteille bien dans l'esprit du cru par son équilibre harmonieux entre structure, chair et élégance.

➥ Ch. Palmer, Cantenac, 33460 Margaux, tél. 05.57.88.72.72, fax 05.57.88.37.16, e-mail chateau-palmer@chateau-palmer.com ⊺ r.-v.

PAVILLON ROUGE 1999★★

■	n.c.	n.c.	⠶ 38 à 46 €

78 81 |82| |83| 84 |85| |86| |88| |89| |90| 92 |93| |94| 95 96 97 98 99

Second vin du château Margaux, Pavillon Rouge a représenté cette année 45 % de la production du vignoble. Il est indiscutablement de noble origine. Tabac, épices, fruits rouges, mûre et cassis, son bouquet allie complexité et délicatesse. Tout aussi bien typé, le palais joue dans le registre de l'élégance. Rond, généreux, d'un subtil équilibre et long, ce 99 appelle une garde d'environ cinq ans.

➥ SC du Ch. Margaux, 33460 Margaux, tél. 05.57.88.83.83, fax 05.57.88.83.32 ⊺ r.-v.

CH. PONTAC LYNCH 1999★

■ Cru bourg.	8 ha	55 000	⠶ 15 à 23 €

Au bout d'une longue allée entre Cantenac et Margaux, ce château voisine avec quelques-uns des plus prestigieux crus classés de l'appellation. Il bénéficie d'un terroir de qualité, ce dont l'amateur ne doutera pas en goûtant ce 99 fort réussi. Se présentant dans une robe d'une teinte juvénile, limpide et profonde, et avec des notes généreuses de fruits mûrs et de vanille, cette bouteille développe une imposante structure tannique bien enrobée par la chair. Sa puissance appelle une garde de quatre ou cinq ans, voire plus.

➥ GFA du Ch. Pontac-Lynch, Issan, 33460 Cantenac, tél. 05.56.88.30.04, fax 05.56.88.32.63 ☑ ⊺ r.-v.

CH. POUGET 1999

■ 4ème cru clas.	9 ha	45 700	⠶ 15 à 23 €

75 85 86 88 |89| |90| 92 |94| |95| |96| |97| 98 99

Acquis par la famille Guillemet en 1906, Pouget porte sur son étiquette le blason qui lui fut accordé par le duc de Richelieu au XVIIIᵉs. Il faudra profiter de ce vin dans deux ou trois ans, histoire d'attendre son cousin Boyd-Cantenac, mais aussi de bénéficier pleinement de son très beau bouquet. Véritable gourmandise, ce 99 affiche des notes de griotte à l'alcool en passant par celles (plus

évoluées) de porto et de chocolat en poudre, pour finir par une touche mentholée. Grâce à ses tanins fondus et soyeux, il constitue un ensemble de qualité.

➥ SCE Ch. Boyd-Cantenac et Pouget, 33460 Cantenac, tél. 05.57.88.90.82, fax 05.57.88.33.27, e-mail contact@boyd-cantenac.fr ☑ ⊺ r.-v.

CH. PRIEURE-LICHINE 1999★

■ 4ème cru clas.	40 ha	220 000	⠶ 30 à 38 €

82 83 86 |88| |89| |90| 91 92 93 96 |97| ⑨⑧ 99

S'appuyant à la belle église de Cantenac, ce prieuré bénédictin du XVIIᵉs. garde tout son charme. Encore dominé par les tanins, notamment en finale, ce vin est plus sévère. Mais c'est un péché de jeunesse, car sa solide structure se joint à la concentration des arômes du palais et à la teinte sombre et profonde de la robe pour indiquer un beau potentiel de garde. Le bouquet, aux notes de caramel, de grillé, de vanille, de fruits mûrs et d'épices allant dans le même sens, il ne faudra pas hésiter à laisser cette bouteille à la cave pendant une bonne demi-dizaine d'années.

➥ Ch. Prieuré-Lichine, 34, av. de la 5ᵉ-République, 33460 Cantenac, tél. 05.57.88.36.28, fax 05.57.88.78.93 ☑ ⊺ t.l.j. sf dim. 9h-12h 14h-18h
➥ Groupe Ballande

CH. RAUZAN-GASSIES 1999★

■ 2ème cru clas.	28 ha	140 000	⠶ 23 à 30 €

|93| |94| 96 97 98 99

Sans tapage médiatique, ce cru a poursuivi sa patiente remontée qui lui permet aujourd'hui de figurer au nombre de ceux ayant bien réussi ce millésime difficile. Encore jeune, comme le montre sa robe sombre à reflets violacés, il développe un bouquet se partageant entre les fruits mûrs et les notes boisées avant de révéler un palais ample et savoureux avec d'élégants tanins fondus qui invitent à l'attendre quatre ou cinq ans.

➥ SCA du Ch. Rauzan-Gassies, 33460 Margaux, tél. 05.57.88.71.88, fax 05.57.88.37.49 ☑ ⊺ r.-v.

CH. RAUZAN-SEGLA 1999★★

■ 2ème cru clas.	51 ha	95 000	⠶ 46 à 76 €

81 |83| |85| |88| |89| 90 91 92 |93| 94 95 ⑨⑥ |97| ⑨⑧ 99

Un joli manoir du XVIIᵉs. : ce cru vaut un crochet lors d'une visite à Margaux, non seulement pour le charme de la propriété mais aussi pour ses vins que l'on trouve chaque année aux meilleures places du Guide. Ce millésime mérite un long séjour en cave (autour de cinq ans) avant d'être servi sur un mets bien choisi. Celui-ci devra en effet mettre en valeur son parfait équilibre. Celui du bouquet qui marie harmonieusement les fruits noirs aux notes vanillées et torréfiées ; et celui du palais où de belles saveurs conduisent en douceur vers une longue et élégante finale.

➥ SA Ch. Rauzan-Ségla, BP 56, 33460 Margaux, tél. 05.57.88.82.10, fax 05.57.88.34.54 ⊺ r.-v.
➥ Wertheimer

CH. SIRAN 1999★

■ Cru bourg.	24 ha	88 000	⠶ 15 à 23 €

66 78 79 80 81 82 83 85 86 87 88 |89| |90| 91 92 |93| |94| |95| 96 |97| 98 99

Au Moyen Age, dépendance du monastère bordelais de Sainte-Croix, ce domaine se montre à la hauteur de son riche passé avec cet avant dernier millésime du millénaire. Sa robe, d'un rouge très sombre, met en confiance. Assez

BORDELAIS

intenses sans être très expressifs au départ, avec de discrètes notes de fruits confits et de grillé, les parfums montent en puissance sur des arômes de torréfaction. Souple à l'attaque, le palais s'appuie sur une solide présence tannique, une jolie concentration et une longue finale pour laisser pronostiquer un bon potentiel de garde.

🕿 SC du Ch. Siran, Ch. Siran, 33460 Labarde, tél. 05.57.88.34.04, fax 05.57.88.70.05, e-mail chateau.siran@wanadoo.fr

☑ 🍷 t.l.j. 10h-12h30 13h-18h

🕿 Alain Miailhe

CH. LABORY DE TAYAC
Elevé en fût de chêne 1999

■	6 ha	40 000	🍶 8 à 11 €

Vaste vignoble de près de 40 ha, Tayac a consacré 6 ha à ce vin commercialisé par la société Yvon Mau. Elevé seulement six mois en fût, ce 99 se montre simple mais bien construit avec des tanins ronds et gras et ne demandera pas à être attendu longtemps pour procurer du plaisir avec ses intenses arômes de fruits cuits et de réglisse.

🕿 SA Yvon Mau, BP 1, 33193 Gironde-sur-Dropt Cedex, tél. 05.56.61.54.54, fax 05.56.61.54.61

🕿 Ch. Tayac

CH. DU TERTRE 1999★

■ 5ème cru clas.	50,4 ha	200 000	🍶 23 à 30 €
90 91 92 93 95 96 **98** 99			

Avec son nouveau propriétaire, ce cru a bénéficié de travaux considérables, tant aux vignes qu'aux chais, mais aussi au château qui a retrouvé son style Régence d'origine. Bien margalais dans son encépagement (les cabernets constituant 74 % et le petit verdot 4 %), ce vin, d'une belle teinte rouge, déploie un bouquet franc, net et complexe, avec des notes de café et de griotte. Souple et rond, le palais témoigne d'une extraction bien menée. Typée, cette bouteille parviendra à son optimum dans quatre ou cinq ans.

🕿 SEV Ch. du Tertre, 33460 Arsac, tél. 05.57.97.09.09, fax 05.57.97.09.00 ☑ 🍷 r.-v.

🕿 Eric Albada Jelgersma

CH. LA TOUR DE MONS 1999★

■ Cru bourg.	21,3 ha	131 000	🍶 15 à 23 €

Avec ce millésime, ce cru tire les bénéfices des investissements qui y ont été réalisés au cours des dernières années. Elevé douze mois en fût, il assemble 9 % de petit verdot à 39 % de cabernet-sauvignon, à 8 % de cabernet franc et à 44 % de merlot. Tenant les promesses de la robe, sombre à reflets violacés, les notes intenses de fruits mûrs, d'épices, de grillé et de fourrure, ainsi que le palais, riche et puissant, laissent sur le souvenir d'un ensemble de caractère. La finale encore tannique demande quatre à cinq ans de garde pour s'arrondir.

🕿 SCEA Ch. la Tour de Mons, 20, rte de Marsac, 33460 Soussans, tél. 05.57.88.33.03, fax 05.57.88.32.46 🍷 r.-v.

CH. LA TOUR MASSAC 1999★

■ Cru bourg.	2 ha	6 000	🍶 11 à 15 €

Propriété des Guillemet (château Boyd et Pouget), ce cru bénéficie de leur savoir-faire. Ce vin, né de 65 % de cabernet-sauvignon, le prouve par son bouquet qui s'épanouit à l'aération avec beaucoup de complexité (fruits rouges, café, pain grillé et pruneau) comme par son palais, qui révèle un bon équilibre entre la rondeur et la puissance. Longue et agréable, la finale invite à une garde de trois à cinq ans.

🕿 SCE Ch. Boyd-Cantenac, 33460 Cantenac, tél. 05.57.88.90.82, fax 05.57.88.33.27, e-mail guillemet-lucien@wanadoo.fr ☑ 🍷 r.-v.

CH. DES TROIS CHARDONS 1999

■	2,88 ha	16 500	🍶 11 à 15 €
85 **86** 88 89 90 94 |95| |96| |97| |98| 99			

Né sur l'un des derniers petits vignobles familiaux de l'appellation, ce vin se montre très intéressant par son authenticité. Bien structuré, il déploie généreusement de beaux arômes de fruits rouges, de rancio, de grillé et de pruneau, sans oublier la délicate touche fleurie bien margalaise. La souplesse de l'attaque ne doit pas faire oublier la finale tannique : cette bouteille méritera largement un séjour en cave de trois ou quatre ans.

🕿 Claude et Yves Chardon, Issan, 33460 Cantenac, tél. 05.57.88.33.94, fax 05.57.88.39.13 ☑ 🍷 r.-v.

CH. VINCENT 1999★★

■ Cru bourg.	5 ha	7 500	🍶 11 à 15 €

Bien dans l'esprit du Bordelais par sa chartreuse qu'entoure un charmant jardin de curé, cette propriété familiale l'est aussi par sa production, toujours d'une grande tenue. Témoin, ce superbe 99 (60 % cabernet-sauvignon, 40 % merlot) ajoutant un solide corps tannique et un bouquet d'une belle complexité à une robe profonde. Il est difficile de ne pas se laisser séduire par ses arômes où les notes de gibier et de fumée s'épanouissent aux côtés des fruits rouges, des épices et du moka. Encore très jeune et doté d'un beau potentiel, ce vin mérite d'être attendu pendant au moins cinq ou six ans avant d'écrire une belle page du livre de cave par un accord mémorable avec un perdreau aux choux.

🕿 Indivision Barrault-Domec, Ch. Vincent, Issan, 33460 Cantenac, tél. 05.57.88.90.56, fax 05.57.88.90.56 ☑

Moulis-en-médoc

Etroit ruban de 12 km de long sur 300 à 400 m de large, moulis est la moins étendue des appellations communales du Médoc. Elle offre pourtant une large palette de terroirs.

Comme à Listrac, ceux-ci forment trois grands ensembles. A l'ouest, près de la route de Bordeaux à Soulac, le secteur de Bouqueyran présente une topographie variée, avec une crête calcaire et un versant de graves anciennes (pyrénéennes). Au centre, on trouve une plaine argilo-calcaire qui est le prolongement de celle de Peyrelebade (voir listrac-médoc). Enfin, à l'est et au nord-est, près de la voie ferrée, se développent de belles croupes de graves du Günz (graves garonnaises) qui constituent un terroir de choix. C'est dans ce dernier secteur que se trouvent les buttes réputées de Grand-Poujeaux, Maucaillou et Médrac.

Moelleux et charnus, les moulis se caractérisent par leur caractère suave et délicat. Tout en étant de bonne garde (de sept à huit ans), ils peuvent s'épanouir un peu plus rapidement que les vins des autres communales. Le millésime 2001 a atteint 30 952 hl sur 592 ha.

CH. ANTHONIC 1999★

■ Cru bourg.	22,5 ha	156 000	■ ⑪ ↓ 11 à 15 €

82 83 **85** ⑧⑥ 88 **89** |90| 91 92 93 |94| |95| |96| |97| 98 99

Planté sur un terroir argilo-calcaire, ce vignoble est à majorité de merlot. C'est pourtant le cabernet qui marque le plus le bouquet de ce 99 que sa constitution invite à garder quatre ou cinq ans pour permettre aux tanins de se fondre. Sa belle couleur pourpre, son joli nez où le bois est présent sans cacher le fruit et sa bouche ample promettent une belle évolution à ce vin droit et homogène.
🕭 SCEA Pierre Cordonnier, Ch. Anthonic, 33480 Moulis-en-Médoc, tél. 05.56.58.34.60, fax 05.56.58.72.76, e-mail chateau.anthonic@terre-net.fr
☑ ⵉ t.l.j. sf sam. dim. 9h-12h 14h-17h30

CH. BISTON-BRILLETTE 1999★

■ Cru bourg.	22 ha	115 000	⑪ 11 à 15 €

86 88 89 ⑨⓪ 91 93 94 |95| |96| 97 98 99

Rappelant par son nom (Biston) un maire de Moulis du XIXᵉ s., ce vin est dans la tradition de l'appellation. A la fois charnu et d'une bonne constitution tannique, il se montre harmonieux par son expression aromatique aux notes empyreumatiques, de fruits confits et de pruneau.
🕭 EARL Ch. Biston-Brillette, Petit-Poujeaux, 33480 Moulis-en-Médoc, tél. 05.56.58.22.86, fax 05.56.58.13.16, e-mail contact@châteaubistonbrillette.com
☑ ⵉ t.l.j. sf dim. 10h-12h 14h-18h; sam. 10h-12h
🕭 Michel Barbarin

CH. BOIS DE LA GRAVETTE 1999

■		n.c.	12 000	■ ⑪ ↓ 5 à 8 €

Domaine de 3 ha repris en 1995 par Christian Porcheron. Bien que le bois soit encore un peu trop présent, notamment en finale, ce vin, d'une belle couleur rubis, se montre agréable par son expression aromatique, très expressive en milieu de dégustation. Il devrait se révéler pleinement d'ici deux ans.
🕭 EARL Vignoble Bois de la Gravette, 33480 Moulis-en-Médoc, tél. 06.81.70.51.56, fax 05.56.58.22.11 ☑ ⵉ t.l.j. 8h-19h
🕭 Christian Porcheron

CH. BRILLETTE 1999★

■ Cru bourg.	22,5 ha	91 000	■ ⑪ 15 à 23 €

94 95 |96| 98 99

Toujours fidèle à sa tradition de qualité, ce cru constitué de 3 % de petit verdot, de 9 % de cabernet franc, de 38 % de cabernet-sauvignon et de 50 % de merlot, propose un vin d'une bonne facture, tant par sa présentation avec une belle couleur d'un pourpre intense, que par son bouquet aux élégantes notes boisées et fruitées, ou par son développement au palais. A la fois souple et ample, il sait déjà se montrer charmeur tout en possédant un potentiel qui invite à l'attendre deux ou trois ans.
🕭 SA Ch. Brillette, 33480 Moulis-en-Médoc, tél. 05.56.58.22.09, fax 05.56.58.12.26 ☑ ⵉ r.-v.
🕭 J.-L. Flageul

CH. CAROLINE 1999

■ Cru bourg.	8 ha	45 000	⑪ 8 à 11 €

Du même producteur que le château Fonréaud (listrac), ce cru est doté d'un cuvier Inox et d'un chai à barriques séparé du château Lestage depuis 2001. Ce millésime est marqué dans son expression aromatique par le merlot (cuir) qui représente 60 % de l'assemblage. Encore sous la domination du bois, le palais possède la puissance et la mâche suffisantes pour pouvoir s'arrondir d'ici deux à trois ans.
🕭 SC Ch. Lestage, 33480 Listrac-Médoc, tél. 05.56.58.02.43, fax 05.56.58.04.33
☑ ⵉ t.l.j. sf sam. dim. 9h-12h 14h-17h

CH. CHASSE-SPLEEN 1999★★

■ Cru bourg.	40 ha	250 000	⑪ 23 à 30 €

75 76 **78 79** 80 **81 82** |⑧③| 85 **86** |88| 89 |90| 91 92 93 94 |95| |96| **97 98 99**

Les petites filles de Jacques Merlaut, forte personnalité bordelaise, mènent ce château mythique. Si celui-ci doit une partie de sa renommée à son nom, dont l'origine est toujours entourée d'un halo de mystère, l'essentiel vient de la qualité constante de son vin même dans les petits millésimes. A la fois puissant et élégant, son 99 s'inscrit dans la tradition du cru. On appréciera tout particulièrement sa robe de gala pourpre à reflets vermillons, son bouquet d'une grande richesse : musc, grillé et cuir, et son attaque envoûtante. Résultant d'une vinification et d'un élevage parfaitement maîtrisés, ce 99 mérite d'être attendu cinq ans ou plus.
🕭 Céline Villars-Foubet, SA Ch. Chasse-Spleen, Grand-Poujeaux, 33480 Moulis-en-Médoc, tél. 05.56.58.02.37, fax 05.57.88.84.40, e-mail info@chasse-spleen.com ⵉ r.-v.

CH. DUPLESSIS FABRE 1999★

■ Cru bourg.	2,5 ha	17 000	⑪ 11 à 15 €

90 91 92 93 94 |95| 98 99|

Né sur un sol argilo-calcaire et assemblant 55 % de merlot au cabernet-sauvignon, ce 99 se révèle très flatteur par ses parfums de fruits mûrs. Charnu et friand, doté de tanins doux, on aura plaisir à goûter ce vin aimable sur des viandes blanches pendant trois à cinq ans.
🕭 Ch. Maucaillou, quartier de la Gare, 33480 Moulis-en-Médoc, tél. 05.56.58.01.23, fax 05.56.58.00.88 ⵉ t.l.j. 10h-12h30 14h-15h
🕭 Philippe Dourthe

BORDELAIS

CH. DUTRUCH GRAND POUJEAUX 1999

■ Cru bourg.	24,87 ha	172 000	▮ ⑪ ⌀ 11 à 15 €

81 82 ⑧ 85 86 |88| 89 90 93 |94| |95| **96** |97| 98 99

Situé au cœur du village de Poujeaux, ce cru offre son premier millésime vinifié dans les nouveaux cuvier et chai à barriques. Ce vin, né sur la croupe de graves garonnaises de Grand Poujeaux avec 60 % de merlot, est encore un peu sévère dans son expression tannique de qualité. Mais celle-ci lui permettra de bien évoluer d'ici trois à quatre ans.

➤ EARL François Cordonnier, Ch. Dutruch Grand Poujeaux, 33480 Moulis-en-Médoc, tél. 05.56.58.02.55, fax 05.56.58.06.22, e-mail chateau.dutruch@aquinet.net ☑ ⊺ r.-v.

CH. LA GARRICQ 1999

■	3 ha	15 000	⑪ 15 à 23 €

93 94 95 |96| |97| **98** 99

Du même producteur que le château Paloumey (haut-médoc), ce vin souple et rond se montre agréable par son équilibre comme par son expression aromatique dont les notes de fruits rouges légèrement toastés accompagnent toute la dégustation et sont d'une belle persistance.

➤ Ch. Paloumey, 50, rue Pouge-de-Beau, 33290 Ludon-Médoc, tél. 05.57.88.00.66, fax 05.57.88.00.67, e-mail info@chateaupaloumey.com ☑ ⊺ r.-v.

CH. GRANINS GRAND POUJEAUX 1999★

■ Cru bourg.	9,25 ha	34 000	⑪ 8 à 11 €

|95| 96 97 99

Né sur une authentique exploitation familiale comme l'appellation en compte encore beaucoup, ce vin associe 48 % de merlot à 44 % de cabernet-sauvignon et à 8 % de petit verdot. Il se montre bien typé par le caractère expressif de son bouquet mêlant le fruit à un boisé élégant et par son développement au palais, à la fois puissant et charnu. Il demande à être attendu pendant au moins trois ans, mais possède un potentiel bien supérieur.

➤ SCEA Batailley, Ch. Granins Grand Poujeaux, 33480 Moulis-en-Médoc, tél. 05.56.58.05.82, fax 05.56.58.05.26, e-mail sceabatailley@wanadoo.fr ☑ ⊺ r.-v.

CH. GUITIGNAN 1999★★

■ Cru bourg.	6 ha	40 000	▮ ⌀ 8 à 11 €

Avec ce millésime, la cave de Listrac, qui vinifie ce vin, a remporté un joli succès. La robe de ce 99 d'un rubis profond, est prometteuse. Les puissantes notes de son bouquet et son harmonieuse évolution au palais, qu'appuient des tanins ronds et fins, se chargent de tenir leurs promesses en révélant un bon potentiel de garde. Cette bouteille à ouvrir dans quatre ou cinq ans pourra sans doute vieillir beaucoup plus.

➤ Cave de vinification de Listrac, 21, av. de Soulac, 33480 Listrac-Médoc, tél. 05.56.58.03.19, fax 05.56.58.07.22, e-mail grandlistrac@cave-listrac-médoc.com ☑ ⊺ r.-v.
➤ Annie Vidaller

CH. LALAUDEY 1999★★

■	6,5 ha	24 000	⑪ 11 à 15 €

Ce premier millésime, dont Régis Bernaleau est entièrement responsable (il a repris le cru en 1998), a tout pour convaincre l'amateur de l'avenir du domaine. La robe, d'une couleur intense, et le bouquet, aux élégantes notes de fruits mûrs, lui donnent un bel aspect. Le palais est de la même veine. Ses tanins, riches et gras, sa chair et ses arômes, aussi concentrés que persistants, sont soutenus par un élevage bien maîtrisé. Au total, une jolie bouteille à attendre quelques années.

➤ Régis Bernaleau, 8, av. Jean-Luc-Vonderneyden, 33460 Arsac, tél. 05.56.58.84.51, fax 05.56.58.83.39, e-mail chateau.mongravey@wanadoo.fr ☑ ⊺ r.-v.

CH. MALMAISON 1999

■ Cru bourg.	24 ha	130 000	⑪ 11 à 15 €

88 89 90 **91** 92 93 94 |95| |96| 97 98 99

Pour le moins atypique par son encépagement intégralement merlot, ce cru rattaché à Clarke (listrac) propose ici un vin à la robe grenat. Le nez animal et boisé se révèle élégant alors que la bouche, carrée, demande à être attendue afin d'exprimer complètement ses qualités.

➤ Cie vinicole des barons Edmond et Benjamin de Rothschild, Ch. Clarke, 33480 Listrac-Médoc, tél. 05.56.58.38.00, fax 05.56.58.26.46, e-mail chateau.clarke@wanadoo.fr ☑
➤ Benjamin de Rothschild

CH. MAUCAILLOU 1999★

■ Cru bourg.	70 ha	515 000	⑪ 15 à 23 €

81 **82 83** 85 86 87 |88| |89| |90| 91 92 93 94 |95| ⑨ 97 98 99

De la création de la revue *Vinetec*, qui marqua en son temps le paysage médiatique et vinicole bordelais, à celle du musée de la Vigne, la passion de Philippe Dourthe pour le vin n'est plus à prouver ; ce vin bien médocain (56 % de cabernet-sauvignon, 2 % de cabernet franc, 35 % de merlot et 7 % de petit verdot) ne la démentira pas. D'emblée, la robe rubis et le bouquet aux notes torréfiées mettent les sens en éveil. Le palais ne les déçoit pas, ses tanins bien entourés par la chair témoignant d'un élevage respectueux du vin. Tout promet une fort jolie bouteille d'ici trois ou quatre ans.

➤ Ch. Maucaillou, quartier de la Gare, 33480 Moulis-en-Médoc, tél. 05.56.58.01.23, fax 05.56.58.00.88 ☑ ⊺ t.l.j. 10h-12h30 14h-15h
➤ Philippe Dourthe

CH. MYON DE L'ENCLOS 1999

■	5 ha	20 000	⑪ 8 à 11 €

|95| |96| |97| 98 99

Du même producteur que le Château Mayne Lalande (listrac), ce vin qui associe le merlot à 60 % de cabernet-sauvignon, est bien constitué. Ses arômes de petits fruits rouges sur une pointe boisée sont accompagnés d'une touche de poivron. Il demande à être attendu pour laisser à la finale le temps de s'arrondir.

➤ Bernard Lartigue, Ch. Mayne Lalande, 33480 Listrac-Médoc, tél. 05.56.58.27.63, fax 05.56.58.22.41, e-mail b.lartigue@terre-net.fr ☑ ⊺ r.-v.

CH. POUJEAUX 1999★★

■ Cru bourg.	53 ha	293 000	▮ ⑪ ⌀ 23 à 30 €

81 82 83 84 |85| |86| 87 |88| |89| 90 91 92 |93| |94| 95 96 97 98 99

Si la réputation de leur cru n'est plus à faire, les Theil s'attachent à la maintenir. Leur 99 y contribuera, tant grâce à sa robe, d'un pourpre brillant, que par son bouquet ou son palais. Expressifs et complexes (encens, fruits rouges et confits), ses parfums montrent que l'élevage a été bien maîtrisé. Il en a été de même pour l'extraction, et le résultat est un bel ensemble dont les tanins mûrs et la chair d'une grande noblesse laissent sur le souvenir d'une dégustation harmonieuse et prometteuse pour l'avenir de cette bouteille.

🕶 Jean Theil SA, Ch. Poujeaux,
33480 Moulis-en-Médoc,
tél. 05.56.58.02.96, fax 05.56.58.01.25,
e-mail poujeaux@chateaupoujeaux.com ☑ ⛾ r.-v.

CH. RUAT PETIT POUJEAUX 1999

| ■ Cru bourg. | 16 ha | 45 000 | | ⬛⬛ 8 à 11 € |

Très belle personnalité du Bordelais viticole, Pierre Goffre-Viaud mène ce vignoble familial avec soin et rigueur. Né dans une petite maison entourée de vignes, ce vin associe 50 % de merlot aux deux cabernets. Un rien merlotant avec ses arômes de fruits rouges cuits, il développe des tanins fins et frais

🕶 SCE Vignobles Goffre-Viaud,
Petit Poujeaux, 33480 Moulis-en-Médoc,
tél. 05.56.58.25.15, fax 05.56.58.15.90 ☑ ⛾ r.-v.

Pauillac

A peine plus peuplé qu'un gros bourg rural, Pauillac est une vraie petite ville, agrémentée, qui plus est, d'un port de plaisance sur la route du canal du Midi. C'est un endroit où il fait bon déguster, à la terrasse des cafés sur les quais, les crevettes fraîchement pêchées dans l'estuaire. Mais c'est aussi, et surtout, la capitale du Médoc viticole, tant par sa situation géographique, au centre du vignoble, que par la présence de trois premiers crus classés (Lafite, Latour et Mouton) que complète une liste assez impressionnante de 18 crus classés. La coopérative assure une production importante. L'appellation a produit 59 901 hl pour 1 183 ha en 2001.

L'appellation est coupée en deux en son centre par le chenal du Gahet, petit ruisseau séparant les deux plateaux qui portent le vignoble. Celui du nord, qui doit son nom au hameau de Pouyalet, se distingue par une altitude légèrement plus élevée (une trentaine de mètres) et par des pentes plus marquées. Détenant le privilège de posséder deux premiers crus classés (Lafite et Mouton), il se caractérise par une parfaite adéquation entre sol et sous-sol, que l'on retrouve aussi dans le plateau de Saint-Lambert. S'étendant au sud du Gahet, ce dernier s'individualise par la proximité du vallon du Juillac, petit ruisseau marquant la limite méridionale de la commune, qui assure un bon drainage, et par ses graves de grosse taille qui sont particulièrement remarquables sur le terroir du premier cru de ce secteur, Château Latour.

Venant sur des croupes graveleuses très pures, les pauillac sont des vins corsés, puissants et charpentés, mais aussi fins et élégants, avec un bouquet délicat. Comme ils évoluent très heureusement au vieillissement, il convient de les attendre. Mais ensuite, il ne faut pas avoir peur de les servir sur des plats assez forts comme, par exemple, des préparations de champignons, des viandes rouges, du gibier à chair rouge ou des foies gras.

CH. D'ARMAILHAC 1999★

| ■ 5ème cru clas. | 50 ha | 192 800 | | ⬛⬛ 23 à 30 € |

72 73 74 75 78 **79 80 81** |82| |83| 84 |85| |⑧⑥| 87 |88| |89| **90** 92 **93** 94 **95** 96 |97| **98** 99

Bien que voisin de Mouton Rothschild et appartenant à Philippine de Rothschild, ce cru affirme avec force sa personnalité. Jouant autant sur l'élégance que sur la puissance, ce millésime développe des arômes d'une grande complexité avec des notes de framboise et de cassis, avant d'exprimer sa nature profonde par une grande délicatesse au palais que domine le fruit. Plus puissante et épicée, la finale vient toutefois rappeler qu'il s'agit d'un vrai pauillac, qu'il conviendra d'attendre trois ou quatre ans.

Pauillac

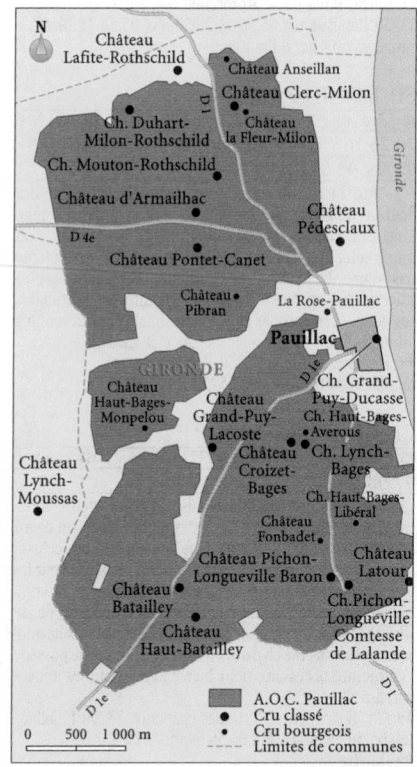

| A.O.C. Pauillac |
| • Cru classé |
| • Cru bourgeois |
| --- Limites de communes |

⌐ Ch. d' Armailhac, 33250 Pauillac,
tél. 05.56.59.22.22, fax 05.56.73.20.44,
e-mail webmaster@bpdr.com
⌐ Baronne Ph. de Rothschild

CH. ARTIGUES 1999

■ Cru bourg.	28 ha	n.c.	■ 11 à 15 €

Proposé par la firme La Guyennoise, négociant, ce vin joue résolument la carte de la finesse, tant par sa robe, vive et légère, que par son bouquet, aux plaisantes notes florales. Souple, ce 99 est soutenu par des tanins sans agressivité.
⌐ La Guyennoise, 3, rue Bourrassat, BP 17,
33540 Sauveterre-de-Guyenne, tél. 05.56.71.50.76,
fax 05.56.71.87.70, e-mail cfontaniol@laguyennoise.com
⌐ SCE Plantey

BARON NATHANIEL 1999★★

■	n.c.	n.c.	11 à 15 €

Le nom de cette étiquette est un hommage de ses descendants à Nathaniel de Rothschild qui acquit Mouton en 1853. Belle réussite pour ce millésime : c'est un vrai pauillac, riche et corsé, doté de beaux tanins tant de raisin que de bois. Son bouquet envoûte par ses nombreuses nuances, de la vanille au gibier en passant par les fruits rouges et des notes chaudes. Très longue (huit caudalies), la finale appelle une solide garde. On attendra cinq ou six ans avant de le servir sur une viande rouge grillée ou en sauce.
⌐ Baron Philippe de Rothschild SA, BP 117,
33250 Pauillac, tél. 05.56.73.20.20, fax 05.56.73.20.44,
e-mail webmaster@bphr.com

CH. BATAILLEY 1999★

■ 5ème cru clas.	55 ha	340 000	⊞ 30 à 38 €

|70| |75| 76 78 79 80 81 |82| |83| |85| |86| |88| |89| |90| 91 92 |93| 95 ⑯ |97| 98 99

Aussi vaste qu'ancienne, cette propriété est l'un des fleurons du groupe Borie-Manoux et de la famille Castéja. Une fois encore, elle se montre à la hauteur de son importance et de son histoire avec ce vin qui ne se contente pas d'une belle robe pour séduire l'amateur le plus exigeant. Ses arômes torréfiés, sa structure, ronde et suave, ses tanins bien enrobés et sa longue finale de fruits confits lui permettent de concilier élégance et garde.
⌐ Héritiers Castéja, 33250 Pauillac,
tél. 05.56.00.00.70, fax 05.57.87.48.61 ☑ ☂ r.-v.

CH. BELLEGRAVE 1999★★

■ Cru bourg.	5 ha	32 000	⊞ 15 à 23 €

97 98 **99**

Propriétaires du cru depuis 1997, les Meffre montrent qu'ils nourrissent de grandes ambitions à son égard avec ce très beau 99. Drapé dans une livrée rubis, celui-ci se présente avec un bouquet heureusement marqué par les arômes de fruits (cerise et cassis) et de fumée. Sa complexité se retrouve au palais, sans l'empêcher de se distinguer par une grande homogénéité. Déjà très harmonieuse par son côté charnu et fondu, cette bouteille possède la structure nécessaire pour bien évoluer dans les années à venir.
⌐ Ch. Bellegrave, 22, rte des châteaux, 33250 Pauillac,
tél. 05.56.59.06.47, fax 05.56.59.06.47 ☑ ☂ r.-v.
⌐ Meffre

CH. CHANTECLER-MILON 1999

■ Cru bourg.	4,7 ha	28 000	■ ⊞ ⅃ 11 à 15 €

Diffusé par le négoce, ce vin est encore un peu tannique en finale, mais il se fondra après quelques années de garde. Sa belle robe carminée, ses arômes de cerise, de café, de vanille et de chocolat, et sa structure classique sont de bon augure.
⌐ André Quancard-André, chem. de la Cabeyre,
33240 Saint-André-de-Cubzac, tél. 05.57.33.42.42,
fax 05.57.33.42.05, e-mail aqa@andrequancard.com
⌐ SCEA Chantecler-Milon

CH. CLERC-MILON 1999★★

■ 5ème cru clas.	30 ha	157 800	⊞ 30 à 38 €

|75| 76 78 79 |82| |83| |85| |86| 87 88 89 90 |92| |93| 94 ⑮ 96 97 98 99

Bien médocain dans son encépagement avec 55 % de cabernet-sauvignon, 18 % de cabernet franc et 27 % de merlot, ce cru, élevé quinze mois en barrique, est fidèle à son habitude et propose un vin au caractère soutenu : d'une belle couleur, franche et rutilante, il développe de complexes parfums boisés allant de la vanille et du caramel au moka et à la noix de coco. Le palais enrichit la palette aromatique de notes de clou de girofle et de cerise cuite. Porté par des tanins d'une grande élégance, la structure témoigne d'une extraction très bien menée et d'un beau potentiel de garde. Une patience de cinq à sept ans au minimum s'impose avant d'ouvrir cette bouteille.
⌐ Ch. Clerc Milon, 33250 Pauillac, tél. 05.56.59.22.22,
fax 05.56.73.20.44, e-mail webmaster@bpdr.com
⌐ Baronne Ph. de Rothschild GFA

CH. COLOMBIER-MONPELOU 1999★

■ Cru bourg.	15 ha	110 000	⊞ 15 à 23 €

|94| 95 96 |97| 98 99

Propriété au début du XX°s. de la famille Adde, avitailleurs de navires, ce cru fait la synthèse entre les deux vocations, maritime et vinicole, de Pauillac. Il défend fort bien aussi les couleurs de la ville et de l'appellation avec ce joli vin dont la jeunesse s'affiche par une belle couleur grenat à reflets violacés. Franc et concentré, ce 99 se distingue par ses nuances de pain d'épices et de figue. Au palais, soutenu par des tanins ronds, l'harmonie règne entre le bois et le fruit. La longue finale confirme la bonne constitution de l'ensemble et sa vocation à la garde.
⌐ SC Vignobles Jugla, Ch. Colombier-Monpelou,
33250 Pauillac, tél. 05.56.59.01.48, fax 05.56.59.12.01
☑ ☂ r.-v.

CH. CORDEILLAN-BAGES 1999★

■ Cru bourg.	2 ha	12 000	⊞ 30 à 38 €

|89| |91| 93 **94** 95 96 **97** 98 99

Appartenant aux Relais & Châteaux, cet hôtel-restaurant, qui fait honneur au Médoc, justifie pleinement ses quatre étoiles. De même l'étoile de ce 99 est amplement méritée. Sans être aussi complet que le Lynch-Bages, du même producteur, ce vin révèle une solide constitution corsée, charpentée et équilibrée, laissant le temps (quatre ou cinq ans) au bouquet naissant de s'ouvrir sur de belles notes de rose et de fruits noirs.
⌐ Jean-Michel Cazes, Ch. Cordeillan-Bages,
33250 Pauillac, tél. 05.56.73.24.00, fax 05.56.59.26.42,
e-mail info@cordeillanbages.com

BORDELAIS

CH. CROIZET-BAGES 1999★

■ 5ème cru clas.   28 ha   150 000   ❶❶ 15 à 23 €

93 94 |95| |96| |97| |98| 99

    Ce cru, belle unité d'un seul tenant, ne surprendra pas ses fidèles avec ce millésime. Ils retrouveront les tanins fins qui sont un peu la marque de fabrique de la propriété. Une finesse qui n'est pas pour autant synonyme de faiblesse. C'est au contraire de la richesse et une bonne extraction que révèle le palais. L'expression aromatique est, elle aussi, de belle facture, avec des notes de fruits mûrs et de toast, auxquelles s'ajoute une originale touche d'anis en finale. Un pauillac classique à attendre quatre ou cinq ans avant d'être servi sur une viande en sauce ou un gibier.

➥ Jean-Michel Quié, Ch. Croizet-Bages,
33250 Pauillac, tél. 05.56.59.01.62, fax 05.56.59.23.39
✔ � t.l.j. sf dim. lun. 9h-13h 14h-18h

CH. DUHART-MILON 1999★★

■ 4ème cru clas.   67 ha   240 000   ❶❶ 38 à 46 €

61 70 75 76 79 80 81 |82| |83| |85| |86| 87 |88| |89| 90 |91| |92| |93| |94| 95 96 97 98 99

    Elaboré par l'équipe de Lafite sur un beau terroir partagé entre le plateau des Carruades et le village de Milon, ce vin à la robe profonde à reflets violets, très jeune, est d'une grande qualité et respecte bien l'équilibre bordelais. Soutenu par des tanins veloutés et fort de sa mâche, il méritera d'être attendu cinq ou six ans ; ce qui permettra à son bouquet aux notes fumées et épicées de s'ouvrir pleinement.

➥ Ch. Duhart-Milon, 33250 Pauillac,
tél. 01.53.89.78.00, fax 01.53.89.78.01

MOULIN DE DUHART 1999★

■   67 ha   168 000   ❶❶ 15 à 23 €

    Seconde étiquette de Duhart-Milon, ce vin est encore assez sévère et demande d'être attendu deux ou trois ans. Toutefois, il sait déjà marquer sa personnalité par le côté moelleux de sa matière et par ses arômes de poivre, de clou de girofle, de cerise cuite et de cuir. Il accompagnera une bécasse.

➥ Ch. Duhart-Milon, 33250 Pauillac,
tél. 01.53.89.78.00, fax 01.53.89.78.01

CH. LA FLEUR PEYRABON 1999

■ Cru bourg.   4,87 ha   34 170   🍴 ❶❶ ⍝ 15 à 23 €

    Belle unité de plus de 50 ha, le château Peyrabon (haut-médoc) possède aussi des vignes à Pauillac. En 1999, elles ont donné naissance à un vin, où le merlot (56 %) l'emporte sur le cabernet-sauvignon ; il est encore un peu rustique par sa mâche, séduisant par son bouquet aux délicates notes de noyau de cerise et intéressant par son côté séveux et corsé.

➥ SARL Ch. Peyrabon, 33250 Saint-Sauveur,
tél. 05.56.59.57.10, fax 05.56.59.59.45,
e-mail chateau.peyrabon@wanadoo.fr
✔ ⍝ t.l.j. sf sam. dim. 9h-12h 14h-17h
➥ Millesima

CH. FONBADET 1999

■ Cru bourg.   20 ha   115 000   🍴 ❶❶ ⍝ 11 à 15 €

75 76 78 79 81 |82| 83 85 |86| 87 |88| |89| |90| 91 93 95 96 97 98 99

    Ce cru du plateau de Saint-Lambert propose ici un vin où le petit verdot (5 %) accompagne les cabernets (75 %) et le merlot (20 %). Bien pauillacais, il demande

visiblement d'être attendu deux ou trois ans : toujours fermé avec quelques notes de fleurs, de sous-bois et de poivre, le bouquet doit encore s'ouvrir. Le palais, un peu sauvage, permettra, grâce à la fermeté de ses tanins, d'assurer une bonne évolution.

➥ SCEA Domaines Peyronie, Ch. Fonbadet,
33250 Pauillac, tél. 05.56.59.02.11, fax 05.56.59.22.61,
e-mail pascale@chateaufonbadet.com ✔ ⍝ r.-v.

CH. GAUDIN 1999

■   n.c.   4 800   8 à 11 €

    Marque défendue cette année par la maison Cheval Quancard, ce vin est encore un peu austère en finale, ses tanins n'étant pas très enrobés par la chair ; mais sa structure et sa complexité aromatique (amande, cuir, menthol et fruits) lui laissent trois ou quatre ans pour s'arrondir et prendre sa personnalité définitive.

➥ Cheval Quancard, La Mouline,
4, rue du Carbouney, BP 36, 33560 Carbon-Blanc,
tél. 05.57.77.88.88, fax 05.57.77.88.99,
e-mail chevalquancard@chevalquancard.com ⍝ r.-v.

CH. GRAND-PUY DUCASSE 1999

■ 5ème cru clas.   37,72 ha   146 900   ❶❶ 23 à 30 €

82 83 84 85 86 88 89 |90| 91 92 93 94 |95| 96 97 98 99

    S'il ne retrouve pas la puissance dont fait preuve habituellement le vin de ce cru, ce 99 charme par sa délicatesse, comme le révèle son bouquet aux étonnantes notes de rose et de miel sur un boisé subtil. Mais il faut attendre le palais pour qu'elles deviennent dominantes, dévoilant le choix résolu de l'élégance qu'a fait cette bouteille pour s'exprimer.

➥ SC du Ch. Grand-Puy Ducasse, La Croix Bacalan,
109, rue Achard, BP 154, 33042 Bordeaux Cedex,
tél. 05.56.11.29.00, fax 05.56.11.29.01 ⍝ r.-v.

CH. GRAND-PUY-LACOSTE 1999★★

■ 5ème cru clas.   50 ha   182 000   ❶❶ 30 à 38 €

61 66 70 71 75 76 78 81 82 |83| |85| |⑧⑥| 87 88 89 90 |91| |92| |93| |94| 95 96 |97| 98 99

    Comme l'indique la toponymie (« grand puy » signifie grande éminence), ce cru bénéficie d'une situation topographique avantageuse. Mais la qualité de sa production doit aussi beaucoup à la gestion avisée de François-Xavier Borie, qui peut être légitimement fier de ce vin dont la richesse apparaît dès le premier regard sur sa robe de soirée. D'une belle complexité aromatique, ce 99 marie les fruits mûrs et cuits aux notes d'un bois savamment dosé. Avec sa grande densité et ses tanins très bien extraits, le palais s'accorde avec la longue finale pour laisser présager un avenir de qualité. Il serait dommage d'ouvrir cette bouteille avant trois ou quatre ans. Le second vin, **Lacoste-Borie 99**, a reçu une étoile.

➥ Ch. Grand-Puy-Lacoste, 33250 Pauillac,
tél. 05.56.73.16.73, fax 05.56.59.27.37 ⍝ r.-v.

CH. HAUT-BAGES LIBERAL 1999★★

■ 5ème cru clas.   28 ha   120 000   ❶❶ 15 à 23 €

75 76 78 79 80 81 |⑧②| |83| 84 |85| |86| 87 88 89 90 91 92 |93| |94| 95 96 |97| |⑨⑧| 99

    Beau coup de cœur l'an dernier, ce cru se maintient toujours à un très haut niveau avec ce 99. Bien dans l'esprit de l'appellation, il sait concilier l'élégance et la puissance, comme le montre sa robe d'un rubis sombre. Porté par de solides tanins, il n'est pas avare de parfums. Encens brûlé, laurier, fumée, poivre noir... la suite aromatique est impressionnante. Tout s'ordonne pour conduire à une longue finale qui invite à attendre quatre ou cinq ans avant de profiter de cette jolie bouteille. Le second vin, **La Fleur de Bages 99 (8 à 11 €)**, obtient une étoile. Son boisé bien mené, ses tanins fins et ses arômes fruités élégants le rendent très intéressants.

🏠 Claire Villars Lurton, Ch. Haut-Bages Libéral, 33250 Pauillac, tél. 05.57.88.76.65, fax 05.57.88.98.33, e-mail infos@haut-bages-liberal.com ⏰ r.-v.

CH. HAUT-BATAILLEY 1999★

■ 5ème cru clas.	25 ha	122 000	🍷 23 à 30 €

66	71	75	78	81	82	83	84		85		86	87	88	89	90	91

|92| |93| **94** **95** **96** |97| **98** **99**

Comme Grand-Puy-Lacoste, ce cru bénéficie de la direction de François-Xavier Borie. Il n'est donc pas étonnant d'y voir naître de jolis vins comme ce 99. Ample et dense, il est soutenu par des tanins qui invitent à une garde d'au moins cinq ans ; cela permettra au bouquet de s'ouvrir complètement pour développer toute sa complexité. Un vrai pauillac. Plus facile d'approche, et à boire plus jeune, le second vin, **Château La Tour l'Aspic 99** a obtenu une citation pour son boisé bien fondu, sa bouche charnue et ses notes fraîches de raisin mûr.

🏠 SA Jean-Eugène Borie, 33250 Saint-Julien-Beychevelle, tél. 05.56.73.16.73, fax 05.56.59.27.37
🏠 Mme des Brest-Borie

DOM. IRIS DU GAYON 1999

■ Cru artisan	0,36 ha	2 650	🍷 38 à 46 €

Ce vin, anagramme de Siri, le nom du producteur, possède une belle structure qui lui permettra d'évoluer favorablement et d'assimiler le bois, très présent dans le bouquet (raisin mûr et tabac). Un peu « Nouveau Monde », il donnera le meilleur de lui-même dans quatre à cinq ans.

🏠 Françoise Siri, rue Plantier-Cornu, Le Pouyalet, 33250 Pauillac, tél. 05.56.59.03.82, fax 05.56.59.67.00
☑ ⏰ r.-v.

CH. LAFITE ROTHSCHILD 1999★★★

■ 1er cru clas.	102 ha	270 000	🍷 + de 76 €

59		61	64		66	69		70	73		75	76	77		78		79		80		81	

|82| |83| |84| 85 86 |87| 88 89 90 92 93 94 |95| |96| |98| 99

Ancienne seigneurie disposant du droit de haute justice, et vignoble dont les vins étaient déjà servis à la table de Louis XV, ce cru possède une histoire à la hauteur de son superbe terroir (l'une des plus belles croupes de graves

du Médoc). Tous les paramètres qui font l'élégance des grands bordeaux sont réunis ici. D'une robe foncée, presque noire, ce 99 fait preuve d'une belle typicité tout au long de la dégustation, jusque dans la superbe finale aux douces saveurs veloutées et épicées. Très complexe, son expression aromatique associe des notes de cèdre, de tabac, de moka, de réglisse, de fruits noirs, et s'accorde pleinement avec le volume du palais pour appeler une garde de cinq à douze ans.

🏠 Ch. Lafite Rothschild, 33250 Pauillac, tél. 01.53.89.78.00, fax 01.53.89.78.01 ⏰ r.-v.

CARRUADES DE LAFITE 1999★★

■	n.c.	30 000	🍷 30 à 38 €

	85		86	87	88	89	90	91	92		93		94	**95** **96** **97** 98

99

Etre le second de Lafite-Rothschild implique de tenir son rang. C'est ce que fait sans l'ombre d'un doute ce vin qui se révèle très homogène tout au long de la dégustation. La finesse et l'élégance du bouquet, avec ses notes de confiture, de cuir et d'encens, se retrouvent dans la rondeur de l'attaque et au palais. Ses tanins aux jolies saveurs poivrées lui donnent une réelle consistance que viendra compléter une finale pleine et crémeuse. Une bouteille qui appelle une bonne garde.

🏠 Ch. Lafite Rothschild, 33250 Pauillac, tél. 01.53.89.78.00, fax 01.53.89.78.01 ⏰ r.-v.

CH. LATOUR 1999★★

■ 1er cru clas.	30 ha	170 000	🍷 + de 76 €

	61	67	71	73	74	75		76	77		78	79		80	81		82		83	84

85 86 |87| 88 89 90 |91| |92| 93 |94| |95| 96 97 |98| 99

La climatologie capricieuse du millésime a obligé à prendre en permanence des décisions techniques au vignoble et à pratiquer une sélection drastique. Mais une fois encore la rigueur a été fructueuse. Avec un assemblage où le cabernet-sauvignon représente 79 %, le cabernet franc 1 %, le petit verdot 2 % et le merlot 18 %, ce 99 est un vrai pauillac : d'emblée, la robe d'un rouge rubis sombre bien typé annonce des découvertes intéressantes ; son éclat est si vif que le bouquet surprend par sa timidité au repos. Mais ce n'est qu'un piège, ce dernier n'attend qu'un petit tour dans le verre pour dévoiler son ampleur avec de fins parfums de vanille. L'attaque ouvre une voie royale au palais que portent des tanins serrés, bien fondus et soyeux. Cette bouteille n'a besoin d'aucun artifice pour réussir l'alliance de la puissance et de l'élégance qui invite à une garde de six à dix ou douze ans.

🏠 SCV du Ch. Latour, Saint-Lambert, 33250 Pauillac, tél. 05.56.73.19.80, fax 05.56.73.19.81 ⏰ r.-v.
🏠 M. Pinault

LES FORTS DE LATOUR 1999★★

■	23 ha	n.c.	🍷 38 à 46 €

80	81	82	83	85	86	87		88	89	90		92		94	95	96	97

98 99

Privilège du grand terroir ou intelligence des hommes ? A Latour, le millésime 99 a été aussi faste pour le second vin que pour le premier. Vanille, cuir, cassis, le bouquet sait faire preuve d'une belle complexité. Quant au palais, il joue si bien la carte de la finesse qu'il est un véritable archétype du second vin plein de charme et d'élégance.

🏠 SCV du Ch. Latour, Saint-Lambert, 33250 Pauillac, tél. 05.56.73.19.80, fax 05.56.73.19.81 ⏰ r.-v.

CH. LYNCH-BAGES 1999★★

■ 5ème cru clas.	90 ha	420 000	ⅢⅠ 38 à 46 €

70 71 |75| 76 78 |79| 80 |81| |82| |83| 84 |85| |86| |87| |88| |89| 90 |91| |92| |93| 94 95 96 97 ⑨ 99

Sous la conduite avisée des Cazes, Lynch Bages est devenu l'un des phares de l'appellation et du Médoc et a été couronné par la Grappe d'or du Guide Hachette 2002. Ce n'est pas ce millésime qui l'éteindra. Expressif, le bouquet prolonge le classicisme, très bordelais, de la robe par des notes de fruits mûrs, rouges comme noirs, de gibier et de vanille. Rond, gras, charnu et soutenu par d'excellents tanins, le palais ne se contente pas d'annoncer un bon potentiel de garde (une attente de quatre ou cinq ans est nécessaire), il révèle un mariage heureux du fruit et du bois. Ample et longue (sept caudalies) et de grande classe, la finale complète heureusement le tableau. Le second vin, **Château Haut Bages Avérous 99 (23 à 30 €)**, obtient une étoile. S'il n'a pas l'ampleur du grand vin, il se montre délicat et tendre.

➥ Jean-Michel Cazes, Ch. Lynch-Bages,
33250 Pauillac, tél. 05.56.73.24.00, fax 05.56.59.26.42,
e-mail infochato@lynchbages.com ☑ ⏦ r.-v.
➥ Famille Cazes

CH. MOUTON ROTHSCHILD 1999★★★

■ 1er cru clas.	78 ha	242 000	ⅢⅠ + de 76 €

71 72 73 74 |75| 76 77 |78| 79 80 81 82 83 |84| 85 ⑧⑥ |87| 88 89 90 |91| |92| 93 94 ⑨ 96 97 ⑨ 99

Grand chai, musée de l'Art dans le vin, jardins : Mouton est une étape indispensable de toute visite du Médoc viticole. De même son vin doit être goûté, ne serait-ce qu'une fois, par tout amateur. A commencer par ce 99 particulièrement bien réussi. L'association du terroir et du cépage cabernet-sauvignon (78 %) se traduit par une structure et une matière imposantes qui tiennent toutes les promesses de la robe, d'un rouge rubis très sombre. Riche et complexe, avec des notes de vanille et de fruits cuits et confits, le bouquet est à la hauteur du palais et de la présentation. Ponctuant la dégustation d'une note épicée, l'élégante finale appelle une longue garde. Cette bouteille sera couchée en cave pendant au moins dix ans avant de l'être sur une belle page du livre d'or. Etiquette signée par Savignac.

➥ Ch. Mouton Rothschild, 33250 Pauillac,
tél. 05.56.59.22.22, fax 05.56.73.20.44,
e-mail webmaster@bpdr.com ☑ ⏦ r.-v.
➥ Baronne Ph. de Rothschild GFA

CH. PEDESCLAUX 1999★

■ 5ème cru clas.	12,5 ha	72 700	ⅢⅠ 15 à 23 €

Portant le nom de son fondateur, un courtier du début du XIXᵉ s., ce cru a vu l'arrivée, en 1928, du premier fouloir érafleur médocain. Volontiers charmeur par son expression aromatique aux fines notes de fruits mûrs et exotiques, de pruneau, de confiture, de melon d'Espagne et de fumée, son 99 pourra être apprécié assez jeune (d'ici deux ou trois ans), sa structure délicate et harmonieuse ne réclamant pas une longue garde.

➥ SCEA Ch. Pédesclaux, Padarnac, 33250 Pauillac,
tél. 05.56.59.22.59, fax 05.56.59.63.19,
e-mail contact@chateau-pedesclaux.com ☑ ⏦ r.-v.

CH. PICHON-LONGUEVILLE BARON 1999★★

■ 2ème cru clas.	70 ha	240 000	ⅢⅠ 46 à 76 €

78 81 |82| |83| 84 |85| |86| 87 |88| |89| ⑨⓪ 91 92 93 |94| 95 ⑨⑥ 97 98 99

Mariant les créations contemporaines à l'héritage du XIXᵉ s., les concepts architecturaux ayant présidé à la rénovation de ce cru sont audacieux... Mais rassurez-vous, le vin reste, lui, dans le plus pur classicisme pauillacais par sa construction, sa chair et son caractère qui lui assureront une bonne garde. S'il est très homogène, il se dévoile progressivement montant en puissance et révélant ses arômes de fruits noirs (cerise). « Ce qu'on attend d'un grand pauillac », remarque l'un des dégustateurs. Quant au second vin, **Les Tourelles de Longueville 99 (15 à 23 €)**, élégant et complexe, il joue sur les notes florales et fruitées pour composer un harmonieux tableau olfactif. Il obtient une étoile.

➥ Christian Seely, Ch. Pichon-Longueville,
33250 Pauillac, tél. 05.56.73.17.17, fax 05.56.73.17.28,
e-mail infochato@pichonlongueville.com ☑ ⏦ r.-v.
➥ Axa-Millésimes

CH. PICHON-LONGUEVILLE COMTESSE DE LALANDE 1999★★

■ 2ème cru clas.	75 ha	185 000	ⅢⅠ 46 à 76 €

66 70 71 75 76 78 79 80 81 82 83 84 |85| |86| 87 |88| |89| |90| |91| 92 |93| |94| 95 96 |97| 98 99

De la comtesse de Lalande à May-Eliane de Lencquesaing, le rôle des femmes a toujours été essentiel dans les destinées de Pichon Lalande. Certains y voient l'origine du caractère féminin de son vin. Faut-il les suivre ? En tout cas il est incontestable qu'une fois encore c'est résolument le choix de l'élégance et de la finesse qui a été fait pour ce millésime, tant pour son bouquet aux notes de fruits cuits, de vanille et de pain grillé que pour son palais qui se développe avec autant d'harmonie que d'intensité. Fraîche et tout en nuances, la finale possède la concentration nécessaire pour assurer à cette bouteille une bonne garde.

BORDELAIS

Le second vin, **Réserve de la Comtesse 99 (15 à 23 €)**, emporte une étoile. Bien constitué, il joue la carte de la délicatesse.

� SCI Ch. Pichon-Longueville Comtesse de Lalande, 33250 Pauillac, tél. 05.56.59.19.40, fax 05.56.59.26.56, e-mail pichon@pichon-lalande.com ☑ ♈ r.-v.

�→ May-Eliane de Lencquesaing

CH. PONTET-CANET 1999★★

■ 5ème cru clas.	79 ha	230 000	⑪ 30 à 38 €

⑥⑴70 75 76 77 78 79 81 82 |83| 84 **85** 86 87 |88| |89| |90| 91 92 **93** |94| **95 96 97** 98 **99**

Même s'il en constitue l'une des étapes marquantes, il n'est pas besoin de faire le marathon du Médoc pour visiter cette intéressante propriété et découvrir ce vin d'une belle couleur, entre rubis et vermillon. Bien soutenu par un bois judicieusement dosé, le bouquet complète le poivron et le cassis du cabernet par de belles notes de cacao et de café. Moelleux à l'attaque, le palais développe des arômes de cèdre avant de dévoiler sa densité et sa solide constitution. Longue et prolongée par un bel arrière-goût, la finale confirme le potentiel de garde de cette bouteille qu'un dégustateur a jugée succulente.

�→ Tesseron, Ch. Pontet-Canet, 33250 Pauillac, tél. 05.56.59.04.04, fax 05.56.59.26.63, e-mail pontet@pontet-canet.com ☑ ♈ r.-v.

LA ROSE PAUILLAC 1999

■	n.c.	n.c.	∎⑪ 11 à 15 €

Très régulière, la cave coopérative de Pauillac prouve une fois encore sa fiabilité avec ce vin fin et soyeux qui trouve une belle expression aromatique dans les notes fruitées et mûres du bouquet.

�→ Cave coopérative La Rose Pauillac, 44, rue du M^al-Joffre, BP 14, 33250 Pauillac, tél. 05.56.59.26.00, fax 05.56.59.63.58 ☑ ♈ r.-v.

CH. LA TOURETTE 1999

■	3 ha	20 000	⑪ 15 à 23 €

Signé par l'équipe de Larose-Trintaudon (haut-médoc), ce vin assemble 80 % de cabernet-sauvignon au merlot, plantés sur des graves sur argile. D'une certaine simplicité en finale, il se montre de belle facture par la finesse de son bouquet (fruits mûrs, poivre et torréfaction) et par sa bonne structure aux tanins bien enrobés.

�→ SA Ch. Larose-Trintaudon, rte de Pauillac, 33112 Saint-Laurent-Médoc, tél. 05.56.59.41.72, fax 05.56.59.93.22, e-mail info@trintaudon.com ☑ ♈ r.-v.

�→ AGF

Saint-estèphe

A quelques encablures de Pauillac et de son port, Saint-Estèphe affirme un caractère terrien avec ses rustiques hameaux pleins de charme. Correspondant (à l'exception de quelques hectares compris dans l'appellation pauillac) à la commune elle-même, l'appellation (1 250 ha déclarés en 2001 et 64 866 hl) est la plus septentrionale des six appellations communales médocaines. Ceci lui donne une typicité assez accusée, avec une altitude moyenne d'une quarantaine de mètres et des sols formés de graves légèrement plus argileuses que dans les appellations plus méridionales. L'appellation compte cinq crus classés, et les vins qui y sont produits portent la marque du terroir. Celui-ci renforce nettement leur caractère, avec, en général, une acidité des raisins plus élevée, une couleur plus intense et une richesse en tanins plus grande que pour les autres médocs. Très puissants, ce sont d'excellents vins de garde.

CH. ANDRON BLANQUET 1999★

■ Cru bourg.	16 ha	60 000	⑪ 11 à 15 €

75 76 79 81 82 83 **85 86** 87 88 89 |90| 91 92 |93| |94| |95| 96 97 98 **99**

Voisin de Cos Labory, ce cru fut acheté en 1971 par François Audoy, père de l'actuel propriétaire. Avec 50 % de cabernet-sauvignon et 20 % de cabernet franc, ce vin est bien dans le type de son appellation. La robe brillante révèle toute sa jeunesse que l'on retrouve dans les arômes complexes de fruits rouges, de grillé, avec une pointe d'eucalyptus. Les tanins s'imposent au palais et demandent à se fondre avec quatre à cinq ans de garde.

�→ SCE Domaines Audoy, Ch. Andron Blanquet, 33180 Saint-Estèphe, tél. 05.56.59.30.22, fax 05.56.59.73.52 ☑

CH. L'ARGILUS DU ROI 1999
Elevé en barrique 1999

■	2 ha	14 000	⑪ 8 à 11 €

Maître de chai chez Philippe de Rothschild pendant vingt-trois ans, José Bueno a réalisé son rêve en 1996 en cultivant sa vigne et en produisant son propre vin. Simple mais bien fait, avec une jolie robe, un bouquet sympathique de cuir frais légèrement grillé et vanillé, et une structure équilibrée par des tanins friands, son 99 séduira de nombreux amateurs.

�→ José Bueno, 6, rue du Luc, 33250 Cissac, tél. 05.56.59.53.74, fax 05.56.59.53.74 ☑ ♈ r.-v.

CH. BEAU-SITE 1999★

■ Cru bourg.	n.c.	190 000	⑪ 11 à 15 €

Belle unité aux caves voûtées appartenant à la famille Castéja, ce cru est fidèle à sa tradition en proposant un vin qui sait trouver un juste équilibre entre la puissance et l'élégance. La noblesse des tanins s'harmonise très heureusement avec un corps charnu et de plaisants arômes de réglisse, d'abricot et de figue.

�→ Héritiers Castéja, 33250 Pauillac, tél. 05.56.00.00.70, fax 05.57.87.48.61 ☑ ♈ r.-v.

CH. BEL-AIR 1999★★

■	4 ha	n.c.	⑪ 30 à 38 €

|96| 97 98 **99**

Si nous avons déjà eu l'occasion de saluer la régularité de ce cru, il est particulièrement agréable de souligner le bond en avant que marque ce millésime aussi réussi que typé. Suivant une robe d'une très belle couleur soutenue, son bouquet se montre séduisant avec ses notes délicatement fruitées et sa complexité. Ample, rond, charnu et soutenu par une belle structure tannique, le palais associe la finesse et la force. Six à huit ans de garde.

Château Bel Air
Saint-Estèphe
1999

⚲ SCEA du Ch. Bel Air, 4, chem. de Fontauge,
33180 Saint-Estèphe, tél. 05.56.58.21.03,
fax 05.56.58.17.20, e-mail jfbraq@aol.com ☑ ⊤ r.-v.
⚲ J.-F. Braquessac

CH. BEL-AIR ORTET 1999

| ■ | | n.c. | 5 000 | | 🍶 8 à 11 € |

Négociants, les Quancard possèdent aussi des crus :
celui-ci est fort honnête. Dans une robe rubis brillant, il se
montre discret avec ses arômes mêlant cerise confite et
boisé vanillé grillé. Le corps est déjà léger, mais ne manque
pas de grâce.
⚲ Cheval Quancard, La Mouline,
4, rue du Carbouney, BP 36, 33560 Carbon-Blanc,
tél. 05.57.77.88.88, fax 05.57.77.88.99,
e-mail chevalquancard@chevalquancard.com ⊤ r.-v.

CH. LE BOSCQ 1999★★

| ■ Cru bourg. | 16,62 ha | 69 330 | | 🍶 15 à 23 € |

82 83 85 ⑯ |88| 89 90 |95| |96| 97 **98 99**

Commandé par une belle bâtisse du XVIII[e]s. tournant l'une de ses façades vers l'estuaire, ce cru est exploité
en fermage par l'équipe de la maison Dourthe. On
retrouve son sérieux et son savoir-faire dans ce vin qui
annonce sa jeunesse par sa jolie teinte violine. D'une bonne
intensité, le bouquet marie avec élégance le bois aux fruits.
Charnu et bien structuré, le palais, que soutiennent des
tanins harmonieux, réussit à surprendre par sa finesse et
son équilibre. Bien née sur une croupe élevée de graves
garonnaises et de sables sur argile, cette bouteille mérite
une garde d'au moins cinq ans.
⚲ Ch. le Boscq - Vignobles Dourthe,
35, rue de Bordeaux, 33290 Parempuyre,
tél. 05.56.35.53.00, fax 05.56.35.53.00,
e-mail contact@cvbg.com ☑ ⊤ r.-v.

CH. CHAMBERT-MARBUZET 1999

| ■ Cru bourg. | 7 ha | 46 000 | | 🍶 15 à 23 € |

66 76 79 81 82 83 |85| |86| |88| |89| |90| 93 94 95 96
97 98 99

Acquis par les propriétaires de Haut-Marbuzet, ce
cru assemble 70 % de cabernet-sauvignon à 30 % de merlot
plantés sur un sol de graves au support argilo-calcaire.
Dans ce millésime, il est bien fait, structuré par de francs
tanins, un boisé présent sans violence, une bonne mâche ;
son harmonie en bouche devrait être parfaite dans deux
ans.
⚲ Henri Duboscq et Fils, Ch. Chambert-Marbuzet,
33180 Saint-Estèphe, tél. 05.56.59.30.54,
fax 05.56.59.70.87, e-mail henriduboscq@hotmail.com
☑ ⊤ t.l.j. sf dim. 10h-12h 14h-18h

CH. CLAUZET 1999★

| ■ Cru bourg. | 13,7 ha | 70 000 | | 🍶 11 à 15 € |

Homme d'affaires spécialiste du domaine maritime,
Maurice Velge acquiert ce vignoble en 1997. Né sur des
terrains pauvres regardant l'estuaire, ce vin n'oublie pas
qu'il est de bonne origine. Si son bouquet est encore sur la
réserve, il s'annonce intéressant par ses notes de fruits
rouges et de fruits exotiques. Volontiers charmeuse, l'attaque s'ouvre sur un palais dont les tanins fermes s'affichent avec ostentation, estompant le côté fruité et néanmoins prometteur d'une jolie bouteille d'ici environ trois
ans.
⚲ SA Maurice Velge, Leyssac, 33180 Saint-Estèphe,
tél. 05.56.59.34.16, fax 05.56.59.37.11,
e-mail chateauclauzet@wanadoo.fr
☑ ⊤ t.l.j. sf sam. dim. 9h-12h 14h-17h

CH. LA COMMANDERIE 1999★

| ■ Cru bourg. | 16 ha | 78 500 | | 🍶 11 à 15 € |

Né sur un terroir d'argiles et de graves à la limite de
Pauillac, ce 99, d'une belle couleur rouge à reflets bruns,
joue la carte des notes de grillé, de croûte de pain, de
pruneau cuit et de réglisse dans sa première expression
aromatique, avant de libérer les fruits lors de l'attaque. Ses
tanins discrets lui confèrent une agréable rondeur qui
permettra d'en profiter jeune, ou de l'attendre un peu. Ce
vin est distribué par l'excellente maison Kressmann à
Parempuyre.
⚲ Ch. la Commanderie, Leyssac, 33180 Saint-Estèphe,
tél. 05.56.59.32.30 ⊤ r.-v.
⚲ Gabriel Meffre

BORDELAIS

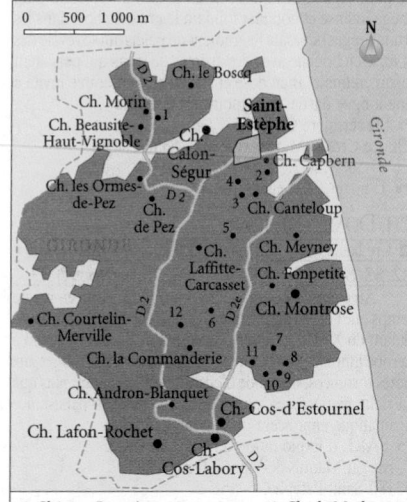

Saint-Estèphe

1 Château Beausite	9 Ch. de Marbuzet
2 Château Phélan-Ségur	10 Ch. Mac Carthy
3 Château Picard	11 Château le Crock
4 Château Beauséjour	12 Château Pomys
5 Ch. Tronquoy-Lalande	▢ A.O.C. Saint-Estèphe
6 Château Houissant	● Cru classé
7 Château Haut-Marbuzet	• Cru bourgeois
8 Ch. la Tour-de-Marbuzet	---- Limites de communes

CH. COS LABORY 1999★★

■ 5ème cru clas.	18 ha	63 600		Ⅲ 23 à 30 €

64 70 75 78 79 80 **81** 82 **83** 84 **85 86** 87 88 |89| |**90**| 91 **92** 93 |94| 95 **96** |97| **98** 99

Même si sa taille n'en fait pas le cru le plus vaste de l'appellation, Cos Labory tient son rang et son classement comme en témoigne ce vin. Associant à parts égales merlot et cabernet-sauvignon, ce millésime porte une robe profonde à reflets violets. Ses arômes boisés s'imposent encore sans masquer les notes de fruits noirs tant au nez qu'au palais où les tanins capiteux soutiennent le mariage du raisin et de la barrique.

↪ SCE Domaines Audoy,
Ch. Cos Labory, 33180 Saint-Estèphe,
tél. 05.56.59.30.22, fax 05.56.59.73.52,
e-mail cos-labory@wanadoo.fr ☑ ⵣ r.-v.

CH. COUTELIN-MERVILLE 1999★

■ Cru bourg.	23,25 ha	172 200		Ⅲ 11 à 15 €

Agréable à l'œil avec sa teinte rouge sombre, juste nuancée d'une légère note d'évolution, ce vin révèle un bon mariage du fruit et du bois, tant dans le bouquet aux délicates touches de mûre et de cassis, que dans son attaque, fine et plaisante, ou dans ses tanins bien enrobés par la chair. A attendre un à deux ans, ou à carafer.
↪ G. Estager et Fils, Ch. Coutelin-Merville,
Blanquet, 33180 Saint-Estèphe,
tél. 05.56.59.32.10, fax 05.56.59.32.10 ☑ ⵣ r.-v.

CH. LE CROCK 1999★★

■ Cru bourg.	32,17 ha	150 000		■Ⅲ⬥ 15 à 23 €

90 |95| 96 97 98 99

Valeur sûre et reconnue, ce cru reste fidèle à sa tradition avec ce vin assemblant 60 % de cabernet-sauvignon, 10 % de cabernet franc, 25 % de merlot et 5 % de petit verdot. A l'attrait de sa présentation (robe d'un rouge intense et bouquet fondant le grillé du bois dans les fruits rouges) s'ajoute l'agrément du palais qui se révèle dès la mise en bouche avec des arômes de fruits qui persistent jusqu'en finale. Bien dosé et structuré, l'ensemble invite à une longue garde, d'au moins six à sept ans.
↪ Sté fermière Cuvelier,
Ch. Le Crock, Marbuzet, 33180 Saint-Estèphe,
tél. 05.56.59.30.33 ⵣ r.-v.
↪ Domaines Cuvelier

CH. DOMEYNE 1999★

■ Cru bourg.	7,21 ha	33 000		■Ⅲ⬥ 11 à 15 €

82 83 **85** 86 88 |89| 90 91 92 93 95 **96** |97| 99

Au cœur du bourg, ce cru pourra être visité en même temps que l'église paroissiale, à la belle décoration intérieure datant du XVIIIᵉs. Ce sera l'occasion de découvrir ce vin à la robe limpide. Son bouquet, associant les fruits rouges aux notes torréfiées, demande d'être attendu. D'autant plus que sa riche matière, ses tanins assez soyeux et sa persistance aromatique annoncent un bon vin de garde.
↪ SARL d'Exploitation du Ch. Domeyne,
7, rue du Maquis-de-Vignes, Oudides,
33180 Saint-Estèphe,
tél. 05.56.59.72.29, fax 05.56.59.72.21
☑ ⵣ t.l.j. 8h-12h 13h-17h; ven.16h; groupes sur r.-v.

FLEUR D'OSSIAN 1999★

■	1,6 ha	8 000		Ⅲ 23 à 30 €

Issu d'une petite parcelle à dominante merlot (70 %) des vignobles Anney, ce vin porte sans ambages la marque du cépage dans son bouquet aux notes de cuir, et dans sa structure d'une agréable rondeur. Mais là ne s'arrête pas sa personnalité qui s'exprime à travers sa robe foncée à reflets bleutés, et par sa complexité aromatique mariant le genêt et l'acacia aux noisettes grillées. Charnu et bien constitué, l'ensemble s'ouvre sur une finale de bonne longueur.
↪ SCEA Vignobles Jean Anney,
Saint-Corbian, 33180 Saint-Estèphe,
tél. 05.56.59.32.89, fax 05.56.59.73.74
☑ ⵣ t.l.j. sf sam. dim. 8h30-12h30 14h-17h30

CH. HAUT-BEAUSEJOUR 1999★

■ Cru bourg.	20 ha	150 000		Ⅲ 15 à 23 €

Issu d'un cru appartenant aux champagnes Roederer depuis 1996, comme le château de Pez, ce vin assemble dans ce millésime 10 % de petit verdot aux merlot et cabernet-sauvignon à parts égales. Il est d'un bel aspect avec une robe rubis limpide. Son bouquet est encore marqué par le bois qui domine les arômes de fruits, mais ceux-ci réapparaissent au palais pour participer à la composition d'un ensemble franc, doux et rond, à la finale savoureuse.
↪ SC la Salle Saint-Estèphe, rue de la Mairie,
Ch. Haut-Beauséjour, 33180 Saint-Estèphe,
tél. 05.56.59.30.26, fax 05.56.59.39.25,
e-mail philippe.moureau@champagne-roederer.com
☑ ⵣ r.-v.
↪ Roederer

CH. HAUT-MARBUZET 1999★★

■ Cru bourg.	58 ha	360 000		Ⅲ 23 à 30 €

|**61**| 62 64 66 **67** 70 71 73 |**75**| |**76**| 77 **78** 79 **80 81** |**82**| **83 85** 86 **88 89 90** |**92**| |**93**| **94 95 96** 97 |**98**| 99

Superbe coup de cœur l'an dernier, ce cru reste au sommet de son appellation. A l'image de l'encépagement (à majorité de cabernets) dont il est issu, et de son terroir remarquable (croupe de graves), il s'inscrit dans l'esprit médocain par sa très belle robe grenat. Au bouquet, le bois neuf apparaît avec d'élégantes notes vanillées et grillées, mais sans éclipser les fruits rouges dans lesquels elles se fondent. Le palais connaît une évolution tannique qu'un côté charnu rend un rien charmeur. Bien enrobée par la matière, la charpente conduit à une finale qui ne manque assurément pas de classe.
↪ Henri Duboscq et Fils, Ch. Haut-Marbuzet,
33180 Saint-Estèphe, tél. 05.56.59.30.54,
fax 05.56.59.70.87, e-mail henriduboscq@hotmail.com
☑ ⵣ t.l.j. sf dim. 10h-12h 14h-18h

CH. LA HAYE 1999★

■ Cru bourg.	6 ha	46 000		Ⅲ 11 à 15 €

89 90 91 92 93 94 |95| 96 |97| 99

Remontant en partie au XVIᵉs., ce château est l'un des plus anciens du Médoc. La présence du bois est sensible dans ce vin. Mais il a été bien dosé et sa solide structure tannique, comme son bouquet encore très jeune, lui permettent de voir l'avenir avec sérénité. Couronnant le tout, la longue finale joue sur des notes de torréfaction aussi savoureuses que les parfums de vanille et de fruits rouges humés en début de dégustation.
↪ Georges Lecallier, Ch. la Haye, Leyssac,
33180 Saint-Estèphe, tél. 05.56.59.32.18,
e-mail chateau.lahaye@free.fr ☑ ⵣ r.-v.

CH. L'HOPITAL 1999★

■ Cru bourg.   5 ha   25 000   ❙❙❙ 15 à 23 €

Situé dans le hameau homonyme, sans doute fréquenté au Moyen Age par les pèlerins, ce cru est le frère bourgeois du la Peyre. Son vin porte une robe rubis brillant d'un bel éclat. Frais, fin et harmonieux dans son expression aromatique aux notes de fruits rouges et de pain d'épice, l'ensemble est à la fois consistant, friand et équilibré. Il atteindra sa maturité d'ici trois ans.

➤ Vignobles Rabiller, Le Cendrayre, Leyssac,
33180 Saint-Estèphe, tél. 05.56.59.32.51,
fax 05.56.59.70.09 ⌶ t.l.j. 10h-12h 14h30-19h

CH. LAFON-ROCHET 1999★★

■ 4ème cru clas.   40 ha   135 000   ❙❙❙ 30 à 38 €

⑥④ 75 76 77 78 79 81 82 |83| 85 86 |88| |89| |90| 91 92 93 |94| ⑨⑤ 96 97 98 99

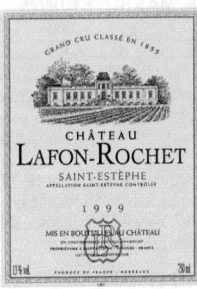

Comme beaucoup de crus stéphanois, Lafon-Rochet privilégie aujourd'hui le merlot (60 %). Avec beaucoup de bonheur si l'on en juge par ce 99 parfaitement réussi. Plus que séduisant dans sa robe d'un rubis intense, il devient presque rebelle par son premier nez. Mais son austérité n'est qu'apparente ; à l'aération, il se libère et délivre tous ses arômes, du cacao au cuir en passant par les épices. Souple et aimable, l'attaque est suivie par de puissants tanins qui promettent une très belle garde. Un vrai saint-estèphe à attendre une dizaine d'années. Complexe avec un bel équilibre entre le corps et la matière, la seconde étiquette du cru, **Les Pèlerins de Lafon-Rochet (11 à 15 €)**, a mérité une étoile.

➤ SCF Ch. Lafon-Rochet, 33180 Saint-Estèphe,
tél. 05.56.59.32.06, fax 05.56.59.72.43,
e-mail lafon@lafon-rochet.com ☑ ⌶ r.-v.
➤ Tesseron

CH. LILIAN LADOUYS 1999

■ Cru bourg.   30 ha   200 000   ❙❙❙ 15 à 23 €

|89| |⑨⓪| 91 92 |93| |94| 95 96 |97| 98 |99|

Sans rivaliser avec certains millésimes antérieurs, ce vin, qui assemble 57 % de merlot à 39 % de cabernet-sauvignon complétés par le cabernet franc, se montre intéressant par son expression aromatique (bois, animal et cuir) et ses tanins de qualité. Avec un beau retour de fruits confiturés, il réserve une jolie surprise en finale.

➤ Ch. Lilian Ladouys, Blanquet, 33180 Saint-Estèphe,
tél. 05.56.59.71.96, fax 05.56.59.35.97 ⌶ r.-v.
➤ Natexis

> Il faut savoir attendre un grand vin afin qu'il puisse donner le meilleur de lui-même. Trop jeune, il peut décevoir.

CH. MEYNEY 1999★

■ Cru bourg.   50 ha   269 200   ❙❙❙ 15 à 23 €

81 82 83 |85| ⑧⑥ |88| |89| |90| 92 |93| |94| |95| |96| |97| 99

D'origine religieuse et ancienne, ce domaine fut d'abord désigné, vers 1660, sous le nom de couvent des Feuillants ou de prieuré des Couleys. Longtemps propriété Cordier, le cru est depuis 2001 sous la houlette de Y. Barsalou. Sa pourpre cardinalice confère une réelle dignité à ce 99 qui célèbre en grandes pompes le mariage réussi des arômes de groseille, de grillé et de fumée. Au palais, le vin est tout aussi expressif avec des tanins gras, un beau volume et une structure équilibrée. Enrichie de sympathiques notes mentholées, la finale conclut cette dégustation aussi agréable que prometteuse.

➤ SAS Ch. Prieuré de Meyney, Croix Bacalan,
109, rue Achard, BP 154, 33042 Bordeaux Cedex,
tél. 05.56.11.29.00, fax 05.56.11.29.01 ⌶ r.-v.

CH. MONTROSE 1999★★

■ 2ème cru clas. 68,39 ha 224 000   ❙❙❙ 46 à 76 €

64 66 67 |70| |75| 76 78 |79| 81 ⑧② 83 |85| 86 87 88 89 90 |91| |92| |93| 94 95 96 |97| 98 99

Planté sur un beau terroir de grosses graves, ce vignoble privilégie les cabernets, notamment le sauvignon (62 %). A juste titre si l'on en juge d'après ce vin associant une belle robe rouge à un bouquet très expressif par ses notes grillées (bois) et ses arômes de fruits noirs. Après une belle attaque, on découvre des tanins bien présents et d'agréables saveurs de réglisse et de cachou. Longue et un peu épicée, la finale achève de convaincre le dégustateur qu'il est devant un authentique vin de garde.

➤ Jean-Louis Charmolüe,
SCEA du Ch. Montrose, 33180 Saint-Estèphe,
tél. 05.56.59.30.12, fax 05.56.59.38.48 ☑ ⌶ r.-v.

CH. LES ORMES DE PEZ 1999★

■ Cru bourg.   33 ha   204 000   ❙❙❙ 23 à 30 €

81 |82| |83| 84 |85| |86| 87 |88| |89| 90 91 |92| 93 94 95 96 97 98 99

Fidèles aux traditions médocaines, les Cazes ont accordé une place de choix aux cabernets (80 % dont 70 % pour le sauvignon). D'un beau rubis franc et net, ce vin développe un bouquet aux intéressantes notes d'épices (poivre) et de fruits rouges. L'attaque souple ouvre la voie à une belle structure aux tanins soyeux, que soutient un boisé bien intégré. Elégante et bien équilibrée, cette bouteille gagnera à être attendue trois ou quatre ans (vendu au château Lynch-Bages à Pauillac).

➤ Jean-Michel Cazes,
Ch. Les Ormes de Pez, 33180 Saint-Estèphe,
tél. 05.56.73.24.00, fax 05.56.59.26.42,
e-mail infochato@ormesdepez.com ☑
➤ Famille Cazes

CH. PETIT BOCQ 1999★

■   12,28 ha   89 000   ❙❙❙ 15 à 23 €

94 |95| 96 |97| |98| 99

Médecin hospitalier, le docteur Lagneaux prend en charge en 1993 ce petit vignoble dans le lieu-dit Le Bocq et l'agrandit pour le porter en 2002, sur quatre-vingts parcelles, à une quinzaine d'hectares. Le merlot, qui y est majoritaire, a marqué le bouquet de ce 99 d'une note de cuir qui se marie agréablement avec celles de fleurs (violette, jacinthe). Gras et puissant, le palais s'ouvre sur une longue finale qui invite à attendre cette bouteille deux ou trois ans.

➥ SCEA Lagneaux-Blaton,
3, rue de la Croix-de-Pez, BP 33, 33180 Saint-Estèphe,
tél. 05.56.59.35.69, fax 05.56.59.32.11,
e-mail petitbocq@hotmail.com ☑ ✗ r.-v.

CH. LA PEYRE 1999★

■ Cru artisan	6,5 ha	40 000		🍷 11 à 15 €

|95| ⓖ |97| 98 99

Chez les Rabiller, on est fier du titre de cru artisan et on le défend par la qualité du travail apporté à la conduite de la vigne comme à la vinification. La récompense de ces soins est un vin associant autant de merlot que de cabernet-sauvignon, et dont le dégustateur peut apprécier la robe limpide et profonde, le bouquet expressif (fruits rouges bien mûrs et café) et le palais puissant, intense et bien équilibré. D'un grand classicisme, cette bouteille méritera d'être attendue quatre ou cinq ans.

➥ Vignobles Rabiller, Le Cendrayre,
Leyssac, 33180 Saint-Estèphe, tél. 05.56.59.32.51,
fax 05.56.59.70.09 ☑ ✗ t.l.j. 10h-12h 14h30-19h

CH. DE PEZ 1999★★

■	24 ha	130 000		🍷 15 à 23 €

Belle unité d'une trentaine d'hectares appartenant aux champagnes Roederer depuis 1995, ce cru s'inscrit dans la tradition médocaine par la variété de son encépagement. Son vin aussi est bien typé, tant par la couleur rubis de sa robe que par l'élégance de son bouquet (fruits rouges, cacao et moka). Ample, consistant, aromatique (épices) et concentré, le palais est annonciateur d'un vieillissement de qualité.

➥ SC La Salle Saint-Estèphe,
Ch. de Pez, lieu-dit Pez, 33180 Saint-Estèphe,
tél. 05.56.59.30.26, fax 05.56.59.39.25,
e-mail philippe.moureau@champagne-roederer.com
☑ ✗ r.-v.
➥ Roederer

CH. PHELAN SEGUR 1999★★

■	64 ha	174 000		🍷 30 à 38 €

81 82 86 88 |89| |90| 91 92 93 94 |95| 96 |97| 98 99

Ce cru que commande une belle demeure descend en pente douce vers l'estuaire. La qualité du terroir argilo-graveleux se retrouve dans le vin qui assemble 45 % de merlot à 48 % de cabernet-sauvignon et à 7 % de cabernet franc élevés seize mois en barrique. Sa belle robe, d'un rouge vif, s'accorde avec la complexité du bouquet (boisé, toasté et fruits confits : abricot et pêche) pour donner un réel attrait à sa présentation. Puissant, vif et aromatique, le palais fait preuve lui aussi d'élégance tout en révélant un bon potentiel de garde.

➥ Ch. Phélan Ségur, 33180 Saint-Estèphe,
tél. 05.56.59.74.00, fax 05.56.59.74.10,
e-mail phelan.segur@wanadoo.fr ✗ r.-v.
➥ X. Gardinier

CH. SAINT ESTEPHE 1999★

■ Cru bourg.	11 ha	49 000		🍷 11 à 15 €

Né sur un cru dont les terroirs sont représentatifs par leur diversité de ceux de l'appellation, ce vin à l'encépagement classique a bien profité de leur complémentarité. Agréable à l'œil par sa belle teinte d'un rubis intense, il séduit par son bouquet aux puissantes notes de fruits mûrs accompagnées d'une délicate touche boisée. Au palais, l'apport du merrain se fond bien dans l'ensemble pour donner un vin rond et gras qui gagnera néanmoins à vieillir comme le rappelle sa finale encore austère.

➥ SA Arnaud, Ch. Saint-Estèphe et Pomys,
33180 Saint-Estèphe, tél. 05.56.59.32.26,
fax 05.56.59.35.24 ☑ ✗ r.-v.

CH. SEGUR DE CABANAC 1999★

■ Cru bourg.	7,07 ha	45 000		🍷 15 à 23 €

|86| 88 **89** 90 |93| 94 |95| |96| |97| 98 99

Rappelant par son nom le rôle que jouèrent les Ségur dans la naissance du vignoble de qualité à Saint-Estèphe, ce vin témoigne du savoir-faire de son propriétaire actuel. D'une belle robe intense et chatoyante, il développe un bouquet puissant où le bois se conjugue aux fruits noirs et rouges. Son caractère équilibré et aimable se livrera complètement d'ici trois à quatre ans.

➥ SCEA Guy Delon et Fils, Ch. Ségur de Cabanac,
33180 Saint-Estèphe, tél. 05.56.59.70.10,
fax 05.56.59.73.94 ☑ ✗ r.-v.

CH. TOUR DE MARBUZET 1999★

■	5 ha	36 000		🍷 11 à 15 €

Ce cru, exclusivité de Jean-François Moueix, a été acquis en 1981 par Henri Duboscq. D'une couleur soutenue, ce millésime est déjà élégant, discrètement grillé au nez. Beaucoup plus expressif, le palais concentré, ample, plein, équilibré jusqu'en finale, révèle que cette bouteille a un bel avenir.

➥ Henri Duboscq et Fils, Ch. Tour de Marbuzet,
33180 Saint-Estèphe, tél. 05.56.59.30.54,
fax 05.56.59.70.87, e-mail henriduboscq@hotmail.com
✗ t.l.j. sf dim. 10h-12h 14h-18h

CH. TOUR DE PEZ 1999★★

■ Cru bourg.	16,4 ha	80 000		🍷 15 à 23 €

89 90 91 |93| |94| ⓖ 96 97 **98** 99

Couronnant une décennie de patients efforts pour rénover et moderniser le cru, ce millésime ne cherche pas à dissimuler ses ambitions. Sa robe rouge sombre à reflets violacés en dit long sur son caractère. Son bouquet mariant les odeurs de réglisse à beaucoup d'autres, dont la rose, pour composer un ensemble fruité et floral surprend par son élégance que prolongent au palais de belles notes toastées. Rond, charnu et ample, le vin s'appuie sur une structure imposante, invitation à l'oublier en cave pendant quelque temps. Plus simple, mais également agréable par sa chair et son équilibre, le **Château les Hauts de Pez 99 (8 à 11 €)** a reçu une citation. Déjà ouvert, il pourra être consommé pendant les quatre années à venir.

➥ SA Ch. Tour de Pez, L'Hereteyre,
33180 Saint-Estèphe, tél. 05.56.59.31.60,
fax 05.56.59.71.12, e-mail chtrpez@terre-net.fr
☑ ✗ t.l.j. sf sam. dim. 9h30-12h 14h-17h;
groupes sur r.-v.

CH. TOUR SAINT FORT 1999

■ Cru bourg.	6 ha	41 370	**(||)** 11 à 15 €

Né au sud-ouest de l'appellation, ce vin s'annonce par une robe grenat. Les notes boisées de grillé et de toast l'emportent encore sur le fruit, tandis que la structure, issue d'une extraction poussée, reste sous la dépendance de la barrique. L'ensemble devra s'arrondir au cours de trois à quatre ans de garde.

⌐ SCA ch. Tour Saint Fort, 1, rte de La Villotte, 33180 Saint-Estèphe, tél. 05.56.34.16.16, fax 05.56.13.05.54 ☑ ☐ t.l.j. 10h-12h30 14h30-17h30; sam. dim. sur r.-v.

CH. TRONQUOY-LALANDE 1999★

■ Cru bourg.	17 ha	125 000	**(||)** 15 à 23 €

⑧② 83 **85 86** 87 88 |89| |90| 91 |93| |94| |95| |96| 98 99

S'il n'a pas pu profiter des travaux entrepris sur ce cru en 2000, ce vin n'en reste pas moins très intéressant. Débutant par des notes de beurre, de vanille et de tabac blond, son bouquet s'ouvre ensuite sur des parfums de myrtille et de cassis qui se révèlent à l'aération. Au palais, les tanins déjà bien enrobés et la finale jeune et longue s'accordent pour inviter à une garde de deux ou trois ans.

⌐ Ch. Tronquoy-Lalande, 33180 Saint-Estèphe, tél. 05.56.35.53.00, fax 05.56.35.53.29, e-mail contact@cvbg.com ☐ r.-v.

⌐ Mme Casteja-Texier

CH. VALROSE
Cuvée Aliénor 1999

■	5,04 ha	17 000	**(||)** 15 à 23 €

Premier millésime pour cette nouvelle cuvée du cru, ce vin porte la marque de l'élevage. Mais sa structure puissante ne se contente pas de tenir les promesses de la teinte grenat ; elle annonce une bonne évolution qui doit permettre au bois de se fondre et au bouquet de s'ouvrir dans quatre ou cinq ans. Cette bouteille sera alors destinée aux gibiers en sauce.

⌐ Gérard Neraudau, GAM Audy-Ch. Jonqueyres, 33750 Saint-Germain-du-Puch, tél. 05.57.34.51.51, fax 05.56.30.11.45, e-mail info@gamaudy.com

Saint-julien

Pour l'une « saint-julien », pour l'autre « saint-julien-beychevelle », saint-julien est la seule appellation communale du haut médoc à ne pas respecter scrupuleusement l'homonymie entre les dénominations viticole et municipale. La seconde, il est vrai, a le défaut d'être un peu longue, mais elle correspond parfaitement à l'identité humaine et au terroir de la commune et de l'appellation, à cheval sur deux plateaux aux sols caillouteux et graveleux.

Situé exactement au centre du haut médoc, le vignoble de saint julien constitue, sur une superficie assez réduite (910 ha et

47 071 hl en 2001), une harmonieuse synthèse entre margaux et pauillac. Il n'est donc pas étonnant d'y trouver onze crus classés (dont cinq seconds). A l'image de leur terroir, les vins offrent un bon équilibre entre les qualités des margaux (notamment la finesse) et celles des pauillac (le corps). D'une manière générale, ils possèdent une belle couleur, un bouquet fin et typé, du corps, une grande richesse et de la sève. Mais, bien entendu, les quelque 6,6 millions de bouteilles produites en moyenne chaque année à saint-julien sont loin de se ressembler toutes, et les dégustateurs les plus avertis noteront les différences qui existent entre les crus situés au sud (plus proches des margaux) et ceux du nord (plus près des pauillac), ainsi qu'entre ceux qui sont à proximité de l'estuaire et ceux qui se trouvent plus à l'intérieur des terres (vers Saint-Laurent).

CH. BEYCHEVELLE 1999

■ 4ème cru clas.	55 ha	n.c.	**(||)** 30 à 38 €

70 76 79 81 82 **83** 85 |86| 88 ⑧⑨ 90 91 92 93 **94 95** 96 **97 98** 99

Beau coup de cœur l'an dernier, ce cru est plus modeste avec son 99. Toutefois, celui-ci sait retenir l'attention par son bouquet aux élégantes et expressives notes de fruits rouges, de grillé, de sous-bois et de gibier. C'est aussi le registre de la finesse que choisit résolument le palais, dont la grâce n'est pas sans rappeler celle du château lui-même, très bel exemple d'architecture XVIIIᵉ, dominant l'estuaire.

⌐ SC Ch. Beychevelle, 33250 Saint-Julien-Beychevelle, tél. 05.56.73.20.70, fax 05.56.73.20.71, e-mail beychevelle@beychevelle.com ☑ ☐ r.-v.

CH. BRANAIRE
Duluc-Ducru 1999★★

■ 4ème cru clas.	n.c.	n.c.	**(||)** 23 à 30 €

81 82 **83** 85 86 |88| |89| 90 93 94 |95| |96| 97 **98 99**

A l'origine parcelle détachée du domaine de Beychevelle, ce cru possède une ravissante chartreuse Directoire.

Saint-Julien

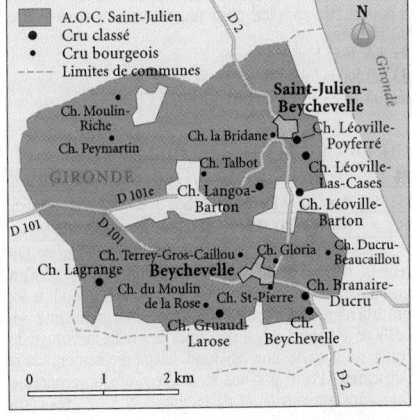

369   LE BORDELAIS

Souvent connu sous le nom de Branaire-Ducru, il propose un vin bien typé. S'annonçant par une livrée d'un pourpre intense, celui-ci développe des parfums complexes (fruits mûrs confits, épices, cacao et vanille) qui savent marier les notes fraîches et chaudes. Rond et souple en même temps que solide et concentré, il affirme sa personnalité juliénoise par son harmonie et un bon potentiel de garde. Seconde étiquette du cru, le **Château Duluc 99 (8 à 11 €)** a été cité.

🐦 SAE du Ch. Branaire-Ducru,
33250 Saint-Julien-Beychevelle,
tél. 05.56.59.25.86, fax 05.56.59.16.26 ⊺ r.-v.

CH. LA BRIDANE 1999★★

■ Cru bourg.	n.c.	n.c.	🍷 11 à 15 €

Né au sommet d'un coteau de graves, ce vin d'une profonde couleur rubis montre qu'il est de bonne origine dès le premier regard. Concentré et complexe, le bouquet s'inscrit dans le droit fil de la robe et annonce le palais solide et plein. Le caractère soyeux des tanins se retrouve dans la longue finale qui promet un beau potentiel de garde. Un authentique saint-julien qui méritera d'être gardé en cave pendant cinq ou six ans. Le second vin, **Blancan 1999 (5 à 8 €)** obtient une citation et dispose lui aussi de deux à trois ans de garde. Il est commercialisé par André Quancard-André (Saint-André-de-Cubzac).

🐦 Bruno Saintout, Cartujac,
33112 Saint-Laurent-Médoc,
tél. 05.56.59.91.70, fax 05.56.59.46.13 ☑ ⊺ r.-v.

CLOS DU MEUNIER 1999

■		5 ha	30 000	🍷 11 à 15 €

Du même producteur que le Château La Bridane et diffusé par le négoce, ce vin possède un bouquet expressif (fruits noirs, truffe et sous-bois) et une structure qui demandera une garde de deux ou trois ans.

🐦 SA Yvon Mau, BP 1, 33193 Gironde-sur-Dropt Cedex, tél. 05.56.61.54.54, fax 05.56.61.54.61

LA CROIX DE BEAUCAILLOU 1999★

■	n.c.	57 000	🍷 11 à 15 €

Seconde étiquette de Ducru-Beaucaillou, ce vin joue résolument la carte de l'élégance avec de fines notes de fruits rouges associées à des touches de truffe, de cacao et de réglisse. Equilibré, bien enrobé par un élevage soigné, il pourra être apprécié dès à présent comme dans quatre ou cinq ans.

🐦 SA Jean-Eugène Borie,
33250 Saint-Julien-Beychevelle,
tél. 05.56.73.16.73, fax 05.56.59.27.37

CH. DUCRU-BEAUCAILLOU 1999★★

■ 2ème cru clas.	50 ha	205 000	🍷 46 à 76 €

|61| 64 66 |70| 71 |75| 76 |78| 79 81 |82| 83 84 |85|
|86| 87 **88 89** 90 91 92 |93| 94 |95| |96| |97| **98 99**

Né en 1720, Ducru-Beaucaillou est un château Directoire flanqué de deux tours victoriennes en 1878. D'un grand charme, il jouit d'un terroir d'exception dont le 99 porte la marque. Drapé dans une robe d'un grenat intense, ce 99 développe d'élégants arômes de vanille mais aussi de fruits rouges ; le bois se fond harmonieusement dans l'ensemble. Porté par une structure tannique généreuse mais sans agressivité, le palais ample et long, très complexe, est déjà plaisant tout en montrant sans ambages que le vin pourra mûrir pendant cinq ou six ans avant d'accompagner un gibier d'eau.

🐦 SA Jean-Eugène Borie, Ch. Ducru-Beaucaillou,
33250 Saint-Julien-Beychevelle,
tél. 05.56.73.16.73, fax 05.56.59.27.37 ⊺ r.-v.

CH. GLORIA 1999

■	48 ha	215 000	🍷 23 à 30 €

64 66 70 71 **75** 76 78 |79| 81 82 83 84 |85| |86| 87
|88| |89| |90| 93 94 |95| 96 97 98 |99|

Sans chercher à rivaliser avec d'autres millésimes, ce 99 sait se montrer sous un visage agréable et sympathique, tant par sa robe vermillon que par son bouquet, aux délicates notes de fleurs et d'épices. Sa structure ronde et équilibrée permettra de profiter de cette jolie bouteille sans avoir à l'attendre trop longtemps.

🐦 Domaines Martin, Ch. Gloria,
33250 Saint-Julien-Beychevelle,
tél. 05.56.59.08.18, fax 05.56.59.16.18 ☑ ⊺ r.-v.

🐦 Françoise Triaud

CH. GRUAUD LAROSE 1999★

■ 2ème cru clas.	82 ha	238 000	🍷 38 à 46 €

70 71 **75** 76 77 78 79 80 **81 82** 83 84 |85| |(86)| 87
|88| |89| **90** |91| 92 **93** |94| |(95)| **96** |97| 98 99

Reconstitué par Désiré Cordier en 1934, Gruaud Larose fut créé en 1757 par l'abbé Gruaud qui le céda à son neveu Sébastien de Larose. Ceci explique son nom, respecté par le groupe Merlaut qui en assume aujourd'hui la charge. C'est l'un des derniers crus à garder dans son encépagement le petit verdot (3 %) et le malbec (1,5 %). D'une belle couleur, entre rubis et grenat, ce vin se rend attrayant par la fraîcheur et la douceur de son bouquet, aux notes de vanille et de pain toasté brioché, comme par la rondeur de son palais tout en révélant des tanins imposants. Harmonieux et d'une bonne tenue, l'ensemble ne demande qu'à évoluer paisiblement pendant cinq ou six ans. Seconde étiquette du cru, le **Sarget de Gruaud Larose (15 à 23 €)** propose 250 000 bouteilles et a obtenu une citation pour son équilibre et sa finesse. Le grand vin est conseillé sur des viandes rouges puissantes, le second sur des gibiers à plume.

🐦 Ch. Gruaud-Larose, BP 6,
33250 Saint-Julien-Beychevelle,
tél. 05.56.73.15.20, fax 05.56.59.64.72,
e-mail contact @ chateau-gruaud-larose.com ⊺ r.-v.

🐦 Bernard Taillan Vins

CH. LAGRANGE 1999★★

■ 3ème cru clas.	109 ha	n.c.	🍷 23 à 30 €

79 81 82 **83** 85 |86| 87 **88 89** |(90)| 91 92 |93| 94 **95
96 97 98 99**

Ce beau domaine, qu'enrichissent une collection de cépages anciens et une pièce d'eau, est l'une des valeurs sûres de l'appellation. Une fois encore il se montre à la hauteur de sa renommée avec ce vin qui a le sens de la présentation. La robe brillante et profonde met en confiance, comme le bouquet aux notes de vanille et de gibier. Leur élégance se retrouve au palais où des saveurs épicées s'associent aux tanins enrobés pour former un ensemble harmonieux qui atteindra son optimum d'ici quatre ou cinq ans. A boire plus rapidement, le second du cru, **Les Fiefs de Lagrange (15 à 23 €)**, a été cité.

☙ SA Ch. Lagrange, 33250 Saint-Julien-Beychevelle,
tél. 05.56.73.38.38, fax 05.56.59.26.09,
e-mail chateau-lagrange@chateau-lagrange.com ♔ r.-v.
☙ Suntory Ltd

CH. LANGOA BARTON 1999★★

■ 3ème cru clas.	19 ha	90 000	▮▯♔♣ 30 à 38 €

70 75 76 78 80 81 |82| 83 |85| 86 88 |89| 90 92 |93|
94 95 96 97 98 99

Fief de la famille Barton depuis près de deux siècles,
Langoa est l'un des crus les plus célèbres du Médoc. Sa
réussite dans ce millésime prouve que sa renommée n'est
pas usurpée. Il a d'ailleurs été proposé en coup de cœur.
À l'élégance de sa livrée, d'un rubis profond à ornements
violines, répond celle de son bouquet aux délicates notes
de cassis et de bois (toast et grillé). Ce sens de l'équilibre
et de l'harmonie se retrouve au palais que soutiennent des
tanins très présents mais sans agressivité. Savoureux
mariage de finesse et de puissance, ce vin harmonieux
méritera un séjour en cave de six ou sept ans.
☙ Anthony Barton, Ch. Langoa Barton,
33250 Saint-Julien-Beychevelle,
tél. 05.56.59.06.05, fax 05.56.59.14.29,
e-mail chateau@leoville-barton.com ♔ r.-v.

CH. LEOVILLE-BARTON 1999★★★

■ 2ème cru clas.	46 ha	250 000	▮▯♔♣ 38 à 46 €

64 67 70 71 75 76 78 79 80 81 |82| 83 |85| 86 |88|
89 |90| |91| 92 |93| 94 95 96 97 98 99

Loin d'être un simple calque du Langoa dans les chais
duquel il est vinifié, le Léoville développe sa propre
personnalité : s'il partage le potentiel et le côté savoureux
de son voisin, il affirme son caractère par la puissance et
la complexité de son bouquet où les notes toastées de
l'élevage se marient aux arômes de fruits rouges mûrs, de
confiture et de sous-bois pour composer un ensemble
d'une grande élégance. Belle illustration de l'appellation,
cette bouteille atteindra son optimum dans environ six ou
sept ans et sera à ouvrir sur un mets de choix (une volaille,
un gibier ou une belle pièce de viande rouge).
☙ Anthony Barton, Ch. Léoville-Barton,
33250 Saint-Julien-Beychevelle,
tél. 05.56.59.06.05, fax 05.56.59.14.29,
e-mail chateau@leoville-barton.com ♔ r.-v.

CH. LEOVILLE POYFERRE 1999★★

■ 2ème cru clas.	60 ha	260 000	▯▮ 38 à 46 €

76 78 79 80 81 |82| |83| 84 85 |86| 87 88 89 |90| 91
|93| |94| 95 96 |97| 98 99

Né en 1840 du partage de l'ancien domaine de
Léoville, ce cru est suffisamment enraciné dans la réalité

médocaine pour éviter de tomber dans le piège des modes.
Ce vin en témoigne par ses tanins bien extraits que soutient
un boisé élégant et assez discret pour respecter la complexité de l'expression aromatique. Les notes vanillées et
grillées viennent s'ajouter aux fruits rouges pour composer
un ensemble des plus plaisants, en parfaite harmonie avec
le corps de ce 99. Point d'orgue, la longue et belle finale
confirme la typicité d'une bouteille qu'il conviendra d'attendre cinq ou six ans avant de l'ouvrir sur un gibier à poil.
☙ Sté fermière du Ch. Léoville Poyferré,
33250 Saint-Julien-Beychevelle, tél. 05.56.59.08.30,
fax 05.56.59.60.09, e-mail lp@leoville-poyferre.fr ♔ r.-v.

CH. MOULIN DE LA ROSE 1999★

■ Cru bourg.	4,7 ha	32 000	▯▮ 15 à 23 €

|93| |94| 95 96 |97| 98 |99|

Un bel encépagement médocain avec 62 % de
cabernet-sauvignon et 5 % de petit verdot sur des graves
garonnaises : ce cru se montre digne de son appellation
avec un vin aux jolis arômes mêlant notes torréfiées, épices
et fruits cuits. Ronds et solides, les tanins bien enrobés par
la chair mettront en valeur un gigot d'agneau aux herbes
dans les deux ou trois prochaines années.
☙ SCEA Guy Delon et Fils,
Ch. Moulin de la Rose, 33250 Saint-Julien-Beychevelle,
tél. 05.56.59.08.45, fax 05.56.59.73.94 ☑ ♔ r.-v.

CH. MOULIN RICHE 1999

■	20 ha	140 000	▯▮ 15 à 23 €

93 94 |95| |96| 97 |98| 99

Seconde étiquette de Léoville Poyferré, ce vin n'entend pas rivaliser avec le premier, mais allie finesse, fruits
rouges et notes boisées. Sa finale demande quelques mois
pour se fondre.
☙ Sté fermière du Ch. Léoville Poyferré,
33250 Saint-Julien-Beychevelle, tél. 05.56.59.08.30,
fax 05.56.59.60.09, e-mail lp@leoville-poyferre.fr ♔ r.-v.

PORT CAILLAVET 1999★

■	n.c.	18 000	▯▮ 8 à 11 €

Cette marque du négociant Henri Duboscq porte une
ravissante étiquette reproduisant une gravure ancienne du
port de Bordeaux et de la prise du château Trompette (voir
Guide Bleu Aquitaine). Ce millésime dont les solides tanins
sont complétés par de suaves arômes fruités (cerise)
demande une garde de trois ou quatre ans. Sa finale longue
et vineuse est prometteuse.
☙ Brusina-Brandler, 3, quai de Bacalan,
33300 Bordeaux, tél. 05.56.39.26.77, fax 05.56.69.16.84
☑ ♔ r.-v.

CH. SAINT-PIERRE 1999★

■ 4ème cru clas.	17 ha	60 000	▯▮ 30 à 38 €

82 83 84 85 |86| 87 |88| |89| |90| 91 92 |93| 94 |95| |96|
|97| 98 99

Fondé au XVIIᵉs., Saint-Pierre fut morcelé au fil des
siècles. Repris en 1982 par Henri Martin, il a retrouvé son
lustre. D'un bel aspect, ce 99 préfère la couleur rubis. Fin
et d'une bonne complexité dans son expression aromatique d'épices et de fruits rouges mûrs, il s'appuie sur des
tanins puissants pour s'assurer un bon potentiel de garde.
☙ Domaines Martin, Ch. Saint-Pierre,
33250 Saint-Julien-Beychevelle,
tél. 05.56.59.08.18, fax 05.56.59.16.18 ☑ ♔ r.-v.
☙ Françoise Triaud

CH. TALBOT 1999

| ■ 4ème cru clas. | 102 ha | 300 000 | | ❙❙❙ 23 à 30 € |

78 79 80 **81 82 83** 84 |85| |**86**| 87 |**88**| 89 90 **93** |94| **95** 96 |97| 98 99

S'étendant sur les belles graves garonnaises qui bordent l'estuaire de la Gironde, Talbot porte le nom du connétable anglais qui fut battu à la bataille de Castillon en 1453. Propriété des filles de Jean Cordier, Lorraine Rustmann et Nancy Bignon, ce cru propose ici un vin dont les tanins demandent à s'arrondir. Ils le feront d'ici trois à quatre ans, ce qui laissera le temps au bouquet d'affirmer sa personnalité avec des notes de truffe, de torréfaction et de réglisse.
☛ Ch. Talbot, 33250 Saint-Julien-Beychevelle, tél. 05.56.73.21.50, fax 05.56.73.21.51, e-mail chateau-talbot@chateau-talbot.com ☗ r.-v.
☛ Mmes Rustmann et Bignon

CH. TERREY GROS CAILLOUX 1999★

| ■ Cru bourg. | n.c. | 100 000 | ❙ ❙❙❙ ⚘ 11 à 15 € |

94 96 |97| 98 99

Né sur un vignoble à forte majorité de cabernet-sauvignon, ce vin en porte la marque dans ses tanins solides et carrés. D'une intéressante expression aromatique aux notes d'épices et de truffe, il se plaira sur des gibiers au fumet prononcé.
☛ SCEA du Ch. Terrey Gros Cailloux, 33250 Saint-Julien-Beychevelle, tél. 05.56.59.06.27, fax 05.56.59.29.32 ☑ ☗ r.-v.
☛ Henri Pradère

CH. TEYNAC 1999★

| ■ | 11,5 ha | 53 000 | | ❙❙❙ 15 à 23 € |

93 94 95 96 |97| 98 99

Majoritaire, comme il se doit, dans l'encépagement, le cabernet marque la personnalité de ce vin, tant dans son bouquet aux parfums de fruits rouges, avec une note très typée de cassis, que dans sa structure qui ne demande qu'à se développer avec le temps. Mais son empreinte n'est pas exclusive et le terroir comme les autres cépages (merlot et petit verdot) savent rappeler leurs rôles respectifs : la finesse et la rondeur contribuent à faire de cette bouteille un bon exemple de vin de style à la fois tannique et suave.
☛ Ch. Teynac, Grand-rue, Beychevelle, 33250 Saint-Julien-Beychevelle, tél. 05.56.59.12.91, fax 05.56.59.46.12, e-mail philetfab3@wanadoo.fr ☑ ☗ r.-v.
☛ F. et Ph. Pairault

Les vins blancs liquoreux

Quand on regarde une carte vinicole de la Gironde, on remarque aussitôt que toutes les appellations de liquoreux se retrouvent dans une petite région située de part et d'autre de la Garonne, autour de son confluent avec le Ciron. Simple hasard ? Assurément non, car c'est l'apport des eaux froides de la petite rivière landaise, au cours entièrement couvert d'une voûte de feuillages, qui donne naissance à un climat très particulier. Celui-ci favorise l'action du *Botrytis cinerea*, champignon de la pourriture noble. En effet, le type de temps que connaît la région en automne (humidité le matin, soleil chaud l'après-midi) permet au champignon de se développer sur un raisin parfaitement mûr sans le faire éclater : le grain se comporte comme une véritable éponge, et le jus se concentre par évaporation d'eau. On obtient ainsi des moûts très riches en sucre.

Mais, pour obtenir ce résultat, il faut accepter de nombreuses contraintes. Le développement de la pourriture noble étant irrégulier sur les différentes baies, il faut vendanger en plusieurs fois, par tries successives, en ne ramassant à chaque fois que les raisins dans l'état optimal. En outre, les rendements à l'hectare sont faibles (avec un maximum autorisé de 25 hl à Sauternes et à Barsac). Enfin, l'évolution de la surmaturation, très aléatoire, dépend des conditions climatiques et fait courir des risques aux viticulteurs.

Cadillac

Cette bastide qu'ennoblit son splendide château du XVIIe s., surnommé le « Fontainebleau girondin », est souvent considérée comme la capitale des premières côtes. Mais c'est aussi, depuis 1980, une appellation de liquoreux qui a produit 6 476 hl sur 234 ha en 2001.

CH. FRAPPE-PEYROT 2000

| ■ | 5 ha | 15 000 | | ❙❙❙ 5 à 8 € |

80 % de sémillon, sauvignon et muscadelle à parts égales, ce vin est, millésime oblige, plus moelleux que liquoreux. Souple et frais, il est à boire jeune pour son bouquet aux notes de pêche et de fruits mûrs. Il se prête à de nombreux accords gourmands.
☛ SCEA vignobles Jean-Yves Arnaud, La Croix, 33410 Gabarnac, tél. 05.56.20.23.52, fax 05.56.20.23.52 ☑ ☗ r.-v.

CH. HAUT-VALENTIN 1999★

| ■ | 2,5 ha | 6 000 | | ❙❙❙ 8 à 11 € |

S'il sait se présenter, dans une robe d'un jaune d'or profond et brillant, ce vin ne déçoit pas par la suite : sémillon par ses notes de fleurs et de miel, le bouquet est bien soutenu par le bois ; souple et ample, le palais possède un bon équilibre. L'ensemble est volontiers flatteur, ce qui ne l'empêche pas de se montrer apte à la garde.
☛ M. Méric et Fils, Ch. Bel Air, 33410 Sainte-Croix-du-Mont, tél. 05.56.62.01.19, fax 05.56.62.09.33, e-mail jeanguy.meric1@worldonline.fr
☑ ☗ t.l.j. 9h-12h 14h-19h

CH. MARGOTON 1999★

| | n.c. | 4 500 | ▮◖▶ | 8 à 11 € |

Issu d'un vignoble à majorité de muscadelle, ce vin sait mettre l'œil en confiance par sa belle robe dorée. Le bouquet suit agréablement avec une réelle complexité : vanille, agrumes confits, fruits secs et grillés, miel. Ample, riche et élégant, le palais mène sans heurt vers une jolie finale.

↳ Vignobles F. et F. Courrèges,
31, chem. des Vignes, 33880 Saint-Caprais-de-Bordeaux,
tél. 05.56.21.32.87, fax 05.56.21.37.18,
e-mail f.courreges@gt-sa.com
☑ ⌶ t.l.j. sf dim. 8h-12h 14h-18h

CH. REYNON 2000

| | 5 ha | 11 544 | ◖▶ | 15 à 23 € |

Du même producteur que le premières côtes de bordeaux homonyme, ce vin bien structuré affiche une agréable expression aromatique portant la marque du sauvignon qui représente 60 % de l'assemblage. Fruits blancs et épices dialoguent dans une jolie finale. Une bouteille à attendre deux ou trois ans puis à goûter sur un gâteau à l'orange.

↳ Denis et Florence Dubourdieu,
Ch. Reynon, 33410 Béguey,
tél. 05.56.62.96.51, fax 05.56.62.14.89,
e-mail reynon@gofornet.com ☑ ⌶ r.-v.

DOM. DU ROC 1999★★

| | 2,37 ha | 9 000 | ▮◣ | 8 à 11 € |

Egalement propriétaire dans le Saint-Emilionnais, Gérard Opérie propose ici un cadillac d'une très belle tenue. D'une grande complexité son bouquet dévoile une large palette, des fleurs blanches aux fruits exotiques en passant par les agrumes confits. Souple et rond, le palais est tout aussi riche. Une belle réussite, déjà agréable mais qui mérite la garde.

↳ Gérard Opérie, Dom. du Roc, 33410 Rions,
tél. 05.56.62.61.69, fax 05.57.74.54.82
☑ ⌶ t.l.j. sf dim. 9h-18h; f. 15 août-1er sept.

CH. DE TESTE 2000★

| | 3 ha | 3 600 | ▮◖▶ | 8 à 11 € |

Si ce vignoble n'est pas le plus important de ses crus, Laurent Réglat ne le néglige pas pour autant. Bien qu'encore un peu dominé par le bois, ce vin en témoigne par sa jolie constitution, souple, fraîche et grasse, qui met en valeur une sympathique palette aromatique : pêche blanche, abricot sec, ananas, vanille et épices.

↳ EARL Laurent Réglat, Ch. de Teste,
33410 Monprimblanc, tél. 05.56.62.92.76,
fax 05.56.62.98.80 ☑ ⌶ r.-v.

CH. VILLA PLASSAN 1999

| | 2 ha | 3 000 | ◖▶ | 8 à 11 € |

Superbe illustration du style néoclassique, ce château offre ici un vin qui s'inscrit dans la tradition et qui dévoile une jolie gamme de parfums, avec une petite préférence pour les fruits exotiques et confits.

↳ Ch. de Plassan, 33550 Tabanac, tél. 05.56.67.53.16,
fax 05.56.67.26.28, e-mail contact@chateauplassan.fr
☑ ⌶ r.-v.

Loupiac

Le vignoble de Loupiac, (12 907 hl déclarés en 2001 sur 409 ha) est d'une origine ancienne, son existence étant attestée depuis le XIIIe s. Par l'orientation, les terroirs et l'encépagement, cette appellation est très proche de celle de sainte-croix-du-mont. Toutefois, comme sur la rive gauche, on sent, en allant vers le nord, une subtile évolution des liquoreux proprement dits vers des vins plus moelleux.

BORDELAIS

CH. DU CROS 1999★

| | 37 ha | 38 500 | ◖▶ | 11 à 15 € |

Un vieux château dont les fondations remontent au XIIIe siècle et qui fut lié à l'un des lointains descendants de Montaigne. Son vaste vignoble, très réputé, est composé de 70 % de sémillon, 20 % de sauvignon et 10 % de muscadelle dont l'âge est plus que canonique. Or brillant, ce 99 est encore réservé mais laisse percevoir des senteurs de fleurs séchées, d'agrumes et d'épices (vanille de la barrique). Plein et riche, équilibré, il laisse une bonne impression d'ensemble.

↳ SA Vignobles M. Boyer, Ch. du Cros,
33410 Loupiac, tél. 05.56.62.99.31, fax 05.56.62.12.59,
e-mail contact@chateauducros.com
☑ ⌶ t.l.j. 8h-12h 14h-18h; sam. dim. sur r.-v.

Les vins blancs liquoreux

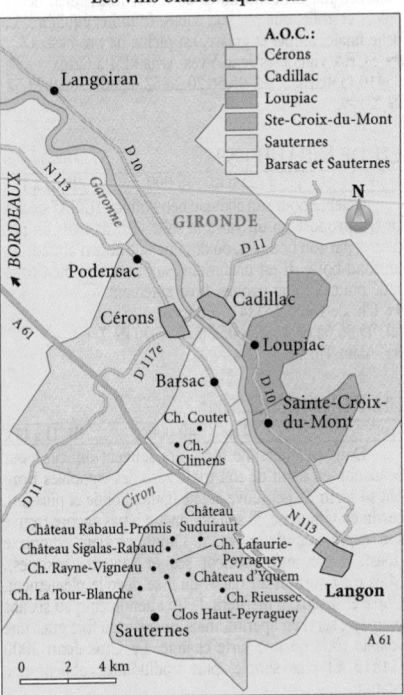

CH. DAUPHINE RONDILLON 1999★

| | 12 ha | 20 000 | | 8 à 11 € |

Avec ce millésime, ce cru connaît un joli succès. Volontiers charmeur par son expression aromatique aux notes de fruits confits, miel, abricot sec et noisette, il pourra être apprécié jeune. Mais sa puissance, son ampleur, et son acidité qui les équilibrent, autoriseront tout aussi bien une garde de trois à cinq ans. Plus discret mais harmonieux, le **château de Rouquette 99 (8 à 11 €)** a été cité.
➦ SC Jean Darriet, Ch. Dauphiné Rondillon,
33410 Loupiac, tél. 05.56.62.61.75, fax 05.56.62.63.73,
e-mail vignoblesdarriet@wanadoo.fr
☑ ꙮ t.l.j. 8h-12h30 14h-19h; sam. sur r.-v.

CH. LOUPIAC-GAUDIET 2000★

| | 18 ha | 62 000 | | 8 à 11 € |

Né sur une propriété pratiquant la lutte raisonnée, ce vin (95% sémillon) présente un bouquet naissant mais intéressant par sa complexité (tilleul, pain grillé, fleurs, abricots secs et assez de botrytis). Sa concentration lui apporte un bon potentiel de garde qui lui permettra de s'ouvrir et de s'arrondir.
➦ SCEA Marc Ducau, Ch. Loupiac-Gaudiet,
33410 Loupiac, tél. 05.56.62.99.88, fax 05.56.62.60.13,
e-mail loupiac-gaudiet@atlantic-line.fr ☑ ꙮ r.-v.

CH. MAZARIN 2000★

| | 10 ha | 20 000 | | 5 à 8 € |

Du même producteur que le château Frappe-Peyrot (cadillac), ce vin, d'une jolie robe aux reflets d'or gris, se montre sous un visage des plus avenants, tant par son bouquet aux délicates notes de raisin frais, miel, fleurs, épices et grillé, que par son palais, friand et équilibré. La belle finale, ample et grasse, est pleine de promesses.
➦ SCEA vignobles Jean-Yves Arnaud, La Croix,
33410 Gabarnac, tél. 05.56.20.23.52, fax 05.56.20.23.52
☑ ꙮ r.-v.

CH. DE RICAUD 1999

| | 22 ha | 36 000 | | 11 à 15 € |

Célèbre pour son château néo-gothique (XIXᵉ siècle), ce cru propose ici un vin à la robe vieil or mais un peu discret par son bouquet, où domine une note d'abricot sur un fond boisé. Il est néanmoins suffisamment bien constitué pour pouvoir évoluer favorablement.
➦ Ch. de Ricaud, 33410 Loupiac,
tél. 05.56.62.66.16, fax 05.56.76.93.30 ☑ ꙮ r.-v.
➦ Alain Thiénot

CH. RONDILLON 2000★

| | 10 ha | 40 000 | | 11 à 15 € |

Dans ce millésime qui a été souvent difficile pour beaucoup en dépit de son triple zéro, les vignobles Bord ont su sortir de l'épreuve la tête haute. Solide et puissant, ce vin en témoigne. Si son bouquet n'a pas encore trouvé son expression définitive, il s'annonce déjà complexe (toast, melon mûr, abricot sec et senteurs marines). Mais c'est surtout au palais qu'il se dévoile pleinement. Corsé et séveux, il méritera d'être attendu cinq ou six ans pour être servi en apéritif, mais aussi sur du foie gras, une volaille rôtie ou une tarte chaude. Le **Clos Jean 2000 (11à15 €)** plus simple, plus traditionnel, obtient une citation.

➦ SCEA Vignobles Bord, Ch. Rondillon,
33410 Loupiac, tél. 05.56.62.99.84, fax 05.56.62.93.55,
e-mail lbord@club-internet.fr ☑ ꙮ r.-v.

CH. LES ROQUES 1999★★

| | 3,5 ha | n.c. | | 11 à 15 € |

Situé à la limite de Loupiac et de Sainte-Croix-du-Mont, ce vignoble est commandé par une belle demeure du XVIIIᵉs. bâtie sur la partie montécruzienne de la propriété. Régulier en qualité depuis plusieurs années, il fait un bond en avant avec ce 99 particulièrement réussi. Soutenue et limpide, la robe ne se montre pas chiche en promesses. Intense, le bouquet enrobe les notes confites et rôties de nuances de caramel et de tilleul. Quant au palais, typique du millésime par une légère note d'acidité, il se distingue par son équilibre, sa concentration et son aptitude à la garde. On l'attendra quatre ou cinq ans, et il pourra durer trois fois plus longtemps.
➦ SCEA Ch. du Pavillon, 33410 Sainte-Croix-du-Mont,
tél. 05.56.62.01.04, fax 05.56.62.00.92,
e-mail a.v.fertal@wanadoo.fr ☑ ꙮ t.l.j. 9h-19h
➦ A. et V. Fertal

CH. LES ROQUES
Cuvée Frantz Élevé en fût de chêne 2000★★

| | 3,5 ha | n.c. | | 15 à 23 € |

Confirmant le savoir-faire des Fertal même dans un millésime peu propice au botrytis, cette cuvée spéciale 2000, riche, ronde, souple et grasse, pourra être servie jeune ou attendue. Dans les deux cas, elle sera parfaite sur un foie gras ou des morilles à la crème.
➦ SCEA Ch. du Pavillon,
33410 Sainte-Croix-du-Mont,
tél. 05.56.62.01.04, fax 05.56.62.00.92,
e-mail a.v.fertal@wanadoo.fr ☑ ꙮ t.l.j. 9h-19h

CH. LA YOTTE 1999★

| | 4,6 ha | 9 500 | | 5 à 8 € |

D'un seul tenant autour d'une coquette maison de campagne fleurant bon les vacances d'antan, ce cru offre un vin en harmonie avec les lieux ; tant par ses élégants arômes gourmands (fruits confits, noisette, abricot sec, grillé) que par sa structure souple, onctueuse et bien équilibrée.
➦ SCEA Bouffart-Audibert, 2, rte de Lambrot,
33410 Loupiac, tél. 05.56.62.92.22, fax 05.56.62.67.79,
e-mail chateau.la-yotte@wanadoo.fr ☑ ꙮ r.-v.

Sainte-croix-du-mont

Un site de coteaux abrupts dominant la Garonne, trop peu connu en dépit de son charme, et un vin ayant trop longtemps souffert (à l'égal des autres appellations de liquoreux de la rive droite) d'une réputation de vin de noces ou de banquets.

Pourtant, cette appellation (14 527 hl en 2001 sur 433 ha), située en face de Sauternes, mérite mieux : à de bons terroirs, en général calcaires, avec des zones graveleuses, elle ajoute un microclimat favorable au développement du botrytis. Quant aux cépages et aux méthodes de vinification, ils sont très proches de ceux du Sauternais. Et les vins, autant moelleux que véritablement liquoreux, offrent une plaisante impression de fruité. On les servira comme leurs homologues de la rive gauche, mais leur prix, plus abordable, pourra inciter à les utiliser pour composer de somptueux cocktails.

CH. BEL AIR
Cuvée Prestige 1999★★

8 ha	10 000	11 à 15 €

Belle unité, ce vignoble est aussi l'un des plus anciens et des plus renommés de l'appellation. Une fois encore il justifie sa réputation avec cette cuvée Prestige. La magie des liquoreux s'annonce par sa robe d'or dont l'intensité se retrouve intégralement dans les arômes confits relevés de notes épicées. Mûr, riche et puissant, le palais est typique de l'appellation et trouvera toute sa place à l'apéritif ou sur un foie gras mi-cuit.
🏠 M. Méric et Fils, Ch. Bel Air,
33410 Sainte-Croix-du-Mont,
tél. 05.56.62.01.19, fax 05.56.62.09.33,
e-mail jeanguy.meric1@worldonline.fr
☑ ☨ t.l.j. 9h-12h 14h-19h

CH. DES COULINATS 1999

5,5 ha	25 000	5 à 8 €

Ce vin (95 % sémillon) sait se rendre intéressant par sa tendresse, par sa souplesse et par la finesse et l'élégance de son expression aromatique (agrumes, menthol, fruits confits).
🏠 SCEA Vignobles Brun, Vilatte,
33410 Sainte-Croix-du-Mont,
tél. 05.56.62.10.60, fax 05.56.62.10.60 ☑ ☨ r.-v.

CH. CRABITAN-BELLEVUE 1999

20 ha	66 000	5 à 8 €

95 % sémillon, ce millésime à la couleur fort brillante laisse s'exprimer les fruits confits, les agrumes légèrement miellés. Son élégance et son onctuosité lui donnent un charme réel dont on pourra profiter dès à présent.
🏠 GFA Bernard Solane et Fils,
33410 Sainte-Croix-du-Mont,
tél. 05.56.62.01.53, fax 05.56.76.72.09
☑ ☨ t.l.j. sf dim. 8h-12h 14h-18h

CH. LA GRAVE
Sentiers d'Automne 1999★

11 ha	6 000	8 à 11 €

Cuvée élevée en barrique, ce vin a tiré le meilleur profit possible de son passage dans le fût : le bois vient s'ajouter aux autres composantes pour les enrichir sans les écraser et former un ensemble élégant. Au palais, on retrouve le même sens de l'équilibre. Cette jolie bouteille donnera le meilleur d'elle-même d'ici deux ans. Bien faite, la **cuvée principale 99** a également obtenu une étoile. Le **Château Grand Peyrot 1999** a reçu une citation.
🏠 EARL Vignoble Tinon, Ch. La Grave,
33410 Sainte-Croix-du-Mont, tél. 05.56.62.01.65,
fax 05.56.62.00.04, e-mail tinon@terre-net.fr ☑ ☨ r.-v.

CH. DES GRAVES DU TICH 1999★

1,5 ha	6 000	5 à 8 €

Petite propriété complétant les autres domaines des Queyrens, ce cru propose ici un vin agréable par sa rondeur, son équilibre et ses arômes qui ne manqueront pas de prendre de l'ampleur avec l'âge, lorsque les épices et le grillé du fût seront fondus.
🏠 SCV Jean Queyrens et Fils, Le Grand Village,
33410 Donzac, tél. 05.56.62.97.42, fax 05.56.62.10.15
☑ ☨ r.-v.

CH. LABORIE 2000

7 ha	9 600	11 à 15 €

Inaugurant une nouvelle étiquette, ce millésime signe l'arrivée de Philippe Daniès-Sauvestre sur ce cru. Un équilibre d'ensemble met en valeur le bouquet dont les jolies notes florales sont heureusement soutenues par un bois bien dosé.
🏠 Philippe Daniès-Sauvestre, Laborie,
33410 Sainte-Croix-du-Mont,
tél. 05.56.76.72.28, fax 05.56.76.72.28,
e-mail ph.laborie@net-up.com ☑ ☨ r.-v.

CH. LOUSTEAU-VIEIL
Grains nobles 2000★

20 ha	9 000	11 à 15 €

Situé à cent dix-huit mètres d'altitude, ce cru est le plus élevé de la commune. Créé en 1845, ce château dispose de vignes d'une moyenne d'âge de quatre-vingts ans. Elevée pendant dix-huit mois en fût, cette cuvée a bénéficié d'une vinification soignée comme le montre sa robe d'un jaune brillant. L'intensité des notes confites traduit le caractère liquoreux sous l'influence du botrytis, tout au long de la dégustation de cette jolie bouteille au bel équilibre. A attendre de trois à cinq ans.
🏠 Vignobles R. Sessacq, Ch. Lousteau-Vieil,
33410 Sainte-Croix-du-Mont,
tél. 05.56.62.01.15, fax 05.56.62.01.68,
e-mail m.sessacq@wanadoo.fr ☑ ☨ t.l.j. 9h-20h

CH. DU MONT
Cuvée Pierre 2000★

15 ha	5 000	11 à 15 €

Valeur sûre et renommée, ce cru est une fois encore à la hauteur de sa réputation avec ce 2000 fort bien réussi. De la robe jaune clair à reflets paille jusqu'à la longue finale, il joue résolument la carte de la finesse et de l'élégance. Celles-ci s'expriment notamment par des arômes d'agrumes et de fruits confits rehaussés de notes boisées bien dosées. A servir à l'apéritif avec un bleu de Baupère.

BORDELAIS

🍷 Hervé Chouvac, Ch. du Mont,
33410 Sainte-Croix-du-Mont, tél. 05.56.62.07.65,
fax 05.56.62.07.58 ☑ ⏁ r.-v.
🍷 Paul Chouvac

CH. LA RAME
Réserve du Château 2000★★

	20 ha	12 000	🍶 15 à 23 €

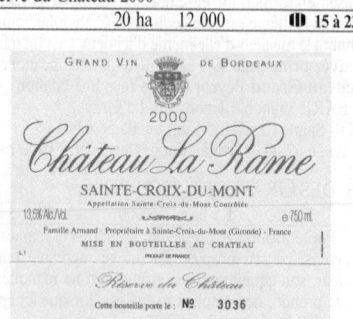

La vue sur la vallée de la Garonne depuis la salle de dégustation justifierait à elle seule la visite de ce cru, si son intérêt n'était pas la découverte de son vin. Singulièrement de ce 2000. Véritable défi à la difficulté du millésime, il n'hésite pas à afficher ses ambitions par sa robe, haute en couleur et aussi intense que le bouquet dont la complexité va à des fleurs aux fruits exotiques et confits. Riche, équilibré et bien soutenu par le bois, le palais tient toutes les promesses de la présentation. Terminant par une belle et longue finale, il réussit à être déjà très plaisant tout en méritant d'être attendu environ cinq ans. A servir de l'apéritif au dessert (tarte aux poires) en passant par une volaille rôtie ou un poisson en sauce.
🍷 Yves Armand, Ch. La Rame,
33410 Sainte-Croix-du-Mont, tél. 05.56.62.01.50,
fax 05.56.62.01.94, e-mail chateau.larame@wanadoo.fr
☑ ⏁ t.l.j. 9h-12h 13h30-18h30; sam. dim. sur r.-v.

DOM. ROUSTIT 1999

	3,49 ha	15 000	🍶 5 à 8 €

Né à quelques pas du tombeau de Toulouse-Lautrec, ce vin est volontiers goulu par sa palette aromatique qui cultive à profusion les parfums, de la figue mûre au clou de girofle en passant par la vanille. La bouche grasse et fraîche à la fois conviendra à un accord avec le foie gras poêlé aux raisins.
🍷 EARL Dulac Séraphon, 2, Pantoc, 33490 Verdelais,
tél. 05.56.62.02.08, fax 05.56.76.71.49 ☑ ⏁ r.-v.

Cérons

Enclavés dans les graves (appellation à laquelle ils peuvent aussi prétendre, à la différence des sauternes et des barsac), les cérons (2 384 hl en 2001 sur 86 ha) assurent une liaison entre les barsac et les graves supérieures moelleux. Mais la ne s'arrête pas leur originalité, qui réside aussi dans une sève particulière et une grande finesse.

DOM. DU HAURET-LALANDE 1999★★

	1 ha	2 400	🍶 11 à 15 €

Petit vignoble complétant des vignes de graves et de sauternes, ce cru témoigne de l'attachement de certains viticulteurs à l'appellation cérons. Son meilleur plaidoyer est la qualité de ce vin. D'une belle couleur à reflets dorés, il développe un bouquet mariant les notes grillées et confites pour composer un ensemble dont la complexité se retrouve au palais. Ample et riche, ce 99 est déjà très agréable et pourra être servi dès à présent notamment en apéritif, même s'il gagnera à être attendu deux ou trois ans.
🍷 EARL Lalande et Fils, 1, Ch. Piada, 33720 Barsac,
tél. 05.56.27.16.13, fax 05.56.27.26.30
☑ ⏁ t.l.j. 8h-11h30 13h30-19h; sam. dim. sur r.-v.

CH. HURADIN 1999★

	2,57 ha	6 500	🍶 8 à 11 €

Régulier en qualité, ce cru reste fidèle à sa tradition avec ce 99. Évoquant les fruits mûrs et confits, le miel et l'écorce d'orange par son bouquet, il développe ensuite un palais ample et bien équilibré, avant de s'ouvrir sur une finale acidulée. D'une belle tenue, l'ensemble pourra être apprécié dès à présent ou après une petite garde sur un fromage de brebis des Pyrénées.
🍷 SCEA Vignobles Y. Ricaud-Lafosse,
Ch. Huradin, 33720 Cérons,
tél. 05.56.27.09.97, fax 05.56.27.09.97 ☑ ⏁ r.-v.
🍷 Catherine Lafosse

Barsac

Tous les vins de l'appellation barsac peuvent bénéficier de l'appellation sauternes. Barsac (596 ha, 13 441 hl déclarés en 2001) s'individualise cependant par rapport aux communes du Sauternais proprement dit par un moindre vallonnement et par les murs de pierre entourant souvent les exploitations. Ses vins se distinguent des sauternes par un caractère plus légèrement liquoreux. Mais, comme les sauternes, ils peuvent être servis de façon classique sur un dessert ou, comme cela se fait de plus en plus, en entrée, sur un foie gras, ou bien sur des fromages forts du type roquefort.

CH. BROUSTET 1999★★

2ème cru clas.	16 ha	30 000	🍶 15 à 23 €

Belle unité d'un seul tenant située dans le haut-Barsac, ce cru bénéficie d'un terroir de qualité, associant les graves aux argiles rouges. Il n'est donc pas étonnant d'y voir naître des vins comme ce 99. L'or brillant de sa robe n'est pas un leurre. De beaux arômes de fruits mûrs et secs enrobent le botrytis. Équilibré et puissant, le palais est tout aussi expressif. Rôtie avec de plaisantes notes d'écorce d'orange, la finale achève de convaincre que cette bouteille, à attendre quelques années, résulte d'une vendange parfaitement conduite.

🔚 Didier Laulan , Ch. Broustet, 33720 Barsac,
tél. 05.56.27.16.87, fax 05.56.27.05.93,
e-mail d.l.d@wanadoo.fr ☑ ⵏ r.-v.

CH. COUTET 1999

1er cru clas.	38,5 ha	36 000		🔟 30 à 38 €

73 75 76 78 **81 83** 85 86 |89| |90| 91 93 94 |95| 96
97 99

Ancienne propriété liée à Yquem jusqu'au début du
XXᵉs., Coutet est un bel ensemble architectural. Ce cru
offre ici un vin ayant résolument choisi le registre de la
délicatesse et de la finesse. Celles-ci marquent le bouquet
de notes fleuries comme le palais, sans empêcher ce dernier
de dévoiler son botrytis.

🔚 SC Ch. Coutet, 33720 Barsac,
tél. 05.56.27.15.46, fax 05.56.27.02.20 ☑ ⵏ r.-v.

CH. GRAVAS 1999

	8 ha	24 000		🔟 11 à 15 €

Visitable sans rendez-vous, Gravas est une adresse à
noter pour une tournée des vignobles bordelais. Ce sera
l'occasion de découvrir ce vin à la fois très traditionnel par
ses notes confites et original par une pointe d'acidité de la
finale qui lui donne du relief.

🔚 Michel Bernard, Ch. Gravas, 33720 Barsac,
tél. 05.56.27.06.91, fax 05.56.27.29.83
☑ ⵏ t.l.j. 9h-12h 15h-18h

CH. PIADA 1999★★

	9,67 ha	12 000	🍴🔟⚱ 15 à 23 €

67 70 71 75 77 79 |81| 82 |83| 85 |86| |88| |89| |⑨| |91|
|95| 96 97 |98| 99

Son nom apparaissant dans un document de 1274, ce
domaine n'a pas à prouver son ancienneté. Paille à reflets
or, sa teinte évolue doucement. La vanille de la barrique
masquerait presque les notes délicates de figue sèche et de
fruits confits (orange et abricot), mais celles-ci laissent
deviner un avenir heureux pour cette bouteille. Ample,
puissant et expressif, avec une bonne présence du botrytis,
le palais est déjà très élégant tout en confirmant un grand
potentiel. Il ne faudra pas avoir peur d'oublier ce millésime
cinq ou dix ans à la cave.

🔚 EARL Lalande et Fils, 1, Ch. Piada, 33720 Barsac,
tél. 05.56.27.16.13, fax 05.56.27.26.30
☑ ⵏ t.l.j. 8h-11h30 13h30-19h; sam. dim. sur r.-v.

Sauternes

Si vous visitez un château à Sau-
ternes, vous saurez tout sur ce propriétaire qui eut
un jour l'idée géniale d'arriver en retard pour les
vendanges et de décider, sans doute par entête-
ment, de faire ramasser les raisins malgré leur état
surmûri. Mais si vous en visitez cinq, vous n'y
comprendrez plus rien, chacun ayant sa propre
version, qui se passe évidemment chez lui. En fait,
nul ne sait qui « inventa » le sauternes, ni quand,
ni où.

Si en Sauternais, l'histoire se ca-
che toujours derrière la légende, la géographie,
elle, n'a plus de secret. L'AOC couvrait une
superficie de 1 650 ha en 2001 pour une production de 33 972 hl. Chaque caillou des cinq
communes constituant l'appellation (dont barsac, qui possède sa propre appellation) est recensé et connu dans toutes ses composantes. Il est
vrai que c'est la diversité des sols (graveleux,
argilo-calcaires ou calcaires) et des sous-sols qui
donne un caractère à chaque cru, les plus renommés étant implantés sur des croupes graveleuses.
Obtenus avec trois cépages – le sémillon (70 % à
80 %), le sauvignon (20 % à 30 %) et la muscadelle –, les vins de sauternes sont dorés, onctueux,
mais aussi fins et délicats. Leur bouquet « rôti »
se développe très bien au vieillissement, devenant
riche et complexe, avec des notes de miel, de
noisette et d'orange confite. Il est à noter que les
sauternes sont les seuls vins blancs à avoir été
classés en 1855.

CH. L'AGNET LA CARRIERE

Mathilde 1999

	5 ha	n.c.		🔟 15 à 23 €

Basée à Escoussans dans l'Entre-Deux-Mers, Danielle Mallard est à la tête d'une jolie collection de crus, du
Saint-Emilionnais au Sauternais. Ample et consistante
avec une solide présence du sucre jusqu'en finale, sa cuvée
Mathilde trouvera son bonheur sur des tranches de melon
ou des chiffonnades de jambon d'Aoste.

🔚 Danielle Mallard,
Ch. Naudonnet-Plaisance, 33760 Escoussans,
tél. 05.56.23.93.04, fax 05.57.34.40.78,
e-mail l.mallard@wanadoo.fr ☑ ⵏ r.-v.

CH. ANDOYSE DU HAYOT 1999

	20 ha	36 000	🍴🔟⚱ 11 à 15 €

|90| 91 93 94 |95| |96| |97| 98 99

Situé au cœur du haut-Barsac, ce cru se montre
charmeur, tant par sa constitution délicate et gracile que
par son expression aromatique aux notes de fleurs d'acacia, d'épices, d'agrumes (citron) et de fruits confits. Le
boisé demande trois ou quatre ans de garde.

🔚 SCE Vignobles du Hayot, Ch. Andoyse,
33720 Barsac, tél. 05.56.27.15.37, fax 05.56.27.04.24,
e-mail vignoblesduhayot@ifrance.com ☑ ⵏ r.-v.

CH. D'ARCHE 1999★

2ème cru clas.	23 ha	38 000		🔟 23 à 30 €

Propriété de Pierre Perromat qui fut pendant longtemps président de l'INAO, ce cru fut constitué au
XVIIIᵉs. par les Comtes d'Arche. Installé sur argilo-
calcaire et graves profondes, le vignoble compte 80 % de
sémillon et 20 % de sauvignon. Incontestablement, ce vin
ample, à la fois vif et moelleux à l'attaque, est très agréable
par la finesse de son expression aromatique (fruits blancs,
fleurs blanches, amande, épices, cire d'abeille et caramel).
Avec de belles notes confites et une pointe de fraîcheur, la
finale laisse sur le souvenir d'un ensemble harmonieux. Le
Prieuré d'Arche 96 (15 à 23 €) et le **Château d'Arche-
Lafaurie 99** (38 à 46 €) ont reçu une citation.

⛵ SA Ch. d' Arche, 33210 Sauternes,
tél. 05.56.76.66.55, fax 05.56.76.64.38,
e-mail chateau-arche @ terre-net.fr
☑ 🏠 ￥ r.-v. sf été t.l.j. 9h-17h

CRU D'ARCHE-PUGNEAU 1999★

	13 ha	4 000		🍾 15 à 23 €

Ce cru, situé au cœur du Sauternais, assemble 5 % de muscadelle à 75 % de sémillon et à 20 % de sauvignon, et passe vingt-quatre mois en barrique. S'annonçant par une belle livrée bouton-d'or, son 99 passe d'un premier bouquet aux notes de cire, de miel et de genêt à un second à dominante florale. Les deux font preuve d'une grande élégance qui se retrouve à l'attaque et dans l'expression aromatique du palais aux nuances de fruits macérés. Complexe et puissant, un joli vin.
⛵ Jean-Francis Daney, 24, le Biton Boutoc, 33210 Preignac, tél. 05.56.63.50.55, fax 05.56.63.39.69
☑ ￥ t.l.j. 9h-13h 14h-19h

CH. D'ARMAJAN DES ORMES 1999

	6 ha	n.c.	🍾🍾 ⚬ 15 à 23 €
95 96 |97| 98 |99|			

Clos de murs, ce cru reçut la visite de Catherine de Médicis en 1565. Il appartenait alors à Pierre Sauvage, également propriétaire d'Yquem. La Fronde entraîne sa destruction. Il fut reconstruit au XVIIIᵉs. par le gendre de Montesquieu. Une généalogie comme on les aime dans les livres d'histoire. Ce 99 est souple et bien équilibré. Il pourra être bu jeune pour profiter du charme bouquet aux notes de fleurs et de fruits blancs, figue sèche, citron et épices.
⛵ EARL Jacques et Guillaume Perromat, Ch. d'Armajan, 33210 Preignac, tél. 05.56.63.22.17, fax 05.56.63.21.55 ☑ ￥ r.-v.

CRU BARREJATS 2000★

	4 ha	5 300		🍾 38 à 46 €
|90| 91 92 |94| |95| |96| 97 98 00				

Ce cru étant membre de l'association Sapros, qui veut promouvoir les vins liquoreux obtenus uniquement grâce à la botrytisation ou au passerillage, on ne sera pas étonné de découvrir la marque du botrytis tant dans le bouquet qu'au palais. Bien construit, expressif et s'achevant par une longue finale au petit côté iodé, il s'accordera très bien, servi jeune, avec des brochettes de langoustines et des noix de saint-jacques marinées dans une sauce au safran. Le second vin, **Accabailles de Barréjats 2000 (15 à 23 €)**, a reçu une citation. On lui trouve de très beaux arômes de raisin mûr, de fruits confits et de fleurs blanches.
⛵ SCEA Barréjats, Clos de Gensac, Mareuil, 33210 Pujols-sur-Ciron, tél. 05.56.76.69.06, fax 05.56.76.69.06, e-mail mireille.daret @ free.fr ☑ ￥ r.-v.

CH. BASTOR-LAMONTAGNE 1999★

	56 ha	70 000		🍾 23 à 30 €
82 83 84 85 86 |88| |89| |90| 94 95 |96| 97 98 99				

Du même producteur que le Château Saint-Robert (graves), ce vin a résolument choisi son camp : celui des sauternes modernes et novateurs. Paré d'un bel or clair et limpide, il reste la délicatesse par son bouquet où les fraîches notes de tilleul se mêlent à celles de gelée de coing et de botrytis. Dès l'attaque la liqueur se dévoile ainsi que la vivacité des saveurs qui conduisent vers une finale des plus toniques. Cette bouteille méritera d'être attendue quatre ou cinq ans.

⛵ SCEA Vignobles Bastor et Saint-Robert, Dom. de Lamontagne, 33210 Preignac, tél. 05.56.63.27.66, fax 05.56.76.87.03, e-mail bastor-lamontagne @ dial.oleane.com ☑ ￥ r.-v.
⛵ Foncier-Vignobles

CH. CAILLOU
Cuvée Reine 1997★★

	2ème cru clas.	13 ha	600		🍾 + de 76 €

Petite cuvée assez confidentielle par son volume de production, ce 97 a reçu des soins particulièrement attentifs et efficaces. Entre vieil or et topaze, la couleur est aussi intense que le bouquet. D'une grande complexité, les arômes vont des fleurs (chèvrefeuille) au caramel, en passant par la figue, l'abricot, les fruits confits et les notes muscatées. Au palais une touche fumée les rejoint pour entrer dans la composition d'un ensemble parfaitement équilibré, l'alcool, l'acidité et les sucres ayant su trouver un point d'accord parfait. Une très belle réussite à oublier en cave pendant quatre ou cinq ans.
⛵ M. et Mme Pierre, Ch. Caillou, 33720 Barsac, tél. 05.56.27.16.38, fax 05.56.27.09.60, e-mail chateaucaillou @ aol.com ☑ ￥ r.-v.

PIERRE CHANAU 1999

	n.c.	n.c.	🍾 ⚬ 8 à 11 €

Le sauternes est élaboré par le négociant Dulong. Ce vin est fin et bien équilibré, avec une bonne présence du botrytis au bouquet. Il faut l'aérer pour découvrir ensuite des notes de fleurs et d'abricot frais. Suave et douce, la matière est un peu fine : une bouteille destinée à l'apéritif.
⛵ Dulong Frères et Fils, 29, rue Jules-Guesde, 33270 Floirac, tél. 05.56.86.51.15, fax 05.56.40.66.41, e-mail jm.dulong @ dulong.com ☑ ￥ r.-v.

CLOS DADY
Sélection vieilles vignes 1999★★

	3,5 ha	5 000		🍾 15 à 23 €

Après avoir repris la petite propriété familiale en 1998 et installé leur chai dans un ancien garage, Catherine et Christophe Gachet, elle attachée de presse, lui dentiste, font une belle entrée dans le Guide avec ce vin des plus réussis. Sa complexité aromatique promène le dégustateur parmi les senteurs de cire d'abeille, de fruits confits (abricot), de grillé, de vanille, mais aussi de fruits frais (pêche et mangue). Un authentique liquoreux, racé et complet, qui pourra être attendu ou bu jeune ; son équilibre et sa nervosité lui permettront d'accompagner une coquille Saint-Jacques ou un poulet sur le gril. Egalement signé par les Gachet, le **Château de Bastard 2000 (8 à 11 €)** a obtenu une citation.

🔑 Dubourg-Gachet, Ch. Bastard, 33720 Barsac, tél. 05.56.62.20.01, fax 05.56.62.33.11, e-mail clos.dady@wanadoo.fr ☒ 🍷 r.-v.

CLOS DU ROY 1999★

n.c. 3 600 11 à 15 €

Du même producteur que le Château Piada (barsac), ce vin à la robe d'or ambré est lui aussi ample, puissant et expressif, avec une bonne présence du botrytis. Sa finale joue sur le citron confit, la poire mûre et le coing. Comme son frère barsacais, il possède un très bon potentiel de garde qui invite à le laisser en cave quelques années.

🔑 EARL Lalande et Fils, 1, Ch. Piada, 33720 Barsac, tél. 05.56.27.16.13, fax 05.56.27.26.30 ☒ 🍷 t.l.j. 8h-11h30 13h30-19h; sam. dim. sur r.-v.

CH. CLOS HAUT-PEYRAGUEY 1999★

1er cru clas. 12 ha 25 200 30 à 38 €

75 76 79 81 82 **83** 85 **86** |**88**| |**89**| |**90**| 91 93 94 |**95**| **96 97** 99

Ce cru fondé au XVIIIe s. tire son nom (la colline) de sa situation sur le plateau de Bommes. Ce vin obtenu par une vendange bien botrytisée de 90 % de sémillon et de 10 % de sauvignon est né sur un terroir de qualité ; ses saveurs, comme ses arômes aux inflexions d'orange confite et d'abricot très mûr, l'indiquent sans ambages. Puissamment constitué, il demande et mérite d'être attendu de cinq à sept ans. Un canard aux pêches pourra l'accompagner. Ce sera une vraie gourmandise.

🔑 SC J. et J. Pauly, Ch. Haut-Bommes, 33210 Bommes, tél. 05.56.76.61.53, fax 05.56.76.69.65, e-mail j.j-pauly@wordonline.fr ☒ 🍷 t.l.j. 8h30-12h 14h-18h; groupes sur r.-v.

CH. CLOSIOT
Passion de Closiot 1998★

4 ha 3 000 30 à 38 €

Appartenant à la cuvée prestige du château Closiot, ce vin est encore marqué par le bois. Mais celui-ci est de qualité et il promet de donner un ensemble délicat et plein en se fondant aux notes d'agrumes, de miel et de confit. Ample, grasse et soutenue par une belle matière, cette jolie bouteille appelle une garde de quatre ou cinq ans. Plus simple mais chaleureuse et onctueuse, la cuvée principale, **Château Closiot 1999 (15 à 23 €)**, a reçu une citation.

🔑 Françoise Soizeau, Ch. Closiot, 33720 Barsac, tél. 05.56.27.05.92, fax 05.56.27.11.06, e-mail closiot@vins-sauternes.com ☒ 🍷 t.l.j. sf sam. dim. 9h-12h 14h-18h

CLOS L'ABEILLEY 2000★

n.c. 24 400 15 à 23 €

Enclavé dans le domaine de Rayne Vigneau et associé à lui, ce vignoble jouit d'un beau terroir. Très séduisant dans sa robe traversée de reflets vieil or, son vin débute sa prestation par un bouquet bien typé mariant pour le meilleur rôti et notes de figue et d'abricot sec. Harmonieux et long, le palais révèle lui aussi un botrytis de qualité et un élevage bien maîtrisé.

🔑 SC du Ch. de Rayne Vigneau, La Croix Bacalan, 109, rue Achard BP 154, 33042 Bordeaux Cedex, tél. 05.56.11.29.00, fax 05.56.11.29.01 🍷 r.-v.

CH. DOISY DAENE 2000★

2ème cru clas. 15 ha 25 000 38 à 46 €

50 71 |**75**| |**76**| 78 79 80 |**81**| |**82**| |(83)| 84 85 |**86**| |**88**| |**89**| |**90**| |**91**| |**94**| |**95**| |**96**| **97** 98 |**00**|

Ce cru bénéficie d'un beau terroir, que Pierre et Denis Dubourdieu savent exploiter avec talent, comme l'avait montré leur 97, coup de cœur du Guide. Ce 2000, millésime difficile en liquoreux, apparaît très réussi et développe un bouquet complexe : fleurs blanches, agrumes, amande, menthol... Suave et souple, son palais, soutenu par un boisé de qualité, lui permet d'être bu dès à présent ou d'ici trois à quatre ans.

🔑 EARL Pierre et Denis Dubourdieu, Ch. Doisy Daëne, quartier Gravas, 33720 Barsac, tél. 05.56.27.15.84, fax 05.56.27.18.99, e-mail doisy.daene@terre-net.fr ☒ 🍷 r.-v.

CH. DUDON 1999★

10,8 ha 4 449 15 à 23 €

Chartreuse du XVIIIe s. entourée d'un parc d'1,4 ha, ce château méritait bien les travaux de rénovation dont il fait l'objet actuellement. Heureusement leur réalisation ne détourne pas les Allien de leur préoccupation première : assurer la qualité de leur production. Ce 99 en témoigne tant par son équilibre tonique que par sa complexité aromatique aux fines notes de bois et de fruits secs. Bien typée, cette bouteille mérite d'être attendue.

🔑 SCE du Ch. Dudon, 33720 Barsac, tél. 05.56.27.29.38, fax 05.56.27.29.38 ☒ 🍷 r.-v.
🔑 Allien

CH. DE FARGUES 1996★★

n.c. n.c. + de 76 €

|**47**| |**49**| |**53**| |**59**| 62 |(67)| 71 |**75**| |**76**| |**83**| **84 85** |**86**| **87** |**88**| |**89**| |**90**| |**91**| |**94**| |**95**| **96**

Impossible d'ignorer l'imposante silhouette du château de Fargues. Les ruines de la forteresse médiévale dominent tous les environs et seul le visiteur curieux peut découvrir, en s'approchant, l'aimable demeure qui s'étend à ses pieds. Gras, ample, vif en finale, son 96 déploie un bouquet explosif invitant à la gourmandise (abricot, pâte de coing, orange et citron confits, prune, confiture, avec une touche minérale en arrière-plan) aussi puissant que complexe. C'est assurément une grande bouteille de garde (de quinze à vingt ans) qui sera plaisante dès 2004.

🔑 Comte Alexandre de Lur-Saluces, Ch. de Fargues, 33210 Fargues-de-Langon, tél. 05.57.98.04.20, fax 05.57.98.04.21, e-mail fargues@chateau-de-fargues.com 🍷 r.-v.

CH. FILHOT 1999

2ème cru clas. 62 ha 70 000 23 à 30 €

81 82 83 85 **86 88** 89 91 92 95 97 98 99

Véritable palais au cœur d'un vaste parc à l'anglaise, le château commande un grand domaine de 350 ha, dont 62 de vignes. Prenant le contrepied de l'architecture et des lieux, ce millésime a définitivement opté pour le registre de la délicatesse. Gras mais sans excès, jaune d'or pâle et brillant, il séduit par le charme de ses arômes fruités accompagnés d'une note rôtie ; il sera à son optimum d'ici quelques années.

🔑 SCEA du Ch. Filhot, 33210 Sauternes, tél. 05.56.76.61.09, fax 05.56.76.67.91, e-mail filhot@filhot.com ☒ 🍷 r.-v.
🔑 Famille de Vaucelles

DOM. DE LA FORET 2000

	14,4 ha	34 000	🍾 15 à 23 €

89 |90| 95 |96| 97 98 00

Né à Preignac, ce vin associe 7 % de sauvignon et 8 % de muscadelle au sémillon. D'une couleur jaune paille avenante, il est simple mais bien fait, et délivre un bouquet fort plaisant de vanille, cannelle, agrumes, coing et fleurs.
➼ Vaurabourg, La Mothe, Dom. de La Forêt, 33210 Preignac, tél. 06.15.08.91.95, fax 05.56.76.88.46
☑ ⟂ r.-v.

CH. GRILLON 1999★

	11 ha	20 000	🍾 11 à 15 €

Comme beaucoup de crus barsacais, Grillon est une propriété de taille moyenne. Mais sa production est de qualité. Témoin ce 99 bien réussi, tant par sa robe (d'une belle couleur or) que par son bouquet d'une réelle complexité (fruits frais, amande grillée, fleur d'acacia, abricot sec et miel) ou par sa structure, grasse, séveuse et bien équilibrée. Une finale savoureuse concluant heureusement le tout, cette bouteille s'exprimera complètement sur une volaille braisée... au sauternes.
➼ Odile Roumazeilles-Cameleyre, Ch. Grillon, 33720 Barsac, tél. 05.56.27.16.45, fax 05.56.27.03.77
☑ ⟂ t.l.j. 9h-12h30 14h-19h

CH. GUIRAUD 1999★

1er cru clas.	85 ha	n.c.	🍾 38 à 46 €

83 85 86 88 |89| ⑨⓪ 92 |95| 96 ⑨⑦ 98 99

Propriété de Franck Narby, armateur canadien, ce cru est l'un des plus vastes vignobles du Sauternais, que Xavier Planty conduit avec passion. Bien typé par sa robe d'une belle couleur or, son 99 assemblant 65 % de sémillon au sauvignon donne à entrevoir ce que sera bientôt son bouquet par des notes de fruits, de grillé et de brioche. Le palais, plein, gras et aussi bien bâti qu'équilibré, laisse, de même que la finale épicée, sur le souvenir d'un ensemble harmonieux ; à attendre quatre ou cinq ans.
➼ SCA du Ch. Guiraud, 33210 Sauternes, tél. 05.56.76.61.01, fax 05.56.76.67.52, e-mail x.planty@club-internet.fr ☑ ⟂ r.-v.

CH. GUITERONDE DU HAYOT 1999

	35 ha	62 000	🍷🍾⬇ 11 à 15 €

Bien qu'un peu plus gras que son frère Andoyse du Hayot, c'est également l'élégance qui est la marque de ce cru. Brillant de reflets paille (moisson mûre), il a un nez grillé mêlé de fruits confits, arômes que l'on retrouve jusque dans la finale agréable.
➼ SCE Vignobles du Hayot, Ch. Andoyse, 33720 Barsac, tél. 05.56.27.15.37, fax 05.56.27.04.24, e-mail vignoblesduhayot@ifrance.com ☑ ⟂ r.-v.

CH. HAUT-BERGERON 2000

	25,6 ha	8 000	🍷🍾⬇ 15 à 23 €

83 85 86 |88| |89| |90| 91 94 95 |96| 97 98 99 00

Il serait difficile d'évoquer ce cru en faisant abstraction de la famille Lamothe, qui élabore des sauternes depuis de nombreuses générations. D'une production réduite en quantité, ce millésime se montre agréable par son équilibre et par son expression aromatique aux jolies notes de fruits frais, agrumes, fruits exotiques et vanille. Pour un fromage à pâte fleurie.

➼ Hervé et Patrick Lamothe, 33210 Preignac, tél. 05.56.63.24.76, fax 05.56.63.23.31, e-mail haut-bergeron@wanadoo.fr ☑ ⟂ r.-v.

CH. LE HERE 1998

	6,3 ha	4 500	🍾 30 à 38 €

Bien situé, à Bommes, ce cru propose ici un 98 très marqué par le bois, notamment à l'attaque, mais intéressant par sa structure, par ses arômes épicés et botrytisés. Mais le bois saura-t-il se faire oublier ?
➼ Lafon, Ch. Le Hère, 33210 Bommes, tél. 05.56.76.60.11, fax 05.56.76.69.40, e-mail chateau-le-here@wanadoo.fr
☑ ⟂ t.l.j. sf lun. 9h-12h 14h-19h

CH. LAFAURIE-PEYRAGUEY 1999★★

1er cru clas.	40 ha	85 000	🍾 30 à 38 €

75 |76| 79 80 |81| 82 83 84 85 86 |87| (88) |89| |90| |91| |92| |93| |94| |95| |96| 97 98 99

Enceinte fortifiée, tours : peu de châteaux du vin peuvent se vanter d'offrir autant de dépaysement que ce manoir aux allures hispano-mauresques. Or à reflets ambrés, un bouquet subtil et discret, des arômes noisettés, un corps suave et de la longueur, son vin dévoile lui aussi un certain caractère oriental dont il faudra profiter dans quelques années, sa puissance lui garantissant un bon potentiel.
➼ Ch. Lafaurie-Peyraguey, 160, cours du Médoc, 33300 Bordeaux, tél. 05.57.19.57.77, fax 05.57.19.57.87

CH. LAMOTHE GUIGNARD 1999

2ème cru clas.	18 ha	36 000	🍾 15 à 23 €

|81| 82 |83| 84 |85| |86| 87 |88| 89 90 92 93 |94| |95| |96| 97 98 |99|

Si l'on ne retrouve pas dans ce millésime la richesse habituelle du cru, ce vin reste fidèle à l'esprit de finesse qui est la seconde marque de fabrique du Lamothe-Guignard. Tant dans son expression aromatique fruitée que par sa matière ou dans sa jolie finale.
➼ GAEC Philippe et Jacques Guignard, Ch. Lamothe Guignard, 33210 Sauternes, tél. 05.56.76.60.28, fax 05.56.76.69.05
☑ ⟂ t.l.j. sf sam. dim. 8h-12h 14h-18h

CH. LAMOURETTE 1998

	8,5 ha	7 000	🍷 15 à 23 €

Depuis 1860, ce cru est reçu en héritage par les femmes. S'il ne recherche pas la complexité, ce vin sait se montrer intéressant par sa robe d'un classicisme de bon aloi, par sa structure bien équilibrée et son bouquet tout en nuances avec des notes de miel, de cire et de fleurs blanches.
➼ Anne-Marie Léglise, Ch. Lamourette, 33210 Bommes, tél. 05.56.76.63.58, fax 05.56.76.60.85, e-mail leglise@terre-net.fr ☑ ⟂ r.-v.

CH. LANGE 2000★

	22 ha	20 000	🍷🍾 15 à 23 €

Un beau terroir, des vignes d'un âge respectable et des producteurs attachés aux bonnes traditions, il n'en faut pas plus pour obtenir un joli vin comme ce 2000. En harmonie avec la couleur vieil or, son bouquet s'est déjà bien ouvert sur de sympathiques arômes de cire, figue sèche, abricot sec et rôti. Frais, riche et puissant, le palais fait preuve lui aussi d'une belle complexité et d'une réelle typicité, avec la présence du raisin rôti.

☛ Daniel Picot, Ch. Lange, 33210 Bommes, tél. 05.56.76.61.69, fax 05.56.63.40.45 ☑ ⵊ r.-v.

CH. LARIBOTTE 1999★★

| | 15,46 ha | 10 000 | ▮ ❿ ⏦ 11 à 15 € |

Caractéristique de la commune de Preignac par sa taille, ce cru propose avec ce millésime un vin fort réussi. Le merrain vient renforcer avec beaucoup d'à-propos son bouquet expressif et complexe (raisin mûr, fleurs blanches, pêche, pruneau, miel). Rond, riche et puissant, le palais élargit encore sa palette aromatique tout en offrant une grande liberté de garde : cette bouteille pourra aussi bien être ouverte maintenant que dans quelques années.

☛ Jean-Pierre Lahiteau, quartier de Sanches, 33210 Preignac, tél. 05.56.63.27.88, fax 05.56.62.24.80 ☑ ⵊ r.-v.

CH. LAVILLE 2000★

| | 13 ha | 10 000 | ❿ 15 à 23 € |

92 94 |95| |96| 97 **98** 99 00

Dans les années 1900, ce cru fut l'un des pionniers de la mise en bouteille au château. Aujourd'hui son dynamisme se lit dans la qualité de son vin qu'illustre ce 2000 très réussi. Ample, gras et enrobé par une belle matière charnue, il dévoile un rôti délicat et une superbe complexité aromatique (chèvrefeuille, jasmin, fruits exotiques, abricots confits et cire d'abeille). Longue et fraîche, la finale conclut avec bonheur cette jolie dégustation. Dans le **même millésime les Châteaux Delmond (8 à 11 €)** et **de Rochefort (11 à 15 €)** ont obtenu chacun une citation.

☛ EARL du Ch. Laville, 33210 Preignac, tél. 05.56.63.59.45, fax 05.56.63.16.28 ☑ ⵊ r.-v.
☛ Y. et C. Barbe

CH. LIOT 2000★

| | 20 ha | n.c. | ❿ 11 à 15 € |

89 90 91 93 95 96 97 98 99 00

Les David font les vins qu'ils aiment ; ce qui donne une réelle typicité à leur cru. Celle-ci se retrouve dans ce millésime tout en souplesse et élégance. Sa finesse apparaît dans sa robe bouton d'or à reflets clairs et dans son bouquet de pêches et abricots au sirop. Rond, harmonieux et s'achevant sur un beau retour aromatique, le palais en fait un vrai vin de plaisir que l'on pourra apprécier dès à présent.

☛ J. David, Ch. Liot, 33720 Barsac, tél. 05.56.27.15.31, fax 05.56.27.14.42, e-mail chateau.liot@wanadoo.fr ☑ ⵊ r.-v.

DOM. DE MONTEILS
Cuvée Sélection 1999

| | 8 ha | 4 680 | ▮ ❿ ⏦ 15 à 23 € |

Bien qu'appartenant à la cuvée prestige, ce vin à la couleur sombre reste un peu discret dans son expression aromatique où l'on discerne des notes de fruits confits ou secs et de miel ; mais il possède une structure puissante et une réelle présence du botrytis de l'attaque à la finale.

☛ SCEA Dom. de Monteils, 3, rte de Fargues, 33210 Preignac, tél. 05.56.62.24.05, fax 05.56.62.22.30, e-mail vins.sauternes@wanadoo.fr ☑ ⵊ r.-v.

CH. DE MYRAT 1999★★

| | 2ème cru clas. | 22 ha | 23 000 | ❿ 23 à 30 € |

Les Pontac, qui se sont beaucoup investis dans la renaissance de Myrat, trouvent ici la juste récompense de leurs efforts avec ce millésime ; le bouquet fait preuve non seulement d'originalité mais d'une réelle personnalité par un subtil mariage de savoureux arômes de marrons glacés, de fruits confits, de cire et d'une légère pointe minérale. Au palais, tout aussi expressif, il offre des notes confites, florales et miellées, et tous les caractères d'un grand sauternes dont cette superbe bouteille constitue un véritable archétype. Son potentiel de garde lui vaudra une place de choix dans votre cave.

☛ Comte Jacques de Pontac, Ch. de Myrat, 33720 Barsac, tél. 05.56.27.09.06, fax 05.56.27.11.75 ☑ ⵊ r.-v.

CH. QUINCARNON 1996★

| | 12 ha | n.c. | ▮ ⏦ 15 à 23 € |

Représentatif de la commune de Fargues par son terroir aux sols graveleux et argilo-calcaires, ce cru propose un 96 au bouquet expressif. Dévoilant progressivement ses notes de cire d'abeille, de miel, de toast et de grillé, il révèle un caractère gras et ample. Les saveurs confites et épicées de la finale complètent heureusement le tableau.

☛ Carlos Asseretto, Quincarnon, 33210 Fargues, tél. 05.56.62.32.90, fax 05.56.62.39.64, e-mail ccmag@club-internet.fr ☑ ⵊ r.-v.

CH. RAYMOND-LAFON 1998★

| | 16 ha | 21 000 | ❿ 38 à 46 € |

Portant toujours le nom de son fondateur (au XIX[e]s.), ce cru propose ici son millésime 98. Rond et souple, tout en possédant du gras, celui-ci se distingue en premier lieu par l'élégance de sa palette aromatique. Au côté rôti s'ajoutent des parfums de fleur d'acacia, des arômes de pêche et une fraîcheur citronnée. Encore marqué par le bois, l'ensemble demande une garde de trois ou quatre ans pour se fondre complètement avant de se goûter longtemps sur un filet mignon de porc au gingembre et aux mangues.

☛ Famille Meslier, Ch. Raymond-Lafon, 4, Au Puits, 33210 Sauternes, tél. 05.56.63.21.02, fax 05.56.63.19.58, e-mail famille.meslier@chateau-raymond-lafon.fr ☑ ⵊ r.-v.

MADAME DE RAYNE 2000★

| | 76,24 ha | 36 400 | ❿ 23 à 30 € |

Seconde étiquette de Rayne Vigneau, ce vin est plus simple mais bien typé par ses notes rôties, par sa large palette aromatique (abricot sec, tabac blond, cacao), par son équilibre et par l'agrément de sa jolie finale confite.

☛ SC du Ch. de Rayne Vigneau, La Croix Bacalan, 109, rue Achard BP 154, 33042 Bordeaux Cedex, tél. 05.56.11.29.00, fax 05.56.11.29.01 ⵊ r.-v.

CH. DE RAYNE VIGNEAU 1999★★

| | 1er cru clas. | 76,28 ha | 107 500 | ❿ 30 à 38 € |

85 86 |88| |89| |90| |91| 92 94 |95| |96| 97 **98** 99

Sa visite étant réservée aux seuls professionnels, ce cru est moins connu pour son arrivée de vendanges que pour les onyx et agates trouvées sur son terroir. Pourtant la première est significative de son souci de qualité qu'illustre aussi ce très beau vin. D'une belle couleur jaune d'or, celui-ci n'attend pas pour dévoiler sa forte personnalité, avec un bouquet aux puissantes notes confites. D'une grande complexité, il annonce l'expression aroma-

tique du palais. Ample, puissant, généreux et soutenu par une bonne acidité, l'ensemble présente une grande typicité, par son rôti très élégant, et un long potentiel de garde.

🕶 SC du Ch. de Rayne Vigneau, La Croix Bacalan, 109, rue Achard BP 154, 33042 Bordeaux Cedex, tél. 05.56.11.29.00, fax 05.56.11.29.01 ♈ r.-v.

CH. RIEUSSEC 1999★★

1er cru clas.	75 ha	140 000		46 à 76 €
62 67 70 71	75		76		78	79 80 81 82 83 84 85	86					
87 88 89	90	92	94	95 96 97 98 99				

Belle unité située à Fargues, ce cru est l'un des fleurons des domaines Rothschild dans le Bordelais. Il affirme fièrement sa typicité. Sa robe d'or brillant à reflets citron annonce l'élégance du bouquet où le tilleul, les fleurs d'acacia, la poire mûre et un fin boisé composent un tableau séduisant. Tout aussi gourmand, le palais joue sur les notes d'orange amère, de compote d'abricots, de pâte de fruits (coing) et de fruits confits, avant de céder la place à une finale très épicée et moelleuse. Toute la dégustation est sous le signe d'un excellent équilibre. Un vin d'une grande pureté à garder précieusement en cave pendant une dizaine ou une douzaine d'années.

🕶 Ch. Rieussec, 33210 Fargues-de-Langon, tél. 01.53.89.78.00, fax 01.53.89.78.01 ♈ r.-v.

CH. ROUMIEU-LACOSTE 2000★

	5 ha	13 000		15 à 23 €

A Roûmieu, Hervé Dubourdieu poursuit une tradition familiale centenaire. Il a élaboré avec ce 2000 un vin ample et gras. Son onctuosité, l'équilibre des saveurs et la complexité de son bouquet (botrytis, fruits confits et vanille) permettent de l'apprécier dès à présent. La maîtresse de maison pourra préparer une flamiche au roquefort : bon mariage assuré.

🕶 Hervé Dubourdieu, Ch. Roûmieu-Lacoste, 33720 Barsac, tél. 05.56.27.16.29, fax 05.56.27.02.65, e-mail hervedubourdieu@aol.com ☑ ♈ r.-v.

CH. DE SAINTE-HELENE 1999

	27 ha	20 000		15 à 23 €

Signé par l'équipe de Malle, ce vin joue résolument la carte de l'élégance avec une ravissante robe d'un or franc et un joli bouquet de fleurs et fruits blancs, accompagné de notes épicées. Il s'harmonise parfaitement avec la rondeur et le côté bien botrytisé du palais.

🕶 Comtesse de Bournazel, Ch. de Malle, 33210 Preignac, tél. 05.56.62.36.86, fax 05.56.76.82.40, e-mail chateaudemalle@wanadoo.fr ☑ ♈ r.-v.

CH. SAINT-VINCENT

Cuvée spéciale 1996★

	4 ha	3 000		30 à 38 €

Egalement producteurs dans d'autres appellations, les vignobles Desqueyroux proposent ici leur Cuvée spéciale 96 élaborée à partir du seul sémillon. Déjà fort plaisante par sa belle couleur or soutenu, celle-ci possède de bonnes réserves d'évolution, avec beaucoup de fraîcheur dans son expression aromatique (fruits confits et miel sur des notes réglissées) et un palais souple et gras, sur un fond de fraîcheur fort élégant. Plus modeste, la **cuvée principale 99 (11 à 15 €)** a reçu une citation.

🕶 SCEA Vignobles Francis Desqueyroux et Fils, 1, rue Pourière, 33720 Budos, tél. 05.56.76.62.67, fax 05.56.76.66.92, e-mail vign.fdesqueyroux@wanadoo.fr ☑ ♈ r.-v.

CH. SIGALAS RABAUD 2000

1er cru clas.	13,37 ha	n.c.		15 à 23 €
66 75 76 81 82 83 85	86	87	88		89		90		91		92		94					
	95	96 97 98	99	00				

Son ancienneté (il date du XVIIᵉs.) et sa situation au cœur du Sauternais donnent sa noblesse à ce cru qui joue la délicatesse avec ce millésime vif, rond, gras et très frais par son expression aromatique où la dominante citronnée est complétée par des notes grillées et de fruits confits. Mais il faudra attendre deux ou trois ans pour que ce vin se révèle.

🕶 Ch. Sigalas-Rabaud, Bommes-Sauternes, 33210 Langon, tél. 05.56.11.29.00, fax 05.56.11.29.01
🕶 de Lambert des Granges

CH. SUDUIRAUT 1999★

1er cru clas.	90 ha	n.c.		38 à 46 €
67 75 82	83	85 86	88		89		90		96	97 99				

Propriété des ducs d'Epernon, ce château fut détruit au XVᵉs. avant d'être entièrement reconstruit au XVIIᵉs. et entouré de jardins dessinés par Le Nôtre, le célèbre architecte des jardins du Roi Soleil. On retrouve un peu le reflet du Grand Siècle dans ce vin (une pincée – 10 % – de sauvignon complète la muscadelle) à la belle couleur bouton d'or et dont le bouquet joue sur de fines notes florales et fruitées. Au palais, le botrytis est présent mais sans excès, tandis qu'en finale dominent de frais arômes de fruits blancs rehaussés d'une petite touche de poivre blanc.

🕶 Ch. Suduiraut, 33210 Preignac, tél. 05.56.63.61.90, fax 05.56.63.61.93 ♈ r.-v.
🕶 Axa millésimes

CH. LA TOUR BLANCHE 1999★★

1er cru clas.	37,92 ha	30 700		30 à 38 €
61 62 75 79 80	81	82	83	84	85		86		88	89 90	91					
	94	95 96 97 99				

En dépit de la présence sur le domaine d'un beau pigeonnier blanc, c'est ailleurs qu'il faut chercher l'origine du nom de ce cru, tiré de celui d'un ancien propriétaire, Jean Saint-Marc de Latourblanche, trésorier de Louis XVI. Encore jeune, son 99 s'exprime avec beaucoup d'élégance. De belles saveurs rôties se développent et soutiennent sans les occulter les arômes fruités (orange et abricot). Ample et très séduisante avec ses notes d'épices et de caramel, la finale confirme l'équilibre de cette très

jolie bouteille à servir dans trois à cinq ans sur une tarte aux pêches ou aux mirabelles et pendant de longues années. Le second vin, **Les Charmilles de Tour Blanche 99 (15 à 23 €)**, obtient la même note pour leur charme immédiat.
🕯 Ch. la Tour Blanche, 33210 Bommes,
tél. 05.57.98.02.73, fax 05.57.98.02.78,
e-mail tour-blanche@tour-blanche.com ☑ ⍱ r.-v.
🕯 Ministère de l'Agriculture

CH. VALGUY 2000

	n.c.	4 179	🍶 15 à 23 €

Créé en 2000 par Valérie et Guy Loubrie à partir de vieilles vignes cinquantenaires plantées sur un domaine de 4,16 ha, ce cru réussit son entrée dans le Guide avec son premier millésime. Il aurait mérité un peu plus d'acidité, ce vin, dont l'équilibre est orienté sur le sucre et qui développe de beaux arômes d'agrumes confits très près du fruit.
🕯 SCEA Grands vignobles Loubrie,
4, chem. de Couitte, 33210 Preignac,
tél. 05.56.63.58.25, fax 05.56.63.58.25
☑ ⍱ t.l.j. sf dim. 8h30-20h

CH. VILLEFRANCHE 1999★

	12 ha	15 000	🍷🍶🧊 11 à 15 €

Situé à proximité des bords du Ciron, ce cru, qui s'écrivait jadis en deux mots, est l'une des plus anciennes propriétés familiales du Sauternais, les aïeux des Guinabert y étant présents depuis le milieu du XVIIᵉs. Leur complicité avec le terroir se lit dans le caractère de ce vin. Qu'il s'agisse de la complexité du bouquet, où s'épanouissent de beaux parfums d'orange et d'abricot, ou de la fraîche harmonie du palais. Aussi typée qu'équilibrée, cette bouteille trouvera son apogée après un séjour en cave de quatre ou cinq ans.
🕯 Benoît Guinabert, Ch. Villefranche, 33720 Barsac,
tél. 05.56.27.05.77, fax 05.56.27.33.02 ☑ ⍱ r.-v.

CH. D'YQUEM 1997★★★

1er cru sup.	n.c.	n.c.	🍶 + de 76 €

21 29 37 42 |45| 53 55 59 ⑥⑦ 70 71 |75| |76| 80 |82| |83| |84| |85| |86| |87| |88| 89 90 91 93 94 ⑨⑤ ⑨⑥ ⑨⑦

En 1997 à Yquem, les vendanges se sont étalées sur plus de deux mois avec sept tries complètes pour profiter de la précocité de la botrytisation et de la longueur de l'automne. On retrouve ainsi sept générations de raisin dans le verre ! Sa jeunesse éclate dans sa robe d'un or pur et brillant ainsi que dans son bouquet dont la puissance contenue s'exprime par de belles notes allant du confit à la fleur d'oranger en passant par la confiture de coings et le miel. Son exceptionnelle complexité se retrouve intégralement au palais. Rond, suave et plein de séduction, il n'en oublie pas pour autant de manifester son caractère liquoreux jusque dans une finale charmeuse, extrêmement prometteuse. Tout porte la marque d'un mélange de raisins frais et surmûris, caractéristique d'une longue vendange. Une très grande bouteille à attendre dix ou quinze ans, voire beaucoup plus.
🕯 Comte Alexandre de Lur-Saluces,
Ch. d'Yquem, 33210 Sauternes,
tél. 05.57.98.07.07, fax 05.57.98.07.08,
e-mail info@yquem.fr ⍱ r.-v.
🕯 LVMH

LA BOURGOGNE

_____ **«** Aimable et vineuse Bourgogne », écrivait Michelet. Quel amateur de vin ne reprendrait à son compte une telle assertion ? Avec le Bordelais et la Champagne, la Bourgogne porte en effet à travers le monde entier la prestigieuse renommée des vins de France les plus illustres, les associant sur ses terroirs avec une gastronomie des plus riches, et trouvant dans leur diversité de quoi satisfaire tous les goûts et réussir tous les accords gourmands.

_____ **P**lus encore que dans toute autre région viticole, on ne peut dissocier en Bourgogne l'univers du vin de la vie quotidienne, dans une civilisation forgée au rythme des travaux de la vigne : depuis les confins auxerrois jusqu'aux monts du Beaujolais, tout au long d'une province qui relie les deux métropoles que sont Paris et Lyon, la vigne et le vin ont, dès la plus haute Antiquité, fait vivre les hommes, et les ont fait vivre bien. Si l'on en croit Gaston Roupnel, écrivain bourguignon mais aussi vigneron à Gevrey-Chambertin, auteur d'une *Histoire de la campagne française*, la vigne aurait été introduite en Gaule au VIe s. av. J.-C. « par la Suisse et les défilés du Jura », pour être bientôt cultivée sur les pentes des vallées de la Saône et du Rhône. Même si, pour d'autres, ce sont les Grecs qui sont à l'origine de la culture de la vigne, venue du Midi, nul ne conteste l'importance qu'elle a prise très tôt sur le sol bourguignon. Certains reliefs du Musée archéologique de Dijon en témoignent. Et lorsque le rhéteur Eumène s'adresse à l'empereur Constantin, à Autun, c'est pour évoquer les vignes cultivées dans la région de Beaune et qualifiées déjà d'« admirables et anciennes ».

_____ **M**odelée par les avatars glorieux ou tragiques de son histoire, soumise aux aléas des données climatiques autant qu'aux transformations des pratiques agricoles – où les moines, dans les mouvances de Cluny ou de Cîteaux, jouèrent un rôle capital –, la Bourgogne a dessiné peu à peu la palette de ses *climats* et de ses crus, évoluant constamment vers la qualité et la typicité de vins incomparables. C'est sous le règne des quatre ducs de Bourgogne (1342-1477) que furent édictées les règles destinées à garantir un niveau qualitatif élevé.

_____ **I**l faut cependant préciser que la Bourgogne des vins ne recouvre pas exactement la Bourgogne administrative : la Nièvre (qui se rattache administrativement à la Bourgogne, avec la Côte-d'Or, l'Yonne et la Saône-et-Loire) fait partie du vignoble du Centre et du vaste ensemble de la vallée de la Loire (vignoble de Pouilly-sur-Loire). Tandis que le Rhône (appartenant pour les autorités judiciaires et administratives à la Bourgogne lui aussi), pays du beaujolais, a acquis par l'habitude une autonomie que justifie – outre la pratique commerciale – l'usage d'un cépage spécifique. C'est ce choix qui est retenu dans le présent guide (voir le chapitre « Le Beaujolais »), où l'on comprend donc en Bourgogne les vignobles de l'Yonne (basse Bourgogne), de la Côte-d'Or et de la Saône-et-Loire, bien que certains vins produits en Beaujolais puissent être vendus en appellation régionale bourgogne.

_____ **L**'unité ampélographique de la Bourgogne – à l'exclusion, donc, du Beaujolais, planté de gamay noir – ne fait pas de doute : le chardonnay pour les vins blancs et le pinot noir pour les vins rouges y règnent en maîtres. On rencontre cependant quelques variétés annexes, vestiges de pratiques culturales anciennes ou adaptations spécifiques à des terroirs particuliers : l'aligoté, cépage blanc produisant le célèbre bourgogne aligoté, fréquemment employé dans la confection du « kir » (blanc-cassis) ; il atteint son sommet qualitatif dans le petit pays de Bouzeron, tout près de Chagny (Saône-et-Loire). Le césar, lui, plant « rouge », était surtout cultivé dans la région d'Auxerre ; mais il tend à disparaître. Le sacy donne du bourgogne grand ordinaire dans l'Yonne, mais il est de plus en plus remplacé par le chardonnay ; le gamay, lui, fournit du bourgogne grand ordinaire et, associé au pinot, du bourgogne passetoutgrain. Enfin, le sauvignon, fameux cépage aromatique des vignobles de Sancerre et de Pouilly-sur-Loire, est cultivé dans la région de Saint-Bris-le-Vineux, dans l'Yonne, où il conduit à l'AOVDQS sauvignon de saint-bris qui accède au statut de l'AOC en 2002.

Sous une relative unité climatique, globalement semi-continentale avec l'influence océanique atteignant ici les limites du Bassin parisien, ce sont les sols qui vont spécifier les caractères propres des très nombreux vins produits en Bourgogne. Car si l'extrême morcellement des parcelles est la règle partout, il se fonde en grande partie sur une juxtaposition d'affleurements géologiques variés, origine de la riche palette de parfums et de saveurs des crus de Bourgogne. Et plus que des données strictement météorologiques, c'est des variations pédologiques que rend compte ici la notion de *climat* (ou terroir) précisant les caractères des vins au sein d'une même appellation, et compliquant comme à plaisir le classement et la présentation des grands vins de Bourgogne... Ces *climats*, aux noms particulièrement évocateurs (la Renarde, les Cailles, Genevrières, Clos de la Maréchale, Clos des Ormes, Montrecul...), sont les termes consacrés depuis au moins le XVIIIe s. pour désigner des surfaces de quelques hectares, parfois même quelques « ouvrées » (une ouvrée est égale à 4 ares, 28 centiares), correspondant à « une entité naturelle s'extériorisant par l'unité du caractère du vin qu'elle produit... » (A. Vedel). Et l'on peut constater en effet qu'il y a parfois moins de différences entre deux vignes séparées de plusieurs centaines de mètres mais à l'intérieur du même *climat* qu'entre deux autres voisines mais dans deux *climats* différents.

On dénombre en outre quatre niveaux d'appellations dans la hiérarchie des vins : appellation régionale (56 % de la production), *villages* (ou appellation communale) de Bourgogne, premier cru (12 % de la production) et grand cru (2 % de la production qui recouvre 33 grands crus répertoriés en Côte-d'Or et à Chablis). Et le nombre de terroirs légalement délimités ou de *climats* est très grand : on compte, par exemple, 27 dénominations différentes pour les premiers crus récoltés sur la commune de Nuits-Saint-Georges, et cela pour une centaine d'hectares seulement !

Des études récentes ont confirmé les relations (souvent constatées empiriquement) entre les sols et les lieux-dits donnant naissance aux appellations, aux crus ou aux *climats*. Ainsi, a-t-on pu déterminer dans la Côte de Nuits 59 types de sols différenciés selon leurs caractères morphologiques ou physico-chimiques (pente, pierrosité, taux d'argile, etc.) et correspondant de fait à la distinction des appellations grand cru, premier cru, villages et régionale.

Plus simplement, dans une approche géographique beaucoup plus générale, il est d'usage de distinguer, du nord au sud, quatre grandes zones au sein de la Bourgogne viticole : les vignobles de l'Yonne (ou de basse Bourgogne), de la Côte-d'Or (Côte de Nuits et Côte de Beaune), la Côte chalonnaise, le Mâconnais.

Le Chablisien est le plus connu des vignobles de l'Yonne. Son prestige fut très grand à la cour parisienne pendant tout le Moyen Age, le transport fluvial rendant facile le commerce des vins avec la capitale ; longtemps même, les vins de l'Yonne s'identifièrent tout simplement avec « les » bourgognes. Blotti dans la charmante vallée du Serein dont Noyers est le petit joyau médiéval, le vignoble de Chablis est comme un satellite isolé lancé à plus de cent kilomètres au nord-ouest du cœur de la Bourgogne viticole. Dispersé, il couvre plus de 4 000 ha de collines aux pentes d'exposition variée, sur lesquelles « une constellation de hameaux et une nuée de propriétaires se partagent les récoltes de ce vin sec, finement parfumé, léger, vif, qui surprend l'œil par son étonnante limpidité à peine teintée d'or vert » (P. Poupon). L'Auxerrois, au sud d'Auxerre, s'étend sur une dizaine de communes ; le vignoble d'Irancy abrite encore quelques hectares de césar, cépage donnant des vins très tanniques ; c'est un vignoble qui, avec celui de Coulanges-la-Vineuse, est en pleine expansion. Saint-Bris-le-Vineux est le pays du sauvignon et partage avec Chitry la production de vins blancs.

Dans l'Yonne, il faut encore signaler trois autres vignobles presque entièrement détruits par le phylloxéra, mais que l'on tente aujourd'hui de raviver. Le vignoble de Joigny, à l'extrémité nord-ouest de la Bourgogne, dont la superficie atteint à peine dix hectares, est bien exposé sur les coteaux entourant la ville, au-dessus de l'Yonne ; on y produit surtout un vin gris de consommation locale, d'appellation bourgogne, mais aussi des vins rouges et blancs. Autrefois aussi célèbre que celui d'Auxerre, le vignoble de Tonnerre renaît aujourd'hui aux abords d'Epineuil ; l'usage y admet une appellation bourgogne-épineuil. Enfin, les pentes de l'illustre colline de Vézelay, aux portes du Morvan, et où les grands-ducs de Bourgogne possédaient eux-mêmes un clos, voient renaître un petit vignoble en production depuis 1979 ; sous l'appellation bourgogne, les vins devraient y bénéficier du renom de l'endroit, haut lieu touristique où les visiteurs de la basilique romane se joignent aux pèlerins.

Le plateau de Langres, karstique et aride, chemin traditionnel de toutes les invasions venues du nord-est, historiques ou, aujourd'hui, touristiques, sépare le Chablisien, l'Auxerrois et le Tonnerrois de la Côte d'Or, dite « Côte de pourpre et d'or » ou, plus simplement, « la Côte ». Au cours de l'ère tertiaire, et consécutivement à l'érection des Alpes, la mer de Bresse qui couvrait cette région, battant le vieux massif hercynien du Morvan, s'effondra, déposant au fil des millénaires des sédiments calcaires de composition variée : failles parallèles nord-sud nombreuses, datant de la formation des Alpes ; « coulement » des sols du haut vers le bas au moment des grandes glaciations tertiaires ; creusement de combes par des cours d'eau alors puissants. Il en résulte une diversité extraordinaire de terrains se jouxtant sans être identiques, tout en étant apparemment semblables en surface à cause d'une mince couche arable. Ainsi s'expliquent l'abondance des appellations d'origine liées à celles des sols et l'importance des *climats* qui affinent encore cette mosaïque.

Du point de vue géographique, la côte s'allonge sur environ cinquante kilomètres, de Dijon jusqu'à Dezize-lès-Maranges, au nord de la Saône-et-Loire. Le coteau, le plus souvent exposé au soleil levant, comme il se doit pour de grands crus sous climat semi-continental, descend du plateau supérieur, ponctué par les vignes des Hautes-Côtes, la plaine de la Saône, vouée aux cultures.

De structure linéaire, ce qui favorise une excellente exposition est-sud-est, la côte se divise traditionnellement en plusieurs secteurs, le premier, au nord, étant en grande partie submergé par l'urbanisation de l'agglomération dijonnaise (commune de Chenôve). Par fidélité à la tradition, la municipalité de Dijon a cependant replanté une parcelle au sein même de la ville. A Marsannay commence la Côte de Nuits, qui s'allonge jusqu'au Clos des Langres, sur la commune de Corgoloin. C'est une côte étroite (quelques centaines de mètres seulement), coupée de combes de style alpestre avec des bois et des rochers, soumise aux vents froids et secs. Cette côte compte vingt-neuf appellations réparties selon l'échelle des crus, avec des villages aux noms prestigieux : Gevrey-Chambertin, Chambolle-Musigny, Vosne-Romanée, Nuits-Saint-Georges... Les premiers crus et les grands crus (chambertin, clos de la roche, musigny, clos de vougeot) se situent à une altitude comprise entre 240 et 320 m. C'est dans ce secteur que l'on trouve les plus nombreux affleurements de marnes calcaires, au milieu d'éboulis variés ; les vins rouges les plus structurés de toute la Bourgogne, aptes aux plus longues gardes, en sont issus.

La Côte de Beaune vient ensuite, plus large (un à deux kilomètres), à la fois plus tempérée et soumise à des vents plus humides, ce qui entraîne une plus grande précocité dans la maturation. Géologiquement, la Côte de Beaune est plus homogène que la Côte de Nuits, avec au bas un plateau presque horizontal, formé par les couches du bathonien supérieur recouvertes de terres fortement colorées. C'est de ces sols assez profonds que proviennent les grands vins rouges (beaune Grèves, pommard Epenots...). Au sud de la Côte de Beaune, les bancs de calcaires oolithiques avec, sous les marnes du bathonien moyen recouvertes d'éboulis, des calcaires sus-jacents donnent des sols à vigne caillouteux, graveleux, sur lesquels sont récoltés les vins blancs parmi les plus prestigieux : premiers et grands crus des communes de Meursault, Puligny-Montrachet, Chassagne-Montrachet.

La Bourgogne

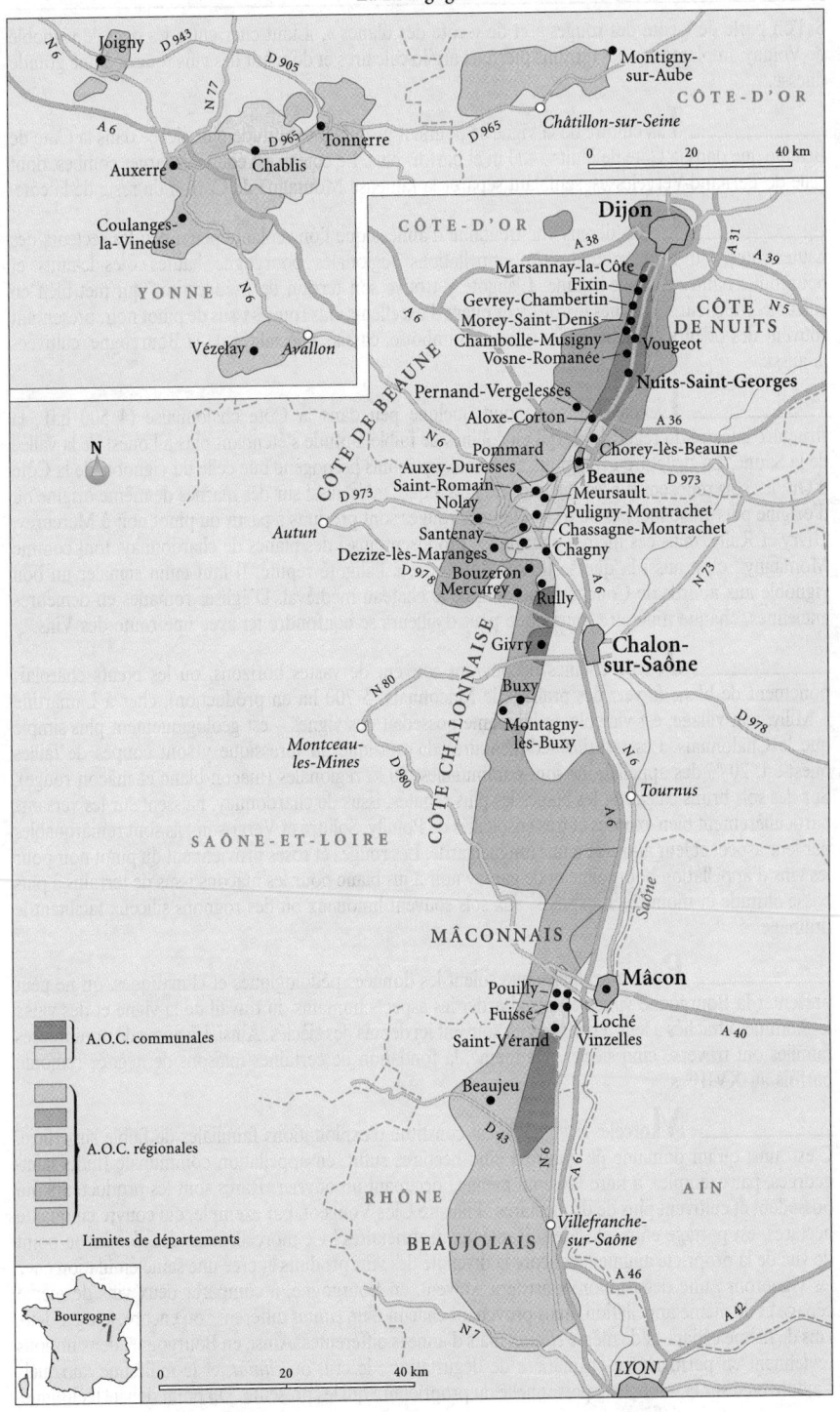

Si l'on parle de « côte des rouges » et de « côte des blancs », il faut citer entre les deux le vignoble de Volnay, implanté sur des terrains pierreux argilo-calcaires et donnant des vins rouges d'une grande finesse.

La culture de la vigne se poursuit jusqu'à une altitude plus élevée dans la Côte de Beaune que dans la Côte de Nuits : 400 m et parfois plus. Le coteau est coupé de larges combes, dont celle de Pernand-Vergelesses, semblant séparer la fameuse Montagne de Corton du reste de la côte.

C'est depuis une trentaine d'années que l'on replante peu à peu les secteurs des hautes-côtes, où sont produites les appellations régionales bourgogne hautes-côtes-de-nuits et bourgogne hautes-côtes-de-beaune. L'aligoté y trouve son terrain de prédilection, qui met bien en valeur sa fraîcheur. Quelques terroirs y donnent d'excellents vins rouges issus de pinot noir, présentant souvent des odeurs de petits fruits rouges (framboise, cassis), spécialités de la Bourgogne, cultivées là aussi.

Le paysage s'épanouit quelque peu dans la Côte chalonnaise (4 500 ha) ; la structure linéaire du relief s'y élargit en collines de faible altitude s'étendant plus à l'ouest de la vallée de la Saône. La structure géologique est beaucoup moins homogène que celle du vignoble de la Côte d'Or ; les sols reposent sur les calcaires du jurassique, mais aussi sur des marnes de même origine ou d'origine plus ancienne, lias ou trias. Des vins rouges sont produits à partir du pinot noir à Mercurey, Givry et Rully, mais ces mêmes communes proposent aussi des blancs de chardonnay, tout comme Montagny ; c'est aussi là que se trouve Bouzeron, à l'aligoté réputé. Il faut enfin signaler un bon vignoble aux abords de Couches, que domine le château médiéval. D'églises romanes en demeures anciennes, chaque itinéraire touristique peut d'ailleurs se confondre ici avec une route des Vins.

Jeu de collines découvrant souvent de vastes horizons, où les bœufs charolais ponctuent de blanc le vert des prairies, le Mâconnais (5 700 ha en production), cher à Lamartine – Milly, son village, est vinicole, et lui-même possédait des vignes – est géologiquement plus simple que le Chalonnais. Les terrains sédimentaires du triasique au jurassique y sont coupés de failles ouest-est. 20 % des appellations sont communales, 80 % régionales (mâcon blanc et mâcon rouge). Sur des sols bruns calcaires, les blancs les plus réputés, issus de chardonnay, naissent sur les versants particulièrement bien exposés et très ensoleillés de Pouilly, Solutré et Vergisson ; ils sont remarquables par leur aspect et leur aptitude à une longue garde. Les rouges et rosés proviennent du pinot noir pour les vins d'appellation bourgogne et de gamay noir à jus blanc pour les mâcons issus de terrains à plus basse altitude et moins bien exposés, aux sols souvent limoneux où des rognons siliceux facilitent le drainage.

Pour essentielles que soient les données pédologiques et climatiques, on ne peut présenter la Bourgogne vinicole sans aborder les aspects humains du travail de la vigne et des vins : les hommes attachés à leur terroir le sont souvent ici depuis des siècles. Ainsi, les noms de nombreuses familles ont traversé cinq siècles. De même, la fondation de certaines maisons de négoce remonte parfois au XVIIIe s.

Morcelé, le vignoble est constitué d'exploitations familiales de faible superficie. C'est ainsi qu'un domaine de quatre à cinq hectares suffit, en appellation communale (nuits-saint-georges, par exemple), à faire vivre un ménage occupant un ouvrier. Rares sont les producteurs qui possèdent et cultivent plus de dix hectares : l'illustre Clos-Vougeot, par exemple, qui couvre cinquante hectares, est partagé entre plus de soixante-dix propriétaires ! Ce morcellement des *climats* du point de vue de la propriété augmente encore la diversité des vins produits et crée une saine émulation chez les vignerons ; une dégustation consistera souvent, en Bourgogne, à comparer deux vins de même cépage et de même appellation, mais provenant chacun d'un *climat* différent ; ou encore, à juger deux vins de même cépage et de même *climat*, mais d'années différentes. Ainsi, en Bourgogne, deux notions reviennent en permanence en matière de dégustation : le cru, ou *climat*, et le millésime, auxquels s'ajoute bien sûr la « touche » personnelle du propriétaire qui les présente. Du point de vue technique, le vigneron bourguignon est très attaché au maintien des usages et traditions, ce qui ne signifie pas un refus absolu de la modernisation. C'est ainsi que la mécanisation de la viticulture se développe et que de nombreux vinificateurs ont su tirer profit de nouveaux matériels ou de nouvelles techniques. Il est toutefois des traditions qui ne sauraient être remises en cause aussi bien par les viticulteurs que par les négociants : l'un des meilleurs exemples en est l'élevage des vins en fût de chêne.

On recense environ 3 500 domaines vivant uniquement de la vigne. Ils exploitent les deux tiers des 24 000 ha de vignes plantées en appellation d'origine. Dix-neuf coopératives sont répertoriées ; le mouvement est très actif en Chablisien, en Côte chalonnaise et surtout dans le Mâconnais (13 caves). Elles produisent environ 25 % des volumes de vin. Les négociants-éleveurs jouent un grand rôle depuis le XVIII[e]s. Ils commercialisent plus de 60 % de la production et détiennent plus de 35 % de la surface totale des grands crus de la Côte de Beaune. Avec ses domaines, le négoce produit 8 % de la récolte totale bourguignonne. Celle-ci représente en moyenne 180 millions de bouteilles (105 en blanc, 75 en rouge) qui génèrent 5 milliards de chiffre d'affaires, dont 2,6 à l'exportation. Le volume global des appellations représente environ 3 000 000 hl.

L'importance de l'élevage (conduite d'un vin depuis sa prime jeunesse jusqu'à son optimal qualitatif avant la mise en bouteilles) met en évidence le rôle du négociant-éleveur : outre sa responsabilité commerciale, il assume une responsabilité technique. On comprend donc qu'une relation professionnelle harmonieuse se soit créée entre la viticulture et le négoce.

Le Bureau interprofessionnel des vins de Bourgogne (BIVB) possède trois « antennes » : Mâcon, Beaune et Chablis. Le BIVB met en œuvre des actions dans les domaines technique, économique et promotionnel. L'université de Bourgogne a été le premier établissement en France, du moins au niveau universitaire, à dispenser des enseignements d'œnologie et à créer un diplôme de technicien, en 1934, en même temps qu'était fondée la prestigieuse confrérie des Chevaliers du Tastevin, qui fait tant pour le rayonnement et le prestige universel des vins de Bourgogne. Siégeant au château du Clos-Vougeot, elle contribue avec d'autres confréries locales à maintenir vivaces les traditions. L'une des plus brillantes est sans conteste la vente des hospices de Beaune, créée en 1851, rendez-vous de l'élite internationale du vin et « Bourse » des cours de référence des grands crus ; avec le chapitre de la confrérie et la « Paulée » de Meursault, la vente est l'une des « Trois Glorieuses ». Mais c'est à travers toute la Bourgogne que l'on sait fêter joyeusement le vin, devant quelque « pièce » (228 litres) ou bouteille. Il n'en faut d'ailleurs pas tant pour aimer la Bourgogne et ses vins : n'est-elle pas tout simplement « un pays que l'on peut emporter dans son verre » ?

Les appellations régionales bourgogne

Les appellations régionales bourgogne, bourgogne grand ordinaire et leurs satellites ou homologues couvrent l'aire de production la plus vaste de la Bourgogne viticole. Elles peuvent être produites dans les communes traditionnellement viticoles des départements de l'Yonne, de la Côte-d'Or, de la Saône-et-Loire, et dans le canton de Villefranche-sur-Saône, dans le Rhône. En 2001, elles représentent un volume de 534 976 hl.

La codification des usages, et plus particulièrement la définition des terroirs par la délimitation parcellaire, a conduit à une hiérarchie au sein des appellations régionales. L'appellation bourgogne grand ordinaire est la plus générale, la plus extensive par l'aire délimitée. Avec un encépagement plus spécifique, on récolte dans les mêmes lieux le bourgogne aligoté, le bourgogne passetoutgrain et le crémant de bourgogne.

Bourgogne

L'aire de production de cette appellation est assez vaste, si l'on considère les adjonctions possibles de différents noms de sous-régions (Hautes-Côtes, Côte chalonnaise) ou de villages (Irancy, Chitry, Epineuil) qui constituent chacun une entité à part, et sont présentés ici comme tels. Il n'est pas étonnant qu'en raison de l'étendue de cette appellation les producteurs aient cherché à personnaliser leurs vins et à convaincre le législateur d'en préciser l'origine. Dans le Châtillonnais, en Côte-d'Or, le nom de Massingy a été utilisé, mais ce vignoble a quasiment disparu. Plus récemment, et de manière continue, les viticulteurs utilisent le nom de village et l'ont ajouté à l'appellation bourgogne, sur les coteaux de l'Yonne. C'est le cas de Saint-Bris, de Côtes d'Auxerre, sur la rive droite, et de Coulanges-la-Vineuse, sur la rive gauche.

Les bourgognes blancs sont produits à partir du cépage chardonnay, encore appelé beaunois dans l'Yonne. Le pinot blanc, bien que cité dans le texte de définition et autrefois un peu plus cultivé dans les hautes côtes de la Bourgogne, a pratiquement disparu. Il est d'ailleurs très souvent confondu, du moins par le nom, avec le chardonnay.

En rouge et rosé, le pinot noir est roi. Le pinot beurot a malheureusement presque disparu en raison de sa carence en matières colorantes ; il apportait aux vins rouges une finesse remarquable. Certaines années, les volumes déclarés peuvent être augmentés de volumes issus du « repli » des appellations communales du Beaujolais : brouilly, côte-de-brouilly, chénas, chiroubles, fleurie, juliénas, morgon, moulin à vent et saint-amour. Ces vins sont alors issus du cépage gamay noir seul, et ont ainsi un caractère différent. Les vins rosés, dont les volumes augmentent un peu les années de maturité difficile ou de fort développement de la pourriture grise, peuvent être déclarés sous l'appellation bourgogne rosé ou bourgogne clairet.

Pour ajouter à la difficulté, on trouvera des étiquettes portant, en plus de l'appellation bourgogne, le nom du lieu-dit sur lequel a été produit le vin. Quelques vignobles anciens et réputés justifient aujourd'hui cette pratique ; c'est le cas du Chapitre à Chenôve, des Montreculs, vestiges du vignoble dijonnais envahi par l'urbanisation, ainsi que de la Chapelle-Notre-Dame à Serrigny. Pour les autres, ils créent souvent une confusion avec les premiers crus et ne se justifient pas toujours.

DOM. DE L'ABBAYE DU PETIT QUINCY
Epineuil Côte de Grisey Cuvée Réserve 2000★

| ■ | 2 ha | 10 000 | ▮▯↓ | 8 à 11 € |

Sur ce domaine subsistent des vestiges de l'ancienne abbaye cistercienne de Quincy, fondée en 1212. *Dies hominis sicut umbra praetereunt*, lit-on sur le cadran solaire de l'église d'Epineuil. Les jours de l'homme ressemblent en effet à l'ombre qui passe. Il n'en sera pas de même pour les jours de ce vin, pendant un à deux ans à tout le moins. Rouge intense, le nez pénétré de senteurs animales et fruitées, il cède en milieu de bouche à un rien d'ardeur tannique mais il va trouver son moelleux. Typique du Tonnerrois, il est bien dans ses bottes. Le rosé d'Epineuil 2001 (5 à 8 €) obtient une citation.

↖ Dominique Gruhier, rue du Clos-de-Quincy, 89700 Epineuil, tél. 03.86.55.32.51, fax 03.86.55.32.50, e-mail dominique.gruhier@libertysurf.fr ☑ ⵜ t.l.j. sf dim. 9h-18h ; dim. sur r.-v.

DOM. GUY AMIOT ET FILS 2000★

| | 0,5 ha | 4 000 | ▮▯↓ | 5 à 8 € |

A Chassagne, on sait ce que le chardonnay peut donner de mieux quand il obéit à des règles affectueuses mais sévères. Le bois s'exprime ici par la vanille et les épices douces, mais il se fond avec la pomme et le miel. Au nez, toujours le miel associé à la poire. Le gras enrobe l'acidité et l'on est en présence d'un vin à la typicité très honorable. Si vous l'ouvrez jeune, carafez-le.

↖ Dom. Guy Amiot et Fils, 13, rue du Grand-Puits, 21190 Chassagne-Montrachet, tél. 03.80.21.38.62, fax 03.80.21.90.80, e-mail domaine.amiotguyetfils@wanadoo.fr ☑ ⵜ r.-v.

CHRISTOPHE AUGUSTE
Coulanges-la-Vineuse Cuvée Millésime
Fût de chêne 2000★★

| ■ | 14 ha | 70 000 | ▮▯ | 5 à 8 € |

L'unanimité du jury s'est faite autour de ce coup de cœur. La cuvée Millésime 2000 ne rate pas son entrée dans le siècle : sans doute ne sera-t-elle pas centenaire, mais ce vin rond et charmeur est réellement délicieux. Fruité (cerise) et très délicatement boisé, d'un beau rouge vif, il est d'un fondu savoureux. Rien n'accroche au passage, et pourtant il ne manque ni de caractère ni de profondeur.

↖ Christophe Auguste, 55, rue André-Vildieu, 89580 Coulanges-la-Vineuse, tél. 03.86.42.35.04, fax 03.86.42.51.81 ☑ ⵜ r.-v.

CHRISTOPHE AUGUSTE
Côtes d'Auxerre 2000★

| ■ | 1,7 ha | 12 000 | ▮↓ | 5 à 8 € |

Exemple réussi d'un vin de cuve mettant en valeur le cépage, le terroir, sans appeler le chêne à la rescousse. Sa richesse n'est pas soumise à l'impôt sur la fortune, mais c'est un vrai pinot noir de l'Yonne. « Icaunais » pour parler comme par ici. Equilibrée et précise, la touche fruitée est fort bien jouée. A servir dans l'année.

↖ Christophe Auguste, 55, rue André-Vildieu, 89580 Coulanges-la-Vineuse, tél. 03.86.42.35.04, fax 03.86.42.51.81 ☑ ⵜ r.-v.

CAVES DE BAILLY
Chitry 2000

	n.c.	11 500		3 à 5 €

Produit par les Caves de Bailly réputées pour leur crémant (un groupement de producteurs), ce Chitry or blanc réussit à convaincre dès l'épreuve olfactive. Les arômes du chardonnay s'expriment de façon vive et légère sur des accents minéraux puis floraux. Parvenu à sa maturité, il possède du caractère.
➥ Caves de Bailly, hameau de Bailly,
BP 3, 89530 Saint-Bris-le-Vineux,
tél. 03.86.53.77.77, fax 03.86.53.80.94,
e-mail home@caves-bailly.com ☑ ⅄ r.-v.

JEAN-BAPTISTE BÉJOT 2000

	n.c.	15 000	5 à 8 €

Plus que centenaire (fondée en 1891), cette maison de négoce-éleveur signe un chardonnay d'une brillance correcte. Il partage son bouquet en deux étapes successives : la première très amande grillée, la seconde sur les agrumes. Un peu vif peut-être, mais on aime ces vins qui ont du punch. D'autant que le miel, le pamplemousse assurent la qualité de l'accueil en bouche.
➥ SA Jean-Baptiste Béjot, 21190 Meursault,
tél. 03.80.21.22.45, fax 03.80.21.28.05

BERSAN ET FILS
Côtes d'Auxerre Cuvée Louis Bersan 1999★★★

	2 ha	10 000		5 à 8 €

Le « best of », le coup de cœur. Le cri du cœur en Auxerrois. La cuvée Louis Bersan 99 remporte tous les suffrages en blanc et notez que d'autres échantillons présentés par ce producteur sont également bien placés. Les cuvées principales en **bourgogne côtes d'Auxerre 2000 blanc** ainsi que **rouge** reçoivent chacune une étoile. On a tourné ici un épisode de la série-télé *Une femme d'honneur* et Corinne Touzet y a goûté le vin sans son uniforme de gendarme. Revenons à notre coup de cœur : un chardonnay qui a plusieurs longueurs d'avance sur nombre de chablis. Il en possède toutes les qualités de robe, de bouquet et de palais.
➥ GAEC Bersan et Fils, 20, rue du Dr-Tardieux, 89530 Saint-Bris-le-Vineux, tél. 03.86.53.33.73, fax 03.86.53.38.45 ⅄ r.-v.

BONS BATONS 2000★

	0,63 ha	5 400		5 à 8 €

Ces viticulteurs viennent d'entreprendre une activité de négoce-éleveur (2001) par achat de raisins, notamment dans des appellations complémentaires. Ils nous présentent ici leur propre production. D'une couleur vraiment

authentique, le nez un peu hésitant au départ puis fixé sur le cassis, voici un vin très goûteux. Structuré et assez complexe, il repose sur le fruit, toujours cassis avec une pointe vanillée. Bourgogne de bon niveau.
➥ Dom. Michèle et Patrice Rion,
1, rue de la Maladière, 21700 Premeaux,
tél. 03.80.62.32.63, fax 03.80.62.49.63,
e-mail patrice.rion@wanadoo.fr ☑ ⅄ r.-v.

DOM. BORGNAT
Coulanges-la-Vineuse Tête de cuvée 1999★

	3,78 ha	18 000		5 à 8 €

Cette ferme fortifiée du XVIIᵉs. occupe un site réellement viticole depuis l'époque gallo-romaine. Les fouilles d'Escolives (près d'Auxerre) ont mis au jour, notamment, un motif sculpté où figure la vigne. Quant à ce 99, sa couleur cerise n'est pas très intense. Puissant et vif, vineux, rond, agréable et assez long, ce vin discret malgré son tonus peut être attendu un à deux ans.
➥ EARL Dom. Benjamin Borgnat, 1, rue de l'Eglise, 89290 Escolives-Sainte-Camille, tél. 03.86.53.35.28, fax 03.86.53.65.00, e-mail domaineborgnat@wanadoo.fr ☑ 🏠 ⅄ t.l.j. sf dim. 8h-12h 14h-18h

CELINE BOUDARD-COTE 1999

	1,3 ha	10 000		5 à 8 €

Céline Boudard-Coté travaille seule sur le domaine familial (2 ha) repris en 1999. Ce millésime a souvent donné dans l'Yonne des vins peu intenses et légers. Tel n'est pas le cas ici. Sans doute se fait-on tout simplement plaisir : bien limpide et d'un jaune frais, un vin aux arômes de coing. La bouche assure le suivi sur une ligne assez vive qui prend en finale de l'ampleur, du volume.
➥ Céline Boudard-Coté, Les Noirots,
Vaulicheres, 89700 Molosmes,
tél. 03.86.55.08.91, fax 03.86.55.13.47 ☑ ⅄ r.-v.

RENE BOURGEON
Les Pourrières 2000★

	n.c.	n.c.		5 à 8 €

Carmin intense, ce jeune pinot noir de la Côte chalonnaise fait honneur à l'appellation régionale. Peu de nez encore il est vrai : seules quelques baies (myrtille) composent un bouquet ascendant. L'entrée en bouche est assez pleine, suivie d'une constitution dense et complexe, jusqu'à la finale chocolatée. Pour l'heure un peu ferme, le vin est droit dans ses bottes et on peut lui faire confiance pour demain et même après-demain.
➥ GAEC René Bourgeon, 2, rue du Chapitre,
71640 Jambles, tél. 03.85.44.35.85, fax 03.85.44.57.80 ☑ ⅄ r.-v.

DOM. JEAN-MARIE BOUZEREAU 1999★

	1 ha	6 500		8 à 11 €

Un « simple » bourgogne produit à Meursault ou dans ses environs immédiats n'est jamais simple ; il a souvent quelque chose en plus. Ici, une bouteille or vert pâle aux discrets parfums floraux. Tendre, jeune, souple, un vin de bon terroir bien élevé et dont la finale laisse un bon souvenir. Digne d'une volaille à la crème.
➥ Jean-Marie Bouzereau,
5, rue de la Planche Meunière, 21190 Meursault,
tél. 03.80.21.62.41, fax 03.80.21.24.39 ☑ ⅄ r.-v.

JEAN-MARC BROCARD
Jurassique 2001★★

	n.c.	68 000	🍶	5 à 8 €

Marquis de Carabas du Chablisien, Jean-Marc Brocard règne sur 100 ha alors qu'il n'est parti de rien il y a trente ans. Imaginatif, il a conçu une gamme « géologique » dont il propose les fruits. **Kimméridgien blanc 2001** obtient une citation, alors que cette cuvée Jurassique est une étonnante réussite sur ce millésime 2001 difficile. D'un œil parfait, d'un nez bouton de rose sur fond iodé, d'un corps vif et fruité, voici un vin aimable et apaisé.
🍷 SARL Jean-Marc Brocard, rte de Chablis, 89800 Préhy, tél. 03.86.41.49.00, fax 03.86.41.49.09, e-mail info@brocard.fr 🗹 ⌂ Ⱶ r.-v.

J.-J. ET A.-C. BROSSOLETTE
Epineuil 2000★

	0,3 ha	1000	🍶 ⬙	5 à 8 €

Domaine de 6 ha dans un village rendu célèbre par le plus ancien monastère bourguignon érigé au VIᵉ s. L'histoire ne dit pas si cette communauté avait été attirée ici par la vigne... Rouge allégé, ce 2000 possède un bouquet très fruité (cassis) sur une pointe animale. Habituel en Tonnerrois. Sa bouche est avenante, dépourvue d'agressivité tannique, souple et ronde. On s'accorde à le juger plaisant.
🍷 J.-J. et A.-C. Brossolette, 6, Grande-Rue, 10210 Prusy, tél. 03.25.70.02.94, fax 03.25.70.59.81 🗹 Ⱶ t.l.j. 8h-20h

PASCAL BRULE
Vézelay Le Clos 2000★

	0,45 ha	3 000	🍶	5 à 8 €

Vigne reprise en fermage en 2000, sur l'illustre colline. Ce chardonnay sympathique, or pâle et limpide, offre des nuances odorantes agréables, autour du silex, de l'aubépine. La première bouche est plaisante, fleurie, la suite plus discrète. Une terrine de lotte s'en accommodera.
🍷 Pascal Brulé, 2, rue de Vézelay, 89270 Sacy, tél. 03.86.81.66.13 🗹 ⌂ Ⱶ r.-v.

MARIE-CLAUDE CABOT
Epineuil 1999★

	3,5 ha	12 000	🍶 ⬙	5 à 8 €

Pour fêter les dix ans de l'appellation bourgogne Epineuil officiellement instituée en 1993, voici une bouteille à la hauteur du sujet, issue d'un domaine de 6 ha. Marie-Claude Cabot a rénové sur les hauteurs d'Epineuil une vieille ferme tombée en ruine, aujourd'hui le domaine de Bellevue, et plantant dès 1983 son premier hectare. Ce 99 ? Violacé, charpenté, il chante les petits fruits et il durera au moins trois ans. Plein d'avenir à cette échéance. En revanche, son **bourgogne Epineuil rosé 2000**, très réussi également, devra être servi en 2003.
🍷 Marie-Claude Cabot, Dom. de Bellevue, 89700 Epineuil, tél. 03.86.55.20.74, fax 03.86.55.33.16 🗹 Ⱶ t.l.j. 8h30-19h

DOM. CAMU FRERES
Vézelay 2000★

	5,76 ha	12 000	🍶	5 à 8 €

Domaine acquis récemment (1999) : ses vignes (5,7 ha de chardonnay, en particulier) bénéficient sûrement des faveurs du Ciel. Ne contemplent-elles pas la merveilleuse basilique ? On retrouve d'ailleurs dans le verre quelque chose de sa lumière intérieure, tandis que le bouquet se partage entre alcool et brioche. Bonne attaque un peu abricotée. Très agréable, il pourra être attendu un an ou deux. Il aura alors pris de l'altitude.
🍷 Dom. Camu Frères, Le Clos, 89450 Vézelay, tél. 03.86.32.35.66, fax 03.86.32.35.91 🗹 Ⱶ r.-v.

DOM. CAPUANO-FERRERI ET FILS 2000

	n.c.	n.c.	⬙	5 à 8 €

Sans doute le seul viticulteur bourguignon à porter ce prénom : John. Son pinot noir revêt une robe assez légère mais bien découpée. Il respire des parfums animaux et cassissés, alors qu'au palais il se montre tendre, assez rond, ses arômes se développant à l'aération. Il a du caractère et pourra être servi dès cette année car il est à point.
🍷 John Capuano, 14, rue Chauchien, 21590 Santenay, tél. 03.80.20.64.12, fax 03.80.20.65.75 🗹 Ⱶ r.-v.

DOM. MARGUERITE CARILLON 2000

	2,5 ha	15 000	🍶 ⬙	5 à 8 €

Quels sont ses atouts ? Une robe grenat sortie d'une boutique chic. Un bouquet entreprenant, qui gagne en nuances à l'aération, pour chanter la violette (l'un des arômes floraux les plus classiques du pinot noir bourguignon). Sa petite vivacité épouse des tanins équilibrés, pour donner un vin délicat et distingué, un tantinet évolué et qu'on pourrait apprécier avec des biscuits à la cuiller le dimanche après-midi quand les autres prennent le thé.
🍷 Dom. Marguerite Carillon, 7, rte de Monthélie, 21190 Meursault, tél. 03.80.21.22.45, fax 03.80.21.28.05

MADAME EDMOND CHALMEAU
Chitry 2000★

	1,51 ha	14 000	🍶	5 à 8 €

Chitry-le-Fort se consacre surtout au chardonnay. Avec raison, et Sébastien qui arrive sur l'exploitation tout frais émoulu de la Viti de Beaune entend bien maintenir le flambeau. Jaune très clair, un 2000 au bouquet très ouvert et assez complexe sur le miel et les agrumes. Son gras, son volume sont bien relayés par l'acidité. Sa minéralité signe et persiste longuement.
🍷 Madame Edmond Chalmeau, 20, rue du Ruisseau, 89530 Chitry-le-Fort, tél. 03.86.41.42.09, fax 03.86.41.46.84 🗹 Ⱶ r.-v.

LES CHAMPS DE L'ABBAYE 2000

	0,7 ha	4 000	⬙	8 à 11 €

Isabelle et Alain Hasard ne font pas état de dix générations ancrées dans la vigne. Ils ont tout simplement adopté la nationalité bourguignonne, par amour du pinot noir qu'ils cultivent en biodynamie depuis 1999. Celui-ci le leur rend bien. Un peu de patience et le brûlé du fût s'estompera. La bouche présente une rusticité aimable et de bon aloi, dans l'esprit du Couchois au nord de la Saône-et-Loire. La robe est de bonne composition et le bouquet assez réaliste (épices et cassis frais).
🍷 Alain Hasard, Les Champs de l'Abbaye, 3, pl. de l'Abbaye, 71510 Saint-Sernin-du-Plain, tél. 03.85.45.59.32, fax 03.85.45.59.32 🗹 Ⱶ r.-v.

BOURGOGNE DU CHAPITRE 1999★

	n.c.	15 000	⬙	5 à 8 €

La maison Jaffelin possède les vénérables caves des chanoines de Beaune (le Chapitre). Or clair, cette bouteille a toute l'onction nécessaire. Etre élevé rue Paradis à

Beaune laisse des traces : tout miel et aubépine, le bouquet est bien typé de même que le palais riche, gras, exprimant d'intenses arômes.

↬ Maison Jaffelin, 2, rue Paradis, 21200 Beaune, tél. 03.80.22.12.49, fax 03.80.24.91.87

DOM. PHILIPPE CHARLOPIN-PARIZOT
Cuvée Prestige 1999★★

■	n.c.	n.c.	◫ 8 à 11 €

Pourpre sombre, couleur d'encre, ce bourgogne garde une fraîcheur aromatique assez exceptionnelle. Et quelle pièce en cinq actes ! A la mûre et à la myrtille succèdent la truffe, le cuir, la fourrure. « On pourrait en écrire des pages », note un juré. La bouche ? Tout bonnement éblouissante sous une charpente d'abbatiale bénédictine. Habitué de nos coups de cœur, Philippe Charlopin prendra avec philosophie la conclusion du jury : « presque trop beau ! ».

↬ Philippe Charlopin, 18, rte de Dijon, 21220 Gevrey-Chambertin, tél. 03.80.51.81.18, fax 03.80.51.81.27 ⵣ r.-v.

DOM. CHAUMONT PERE ET FILS 2000

■	1 ha	3 200	▯ 5 à 8 €

Pinot noir d'une bonne brillance et aux larmes généreuses. Il nous vient de la Bourgogne du Sud. Certes, il demande à s'ouvrir mais déjà son bouquet bourgeon de cassis et sa bouche très plaisante s'expriment avec ardeur. Le style « vin de plaisir » sur des arômes de fruits cuits.

↬ Dom. Chaumont Père et Fils, Le Clos Saint-Georges, 71640 Saint-Jean-de-Vaux, tél. 03.85.45.13.77, fax 03.85.45.27.77, e-mail didierchaumont@aol.com ☑ ⵣ r.-v.

CH. CLOS DE VAULICHERES 2000★★

	4 ha	25 000	◫ 5 à 8 €

Ancienne propriété de la famille Clermont-Tonnerre (le château d'Ancy-le-Franc), un château et un clos repris en 1992 par un amateur passionné devenu bon professionnel. Pour un 2000 d'une complexité émouvante. Le jaune est mordoré. Le fruit est flatteur (agrumes, mandarine) jusqu'à une prise de bouche fraîche et mentholée qui vous enveloppe l'affaire. Cette jeunesse vivra deux à trois ans en plein assaut de vie.

↬ Château Clos de Vaulichères, 89700 Tonnerre, tél. 03.86.55.02.74, fax 03.86.55.37.57, e-mail infos@vaulicheres.com
☑ ▦ ⵣ t.l.j. 8h-12h 13h30-18h30
↬ Olivier Refait

LES CŒURIOTS
Vézelay 2000★★

	12,13 ha	40 000	▮ 5 à 8 €

Cave coopérative fondée en 1989 et qui vinifie près de 50 ha. Cette cuvée de chardonnay se présente sous une étiquette très « tendance ». C'est un bon vin, dans les parages du coup de cœur, typé minéral et fleur blanche sous une robe un peu dorée, friande. Le passage en bouche fait impression, avec de jolies notes de citron et de pêche sur la fin. Une bouteille qui restera debout deux à trois ans sans problème.

↬ Cave Henry de Vezelay, rte de Nanchevres, 89450 Saint-Père, tél. 03.86.33.29.62, fax 03.86.33.35.03
☑ ⵣ t.l.j. 8h-12h 14h-18h

DOM. FRANCOIS COLLIN
Epineuil Les Bas Fauconniers 1999★★

■	0,5 ha	3 000	▮◫ 8 à 11 €

Un coup de cœur en Epineuil, cela s'arrose. Et pourquoi pas en débouchant ce 99 ? Rouge violacé, sa robe a belle allure. Le nez a un accent bourguignon prononcé, avec quelques notes de fumé. La bouche est déjà bien fondue, sur de jolis tanins. Le tout enveloppé d'une bonne rondeur. Un pinot de plaisir que l'on pourrait faire entrer au musée Grévin du...vin. Alfred était en effet un enfant du pays. Quant à François Collin, c'est un des pionniers de la renaissance du vignoble tonnerrois dans l'Yonne au début des années 1980.

↬ François Collin, Les Mulots, 89700 Tonnerre, tél. 03.86.75.93.84, fax 03.86.75.94.00, e-mail françois.collin@wanadoo.fr ☑ r.-v.

FRANÇOIS CONFURON-GINDRE 1999★

■	3 ha	4 500	◫ 5 à 8 €

Bourgogne rouge venu de Vosne-Romanée. Sa couleur est insistante, marquée par une note violacée signant sa jeunesse. Ses arômes de fruits un peu mûrs où domine la cerise chantent tout au long de la dégustation sans que le fût l'emporte. Equilibré, étoffé, il demande à évoluer deux ou trois ans en cave.

↬ François Confuron, 2, rue de la Tache, 21700 Vosne-Romanée, tél. 03.80.61.20.84, fax 03.80.62.31.29 ☑ ⵣ r.-v.

COTEAU DE LA FONTAINE AUX FEES 2000★

	0,25 ha	800	◫ 8 à 11 €

C'est le maire de Talant qui va être content ! Sa vigne communale (dont il offre généreusement le vin chaque année à ses administrés) fait son entrée dans ce Guide. Le lieu-dit Fontaine-aux-Fées est réellement celui du cadastre et le métayer de la ville est le neveu de Jean Dubois qui a maintenu le dernier domaine de l'agglomération dijonnaise, Chenôve excepté. Son **bourgogne rouge 2000 du Plateau de La Cras (5 à 8 €)** mérite d'être cité. Quant à cette dernière vigne de Talant (qui occupait 240 ha en 1900), son vin n'est pas seulement une curiosité : un chardonnay légèrement doré, souple, un peu vif en finale et vinifié avec soin.

↬ EARL Jean Dubois, Dom. de La Cras, 21370 Plombières-lès-Dijon, tél. 03.80.41.70.95, fax 03.80.59.13.96 ☑ ⵣ r.-v.

JOCELYNE ET PHILIPPE DEFRANCE 2000★

■	0,5 ha	3 800	▮ 5 à 8 €

Ces polyculteurs ont décidé de se consacrer entièrement à la vigne il y a près de vingt-cinq ans. Fraîcheur et

vivacité font tout le charme de ce rosé de saignée, d'une belle couleur groseille. Son nez d'agrumes et sa bouche joyeuse chantent une musique d'Offenbach.
🐦 Philippe Defrance, 5, rue du Four,
89530 Saint-Bris-le-Vineux, tél. 03.86.53.39.04,
fax 03.86.53.66.46 ☑ ☥ r.-v.

ROGER DELALOGE 2000★★

| | 0,5 ha | 3 000 | 🍶 | 5 à 8 € |

Légèrement saumonée, sa robe est pudique. Son bouquet tire sur la pêche blanche. Sa bouche trouve le juste ton, enchante par sa fraîcheur et jouit d'une jeunesse épanouie. Vin à tenter sur une entrée ou un plat mettant en scène certains poissons grillés.
🐦 Roger Delaloge, 1, ruelle du Milieu, 89290 Irancy, tél. 03.86.42.20.94, fax 03.86.42.33.40 ☑ ☥ r.-v.

DOM. DESERTAUX-FERRAND 2000★

| | 2,32 ha | 11 500 | 🍶🍷 | 5 à 8 € |

Un bon vin mutin qui commence à s'exprimer sur un plaisant fruité (kirsch, framboise) suivi comme à la trace du premier coup de nez jusqu'au fin fond de l'arrière-bouche. D'une teinte satisfaisante, légèrement épicé, suffisamment acide, il est charnu et assez charmeur. A déguster dans les temps qui viennent sans attendre trop longtemps sur des œufs en meurette ou toute viande blanche.
🐦 Dom. Desertaux-Ferrand, 135, Grande-Rue,
21700 Corgoloin, tél. 03.80.62.98.40,
fax 03.80.62.70.32, e-mail desertaux@erb.com ☑ ☥ r.-v.

DOM. GUY DIDIER 2000★★

| | 1,2 ha | 7 500 | 🍶🍷 | 5 à 8 € |

Un lapin à la moutarde ne dira pas non si on lui fixe un rendez-vous gourmand avec cet excellent bourgogne rouge. On voit tout de suite, à son intensité colorante, qu'il n'est pas là pour faire de la figuration. Fruits rouges et sous-bois esquissent le profil futur d'un bouquet encore discret. Sa bouche complète, structurée, son gras inspirent la sympathie, de même que les petits fruits en compote dont la présence est bien agréable.
🐦 Dom. Guy Didier, chem. rural n° 29,
21700 Nuits-Saint-Georges, tél. 03.80.62.42.00,
fax 03.80.61.28.13, e-mail nuicave@wanadoo.fr
☑ ☥ t.l.j. 10h-18h; f. jan.

DOUDET-NAUDIN
Cuvée Anniversaire 2000★

| | 2,09 ha | 7 500 | 🍷 | 5 à 8 € |

Bon anniversaire ! Cette cuvée célèbre en effet les cent cinquante ans de la maison et elle se montre à la hauteur de la situation. Rubis intense, un pinot noir au nez prudent (vanille fraîche et fruits rouges). Fin et distingué, porté par une bonne acidité, les tanins très présents, un vin loyal qui reflète bien son appellation.
🐦 Doudet-Naudin, 3, rue Henri-Cyrot,
21420 Savigny-lès-Beaune, tél. 03.80.21.51.74,
fax 03.80.21.50.69, e-mail doudet-naudin@wanadoo.fr
☑ ☥ r.-v.

CH. DE DRACY
Côtes du Couchois 2000★

| | n.c. | n.c. | 🍷 | 11 à 15 € |

Bienvenue à l'appellation nouvelle qui consacre les efforts du Couchois ! Elle apparaît pour la première fois cette année. Robe griotte encore bien intense, voilà un vin

qui permet d'attendre la suite avec confiance. La prunelle, le cassis lui donnent un caractère très « Hautes-Côtes ». Il y a là du corps, du potentiel, une excellente entrée en matière.
🐦 SCA Ch. de Dracy, 71490 Dracy-lès-Couches,
tél. 03.85.49.62.13, fax 03.80.24.37.38 ☥ r.-v.
🐦 Benoît de Charette

SYLVAIN DUSSORT
Cuvée des Ormes 2000★★★

| | 1 ha | 6 000 | 🍷 | 8 à 11 € |

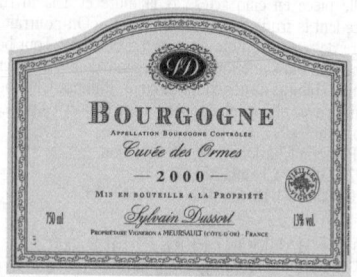

Cette cuvée des Ormes est une sélection de raisins produits par des vignes de plus de trente ans sur le territoire de Meursault. Même élevage que l'appellation *village*. Distinguée par plusieurs coups de cœur dans le passé, elle remporte cette fois encore la palme. D'un or brillant et lumineux, ce vin finement toasté, minéral, tirant sur la croûte de pain sortant tout juste du four, poursuit son chemin en bouche sur des notes de fruits jaunes qui animent un paysage enveloppé et moelleux. « Et quels beaux jambages ! » s'exclame un de nos dégustateurs.
🐦 Sylvain Dussort, 12, rue Charles-Giraud,
21190 Meursault, tél. 03.80.21.27.50,
fax 03.80.21.65.91, e-mail dussvins@aol.com ☑ ☥ r.-v.

HENRI FELETTIG 2000★★

| | 1,13 ha | 4 000 | 🍷 | 5 à 8 € |

Créé par Henri Felettig en 1969, ce domaine a été mis en GAEC avec ses enfants en 1993. Son pinot noir ressemble au tilleul plusieurs fois centenaire de Chambolle-Musigny : il a du corps et des racines profondes, un tour de taille respectable et de la rondeur. On appréciera également la concentration du bouquet à dominante cassis et la robe classique : riche et soutenue. Voisin de l'appellation *village* dont il partage les qualités.
🐦 GAEC Henri Felettig,
rue du Tilleul, 21220 Chambolle-Musigny,
tél. 03.80.62.85.09, fax 03.80.62.86.41 ☑ ☥ r.-v.

DOM. FELIX
Côtes d'Auxerre 2000★

| | 1 ha | 9 000 | 🍶 | 5 à 8 € |

On a épluché les archives et retrouvé ici des aïeux dans la vigne depuis 1690. L'époque où justement Louis XIV changeait de médecin et optait pour le bourgogne. Hervé Félix avait commencé sa vie comme fonctionnaire de l'Equipement. Il s'est vite repris et on ne s'en plaint pas. Son chardonnay, de nuance tendre et limpide, marie l'aubépine et le bourgeon de cassis en robe blanche. Un vin un peu atypique d'ailleurs (il sauvignonne, on est à Saint-Bris) mais dont la personnalité marque son territoire.

⌂ Dom. Hervé Félix, 17, rue de Paris,
89530 Saint-Bris-le-Vineux, tél. 03.86.53.33.87,
fax 03.86.53.61.64, e-mail felix@caves-particulieres.com
☑ ⋎ t.l.j. sf dim. 9h-11h30 14h-18h30

DOM. FICHET
La Fraisière 2000★★

■	1 ha	3 000	🍷 ⑪ ♦ 11 à 15 €

Ce pinot noir venu du Mâconnais (vaste domaine de
19 ha) prend place parmi les meilleurs. Cerise noire à
reflets violets, il a le nez déjà bien ouvert, partagé entre la
vanille et le cuir. D'une structure assez puissante, un 2000
encore ferme et dont le fruit rouge évolue en finale vers le
fruit à l'eau-de-vie. Ses tanins vont s'adoucir et l'on aura
une magnifique bouteille d'ici un à deux ans. La Fraisière
est un nom de fantaisie signalant la meilleure cuvée du
producteur.
⌂ Dom. Fichet, Le Martoret, 71960 Igé,
tél. 03.85.33.30.46, fax 03.85.33.44.55,
e-mail olivier.fichet@wanadoo.fr ☑ ⋎ r.-v.

CAVEAU DES FONTENILLES
Cuvée Marguerite des Fontenilles 2000★★

	15 ha	4 700	⑪ 5 à 8 €

Etre finaliste du coup de cœur vous pose dans la vie.
Le vigneron a su tirer ici l'expression juste d'un beau
terroir et d'un millésime 2000 très généreux (mais pas
partout). Robe aimable sur une tonalité classique, nez
minéral et d'aubépine sur un arrière-parfum épicé, ampleur et continuité : un vin juste et précis, dont une légère
acidité tempère le gras.
⌂ Caveau des Fontenilles,
pl. Marguerite-de-Bourgogne, 89700 Tonnerre,
tél. 03.86.55.06.33, fax 03.86.55.10.43,
e-mail cavefont@aoc.com ☑ ⋎ t.l.j. 9h30-12h
14h30-19h; dim. lun. sur r.-v.

CAVEAU DES FONTENILLES
Cuvée Marguerite des Fontenilles 2000★

■	10 ha	15 000	⑪ 5 à 8 €

La renaissance du vignoble tonnerrois est due à des
initiatives comme celle-ci. Elle donne, loin de ses berceaux
les plus habituels, un bourgogne à la robe impériale. Petite
note de réduction, mais le nez a de quoi dire : réglisse, boisé
fin et cerise. En bouche, tout est soutenu et souple. Du vin
bien travaillé, représentatif de l'appellation autant qu'en
Côte de Nuits ou de Beaune. Belle impression également
de la **cuvée Prestige 2000 rouge (11 à 15 €)** qui obtient
la même note.
⌂ Caveau des Fontenilles,
pl. Marguerite-de-Bourgogne, 89700 Tonnerre,
tél. 03.86.55.06.33, fax 03.86.55.10.43,
e-mail cavefont@aoc.com
☑ ⋎ t.l.j. 9h30-12h 14h30-19h; dim. lun. sur r.-v.

DOM. GADANT ET FRANÇOIS
Côtes du Couchois 2000

■	0,31 ha	2 430	⑪ 5 à 8 €

2000, premier millésime de l'appellation. Cette bouteille contient du vin, rien de plus sûr ! Vif, rude, mais tout
à fait dans l'esprit du « pays ». Jolie couleur, nez discret,
il semble né pour accompagner le bœuf bourguignon.
⌂ Dom. Gadant et François, GAEC Le Clos Voyen,
71490 Saint-Maurice-lès-Couches, tél. 03.85.49.66.54,
fax 03.85.49.60.62 ☑ ⋎ t.l.j. 8h-11h30 14h-18h

ALEX GAMBAL
Cuvée Prestige 2000★

	0,24 ha	2 085	⑪ 8 à 11 €

Il s'inscrit bien dans le millésime sous son maillot
jaune citron qui révèle ses ambitions dans la course. Pierre
à fusil et acacia, ses arômes recherchent l'authenticité.
Frais et vif, il pousse en bouche une belle pointe de vitesse,
confirmée par une longue persistance aromatique. Il n'a
pas fallu longtemps pour que le géniteur de ce vin, enfant
du Massachusetts, devienne un vrai Bourguignon.
⌂ Maison Alex Gambal, 4, rue Jacques-Vincent,
21200 Beaune, tél. 03.80.22.75.81, fax 03.80.22.21.66,
e-mail alex@alexgambal.com ☑ ⋎ r.-v.

ANNE ET ARNAUD GOISOT
Côtes d'Auxerre 2000★

	2 ha	15 000	🍷 ♦ 5 à 8 €

Une certaine générosité émane de ce chardonnay de
bonne compagnie. D'une teinte nuancée, il allie le beurre
frais et le fruit mûr au sein d'un bouquet très large d'esprit.
Sa bouche est dans la logique du nez, l'acidité s'exprimant
à bon escient. Finale minérale. **La version rouge du
millésime** est assez gourmande et obtient une citation.
⌂ Dom. Anne et Arnaud Goisot, 4 bis, rte de
Champs, 89530 Saint-Bris-le-Vineux, tél. 03.86.53.32.15,
fax 03.86.53.64.22 ☑ ⋎ t.l.j. sf dim. 8h-12h 13h30-19h

GHISLAINE ET JEAN-HUGUES GOISOT
Côtes d'Auxerre Corps de Garde 2000★★

	2,5 ha	15 000	⑪ 5 à 8 €

Nous voici au corps de garde. On goûte et on regoûte
le 2000 en blanc et en **rouge**. On reste au sommet dans les
deux couleurs. On parle ici du blanc d'un gras, d'un
capiteux très présents dont on ne se lasse pas. Le rouge
marque davantage son fût de dix-huit mois, laissant une
bouche présente et ronde qui fait plaisir. On opte pour le
blanc parce qu'il a un tout petit peu de naturel en plus.
⌂ Ghislaine et Jean-Hugues Goisot, 30, rue
Bienvenu-Martin, 89530 Saint-Bris-le-Vineux,
tél. 03.86.53.35.15, fax 03.86.53.62.03,
e-mail jhetg.goisot@cerb.cernet.fr ☑ ⋎ r.-v.

DOM. GRAND ROCHE
Côtes d'Auxerre 2001

■	1 ha	6 000	🍷 ♦ 5 à 8 €

Signé par un comptable devenu céréalier puis viticulteur en 1987, un vin d'apéritif ou de salades composées,
à boire dès à présent. Il a une jolie couleur ambrée, cuivrée.
Ses parfums préférés ? La pêche et l'abricot. Fraîcheur et
souplesse se conjuguent au gras. Ce sera en finale l'impression dominante, plus calme que mordante.
⌂ Erick Lavallée, Dom. Grand Roche, 6, rte de
Chitry, 89530 Saint-Bris-le-Vineux, tél. 03.86.53.84.07,
fax 03.86.53.88.36 ☑ ⋎ r.-v.

DOM. GROFFIER PERE ET FILS 2000★★

■	n.c.	10 500	⑪ 8 à 11 €

Cet excellent domaine de Morey-Saint-Denis signe
un bourgogne à potentiel élevé et qui peut regarder l'avenir
droit dans les yeux comme Jules, l'ancêtre, quand il
disputait Paris-Brest à vélo... Rouge intense, le nez réservé
et sans exubérance (on devine le cassis sous le fût), il offre
au palais les plus grandes satisfactions. De la rondeur, de
la tenue, quelques accents végétaux pas désagréables et
surtout une remarquable concentration. Un vrai bourgogne rouge de la Côte de Nuits.

🔭 Dom. Robert Groffier Père et Fils, 3-5, rte des Grands-Crus, 21220 Morey-Saint-Denis, tél. 03.80.34.31.53, fax 03.80.34.15.48 ☑ ⊥ r.-v.

DOM. ANNE GROS 2000

	0,17 ha	1 200	⬜ 11 à 15 €

L'ancien domaine Anne et François Gros, issu de la succession Louis Gros (1951-1963). Pour un vin fortement appuyé sur le fût. Des sensations d'agrumes réussissent cependant à se frayer un chemin parmi les senteurs de vanille. Il lui faut encore trouver son équilibre. Sa persistance est intéressante. Le chardonnay est un peu l'oiseau rare dans cette partie de la Côte de Nuits.

🔭 Dom. Anne Gros, 11, rue des Communes, 21700 Vosne-Romanée, tél. 03.80.61.07.95, fax 03.80.61.23.21 ☑

DOM. GUEUGNON-REMOND 2000★

	0,78 ha	3 000	⬜ 5 à 8 €

Coup de cœur en l'an 2001 pour ce même bourgogne né du pinot mâconnais version 98, cette petite exploitation familiale vous réserve cette fois encore une réelle satisfaction. Pas énormément de robe, mais un nez ouvert sur le fruit rouge (framboise). Ferme, élégant, le parcours en bouche est un sans-faute. Tout en délicatesse, l'ensemble révèle une structure bien maîtrisée.

🔭 Dom. Gueugnon-Remond, chem. de la Cave, 71850 Charnay-lès-Mâcon, tél. 03.85.29.23.88, fax 03.85.20.20.72 ☑ ⊥ r.-v.

JEAN-MICHEL GUILLON 1999★

	1,8 ha	12 000	🍷 5 à 8 €

Alexis Guillon vient de rejoindre son père sur le domaine. A Gevrey-Chambertin, le bourgogne rouge ne laisse pas indifférent. Témoin ce 99 rouge violet qui apparaît ample et gras, volumineux même. Pas du tout le pinot noir fluet qu'on voit parfois. Etoffé, il laisse une impression assez suave. Il est à sa place dans cette catégorie. Un petit gibier lui conviendra.

🔭 Jean-Michel Guillon, 33, rte de Beaune, 21220 Gevrey-Chambertin, tél. 03.80.51.83.98, fax 03.80.51.85.59, e-mail eurlguillon@aol.com ☑ ⛪ ⊥ r.-v.

DOM. OLIVIER GUYOT 2000★★

	3 ha	10 000	⬜ 8 à 11 €

Il a toutes les grâces et toutes les vertus, ou peu s'en faut. Une couleur bien bourguignonne, rubis foncé et riche en reflets. Un bouquet complexe et cependant accessible, friand sur une tonalité cassis. Les tanins sont présents et fondus, le corps équilibré et robuste, la persistance aromatique assez longue (framboise). Typicité garantie. On peut le boire dès à présent.

🔭 Dom. Olivier Guyot, 39, rue de Mazy, 21160 Marsannay-la-Côte, tél. 03.80.52.39.71, fax 03.80.51.17.58, e-mail domaine.guyot@libertysurf.fr ☑ ⊥ r.-v.

HEIMBOURGER PERE ET FILS 2000★

	5 ha	15 000	🍷 3 à 5 €

Le parchemin à bords roulés règne encore sur l'étiquette. Plus Bourguignon que moi, tu meurs... Ce vin d'excellente tenue se montre vif à l'œil, floral au nez (nuance de violette rencontrée plus souvent en pinot de la Côte de Nuits), souple et cohérent : un chardonnay de l'Yonne en pleine forme. Olivier a repris l'exploitation familiale en 1994 (15 ha).

🔭 Dom. Heimbourger Père et Fils, 5, rue de la Porte-de-Cravant, 89800 Saint-Cyr-les-Colons, tél. 03.86.41.40.88, fax 03.86.41.48.33, e-mail heimbourger@wanadoo.fr ☑ ⊥ t.l.j. sf dim. 10h-12h 14h-18h

HENRY FRERES 2000★

	2 ha	13 000	🍷 3 à 5 €

Deux frères associés. Leur bourgogne 2000 brille comme le Moulin Rouge. Le bouquet dans le sous-bois et la feuille de cassis ouvre encore à peine la porte. En bouche, la synthèse est excellente et tous les éléments constitutifs d'un vin réussi se trouvent réunis. Typicité parfaite maintenant ou dans les trois ans.

🔭 GAEC Henry Frères, 89800 Saint-Cyr-les-Colons, tél. 03.86.41.44.87, fax 03.86.41.41.48 ☑ ⊥ r.-v.

HENRY FRERES 2000★

	5 ha	8 000	🍷 3 à 5 €

L'or blanc a ses charmes... Le floral et le minéral leurs adeptes. Ce bourgogne produit sur une exploitation de 12 ha valorise ces valeurs sûres et, entre nous, on n'est pas très éloigné des AOC chablisiennes. A déguster cette bouteille, on en est tout de même tout proche... excepté le rapport qualité/prix très favorable ici. Courez-y vite, le bonheur est dans la vigne.

🔭 GAEC Henry Frères, 89800 Saint-Cyr-les-Colons, tél. 03.86.41.44.87, fax 03.86.41.41.48 ☑ ⊥ r.-v.

HONORE LAVIGNE
Cuvée Spéciale 2000

		n.c.	240 000	⬜ 5 à 8 €

Le vin idéal pour un « plat canaille » selon l'expression de Georges Pompidou qui en était grand amateur : bœuf aux carottes, andouille aux haricots. Rubis brillant, son bouquet hésite encore entre la groseille et la cannelle. Son acidité lui permettra de tenir bon un à deux ans. Sans doute encore un peu austère, mais son expression aromatique se développe déjà sur le kirsch. Finale assez souple. Honoré Lavigne est une marque de la maison Boisset. Celle-ci, sous son nom, a proposé un **bourgogne rouge La Marche 2000** qui obtient la même note, tout comme l'étiquette **Morin Père et Fils, Cuvée Duc de Bourgogne rouge 2000**.

🔭 Honoré Lavigne, 5, quai Dumorey, 21700 Nuits-Saint-Georges, tél. 03.80.62.61.61, fax 03.80.62.61.57, e-mail gms@boisset.fr

JEAN-LUC HOUBLIN
Coulanges-la-Vineuse Cuvée Prestige 2000

		n.c.	3 000	🍷⬜ 5 à 8 €

Le petit village de Migé a restauré son moulin à vent, ouvert au public en 1995. Comme il est à juste titre très fier de ce monument historique, ce viticulteur le fait figurer sur son étiquette. Et si le meunier dort peut-être comme le dit la chanson, ce vigneron, lui, ne s'endort pas. Son Coulanges devrait bien évoluer sur ses bases actuelles. Bien coloré, il garde ses arômes en réserve mais il attaque avec fougue et possède du potentiel.

🔭 Dom. Jean-Luc Houblin, 1, passage des Vignes, 89480 Migé, tél. 03.86.41.69.87, fax 03.86.41.71.95, e-mail houblin.fr@wanadoo.fr ⊥ r.-v.

GILLES JOURDAN
Vieilles Vignes 2000★

| ■ | 1 ha | 4 000 | ⦀ | 5 à 8 € |

Un vin de la Côte des Pierres (Comblanchien, Corgoloin) située entre Premeaux et Ladoix. Il est ici très à son aise sous sa robe pivoine. Ses arômes semblent promis à la groseille, à la framboise. Vive et franche, l'attaque ne se perd pas en manières inutiles : elle va droit au but et l'on retrouve en bouche les traits caractéristiques du nez. La longueur est honnête. Préparez les œufs en meurette.
☛ Gilles Jourdan, 114, Grande-Rue, 21700 Corgoloin, tél. 03.80.62.98.55, fax 03.80.62.98.55 ☑ ☶ r.-v.

DOM. DANIEL JUNOT 2000

| ■ | 2 ha | 13 000 | ■ | 5 à 8 € |

Gentille comme tout, l'étiquette nous invite à goûter les fruits d'un domaine de trois petits hectares qui marque la renaissance de la vigne en Tonnerrois. Ce patrimoine aurait pu disparaître à jamais. Jaune foncé, ce 2000 chardonne au nez sur la mirabelle et le miel. Ce n'est pas très très long en bouche, mais souple et sympathique, aimable et à boire dans l'année.
☛ Daniel Junot, 7, Grande-Rue, 89700 Junay, tél. 03.86.54.40.93, fax 03.86.54.40.89 ☑ ☶ r.-v.

PIERRE LABET
Vieilles vignes 2000★★

| ■ | 1 ha | n.c. | ⦀ | 8 à 11 € |

Rara avis : la devise du domaine. Ce pinot noir est-il l'oiseau rare ? Il bénéficie d'une vinification et d'un élevage à proximité immédiate du clos de vougeot du château de La Tour. Un voisinage qui donne des ailes. La robe est ici très intense, le bouquet assez franc, le boisé ne masquant pas le fruit. Vif et tannique, il appartient à la famille des bourgognes puissants et gras. Un beau vin dans la tradition, à garder un ou deux ans si possible puis à servir sur ce qui met le mieux en valeur les grands vins de Bourgogne : un rôti de bœuf accompagné d'une purée de pommes de terre (aux truffes si vous le pouvez).
☛ Dom. Pierre Labet, Clos de Vougeot, 21640 Vougeot, tél. 03.80.62.86.13, fax 03.80.62.82.72, e-mail contact@françoislabet.com ☑ ☶ t.l.j. sf mar. 10h-19h; f. 15 nov. à Pâques
☛ François Labet

DOM. LAMY-PILLOT 2000★★

| ■ | 2 ha | 12 000 | ■⦀↓ | 5 à 8 € |

Violine limpide, ce bourgogne ne souffre d'aucun excès de bois. Quel bonheur de retrouver ainsi un vieil ami : le goût du vin ! Tout pur ! Un bouquet déjà complexe. Cela sent bon le terroir. Élégant, il bénéficie cependant d'un support tannique bien présent, évoquant en finale le fruit macéré. La violette joue un second rôle intéressant. L'élevage pour moitié en cuve et pour moitié en fût offre ici un bon résultat.
☛ Dom. Lamy-Pillot, 31, rte de Santenay, 21190 Chassagne-Montrachet, tél. 03.80.21.30.52, fax 03.80.21.30.02, e-mail lamy.pillot@wanadoo.fr ☑ ☶ r.-v.

MICHEL LAROCHE
Tête de Cuvée 2000★★★

| ■ | n.c. | 240 000 | ■↓ | 5 à 8 € |

Michel Laroche joue les blancs et gagne. Quatre mains à l'ouvrage et coup de cœur pour un « simple »

bourgogne. Superbe et l'un des jurés écrit : « Le vigneron en aura-t-il encore ? ». Qu'on se rassure ! Tête de Cuvée, sous sa robe blanche aux reflets verts, un « régional » élégant, minéral et complexe, d'un fruité adorable et légèrement mentholé. La bouche est d'une discrétion merveilleuse : elle éclate de finesse, de puissance, sans en avoir l'air.
☛ Michel Laroche, L'Obédiencerie; 22, rue Louis-Bro, 89800 Chablis, tél. 03.86.42.89.28, fax 03.86.42.89.29, e-mail info@michellaroche.com ☶ r.-v.

DOM. LEMOULE
Coulanges-la-Vineuse Elevé en fût 2000

| ■ | 3 ha | 15 000 | ⦀ | 5 à 8 € |

Cette exploitation familiale de souche coulangeaise maintient une belle tradition : celle de la cerise auxerroise (la fameuse marmotte), des cerisiers (11 ha) aux côtés des vignes (15 ha). Sans compter 50 ha de céréales. Rare exemple de polyculture en 2002. On ne s'étonne pas de trouver à son vin une couleur cerise. Le fût est assez prononcé, sur un fond fruité. Il faut à l'évidence laisser cette bouteille en cave deux à trois ans.
☛ EARL Lemoule, chem. du Tuyau-des-Fontaines, 89580 Coulanges-la-Vineuse, tél. 03.86.42.26.43, fax 03.86.42.53.16 ☑ ☶ r.-v.

DOM. LEYMARIE 1999★

| ■ | 0,48 ha | 2 850 | ⦀ | 8 à 11 € |

Ce pinot noir provient d'une vigne d'un demi-hectare sur le territoire de Vougeot et à deux pas du grand cru. Sans doute n'est-ce pas du clos de vougeot, mais à vol d'oiseau... Consul de France à Namur, René Leymarie s'est beaucoup investi dans ce petit domaine belgo-bourguignon (3,8 ha en tout). Grenat brillant, son bourgogne présente de belles lettres de créance : framboise, réglisse, vanille légère attestent de ses bonnes intentions. Sa bouche n'est pas d'une complexité diplomatique, mais riche et charnue, corpulente.
☛ Dom. Leymarie-CECI, Clos du Village, 24, rue du Vieux-Château, 21640 Vougeot, tél. 03.80.62.86.06, fax 03.80.62.88.53, e-mail leymarie@skynet.be ☑ ☶ r.-v.

MICHEL LORAIN 2000

| ■ | 2 ha | 8 000 | ■↓ | 5 à 8 € |

Toque blanche et sécateur : nombreux sont les grands chefs à se sentir une âme vigneronne (Blanc, Meneau et ici Lorain). Ce pinot noir des coteaux de Joigny est à carafer. Le sommelier de la *Côte Saint-Jacques* nous lit mais il est au courant. Rubis glorieux, ce 2000 est tout à la fois tannique, structuré et riche. Si vous ne le dégustez pas chez Michel Lorain, demandez à votre épouse (ou à votre mari) de mitonner un bœuf bourguignon. L'accord sera parfait.
☛ SCEV Michel Lorain, 14, fg de Paris, 89300 Joigny, tél. 03.86.62.06.70, fax 03.86.91.49.70 ☑ ☶ r.-v.

LUCAS-POTHIER 2000★

| ■ | n.c. | 1 200 | ⦀ 5 à 8 € |

Faisons une pause saucisson-rillettes pour causer un peu avec ce rosé. Perdu parmi tous ces rouges et ces blancs, il a droit à toute votre attention car il possède une robe fraîche et charmante, printanière, type Cacharel. Derrière un nez un peu brioché, la voilà la jolie bouche comme on dit dans la chanson. Tendre et ronde, mais pleine de caractère, framboisée et d'un éclat flatteur.

🕎 Lucas-Pothier, 43, route de Beaune, 21200 Bligny-lès-Beaune, tél. 03.80.26.82.11, fax 03.80.26.82.11 ☑ ⟁ r.-v.

M DE MALTOFF
Coulanges-la-Vineuse 2000★

| ■ | 0,3 ha | 2 400 | ⦀ 8 à 11 € |

Il y avait « Y d'Yves Saint-Laurent ». Il y aura désormais M de Maltoff. En voici les débuts sur scène. Derrière un rideau rouge cerise un peu évolué, le nez partage ses élans entre la vanille et le fruit rouge. La bouche maintient ce cap et franchit sans encombre une barre de tanins bien ronds. Equilibre et persistance sont au rendez-vous. La cuvée Prestige 2000 rouge mérite un moment d'attention : elle obtient la même note.

🕎 Dom. Jean-Pierre Maltoff, 20, rue d'Aguesseau, 89580 Coulanges-la-Vineuse, tél. 03.86.42.32.48, fax 03.86.42.24.92, e-mail domainej-p.maltoff@wanadoo.fr ☑ ⟁ r.-v.

CAVE DES VIGNERONS DE MANCEY 2000★

| ■ | n.c. | 20 000 | ⦀ 5 à 8 € |

Proche de Tournus, le village de Mancey reste célèbre pour avoir, le premier en Bourgogne, sonné le tocsin à l'arrivée du phylloxéra. C'est en effet ici qu'apparut la « tache » et l'on vint de toute la région l'observer à la loupe. La coopérative a bien repris les choses en main et son bourgogne pinot est recommandé avec chaleur. Rouge légèrement ambré, il enrichit à l'aération sa palette d'arômes (groseille notamment) et on pourra le servir en carafe pour bien le mettre en valeur. Frais en attaque, chaud en finale, il fait penser alors à la fraise des bois. Le maudit puceron avait bon goût...

🕎 Cave des vignerons de Mancey, RN 6, BP 100, 71700 Tournus, tél. 03.85.51.00.83, fax 03.85.51.71.20 ☑ ⟁ r.-v.

CATHERINE ET CLAUDE MARECHAL
Cuvée Gravel 2000★

| ■ | 3,42 ha | 15 000 | ⦀ 8 à 11 € |

Nous ne sommes pas en Bordelais où la vigne aime les sols de graves, mais à l'est de Beaune, sur un terroir de graviers, argilo-calcaire. D'où le nom de la cuvée. D'une teinte nette et brillante, ce jeune bourgogne a le nez flatté par le fût mais avec quelques notes éparses de foin coupé. Au-delà d'une entrée en matière franche et saine, la bouche est bien typée sur du fruit confituré. Mention très bien pour l'étiquette simple et de bon goût. Prête à boire quand vous lirez ces lignes, une bouteille dont les millésimes précédents ont été régulièrement retenus dans le Guide.

🕎 EARL Catherine et Claude Maréchal, 6, rte de Chalon, 21200 Bligny-lès-Beaune, tél. 03.80.21.44.37, fax 03.80.26.85.01 ☑ ⟁ r.-v.

La Saint-Vincent tournante se tiendra en 2003 à Vougeot.

GHISLAINE ET BERNARD MARECHAL-CAILLOT 2000★

| ■ | 3,13 ha | 8 000 | ⦀◗ 8 à 11 € |

Cet enfant de l'an 2000 ne gardera pas éternellement sa robe aujourd'hui rouge foncé. La framboise et le cassis animent le nez intense et bien équilibré. Un peu sauvage en bouche, charpenté, il a du corps et une persistance fort convenable pour l'AOC régionale. Un vin de viande grillée.

🕎 Bernard et Ghislaine Maréchal-Caillot, 10, rte de Chalon, 21200 Bligny-lès-Beaune, tél. 03.80.21.44.55, fax 03.80.26.88.21 ☑ ⟁ r.-v.

MAISON FRANÇOIS MARTENOT 2000★★

| ■ | n.c. | 50 000 | ▮⦀ 3 à 5 € |

L'un des excellents bourgognes nés du chardonnay de la dégustation. Sœur de la maison Henri de Villamont, la maison F. Martenot fait partie du groupe Schenk (à Rolle en Suisse). Elle décroche ici la lune : un très grand bourgogne d'un or limpide. Son bouquet floral, agrémenté de noisette lui va à ravir. Souple et long, merveilleusement assemblé, il laisse percer de jolies notes de citron vert, de miel, d'abricot. A conserver un à deux ans, potentiel raisonnable. Excellent rapport qualité/prix à signaler.

🕎 HDV Distribution, rue du Dr-Barolet, ZI Beaune-Vignolles, 21200 Beaune, tél. 03.80.24.70.07, fax 03.80.22.54.31, e-mail hdv@planeth.fr ⟁ r.-v.

DOM. MATHIAS 2000★

| ■ | 0,5 ha | 3 000 | ▮◗ 5 à 8 € |

La vivacité n'est pas son fort et il adopte un train de sénateur. Cela dit, il attaque en beauté et s'exprime sur des rondeurs également sénatoriales, soyeuses et courtoises, qui nous donnent une image assez sympathique de la République... Jaune doré à reflets vert olive, il sent bon son chardonnay voyageur, porté sur le fruit exotique au terme d'un avant-propos floral. Le Mâconnais dans ses bons jours.

🕎 Béatrice et Gilles Mathias, rue Saint-Vincent, 71570 Chaintré, tél. 03.85.27.00.50, fax 03.85.27.00.52 ☑ ⌂ ⟁ r.-v.

PROSPER MAUFOUX 2000★

| ■ | n.c. | n.c. | ⦀ 8 à 11 € |

Les caves de cette maison s'étagent sur deux niveaux. Son bourgogne blanc 2000 n'a pas besoin d'aller si profond pour luire. Or paille, lumineux et brillant, il réjouit l'œil. Nez en pâte d'amande, moka, mie de pain trempée dans un bol de lait : le chardonnay a parfois ce style en Côte de Beaune. Tendre, suave, moelleuse, sa bouche est très veloutée, selon une certaine linéarité. Cette bouteille eut fait merveille dans la cave privée d'un pacha d'Egypte.

🕎 Prosper Maufoux, pl. du Jet-d'Eau, 21590 Santenay, tél. 03.80.20.60.40, fax 03.80.20.63.26, e-mail prosper.maufoux@wanadoo.fr ☑ ⟁ t.l.j. 8h-18h

DOM. DE MAUPERTHUIS
Les Truffières 2000★

| ■ | 1,35 ha | 7 200 | ▮ 5 à 8 € |

« Vers le mieux », telle est la devise de ce petit domaine de 5 ha, où d'un caractère passionné en 1992. La vigne reconquise sur les terres du *Roman de Renart*, du sire de Mauperthuis. Le jaune s'est ici doré au soleil. Le nez chaleureux est nuancé par l'acacia printanier. Souple, le vin est de bonne tenue sur une certaine évolution. On est ici en plein pays de carrières, comme en Côte de Nuits et le marbre lui ressemble. Autre cuvée, cette fois **élevée en fût, le vin du domaine 2000** obtient la même note.

☛ Laurent Ternynck, EARL de Mauperthuis, Civry, 89440 Massangis, tél. 03.86.33.86.24, fax 03.86.33.86.24, e-mail ternynck@hotmail.com 🅥

DOM. DU MERLE
Clos des Condemines 1999

■	0,7 ha	2 000	❙❙❙	5 à 8 €

Sa teinte évolue vers la peau d'orange, tout doucement il est vrai ! Le nez joue sur le grillé alors que la bouche est gorgée de fruit. De la rondeur et des tanins bien mûrs, un tempérament soyeux, c'est en somme un vin qui finit bien.

☛ Dom. du Merle, Sens, 71240 Sennecey-le-Grand, tél. 03.85.44.75.38, fax 03.85.44.73.63 🅥 ⵟ t.l.j. 8h-19h
☛ Michel Morin

DOM. DU CH. DE MEURSAULT
Clos du Château 1999★★

	8 ha	60 000	❙❙❙❙	11 à 15 €

Sauvé naguère par André Boisseaux qui empêcha la construction d'un lotissement prévu ici, le clos du château de Meursault produit l'appellation communale ainsi que, sur la partie médiane, ce bourgogne blanc. Ces deux vins ont beaucoup de points communs. Doré pâle, celui-ci offre un léger bouquet d'amande grillée et il manifeste beaucoup d'aménité en bouche. Son hospitalité est moelleuse à souhait. Quelques traces minérales, un petit goût de pain d'épice en finale, on boit presque du meursault. Et avec soixante mille bouteilles sur 8 ha, il y en aura pour tout le monde.

☛ Dom. du Château de Meursault, 21190 Meursault, tél. 03.80.26.22.75, fax 03.80.26.22.76 🅥 ⵟ r.-v.

JEAN-CLAUDE MICHAUT
Epineuil 2000

	1 ha	7 000	❙	5 à 8 €

Rosé d'Epineuil en Tonnerrois. Limpide et brillant, juste assez coloré pour ne pas passer inaperçu, il a un bon nez de terroir, c'est-à-dire de fruits rouges. Il n'est pas pinot noir pour rien. Peut-être un peu de chaleur, mais le fruit blanc accompagne pas à pas une bouche bien structurée. A boire maintenant.

☛ SCEA Jean-Claude Michaut, 89700 Epineuil, tél. 03.86.55.24.99, fax 03.86.55.32.74
🅥 ⵟ t.l.j. sf dim. 8h30-12h 13h30-17h30

DOM. MICHELOT 2000★

	5 ha	30 000	❙❙❙	8 à 11 €

Un bourgogne de Meursault porte naturellement la particule. Perruque et souliers vernis, on imagine bien celui-ci sur les parquets de Versailles. Doré sur tranche, ce vin au nez déjà un peu évolué a cependant une jolie pointe d'acidité pour le maintien. Fruits secs, agrumes, il connaît ses classiques. Inutile de le soumettre à une longue attente : on le boira maintenant et sans regret.

☛ Dom. Michelot, 31, rue de la Velle, 21190 Meursault, tél. 03.80.21.23.17, fax 03.80.21.63.62
🅥 ⵟ r.-v.

MOILLARD
Cuvée des Cent Cinquante ans 2000★

■	n.c.	30 000	❙❙❙	5 à 8 €

Il n'est pas fréquent de voir le chemin de fer décorer (de façon très esthétique) une étiquette. Il est vrai que cette cuvée « 150 Ans » rappelle qu'à l'ouverture de la ligne Paris-Lyon en 1850, le premier voyageur descendu en gare de Nuits, un notaire belge, devint le premier client de Symphorien Moillard. On prend ici le pinot noir en marche. Rubis pourpre comme les wagons anciens du PLM, laissant derrière lui un parfum animal et fruité, ce train avance bien, solidement posé sur ses rails qui le guident vers un avenir assez radieux. Encore jeune et vif, mais fermement constitué.

☛ Moillard, 2, rue François-Mignotte, 21700 Nuits-Saint-Georges, tél. 03.80.62.42.22, fax 03.80.61.28.13, e-mail nuicave@wanadoo.fr
🅥 ⵟ t.l.j. 10h-18h; f. jan.

CH. DE MONTPATEY 1999★

■	12 ha	93 000	❙❙❙❙	8 à 11 €

Œnologue ayant franchi la Manche pour la Bourgogne, Colin Ware veille sur les vignes du marquis d'Espiès comme le château, du XVIᵉs., veille sur le bourg médiéval de Couches. Rouge foncé et limpide à reflets légèrement ambrés, ce vin élevé en cuve et en fût pendant plus de vingt mois développe des arômes de fraise et de vanille. Il faudra l'attendre encore un peu pour en tirer le maximum, mais la franchise est déjà au rendez-vous.

☛ Ch. de Montpatey, 71490 Couches, tél. 03.80.24.37.47, fax 03.80.24.37.38
☛ Marquis d'Espiès

JEAN-MICHEL MOREAU 2000★★★

	3,5 ha	6 000	❙	5 à 8 €

« Ce n'est pas tout de plaire, disait Voltaire, il faut encore séduire ». Cette bouteille y réussit et elle remporte le coup de cœur haut la main. D'un jaune doré câlin, elle est emplie de miel et de beurre. D'une maturité intense et confortable, elle possède un beau potentiel.

☛ Jean-Michel Moreau, La Grange Aubert, 89700 Tonnerre, tél. 03.86.55.23.37, fax 03.86.55.23.37
🅥 ⵟ t.l.j. sf dim. 17h-20h

PIERRE MOREY 1999★

	1,31 ha	12 300	❙❙❙	8 à 11 €

Engagée dans la biodynamie depuis 1997, cette exploitation présente un chardonnay 99 qui n'est pas encore tout à fait « converti ». Il y faut en effet plusieurs années. Or léger, il chardonne beaucoup au nez (miel, abricot bien mûr), rappelle également le fruit jaune quand on le tient sur la langue. Léger noyau, petite pointe d'amande amère, il a du nerf mais il ne serre pas vraiment les poings. Bien réussi en un mot.

☛ Dom. Pierre Morey, 9, rue du Comte-Lafon, 21190 Meursault, tél. 03.80.21.21.03, fax 03.80.21.66.38
🅥 ⵟ r.-v.

Bourgogne

DOM. MOREY-COFFINET 2000★

	0,5 ha	3 500	⅏ 5 à 8 €

Paille clair légèrement dorée, un bourgogne blanc produit à Chassagne. On ne sera donc pas surpris de découvrir le pain frais beurré et le miel au sein de ses arômes préférés. A ce nez attrayant, il faut une bouche pleine, aérienne, reposant sur de solides qualités de fond (gras, structure). Nous la rencontrons ici et saluons comme il se doit ce bel exercice de vinification.
🍷 Dom. Michel Morey-Coffinet, 6, pl. du Grand-Four, 21190 Chassagne-Montrachet, tél. 03.80.21.31.71, fax 03.80.21.90.81 ☑ ⅂ r.-v.

OLIVIER MORIN
Chitry 2000★

	4 ha	20 000	⅃⬇ 5 à 8 €

Père d'Olivier et de Christian, Michel Morin fut l'un des premiers à croire au chardonnay dans la vallée de l'Yonne. Acte de foi honoré de nos jours par cette bouteille à la robe classique et claire. Ses parfums minéraux sont la typicité même. Cette physionomie subsiste au palais où l'attaque et le milieu de bouche établissent un équilibre très heureux entre le gras et l'acidité.
🍷 Olivier Morin, 2, chem. de Vaudu, 89530 Chitry-le-Fort, tél. 03.86.41.47.20, fax 03.86.41.47.20 ☑ ⅂ r.-v.

DOM. THIERRY MORTET 2000★

	1 ha	8 000	⅏ 8 à 11 €

Le rouge grenat et le violet pourpre colorent ce pinot noir au bouquet d'airelle. Original assurément. Puis on remarque sa franchise, sa fraîcheur en attaque, suivies d'une mâche appréciable mais qui ne nuit pas à la souplesse. Il s'agit ici de l'un des deux domaines Mortet à Gevrey-Chambertin.
🍷 Dom. Thierry Mortet, 16, pl. des Marronniers, 21220 Gevrey-Chambertin, tél. 03.80.51.85.07, fax 03.80.34.16.80 ☑ ⅂ r.-v.

FRANÇOIS PARENT 2000★★

	n.c.	n.c.	8 à 11 €

L'or noir... Ce pinot sans doute, mais aussi la truffe de Bourgogne, *tuber uncinatum*, ornant l'étiquette de façon pour le moins originale. A la vérité, sous une robe d'un carmin très franc, on perçoit plutôt des arômes de cerise et de framboise (très séduisants). Bien sous tous rapports, il a une bouche taillée sur mesure, charnue, peu confiturée. Ce bourgogne provient de Pommard. On l'aurait presque deviné : la terre ici est riche, même sur le piémont où se situent ces vignes.
🍷 François Parent, Ch. des Guettes, 14 *bis*, rue Pierre-Joigneaux, 21200 Beaune, tél. 03.80.22.61.85, fax 03.80.24.03.16, e-mail francois@parent-pommard.com ☑ ⅂ r.-v.

DOM. ALAIN PATRIARCHE
La Monatine 2000★

	4 ha	20 000	⅏ 8 à 11 €

Sur une valse de Chopin, elle tourne rond et avec entrain, cette bouteille. Sa robe dorée virevolte dans le verre, pleine de paillettes vives et luisantes. Joli parfum de pamplemousse et fruits secs. En bouche, elle est équilibrée, ample et élégante. Au domaine, vinification identique à celle des meursault *village* et 1ers crus.

🍷 Alain Patriarche, 12, rue des Forges, 21190 Meursault, tél. 03.80.21.24.48, fax 03.80.21.63.37 ☑ ⅂ r.-v.

LES PIERRES BLANCHES
Côtes d'Auxerre 2000

	n.c.	25 000	⅃⅏⬇ 5 à 8 €

« Les gens d'Auxerre ont une goutte de vin dans la cervelle, une fantaisie », disait Marie Noël qui les connaissait bien. Ce vin offre cette goutte de fantaisie au terme d'une approche très raisonnable : or clair brillant, corbeille de fruits. Un 2000 agréable, rond et chaleureux. S'il ne prolonge pas très longtemps le tête-à-tête, on ne s'ennuie pas avec lui.
🍷 Pascal Bouchard, 5 bis, rue Porte-Noël, 89800 Chablis, tél. 03.86.42.18.64, fax 03.86.42.48.11, e-mail info@pascalbouchard.com ☑ ⅂ t.l.j. 10h30-12h30 14h-18h30; f. jan.

ERIC PIGNERET 2000★★★

	0,5 ha	3 800	⅃ 3 à 5 €

Voilà l'approche idéale en bourgogne blanc. D'un or soutenu et éclatant, ce chardonnay prend son élan sur des arômes d'acacia, d'abricot et de miel. Il charme d'emblée. Puis ce grand séducteur passe à l'acte. Difficile d'imaginer bouche plus gourmande, sur des saveurs rappelant le bouquet. C'est superbement bon. Jolie réussite coup de cœur pour ce producteur de la Côte chalonnaise.
🍷 Eric Pigneret, Vingelles, 71390 Moroges, tél. 03.85.47.96.26, fax 03.85.47.96.26 ☑ ⅂ t.l.j. 9h-12h 14h-21h; dim. 9h-12h

JEAN-MICHEL ET LAURENT PILLOT 1999★★

	6 ha	7 000	⅃ 5 à 8 €

Sur sa fiche de dégustation, l'une des figures les plus emblématiques du vignoble bourguignon écrit : « Fraîcheur et limpidité, l'œil est plaisant. Le nez bien typé, pur et intense, noix de coco ». Les compliments continuent et traduisent le plaisir offert par ce 99 « bien dans son appellation, pur et harmonieux ». Gardons nos secrets. Mais si nos deux vignerons de la Côte chalonnaise savaient qui les encense ainsi, ils courraient à l'église faire brûler un cierge !
🍷 Dom. Jean-Michel et Laurent Pillot, rue des Vendangeurs, 71640 Mellecey, tél. 03.85.45.20.48, fax 03.85.45.20.48 ☑ ⅂ r.-v.

DOM. PINQUIER PERE ET FILS 2000★

	0,92 ha	7 200	⅃⅏ 5 à 8 €

Pour rien au monde on ne voudrait entendre parler ici de la machine à vendanger. Les vendangeurs reviennent année après année, certains depuis vingt-cinq ans. Logés-nourris, et la pintade au chou de la mère de Thierry est renommée. Elle accompagnerait très bien ce vin riche en arômes, équilibré, prêt à être débouché ou à remettre à plus tard. Rubis profond, son bouquet réunit la myrtille et le romarin. Constitution dense et fruitée (cerise à l'eau-de-vie). *Carpe diem !* Profitez du bonheur tel qu'il sonne à la porte.

🔴 Pinquier Père et Fils, 5, rue Pierre-Mouchoux, 21190 Meursault, tél. 03.80.21.24.87, fax 03.80.21.61.09 ☑ 🏨 Ⓘ t.l.j. 8h30-12h 13h30-19h

GEORGES ET THIERRY PINTE 1999

| ■ | n.c. | 4 346 | 3 à 5 € |

Robe classique pour ce 99 aux arômes vanille-coco-girofle. Assez bonne extraction ; les tanins redressent un peu le poil, sans trop d'amertume toutefois et cette austérité demande à vieillir. Pour l'heure, il s'agit d'un vin vif, étoffé. Un bœuf bourguignon ne verra aucun inconvénient à lui prêter main forte à sa dernière heure.

🔴 GAEC Georges et Thierry Pinte, 11, rue du Jarron, 21420 Savigny-lès-Beaune, tél. 03.80.21.57.59, fax 03.80.21.51.59 ☑ Ⓘ r.-v.

ANNE ET REMI PROFFIT
Pinot Gris 2000★

| ■ | 2 ha | 7 000 | 🍷 3 à 5 € |

« C'était à tout prendre une bouteille fort bien faite et de bonne mine, encore que de teint pâle. Son nez était moins long que celui de la marquise de Mailly, mais suffisant et élevé. On y goûtait la pêche et l'abricot du Jardin du Roi. Galant et impétueux, son esprit ne cédait pas à la futilité. Sa taille était aisée. Pour l'une de ses rares visites à la Cour, le pinot gris fut salué et même complimenté ». Voici comment le mémorialiste du règne de Louis XIV et de la Régence, le duc de Saint-Simon, aurait pu décrire ce vin.

🔴 Anne et Rémi Proffit, 35, rte d'Aillant, 89710 Senan, tél. 03.86.63.50.47, fax 03.86.91.54.26, e-mail proffit89@hotmail.com ☑ Ⓘ r.-v.

ANNE ET REMI PROFFIT 2000★★

| ■ | 2,5 ha | 7 000 | 🍷 3 à 5 € |

On pense forcément au coup de cœur tant ce vin a la bouche gourmande. Il a d'ailleurs participé au grand jury. Ajoutons-y le potentiel, et l'impression se confirme. Joli vin dont le bouquet est timide mais bien droit. Sa robe ? De fiançailles. Le corps vient du fond de la terre, minéral et masculin. La richesse l'inonde. On peut déjà déboucher la bouteille mais dans un an ou deux, ce sera mieux. Sur chèvre chaud et quelques feuilles de salade.

🔴 Anne et Rémi Proffit, 35, rte d'Aillant, 89710 Senan, tél. 03.86.63.50.47, fax 03.86.91.54.26, e-mail proffit89@hotmail.com ☑ Ⓘ r.-v.

DOM. DES REMPARTS
Côtes d'Auxerre 2000

| ■ | 4 ha | 10 000 | 🍷 5 à 8 € |

Or gris, il est tout à la fois léger et consistant. La petite note végétale de l'attaque s'estompe vite pour laisser place à une aimable rondeur. Le fruit est efficace tout au long de la dégustation. Cette bouteille est à servir à la première occasion. « Au moins ne se prend-elle pas pour une star : elle préfère la sincérité du cœur aux artifices de la séduction », écrit une dégustatrice.

🔴 Dom. des Remparts, 6, rte de Champs, 89530 Saint-Bris-le-Vineux, tél. 03.86.53.33.59, fax 03.86.53.62.12 ☑ Ⓘ r.-v.
🔴 Sorin

ROGER ET JOEL REMY 2000★★

| ■ | 0,5 ha | 3 000 | 🍷 5 à 8 € |

Sainte-Marie-la-Blanche entend conserver son AOC bourgogne : une bouteille aussi réussie peut lui servir d'avocat. Elle est en effet toute proche du coup de cœur, et nos jurés sont pleinement d'accord : une robe parfaite, un heureux mariage d'arômes de silex et de pample-mousse, une bouche très élégante, citronnée et mentholée. En finale un sentiment chaleureux et dense. Un régal.

🔴 SCEA Roger et Joël Rémy, 4, rue du Paradis, 21200 Sainte-Marie-la-Blanche, tél. 03.80.26.60.80, fax 03.80.26.53.03, e-mail domaine.remy@wanadoo.fr ☑ Ⓘ r.-v.

DOM. RIGOUTAT
Coulanges-la-Vineuse 2000★★

| ■ | 4 ha | 6 000 | 🍷 5 à 8 € |

Pascale et Alain (10 ha) sont cette année finalistes du coup de cœur. Autant dire que leur vin a séduit nos dégustateurs. Il a de bonnes couleurs aux joues ; il respire la santé et la joie de vivre. Des notes de cuir nuancent le fruit rouge du bouquet. Ample et riche, la bouche pinote bien et beaucoup dans une atmosphère gourmande. A savourer dès à présent.

🔴 Dom. Pascale et Alain Rigoutat, 2, rue du Midi, 89290 Jussy, tél. 03.86.53.33.79, fax 03.86.53.66.89 ☑ Ⓘ r.-v.

REGIS ROSSIGNOL-CHANGARNIER 2000★

| ■ | 1,3 ha | 6 000 | 🍷 5 à 8 € |

Viticulteur de Volnay, Régis Rossignol trie ses vendanges, égrappe à 80 % et élève ce vin douze mois en fût. Violine cerise, son bourgogne ne risque pas de passer inaperçu. Cerise à l'œil, cerise au nez, il n'en démord pas. Au palais cependant, c'est la groseille qui se manifeste le plus. Il y a de la matière, du soutien tannique, la fameuse note d'amertume habituelle, dans une interprétation très concentrée du cépage. A boire cette année ou la prochaine.

🔴 Régis Rossignol, rue d'Amour, 21190 Volnay, tél. 03.80.21.61.59, fax 03.80.21.61.59 ☑ Ⓘ r.-v.

DOM. ROSSIGNOL-TRAPET 2000★

| ■ | 0,8 ha | 6 000 | 🍷 8 à 11 € |

L'un des domaines gibriacois nés de la succession de Louis Trapet, figure historique et combien sympathique de la Côte de Nuits. On est ici chez Mado, la sœur de Jean. C'est un bourgogne rouge intense dont le répertoire aromatique comprend le noyau de cerise, le bourgeon de cassis et même le buis si présent dans la combe de Lavaux. Des tanins vigoureux demandant encore à évoluer. « Classique et propre », dit-on ici. On n'oublie pas la très sympathique note de griotte en finale.

🔴 Dom. Rossignol-Trapet, 3, rue de la Petite-Issue, 21220 Gevrey-Chambertin, tél. 03.80.51.87.26, fax 03.80.34.31.63, e-mail info@rossignol-trapet.com ☑ Ⓘ r.-v.

DOM. ROYET ET FILS 2000

| ■ | 2 ha | 3 000 | 🍷 3 à 5 € |

Fruité citron vert et sur une tonalité légèrement amandée et un peu minérale, voilà un bon bourgogne fin

et incisif. Au profil assez aigu et étiré dans le sens de la hauteur : une bouteille dessinée par Bernard Buffet ! Or pâle à reflets verts, son nez se situe sur les agrumes avec des notes toastées. Joliment ciselée, elle nous arrive du Couchois au sud des Hautes-Côtes de Beaune.
↬ GAEC Royet et Fils, Combereau, 71490 Couches, tél. 03.85.49.64.01, fax 03.85.49.61.77 ☑ ⟟ r.-v.

DOM. SAINT-PANCRACE
Côtes d'Auxerre La Côte d'Or 2000★★

■	0,5 ha	3 200	■ ⑪ ♦	5 à 8 €

S'appeler Côte d'Or quand on est à vue d'œil d'Auxerre, cela peut sembler hardi. Vigneron sur un seul hectare, Xavier Julien tente le pari et le gagne. Il a été présenté au grand jury des coups de cœur : c'est dire s'il brille, ce chardonnay au nez de beurre frais comme s'il était né à Meursault. Une plénitude concentrée, un brin d'acidité, on ne fait guère mieux dans l'appellation. Premiers ceps plantés en 1996. Et rendez-vous pour la Saint-Vincent tournante du Grand Auxerrois en janvier 2003. Vous trouverez son caveau au pied de la cathédrale d'Auxerre.
↬ Xavier Julien, Dom. Saint-Pancrace, 6, rue Lebeuf, 89000 Auxerre, tél. 03.86.51.69.71, fax 03.86.51.69.71 ☑ ⟟ r.-v.

FRANCINE ET OLIVIER SAVARY
Epineuil 2000★

■	0,8 ha	6 000	■ ♦	5 à 8 €

Ce vin se situe fidèlement dans son appellation. Encore sur une réserve un peu tannique, sa bouche néanmoins déjà souple offre du gras. La matière est solide et il est probable que son intensité aromatique (sous-bois) se développera d'ici 2004. A boire en effet dans les deux ans. Un Epineuil très goûteux, produit par un domaine chablisien.
↬ Francine et Olivier Savary, 4, chem. des Hâtes, 89800 Maligny, tél. 03.86.47.42.09, fax 03.86.47.55.80 ☑ ⟟ r.-v.

DOM. SIMONNET-FEBVRE
Coulanges-la-Vineuse 1999

■	n.c.	4 000	■	5 à 8 €

Richard Nixon a descendu les marches de cette cave fondée en 1840. Elle nous propose un Coulanges 99 rouge clair au nez déjà formé : réglisse, épice, fruit. Avec une belle attaque vive et puissante, un fond d'alcool assez riche et un retour sur le thème initial avec une note épicée, le vin est prêt.
↬ Simonnet-Febvre et Fils, 9, av. d'Oberwesel, BP 12, 89800 Chablis, tél. 03.86.98.99.00, fax 03.86.98.99.01, e-mail simonnet@chablis.net ☑ ⟟ t.l.j. 8h30-12h 14h-18h; sam. dim. sur r.-v.

DOM. ROBERT SIRUGUE 2000★★

■	1,8 ha	15 000	⑪	5 à 8 €

Noir comme la voûte céleste un beau soir d'été, à reflets violacés comme un coucher de soleil finissant, un bourgogne ample et souple, dont la bonne mâche comble le palais. C'est du vin ! De la réglisse aux fruits mûrs, la gamme aromatique est intéressante. Beaucoup de présence, avec des retours de prunelle, de griotte, comme le pinot noir sait en ménager à Vosne et dans les environs. De grande classe et pourtant d'une sympathie directe et conviviale. Laisser vieillir un peu, il le mérite.
↬ Dom. Robert Sirugue, 3, av. du Monument, 21700 Vosne-Romanée, tél. 03.80.61.00.64, fax 03.80.61.27.57 ☑ ⟟ r.-v.

MARYLENE ET PHILIPPE SORIN
Côtes d'Auxerre 2000★

■	1 ha	2 000	■ ♦	5 à 8 €

« Viticulteur depuis 1577 », nous dit Philippe Sorin. Il est rare de rencontrer un vigneron approchant de ses 450 ans. Il propose ici un bon rosé de saignée, où le pinot noir apporte tout son gras. Son intensité et sa persistance le destinent au repas. Qu'en diriez-vous avec le prochain couscous familial ?
↬ Marylène et Philippe Sorin, 12, rue de Paris, 89530 Saint-Bris-le-Vineux, tél. 03.86.53.60.76, fax 03.86.53.62.60, e-mail philippe.sorin@libertysurf.fr ☑ ⟟ r.-v.

DOM. SORIN-DEFRANCE
Côtes d'Auxerre 2000★

■	3,1 ha	15 000	■ ♦	5 à 8 €

Fleurs blanches et agrumes, à la limite de l'exotique (mangue), remarqués au nez, laissent place à une impression de concentration que confirme la bouche sur une belle matière. Mûr et pourtant riche d'un bon potentiel, ce 2000 vivra trois à quatre ans.
↬ Dom. Sorin-Defrance, 11 bis, rue de Paris, 89530 Saint-Bris-le-Vineux, tél. 03.86.53.32.99, fax 03.86.53.34.44 ☑ ⟟ t.l.j. 8h-12h 14h-18h30

DOM. ROLAND SOUNIT
Elevé et vieilli en fût de chêne 2000

■	2 ha	15 000	■ ⑪ ♦	5 à 8 €

La fleur d'oranger, la menthe et le chocolat blanc composent ici un joli poème. Très rafraîchissante, la suite est tendre et veloutée sur de chaleureuses saveurs mentholées. Du gras, une pointe d'alcool, il ne vient pas de Meursault pour rien. Mais il est encore un peu discret et il faudrait savoir l'attendre jusqu'en 2004.
↬ SCEA Dom. Roland Sounit, rte de Monthélie, 21190 Meursault, tél. 03.80.21.22.45, fax 03.80.21.28.05

JEAN-PIERRE TRUCHETET
Vieilles Vignes 1999

■	0,39 ha	2 500	⑪	5 à 8 €

Jean-Pierre Truchetet s'est installé en 1989 avec son épouse Sylvie, une Beaunoise adoptée par le pays nuiton. Rouge soutenu, grenat sombre. Nez printanier où l'églantine se mêle au cassis. Sauf votre respect, on y perçoit cette petite baie charmante qu'on appelle familièrement le « gratte-cul ». Les Bourguignons ne s'effrayent pas de ces mots-là qu'un dégustateur britannique emploie allègrement sur sa fiche. Introduction en bouche réussie par sa fraîcheur, son fruit et un fût parfaitement marié. Assez friand et à boire maintenant.
↬ Jean-Pierre Truchetet, RN 74, 21700 Premeaux-Prissey, tél. 03.80.61.07.22, fax 03.80.61.34.35 ☑ ⟟ t.l.j. sf sam. dim. 9h-12h 14h-19h; f. 15-31 août

ROMUALD VALOT
Elevé en fût de chêne 1999

■	n.c.	25 000	■ ⑪	5 à 8 €

Romuald Valot a créé une société de négoce pour prolonger l'activité de son vignoble (17 ha en propriété). Le phénomène est désormais assez fréquent en Bourgogne. Son chardonnay a tout l'éclat espéré et de très légers arômes beurrés. La structure apparaît assez forte, donnant le sentiment d'un vin gras et quelque peu dominateur qu'on fera bien de laisser en cave un an ou deux.

⌐ Romuald Valot, 14, rue des Tonneliers,
21200 Beaune, tél. 03.80.26.84.63, fax 03.80.26.84.63
☑ � r.-v.

VAUCHER PERE ET FILS
Vieilli en fût de chêne 2000★

▦	n.c.	n.c.	⑪ 5 à 8 €

Vieille maison dijonnaise, Vaucher a été reprise par la famille Cottin (Labouré-Roi). Net et brillant, son bourgogne chardonnay ne craint pas de surprendre par son premier nez de muscade. Beurré, le second est plus classique. Vive, l'attaque se voit aussitôt relayée par le gras. Légèrement boisé et d'une belle persistance, il est agréable. Citons aussi le **bourgogne rouge 2000** présentant une bonne cohérence d'ensemble et qui obtient une étoile.
⌐ Vaucher Père et Fils,
rue Lavoisier, 21700 Nuits-Saint-Georges,
tél. 03.80.62.64.00, fax 03.80.62.64.10 � r.-v.

ALAIN VIGNOT
Côte Saint-Jacques 2000★★

▦	4,16 ha	22 000	▮⑪♦ 5 à 8 €

Coup de cœur ce bourgogne Côte Saint-Jacques de Joigny ! On devrait en parler au conseil municipal si Philippe Auberger l'accepte en questions diverses. Nul doute. Ces 4 ha les plus septentrionaux de la région, consacrés ici au pinot noir, donnent un vin inscrit au palmarès. Pourpre un peu pâle, il affiche des arômes réglissés. Riche et structuré, ample et long, un vin à attendre trois à quatre ans mais qui peut déjà être servi par exemple sur du canard aux épices (cannelle...).
⌐ Alain Vignot, 16, rue des Prés,
89300 Paroy-sur-Tholon, tél. 03.86.91.03.06,
fax 03.86.91.09.37 ☑ � r.-v.

ALAIN VIGNOT
Côte Saint-Jacques Pinot Gris 2000

▦	4,2 ha	20 000	▮♦ 5 à 8 €

Mutation du pinot noir, synonyme de pinot beurot, sans doute originaire de Bourgogne et ayant essaimé dans une grande partie de l'Europe, le pinot gris reste présent à Joigny et, associé à d'autres cépages, donnait jadis le « vin gris ». Cette bouteille est donc une curiosité. Une colle à poser à vos amis. Nos dégustateurs (sans le savoir) ne s'y sont pas trompés : ils ont reconnu le cépage à l'œil nu. Ses arômes et sa constitution témoignent également de sa typicité. Un chef d'œuvre en péril car on n'en fait plus beaucoup. Apéritif ou couscous dans sa jeunesse.
⌐ Alain Vignot,
16, rue des Prés, 89300 Paroy-sur-Tholon,
tél. 03.86.91.03.06, fax 03.86.91.09.37 ☑ � r.-v.

DOM. ELISE VILLIERS
Vézelay La Chevalière 2000★★

▦	1,5 ha	7 500	▮♦ 5 à 8 €

On comprend pourquoi les pèlerins sur le chemin de Compostelle étaient jadis si nombreux à faire étape à Vézelay... Minéral, pain frais, fleur blanche, cet excellent chardonnay vous remet sur vos jambes. Sa structure est bien équilibrée et sa longueur importante. Produit de cuve. Alors que la cuvée **Le Clos 2000** en bourgogne Vézelay (blanc bien sûr) passe dix mois en fût. Elle obtient une citation.
⌐ Elise Villiers, Précy-le-Moult, Pierre-Perthuis,
89450 Vézelay, tél. 03.86.33.27.62, fax 03.86.33.27.62
☑ ⌂ � t.l.j. 9h-12h30 14h-19h; dim. sur r.-v.

DOM. VOARICK 2000★

▦	15,15 ha	25 000	▮⑪♦ 5 à 8 €

Le négociant-éleveur Michel Picard a repris naguère le domaine Emile Voarick. D'où ce bourgogne velours profond et aux senteurs de feuille de cassis. Riche et vineux, assez rond et de bonne longueur, il a su déjà calmer ses tanins. Bonne approche de notes de framboise sur une fine structure qui demande un à deux ans de garde.
⌐ SCV Dom. Emile Voarick,
71640 Saint-Martin-sous-Montaigu,
tél. 03.85.45.23.23, fax 03.85.45.16.37
☑ � t.l.j. sf sam. dim. 8h-12h 14h-18h
⌐ Michel Picard

Bourgogne grand ordinaire

En réalité, les appellations bourgogne ordinaire et bourgogne grand ordinaire sont très peu usitées. Lorsqu'on les utilise, on néglige le plus souvent celle de bourgogne grand ordinaire. Ce nom n'évoque-t-il pas une certaine banalité ? Certains terroirs un peu en marge du grand vignoble peuvent toutefois y produire d'excellents vins à des prix très abordables. Pratiquement tous les cépages de la Bourgogne peuvent contribuer à la production de ce vin, qui peut se trouver en blanc, en rouge et en rosé ou clairet.

En blanc, les cépages seront le chardonnay ou le melon, dont il n'existe plus que quelques vestiges de vignes : ce dernier a conquis ses lettres de noblesse beaucoup plus à l'ouest de la France, pour produire le muscadet réputé dans la région nantaise ; quant à l'aligoté, il est presque toujours déclaré sous l'appellation bourgogne aligoté ; le sacy (uniquement dans le département de l'Yonne) était essentiellement cultivé dans tout le Chablisien et dans la vallée de l'Yonne, pour produire des vins destinés à la prise de mousse et exportés ; depuis l'avènement du crémant de Bourgogne, il est utilisé pour cette appellation.

En rouge et rosé, les cépages bourguignons traditionnels, gamay noir et pinot noir, sont les principaux. Dans l'Yonne encore, on peut utiliser le césar, qui est réservé au bourgogne, surtout à Irancy, et le tressot, qui ne figure que dans les textes mais plus jamais sur le terrain... C'est dans l'Yonne, et plus particulièrement à Coulanges-la-Vineuse, que l'on rencontre les meilleurs vins de gamay, sous cette appellation. La production de cette AOC a atteint 9 700 hl en 2001.

DOM. GUY AMIOT ET FILS 2000

| 0,5 ha | 4 000 | 🔲⦿⬇ | 5 à 8 € |

Un chardonnay ressemblant comme un frère à beaucoup de chardonnay plus titrés. La robe s'offre même le luxe de reflets verts ! Citron, pamplemousse, faites votre choix parmi ses arômes. Ceux-ci restent stables jusqu'en finale avec une pointe minérale et toastée venant couronner la dégustation d'un vin dont la structure est légère.
🍾 Dom. Guy Amiot et Fils, 13, rue du Grand-Puits, 21190 Chassagne-Montrachet,
tél. 03.80.21.38.62, fax 03.80.21.90.80,
e-mail domaine.amiotguyetfils@wanadoo.fr ☑ 🍷 r.-v.

DOM. DE CHAUDE ECUELLE 2000

| 1,1 ha | 10 368 | 🔲⬇ | 5 à 8 € |

La bouteille à ouvrir lorsque des amis débarquent à l'improviste. Un chardonnay de l'Yonne. Il ne joue pas au chablis, tout en faisant partie du voisinage. Notes d'acacia et d'essences de fruits, fraîcheur et même vivacité. Souple, il est à boire maintenant.
🍾 Dom. de Chaude Ecuelle, 35, Grande-Rue, 89800 Chemilly-sur-Serein, tél. 03.86.42.40.44, fax 03.86.42.85.13 ☑ 🍷 r.-v.
🍾 Gabriel et Gérald Vilain

Bourgogne aligoté

C'est le « muscadet de la Bourgogne », dit-on. Excellent vin de carafe que l'on boit jeune, il exprime bien les arômes du cépage ; il est un peu vif et, surtout, régionalement, il permet d'attendre les vins de chardonnay. Remplacé par ce dernier dans la Côte, il est un peu « descendu » dans l'aire de production lui étant réservée, alors qu'autrefois il était cultivé en coteaux. Mais le terroir influe sur lui autant que sur les autres cépages et il y a autant de types d'aligotés que de régions où on les élabore. Les aligotés de Pernand étaient connus pour leur souplesse et leur nez fruité (avant de céder la place au chardonnay) ; les aligotés des Hautes-Côtes sont recherchés pour leur fraîcheur et leur vivacité ; ceux de Saint-Bris dans l'Yonne semblent emprunter au sauvignon quelques traces de fleur de sureau, sur des saveurs légères et coulantes.

JEAN-BAPTISTE BEJOT 2000★

| n.c. | 10 000 | | 3 à 5 € |

La Maison J.-B. Béjot est plus que centenaire et elle demeure indépendante à Meursault où elle a construit des bâtiments neufs en bordure de la RN 74. Il vaut mieux faire envie que pitié, et cet aligoté en apporte la preuve par trois. Sa couleur impeccable, son bouquet franc et typé, sa bouche équilibrée sur le minéral, confortée par une belle acidité, donnent une bouteille de confiance à boire maintenant.
🍾 SA Jean-Baptiste Béjot, 21190 Meursault,
tél. 03.80.21.22.45, fax 03.80.21.28.05

CAVE DE BISSEY 2000★

| n.c. | 13 000 | 🔲⬇ | 3 à 5 € |

D'un or platiné, il a le nez bien offert (bonbon anglais, écorce d'orange). Sa juste vivacité est tempérée par une touche de gras tandis que le fruit demeure en équilibre sur la langue. Voilà une bonne bouteille, produite par cette Cave coopérative fondée en 1928.
🍾 Cave de Vignerons de Bissey, 71390 Bissey-sous-Cruchaud, tél. 03.85.92.12.16, fax 03.85.92.08.71, e-mail cave.bissey@wanadoo.fr ☑ 🍷 r.-v.

JEAN BROCARD-GRIVOT 2000★

| 1,72 ha | 1 390 | 🔲 | 3 à 5 € |

Vergy est un haut-lieu des Hautes-Côtes de Nuits : sa châtelaine inspira jadis Boccace et Stendhal. En pleine renaissance, le vignoble reprend ses droits autour de l'illustre colline. L'aligoté se considère ici comme un enfant du pays et Jean Brocard, seul viticulteur du village de cent habitants, le façonne d'une manière très classique. Or gris, fruité, il a le sang vif et c'est dans son caractère. Bien meilleur que certains aligotés qui jouent au chardonnay...
🍾 Jean Brocart-Grivot, rue Basse, 21220 Reulle-Vergy, tél. 03.80.61.42.14 ☑ 🍷 r.-v.

CAVE DE BUXY 2001★

| n.c. | 120 000 | 🔲⬇ | 3 à 5 € |

Variante des produits de la Cave de Buxy, un 2001 d'un blanc verdâtre assez brillant qui ne montre encore qu'un tout petit bout de nez iodé, citronné. Au palais, sa vivacité est déjà plaisante. Les 100 ha consacrés ici à ce cépage permettront à chacun de trouver son bonheur dans les stocks de la coopérative.
🍾 Sica des Vignerons réunis de Buxy, rte de Châlon-sur-Saône, 71390 Buxy, tél. 03.85.92.03.03, fax 03.85.92.08.06, e-mail labuxynoise@cave-buxy.fr ☑

PATRICK ET CHRISTINE CHALMEAU 2000★

| 4 ha | n.c. | 🔲 | 5 à 8 € |

Depuis 1977, Patrick Chalmeau augmente le vignoble qui lui vient de son grand-père. Il a créé en 2002 un caveau de dégustation. Ce 2000 a tout de l'aligoté. La couleur, le nez et la bouche sont dans une belle continuité. On peut le choisir sur des moules si on n'aime pas les escargots.

☛ Patrick et Christine Chalmeau,
76, rue du Ruisseau, 89530 Chitry-le-Fort,
tél. 03.86.41.43.71, fax 03.86.41.47.51,
e-mail chalmeau.patrick @ wanadoo.fr ☑ ⍦ r.-v.

MADAME EDMOND CHALMEAU 2000★

3,3 ha	21 000	∎↓	3 à 5 €

Vieille famille de vignerons mais du sang jeune arrive. Sur 7 ha, la moitié en aligoté. Il s'agit donc d'une affaire qui tient à cœur. Jaune clair limpide, légèrement mentholé et évoquant plus tard le tilleul, un 2000 qui part la fleur au fusil. Malgré un petit creux, il se reprend dans la pleine bouche. Un potentiel réel et d'une durée raisonnable (un à deux ans).
☛ Madame Edmond Chalmeau,
20, rue du Ruisseau, 89530 Chitry-le-Fort,
tél. 03.86.41.42.09, fax 03.86.41.46.84 ☑ ⍦ r.-v.

CH. DE CHAMILLY 1999★

1,51 ha	4 400	∎	3 à 5 €

Il se défend bien, ce 99 dont la couleur brille de mille feux. La fougère caresse les interrogations olfactives. Vif et fruité, il a toute la verdeur nécessaire. Construit au XVIIes. sur une forteresse médiévale, le château de Chamilly possède un domaine viticole de 16 ha. La châtelaine est ici viticultrice.
☛ EARL Ch. de Chamilly, Le Château,
71510 Chamilly, tél. 03.85.87.22.24, fax 03.85.91.23.91,
e-mail chateau.chamilly @ wanadoo.fr

CHANDESAIS 2000

n.c.	18 000	∎	5 à 8 €

On pense à ce conseil d'André Maurois s'adressant aux jeunes filles : « Gardez le charme d'une légère timidité. » Cette bouteille au nez pudique (zeste de citron, fleurs blanches du printemps) applique cette recommandation à la lettre. N'allez pas croire pour autant qu'elle a les yeux baissés et qu'elle n'a rien à dire ! Courant 2003, elle sera plus ouverte. Emile Chandesais est une Maison reprise par Michel Picard.
☛ SA Emile Chandesais, rue Saint-Nicolas ,
71150 Chagny, tél. 03.85.91.41.77, fax 03.85.91.40.26
☛ Michel Picard

DOM. JEAN CHARTRON
Clos de la Combe 2000★

0,12 ha	n.c.	∎↓	5 à 8 €

Rares sont les aligotés mentionant leur *climat* d'origine. Il est vrai qu'on se trouve ici à Puligny. Sa robe à reflets verts apparaît comme une allusion au chardonnay. Le bouquet est légèrement épicé, évoluant vers le fruit exotique. Un peu perlant en attaque, il constitue un vin d'apéritif gardant sa fraîcheur jusqu'en fin de bouche.
☛ Dom. Jean Chartron,
13, Grande-Rue, 21190 Puligny-Montrachet,
tél. 03.80.21.32.85, fax 03.80.21.36.35,
e-mail info @ chartron-trebuchet.com ☑ ⍦ r.-v.

CLAUDE CHONION 2000

n.c.	n.c.	∎↓	3 à 5 €

L'étiquette ressemble à l'une de ces vieilles actions que nos grands-pères nous ont léguées au poids du papier. Mais le vin qu'elle recouvre sera pendant une bonne année une valeur assez sûre. Jolie robe, bouquet entreprenant (un mélange de lierre et de pierre de fusil), notes de citron et

d'acacia ouvrant sur l'harmonie du décor intérieur, tout confirme la qualité. Il s'agit d'une marque de Labouré-Roi à Nuits.
☛ Claude Chonion, rue Lavoisier,
21700 Nuits-Saint-Georges,
tél. 03.80.62.64.00, fax 03.80.62.64.10 ☑ ⍦ r.-v.

ALAIN COCHE-BIZOUARD 2000★★

1 ha	9 000	∎ ⍙	3 à 5 €

Cuve et fût se sont mis en quatre pour porter ce vin sur les fonts baptismaux. Cloches, sonnez, voici un beau petit, l'un des meilleurs 2000 dégustés ce jour-là ! Or gris pâle, sa robe de baptême est subtile. Son nez ne cherche pas à tenir des discours qui ne seraient pas de son âge. On le devine gourmand, d'une sincérité que ne trouble pas le fin boisé de son berceau.
☛ EARL Alain Coche-Bizouard, 5, rue de Mazeray,
21190 Meursault, tél. 03.80.21.28.41, fax 03.80.21.22.38
☑ ⍦ r.-v.

JOCELYNE ET PHILIPPE DEFRANCE 2000★

4,61 ha	8 000	∎↓	5 à 8 €

Construite par les Templiers, cette cave conduit un domaine de 18 ha dont le quart est offert à l'aligoté. Floral et brioché, son nez s'offre la vie de château dans une robe jaune pâle à reflets discrets. La porte s'ouvre de façon engageante sur une présence agréable, aimable. Même si la conversation s'engage sur un ton assez vif, la longueur de l'entretien est honnête. Alcool et acidité ont le bon goût de ne pas jouer à la main chaude.
☛ Philippe Defrance, 5, rue du Four,
89530 Saint-Bris-le-Vineux, tél. 03.86.53.39.04,
fax 03.86.53.66.46 ☑ ⍦ r.-v.

DOM. DESERTAUX-FERRAND 2000

0,8 ha	4 500	∎	3 à 5 €

De beaux reflets animent sa robe jaune clair. Des arômes de chèvrefeuille se mêlent à la pierre à fusil pour composer un bouquet intense. Il est un peu nerveux, mais c'est le contraire qui serait étonnant. Quant à sa minéralité, n'oublions pas que Corgoloin est l'un des villages de la Côte des Pierres d'où l'on extrait, entre les rangs de vigne, le fameux calcaire de comblanchien.
☛ Dom. Desertaux-Ferrand, 135, Grande-Rue,
21700 Corgoloin, tél. 03.80.62.98.40,
fax 03.80.62.70.32, e-mail desertaux @ erb.com ☑ ⍦ r.-v.

DOM. DIGIOIA-ROYER 1999★

0,17 ha	1 600	⍙	3 à 5 €

Moretti puis Royer-Moretti, Digioia-Royer aujourd'hui : c'est ainsi qu'en Bourgogne et de génération en génération, l'on réalise la généalogie des domaines et des familles. Si l'épouse apporte des vignes dans la corbeille des noces, elle ajoute son nom à celui du mari sur l'étiquette. Pour un 99 assez tendre et fruité qui paraît un peu boisé et d'un excellent équilibre. Ce style est intéressant et a ses amateurs.
☛ Dom. Digioia-Royer, rue du Carré,
21220 Chambolle-Musigny, tél. 03.80.61.49.58,
fax 03.80.61.49.58 ☑ ⍦ r.-v.

GERARD DOREAU 1999

0,4 ha	3 000	⍙	5 à 8 €

Or jaunissant, cet aligoté aurait pu obtenir une ou deux étoiles s'il ne se présentait pas de façon aussi boisée. Car aujourd'hui, le bois efface le caractère variétal alors que le vin est excellent. Le fruit, la verdeur sont en effet bien à leur place. Il plaira sans aucun doute pendant les trois prochaines années.

⌐ Gérard Doreau, rue du Dessous, 21190 Monthélie, tél. 03.80.21.27.89, fax 03.80.21.62.19 ☑ ϒ r.-v.

RAYMOND DUREUIL-JANTHIAL 2000★

	0,65 ha	6 000	⦿	5 à 8 €

A Rully, on ne fait pas que du chardonnay quand on raisonne en blanc. Témoin ce bel oiseau charmeur, paré pour la fête et un rien vanillé. Sans doute chardonne-t-il un peu, ce qui a deux conséquences : il n'est pas d'une typicité extrême, mais il se plaît en bouche et y construit joliment son nid.

⌐ Raymond Dureuil-Janthial, rue de la Buisserolle, 71150 Rully, tél. 03.85.87.02.37, fax 03.85.87.00.24 ☑ ϒ t.l.j. 9h-12h 15h-19h; dim. sur r.-v.

DOM. FILLON ET FILS 2001★★

	3 ha	26 000	▮♦	5 à 8 €

Reprise par le frère et la sœur en cogérance, depuis 1995, cette exploitation familiale produit une perle rare. Celle-ci procure l'une des plus riches émotions de la dégustation. Délicieusement fruité, il réunit force et finesse et est si rond et si long qu'on en perd le souffle. La typicité est par ailleurs bien respectée.

⌐ Dom. Fillon, 53, rue Bienvenu-Martin, 89530 Saint-Bris-le-Vineux, tél. 03.86.53.30.26, fax 03.86.53.63.88 ☑ ϒ r.-v.

MAISON JEAN-CLAUDE FROMONT 2000★

	n.c.	18 000	▮	3 à 5 €

Jean-Claude Fromont a planté ses premières vignes en 1972 ; il a lancé la Maison qui porte son nom vingt ans plus tard. Le château de Ligny, acheté depuis, conforte ses ambitions. Son aligoté est frais, citronné, subtil, agréable de bout en bout et bien représentatif de l'appellation.

⌐ Maison Jean-Claude Fromont, Ch. de Ligny, 7, av. de Chablis, 89144 Ligny-le-Châtel, tél. 03.86.98.20.40, fax 03.86.47.40.72, e-mail accueil@chateau-de-ligny.com ☑ ϒ r.-v.

HENRY FRERES 2000★

	1,3 ha	10 000	▮♦	3 à 5 €

Un bon aligoté de l'Yonne. Ce département cultive ce cépage sur un peu plus de 200 ha (un peu moins de 1 500 en tout pour la Bourgogne). Deux frères sont associés ici pour nous inviter à découvrir ce 2000 net, frais et minéral, plutôt fleuri au nez, équilibré au palais où l'on découvre quelques notes épicées. Des huîtres, bien sûr.

⌐ GAEC Henry Frères, 89800 Saint-Cyr-les-Colons, tél. 03.86.41.44.87, fax 03.86.41.41.48 ☑ ϒ r.-v.

FREDERIC JACOB 2000★

	4 ha	5 000	▮	- de 3 €

Frédéric Jacob s'est installé tout jeune en 1996 et trois ans plus tard il reprenait le domaine Jacob-Frèrebaut. Son vin est un excellent produit (rapport qualité-prix méritant le coup d'œil s'il n'est pas distrait par la brillance de la robe). Le nez passe la barre au premier essai. Facile à boire sur le casse-croûte !

⌐ Frédéric Jacob, 50, Grande-Rue, 21420 Changey-Echevronne, tél. 03.80.21.55.58, fax 03.80.62.75.36 ☑ ϒ r.-v.

GILLES JOURDAN 2000★

	0,25 ha	2 400	▮♦	5 à 8 €

Surprenant, il sort de l'ordinaire. Pas tellement sous le regard, classique en un mot. Le bouquet divise quelque peu le jury. Mais en bouche, il suscite les mêmes commentaires éblouis ou réservés. Pour se faire une idée, la vôtre, il faut le goûter.

⌐ Gilles Jourdan, 114, Grande-Rue, 21700 Corgoloin, tél. 03.80.62.98.55, fax 03.80.62.98.55 ☑ ϒ r.-v.

MICHEL LAROCHE 2000★

	n.c.	12 000	▮♦	5 à 8 €

Placé sous le patronage de Saint-Martin, dont les reliques furent longtemps cachées dans les caves qui abritent aujourd'hui la Maison Michel Laroche, cet aligoté n'est pas avare de ses dons. D'une teinte relativement intense, il offre généreusement ses arômes de fleurs blanches. Sec, il n'assèche pas. Il franchit tous les obstacles avec aisance et élégance. Buvez-le sur des coquillages et on sait qu'en Bourgogne, ce sont surtout les escargots.

⌐ Michel Laroche, L'Obédiencerie ; 22, rue Louis-Bro, 89800 Chablis, tél. 03.86.42.89.28, fax 03.86.42.89.29, e-mail info@michellaroche.com ϒ r.-v.

DOM. NICOLAS MAILLET 2000★

	0,4 ha	3 000	▮♦	3 à 5 €

Passé en 1999 de la Cave coopérative à l'exploitation directe, Nicolas Maillet signe un aligoté du Maconnais. Avec succès, car celui-ci est bon enfant, un rien impertinent et tout à fait conforme à l'idée qu'on s'en fait. Sa robe est claire, son parfum caractéristique et sa saveur minérale. Une bouteille qu'on pourra mettre en présence d'une truite meunière.

⌐ Dom. Nicolas Maillet, La Cure, 71960 Verzé, tél. 03.85.33.46.76, fax 03.85.33.46.76, e-mail a.ries@free.fr ☑ ϒ r.-v.

CAVE DES VIGNERONS DE MANCEY 2001

	n.c.	17 000	▮♦	3 à 5 €

Né dans les environs de Tournus, ce 2001 répond déjà à quelques questions essentielles sans pour autant nous confier les secrets qu'il ignore encore. Sa robe d'une grande pureté, d'un bel éclat conduit à lui faire confiance. Le nez chuchote quelques senteurs : de fougère, semble-t-il. L'acidité et le moelleux se complètent comme un morceau pour piano à quatre mains. La persistance est correcte. Sans défaut, propre et net.

⌐ Cave des vignerons de Mancey, RN 6, BP 100, 71700 Tournus, tél. 03.85.51.00.83, fax 03.85.51.71.20 ☑ ϒ r.-v.

GHISLAINE ET BERNARD MARECHAL-CAILLOT 2000★

	1 ha	11 000	▮♦	8 à 11 €

Le coup de cœur a naguère honoré l'aligoté de ce domaine de 10 ha. Celui-ci mérite à tout le moins un coup de chapeau. Sa couleur est légère, comme il est normal. Son bouquet ressemble à une haie printanière (aubépine) mais il ne reste pas inactif et évolue à l'aération vers le fruit mûr et les agrumes. L'alcool et l'acidité font jeu égal, laissant une impression de franchise, d'élégance même. Très bien travaillé et élevé.

⌐ Bernard et Ghislaine Maréchal-Caillot, 10, rte de Chalon, 21200 Bligny-lès-Beaune, tél. 03.80.21.44.55, fax 03.80.26.88.21 ☑ ϒ r.-v.

DOM. DES MOIROTS 2000★

	1 ha	4 000		5 à 8 €

Nos lecteurs savent que Bissey-sous-Cruchaud est réputé, en Côte chalonnaise, pour l'excellence de son aligoté souvent mis en valeur par Christophe Denizot. Très pâle, ce 2000 réussit l'écrit et l'oral. La complexité de ses arômes passionne le jury qui y reconnaît le citron bien sûr mais également la gentiane et le silex. L'attaque est franche, animée. Le vin cependant ne se laisse pas déborder et il contrôle la situation. Légèrement pierreux, il « terroite » bien et vous plaira certainement. Apéritif ou tout coquillage.

🕯 Lucien et Christophe Denizot, 14, rue des Moirots, 71390 Bissey-sous-Cruchaud, tél. 06.83.41.55.24, fax 03.85.92.09.42 ☑ ⍓ r.-v.

PIERRE MOREY 1999★

	2,12 ha	19 500		5 à 8 €

Tout en s'occupant de son propre domaine, Pierre Morey est le bras droit d'Anne-Claude Leflaive et tous deux pratiquent la biodynamie selon ses stricts principes, avec le même enthousiasme. Cet aligoté fin et fruité déclare sa flamme de façon assez tendre et avec une franchise désarmante. Fidèle à 100 % à son cépage, il ne cherche pas les effets dramatiques et, jusqu'à la finale, s'applique à son devoir d'état.

🕯 Dom. Pierre Morey, 9, rue du Comte-Lafon, 21190 Meursault, tél. 03.80.21.21.03, fax 03.80.21.66.38 ☑ ⍓ r.-v.

CHRISTIAN MORIN 2000★★

	2 ha	15 000		3 à 5 €

Il fait fort, comme on dit communément. Car il se tire de toutes les difficultés et embûches du problème (il n'est pas si simple de réussir un aligoté) avec cette grâce naturelle qui ne manque pas de cohérence. Il faut l'agiter pour le rendre plus bavard : il s'ouvre alors sur la fleur blanche. La bouche très fraîche choisit le pamplemousse. La persistance est remarquable et sous des abords plaisants, la matière est là.

🕯 Christian Morin, 17, rue du Ruisseau, 89530 Chitry-le-Fort, tél. 03.86.41.44.10, fax 03.86.41.48.21 ☑ ⍓ r.-v.

DOM. THIERRY MORTET 2000★

	0,3 ha	2 500		5 à 8 €

A Gevrey aussi, on sait faire de l'aligoté. La robe de celui-ci a pas mal de brillance. Son bouquet est intéressant, original (humus, cire) avec un rien de fruit (pêche). Il survole la bouche tant il est aérien, offrant de surcroît des notes minérales qui s'accordent bien à sa fraîcheur mais aussi aux fruits secs (amande), qui perdurent en finale. Il est plus concentré que la plupart de ses frères.

🕯 Dom. Thierry Mortet, 16, pl. des Marronniers, 21220 Gevrey-Chambertin, tél. 03.80.51.85.07, fax 03.80.34.16.80 ☑ ⍓ r.-v.

DOM. JEAN ET GENO MUSSO 2000

	1,83 ha	4 000	⍚	5 à 8 €

Jean et Geno Musso sont depuis longtemps d'ardents défenseurs de la culture agro-biologique. Leur vin assez enveloppé parvient en fin de bouche sans le moindre essoufflement. Jaune clair légèrement doré, il évoque le citron, la noisette, tout en montrant quelques signes d'évolution (pomme mûre, cire d'abeille). La bouche est bien en rapport avec le nez mais elle s'exprime sur un ton vif avec une acidité prononcée qui appelle la crème de cassis pour un kir orthodoxe : un beau mariage en perspective.

🕯 Jean et Geno Musso, Le château, 71390 Sassangy, tél. 03.85.96.18.61, fax 03.85.96.18.62 ☑ ⍓ r.-v.

DOM. HENRI NAUDIN-FERRAND
Vieilles Vignes 2000

	0,89 ha	6 742		5 à 8 €

Décrit dès 1667 par Jean Merlet sous le nom de *beaunié*, ce cépage a porté plusieurs noms dans la région : il a choisi le plus vif, le plus guilleret, et il lui va comme un gant. Surtout dans les Hautes-Côtes et ici, par exemple. Franchise, netteté, droiture, on lit ces mots sur les fiches des dégustateurs. Ils résument l'efficacité de la démarche. Anne a quitté le domaine en 2001 pour reprendre l'enseignement. Claire continue seule, avec une équipe de sept personnes sur 22 ha.

🕯 Dom. Henri Naudin-Ferrand, rue du Meix-Grenot, 21700 Magny-lès-Villers, tél. 03.80.62.91.50, fax 03.80.62.91.77, e-mail dnaudin@ipac.fr ☑ ⍓ r.-v.

NICOLAS PERE ET FILS 2000

	1 ha	5 000		3 à 5 €

Né sur un domaine des Hautes-Côtes de Beaune où l'aligoté est comme un poisson dans l'eau, voici le type même de vin que l'on conseillait dans l'ancien temps comme premier verre du matin, celui du réveil, pour se désengourdir. Avec ses arômes de buis, de raisin frais, il ne perd pas son temps, attaque en souplesse et laisse libre cours à sa nature fougueuse.

🕯 EARL Nicolas Père et Fils, 38, rte de Cirey, 21340 Nolay, tél. 03.80.21.82.92, fax 03.80.21.85.47, e-mail nicolas-alain2@wanadoo.fr
☑ ⍓ t.l.j. 9h-12h 13h30-19h; f. 1 semaine en fév. et en août
🕯 Alain Nicolas

DOM. OLIVIER-GARD
Vieille Vigne 2000★★★

	0,5 ha	4 000		5 à 8 €

Coup de cœur à l'unanimité du jury : on va sabler le crémant pour fêter l'événement. Concœur se situe au-dessus de Nuits (on prononce conqueu) et l'exploitation est également renommée pour ses petits fruits rouges transformés en liqueurs, sirops et confitures : on retrouve là l'âme des Hautes-Côtes. Choisissez l'aligoté vieille vigne. Or gris, il a le nez fier et il exprime à merveille son cépage. A déguster maintenant, bien entendu, car l'aligoté n'est pas un vin à oublier en cave.

BOURGOGNE

🔖 Dom. Olivier-Gard, Concœur-et-Corboin,
21700 Nuits-Saint-Georges, tél. 03.80.62.39.33,
fax 03.80.62.10.47 ☑ ⌂ ⍨ r.-v.
🔖 Manuel Olivier

PERLES D'OR 2000*

	4,83 ha	3 100		🍶	3 à 5 €

Une curiosité de ce domaine des Hautes-Côtes de
Nuits. Tiré sur lies, l'aligoté s'appelle ici « Perles d'or » car
il est légèrement perlant. A l'œil, l'intensité est correcte. Au
nez, le bourgeon de cassis occupe toute la place (aligoté et
cassis font bon ménage dans ce pays bourguignon). La
bouche demeure dans les mêmes sentiments. Ce côté
aromatique bien particulier en fait un vin étonnant, très
agréable et destiné à l'apéritif (servi pur).
🔖 Dom. Thévenot-Le Brun et Fils,
21700 Marey-lès-Fussey,
tél. 03.80.62.91.64, fax 03.80.62.99.81,
e-mail thevenot-le-brun@wanadoo.fr ☑ ⍨ r.-v.

DOM. NOEL PERRIN 2000*

	0,3 ha	2 000		🍶	5 à 8 €

« Et buvez frais, si faire se peut », conseillait Rabelais.
Suivez cet enseignement s'il s'agit de cette bouteille. Elle
nous arrive de Saône-et-Loire dans ses beaux atours aux
feux étincelants. Du premier nez à l'arrière-bouche, sa
typicité est très marquée : un vin aigu comme le silex, frais
comme la bise de printemps. Cette vigne de trente ans a été
plantée sur d'anciennes mines de gypse mais son vin
n'intéressera pas seulement les géologues.
🔖 Dom. Noël Perrin, 71460 Culles-les-Roches,
tél. 03.85.44.04.25, fax 03.85.44.04.25,
e-mail perrinnoel@wanadoo.fr ☑ ⍨ r.-v.

ERIC PIGNERET 2000**

	0,9 ha	8 000		🍶	3 à 5 €

D'un or citronné, cet aligoté a le nez déjà ouvert sur
la pierre à fusil et la feuille de cassis : il ne fait pas mystère
de ses arômes. Sa fraîcheur assez vive n'exclut ni le gras ni
le volume, et l'on sent la vendange à pleine maturité. Sans
doute n'est-ce pas la typicité cinq sur cinq du cépage, mais
il s'agit d'un blanc très flatteur.
🔖 Eric Pigneret, Vingelles, 71390 Moroges,
tél. 03.85.47.96.26, fax 03.85.47.96.26
☑ ⍨ t.l.j. 9h-12h 14h-21h; dim. 9h-12h

DOM. VINCENT PRUNIER 2000*

	3,2 ha	10 000		🍶	3 à 5 €

Ses parents n'étaient pas viticulteurs. Vincent Prunier
a donc fondé son domaine, à grands pas car parti de 3 ha
en 1988, il en exploite aujourd'hui 11,5. Pour une appellation jugée parfois petite, cet aligoté va surprendre. Il a de
jolis reflets, et développe progressivement des arômes
citronnés, minéraux, iodés qui font leur nid au nez puis en
bouche. Calcaire en diable, ce 2000 est vivifié par une
bonne acidité. Impression générale : netteté, pureté.
🔖 Vincent Prunier,
rte de Beaune, 21190 Auxey-Duresses,
tél. 03.80.21.27.77, fax 03.80.21.68.87 ☑ ⍨ r.-v.

ROPITEAU 2001*

	n.c.	50 000		🍶	5 à 8 €

A la vue de cette bouteille, une douzaine d'escargots
de Bourgogne ne se feront pas prier et sortiront tous seuls
de leur coquille. Cet aligoté bien constitué, vif et fruité, très
long en bouche a vraiment le caractère du cépage sous des

traits brillants et un léger parfum de pomme verte. Autre
marque de Jean-Claude Boisset, la **cuvée spéciale non
millésimée d'Honoré Lavigne** obtient la même note.
Nous avons goûté une bouteille appartenant au lot
n° 0424.
🔖 Ropiteau Frères, 13, rue du 11-Novembre,
21190 Meursault, tél. 03.80.21.69.20,
fax 03.80.21.69.29, e-mail lemstra.f@attglobal.net
☑ ⍨ t.l.j. 9h-19h; f. mi-nov. à Pâques

DOM. NICOLAS ROSSIGNOL 2000*

	0,15 ha	900		🍷	3 à 5 €

La valeur n'attend pas le nombre des années : Nicolas
dirige le domaine depuis 1997 et sait déjà retenir l'attention. Ce vin ? Paille clair, le nez bien frais et centré sur les
fruits secs (amande), c'est un aligoté très rond, persistant,
vif mais sans excès. Il chardonne un peu car on se trouve
ici du côté de Meursault. L'élevage est bien mené.
🔖 Dom. Nicolas Rossignol, rue de Mont,
21190 Volnay, tél. 03.80.21.62.43, fax 03.80.21.27.61
☑ ⍨ r.-v.

MICHEL SARRAZIN ET FILS 2000**

	1,2 ha	15 000		🍶	3 à 5 €

Bouteille haut de gamme et qui se situe aux franges
du coup de cœur. Produite dans les environs de Givry en
Saône-et-Loire, elle est à bonne maturité sous sa robe doré
pâle. Le raisin frais semble se plaire parmi les arômes où
percent aussi des notes florales. L'attaque a beaucoup de
brio : fondée sur l'équilibre de l'acidité et de l'alcool, elle
conduit à un goût savoureux. C'est tout juste si on ne
rencontre pas en arrière-bouche la rose ou l'aubépine...
🔖 Michel Sarrazin et Fils, Charnailles, 71640 Jambles,
tél. 03.85.44.30.57, fax 03.85.44.31.22,
e-mail sarrazin2@wanadoo.fr ☑ ⍨ r.-v.

PASCAL SORIN 2000**

	3,97 ha	13 000		🍶	5 à 8 €

Quand il rentre du service militaire (il existait en ce
temps-là), Pascal fait le pari de reprendre le vignoble des
grands-parents. Comme il épouse Christine une Champenoise, exploitante de surcroît, on travaille ici un pied en
Bourgogne et l'autre en Champagne. Cet aligoté réussit à
introduire une pointe de complexité sur un schéma traité
avec goût. Fleurs blanches et agrumes se conjuguent sur un
fond équilibré auquel la fraîcheur participe. Très long, un
vin qu'on aime tout de suite.
🔖 EARL Sorin-Coquard, 25, rue de Grisy,
89530 Saint-Bris-le-Vineux, tél. 03.86.53.37.76,
fax 03.86.53.37.76 ☑ ⍨ t.l.j. 9h-12h 13h30-19h;
dim. 9h-12h; sur r.-v. pour groupes
🔖 Pascal Sorin

DOM. ROLAND SOUNIT

Elevé et Vieilli en fût de chêne 2000**

	0,88 ha	8 000		🍶	3 à 5 €

Il ne manque rien à ce vin-plaisir parfaitement typé.
Et pour un aligoté de Meursault, il ne chardonne pas. D'un
or ou jaune léger, il reste dans une sage discrétion. Mais il se
rattrape aux coups de nez, et on a bien envie d'en donner
plus de trois. La fleur blanche et le fruit (pêche) composent
un bouquet superbe. Fraîcheur et netteté s'accompagnent
ensuite de la vivacité nécessaire. Partagez ce bonheur entre
amis à la mi-2003.
🔖 SCEA Dom. Roland Sounit, rte de Monthélie,
21190 Meursault, tél. 03.80.21.22.45, fax 03.80.21.28.05

DOM. DE LA TOUR 2000

| | 2 ha | 3 500 | ▮▮ | 3 à 5 € |

Créé en 1820, ce domaine atteint 12 ha. Elevée traditionnellement sur lies fines, cette bouteille n'est pas à laisser en cave la tête sur l'oreiller. Il faut la déboucher bientôt. Gras et minéral, l'ensemble est de bonne tenue.
↜ SCEA Dom. de la Tour, 3, rte de Montfort, 89800 Lignorelles, tél. 03.86.47.55.68, fax 03.86.47.55.86, e-mail dtour@club-internet.fr
☑ Ⲧ t.l.j. sf sam. dim. 9h-12h 14h-17h
↜ Fabrici

LA TOUR BLONDEAU 2000

| | n.c. | n.c. | ▮▮ | 5 à 8 € |

Fin, plaisant, cet aligoté pourra sans doute prendre des dimensions plus importantes dans quelques mois. Vif sans tomber dans l'agressivité, il est simple mais agréable. Forgeot est une marque de Bouchard Père et Fils.
↜ Grands Vins Forgeot, 15, rue du Château, 21200 Beaune, tél. 03.80.24.80.50, fax 03.80.22.55.88

DOM. VERRET 2001★

| | 12,74 ha | 100 000 | ▮▮ | 5 à 8 € |

On ne le tient pas en laisse, ce vif-argent. Surtout qu'il ne perde pas son mordant, sa fraîcheur, son montant, sa sève, qui font tout son charme et témoignent de sa sincérité. La famille Verret commercialise aujourd'hui dans les trois cent mille bouteilles par an. Celle-ci nous manquerait, comme disait le poète, tout serait dépeuplé...
↜ Dom. Verret, 7, rte de Champs, BP 4, 89530 Saint-Bris-le-Vineux, tél. 03.86.53.31.81, fax 03.86.53.89.61, e-mail dverret@domaineverret.com ☑ Ⲧ r.-v.

VEUVE HENRI MORONI 2000★

| | 2 ha | 3 340 | ▮▮ | 5 à 8 € |

D'une teinte cristalline, ce vin a très bon nez (noisette fraîche, fleur blanche). Et toute la vivacité voulue sous des abords ronds et légers. A la réflexion, on se dit qu'il a du grain et même de l'étoffe.
↜ Veuve Henri Moroni, 1, rue de l'Abreuvoir, 21190 Puligny-Montrachet, tél. 03.80.21.30.48, fax 03.80.21.33.08, e-mail veuve.moroni@wanadoo.fr ☑ Ⲧ r.-v.

Bourgogne passetoutgrain

Appellation réservée aux vins rouges et rosés à l'intérieur de l'aire de production du bourgogne grand ordinaire, ou d'une appellation plus restrictive à condition que les vins proviennent de l'assemblage de raisins issus de pinot noir et gamay noir ; le pinot noir doit représenter au minimum le tiers de l'ensemble. Il est courant de constater que les meilleurs vins contiennent des quantités identiques de raisin de chacun des deux cépages, voire davantage de pinot noir.

Les vins rosés sont obligatoirement obtenus par saignée : ce sont donc des rosés œnologiques, par opposition aux « gris » obtenus par pressurage direct de raisins noirs et vinifiés comme des vins blancs. Dans la saignée, le tirage des jus est effectué lorsque le vigneron a obtenu, lors de la macération, la couleur désirée, ce qui peut très bien arriver en plein milieu de la nuit ! La production de passetoutgrain rosé est très faible ; c'est surtout en rouge que cette appellation est connue. Elle est produite essentiellement en Saône-et-Loire (environ les deux tiers), le reste en Côte-d'Or et dans la vallée de l'Yonne. Elle représente 50 989 hl en 2001. Les vins sont légers et friands, et doivent être consommés jeunes.

JEAN-NOEL BAZIN 2000

| | 0,5 ha | n.c. | ▮ | 5 à 8 € |

Installé depuis 1969 sur ce domaine de 10 ha, Jean-Noël Bazin est un passionné de son terroir. Dans une robe légère, ce vin avance un nez vineux qui n'a pas encore livré le fond de son cœur. La bouche, fidèle au portrait-robot de l'appellation, traduit un travail consciencieux. A boire maintenant.
↜ Jean-Noël Bazin, Les Petits Vergers, 21340 La Rochepot, tél. 03.80.21.75.49, fax 03.80.21.83.71 ☑ Ⲧ r.-v.

PHILIPPE BOUCHARD 2000★

| | n.c. | 50 000 | ▯▯ | 5 à 8 € |

Les Caves de la Reine Pédauque sous un autre nom. Le bouquet révèle les arômes du gamay sur un bel élan de jeunesse. Rouge cerise d'une tonalité vive, un passetoutgrain jouant la finesse, l'équilibre, le caractère et sachant garder longtemps du fruit en bouche. Les deux cépages sont ici à la fête.
↜ Philippe Bouchard, 21420 Aloxe-Corton, tél. 03.80.25.00.00, fax 03.80.26.42.00, e-mail vinibeaune@bourgogne.net Ⲧ r.-v.

CAVE DES VIGNERONS DE BUXY 2000

| | 46 ha | 266 000 | ▮▮ | 3 à 5 € |

60% de gamay, 40% de pinot, pour une bouteille mise en valeur par une belle limpidité. Au nez, le cassis prend le dessus et il s'agit là d'une manifestation du pinot. Goûteuse et friande, la bouche sait mettre de l'ordre dans les initiatives qui se font jour (acidité, alcool, tanins) par une structure bien étayée. Ce vin est à boire dans les mois qui viennent.
↜ Sica des Vignerons réunis de Buxy, rte de Châlon-sur-Saône, 71390 Buxy, tél. 03.85.92.03.03, fax 03.85.92.08.06, e-mail labuxynoise@cave-buxy.fr ☑

ERIC FOREST
Le Sabotier 2000

| | 0,2 ha | 800 | ▯▯ | 5 à 8 € |

Eric Forest est arrivé en 1999. Voici un passetoutgrain de Bourgogne méridionale, né entre les roches de Solutré et de Vergisson. Pourpre profond, d'un tempérament assez léger, il penche davantage du côté du gamay et on ne s'en étonne pas. Cuvaison à haute température : on le discerne à la dégustation.

➤ Eric Forest, Le Martelet, 71960 Vergisson,
tél. 06.22.41.42.55 ☑ ☗ r.-v.

➤ André Forest

DOM. GUEUGNON REMOND 2000★★

| ■ | 0,75 ha | 1 300 | ▣ ⦿ | 5 à 8 € |

50% pinot, 50% gamay. Le résultat est remarquable. Sous une parure rubis soutenu, son nez a de la conversation. Fruits rouges, finesse, il s'exprime en pinot. Une pointe réglissée anime sa structure solide, mais il se montre souple malgré sa relative acidité. Ce 2000 plaît beaucoup. A déboucher dans un à deux ans.

➤ Dom. Gueugnon-Remond, chem. de la Cave, 71850 Charnay-lès-Mâcon, tél. 03.85.29.23.88, fax 03.85.20.20.72 ☑ ☗ r.-v.

CAVE DES VIGNERONS DE MANCEY 2001★

| ■ | n.c. | 12 500 | ▣⦿ | 3 à 5 € |

Saucisson cru, jambon et rillettes feront bonne escorte à ce vin d'un rouge pourpre valeureux. Quelques arômes fermentaires au nez (c'est un 2001 dégusté en mars suivant), laissant toutefois place à un parfum de fruit rouge acidulé, groseille par exemple. La bouche est spontanée, équilibrée, gouleyante et elle présente jusqu'à la fin un bon fruit.

➤ Cave des vignerons de Mancey, RN 6, BP 100, 71700 Tournus, tél. 03.85.51.00.83, fax 03.85.51.71.20 ☑ ☗ r.-v.

DOM. DES MOIROTS 2000★

| ■ | 1 ha | 4 000 | ▣ | 5 à 8 € |

A ce vin, on a envie de dire comme Lamartine : « Laissez-moi respirer sur vos lèvres vermeilles ce souffle parfumé... ». Bravo pour la couleur. Les arômes sont un peu retenus, évoluant vers la myrtille et la mûre. Matière, structure, chair : il a tout ce qu'il faut. Prometteur, il pourra même faire un petit séjour en cave.

➤ Lucien et Christophe Denizot, 14, rue des Moirots, 71390 Bissey-sous-Cruchaud, tél. 06.83.41.55.24, fax 03.85.92.09.42 ☑ ☗ r.-v.

DOM. SAINT GERMAIN 2000★

| ■ | 0,9 ha | 7 000 | ▣⦿ | 3 à 5 € |

Un passetoutgrain qui ne craint pas d'afficher une couleur... bordeaux, d'ailleurs joliment traitée. Ses arômes vont de la prune au foin coupé. La bouche est bien enlevée et d'excellente composition. On apprécie notamment la fraîcheur de son fruit.

➤ Christophe Ferrari, 7, chem. des Fossés, 89290 Irancy, tél. 03.86.42.33.43, fax 03.86.42.39.30 ☑ ☗ r.-v.

DOM. TAUPENOT-MERME 1999★

| ■ | n.c. | n.c. | ⦿ | 5 à 8 € |

Mi-pinot mi-gamay, ce passetoutgrain représente ici la Côte de Nuits. Il tire parti de ses tanins sans les mettre trop en avant. Son acidité est amplement suffisante. Elle s'accorde à la groseille dont la présence est appréciée. Un 99 capable de faire encore un bout de chemin.

➤ Jean Taupenot-Merme, 33, rte des Grands-Crus, 21220 Morey-Saint-Denis, tél. 03.80.34.35.24, fax 03.80.51.83.41, e-mail domaine.taupenot-merme@wanadoo.fr ☑ ☗ r.-v.

JEAN-PIERRE TRUCHETET 2000

| ■ | 0,63 ha | 5 400 | ⦿ | 3 à 5 € |

Pour un gros poulet bien gras et nourri sur son carré d'herbe à la mode bressane, ce 2000 rouge vif, peu aromatique par le temps qu'il fait, d'un contact simple et correctement typé. Un peu sur l'alcool et les tanins, mais le passetoutgrain correspond souvent à ce style.

➤ Jean-Pierre Truchetet, RN 74, 21700 Premeaux-Prissey, tél. 03.80.61.07.22, fax 03.80.61.34.35 ☑ ☗ t.l.j. sf sam. dim. 9h-12h 14h-19h; f. 15-31 août

VEUVE HENRI MORONI 1999★

| ■ | 1,04 ha | 4 240 | ▣⦿ | 5 à 8 € |

Savez-vous que jadis Chassagne, Puligny, Santenay étaient célèbres en Bourgogne pour leur passetoutgrain ? Cette bouteille s'inscrit dans cette tradition. Son rubis intense, son bouquet en éveil sur le pinot. Le corps est... corpulent, sur un retour de fruit et des tanins solides. D'une persistance honorable, ce vin représentatif de son appellation est à boire ou à attendre un peu.

➤ Veuve Henri Moroni, 1, rue de l'Abreuvoir, 21190 Puligny-Montrachet, tél. 03.80.21.30.48, fax 03.80.21.33.08, e-mail veuve.moroni@wanadoo.fr ☑ ☗ r.-v.

Bourgogne hautes-côtes de nuits

Dans le langage courant et sur les étiquettes, on utilise le plus fréquemment « bourgogne hautes-côtes de nuits » pour les vins rouges, rosés et blancs produits sur seize communes de l'arrière-pays, ainsi que sur les parties de communes situées au-dessus des appellations communales et des crus de la Côte de Nuits. Ces vignobles ont produit 28 553 hl en 2001, dont 4 980 hl en blanc. Cette production a augmenté de manière importante depuis 1970, date avant laquelle le vignoble se limitait à la production de vins plus régionaux, bourgogne aligoté essentiellement. Le vignoble s'est reconverti à ce moment-là et des terrains, plantés avant le phylloxéra, ont été reconquis.

Les coteaux les mieux exposés donnent certaines années des vins qui peuvent rivaliser avec des parcelles de la Côte ; les résultats sont d'ailleurs souvent meilleurs en blanc, et il est bien dommage que les plantations ne se soient pas faites davantage avec le chardonnay qui, sans nul doute, réussirait mieux, le plus souvent. A l'effort de reconstitution du vignoble a été associé un effort touristique qu'il faut souligner, avec en particulier la construction d'une maison des Hautes-Côtes où sont exposées les productions locales que l'on peut déguster avec la cuisine régionale.

DOM. BARBIER ET FILS
Le Combet Chalot 1999★

	2,3 ha	18 000	▮ ⅡⅠ⬓ 11 à 15 €

La succession de Bernard Barbier non plus à la mairie mais à la cuverie. D'un or moyen, la robe de ce 99 est jeune, pimpante. Le bouquet floral, délicat. Un brin de chèvre-feuille... Quant à la bouche, elle constitue une petite merveille d'équilibre et d'harmonie. Une sensation de fleur de vigne est joliment amenée en finale.

✦ Dom. Barbier et Fils,
17, rue Thurot, 21700 Nuits-Saint-Georges,
tél. 03.80.61.21.21, fax 03.80.61.10.65 ☑ ⵀ r.-v.

✦ Guy et Xavier Dufouleur

JEAN-BAPTISTE BEJOT 2000

	n.c.	15 000	▮ 5 à 8 €

Ministre de l'Agriculture, Michel Cointat avait vu dans le mouton l'avenir des Hautes-Côtes. Par bonheur, on n'a pas suivi son conseil. Le vin y maintient les jeunes à la terre, et le négoce s'y intéresse. Ce pinot n'est pas d'un rouge terrible, mais ses parfums épicés et fruités, assez chauds, ont ce qu'il faut de complexité. Le corps est vif, souple, léger. Pour la charcuterie de pays.

✦ SA Jean-Baptiste Béjot, 21190 Meursault,
tél. 03.80.21.22.45, fax 03.80.21.28.05

DOM. BERTAGNA
Les Dames Huguettes 2000★

	5,57 ha	32 000	▮ ⅡⅠ⬓ 5 à 8 €

Domaine acheté en 1982 par les Reh, famille allemande. Situées presque sous le pylône de la télévision à Nuits, les Dames Huguettes ont de la distraction. Cependant elles trouvent encore le temps de produire ce vin rouge pivoine aux accents de fraise surmaturée. L'attaque est fraîche, souple, puis des tanins caressants enveloppent la chair d'un corps un peu rustique, mais typé et bien disposé. A boire maintenant.

✦ Dom. Bertagna, 16, rue du Vieux-Château,
21640 Vougeot, tél. 03.80.62.86.04, fax 03.80.62.82.58
☑ ⵀ r.-v.

✦ Eva Reh-Siddle

BLASON DE BOURGOGNE 2000★

	14 ha	80 000	▮⬓ 5 à 8 €

G.I.E. des coopératives bourguignonnes à l'intention de la grande distribution bourguignonne. Il s'agit ici de la Cave des Hautes-Côtes. Le produit est abondant (80 000 cols) mais de bonne qualité. Les arômes évoluent à l'aération vers le cassis, puis on trouve souplesse et élégance au palais. Ce n'est pas le Colisée, mais une cuvée très honnête et sympathique.

✦ Blason de Bourgogne, rue du Serein, 89800 Chablis,
tél. 03.86.42.88.34, fax 03.86.42.83.75

BOUCHARD AINE ET FILS
Les Cloîtres 2000★

	n.c.	20 500	8 à 11 €

« La Côte est belle, mais l'Arrière-Côte est émouvante », disait Gaston Roupnel : ce sont les Hautes-Côtes, bien ancrées dans l'histoire bourguignonne. Dans une robe cristalline, arborant un nez finement grillé et qu'embellit une touche de silex, ce vin semble en bouche prendre le frais. Sa jeunesse s'exprime par une acidité agréable car le fruit conserve longtemps sa saveur. Belle réussite dans l'appellation et dans le millésime ! Maison reprise par Jean-Claude Boisset.

✦ Bouchard Aîné et Fils,
hôtel du Conseiller-du-Roy, 4, bd Mal-Foch,
21200 Beaune, tél. 03.80.24.24.00, fax 03.80.24.64.12
☑ ⵀ t.l.j. 9h30-12h30 14h-18h30

DOM. YVAN DUFOULEUR
Les Dames Huguette 1999★

	1,3 ha	9 000	ⅡⅠ 8 à 11 €

Depuis dix ans à la tête de ce beau domaine de 14 ha. On voit que les Dames Huguette sont l'un des rares *climats* de cette appellation à bénéficier d'une réelle notoriété. Ce 99 confirme cette bonne réputation : rubis soutenu (beau glycérol), il n'est pas trop boisé, et ses arômes de truffe, de sous-bois nous entraînent en promenade sur les hauteurs de Nuits. Sans offrir un volume exceptionnel, il est très agréable. Goûtez-le sur une viande braisée aux carottes...

✦ Dom. Yvan Dufouleur, 18, rue Thurot,
21700 Nuits-Saint-Georges, tél. 03.80.62.31.00,
fax 03.80.62.31.00 ☑ ⌂ ⵀ r.-v.

DOM. FRANCOIS GERBET
Vieilles vignes 1999

	6,4 ha	20 000	▮ⅡⅠ 8 à 11 €

Cherchez la femme... surtout quand il y en a deux ! Marie-Andrée et Chantal ont gardé leur nom de jeune fille pour présenter le vin familial. Rubis clair, celui-ci a le nez pudique, offrant toutefois quelques notes de cassis. La bouche est assez structurée, un peu au-dessus de la moyenne.

✦ Dom. François Gerbet,
Caveau La Maison des Vins, pl. de l'Eglise,
21700 Vosne-Romanée, tél. 03.80.61.07.85,
fax 03.80.61.01.65, e-mail vins.gerbet@wanadoo.fr
☑ ⵀ r.-v.

DOM. EMMANUEL GIBOULOT 2000★

	1,24 ha	4 900	ⅡⅠ 8 à 11 €

Les raisins de l'espérance... Issus ici de l'agriculture biologique, mention sur l'étiquette, ceux-ci se traduisent dans le verre par un pourpre violacé suivi d'un premier coup de nez très frais sinon vert, un deuxième de fruits rouges et l'ultime, végétal. Ses tanins sont soyeux et, s'il n'est pas très complexe, il joue le jeu. Vin d'avenir et réussissant sa qualification au premier saut. Une pintade sera digne de lui.

✦ Dom. Emmanuel Giboulot, Combertault,
21200 Beaune, tél. 03.80.26.52.85, fax 03.80.26.53.67
☑ ⵀ r.-v.

XAVIER GIRARDIN 2000★

	1 ha	2 000	ⅡⅠ 5 à 8 €

Xavier Girardin travaille pour un domaine à Vosne en attendant de pouvoir s'installer définitivement. Il propose un vin typé à boire jeune, à servir assez frais pour en tempérer la vinosité. La chose est entendue, et ce qu'on pourrait vous dire du rubis transparent de sa robe coquine, de son parfum de bourgeon de cassis, de sa bouche friande ne pourrait confirmer sa qualité. Ses tanins bien fondus et son arrière-goût de fraise des bois lui valent tous les suffrages.

✦ Xavier Girardin, SCEA Les Ormes,
21700 Arcenant, tél. 03.80.62.11.80, fax 03.80.61.22.72
☑ ⵀ r.-v.

BOURGOGNE

DOM. A.-F. GROS 2000

	n.c.	n.c.		8 à 11 €

Vignoble situé sur Arcenant, du côté du hameau de Chevrey, traité en plantation mi-hautes et mi-larges comme c'est souvent le cas dans les Hautes-Côtes. Il donne un vin sauvageon, d'une âme sincère et rustique, rouge cerise très mûre. Son parfum est terrien (humus, végétal). Il demande à se fondre, mais il est déjà bien bâti avec une légère note d'amertume style gentiane qui lui procure de l'originalité.
🍷 Dom. A.-F. Gros, La Garelle, Grande-Rue,
21630 Pommard, tél. 03.80.22.61.85, fax 03.80.24.03.16,
e-mail af-gros@wanadoo.fr ☑ ⏹ r.-v.

DOM. GROS FRERE ET SŒUR 2000★

	2,5 ha	21 848		8 à 11 €

« Flatteur, voire féminin », écrit sur sa fiche un de nos jurés. Gras plus glycérol, on est en pleine euphorie, en volupté pour tout dire. Pointe d'alcool, fruits exotiques, on part en voyage. Le nez d'ailleurs est un peu muscaté et contribue à cette carte de séjour pour le dépaysement. La robe tire sur la paille. Il s'agit ici d'un des nombreux domaines Gros nés à Vosne-Romanée du partage familial, il y a quelque vingt ans.
🍷 Dom. Gros Frère et Sœur, 6, rue des Grands-Crus,
21700 Vosne-Romanée, tél. 03.80.61.12.43,
fax 03.80.61.34.05 ☑ ⏹ r.-v.

JEAN-YVES GUYARD 2000

	2,3 ha	1 500		5 à 8 €

Villiers-la-Faye (prononcer fai) est un haut-lieu des Hautes-Côtes de Nuits. La famille Guyard en est à la quatrième génération et incarne bien la petite propriété vigneronne (6,5 ha). Son vin lui ressemble : parfaitement typé, il est à conserver une paire d'années. Sa présence, son caractère, sa fermeté sont en effet des vertus à cultiver. Le nez est franc, normalement fruité. La robe foncée.
🍷 Jean-Yves Guyard, 21, rue de Chaux,
21700 Villiers-la-Faye, tél. 03.80.62.91.14,
fax 03.80.62.75.72 ☑ ⏹ r.-v.

DOM. DOMINIQUE GUYON
Cuvée des Dames de Vergy 2000★

	21,8 ha	60 000		8 à 11 €

S'il appartient à une grande famille bourguignonne de la vigne et du vin, Dominique est aussi un self-made-man : durant les années 1970, il a remembré trois cent cinquante parcelles (soixante-dix propriétaires) sur la colline de Myon à Meuilley. Aujourd'hui près de 25 ha d'un seul tenant, pour cette cuvée des Dames de Vergy, d'un intense rouge cerise. Son bouquet un peu poivré annonce une constitution légère et plaisante, assez souple. Sa persistance est honorable.
🍷 Dom. Dominique Guyon, 21420 Savigny-lès-Beaune, tél. 03.80.67.13.24, fax 03.80.66.85.87,
e-mail vins@guyon-bourgogne.com ☑ ⏹ r.-v.

FREDERIC JACOB 2000★

	2 ha	5 000		5 à 8 €

Rouge grenat à reflets violets, cette bouteille a trouvé dans le cassis l'homme de sa vie. L'animal et le cuir tentent de l'en distraire, peine perdue ! Le champignon, la truffe, rien à faire. Elle lui sera fidèle jusqu'au bout. D'une structure sérieuse, un vin aux tanins aimables, et qui est bien caractéristique de l'AOC.

🍷 Frédéric Jacob,
50, Grande-Rue, 21420 Changey-Echevronne,
tél. 03.80.21.55.58, fax 03.80.62.75.36 ☑ ⏹ r.-v.

DOM. GUY-PIERRE JEAN ET FILS
Les Dames Huguettes 2000★★

	8 ha	20 000		8 à 11 €

Récolte 2000

**BOURGOGNE
HAUTES-CÔTES DE NUITS**
Appellation Bourgogne Hautes-Côtes de Nuits Contrôlée
— Les Dames Huguettes —

Product of France 13% vol.

GUY-PIERRE JEAN & FILS
PROPRIÉTAIRE-RÉCOLTANT À ALOXE-CORTON, F 21420

Mise en bouteille à la propriété 750 ml

Le coup de cœur salue ce vin produit sur les hauteurs de Nuits et donc très proche des 1ers crus de cette appellation. Fabrice et Thierry ont repris le domaine familial en 1991 et ils font ici très bonne impression. La couleur a du tonus et le bouquet, un peu de verve, entre le fruit et le poivre. Léger bien sûr, mais que de finesse ! Des tanins adorables, un fruit persistant, c'est ce qu'on a goûté de mieux le 21 mars dernier.
🍷 Dom. Guy-Pierre Jean et Fils,
rue des Caillettes, 21420 Aloxe-Corton,
tél. 03.80.26.44.72, fax 03.80.26.45.36 ☑ ⏹ r.-v.

DOM. ALAIN JEANNIARD
Les Vignes blanches 2000★

	1,04 ha	3 300		8 à 11 €

Pas de vinification au domaine de 1978 à 1999, puis reprise de cette activité. D'une couleur assez intense, en 2000, au nez floral et beurré, attaque franchement et fermement ; d'une bonne acidité, ce chardonnay franchit tous les obstacles. Typé, boisé et cependant nerveux. Déjà prêt - mais aussi de garde - pour une volaille.
🍷 Dom. Alain Jeanniard,
4, rue aux Loups, 21220 Morey-saint-Denis,
tél. 03.80.58.53.49, fax 03.80.58.53.49,
e-mail domaine.ajeanniard@wanadoo.fr ☑ ⏹ r.-v.

DOM. JEAN-PHILIPPE MARCHAND 2000★★

	n.c.	12 000		5 à 8 €

En 1998, le coup de cœur a couronné le 95 rouge de ce domaine ; il n'en est pas loin avec son 2000. Grenat sombre, le pinot noir développe de façon expressive des arômes de fruits noirs qu'un petit boisé vanillé met en gaieté. Puissante, l'attaque ouvre sur une belle charpente solide et concentrée, un beau vin au potentiel très intéressant.
🍷 Maison Jean-Philippe Marchand,
4, rue Souvert, BP 41, 21220 Gevrey-Chambertin,
tél. 03.80.34.33.60, fax 03.80.34.12.77,
e-mail marchand@axnet.fr ☑ 🏠 🏠 ⏹ t.l.j. sf dim.
lun. 10h-12h 14h-19h; f. 25 déc.-4 jan.

DOM. DE MONTMAIN
Le Rouard 2000

	7 ha	n.c.		8 à 11 €

Le Rouard de Bernard Hudelot est un classique, souvent un *must* (coup de cœur à deux reprises dans le passé). Assez boisé, celui-ci possède une robe limpide, brillante, et des jambes remarquables sur le verre. Le fond est bon, la finale généreuse et passionnante. Chercheur, entreprenant, Bernard fait partie de la génération qui a relancé les Hautes-Côtes. Si vous allez le voir, demandez-lui ce que donnent ses cuvées réalisées à... Tahiti.

☛ Dom. de Montmain, 21700 Villars-Fontaine, tél. 03.80.62.31.94, fax 03.80.61.02.31, e-mail bernard.hudelot@wanadoo.fr

☑ ⵊ t.l.j. sf dim. 8h30-12h 13h30-18h; sam. sur r.-v.

☛ Bernard Hudelot

JEAN-PIERRE MUGNERET
Cuvée Marie-Charlotte 1999★

■	1,07 ha	n.c.	⑪ 8 à 11 €

Du caractère, il en a à revendre. Et si cette Marie-Charlotte (qui donne son prénom à la cuvée) participe du même sang, il faudra lui trouver un mari à la hauteur de la situation ! Jaune paille, un chardonnay au bouquet esquissé, à peine floral, et qui suscite la sympathie autour de la table : ce petit bonheur du jour a ses charmes.

☛ EARL Jean-Pierre Mugneret, Concœur, 21700 Nuits-Saint-Georges, tél. 03.80.61.00.20, fax 03.80.62.33.04 ☑ ⵊ r.-v.

OLIVIER-GARD 2000

■	1 ha	6 500	⑪ 5 à 8 €

Domaine situé à Corboin, hameau de Nuits sur le haut de la commune. Les petits fruits y sont à l'honneur et maintiennent ici la tradition. Quant au vin, il présente un nez timide et serré, légèrement réglissé, sous des abords d'un or très clair. Encore jeune, il dispose d'un gras et d'une acidité suffisants pour prendre un peu de bouteille. Complet, il s'ouvrira (notamment sur le fruit, discret à ce jour).

☛ Dom. Olivier-Gard, Concœur-et-Corboin, 21700 Nuits-Saint-Georges, tél. 03.80.62.39.33, fax 03.80.62.10.47 ☑ ⌂ ⵊ r.-v.

☛ Manuel Olivier

ERIC PANSIOT
Le Lieu Dieu 2000

■	0,6 ha	4 000	ⵊ⌂ 5 à 8 €

Le Lieu Dieu est une ancienne abbaye de femmes dont il subsiste quelques vestiges en contrebas de la Maison des Hautes-Côtes à Marey-lès-Fussey. La robe est pure et nette : sous un tel patronage, on n'en attend pas moins. Après un joli nez acidulé et frais, la bouche se montre vivante et simple. A prendre comme tel à l'apéritif et dans l'année. Citons en outre le **rouge 2000** encore un peu austère et qu'il faut savoir tenir en cave (deux à trois ans).

☛ Dom. Éric Pansiot, Ch. de la Chaume, 21700 Corgoloin, tél. 03.80.62.94.32, fax 03.80.62.73.14 ☑ ⵊ r.-v.

MICHEL PICARD 2000★★

■	n.c.	10 000	ⵊ⑪ 8 à 11 €

Extraction poussée, mais bien conduite. Très haut en couleur, ce 2000 se situe dans un registre aromatique de petits fruits rouges (groseille). Tanins et acidité font jeu égal. Le tout, plein de chair et de montant.

☛ SA Michel Picard, rte de Saint-Loup-de-la-Salle, 71150 Chagny, tél. 03.85.87.51.00, fax 03.85.87.51.11

CH. DE PREMEAUX 2000★★

■	2,1 ha	9 000	⑪ 8 à 11 €

Chateau de Premeaux
BOURGOGNE HAUTES-CÔTES DE NUITS
Appellation Bourgogne Hautes-Côtes de Nuits Contrôlée
2000
MIS EN BOUTEILLE AU CHATEAU
DOMAINE DU CHATEAU DE PREMEAUX
21700 NUITS-SAINT-GEORGES - FRANCE
12% vol.   750 ml
PROPRIÉTAIRES-RÉCOLTANTS
PRODUCT OF FRANCE

La Châtelaine de Vergi est l'un des plus beaux poèmes médiévaux de l'amour courtois. On sent que ces raisins sont nés dans cette inspiration. Ils vont au coup de cœur. D'un grenat très foncé, ils offrent un bouquet lyrique : myrtille, épices, réglisse, quelle distribution ! Puissante et maîtrisée, la structure est d'une harmonie parfaite avec ce je-ne-sais-quoi de framboise qui nous transporte au septième ciel.

☛ Dom. du Ch. de Premeaux, 21700 Premeaux-Prissey, tél. 03.80.62.30.64, fax 03.80.62.39.28, e-mail chateau.de.premeaux@wanadoo.fr ☑ ⵊ r.-v.

HENRI ET GILLES REMORIQUET 2000★

■	1,5 ha	12 000	⑪ 8 à 11 €

Gilles a pris beaucoup de responsabilités profession-nelles dans le vignoble bourguignon. Son hautes-côtes ? De main de maître (il a d'ailleurs reçu le coup de cœur pour le millésime 95). Il élabore un vin bien coloré issu de vendanges très mûres garantissant de bons arômes de cassis et de mûre que ne cache pas un boisé bien maîtrisé. Ne cherchez pas ici un exercice de métaphysique, mais un bon pinot noir familial.

☛ Gilles Remoriquet, 25, rue de Charmois, 21700 Nuits-Saint-Georges, tél. 03.80.61.24.84, fax 03.80.61.36.63, e-mail domaine.remoriquet@wanadoo.fr ☑ ⵊ r.-v.

LAURENT ROUMIER 1999★

■	2 ha	6 000	⑪ 8 à 11 €

Laurent Roumier a créé son domaine, il y a un peu plus de dix ans, avec des vignes en fermage. A la tête de 4,10 ha, il exporte déjà sur plusieurs continents. Ce vin offre un cocktail de fruits rouges, de vanille et de sous-bois très réussi. Sans oublier la robe d'une teinte chaleureuse. Un goût de cannelle accompagne son parcours tout en rondeur bien équilibré entre le fruit, les tanins et le bois.

☛ Dom. Laurent Roumier, rue de Vergy, 21220 Chambolle-Musigny, tél. 03.80.62.83.60, fax 03.80.62.84.10 ☑ ⵊ r.-v.

GUY SIMON ET FILS
Les Dames Huguette Vieilli en fût de chêne 2000★

■	0,5 ha	3 000	⑪ 8 à 11 €

Guy Simon est l'un des artisans de la reconquête des Hautes-Côtes par la vigne. Autre attrait de sa cave : une étonnante collection de fossiles tirés du sol qu'il travaille. Les Dames Huguette se situent sur les hauteurs de Nuits. Rouge cerise d'une belle brillance, elles ont ici du cœur à l'ouvrage. Le nez franc évoque le fruit macéré. Voici un pinot noir qui n'aura guère le temps de s'ennuyer en cave. Sa typicité est excellente dans un style souple, frais et gardant des réserves pour l'arrière-bouche.

➤ Guy Simon et Fils, 21700 Marey-lès-Fussey, tél. 03.80.62.91.85, fax 03.80.62.71.82 ☑ ⟟ r.-v.

DOM. THEVENOT-LE BRUN ET FILS
Les Renardes 1999

■	2,49 ha	14 700	▤ ⑪ ⚬	5 à 8 €

Le rouge de la robe de ce 99 évolue tout doucement vers la tuile bourguignonne. Puis il n'y a que du cassis, très prononcé, au bouquet et au goût. La structure n'est pas sans intérêt, et l'acidité équilibrée. La rétro, légèrement épicée, nuance le sujet. A boire pour ce parfum : noir de Bourgogne, royal de Naples, le cassis des Hautes-Côtes appartient à l'élite.

➤ Dom. Thévenot-Le Brun et Fils, 21700 Marey-lès-Fussey, tél. 03.80.62.91.64, fax 03.80.62.99.81, e-mail thevenot-le-brun@wanadoo.fr ☑ ⟟ r.-v.

DOM. ALAIN VERDET
Vieilles vignes Fût neuf 1999★

■	6 ha	20 000	⑪ 11 à 15 €

Un village comme Arcenant a vu sa superficie de vigne passer de 360 ha en 1880 à moins de 40 au début des années 1960. On a repris courage, et cette commune est devenue viticole. Tannique, ce 99 a séjourné vingt-sept mois en fût, ce qui est assez exceptionnel. Sa robe est profonde, ses arômes un peu effacés et encore boisés alors qu'en bouche, ses nuances fruitées bien fondues équilibrent son acidité. Deux coups de cœur lui ont été décernés autrefois pour les millésimes 96 et 85.

➤ Alain Verdet, 21700 Arcenant, tél. 03.80.61.08.10, fax 03.80.61.08.10, e-mail alain.verdet@wanadoo.fr ☑ ⟟ r.-v.

DOM. DE LA VIGNE AU ROY
Le Pertuis de Rousseau 2000

■	1 ha	5 000	⑪ 5 à 8 €

Il s'agit du domaine Philippe Gonet rebaptisé pour la circonstance : la Vigne au Roy, et acquis par la Veuve Ambal. Aucun roi de France n'a sans doute été propriétaire à Bévy, ce village qu'un pied-noir courageux, Maurice Eisenchteter, a fait revivre naguère. Ce chardonnay est estimable, il a de la robe, du nez (minéral, légèrement fumé) et une vivacité peu banale qui intrigue, tant il est impulsif et primesautier. En rouge Les Champs Bon Valot 2000 sont de bonne harmonie.

➤ Dom. de la Vigne au Roy, 21220 Bévy, tél. 03.80.61.44.87, fax 03.80.61.44.87 ☑ ⟟ r.-v.

Bourgogne hautes-côtes de beaune

S ituée sur une aire géographique plus étendue (une vingtaine de communes, et débordant sur le nord de la Saône-et-Loire), la production des vins d'appellation bourgogne hautes-côtes de beaune représente un volume supérieur à celui des hautes-côtes de nuits, 40 815 hl dont 6 597 en blanc en 2001. Les situations sont plus hétérogènes et des surfaces importantes sont encore occupées par les cépages aligoté et gamay.

L a coopérative des Hautes-Côtes, qui a fait ses débuts à Orches, hameau de Baubigny, est maintenant installée au « Guidon » de Pommard, à l'intersection des D 973 et RN 74, au sud de Beaune. Elle vinifie un volume important de bourgogne hautes-côtes de beaune. De même que plus au nord, le vignoble s'est essentiellement développé depuis les années 1970-1975.

L e paysage est plus pittoresque que dans les Hautes-Côtes de Nuits, et de nombreux sites doivent faire l'objet d'une visite, comme Orches, La Rochepot et son château, et Nolay, petit village bourguignon. Il faut enfin ajouter que les Hautes-Côtes, qui autrefois étaient le siège d'exploitations de polyculture, sont restées des régions productrices de petits fruits destinés à alimenter les liquoristes de Nuits-Saint-Georges et Dijon, et qu'on y rencontre encore, sous différents états, des cassis, framboises ou liqueurs et eaux-de-vie de ces fruits, d'excellente qualité. L'eau-de-vie de poire des Monts-de-Côte-d'Or, bénéficiant d'une appellation simple, trouve également ici son origine.

DOM. ALEXANDRE 2000

■	0,5 ha	3 000	▤ ⚬	5 à 8 €

Grenat violine, ce vin affiche un bon *casting* aromatique : vanille, myrtille, cerise noire et même chèvrefeuille pour l'un de nos jurés-gourmets. Vif, il n'a pas encore réglé tous ses problèmes de tanins, mais il n'est pas dépourvu de charme. On ne voit aucune raison de le laisser dans l'ombre.

➤ Dom. Alexandre Père et Fils, pl. de la Mairie, 71150 Remigny, tél. 03.85.87.22.61, fax 03.85.87.29.61, e-mail domalexandre@aol.com ☑ ⟟ r.-v.

DOM. BACHELET 2000★

■	3 ha	18 000	▤ ⑪ ⚬	5 à 8 €

Cette « purée septembrale », comme disait Rabelais, offre une belle couleur limpide, profonde, d'un rouge grenat très classique. On tombe ensuite nez à nez avec la framboise agrémentée de réglisse. Puissant, équilibré, mais encore austère, ce vin devra attendre deux à quatre ans en cave.

➤ Dom. Bernard Bachelet et Fils, rue Maranges, 71150 Dezize-lès-Maranges, tél. 03.85.91.16.11, fax 03.85.91.16.48 ☑ ⟟ r.-v.

DOM. DU BEAUREGARD 1999★

■	0,35 ha	882		5 à 8 €

Rubis clair dans son contour, plus appuyé en profondeur, un 99 dont le bouquet s'ouvre timidement sur la

violette et la framboise. Les tanins sont arrondis, le fruit persistant et évoluant sur le confit. On ne regrettera pas de l'avoir débouché (sans trop attendre car il ne faut jamais tenter le diable quand on approche du paradis).
🍷 Dom. du Beauregard, 9, rue de Mercey,
71510 Saint-Sernin-du-Plain, tél. 03.85.45.55.17,
fax 03.85.45.55.17, e-mail micheldepernon@wanadoo.fr
☑ Ⴁ r.-v.
🍷 Depernon

CHRISTIAN BERGERET 1999★

	0,48 ha	4 500	◫	5 à 8 €

Nolay est le pays natal de Lazare Carnot. L'« organisateur de la victoire » lors de la Convention (1793) devait sans doute boire un petit blanc sec comme celui-ci pour préparer une bataille. D'un jaune citron très brillant, légèrement boisé, il attaque franchement et en rangs serrés, montrant davantage de souplesse par la suite. Vif et minéral, l'ensemble est bien construit et d'un abord généreux. Pensez à lui si vous préparez une blanquette de veau à l'ancienne.
🍷 EARL Christian Bergeret et Fille,
11, rue des Huiliers, 21340 Nolay,
tél. 03.80.21.71.93, fax 03.80.21.85.36 ☑ Ⴁ r.-v.

BOISSEAUX-ESTIVANT
Sous les Roches 2000

■	n.c.	3 500	▮◫⏚	15 à 23 €

Boisseaux-Estivant est une maison beaunoise distincte des œuvres d'André Boisseaux : une propriété Ponnelle, autre nom célèbre dans la capitale du bourgogne. Rouge soutenu et limpide, le millésime 2000 présente un nez jeune et déjà ouvert. Il ne possède pas une constitution herculéenne, mais de la rondeur, une certaine finesse, des tanins bien fondus plaident en sa faveur.
🍷 Boisseaux-Estivant,
38, fg Saint-Nicolas, BP 107, 21200 Beaune,
tél. 03.80.22.26.84, fax 03.80.24.19.73 ☑

PHILIPPE BOUCHARD 2000

■	n.c.	20 000	◫	8 à 11 €

La teinte violacée ne mérite que des compliments. La bouche est riche en fruits, les tanins bienveillants. Le nez est assez fermé, et on le voudrait plus explicite. A l'heure qu'il est, peut-être s'est-il ouvert ?
🍷 Philippe Bouchard, 21420 Aloxe-Corton,
tél. 03.80.25.00.00, fax 03.80.26.42.00,
e-mail vinibeaune@bourgogne.net Ⴁ r.-v.

BOUCHARD PERE ET FILS 2000★

■	n.c.	n.c.	▮◫⏚	8 à 11 €

Sous sa couleur grenat, un vin qui décline la cerise en plusieurs chapitres. Le noyau, puis l'arôme caractéristique, le kirsch, la cerise à l'eau-de-vie... En bouche, le scénario se reproduit. A boire maintenant sur le fruit, même si ses tanins ne se font pas oublier.
🍷 Bouchard Père et Fils, Ch. de Beaune,
21200 Beaune, tél. 03.80.24.80.24, fax 03.80.22.55.88,
e-mail france@bouchard-pereetfils.com Ⴁ r.-v.

DOM. MARC BOUTHENET 1999★

■	8 ha	8 000	◫	5 à 8 €

Les hautes-côtes vont par monts et par vaux. « A sauts et à gambades », pour parler comme Montaigne. Noyau de cerise en bouche, ce vin a donc des tanins. Mais il a aussi de la matière, de la rondeur. Bref, il sera bien au point d'ici quelques mois. Sa robe sombre et limpide habille un bouquet épicé et intense, net et plaisant.
🍷 Dom. Marc Bouthenet, Mercey, 11, rue Saint-Louis, 71150 Cheilly-lès-Maranges, tél. 03.85.91.16.51, fax 03.85.91.13.52 ☑ Ⴁ r.-v.

DOM. PIERRE BRESSON 1999

■	1,62 ha	4 000	▮⏚	5 à 8 €

Les maranges et les hautes-côtes de beaune cousinent à l'occasion. C'est le cas ici. Rouge vif présentant quelques reflets d'évolution, ce 99 a du bouquet (légèrement animal puis se situant du côté de la violette). Equilibré, l'ensemble franchit le cap de Bonne-Espérance pour un an de garde tout au plus.
🍷 Pierre Bresson, Le Pont,
71150 Cheilly-lès-Maranges,
tél. 03.85.91.15.58, fax 03.85.91.17.37 ☑ Ⴁ r.-v.

DENIS CARRE 2000

■	n.c.	n.c.	▮◫⏚	5 à 8 €

Le rouge est mis. Les jeux sont faits. Quelle robe ! Comment expliquer son bouquet ? Tout simplement de pinot noir, déjà un peu évolué, l'animal prenant la suite du cassis. En bouche, il apparaît puissant, serré, et l'on sent une forte extraction. Une bonne bouteille d'entrée de gamme si elle s'arrondit en cave. Le millésime 88 a obtenu naguère le coup de cœur.
🍷 Denis Carré, rue du Puits-Bouret, 21190 Meloisey, tél. 03.80.26.02.21, fax 03.80.26.04.64 ☑ Ⴁ r.-v.

DOM. CHARACHE-BERGERET
Les Bignons 2000★★

■	4,54 ha	10 500	◫	5 à 8 €

« Bienfaisante l'alchimie qui permet à nos racines de puiser la matière du monde (...). » Lyrique, cette étiquette ! Le vin l'est également car il s'agit d'une des bouteilles de proue de la dégustation. La robe presque noire n'est nullement funèbre. Le nez se régale du fruit frais. Du corps, de la puissance, de l'acidité, il peut sommeiller un bon moment en cave. On aime son caractère entier et spontané, mais aussi sa bonhomie. Domaine créé en 1976 à Bouze, village des Hautes-Côtes rendu célèbre par une chanson du folklore bourguignon, La Bique de Bouze. Mais celle-ci ne « corne » pas les passants : elle les charme.
🍷 René Charache-Bergeret, 21200 Bouze-lès-Beaune, tél. 03.80.26.00.86, fax 03.80.26.00.86 ☑ Ⴁ r.-v.

DOM. FRANÇOIS CHARLES ET FILS 2000★

■	4 ha	20 000	◫	5 à 8 €

La première bouteille signée par le domaine et François Charles date de 1961. Que de chemin depuis et notamment le coup de cœur pour le millésime 94. Celui-ci porte une robe rubis de pinot. Quelques petits fruits rouges se présentent à l'appel. Sa bonne matière, concentrée, portée sur la cerise, et des tanins moelleux jusqu'en finale composent un vin bien fait qui respecte le cépage. On peut convoquer toute viande grillée.
🍷 EARL François Charles et Fils, 21190 Nantoux, tél. 03.80.26.01.20, fax 03.80.26.04.84 ☑ Ⴁ r.-v.

DOM. CHEVROT 2000★

■	1 ha	6 000	▮◫⏚	5 à 8 €

Si vous visitez la région en minibus et si vous êtes sept (maxi), le gîte rural du domaine vous accueillera. Cela vous évitera de reprendre le volant après avoir dégusté ce 2000 or pâle et assez vanillé, puis aubépine en discrétion. Déjà prêt, ce vin adopte en bouche le style agrumes (citron, pamplemousse) qui enveloppe son acidité. Une choucroute de la mer devrait s'harmoniser avec son goût très agréable.

☛ Catherine et Fernand Chevrot, Dom. Chevrot, 19, rte de Couches, 71150 Cheilly-lès-Maranges, tél. 03.85.91.10.55, fax 03.85.91.13.24, e-mail domaine.chevrot@wanadoo.fr
☑ ⌂ ⍩ t.l.j. 9h-12h 14h-18h; dim. 9h-12h; f. 6-30 jan.

DOM. DE LA CONFRERIE 2000★★

■				
	5,6 ha	9 000	▯	8 à 11 €

Incontestablement l'une des figures marquantes du défilé : fidèle à la violette qui orne sa robe et embellit son bouquet, elle brille par sa saveur. L'animal tout d'abord (mais domestiqué), la touche de réglisse sur les tanins, ses notes de cassis, de tabac brun, tout cela signale une personnalité attachante, un caractère authentique.

☛ EARL Jean Pauchard et Fils, Dom. de La Confrérie, rue Perraudin, Cirey, 21340 Nolay, tél. 03.80.21.89.23, fax 03.80.21.70.27, e-mail domj.pauchard@wanadoo.fr ☑ ⍩ r.-v.

HENRI DELAGRANGE ET FILS 2000★

■				
	3 ha	25 000	▯⍟	5 à 8 €

Veritas et *qualitas* nous annonce ce viticulteur dont les racines plongent jusqu'au XVe s. dans le terroir bourguignon. De fait, ce vin est parfaitement typé, et il plaît. Jaune discret mais lumineux, il s'oriente vers un bouquet nettement floral avant de se prononcer au palais : fruit blanc. Peu persistant mais de qualité. Bouteille à ouvrir en 2003 mais pas forcément en janvier, avec une sole meunière.

☛ Dom. Henri Delagrange et Fils, rue de la Cure, 21190 Volnay, tél. 03.80.21.61.88, fax 03.80.21.67.09 ☑ ⍩ r.-v.

CH. DE DRACY 1999★

■				
	1 ha	6 400	⏛	11 à 15 €

Monopole de la maison Bichot, le domaine du baron de Charette entoure un très beau château du Couchois. Son vin illumine le regard tant le rubis est brillant. Une bonne concentration de fruits rouges attend que le nez veuille bien abaisser le pont-levis. L'impression est simple mais profonde, offrant du cépage une image souple et ronde. L'acidité est suffisante.

☛ SCA Ch. de Dracy, 71490 Dracy-lès-Couches, tél. 03.85.49.62.13, fax 03.80.24.37.38 ⍩ r.-v.
☛ Benoît de Charette

GILBERT ET PHILIPPE GERMAIN 2000★

■				
	1,2 ha	7 000	⏛	5 à 8 €

Nantoux est un joli petit village des Hautes-Côtes : il mérite le détour. Ce chardonnay lui ressemble, tant il est spontané et charmant. Robe intense et limpide, fin boisé sur des notes beurrées (on n'est pas loin de Meursault, savez-vous ?), il est tout plein d'ardeur et en fin de compte d'une très bonne longueur. Poisson à la crème conseillé.

☛ Gilbert et Philippe Germain, 21190 Nantoux, tél. 03.80.26.05.63, fax 03.80.26.05.12, e-mail germain.vins@wanadoo.fr ☑ ⌂ ⍩ r.-v.

LES CAVES DES HAUTES-COTES
Le Mont Battois 2000★

■				
	7 ha	28 000	⏛	5 à 8 €

Sur Beaune et Savigny, le Mont Battois est bien connu en Bourgogne car les élèves des établissements viti-vinicoles de Beaune entretiennent ce domaine expérimental créé naguère pour améliorer le matériel végétal du vignoble. Bravo ! En effet, si cette bouteille qui en provient manque un peu de robe et semble atypique pour le millésime (en raison de sa maturité), sa touche de violette, ses accents animaux, sa présence conduisent à la recommander chaleureusement.

☛ Les Caves des Hautes-Côtes, rte de Pommard, 21200 Beaune, tél. 03.80.25.01.00, fax 03.80.22.87.05, e-mail vinchc@wanadoo.fr ☑ ⍩ r.-v.

DOM. LUCIEN JACOB 2000★

■				
	1,2 ha	7 000	⏛	5 à 8 €

Depuis 1989, ce domaine de 19 ha est conduit par Jean-Michel Jacob, Christine Jacob et Chantal Foray-Jacob. Fermenté en fût de chêne, ce chardonnay séduit par ses reflets verts dans une teinte or brillant. Bien soutenu par le bois, il affiche des parfums élégants et une bouche équilibrée où s'expriment les fruits blancs sur une note minérale. N'est-ce pas sympathique ?

☛ Dom. Lucien Jacob, 21420 Echevronne, tél. 03.80.21.52.15, fax 03.80.21.55.65, e-mail lucien-jacob@wanadoo.fr
☑ ⍩ t.l.j. 9h-12h 14h-17h; f. 15-31 août

HUBERT JACOB MAUCLAIR 1999★

■				
	5,06 ha	12 700	▯⏛	5 à 8 €

Spécialisé naguère dans la production du cassis et de la framboise, ces petits fruits qui ont longtemps fait vivre les Hautes-Côtes et qui participent si bien au bouquet de leurs vins, ce domaine s'est converti à la vigne durant les années 1970. Son 99 n'a peut-être pas une couleur très soutenue, mais il offre un parfum particulièrement fruité et une souplesse délicate tant ses tanins sont bien fondus.

☛ Hubert Jacob Mauclair, 56, Grande-Rue, Changey, 21420 Echevronne, tél. 03.80.21.57.07, fax 03.80.21.57.07 ☑ ⍩ r.-v.

MARINOT-VERDUN 2000★

■				
	n.c.	15 000	▯	5 à 8 €

On y respire le bourgeon de cassis, la mûre au bout d'un moment, la griotte... Tout se met donc en place. Au palais, l'impression dominante est acidulée (bonbon anglais, groseille). Bouteille aimable et d'une réelle fraîcheur. Assez sûre en fin de compte.

☛ Marinot-Verdun, Cave de Mazenay, 71510 Saint-Sernin-du-Plain, tél. 03.85.49.67.19, fax 03.85.45.57.21
☑ ⍩ t.l.j. sf dim. 8h-12h 14h-18h

DOM. MAZILLY PERE ET FILS
La Perrière 2000★

■				
	0,3 ha	2 500	⏛	8 à 11 €

Fin et minéral, un 2000 jaune pâle soutenu (voilà comme on dit les choses). Son bouquet complexe associe des notes florales et fruitées (fruits blancs). Une petite pointe d'amertume nuance sa bouche plaisante où la fleur et le fruit se marient en blanc. Inutile de l'attendre : il est mûr. Les vins de Meloisey eurent leur heure de gloire ; on en but, dit-on, au sacre de Philippe Auguste.

➼ Dom. Mazilly Père et Fils, rte de Pommard,
21190 Meloisey, tél. 03.80.26.02.00, fax 03.80.26.03.67
☑ ⏇ r.-v.

CHRISTIAN MENAUT
La Jolivode 2000★

■	2,2 ha	14 000	⏇	5 à 8 €

Si l'habit ne fait pas le moine, la robe peut annoncer la bouteille. Celle-ci relève de la haute couture et il est rare d'en admirer d'aussi réussie. Le bouquet commence par une évocation du bourgeon de cassis, d'un trait délicat qui s'affirme peu à peu sur le fruit mûr. De constitution légère, la bouche s'exprime surtout par la finesse et l'élégance. Ce domaine a reçu le coup de cœur pour ses millésimes 85 et 97.
➼ Christian Menaut, rue Chaude, 21190 Nantoux, tél. 03.80.26.07.72, fax 03.80.26.01.53 ☑ ⏇ r.-v.

CH. DE MERCEY 1999

	20 ha	46 500	⏇	8 à 11 €

Domaine cédé par la famille Berger à Antonin Rodet (Mercurey). Ce 99 est à attendre. Si sa structure est correcte, ses tanins n'ont pas encore déposé les armes. Il mérite cependant sa chance : nos jurés sont d'accord là-dessus. Sous une robe rubis, le nez déjà épicé, cassissé, pourra s'ouvrir davantage. Il s'agit de vignes conduites « en lyre ».
➼ Ch. de Mercey, 71150 Cheilly-lès-Maranges, tél. 03.85.91.13.19, fax 03.85.91.16.28
☑ ⏇ t.l.j. 8h-12h 13h30-17h; sam. dim. sur r.-v.; f. août

DOM. MONNOT-ROCHE 1999

■	4,5 ha	2 500	■ ⏇	5 à 8 €

Pour les connaisseurs, voici le produit de vigne « en lyre » sur Change et Nolay. La robe est simple, assez claire, et le nez sur la mûre mais avançant à pas comptés. En bouche, n'en attendez pas de surprises : seulement les qualités honorables de l'appellation sous une forme tannique.
➼ Dom. Monnot-Roche, rue Collot, Change, 21340 Nolay, tél. 03.85.91.17.74, fax 03.85.91.17.74, e-mail domaine.monnot.roche@libertysurf.fr
☑ ⏇ ⏇ r.-v.

NICOLAS PÈRE ET FILS 2000★

	1 ha	5 000	■ ↓	5 à 8 €

Depuis 1998, Alain Nicolas mène le domaine fondé par ses ancêtres. Il propose une bouteille jaune pâle à boire dans l'année qui vient. Le nez garde un peu ses distances. Légèrement acidulé, il paraît cependant disposé à offrir quelques arômes fleuris. On est ici dans une vision souple et légère de l'appellation.
➼ EARL Nicolas Père et Fils, 38, rte de Cirey, 21340 Nolay, tél. 03.80.21.82.92, fax 03.80.21.85.47, e-mail nicolas-alain2@wanadoo.fr ☑ ⏇ t.l.j. 9h-12h 13h30-19h; f. 1 semaine en fév. et en août

DOM. PARIGOT PÈRE ET FILS
Clos de la Perrière 2000★

■	0,7 ha	5 600	⏇	8 à 11 €

Coup de cœur pour un 89 blanc, renouvelant l'exploit pour un 93 également blanc, ce domaine joue cette fois en rouge, et il n'est guère éloigné de la deuxième étoile. Couleur griotte sans trop de reflets, un pinot noir porté sur la baie de cassis. Assez long et solide, il repose sur un bon fruit et, si sa bouche est tannique, c'est parce qu'il est jeune et fraîche.

➼ Dom. Parigot Père et Fils, rte de Pommard, 21190 Meloisey, tél. 03.80.26.01.70, fax 03.80.26.04.32
☑ ⏇ r.-v.

CH. DE SANTENAY
Clos de la Chaise Dieu Monopole 2000

	11,99 ha	95 000	■ ⏇ ↓	5 à 8 €

Belle robe blanc-vert et larmes le long du verre. Le nez ne fait pas d'économies de bouts de chandelle : un festival d'arômes bien typés chardonnay, à mi-chemin entre la fleur blanche et le minéral. Encore un peu jeune, ce vin doit se fondre, mais on apprécie déjà son retour d'arômes.
➼ SAS Ch. de Santenay, 1, rue du Château, 21590 Santenay, tél. 03.80.20.61.87, fax 03.80.20.63.66
☑ ⏇ r.-v.

MICHEL SERVEAU 2000★

■	3,2 ha	6 000	■	5 à 8 €

Les différents éléments de ce pinot noir doivent encore se fondre pour flatter davantage. Cela dit, le rubis violacé de la robe, l'allant du nez (cuir, animal, épice) et le fruit qui humanise sa vivacité originelle permettent de croire en d'heureux lendemains. Coup de cœur pour son 88 rouge.
➼ Michel Serveau, rte de Beaune, 21340 La Rochepot, tél. 03.80.21.70.24, fax 03.80.21.71.87
☑ ⏠ ⏇ t.l.j. 8h-19h

DOM. DES TROIS CROIX 2000

■	10,04 ha	78 000	■ ⏇	8 à 11 €

Site occupé dès le néolithique, la montagne des Trois Croix domine Santenay. Il a donné son nom aux vignes des Hautes-Côtes de Beaune gérées à Nuits par Moillard. Pour une bouteille dont la couleur s'accorde au millésime. Ses arômes montrent le du fruit rouge bien mûr, conservé dans l'alcool. Dans la foulée, on passe à un corps un peu svelte, mais fruité, et de bonne tenue en bouche.
➼ Dom. des Trois Croix, Chem. rural 29, 21700 Nuits-Saint-Georges, tél. 03.80.62.42.00, fax 03.80.61.28.13, e-mail nuicave@wanadoo.fr
☑ ⏇ t.l.j. 10h-18h; f. jan.

VAUCHER PÈRE ET FILS 2000

■	n.c.	n.c.	■ ↓	5 à 8 €

Sous l'étiquette d'une marque de Labouré-Roi (Vaucher était une maison dijonnaise rachetée en 1988), un vin rubis chatoyant au parfum à dominante sauvage. Consistant et rond, ce 2000 est sorti en pleine forme de ses dix mois de cuve, laissant à d'autres la vanille et le pain grillé. Il sera très agréable à boire durant les prochains mois sur le rôti du dimanche.
➼ Vaucher Père et Fils, rue Lavoisier, 21700 Nuits-Saint-Georges, tél. 03.80.62.64.00, fax 03.80.62.64.10 ⏇ r.-v.

Crémant de bourgogne

Comme toutes les régions viticoles françaises ou presque, la Bourgogne avait son appellation pour les vins mousseux produits et élaborés sur l'ensemble de son aire géographique. Sans vouloir critiquer cette production, il faut bien reconnaître que la qualité n'était pas très homogène et ne correspondait pas, la plupart du temps, à la réputation de la région, sans doute parce que les mousseux se faisaient à partir de vins trop lourds. Un groupe de travail constitué en 1974 jeta les bases du crémant en lui imposant des conditions de production aussi strictes que celles de la région champenoise et calquées sur celles-ci. Un décret de 1975 consacra officiellement ce projet, auquel se sont ralliés finalement tous les élaborateurs (bon gré mal gré), puisque l'appellation bourgogne mousseux a été supprimée en 1984. Après un départ difficile, cette appellation connaît un bon développement et a produit 63 228 hl en 2001.

CAVE D'AZE
Blanc de Noirs

	1 ha	10 000	■♦	5 à 8 €

La couronne est jolie, la bulle fine et expansive. Les coopérateurs d'Azé s'occupent de 270 ha, mais leur production de crémant est infime. Alors qu'on s'attend de leur part à un chardonnay, voici un pinot noir 100 %. Il paraît encore très jeune, vif et frais.
↬ Cave coop. d' Azé, En Tarroux, 71260 Azé,
tél. 03.85.33.30.92, fax 03.85.33.37.21
☑ ⏣ t.l.j. 8h-12h 14h-18h30

BRUT D'AZENAY
Blanc de blancs★

	4 ha	40 000	■♦	5 à 8 €

Un blanc de blancs, un blanc de Blanc, chef renommé de la gastronomie française... Quand il ne veille pas sur le poulet de Bresse, Georges Blanc se consacre en effet au chardonnay, et il signe fièrement : viticulteur. Cette bouteille se présente sous un bel or, et elle est très réussie dans le style végétal (chèvrefeuille, menthe). De l'attaque à la finale, on reste bien dans la même direction et toujours en équilibre.
↬ Georges Blanc, Dom. d'Azenay,
Rizerolles, 71260 Azé, tél. 03.85.33.37.93,
fax 04.74.50.21.00, e-mail blanc@relaisetchateaux.fr
☑ ⏣ r.-v.

BAILLY-LAPIERRE 2000★★★

	n.c.	180 000	■♦	5 à 8 €

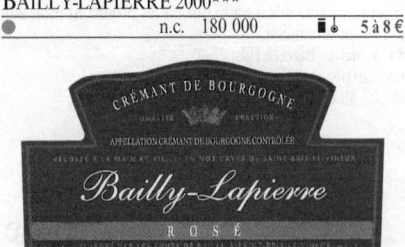

Les caves de Bailly (Yonne) sont nichées dans une étonnante ancienne carrière qu'on vous conseille de visiter. Le crémant y coule à flot, car il s'agit d'un producteur majeur dans l'appellation qui reçoit deux coups de cœur

fait suffisamment rare pour être souligné. Tout d'abord pour le **blanc de noirs 99** riche, long, et or pâle. Pour ce rosé 90 % pinot et le reste en gamay. Le fruit est époustouflant (cassis et framboise), la finesse est à l'image même de la perfection en bouche. Dans cette même AOC, les cuvées **Chardonnay 99** et **Pinot noir 99** sont d'excellente compagnie et obtiennent une étoile. Une cave en qui on peut avoir confiance.
↬ SICA du Vignoble Auxerrois,
Caves de Bailly, 89530 Saint-Bris-le-Vineux,
tél. 03.86.53.77.77, fax 03.86.53.80.94,
e-mail home@caves-bailly.com
☑ ⏣ t.l.j. 10h-12h 14h-18h

DOM. BARTNICKI
Princesse de Vix★

	10 ha	20 000	■	5 à 8 €

Eric Piffaut (Veuve Ambal) a repris cette exploitation il y a deux ans. Elle se situe dans le Châtillonnais, à peu de distance des Riceys (Aube) où l'on fait du champagne. Ce vin assez rond, et fidèle à des arômes de poire, conviendra au dessert plutôt qu'à l'apéritif. La Dame de Vix inhumée ici six siècles avant notre ère aurait-elle pu imaginer qu'elle figurerait un jour sur une étiquette... ? Coup de cœur en 1996 sous la gestion Bartnicki.
↬ SARL Vignobles de Molesmes, 21400 Villers-Patras,
tél. 03.80.81.94.74, fax 03.80.81.95.43 ☑ ⏣ r.-v.

DOM. DE BELLEVILLE★★

	n.c.	2 000	■♦	5 à 8 €

Le crémant rosé est un exercice de style difficile. C'est tout bon ou franchement raté. Ici, tout bon. La mousse très fine vivifie un beau rose pâle, une couleur superbe. Aromatique et bien dosé, il tire le meilleur du pinot noir. On se fait vraiment plaisir ! Le **crémant blanc**, issu de 40 % de chardonnay et de 60 % de pinot noir, obtient une étoile. A la fois floral et fruité, il est désaltérant.
↬ Dom. Christian Belleville, 1, rue des Bordes,
71150 Rully, tél. 03.85.91.06.00, fax 03.85.91.06.01,
e-mail dombellevi@aol.com ☑ ⏣ r.-v.

CAVE DE VIGNERONS DE BISSEY
Blanc de blancs 2000

	1,5 ha	14 000	■♦	5 à 8 €

Petite production de cette cave coopérative du Chalonnais. Il y a de la gaieté dans cette bouteille inspirant constamment le mot « agréable ». La bulle est fine, la couronne élégante, entourant un jaune pâle et limpide. Des notes minérales, toute la finesse du chardonnay et une structure... « agréable ».
↬ Cave de Vignerons de Bissey,
71390 Bissey-sous-Cruchaud,
tél. 03.85.92.12.16, fax 03.85.92.08.71,
e-mail cave.bissey@wanadoo.fr ☑ ⏣ r.-v.

DOM. BOUCHEZ-CRETAL★

	n.c.	n.c.		5 à 8 €

Il respecte toutes les règles de la bienséance : cordon persistant, léger œil rose sous un jaune intense. Acidité et longueur sont à point. Fortement dosé, un crémant puissant qui prend en bouche toute sa place. On peut l'essayer sur un poulet à la crème.
↬ SCEA Dom. Bouchez-Crétal, 21190 Monthélie,
tél. 03.85.87.17.40, fax 03.85.87.17.40 ☑ ⏣ r.-v.

SYLVAIN BOUHELIER

	4 ha	10 450	5 à 8 €

Pinot noir et chardonnay presque à égalité, avec une petite avance pour le second cépage des années 1998 et 1999. Produit du vignoble châtillonnais, ce crémant est né à une très faible distance du champagne de l'Aube. La mousse est ici démonstrative, le bouquet plus persuasif (pain grillé, agrumes), la bouche souple et vineuse.
➥ Sylvain Bouhélier, pl. Saint-Martin,
21400 Chaumont-le-Bois,
tél. 03.80.81.95.97, fax 03.80.81.95.97,
e-mail sylvainbouhelier@wanadoo.fr ☑ ☓ r.-v.

LOUIS BOUILLOT
Grande Réserve Perle de Vigne★

	n.c.	80 000	5 à 8 €

Un festival Louis Bouillot. Maison nuitonne fondée en 1877 et bientôt spécialisée dans les vins effervescents, développée depuis quelques années par Jean-Claude Boisset. Trois bouteilles ont été retenues. La palme revient à ce Perle de Vigne à la mousse entreprenante et généreuse. Probablement un blanc de noirs, car on distingue nettement la présence efficace du pinot. Rondeur et vinosité sont agréables sous un nez flatteur. Notez aussi **Perle rare millésime 97** et **Charles de Fère Grande Cuvée 97** également. Ils tiennent bien la rampe et obtiennent la même récompense.
➥ Louis Bouillot, 5, quai Dumorey,
21700 Nuits-Saint-Georges,
tél. 03.80.62.61.00, fax 03.80.62.37.38,
e-mail gauthier.r@attglobal.net

LA CHABLISIENNE
Cuvée brut 1996

	3,5 ha	30 000	⬛⬤ 8 à 11 €

Pour les amateurs de curiosités : outre 87 % de chardonnay, cette cuvée comporte 13 % de sacy, cépage de l'Yonne utilisé traditionnellement pour les vins effervescents et qu'on ne voit plus guère. La bulle est ici persistante. Le bouquet se montre monarchiste (le lys, bien sûr). Assez vineux, ce 96, millésime déjà ancien, est à servir à table.
➥ La Chablisienne, 8, bd Pasteur, BP 14,
89800 Chablis, tél. 03.86.42.89.89, fax 03.86.42.89.90,
e-mail chab@chablisienne.fr ☑ ☓ r.-v.

DELIANCE PERE ET FILS
Ruban mauve★

	3 ha	21 500	5 à 8 €

Nous avons apprécié la cuvée **Ruban or** (chardonnay 40 % et pinot 60 %) dans la fourchette de prix supérieure, autant que ce Ruban mauve portant le pinot à 85 % associé au chardonnay. Sa mousse très agréable (bulles fines) enveloppe un bouquet complexe de blanc et noir. Tendre et cependant charpenté, on le juge nettement au-dessus de la moyenne.
➥ Dom. Deliance, 71640 Dracy-le-Fort,
tél. 03.85.44.40.59, fax 03.85.44.36.13 ☑ ☓ t.l.j. 9h-19h

ANDRE DELORME
Blanc de blancs★

	n.c.	6 000	5 à 8 €

Jean-François Delorme est l'efficace défenseur de toute la profession. Deux fois coup de cœur dans le passé, il se situe bien en blanc de blancs. Légèrement teinté de l'or fin, ce joli crémant ne néglige pas le bouquet (genièvre et citron) et il maintient au palais le cap aromatique (fleur d'églantine). Tout en finesse, il laisse d'heureux souvenirs.

➥ André Delorme, 2, rue de la République, BP 15,
71150 Rully, tél. 03.85.87.10.12, fax 03.85.87.04.60,
e-mail andre-delorme@wanadoo.fr
☑ ☓ t.l.j. sf dim. 9h-12h 14h-18h; groupes sur r.-v.

DOM. DENIZOT 1999★★

	1,5 ha	15 000	⬛⬤ 8 à 11 €

Plusieurs fois coup de cœur, ce domaine est producteur-élaborateur de crémant depuis la naissance de l'appellation. On tient ici l'assemblage idéal du chardonnay, de l'aligoté et du pinot noir. Cette savante alchimie donne un or pâle à reflets verts, respirant le fruit frais, et conservant ce caractère tout au long du palais. De typicité excellente (crémant de Saône-et-Loire, Côte chalonnaise).
➥ Dom. Christian et Bruno Denizot,
71390 Bissey-sous-Cruchaud,
tél. 03.85.92.13.34, fax 03.85.92.12.87,
e-mail denizot@caves-particulières.com
☑ ☓ t.l.j. 8h-19h

CAVE DE GENOUILLY
Blanc de blancs

	2,5 ha	25 000	5 à 8 €

Pur chardonnay aux bulles moyennes, d'un or léger. Celui-ci marque son territoire olfactif sur une gamme de maturité. La bouche offre du volume et une certaine élégance. Provient d'une coopérative de Saône-et-Loire (Côte chalonnaise).
➥ Cave des vignerons de Genouilly, 71460 Genouilly,
tél. 03.85.49.23.72, fax 03.85.49.23.58
☑ ☓ t.l.j. sf dim. 8h-12h 14h-18h

LES VIGNERONS DE HAUTE BOURGOGNE
1999★

	7,5 ha	40 000	⬛ 8 à 11 €

Un vignoble de reconquête récente aux confins de la Bourgogne et de la Champagne (Châtillonnais) : trente-quatre vignerons, 34 ha et de belles installations à Prusly-sur-Ource, un chef de cave sérieux. Pour un excellent millésime 99, deux tiers pinot noir et un tiers chardonnay. Une mousse impeccable, un œil léger, un nez d'agrumes, une attaque nette, tout conduit à faire sauter maintenant le bouchon. Notez aussi le **chardonnay 99** qui obtient une citation.
➥ SICA les Vignerons de Haute-Bourgogne,
Les caves du Bois de Langres, 21400 Prusly-sur-Ource,
tél. 03.80.91.07.60, fax 03.80.91.24.76,
e-mail lesvignobles.htbourgogne@wanadoo.fr ☑

LES CAVES DES HAUTES-COTES
Blanc de blancs 1999★★

	3,6 ha	30 000	⬛⬤ 5 à 8 €

Les coopératives de Côte-d'Or produisent trois cent mille cols de crémant. Bon résultat pour ces vastes entreprises ! Si le **blanc brut 99** (une étoile) est une très belle variation sur trois cépages, ce blanc de blancs pur chardonnay (même millésime) attaque de façon équilibrée. Sa structure se développe bien. Un parfum de fruit ajoute au plaisir qu'il procure, d'autant qu'il reste présent du nez à la bouche.
➥ Les Caves des Hautes-Côtes, rte de Pommard,
21200 Beaune, tél. 03.80.25.01.00, fax 03.80.22.87.05,
e-mail vinchc@wanadoo.fr ☑ ☓ r.-v.

BOURGOGNE

LA CAVE DES VIGNERONS DE LIERGUES 2000★

| | 3 ha | 20 000 | 5 à 8 € |

Le maître de chai a fait ses études à Epernay. C'est dire si ce crémant (chardonnay) qui nous vient du Rhône est polyculturel. Très agréable, il affiche des notes florales, se montre vif en bouche et d'une finesse incontestée.
🕭 Cave des Vignerons de Liergues, 69400 Liergues, tél. 04.74.65.86.00, fax 04.74.62.81.20 ☑ ⵏ r.-v.

LA MAISON BLEUE

| | n.c. | n.c. | 5 à 8 € |

Des bulles dans le Mâconnais. Ce n'est pas un roman policier, mais cette bouteille jaune pâle, à reflets pamplemousse, dont la mousse est légère. Une pointe de noisette, une bouche gouleyante et la présence d'arômes de pêche en finale.
🕭 Pierre Janny, La Condemine, 71260 Péronne, tél. 03.85.23.96.20, fax 03.85.36.96.58, e-mail pierre-janny@wanadoo.fr

LES VIGNERONS DE MANCEY
Blanc de blancs

| | n.c. | 12 400 | 🔳⬇ 5 à 8 € |

Ce chardonnay (80 %), mâtiné d'aligoté (20 %), est de qualité. Le nez est réservé, sur tendance végétale. Le caractère est trapu, mais de bon aloi, et son petit goût de pomme en fin de bouche ne passe pas inaperçu. De bonne tenue et signé par la coopérative de Mancey près de Tournus.
🕭 Cave des vignerons de Mancey, RN 6, BP 100, 71700 Tournus, tél. 03.85.51.00.83, fax 03.85.51.71.20 ☑ ⵏ r.-v.

DOM. MATHIAS★

| | 0,26 ha | 2 600 | 🔳⬇ 8 à 11 € |

Béatrice et Gilles sont les cosignataires de ce crémant-chardonnay mâconnais aux arômes végétaux et aux notes d'agrumes frais. La bouche ne reste pas immobile. Des accents de chèvrefeuille participent à un ensemble tout en finesse, s'achevant sur une note fraîche. Un vin nullement anecdotique en raison de sa présence, de sa personnalité originale, et d'heureuse facture.
🕭 Béatrice et Gilles Mathias, rue Saint-Vincent, 71570 Chaintré, tél. 03.85.27.00.50, fax 03.85.27.00.52 ☑ 🏠 ⵏ r.-v.

MOINGEON★

| | n.c. | 30 000 | 🔳⬇ 5 à 8 € |

Sénateur-maire de Nuits-Saint-Georges et grand maître de la Confrérie des Chevaliers du Tastevin, Bernard Barbier veilla longtemps sur les destinées de cette maison reprise par une famille rhénane numéro 1 du vin effervescent en Allemagne. Beaucoup de pinot, un peu de gamay, le bel assortiment d'un rosé brut bien coloré, violette au nez et fruité en bouche. L'harmonie ? Sans défaut.
🕭 Moingeon, 4, rte de Dijon, 21700 Nuits-Saint-Georges, tél. 03.80.61.08.62, fax 03.80.62.36.38, e-mail cremantmoingeon@wanadoo.fr
☑ ⵏ t.l.j. sf sam. dim. 8h-12h 13h30-18h

DOM. DES PERELLES 2000★

| | 0,25 ha | 2 500 | 5 à 8 € |

Elaboré au domaine et issu à 100 % de chardonnay, ce crémant à l'accent mâconnais est d'un doré limpide. Sa

mousse s'en donne à cœur joie. Le bouquet est frais ; ce 2000 a de la tenue en bouche et est représentatif du blanc de blancs.
🕭 EARL Jean-Yves Larochette, Les Pérelles, 71570 Chânes, tél. 03.85.37.41.47, fax 03.85.37.15.25, e-mail j.y.larochette@wanadoo.fr ☑ ⵏ r.-v.

PICAMELOT★

| | n.c. | 38 200 | 🔳⬇ 8 à 11 € |

Cette maison familiale a été fondée en 1926 par Louis Picamelot, fils de Joseph, tonnelier. On est à Rully, temple du crémant. Pinot noir, chardonnay et aligoté composent de façon équilibrée ce crémant vif et franc, pas mal dosé mais d'un assemblage adroit. L'arrière-bouche citronnée agrémente sa typicité.
🕭 Louis Picamelot, 12, pl. de la Croix-Blanche, BP 2, 71150 Rully, tél. 03.85.87.13.60, fax 03.85.87.63.81, e-mail louispicamelot@wanadoo.fr ☑ ⵏ r.-v.

CAVE DE PRISSE-SOLOGNY-VERZE★

| | 23,64 ha | 120 000 | 🔳🍶⬇ 5 à 8 € |

Les caves de Prissé, de Sologny et de Verzé ont décidé en 1997 de faire ménage à trois. Leur crémant exprime les qualités du chardonnay mâconnais. Bonne persistance du cordon pour un vin jaune clair, légèrement floral, s'exprimant surtout en fin de bouche sur des parfums d'agrumes. Sans montrer une ardeur extrême, il est tout à fait sympathique. Un dégustateur suggère de le servir sur des entrées à base de crustacés.
🕭 Cave de Prissé-Sologny-Verzé, Les Grandes-Vignes, 71960 Prissé, tél. 03.85.37.88.06, fax 03.85.37.61.76, e-mail cave.prisse@wanadoo.fr ☑ ⵏ r.-v.

DOM. DE ROCHEBIN
Blanc de blancs 1998★

| | 2 ha | 13 000 | 🔳⬇ 5 à 8 € |

On connaît les grottes d'Azé, haut-lieu de la préhistoire bourguignonne. Mais il existe ici d'autres richesses souterraines : les caves. La bulle de ce chardonnay est fine et de cristal, le nez beurré, comme il se doit. La typicité du cépage se prolonge au palais. Bouteille assez chaleureuse, fleur d'acacia, demeurée fraîche tout en ayant un peu de gras.
🕭 Dom. de Rochebin, En Normont, 71260 Azé, tél. 03.85.33.33.37, fax 03.85.33.34.00 ☑ ⵏ r.-v.

ALBERT SOUNIT
Cuvée Prestige★

| | n.c. | 21 000 | 5 à 8 € |

Cette bouteille a-t-elle un tempérament de Viking ? La maison est passée en effet il y a quelques années sous pavillon danois. Or pâle, une bouteille mettant en valeur un bon fruit, du raisin. Pinot noir (60 %) et chardonnay réalisent une jolie cuvée. Deux fois coup de cœur (1998 et l'an dernier), une maison référence ! Citons aussi la **cuvée chardonnay**, qui obtient une citation : il n'y manque pas grand-chose, comme on dit en Bourgogne...
🕭 Albert Sounit, 5, pl. du Champ-de-Foire, 71150 Rully, tél. 03.85.87.20.71, fax 03.85.87.09.71, e-mail albert.sounit@wanadoo.fr
☑ ⵏ t.l.j. 9h-12h 14h-18h; sam. dim. sur r.-v.

CECILE ET LAURENT TRIPOZ

| | 1,5 ha | 10 000 | 🔳 8 à 11 € |

Coup de cœur en 1995, Laurent avait quitté l'ébénisterie en 1986 pour se consacrer au vin. Depuis 1996, son épouse partage son aventure, et voilà Céline embarquée. Tous deux consciencieux et passionnés, à l'évidence. D'un jaune discret, ce crémant mâconnais offre un léger parfum de cépage (chardonnay 100 %) qui apporte sa pierre à l'édifice global et positif. Petite touche d'amertume ; elle ne surprend pas. A boire maintenant sur un feuilleté d'escargots par exemple.

☛ Céline et Laurent Tripoz, pl. de la Mairie, 71000 Loché-Mâcon, tél. 03.85.35.66.09, fax 03.85.35.64.23, e-mail celine-laurent.tripoz@libertysurf.fr ☑ ⵋ r.-v.

VEUVE AMBAL
Cuvée Saint-Charles★★

		n.c.	12 000	🍶	5 à 8 €

La fermentation en fût a bien été perçue par les dégustateurs qui ont apprécié un juste mariage du vin et du bois. Le regard était déjà séduit par l'or léger traversé de nuances vertes. Les fruits blancs et les arômes beurrés du nez se retrouvent en bouche autour de notes boisées fort agréables. Un crémant surprenant qui pourrait accompagner une viande blanche.

☛ Veuve Ambal, BP 1, 71150 Rully, tél. 03.85.87.15.05, fax 03.85.87.30.15, e-mail vveambal@aol.com ☑ ⵋ r.-v.

CAVE DE VIRE

40 ha	250 000	🍶	5 à 8 €

La cave de Viré dédie à son crémant une quarantaine d'hectares sur les quatre cents cultivés. Cela fait dans les deux cent cinquante mille cols et, honnêtement, c'est bien. Robe effacée mais dans le ton. Bonne présence en bouche avec un rien d'excitation. Les arômes sont fins et élégants. Un vin des plus corrects, issu du Mâconnais.

☛ SCA Cave de Viré, En Vercheron, 71260 Viré, tél. 03.85.32.25.50, fax 03.85.32.25.55, e-mail cavedevire@wanadoo.fr ☑ ⵋ t.l.j. sf sam. dim. 8h-12h 14h-18h; groupes sur r.-v.

L. VITTEAUT-ALBERTI
Blanc de blancs 2000★★

4 ha	30 000	🍶	8 à 11 €

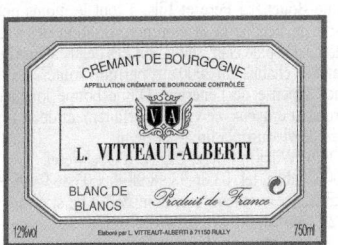

Maison créée en 1951 par Lucien Vitteaut. Son fils Gérard a fondé le domaine et réalisé l'unité de vinification en 1978. Honoré une première fois d'un coup de cœur en 1995, cet excellent producteur de Rully (berceau du vin effervescent en Bourgogne avec Nuits, dès le début du XIX[e]s.) réitère l'exploit. 80 % de chardonnay, 20 % d'aligoté, la proportion est idéale pour mettre au monde un crémant d'une superbe finesse, où l'on « sent » vraiment le vin et non pas une technologie. Son bouquet minéral est remarquable.

☛ Gérard Vitteaut-Alberti, 20, rue du Pont-d'Arrot, 71150 Rully, tél. 03.85.87.23.97, fax 03.85.87.16.24, e-mail vitteaut-alberti@lesvinsfrancais.com ☑ ⵋ r.-v.

Le Chablisien

Malgré une célébrité séculaire qui lui a valu d'être imité de la façon la plus fantaisiste dans le monde entier, le vignoble de Chablis a bien failli disparaître. Deux gelées tardives, catastrophiques, en 1957 et en 1961, ajoutées aux difficultés du travail de la vigne sur des sols rocailleux et terriblement pentus, avaient conduit à l'abandon progressif de la culture de la vigne ; le prix des terrains en grands crus atteignait un niveau dérisoire, et bien avisés furent les acheteurs du moment. L'apparition de nouveaux systèmes de protection contre le gel et le développement de la mécanisation ont rendu ce vignoble à la vie.

L'aire d'appellation couvre 6 834 ha sur les territoires de la commune de Chablis et de dix-neuf communes voisines, dont 4 274 sont actuellement plantés et 4 317 revendiqués en 2001. La récolte a atteint 256 892 hl en 2001. Les vignes dévalent les fortes pentes des coteaux qui longent les deux rives du Serein, modeste affluent de l'Yonne. Une exposition sud-sud-est favorise à cette latitude une bonne maturation du raisin, mais on trouvera plantés en vigne des « envers » aussi bien que des « adroits » dans certains secteurs privilégiés. Le sol est constitué de marnes jurassiques (kimméridgien, portlandien). Il convient admirablement à la culture de la vigne blanche, comme s'en étaient déjà rendu compte au XIIe s. les moines cisterciens de la toute proche abbaye de Pontigny, qui y implantèrent sans doute le chardonnay, appelé localement beaunois. Celui-ci exprime ici plus qu'ailleurs ses qualités de finesse et d'élégance, qui font merveille sur les fruits de mer, les escargots, la charcuterie. Premiers et grands crus méritent d'être associés aux mets de choix : poissons, charcuterie fine, volailles ou viandes blanches, qui pourront d'ailleurs être accommodés avec le vin lui-même.

Petit chablis

Cette appellation constitue la base de la hiérarchie bourguignonne dans le chablisien. Elle a produit 34 273 hl en 2001. Moins complexe que le chablis du point de vue aro-

BOURGOGNE

matique, le petit chablis possède une acidité un peu plus élevée qui lui confère une certaine verdeur. Autrefois consommé en carafe, dans l'année, il est maintenant mis en bouteilles. Victime de son nom, il a eu de la peine à se développer, mais il semble qu'aujourd'hui le consommateur ne lui tienne plus rigueur de son adjectif dévalorisant.

JULES BELIN 2000

	n.c.	3 000	∎⌇	8 à 11 €

Ami des artistes et mécène, Jules Belin fut propriétaire du domaine Viénot ou de l'Arlot à Premeaux, dans les années 1900. Son Marc à la Cloche fit sa notoriété. Cédée, cette marque est exploitée de nos jours par la famille Lanvin (Misserey à Nuits). Voilà pour la généalogie de l'étiquette. Quant au vin, il plaît. Jaune clair, il débute sur un solo de clarinette : citron vert, pomme verte. Mais la bouche s'avère bien pleine par rapport au nez et l'on passe au solo de trompette. Vivacité atténuée par la souplesse dans un ensemble gouleyant.
🕿 Maison Jules Belin, 3, rue des Seuillets, BP 143, 21704 Nuits-Saint-Georges Cedex, tél. 03.80.61.07.74, fax 03.80.61.31.40, e-mail lanvin-sa@worldonline.fr ✓ ⏚ r.-v.

PASCAL BOUCHARD 2001★★

	n.c.	60 000	∎⌇	5 à 8 €

Un amour de petit chablis. On lui trouve toutes les qualités et il lui faudra beaucoup de modestie pour assumer ces compliments. D'un jaune assez soutenu, bouton-d'or, ce chardonnay odorant (beurré, citronné) glisse sur la langue. La fraîcheur, la minéralité, l'élégance, tout y est.
🕿 Pascal Bouchard, 5 bis, rue Porte-Noël, 89800 Chablis, tél. 03.86.42.18.64, fax 03.86.42.48.11, e-mail info@pascalbouchard.com ✓ ⏚ t.l.j. 10h30-12h30 14h-18h30; f. jan.

LA CHABLISIENNE 2000★

	17 ha	130 000	∎⌇	8 à 11 €

Avec ses 175 ha de vignes, la coopérative de Chablis, créée en 1923, reste incontournable. S'il a peu de couleur et un nez encore prudent, ce vin est d'une absolue franchise. Il a plus de fruits que de minéralité mais se révèle très agréable. Ses points forts : l'équilibre et l'élégance. A noter aussi : la cuvée 132 (2001). Pourquoi 132 ? parce que la feuillette chablisienne contient 132 l. Un vin léger, fougueux et qui va se faire. Une étoile la couronne.
🕿 La Chablisienne, 8, bd Pasteur, BP 14, 89800 Chablis, tél. 03.86.42.89.89, fax 03.86.42.89.90, e-mail chab@chablisienne.fr ⏚ r.-v.

DOM. DU CHARDONNAY 2000★★

	9,14 ha	18 600	∎⌇	5 à 8 €

A 500 m de l'église Saint-Martin, fondée au XIIIᵉs., vous découvrirez ce vin qui impressionne dès le premier coup d'œil car son or est assez clair. Le miel et le fruit jaune s'invitent à la fête. En bouche, la verveine complète l'assortiment aromatique, tandis que la structure se tient en équilibre stable sur le minéral. Et cela dure... Bouteille à déboucher sur des crustacés.
🕿 Dom. du Chardonnay, Moulin du Patis, 89800 Chablis, tél. 03.86.42.48.03, fax 03.86.42.16.49, e-mail domaine.chardonnay@free.fr ✓ ⏚ r.-v.

DOM. DE LA CONCIERGERIE 2000★★

	1 ha	4 000	∎⌇	5 à 8 €

Longtemps décriée et desservie par son patronyme, l'appellation réalise des efforts et des progrès qui la mettent, à un prix raisonnable, au niveau de la plupart des chablis si l'on sait choisir et lire le bon guide. Ainsi de ce vin paré d'une robe pâle et limpide, exprimant au bouquet la minéralité du terroir. Tout est typé en bouche et mérite plus que de la considération. Des noix de Saint-Jacques poêlées ne seront pas déshonorées.
🕿 EARL Christian Adine, 2, allée du Château, 89800 Courgis, tél. 03.86.41.40.28, fax 03.86.41.45.75, e-mail nicole.adine@free.fr ✓

DOM. JEAN-CLAUDE COURTAULT 2000★

	6,5 ha	17 000	∎⌇	5 à 8 €

Depuis 1984, le domaine de Jean-Claude Courtault ne cesse de s'agrandir. Ce dernier a construit un nouveau chai pour accueillir ses vins. Orné des beaux reflets verts que la Bourgogne septentrionale revendique comme ses « bijoux de famille », un 2000 dont le nez esquisse la pierre à feu tout en demeurant d'une discrétion indiscutable. Sa vivacité à l'attaque emplit une bouche fraîche et équilibrée qui sera capable de montrer de l'aménité dès janvier 2003.
🕿 Dom. Jean-Claude Courtault, 1, rte de Montfort, 89800 Lignorelles, tél. 03.86.47.50.59, fax 03.86.47.50.74 ✓ ⏚ r.-v.

DOM. D'ELISE 2000

	7,02 ha	12 000	∎⌇	5 à 8 €

Depuis 1983, Frédéric Prain se passionne pour ses 13 ha de vignes situées à Milly. Un poisson d'or. Impossible d'y poser la main tant il est vif, citron, coulant. Sec sûrement, mais le chablis – pardon, le petit chablis - a ce caractère. Conviendra à l'apéritif ou sur une andouillette.
🕿 Frédéric Prain, Côte de Léchet, 89800 Milly, tél. 03.86.42.40.82, fax 03.86.42.44.76 ✓ ⏚ r.-v.

WILLIAM FEVRE 2000★

	n.c.	n.c.	∎⌇	5 à 8 €

William Fèvre est devenu une propriété Henriot comme Bouchard Père et Fils, à tout le moins pour la maison de négoce et la commercialisation des vins du domaine. Or pâle clair, selon l'un des dégustateurs qui s'y connaît en chablis, un 2000 aux parfums fruités. Il attaque ferme, dépense de l'énergie. D'une bonne longueur et légèrement crayeux, ce vin est parfaitement de sa région. Durée de vie jusqu'à un an et demi.
🕿 Dom. William Fèvre, 21, av. d'Oberwesel, 89800 Chablis, tél. 03.86.98.98.98, fax 03.86.98.98.99, e-mail france@williamfevre.com ✓ ⏚ t.l.j. sf dim. 9h-12h 14h-18h

LAMBLIN ET FILS 2000★

	8 ha	60 000	∎⌇	5 à 8 €

Les Lamblin sont ici depuis 1690. Ils savent donc ce que doit être un petit chablis. Frais, gouleyant, celui-ci a la grâce d'un jeune page faisant ses premiers pas à la Cour. Au blason impeccable, et déclinant des notes anisées et mentholées, il a du nerf tout en montrant une élégance lucide, une politesse bien née. On peut dire de lui que c'est un « vin de soif », mais il est aussi à la hauteur d'une douzaine d'huîtres.

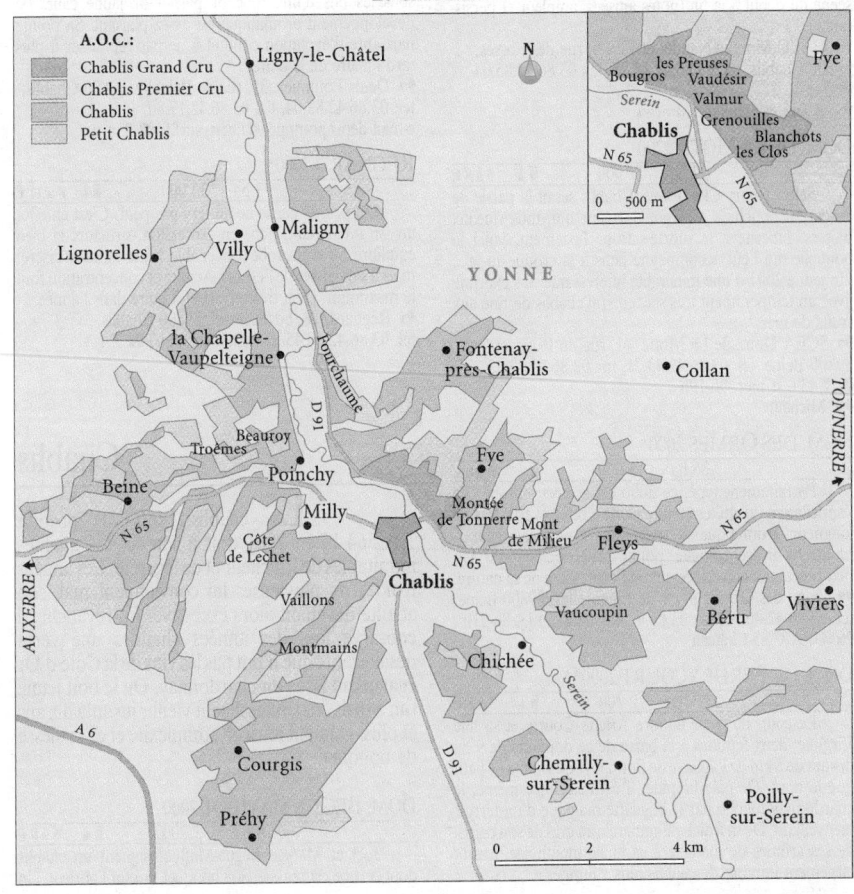

🏠 Lamblin et Fils, Maligny, 89800 Chablis,
tél. 03.86.98.22.00, fax 03.86.47.50.12,
e-mail infovin@lamblin.com
☑ ⟁ t.l.j. sf dim. 8h-12h30 14h-17h; sam. 8h-12h30

ROLAND LAVANTUREUX 2000★★

	4,5 ha	30 000	▮⬥	5 à 8 €

Un quart du domaine situé Lignorelles (près de 20 ha
en tout) est dédié à cette AOC. Roland Laventureux a
produit l'un des meilleurs de la série. Jaune paille, un vin
gras et long, d'une plénitude merveilleuse. Le nez offre des
arômes de brioche et d'abricot ; la bouche est délicatement
beurrée, tout en dévoilant la vivacité propre au petit chablis
par cette note minérale qui souligne toute la dégustation.
Une viande blanche lui conviendra.
🏠 Roland Lavantureux, 4, rue Saint-Martin,
89800 Lignorelles, tél. 03.86.47.53.75,
fax 03.86.47.56.43 ⟁ t.l.j. 8h-20h; dim. sur r.-v.

DOM. DES MALANDES 2000

	1,2 ha	12 100	▮⬥	5 à 8 €

C'est en 1986 que Lyne et Jean-Bernard Marchive
ont commencé à diriger ce domaine de 25 ha dont 1,2 ha
est consacré au petit chablis. Beurré, aux arômes de
noisette et de fleurs blanches, leur petit chablis nous plonge
en pleine romance. La robe est peu soutenue mais l'attaque
est ronde, vive, joliment menée. Il faudra attendre six mois,
pas plus, pour que l'ensemble s'harmonise. Silex et citron
se joignent à l'équipe en cours de route.
🏠 Dom. des Malandes, 63, rue Auxerroise,
89800 Chablis, tél. 03.86.42.41.37, fax 03.86.42.41.97,
e-mail contact@domainedesmalandes.com
☑ ⟁ r.-v.
🏠 Jean-Bernard Marchive

DOM. DES MARRONNIERS 2001★

	3 ha	20 000	▮⬥	5 à 8 €

Créé en 1976, ce domaine se trouve dans la commune
du très joli village de Préhy et compte aujourd'hui 19 ha
de vignes. Son vin ? On a affaire ici à un gros chat qui
ronronne. Avec langueur, faisant patte de velours. Jaune
d'or, au bouquet fondé sur le minéral et les agrumes, il
n'attaque pas vraiment mais vous enferme dans ses bras
selon une minéralité intéressante. Un petit côté exotique
(ananas, litchi) ne l'empêche pas de s'exprimer à la
chablisienne.

BOURGOGNE

Le Chablisien

🔄 Bernard Légland, 1 et 3, Grande-Rue-de-Chablis,
89800 Préhy, tél. 03.86.41.42.70, fax 03.86.41.45.82,
e-mail bernard.legland@wanadoo.fr ☑ ☖ t.l.j. 9h-20h;
f. fin août

J. MOREAU ET FILS 2001

| | n.c. | 176 000 | ▮▯ | 5 à 8 € |

La maison J. Moreau et Fils est l'une des plus
anciennes de Chablis, sinon la doyenne. Elle fêtera ses deux
cents ans en 2014. Son petit chablis tient vaillamment son
rang. Pain grillé, acacia, pierre à fusil lui donnent des
accents classiques. Sa vivacité le destine à un plateau
d'huîtres en 2003.

🔄 J. Moreau et Fils, La Croix Saint-Joseph, rte
d'Auxerre, BP 5, 89800 Chablis, tél. 03.86.42.88.00,
fax 03.86.42.88.08, e-mail moreau@jmoreau-fils.com

MOREAU-NAUDET ET FILS 2000★

| | 2,4 ha | 3 300 | ▮▯ | 5 à 8 € |

Exploitation située au cœur de Chablis dont les caves
datent du XIIIᵉs. Jaune paille d'une nuance assez claire,
limpide, un petit chablis de retour de vacances. Des arômes
exotiques parlent des îles : ananas et citron. Une cuillère de
miel nous ramène en Bourgogne. Bien typé au palais, ce
2000 ne manque pas son entrée ni sa sortie, présent sur
scène du début à la fin (notes anisées, ampleur et persistance).

🔄 GAEC Moreau-Naudet et Fils, 5, rue des Fossés,
89800 Chablis, tél. 03.86.42.14.83, fax 03.86.42.85.04
☑ ☖ r.-v.
🔄 Roger et Stéphane Moreau

DOM. DE LA MOTTE 2001

| | 2 ha | 12 000 | ▮▯ | 5 à 8 € |

Selon Henry Clos Jouve, Chablis serait la patrie de
l'escargot bouché, l'escargot dormeur qui, tous rideaux
baissés, hiberne à la morte-saison. Justement, voici la
bouteille qui l'eût accompagné jadis à la croque-au-sel...
Un jeune 2001 d'une minéralité intéressante. Il s'exprime
avec un tempérament très sec, en vrai chablis destiné aux
fruits de mer.

🔄 SCEA Dom. de La Motte, 41, rue du Ruisseau,
89800 Beine, tél. 03.86.42.43.71, fax 03.86.42.43.43
☑ ☖ t.l.j. sf mer. 9h-19h
🔄 Michaut

DOM. DES ORMES 2000★

| | 7,36 ha | 13 000 | ▮▯ | 5 à 8 € |

Parfaitement typé, ce 2000 est le portrait-robot de
l'appellation, jusqu'à sa teinte jaune à reflets verts. Pas de
longueur aromatique éternelle, mais un beau silex à
montrer à un archéologue : pointe de flèche à coup sûr. Un
peu court, un peu vert, ce qui est l'expression de sa nature.

🔄 Dom. des Ormes, 4, rte de Lignorelles, 89800 Beine,
tél. 03.86.42.40.91, fax 03.86.42.48.58 ☑ ☖ t.l.j. 8h-21h
🔄 GFA Cota-Château

DOM. DE PERDRYCOURT 2000★★

| | 2,75 ha | 2 200 | ▮▯ | 5 à 8 € |

Le coup de cœur honore Arlette Courty et sa fille
Virginie, deux femmes à la barre de ce domaine de 9 ha
distant de 5 km de l'abbaye de Pontigny. Ce vin n'a de petit
que le nom. Or pâle limpide, il est l'élégance même, le
chardonnay touché par la baguette magique d'un terroir
bienveillant. De sa fraîcheur minérale au gras de son corps,
de ses arômes de mangue à sa finale mentholée, il vaut
largement nombre de chablis plus « huppés ».

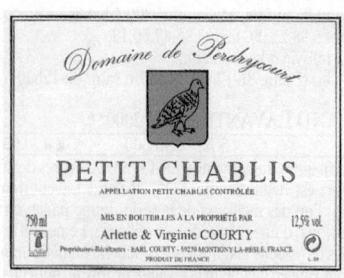

🔄 EARL Arlette et Virginie Courty,
Dom. de Perdrycourt, 9, voie Romaine,
89230 Montigny-la-Resle, tél. 03.86.41.82.07,
fax 03.86.41.87.89, e-mail domainecourty@wanadoo.fr
☑ ☖ t.l.j. 9h-19h

DENIS POMMIER 2000

| | 3,5 ha | 13 500 | ▮▯ | 5 à 8 € |

Le tiers de ce domaine de 10,5 ha est dédié au petit
chablis. Cette bouteille parle d'elle-même, d'une voix
puissante et chaleureuse. On y trouve le fruité et le minéral
sous les plis d'une robe ou pâle à or jaune clair. Le
développement aromatique est assez plaisant. Sa pointe
naissante d'évolution conduit à ne pas repousser à plus
tard l'heure de le boire.

🔄 Denis Pommier, 31, rue de Poinchy, 89800 Chablis,
tél. 03.86.42.83.04, fax 03.86.42.17.80,
e-mail denis.pommier@libertysurf.fr ☑ ☖ r.-v.

REGNARD 2000★

| | 3 ha | 30 000 | ▮▯ | 8 à 11 € |

Un peu de garde ne lui fera pas peur. C'est en effet
un vin intéressant, riche en expression, structuré et bien
équilibré. Sous une robe convenable, le nez est assez discret
mais il sait laisser de l'espoir. Acidité et concentration font
le maximum. Déjà très ouvert et à boire dans l'année.

🔄 Régnard, 28, bd Tacussel, 89800 Chablis,
tél. 03.86.42.10.45, fax 03.86.42.48.67 ☑ ☖ r.-v.

Chablis

Le chablis, qui a produit
173 564 hl en 2001 doit à son sol ses qualités
inimitables de fraîcheur et de légèreté. Les années
froides ou pluvieuses lui conviennent mal, son
acidité devenant alors excessive. En revanche, il
conserve lors des années chaudes une vertu
désaltérante que n'ont pas les vins de la Côte-d'Or
également issus du chardonnay. On le boit jeune
(un à trois ans), mais il peut vieillir jusqu'à dix ans
et plus, gagnant ainsi en complexité et en richesse
de bouquet.

DOM. BEGUE-MATHIOT 2000

| | 8 ha | 1 200 | ▮▯ | 5 à 8 € |

Joël et Maryse Bègue-Mathiot signent un chablis
dont la robe est réussie. Son bouquet tire sur l'abricot. Un

rien d'évolution ? Pas sûr. Finesse et intensité résument ce produit caractéristique, équilibré, à savourer maintenant et qui correspond à ce que l'on attend de l'appellation sans chercher l'impossible.

🕯 Dom. Bègue-Mathiot, Les Epinottes, 89800 Chablis, tél. 03.86.42.16.65, fax 03.86.42.81.54 ☑ ⟁ r.-v.

JEAN-CLAUDE BESSIN 2000★

	5 ha	24 000	▮♦	8 à 11 €

D'un bon jaune intense, ce vin traverse la dégustation en équilibre sur un fil : d'un pied assuré, dans la souplesse, capable de revenir dans l'autre sens avec la même aisance. Le fruit à chair blanche est goûteux, l'amertume en finale très habituelle et subtile. Deux ans de garde.

🕯 Jean-Claude Bessin, 3, rue de la Planchotte, 89800 Chablis, tél. 03.86.42.46.77, fax 03.86.42.85.30 ☑ ⟁ r.-v.

DOM. BESSON 2000★

	5,9 ha	4 000	▮♦	5 à 8 €

Alain Besson a pris en main le domaine familial en 1981. Son chablis 2000 est d'un style intéressant. Il sait ménager sa place au fruit sur un fond classique et minéral. D'où une impression très vivante, fraîche et franche. Rien ne manque et vous en verrez la beauté dans un an ou deux.

🕯 EARL Dom. Alain Besson, rue de Valvan, 89800 Chablis, tél. 03.86.42.19.53, fax 03.86.42.49.46 ☑ ⟁ r.-v.

MICHEL CALLEMENT 1999★

	1,1 ha	8 000	▮♦	8 à 11 €

Michel Callement est à la tête de ce domaine familial depuis la naissance de la Vᵉ République. Son vin ? Il prend son élan sans se presser. Mais c'est la version quelque peu murisaltienne du chablis : onctueuse, miellée, beurrée, opulente comme un pacha d'Egypte... On y trouve son plaisir si celui-ci l'emporte sur la typicité. Pour un poisson langoureux et gras.

🕯 SCEA Michel Callement, 2, rue Menot, 89230 Bleigny-le-Carreau, tél. 03.86.41.81.52, fax 03.86.41.87.90, e-mail nicole.callement@wanadoo.fr ☑ ⟁ r.-v.

LA CHABLISIENNE
Cuvée L.C. 1999★★

	65 ha	500 000	▮♦	8 à 11 €

Avec ses 700 ha de vignes, ses deux cent soixante dix-huit coopérateurs et quarante-huit apporteurs, cette célèbre cave créée en 1923 a proposé dans cette AOC deux belles cuvées. Haut de gamme, la cuvée **Vieilles vignes 99** (11 à 15 €), élevée six mois en fût, obtient une étoile : le style subtilement boisé séduit. Quant à ce L.C., il a tous les caractères de l'AOC : la complexité aromatique jouant sur les agrumes et les notes minérales, l'acidité parfaite, la richesse équilibrée, la longueur élégante.

🕯 La Chablisienne, 8, bd Pasteur, BP 14, 89800 Chablis, tél. 03.86.42.89.89, fax 03.86.42.89.90, e-mail chab@chablisienne.fr ☑ ⟁ r.-v.

> Le vignoble de Chablis épouse la vallée du Serein et se prête aux plus belles promenades touristiques ; les ceps occupent des coteaux souvent couronnés de bois.

PATRICK ET CHRISTINE CHALMEAU 2000★

	2,2 ha	6 000	▮	5 à 8 €

Ce domaine vient d'ouvrir (2002) un caveau voûté pour accueillir la clientèle. Il propose un chablis typé, intense à l'œil, fin et frais au nez. Il mêle avec bonheur des notes beurrées aux arômes de citron, accompagnés d'une petite touche exotique. Son équilibre est parfait. Un peu de noisette en milieu de bouche, mais le fût n'y est pour rien (un an de cuve).

🕯 Patrick et Christine Chalmeau, 76, rue du Ruisseau, 89530 Chitry-le-Fort, tél. 03.86.41.43.71, fax 03.86.41.47.51, e-mail chalmeau.patrick@wanadoo.fr ☑ ⟁ r.-v.

DOM. DE CHAUDE ECUELLE
Les Vieilles vignes 2000

	3 ha	4 656	▮♦	8 à 11 €

Il donne envie de croquer, ce Chaude Ecuelle au nom amusant. La robe est magnifiquement ouverte. Le bouquet est un rude compagnon, de pierre brûlée par le soleil, sans doute de vignes ayant vu passer deux Républiques. La bouche se cherche un peu. Mais le terroir est déjà présent. L'appellation trouve ici un avocat sincère, sans fioritures.

🕯 Dom. de Chaude Ecuelle, 35, Grande-Rue, 89800 Chemilly-sur-Serein, tél. 03.86.42.40.44, fax 03.86.42.85.13 ☑ ⟁ r.-v.

🕯 Gabriel et Gérald Vilain

DOM. DES CHAUMES
Elevé en fût de chêne 2000★

	0,5 ha	2 000	�010	8 à 11 €

Né en 1976, Romain Poullet, fils de viticulteur, a créé son domaine en juillet 2000 après avoir suivi les cours du lycée viticole de Beaune. Il est à la tête de 3 ha de vignes. Son premier millésime ? Doré clair, produit sur un demi-hectare, un vin que le bois ne prive pas de sa fraîcheur. Quelle prise en bouche ! Cela évolue crescendo jusqu'à la finale bien minérale. Droit comme un trait d'arbalète ! Un fort bon débutant. A découvrir.

🕯 Romain Poullet, EARL des Chaumes, 6, rue du Temple, 89800 Maligny, tél. 03.86.98.21.83, fax 03.86.47.51.37 ☑ ⟁ r.-v.

DOM. CHEVALLIER 2000★

	12 ha	25 000	▮♦	5 à 8 €

A égale distance d'Auxerre et de Vézelay, le domaine a une surface de 14 ha. D'une teinte claire, ce millésime n'est pas avare de ses arômes (amande, ananas principalement) après une période d'ouverture. Attaquant à la manière du chevalier qui figure sur l'étiquette, il est vineux, charpenté au début du tournoi, puis sa structure apparaît plus délicate. Bien vinifié, dans l'esprit de l'AOC.

🕯 Dom. Claude et Jean-Louis Chevallier, 6, rue de l'Ecole, 89290 Montallery-Venoy, tél. 03.86.40.27.04, fax 03.86.40.27.05 ☑ ⟁ r.-v.

DOM. CHRISTOPHE ET FILS 2000★★★

	0,65 ha	4 000	▮	5 à 8 €

Marcel (le père) s'occupe des vignes (un peu moins de 3 ha), et Christophe (le fils) de la vinification. Cette équipe s'est formée en 1999 et, de toute évidence, n'a pas perdu de temps. Or blanc, ce 2000 est d'une fraîcheur minérale, bondissante aux papilles. Il n'a pas son pareil, honorant son millésime et son terroir ; il pourrait bien se plaire en cave jusqu'à quatre et même cinq ans.

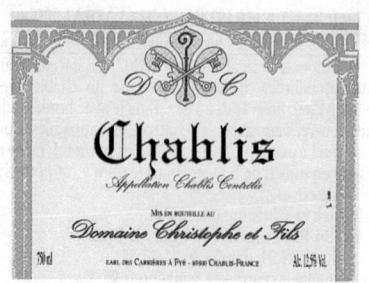

🕷 Dom. Christophe et Fils, Ferme des Carrières, Fyé, 89800 Chablis, tél. 03.86.55.23.10, fax 03.86.55.23.10 ☑ ☥ r.-v.

DOM. JEAN COLLET ET FILS 2000*

| 15,15 ha | 100 000 | 🍷⬇ | 5 à 8 € |

Un vin peu évolué pour son âge et à boire dès maintenant. Cette situation ne se perçoit pas à l'œil, d'un jaune doré très ferme, mais au nez témoignant d'une maturité épanouie. La bouche confirme cette chaleur aromatique. Style surmûri, dense et riche.
🕷 Dom. Jean Collet et Fils, 15, av. de la Liberté, 89800 Chablis, tél. 03.86.42.11.93, fax 03.86.42.47.43, e-mail collet.chablis@wanadoo.fr ☑ ☥ r.-v.
🕷 Gilles Collet

DOM. DU COLOMBIER 2000

| 35 ha | 80 000 | 🍷⬇ | 5 à 8 € |

Il champignonne, il mousseronne. Là, on a le cœur brisé et on lui fait volontiers sa place ici. Ce vin se présente bien, intense et limpide, et ses arômes de pain grillé s'accordent à ceux du sous-bois en automne. Bouche épanouie sans excès, plus sensible soudain, répondant à ce que l'on en attend, et florissante sur la fin.
🕷 Guy Mothe et ses Fils, Dom. du Colombier, 42, Grand-Rue, 89800 Fontenay-près-Chablis, tél. 03.86.42.15.04, fax 03.86.42.49.67 ☑ ☥ r.-v.

DOM. DE LA CONCIERGERIE 2000

| 13 ha | 50 000 | 🍷⬇ | 5 à 8 € |

Conciergerie du château, cette maison familiale possède des caves construites en 1783. Son millésime ouvert sur des parfums de pêche blanche et de fruits secs se révèle équilibré, de bonne longueur. A servir pendant deux ans.
🕷 EARL Christian Adine, 2, allée du Château, 89800 Courgis, tél. 03.86.41.40.28, fax 03.86.41.45.75, e-mail nicole.adine@free.fr ☑

DOM. JEAN-CLAUDE COURTAULT 2000**

| 8,7 ha | 36 000 | 🍷⬇ | 5 à 8 € |

Créée en 1984, cette exploitation est née d'un seul hectare de vigne. De locations en achats, elle s'est développée jusqu'à 15 ha aujourd'hui. Voici une belle bouteille à apprécier avec une andouillette chablisienne. Son vin, habillé d'une robe impeccable, doté de senteurs d'acacia et d'une bouche assez ronde, ornée de noisette, a du caractère, de la puissance même sans être pesant.
🕷 Dom. Jean-Claude Courtault, 1, rte de Montfort, 89800 Lignorelles, tél. 03.86.47.50.59, fax 03.86.47.50.74 ☑ ☥ r.-v.

DOM. DANIEL DAMPT 2000*

| 12 ha | 80 000 | 🍷⬇ | 8 à 11 € |

Ah ! Chablis quand tu nous tiens... Jaune pâle au nez encore peu expansif, ce 2000 se montre très sympathique en bouche. Celle-ci est bien construite, animée, assez longue. Rien d'explosif mais le caractère attendu. Pour la sauce d'un jambon au chablis.
🕷 Dom. Daniel Dampt, 1, rue des Violettes, 89800 Milly-Chablis, tél. 03.86.42.47.23, fax 03.86.42.46.41, e-mail domaine.dampt.defaix@wanadoo.fr ☑ ☥ r.-v.

DOM. D'ELISE 2000*

| 6,15 ha | 35 000 | 🍷⬇ | 8 à 11 € |

Repris en 1983 par Frédéric Prain, ce domaine cache bien son bonheur. Avis aux amateurs de rallyes : de tous les domaines chablisiens, c'est le plus difficile à dénicher. Cela dit, il vaut le détour, selon les conseils du Guide bleu. Belle robe pour un nez original où l'acacia précède le silex, et celui-ci la pomme en compote. La bouche est stricte, pas très ample, minérale. Il lui manque peut-être une pointe d'excitation, mais c'est bon, très bon. Pour andouillettes et fromages de chèvre.
🕷 Frédéric Prain, Côte de Léchet, 89800 Milly, tél. 03.86.42.40.82, fax 03.86.42.44.76 ☑ ☥ r.-v.

DOM. WILLIAM FEVRE 2000

| 23,5 ha | n.c. | 🍷⬇ | 11 à 15 € |

Dans le giron burgundo-champenois de la famille Henriot et de Bouchard Père et Fils, William Fèvre fait partie des « institutions chablisiennes ». L'ENA mène parfois au bon vin... Léger et charmeur, celui-ci vit de chansons et semble sorti d'une pièce de Musset. Sa robe de scène est dorée, son bouquet annonce du plaisir et la bouche se révèle légère.
🕷 Dom. William Fèvre, 21, av. d'Oberwesel, 89800 Chablis, tél. 03.86.98.98.98, fax 03.86.98.98.99, e-mail france@williamfevre.com
☑ ☥ t.l.j. sf dim. 9h-12h 14h-18h
🕷 Henriot

DOM. GARNIER ET FILS
Grains dorés 2000*

| 0,4 ha | 3 000 | 🍷⬇ | 8 à 11 € |

A conseiller à ceux (celles aussi) qui aiment le boisé, qui ont un faible pour la vanille. Net et limpide, un 2000 dans le style New Age, qu'une pointe exotique emmène en croisière. Equilibré, non dénué des caractères de l'AOC (fleurs blanches et notes minérales au nez), il offre une bouche éclatante et longue.
🕷 Dom. Garnier et Fils, chem. de Méré, 89144 Ligny-le-Châtel, tél. 03.86.47.42.12, fax 03.86.98.09.95, e-mail domainegarnier@terre-net.fr ☑ ☥ r.-v.

JEAN-MICHEL GAUTHERON 2000**

| 1,5 ha | 3 100 | 🍷⬇ | 5 à 8 € |

Il gagne les élections, celui-ci. Tous les suffrages ou presque. Brillance à 100 %. L'odorant énergique, citron-noisette : les sondages restent favorables. La bouche présente un bon programme, consensuel et qui allie la fermeté et le refus de toute agressivité. Il passe la barre du premier tour ! A ouvrir pendant quelques années.
🕷 Jean-Michel Gautheron, 13, rue des Puits, 89800 Fontenay-près-Chablis, tél. 03.86.42.46.17, fax 03.86.42.44.77 ☑

DOM. DES GENEVES
Vieilles vignes 2000★

	0,7 ha	5 000	🍶♦	5 à 8 €

Porte d'or de la Bourgogne, un vin aux reflets argentés sur fond d'or, au bouquet fabuleux. C'est là qu'il accumule les points. Pain d'épice, citronnelle, sous-bois, minéral, un festival. La concentration trouve du répondant face à l'acidité, et la réponse est claire : c'est un vrai chablis.
🕨 Dom. des Genèves, 3, rte des Fourneaux, 89800 Fleys, tél. 03.86.42.10.15, fax 03.86.42.47.34
☑ ⵏ r.-v.
🕨 Dominique Aufrère et Fils

DOM. DE LA GENILLOTTE 2000

	15 ha	20 000	🍶	5 à 8 €

Le sous-sol du Chablisien est riche en fossiles. Les *Exogyra Virgula* abondent. D'où cet arrière-goût minéral si fréquent, que l'on trouve ici dans toute son expression. Comme c'est souvent le cas, ce chablis est d'une jeunesse assez verte. Il vieillira bien et sera demain beaucoup plus souriant. Confiance !
🕨 EARL Source-Depuydt, 11, rue Auxerroise, 89800 Lignorelles, tél. 03.86.47.44.44, fax 03.86.47.59.86, e-mail david.depuydt1@libertysurf.fr ☑ ⵏ r.-v.

DOM. GUITTAN-MICHEL
Prestige Vieilles vignes 2000★★

	6,5 ha	2 000	🍶🍷	8 à 11 €

Vigne, nous assure-t-on, plantée par le grand-père Michel en 1922... Voici un chablis porté par les anges. Jaune soutenu, il est particulièrement parfumé (notes de coing, de fruits très mûrs), ferme, et illustre une vinification habile sur de bonnes bases de départ. La cuvée principale, **chablis 2000 (5 à 8 €)**, obtient une citation pour son nez flatteur de miel et de cire.
🕨 Dom. Guitton-Michel, 2, rue de Poinchy, 89800 Chablis, tél. 03.86.42.43.14, fax 03.86.42.17.64
☑ ⵏ r.-v.

THIERRY HAMELIN
Vieilles vignes 2000

	1,5 ha	8 000	🍶🍷♦	8 à 11 €

Elu coup de cœur l'an dernier pour cette même cuvée en millésime 99, Thierry Hamelin appartient à une lignée de bons vignerons installés à Lignorelles. Comme l'écrit Bernard Ginestet dans son livre sur ce vignoble, « Lignorelles fait bonne figure en AOC chablis. » Est-ce dû à la surmaturité du raisin ? On a affaire ici à un bon vivant. Or jaune, fleur jaune, il est fidèle à cette couleur. Un vin visiblement très travaillé. Rond. Il étonne mais sera prêt à la sortie du Guide.
🕨 Dom. Thierry Hamelin, 1, imp. de la Grappe, 89800 Lignorelles, tél. 03.86.47.52.79, fax 03.86.47.53.41 ☑ ⵏ r.-v.

LAMBLIN ET FILS 2000★

	7,5 ha	50 000	🍶♦	5 à 8 €

Trois bons siècles de présence, onze générations au service du chablis, les Lamblin font figure de piliers chablisiens (NDLR : nom de la confrérie de chablis). La robe de ce vin est claire et son parfum floral. L'acidité a du mordant et soutient le potentiel intéressant de cette bouteille pleine de grâces et de longueur en bouche.

🕨 Lamblin et Fils, Maligny, 89800 Chablis, tél. 03.86.98.22.00, fax 03.86.47.50.12, e-mail infovin@lamblin.com
☑ ⵏ t.l.j. sf dim. 8h-12h30 14h-17h; sam. 8h-12h30

ROLAND LAVANTUREUX 2000★

	15 ha	50 000	🍶♦	5 à 8 €

Un peu timide peut-être, mais, comme l'écrivait André Maurois, « il faut garder le charme d'une certaine timidité »... Sa robe a de l'éclat, son nez de l'élégance, son corps de la légèreté papillonnante. L'appellation se reconnaît dans ce miroir. Des coquilles Saint-Jacques sont recommandées.
🕨 Roland Lavantureux, 4, rue Saint-Martin, 89800 Lignorelles, tél. 03.86.47.53.75, fax 03.86.47.56.43 ☑ ⵏ t.l.j. 8h-20h; dim. sur r.-v.

DOM. LONG-DEPAQUIT 2000★

	23,89 ha	190 000	🍶♦	8 à 11 €

Propriété d'Albert Bichot, ce domaine de près de 44 ha propose un chablis « aux beaux arômes bien travaillés », écrit un dégustateur. En effet, le fruit est présent, l'important légèrement sur la minéralité kimmeridgienne. Bien construit, ce vin a un réel potentiel.
🕨 Dom. Long-Depaquit, 45, rue Auxerroise, 89800 Chablis, tél. 03.86.42.11.13, fax 03.86.42.81.89, e-mail chateau-long-depaquit@wanadoo.fr ☑ ⵏ r.-v.
🕨 Albert Bichot

MAUPA 2000★

	16,23 ha	2 600	🍶	5 à 8 €

Sévère peut-être, mais de bonne naissance. Consacré à peu près entièrement à cette appellation, ce domaine, repris de père en fils depuis presque la nuit des temps, propose un chablis à reflets verts, mêlant au nez la minéralité et la verdeur, dans une certaine maturité. L'acidité n'en est pas absente, le caractère non plus. D'où cette enveloppe austère et qui séduira un peu plus tard (un an ou deux).
🕨 EARL du Maupa, 6, rte de Chablis, 89800 Chichée, tél. 03.86.42.15.75, fax 03.86.42.15.75 ☑ ⵏ r.-v.

DOM. DE LA MEULIERE 2000★

	14,71 ha	60 000	🍶♦	5 à 8 €

Henri, Ulysse, Roger, Claude et maintenant Nicolas (millésime 1993) ainsi que Vincent (1999), sans parler des jumelles du 26 octobre 2001 qui seront à coup sûr de fameuses vigneronnes ! On compte ici les générations comme les feuillettes dans la cave. Minéral, tirant sur la craie, un vin de terroir bien typé doit s'épanouir dans l'année qui vient.
🕨 Dom. de la Meulière, 18, rte de Mont-de-Milieu, 89800 Fleys, tél. 03.86.42.13.56, fax 03.86.42.19.32, e-mail domainedelameuliere@caramail.com ☑ ⵏ r.-v.

LOUIS MICHEL ET FILS 2000★

	6 ha	40 000	🍶♦	8 à 11 €

Henri IV n'y avait peut-être pas pensé, mais cette bouteille s'entendrait bien avec la poule au pot. Elle porte sa jolie robe du dimanche. Ses parfums (amande, menthol) sont agréables. Ses accents de noisette et de violette lui donnent un certain charme. Un 2000, doté d'une bonne acidité, à attendre deux à trois ans. Ou à boire dès à présent.
🕨 Louis Michel et Fils, 9, bd de Ferrières, 89800 Chablis, tél. 03.86.42.88.55, fax 03.86.42.88.56
☑ ⵏ r.-v.

BOURGOGNE

CHRISTIAN MORIN 2000★★★

	1,95 ha	4 000	🍶⬦	5 à 8 €

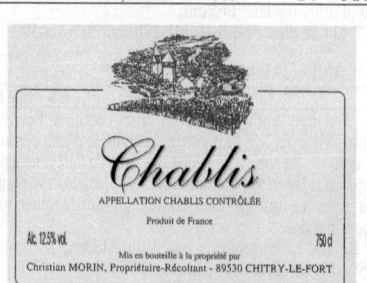

Maillot jaune de la compétition, ce chablis a le plus joli nez du monde (fleur blanche) et une robe de haute couture. Structure et complexité s'appuient ici sur une minéralité impressionnante, la finale affirmant une grande élégance. Novices ou amateurs prendront le plus vif plaisir à boire cette bouteille réellement exceptionnelle.
➤ Christian Morin, 17, rue du Ruisseau, 89530 Chitry-le-Fort, tél. 03.86.41.44.10, fax 03.86.41.48.21 ☑ ⟁ r.-v.

SYLVAIN MOSNIER 2000★

	5 ha	5 800	🍶⬦	5 à 8 €

Bon exemple de ce qui se fait aujourd'hui, ce chablis classique, composé avec soin, apporte de la fraîcheur sans insister sur le corps, mais avec un certain panache. L'or pâle à reflets verts est de bonne composition. Le mousseron décore le bouquet selon les règles. Nuances de champignon, ou végétales. La suite ne manque ni de mordant, ni de finesse.
➤ Sylvain Mosnier, 4, rue Derrière-les-Murs, 89800 Beine, tél. 03.86.42.43.96, fax 03.86.42.42.88 ☑ ⟁ r.-v.

DOM. DE L'ORME 2000★

	7 ha	40 000	🍶⬦	5 à 8 €

A en juger par les soins apportés à la vigne, on comprend qu'il s'agit d'un vin sérieux. De fait ! Le nez expressif joue entre la fleur et le fruit. L'attaque assez souple et légère laisse une sensation de douceur, de finesse. Typicité convenable, sans excès de vivacité. Pour huîtres chaudes à la crème.
➤ Dom. de l' Orme, 16, rue de Chablis, 89800 Lignorelles, tél. 03.86.47.41.60, fax 03.86.47.56.66 ☑ ⟁ r.-v.

DOM. ALAIN PAUTRE
Cuvée Ronsien 2000★

	1,5 ha	n.c.	🍶	8 à 11 €

L'étiquette parcheminée à bords roulés est d'un kitsch ! Mais le vin est très réussi : le reflet vert fait un salut amical. Le bouquet est singulier, puissant, intense. On aime sa constance en bouche, calme et raisonnée, fraîche et citronnée. Cela rime, et soyez-en sûr : ce n'est pas par hasard.
➤ Alain Pautré, 23, rue de Chablis, 89800 Lignorelles, tél. 03.86.47.43.04, fax 03.86.47.56.54 ☑ ⟁ r.-v.

DOM. DE PERDRYCOURT
Elevé en fût de chêne 2000★

	2,5 ha	2 000	🍶⑪	8 à 11 €

Ce que femme veut... et ici elles sont deux. Arlette Courty a créé le vignoble en 1987, rejointe par sa fille Virginie en 1996. Elevé en cuve et en fût (huit mois dans chacun des cas), ce 2000 un peu toasté est légèrement doré et porté sur les arômes exotiques. Peu typique mais à saisir pour une volaille à la crème.
➤ EARL Arlette et Virginie Courty, Dom. de Perdrycourt, 9, voie Romaine, 89230 Montigny-la-Resle, tél. 03.86.41.82.07, fax 03.86.41.87.89, e-mail domainecourty@wanadoo.fr ☑ ⟁ t.l.j. 9h-19h

DOM. DE PISSE-LOUP 2000★

	3,94 ha	10 000	🍶⬦	5 à 8 €

Coquine mais de bon goût, l'étiquette est signée René Poupart. Cela dit, or pâle à jaune limpide, le vin est chablis jusqu'au bout des ongles : nez minéral explosif, attaque vive et néanmoins fruitée, corps bien construit. *Last but not least* : le prix est raisonnable.
➤ SCEA Jacques Hugot et Jean Michaut, 1, rue de la Poterne, 89800 Beines, tél. 03.80.97.04.67, fax 03.80.97.04.67 ☑ ⟁ r.-v.

DENIS POMMIER 2000

	3,7 ha	23 500	🍶⑪⬦	8 à 11 €

Denis Pommier s'est installé en 1990. Jaune limpide, voici un 2000 aux arômes fruités et très tendres. Le fût (trois mois, contre neuf en cuve) ne se fait pas oublier. Acidité et amertume expriment avec raison le caractère de ce vin que l'on attendra un an ou deux avec profit.
➤ Denis Pommier, 31, rue de Poinchy, 89800 Chablis, tél. 03.86.42.83.04, fax 03.86.42.17.80, e-mail denis.pommier@libertysurf.fr ☑ ⟁ r.-v.

CAVE MICHELE ET CLAUDE POULLET 2000★

	4,6 ha	12 000	🍶	5 à 8 €

Des gougères et ce chablis en apéritif : or pâle à légers reflets verts, il brille autant que les conversations de vos amis. Floral et minéral, bien typé, il poursuit son chemin jusqu'à exprimer des notes d'agrumes. « Bien élevé », conclut un dégustateur.
➤ Claude Poullet, 6, rue du Temple, 89800 Maligny, tél. 03.86.47.51.37, fax 03.86.47.51.37 ☑ ⟁ r.-v.

GRAND REGNARD 2000★

	12 ha	80 000	🍶	15 à 23 €

Cette vénérable maison chablisienne a été acquise en 1985 par le baron Patrick de Ladoucette, jetant ainsi un pont entre la Loire et l'Yonne, affluent de la Seine. Son chablis ? « La fleur fleurit en bouche et la fin s'allonge... » Sans rechercher des effets de manche, ce vin aux arômes de chèvrefeuille et de silex réussit à s'imposer par son velouté, sa fraîcheur et son équilibre.
➤ Régnard, 28, bd Tacussel, 89800 Chablis, tél. 03.86.42.10.45, fax 03.86.42.48.67 ☑ ⟁ r.-v.

DOM. SAINTE-CLAIRE
Vieilles vignes 2000★★★

		n.c.	45 000	🍶⬦	8 à 11 €

Les 100 ha de ce domaine constituent l'une des plus fulgurantes réussites récentes en Chablisien. Son chablis, fort plaisant, était candidat au coup de cœur qu'il a manqué de peu. Minéralité intense et fruité très mûr pénètrent le nez et emplissent la bouche. Jusqu'à la fin de table, l'impression est enthousiaste. Ah ! Si on en faisait toujours des comme ça... Eh bien oui : du même producteur, le **Domaine Pierre de Préhy 2000** se retrouve aussi devant le grand jury... Superbe doublé. Quant à la **cuvée principale du Domaine Sainte-Claire 2000 (5 à 8 €)**, elle ne déshonore personne et obtient... une étoile et demi !

🐜 SARL Jean-Marc Brocard, rte de Chablis, 89800 Préhy, tél. 03.86.41.49.00, fax 03.86.41.49.09, e-mail info@brocard.fr ☑ 🏠 ⊥ r.-v.

DOM. SAINT PRIX
Les Ouches 2000★

	3,8 ha	22 000	∎⫶	5 à 8 €

Parcourir l'incroyable labyrinthe de ces caves, verre en main, vous évitera des vacances en Crète chez le roi Minos. Auxerre, Pontigny... il y a beaucoup de choses à visiter en Bourgogne. Clair et bien limpide, ce 2000 offre une qualité odorante qu'on sent sur le pied de guerre et prête à avancer. Fin, minéral, bien sec en finale, c'est en réalité du chablis « cousu main. » Un dégustateur choisirait des noix de pétoncle à la crème.

🐜 GAEC Bersan et Fils, 20, rue du Dr-Tardieux, 89530 Saint-Bris-le-Vineux, tél. 03.86.53.33.73, fax 03.86.53.38.45 ☑ ⊥ r.-v.

FRANCINE ET OLIVIER SAVARY
Sélection Vieilles vignes 2000★

	1,8 ha	12 000	∎⫿⫶	8 à 11 €

Un peu de cuve, un peu de fût pour un résultat honnête, sur une tonalité séveuse. Les agrumes contribuent à sa vivacité, tandis que le parler est franc, le boisé discret. Jolie persistance.

🐜 Francine et Olivier Savary, 4, chem. des Hâtes, BP 7, 89800 Maligny, tél. 03.86.47.42.09, fax 03.86.47.55.80 ☑ ⊥ r.-v.

DANIEL SEGUINOT 2000★

	12 ha	20 000	∎⫶	5 à 8 €

Un bon petit vin à « garder sous le coude » car il pourra faire un ou deux ans en avant d'ici 2003-2004. Jaune pâle, doté de larmes nombreuses et d'un nez d'aubépine, il se révèle classique, avec des accents de citron et même de poire. Du genre onctueux et savoureux, et consistant. On nous parle d'escargots...

🐜 SCEA Daniel Seguinot, rte de Tonnerre, 89800 Maligny, tél. 03.86.47.51.40, fax 03.86.47.43.37 ☑ ⊥ t.l.j. sf dim. 9h-12h 14h-18h30

DOM. SEGUINOT-BORDET 2000★★

	10 ha	40 000	∎⫶	5 à 8 €

Une famille établie à Chablis depuis 1732 : est-ce un record ? En tout cas son vin est superbe. Une bouteille de grande classe, typée à l'œil et au nez, remarquable par la suite. Un charme chardonnant.

🐜 Roger Séguinot-Bordet, 4, rue de Méré, 89800 Maligny, tél. 03.86.47.44.42, fax 03.86.47.54.94, e-mail jf.bordet@wanadoo.fr ☑ ⊥ r.-v.

FRANCOIS SERVIN 2000★★★

	2,11 ha	16 000	∎	8 à 11 €

Finaliste du coup de cœur et médaille de bronze sur le podium (sur cent trente-quatre échantillons présentés), cette bouteille somptueuse célèbre la pierre à fusil et le citron sur d'intéressantes notes de terroir. Riche, géné-

reuse, fondue, elle prend de l'ascendant sur toute la concurrence et se situe dans la cour des grands. L'étiquette représente la taille de la vigne et est signée François Servin. Sous une étiquette **Domaine Servin 2000**, un vin peu ou prou semblable... Il obtient deux étoiles.

🐜 François Servin, 36, av. d'Oberwesel, 89800 Chablis, tél. 03.86.18.90.00, fax 03.86.18.90.01, e-mail fservin@domaine-servin.fr ☑ ⊥ t.l.j. sf dim. 8h-12h 13h30-17h30

VAUCHER PERE ET FILS 2000★★

	n.c.	30 000	∎⫶	5 à 8 €

Si vous avez des actions Cottin au second marché, ce chablis devrait les faire monter. Vaucher est une de leurs marques, du nom d'une ancienne maison dijonnaise. Qualité de la robe, finesse du bouquet, un vin porté sur l'aubépine et la pierre coupante, très au point, et... « bon dans son ensemble ». Les Bourguignons pratiquent la litote comme langue maternelle !

🐜 Vaucher Père et Fils, rue Lavoisier, 21700 Nuits-Saint-Georges, tél. 03.80.62.64.00, fax 03.80.62.64.10 ⊥ r.-v.

DOM. DE VAUDON 2000★★

	n.c.	n.c.	∎	11 à 15 €

Joseph Drouhin fait partie de ces maisons beaunoises qui ont assez tôt pris pied dans le Chablisien. C'est dire si elle connaît son chablis sur le bout des doigts. Celui-ci est très net, printanier, tirant sur le silex et aussi le gingembre. D'un potentiel certain, le goût évolue vers la cannelle, l'anis. Un vin qui mérite de vieillir car, comme le dit tout crûment un de nos dégustateurs, « il faut que l'on y regoûte »...

🐜 Joseph Drouhin, 7, rue d'Enfer, 21200 Beaune, tél. 03.80.24.68.88, fax 03.80.22.43.14, e-mail maisondrouhin@drouhin.com ⊥ r.-v.

DOM. LE VERGER
Cuvée Vieilles vignes Elevé en fût de chêne 2000★

	2,5 ha	15 000	∎⫿⫶	5 à 8 €

Sur le fruit frais (agrumes), sur le fruit cuit, il danse d'un pied sur l'autre. Il est bien habillé et y va de son plein nez. Propre et net, il marque son territoire du milieu à la fin de bouche, sur une sensation monacale que le fût ne signe pas : c'est d'un avis unanime un « vin bien fait ». Citée, la **cuvée qui n'a pas connu le fût** se montre vive, harmonieuse, gardant un caractère naturel.

🐜 Dom. Alain Geoffroy, 4, rue de l'Equerre, 89800 Beines, tél. 03.86.42.43.76, fax 03.86.42.13.30, e-mail info@chalis-geoffroy.com ☑ ⊥ r.-v.

DOM. DU VIEUX CHATEAU
Vieilles vignes 1999★

	10 ha	50 000	∎⫶	8 à 11 €

Après avoir restauré le vieux château de Milly, Daniel-Etienne Defaix vient d'achever la mise en valeur de caves romanes des Xe et XIIes. En Bourgogne, on aime bien ces fous du passé écrivant au présent. Ainsi ce vin : son acidité (ce n'est pas un défaut, mais une qualité) crée l'intérêt de cette bouteille à ouvrir en 2003/2005. Sous une enveloppe dorée à souhait, on sent les fruits du verger. Très vif, il faut calmer son ardeur, mais d'ici quelque temps ce sera un pari gagné.

🐜 Daniel-Etienne Defaix, Dom. du Vieux-Château, 14, rue Auxerroise, 89800 Chablis, tél. 03.86.42.42.05, fax 03.86.42.48.56, e-mail chateau@chablisdefaix.com ☑ ⊥ t.l.j. 9h-12h 14h-18h

CH. DE VIVIERS 2000

| | 14,05 ha | 112 000 | | 8 à 11 € |

Il s'agit ici de la maison A. Bichot bien établie en Chablisien. Elle propose un 2000 à la robe tout à fait locale, au nez plein de finesse et d'un acidulé sympathique, minéral et souple sur fond d'arômes primaires. Il n'est pas très long mais reste bien en bouche. A boire à la sortie du Guide.

➥ SCV Ch. de Viviers, 89700 Viviers, tél. 03.86.42.11.13, fax 03.86.42.81.89, e-mail chateau-long-depaquit@wanadoo.fr
➥ A. Bichot

DOM. VOCORET ET FILS 2000★

| | 27 ha | 140 000 | | 5 à 8 € |

Une garde de deux ans serait souhaitable, car il a de l'ambition ce 2000 tout rond. Couleur telle qu'elle est définie dans les livres. Arômes complexes sur un fond minéral bien situé. Bouche aimable, le côté sec ne demeurant pas à l'écart du sujet. Avec un gratin de fruits de mer ? Quand Guy Roux et l'AJ affrontent avec succès une équipe venue d'ailleurs.

➥ Dom. Vocoret et Fils, 40, rte d'Auxerre, 89800 Chablis, tél. 03.86.42.12.53, fax 03.86.42.10.39, e-mail domainevocoret@wanadoo.fr ☑ ⟁ r.-v.

Chablis premier cru

Il provient d'une trentaine de lieux-dits sélectionnés pour leur situation et la qualité de leurs produits (45 685 hl en 2001). Il diffère du précédent moins par une maturité supérieure du raisin que par un bouquet plus complexe et plus persistant, où se mêlent des arômes de miel d'acacia, un soupçon d'iode et des nuances végétales. Le rendement est limité à 50 hl à l'hectare. Tous les vignerons s'accordent à situer son apogée vers la cinquième année, lorsqu'il « noisette ». Les *climats* les plus complets sont la Montée de Tonnerre, Fourchaume, Mont de Milieu, Forêt ou Butteaux, et Côte de Léchet.

DOM. BARAT
Vaillons 2000★

| | 3 ha | 15 000 | | 11 à 15 € |

Côte de Léchet, cité, et **Fourneaux 2000** (une étoile) donneront satisfaction si vous ne réussissez pas à mettre dans votre cave ce Vaillons fin et racé, qui plaît. Typé, minéral, de bonne acidité, équilibré. Angèle et Ludovic arrivent, et la nouvelle génération semble à la hauteur de la situation : 20 ha à dorloter pour produire un vin d'esprit classique, coup de cœur dans le Guide 2002.

➥ EARL Dom. Barat, 6, rue de Léchet, Milly, 89800 Chablis, tél. 03.86.42.40.07, fax 03.86.42.47.88 ☑ ⟁ r.-v.

JULES BELIN
Fourchaume 2000★★

| | n.c. | 3 000 | | 15 à 23 € |

Jules Belin serait heureux de figurer au tableau d'honneur si longtemps après sa mort. Une grande figure

du Nuiton, célèbre pour son marc « à la Cloche ». Le voici en Chablisien, sous le couvert de la famille Lanvin (Misserey, Coron notamment). Or brillant au service d'un Fourchaume dans sa tradition : une maturité formidable, une attaque cependant souple et vive, de la concentration, aucune amertume. Un vin bien élevé, bien vinifié, un vrai 1er cru.

➥ Maison Jules Belin, 3, rue des Seuillets, BP 143, 21704 Nuits-Saint-Georges Cedex, tél. 03.80.61.07.74, fax 03.80.61.31.40, e-mail lanvin-sa@worldonline.fr ☑ ⟁ r.-v.

DOM. BESSON
Montmain 2000★

| | 5,05 ha | 4 000 | | 8 à 11 € |

On peut goûter le **Vaillon 2000** qui obtient une citation : il vous inspirera de bonnes pensées. Un cran plus haut, celui-ci. Pour une raison très simple : sec, limpide, vif et léger, il récite admirablement son compliment. Sans doute est-il attentif aux sirènes de la modernité (pas mal de corps, de plénitude, des arômes secondaires de coing et d'agrumes), mais rien à dire ni à redire : il est fameusement bon, un vrai chablis 1er cru Montmain.

➥ EARL Dom. Alain Besson, rue de Valvan, 89800 Chablis, tél. 03.86.42.19.53, fax 03.86.42.49.46 ☑ ⟁ r.-v.

DOM. BILLAUD-SIMON
Fourchaume 2000★

| | 0,3 ha | 2 000 | | 15 à 23 € |

Viticulteurs depuis 1815 (tout ne se passait pas à Waterloo cette année-là !), les Billaud sont réputés pour leur sérieux. Voici un Fourchaume bien dans ses bottes, prolongeant la côte du grand cru. Or fin et floral, il attaque en fanfare, tient la route et pourrait presque apparaître comme « un vin de soif » tant il est plaisir. **Mont de Milieu 2000** (11 à 15 €), également recommandé avec une étoile, fut élu coup de cœur pour le millésime précédent. Le lecteur ne dédaignera pas non plus la **Montée de Tonnerre 2000** (15 à 23 €), peut-être un peu légère (elle obtient une citation) mais agréable.

➥ Dom. Billaud-Simon, 1, quai de Reugny, BP 46, 89800 Chablis, tél. 03.86.42.10.33, fax 03.86.42.48.77 ☑ ⟁ t.l.j. sf dim. 9h-12h 14h-18h; sam. sur r.-v., f. 15-31 août

JEAN-MARC BROCARD
Montmains 2000★★

| | n.c. | 62 000 | | 11 à 15 € |

A la tête de 100 ha aujourd'hui (il n'en possédait qu'un à ses débuts) et dévoreur de projets, Jean-Marc Brocard sait signer des vins remarquables : un **Côte de Jouan 2000** (8 à 11 €) de grande classe et ce Montmains, un cran encore au-dessus. Parfaitement chablis par ses couleurs, fleurs blanches et tilleul au nez, puissant sans agressivité, fruité et long, il répond au canon des vins fins, racés et intéressants. Homard ou langouste, pour un jour de fête.

➥ SARL Jean-Marc Brocard, rte de Chablis, 89800 Préhy, tél. 03.86.41.49.00, fax 03.86.41.49.09, e-mail info@brocard.fr ☑ ⟐ ⟁ r.-v.

LA CHABLISIENNE
Fourchaume 2000★★

| | 50 ha | 250 000 | | 11 à 15 € |

La Chablisienne existe depuis 1923 et a joué un rôle moteur dans l'histoire viticole de Chablis. Coup de cœur

pour un Fourchaume distançant d'un fil un **Côte de Léchet 2000** (une étoile). Cohérence et complexité, boisé admirablement contrôlé, couleur haute couture et parfums élégants où le minéral joue avec le fruit dans une grande fraîcheur. Deux autres premiers crus (15 à 23 €) reçoivent une étoile : **L'Homme mort 2000**, assez boisé, et **Mont de Milieu 2000**, alliant fruit blanc et fût.

🔖 La Chablisienne, 8, bd Pasteur, BP 14, 89800 Chablis, tél. 03.86.42.89.89, fax 03.86.42.89.90, e-mail chab@chablisienne.fr ☑ 𝚼 r.-v.

DOM. DE CHANTEMERLE
L'Homme mort 2000★★

| | 0,22 ha | 1 745 | | 🍴🍷 11 à 15 € |

Une étiquette très recherchée. De même que la bouteille ! L'homme mort d'Adhémar Boudin (il a passé le relais à Francis, mais la gloire n'a pas cessé) est en effet au chablis ce qu'est la course Paris-Roubaix au vélo. Voici donc le millésime 2000 de ce grand classique. L'œil, le nez et la bouche le disent en chœur : une typicité parfaite, minérale et fraîche, portée par une acidité bien dosée. A conserver deux à trois ans.

🔖 Dom. Chantemerle, 3, pl. des Cotats, 89800 La Chapelle-Vaupelteigne, tél. 03.86.42.18.95, fax 03.86.42.81.60 ☑ 𝚼 r.-v.
🔖 A. et F. Boudin

DOM. DU CHARDONNAY
Montée de Tonnerre 2000

| | 2,13 ha | 10 000 | 🍴🎩🍷 8 à 11 € |

Minéral et complexe, un **Vaugiraut 2000** obtient la même note que cette Montée de Tonnerre, assez colorée pour le millésime mais cependant discrète sur ce point. Elle offre le même sentiment au nez (citron frais), avec quelques promesses. D'une constitution solide, elle s'exprime de façon directe. Attendre deux ans avant de servir un rôti de veau au premier vin et un poisson au second.

🔖 Dom. du Chardonnay, Moulin du Patis, 89800 Chablis, tél. 03.86.42.48.03, fax 03.86.42.16.49, e-mail domaine.chardonnay@free.fr ☑ 𝚼 r.-v.

DOM. DE CHAUDE ECUELLE
Montée de Tonnerre 2000★★★

| | 0,55 ha | 4 333 | | 🍴🍷 8 à 11 € |

Un domaine d'une trentaine d'hectares mené depuis 1958 par Gabriel Vilain, accompagné aujourd'hui par Gérald. Leur millésime 2000 est emblématique : floral (acacia), il est brillant, intense, minéral, crayeux, et le géologue qui sommeille en chaque amateur sait ce que cela veut dire dans l'Yonne. En bouche, on retrouve tout cela avec en prime une note d'agrumes. Elégante et racée, cette Montée de Tonnerre remporte le tournoi des coups de cœur. Les **Montmains 2000** sont de belle fraîcheur et obtiennent une citation.

🔖 Dom. de Chaude Ecuelle, 35, Grande-Rue, 89800 Chemilly-sur-Serein, tél. 03.86.42.40.44, fax 03.86.42.85.13 ☑ 𝚼 r.-v.
🔖 Gabriel et Gérald Vilain

DOM. JEAN COLLET ET FILS
Vaillons 2000★

| | 10 ha | 33 000 | 🎩 8 à 11 € |

Une bouche à étages. Ou une fusée mettant à feu, un à un, ses propulseurs. Car ce 1er cru est encore dans sa jeunesse. Première attaque franche et vive, très florale, puis deuxième bouche plus ample et plus significative. Le boisé est bien dosé, l'équilibre atteint, et la robe répond aux canons de l'appellation.

🔖 Dom. Jean Collet et Fils, 15, av. de la Liberté, 89800 Chablis, tél. 03.86.42.11.93, fax 03.86.42.47.43, e-mail collet.chablis@wanadoo.fr ☑ 𝚼 r.-v.
🔖 Gilles Collet

DOM. DU COLOMBIER
Fourchaume 2000

| | 2,5 ha | 12 000 | | 🍴🍷 8 à 11 € |

« Ah ! le bon curé mes amis, que celui de notre pays. De Chambertin ou de Chablis, remplissez son verre car il adresse au paradis les péchés de toute la terre... » Debailleul chantait cela à Paris durant les années 1900. Exactement le sujet ! Bon à boire, doré brillant, frais et fruité, souple et peu acide. A servir pour une première communion.

🔖 Guy Mothe et ses Fils, Dom. du Colombier, 42, Grand-Rue, 89800 Fontenay-près-Chablis, tél. 03.86.42.15.04, fax 03.86.42.49.67 ☑ 𝚼 r.-v.

DOM. DE LA CONCIERGERIE
Montmain 2000★

| | 3,4 ha | 25 000 | | 🍴🍷 8 à 11 € |

Dans *la Vie de mon père*, Rétif de la Bretonne parle souvent de Courgis où ce diable de personnage vécut trois ans chez son frère curé. Ce Montmain est beaucoup plus sage sous son air ou léger. Son bouquet d'agrumes mûrs se dessine peu à peu, tandis que la bouche se montre minérale. La concentration arrive en milieu de dégustation. Millésime bien servi, très typé, qui sera prêt à servir en 2003 et pour quelques années.

🔖 EARL Christian Adine, 2, allée du Château, 89800 Courgis, tél. 03.86.41.40.28, fax 03.86.41.45.75, e-mail nicole.adine@free.fr ☑

DOM. DE LA CORNASSE
Beauroy 2000★★

| | 1 ha | 8 000 | | 🍴🍷 8 à 11 € |

Beines est connue pour son église Notre-Dame de l'Assomption des XIIIe et XIVes. et son saint Sébastien en

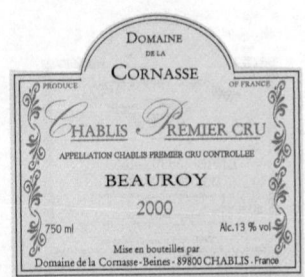

bois polychrome. Voici un Beauroy grand seigneur, dont l'or illumine le blason. Ses arômes primaires sont à l'image d'un bon précepteur : ils savent tout sans le laisser paraître. La matière impressionne par son intensité. Beaucoup de richesse, évidemment, et avec ça un profil de silex, une certaine suavité discrète... On est ici chez N. Geofroy, nom bien connu au pays.

➥ Dom. de la Cornasse, 4, rue de l'Equerre, 89800 Beines, tél. 03.86.42.43.76, fax 03.86.42.13.30 ☑

DOM. DANIEL DAMPT
Côte de Léchet 2000★

4,5 ha	20 000	🍷 11 à 15 €

Beauroy 2000 ? Cité et correct. Ce Côte de Léchet ? Très agréable. « Or pâle doré », écrit un dégustateur sur sa fiche. Le nez a besoin d'air pour devenir loquace. L'ensemble est net, droit, équilibré, mais il n'a pas encore exprimé toutes ses qualités. Il n'est pas gêné par le bois. Cela dit, chardonne-t-il plus qu'il ne chablise ?

➥ Dom. Daniel Dampt, 1, rue des Violettes, 89800 Milly-Chablis, tél. 03.86.42.47.23, fax 03.86.42.46.41, e-mail domaine.dampt.defaix@wanadoo.fr ☑ ⟰ r.-v.

JEAN DAUVISSAT
Vaillons Vieilles Vignes 1999★

0,4 ha	2 600	🍷 11 à 15 €

L'un des domaines Dauvissat, fondé par Alexandre en 1899. Son Vaillons Vieilles vignes a du répondant. Dès l'or vert du premier regard, il séduit. Puis le nez affiche les caractères d'un premier cru de Chablis sur un fond boisé avec art. Le **Séchet 99** sera prêt plus tôt. Celui-ci n'a pas connu le fût. Il est agréable et obtient une citation.

➥ Caves Jean et Sébastien Dauvissat, 3, rue de Chichée, 89800 Chablis, tél. 03.86.42.14.62, fax 03.86.42.45.54, e-mail jean.dauvissat@terre-net.fr ☑ ⟰ r.-v.

RENE ET VINCENT DAUVISSAT
La Forest 2000★★

4,5 ha	35 500	🍷 11 à 15 €

La Forêt de Dauvissat s'écrit « forest » sur l'étiquette, mais c'est bien un 1er cru qui s'est imposé par lui-même et par la qualité suivie de la vinification. Si le 1er cru **Séchet 2000** obtient une étoile, cette Forêt rappelle Brocéliande. Une robe éblouissante, un fût flatteur et mesuré, une bouche se faisant un peu désirer, sans agressivité ni artifices.

➥ GAEC René et Vincent Dauvissat, 8, rue Emile-Zola, 89800 Chablis, tél. 03.86.42.11.58, fax 03.86.42.85.32

DOM. BERNARD DEFAIX
Les Lys 2000

n.c.	5 000	🍷 11 à 15 €

Sylvain et Didier ont repris en 1994 ce domaine de 25 ha dont la moitié est classée en 1ers crus. Ils proposent deux bouteilles : **Vaillons 2000** et Les Lys dans ce même millésime. Au sud de Milly et devant son nom à la Couronne royale, ce *climat* garde toujours une certaine hauteur de vue. Menthe, menthol : le nez a cette fraîcheur qui persiste en bouche sans excès de structure. Aimable et agréable.

➥ Dom. Bernard Defaix, 17, rue du Château, Milly, 89800 Chablis, tél. 03.86.42.40.75, fax 03.86.42.40.28, e-mail didier@bernard-defaix.com ⟰ r.-v.

JOSEPH DROUHIN
Sécher 2000★

n.c.	n.c.	🍷 15 à 23 €

Grande famille beaunoise, les Drouhin appartiennent à une lignée de négociants-éleveurs attachée aux appellations bourguignonnes. Ce chablis porte une robe typée sortant d'une bonne boutique d'Auxerre. Son nez intense et mentholé livre des notes de citronnelle. Il est rond et gras après dix mois de fût et devra attendre quelques mois avant de séduire vos invités.

➥ Joseph Drouhin, 7, rue d'Enfer, 21200 Beaune, tél. 03.80.24.68.88, fax 03.80.22.43.14, e-mail maisondrouhin@drouhin.com ⟰ r.-v.

DOM. WILLIAM FEVRE
Fourchaume Vignoble de Vaulorent 2000★★

3,63 ha	n.c.	🍷 15 à 23 €

On sait que le domaine William Fèvre a été acquis en grande partie par la famille Henriot (Bouchard Père et Fils). Il s'agit ici de Fourchaume, plus précisément de Vaulorent au sein de Fourchaume, plus précisément encore des « Quatre Chemins dit Vaulorent »... N'y allons pas par quatre chemins : ce vin a des accents très mûrs (coing, figue, cire, miel) sous sa robe claire. Il faut néanmoins l'attendre quelques années, car il peut être plus grand encore. Passage en cuve et en fût réalisent un bon équilibre. Signalons aussi le **Mont de Milieu 2000**, de qualité égale, ainsi que la **Montée de Tonnerre 2000**, une étoile. Tous seront parfaits sur les poissons des océans.

➥ Dom. William Fèvre, 21, av. d'Oberwesel, 89800 Chablis, tél. 03.86.98.98.98, fax 03.86.98.98.99, e-mail france@williamfevre.com ☑ ⟰ t.l.j. sf dim. 9h-12h 14h-18h

DOM. ALAIN GEOFFROY
Vau-Ligneau 2000★

2,75 ha	22 000	🍷 8 à 11 €

On dit que le chablis a l'art de faire aimer les huîtres. Limpide et pur, ce Vau-Ligneau les aimera à son image : avec du gras. Quelques arômes de pierre à feu se donnent rendez-vous en bouche. Ce vin présente un équilibre intéressant. Il est à boire dans les temps qui viennent. Le **Beauroy 2000** obtient une citation ; celui-ci devra attendre avant d'accompagner une andouillette de chablis.

➥ Dom. Alain Geoffroy, 4, rue de l'Equerre, 89800 Beines, tél. 03.86.42.43.76, fax 03.86.42.13.30, e-mail info@chalis-geoffroy.com ☑ ⟰ r.-v.

JEAN-PIERRE GROSSOT
Les Fourneaux 2000★★

1,6 ha	12 000	🍾 ⑪ ♨ 11 à 15 €

Sur Fleys, commune bien exposée sud-ouest, ce *climat* réussit souvent sous cette étiquette. C'est le cas une fois encore. Ces Fourneaux gras et fruités se montrent ronds et plaisants. À l'œil et au nez, la discrétion est encore de mise. En bouche, un réel bonheur : c'est un vrai 1er cru qui a du temps devant lui. Onze mois en cuve, six en fût, le compte est bon : le bois bien fondu ne cache pas le fruit. Digne d'un turbot à la crème. Déjà, mais il saura aussi vieillir. En revanche, il faudra attendre trois ans le **Mont de Milieu 2000**, cité.

🐓 Corinne et Jean-Pierre Grossot,
4, rte de Mont-de-Milieu, 89800 Fleys,
tél. 03.86.42.44.64, fax 03.86.42.13.31 ☑ ⵊ r.-v.

DOM. GUITTON-MICHEL
Beauroy 2000★

0,1 ha	1000	🍾 ⑪ 11 à 15 €

Le domaine s'appelle Guitton-Michel parce que – en épousant M. Guitton – Mlle Michel apportait dans la corbeille de noces le Domaine Maurice Michel de Chablis. Cette pratique bourguignonne facilite le travail des généalogistes ! Voici un joli Beauroy, dont les arômes expriment une suave maturité. La couleur est soutenue. Léger dans son approche en bouche, il n'en est pas moins persistant. Sa vivacité est caractéristique. Plus étonnant, le **Montmains 2000** où le léger boisé se marie à un raisin apparemment très mûr (cire d'abeille) qui fait penser à du botrytis. Totalement atypique, mais de belle facture.

🐓 Dom. Guitton-Michel, 2, rue de Poinchy,
89800 Chablis, tél. 03.86.42.43.14, fax 03.86.42.17.64
☑ ⵊ r.-v.

DOM. DES ÎLES
Côte de Léchet 2000★★

3 ha	20 000	🍾 ⑪ ♨ 11 à 15 €

Poinchy, situé au nord-ouest de Chablis sur la D 131, abrite ce domaine de 34 ha que l'on retrouve régulièrement dans le Guide aux meilleures places. C'est le cas avec ce vin or brillant qui s'ouvre sur un fruit intense fort accueillant. L'entrée en bouche est ample, très grande, ravigorante, puis l'harmonie superbe, s'installe... et persiste longuement. Quant au **Fourchaume 2000**, il joue sur la fleur blanche.

🐓 Gérard Tremblay,
12, rue de Poinchy, 89800 Chablis,
tél. 03.86.42.40.98, fax 03.86.42.40.41,
e-mail gerard.tremblay@wanadoo.fr ☑ ⵊ r.-v.

LAMBLIN ET FILS
Beauroy 2000★

1,2 ha	8 500	🍾 ♨ 11 à 15 €

Bonne et ancienne famille de Chablis ou des villages voisins, depuis 1690 à tout le moins. Elle propose un Beauroy paré de la plus belle robe, au nez moyennement expressif (végétal puis minéral à l'aération), vif en première bouche, léger et frais ensuite, et typé 2000.

🐓 Lamblin et Fils, Maligny, 89800 Chablis,
tél. 03.86.98.22.00, fax 03.86.47.50.12,
e-mail infovin@lamblin.com
☑ ⵊ t.l.j. sf dim. 8h-12h30 14h-17h; sam. 8h-12h30

DOM. LONG-DEPAQUIT
Vaucopins 2000★★

4,17 ha	33 000	🍾 ♨ 11 à 15 €

Le Domaine Long-Depaquit (acquis il y a plusieurs dizaines d'années par Albert Bichot) est célèbre pour sa Moutonne. Mais ses vignes couvrent 44 ha et réservent beaucoup de bonnes surprises. Celle-ci par exemple. Riche en reflets et en éclats, ce vin au nez assez capiteux (agrumes et fruits secs) se révèle gras et complet, équilibré par une jolie pointe d'acidité. Sa persistance signale un raisin de belle maturité.

🐓 Dom. Long-Depaquit, 45, rue Auxerroise,
89800 Chablis, tél. 03.86.42.11.13, fax 03.86.42.81.89,
e-mail chateau-long-depaquit@wanadoo.fr ☑ ⵊ r.-v.
🐓 Albert Bichot

CH. DE MALIGNY
L'Homme mort 2000★★

5 ha	39 000	🍾 ♨ 11 à 15 €

À Maligny, l'Homme mort fait partie des *climats* réunis sous la bannière de Fourchaume mais pouvant adopter leur propre nom si le vin en provient exclusivement. Sur ses 175 ha, la famille Durup consacre une belle surface de 5 ha à ce millésime qui séduit par son élégance et sa finesse, son équilibre, sa grande typicité, même s'il est encore sur la réserve et s'accomplira dans deux ou trois ans seulement.

🐓 SA Jean Durup Père et Fils, 4, Grande-Rue,
89800 Maligny, tél. 03.86.47.44.49, fax 03.86.47.55.49,
e-mail durup@club-internet.fr ☑ ⵊ r.-v.

DOM. DE MARCAULT 2000★

1 ha	7 000	🍾 ♨ 11 à 15 €

Le Tonnerrois n'est guère éloigné du Chablisien. Justement, nous avons affaire ici à un domaine de Tonnerre, qui a pris pied en chablis. Avec sa robe claire et brillante, son nez minéral et fleuri qui évolue vers le fruit exotique (ananas), son attaque puissante, son acidité harmonieuse, c'est un bon et honnête 2000.

🐓 Philippe Millet, Dom. de Marcault, 89700 Tonnerre,
tél. 03.86.75.92.56, fax 03.86.75.95.12,
e-mail baudouin.millet@wanadoo.fr ☑ ⵊ r.-v.

DOM. DES MARRONNIERS
Montmains 2000

3 ha	20 000	🍾 ♨ 11 à 15 €

Montmains est l'un des meilleurs crus de la rive gauche. Il se traduit ici par un vin bien pâle (c'est un compliment) et odorant sans ostentation (silex, fleur blanche). On apprécie ensuite ce côté pierreux, ce terroir chablisien. Franc, sans fioritures, il n'a qu'un défaut : il est trop jeune. C'est un défaut qui passe... A servir sur des coquillages dans deux ans. Bernard Legland propose un **Côte de Jouan 2000**, à attendre un an.

🐓 Bernard Légland, 1 et 3, Grande-Rue-de-Chablis,
89800 Préhy, tél. 03.86.41.42.70, fax 03.86.41.45.82,
e-mail bernard.legland@wanadoo.fr
☑ ⵊ t.l.j. 9h-20h; f. fin août

MAUPA
Adroit de Vaucopins 2001

0,4 ha	850	🍾 8 à 11 €

Adroit de Vaucopins est l'un des lieux-dits du *climat* Vaucoupin sur la commune de Chichée. Il peut revendiquer son propre nom si le vin en provient entièrement. Et il y a donc soixante-dix-neuf 1ers crus à Chablis (INAO, 1978) ! Dégusté très, très jeune, ce 2001 sort tout juste de ses six mois de cuve. Jaune foncé (du moins pour son âge), une bouteille fraîche et assez équilibrée qui ne doit en aucun cas être bu avant 2004.

➥ EARL du Maupa, 6, rte de Chablis, 89800 Chichée, tél. 03.86.42.15.75, fax 03.86.42.15.75 ☑ 🍷 r.-v.

DOM. DE LA MEULIERE
Vaucoupin 2000★★

	0,55 ha	4 420	🍴🥢 8 à 11 €

Remarquable par son intensité, sa longueur en bouche, équilibré du début à la fin, minéral et fruité comme si toutes les fées s'étaient penchées sur son berceau, un Vaucoupin superbe. Son bouquet a quelque chose d'exotique, mais la typicité est bien présente. A boire ou à attendre, comme il vous plaira, et sur un saumon fumé. Si vous allez à Fleys, n'oubliez pas de visiter l'église fortifiée Saint-Nicolas des XIIIe et XIVes.

➥ Dom. de la Meulière, 18, rte de Mont-de-Milieu, 89800 Fleys, tél. 03.86.42.13.56, fax 03.86.42.19.32, e-mail domainedelameuliere@caramail.com ☑ 🍷 r.-v.

LOUIS MICHEL ET FILS
Montmain 2000★

	6 ha	40 000	🍴🥢 11 à 15 €

Installée depuis 1850, cette famille est à la tête de 20 ha et est fort connue hors de France. Ce climat dont on dit souvent qu'il présente une certaine sévérité initiale mais qu'il se bonifie à la garde, a bien de solides aptitudes au vieillissement dans ce millésime. Or franc, celui-ci a le nez intense, gras, riche. Une attaque minérale débouche sur l'équilibre de l'alcool et de l'acidité. Bien typé.

➥ Louis Michel et Fils, 9, bd de Ferrières, 89800 Chablis, tél. 03.86.42.88.55, fax 03.86.42.88.56 ☑ 🍷 r.-v.

J. MOREAU ET FILS
Vaucoupin 1999★★

	2,83 ha	22 666	🍴🥢 11 à 15 €

Parmi les vins présentés par cette maison, un Vaillon 2000, deux étoiles, qui garde tous les caractères de son rang, et ce Vaucoupin 99. Le climat, situé sur la rive droite du Serein, est ici bien vinifié et élevé. Sous une robe élégante, son bouquet est parfumé et même épicé. Du gras en bouche et le charme du champignon, du fameux mousseron chablisien. Quelques notes minérales ajoutent à son caractère. Fondée en 1814 par Jean-Joseph Moreau, cette maison a été reprise par Jean-Claude Boisset. Elle fait 95 % de son chiffre d'affaires à l'export.

➥ J. Moreau et Fils, La Croix Saint-Joseph, rte d'Auxerre, BP 5, 89800 Chablis, tél. 03.86.42.88.00, fax 03.86.42.88.08, e-mail moreau@jmoreau-fils.com

SYLVAIN MOSNIER
Côte de Léchet 2000★

	0,6 ha	2 800	🍴🥢 11 à 15 €

« Côte de Léchet » a beau prendre un accent aigu, on dit le plus souvent « Côte de l'Chet ». Ce sont là de petites choses à savoir si l'on veut passer pour un connaisseur. D'une teinte discrète, ce 2000 possède un nez assez charmeur, intéressant par ses bribes de notes minérales et végétales. L'impression au palais est dense, continue.

➥ Sylvain Mosnier, 4, rue Derrière-les-Murs, 89800 Beine, tél. 03.86.42.43.96, fax 03.86.42.42.88 ☑ 🍷 r.-v.

DOM. DE LA MOTTE
Vauligneau 2000

	3 ha	25 000	🍴 8 à 11 €

Climat entré au club des 1ers crus à une époque relativement récente. Il est situé à Beines (ou Beine, on n'en finit pas de se disputer sur ce « s » au Conseil municipal), sur une forte pente, et la Forêt se trouve ici. Clair, intense et sans défaut visuel, ce 2000 se montre floral, léger comme la brise du printemps, très agréable. Au palais, il est moins long que d'ici à l'autre bout du Monde, mais il est vif, dans une tonalité de pamplemousse.

➥ SCEA Dom. de La Motte, 41, rue du Ruisseau, 89800 Beines, tél. 03.86.42.43.71, fax 03.86.42.43.43 ☑ 🍷 t.l.j. sf mer. 9h-19h
➥ Michaut

ROBERT NICOLLE
Mont de Milieu 2000★

	1,8 ha	14 000	🍴🥢 8 à 11 €

Dédié au grand-père qui a transmis cette parcelle à l'actuel exploitant, ce 1er cru s'affiche en robe jaune clair à reflets argentés. Il a un nez de pré fleuri, légèrement pain d'épices. Puissance et élégance vont de pair, des lèvres jusqu'en fin de bouche. A laisser en cave au moins un an. Les Fourneaux 2000 obtiennent une citation, et sont à servir sur des escargots.

➥ Robert Nicolle, 55, rte de Mont-de-Milieu, 89800 Fleys, tél. 03.86.42.19.30, fax 03.86.42.80.07 ☑ 🍷 r.-v.

DOM. PINSON
Mont-de-Milieu 2000★★★

	4,75 ha	20 000	🍴🍾🥢 11 à 15 €

Le vainqueur absolu de la compétition, et les concurrents étaient nombreux ! Le coup de cœur distingue la réussite de Laurent et Christophe, dignes successeurs de Louis Pinson. Ce 1er cru jaune clair, légèrement doré, émerveille en effet par son harmonie et sa complexité. D'un côté, la fraîcheur, un peu de vivacité ; de l'autre, une finale très longue, riche et ample. On s'aperçoit que six mois de cuve et six mois de feuillette (fût) constituent une bonne moyenne. Voici trois cent cinquante ans de viticulture familiale récompensée.

➥ SCEA Dom. Pinson, 5, quai Voltaire, 89800 Chablis, tél. 03.86.42.10.26, fax 03.86.42.49.94, e-mail contact@domaine-pinson.com ☑ 🍷 r.-v.

DENIS POMMIER
Beauroy 2000★★

1,16 ha	8 000	▮ ⦿ ⧫	11 à 15 €

Très prisé jadis, le cru Beauroy est un peu moins connu de nos jours. Celui-ci a de la couleur, un nez beurré vanillé : relativement boisé, il est vinifié en cuve et élevé en fût sur lies fines pendant six mois. Sa matière est présente, la structure très fondue. N'a-t-il pas disputé la finale du coup de cœur ?

☛ Denis Pommier, 31, rue de Poinchy, 89800 Chablis, tél. 03.86.42.83.04, fax 03.86.42.17.80,
e-mail denis.pommier@libertysurf.fr ☑ � r.-v.

DENIS RACE
Montmains 2000★

5,22 ha	24 500	▮ ⧫	8 à 11 €

Ce domaine d'une quinzaine d'hectares s'est fait une belle place au soleil, tant au Brésil qu'en Italie, en Allemagne, en Grande-Bretagne, etc. Son Montmains ne démentira pas sa renommée : certes il est encore sur la réserve, mais il a du coffre, du souffle, du potentiel. Puissant et à garder quelques années, un 1er cru digne de ce nom. Clair dans le verre, il offre un nez frais et floral (fleurs blanches de printemps), des notes minérales en milieu de bouche et une jolie finale persistante. « Homogène et cohérent », le **Mont de Milieu 2000** obtient une citation.

☛ Denis Race, 5 A, rue de Chichée, 89800 Chablis, tél. 03.86.42.45.87, fax 03.86.42.81.23,
e-mail domaine@chablisrace.com ☑ � r.-v.

REGNARD
Montée de Tonnerre 1999★★

3 ha	30 000	▮ ⧫	15 à 23 €

Finaliste du coup de cœur, cette bouteille fait honneur à la mémoire de Zéphir Régnard, fondateur de la maison en 1860. Elle fait également honneur au baron Patrick de Ladoucette qui a repris l'affaire en 1985. Une Montée de Tonnerre dorée à souhait, abritant un bouquet de miel et d'acacia. Elle garde constamment son équilibre tout en développant des saveurs en accord avec ses arômes. Voyez aussi le **Fourchaume 2000**, une étoile, à destiner à un jambon à la chablisienne.

☛ Régnard, 28, bd Tacussel, 89800 Chablis, tél. 03.86.42.10.45, fax 03.86.42.48.67 ☑ � r.-v.

DANIEL SEGUINOT
Fourchaume 2000★

3,9 ha	10 000	▮ ⧫	8 à 11 €

Maligny, village chargé d'histoire, donne à voir les vestiges d'une forteresse du XIIe s. C'est aussi un bourg viticole important où siège ce domaine de 16 ha. Son Fourchaume est à aérer, car cela lui permettra de prendre son envol. Les arômes toutefois marquent le pas. Assez puissant, il a du gras et fait ainsi preuve d'une générosité aimable.

☛ SCEA Daniel Seguinot, rte de Tonnerre, 89800 Maligny, tél. 03.86.47.51.40, fax 03.86.47.43.37 ☑ ⍲ t.l.j. sf dim. 9h-12h 14h-18h30

DOM. SEGUINOT-BORDET
Fourchaume 2000★

1,13 ha	8 000	▮ ⧫	8 à 11 €

Jean-François Bordet a repris le domaine de son grand-père en 1998. Il dit avoir tout appris de lui. C'est toujours un bon maître, à en croire le succès de son 2000.

Doré clair, ce Fourchaume élevé en cuve sur lies se montre gras et flatteur. D'une bonne longueur en fruit, il tient le juste milieu entre la vivacité et le moelleux et il plaira à la majorité.

☛ Dom. J. F. Séguinot-Bordet, 4, rue de Méré, 89800 Maligny, tél. 03.86.47.44.42, fax 03.86.47.54.94,
e-mail j.f.bordet@wanadoo.fr ☑ ⍲ r.-v.

DOM. SERVIN
Montée de Tonnerre 2000★

2,74 ha	20 000	▮	11 à 15 €

Bien avant la célébrité du chanoine Kir, durant les années 1930, le restaurateur dijonnais Racouchot (*Les Trois Faisans*) servait du chablis-cassis à l'apéritif. Dégustez cette bouteille à ce moment-là, mais gardez le cassis pour la poire Belle-Dijonnaise... Flatteur et friand, un vin charmeur qui ne s'encombre pas l'esprit de théories compliquées. Il est simple et aimable.

☛ Dom. Servin, 20, av. d'Oberwesel, 89800 Chablis, tél. 03.86.18.90.00, fax 03.86.18.90.01,
e-mail servin@domaine-servin.fr
☑ ⍲ t.l.j. sf dim. 8h-12h 13h30-17h30

SIMONNET-FEBVRE
Vaillons 2000★

n.c.	20 000	▮ ⧫	11 à 15 €

Le tsar dictait jadis ses oukases en buvant le chablis mousseux de cette maison fondée en 1840. Son Vaillons, *climat* situé en plein cœur de l'illustre côte de Chablis, marie joliment la fleur blanche et le miel. Il exprimera tout son potentiel aromatique lorsqu'il consentira à s'ouvrir, dans un à deux ans.

☛ Simonnet-Febvre et Fils, 9, av. d'Oberwesel, BP 12, 89800 Chablis, tél. 03.86.98.99.00, fax 03.86.98.99.01,
e-mail simonnet@chablis.net
☑ ⍲ t.l.j. 8h30-12h 14h-18h; sam. dim. sur r.-v.

DOM. DU VIEUX CHATEAU
Côte de Léchet 1997★

2,48 ha	18 000	▮ ⧫	15 à 23 €

Après avoir restauré le château de Milly, Daniel-Etienne Defaix a rénové des caves romanes des Xe et XIIe s. dans lesquelles il peut accueillir des réceptions de cent cinquante couverts. Il ne commercialise que des vins élevés pendant plusieurs années. Ainsi ce 97. Il a forcément la robe de son âge, d'un jaune soutenu. Le nez n'est guère évolué, marqué par un très long élevage en cuve mais assez beurré, avec des nuances de noisette. La démarche est souple et agréable : le caractère du millésime s'exprime bien. Heureuse poularde de Bresse à la crème et aux morilles qui l'accompagnera ! **Les Lys 97** sont également respectables et conviendront à un poisson.

☛ Daniel-Etienne Defaix, Dom. du Vieux-Château, 14, rue Auxerroise, 89800 Chablis, tél. 03.86.42.42.05, fax 03.86.42.48.56, e-mail chateau@chablisdefaix.com
☑ ⍲ t.l.j. 9h-12h 14h-18h

DOM. VOCORET ET FILS
Côte de Léchet 2000★★

1,3 ha	10 000	▮ ⦿ ⧫	8 à 11 €

Au fond, on vous laisse le choix entre un **Vaillon 2000**, un **Montmains 2000**, tous deux une étoile, et ce côte de Léchet 2000, au plumage bien pur et dépourvu de tout reflet d'évolution. Quel bouquet ! Si minéral qu'il ne faut pas être œnologue mais géologue pour en tirer tout le parti possible. Tendre et friand, subtilement boisé, il se boit sans effort et il possède toute l'aménité d'un chardonnay d'apéritif. Sans cassis, bien sûr. Il est également à la hauteur d'un grand poisson, vous l'avez deviné.

↬ Dom. Vocoret et Fils, 40, rte d'Auxerre, 89800 Chablis, tél. 03.86.42.12.53, fax 03.86.42.10.39, e-mail domainevocoret@wanadoo.fr ☑ Ⴕ r.-v.

DOM. VRIGNAUD
Fourchaume 2000

5,93 ha	10 000	▮↓ 8 à 11 €

Depuis 1999 toute la production est vinifiée au domaine (15,3 ha dont 6 dans ce *climat* porte-étendard des 1ers crus). Ses reflets hésitent entre l'or et l'émeraude. Son nez expressif, ouvert, est bien disposé. Sa bouche ? Elle est encore muette ; mais le jury est sévère : se retrouver dans le Guide est déjà un signe de qualité remarquable.

↬ Dom. Vrignaud, 10, rue de Beauvoir, 89800 Fontenay-près-Chablis, tél. 03.86.42.15.69, fax 03.86.42.40.06, e-mail guillaume.vrignaud@wanadoo.fr ☑ Ⴕ r.-v.

Chablis grand cru

Issu des coteaux les mieux exposés de la rive droite, divisés en sept lieux-dits (Blanchot, Bougros, les Clos, Grenouille, Preuses, Valmur, Vaudésir), le chablis grand cru possède à un degré plus élevé toutes les qualités des précédents, la vigne se nourrissant d'un sol enrichi par des colluvions argilo-pierreuses. Quand la vinification est réussie, un chablis grand cru est un vin complet, à forte persistance aromatique, auquel le terroir confère un tranchant qui le distingue de ses rivaux du sud. Sa capacité de vieillissement stupéfie, car il exige huit à quinze ans pour s'apaiser, s'harmoniser et acquérir un inoubliable bouquet de pierre à fusil, voire, pour les clos, de poudre à canon !

JEAN-CLAUDE BESSIN
Valmur 2000

1,8 ha	8 000	▮◧↓ 15 à 23 €

Ce 2000 se prononce assez nettement. Le millésime a ses frontières. Il donne un vin qui ne possède pas l'architecture d'un monument historique, mais se montre friand et fruité, fidèle à son terroir.

↬ Jean-Claude Bessin, 3, rue de la Planchotte, 89800 Chablis, tél. 03.86.42.46.77, fax 03.86.42.85.30 ☑ Ⴕ r.-v.

DOM. BESSON
Vaudésir 2000★

1,43 ha	1 200	▮◧↓ 15 à 23 €

Ce petit-fils de tonnelier n'a pas perdu la main mais il a la sagesse de pratiquer son élevage en cuve (huit mois) plutôt qu'en fût (deux mois). Doré clair, son 2000 présente des arômes de fleurs blanches associés à des notes minérales. Vive, la bouche tient la distance en affirmant peu à

peu, longuement, son côté silex. Beau vin équilibré et bien typé. Un dégustateur le choisit pour accompagner une sole aux asperges.

↬ EARL Dom. Alain Besson, rue de Valvan, 89800 Chablis, tél. 03.86.42.19.53, fax 03.86.42.49.46 ☑ Ⴕ r.-v.

DOM. BILLAUD-SIMON
Les Preuses 2000★

0,5 ha	2 500	▮↓ 30 à 38 €

Le gras et la rondeur de ce *climat* lui valent la réputation d'être facile. A tout le moins d'une approche aisée. C'est le cas ici. Ses qualités de bouche et son nez gourmand (pierre à fusil et citron) sont des atouts pour un repas réussi. Notez aussi que les **Clos 2000**, une étoile, ont beaucoup de panache.

↬ Dom. Billaud-Simon, 1, quai de Reugny, BP 46, 89800 Chablis, tél. 03.86.42.10.33, fax 03.86.42.48.77 ☑ Ⴕ t.l.j. sf dim. 9h-12h 14h-18h; sam. sur r.-v., f. 15-31 août

PASCAL BOUCHARD
Blanchots 2000★

0,23 ha	1 500	◧ 30 à 38 €

A l'assaut d'une pente aiguisée, à la sortie de Chablis, ce *climat* n'est pas classé grand cru pour rien. Ce vin, or pâle à reflets verts, offre des parfums d'épices douces agrémentés d'une touche de caramel et de brioché, avant de laisser s'exprimer un léger fruité. Tout ceci se retrouve au palais jusque dans une finale grillée. Une bouteille à attendre car cette jeunesse bien-née est encore fleurette.

↬ Pascal Bouchard, 5 bis, rue Porte-Noël, 89800 Chablis, tél. 03.86.42.18.64, fax 03.86.42.48.11, e-mail info@pascalbouchard.com ☑ Ⴕ t.l.j. 10h30-12h30 14h-18h30; f. jan.

LA CHABLISIENNE
Les Preuses 1999★

4 ha	25 000	▮◧ 23 à 30 €

La Chablisienne dans ses œuvres (4 ha en Preuses). D'un or vert estimable, d'une suite fruitée sur amorce vanillée (six mois en fût cependant et quatorze mois en cuve), ce vin est une réussite pour le millésime. « Un travers de porc savamment rôti devrait lui convenir », note un dégustateur.

↬ La Chablisienne, 8, bd Pasteur, BP 14, 89800 Chablis, tél. 03.86.42.89.89, fax 03.86.42.89.90, e-mail chab@chablisienne.fr ☑ Ⴕ r.-v.

DOM. JEAN COLLET ET FILS
Valmur 2000★

0,5 ha	3 500	◧ 15 à 23 €

Il semble que le chablis soit voué à la faune marine pour une idylle éternelle. En effet, ce Valmur mettra en valeur un plateau de fruits de mer. Il y a d'ailleurs comme une ressemblance entre le blanc vert de l'huître et l'or vert du chablis... L'harmonie des couleurs prépare-t-elle celle du goût ? Sans doute. Le bouquet privilégie la vanille, la cannelle, la praline. La bouche est exubérante. Matière et maturité conduiront à une très bonne garde.

↬ Dom. Jean Collet et Fils, 15, av. de la Liberté, 89800 Chablis, tél. 03.86.42.11.93, fax 03.86.42.47.43, e-mail collet.chablis@wanadoo.fr ☑ Ⴕ r.-v.
↬ Gilles Collet

DOM. DU COLOMBIER

Bougros 2000

	1,2 ha	6 000	🔲⚬ 11 à 15 €

Comme il y avait les quatre frères Aymon, il y a les trois frères Mothe : Jean-Louis, Thierry et Vincent. Et croyez-nous, il savent se mettre en quatre quand il le faut. Leur Bougros se présente de façon brillante. Fin et très prometteur, le bouquet joue sur la brioche, puis la noisette. Si la finale penche pour le minéral, le corps est souple et fruité, flatteur : on se fait plaisir.

⌐ Guy Mothe et ses Fils, Dom. du Colombier, 42, Grand-Rue, 89800 Fontenay-près-Chablis, tél. 03.86.42.15.04, fax 03.86.42.49.67 ☑ Ⴗ r.-v.

LA CAVE DU CONNAISSEUR

Les Clos 2000★

	n.c.	1000	🔲⚬ 23 à 30 €

Petite maison créée en 1989 et spécialisée dans la vente aux particuliers. Ces Clos, habillés d'une robe paille clair, commencent à s'ouvrir sur des notes de fruits mûrs. A l'attaque vive et franche succède une structure riche, bien concentrée, complexe en finale. La chaleur provient de la maturité du raisin et l'on pense aux morilles accompagnant la viande blanche.

⌐ La Cave du Connaisseur, rue des Moulins, BP 78, 89800 Chablis, tél. 03.86.42.48.36, fax 03.86.42.49.84, e-mail connaisseur@chablis.net ☑ Ⴗ t.l.j. 10h-18h

RENE ET VINCENT DAUVISSAT

Les Preuses 2000★

	0,96 ha	6 100	🔲 15 à 23 €

A égalité **Les Clos** et Les Preuses 2000. Ces dernières font partie du *best of*. Déjà coup de cœur pour deux millésimes. Doté d'un bouquet entre le beurre et le silex, ce vin or pâle est intéressant en début de partie. Le nez beurré et concentré sur les fruits blancs n'oublie pas la note minérale de bon aloi. Le palais garde cette belle composition aromatique jusque dans la finale qui ajoute une pointe poivrée venant du fût. Une bouteille de garde.

⌐ GAEC René et Vincent Dauvissat, 8, rue Emile-Zola, 89800 Chablis, tél. 03.86.42.11.58, fax 03.86.42.85.32

SYLVAIN ET DIDIER DEFAIX

Bougros 2000★★

	n.c.	3 000	🔲 23 à 30 €

Sylvain et Didier ont créé une petite affaire en marge du domaine Bernard Defaix, « pour s'occuper un peu », comme on dit en Bourgogne. Première présentation au Guide d'un millésime 2000. Et la récolte est ce coup de cœur, troisième au grand jury. Tout d'or vêtu – avec l'inimitable reflet vert du chablis –, ce vin a un nez ouvert

comme les portes du paradis quand vous vous y ferez annoncer. Cette minéralité bénéficie d'un intelligent élevage à l'abri d'un bon chêne. Plénitude, densité, puissance, élégance... Les promesses seront tenues.

⌐ Sylvain et Didier Defaix, 17, rue du Château, Milly, 89800 Chablis, tél. 03.86.42.40.75, fax 03.86.42.40.28 Ⴗ r.-v.

JEAN-PAUL DROIN

Les Clos 2000★★★

	1 ha	6 500	🔲🔲⚬ 23 à 30 €

On ne compte plus les coups de cœur de Jean-Paul Droin en grand cru : millésimés 84, 87, 88, 93, 98 si l'on n'en oublie pas ! Et une grappe d'argent pour un 1er cru 99 l'an dernier. Le Guide devrait lui élever une statue en plein cœur de Chablis car il décroche la timbale pour la septième fois. Premiers au grand jury, ces Clos associent la fraîcheur minérale au miel, et le corps est d'une droiture absolue. Le raisin explose en bouche. Un admirable Clos 2000. Mémorable : saint Vincent ne tourne pas ici, mais reste fixé sur cette cave. En effet, deux autres grands crus obtiennent deux étoiles : **Vaudésir 2000** et **Grenouille 2000** ; quant au **Valmur 2000**, une étoile, il réjouira, lui aussi, plus du convive.

⌐ Dom. Jean-Paul Droin, 14 bis, rue Jean-Jaurès, 89800 Chablis, tél. 03.86.42.16.78, fax 03.86.42.42.09 ☑ Ⴗ r.-v.

JOSEPH DROUHIN

Vaudésir 2000★

	n.c.	n.c.	🔲 30 à 38 €

Vaudésir bénéficie d'une excellente situation géographique, d'une réputation flatteuse et d'un nom fabuleux. Cette bouteille ne dira pas non. Dorée, elle sacrifie au rite des arômes de mousseron tout en pratiquant le pain grillé. Elle a de la souplesse, du gras et une minéralité apportant un renfort utile. Sa longueur promet une belle garde.

⌐ Joseph Drouhin, 7, rue d'Enfer, 21200 Beaune, tél. 03.80.24.68.88, fax 03.80.22.43.14, e-mail maisondrouhin@drouhin.com Ⴗ r.-v.

GERARD DUPLESSIS

Les Clos 1999★

	0,36 ha	1 800	🔲🔲 15 à 23 €

Il manque peut-être un peu de complexité pour le millésime mais après tout Marie-Noël, la poétesse d'Auxerre, savait toucher le fond de l'âme avec les mots les plus simples... Si la couleur est belle ? Superbe. Le nez est épanoui sur une perspective minérale. Tout est en place pour la revue de détail dans une impression de fondu très réussi. A boire maintenant.

BOURGOGNE

☛ EARL Caves Gérard Duplessis, 5, quai de Reugny,
89800 Chablis, tél. 03.86.42.10.35, fax 03.86.42.11.11
☑ ⍙ r.-v.

DOM. WILLIAM FEVRE
Bougros 2000★

	n.c.	n.c.	⍟ 23 à 30 €

William Fèvre a passé la main au Champenois Joseph
Henriot. On voit qu'entre les deux vignobles la « querelle
des vins » est oubliée. Coup de cœur à quatre reprises au
moins, et notamment l'an dernier (en grand cru), ce
domaine joue en général sur le velours. Cette fois encore
ce Bougros se présente sous des traits discrets avant
d'offrir une bouche fraîche, vive et printanière. A servir sur
une salade composée de fruits de mer. Notez aussi sur vos
tablettes **Les Clos** et **Les Preuses 2000 (tous deux 30 à
38 €)**, d'un bon niveau, Les Clos étant cités, Les Preuses
obtenant une étoile pour leur élégance et la maîtrise de
l'élevage en fût.
☛ Dom. William Fèvre, 21, av. d'Oberwesel,
89800 Chablis, tél. 03.86.98.98.98, fax 03.86.98.98.99,
e-mail france @williamfevre.com
☑ ⍙ t.l.j. sf dim. 9h-12h 14h-18h

RAOUL GAUTHERIN ET FILS
Grenouilles 2000★★

	n.c.	n.c.	⍟ 15 à 23 €

Pas loin des coups de cœur, un vin à marquer d'une
pierre blanche. D'un or soutenu, il chante le beurre et la
noisette au sein d'un bouquet élégant et tout en finesse. Il
caresse le palais, prend son envol et monte en puissance.
Un chardonnay chablisien que l'on garde longtemps sur les
papilles et que l'on conservera quelques années en cave.
Jusqu'à dix ans, ce ne serait pas surprenant.
☛ Dom. Raoul Gautherin et Fils, 6, bd Lamarque,
89800 Chablis, tél. 03.86.42.11.86, fax 03.86.42.42.87
☑ ⍙ r.-v.

DOM. MICHEL GUITTON
Les Clos 1999★★

0,16 ha	n.c.	⍟ 23 à 30 €

Ces 16 ares plantés en 1967 donnent un grand
cru d'un aspect impeccable. Son bouquet a besoin
d'aération pour s'ouvrir (pain d'épice, miel, agrumes),
puis l'impression boisée s'efface pour laisser place à
une fraîcheur qui procure d'heureuses satisfactions. Complexe à souhait, la bouche signe une vinification bien
menée.
☛ Dom. Michel Guitton, 2, rue de Poinchy,
89800 Chablis, tél. 03.86.42.43.14, fax 03.86.42.17.64
☑ ⍙ r.-v.

OLIVIER LEFLAIVE
Valmur 2000★★

	n.c.	n.c.	⍟ 38 à 46 €

Un orfèvre. Olivier Leflaive, naguère cogérant du
domaine éponyme à Puligny, s'occupe aujourd'hui de ses
propres affaires. Tout commence par un prélude plus
nuancé qu'intense. Le nez joue sur la fleur blanche, le grillé
bien fondu et le citron vert. La suite ? La IXᵉ de Beethoven
et les chœurs. La structure explose d'harmonie et de
consistance. Le négoce-éleveur dans ce qu'il sait faire de
grand.

☛ Olivier Leflaive, pl. du Monument,
21190 Puligny-Montrachet,
tél. 03.80.21.37.65, fax 03.80.21.33.94,
e-mail olivier-leflaive@dial.oleane.com ☑ ⍙ r.-v.

DOM. LONG-DEPAQUIT
Les Clos 1999★

1,54 ha	11 000	⍟ 23 à 30 €

Moment de suspense. On attend La Moutonne,
principauté chablisienne à cheval sur Les Preuses et
Vaudésir. C'est non, car Albert Bichot change son fusil
d'épaule et nous fait les honneurs de ses Clos. Millésime
99 : l'or l'habille, le bouquet l'envahit. Deux sensations qui
deviendront des constantes : le minéral et le réglissé. Et un
je-ne-sais-quoi de pain frais un peu épicé en fond de
bouche. Bouteille à conjuguer au futur plus qu'au condi-
tionnel. Sous la marque Lupé Cholet, Albert Bichot
présente le **Château de Viviers Blanchots 2000**. Il
obtient une citation.
☛ Dom. Long-Depaquit, 45, rue Auxerroise,
89800 Chablis, tél. 03.86.42.11.13, fax 03.86.42.81.89,
e-mail chateau-long-depaquit@wanadoo.fr ☑ ⍙ r.-v.
☛ Albert Bichot

LOUIS MICHEL ET FILS
Grenouilles 1999★

0,5 ha	3 000	⍟ 23 à 30 €

Elle sent l'air marin, cette bouteille, même si la mer
a quitté les lieux il y a des dizaines de millions d'années. Un
arôme chablisien iodé, très typé et qu'on aime à retrouver.
Il se poursuit sur un biscuit mentholé. La bouche est un
« palais » : maturité et puissance, charme et présence sont
à la hauteur d'un vrai grand cru dont on ne doit pas sous-
estimer les réserves considérables. Un chapon aux
morilles le mettra bien en scène.
☛ Louis Michel et Fils, 9, bd de Ferrières,
89800 Chablis, tél. 03.86.42.88.55, fax 03.86.42.88.56
☑ ⍙ r.-v.

J. MOREAU ET FILS
Les Clos 2000★

	n.c.	41 600	⍟ 23 à 30 €

Les Clos sont à Chablis le saint des saints. Peut-être
le lieu où l'on fit croître pour la première fois la vigne. Cette
version 2000 n'est pas trop boisée et on ne lui en fait pas
le reproche. Peu de robe mais un nez déjà ouvert, minéral
et fin, qui remet les choses en place. L'acidité normale et
l'arrière-bouche presque en queue de paon signent une
bonne vinification. Cette maison, reprise par Jean-Claude
Boisset, conserve toutefois son identité chablisienne.
☛ J. Moreau et Fils, La Croix Saint-Joseph, rte
d'Auxerre, BP 5, 89800 Chablis, tél. 03.86.42.88.00,
fax 03.86.42.88.08, e-mail moreau@jmoreau-fils.com

MOREAU-NAUDET ET FILS
Valmur 2000

	0,6 ha	4 000	🗐 📖 🕭 15 à 23 €

Parmi les figures historiques du domaine, celle d'Alfred Naudet qui est à l'origine des délimitations en Chablisien et membre d'honneur de l'INAO (durant les années 1930). On se situe ici sur les remparts et le chemin de ronde de Chablis, mais ce Valmur n'a nullement l'âme belliqueuse. Sous son étendard or vert, il envoie une salve d'arômes amicaux : amande grillée, rhubarbe, craie... La bouche est brève et concise. Elle s'exprime néanmoins et correctement.

☛ GAEC Moreau-Naudet et Fils, 5, rue des Fossés, 89800 Chablis, tél. 03.86.42.14.83, fax 03.86.42.85.04 ☑ ☒ r.-v.

☛ Roger et Stéphane Moreau

DOM. PINSON
Les Clos 2000

	2,57 ha	12 000	🗐 📖 🕭 15 à 23 €

Figure du Chablisien, Louis Pinson a transmis le relais à ses fils Laurent et Christophe sur les 11,8 ha du domaine familial. Stéphane Mallarmé célébrait « le vivace aujourd'hui ». Nous y sommes en dégustant ce vin vif et frais. Mais il y a acidité et acidité. Celle-ci est assez bonne, donnant un côté désaltérant qui peut aussi plaire.

☛ SCEA Dom. Pinson, 5, quai Voltaire, 89800 Chablis, tél. 03.86.42.10.26, fax 03.86.42.49.94, e-mail contact@domaine-pinson.com ☑ ☒ r.-v.

REGNARD
Valmur 1999

	n.c.	7 000	🗐 🕭 30 à 38 €

Cette maison ancienne fondée il y a un siècle et demi est aujourd'hui le bastion chablisien du baron Patrick de Ladoucette. Valmur trône au centre de ses pairs. Son or assez pâle introduit le sujet. On passe ensuite à un bouquet iodé, un peu végétal. Il a du gras, même si la matière n'apparaît pas considérable.

☛ Régnard, 28, bd Tacussel, 89800 Chablis, tél. 03.86.42.10.45, fax 03.86.42.48.67 ☑ ☒ r.-v.

DOM. SERVIN
Les Clos 2000★

	0,88 ha	5 000	📖 23 à 30 €

On a goûté le **Blanchot 2000**. On peut faire route avec lui car son étoile est à la hauteur d'un grand cru. Les Clos ont été élevés en fût. L'œil est parfait et le nez, intense et parfumé. Grâce à la complicité de la fraîcheur, à l'élan et à la maturité du fruit, cette bouteille est destinée à la garde : la concentration et la complexité figurent au tableau d'honneur.

☛ Dom. Servin, 20, av. d'Oberwesel, 89800 Chablis, tél. 03.86.18.90.00, fax 03.86.18.90.01, e-mail servin@domaine-servin.fr ☑ ☒ t.l.j. sf dim. 8h-12h 13h30-17h30

DOM. VOCORET ET FILS
Blanchot 2000★★

	1,6 ha	10 000	🗐 📖 🕭 15 à 23 €

Coup de cœur pour le millésime 95, Blanchot n'est pas très loin de répéter l'exploit pour le 2000, superbe, d'une profondeur extrême et à oublier en cave. Son nez en sait déjà beaucoup sur le monde et la vie et il ne trahit pas son terroir. Le vin tapisse le palais de plénitude, de suavité

éblouissantes, accompagnées par une belle structure. Domaine passionné par le sport et qui, outre les visites de l'AJ Auxerre, brille grâce à une handballeuse dijonnaise célèbre dans toutes les salles françaises.

☛ Dom. Vocoret et Fils, 40, rte d'Auxerre, 89800 Chablis, tél. 03.86.42.12.53, fax 03.86.42.10.39, e-mail domainevocoret@wanadoo.fr ☑ ☒ r.-v.

Irancy

BOURGOGNE

Ce petit vignoble situé à une quinzaine de kilomètres au sud d'Auxerre a vu sa notoriété confirmée, devenant AOC communale.

Les vins d'Irancy ont acquis une réputation en rouge, grâce au césar ou romain, cépage local datant peut-être du temps des Gaules. Ce dernier, assez capricieux, est capable du pire et du meilleur ; lorsqu'il a une production faible à normale, il imprime un caractère particulier au vin et, surtout, lui apporte un tanin permettant une très longue conservation. Au contraire, lorsqu'il produit trop, le césar donne difficilement des vins de qualité ; c'est la raison pour laquelle il n'a pas fait l'objet d'une obligation dans les cuvées.

Le cépage pinot noir, qui est le principal cépage de l'appellation, donne sur les coteaux d'Irancy un vin de qualité, très fruité, coloré. Les caractéristiques du terroir sont surtout liées à la situation topographique du vignoble, qui occupe essentiellement les pentes formant une cuvette au creux de laquelle se trouve le village. Le terroir débordait d'ailleurs sur les deux communes voisines de Vincelotte et de Cravant, où les vins de la Côte de Palotte étaient particulièrement réputés. La production a été de 6 056 hl en 2001.

BERSAN ET FILS 2000★

	n.c.	20 000	🗐 📖 🕭 5 à 8 €

Rubis foncé et sombre, cette bouteille est particulièrement odorante. On n'a vraiment pas à se plaindre de son nez qui laisse percevoir des nuances végétales, réglissées, agrémentées d'un brin de violette... Robuste, assez chaleureux, ce vin a beaucoup de matière et ses tanins ne dressent pas le dos (10 % césar, 90 % pinot). L'attendre deux ans.

☛ SARL Bersan et Fils, 18, rue Bienvenu-Martin, 89530 Saint-Bris-le-Vineux, tél. 03.86.53.33.73, fax 03.86.53.38.45 ☒ r.-v.

BENOIT CANTIN
Cuvée Emeline Elevé en fût de chêne 2000★

	10 ha	7 000	🗐 📖 8 à 11 €

Cuvée Emeline, née uniquement du pinot. Un vin à la robe peu intense et au joli nez de fruits rouges. Au palais, il se marie bien et il suggère la plénitude. Il est évident qu'une côte de bœuf lui conviendra parfaitement. Le cru **Palotte 2000** (le *climat* le plus réputé de l'appellation, et ce depuis longtemps) est aussi à conseiller.

🍷 Benoît Cantin, 35, chem. des Fossés, 89290 Irancy, tél. 03.86.42.21.96, fax 03.86.42.21.96
☑ ⵙ t.l.j. sf dim. 8h-12h 14h-18h

ANITA ET JEAN-PIERRE COLINOT
Côte du Moutier 2000★

■	0,27 ha	n.c.	ⵑ 8 à 11 €

Ce lieu-dit Côte du Moutier a le droit de figurer sur l'étiquette. La fille du domaine, Stéphanie (vingt-quatre ans, BTS d'œnologie à Beaune) a vinifié ce millésime, faisant ainsi ses premières armes. La robe est limpide, assez profonde. Les arômes n'ont pas encore donné toute leur plénitude (la mûre devrait y être bien représentée). La bouche ne manque pas d'intérêt : tanins présents mais déjà enrobés (100 % pinot).

🍷 Anita et Jean-Pierre Colinot, 1, rue des Chariats, 89290 Irancy, tél. 03.86.42.33.25, fax 03.86.42.33.25
☑ ⵙ r.-v.

ROGER DELALOGE 2000

■	4,4 ha	28 000	ⵑⵙ 5 à 8 €

Comme à Chablis, le sous-sol peut être ici kimméridgien et donner de bons crus rouges. On est en présence d'une bouteille à la robe colorée. Son nez évoque le sous-bois, le champignon. Il finit bien. Le caractère irancy est respecté.

🍷 Roger Delaloge, 1, ruelle du Milieu, 89290 Irancy, tél. 03.86.42.20.94, fax 03.86.42.33.40 ☑ ⵙ r.-v.

DOM. FELIX
Cuvée St-Féréol 1999

■	0,28 ha	2 000	ⵑⵙ◆ 8 à 11 €

Cet ancien fonctionnaire de l'Equipement a bifurqué pour reprendre la suite de son père au domaine (31 ha : de quoi s'occuper !) Pur pinot, ce vin est assez boisé et agréablement fruité, tannique en fin de bouche, mais il est aisé de l'amadouer avec une volaille. A boire maintenant.

🍷 Dom. Hervé Félix, 17, rue de Paris, 89530 Saint-Bris-le-Vineux, tél. 03.86.53.33.87, fax 03.86.53.61.64, e-mail felix@caves-particulieres.com
☑ ⵙ t.l.j. sf dim. 9h-11h30 14h-18h30

DOM. HEIMBOURGER 2000

■	3 ha	10 000	ⵑⵙ 5 à 8 €

Œuvre d'Olivier, le fils qui reprit l'exploitation en 1994, cet irancy comporte 3 % de césar, nous assure-t-on : une île minuscule dans un océan de pinot noir. Cerise noire, le 2000 est assez souple et rond. Il donnera satisfaction pendant deux ans.

🍷 Dom. Heimbourger Père et Fils, 5, rue de la Porte-de-Cravant, 89800 Saint-Cyr-les-Colons, tél. 03.86.41.40.88, fax 03.86.41.48.33, e-mail heimbourger@wanadoo.fr
☑ ⵙ t.l.j. sf dim. 10h-12h 14h-18h

ROBERT MESLIN 2000

■	5,5 ha	8 500	ⵑⵙ 5 à 8 €

Quelques reflets animent sa robe rubis clair. Sans doute le nez est-il encore peu communicatif, mais une belle vinosité s'annonce sur des notes grillées puis fruitées (cassis). Très ronde, teintée de noyau (de cerise), cette bouteille n'exprime pas l'étoffe souvent austère et rude de l'irancy dans ses tendres années. Elevage en cuve et en fût, 100 % pinot. Etiquette très kitsch, parcheminée.

🍷 Robert Meslin, 35, rue Soufflot, 89290 Irancy, tél. 03.86.42.31.43, fax 03.86.42.51.28 ☑ ⵙ r.-v.

THIERRY RICHOUX 2000★

■	6 ha	30 000	ⵑⵙ◆ 5 à 8 €

Avez-vous jamais vu un caveau de dégustation en forme de... gigantesque four à pain ? Non ? Eh bien, allez rendre visite à ce vigneron, d'autant que son irancy composé entièrement de pinot offre encore des reflets de jeunesse. Son bouquet est orienté vers la framboise et aussi l'humus. Son corps charpenté, solide a des accents de champignon, de truffe. Une réelle typicité.

🍷 Thierry Richoux, 73, rue Soufflot, 89290 Irancy, tél. 03.86.42.21.60, fax 03.86.42.34.95
☑ ⵙ t.l.j. sf dim. 8h-12h 14h-19h

DOM. SAINT GERMAIN
Paradis 2000

■	0,5 ha	3 000	ⵙ 8 à 11 €

Une larme de césar, nous dit-on, sur fond de pinot. Mention du *climat* : le Paradis. Rouge rubis, un vin aux arômes animaux auxquels s'ajoute une pointe de griotte. Sa bouche équilibrée a choisi la cerise. D'intensité correcte, il pourra, tout comme la **cuvée principale 2000** (**5 à 8 €**), joliment boisée, accompagner un rôti de veau.

🍷 Christophe Ferrari, 7, chem. des Fossés, 89290 Irancy, tél. 03.86.42.33.43, fax 03.86.42.39.30
☑ ⵙ r.-v.

L'AME DU DOMAINE VERRET 2000★

■	1 ha	4 000	ⵙ 11 à 15 €

L'Ame du Domaine (c'est écrit sur l'étiquette) est une dénomination sympathique. Ce domaine de plus de 50 ha propose un irancy à la teinte légèrement évoluée (sur le rouge-brun), au nez épicé, grillé. Sa belle structure tannique est soutenue par un boisé raisonnable. 10 % de césar accompagnent le pinot noir.

🍷 Dom. Verret, 7, rte de Champs, BP 4, 89530 Saint-Bris-le-Vineux, tél. 03.86.53.31.81, fax 03.86.53.89.61, e-mail dverret@domaineverret.com
☑ ⵙ r.-v.

Sauvignon de saint-bris AOVDQS

Autrefois déclaré en appellation simple, ce vin de qualité supérieure, issu, comme l'appellation l'indique, du cépage sauvignon, est produit sur les communes de Saint-Bris-le-Vineux, Chitry, Irancy et une partie des communes de Quenne, Saint-Cyr-les-Colons et Cravant. Sa production est la plupart du temps limitée aux zones de plateaux calcaires où il atteint toute sa puissance aromatique. Contrairement aux vins du même cépage de la vallée de la Loire ou du

Sancerrois, le sauvignon de saint-bris fait généralement sa fermentation malolactique, ce qui ne l'empêche pas d'être très parfumé et lui confère une certaine souplesse. Celle-ci s'extériorise le mieux lorsque la richesse alcoolique avoisine 12 °. Saint-Bris devrait très prochainement accéder à l'AOC.

GHISLAINE ET JEAN-HUGUES GOISOT 2000★

| | 6,43 ha | 40 000 | ⏸↓ | 3 à 5 € |

Coup de cœur l'an dernier, ce domaine, installé dans un ancien corps de garde, est toujours présent dans le Guide. L'un de nos dégustateurs suggère les filets de hareng pour escorter dignement son sauvignon jusqu'à son apothéose. Pourquoi pas ? Ce 2000 est d'un bel or clair et ses arômes restent fidèles à la tradition. Les yeux fermés mais le nez bien ouvert, on reconnaît le cépage. La bouche est superbe et prometteuse. On peut laisser cette bouteille deux à trois ans en cave ou l'ouvrir dès maintenant.
⌐ Ghislaine et Jean-Hugues Goisot, 30, rue Bienvenu-Martin, 89530 Saint-Bris-le-Vineux, tél. 03.86.53.35.15, fax 03.86.53.62.03, e-mail jhetg.goisot@cerb.cernet.fr ☑ � r.-v.

DOM. ANNE ET ARNAUD GOISOT 2000★

| | n.c. | 20 000 | ⏸↓ | 3 à 5 € |

Pour ce VDQS bientôt promu AOC, le millésime chant du cygne ou presque. Le sauvignon déclare sa flamme sur une tonalité jaune presque dorée. Typé, élégant, le nez se montre assez fruité. Agréable, vif, équilibré par une acidité présente mais compensée, ce vin est à boire dans les temps qui viennent.
⌐ Dom. Anne et Arnaud Goisot, 4 bis, rte de Champs, 89530 Saint-Bris-le-Vineux, tél. 03.86.53.32.15, fax 03.86.53.64.22 ☑ � t.l.j. sf dim. 8h-12h 13h30-19h

J. MOREAU ET FILS 2001

| | 12,14 ha | 113 330 | ⏸↓ | 3 à 5 € |

Millésime 2001. Ce siècle avait un an, eût dit le père Hugo contemplant cette bouteille. Elle n'entre assurément pas dans la Légende des Siècles, mais elle possède tous les éléments d'un sauvignon très jeune, en devenir, fort prometteur cependant. Car rien n'est caricatural – ce qui arrive parfois avec ce cépage –, tout est fin et élégant.
⌐ J. Moreau et Fils, La Croix Saint-Joseph, rte d'Auxerre, BP 5, 89800 Chablis, tél. 03.86.42.88.00, fax 03.86.42.88.08, e-mail moreau@jmoreau-fils.com

DOM. SAINT PRIX 2000★

| | 6 ha | 40 000 | ⏸↓ | 5 à 8 € |

Rondeur et longueur riment avec ce 2000 bien fait, encore un peu jeune, doré, au nez très typé sauvignon, aromatique. Au palais, le cépage s'exprime sans retenue. On lui en est reconnaissant. Sur une touche de fruits secs ce vin se montre équilibré. Destiné à l'apéritif.
⌐ GAEC Bersan et Fils, 20, rue du Dr-Tardieux, 89530 Saint-Bris-le-Vineux, tél. 03.86.53.33.73, fax 03.86.53.38.45 ☑ � r.-v.

SIMONNET-FEBVRE 2000

| | n.c. | 2 000 | ⏸↓ | 5 à 8 € |

Le tsar de toutes les Russies se fournissait jadis auprès de cette maison chablisienne réputée pour son effervescence. Elle consacre ses ardeurs au vin tranquille. Celui-ci, or pâle, offre un nez classique mais avec un rien de sauvage et de cuir qui le distingue de ses concitoyens. Frais et vif, il repose sur un équilibre fondé sur une bonne acidité.
⌐ Simonnet-Febvre et Fils, 9, av. d'Oberwesel, BP 12, 89800 Chablis, tél. 03.86.98.99.00, fax 03.86.98.99.01, e-mail simonnet@chablis.net ☗ ☑ �**ar** r.-v.

PHILIPPE SORIN 1999

| | 5 ha | 40 000 | ▮ | 5 à 8 € |

Elaboré en macération pelliculaire, un sauvignon de garde. Il a beaucoup de panache, de force intérieure et constitue ici un cas à part. Sa robe or soutenu ne ment pas sur son âge. Le bouquet se dessine sur la fleur et le silex. Beaucoup de matière, une consistance aussi rare que riche : ne vous précipitez pas trop vite sur cette bouteille même si elle est déjà fort plaisante.
⌐ Marylène et Philippe Sorin, 12, rue de Paris, 89530 Saint-Bris-le-Vineux, tél. 03.86.53.60.76, fax 03.86.53.62.60, e-mail philippe.sorin@libertysurf.fr ☑ �(ar) r.-v.

DOM. SORIN-DEFRANCE 2000★

| | 13,5 ha | 110 000 | ⏸↓ | 3 à 5 € |

Né sur un vaste domaine de près de 40 ha, ce sauvignon a été vinifié en macération pelliculaire. Or paille « d'après-moisson », il est merveilleusement expressif. Équilibré, rond et fin, il conviendra à des viandes blanches.
⌐ Dom. Sorin-Defrance, 11bis, rue de Paris, 89530 Saint-Bris-le-Vineux, tél. 03.86.53.32.99, fax 03.86.53.34.44 ☑ ⏏ t.l.j. 8h-12h 14h-18h30

DOM. VERRET 2001★

| | 5,33 ha | 40 000 | ⏸↓ | 5 à 8 € |

Encore un 2001. Ce cépage de la Loire et de l'Aquitaine se montre convaincant parmi les affluents de la Seine. On se noie ici dans son parfum (bourgeon de cassis assorti de quelques notes exotiques pour dépayser). D'un excellent développement en bouche, il montre une vivacité qui demeure efficace tout au long de la dégustation, relançant l'intérêt. Le VDQS s'en va sur la queue de paon. L'an prochain ce devrait être une AOC.
⌐ Dom. Verret, 7, rte de Champs, BP 4, 89530 Saint-Bris-le-Vineux, tél. 03.86.53.31.81, fax 03.86.53.89.61, e-mail dverret@domaineverret.com ☑ ⏏ r.-v.

La Côte de Nuits

Marsannay

LES géographes discutent encore sur les limites nord de la Côte de Nuits car, au siècle dernier, un vignoble florissant faisait, des communes situées de part et d'autre de Dijon, la Côte dijonnaise. Aujourd'hui, à l'exception de quelques vignes vestiges comme les Marcs d'Or et les Montreculs, l'urbanisation a cantonné le vignoble au sud de Dijon, et même Chenôve a du mal à conserver en vigne son joli coteau.

Marsannay, puis Couchey ont, encore il y a une cinquantaine d'années, approvisionné la ville de grands ordinaires et manqué en 1935 le coche des AOC communales. Petit à petit, les viticulteurs ont replanté ces terroirs en pinot et la tradition du rosé s'est développée sous l'appellation locale « bourgogne rosé de Marsannay ». Puis, on a retrouvé les vins rouges et les vins blancs d'avant le phylloxéra et, après plus de vingt-cinq ans d'efforts et d'enquêtes, l'AOC marsannay a été reconnue en 1987 pour les trois couleurs. Une particularité cependant, encore une en Bourgogne : le « marsannay rosé », dont les deux mots sont indissociables, peut être produit sur une aire plus extensive, dans le piémont sur les graves, que le marsannay (vins rouges et vins blancs) délimité uniquement dans le coteau des trois communes de Chenôve, Marsannay-la-Côte et Couchey.

Les vins rouges sont charnus, un peu sévères dans leur jeunesse et il faut les attendre quelques années. Pas courants dans la Côte de Nuits, les vins blancs sont ici particulièrement recherchés pour leur finesse et leur solidité. Il est vrai que le chardonnay, mais aussi le pinot blanc, trouvent dans des niveaux marneux propices leur terroir d'élection.

Le vignoble a produit 5 889 hl en rouge, 1 570 hl en rosé et 1 453 hl en blanc en 2001. Les coteaux sont en cours de reconquête.

DOM. CHARLES AUDOIN 2000*

	0,56 ha	n.c.	8 à 11 €

Depuis 1972 Charles Audoin a su développer son domaine avec le concours de Françoise, œnologue. Cyril a rejoint tout récemment ses parents sur l'exploitation (12 ha). Bien typé marsannay, un chardonnay or vert. Les arômes sont plaisants : fleurs blanches, agrumes. On rencontre une structure de qualité avec beaucoup de spontanéité. Mais il a encore besoin de s'ouvrir et de s'exprimer. Notez aussi en rouge **Les Favières 99**, cité (ce qu'on appelle communément un vin « féminin ») ainsi que le **Clos du Roy 2000** (d'un bon potentiel), une étoile.

☛ Dom. Charles Audoin, 7, rue de la Boulotte, 21160 Marsannay-la-Côte, tél. 03.80.52.34.24, fax 03.80.58.74.34 ☑ ⵏ r.-v.

DOM. BART
Les Champs Salomon 1999*

	1,4 ha	6 000	8 à 11 €

Une très ancienne lignée vigneronne de Marsannay. Elle à l'université l'un des meilleurs historiens bourguignons et aux cadets de Bourgogne l'un de leurs piliers. Nuance cerise bien mûre, ce 99 n'a pas encore livré tous ses secrets. Si son bouquet est plutôt fermé, il est souple et charnu en bouche. Conforme à l'appellation, il ne

recherche aucun effet grandiloquent et sera prêt à être bu dès l'automne 2002.

☛ Dom. Bart, 23, rue Moreau, 21160 Marsannay-la-Côte, tél. 03.80.51.49.76, fax 03.80.51.23.43 ☑ ⵏ r.-v.

DOM. REGIS BOUVIER
Clos du Roy 2000

	2,07 ha	12 000	8 à 11 €

Un Clos du Roy. Si le « y » n'est pas indispensable, il s'agit d'un véritable clos historique, très apprécié jadis (à l'égal des plus grands), et sur Chenôve, ayant échappé par miracle au béton grimpant. D'une teinte très soutenue, ce vin, goûté bien sûr très jeune, hésite de façon charmante entre la feuille et le bourgeon de cassis. Encore un peu tannique et vif, c'est en tout cas du vin, et d'un fort bon niveau. Patience.

☛ Régis Bouvier, 52, rue de Mazy, 21160 Marsannay-la-Côte, tél. 03.80.51.33.93, fax 03.80.58.75.07 ☑ ⵏ r.-v.

RENE BOUVIER
Champs Salomon 2000*

	0,32 ha	1 500	11 à 15 €

Vineux à souhait, ce marsannay semble ne manquer de rien. Il possède de la couleur et un boisé assez fondu sur une note de framboise : il est carré comme tout. Mais c'est un 2000 et il doit faire son temps de purgatoire en cave. Tout va se marier et, pour le millésime, c'est une réussite. René Bouvier est le père de Régis.

☛ Dom. René Bouvier, 29, rte de Dijon, 21220 Gevrey-Chambertin, tél. 03.80.52.21.37, fax 03.80.59.95.96, e-mail rene-bouvier@wanadoo.fr ☑ ⵏ r.-v.
☛ Bernard Bouvier

MARC BROCOT 2000*

	0,48 ha	3 628	5 à 8 €

On désespérait de ne pas goûter de rosé, car cette AOC est tricolore. Celui-ci défend bien sa couleur, comme jadis au fameux tournoi de Marsannay. De couleur framboise, il vivifie un bouquet de rose, et l'églantine prend le relais en attaque. Fraîcheur, vivacité, caractère, ce 2000 illustre une véritable appellation. Alors que la plupart des rosés descendent tout debout et ne laissent rien dans la bouche, celui-ci y fait son nid. Il est issu de pressurage direct.

☛ Marc Brocot, 34, rue du Carré, 21160 Marsannay-la-Côte, tél. 03.80.52.19.99, fax 03.80.59.84.39 ☑ ⵏ r.-v.

DOM. CHARLOPIN-PARIZOT
En Montchenevoy 1999**

	n.c.	n.c.	15 à 23 €

Notre coup de cœur de l'an dernier. Cette fois encore il met tout son cœur dans l'affaire. « Il frotte un 1er cru de la Côte de Nuits », écrit l'un des jurés sur sa fiche. « Au-delà de son appellation ! » Sa couleur est puissante, intense. Au nez, il explose. La bouche confirme cette impression d'ampleur. Gras, richement boisé, il montre déjà sa complexité.

☛ Philippe Charlopin, 18, rte de Dijon, 21220 Gevrey-Chambertin, tél. 03.80.51.81.18, fax 03.80.51.81.27 ☑ ⵏ r.-v.

DOM. COLLOTTE
Les Champsalomon 1999★

| ■ | 0,5 ha | 2 200 | ◫ 8 à 11 € |

Une robe comme celle de ce 99 s'achète à Dijon rue Piron, rue de la Poste, en boutique. Le fruit noir est classique et affirmé (cassis). Alliant la richesse et la complexité, la force et le fruit, un vin dans la meilleure veine du marsannay, produit sur un *climat* qui s'est fait un nom. On l'écrit sur cette étiquette en un seul mot. Pourquoi donc ? Un quart de bois neuf pour les douze mois de fût.
🕊 Dom. Collotte, 44, rue de Mazy,
21160 Marsannay-la-Côte, tél. 03.80.52.24.34,
fax 03.80.58.74.40 ☑ �Y r.-v.

DOM. FOUGERAY DE BEAUCLAIR
Saint-Jacques 1999★★

| ■ | 1,17 ha | 6 000 | ◫ 15 à 23 € |

Coup de cœur pour les millésimes 88 et 93, ce Saint-Jacques n'est pas loin de rééditer l'exploit cette année encore. Il donne en effet beaucoup de plaisir. Enveloppé dans sa robe cerise, il a le nez très flatteur : un joli boisé bien fondu sur des notes framboisées. Au palais on lui trouve du caractère, de la race. Son gras et ses tanins offrent le meilleur d'eux-mêmes. Bravo et à boire pendant quatre ans, par exemple sur un petit gibier sauce forestière ! Ce domaine possède également un pied en Languedoc (Val Grieux), ce qui devient fréquent en Bourgogne.
🕊 Dom. Fougeray de Beauclair, 44, rue de Mazy,
BP 36, 21160 Marsannay-la-Côte,
tél. 03.80.52.21.12, fax 03.80.58.73.80,
e-mail fougeraydebeauclair@wanadoo.fr ☑ �= 9h30-12h30 14h-18h; dim. sur r.-v.
🕊 J.L. Fougeray

DOM. JEAN FOURNIER 2000★

| ▨ | 0,87 ha | 3 000 | ◫ 8 à 11 € |

Dès que l'on voit l'étiquette, on sait où l'on est. Elle montre en effet une belle image du vieux village de Marsannay. Ce domaine de 2,5 ha en 1960, de 16 ha aujourd'hui, dispose d'une belle gamme de *climats* sur l'AOC. Jaune doré brillant, ce 2000 promet un beau devenir. Floral, légèrement miellé, il décline au palais des arômes secondaires de pamplemousse. L'ensemble est persistant, et on peut attendre quelques années avant de le déguster.
🕊 Dom. Jean Fournier, 29-34, rue du Château,
21160 Marsannay-la-Côte, tél. 03.80.52.24.38,
fax 03.80.52.77.40 ☑ �Y r.-v.

ALAIN GUYARD
Les Etales 1999

| | 1 ha | 6 000 | ◫ 5 à 8 € |

Dans le même millésime, Alain fait goûter son rouge (un **Genelières** aimable) ainsi que son blanc. Nous en parlons ici : or gris, il laisse ses arômes monter jusqu'à des notes florales sans trop se presser. On aime ensuite sa fraîcheur, son équilibre, sur fond grillé. La finale est agréable et, tout bien pesé, il est du bon côté de la barrière. Les *climats* de Marsannay sont en général peu connus, voici les Etales heureusement préservées de l'urbanisation de la Champagne Haute toute proche.
🕊 Alain Guyard, 10, rue du Puits-de-Têt,
21160 Marsannay-la-Côte, tél. 03.80.52.14.46,
fax 03.80.52.67.36 ☑ �= t.l.j. 9h-11h30 14h-18h

DOM. OLIVIER GUYOT
La Montagne Vieilles vignes 2000★

| ■ | 0,8 ha | 4 500 | ◫ 15 à 23 € |

Le cheval fait un retour remarqué dans la Côte et ce n'est pas pour le folklore. Olivier Guyot en fait même le sujet de son étiquette. Cerise noire soutenue par des reflets violines, un 2000 qui tient bien sa place. Son bouquet rappelle la fraise très très mûre. La structure est ferme, un peu rustique mais le marsannay n'est pas un vin à chichis. Il faut attendre que ses tanins s'arrondissent. Vous patienterez deux à quatre ans, voilà tout.
🕊 Dom. Olivier Guyot, 39, rue de Mazy,
21160 Marsannay-la-Côte, tél. 03.80.52.39.71,
fax 03.80.51.17.58, e-mail domaine.guyot@libertysurf.fr
☑ �Y r.-v.

DOM. HUGUENOT PERE ET FILS
Champs-Perdrix 1999

| ■ | 0,7 ha | 4 800 | ◫ 11 à 15 € |

Sur le haut du coteau de Couchey, en bordure de Fixin, les Champs-Perdrix replantés il y a quelques lustres sont vraiment l'accent du pays. Ce 99 d'un rouge profond a le nez bien ouvert. Il a de la matière, des tanins à l'affût, un peu de nervosité et un goût de griotte. Bref, pas mal du tout et – comme l'on dit – à revoir.
🕊 Dom. Huguenot Père et Fils,
7, ruelle du Carron, 21160 Marsannay-la-Côte,
tél. 03.80.52.11.56, fax 03.80.52.60.47,
e-mail domaine.huguenot@wanadoo.fr ☑ �Y r.-v.

DOM. SYLVAIN PATAILLE
La Montagne 2000★

| ■ | 0,3 ha | 1 900 | ◫ 8 à 11 € |

Œnologue-conseil, Sylvain se donne ici des conseils à lui-même : il a créé son domaine en 1999 en commençant avec 1 ha en fermage. Il atteint aujourd'hui les 6 ha. Cette Montagne est agréable à découvrir. D'une jolie couleur de pinot, elle offre des arômes divers sur un fond de pain grillé. Sa bonne constitution générale et sa longueur permettront de l'attendre deux ans. Comme on est à Marsannay, le **rosé 2000** (5 à 8 €) du domaine n'est nullement anecdotique. Un rosé dans la grande tradition du pays qu'il faut défendre. Il obtient une étoile et pourra même plaire à un plateau de coquillages. Etonnant, non ?
🕊 Sylvain Pataille, 14, rue Neuve,
21160 Marsannay-La-Côte, tél. 06.70.11.62.15,
fax 03.80.52.49.49 ☑ �Y r.-v.

DOM. TRAPET PERE ET FILS 2000★

| ■ | n.c. | n.c. | ◫ 8 à 11 € |

Jean Trapet et son fils veillent sur l'un des domaines les plus réputés de Gevrey-Chambertin. Comme il est difficile de trouver ici de la terre à planter, ils se sont intéressés au secteur Marsannay-Couchey. Le résultat est excellent, à en juger par cette bouteille qui mérite de séjourner un peu en cave afin d'affirmer pleinement ses bonnes origines. « Un vin qui ne triche pas », dit le jury. Franchise de la robe, netteté du nez, qualité des tanins, il se présente en effet de façon très sincère. Le domaine édite un petit journal *De vigne en cave*.
🕊 Dom. Trapet Père et Fils,
53, rte de Beaune, 21220 Gevrey-Chambertin,
tél. 03.80.34.30.40, fax 03.80.51.86.34,
e-mail message@domaine-trapet.com ☑ �Y r.-v.

BOURGOGNE

DOM. DU VIEUX COLLEGE
Les Longeroies 1999★★

| | 1 ha | 4 000 | | 8 à 11 € |

L'une des meilleures bouteilles de la dégustation. De nuance pivoine, elle chante la cerise noire. Quelques notes de torréfaction. La bouche est très confortable, souple et presque moelleuse. Elle offre une bonne rétro. Vertus de garde assurées. Voilà un marsannay qui ne dépareille pas dans la Côte de Nuits ! On peut aussi recommander **Les Favières 99 rouge (11 à 15 €)** : d'une bonne typicité, elles obtiennent une citation.

☛ Jean-Pierre et Eric Guyard, Dom. du Vieux Collège, 4, rue du Vieux-Collège, 21160 Marsannay-la-Côte, tél. 03.80.52.12.43, fax 03.80.52.95.85 ☑ ☥ r.-v.

Fixin

Après avoir visité les pressoirs des ducs de Bourgogne à Chenôve, dégusté le marsannay, vous rencontrez Fixin, première d'une série de communes donnant leur nom à une appellation d'origine contrôlée, où l'on produit surtout des vins rouges (4 365 hl de rouge et 134 hl en blanc). Ils sont solides, charpentés, souvent tanniques et de bonne garde. Ils peuvent également revendiquer, au choix, à la récolte, l'appellation côte de nuits-villages.

Les *climats* Hervelets, Arvelets, Clos du Chapitre et Clos Napoléon, tous classés en premiers crus, sont parmi les plus réputés, mais c'est le Clos de la Perrière qui en est le chef de file puisqu'il a même été qualifié de « cuvée hors classe » par d'éminents écrivains bourguignons et comparé au chambertin ; ce clos déborde un tout petit peu sur la commune de Brochon. Autre lieu-dit : le Meix-Bas.

VINCENT ET DENIS BERTHAUT
Les Arvelets 2000

| 1er cru | 1 ha | 5 000 | | | 15 à 23 € |

Vincent et Denis ont repris l'exploitation familiale en 1975, quatre-vingt-dix-neuf ans après l'installation de la famille dans cette maison. « Bien faire vaut mieux que dire », lit-on sur la pierre, et cela ne date pas d'hier ! Une mention pour cet Arvelets 2000 d'un rouge foncé et intense, équilibré autour de notes d'épices dominantes aujourd'hui. Attendre deux ou trois ans qu'il veuille bien s'exprimer.

☛ Vincent et Denis Berthaut, 9, rue Noisot, 21220 Fixin, tél. 03.80.52.45.48, fax 03.80.51.31.05, e-mail denis.berthaut@wanadoo.fr ☑ ☥ t.l.j. 10h-12h 14h-18h; f. jan.

BOUCHARD AINE ET FILS
La Mazière Cuvée Signature 2000★

| | n.c. | 7 600 | | 8 à 11 € |

La Mazière tient le haut du pavé dans l'appellation *village*. Elle porte ici une robe vive, grenat soutenu. Le bouquet semble marqué par un bon boisé élégant (cannelle, clou de girofle) et les petits fruits. Fraîcheur en

attaque, excellente acidité, saveur de groseille, tanins fondus, il est destiné à un gigot d'agneau dans deux ou trois ans. Bouchard Aîné et Fils (très belle demeure sur le boulevard circulaire de Beaune) est une maison reprise par Jean-Claude Boisset.

☛ Bouchard Aîné et Fils, hôtel du Conseiller-du-Roy, 4, bd Mal-Foch, 21200 Beaune, tél. 03.80.24.24.00, fax 03.80.24.64.12 ☥ t.l.j. 9h30-12h30 14h-18h30

DOM. REGIS BOUVIER 2000★

| | 0,3 ha | 1 800 | | 11 à 15 € |

Fils de René, Régis s'est installé en 1981. Parti de 7 ha, il en exploite 15,6 à ce jour. Vinification impeccable d'un vin concentré sur le fruit, offrant beaucoup de charme. L'acidité assez prononcée lui permettra d'affronter la cave sans préoccupation majeure. Sa robe est superbe. Bouquet de genièvre, de paprika avec des touches de baies sauvages. La finesse de ses tanins, le boisé très discret, la rondeur générale en font une bouteille à suivre.

☛ Régis Bouvier, 52, rue de Mazy, 21160 Marsannay-la-Côte, tél. 03.80.51.33.93, fax 03.80.58.75.07 ☑ ☥ r.-v.

RENE BOUVIER
Crais de chêne 2000

| | 1,09 ha | 4 000 | | 11 à 15 € |

Climat situé au bord de la route des Grand Crus et en limite de Couchey. Bernard Bouvier est depuis 1992 à la barre : six *villages*, seize appellations et 17 ha. Ce fixin rude et puissant est prometteur. Grenat foncé, il oriente d'abord le nez vers le cassis, la prunelle peut-être, avant de s'engager sur un chemin poivré. Le bois joue un rôle efficace. Le rapport entre l'acidité et les tanins est assez harmonieux. Devrait bien vieillir.

☛ Dom. René Bouvier, 29, rte de Dijon, 21220 Gevrey-Chambertin, tél. 03.80.52.21.37, fax 03.80.59.95.96, e-mail rene-bouvier@wanadoo.fr ☑ ☥ r.-v.
☛ Bernard Bouvier

DOM. DU CLOS SAINT-LOUIS 2000

| | 4 ha | 18 000 | | 11 à 15 € |

Le compagnon Bernard La Vivacité fonde à Dijon en 1817 une fabrique de vinaigre et de moutarde. Outre cette activité, la famille achète en 1918 ce qu'on appelle à Fixin le « Clos Bizoutte » réputé pour ses rendez-vous galants... et rebaptisé pieusement en l'honneur de Saint-Louis ! Nuance grenat, ce 2000 possède un nez robuste, animal, marqué de poivre blanc. Au palais, il apparaît assez complexe (quatre-épices). Sa structure assez fine tient d'aplomb.

☛ Dom. du Clos Saint-Louis, 4, rue des Rosiers, 21220 Fixin, tél. 03.80.52.45.51, fax 03.80.58.88.76, e-mail clos.st.louis@wanadoo.fr ☑ ☥ t.l.j. 9h-19h; f. 20 déc.-3 janv., 15-31 août
☛ Philippe Bernard

DOM. COLLOTTE 2000

| | 0,4 ha | 1 500 | | 8 à 11 € |

Bien réussi pour son année, rubis sanguin et violacé, un 2000 aux accents de myrtille. Il offre une légère sensation boisée (fumé) puis du nerf et de la charpente : un compagnon bâtisseur, aux épaules larges et au cœur chaud. Ses tanins demandent à vieillir trois à quatre ans.

☛ Dom. Collotte, 44, rue de Mazy, 21160 Marsannay-la-Côte, tél. 03.80.52.24.34, fax 03.80.58.74.40 ☑ ☥ r.-v.

DOM. DEREY FRERES 2000

■   2 ha   5 000   ■↓ 8 à 11 €

Quand on est métayer de la ville de Dijon, quand on assure la renaissance du Clos des Marcs d'Or, on tient un beau brevet de noblesse bourguignonne. Les Derey ont cette chance. Rouge profond, ce fixin (n'oubliez pas de prononcer fissin) renarde un peu dans une atmosphère de sous-bois. Frais en attaque, vineux et tannique, il évoque en bouche, nous dit-on, la feuille morte « fraîche »... Rustique mais d'un développement digne d'attention. A attendre trois ou quatre ans.

⌐ EARL Derey Frères, 1, rue Jules-Ferry, 21160 Couchey, tél. 03.80.51.19.41, fax 03.80.58.76.70, e-mail derey-freres@wanadoo.fr ☑ Ⴘ r.-v.

DOM. GUY DUFOULEUR

Clos du Chapitre Monopole 1999

■ 1er cru   4,78 ha   30 000   ⅡⅠ 23 à 30 €

Il fut coup de cœur pour le millésime 97. D'une teinte pourpre et satinée, le 99 pinote convenablement sous un nez regardant. Du boisé à l'ancienne laissant deviner des arômes sauvages assez intenses. Du grain mais une entrée en bouche qui montre encore une certaine sévérité. En monopole sur près de 5 ha, ce cru est mis en bouteilles par Dufouleur Père et Fils, à Nuits-Saint-Georges.

⌐ Dom. Guy Dufouleur, 19, pl. Monge, 21700 Nuits-Saint-Georges, tél. 03.80.62.31.00, fax 03.80.62.31.00 ☑ 🏠 Ⴘ r.-v.

⌐ Guy et Xavier Dufouleur

La côte de Nuits (Nord-1)

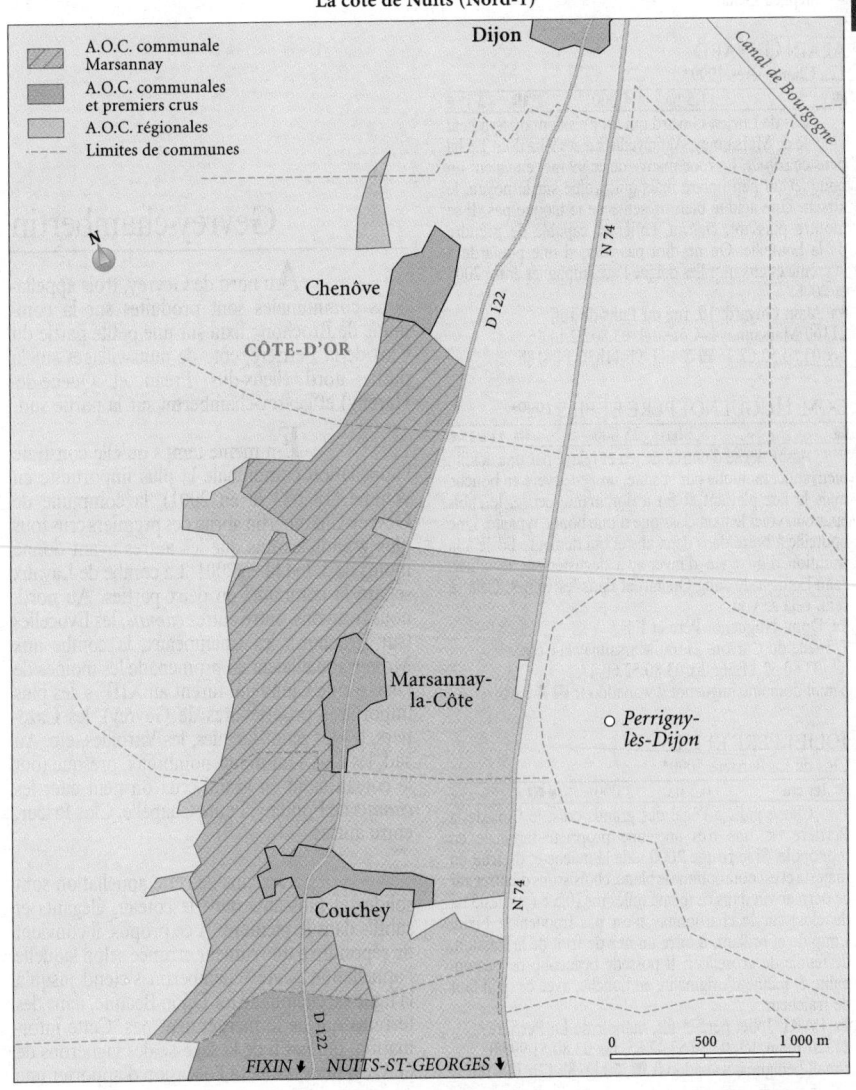

DOM. PIERRE GELIN
Les Hervelets 1999★

| ■ | 1er cru | 0,45 ha | 2 700 | ❚❚❙ | 15 à 23 € |

Cette parcelle en Hervelets (près de 0,5 ha) est une acquisition nouvelle de la famille Gelin. Riche idée ! Rubis à reflets légèrement roses, il garde toute sa réserve face à nos trois coups de nez. Au palais cependant, l'impression d'équilibre est immédiate, dans un registre voluptueux. Aucune brutalité dans le renfort tannique. Caudalies de sept secondes si vous voulez tout savoir et, si cela ne qualifie pas pour les J.O., c'est pas mal quand même ! Honnête **village 99 rouge (8 à 11 €)** cité.

✆ Dom. Pierre Gelin, 2, rue du Chapitre, 21220 Fixin, tél. 03.80.52.45.24, fax 03.80.51.47.80

☑ ⅄ t.l.j. 9h-12h 14h-17h30; sam. dim. sur r.-v.

✆ Stéphen Gelin

ALAIN GUYARD
Les Chenevières 1999★

| ■ | | 1,5 ha | 4 000 | ❚❚❙ | 8 à 11 € |

Fils de Lucien Guyard qui fut président du Syndicat viticole de Marsannay, Alain veille sur ses 9 ha dont 1,5 ha dans ce *climat*. La robe mauve de ce 99 met en valeur un bouquet un peu poivré mais qui évolue sur le noyau, le kirsch. Une acidité bien présente ne le bloque pas. Il se montre puissant, charnu, entier et capable de prendre de la bouteille. On ne dira pas non, si une poularde à la crème et aux morilles daigne l'accompagner entre 2004 et 2006.

✆ Alain Guyard, 10, rue du Puits-de-Têt, 21160 Marsannay-la-Côte, tél. 03.80.52.14.46, fax 03.80.52.67.36 ☑ ⅄ t.l.j. 9h-11h30 14h-18h

DOM. HUGUENOT PERE ET FILS 1999★

| ■ | | 5,2 ha | 25 000 | ❚❚❙ | 11 à 15 € |

Assez dense d'entrée de jeu et relayé par une acidité bienvenue, tannique par la suite, un peu sévère en bouche mais le nez plaisant et fin à dominante cerise, le rubis épanoui, voici le fixin classique d'une bonne typicité. Une bouteille à boire dans deux ans et qui demeure fidèle à la tradition d'un « vin d'hiver », à déguster sur le gibier. Jean-Louis du sang Quillardet dans les veines. Cela se sent, cela se voit.

✆ Dom. Huguenot Père et Fils, 7, ruelle du Carron, 21160 Marsannay-la-Côte, tél. 03.80.52.11.56, fax 03.80.52.60.47, e-mail domaine.huguenot@wanadoo.fr ☑ ⅄ r.-v.

JOLIET PERE ET FILS
Clos de La Perrière 2000★

| ■ | 1er cru | 0,5 ha | 2 000 | ■❚❚❙↓ | 15 à 23 € |

Classé jadis à l'égal des grands crus, le Clos de la Perrière est une très ancienne propriété familiale en monopole. Si le **rouge 2000** a de la mâche et du fruit en majesté et est noté comme le blanc, choisissons d'entrer sur ce dernier vin dans ce même millésime (0,5 ha sur les 5 ha du clos) car le chardonnay n'est pas fréquent à Fixin. Limpide et brillant, il offre un nez de fruit de la Passion, de feuille de groseillier. Il possède beaucoup de personnalité et même d'originalité en bouche, avec ce qu'il faut de fraîcheur.

✆ EARL Joliet père et fils, manoir de La Perrière, 21220 Fixin, tél. 03.80.52.47.85, fax 03.80.51.99.90, e-mail benigne@wanadoo.fr ☑ ⅄ t.l.j. 8h-12h 14h-18h

ARMELLE ET JEAN-MICHEL MOLIN
Les Hervelets 2000★

| ■ | 1er cru | 0,57 ha | 2 000 | ❚❚❙ | 15 à 23 € |

Le rouge ou le blanc ? Les deux sont intéressants. Le **blanc, fixin village 2000 (8 à 11 €)**, obtient une citation. Le rouge a reçu le coup de cœur pour les mêmes Hervelets millésime 97. Famille du cru, les Molin nous font partager le plaisir d'un pinot noir assez sombre et porté sur le cassis, la mûre, la baie noire. Sphérique en bouche, il a du fruit à revendre, une bonne structure mais l'impulsivité de la jeunesse : il gagnera à s'assagir. On le reverra beaucoup mieux dans deux ans.

✆ EARL Armelle et Jean-Michel Molin, 54, rte des Grands-Crus, 21220 Fixin, tél. 03.80.52.21.28, fax 03.80.59.96.99 ☑ ⅄ r.-v.

Gevrey-chambertin

Au nord de Gevrey, trois appellations communales sont produites sur la commune de Brochon : fixin sur une petite partie du Clos de la Perrière, côte de nuits-villages sur la partie nord (lieux-dits Préau et Queue-de-Hareng) et gevrey-chambertin sur la partie sud.

En même temps qu'elle constitue l'appellation communale la plus importante en volume (18 643 hl en 2001), la commune de Gevrey-Chambertin abrite des premiers crus tous plus grands les uns que les autres ayant donné moins de 3 764 hl en 2001. La combe de Lavaux sépare la commune en deux parties. Au nord, nous trouvons, entre autres *climats*, les Evocelles (sur Brochon), les Champeaux, la combe aux Moines (où allaient en promenade les moines de l'abbaye de Cluny qui furent au XIIIe s. les plus importants propriétaires de Gevrey), les Cazetiers, le clos Saint-Jacques, les Varoilles, etc. Au sud, les crus sont moins nombreux, presque tout le coteau étant en grand cru ; on peut citer les *climats* de Fonteny, Petite-Chapelle, Clos-Prieur, entre autres.

Les vins de cette appellation sont solides et puissants dans le coteau, élégants et subtils dans le piémont. A ce propos, il convient de répondre à une rumeur erronée selon laquelle l'appellation gevrey-chambertin s'étend jusqu'à la ligne de chemin de fer Dijon-Beaune, dans des terrains qui ne le mériteraient pas. Cette information, qui fait fi de la sagesse des vignerons de Gevrey, nous donnera l'occasion d'apporter une petite explication : la côte a été le siège de nombreux phénomènes géologiques, et certains de ses sols sont constitués d'apports de couverture, dont une partie a pour origine les phénomènes glaciaires du quaternaire. La combe de Lavaux a servi de « canal », et à son pied s'est constitué un immense cône de déjection dont les matériaux sont identiques ou semblables à ceux du coteau. Dans certaines situations, ils sont simplement plus épais, donc plus éloignés du substratum. Essentiellement constitués de graviers calcaires plus ou moins décarbonatés, ils donnent ces vins élégants et subtils dont nous parlions précédemment.

DOM. ARLAUD PERE ET FILS 2000★

■	0,8 ha	3 500	⊞ 15 à 23 €

Mis en bouteilles sans collage ni filtration, un vin à la robe foncée, intense et brillante. Si le nez affiche son âge, laissant toutefois une pointe de fruits rouges paraître sous le bois grillé et fumé, la bouche se montre concentrée, ferme et puissante, longue et prometteuse.
☞ SCEA Dom. Arlaud Père et Fils, 43, rte des Grands-Crus, 21220 Morey-Saint-Denis, tél. 03.80.34.32.65, fax 03.80.34.10.11 ☑ ⵎ r.-v.

DOM. BARBIER ET FILS
Les Murots 1999

■	0,24 ha	1 600	⊞ 15 à 23 €

Guy et Xavier Dufouleur ont repris le domaine Barbier et Fils auquel s'attache la figure flamboyante de Bernard Barbier, maire de Nuits et Grand Maître du tastevin. Le lieu-dit signale un tas de cailloux retirés de la vigne au fil des siècles. Rubis intense classique à reflets noirs, un 99 aux arômes envahissants (brûlé, fumé). La bouche est encore dominée par un boisé très marqué, mais la finale développe un joli fruité.
☞ Dom. Barbier et Fils, 17, rue Thurot, 21700 Nuits-Saint-Georges, tél. 03.80.61.21.21, fax 03.80.61.10.65 ☑ ⵎ r.-v.
☞ Guy et Xavier Dufouleur

DOM. REGIS BOUVIER 2000★

■	0,5 ha	3 000	⊞ 11 à 15 €

Ce domaine de Marsannay présente un gevrey carmin, d'intensité honnête et aux arômes de kirsch avec une touche épicée et une belle persistance. Vinification moderne, élevage sans trop de bois, style séduisant et impression friande. Deux ans de garde.
☞ Régis Bouvier, 52, rue de Mazy, 21160 Marsannay-la-Côte, tél. 03.80.51.33.93, fax 03.80.58.75.07 ☑ ⵎ r.-v.

RENE BOUVIER 2000★

■	3,23 ha	12 000	⊞ 15 à 23 €

Installé à Marsannay, ce domaine propose ici un 2000 haut en couleur, au nez évoluant sur le cassis. Acidité et amertume n'ont rien d'étonnant à cet âge. C'est concentré, presque massif, laissant une bonne impression de millésime réussi avec une matière en bouche assez séduisante.

☞ Dom. René Bouvier, 29, rte de Dijon, 21220 Gevrey-Chambertin, tél. 03.80.52.21.37, fax 03.80.59.95.96, e-mail rene-bouvier@wanadoo.fr ☑ ⵎ r.-v.
☞ Bernard Bouvier

DOM. CHARLOPIN-PARIZOT
Cuvée Vieilles vignes 1999★★

	n.c.	n.c.	⊞ 30 à 38 €

Coup de cœur l'an dernier pour ses Vieilles vignes 98, déjà en 1995 pour son 92 et en 1992 pour son 89, Philippe Charlopin propose un remarquable 99. Ce viticulteur est abonné aux bons points. Bien implanté en Côte de Nuits, grand travailleur, il s'est vraiment fait un nom. Rouge sang à reflets noirs, ce vin porte une robe impressionnante. Le nez s'ouvre à l'aération sur la muscade, le clou de girofle. Très goûteux en bouche (cacao, cerise noire) et si velouté qu'on oublierait ses tanins. L'élevage sous bois domine aujourd'hui, mais cette bouteille sera magnifique dans cinq ans. Autre cuvée dans cette AOC, **La Justice 99 (15 à 23 €)** se montre aromatique (fruits rouges, vanille et toasté) sur des tanins serrés mais élégants. Elle obtient une étoile.
☞ Philippe Charlopin, 18, rte de Dijon, 21220 Gevrey-Chambertin, tél. 03.80.51.81.18, fax 03.80.51.81.27 ☑ ⵎ r.-v.

BERNARD COILLOT PERE ET FILS 2000★★

■	1,55 ha	6 000	⊞ 15 à 23 €

Quand Marsannay vient picoter Gevrey. Christophe Coillot, le fils de Bernard, a pris sa suite il y a quinze ans ; son oncle était Dédé, pape du rosé. Rouge cassis, ce 2000 pinote à merveille durant nos coups de nez. La chair de cerise convole avec le fût neuf. La bouche est d'une étonnante continuité du début à la fin. Concentré, équilibré, ce vin de caractère jouera sur le velours en vieillissant trois ou quatre ans.
☞ Bernard Coillot Père et Fils, 31, rue du Château, 21160 Marsannay-la-Côte, tél. 03.80.52.17.59, fax 03.80.52.12.75, e-mail domcoil@aol.com ☑ ⵎ r.-v.

DOM. DROUHIN-LAROZE 2000

■ 1er cru	0,68 ha	3 600	⊞ 15 à 23 €

Très flatteur, ce 1er cru produit sur plusieurs parcelles n'est pas destiné à un long sommeil en cave. On l'appréciera dans trois ans pour saisir dans sa fraîcheur cette sensation de groseille qui n'est pas gommée par le boisé pourtant bien toasté. Le domaine a perdu aux vendanges 2001 celui qui en fut l'âme durant de longues années, Bernard Drouhin.
☞ Dom. Drouhin-Laroze, 20, rue du Gaizot, 21220 Gevrey-Chambertin, tél. 03.80.34.31.49, fax 03.80.51.83.70, e-mail drouhin-laroze@aol.com ☑ ⵎ r.-v.
☞ Drouhin

DOM. DUPONT-TISSERANDOT
Petite Chapelle 2000★★

■ 1er cru	0,17 ha	n.c.	⑪ 23 à 30 €

Epicier, Bernard Dupont, originaire de Haute-Marne, ne connaît rien au vin quand il épouse en 1954 Gisèle Tisserandot, d'une vieille famille de Gevrey. Parti de 3 ha, il en contrôle 24 un demi-siècle plus tard. La génération suivante a pris la relève. Cette Petite Chapelle (bien proche du grand cru Eponyme) montre qu'on sait « faire du bon ». Parée d'une superbe robe, elle ne s'exprime pas encore au nez, mais offre du bonheur dans une bouche ouverte, structurée et complexe s'achevant sur une note de cerise. Les **Lavaux-Saint-Jacques 2000** obtiennent une étoile.
↬ GAEC Dupont-Tisserandot, 2, pl. des Marronniers, 21220 Gevrey-Chambertin, tél. 03.80.34.10.50, fax 03.80.58.50.71 ☑ ⵎ r.-v.

DOM. DOMINIQUE GALLOIS
La Combe aux Moines 2000★★

■ 1er cru	0,45 ha	2 800	⑪ 23 à 30 €

Une Combe aux Moines (*climat* côté combe de Lavaux, mitoyen des Cazetiers) en tout point évangélique : typée, riche, elle porte une bure, cerise violacé, et son nez est tout en pruneau et baie de cassis ; ses tanins sont de bonne composition. **Les Goulots 2000 en 1er cru (15 à 23 €)** obtiennent une étoile tout comme de très jolis **Petits Cazetiers 2000**. David Douillet connaît bien cette cave, et le grenier conserve précieusement les archives de Gaston Roupnel car les Gallois sont de sa famille, et leur vin a de qui tenir.
↬ Dom. Dominique Gallois, 9, rue Mal-de-Lattre-de-Tassigny, 21220 Gevrey-Chambertin, tél. 03.80.34.11.99, fax 03.80.34.38.62 ⵎ r.-v.

ALEX GAMBAL
Vieilles vignes 1999★★

■	n.c.	1 787	⑪ 15 à 23 €

Alex Gambal débarque un beau jour de Boston. Sans complexe il devient négociant-éleveur à Beaune en 1997. Parmi toutes les nationalités, la bourguignonne est la plus facile à acquérir, si l'on s'en donne la peine. Il achète surtout en raisins et en moûts. Complet, riche et charnu, ce gevrey de garde est de qualité, de classe. A l'œil et au nez, le rouge est mis. Au palais on s'émerveille de la relation entre le moelleux et l'acidité. Le millésime 99 n'a pas de meilleur avocat.
↬ Maison Alex Gambal, 4, rue Jacques-Vincent, 21200 Beaune, tél. 03.80.22.75.81, fax 03.80.22.21.66, e-mail alex@alexgambal.com ☑ ⵎ r.-v.

DOM. ROBERT GROFFIER PERE ET FILS
2000★★

■	1 ha	5 000	⑪ 23 à 30 €

Il fallait voir Jules Groffier sur son vélo de course, jadis, au critérium de Gevrey. Il avait fait Paris-Brest, Paris-Nice, toutes les classiques. Boxeur aussi et vigneron hors de pair. Bon sang ne ment pas : on en est à la quatrième génération. Ce *village* se présente très bien sur les notes réglissées. La persistance aromatique est intéressante, le bouquet est partagé entre le fruit et l'animal. Il s'ouvre petit à petit, et on fera bien de s'y attarder.

↬ Dom. Robert Groffier Père et Fils, 3-5, rte des Grands-Crus, 21220 Morey-Saint-Denis, tél. 03.80.34.31.53, fax 03.80.34.15.48 ☑ ⵎ r.-v.

S.C. GUILLARD
Lavaux Saint-Jacques 1999★★

■ 1er cru	0,08 ha	600	⑪ 15 à 23 €

Finaliste du coup de cœur, Michel est le petit-fils d'un vigneron naguère célèbre au pays, l'Henri Quatre, car il y avait de son temps quatre Henri à Gevrey et ils portaient des chiffres, comme les rois ! Un tout petit domaine (moins de 5 ha) d'un esprit vigneron authentique. Couleur, senteur, profondeur, tout appelle ici le pigeon rôti car cette très belle bouteille allie l'harmonie et la plénitude. Un vin complet. Si le grand-père avait imaginé que le vin de la famille irait cinquante ans plus tard au Japon et même en Amérique... Il peut être fier de sa lignée. Les **Aux Corvées 99 en vieilles vignes (11 à 15 €)** sont de la même veine et obtiennent une étoile tout comme le **1er cru Poissenot 99**.
↬ SCEA Guillard, 3, rue des Halles, 21220 Gevrey-Chambertin, tél. 03.80.34.32.44 ☑ ⵎ r.-v.

DOM. HARMAND-GEOFFROY
La Perrière 2000

■ 1er cru	0,29 ha	1 700	⑪ 23 à 30 €

Vous avez le choix entre un *village*, **En Jouise (15 à 23 €)** – *climat* peu connu mais de bonne compagnie – et, toujours en 2000, le 1er cru Perrière, guère éloigné des Chambertins. Son vin possède une belle brillance sur fond cerise et des jambes bien présentes. Fin et original, le nez rappelle quelque peu la jacinthe sur fond de fruits rouges. Sa jeunesse ne l'empêche pas de rester longtemps en bouche sur un bon gras charpenté.
↬ Dom. Harmand-Geoffroy, 1, pl. des Lois, 21220 Gevrey-Chambertin, tél. 03.80.34.10.65, fax 03.80.34.13.72, e-mail harmand-geoffroy@wanadoo.fr ☑ ⵎ r.-v.

DOM. HERESZTYN
Les Champonnets 2000★

■ 1er cru	n.c.	1 200	⑪ 23 à 30 €

Comment on devient vigneron en Bourgogne... en venant de Pologne. Coup de cœur en 1999 pour une Perrière 96 et pour un chambolle-musigny 99 l'an dernier, ce domaine se place une fois encore aux loges d'avant-scène. Champonnets : ce *climat* se situe à l'angle de la Côte et de la combe du Bonheur, pas très loin des ruchottes-chambertin. D'une teinte pourpre et intense, voici un 2000 au nez franc et discret. Ronde et fine, structurée, la bouche se dessine assez bien. Un peu d'âpreté ne surprend pas à cet âge. Beau travail à savourer d'ici quatre à cinq ans. Retenez également dans cette AOC des **Vieilles vignes 2000 (15 à 23 €)**, une étoile.
↬ Dom. Heresztyn, 27, rue Richebourg, 21220 Gevrey-Chambertin, tél. 03.80.34.13.99, fax 03.80.34.13.99, e-mail domaine.heresztyn@wanadoo.fr ⵎ r.-v.

HUGUENOT PERE ET FILS 2000★

■	2 ha	12 000	⑪ 15 à 23 €

« Voilà un Burgonde », eût dit Henri Vincenot face à ce vigneron ressemblant trait pour trait à un Viking descendu d'un drakkar pour épouser une fille du cru. Rubis limpide, le fruit rouge assez ouvert, son gevrey typé, réglissé, pas trop tannique, pourvu de toute l'acidité nécessaire, vieillira bien.

◖┓ Dom. Huguenot Père et Fils,
7, ruelle du Carron, 21160 Marsannay-la-Côte,
tél. 03.80.52.11.56, fax 03.80.52.60.47,
e-mail domaine.huguenot@wanadoo.fr
☑ � r.-v.

DOM. HUMBERT FRERES
Poissenot 2000★

■ 1er cru	0,8 ha	4 500	⏥ 15 à 23 €

Un style tout en finesse et de la matière : un vin pour connaisseurs. Grenat brillant, il met en avant des arômes de pain d'épice, de noisette et de beurre, de groseille fraîche... Belle prestation sur un décor fortement boisé pour le moment. Le corps est assez opulent et demande à dormir en cave trois à quatre ans. On se trouve ici sur le haut du coteau des Cazetiers (combe de Lavaux), près des Varoilles. Cité par le jury, la **Petite Chapelle 2000**, 1er cru voisin de chapelle-chambertin.

◖┓ Dom. Humbert Frères, rue de Planteligone, 21220 Gevrey-Chambertin, tél. 03.80.51.80.14 ☑

JANE ET SYLVAIN
Les Fontenys 2000

■ 1er cru	0,3 ha	1 200	⏥ 15 à 23 €

Sur l'étiquette, Jane et Sylvain. Jane Bernollin et son Sylvain, pour qui les connaît, ces deux *ousiaux* qui débutent en 1993, et c'est pas mal du tout. Fontenys est un *climat* situé à deux pas des mazis et des ruchottes-

BOURGOGNE

La côte de Nuits (Nord-2)

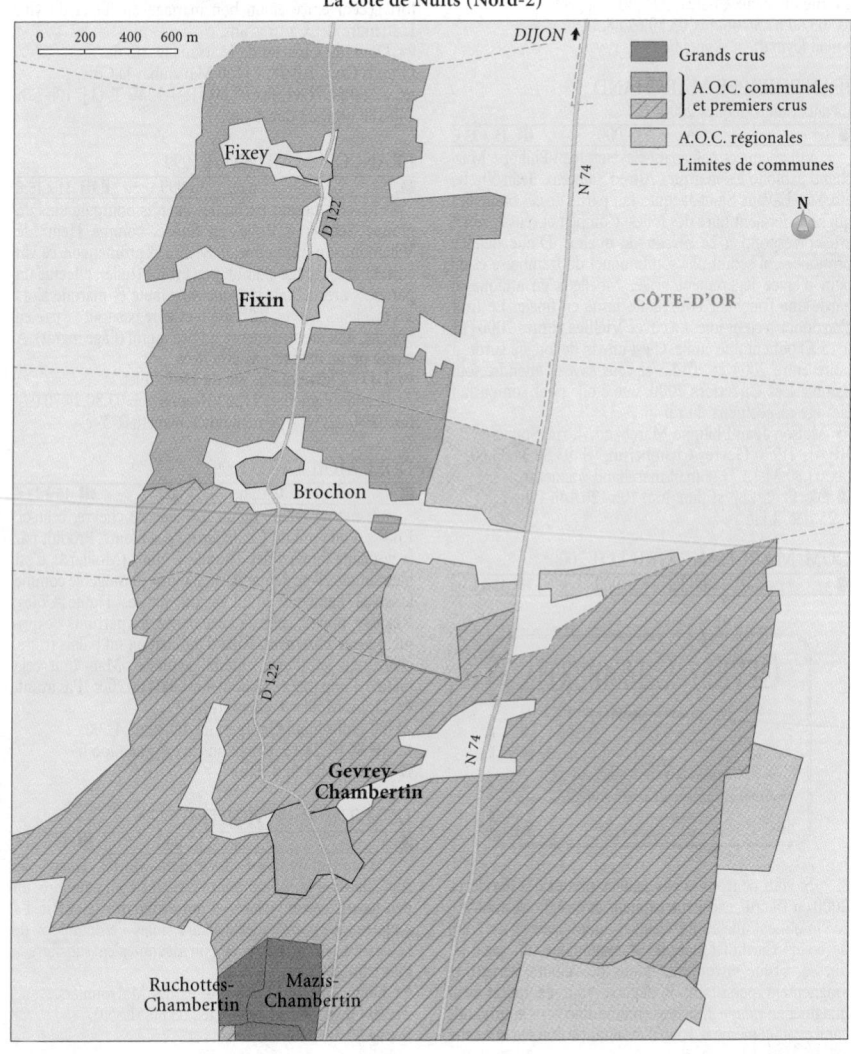

chambertin. Ce vin offre ici une belle rondeur. Gras, puissant, charmeur, il va se faire. Sa richesse le destine à un coq en sauce.
↰ EARL Jane et Sylvain, 9, rue du Chêne, 21220 Gevrey-Chambertin, tél. 03.80.34.16.83, fax 03.80.34.16.83 ☑ 𝚼 r.-v.

DOM. LEYMARIE
La Justice 1999★

■	0,67 ha	3 600	⦀ 15 à 23 €

D'une très belle robe violacée tendant vers l'encre, ce 99 est expressif, le nez mêlant harmonieusement les fruits rouges à des notes de sous-bois et de fût. Joliment boisée, la bouche offre un bon équilibre, une structure soutenue par un élevage bien mené. A ouvrir dans deux ans et pendant quelques années.
↰ Dom. Leymarie-CECI, Clos du Village, 24, rue du Vieux-Château, 21640 Vougeot, tél. 03.80.62.86.06, fax 03.80.62.88.53, e-mail leymarie@skynet.be ☑ 𝚼 r.-v.

JEAN-PHILIPPE MARCHAND
Lavaux Saint-Jacques 2000★★

■ 1er cru	n.c.	3 000	⦀ 15 à 23 €

Viticulteur et négociant-éleveur, Jean-Philippe Marchand exploite les marques Alfred Salbreux, Jean Virely, etc. Son Lavaux Saint-Jacques fait partie de ces bouteilles qui nous feraient faire des folies. Complet et réussi, ce 1er cru correspond à ce niveau de qualité. D'une nuance prononcée, il séduit par son bouquet de framboise et de pain d'épice légèrement grillé. Moelleux en attaque, il garde une fraîcheur étincelante jusqu'en finale. Le fruit s'en donne à cœur joie. La cuvée **Vieilles vignes 2000 (11 à 15 €)** obtient une étoile. C'est un vin de longue garde, à boire entre 2004 et 2012... si vous savez l'attendre tout comme **Les Cazetiers 2000**, une étoile pour son parfait élevage respectueux du raisin.
↰ Maison Jean-Philippe Marchand, 4, rue Souvert, BP 41, 21220 Gevrey-Chambertin, tél. 03.80.34.33.60, fax 03.80.34.12.77, e-mail marchand@axnet.fr ☑ 🏠 🏠 𝚼 t.l.j. sf dim. lun. 10h-12h 14h-19h; f. 25 déc.-4 jan.

DOM. MARCHAND-GRILLOT 2000★★

■	0,6 ha	1000	⦀ 15 à 23 €

Si vous ne trouvez pas celui-ci, prenez des **Perrières 2000** en 1er cru ; excellent, capiteux et racé (boisé appuyé), ce vin obtient une étoile. Celui-ci, simple *village*, est coup de cœur. Carmin foncé, il est magnifique, un régal de finesse. Fruité envoûtant, tanins de velours, sérieux et longuement persistant, il dépasse tout ce qu'on peut imaginer en *village*. Il se passe même d'accords gourmands car il est « lui-même ». Rien d'étonnant si l'on sait que cette

famille est issue de Gevrey et de Morey (Colette et Michel, 1960). Jacques (le fils) est actif dans les associations du pays, et sa très jolie enseigne donne envie de s'arrêter ici.
↰ Dom. Marchand-Grillot, 13, rue du Gaizot, 21220 Gevrey-Chambertin, tél. 03.80.34.10.18, fax 03.80.58.50.87 ☑ 𝚼 r.-v.

CH. DE MARSANNAY 1999★

■	1,94 ha	13 000	⦀ 15 à 23 €

Après avoir fait renaître le château de Meursault, André Boisseaux entreprit la même aventure à Marsannay-la-Côte. Il y a relancé l'activité viti-vinicole avec 35 ha de vignes. Ce gevrey est aujourd'hui robuste, un peu rustique : il a besoin de se civiliser. Cela dit, on est dans la bonne moyenne. La robe rouge sombre met en valeur des arômes empyreumatiques qui débouchent sur des notes de myrtille. La bouche est très posée, ferme, avec un fort accent épicé et un bon mariage du fût et du vin. L'attendre deux à trois ans.
↰ Dom. du Château de Marsannay, rte des Grands-Crus, BP 78, 21160 Marsannay-la-Côte, tél. 03.80.51.71.11, fax 03.80.51.71.12 ☑ 𝚼 t.l.j. 10h-12h 14h-18h30; f. 23 déc.-6 jan.

FRANCOIS MARTENOT 1999

■		n.c.	30 000	▮⦀ 11 à 15 €

Maison faisant partie des intérêts bourguignons du groupe Schenk à Rolle, en Suisse, comme Henri de Villamont son frère jumeau. Sévère et prometteur, ce vin correct, d'un rouge clair un peu évolué (tuilé), effectue un parcours aromatique presque sans faute et marque alors ses meilleurs points. Le boisé n'étouffe pas tout ; carré en bouche, il se montre encore un peu ingrat (l'âge ingrat). A terme on ne devrait pas être déçu.
↰ HDV Distribution, rue du Dr-Barolet, ZI Beaune-Vignolles, 21200 Beaune, tél. 03.80.24.70.07, fax 03.80.22.54.31, e-mail hdv@planeth.fr 𝚼 r.-v.

DOM. MOILLARD 1999★

■	0,55 ha	4 000	⦀ 15 à 23 €

Il mérite mieux qu'un fromage de chèvre, celui-ci. Epoisses ou Ami du Chambertin, pas moins. Produit par le domaine familial des Thomas à Nuits (Moillard), c'est bien simple : il ne demande qu'à mûrir. Il rougeoie comme le soleil flamboie en plongeon sur les Hautes-Côtes. Réglisse, poivre, cerise à l'eau-de-vie, les parfums s'expriment assez librement. Rien d'agressif en un palais fruité, chaleureux et d'une superbe jeunesse. Mais tout cela piétine d'impatience : à goûter en 2004 ou 2005. Pas avant.
↰ Dom. Moillard, chem. rural 29, 21700 Nuits-Saint-Georges, tél. 03.80.62.42.00, fax 03.80.61.28.13, e-mail nuicave@wanadoo.fr ☑ 𝚼 t.l.j. 10h-18h; f. janv.

DOM. THIERRY MORTET 2000★

■	3,5 ha	12 000	⦀ 15 à 23 €

L'un des domaines des enfants Mortet. Thierry, ici sur 7 ha dont la moitié pour ce *village* bien équilibré, un peu toasté, cerise violacée, et qui évolue sur le confit. La longueur n'est pas spectaculaire, mais l'ensemble a de l'élégance, de la tenue et l'on devrait s'en satisfaire à l'horizon 2005.
↰ Dom. Thierry Mortet, 16, pl. des Marronniers, 21220 Gevrey-Chambertin, tél. 03.80.51.85.07, fax 03.80.34.16.80 ☑ 𝚼 r.-v.

DOM. HENRI PERROT-MINOT 1999★★

■	1,5 ha	8 000	❚❙ 23 à 30 €

Un 99 à dominante tannique mais au fondu déjà harmonieux. Cela donne une touche d'élégance à ce beau *village* largement à la hauteur d'un 1ᵉʳ cru. Sa première bouche est concentrée, la suite volumineuse et puissante. Sans doute le fût se manifeste-t-il de façon servile mais, comme le potentiel de garde est important, ce sentiment s'atténuera. Il a tout pour plaire au coq qui l'accompagnera.

☛ Henri Perrot-Minot, rte des Grands-Crus, 21220 Morey-Saint-Denis, tél. 03.80.34.32.51, fax 03.80.34.13.57 ☑ ⵏ r.-v.

GERARD QUIVY
Les Corbeaux 2000★

■ 1er cru	0,16 ha	1000	❚❙ 23 à 30 €

Une belle demeure ancienne à deux pas de la mairie de Gevrey, construite au XVIIIᵉs. par la noblesse du Parlement de Bourgogne. Les Corbeaux se trouvent à la sortie du pays en direction de Morey sur la route des Grands-Crus. Quant à ce vigneron installé en 1981, il a été auparavant fonctionnaire de la concurrence et des prix, puis directeur du Syndicat des côtes de provence. Il propose une bouteille très agréable à la couleur lumineuse, au boisé délicat et nimbé de framboise, franc et gras. Typicité assurée, gevrey classique.

☛ Gérard Quivy, 7, rue Gaston-Roupnel, 21220 Gevrey-Chambertin, tél. 03.80.34.31.02, fax 03.80.34.31.02 ☑ ⵏ t.l.j. sf ven. 9h-12h 14h-18h30; f. jan.

PHILIPPE ROSSIGNOL 1999★★

■	1,83 ha	4 500	❚❙ 15 à 23 €

Installé depuis 1976, ce viticulteur possède aujourd'hui 6 ha de vignes. Son 99 est bien vinifié, sous un rouge violacé intense. Le boisé, fondu, laisse s'exprimer un bouquet évoluant sur un registre classique ; il attaque avec brio et se tient bien tout le long de la dégustation. Vigueur rime ici avec longueur. Fera une belle bouteille dans quatre à cinq ans, puis longtemps mieux.

☛ Philippe Rossignol, 61, av. de la Gare, 21220 Gevrey-Chambertin, tél. 03.80.51.81.17, fax 03.80.51.81.17 ☑ ⵏ r.-v.

DOM. ROSSIGNOL-TRAPET 2000★

■	6,25 ha	45 000	❚❙ 15 à 23 €

L'un des domaines issus du cep Trapet (14 ha). Rouge cerise, son vin tire sur le fruit noir. Le sentiment global ? Un gevrey gourmand, fruit de dentelle, et dont la finesse aromatique plaît beaucoup. Sa mâche est compensée par un côté velouté qui confirme l'impression première.

☛ Dom. Rossignol-Trapet, 3, rue de la Petite-Issue, 21220 Gevrey-Chambertin, tél. 03.80.51.87.26, fax 03.80.34.31.63, e-mail info@rossignol-trapet.com ☑ ⵏ r.-v.

DOM. TAUPENOT-MERME
Bel Air 1999★

■ 1er cru	n.c.	3 000	❚❙ 23 à 30 €

Climat situé juste au-dessus du Clos de Bèze sur le coteau. Pourpre clair mais profond, ce 99 évolue bien sur les arômes secondaires (fruits mûrs), même s'il se montre encore austère dans son expression fruitée, rustique dans ses tanins : il est dense, carré, assurément de garde.

L'ensemble est cohérent et il ne divise pas le jury. Virginie et Romain ont rejoint leurs parents au domaine à Morey-Saint-Denis (l'alliance de Jean Taupenot, de Saint-Romain, et de Denise Merme, de Morey).

☛ Jean Taupenot-Merme, 33, rte des Grands-Crus, 21220 Morey-Saint-Denis, tél. 03.80.34.35.24, fax 03.80.51.83.41, e-mail domaine.taupenot-merme@wanadoo.fr ☑ ⵏ r.-v.

DOM. TORTOCHOT
Les Corvées 1999★

■	0,86 ha	4 000	❚❙ 15 à 23 €

Fille de Gabriel Tortochot, Chantal Michel a pris le relais en 1996. Ses Corvées ont le teint très jeune (reflets violets caractéristiques). Peu de consistance aromatique mais une bouche bel et bien expressive, dense, équilibrée, qui évoque le fruit rouge à maturité. A ranger dans la catégorie des vins de plaisir. De longue garde ? Probablement pas. Il n'est pas taillé pour ça. Lorsque vous irez lui rendre visite, sachez que ce *climat* est près de la Croix-des-Champs.

☛ Dom. Tortochot, 12, rue de l'Eglise, 21220 Gevrey-Chambertin, tél. 03.80.34.30.68, fax 03.80.34.18.80, e-mail contact@tortochot.com ☑ ⵏ r.-v.
☛ Chantal et Michel Tortochot

DOM. TRAPET PERE ET FILS 2000

■	n.c.	n.c.	❚❙ 15 à 23 €

C'est en 1919 que Pierre-Arthur Trapet plante sa première vigne à Gevrey. Les 13 ha actuels sont bien répartis. A la quatrième génération, Jean-Louis porte maintenant le flambeau. Cette bouteille d'une couleur impressionnante offre un complexe aromatique déjà passionnant, nettement fruits rouges. Elle progresse au fur et à mesure de l'aération, évoluant dans le verre et affirmant une bonne persistance. L'attendre trois ans.

☛ Dom. Trapet Père et Fils, 53, rte de Beaune, 21220 Gevrey-Chambertin, tél. 03.80.34.30.40, fax 03.80.51.86.34, e-mail message@domaine-trapet.com ☑ ⵏ r.-v.

DOM. DES VAROILLES
Clos des Varoilles 1999

■ 1er cru	n.c.	n.c.	❚❙ 23 à 30 €

Si le domaine des Varoilles est bien connu à Gevrey, la suite est un peu plus compliquée. Quand Jean-Pierre Naigeon est allé vendanger les Vignes du Seigneur, une partie a été vendue (la maison de négoce-éleveur Naigeon-Chauveau, acquise par Gilbert Hammel, un Suisse passionné), une autre cédée temporairement (les vignes) et que les enfants de Véra et de Jean-Pierre reprennent peu à peu. Ce 99 grenat, typé bourgeon de cassis, offre une bonne longueur et des tanins plaisants. Puissant, il vieillira bien. On vend ici des millésimes assez anciens à des prix raisonnables.

☛ SCI Dom. des Varoilles, rue de l'Ancien-Hôpital, 21220 Gevrey-Chambertin, tél. 03.80.34.30.30, fax 03.80.51.88.99, e-mail contact@domaine-varoilles.com ☑ ⵏ r.-v.

Les vins mentionnés en caractère gras dans les notices sont également recommandés par les jurés des commissions de dégustation.

BOURGOGNE

Chambertin

Bertin, vigneron à Gevrey, possédant une parcelle voisine du Clos de Bèze et fort de l'expérience qualitative des moines, planta les mêmes plants, et obtint un vin similaire : c'était le « champ de Bertin », d'où Chambertin. En 2001, l'AOC a produit 494 hl sur 13,23 ha.

DOM. PIERRE DAMOY 2000

■ Gd cru	0,47 ha	2 100	⦅⦆ + de 76 €

98 99 00

47,59 ares en chambertin contigu du clos de bèze, entré dans la famille Damoy à la fin des années 1910. Pour un 2000 dont les tanins ont l'aspect inexpugnable des murs du château de Gevrey. En pierres de taille. Cela dit, ce n'est pas si sévère au soleil du village. Son goût de raisin en arrière-plan est fort agréable et d'une durée presque éternelle en persistance. Le lièvre peut encore courir la campagne. Bonne couleur, bouquet d'épices et de cassis, participent aux promesses d'une longue garde.
➥ Dom. Pierre Damoy,
11, rue du Mal-de-Lattre-de-Tassigny,
21220 Gevrey-Chambertin,
tél. 03.80.34.30.47, fax 03.80.58.54.79

DOM. HENRI REBOURSEAU 1999★★★

■ Gd cru	0,79 ha	3 224	⦅⦆ + de 76 €

Il a disputé la finale du coup de cœur et ne lui manque que d'un rien : si cela existait, le serait médaille d'argent de la compétition chambertine. Pierre Rebourseau qui présida naguère le Syndicat du chambertin peut être fier de son petit-fils Régis de Surrel. Il signe en effet un 99 très typé du terroir. Grenat sombre à reflets bleutés, il campe sur un bouquet épicé (clou de girofle) et de fruits noirs, avec une note d'amande. Au palais, quelle richesse et quel souffle ! Tous les compliments y passent, sans la moindre réserve. Cette bouteille éloquente pourra se savourer assez tôt tout en étant de garde raisonnable.
➥ NSE Dom. Henri Rebourseau,
10, pl. du Monument, 21220 Gevrey-Chambertin,
tél. 03.80.51.88.94, fax 03.80.34.12.82,
e-mail reboursea1@aol.com ☑ ⌶ r.-v.

DOM. ROSSIGNOL-TRAPET 2000

■ Gd cru	1,67 ha	7 000	⦅⦆ 46 à 76 €

|90| |97| 98 00

« Déjà trop agréable », note un de nos jurés sur sa fiche en matière de conclusion. On comprend : c'est un chambertin emporté vers la gloire mais dont l'instant présent peut être préféré. Cerise noire, cassis, son vocabulaire aromatique est impeccable avec une persistance intense de 10 caudalies (secondes). Cependant de corps léger et de contact aimable. De longue garde ? C'est toute la question... mais il est des plaisirs qu'on ne diffère pas. L'un des deux domaines Trapet, divisés à égalité après la mort du père.
➥ Dom. Rossignol-Trapet,
3, rue de la Petite-Issue, 21220 Gevrey-Chambertin,
tél. 03.80.51.87.26, fax 03.80.34.31.63,
e-mail info@rossignol-trapet.com ☑ ⌶ r.-v.

DOM. ARMAND ROUSSEAU PERE ET FILS 2000★★

■ Gd cru	2,15 ha	10 100	⦅⦆ 46 à 76 €

98 99 00

Armand Rousseau est la grande figure de Gevrey durant la première moitié du XXes. Impossible de parler du vin ou de la vigne sans lui demander son avis. Son fils Charles est devenu lui aussi l'une des personnalités marquantes de la Bourgogne. La génération suivante assure la continuité de ce grand domaine. A en juger par ce chambertin, tout va bien : cerise rouge, le bouquet puissant et mûr, il est – et c'est naturel à cet âge – encore fermé, avec cependant un peu d'épices douces. Il possède tout ce qu'il faut d'acidité et de tanins. On n'en finit plus de compter les secondes quand on l'a tenu en bouche ! Se gardera longtemps car il se vinifie pour durer et sera digne d'un chevreuil ou d'une viande rouge en sauce.
➥ Dom. Armand Rousseau, 1, rue de l'Aumônerie,
21220 Gevrey-Chambertin, tél. 03.80.34.30.55,
fax 03.80.58.50.25,
e-mail contact@domaine-rousseau.com
➥ C. Rousseau

DOM. TORTOCHOT 1999

■ Gd cru	0,39 ha	1 200	⦅⦆ 38 à 46 €

76 ⑧ 87 |89| 91 93 **96** |97| 99

Associés au souvenir de Gaby Tortochot, les millésimes du chambertin ont quelque chose à voir avec l'Histoire. Ici 99, d'une robe secrètement ambrée et d'un nez volubile. Comme aimait l'être Gabriel Tortochot lorsqu'on le rencontrait place de la Mairie une veille d'élections. Kirsch, amande, épices : bonne suite du nez à la bouche où l'acidité est satisfaisante et la longueur importante. A déguster dans les deux à trois ans.
➥ Dom. Tortochot, 12, rue de l'Eglise,
21220 Gevrey-Chambertin, tél. 03.80.34.30.68,
fax 03.80.34.18.80, e-mail contact@tortochot.com
☑ ⌶ r.-v.
➥ Chantal et Michel Tortochot

DOM. TRAPET PERE ET FILS 2000★★★

■ Gd cru	2 ha	6 000	⦅⦆ 46 à 76 €

|96| **98** 99 ⑩

Arthur Trapet achetait en 1919 sa première parcelle en chambertin. Du haut des Vignes du Seigneur, il félicite aujourd'hui son arrière-petit-fils Jean-Louis (biodynamie rigoureuse) qui remporte un coup de cœur très convoité. Un de ces vins qu'on peut déguster non pas seul mais sans accompagnement, tant il est authentiquement le roi chambertin. Rouge impérial avec un très léger liseré rosé, il a besoin d'un peu d'air pour se confier (cerise noire, sous-bois, épices). Un corps offrant à la perfection la force contenue et l'élégance du geste, l'excellence tannique et la pure beauté du fruit. Mémorable.

➻ Dom. Trapet Père et Fils, 53, rte de Beaune, 21220 Gevrey-Chambertin,
tél. 03.80.34.30.40, fax 03.80.51.86.34,
e-mail message@domaine-trapet.com ☑ ⵌ r.-v.

Chambertin-clos de bèze

Les religieux de l'abbaye de Bèze plantèrent en 630 une vigne dans une parcelle de terre qui donna un vin particulièrement réputé : ce fut l'origine de l'appellation, qui couvre une quinzaine d'hectares ; les vins peuvent également s'appeler chambertin. La production a atteint 456 hl en 2001 sur 13,93 ha.

JEAN-CLAUDE BOISSET 1997

■ Gd cru	0,1 ha	300	ⵔ 30 à 38 €

La première vigne de Jean-Claude Boisset se situait en Bel-Air : juste au-dessus du clos de bèze. Ce cru redit à chaque vendange sa leçon depuis mille cinq cents ans. Ce 97 est une délicatesse gentiment offerte à nos dégustateurs. Cerise grenat, il joue en plein la finesse. Après une attaque sur les fruits rouges, l'ensemble se révèle à la fois souple et ferme, très structuré et au niveau du millésime. Tenter un dessert au chocolat raffiné comme le propose un dégustateur ? Concevable, mais il existe des accords moins risqués.
➻ Jean-Claude Boisset, Les Ursulines, 21700 Nuits-Saint-Georges, tél. 03.80.62.61.61, fax 03.80.62.61.60, e-mail info@boisset.fr

DOM. PIERRE DAMOY 2000★

■ Gd cru	5,36 ha	10 800	ⵔ + de 76 €

Cette vigne fut en Bourgogne le premier pas de Julien Damoy, épicier mirifique, qui l'acheta à la comtesse de Montbrain à la fin des années 1910. Voici un vin un peu tendre pour un grand cru mais d'une magnifique harmonie d'ensemble pour ce millésime. Le pinot offre une expression élégante, sans appuyer le coup d'archet. La robe intense et brillante répond aux critères de l'AOC tout comme les parfums qui avancent de légères touches minérales entre le fruit et le grillé du fût. L'attaque est franche, le fruit bien mûr et la satisfaction générale.
➻ Dom. Pierre Damoy, 11, rue du Mal-de-Lattre-de-Tassigny, 21220 Gevrey-Chambertin, tél. 03.80.34.30.47, fax 03.80.58.54.79

DOM. DROUHIN-LAROZE 2000★

■ Gd cru	1,46 ha	4 000	ⵔ 46 à 76 €

« Tout le grand bourgogne possible », disait Camille Rodier. Un clos de bèze a quelque chose en plus, lié à l'histoire (près de mille cinq cents ans) et à un terroir. Celui-ci a tout ce qu'il faut de longueur selon une structure tannique encore marquée. Le gras est donc à attendre. Entre la griotte et le toasté, le nez est très mignon. Bouteille à laisser tranquille jusqu'en 2005 ou 2010 si possible. Elle aura beaucoup à dire.

➻ Dom. Drouhin-Laroze, 20, rue du Gaizot, 21220 Gevrey-Chambertin, tél. 03.80.34.31.49, fax 03.80.51.83.70, e-mail drouhin-laroze@aol.com
☑ ⵌ r.-v.

FAIVELEY 1999★

■ Gd cru	1,29 ha	7 400	ⵔ + de 76 €

1,29 ha, sans oublier les 42 ca composent cette très belle parcelle en clos de bèze. Pourpre concentré à reflets violine, son bouquet est de griotte briochée. Ce 99 est encore très ferme, marqué par ses tanins et le fût qui demandent au moins trois à quatre ans de garde. Mais c'est un bon investissement.
➻ Bourgognes Faiveley, 8, rue du Tribourg, 21701 Nuits-Saint-Georges, tél. 03.80.61.04.55, fax 03.80.62.33.37, e-mail bourgognes.faiveley@wanadoo.fr ☑

DOM. ROBERT GROFFIER PERE ET FILS 2000★

■ Gd cru	0,41 ha	1 800	ⵔ 46 à 76 €
93 95 96 97 ⑱ 99 00			

Le Jules Groffier, boxeur émérite et champion cycliste au palmarès national, faisait des courses de vétérans dans le Gevrey d'hier. Il veillait aussi sur son clos de bèze, et sa famille après lui. Coup de cœur pour le millésime 99 ! Ici la couleur est simple et parfaite. Le nez délicat joue le cassis à guichets fermés. Le corps magnifique est construit sur une base solide et des tanins soyeux. Un festival d'arômes de cassis et de fleurs est annoncé pour 2007.
➻ Dom. Robert Groffier et Fils, 3-5, rte des Grands-Crus, 21220 Morey-Saint-Denis, tél. 03.80.34.31.53, fax 03.80.34.15.48 ☑ ⵌ r.-v.

FREDERIC MAGNIEN 2000

■ Gd cru	0,6 ha	2 900	ⵔ 46 à 76 €

Aucun cru n'illustre mieux la mémoire bourguignonne et pourtant toute relation entre cette vigne et l'abbaye de Bèze a cessé en 1219. Il en subsiste de bons fruits, comme ce 2000 puissant, solide. L'intensité de couleur est élevée, le fût assez présent, les tanins massifs mais pas agressifs. Potentiel d'ouverture ? Trois à cinq ans.
➻ Frédéric Magnien, 26, rte Nationale, 21220 Morey-Saint-Denis, tél. 03.80.58.54.20, fax 03.80.51.84.34 ☑ ⵌ r.-v.

DOM. ARMAND ROUSSEAU PERE ET FILS 2000★★

■ Gd cru	1,42 ha	7 400	ⵔ 46 à 76 €

« Il est presque superflu d'en parler », écrit du clos de bèze le docteur Lavalle au milieu du XIXᵉs. Couleur, bouquet, force et finesse, le summum : ce vin s'affirme entre carmin et grenat avant de passer avec succès l'épreuve du nez : notes minérales jointes au floral du début. Concentration, gras, tout est là, et la griotte en renfort. Les tanins sont d'une extrême élégance. Ce 2000 paraît aujourd'hui monilithique au palais et c'est normal à cet âge. Il monte en puissance et il sera merveilleux d'ici trois à quatre ans, pas moins.
➻ Dom. Armand Rousseau, 1, rue de l'Aumônerie, 21220 Gevrey-Chambertin, tél. 03.80.34.30.55, fax 03.80.58.50.25, e-mail contact@domaine-rousseau.com
➻ Ch. Rousseau

DOM. CHARLES THOMAS 2000★

■ Gd cru	0,24 ha	1000	⦿ 46 à 76 €

Le domaine Charles Thomas est la version familiale de la maison Moillard. Cette bouteille illustre bien les souvenirs de l'écrivain bourguignon : elle a la couleur des joues de Colette enfant quand sa mère lui administrait en guise de remontant un bon verre de chambertin. « On y lisait la gloire des crus français », écrit-elle. Le nez ici tire sur l'animal, le fruit rouge, et le fruit à l'eau-de-vie que l'on retouve dans une bouche harmonieuse sur des tanins qui ne demandent qu'à se tomber. A attendre trois à cinq ans.
↝ Dom. Charles Thomas, chem. rural 59, 21700 Nuits-Saint-Georges, tél. 03.80.62.42.10, fax 03.80.61.28.13, e-mail thomas.freres@wanadoo.fr
☑ ⵟ t.l.j. 10h-18h; f. jan.

Autres grands crus de Gevrey-Chambertin

Autour des deux précédents, il y a une foule de crus qui, sans les égaler, restent de la même famille. Les conditions de production sont un peu moins exigeantes, mais les vins y ont les mêmes caractères de solidité, de puissance, de plénitude, où domine la réglisse, qui permet généralement de différencier les vins de Gevrey de ceux des appellations voisines : les latricières (environ 7 ha) ; les charmes (31 ha, 61 a, 30 ca) ; les mazoyères, qui peuvent également s'appeler charmes (l'inverse n'est pas possible) ; les mazis, comprenant les Mazis-Haut (environ 8 ha) et les Mazis-Bas (4 ha, 59 a, 25 ca) ; les ruchottes (venant de roichot, lieu où il y a des roches), toutes petites par la surface, comprenant les Ruchottes-du-Dessus (1 ha, 91 a, 95 ca) et les Ruchottes-du-Bas (1 ha, 27 a, 15 ca) ; les griottes, où auraient poussé des cerisiers sauvages (5 ha, 48 a, 5 ca) ; et enfin, les chapelles (5 ha, 38 a, 70 ca), nom donné par une chapelle bâtie en 1155 par les religieux de l'abbaye de Bèze, rasée lors de la Révolution.

Latricières-chambertin

ALBERT BICHOT 1999★

■ Gd cru	n.c.	1 970	⦿ 46 à 76 €

Avec les charmes et mazoyères, ce *climat* est le plus méridional des grands crus de Gevrey-Chambertin. Il lui arrive, comme ici, de donner un vin délicat et capiteux, vigoureux et doux, onctueux et plein de feu qui peut dérouter tant il rapproche les extrêmes. La typicité des arômes (champignon, sous-bois, mûre) est parfaitement respectée. On le reconnaîtrait rien qu'à son nez. En cours d'évolution et donc à déboucher dans un avenir relativement proche. Mais on a le temps (trois à six ans) de se retourner.

↝ Albert Bichot, Dom. du Pavillon, 6 *bis*, bd J.-Copeau, 21200 Beaune, tél. 03.80.24.37.37, fax 03.80.24.37.38

DOM. DROUHIN-LAROZE 2000★

■	0,7 ha	1 600	⦿ 30 à 38 €

Ces 0,70 ha sont une ancienne propriété Gillot, entrée il y a déjà longtemps sur la palette du domaine. La couleur n'est pas ici très marquée. Le bouquet se donne le temps de la réflexion, tout en développant des arômes floraux et boisés qui vont évoluer. Son gras, ses tanins souples, son moelleux contribuent à la bonne impression générale. La finesse l'emporte sur la structure et il sera prêt à servir dans trois à cinq ans.
↝ Dom. Drouhin-Laroze, 20, rue du Gaizot, 21220 Gevrey-Chambertin, tél. 03.80.34.31.49, fax 03.80.51.83.70, e-mail drouhin-laroze@aol.com
☑ ⵟ r.-v.

FAIVELEY 1999★

■ Gd cru	1,2 ha	7 000	⦿ 46 à 76 €

Faiveley est bien implanté à Gevrey avec des bâtiments proches de l'église et de superbes vignes. Dont celle-ci : 1,20 ha en latricières. D'un abord plutôt sombre (on parle de la couleur), ce 99 a le mérite de son âge et nous change des 2000. Au troisième coup de nez, la cerise à l'eau-de-vie montre le chemin. Tannique, il a le tempérament du *climat* : un vin de chasse, en y accompagnant Henri Vincenot à la billebaude. Certes sévère et austère dans son jeune âge, mais au niveau d'un grand cru par cette élégance retenue qui n'oublie pas le fruit. A ouvrir dans quatre à six ans.
↝ Bourgognes Faiveley, 8, rue du Tribourg, 21701 Nuits-Saint-Georges, tél. 03.80.61.04.55, fax 03.80.62.33.37, e-mail bourgognes.faiveley@wanadoo.fr ☑

DOM. LOUIS REMY 2000

■ Gd cru	0,6 ha	3 200	⦿ 46 à 76 €

Datant de la famille Riembault, le portail de cette vigne est la providence des touristes : que de fois a-t-il été photographié et publié ! Pourpre à reflets bleutés, ce 2000 d'un ton assez vif offre un nez qui en dit long sur les fruits macérés ; son charme a de quoi plaire. Bien structuré à la fois puissant et fin, construit sur des tanins harmonieux, il parle en bouche de noyau de cerise. Il faudra l'attendre cinq ans.
↝ Dom. Louis Remy, 1, pl. du Monument, 21220 Morey-Saint-Denis, tél. 03.80.34.32.59, fax 03.80.34.32.59 ☑ ⵟ r.-v.

DOM. ROSSIGNOL-TRAPET 2000★

■ Gd cru	0,74 ha		⦿ 30 à 38 €

Il commence comme *Le Rouge et le Noir* : le rouge cerise du pinot noir à l'état naturel, sans extraction démesurée. La lecture se poursuit par un roman un peu oublié de La Varende : *Nez de cuir*. Très latricières, un vin dont les parfums sont d'animal, de fourrure, d'humus. Enfin : *La Vingt-cinquième heure*, car ce millésime doit parfaire son équilibre et son épanouissement – ce dont il est capable.
↝ Dom. Rossignol-Trapet, 3, rue de la Petite-Issue, 21220 Gevrey-Chambertin, tél. 03.80.51.87.26, fax 03.80.34.31.63, e-mail info@rossignol-trapet.com
☑ ⵟ r.-v.

DOM. TRAPET PÈRE ET FILS 2000★★

■ Gd cru	0,75 ha	3 000	❶❶ 46 à 76 €

La famille Trapet n'est pas restée le nez en l'air durant l'année 2000. Son latricières témoigne des qualités du raisin et de sa vinification. On ressent a le goûter une impression de pureté et de droiture. « En un mot, bravo ! » conclut d'ailleurs un dégustateur sur sa fiche. Sous la robe vermillon profond, on devine la mise en place d'un bouquet intéressant, classique, où s'expriment la violette, ou encore le pain grillé et, plus originale, la résine de pin. Solide et bien construite, la bouche n'en est pas moins élégante.

☞ Dom. Trapet Père et Fils,
53, rte de Beaune, 21220 Gevrey-Chambertin,
tél. 03.80.34.30.40, fax 03.80.51.86.34,
e-mail message@domaine-trapet.com ◪ ☲ r.-v.

Chapelle-chambertin

DOM. PIERRE DAMOY 2000★

■ Gd cru	2,22 ha	7 500	❶❶ 46 à 76 €
98 **99** 00			

Petit commerçant à Yvetot, Julien Damoy monte à Paris où il crée d'innombrables magasins d'épicerie-bazar. Fortune faite, il vend le tout, tombe amoureux de la Bourgogne, achète une partie du clos de bèze, d'autres belles vignes et la propriété du Tamisot. Comme le clos de bèze, cette chapelle faisait partie du domaine Serre à Meursault. Un vin qui devrait exploser d'ici deux à trois ans tant il est concentré, riche, ardent, réussi. Mais la main de fer s'abrite sous un gant de soie. Belle robe et nez plein d'ambitions surmaturées.

☞ Dom. Pierre Damoy, 11, rue du
Mal-de-Lattre-de-Tassigny, 21220 Gevrey-Chambertin,
tél. 03.80.34.30.47, fax 03.80.58.54.79

DOM. DROUHIN-LAROZE 2000★

■ Gd cru	0,52 ha	1 400	❶❶ 30 à 38 €

Ce *climat* maintient le souvenir de la chapelle Notre-Dame de Bèze construite en 1155 et démolie vers 1830. Le domaine Drouhin-Laroze possède près de 10 % de sa superficie et en tire ce 2000 grenat brillant. Son nez esquisse sa complexité future sur la base du fruit mûr. Encore vanillé, c'est un sujet à garder longtemps en cave car son corps est soutenu par une superbe colonne vertébrale.

☞ Dom. Drouhin-Laroze, 20, rue du Gaizot,
21220 Gevrey-Chambertin, tél. 03.80.34.31.49,
fax 03.80.51.83.70, e-mail drouhin-laroze@aol.com
◪ ☲ r.-v.

DOM. ROSSIGNOL-TRAPET 2000★

■ Gd cru	0,51 ha	2 000	❶❶ 30 à 38 €
92 |⑨③| |97| 98 00			

En adoration devant cette chapelle ? En tout cas, d'un rubis brillant et limpide, elle fait belle impression. Le fruit réglissé occupe toute sa place dans un bouquet discret et complexe. Matière, charpente, tanins, tout est bien en place sur la même ligne aromatique. La puissance n'est pas considérable mais ce *climat* de la famille chambertine est

---

porté sur la finesse. Longue garde assurée (au moins dix ans superbes). Domaine né de la succession Louis Trapet et coupé en deux selon l'exemple du manteau de saint Martin.

☞ Dom. Rossignol-Trapet, 3, rue de la Petite-Issue,
21220 Gevrey-Chambertin, tél. 03.80.51.87.26,
fax 03.80.34.31.63, e-mail info@rossignol-trapet.com
◪ ☲ r.-v.

DOM. TRAPET PÈRE ET FILS 2000★

■ Gd cru	0,6 ha	2 500	❶❶ 46 à 76 €
91 |94| 95 96 **98** 99 00			

Vin bien réussi mais qu'il faut voir en perspective, en tout cas dans les trois à cinq ans, voire davantage. Ce n'est pas une cathédrale gothique. Plutôt une chapelle romane. Profonde et assez violacée, sa robe annonce un bouquet qui demande à s'ouvrir (quelques traces de fruits rouges). Porté par des tanins de bonne compagnie et un fût qui reste à sa place, il offre de belles notes de réglisse, de pain d'épice mais aussi de cerise noire pour le bouquet final.

☞ Dom. Trapet Père et Fils,
53, rte de Beaune, 21220 Gevrey-Chambertin,
tél. 03.80.34.30.40, fax 03.80.51.86.34,
e-mail message@domaine-trapet.com ◪ ☲ r.-v.

Charmes-chambertin

DOM. ARLAUD 2000★★

■ Gd cru	1,1 ha	n.c.	❶❶ 46 à 76 €

Le siège de ce domaine est situé à Morey-Saint-Denis dont l'église du XIII°s. recèle des trésors (statue de la Vierge...). A ne pas manquer lorsque vous irez découvrir ce grand cru. Sa couleur est bien extraite de ce grand cru : grenat sombre et cependant brillant. Le nez élégant accorde toute sa place au fruit. En bouche, l'étoffe moelleuse, la richesse, la bonne constitution, les tanins fins et la finale réglissée forment un vin complet et prometteur : il va vers un grand avenir dans cinq à dix ans. Il est à la hauteur de son rang.

☞ SCEA Dom. Arlaud Père et Fils, 43, rte des
Grands-Crus, 21220 Morey-Saint-Denis,
tél. 03.80.34.32.65, fax 03.80.34.10.11 ◪ ☲ r.-v.

DOM. DES BEAUMONT 2000

■ Gd cru	0,52 ha	2 600	❶❶ 30 à 38 €

D'un rouge de velours très attirant, ce vin doit aujourd'hui au fût l'essentiel de sa richesse aromatique. Mais la framboise et la brioche auront leur mot à dire. Ce charmes aux tanins bien mariés fait une entrée sur une attaque franche et directe. Il demande un peu à s'ouvrir. Il devrait répondre à cette invite dans deux ou trois ans.

☞ EARL Dom. des Beaumont, 9, rue Ribordot,
21220 Morey-Saint-Denis, tél. 03.80.51.87.89,
fax 03.80.51.87.89 ◪ ☲ r.-v.

MAISON BIGOT ET ALEX GAMBAL 1999

■ Gd cru	n.c.	1 624	❶❶ 46 à 76 €

B & B. Non, il ne s'agit pas d'une chambre d'hôte mais du destin de ce négociant-éleveur parti de Boston pour atterrir à Beaune en 1997. Alex Gambal nous donne

BOURGOGNE

en partage ce 99 à la robe intense et dont les parfums jouent sur le sous-bois et la griotte, puis laissent le boisé toasté l'emporter. A quel âge cette bouteille atteindra-t-elle sa maturité ? Il faudra suivre son évolution à partir de 2004.

↬ Maison Alex Gambal, 4, rue Jacques-Vincent, 21200 Beaune, tél. 03.80.22.75.81, fax 03.80.22.21.66, e-mail alex@alexgambal.com ☑ ⊤ r.-v.

F. CHAUVENET 1999

| ■ Gd cru | n.c. | 3 000 | Ⅲ 46 à 76 € |

Maison à la fibre féminine. Faisant de nos jours partie de la famille des Vins Jean-Claude Boisset, elle reçut il y a quelques décennies la visite d'une journaliste pas comme les autres : Colette en personne ! Sur une tonalité souple et tendre, c'est un charmes digne de son nom, frais et dispos, aromatique, destiné à celles et à ceux qui préfèrent les vins plus gourmands que structurés.

↬ F. Chauvenet, 9, quai Fleury, 21700 Nuits-Saint-Georges, tél. 03.80.62.61.43, fax 03.80.62.61.59

DOM. DUPONT-TISSERANDOT 2000★

| ■ Gd cru | 0,8 ha | n.c. | Ⅲ 30 à 38 € |

Robe veloutée, cramoisie sur fond clair. Le fruit noir légèrement vanillé prend soin de son bouquet. Joli volume étoffé par une rondeur corpulente et ce qu'il faut de sensualité pour y trouver son plaisir. La réussite est certaine pour une plénitude d'ici trois à cinq ans.

↬ GAEC Dupont-Tisserandot, 2, pl. des Marronniers, 21220 Gevrey-Chambertin, tél. 03.80.34.10.50, fax 03.80.58.50.71 ☑ ⊤ r.-v.

HUGUENOT PERE ET FILS 1999★

| ■ Gd cru | 0,22 ha | 1 200 | Ⅲ 30 à 38 € |

A peine 0,22 ha, achetés dans les années 1960 à la famille Dupont, pour ce millésime qui représente le type même du vin gourmand, du vin plaisir par sa matière généreuse et ronde sur fond de cassis bien marqué. Sa robe est d'un rubis profond. Le nez frémit sous l'animal, le bourgeon de cassis. Résistez à la tentation et attendez quelques années (cinq à dix ans) : il gravit sa pente ascendante.

↬ Dom. Huguenot Père et Fils, 7, ruelle du Carron, 21160 Marsannay-la-Côte, tél. 03.80.52.11.56, fax 03.80.52.60.47, e-mail domaine.huguenot@wanadoo.fr ☑ ⊤ r.-v.

DOM. HUMBERT FRERES 2000★

| ■ Gd cru | 0,21 ha | 1000 | Ⅲ 38 à 46 € |
| 96| 98 99 |

Un charmes intense et limpide, pourpre-grenat sans excès d'extraction. Son nez de griotte enrobe astucieusement la vanille du fût. Le palais est équilibré, fruité (griotte et framboise à l'eau-de-vie) sur un grillé mesuré et pour un plaisir qu'il ne faut pas trop faire patienter à la porte, ce qui, dans ce grand cru, veut dire dans les trois à cinq ans.

↬ Dom. Humbert Frères, rue de Planteligone, 21220 Gevrey-Chambertin, tél. 03.80.51.80.14

DOM. MICHEL MAGNIEN ET FILS 2000★★

| ■ Gd cru | n.c. | n.c. | Ⅲ 46 à 76 € |

Grand sinon tout grand. Un charmes dont les épaules sont nettement plus hautes que les autres. Rubis foncé, bourgeon de cassis, il s'affirme d'emblée. Ses tanins font partie d'un ensemble où le corps exprime un caractère séducteur (l'offrande du fruit) et convaincant. Nominé aux coups de cœur.

↬ Dom. Michel Magnien et Fils, 4, rue Ribordot, 21220 Morey-Saint-Denis, tél. 03.80.51.82.98, fax 03.80.58.51.76 ☑ ⊤ r.-v.

MARCHE AUX VINS 1999

| ■ | n.c. | 1 100 | Ⅲ 46 à 76 € |

Un 99 du Marché aux Vins, marque de Patriarche et Boisseaux. C'est frais, léger, aimable comme un marquis dans une pièce de Marivaux. Spirituel aussi... De la robe à la finale, on reste constamment dans cet esprit boisé, sans toutefois oublier ses qualités de cœur. Un charmes-chambertin n'est pas forcément incisif.

↬ Marché aux vins, rue Nicolas-Rolin, 21200 Beaune, tél. 03.80.25.08.20, fax 03.80.25.08.21 ☑ ⊤ t.l.j. 9h30-12h 14h-18h

DOM. PIERRE NAIGEON
Vieilles vignes 2000★

| ■ Gd cru | n.c. | 1 500 | Ⅲ 38 à 46 € |

Fils de Jean-Pierre Naigeon, Pierre prend le relais paternel. Son charmes 2000 offre au regard une couleur chatoyante, appétissante. Le nez prend ses marques. Sur l'attente, il n'explose pas encore, mais offre des effluves grillées sur le cassis. Le fût est parfaitement maîtrisé : le fruit ne rate pas son entrée. Puis la construction s'affirme sur une chair prometteuse. Ce vin séduira bien davantage dans trois à cinq ans.

↬ Dom. Pierre Naigeon, 4, rue du Chambertin, 21220 Gevrey-Chambertin, tél. 03.80.34.14.87, fax 03.80.58.51.18, e-mail naigeon@aol.com ☑ ⊤ r.-v.

DOM. HENRI PERROT-MINOT
Vieilles vignes 1999★★

| ■ Gd cru | 0,75 ha | 3 500 | Ⅲ 46 à 76 € |

Rouge grenat, net et profond, il est évidemment marqué par le fût mais il sait s'en délivrer sur des notes fruitées, légèrement réglissées. L'attaque est franche, matière à la hauteur du sujet, sans agressivité : les tanins bien constitués sont serrés, comme il se doit. Attendre les intérêts du capital, au moins cinq ans. Si vous en êtes capables, vous serez riche... en bouche.

↬ Henri Perrot-Minot, rte des Grands-Crus, 21220 Morey-Saint-Denis, tél. 03.80.34.32.51, fax 03.80.34.13.57 ☑ ⊤ r.-v.

DOM. TAUPENOT-MERME 1999

| ■ Gd cru | n.c. | 7 600 | Ⅲ 38 à 46 € |
| 96 97 98 99 |

Virginie et Romain ont rejoint leurs parents au cours des années 1990 sur ce domaine de 9,50 ha. Ce 99 se montre capiteux et distingué. Sa chair onctueuse compose avec des tanins plutôt accommodants. Les notes grillées du fût, toastées, l'emportent encore sur la griotte. A attendre un peu pour qu'il fonde complètement ses agents intérieurs.

↬ Jean Taupenot-Merme, 33, rte des Grands-Crus, 21220 Morey-Saint-Denis, tél. 03.80.34.35.24, fax 03.80.51.83.41, e-mail domaine.taupenot-merme@wanadoo.fr ☑ ⊤ r.-v.

DOM. DES VAROILLES 1999★

| ■ Gd cru | 0,75 ha | 950 | Ⅲ 30 à 38 € |

De garde et de grand avenir, ce vin a séduit la majorité du jury. On le voit vineux, plein, vigoureux, bien typé terroir et pinot noir. Limpide et rubis profond, ce 99 bouqueté, riche en alcool a des tanins bien enrobés. Des raisins bien vinifiés font honneur à Jean-Pierre Naigeon, trop tôt disparu, ainsi qu'à tous les siens.

🐜 SCI Dom. des Varoilles,
rue de l'Ancien-Hôpital, 21220 Gevrey-Chambertin,
tél. 03.80.34.30.30, fax 03.80.51.88.99,
e-mail contact@domaine-varoilles.com ☑ ⵂ r.-v.

Griotte-chambertin

DOM. MARCHAND FRERES 2000★

| ■ Gd cru | 0,13 ha | 850 | 🍷 30 à 38 € |

Encore que le mot *griotte* n'ait rien à voir avec la cerise (il s'agit d'ailleurs de la montmorency, la cerise à confiture) puisqu'il évoque des crais, terrains pierreux, ce nom est magique. Sa robe est ici cerise noire et son nez embaume la violette. Il est encore sur sa réserve mais a de la matière. Un vin soutenu davantage par ses tanins que par son acidité, et cela est très griotte-chambertin. En boire n'est pas si fréquent. Saisissez votre chance !

🐜 Dom. Marchand Frères, 1, pl. du Monument,
21220 Gevrey-Chambertin, tél. 03.80.62.10.97,
fax 03.80.62.11.01, e-mail dmarc2000@aol.com
☑ 🏠 ⵂ r.-v.

🐜 D. Marchand

Mazis-chambertin

DOM. DUPONT-TISSERANDOT 2000

| ■ Gd cru | 0,35 ha | n.c. | 🍷 30 à 38 € |

Bernard Dupont épouse en 1954 Gisèle Tisserandot. Lui, vient de la Haute-Marne et elle, est gibriacoise. Il y avait des vignes dans la dot qui se développeront jusqu'à atteindre 24 ha aujourd'hui. Ce mazis carminé-violacé, cerise-cassis, tendre et friand, vinifié pour plaire y réussit dans sa jeunesse vive et spontanée. Il sera à ouvrir dans deux ans.

🐜 GAEC Dupont-Tisserandot, 2, pl. des Marronniers,
21220 Gevrey-Chambertin, tél. 03.80.34.10.50,
fax 03.80.58.50.71 ☑ ⵂ r.-v.

DOM. HARMAND-GEOFFROY 2000★

| ■ Gd cru | n.c. | 4 000 | 🍷 38 à 46 € |

Les mazis-chambertin font souvent frémir les chandelles de la vente des Hospices de Beaune depuis que la famille Thomas-Collignon en a offert une belle parcelle. On a affaire ici à un vin assez puissant, présentant une cohérence d'ensemble convaincante. Intensité de couleur, parfum de griotte en chaudron de confiture, tanins entreprenants, telles sont les étapes de cette dégustation qui engagent à attendre trois ans pour ouvrir cette bouteille.

🐜 Dom. Harmand-Geoffroy,
1, pl. des Lois, 21220 Gevrey-Chambertin,
tél. 03.80.34.10.65, fax 03.80.34.13.72,
e-mail harmand-geoffroy@wanadoo.fr ☑ ⵂ r.-v.

DOM. HENRI REBOURSEAU 1999★

| ■ Gd cru | 0,96 ha | 3 575 | 🍷 38 à 46 € |

13,61 ha pour ce beau domaine créé au début du XXᵉ s. Son « mazy » (l'orthographe varie selon les étiquettes) est rouge cassis et d'un beau nez fleur et fruit. Gras et concentration sont au rendez-vous au palais où la cerise se dessine. Le fût demeure très présent. L'épanouissement de ce millésime est certain dans cinq à dix ans : son potentiel le lui permet.

🐜 NSE Dom. Henri Rebourseau, 10, pl. du Monument, 21220 Gevrey-Chambertin,
tél. 03.80.51.88.94, fax 03.80.34.12.82,
e-mail rebourseau1@aol.com ☑ ⵂ r.-v.

Mazoyères-chambertin

DOM. HENRI PERROT-MINOT 1999

| ■ Gd cru | 0,75 ha | 3 500 | 🍷 46 à 76 € |

Noire à reflets bleutés, la robe est magnifique, entourée de parfums de fruits rouges très mûrs accompagnés d'épices (cannelle et vanille du fût). Ce vin de gibier est dominé par des tanins de qualité qui demandent à se fondre. L'extraction a sans doute répondu aux modes et engage à attendre six à sept ans ce 99 puissant.

🐜 Henri Perrot-Minot, rte des Grands-Crus,
21220 Morey-Saint-Denis, tél. 03.80.34.32.51,
fax 03.80.34.13.57 ☑ ⵂ r.-v.

Morey-saint-denis

Morey-Saint-Denis constitue, avec un peu plus de 100 ha dont 95,54 revendiqués en 2001, une des plus petites appellations communales de la Côte de Nuits. On y trouve d'excellents premiers crus et cinq grands crus ayant une appellation d'origine contrôlée particulière : clos de tart, clos saint-denis, bonnesmares (en partie), clos de la roche et clos des lambrays.

L'appellation est coincée entre Gevrey et Chambolle, et l'on pourrait dire que ses vins (4 357 hl en 2001, dont 204 en blanc) sont, avec leurs caractères propres, intermédiaires entre la puissance des premiers et la finesse des seconds. Les vignerons présentent au public les morey-saint-denis, et uniquement ceux-ci, le vendredi précédant la vente des Hospices de Nuits (3ᵉ semaine de mars) en un Carrefour de Dionysos, à la salle des fêtes communale.

DOM. PIERRE AMIOT ET FILS
Aux Charmes 2000

| ■ 1er cru | 0,5 ha | 3 000 | ⦀ 15 à 23 € |

« Il ne leur manque rien », écrit le Dr Jules Lavalle (1855) au chapitre de morey-saint-denis. Et de fait ! Une bouteille grenat issue d'un *climat* mitoyen des mazoyères ou charmes-chambertin. Seule la limite communale n'en a pas fait un grand cru... Ses arômes de fruits rouges se marient bien à un boisé discret. Sa fraîcheur lui vaut la sympathie car il joue ce registre. Dire Amiot, c'est dire Morey : six générations vigneronnes ont assimilé cette famille aux racines du pays.
➥ Dom. Pierre Amiot et Fils,
27, Grande-Rue, 21220 Morey-Saint-Denis,
tél. 03.80.34.34.28, fax 03.80.58.51.17 ☑ ☕ r.-v.

DOM. DES BEAUMONT 2000★

| ■ 1er cru | 0,35 ha | 1 900 | ⦀ 23 à 30 € |

Domaine de 5 ha passé à la vente directe en 1999 et qui commence à être connu. Naissance de Tanguy aux vendanges 2001 et le jour du décuvage ! On lui souhaite de ressembler au héros du film du même nom, et de rester à la maison pour reprendre un jour le flambeau familial. Il s'agit d'un 1er cru 80 % Millandes et 20 % Ruchots. D'une robe soutenue, il ne manque pas de bouquet : réglisse, vanille du fût, un rien de confituré ; il vaudra mieux plus tard dans trois ou quatre ans. Le **village 2000 (11 à 15 €)** est cité et devra attendre deux ans en cave.
➥ EARL Dom. des Beaumont, 9, rue Ribordot,
21220 Morey-Saint-Denis, tél. 03.80.51.87.89,
fax 03.80.51.87.89 ☑ ☕ r.-v.

DOM. CHARLOPIN PARIZOT 1999★★

| ■ | n.c. | n.c. | ⦀ 15 à 23 € |

Viticulteur entreprenant et passionné, Philippe Charlopin est installé à Gevrey mais il pose partout le pied (de vigne) en Côte de Nuits. Son 99 est plus noir que rouge, tirant sur le fruit cuit mais demeurant encore sur sa réserve. L'attaque est impeccable, la structure dense et harmonieuse. On aime encore sa persistance en finale. A déguster d'ici deux à trois ans.
➥ Philippe Charlopin, 18, rte de Dijon,
21220 Gevrey-Chambertin,
tél. 03.80.51.81.18, fax 03.80.51.81.27 ☕ r.-v.

CLOS DE LA BIDAUDE
Monopole 2000

| ■ | 1,38 ha | 8 000 | ⦀ 15 à 23 € |

Le Clos de La Bidaude est un monopole situé au-dessus du clos des lambrays sur le coteau. Quant aux Gibourg, vieille famille du pays, c'est une maison de négoce-éleveur possédant un domaine de 11,9 ha (marque Marie-Thérèse Javouhey, notamment). « Ah ! Morey n'est pas un croquant de pays ! » s'exclame le vieux Garain, personnage de Roupnel qui empocha quelques voix au Goncourt. On le constate ici. D'une teinte intense et transparente, un vin d'un bon boisé, dans le millésime (souplesse des tanins) et qui évolue sur le fruit cuit dans un équilibre satisfaisant.
➥ Robert Gibourg, 17, rue Ribordot,
21220 Morey-Saint-Denis, tél. 03.80.34.36.51,
fax 03.80.34.11.15 ☑ ☕ r.-v.

GUY COQUARD
Les Blanchards 2000

| ■ | 0,3 ha | 1 600 | ⦀ 15 à 23 € |

D'une famille de vignerons consciencieux, Guy a pied au Clos de Vougeot. Le *climat* Les Blanchards est situé juste en dessous du centre du village. Ce 2000 porte une robe sombre et puissante, légèrement opalescente. Très jeune, ce vin devra vieillir cinq ans au fond de votre cave. Car, aujourd'hui, seul le bois s'exprime.
➥ Guy Coquard, 55, rte des Grands-Crus,
21220 Morey-Saint-Denis, tél. 03.80.34.38.88,
fax 03.80.58.51.66 ☑ ☕ r.-v.

JOSEPH DROUHIN
Clos Sorbé 1999★

| ■ 1er cru | n.c. | n.c. | ⦀ 23 à 30 € |

La maison Joseph Drouhin sait-elle que cette vigne en Clos Sorbé fut sans doute la propriété de Gaspard Monge vers 1810 ? Un vigneron inattendu et qui siège aujourd'hui au Panthéon. Tenant le milieu entre bonnes-mares et musigny, ce 1er cru révèle sous cette étiquette un fort potentiel de garde. Puissant mais sans agressivité, derrière un nez où le cassis le dispute aux épices, il répond à merveille à l'idée qu'on se fait de l'appellation.
➥ Joseph Drouhin, 7, rue d'Enfer, 21200 Beaune,
tél. 03.80.24.68.88, fax 03.80.22.43.14,
e-mail maisondrouhin@drouhin.com ☕ r.-v.

DOM. DROUHIN-LAROZE 2000

| ■ | 0,18 ha | 900 | ⦀ 11 à 15 € |

Le dernier vin de Bernard Drouhin, disparu en septembre 2001. Philippe était à ses côtés depuis 1974 ; il assure la relève au sein d'un domaine fondé en 1850 par J.-B. Laroze et qui possède une belle palette de grands crus entre Gevrey et Vougeot. Pourpre clair et intense, ce vin au nez de raisin frais se présente sur une note cerise. Une petit touche d'amertume signe sa jeunesse. Une bouteille en devenir.
➥ Dom. Drouhin-Laroze, 20, rue du Gaizot,
21220 Gevrey-Chambertin, tél. 03.80.34.31.49,
fax 03.80.51.83.70, e-mail drouhin-laroze@aol.com
☑ ☕ r.-v.

DUFOULEUR PERE ET FILS
Les Chaffots 1999

| ■ 1er cru | n.c. | 3 500 | ⦀ 23 à 30 € |

Les Chaffots sont classés pour partie en clos-saint-denis, pour partie en 1er cru. C'est dire s'ils ont de qui tenir. Présentés par le négoce-éleveur de Nuits, ceux-ci ont quelques reflets tuilés sous un rubis classique. Le nez s'ouvre aisément sur le fruit, évoluant vers le sous-bois. Si le vin montre peu d'ampleur en bouche, il n'en offre pas moins un passage amical. A boire sans trop attendre car « il est bien comme ça »...
➥ Dufouleur Père et Fils, 17, rue Thurot,
21700 Nuits-Saint-Georges, tél. 03.80.61.21.21,
fax 03.80.61.10.65, e-mail dufouleur@axnet.fr
☑ ☕ t.l.j. 9h-19h

DOM. DUJAC 1999★

| ▨ | 0,66 ha | 4 600 | ⦀ 15 à 23 € |

Son père, membre du club des Cent, lui fit découvrir Point et Dumaine à l'heure où les enfants d'aujourd'hui dégustent le bœuf-carottes de leurs « petits pots ». Jacques Seysses a entendu un jour l'appel de la vigne et lui a offert son âme. Son morey blanc est bien sûr une curiosité en

Côtes de Nuits (le domaine Ponsot en fait un peu aux Monts-Luisants). Assez convaincant, jaune paille léger et aux beaux arômes de fruit blanc, ce vin tout en finesse est équilibré et long. Vivacité et rondeur ont conclu un pacte d'alliance jusqu'en 2004.

🕊 Dom. Dujac, 7, rue de la Bussière,
21220 Morey-Saint-Denis, tél. 03.80.34.01.00,
fax 03.80.34.01.09, e-mail dujac@dujac.com ☑ ⏀ r.-v.
🕊 Jacques Seysses

DOM. DUJAC 1999★

■	3,63 ha	25 000	⏀ 23 à 30 €

La robe est ici encourageante, type cerise burlat. Le fût est conduit de main de maître : ni trop ni trop peu. Le nez est tout en cerise mûre avec d'agréables notes de sous-bois. La bouche, d'une finesse remarquable, offre un équilibre parfait. Coup de cœur en 1997 (93).

🕊 Dom. Dujac, 7, rue de la Bussière,
21220 Morey-Saint-Denis, tél. 03.80.34.01.00,
fax 03.80.34.01.09, e-mail dujac@dujac.com ☑ ⏀ r.-v.

DOM. HERESZTYN
Les Millandes 2000★

■ 1er cru	0,37 ha	1 800	⏀ 30 à 38 €

Le domaine de Gevrey témoigne de l'accueil bourguignon : Jean Heresztyn arrive en 1932 de sa Pologne natale. « Petit Jean » devient le vigneron de Louis Trapet et, à force de travail, il implante sa famille et fait souche. Coup de cœur sur notre édition 1996. Ce vin 2000 se cherche encore. L'œil est profond, grenat limpide. Le nez promet, entre le fruit et l'épice, avec un aperçu de sauvagine. Tannique, il n'est pas morey pour rien. Sa longueur ? Très estimable.

🕊 Dom. Heresztyn, 27, rue Richebourg,
21220 Gevrey-Chambertin, tél. 03.80.34.13.99,
fax 03.80.34.13.99,
e-mail domaine.heresztyn@wanadoo.fr ☑ ⏀ r.-v.

DOM. ALAIN JEANNIARD 2000★

■	0,33 ha	2 000	⏀ 11 à 15 €

« Les Loups », dit-on des gens de Morey. Puissant, charpenté, porté par son acidité, voici un excellent spécimen de l'espèce. Vous verrez comme il sera doux comme un agneau quand l'âge l'assouplira. Concentration de couleur excellente. Nez un peu monobloc qui demande à s'ouvrir. Beaucoup de richesse interne. A garder. Premier millésime de ce jeune qui repart avec 1,70 ha et qui mérite notre confiance.

🕊 Dom. Alain Jeanniard, 4, rue aux Loups,
21220 Morey-saint-Denis, tél. 03.80.58.53.49,
fax 03.80.58.53.49,
e-mail domaine.ajeanniard@wanadoo.fr ☑ ⏀ r.-v.

LIGNIER-MICHELOT
En la rue de Vergy 2000★

■	1,9 ha	5 000	⏀ 11 à 15 €

Virgile Lignier possède un prénom poétique et latin. Il a succédé à Maurice en 1996. La famille Lignier est nombreuse à Morey. Ce domaine confortable de 8,5 ha propose ses 2 ha d'En la rue de Vergy acquis en 1974. Le *climat* est merveilleusement situé, juste au-dessus du clos de tart et des bonnes-mares sur le coteau. Pour un vin d'une bonne couleur aux joues, assez fruité dans le style cassis-mûre, plutôt rond et dont la complexité relève de la cave et du temps.

🕊 Dom. Lignier-Michelot, 11, rue Haute,
21220 Morey-Saint-Denis, tél. 03.80.34.31.13,
fax 03.80.58.52.16 ☑ ⏀ r.-v.
🕊 Virgile Lignier

MOILLARD
Monts Luisants 1999

■	n.c.	12 000	⏀ 15 à 23 €

Les Monts Luisants doivent leur nom aux feuilles de cette vigne, très jaunes, ne rougissent pas en automne. « Quand la nuit tombe, dit-on ici, on y voit encore ! » Avec ceux-ci en rouge (il en existe en blanc), on se fera plaisir dès 2003. La couleur est honnête et le nez assez riche sur le fruit avec un boisé bien intégré.

🕊 Moillard, 2, rue François-Mignotte,
21700 Nuits-Saint-Georges, tél. 03.80.62.42.22,
fax 03.80.61.28.13, e-mail nuicave@wanadoo.fr
☑ ⏀ t.l.j. 10h-18h; f. jan.

DOM. PALISSES-BEAUMONT
Les Millandes 2000★

■ 1er cru	0,16 ha	900	⏀ 23 à 30 €

Notations homogènes pour ces Millandes, 1er cru voisin du clos de la roche et qui laisse espérer de bonnes choses. De l'extraction à l'œil, de la complexité naissante au troisième coup de nez sur une base assez réglissée, puis de l'attaque et du souffle. Cette propriété de 1,25 ha résulte de l'héritage Georges Beaumont en 1989. Mais attention : pour s'en procurer une bouteille, il faut soit être de passage, soit coucher en chambre d'hôte. Ce n'est pas la plus mauvaise idée.

🕊 Dom. Palisses-Beaumont, rue Haute,
21220 Morey-Saint-Denis, tél. 03.80.58.51.83
☑ 🏠 ⏀ r.-v.

PATRIARCHE PERE ET FILS 1999★

■	n.c.	8 000	📷 ⏀ 23 à 30 €

Patriarche est cette maison beaunoise qu'André Boisseaux reprit en 1941 et dont il fit son cheval de bataille. Trop fin ce 99 pour vieillir longtemps, ou capable de tenir le coup durant dix ans au moins ? Le jury est partagé et cela arrive dans les meilleures familles. Rubis brillant clair, il exprime des arômes très motivants. Style soyeux, caressant, morey *new look*.

🕊 Patriarche Père et Fils, 5, rue du Collège,
21200 Beaune, tél. 03.80.24.53.01, fax 03.80.24.53.03
☑ ⏀ t.l.j. 9h-12h 14h-18h

DOM. HENRI PERROT-MINOT
La Riotte Vieilles vignes 1999★

■ 1er cru	0,57 ha	3 000	⏀ 30 à 38 €

Grande figure de Morey des années 1950, Armand Merme avait deux filles. L'une donna naissance au Domaine Taupenot, l'autre au Domaine Perrot-Minot. Une dizaine d'hectares et une bien jolie maison sur la route des Grands Crus. Situé juste sous le village, ce 1er cru est d'un grenat prononcé, profond, limpide. Coucher de soleil sur la combe. Bouquet framboisé, épicé, avec nuance d'alcool. Tannique, puissant, d'une finesse rustique, thé noir en bouche, il abattra toutes ses cartes dans... longtemps. Coup de cœur pour ce vin en 1995 (91) et en 2000 (96). **En la rue de Vergy 99 (23 à 30 €)**, délicieuse et très soignée, obtient une citation.

🕊 Henri Perrot-Minot, rte des Grands-Crus,
21220 Morey-Saint-Denis, tél. 03.80.34.32.51,
fax 03.80.34.13.57 ☑ ⏀ r.-v.

BOURGOGNE

DOM. LOUIS REMY
Aux Cheseaux 1999

| ■ | 0,25 ha | 1 600 | 🍷 ◫ 15 à 23 € |

Il en a fallu du courage à Marie-Louise Remy pour reprendre seule puis assistée de sa fille Chantal ce domaine historique à la mort de son mari en 1982. Assez proche des mazoyères-chambertin, cette vigne donne ici un rubis bourguignon de belle facture. Bouquet en ouverture. Finesse et élégance. La vinification est soignée. A son rang.
↳ Dom. Louis Remy, 1, pl. du Monument,
21220 Morey-Saint-Denis, tél. 03.80.34.32.59,
fax 03.80.34.32.59 ☑ ⵑ r.-v.

REMI SEGUIN 1999

| ■ | 0,51 ha | n.c. | ◫ 8 à 11 € |

Né il y a quarante-trois ans au Clos de Tart, fils et petit-fils de régisseurs du prestigieux grand cru, Rémi avait un destin tout tracé. Ses 6,31 ha lui permettent de dominer le sujet de Gevrey à Vosne. D'une tonalité aux abords du violet, son 99 a le nez un peu fermé, distillant des arômes de fruits. Il a du corps, de la structure. D'un tempérament assez chaleureux, « puissant et noble », note un juré, il devrait s'affiner tout en s'affirmant d'ici deux à trois ans.
↳ Rémi Seguin, 19, rue de Cîteaux,
21640 Gilly-lès-Cîteaux, tél. 03.80.62.89.61,
fax 03.80.62.80.92 ☑ ⵑ r.-v.

Clos de la roche, clos de tart, clos saint-denis, clos des lambrays

Le clos de la roche – qui n'est pas un clos – est le plus important en surface (16 ha environ), et comprend plusieurs lieux-dits ; il a produit 624 hl en 2001 ; le clos saint-denis, d'environ 6,5 ha, n'est pas non plus un clos, et regroupe aussi plusieurs lieux-dits (260 hl). Ces deux crus, assez morcelés, sont exploités par de nombreux propriétaires. Le clos de tart est, lui, entièrement ceint de murs et exploité en monopole. Il fait un peu plus de 7 ha et les vins sont vinifiés et élevés sur place (246 hl) ; la cave de deux niveaux mérite une visite. Le clos des lambrays est également d'un seul tenant ; mais il regroupe plusieurs parcelles et lieux-dits : les Bouchots, les Larrêts ou clos des Lambrays, le Meix-Rentier. Il représente un peu moins de 9 ha, dont 8,5 sont exploités par le même propriétaire. Il a produit 280 hl en 2001.

> Lumière, chaleur et odeurs sont les ennemis du vin.

Clos de la roche

DOM. ARLAUD 2000★

| ■ Gd cru | 0,45 ha | n.c. | ◫ 46 à 76 € |

Tout de rouge vêtu, limpide et brillant, ce clos de la roche cherche encore son nez définitif parmi les arômes de réglisse et de fruits rouges. Si la complexité du pinot noir est ici encore peu sollicitée, l'équilibre entre l'acidité et les tanins se réalise d'une manière harmonieuse et le cépage manifeste sa finesse au palais. D'une bonne longueur, ce vin demande trois à cinq ans de garde pour s'exprimer.
↳ SCEA Dom. Arlaud Père et Fils, 43, rte des Grands-Crus, 21220 Morey-Saint-Denis,
tél. 03.80.34.32.65, fax 03.80.34.10.11 ☑ ⵑ r.-v.

JEAN-CLAUDE BOISSET 2000★

| ■ Gd cru | 2 ha | 9 000 | ◫ 30 à 38 € |

L'arbitre des élégances ! Sa robe haute couture est d'un rouge vif tandis que son bouquet fait une allusion à la merise, la cerise sauvage. Au palais, le caractère apparaît assez tendre, tout en finesse, jusqu'à ce que ses tanins s'éveillent et rappellent que ce vin est destiné à quelques années d'élevage complémentaire (de trois à cinq ans), comme il est normal à cet âge. Ces bouteilles vivent leur prime jeunesse dans les caves de l'ancien couvent des Ursulines à Nuits.
↳ Jean-Claude Boisset, Les Ursulines,
21700 Nuits-Saint-Georges, tél. 03.80.62.61.61,
fax 03.80.62.61.60, e-mail info@boisset.fr

DOM. MICHEL MAGNIEN ET FILS 2000★★

| ■ Gd cru | 0,35 ha | 1 800 | ◫ 46 à 76 € |

« À Morey, dit-on souvent, le Clos de la Roche c'est l'homme de base, le plus charpenté ». Celui-ci est non seulement puissant, mais également charmeur. Cette finesse et cette typicité lui valent le coup de cœur. D'un rouge très profond, il assure une continuité réglissée que le fût épaule sans se montrer importun. Une très belle réussite pour l'année. Cette vigne se situe dans les Monts Luisants.
↳ Dom. Michel Magnien et Fils, 4, rue Ribordot,
21220 Morey-Saint-Denis, tél. 03.80.51.82.98,
fax 03.80.58.51.76 ☑ ⵑ r.-v.

DOM. MARCHAND FRERES 2000

| ■ Gd cru | 0,07 ha | 300 | ◫ 30 à 38 € |

Regroupement de deux domaines familiaux, cette entité viticole possède 7,2 ha. Ce grand cru est encore si jeune qu'il n'ose prendre la parole, muselé par des tanins qui demandent deux à trois ans pour se faire.

⌐ Dom. Marchand Frères, 1, pl. du Monument, 21220 Gevrey-Chambertin, tél. 03.80.62.10.97, fax 03.80.62.11.01, e-mail dmarc2000@aol.com
☑ 🏠 ♈ r.-v.

DOM. LOUIS REMY 1999★

■ Gd cru	0,7 ha	3 500	🍶 46 à 76 €

À la mort de son mari en 1982, Marie-Louise Remy, assistée de sa fille Chantal comme chef de culture, a maintenu courageusement le flambeau de ce domaine historique, propriété des marquis d'Arcelot, puis des Rodier. D'une teinte très intense, ce 99 apparaît déjà très aromatique (sous-bois, cerise noire, nuances vanillées dues à ses vingt-deux mois de fût). Ses tanins sont encore un peu fermes mais l'attaque a du brio, la constitution est honnête et la longueur respectable. Coup de cœur en 1997, honorant le millésime 93.

⌐ Dom. Louis Remy, 1, pl. du Monument, 21220 Morey-Saint-Denis, tél. 03.80.34.32.59, fax 03.80.34.32.59 ☑ ♈ r.-v.

Clos saint-denis

DOM. DUJAC 2000

■ Gd cru	1,47 ha	7 200	🍶 46 à 76 €

Une robe très limpide, sur un ton qui se nuance de tuile bourguignonne. On présente le clos saint-denis comme le « Mozart de la Côte de Nuits » : son bouquet bien ouvert s'offre ici à des notes de réglisse, de sous-bois que prolonge en fin de nez une pointe animale. Ce n'est pas pour rien que Morey se dit pays de loups ! Sa maturité est assez avancée et il s'exprime néanmoins selon l'art de la miniature, en finesse. Jacques Seysses a acquis cette vigne en 1977 (vente Alfred Jacquot). L'un de nos coups de cœur historiques, pour le millésime 83.

⌐ Dom. Dujac, 7, rue de la Bussière, 21220 Morey-Saint-Denis, tél. 03.80.34.01.00, fax 03.80.34.01.09, e-mail dujac@dujac.com ☑ ♈ r.-v.
⌐ Seysses

DOM. HERESZTYN 2000

■ Gd cru	0,23 ha	1 100	🍶 46 à 76 €

Ces 23 a ont été acquis en 1978 à la famille Liébault et replantés en 1981. Rouge sans tendances violettes, un vin au nez légèrement framboisé et qui est plus tannique qu'à l'habitude. Assez long toutefois, fruité en bouche, son corps nécessite évidemment deux à trois ans de garde pour s'harmoniser. Ce domaine est souvent à l'honneur dans le Guide, coup de cœur notamment en 2000 (millésime 97).

⌐ Dom. Heresztyn, 27, rue Richebourg, 21220 Gevrey-Chambertin, tél. 03.80.34.13.99, fax 03.80.34.13.99, e-mail domaine.heresztyn@wanadoo.fr ☑ ♈ r.-v.

DOM. MICHEL MAGNIEN ET FILS 2000★★

■ Gd cru	0,13 ha	n.c.	🍶 46 à 76 €

Bouteille issue d'une petite parcelle de 13 a au nez dense et heureusement pas trop boisé. On préfère nettement respirer la cerise ! Sa robe violacée n'est pas très vive mais a une tonalité aimable. Ses tanins assez présents et sa

petite pointe d'acidité conduisent à prononcer un jugement sans appel : il est condamné à cinq ans de cellier. On aimerait être là quand il aura purgé sa peine.

⌐ Dom. Michel Magnien et Fils, 4, rue Ribordot, 21220 Morey-Saint-Denis, tél. 03.80.51.82.98, fax 03.80.58.51.76 ☑ ♈ r.-v.

Clos des lambrays

DOM. DES LAMBRAYS 1999★★

■ Gd cru	8,66 ha	40 000	🍶 46 à 76 €

79 81 **82** 83 **85** 88 **89** |90| 92 |93| 94 |95| |96| |97| 98 99

Rouge profond et tirant sur le noir, ce 99 est placé sous la responsabilité de Thierry Brouin, au sein de la propriété de la famille Freund, de Coblence. Ceint de murs, ce vaste clos ne déçoit jamais. Le bouquet s'ouvre sur des arômes fruités, flattés par l'élevage, qui possèdent l'intensité annoncée par la robe. Parfaitement équilibrée, riche de tanins fondus mais présents et d'une extrême longueur, cette bouteille harmonieuse demande cinq à huit ans de garde.

⌐ Dom. des Lambrays, 31, rue Basse, 21220 Morey-Saint-Denis, tél. 03.80.51.84.33, fax 03.80.51.81.97 ☑ ♈ r.-v.
⌐ Freund

Chambolle-musigny

Le nom de musigny à lui seul suffit à situer le pupitre dans la composition de l'orchestre. Commune de grande renommée malgré sa petite étendue, elle doit sa réputation à la qualité de ses vins et à la notoriété de ses premiers crus, dont le plus connu est le *climat* des Amoureuses. Tout un programme ! Mais chambolle a aussi ses Charmes, Chabiots, Cras, Fousselottes, Groseilles et autres Lavrottes... Le petit village aux rues étroites et aux arbres séculaires abrite des caves magnifiques (domaine des Musigny). La production a atteint 6 935 hl en 2001 dont 2 784 en premier cru.

Les chambolle sont élégants, subtils, féminins. Ils allient la force des bonnes-mares à la finesse des musigny ; c'est un pays de transition dans la Côte de Nuits.

DOM. AMIOT-SERVELLE
Les Charmes 1999★

■ 1er cru	1,3 ha	n.c.	🍶 23 à 30 €

Fils de Pierre Amiot et mari d'Elisabeth Servelle, Christian a fait comme tous les vignerons qui n'ont pas beaucoup de pieds de vigne : du métayage, notamment en clos de vougeot. Ses Charmes 99 résument les aptitudes d'un vin demeuré assez jeune et que l'âge portera beaucoup plus loin. Au-delà d'une robe réussie (ce qui est le cas de presque tous les vins dégustés), le nez a des accents animaux qui semblent descendre des Hautes-Côtes par la combe Ambin. Si l'attaque est aimable, les tanins, fins, sont encore serrés. L'attente ? Inévitable. Disons deux à trois ans au bas mot.

🍂 Dom. Amiot-Servelle, rue du Lavoir, 21220 Chambolle-Musigny, tél. 03.80.62.80.39, fax 03.80.62.84.16, e-mail domaine @ amiot-servelle.com ☑ �Y r.-v.

DOM. ARLAUD 2000★

| ■ | 0,7 ha | 3 000 | 📖 15 à 23 € |

Le domaine Arlaud est né il y a soixante ans et il parvient à la troisième génération dans la vigne. Son chambolle est agrémenté d'une jolie robe cerise. Ni collé ni filtré, ce vin se veut nature. Discrètement boisé, il évolue vers le fruit noir. Tannique mais sans excès, il attaque avec allant mais n'écrase rien sous ses pieds. Belle extraction et les qualités attendues d'un vin de garde qu'on ne bousculera pas trop tôt.

🍂 SCEA Dom. Arlaud Père et Fils, 43, rte des Grands-Crus, 21220 Morey-Saint-Denis, tél. 03.80.34.32.65, fax 03.80.34.10.11 ☑ �Y r.-v.

DOM. DE BRULLY 1999★

| ■ | 1,5 ha | 6 000 | 📖 23 à 30 € |

Elevé, mis en bouteilles par R.P.F. à 21190. Le général de Gaulle n'y est pour rien. Il s'agit de Roux Père et Fils... sous un autre nom. Cela dit, ce vin d'un rubis bien bourguignon, est presque intense au nez dans le registre des fruits frais. C'est un chambolle très marchand qui étonne en bien : son gras lui confère de l'ampleur. Petite bouffée de chaleur sur la fin. A boire ou à garder deux à trois ans.

🍂 Dom. de Brully, 21190 Saint-Aubin, tél. 03.80.21.32.92, fax 03.80.21.35.00 ☑ �Y r.-v.

SYLVAIN CATHIARD
Les Clos de l'Orme 2000

| ■ | 0,43 ha | 2 500 | 📖 15 à 23 € |

Ces Clos de l'Orme ont valu à ce viticulteur un coup de cœur en l'an 2000 (millésime 97). Quant au millésime 2000, il est naturellement violet foncé, d'une nuance profonde et uniforme. Ses arômes tentent une percée framboisée, confiturée du meilleur effet. Tout en délicatesse, ses tanins sont assez goûteux et bien disciplinés. Il est bien « le volnay de la Côte de Nuits »... si Volnay accepte toutefois de lui rendre la pareille (la formule est d'André Jullien dans les années 1820) !

🍂 Sylvain Cathiard, 20, rue de la Goillotte, 21700 Vosne-Romanée, tél. 03.80.62.18.21, fax 03.80.61.18.21 ☑ �Y r.-v.

DOM. BRUNO CLAVELIER
La Combe d'Orveaux 1999

| ■ 1er cru | 0,82 ha | 3 500 | 📖 30 à 38 € |

Robe coquelicot à reflets mauves, il paraît décidé. Bouquet assez prometteur associant sève de pin, framboise, nuances florales, semble-t-il. Son côté tannique lui donne encore un air un peu bourru mais au fond c'est une nature à découvrir, une nature originale et qui tranche avec les autres. Sa bonne acidité lui permettra de s'humaniser après trois à cinq ans de garde.

🍂 Dom. Bruno Clavelier, 6, RN 74, 21700 Vosne-Romanée, tél. 03.80.61.10.81, fax 03.80.61.04.25 ☑ �Y r.-v.
🍂 Clavelier-Brosson

CHRISTIAN CLERGET 1999★

| ■ | 2 ha | 8 000 | 📖 15 à 23 € |

On a toujours ici une attention particulière pour nos anciens coups de cœur : celui-ci en 1997 (millésime 93). Le 99 se signale par une très belle couleur rouge brique à reflets rubis. Fin et distingué, le bouquet associe de façon intéressante le petit fruit rouge et la fleur blanche. En bouche, il évolue sur des notes toastées, respectant la finesse de l'attaque et l'embellissant de quelques rondeurs et d'une jolie longueur. A boire dans les deux ans. En outre **Les Charmes 99** (23 à 30 €) ont toutes les cartes en main pour faire un très beau 1er cru dans deux ou trois ans. Une étoile récompense son élégance.

🍂 Christian Clerget, 10, ancienne RN 74, 21640 Vougeot, tél. 03.80.62.87.37, fax 03.80.62.84.37 ☑ �Y r.-v.

DUFOULEUR PERE ET FILS 1999★

| ■ | n.c. | 5 000 | 📖 23 à 30 € |

Un vin qui se fait remarquer. Il sort du commun et correspond à son étiquette. Sa couleur ? Le bigarreau, la cerise très mûre et laissée sur l'arbre. Ses arômes ? Ils sont aux abonnés absents mais, comme certaines rivières bourguignonnes (la Doua de Ladoix par exemple), ils suivent un parcours souterrain et réapparaîtront au grand jour d'ici quelque temps. Rond et gras, le corps est assez puissant, réglissé et il pousse une petite pointe de vivacité pour bien montrer qu'il n'est pas endormi.

🍂 Dufouleur Père et Fils, 17, rue Thurot, 21700 Nuits-Saint-Georges, tél. 03.80.61.21.21, fax 03.80.61.10.65, e-mail dufouleur @ axnet.fr ☑ �Y t.l.j. 9h-19h

HENRI FELETTIG
Les Carrières 2000★

| ■ 1er cru | 0,38 ha | 2 000 | 📖 23 à 30 € |

Presque deux étoiles pour ces Carrières situées non pas à flanc de coteau mais au bas du pays. Rouge foncé nuance pivoine, il libère des effluves harmonieux de griotte et de vanille. Moelleux en ouverture, d'une persistance fruitée, il semble ne manquer de rien. Ses tanins très fins, son corps soutenu par une pointe d'alcool sont prometteurs. Ses arômes du fût (café, noisette) sont de retour en finale.

🍂 GAEC Henri Felettig, rue du Tilleul, 21220 Chambolle-Musigny, tél. 03.80.62.85.09, fax 03.80.62.86.41 ☑ �Y r.-v.

DOM. GROFFIER PERE ET FILS
Les Sentiers 2000★★

| ■ 1er cru | n.c. | 4 800 | 📖 38 à 46 € |

Lequel choisir dans cette cave riche en échantillons retenus ? **Les Amoureuses 2000** qui portent bien leur nom, souples et joueuses ? **Les Hauts-Doix, même millésime**, dont la maturité est en cours. Ces deux premiers crus obtiennent une citation. On pourra bien sûr préférer ces Sentiers. Car ce ne sont pas des sentiers battus ! Original et alléchant, ce pinot noir pourpre à reflets violets évoque le *nec plus ultra* : la rose fanée, la myrtille sauvage, la pivoine. Du grand art. Le succès continue grâce à une forte concentration ainsi qu'à un goût de griotte macérée.

La côte de Nuits (Centre)

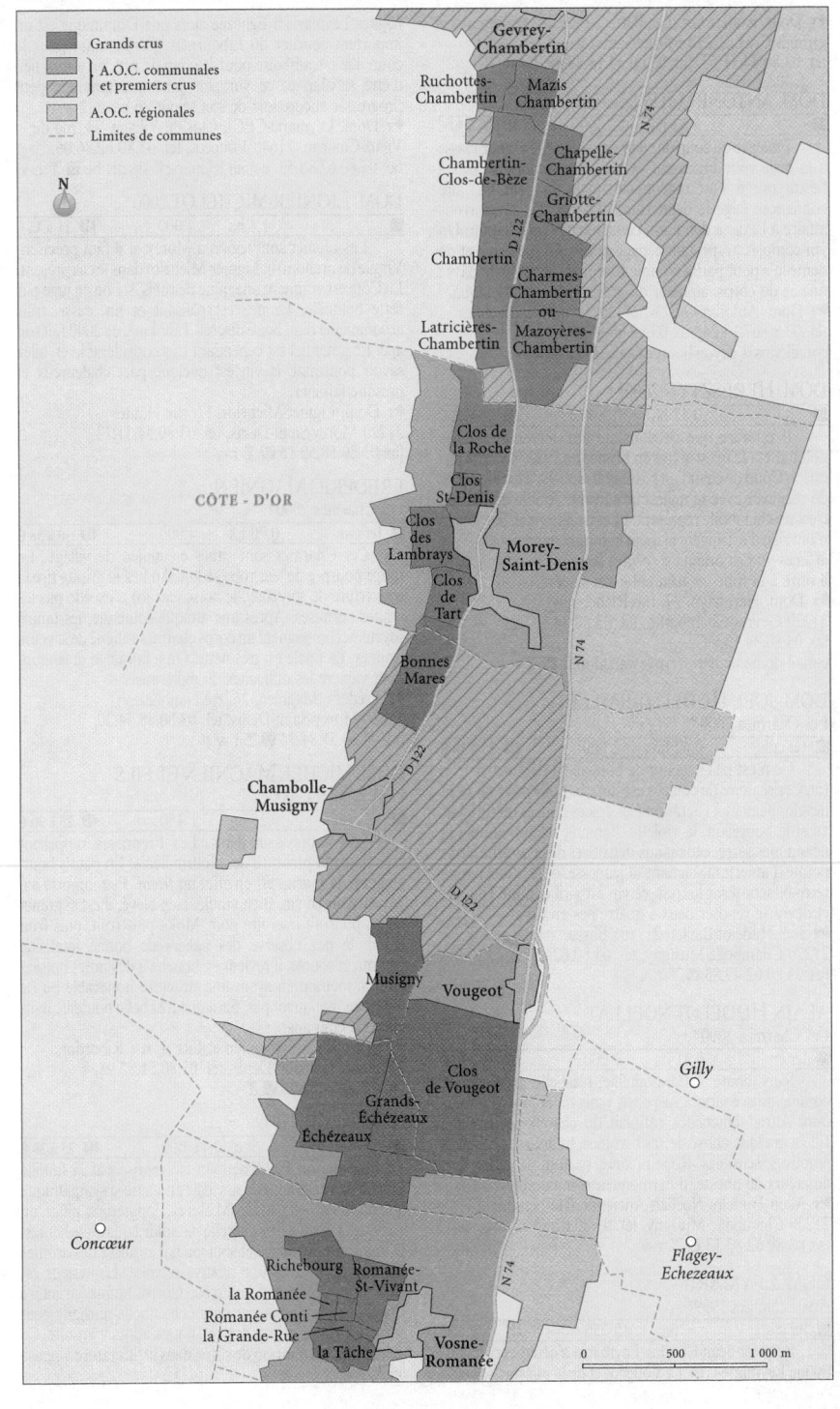

Grands crus

A.O.C. communales
et premiers crus

A.O.C. régionales

Limites de communes

N

Gevrey-
Chambertin

Ruchottes-
Chambertin

Mazis
Chambertin

Chapelle-
Chambertin

Chambertin-
Clos-de-Bèze

Griotte-
Chambertin

Chambertin

Charmes-
Chambertin
ou

Latricières-
Chambertin

Mazoyères-
Chambertin

Clos de
la Roche

CÔTE - D'OR

Clos
St-Denis

Clos
des
Lambrays

Morey-
Saint-Denis

Clos
de Tart

Bonnes
Mares

Chambolle-
Musigny

Musigny

Vougeot

Gilly

Clos
de Vougeot

Grands-
Échézeaux

Échézeaux

Concœur

Flagey-
Echezeaux

Richebourg

Romanée-
St-Vivant

la Romanée

Romanée Conti
la Grande-Rue

la Tâche

Vosne-
Romanée

0   500   1 000 m

➤ Dom. Robert Groffier Père et Fils, 3-5, rte des Grands-Crus, 21220 Morey-Saint-Denis, tél. 03.80.34.31.53, fax 03.80.34.15.48 ☑ ⅄ r.-v.

DOM. ANTONIN GUYON 1999★★

| ■ | 3,32 ha | 12 000 | ⅢＤ 23 à 30 € |

Finaliste du coup de cœur, un *village* de grande classe à la belle robe bigarreau. Son nez ressemble un peu à l'escargot : il s'est rencoquillé, mais on peut lui faire confiance : l'âge le dégourdira ! En bouche, nous avons affaire à l'exacte définition classique de l'appellation. Un vin complet, respectant cépage et terroir, « de soie et de dentelle » pour parler comme Roupnel l'écrivain du pays : finesse du corps, ampleur du gras, finale symphonique.

➤ Dom. Antonin Guyon, 21420 Savigny-lès-Beaune, tél. 03.80.67.13.24, fax 03.80.66.85.87, e-mail vins@guyon-bourgogne.com ☑ ⅄ r.-v.

DOM. HERESZTYN 2000★★

| ■ | 0,37 ha | 1 800 | ⅢＤ 15 à 23 € |

Il est rare que ce domaine aux ferventes racines polonaises (Jean est arrivé en France en 1932) ne sorte pas du lot. Coup de cœur l'an passé pour son 99, il est bien près de récidiver avec le millésime suivant. Ample et charnu, c'est un chambolle représentatif et traditionnel. Ses tanins n'ont rien d'astringent et il sait admirablement jouer de ses arômes un peu orientaux (cèdre, épices). Quant au cassis, il offre à la robe un éclat coloré et sincère.

➤ Dom. Heresztyn, 27, rue Richebourg, 21220 Gevrey-Chambertin, tél. 03.80.34.13.99, fax 03.80.34.13.99, e-mail domaine.heresztyn@wanadoo.fr ☑ ⅄ r.-v.

DOM. JOEL HUDELOT-BAILLET
Les Charmes 2000★

| ■ 1er cru | 0,62 ha | 2 000 | ⅢＤ 23 à 30 € |

Ce n'est pas le genre de bouteille à déboucher trop tôt. Cerise noire (la couleur est superbe), elle offre un beau développement à l'aération : les épices douces du fût mais aussi le bourgeon, la violette, l'animal même. Souple et néanmoins serré, cédant aux deux tiers de la bouche à une pointe d'amertume signant sa jeunesse, doté d'une bonne rétro-olfaction sur le fruit, ce vin est viril comme Hercule et devra se reposer deux à quatre ans en cave.

➤ Joël Hudelot-Baillet, 21, rue Basse, 21220 Chambolle-Musigny, tél. 03.80.62.85.88, fax 03.80.62.49.83 ☑ ⅄ r.-v.

ALAIN HUDELOT-NOELLAT
Les Charmes 2000★

| ■ 1er cru | 0,21 ha | 1 200 | ⅢＤ 23 à 30 € |

Sans doute cette bouteille n'est-elle pas conçue comme un scénario à suspense, mais on comprend pourquoi Alfred Hitchcock raffolait du chambolle-musigny. Elle a quelque chose de ses héroïnes, toujours très belles, émotives, sensibles. Robe pivoine, parfum de cerise. Les amateurs de finesse, d'harmonie seront comblés.

➤ Alain Hudelot-Noëllat, Ancienne Rte Nationale, 21220 Chambolle-Musigny, tél. 03.80.62.85.17, fax 03.80.62.83.13 ☑ ⅄ r.-v.

DOM. LEYMARIE
Aux Echanges 1999★

| ■ 1er cru | n.c. | 5 750 | ⅢＤ 15 à 23 € |

René et Jean-Charles Leymarie s'occupent du domaine Leymarie-CECI à Vougeot et de la maison belge de négoce Leymarie à Eghezée alors que Dominique est un important courtier du Libournais. Cerise noire pour le coup d'œil, framboise pour le coup de nez, on a tout lieu d'être satisfait et ce vin plus gras que tannique peut progresser encore lors de son séjour en cave.

➤ Dom. Leymarie-CECI, Clos du Village, 24, rue du Vieux-Château, 21640 Vougeot, tél. 03.80.62.86.06, fax 03.80.62.88.53, e-mail leymarie@skynet.be ☑ ⅄ r.-v.

DOM. LIGNIER-MICHELOT 2000★

| ■ | 1,4 ha | 4 000 | ⅢＤ 11 à 15 € |

Les Lignier sont légion à Morey et il faut préciser : Virgile (le prénom) et Lignier-Michelot dans le cas présent. La Côte est vraiment une mine de rubis, si l'on en juge par cette bouteille. Le nez est plaisant et fin, cassis frais accompagné d'un boisé discret. Tannique, ce 2000 fait son âge. Le potentiel est cependant très considérable et, allez savoir pourquoi, le vin est quelque part chaleureux et presque familier.

➤ Dom. Lignier-Michelot, 11, rue Haute, 21220 Morey-Saint-Denis, tél. 03.80.34.31.13, fax 03.80.58.52.16 ☑ ⅄ r.-v.

FREDERIC MAGNIEN
Les Charmes 2000★

| ■ 1er cru | 0,76 ha | 4 000 | ⅢＤ 30 à 38 € |

Ces Charmes sont situés en milieu de village. Le rouge pourpre de leur robe séduit. Au nez la griotte tire sa couverture de son côté ; le boisé (cacao) n'excède pas les limites permises. Après une attaque soutenue, les tanins soyeux accompagnent un corps charnu souligné de saveurs fruitées. La finale est très nette. On a fait ici le maximum pour vaincre les difficultés du millésime.

➤ Frédéric Magnien, 26, rte Nationale, 21220 Morey-Saint-Denis, tél. 03.80.58.54.20, fax 03.80.51.84.34 ☑ ⅄ r.-v.

DOM. MICHEL MAGNIEN ET FILS
Les Fremières 2000★

| ■ | 0,25 ha | 1 450 | ⅢＤ 23 à 30 € |

Côté morey-saint-denis, Les Fremières rappellent sans doute la présence de... fourmillières. En patois bourguignon, la fourmi est en effet un *fremi*. Peu importe ici, voyons voir ce vin. Bien vinifié, bien élevé, il est si grenat qu'on pourrait le croire noir. Moka puis fruit, puis fruit confit, le nez observe des paliers de bonne intensité. Charnu et souple, il revient en bouche à des notes boisées tout en mettant en avant une structure honorable où les tanins ne manquent pas. Sera une très belle bouteille dans quatre à cinq ans.

➤ Dom. Michel Magnien et Fils, 4, rue Ribordot, 21220 Morey-Saint-Denis, tél. 03.80.51.82.98, fax 03.80.58.51.76 ☑ ⅄ r.-v.

P. MISSEREY 1999

| ■ | n.c. | 6 000 | ⅢＤ 23 à 30 € |

La maison P. Misserey a été reprise par la famille Lanvin mais elle a gardé sa vieille étiquette si sympathique qui nous rappelle Marc Misserey, longtemps pilier du Tastevin. Ce *village* ne cherche pas midi à quatorze heures. D'une teinte vermeille et soutenue, il esquisse des arômes fruités (fraise) avec une relative retenue. L'intérieur est bien traité, soulignant le terroir. Corps, tanins, structure s'appliquent à démontrer qu'un chambolle-musigny peut être dur en ses jeunes années, pour s'adoucir ensuite. Ce qu'on appelait « un vin de rôti » dans la littérature vineuse du XIX[e]s.

🏹 Maison P. Misserey, 3, rue des Seuillets, BP 10,
21701 Nuits-Saint-Georges Cedex, tél. 03.80.61.07.74,
fax 03.80.61.31.40, e-mail lanvin-sa@worldonline.fr
☑ ⵣ r.-v.

DOM. THIERRY MORTET 2000★

| ■ | 0,25 ha | 1 200 | ⬙ 15 à 23 € |

L'une des plus belles robes de la table. Sans doute ne boit-on pas avec les yeux, mais tout de même... Kirsch, noyau, le nez suit son idée. Si quelquefois la chair est faible, tel n'est pas le cas ici. Restant sur le noyau, il a le cœur tendre. Profitez de ses bonnes intentions sans remettre à plus tard le plaisir d'un colloque singulier avec lui.
🏹 Dom. Thierry Mortet, 16, pl. des Marronniers,
21220 Gevrey-Chambertin, tél. 03.80.51.85.07,
fax 03.80.34.16.80 ☑ ⵣ r.-v.

DOM. HENRI PERROT-MINOT
La Combe d'Orveau Vieilles vignes 1999★★★

| ■ 1er cru | 0,47 ha | 2 500 | ⬙ 38 à 46 € |

On ne s'étonne pas de voir ce *climat* voisin du Musigny faire des étincelles en obtenant le coup de cœur. Formé d'une partie des vignes d'Armand Merme, figure flamboyante de Morey au milieu du XXᵉs., ce domaine atteint les sommets avec ce 99 pourpre profond. Son nez offre une vue très dégagée sur la framboise, la violette, les épices douces. La bouche révèle une légère mâche sur des tanins très enrobés, puis l'on retrouve la finesse du bouquet avec des notes de cannelle, de coco puis de fruit en rétro-olfaction. Concentration et harmonie signalent une très belle vendange.
🏹 Henri Perrot-Minot, rte des Grands-Crus,
21220 Morey-Saint-Denis, tél. 03.80.34.32.51,
fax 03.80.34.13.57 ☑ ⵣ r.-v.

MICHEL PICARD 2000★

| ■ 1er cru | n.c. | 1 200 | ⬙ 30 à 38 € |

Deux bouteilles qui selon nous se valent. Un **village 2000** (23 à 30 €) encore austère, mais qui doit s'ouvrir. Et ce 1er cru au regard sombre, au bouquet complexe et assez ouvert (cassis, réglisse, herbes sèches). La bouche n'est pas exempte de fruit, dans un contexte structuré, charpenté et forcément un peu rude malgré la noblesse de ses tanins. Là, pas de doute : à ne pas déboucher avant quatre à cinq ans.
🏹 SA Michel Picard, rte de Saint-Loup-de-la-Salle,
71150 Chagny, tél. 03.85.87.51.00, fax 03.85.87.51.11

DOM. LOUIS REMY
Derrière La Grange 1999

| ■ 1er cru | n.c. | 3 000 | ⵙ⬙ 30 à 38 € |

Petit *climat* à l'entrée de Chambolle en venant de Morey par la route des Grands Crus. Signé ici par un domaine historique (Vercherre d'Arcelot, Maldant, Rodier, Riembault-Rodier, Remy) qui maintient désormais

seul le nom de Remy. Si la robe révèle une légère évolution, le premier nez de fruits en cocktail et le second nez de cassis prononcé disent qu'il faudra attendre la pleine maturité de ce vin de façon à ce que se bonifient ses caractères actuels un peu repliés sur eux-mêmes. Le pari n'est pas déraisonnable.
🏹 Dom. Louis Remy, 1, pl. du Monument,
21220 Morey-Saint-Denis, tél. 03.80.34.32.59,
fax 03.80.34.32.59 ☑ ⵣ r.-v.

LAURENT ROUMIER 1999★

| ■ | 1,4 ha | 6 000 | ⬙ 15 à 23 € |

Créé de toutes pièces en 1991 avec des vignes en fermage, ce petit domaine de 4,1 ha perpétua à Chambolle un nom prestigieux (Jean-Marie est décédé en 2002). Ce 99 fait bonne figure grâce à sa franchise et sa bouche bien remplie de bout en bout par une matière à la fois puissante et élégante. Rouge griotte, sa robe est dans le ton tout comme son nez qui pinote sans détour.
🏹 Dom. Laurent Roumier, rue de Vergy,
21220 Chambolle-Musigny, tél. 03.80.62.83.60,
fax 03.80.62.84.10 ☑ ⵣ r.-v.

DOM. HERVE SIGAUT
Les Sentiers 2000★

| ■ 1er cru | 0,7 ha | 4 000 | ⬙ 23 à 30 € |

Les Sentiers touchent presque les bonnes-mares. Les amateurs ne l'ignorent pas. Fils de Maurice et quatrième génération vivant parmi les *paisseaux* (les piquets qui soutiennent la vigne). Hervé nous propose une bouteille bien réussie dans son millésime. Pourpre à reflets mauves, son bouquet assez chaud rappelle la prunelle, les bourgeons macérés, le kirsch. La bouche est chaleureuse, tannique, fournie et d'une bonne longueur.
🏹 Hervé Sigaut, 12, rue des Champs,
21220 Chambolle-Musigny, tél. 03.80.62.80.28,
fax 03.80.62.84.40 ☑ ⵣ r.-v.

DOM. ROBERT SIRUGUE
Les Mombies 2000★★

| ■ | 0,28 ha | 1 600 | ⬙ 15 à 23 € |

À l'orient de l'appellation, les Mombies étaient jadis des vignes dépendant du château de Montbis à Gillis-lès-Vougeot. On dirait ici un enfant de l'amour, un « p'tiot de vendange » comme on dit en Bourgogne. Rouge griotte, il n'a pas le nez très ouvert (quelques velléités végétales, réglisse et café) mais tout à la fois de la puissance et de l'élégance. Il reste sincère du début à la fin, soutenu par un boisé bien dosé. Ses tanins riches et jeunes engagent à l'attendre trois à quatre ans.
🏹 Dom. Robert Sirugue, 3, av. du Monument,
21700 Vosne-Romanée, tél. 03.80.61.00.64,
fax 03.80.61.27.57 ☑ ⵣ r.-v.

DOM. TAUPENOT-MERME
La Combe d'Orveau 1999★★

| ■ 1er cru | n.c. | 3 300 | ⬙ 23 à 30 € |

Coup de cœur en 1990 pour son 86, Jean Taupenot est venu de Saint-Romain épouser Denise Merme. Leurs vignes sont donc « beau-frère et sœur » de celles du domaine Perrot-Minot. Virginie et Romain sont là pour la relève. On sait que la Combe d'Orveau est proche parente du musigny : cerise noire, la robe signe la jeunesse d'un vin qui demande trois à cinq ans de garde. Des parfums de gibier et de fruits cuits parsèment un nez plutôt à son avantage. Le palais se montre équilibré sur le velours. Sera excellent sur une bécasse.

🔨 Jean Taupenot-Merme,
33, rte des Grands-Crus, 21220 Morey-Saint-Denis,
tél. 03.80.34.35.24, fax 03.80.51.83.41,
e-mail domaine.taupenot-merme@wanadoo.fr ☑ ❤ r.-v.

ROMUALD VALOT
Elevé en fût de chêne 2000

■	n.c.	2 900	Ⅱ 15 à 23 €

Propriétaire de 17 ha, Romuald Valot a créé sa société de négoce en 1995. Grenat bleuté, son chambolle démarre sur le bourgeon de cassis et continue sur les épices dès que le verre est au contact de l'air ambiant. L'attaque en bouche se fait bien, les tanins fondant tout de suite et laissant place à des petits fruits au goût assez vif (groseille notamment). Du grain et de la chair.
🔨 Romuald Valot, 14, rue des Tonneliers,
21200 Beaune, tél. 03.80.26.84.63, fax 03.80.26.84.63
☑ ❤ r.-v.

DOM. HENRI DE VILLAMONT
Les Baudes 1999★★

■ 1er cru	0,26 ha	1 806	ⅡⅠ 23 à 30 €

C'est Léonce Bocquet qui serait content ! Car la maison H. de Villamont qui occupe de nos jours ses immenses bâtiments et caves de Savigny (on doit aussi à ce pionnier la restauration du château du Clos de Vougeot) obtient deux étoiles pour ce premier cru, d'une forte intensité colorante. Vanille, glycine, myrtille composent le bouquet alors que le palais se montre suave et gras, très persistant. Il est l'élégance même. Son charme doit être apprécié dans sa jeunesse. Les Baudes ne sont-elles pas séparées de bonnes-mares par la largeur de la route des Grands Crus ?
🔨 SA Henri de Villamont, rue du Dr-Guyot,
21420 Savigny-lès-Beaune, tél. 03.80.24.70.07,
fax 03.80.22.54.31, e-mail hdv@planetb.fr ☑ ❤ t.l.j. sf mar. 10h-18h30; jeu. 14h-18h30; f. 15 nov.-1er avril

Bonnes-mares

Cette appellation, qui a produit 576 hl en 2001, déborde sur la commune de Morey le long du mur du clos de Tart, mais la plus grande partie est située sur Chambolle. C'est le grand cru par excellence. Les vins de bonnes-mares, pleins, vineux, riches, ont une bonne aptitude à la garde et accompagnent allègrement le civet ou la bécasse au bout de quelques années de vieillissement.

DOM. DROUHIN-LAROZE 2000

■ Gd cru	1,4 ha	4 300	ⅡⅠ 38 à 46 €
95 96 98 **99**

Ces bonnes-mares (1,4 ha aujourd'hui) ont été acquises en 1921, 1951 et 1961. Elles donnent un vin d'une couleur rubis bien limpide. Le nez n'est guère bavard. On y devine la pivoine. Parfumée et fruitée, la bouche a de la rondeur, de la chair, évoluant sur des tanins vigoureux. Peu de puissance ? Mais il est impossible de le juger à ce stade

de sa vie. C'est le dernier millésime que Bernard Drouhin aura vu dans son berceau.
🔨 Dom. Drouhin-Laroze, 20, rue du Gaizot,
21220 Gevrey-Chambertin, tél. 03.80.34.31.49,
fax 03.80.51.83.70, e-mail drouhin-laroze@aol.com
☑ ❤ r.-v.
🔨 Bernard Philippe Drouhin

DOM. FOUGERAY DE BEAUCLAIR 2000

■ Gd cru	1,6 ha	3 900	ⅡⅠ 46 à 76 €
88 89 90 92 |93| 94 |95| 96 |97| 98 99 00

Ce domaine a investi en Languedoc mais ne néglige pas sa Bourgogne ! Ce vin, très fin, pourra être servi dans trois à cinq ans sur un chevreuil. Assez boisé sur une structure que son millésime éclaire, il n'oublie pas le fruit mûr.
🔨 Dom. Fougeray de Beauclair, 44, rue de Mazy,
BP 36, 21160 Marsannay-la-Côte,
tél. 03.80.52.21.12, fax 03.80.58.73.80,
e-mail fougeraydebeauclair@wanadoo.fr
☑ ❤ t.l.j. 9h30-12h30 14h-18h; dim. sur r.-v.

DOM. ROBERT GROFFIER PERE ET FILS 2000

■ Gd cru	0,98 ha	4 500	ⅡⅠ 46 à 76 €
⑨③ 94 **96 97 98 99** 00

Il s'agit d'une des plus importantes parcelles au sein des bonnes-mares côté chambolle : près d'1 ha (6,5% de la superficie totale du grand cru). Ce 2000 est plus charnu que concentré. Rubis foncé, il possède un nez assez réveillé (arômes d'airelles). Au palais, l'impression vanillée laisse bientôt la place à un retour fruité. Une petite pointe d'humus lui donne un caractère personnel. Équilibré et long, un vin « satisfaisant ». Coup de cœur pour le millésime 93 (en 1996).
🔨 Dom. Robert Groffier Père et Fils,
3-5, rte des Grands-Crus, 21220 Morey-Saint-Denis,
tél. 03.80.34.31.53, fax 03.80.34.15.48 ☑ ❤ r.-v.

FREDERIC MAGNIEN 2000★

■ Gd cru	0,23 ha	1 100	ⅡⅠ 46 à 76 €

Ces quatre ouvrées que Frédéric Magnien vinifie depuis 1995 sont à l'origine d'une bouteille bien structurée sur une matière équilibrée et agréable. « On n'y déteste pas », dit-on à la bourguignonne. Le boisé est encore perceptible à cet âge, mais le fruit n'est pas absent (cassis) et déjà d'une bonne longueur. Il lui reste à patienter en cave pour affiner la question et prendre du recul.
🔨 Frédéric Magnien, 26, rte Nationale,
21220 Morey-Saint-Denis, tél. 03.80.58.54.20,
fax 03.80.51.84.34 ☑ ❤ r.-v.

Vougeot

C'est la plus petite commune de la côte viticole. Si l'on ôte de ses 80 ha les 50 ha du clos, les maisons et les routes, il ne reste que quelques hectares de vignes en vougeot, dont plusieurs premiers crus, les plus connus étant le Clos blanc (vins blancs) et le Clos de la Perrière. Le volume de production s'élève à 649 hl en 2001, dont 182 en blanc.

DOM. BERTAGNA
Clos de la Perrière Monopole 1999★

■ 1er cru	2,25 ha	6 500	⏦ 30 à 38 €

La liaison Rhin-Rhône version vineuse. Rhénanie-Palatinat et Bourgogne vont de pair : la famille Reh règne sur le vin allemand et elle contribue ici à l'expression de quelques bons crus. Le 1er **cru vougeot blanc 99** obtient une citation : il intrigue toujours ; aimable en couleur et approfondi en arômes, il a du mordant et devra attendre dix-huit mois. Également à attendre, mais beaucoup plus longtemps, ce clos monopole porte une robe à reflets noirs aussi intenses que ses parfums fruités et fleuris à la fois. Équilibré, le palais est dominé par le fût et attend que la sagesse lui vienne avec l'âge.

➥ Dom. Bertagna, 16, rue du Vieux-Château,
21640 Vougeot, tél. 03.80.62.86.04, fax 03.80.62.82.58
☑ ⵑ r.-v.
➥ Eva Reh-Siddle

CHRISTIAN CLERGET
Les Petits Vougeot 1999

■ 1er cru	0,45 ha	2 500	⏦ 15 à 23 €

Ni collage ni filtration : grenat foncé, un vougeot dont les arômes se regroupent autour d'un chef de file (le kirsch). Agréable, assez léger, il se laisse boire, reste boisé et paraît bien disposé pour l'avenir. La Saint-Vincent tournante 2003 aura lieu à Vougeot : l'occasion d'en découvrir les vins en *village* et 1er cru.

➥ Christian Clerget, 10, ancienne RN 74,
21640 Vougeot, tél. 03.80.62.87.37, fax 03.80.62.84.37
ⵑ r.-v.

ALAIN HUDELOT-NOELLAT
Les Petits Vougeot 2000

■ 1er cru	0,53 ha	3 500	⏦ 23 à 30 €

Si rouge qu'il en est presque violacé sombre, ce 2000 possède un bon nez de macération, pas très ouvert mais relativement fruité. Il offre déjà en bouche une belle rondeur cependant tempérée par le fût très présent. Il devra attendre deux à cinq ans pour vous satisfaire.

➥ Alain Hudelot-Noëllat, Ancienne Rte Nationale,
21220 Chambolle-Musigny, tél. 03.80.62.85.17,
fax 03.80.62.83.13 ☑ ⵑ r.-v.

DOM. ROUX PERE ET FILS
Les Petits Vougeot 1999★★★

■ 1er cru	1,2 ha	6 000	⏦ 30 à 38 €

Le coup de cœur n'est pas tombé bien loin... Ces Petits Vougeot sont en réalité grandissimes. D'un rouge-noir opaque et cependant brillant, ils expriment un bouquet complet où la cerise noire et la vanille se répondent à merveille. Le velours se dessine sous les tanins, tapissant le palais de rondeur et de puissance. Bouteille à conserver précieusement de cinq à dix ans. Entre nous, elle vaut beaucoup de clos de vougeot...

➥ Dom. Roux Père et Fils, 21190 Saint-Aubin,
tél. 03.80.21.32.92, fax 03.80.21.35.00 ☑ ⵑ r.-v.

Clos de vougeot

Tout a été dit sur le Clos ! Comment ignorer que plus de soixante-dix propriétaires se partagent ses 50 ha et les 1 848 hl déclarés en 2001 ? Un tel attrait n'est pas dû au hasard ; c'est bien parce qu'il est bon que tout le monde en veut ! Il faut bien sûr faire la différence entre les vins « du dessus », ceux « du milieu » et ceux « du bas », mais les moines de l'abbaye de Cîteaux, lorsqu'ils ont élevé le mur d'enceinte, avaient tout de même bien choisi leur lieu...

Fondé au début du XIIᵉ s., le Clos atteignit très rapidement sa dimension actuelle ; l'enceinte d'aujourd'hui est antérieure au XVᵉs. Plus que le Clos lui-même, dont l'attrait essentiel se mesure dans les bouteilles quelques années après leur production, le château, construit aux XIIᵉ et XVIᵉs., mérite qu'on s'y attarde un peu. La partie la plus ancienne est constituée du cellier, de nos jours utilisé pour les chapitres de la confrérie des Chevaliers du Tastevin, actuel propriétaire des lieux, et de la cuverie, qui abrite à chaque angle quatre magnifiques pressoirs d'époque.

JEAN-LUC AEGERTER 2000★

■ Gd cru	0,2 ha	900	⏦ 46 à 76 €

Clos de vougeot du négoce-éleveur nuiton. Il n'a pas à baisser les yeux. Sa robe le consacre. Son nez harmonise intelligemment la cerise, le poivre, la vanille, sans trop céder aux injonctions du fût neuf. L'attaque est habile. Rien de péremptoire et au contraire une évolution souple, structurée qui s'achève sur la queue de paon. Son élégance le situe à son niveau d'appellation. Il conviendra à une « croûte lavée » : époisses, langres ou même ami du chambertin.

➥ Jean-Luc Aegerter, 49, rue Henri-Challand, BP 56,
21700 Vosne-Romanée Cedex, tél. 03.80.61.02.88,
fax 03.80.62.37.99, e-mail jean-luc.aegerter@wanadoo.fr
☑ ⵑ r.-v.

DOM. ROBERT ARNOUX 1999★

■ Gd cru	0,45 ha	2 600	⏦ 46 à 76 €

Robert Arnoux a réunifié à la fin des années 1970 la propriété de son grand-père dans le clos, provenant de la vente Léonce Bocquet en 1920 (42,80 ares tout en haut). Le vin est rouge bien mûr et brillant, partagé encore entre le fût et le fruit (cerise). L'affaire se joue dans la douceur agrémentée d'arômes de cassis et griotte en retour, sur des notes de torréfaction (le fût). Bien structuré, équilibré et long, il est bien dans son appellation et son millésime.

➥ Dom. Robert Arnoux, 3, RN 74,
21700 Vosne-Romanée, tél. 03.80.61.08.41,
fax 03.80.61.36.02 ☑ ⵑ r.-v.

CHAMPY 1999

■ Gd cru	n.c.	1 200	⏦ 46 à 76 €

La famille Meurgey a repris la vénérable maison Champy et la mène à grandes guides en sachant réunir de temps en temps le fleuron de la viticulture bourguignonne sous son toit. Ce clos de vougeot est à ranger dans la catégorie des vins de plaisir. Robe rubis où l'on sent l'animal, structure aimable sous une attaque vigoureuse, fondu tannique.

BOURGOGNE

🗝 Maison Champy, 5, rue du Grenier-à-Sel,
21200 Beaune, tél. 03.80.25.09.99, fax 03.80.25.09.95
☑ ⅂ r.-v.

DOM. HENRI CLERC ET FILS 1999

■ Gd cru	0,3 ha	1 672	⏸ 38 à 46 €

Propriété Lochardet, puis Piat, puis International
Distillers & Vintners, puis SAFER de Bourgogne (1984),
sur le côté oriental du grand cru. Carmin léger, dans le style
du clos, sans forcer la mesure, ce 99 forme un ensemble
velouté, souple et rond, à l'attaque franche, à la finale
puissante. Les tanins sont présents mais non réactifs
montrant une discrétion de bon goût. Cassis et feuille de
menthe jouent sur une légère note animale. Aucune
dominante mais un suivi intéressant.
🗝 Dom. Henri Clerc et Fils, pl. des Marronniers,
21190 Puligny-Montrachet, tél. 03.80.21.32.74,
fax 03.80.21.39.60 ☑ ⅂ r.-v.
🗝 Bernard Clerc

DOM. DU CLOS FRANTIN 2000★

■ Gd cru	0,62 ha	2 700	⏸ 46 à 76 €

Parcelles achetées à la famille Grivelet en 1964 et qui
traversent le Clos de bas en haut comme un éclair d'été.
C'est un amour, empourpré comme il n'est pas permis, le
bouquet bien ouvert et en représentation sur une note de
fraise. Clos de vougeot *new age* dans la souplesse, dans la
tendresse, jouant à dessein d'une rétro de myrtille, cajoleur, enjôleur. Le déguster ? Surtout pas : s'il est aimable
aujourd'hui, il sera grand dans cinq à dix ans. Produit de
la maison Bichot sur ses terres nuitonnes.
🗝 Dom. du Clos Frantin, 6 bis, bd Jacques-Copeau,
21200 Beaune, tél. 03.80.24.37.37, fax 03.80.24.37.38
🗝 Albert Bichot

DOM. DROUHIN-LAROZE 2000★

■ Gd cru	1,02 ha	3 000	⏸ 38 à 46 €
⑧③ 86 |88| 89 91 93 94 **95 96 97** 98 **99** 00		

Un hectare tout en haut du clos, issu partiellement de
la vente Léonce Bocquet en 1920. Rouge vif, un beau 2000
qui évoque tout à la fois la fraise des bois et le gibier. Le
fût n'entrave pas ses mouvements. Restant sur un ton
spontané, sans chercher l'effet de manche, souple et
moelleux, on peut dire comme Hugh Johnson à propos du
clos de vougeot : « Voilà de la présence ! ».
🗝 Dom. Drouhin-Laroze, 20, rue du Gaizot,
21220 Gevrey-Chambertin, tél. 03.80.34.31.49,
fax 03.80.51.83.70, e-mail drouhin-laroze@aol.com
☑ ⅂ r.-v.

DOM. R. DUBOIS ET FILS 2000★★

■ Gd cru	0,33 ha	1 500	⏸ 30 à 38 €

Prendre pied au clos de vougeot sur un tiers d'hectare
peut être considéré en Bourgogne comme l'aboutissement
d'une vie. Domaine vigneron, R. Dubois et Fils y est
parvenu et l'on a affaire ici à un 2000 grenat à reflets
violines et pourpres, aux arômes de groseille, qui nous
rappelle la violette et ça, c'est du cru ! Ses tanins sont
concentrés comme le jour de l'examen au lycée viticole de
Beaune (Régis en préside le conseil d'administration).
Encore très jeune mais riche, et de garde magnifique.
🗝 Dom. R. Dubois et Fils, rue de Nuits-Saint-Georges,
21700 Premeaux-Prissey, tél. 03.80.62.30.61,
fax 03.80.61.24.07, e-mail rdubois@wanadoo.fr
☑ ⅂ t.l.j. 8h30-11h30 14h-18h; sam. dim. sur r.-v.

DOM. GROS FRERE ET SŒUR

Musigni 2000★★

■ Gd cru	0,75 ha	3 916	⏸ 30 à 38 €

Un des seuls clos de vougeot à porter son nom de
climat : Musigni. Tout en haut à droite, près du château.
Si la légende dit vrai, ce serait le meilleur. Le coup de cœur
le confirme. Brûlant d'intensité, ce vin issu du partage du
domaine Louis Gros est d'un rubis grenat conquérant.
Vanille, cerise, framboise dialoguent avec le cassis. Tanins
très soyeux, la richesse homogène, l'équilibre, la longueur
assurent son indiscutable réussite.
🗝 Dom. Gros Frère et Sœur, 6, rue des Grands-Crus,
21700 Vosne-Romanée, tél. 03.80.61.12.43,
fax 03.80.61.34.05 ☑ ⅂ r.-v.

ALAIN HUDELOT-NOELLAT 2000★

■ Gd cru	0,68 ha	3 600	⏸ 38 à 46 €

Parcelles provenant de la vente Léonce Bocquet en
1920, sur 78 a situés au couchant. La teinte rouge violacé
est parfaitement typée. Myrtille, violette et épices s'entendent, portées par le soutien de l'élevage en fût. Un peu
fermé, bien sûr, ce clos de vougeot est un grand introverti
qui s'offre sur le tard et comme à regret. Débordant de
puissance, de potentiel, ce vin est à oublier dix ans en cave.
🗝 Alain Hudelot-Noëllat, Ancienne Rte Nationale,
21220 Chambolle-Musigny, tél. 03.80.62.85.17,
fax 03.80.62.83.13 ☑ ⅂ r.-v.

DOM. FRANCOIS LAMARCHE 2000★

■ Gd cru	1,31 ha	6 800	⏸ 38 à 46 €

Plusieurs parcelles jouant aux quatre coins et offrant
une bonne synthèse sur 1,31 ha. Il y a donc de quoi faire
et on tient là un 2000 de grande classe. Cerise noire à reflets
violacés, son teint ne surprend pas. Net et franc, le bouquet
a beaucoup à dire, du fruit noir à l'animal encore masqué.
Au palais, tout se met en ordre de marche et tout monte
en puissance de façon authentiquement glorieuse. À
savourer dans sa plénitude en 2006-2007.
🗝 Dom. François Lamarche,
9, rue des Communes, 21700 Vosne-Romanée,
tél. 03.80.61.07.94, fax 03.80.61.24.31,
e-mail domainelamarche@wanadoo.fr ☑ 🏠 ⅂ r.-v.

LEYMARIE-CECI 1999★

■ Gd cru	0,53 ha	3 000	⏸ 38 à 46 €

Ces 53 a sont une ancienne propriété Liger-Nelair
acquise en 1935. « Partie dite du dessus » selon l'acte de
vente. En plein haut côté sud. *Semper ad altum*. Toujours
au sommet, au pinacle. La devise du domaine n'est pas
prise en défaut par ce 99 où l'on retrouve le clos dans son
raffinement et dans son opulence. Épices et cassis, le nez

voit les choses de haut et d'emblée répartit les rôles. La robe sombre et limpide se situe dans les convenances. Veloutée et ferme, la bouche exprime tout, et c'est beaucoup.

☙ Dom. Leymarie-CECI, Clos du Village, 24, rue du Vieux-Château, 21640 Vougeot, tél. 03.80.62.86.06, fax 03.80.62.88.53, e-mail leymarie@skynet.be ☑ ☥ r.-v.

DOM. DU CH. MARSANNAY 1999★

■ Gd cru	0,21 ha	1 250	⏚ 46 à 76 €

Sous les fondations du vieux château fut construite au XVIII⁵s. la demeure qui commande aujourd'hui 35 ha en Bourgogne. Grive de vigne, râble de lièvre, la tentation n'est pas absente de ce 99 superbement paré. Ses senteurs mêlent le fruit, le sous-bois, l'animal dans un ensemble complexe. Concentré, épicé, poivré, il en rajoute en bouche sur un réglissé long et savoureux. On en a discuté longtemps autour de la table.

☙ Dom. du Château de Marsannay, rte des Grands-Crus, BP 78, 21160 Marsannay-la-Côte, tél. 03.80.51.71.11, fax 03.80.51.71.12 ☑ ☥ t.l.j. 10h-12h 14h-18h30; f. 23 déc.-6 jan.

MORIN PERE ET FILS 1999

■ Gd cru	n.c.	4 800	⏚ 46 à 76 €

La maison Morin Père et Fils est liée depuis un bon siècle à l'histoire du Clos de Vougeot, à travers la maison Beaudet (1889). Rouge grenat, ce 99 montre quelques signes d'évolution à l'œil et au nez, mais il est jeune encore et assez indéchiffrable. Ses tanins le rendent austère. Il s'ouvrira sur un sourire d'ici quatre à cinq ans.

☙ Morin Père et Fils, 9, quai Fleury, 21700 Nuits-Saint-Georges, tél. 03.80.61.19.51, fax 03.80.61.05.10 ☑ ☥ t.l.j. 9h-12h 14h-18h; l'été 9h-19h

DOM. HENRI REBOURSEAU 1999★★

■ Gd cru	2,21 ha	8 226	⏚ 46 à 76 €

89 90 92 |93| 94 **95** 96 97 98 |99|

2,21 ha en plein milieu du clos : à tout seigneur... Pierre Rebourseau fut un valeureux président du Syndicat du Clos de Vougeot. Ce domaine revient au premier plan, tant en chambertin qu'ici. C'est vraiment tout le grand bourgogne possible, pour parler comme nos pères. La robe a de l'éclat ; le nez associe le cassis très mûr et l'armoire aux épices : muscade, vanille, cannelle. Dès l'attaque, ce grand cru montre ce qu'il a dans le corps : un fruit puissant soutenu par des tanins impeccables et une persistance impressionnante.

☙ NSE Dom. Henri Rebourseau, 10, pl. du Monument, 21220 Gevrey-Chambertin, tél. 03.80.51.88.94, fax 03.80.34.12.82, e-mail reboursea1@aol.com ☑ ☥ r.-v.

ARMELLE ET BERNARD RION 2000★

■ Gd cru	0,91 ha	2 400	⏚ 30 à 38 €

Près d'un hectare, cela compte. Un 2000 qui parle surtout d'avenir. D'intensité honnête sous le regard, il affiche au nez des convictions profondes : noyau de cerise et cassis. D'abord tendre, le vin s'épaissit en tanins, en structure, devenant plein, charnu et de longue garde. Il vous accueillera à bras ouverts dans cinq ans qui est le minimum de temps de garde pour avoir le droit de partager son affection.

☙ Dom. Armelle et Bernard Rion, 8, rte Nationale, 21700 Vosne-Romanée, tél. 03.80.61.05.31, fax 03.80.61.34.60, e-mail rionab@caramail.com ☑ ☥ r.-v.

CH. DE LA TOUR 1999★

■ Gd cru	5,4 ha	n.c.	⏚ 46 à 76 €

85 86 87 |88| |89| 90 91 93 94 95 96 **97** |98| 99

Après l'époque Accad qui fut passionnément discutée, ce domaine retrouve un sage équilibre. Ce 99 merveilleux, armé pour durer dix ans et plus, le prouve abondamment. Le boisé ne commet aucun excès. Le fruit s'exprime sans exacerber ses ambitions. On sent une vendange saine et entière. Il y a de la fermeté tannique mais c'est normal à cet âge. Sa finesse est question de temps. On sait que c'est la plus vaste propriété au sein du clos.

☙ Ch. de la Tour, Clos de Vougeot, 21640 Vougeot, tél. 03.80.62.86.13, fax 03.80.62.82.72, e-mail contact@chateaudelatour.com ☑ ☥ t.l.j. sf mar. 10h-18h; f. 15 nov.-1ᵉʳ avr.

☙ François Labet

BOURGOGNE

Echézeaux et grands-échézeaux

Au sud du Clos de Vougeot, la commune de Flagey-Echézeaux, dont le bourg est dans la plaine, tout comme celui de Gilly (les Cîteaux) en face du Clos de Vougeot, longe le mur de celui-ci pour faire, jusqu'à la montagne, une incursion dans le vignoble. La partie du piémont bénéficie de l'appellation vosneromanée. Dans le coteau se succèdent deux grands crus : le grands-échézeaux et l'échézeaux. Le premier fait environ 9 ha de surface, sur plusieurs lieux-dits et n'a produit que 345 hl en 2001, alors que le second couvre plus de 30 ha pour un volume de 1 342 hl.

Les vins de ces deux crus, dont les plus prestigieux sont les grands-échézeaux, sont très « bourguignons » : solides, charpentés, pleins de sève, mais aussi très chers. Ils sont essentiellement exploités par les vignerons de Vosne et de Flagey.

Echézeaux

JEAN-CLAUDE BOISSET 2000

■ Gd cru	0,3 ha	900	⏚ 30 à 38 €

L'échézeaux passe pour une conquête facile. Il se laisse aborder sans les complications ni les détours d'autres grands crus. Peu farouche certes, mais gardant son quantà-soi. Celui-ci présenté par Jean-Claude Boisset (son nom apparaît plus souvent sur les étiquettes) est caractéristique du millésime : teinte violette et bouquet de violette, l'harmonie est certaine. Souple mais suffisamment structuré pour bien vieillir, il offre une bonne mâche en finale. Plateau de fromages ? Choisissez le cîteaux car ce chauvinisme est toléré ici.

🍷 Jean-Claude Boisset, Les Ursulines,
21700 Nuits-Saint-Georges, tél. 03.80.62.61.61,
fax 03.80.62.61.60, e-mail info@boisset.fr

JACQUES CACHEUX ET FILS 2000★

■ Gd cru	1 ha	3 600	ⅲ 30 à 38 €

Il s'agit de l'ancien domaine Cacheux-Sirugue. Orveaux, Cruots, des parcelles panachées pour un 2000 qui s'impose au regard plus qu'au nez où le bois ne cache pas les fruits noirs. L'attaque est franche sur une charge tannique bien présente, puis le fruit s'associe au fût dans une belle finale. Aérer ce vin avant de le servir lorsqu'il aura sagement acquis l'âge de plaire.

🍷 Jacques Cacheux et Fils, 58, Route Nationale,
21700 Vosne-Romanée, tél. 03.80.61.01.84,
fax 03.80.61.01.84, e-mail cacheux.j.et.fils@wanadoo.fr
☑ ⵝ r.-v.

CHRISTIAN CLERGET 1999

■ Gd cru	1,1 ha	5 000	ⅲ 23 à 30 €
87 |89| |90| 91 92 93 |94| 95 97 **98** 99			

Belle brillance sur fond grenat très foncé, nez intéressant et complexe de cassis, de noyau de cerise mêlés à l'animal qui sort du bois. Tout s'arrange et s'ordonne à l'aération. Une jolie première bouche puis on sent que l'extraction a dû être poussée. Plus ferme que sensuel, ce vin devra naturellement évoluer avec le temps. Les arômes de départ font un retour apprécié en finale, gage d'un bon avenir.

🍷 Christian Clerget, 10, ancienne RN 74,
21640 Vougeot, tél. 03.80.62.87.37, fax 03.80.62.84.37
☑ ⵝ r.-v.

DOM. DU CLOS FRANTIN 2000★

■ Gd cru	0,99 ha	4 240	ⅲ 46 à 76 €

Vigne de 99 a 80 ca (on compte ainsi en Bourgogne) située dans les Champs Traversins (les échézeaux historiques). Rubis clair, ce nouveau millésime se présente bien ouvert sur des arômes de cerise laissée sur l'arbre, de mûre, associés au vanillé du fût. L'attaque est moins fruit que Wagram où le général Legrand, fondateur de ce domaine repris par Bichot, fut blessé d'un coup de sabre... Ce serait plutôt la guerre en dentelle. La montée en puissance, le déploiement des arômes, le soutien efficace et discret des tanins, tout concourt à la victoire.

🍷 Dom. du Clos Frantin, 6 bis, bd Jacques-Copeau,
21200 Beaune, tél. 03.80.24.37.37, fax 03.80.24.37.38
☑
🍷 A. Bichot

FRANCOIS CONFURON-GINDRE 2000★

■ Gd cru	0,3 ha	1 500	ⅲ 23 à 30 €

Echézeaux aux élans aromatiques vanillés, toastés, auxquels s'ajoute une note de confiture de groseille et de fruits noirs. Il a toute la brillance voulue, d'un pourpre profond. Les tanins ont du tonus et ils contribuent à une mâche savoureuse autant que vigoureuse, dans la moyenne du millésime sous l'angle favorable. À attendre deux ou trois ans pour le gigot d'agneau braisé aux oignons que conseille Jacques Puisais.

🍷 François Confuron-Gindre, 2, rue de la Tâche,
21700 Vosne-Romanée, tél. 03.80.61.20.84,
fax 03.80.62.31.29 ☑ ⵝ r.-v.

DOM. DUJAC 2000★

■ Gd cru	0,69 ha	3 600	ⅲ 46 à 76 €

Vigne de moins de 69 a très bien située en Poulaillère. Du millésime difficile, il fallait tirer sinon l'impossible, du moins la substantifique moelle. Ce 2000 l'a fait. Rubis à nuances pourprées, il s'ordonne autour de son chef de file aromatique : la fraise. Le boisé reste à sa place et on ne va surtout pas bousculer ce savant équilibre. Le fruit réapparaît en bouche dans un contexte tannique, long et soyeux. En effet, la finale est caressante. À déboucher entre 2004 et 2005.

🍷 Dom. Dujac, 7, rue de la Bussière,
21220 Morey-Saint-Denis, tél. 03.80.34.01.00,
fax 03.80.34.01.09, e-mail dujac@dujac.com ☑ ⵝ r.-v.
🍷 Jacques Seysses

DOM. A.-F. GROS 2000★

■ Gd cru	0,26 ha	n.c.	ⅲ 38 à 46 €
89 **90** 94 96 |97| 98 **99** 00			

Il s'agit de l'épouse de François Parent : parité oblige, ils font vignoble à part, sauf pour les vignes Launay qu'ils viennent de reprendre ensemble. Un pigeon ? Aux petits pois (alliance culinaire toujours délicate) ? Pourquoi pas puisque c'est par le cœur que se conseille le jury. Rubis classique, ce vin a le nez franc et carré, déjà mûr et influencé par le fût. L'équilibre est bon, conduisant à une finale assez longue et pleine de fruits (cerise) sur des tanins parfaits. Une bouteille à garder en raison de son potentiel.

🍷 Dom. A.-F. Gros, La Garelle, Grande-Rue,
21630 Pommard, tél. 03.80.22.61.85, fax 03.80.24.03.16,
e-mail af-gros@wanadoo.fr ☑ ⵝ r.-v.

DOM. GUYON 2000★★

■ Gd cru	0,2 ha	1 100	ⅲ 46 à 76 €
85 86 |88| |89| |90| 92 94 95 99 **00**			

Vingt ares en Orveaux, *climat* haut perché sur le coteau, très proche voisin du musigny, du clos de vougeot et des grands échézeaux. Ce 2000 est à la hauteur du défi. Très haut de gamme, il est cité pour le coup de cœur, nominé comme on dit maintenant. D'une très forte intensité, sa robe est magnifique. Chaleureux, le bouquet évoque la confiture de mûres. Il ne possède en bouche aucun trait dominant car les mariages réussis sont l'art d'harmoniser un tout... Ce qu'on appelle un vin complet.

🍷 EARL Dom. Guyon, 11-16, RN 74,
21700 Vosne-Romanée, tél. 03.80.61.02.46,
fax 03.80.62.36.56 ☑ ⵝ r.-v.

DOM. FRANCOIS LAMARCHE 2000★

■ Gd cru	1,35 ha	6 800	ⅲ 38 à 46 €

Domaine célèbre pour sa grande rue en monopole. Ce vin provient des *climats* Champs Traversins, Cruots ou Vigne Blanche. Il ne montre pas les dents (tanins déjà souples) et maîtrise sa puissance. Derrière une robe intense et brillante, le nez chante le fruit confit sur un soupçon de tabac blond. Du début à la finition, le palais se montre bien disposé. Structure et équilibre en font un bon vin calqué sur le plaisir.

🍷 Dom. François Lamarche,
9, rue des Communes, 21700 Vosne-Romanée,
tél. 03.80.61.07.94, fax 03.80.61.24.31,
e-mail domainelamarche@wanadoo.fr ☑ 🏠 ⵝ r.-v.

FREDERIC MAGNIEN 2000★★

■ Gd cru   0,28 ha   1 450   ⏲ 46 à 76 €

Le meilleur de la dégustation, au goût de beaucoup. La robe n'est pas ce qui compte le plus mais elle est superbe. Cassis-réglisse-épices, le bouquet dépasse le sommet du toit. Les tanins bien fondus ne font pas obstacle à l'expression du vin proprement dit, qui affiche un style corbeille de fruits et une très belle rétro-olfaction. Et ce qui reste après la fin est comme dans un beau film : le souvenir. Cela ne se raconte pas. On y a pensé pour un coup de cœur.
↪ Frédéric Magnien, 26, rue Nationale, 21220 Morey-Saint-Denis, tél. 03.80.58.54.20, fax 03.80.51.84.34 ☑ ⵙ r.-v.

DENIS MUGNERET ET FILS 2000★

■ Gd cru   0,43 ha   2 100   ⏲ 23 à 30 €
97 98 99 00

D'une couleur nette et franche de bonne tenue, cet échézeaux fait comme saint Martin : il partage en deux son manteau aromatique, moitié vanille moitié fruit en confiture. Il est charnu, ample et d'un équilibre stable sur des tanins fins qui ne cachent ni le cassis, ni la framboise. Le fût, bien intégré, a su être bien maîtrisé : il fallait faire avec le millésime. Cela a donné un vin élégant à ouvrir dans trois ou quatre ans.
↪ Denis et Dominique Mugneret, 9, rue de la Fontaine, 21700 Vosne-Romanée, tél. 03.80.61.00.97, fax 03.80.61.24.54 ☑ ⵙ r.-v.

DOM. HENRI NAUDIN-FERRAND 1999★

■ Gd cru   0,34 ha   1 970   ⏲ 46 à 76 €

Grenat bien vif, un échézeaux sous une étiquette très « tendance » et dont le nez pratique les joies de l'attente. Griotte à l'eau-de-vie, dit-on par habitude alors qu'il s'agit plus précisément de la cerise montmorency... L'astringence tire la couverture mais le fruit n'entend pas se laisser faire et revient dans une longue finale prometteuse.
↪ Dom. Henri Naudin-Ferrand, rue du Meix-Grenot, 21700 Magny-lès-Villers, tél. 03.80.62.91.50, fax 03.80.62.91.77, e-mail dnaudin@ipac.fr ☑ ⵙ r.-v.

DOM. DES PERDRIX 1999

■ Gd cru   1,15 ha   n.c.   ⏲ 46 à 76 €

Quartiers de Nuits et Échézeaux du Dessus composent pour moitié ces 1,15 ha confiés par le domaine Mugneret-Gouachon à la famille Devillard (Antonin Rodet) sous le nom déjà ancien de domaine des Perdrix (le monopole du 1er cru Aux Perdrix en Nuits). Un grenat très sombre habille cette bouteille au nez franc et courtois. Au palais, les arômes privilégient tout d'abord cassis et réglisse puis les tanins s'affichent en milieu de bouche, assez denses. Le fût lui donne cependant un côté sévère qu'il va falloir régler et amadouer en cave. Le salmis de pintade attendra...
↪ B. et C. Devillard, Dom. des Perdrix, Ch. de Champ Renard, 71640 Mercurey, tél. 03.85.98.12.12, fax 03.85.45.25.49, e-mail rodet@rodet.com ☑

DOM. DE LA ROMANEE-CONTI 2000★★★

■ Gd cru   n.c.   n.c.   ⏲ + de 76 €

Il fait un peu penser au millésime 92, avec davantage de fruits, plus de volume aussi. Au domaine, l'échézeaux est toujours le premier ouvert. « Il montre la voie », dit volontiers Aubert de Villaine. On le constate cette fois encore. Un parfum affriolant sur une jolie note de cerise.

Un rien de fût, normal à ce stade de son élevage. Tendre, il évoque la douceur, la rondeur. Le gras apparaît à mi-bouche. La suite n'est que volupté.
↪ SC du Dom. de la Romanée-Conti, 1, rue Derrière-le-Four, 21700 Vosne-Romanée, tél. 03.80.62.48.80, fax 03.80.61.05.72

DOM. FABRICE VIGOT 2000★

■ Gd cru   0,59 ha   1 200   ⏲ 46 à 76 €
90 91 92 93 |94| 96 |97| 99 00

Si notre connaissance des lieux est sans défaut, ces vignes doivent se trouver dans les Rouges du Bas, c'est-à-dire dans la partie la plus réputée de l'appellation. Un métayage Mugneret. Sous un rubis soutenu, le nez avance en pantoufles vanillées puis il prend les choses en main et chante la mûre. La bouche suit le même chemin aromatique alors que le vin peu tannique s'exprime surtout en souplesse et en rondeur. Léger ? Mais pas dépourvu de présence.
↪ EARL Dom. Fabrice Vigot, 20, rue de la Fontaine, 21700 Vosne-Romanée, tél. 03.80.61.13.01, fax 03.80.61.13.01, e-mail Fabrice.Vigot@wanadoo.fr ☑ ⵙ r.-v.

Grands-échézeaux

JOSEPH DROUHIN 1999★

■ Gd cru   n.c.   n.c.   ⏲ 46 à 76 €

Habillé dans le goût du pays, d'un rouge cerise transparent et qu'il serait inconvenant d'aborder à la grand-messe de Notre-Dame de Beaune (il est vrai que sortir de la rue d'Enfer vous prédestine peut-être...). Une bouteille qui paraît être un marbre avant le ciseau du sculpteur. La matière est belle. Il reste à la sculpter, à la polir, à la rendre saisissante de vie et de mouvement. D'ici cinq ans, peut-on dire autrement ?
↪ Joseph Drouhin, 7, rue d'Enfer, 21200 Beaune, tél. 03.80.24.68.88, fax 03.80.22.43.14, e-mail maisondrouhin@drouhin.com ⵙ r.-v.

DOM. GROS FRERE ET SŒUR 2000★★

■ Gd cru   0,36 ha   1 817   ⏲ 46 à 76 €

On devrait dire Domaine Gros Tante et Neveu car Bernard, fils de Jean, a pris le relais de Gustave et Colette. « On y a pensé, nous répond-on, mais c'était trop compliqué ». Grands, ils le sont ces grands-échézeaux. Sait-on

SOCIÉTÉ CIVILE DU DOMAINE DE LA ROMANÉE-CONTI
PROPRIÉTAIRE A VOSNE-ROMANÉE (COTE-D'OR) FRANCE
ÉCHÉZEAUX
APPELLATION ÉCHÉZEAUX CONTROLÉE
16.566 Bouteilles Récoltées
LES ASSOCIÉS-GÉRANTS
BOUTEILLE N° 00000
ANNÉE 2000
Mise en bouteille au domaine

BOURGOGNE

d'ailleurs qu'il s'agissait d'une vigne de Cîteaux, entourée des mêmes soins que le clos de vougeot ? Vinifiée au château. La jolie robe que voici ! Quant au nez, un vrai bouquet ! Le fût bien intégré ne dérange pas le fruit très mûr. Attaque en trompette, opulente et puissante. Les tanins, l'acidité, le moelleux, le fruit jouent aux quatre coins avec bonheur.

🕿 Dom. Gros Frère et Sœur, 6, rue des Grands-Crus, 21700 Vosne-Romanée, tél. 03.80.61.12.43, fax 03.80.61.34.05 ☑ ⍦ r.-v.
🕿 Bernard Gros

DOM. MONGEARD-MUGNERET 2000

▪ Gd cru	n.c.	n.c.	ⅡⅠ 46 à 76 €

Le vin préféré des écrivains est souvent une affabulation. Tel n'est pas le cas du chouchou d'Henri Vincenot : un grands-échézeaux et il l'a dit souvent. Ici sous une robe cerise qui évolue légèrement. Le bouquet ouvert sur le boisé se révèle fin. Le bon équilibre entre les saveurs invitées à la fête et la concentration moyenne du vin passe nettement la moyenne. On est sous le signe de l'élégance. Pour une garde de quatre à cinq ans.

🕿 Dom. Mongeard-Mugneret, 14, rue de la Fontaine, 21700 Vosne-Romanée, tél. 03.80.61.11.95, fax 03.80.62.35.75, e-mail mongeard@reseauconcept.nt ☑ ⍦ r.-v.

Vosne-romanée

Là aussi, la coutume bourguignonne est respectée : le nom de romanée est plus connu que celui de Vosne. Quel beau tandem ! Comme Gevrey-Chambertin, cette commune est le siège d'une multitude de grands crus ; mais il existe à côté des *climats* réputés, tels les Suchots, les Beaux-Monts, les Malconsorts et bien d'autres. L'appellation vosne-romanée a produit 4 920 hl en 2001.

DOM. ROBERT ARNOUX
Les Chaumes 1999★★

▪ 1er cru	0,85 ha	5 200	ⅡⅠ 30 à 38 €

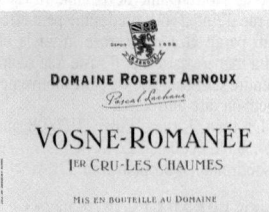

Les Chaumes se situent entre Nuits et le village de Vosne. Séparées de la tâche par un chemin, elles ont de qui tenir. Elles reçoivent ici le coup de cœur. D'une couleur brillante et affirmée, ce vin s'ouvre avec finesse au-delà du

chêne paternel. L'acidité, les tanins, le moelleux, la persistance aromatique, tout concourt au bonheur de l'amateur. Il croit croquer du raisin et le terroir est en parfaite harmonie. Retenez également **Les Hautes Maizières 99 en village (23 à 30 €)**. Situées non loin des échézeaux, elles obtiennent une étoile pour leur franchise.

🕿 Dom. Robert Arnoux, 3, RN 74, 21700 Vosne-Romanée, tél. 03.80.61.08.41, fax 03.80.61.36.02 ☑ ⍦ r.-v.

SYLVAIN CATHIARD
Les Reignots 2000★

▪ 1er cru	0,24 ha	1 200	ⅡⅠ 23 à 30 €

Savez-vous que les Reignots touchent la romanée et sont à quelques mètres seulement de la romanée-conti ? Exactement le même axe en remontant la pente. Autant dire qu'on est ici en noble compagnie. Issu d'une modeste famille vigneronne du pays, Sylvain Cathiard prend place de nos jours parmi les grands. Ce vin encore assez boisé a le nez sur la framboise et la mûre. Ses tanins sont très fins et l'impression finale est largement positive. Ses **Malconsorts 2000 1er cru (30 à 38 €)** suaves et fermes sont également recommandés avec une étoile. Un succès dans ce millésime.

🕿 Sylvain Cathiard, 20, rue de la Goillotte, 21700 Vosne-Romanée, tél. 03.80.62.18.21, fax 03.80.61.18.21 ☑ ⍦ r.-v.

DOM. BRUNO CLAVELIER
Les Hauts de Beaux Monts 2000★

▪	0,4 ha	2 000	ⅡⅠ 15 à 23 €

Ce domaine, fondé en 1942 par Joseph Brosson, a été repris en 1987 par son petit-fils Bruno Clavelier, qui est œnologue. On a le choix entre un **1er cru Beaux Monts 99 (23 à 30 €)**, aussi bien noté que le *village* des Hauts de Beaux Monts 2000. Ces derniers séduisent dans leur robe pivoine. Les fruits rouges bien mûrs précèdent un second nez tourné vers l'humus et le sous-bois. Le corps et la mâche sont enrobés dans une fraîcheur croquante. Ce vin fait penser à un Fragonard plein d'esprit et de finesse. D'une typicité parfaite.

🕿 Dom. Bruno Clavelier, 6, RN 74, 21700 Vosne-Romanée, tél. 03.80.61.10.81, fax 03.80.61.04.25 ☑ ⍦ r.-v.

DOM. DU CLOS FRANTIN
Les Malconsorts 1999

▪ 1er cru	1,76 ha	7 000	ⅡⅠ 46 à 76 €

Appartenant à la famille Bichot, le Clos Frantin fait partie des domaines historiques de Vosne-Romanée. Il rappelle la brillante lignée des imprimeurs Frantin aux XVIIIe et XIXes. à Dijon. Sous une robe harmonieuse, il embaume la violette. Sa prestation se poursuit de façon agréable, assez charnue mais sans surcroît de structure. Attendons-le un peu.

🕿 Dom. du Clos Frantin, 6 bis, bd Jacques-Copeau, 21200 Beaune, tél. 03.80.24.37.37, fax 03.80.24.37.38
🕿 Albert Bichot

DOM. J. CONFURON-COTETIDOT 1999

▪	2 ha	6 500	ⅡⅠ 15 à 23 €

Neveu (issu de germain) du célèbre Henri Jayer, Jack Confuron pratique un long élevage en fût (vingt-deux mois) qui constitue l'une des particularités du domaine. « Mes bouteilles sortent de chez moi quand elles tiennent bon sur leurs deux jambes », se plaît-il à dire. Rouge grenat

clair, ce 99 possède en effet du corps et une matière serrée, incitant à l'attente. Il est rude mais fait pour durer. Des arômes de truffe bourguignonne peuplent le nez et rôdent en bouche. Citons également les **Suchots 99 1ᵉʳ cru (23 à 30 €)** qui devront tenir compagnie en cave au *village* 99.
🕭 EARL J. Confuron-Cotetidot, 10, rue de la Fontaine, 21700 Vosne-Romanée, tél. 03.80.61.03.39, fax 03.80.61.17.85 ☑ ☨ r.-v.

HENRI FELETTIG 2000

■	0,42 ha	2 000	⬗ 15 à 23 €

Sous une robe attachante, rubis foncé à reflets violets, on devine peu à peu le bouquet futur. « Hâtez-vous lentement », recommandait Boileau. Le nez encore vanillé, torréfié, suit le conseil à la lettre. Bien équilibré, ce vin devra laisser ses tanins se fondre avant d'être marié à une pièce de charolais.
🕭 GAEC Henri Felettig, rue du Tilleul, 21220 Chambolle-Musigny, tél. 03.80.62.85.09, fax 03.80.62.86.41 ☑ ☨ r.-v.

ALEX GAMBAL
Les Petits Monts 1999

■ 1er cru	n.c.	900	⬗ 30 à 38 €

D'une rondeur et d'un fruité aimables, ces Petits Monts fortement concentrés ne disposent cependant pas d'une charpente de cathédrale, prête à affronter les siècles. Mais leur carrure est suffisante et a des proportions équilibrées. La robe est satinée, d'une teinte homogène et à reflets brillants sur le pourtour.
🕭 Maison Alex Gambal, 4, rue Jacques-Vincent, 21200 Beaune, tél. 03.80.22.75.81, fax 03.80.22.21.66, e-mail alex@alexgambal.com ☑ ☨ r.-v.

DOM. FRANCOIS GERBET 1999

■	1,5 ha	8 400	⬗ 15 à 23 €

On les appelle souvent « les demoiselles Gerbet » mais elles ont toutes deux la bague au doigt. Elles aiment être présentes aux vignes comme à la cave. Parmi les domaines gérés par des femmes, celui-ci a été l'un des pionniers. D'une couleur bien nette et rouge cerise, ce 99 est vraiment marqué cassis : ce vin eût reçu la bénédiction du chanoine Kir. Sur des tanins un peu rustiques, d'un contact direct, il est frais, souple et bon dans son ensemble.
🕭 Dom. François Gerbet, Caveau La Maison des Vins, pl. de l'Eglise, 21700 Vosne-Romanée, tél. 03.80.61.07.85, fax 03.80.61.01.65, e-mail vins.gerbet@wanadoo.fr ☑ ☨ r.-v.

DOM. A.-F. GROS
Aux Réas 2000★★

■	1,65 ha	9 300	⬗ 23 à 30 €

Les Réas sont le péché mignon de la famille Gros qui, par l'intermédiaire d'Anne-Françoise (épouse de François Parent, à Pommard), se présentent ici sous des traits équilibrés et flatteurs. Sous un rubis de bon bijoutier, le merrain est encore à l'ouvrage et il lui faudra passer en coulisses. Charpenté, bien bâti, le corps est également riche, velouté, comme on l'aime à table. Notez aussi **Le Clos de la Fontaine 2000**, prêt à être servi, qui obtient une étoile.
🕭 Dom. A.-F. Gros, La Garelle, Grande-Rue, 21630 Pommard, tél. 03.80.22.61.85, fax 03.80.24.03.16, e-mail af-gros@wanadoo.fr ☑ ☨ r.-v.

HENRI GROS 2000

■	0,42 ha	2 700	⬗ 15 à 23 €

Henri Gros a acquis cette parcelle en 1999. Son 2000 de couleur rubis a des parfums très typés. Assez charnu mais tannique, après une attaque franche, il montre une certaine puissance. Il demande quelques années de garde.
🕭 Henri Gros, Grande-Rue, 21220 Chambœuf, tél. 03.80.51.81.20, fax 03.80.49.71.75 ☑ ☨ r.-v.

DOM. MICHEL GROS
Clos des Réas Monopole 2000★★

■ 1er cru	2,12 ha	13 000	⬗ 38 à 46 €

Vosne-Romanée est bien la « perle du milieu ». Conservé en monopole depuis plus d'un siècle par la famille Gros dont ce fut longtemps le fleuron, le Clos des Réas a été transmis à Jean Gros en 1963, puis aujourd'hui à son fils Michel. Rouge grenat violacé, ce 1ᵉʳ cru est à la hauteur de la situation. Les épices et les petits fruits rouges confits équilibrent le pain grillé de son bouquet. Cette bouteille toute de dentelle et de soie est déjà voluptueuse. On peut cependant la faire attendre pendant quelques années et lui offrir une pintade aux truffes de Bourgogne.
🕭 Dom. Michel Gros, 7, rue des Communes, 21700 Vosne-Romanée, tél. 03.80.61.04.69, fax 03.80.61.22.29 ☑ ☨ r.-v.

ALAIN GUYARD
Aux Réas 1999★

■	0,3 ha	1 600	⬗ 15 à 23 €

Ces Réas ont une limpidité parfaite, rouge cerise soutenu. Vanille et cannelle sont présentes mais le boisé est déjà bien fondu. Puis des nuances de framboise, de réglisse se font jour dans un cheminement onctueux, savoureux. De beaux jambages, notent les dégustateurs attentifs. Bref, ce qu'il est convenu d'appeler un « vin féminin », fin et délicat, dans l'esprit de l'appellation. Se gardera bien. Si vous avez une bonne mémoire, vous vous rappelez le coup de cœur du même vin dans le millésime 92.
🕭 Alain Guyard, 10, rue du Puits-de-Têt, 21160 Marsannay-la-Côte, tél. 03.80.52.14.46, fax 03.80.52.67.36 ☑ ☨ t.l.j. 9h-11h30 14h-18h

DOM. GUYON
En Orveaux 2000★★

■ 1er cru	0,34 ha	1 200	⬗ 30 à 38 €

Coup de cœur en 2000 et 2001 pour ses Orveaux 97 et 98, ce domaine obtient la même distinction pour ce 1ᵉʳ cru superbe. Une robe très soutenue met en valeur un ensemble aromatique complexe et distingué où le fût (présent) n'accapare pas toute l'attention. Au palais il impressionne par sa puissance et sa densité tout en montrant déjà une certaine onctuosité : corsé et velouté à la fois. Cette vigne d'une dizaine d'ouvrées (34 a) est vraiment magnifique.

➤ EARL Dom. Guyon, 11-16, RN 74,
21700 Vosne-Romanée, tél. 03.80.61.02.46,
fax 03.80.62.36.56 ☑ ☓ r.-v.

LE HAMEAU DE BARBORON
Aux Champs Perdrix 1999

| ■ | n.c. | 1000 | ⅢⅠ 11 à 15 € |

Le hameau de Barboron se situe sur les hauteurs de
Savigny-lès-Beaune au cœur d'un important domaine
forestier où chassent les meilleurs fusils. Rouge grenat
lumineux, ce 99 ouvre un nez discret sur des arômes de
fruits mûrs. La bouche toute en dentelle fine et élégante
possède une fraîcheur agréable.
➤ Odile Nominé, Hameau de Barboron,
21420 Savigny-lès-Beaune, tél. 03.80.21.58.35,
fax 03.80.26.10.59 ☑ ☓ r.-v.

ALAIN HUDELOT-NOELLAT
Les Beaumonts 2000

| ■ 1er cru | 0,19 ha | 1 100 | ⅢⅠ 23 à 30 € |

Ne soumettez pas les Bourguignons à la dictée de
Pivot ! Ainsi les Beaux Monts s'écrivent aussi Beaumonts
(comme ici). C'est même l'orthographe du cadastre de
1827. Ce 1er cru se situe sur la commune de Flagey, tout
près des échézeaux. Mais allons à l'essentiel : tirant sur le
noir, velouté à l'œil, ce vin n'a pas encore le nez de Cyrano.
Il possède cependant une certaine étoffe, une touche de
cerise dans une configuration épicée. Equilibré, il devra
attendre quatre ans pour vous plaire.
➤ Alain Hudelot-Noëllat, Ancienne Rte Nationale,
21220 Chambolle-Musigny, tél. 03.80.62.85.17,
fax 03.80.62.83.13 ☑ ☓ r.-v.

S. JAVOUHEY
Les Suchots 1999★

| ■ 1er cru | n.c. | n.c. | ⅢⅠ 30 à 38 € |

C'est le 99 volumineux et puissant, masculin, épicé ;
ses tanins sont un peu sévères, mais il a de la personnalité,
une texture réussie et une mâche qui ne tient pas seulement
lieu de consistance en bouche. La robe donne quelques
signes d'évolution ; elle est cependant bien typée en
densité. Quant au bouquet, il tire sur le cuir, le gibier. Ce
vin conduit tout droit à la cuisine où l'on préparera à son
intention un plat de chasse.
➤ Caveau des Fleurières, 50, rue du Gal-de-Gaulle,
BP 63, 21702 Nuits-Saint-Georges, tél. 03.80.61.10.30,
fax 03.80.61.35.76, e-mail Thomas@javouhey.com
☑ ☓ t.l.j. 9h-19h
➤ Javouhey

DOM. MACHARD DE GRAMONT
Les Gaudichots 1999

| ■ 1er cru | 0,23 ha | 1 180 | ⅢⅠ 30 à 38 € |

Quelques petites parcelles des Gaudichots sont restées en AOC vosne ou vosne 1er cru, alors que rien
– physiquement et historiquement – ne les distingue de la
tâche. Il est vrai qu'on ne se trouve pas ici en présence d'un
cru de la tâche. Le fond, la persistance aromatique sont
convenables mais le fût est omniprésent et le nez a besoin
d'aération pour se donner pleinement. Tout incite à une
dégustation plus tardive. L'agneau qui l'accompagnera
n'est pas encore né.
➤ SCE Dom. Machard de Gramont,
Le Clos, rue Pique BP 105, Premeaux-Prissey,
21703 Nuits-Saint-Georges Cedex,
tél. 03.80.61.15.25, fax 03.80.61.06.39 ☑ ☓ r.-v.

FREDERIC MAGNIEN
Au Dessus de la Rivière Vieilles vignes 2000

| ■ | 0,54 ha | 3 100 | ⅢⅠ 15 à 23 € |

Ce *climat* peu connu de vosne-romanée se situe près
de « l'auberge rouge » du pays. Il s'agit ici d'une rivière de
rubis. Le nez ne fait pas la mauvaise tête, mais il est
pudique et réservé. Fermé pour tout dire. Si ses tanins
demeurent assez vifs, c'est qu'ils sont dans l'âge ingrat que
connaît tout bon pinot de cru dans sa jeunesse. Il va
sûrement s'arrondir. Le mettre de côté deux ou trois ans.
➤ Frédéric Magnien, 26, rte Nationale,
21220 Morey-Saint-Denis, tél. 03.80.58.54.20,
fax 03.80.51.84.34 ☑ ☓ r.-v.

MALLARD-GAULIN
Les Suchots 2000

| ■ 1er cru | 0,3 ha | 1 500 | ⅢⅠ 46 à 76 € |

D'un grenat léger, ces Suchots ont de la présence
d'esprit. Ils ne manquent pas d'associer le cassis à un petit
vanillé pas désagréable du tout, bien dosé. Un peu d'acidité
ne lui fait pas de mal, d'autant que la charpente est forte
et l'extraction assez poussée. Fruits et tanins se fondent
cependant de façon assez convaincante, comme le prouve
la finale fort réussie. Un séjour en cave est bien sûr
indispensable.
➤ Maison Mallard-Gaulin, 21420 Aloxe-Corton,
tél. 03.80.26.46.10, fax 03.80.26.43.57

DOM. DU CH. DE MARSANNAY
En Orveaux 1999★

| ■ 1er cru | 0,28 ha | 1 800 | ⅢⅠ 30 à 38 € |

En partie classés en échézeaux, les Orveaux nichent
tout en haut de Flagey. Leur présentation est ici conforme
à la nuance attendue et la cerise à l'eau-de-vie est bien
agréable à humer. Très parfumé, ce 99 ressemble un peu
aux chevaliers du Moyen Age qui s'affrontent sur l'étiquette : l'attaque fraîche ouvre sur des tanins présents et un
boisé grillé élégant qui demandent à se fondre. Sa concentration autorise deux ou trois ans de garde. (Coup de cœur
en 1999 pour ce même vin 95.)
➤ Dom. du Château de Marsannay, rte des
Grands-Crus, BP 78, 21160 Marsannay-la-Côte,
tél. 03.80.51.71.11, fax 03.80.51.71.12
☑ ☓ t.l.j. 10h-12h 14h-18h30; f. 23 déc.-6 jan.

FABRICE MARTIN 2000

| ■ | 1 ha | 1 200 | ▮ⅢⅠ♦ 8 à 11 € |

La reprise du domaine Martin-Noblet par la nouvelle
génération (Fabrice) s'est produite en 2000. C'est donc un
millésime de débutant salué avec sympathie, le domaine
arborant désormais le nom de Fabrice Martin. Une
étiquette plus moderne accompagnera-t-elle bientôt ce
changement ? Voici un vin à boire maintenant, néanmoins
gras, puissant et persistant. Rubis soutenu, il se tient
prudemment sur une ligne de fruits rouges.
➤ Fabrice Martin, 42, rue de la Grand-Velle,
21700 Vosne-Romanée, tél. 03.80.61.27.84 ☑ ☓ r.-v.

DOM. MONGEARD-MUGNERET 2000

| ■ | 2,2 ha | 11 500 | ⅢⅠ 15 à 23 € |

Parmi les vieux cépages bourguignons, il existait jadis
un pinot Mongeard sélectionné par un aïeul de la famille.
Vincent a succédé à Jean, personnalité marquante du
vignoble. Son vosne-romanée possède un bouquet assez
prononcé où dominent des notes fruitées. Il se montre

ensuite rond, souple, soyeux, tendre. Sa pointe d'amertume en finale est classique. Une bouteille à déboucher dans un an et pendant trois ou quatre ans.

🕯 Dom. Mongeard-Mugneret,
14, rue de la Fontaine, 21700 Vosne-Romanée,
tél. 03.80.61.11.95, fax 03.80.62.35.75,
e-mail mongeard@reseauconcept.nt ☑ ⴶ r.-v.

DENIS MUGNERET ET FILS 2000★★

■   1,4 ha   8 400   Ⅲ 15 à 23 €

Un vosne *village* tout à fait étincelant. Jolie robe, nez un peu vanille-cacao sous l'emprise du fût, mais on sent sa finesse, sa future complexité, sa volonté de bien faire. Plein de sève, charnu, il a ce qu'on appelle du montant. Ses tanins vont se lisser. Habilement positionné entre la force et l'élégance, il est conseillé de le savourer assez jeune, dans deux à quatre ans.

🕯 Denis et Dominique Mugneret,
9, rue de la Fontaine, 21700 Vosne-Romanée,
tél. 03.80.61.00.97, fax 03.80.61.24.54 ☑ ⴶ r.-v.

DOM. MICHEL NOELLAT ET FILS 2000★

■   1,5 ha   6 000   Ⅲ 15 à 23 €

Michel Noëllat (1927-1989) a légué à ses enfants une solide tradition vineuse. Coup de cœur en 1995 et 1996 pour ses Suchots 92 et 93, ce domaine s'étend de Fixin à Nuits-Saint-Georges sur 21 ha. Il déroule sous nos yeux un 2000 dont la teinte évoque un coucher de soleil sur les Beaux Monts : très violacée. Assez fermé au départ, son nez s'ouvre sur des accents fins et fruités. La bouche plaisante et persistante saura plaire pendant cinq ans. Les **Beaux Monts 1ᵉʳ cru 2000 (23 à 30 €)** méritent un écho favorable : le jury a un petit faible pour leur pimpante jeunesse et leur attribue une étoile.

🕯 SCEA Dom. Michel Noëllat et Fils, 5, rue de la Fontaine, 21700 Vosne-Romanée, tél. 03.80.61.36.87, fax 03.80.61.18.10 ☑ ⴶ r.-v.

DOM. DES PERDRIX 1999★★

■   1,05 ha   1 425   Ⅲ 30 à 38 €

Le domaine des Perdrix (10 ha) constitue une sorte de cave intime au sein de la maison Antonin Rodet, sur laquelle veillent affectueusement Bertrand Devillard et son épouse. Leur vosne-romanée est digne des plus grandes cuvées : c'est un vin complet et c'est tout dire. Rouge presque noir, il évoque des senteurs d'humus, de cuir, de mûre dans un décor de pain grillé. Ample et puissant, un peu réglissé, il est somptueux en bouche où l'on retrouve une note intense de violette.

🕯 B. et C. Devillard, Dom. des Perdrix, Ch. de Champ Renard, 71640 Mercurey, tél. 03.85.98.12.12, fax 03.85.45.25.49, e-mail rodet@rodet.com ☑

DOM. DE LA POULETTE
Les Suchots 1999★

■ 1er cru   0,25 ha   1 400   Ⅲ 38 à 46 €

Depuis six générations au moins, les vignes se transmettent ici par les filles. Celles de Lucien Audidier à cette génération (le domaine de La Poulette proprement dit ayant toutefois été acquis en 1942) : Françoise Michaut-Audidier succédant à son père en 1989, aidée par son mari (un centralien passionné par la vigne). Ces Suchots portent une robe gaie et ont un bouquet encore frais, fruité. Vineux, riche en alcool, très concentré, il attaque sans ménagement avant de s'abandonner à une finale tendre et

aimante. D'une remarquable franchise de goût, il est évidemment de garde et digne d'une viande rouge dans trois à dix ans.

🕯 Françoise Michaut-Audidier, Dom. de la Poulette,103, Grande-Rue, 21700 Corgoloin, tél. 03.80.62.98.02, fax 01.45.25.43.23, e-mail f.michaut@wanadoo.fr ☑ ⴶ r.-v.

HENRI ET GILLES REMORIQUET
Au Dessus des Malconsorts 2000

■ 1er cru   0,57 ha   3 800   Ⅲ 23 à 30 €

Engagé dans de nombreuses responsabilités professionnelles, Gilles trouve encore le temps de s'occuper des vignes familiales. Son vosne 1ᵉʳ cru s'affiche pourpre noir. Sans être insondable, il ne sort d'emblée assez profond. Le fruit d'un cassis très mûr, légèrement épicé, ouvre la voie à la complexité aromatique. Le réseau tannique est suffisant et le vin accroche bien (pruneau). Rangez-le au fond de votre cave et oubliez-le trois à quatre ans.

🕯 Gilles Remoriquet,
25, rue de Charmois, 21700 Nuits-Saint-Georges, tél. 03.80.61.24.84, fax 03.80.61.36.63, e-mail domaine.remoriquet@wanadoo.fr ☑ ⴶ r.-v.

ARMELLE ET BERNARD RION
Les Chaumes 2000

■ 1er cru   0,45 ha   2 400   Ⅲ 15 à 23 €

Armelle et Bernard élèvent des chiens truffiers et ont beaucoup contribué à la renaissance de l'incomparable *Tuber uncinatum*, la truffe brune de Bourgogne. Si leur vin est moyennement intense sous le regard, on discerne, quand on le hume, le cassis associé à des senteurs de vanille et de cacao dues aux quinze mois de fût. Ces impressions se prolongent en bouche, les tanins du bois devant encore se fondre. Dans deux ou trois ans, le servir sur des œufs en meurette.

🕯 Dom. Armelle et Bernard Rion, 8, rte Nationale, 21700 Vosne-Romanée, tél. 03.80.61.05.31, fax 03.80.61.34.60, e-mail rionab@caramail.com ☑ ⴶ r.-v.

REMI SEGUIN 1999★

■   0,34 ha   n.c.   Ⅲ 11 à 15 €

Rémi est né au Clos de Tart, fils et petit-fils de vignerons régisseurs du grand cru. Il y a pire berceau. A la tête de 6,3 ha, il soumet à notre verdict un 99 à la couleur bien extraite, rouge foncé et aux arômes de noyau s'exprimant au sein de nuances boisées (moka, pain grillé). Les tanins ont pris position sur une matière intéressante. Petites notes de framboise. Plein de promesses, c'est un vin de garde qu'il ne faut pas boire tout de suite.

🕯 Rémi Seguin, 19, rue de Cîteaux, 21640 Gilly-lès-Cîteaux, tél. 03.80.62.89.61, fax 03.80.62.80.92 ☑ ⴶ r.-v.

DOM. ROBERT SIRUGUE
Les Petits Monts 2000

■ 1er cru   0,6 ha   3 300   Ⅲ 23 à 30 €

Elégant, fin, distingué, il fait un peu gravure de mode, mais sans la moindre mièvrerie. D'une couleur raisonnable, il ne laisse pas ses arômes la bride sur le cou. De la retenue sur un arrière-plan qui sera occupé par la mûre. Au premier contact, le fruit tient un discours persuasif. L'étoffe semble de bonne épaisseur. La mâche remplit son office sans brutalité. Peut-être pas d'une typicité éblouissante, mais un vin à garder dans sa cave.

BOURGOGNE

🐦 Dom. Robert Sirugue, 3, av. du Monument, 21700 Vosne-Romanée, tél. 03.80.61.00.64, fax 03.80.61.27.57 ☑ 🍷 r.-v.

DOM. CHARLES THOMAS
Les Malconsorts 1999

■ 1er cru	2,94 ha	15 000	🍾 30 à 38 €

Pourpre carminé intense et très brillant, ce Malconsorts (*climat* situé au sud de vosne, à la limite de nuits) libère ses arômes avec assez de générosité. Il reste encore à fondre le fût, mais on sent le champignon percer dans la mousse du sous-bois. Bien constitué sur des assises solides, il est plus carré que rond et, pour ce qui est de la grâce, il faut s'en remettre à plus tard. Vin de garde, il gagnera ses étoiles à l'ancienneté. Il s'agit ici des vignes familiales des Thomas (Moillard).

🐦 Dom. Charles Thomas, chem. rural 59, 21700 Nuits-Saint-Georges, tél. 03.80.62.42.10, fax 03.80.61.28.13, e-mail thomas.freres@wanadoo.fr ☑ 🍷 t.l.j. 10h-18h; f. jan.

DOM. FABRICE VIGOT
La Colombière 2000★

■	0,86 ha	2 400	🍾 23 à 30 €

Petit domaine devenu grand : petit-fils d'un émigré italien, Fabrice a entrepris de produire à son compte à la fin des années 1980. Il a vite pris son envol, notamment dans le Guide. Si vous passez le voir, il n'est plus au 16 mais au 20 de la rue de la Fontaine : une belle maison en pierre et de vastes caves vous accueilleront. *Climat* situé juste en-dessous du château de Vosne. Pour un vin haut en couleur et aux arômes finement ciselés. Il ne manque pas de panache. Ni de souffle. La Colombière passe pour un pinot noir très concentré. Il a ici du caractère.

🐦 EARL Dom. Fabrice Vigot, 20, rue de la Fontaine, 21700 Vosne-Romanée, tél. 03.80.61.13.01, fax 03.80.61.13.01, e-mail Fabrice.Vigot@wanadoo.fr ☑ 🍷 r.-v.

🐦 Mugneret-Gibourg

Richebourg, romanée, romanée-conti, romanée-saint-vivant, grande rue, tâche

Tous sont des crus plus prestigieux les uns que les autres, et il serait bien difficile d'en indiquer le plus grand... Certes, le romanée-conti jouit de la plus grande renommée, et l'on trouve dans l'histoire de nombreux témoignages de « l'exquise qualité » de ce vin. La célèbre pièce de vigne de la Romanée fut convoitée par les grands de l'Ancien Régime : ainsi madame de Pompadour ne réussit pas à l'emporter contre le prince de Conti, qui put l'acquérir en 1760. Jusqu'à la dernière guerre, la vigne de la romanée-conti et

celle de la tâche restèrent non greffées, traitées au sulfure de carbone contre le phylloxéra. Mais il fallut alors les arracher et la première récolte des nouveaux plants eut lieu en 1952. Ce romanée-conti, exploité en monopole sur 1,80 ha, reste l'un des vins les plus illustres et les plus chers du monde.

La romanée est plantée sur une superficie de 0,83 ha, richebourg sur 8 ha, romanée-saint-vivant sur 9,5 ha, et la tâche sur un peu plus de 6 ha. Comme dans tous les grands crus, les volumes produits sont de l'ordre de 20 à 30 hl par hectare selon les années. L'ensemble de ces grands crus n'a pas produit plus de 968 hl en 2001, dont 285 en richebourg et 59 hl en romanée-conti et 351 en romanée-saint-vivant. La grande rue a été reconnue en grand cru par le décret du 2 juillet 1992.

Richebourg

DOM. A.-F. GROS 2000★

■ Gd cru	0,6 ha	3 000	🍾 + de 76 €
89 90 **91** 92 |93| |94| ㉞ |97| **98 99** 00			

Les différents domaines Gros figurent parmi les propriétaires les plus importants en richebourg. Dégusté très jeune, ce 2000 ne peut donner le maximum de ses qualités et vertus. Mais il est déjà tout à fait à la hauteur de son appellation. Intense et foncée, la robe séduit d'emblée. Le nez s'ouvre peu à peu (notes empyreumatiques réglissées et épicées, mais aussi cerise, prune). Puissant, équilibré, doté de tanins mûrs et longs qui lui donnent une bouche épanouie. On se rappelle le coup de cœur décerné en 1999 au millésime 96.

🐦 Dom. A.-F. Gros, La Garelle, Grande-Rue, 21630 Pommard, tél. 03.80.22.61.85, fax 03.80.24.03.16, e-mail af-gros@wanadoo.fr ☑ 🍷 r.-v.

DOM. GROS FRERE ET SŒUR 2000

■ Gd cru	0,68 ha	3 436	🍾 + de 76 €

« Le plus intense et le plus violent des grands crus de Vosne-Romanée », disait Richard Olney à propos du richebourg. En voici la démonstration ! Grenat sombre, il est exceptionnel dans sa puissance aromatique (kirsch, fruits surmaturés). La finale est prompte après un parcours en bouche très corsé. C'est un style, mais il n'est pas de composition : seulement d'évolution. Un certain potentiel (jusqu'à quatre ou cinq ans).

🐦 Dom. Gros Frère et Sœur, 6, rue des Grands-Crus, 21700 Vosne-Romanée, tél. 03.80.61.12.43, fax 03.80.61.34.05 ☑ 🍷 r.-v.

🐦 Bernard Gros

ALAIN HUDELOT-NOELLAT 2000

■ Gd cru	0,28 ha	1 500	🍾 + de 76 €

« Douce chaleur », constatait dès 1807 Grimod de La Reynière en méditant sur son verre de richebourg. Le vin (coup de cœur l'an passé, millésime 99) se présente ici sans défaut, sinon un peu de vivacité de jeunesse. Mais peut-être cache-t-il encore sa réserve et il a du temps devant lui. La bouche est franche ; le nez entre vanille et cerise, d'une tonalité discrète. Robe de bonne intensité. Son évolution est à surveiller.

☛ Alain Hudelot-Noëllat, Ancienne Rte Nationale, 21220 Chambolle-Musigny, tél. 03.80.62.85.17, fax 03.80.62.83.13 ☑ �Y r.-v.

DENIS MUGNERET ET FILS 2000★★★

■ Gd cru	0,52 ha	1 200	ⅢⅠ 46 à 76 €
	93	94	95		96	97 98 99	00				

Il y a déjà longtemps, Denis Mugneret a reçu de la famille Xavier Liger-Belair ce demi-hectare de richebourg en métayage. Il donne un somptueux millésime 2000, coup de cœur digne de tous les éloges. Sa robe cerise noire annonce des arômes épicés qui, s'ils demeurent sur la réserve, laissent espérer une délicate complexité. Au palais, une explosion de raisins mûrs, une richesse suave et dense, des tanins d'une grande civilité ! Un vin fidèle à son terroir comme à sa réputation (typicité remarquable). Coup de cœur en 1996 pour son 93.

☛ Denis et Dominique Mugneret, 9, rue de la Fontaine, 21700 Vosne-Romanée, tél. 03.80.61.00.97, fax 03.80.61.24.54 ☑ ⅠⅠ r.-v.

La romanée-conti

DOM. DE LA ROMANEE-CONTI 2001★★★

■ Gd cru	1,8 ha	n.c.	ⅢⅠ + de 76 €
84	88	89 90	91	94 95	96		97	98 01			

Le plus mythique des vins du monde ! Le plus cher aussi. Son destin est prodigieux, lié à l'Histoire de France, et son vin compte toujours parmi ceux qui parlent autant à l'intelligence qu'aux sens. Quand elle est jeune, la romanée-conti « disparaît » en général derrière la tâche. Là, pas du tout. Elle entend jouer la tête d'affiche dès son entrée en scène. D'une féminité extrême, délicate, mais aussi démonstrative et fruitée, elle a un charme fou. Tout le contraire des développements tanniques et robustes de nombre de grands crus en Côte de Nuits. On en reparlera vraiment d'ici une dizaine d'années.

☛ SC du Dom. de la Romanée-Conti, 1, rue Derrière-le-Four, 21700 Vosne-Romanée, tél. 03.80.62.48.80, fax 03.80.61.05.72

Romanée-saint-vivant

DOM. FOLLIN-ARBELET 2000★

■ Gd cru	0,5 ha	1 300	ⅢⅠ + de 76 €

Vive et intense, la couleur est cerise, très fraîche, comme est frais et franc le nez de fruits rouges bien mûrs, de kirsch, de prune avec une pointe de café. C'est élégant dès le début de la dégustation. Bien équilibré, le vin offre de belles saveurs à la fois fruitées et boisées, longues, flatteuses. Une bouteille typée, à attendre cinq à six ans.

☛ Dom. Follin-Arbelet, Les Vercots, 21420 Aloxe-Corton, tél. 03.80.26.46.73, fax 03.80.26.43.32 ☑ ⅠⅠ r.-v.

CH. DES GUETTES 2000★★

■ Gd cru	n.c.	n.c.	ⅢⅠ + de 76 €

De l'ancien monastère de Saint-Vivant sur le mont de Vergy, il subsiste des vestiges romantiques dont la restauration se poursuit... et cette romanée qui ne pèche pas ici par excès de modestie. Sous sa robe profonde et vive, le bouquet n'est pas encore considérable mais la bouche est glorieuse. La concentration du fruit met en valeur une superbe structure tannique, serrée et racée. Très beau vin promis à un grand avenir (huit à dix ans au moins). L'investissement paraît plus sûr qu'à la Bourse.

☛ François Parent, Ch. des Guettes, 14 bis, rue Pierre-Joigneaux, 21200 Beaune, tél. 03.80.22.61.85, fax 03.80.24.03.16, e-mail francois@parent-pommard.com ☑ ⅠⅠ r.-v.

DOM. ALAIN HUDELOT-NOELLAT 2000★

■ Gd cru	0,47 ha	2 400	ⅢⅠ + de 76 €

47 a 77 ca provenant de la succession Charles Noëllat. Ils produisent 2 400 bouteilles que notre jury juge plus harmonieuses que concentrées, mais d'un terroir très présent. Une certaine austérité s'en dégage, compensée il est vrai par le fruit. « Vin puriste », lit-on sur l'une des fiches. La robe plaît dans l'ensemble. Quant au bouquet, boisé avec retenue, il se montre élégant. Le millésime précédent fut coup de cœur l'an dernier.

☛ Alain Hudelot-Noëllat, Ancienne Rte Nationale, 21220 Chambolle-Musigny, tél. 03.80.62.85.17, fax 03.80.62.83.13 ☑ ⅠⅠ r.-v.

DOM. DE LA ROMANEE-CONTI 2001★★★

■ Gd cru	5,28 ha	n.c.	ⅢⅠ + de 76 €
67 72 73 75 76 78	79	80 81	82		87		89		91		92	95 97 98 99 01			

La divine surprise ! Avec d'excellents vendangeurs, il a fallu rechercher patiemment les meilleurs raisins. Plusieurs passages afin d'obtenir la maturité la plus parfaite. Sur les cinq cuves de ce *climat*, le domaine fait encore un tri sévère et commercialise 60 % environ de la production. Un vin aux tanins feutrés, nullement agressifs. Pas trop de mâche, une structure assez charnue, un goût de bigarreau. Très classique, il inspire un sentiment de gravité. Laissons-le longuement en cave.

☛ SC du Dom. de la Romanee-Conti, 1, rue Derrière-le-Four, 21700 Vosne-Romanée, tél. 03.80.62.48.80, fax 03.80.61.05.72

Trouver une appellation ? Consultez l'index en fin de volume.

BOURGOGNE

La grande rue

DOM. FRANCOIS LAMARCHE 2000★★

■ Gd cru	1,65 ha	6 800	⅏ + de 76 €

|89| |90| |91| 92 93 94| |95| 98 99 **00**

Vendue cinquante mille francs par le général Denys de Champeaux en 1933, restée depuis lors un monopole au sein de la famille Lamarche, la grande-rue ressemble ici aux...Champs-Elysées. Un grand vin, tout simplement. Sa robe est pure, magnifique. Son bouquet déjà assez mûr rappelle la cerise à l'eau-de-vie. Il est large et profond, complexe en un mot. Derrière une attaque bien conduite, l'expression équilibrée, puissante et dense du pinot noir dans tout son éclat. Ses tanins ? De soie. Faut-il préciser qu'il est hors de question de déboucher cette bouteille (il y en a 6 800) avant 2005 ?

↢ Dom. François Lamarche,
9, rue des Communes, 21700 Vosne-Romanée,
tél. 03.80.61.07.94, fax 03.80.61.24.31,
e-mail domainelamarche@wanadoo.fr ☑ ⛫ ℑ r.-v.

La tâche

DOM. DE LA ROMANEE-CONTI 2000★★

■ Gd cru	6,06 ha	n.c.	⅏ + de 76 €

72 73 75 78 |79| |80| |81| |82| |87| |89| |91| |92| |97| |98| |99| **00**

Ce vin superbe garde encore ses secrets. Ses arômes légèrement herbacés ne doivent pas surprendre. « Vin vert, riche bourgogne », affirmait-on jadis. Cette relative verdeur de jeunesse donnera naissance, plus tard, à un fascinant parfum « pétale de rose ». Notez que le domaine vend ses 2000 à un prix inférieur à celui du 99. Il tient à les faire évoluer en fonction de la qualité présente de chaque millésime, sans les fixer selon la demande du marché.

↢ SC du Dom. de la Romanée-Conti,
1, rue Derrière-le-Four, 21700 Vosne-Romanée,
tél. 03.80.62.48.80, fax 03.80.61.05.72

Nuits-saint-georges

Petite bourgade de 5 500 habitants, Nuits-Saint-Georges n'engendre pas de grands crus comme ses voisines du nord ; l'appellation déborde sur la commune de Premeaux, qui la jouxte au sud. Ici aussi, les très nombreux premiers crus sont à juste titre réputés, et avec l'appellation communale la plus méridionale de la Côte de Nuits, nous trouvons un type de vins différent aux caractères de *climats* très accusés, où s'affirme une richesse en tanin plus élevée, assurant une grande conservation.

Les Saint-Georges, dont on dit qu'ils portaient déjà des vignes en l'an mil, les Vaucrains aux vins robustes, les Cailles, les Champs-Perdrix, les Porets, de « poirets », au caractère de poire sauvage accusé, sur la commune de Nuits, et les clos de la Maréchale, des Argillières, des Forêts-Saint-Georges, des Corvées, de l'Arlot, sur Premeaux, sont les plus connus de ces premiers crus. Les vignes ont produit 13 347 hl en 2001 dont 214 en blanc.

Petite capitale du vin de Bourgogne, Nuits-Saint-Georges a également son vignoble des Hospices, avec vente aux enchères annuelle de la production, le dimanche précédant les Rameaux. Elle est le siège de nombreux négoces de vin et de maints liquoristes qui produisent le cassis de Bourgogne, ainsi que d'élaborateurs de vins à mousse qui furent à l'origine du crémant de Bourgogne. C'est enfin ici que se trouve le siège administratif de la confrérie des Chevaliers du Tastevin.

JEAN-LUC AEGERTER 2000

■	1,06 ha	6 600	⅏ 15 à 23 €

Après avoir dirigé Labouré-Roi à Nuits puis Louis Roederer en Champagne, cet ancien étudiant en sciences politiques prend racine en Bourgogne. C'est en 1977. Il rachète la maison Pierre Gruber où il a vite fait ses classes. Son nuits *village* est d'un honnête rubis, fortement boisé, à la bouche ferme et franche. Bouteille à laisser de côté durant cinq ans.

↢ Jean-Luc Aegerter, 49, rue Henri-Challand, BP 56, 21700 Vosne-Romanée Cedex, tél. 03.80.61.02.88, fax 03.80.62.37.99, e-mail jean-luc.aegerter@wanadoo.fr ☑ ℑ r.-v.

BERTRAND AMBROISE
Cuvée Vieilles vignes 2000★

■	2,5 ha	n.c.	⅏ 15 à 23 €

Voulant devenir berger, Bertrand se présente à l'école de Montargis... mais entre au lycée viticole de Beaune. Le voilà aujourd'hui à la tête d'un domaine et d'une maison de négoce-éleveur. Tant pis pour les moutons ! Ces Vieilles vignes portent une robe engageante, limpide, sérieuse. Le léger boisé bien maîtrisé n'étouffe pas le bourgeon de cassis. De structure moyenne mais bien épaulé par son élevage, ce vin confirme en bouche les promesses du nez.

↢ Maison Bertrand Ambroise,
rue de l'Eglise, 21700 Premeaux-Prissey,
tél. 03.80.62.30.19, fax 03.80.62.38.69,
e-mail bertrand.ambroise@wanadoo.fr ☑ ℑ r.-v.

DOM. DE L'ARLOT
Clos des Forêts Saint Georges 1999★★

■ 1er cru	7 ha	20 000	⅏ 30 à 38 €

Diplômé de l'ESSEC et expert-comptable, Jean-Pierre de Smet est tombé amoureux de la Bourgogne au point de changer de métier pour se consacrer cœur et âme à ce prestigieux domaine où flottent les souvenirs des Viénot et de Jules Belin. AXA Millésimes est son partenaire. Rouge grenat avec un disque d'un léger bleu, ce vin issu d'un clos de 7 ha situé sur Premeaux est aromatique (vanille, cannelle, chocolat) et il fait bonne impression en bouche. Sa persistance n'est pas homérique, mais la groseille sait accompagner une concentration estimable et un parfait équilibre. Jolie garde assurée.

☛ Dom. de l' Arlot, Premeaux,
21700 Nuits-Saint-Georges, tél. 03.80.61.01.92,
fax 03.80.61.04.22 ✔ ☲ r.-v.

☛ Axa Millésimes

DOM. DE L'ARLOT
Clos de l'Arlot Monopole 1999★

■ 1er cru	1 ha	5 500	⤵	30 à 38 €

Ce Niçois est devenu un « fou de Bourgogne ». Son chardonnay au teint clair marie le grillé et l'aubépine sur un nez bienveillant. Riche et puissant, il a l'âme conquérante et il faudra le laisser vieillir pour dissiper l'empreinte du fût.

☛ Dom. de l' Arlot, Premeaux,
21700 Nuits-Saint-Georges, tél. 03.80.61.01.92,
fax 03.80.61.04.22 ✔ ☲ r.-v.

DOM. BARBIER ET FILS
Belle Croix 1999

■	0,21 ha	1 300	⤵	15 à 23 €

Ce *climat* se situe entre la RN 74 et les Pruliers, sur Nuits, côté Premeaux. Géré par Xavier et Guy Dufouleur, le domaine Barbier et Fils rappelle le nom d'un flamboyant sénateur-maire de la ville, grand-maître du Tastevin. Né sous une bonne étoile, ce vin est bien fait. Rubis soutenu, boisé-fumé marqué, il est souple pour l'année et d'une longueur correcte.

☛ Dom. Barbier et Fils, 17, rue Thurot,
21700 Nuits-Saint-Georges, tél. 03.80.61.21.21,
fax 03.80.61.10.65 ✔ ☲ r.-v.

☛ Guy et Xavier Dufouleur

ALBERT BICHOT
Les Crots 1999

■ 1er cru	2,81 ha	9 130	⤵	30 à 38 €

Ayant repris naguère la maison Lupé-Cholet, la maison Albert Bichot est à Nuits comme un poisson dans l'eau. Ce 99 rubis noir très brillant va à l'essentiel : la confiture de fraises en ouverture au sein d'un vanillé discret. Il prend des qualités à l'aération et on peut le décanter. Au palais, il joue l'élégance. Le potentiel n'est pas considérable et il figure dans la catégorie des vins de plaisir pour les deux ans à venir.

☛ Albert Bichot, Dom. du Pavillon,
6 bis, bd J.-Copeau, 21200 Beaune,
tél. 03.80.24.37.37, fax 03.80.24.37.38

DOM. BOUCHARD PERE ET FILS
Les Cailles 1999★★

■ 1er cru	1,07 ha	n.c.	■⤵⬇	30 à 38 €

Bouchard Père et Fils possède aujourd'hui le plus vaste domaine viticole de toute la Bourgogne (130 ha). Les Cailles : ce nom charmant et marchand ne doit rien aux oiseaux du même nom. C'est un dérivé de *crai*, terrain pierreux. Mais admettons-le, cette bouteille a des ailes ! D'un rouge profond, toastée puis assez florale dans le verre, elle se développe de façon ferme et structurée. Son acidité est bien enrobée. Vous pourrez l'oublier quatre à cinq ans en cave. Le **Clos Saint Marc 99** sous une étiquette Domaine du Clos Saint-Marc obtient une citation ; il plaira outre-Atlantique.

☛ Bouchard Père et Fils, Ch. de Beaune,
21200 Beaune, tél. 03.80.24.80.24, fax 03.80.22.55.88,
e-mail france@bouchard-pereetfils.com ☲ r.-v.

SYLVAIN CATHIARD
Les Murgers 2000★

■ 1er cru	0,47 ha	2 700	⤵	23 à 30 €

Sylvain Cathiard a la chance de vinifier quelques arpents de la romanée-saint-vincent. Sa famille a su se faire un nom et une réputation. Ce *climat* se situe entre Nuits et Vosne. D'une couleur bien mûre, ce 2000 possède un nez sauvage où l'on perçoit le cuir et la fourrure. Puis une sensation de cerise à l'eau-de-vie s'impose dans un boisé vanillé. La bouche chaleureuse est tapissée de soie.

☛ Sylvain Cathiard, 20, rue de la Goillotte,
21700 Vosne-Romanée, tél. 03.80.62.18.21,
fax 03.80.61.18.21 ✔ ☲ r.-v.

DOM. JEAN CHAUVENET
Les Vaucrains 2000★★

■ 1er cru	0,41 ha	2 300	⤵	30 à 38 €

Une bonne cave qui nous livre dans le même millésime 2000 une honnête bouteille, citée, de **Damodes** (23 à 30 €) et une autre, dans la même fourchette de prix, très belle de **Bousselots**, une étoile. Quant à cette troisième (le domaine couvre presque 10 ha), elle est magnifique. Un Vaucrains riche en couleur et dont le bouquet tourne autour de la violette et du cassis. Sa belle acidité lui confère des capacités de vieillissement, confirmées par la présence de beaucoup de gras, de concentration, et des tanins structurants. *Climat* proche de Saint-Georges.

☛ Dom. Jean Chauvenet, 3, rue de Gilly,
21700 Nuits-Saint-Georges, tél. 03.80.61.00.72,
fax 03.80.61.12.87 ☲ r.-v.

☛ Ch. Drag

CHAUVENET-CHOPIN
Aux Thorey 2000★

■ 1er cru	0,52 ha	3 000	⤵	15 à 23 €

Au rendez-vous du coup de cœur : telle pourrait être l'enseigne de ce domaine lauréat dans nos éditions 1995, 1999 et 2001 ! On a affaire ici à un pinot rouge violacé. Ses parfums évoquent le bois de la grappe, les pellicules de raisins après la presse. Rond et équilibré, il cède en finale à une pointe d'amertume qui signe sa jeunesse. Le tout est flatteur et pourra veillir deux ou trois ans. Le **nuits village 2000 (11 à 15 €)** obtient une citation. De belle facture, déjà ouvert, il joue sur le fût et le cassis.

☛ Chauvenet-Chopin, 97, rue Félix-Tisserand,
21700 Nuits-Saint-Georges, tél. 03.80.61.28.11,
fax 03.80.61.20.02 ✔ ☲ r.-v.

DOM. GEORGES CHICOTOT
Les Saint-Georges 1999★★★

■ 1er cru	1,14 ha	1 800	⤵	23 à 30 €

Porte-drapeau de la ville, les Saint-Georges ont rang de grand cru pour qui connaît l'histoire des AOC bourguignonnes. On frôle ici le coup de cœur, et de très près. Une bouteille accomplie. Burlat bien mûr, elle touche à la perfection visuelle. Complet, complexe, le bouquet est à la fois élégant et présent. Au palais, c'est tout bonnement un régal. « C'est bon » ou « c'est un vin que j'aime et que j'achète sans hésiter », lit-on sur les fiches de nos dégustateurs au septième ciel.

� SCEV Dom. Georges Chicotot, 15, rue
Gal-de-Gaulle, 21700 Nuits-Saint-Georges,
tél. 03.80.61.19.33, fax 03.80.61.38.94,
e-mail chicotot@aol.com ☑ ☖ r.-v.

A. CHOPIN ET FILS 1999★

■	1 ha	4 000	⦿ 11 à 15 €

La finesse et l'ampleur ne sont pas forcément des
sœurs ennemies qu'on n'invite pas ensemble. Tel est le cas
ici où, sous un rubis soutenu, violacé et dense, le bouquet
est savoureux (épices et mûre) tout en esquissant sa
complexité future. En bouche, le quatuor cède la place à
l'orchestre symphonique. Trois mouvements : le gras, les
tanins et la synthèse. Coup de cœur pour le millésime 95
jugé dans l'édition 1998.
➤ A. Chopin et Fils, RN 74, 21700 Comblanchien,
tél. 03.80.62.92.60, fax 03.80.62.70.78 ☑ ☖ r.-v.

DOM. CONFURON-CONTETIDOT
Murgers Vignerondes 1999

■ 1er cru	1 ha	3 600	23 à 30 €

Jack est une forte personnalité. Son vin est comme
lui : entier. Sous une robe très sombre, le nez n'est pas triste
du tout. Il est assez ouvert sur des notes de cerise conservée
dans l'eau-de-vie. La bouche est encore fraîche, avec de la
matière. On remarque en passant une jolie pointe réglissée.
Les tanins vont s'arrondir. Les vins sont comme les
hommes, il faut souvent un peu de temps pour les apprécier.
➤ EARL J. Confuron-Cotetidot,
10, rue de la Fontaine, 21700 Vosne-Romanée,
tél. 03.80.61.03.39, fax 03.80.61.17.85 ☑ ☖ r.-v.

XAVIER DUCLERT
Les Hauts Poirets 1999★

■	n.c.	n.c.	☖⦿♦ 15 à 23 €

Etiquette *new look* et bleutée pour un Hauts Poirets
en robe légère, d'un rouge uniforme et assez lumineux.
Bois, sous-bois, petits fruits, le nez a du caractère. Dès
l'attaque, la bouche est généreuse. La cerise l'emporte
alors sur toute autre considération, dans un contexte de
tanins qui appellent la garde et le fondu. Mis en bouteilles
à Nuits pour un négociant-éleveur de Meursault.
➤ Xavier Duclert, boutique 21,
7, rue Vergnette-de-la-Motte, 21200 Beaune,
tél. 03.80.22.74.77, fax 03.80.22.74.77,
e-mail info@vimetum.com
☑ ☖ t.l.j. 10h-12h30 14h30-19h

DOM. GUY DUFOULEUR
Clos des Perrières 1999★

■ 1er cru	0,93 ha	6 000	⦿ 30 à 38 €

Proche de la falaise calcaire de Premeaux, les Perrières se trouvent sur d'anciennes carrières. Mis en bouteilles et distribué par Dufouleur Père et Fils, ce 99 est d'un
rouge grenat au-dessus de toute concurrence. Fruits rouges
et pain grillé, le nez ne surprend pas mais il est frais. La
matière est sur sa réserve, tout en réalisant un bon examen
de passage en bouche. Corsé et encore austère, ce vin est
à projeter sur les trois à cinq ans à venir. **Les Poulettes 99**
jouent sur le même registre et obtiennent le même tome.
➤ Dom. Guy Dufouleur, 19, pl. Monge,
21700 Nuits-Saint-Georges, tél. 03.80.62.31.00,
fax 03.80.62.31.00 ☑ 🏠 ☖ r.-v.
➤ Guy et Xavier Dufouleur

DOM. DUPONT-TISSERANDOT 2000★

■	0,29 ha	n.c.	⦿ 11 à 15 €

Volumineux dès l'attaque, le fruit éclate bientôt
et emplit le palais sur des notes sincères légèrement
vanillées. Généreux, persistant, un pinot noir complet et
dont les tanins, quelque peu dominateurs, sont dans
l'esprit de l'appellation. Rouge cerise profond, il proclame
le cassis sur un décor végétal. Domaine gibriacois qui a
grandi à grands pas jusqu'aux 24 ha actuels. Nul besoin de
solliciter demain cette bouteille. Elle est pour après-
demain.
➤ GAEC Dupont-Tisserandot,
2, pl. des Marronniers, 21220 Gevrey-Chambertin,
tél. 03.80.34.10.50, fax 03.80.58.50.71 ☑ ☖ r.-v.

VINCENT DUREUIL-JANTHIAL
Clos des Argillières 1999

■ 1er cru	0,71 ha	4 000	⦿ 15 à 23 €

Vincent a fait l'école de Beaune puis s'est installé en
1994. Eclectique, il signe un Clos des Argillières (au-dessus
du village de Premeaux alors qu'il habite la Côte chalonnaise). Rouge accentué et presque noir, ce 1er cru exprime
des arômes variés où l'on reconnaît le champignon, le
torréfié et le cassis. Il n'a pas beaucoup de corps mais il
possède des rondeurs qui s'associent agréablement au
fruité : on peut l'ouvrir dès cet hiver.
➤ Vincent Dureuil-Janthial,
rue de la Buisserolle, 71150 Rully,
tél. 03.85.87.26.32, fax 03.85.87.15.01,
e-mail vincent.dureuil@wanadoo.fr ☑ ☖ r.-v.

FAIVELEY
Les Porêts Saint-Georges 1999

■ 1er cru	1,7 ha	7 000	⦿ 23 à 30 €

Le millésime a reçu naguère le coup de cœur. Ce sont
ici les Porêts, à ne pas confondre avec les Forêts également
Saint-Georges. Quant au domaine, on ne le présente plus
tant il fait partie de Nuits. Difficile à juger aujourd'hui en
raison de sa jeunesse, ce 99 n'a pas encore quitté son
armure. On sent qu'il a du cœur, mais il en fera l'aveu un
peu plus tard. Grenat foncé, il tire sur des notes animales
et épicées.
➤ Maison Joseph Faiveley, 8, rue du Tribourg,
BP 9, 21701 Nuits-Saint-Georges Cedex,
tél. 03.80.61.04.55, fax 03.80.62.33.37 ☑

DOM. GACHOT-MONOT 1999★★

■	0,13 ha	920	⦿ 11 à 15 €

La voilà, la fine bouteille de nuits que Jules Verne
offre à ses héros du *Voyage autour de la lune*, lorsqu'ils
parviennent aux abords de notre satellite. Souple, plaisant,
complet, long, de bonne garde avec une pointe tannique en
finale, c'est en effet un 99 remarquable. L'une des bouteilles de proue de la dégustation. Pourpre profond, il offre
un bouquet assez complexe où l'on devine la rose. Ce
domaine de 9,2 ha s'accompagne d'une ferme de 200 ha
et c'est l'un des derniers exemples de polyculture de la
Côte. Le vin, on le voit, ne s'en porte pas plus mal. Notez
aussi **Aux Crots 99 (15 à 23 €)**, de longue garde et qui
obtient une étoile.
➤ Dom. Gachot-Monot, 13, rue Humbert-de-Gillens,
21700 Gerland, tél. 03.80.62.50.95, fax 03.80.62.53.85
☑ ☖ r.-v.

PHILIPPE GAVIGNET
Les Bousselots 2000★

■ 1er cru	0,43 ha	2 700	⏛ 15 à 23 €

Philippe Gavignet érafle à 100 % et renouvelle un tiers de ses pièces chaque année. Il propose trois nuits de qualité égale et de bonne tenue. Comme il faut choisir, commentons Les Bousselots. Ceux-ci ont du potentiel, de la couleur, de l'expression sur le grillé et le fruit mûr. Epicé et concentré, ce vin n'est pourtant pas distant car il est chaleureux. **Les Chaboeufs 2000** obtiennent une citation ainsi que **Les Pruliers 2000**, tous dans la même fourchette de prix.

☛ Dom. Philippe Gavignet, 36, rue Dr-Louis-Legrand, 21700 Nuits-Saint-Georges, tél. 03.80.61.09.41, fax 03.80.61.03.56 ✅ ⏇ t.l.j. 8h-12h 14h-18h; sam. dim. sur r.-v.

DOM. MICHEL GROS 2000

■ 1er cru	n.c.	1 800	⏛ 30 à 38 €

Comme Valentine dans l'œuvre célèbre, cette bouteille porte une robe mauve. Son nez est-il timide ou réservé ? Vaste question ! Discret, à tout le moins. Prometteur, un vin assez concentré. La vivacité est là et ses tanins se tiennent un peu en retrait. Fils de Jean et de Jeanine Gros, Michel a créé naguère le cinquième domaine portant de nom à Vosne. Le **village 2000 (15 à 23 €)** mérite d'être cité.

☛ Dom. Michel Gros, 7, rue des Communes, 21700 Vosne-Romanée, tél. 03.80.61.04.69, fax 03.80.61.22.29 ✅ ⏇ r.-v.

DOM. GUYON
Aux Herbues 2000★

■	0,22 ha	1 600	⏛ 15 à 23 €

Le millésime précédent de ce vin était l'an passé notre seul coup de cœur à Nuits. C'est dire comme ces Herbues (à la limite de Vosne-Romanée) ne passent pas inaperçues. Cette fois-ci encore, ce *village* tutoie les 1ers crus. Cerise noire, il privilégie le cassis au chapitre du bouquet. Des tanins de soie s'affirment derrière une attaque franche. S'il a de la puissance, celle-ci est contenue, et en définitive c'est la finesse qui prend le dessus dans un style élégant.

☛ EARL Dom. Guyon, 11-16, RN 74, 21700 Vosne-Romanée, tél. 03.80.61.02.46, fax 03.80.62.36.56 ✅ ⏇ r.-v.

ALAIN HUDELOT-NOELLAT
Les Murgers 2000

■ 1er cru	0,67 ha	4 000	⏛ 23 à 30 €

Alain a débuté en 1961 sur un petit hectare de vigne. Son domaine s'étend de nos jours sur près de 10 ha et il comporte richebourg et romanée-saint-vivant provenant de la succession Charles Noëllat. Ces Murgers demandent à vieillir afin de fondre tous leurs composants. D'une belle brillance au regard, cassis et pain grillé, ce vin effectue avec succès son parcours en bouche : les tanins ne se font pas oublier et persistent longuement. A attendre quatre ans.

☛ Alain Hudelot-Noëllat, Ancienne Rte Nationale, 21220 Chambolle-Musigny, tél. 03.80.62.85.17, fax 03.80.62.83.13 ✅ ⏇ r.-v.

DOM. JAVOUHEY
Vieilles vignes 1999

■	0,44 ha	3 000	⏛ 11 à 15 €

Courtier en vins comme son père et son grand-père, Dominique Javouhey est spécialisé dans les crus de Gevrey

et de Morey. Ce « mouchoir de poche » de 44 a en nuits *village* vinifié par Thomas, rouge feu, le nez confit... en dévotion pour la baie sauvage, est bien typé. Retour de griotte, souplesse, charpente et profondeur : un vin qui va droit au but et qui vivra cinq à dix ans.

☛ Dom. Javouhey, 46, rue Gal-de-Gaulle, 21702 Nuits-Saint-Georges, tél. 03.80.61.10.30, fax 03.80.61.35.76, e-mail domaine@javouhey.com ✅ ⏇ t.l.j. 9h-19h

DOM. MACHARD DE GRAMONT
Les Hauts-Pruliers 1999

■	0,51 ha	2 600	⏛ 15 à 23 €

Long élevage en fût de vingt-deux mois, cela semble exceptionnel, et saluons cet effort. Il subsiste sur cette parcelle des pieds de vigne plantés en 1914. Pour un 99, il y a tout l'équilibre nécessaire. Quelques notes confites s'affirment autour des fruits rouges. Les tanins sont en train de se fondre et la fin de bouche nous semble poivrée. Lui offrir des magrets de canard dans deux ou trois ans.

☛ SCE Dom. Machard de Gramont, Le Clos, rue Pique, BP 105, 21703 Premeaux-Prissey, tél. 03.80.61.15.25, fax 03.80.61.06.39 ✅ ⏇ t.l.j. 9h-12h 14h-18h; sam. dim. sur r.-v.; f. 15-31 août

JEAN-PHILIPPE MARCHAND 2000

n.c.	6 000	⏛ 11 à 15 €

Viticulture et négoce partagent l'activité de Jean-Philippe Marchand à Gevrey-Chambertin. Son nuits *village* a de la matière et du fruit. La forte présence des tanins déséquilibre actuellement ce vin qui doit absolument vieillir. Jusqu'à dix ans, cela ne nous étonnerait pas et il y a des paris plus fous... Robe intense et encrée, rouge-noir violacé. Une pointe de cassis en manière de bouquet.

☛ Maison Jean-Philippe Marchand, 4, rue Souvert, BP 41, 21220 Gevrey-Chambertin, tél. 03.80.34.33.60, fax 03.80.34.12.77, e-mail marchand@axnet.fr ✅ 🏠 ⏇ t.l.j. sf dim. lun. 10h-12h 14h-19h; f. 25 déc.-4 jan.

P. MISSEREY 1999

n.c.	12 000	⏛ 23 à 30 €

Pas très long mais cohérent en bouche, ce nuits a du corps et de l'élan. Les tanins restent encore sur la langue mais les choses vont s'arranger. Le bouquet se montre subtil et riche (griotte, mûre) sur fond boisé. Voici près de vingt ans que Marc Misserey a cédé sa maison à la famille Lanvin qui quittait le sucre et le chocolat pour la vigne et le vin.

☛ Maison P. Misserey, 3, rue des Seuillets, BP 10, 21701 Nuits-Saint-Georges Cedex, tél. 03.80.61.07.74, fax 03.80.61.31.40, e-mail lanvin-sa@worldonline.fr ✅ ⏇ r.-v.

DOM. PAUL MISSET
Tribourg 1999

■	0,5 ha	3 000	⏛ 15 à 23 €

Egalement copropriétaire du domaine des Varoilles à Gevrey, la famille Chéron a épousé la famille Misset. Dès 1936, Paul Misset avait entrepris de créer son pré carré de vigne. Denis et son fils Yves exploitent actuellement ce précieux héritage. Tribourg est un *climat* très proche de la ville, côté Premeaux. Cette bouteille n'inspire ici que de bons sentiments. D'un rouge profond et jeune, elle manque un bouquet net et franc. Fruitée en bouche, elle ne manque pas de fermeté et laisse ses tanins se charger du coup de chapeau final. A attendre trois ans puis voir pendant sept ans.

BOURGOGNE

🔑 SC Dom. Paul Misset, 8, rue Félix-Tisserand, 21700 Nuits-Saint-Georges, tél. 03.80.34.37.82

MORIN PERE ET FILS 1999

■ n.c. 18 000 🛢 15 à 23 €

Les caves anciennes (1717) de la maison reprise par Jean-Claude Boisset font partie du patrimoine nuiton. Rubis clair, ce 99 consent à délivrer quelques arômes de cerise, de kirsch : c'est un bon début dans la vie bien qu'il demeure d'une prudente discrétion. L'attaque est franche, avec un peu de complexité. Souple et agréable, équilibré, ce vin n'est pas destiné à une longue garde.

🔑 Morin Père et Fils, 9, quai Fleury, 21700 Nuits-Saint-Georges, tél. 03.80.61.19.51, fax 03.80.61.05.10 ☑ 🍷 t.l.j. 9h-12h 14h-18h; l'été 9h-19h

DENIS MUGNERET ET FILS

Les Boudots 2000*

■ 1er cru 0,6 ha 2 400 🛢 23 à 30 €

Denis Mugneret travaille en famille : le GAEC « Père et fils » a été constitué en 1982, avec Dominique et Christine sur 8 ha, animés par le goût de bien faire. Grenat foncé, violine, ainsi apparaissent ces Boudots aux odeurs de sous-bois, de pain grillé et de fruits rouges. L'équilibre aromatique se poursuit et si l'on note une pointe d'amertume en finale, un peu de chaleur aussi, cela ne surprend pas. Ses tanins sont caressants et soigneusement rabotés mais supporteront une garde de trois à quatre ans.

🔑 Denis et Dominique Mugneret, 9, rue de la Fontaine, 21700 Vosne-Romanée, tél. 03.80.61.00.97, fax 03.80.61.24.54 ☑ 🍷 r.-v.

DOM. DES PERDRIX

Aux Perdrix 1999*

■ 1er cru 3,49 ha 11 236 🛢 30 à 38 €

Antonin Rodet présente ce vin issu du domaine de son PDG et d'un style de vinification très moderne et très réussi puisque le jury le goûte à nouveau et déclare : « c'est bon... » L'attaque est pleine et franche, les tanins épurés et on croit croquer dans le fruit. Vous aurez compris qu'il s'agit d'un 99 hyper-flatteur, soyeux et conçu pour plaire à un horizon rapproché. Robe plutôt dense et fort sombre, nez boisé raisonnable marié à des senteurs animales. Ce domaine propose un **1er cru Les Porets 99 (38 à 46 €)** qui reçoit la même note, et un **nuits village 99** cité, bien dans son millésime.

🔑 B. et C. Devillard, Dom. des Perdrix, Ch. de Champ Renard, 71640 Mercurey, tél. 03.85.98.12.12, fax 03.85.45.25.49, e-mail rodet@rodet.com ☑

DOM. JEAN PETITOT ET FILS

Les Poisets 1999*

■ 1 ha 5 800 🛢 11 à 15 €

Un vin stendhalien. *Le Rouge et le Noir*. Il concilie en effet la framboise et la mûre au cœur d'un bouquet fin et complexe. D'un rouge carmin, il bénéficie d'une bonne acidité qui assure son potentiel : la charpente est efficace, les tanins d'une nature aimable et la présence durable. Ce *climat* se trouve juste sous les Cailles et les Saint-Georges. A tous égards, il n'est pas loin d'un 1er cru.

🔑 Dom. Jean Petitot et Fils, 26, pl. de la Mairie, 21700 Corgoloin, tél. 03.80.62.98.21, fax 03.80.62.71.64, e-mail domaine.petitot@wanadoo.fr ☑ 🍷 t.l.j. sf dim. 8h-19h

PIERRE PONNELLE 1999

■ n.c. 15 000 🛢 30 à 38 €

D'une couleur dense, sans plus mais pas moins, un 99 dont le message olfactif à demi-ouvert se limite au sous-bois mâtiné de mûre. Il attaque en douceur, révèle une légère acidité, puis un peu de renfort tannique mais la souplesse règne en bouche. Sans prétentions excessives, un vin de bon aloi signé par J.-P. Nié aux commandes de cette maison.

🔑 Maison Pierre Ponnelle, abbaye de Saint-Martin, chem. des Teurons, 21200 Beaune, tél. 03.80.22.19.12, fax 03.80.24.14.84, e-mail mayaud.f@cva-beaune.fr

DOM. DE LA POULETTE

Les Vaucrains 1999*

■ 1er cru 1,34 ha 7 000 🛢 23 à 30 €

Françoise Michaut-Audidier a repris le domaine familial et son père, Lucien Audidier, fut naguère une figure marquante de la vigne française et bourguignonne, engagée dans d'innombrables combats d'AOC en Côte de Nuits. On est en pleine légende. **Les Poulettes 99**, citées par le jury, ont assez de charme pour fixer votre choix. Les Vaucrains présentés ici ont davantage de flamme. Superbement habillé, ce 99 s'éveille dans le verre sur la mûre et l'épice. Acidité, présence tannique sont caractéristiques de l'AOC.

🔑 Dom. de la Poulette, 103, Grande-Rue, 21700 Corgoloin, tél. 03.80.62.98.02, fax 01.45.25.43.23, e-mail f.michaut@wanadoo.fr ☑ 🍷 r.-v.

🔑 F. Michaut-Audidier

CH. DE PREMEAUX 2000

■ 2 ha 8 500 🛢 11 à 15 €

Heureux petit-fils d'un grand-père qui acheta la propriété au début des années 1930. Depuis 1982, l'année du décès de son père, Alain Pelletier dirige l'exploitation sur 12,5 ha. Rouge grenat d'une forte intensité, ce vin a besoin d'aération pour s'ouvrir. Il y réussit alors sur un cassis classique, une vanille habituelle et quelques épices pour relever le tout. D'une assez bonne harmonie pour un 2000, c'est ce qu'on appelle un vin fin. Tentez-le sur une carpe au vin rouge... Le **Clos des Argillières 2000 (15 à 23 €)** a lui aussi droit de cité dans le Guide (coup de cœur en 1991).

🔑 Dom. du Ch. de Premeaux, 21700 Premeaux-Prissey, tél. 03.80.62.30.64, fax 03.80.62.39.28, e-mail chateau.de.premeaux@wanadoo.fr ☑ 🍷 r.-v.

HENRI ET GILLES REMORIQUET

Les Bousselots 2000***

■ 1er cru 0,55 ha 3 700 🛢 15 à 23 €

De ce domaine coup de cœur en 1993 conduit par Gilles, qui a d'importantes responsabilités au sein du vin de Bourgogne, nous vient un **Allots 2000 (11 à 15 €)** qui suscite des commentaires très flatteurs et obtient une étoile. Mais l'enthousiasme vient des Bousselots (côté Vosne) qui se promènent pas très loin du coup de cœur. La robe est quasiment noire. Le boisé réel mais dominé. La bouche terriblement concentrée, épicée, élancée, fait penser à cette page de *Kaputt* où Curzio Malaparte décrit le vin de Nuits d'une plume éblouissante.

🔑 Gilles Remoriquet, 25, rue de Charmois, 21700 Nuits-Saint-Georges, tél. 03.80.61.24.84, fax 03.80.61.36.63, e-mail domaine.remoriquet@wanadoo.fr ☑ 🍷 r.-v.

DOM. DANIEL RION ET FILS
Les Grandes vignes 1999★★

■	0,95 ha	5 500	🍶 15 à 23 €

On se rappelle le baptême d'un cratère de la Lune par l'équipage d'Apollo XV le 25 juillet 1971, avec l'étiquette d'un vin de Nuits (hommage à Jules Verne). La bouteille aurait pu être celle-ci. Un luxe de couleur et une touche fruitée mariée au fût. Cela donne un beau vin sans doute un peu atypique, mais qui n'en est qu'au début de sa vie. Domaine situé sur Chambolle, Vosne et Nuits (18 ha). Le coup de cœur a honoré ici le millésime 96.
⌘ EARL Daniel Rion et Fils, 21700 Premeaux, tél. 03.80.62.31.28, fax 03.80.61.13.41 ☑ ɫ r.-v.

DOM. TAUPENOT-MERME
Les Pruliers 1999★★

■ 1er cru	n.c.	3 800	🍶 23 à 30 €

« Un verre de nuits prépare la vôtre », disait l'un des pères du Tastevin. De fait ! Voici un vin de très grande classe, premier millésime au sein du domaine car cette parcelle a été acquise en 1999. Sous une robe intense et sombre, les parfums vont et viennent du fruit noir au grillé. Glorieux en bouche, ce vin possède un gras surabondant et des tanins bien enrobés. Si vous le carafez ou si vous l'ouvrez une bonne heure avant le repas, vous ne serez pas déçu (viandes rouges ou gibiers marinés lui conviendront).
⌘ Jean Taupenot-Merme, 33, rte des Grands-Crus, 21220 Morey-Saint-Denis, tél. 03.80.34.35.24, fax 03.80.51.83.41, e-mail domaine.taupenot-merme @ wanadoo.fr ☑ ɫ r.-v.

PIERRE THIBERT 2000

■	0,52 ha	900	🍶 11 à 15 €

Parcelles familiales exploitées en métayage et domaine créé entièrement par le viticulteur en 1989. Le *village* d'un rouge rubis de bonne intensité offre au nez une impression boisée mariée au bourgeon de cassis. Puis l'attaque est vive, le fruit bien présent et la structure satisfaisante. Ne pas se précipiter sur la bouteille pour la déboucher : elle devra attendre deux à trois ans.
⌘ Pierre Thibert, 76, Grande-Rue, 21700 Corgoloin, tél. 03.80.62.73.40, fax 03.80.62.73.40, e-mail domainethibert @ net-up.com ☑ ɫ r.-v.

DOM. CHARLES THOMAS 2000

■	2,4 ha	8 400	🍶 15 à 23 €

« Risque de bien évoluer », écrit un juré sur sa fiche. C'est un risque que l'on prend bien volontiers. Rouge sombre et d'une remarquable limpidité, ce nuits place toute sa foi dans le cassis qui orne un nez déjà ouvert. A l'attaque, il ressemble à saint Georges terrassant le dragon. Il y met de la vigueur. La suite est plus légère bien que charpentée. Attendre deux ou trois ans.
⌘ Dom. Charles Thomas, chem. rural 59, 21700 Nuits-Saint-Georges, tél. 03.80.62.42.10, fax 03.80.61.28.13, e-mail thomas.freres @ wanadoo.fr ☑ ɫ t.l.j. 10h-18h; f. jan.

JEAN-PIERRE TRUCHETET 1999

■	1,63 ha	3 400	🍶 15 à 23 €

Jean-Pierre et Sylvie Truchetet ont repris les 8 ha du domaine familial en 1989 et ils l'ont un peu agrandi depuis. Quelques reflets mauves animent sa robe. Ses arômes se répartissent équitablement entre la vanille du fût et les petits fruits. L'attaque est nette, assez bien équilibrée avec une dominante tannique et un rien d'acidité en fin de bouche : c'est un vin charpenté, solide, et qui a du temps devant lui.

⌘ Jean-Pierre Truchetet, RN 74, 21700 Premeaux-Prissey, tél. 03.80.61.07.22, fax 03.80.61.34.35 ☑ ɫ t.l.j. sf sam. dim. 9h-12h 14h-19h; f. 15-31 août

Côte de nuits-villages

Après Premeaux, le vignoble s'amenuise pour se réduire à une longueur de vignes d'environ 200 m à Corgoloin. C'est l'endroit où la côte est la plus étroite. La « montagne » diminue d'altitude, et la limite administrative de l'appellation côte de nuits-villages, anciennement appelée « vins fins de la Côte de Nuits », s'arrête au niveau du clos des Langres, sur Corgoloin. Entre les deux, deux communes : Prissey, associée à Premeaux, et Comblanchien, réputée pour la pierre calcaire (appelée improprement marbre) que l'on tire des carrières du coteau. Toutes deux possèdent quelques terroirs aptes à porter une appellation communale. Mais les superficies de ces trois communes étant trop petites pour avoir une appellation individuelle, Brochon et Fixin y ont été associées pour constituer cette unique appellation côte de nuits-villages, qui a produit, en 2001, 7 286 hl dont 340 hl en vin blanc. On y trouve d'excellents vins, à des prix abordables.

RENE BOUVIER 2000★★

■	0,49 ha	2 500	🍶 11 à 15 €

Ce domaine vient de quitter Marsannay pour s'installer dans ses murs à Gevrey. Il signe un vin qui conviendra à une cuisine soignée. Un feu intérieur visible à l'œil nu, un bouquet restreint et porté sur le cuir, une bouche délicieuse. Tannique, bien sûr. Chaleureuse, certainement. L'appellation, c'est ça. Côte de Nuits version septentrionale.
⌘ Dom. René Bouvier, 29, rte de Dijon, 21220 Gevrey-Chambertin, tél. 03.80.52.21.37, fax 03.80.59.95.96, e-mail rene-bouvier @ wanadoo.fr ☑ ɫ r.-v.
⌘ Bernard Bouvier

CHEVALIER PERE ET FILS 1999★

■	0,45 ha	2 000	🍶 8 à 11 €

Le vin de la poule au pot : Henri IV aurait pu le joindre à l'ordonnance. Violet vif, il s'inspire du cassis et de la mûre pour composer un bouquet intense, boisé sans excès. Ses tanins sont amadoués mais présents. Sa structure efficace. Il a besoin de temps pour s'ouvrir, se polir, et on l'imagine en pleine forme d'ici deux à trois ans. Il a tous les caractères de son AOC.
⌘ SCE Chevalier Père et Fils, Buisson, 21550 Ladoix-Serrigny, tél. 03.80.26.46.30, fax 03.80.26.41.47, e-mail ladoixch @ club-internet.fr ☑ ɫ r.-v.

A. CHOPIN ET FILS
Les Monts de Boncourt 2000★

	1 ha	4 000		Ⅲ 8 à 11 €

Sur Corgoloin, les Monts de Boncourt sont l'un des *climats* de l'AOC qui bénéficient d'une certaine notoriété. Ils donnent souvent de bons résultats en chardonnay, comme ici. La couleur n'a rien à envier à des crus plus huppés. Si la nuance boisée prend un peu le pas sur le fruit frais, ce vin n'en est pas moins vif ; il nous procure une impression d'enfance : croquer une pomme verte... Rond, équilibré et persistant, une bouteille à ouvrir dans un ou deux ans.

🍷 A. Chopin et Fils, RN 74, 21700 Comblanchien, tél. 03.80.62.92.60, fax 03.80.62.70.78 ☑ ⴵ r.-v.

CLOS DES LANGRES 2000★★

	3,12 ha	15 000		Ⅲ 11 à 15 €

Félicitations du jury. Une vinification Terrand (le maître de chai) éblouissante. Le Clos des Langres est cette vigne, cette si jolie maison qu'on voit sur la 74 entre Corgoloin et Ladoix. On pourrait mettre un panneau : la Côte de Nuits et la Côte de Beaune se rencontrent ici, ou peut-être se séparent... Rubis brillant et intense en fruits frais, un vin d'une rectitude, d'une élégance à citer en exemple. Sa bouche est un de ces petits paradis où l'on adore flâner.

🍷 Dom. d' Ardhuy, Clos des Langres, 21700 Corgoloin, tél. 03.80.62.98.73, fax 03.80.62.95.15, e-mail domaine.ardhuy@wanadoo.fr ☑ ⴵ t.l.j. sf dim. 10h-12h 14h-18h

CLOS SAINT-LOUIS 2000

	3 ha	15 000	Ⅲ Ⅲ 8 à 11 €

Ce Clos Saint-Louis est né sur le *climat* Aux Prés. Il est fort bien niché à Fixin au pied des 1ers crus. S'il n'est pas un monstre de concentration, ce vin rubis clair et odorant (fraise, tabac, vanille) se laisse approcher sans difficulté. Sa structure lui assure une honnête durée de vie.

🍷 Dom. du Clos Saint-Louis, 4, rue des Rosiers, 21220 Fixin, tél. 03.80.52.45.51, fax 03.80.58.88.76, e-mail clos.st.louis@wanadoo.fr ☑ ⴵ t.l.j. 9h-19h; f. 20 déc.-3 janv., 15-31 août

DOM. CORNU
Le Clos de Magny 1999★

	1,3 ha	8 000		Ⅲ 8 à 11 €

Climat situé sur Corgoloin, en haut de coteau et pas très éloigné de Ladoix. Il porte ici, très légitimement, son nom. Rubis violacé, il a le nez farouche et valeureux des vrais côtes de nuits-villages, jouant sur la prune et les épices. Puis les saveurs s'ouvrent sur le fruit avant de laisser s'exprimer des tanins qui demandent quelques années de garde.

🍷 Dom. Claude Cornu, rue du Meix-Grenot, 21700 Magny-lès-Villers, tél. 03.80.62.92.05, fax 03.80.62.72.22 ☑ ⴵ r.-v.

DESERTAUX-FERRAND
Les Perrières 1999★

	2,65 ha	15 000		Ⅲ 8 à 11 €

Les Perrières sont juste au bout de Corgoloin quand on va sur Ladoix, près du Clos des Langres. Ce vin arraché à la pierre (le marbre de comblanchien est d'un emploi universel en architecture) pinote agréablement (fruits frais). Sa structure s'ouvre sur des notes de cassis et de

mûre. Le gras donne de la voix en finale. A ouvrir dès à présent ou un peu plus tard : il respire son appellation. Le **blanc 2000** mérite aussi une étoile, comme le **Creux de Sobron en rouge 99** qui vieillira fort bien.

🍷 Dom. Desertaux-Ferrand, 135, Grande-Rue, 21700 Corgoloin, tél. 03.80.62.98.40, fax 03.80.62.70.32, e-mail desertaux@erb.com ☑ ⴵ r.-v.

R. DUBOIS ET FILS
Les Monts de Boncourt 2000

	0,8 ha	3 500		Ⅲ 8 à 11 €

Quand vous serez dans les petits papiers du domaine, vous aurez peut-être droit à la cuvée du Grand-Père. Quant au papa, il préside le conseil d'administration du lycée viticole de Beaune. On est ici entre de bonnes mains pour apprécier ce vin venu du solide *climat* de Corgoloin. Or à reflets verts comme il se doit, floral et brioché, il attaque franchement, évolue sur un gras de qualité et des notes d'agrumes.

🍷 Dom. R. Dubois et Fils, rte de Nuits-Saint-Georges, 21700 Premeaux-Prissey, tél. 03.80.62.30.61, fax 03.80.61.24.07, e-mail rdubois@wanadoo.fr ☑ ⴵ t.l.j. 8h30-11h30 14h-18h; sam. dim. sur r.-v.

DOM. GACHOT-MONOT
Les Chaillots 1999★

	2 ha	9 066		Ⅲ 8 à 11 €

Il est dommage de ne plus fêter chaque année les vins de cette appellation, *l'Eté des Côtes de Nuits-Villages* ayant disparu. Il faut donc aller à la source, comme ici avec ce pinot gras, long et légèrement réglissé. Ce ne sera peut-être pas un vin de garde : coloré, aromatique (cassis et griotte), doté de tanins fondus, il demande à être conduit à table dans les deux ans.

🍷 Dom. Gachot-Monot, 13, rue Humbert-de-Gillens, 21700 Gerland, tél. 03.80.62.50.95, fax 03.80.62.53.85 ☑ ⴵ r.-v.

DOM. ANNE-MARIE GILLE 1999

	3,3 ha	15 000		Ⅲ 8 à 11 €

Vieille famille de Comblanchien, presque aussi ancienne que le calcaire du pays qui va chercher dans les 150 millions d'années... du moins les archives datent-elles du début du XVIIIe s. Œnologue, Anne-Marie Gille a conçu un vin dont la robe tire sur l'orangé. Le bouquet est consensuel, partageant ses ardeurs entre la framboise cueillie dans un fourré, le torréfié et la rhubarbe. L'acidité et le fruité ne fêteront pas leurs noces d'or, mais dans l'immédiat cela forme un beau couple. Velouté et fin, un vin coulant en bouche et dont les tanins sont bien élevés.

🍷 Dom. Anne-Marie Gille, 34, RN 74, 21700 Comblanchien, tél. 03.80.62.94.13, fax 03.80.62.99.88, e-mail domaine.gille@wanadoo.fr ☑ ⴵ r.-v.

JEAN-YVES GUYARD 2000★

	1,4 ha	3 500		Ⅲ 8 à 11 €

Bon travail à la vigne et en cave : c'est l'impression générale qui apparaît à la lecture des fiches de dégustation. Ce petit domaine fait des efforts. D'un beau rubis bourguignon, un 2000 au nez discret. Complet en bouche, il se montre tout à la fois vigoureux, plein, équilibré, digne d'un canard rôti dans deux ou trois ans.

🍷 Jean-Yves Guyard, 21, rue de Chaux, 21700 Villers-la-Faye, tél. 03.80.62.91.14, fax 03.80.62.75.72 ☑ ⴵ r.-v.

GILLES JOURDAN

La Robignotte Monopole 1999

| ■ | 0,6 ha | 3 600 | ⦿ 8 à 11 € |

La Robignotte (ici en monopole sur 0,6 ha) est un de ces *climats* authentiques qui font peu à peu leur apparition dans l'appellation. On le trouve sur Corgoloin en montant vers Villers. Ce vin est fruité et presque brioché. Des tanins soyeux, un bel équilibre, une finesse élégante : il est prêt !

🍴 Gilles Jourdan, 114, Grande-Rue,
21700 Corgoloin, tél. 03.80.62.98.55, fax 03.80.62.98.55
☑ ♈ r.-v.

P. MISSEREY 2000

| | n.c. | 3 000 | ⦿ 15 à 23 € |

Cette appellation était naguère très représentée en blanc. Le chardonnay regagne du terrain, pour des bouteilles vivantes et légèrement citronnées. Celle-ci possède un bouquet qui se développe dans le verre, du tilleul à la mangue. Ce vin fait honneur à sa catégorie par son équilibre. A marier avec une terrine de foies de volailles.

🍴 Maison P. Misserey, 3, rue des Seuillets, BP 10,
21701 Nuits-Saint-Georges Cedex, tél. 03.80.61.07.74,
fax 03.80.61.31.40, e-mail lanvin-sa@worldonline.fr
☑ ♈ r.-v.

La côte de Nuits (Sud)

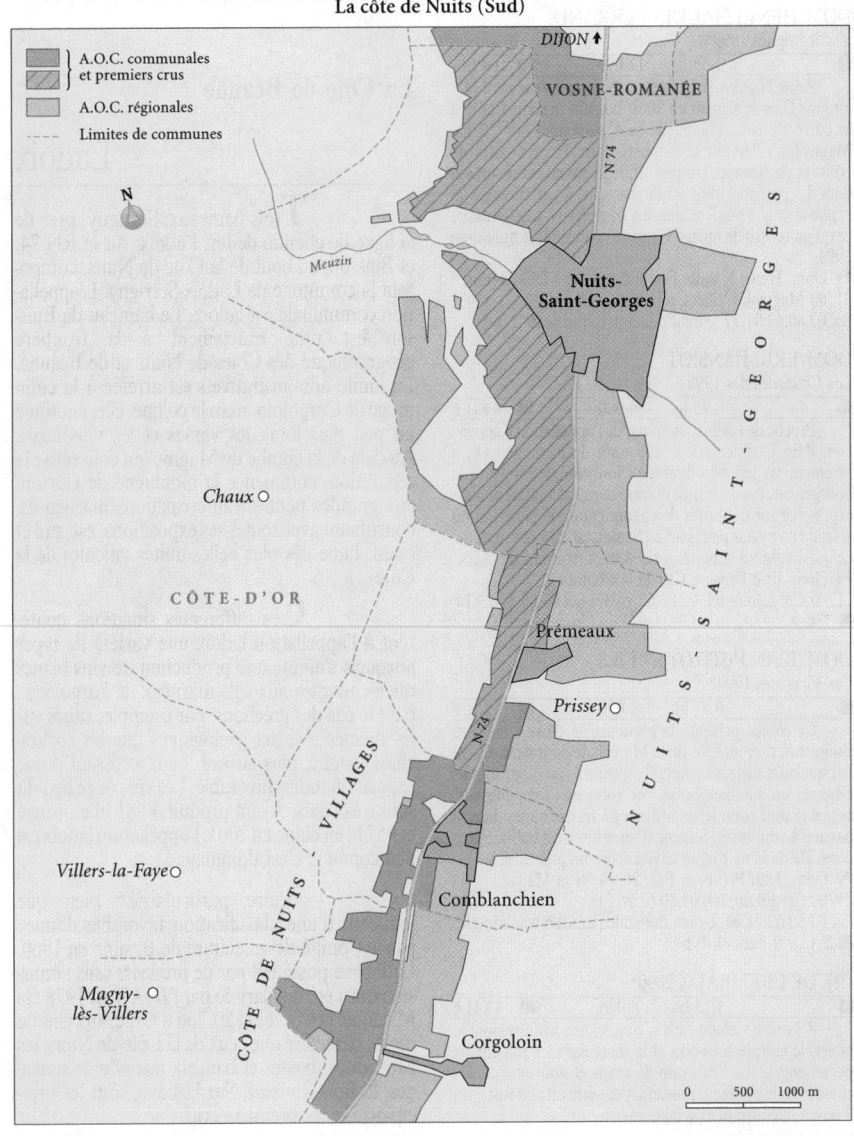

A.O.C. communales et premiers crus

A.O.C. régionales

Limites de communes

DOM. MOILLARD 2000★

| | 3,43 ha | 15 000 | | 8 à 11 € |

Lisons les fiches de dégustation : rubis brillant bien bourguignon ; premier nez marqué par le merrain ; à l'agitation le vin se révèle sur le fruit rouge sauvage. Belle attaque, du gras, de la framboise, du corps, de la concentration. L'impression masculine prévaut en bouche. Produit très adroit, moderne, qui plaira dans deux ou trois ans lorsque sa finesse finira par s'exprimer.

🕿 Dom. Moillard, chem. rural 29,
21700 Nuits-Saint-Georges, tél. 03.80.62.42.00,
fax 03.80.61.28.13, e-mail nuicave@wanadoo.fr
☑ ⵌ t.l.j. 10h-18h; f. janv.

DOM. HENRI NAUDIN-FERRAND
Vieilles vignes 1999★

| | 1,55 ha | 11 090 | | 11 à 15 € |

Anne Naudin, présente sur ce domaine depuis 1989, a repris l'enseignement en 2001, laissant sa sœur Claire à la barre de cette équipe de sept personnes sur 22 ha. Magny-lès-Villers est la frontière entre Hautes-Côtes de Nuits et de Beaune. Un peu vif, légèrement boisé, un vin dont le potentiel doit s'affirmer car il en possède la capacité : riche matière, densité, complexité, c'est presque ce qu'on réussit de mieux. Coup de cœur pour le millésime 1993.

🕿 Dom. Henri Naudin-Ferrand, rue du Meix-Grenot,
21700 Magny-lès-Villers, tél. 03.80.62.91.50,
fax 03.80.62.91.77, e-mail dnaudin@ipac.fr ☑ ⵌ r.-v.

DOM. ERIC PANSIOT
Les Chantemerles 1999

| | 0,75 ha | 4 000 | | 8 à 11 € |

Proche de Ladoix, un *climat* de l'appellation s'appelle bien « En Chantemerle ». Joli nom de baptême ! On a rarement vu vin plus limpide. Son bouquet suggère le bourgeon de cassis, le fruit macéré dans l'alcool. Sa bouche expressive sur des notes de champignon, de gibier, et où le fruit entre pour peu (sauf en finale), est encore tannique, ce qui conduit à le boire après deux à trois ans de garde.

🕿 Dom. Eric Pansiot, Ch. de la Chaume,
21700 Corgoloin, tél. 03.80.62.94.32, fax 03.80.62.73.14
☑ ⵌ r.-v.

DOM. JEAN PETITOT ET FILS
Les Vignottes 1999★

| | 0,57 ha | 3 600 | | 8 à 11 € |

Ce *climat* présente la particularité de se situer sur Premeaux, face au Clos de la Maréchale dont il est séparé par quelques mètres à peine. Il exprime ici un pinot souple, élégant, un tantinet boisé. Sa robe est vive, limpide, agréable tout comme ses arômes de fruits rouges dans la bassine à confitures. Sa note d'amertume est habituelle et conseille de le mettre en cave encore un à deux ans.

🕿 Dom. Jean Petitot et Fils, 26, pl. de la Mairie,
21700 Corgoloin, tél. 03.80.62.98.21,
fax 03.80.62.71.64, e-mail domaine.petitot@wanadoo.fr
☑ ⵌ t.l.j. sf dim. 8h-19h

CH. DE PREMEAUX 2000★

| | 1,25 ha | 8 000 | | 8 à 11 € |

A l'encre violette, ce vin écrit ici une histoire dont le gibier, le cuir, le sous-bois et la mûre sont les principaux personnages. Il a beaucoup de corps et doit mûrir. Très corsé pour le moment, puissant, peut-être un peu rustique, il devra attendre deux à cinq ans.

🕿 Dom. du Ch. de Premeaux,
21700 Premeaux-Prissey, tél. 03.80.62.30.64,
fax 03.80.62.39.28,
e-mail chateau.de.premeaux@wanadoo.fr ☑ ⵌ r.-v.

DOM. PROTOT 1999★

| | 2,3 ha | 7 000 | | 5 à 8 € |

Prometteur, il est de garde. Enfin, pas trop longtemps, mais on peut compter sur lui dans les deux ans. Violacé, animal, épicé, il se présente parfaitement sur scène. Son astringence ne surprend pas car ses tanins sont bien construits et longs. Un très beau vin.

🕿 Dom. Protot, rue de l'Eglise,
21700 Premeaux-Prissey, tél. 03.80.62.35.13 ☑ ⵌ r.-v.

La Côte de Beaune

Ladoix

Trois hameaux, Serrigny, près de la ligne de chemin de fer, Ladoix, sur la RN 74, et Buisson, au bout de la Côte de Nuits, composent la commune de Ladoix-Serrigny. L'appellation communale est ladoix. Le hameau de Buisson est situé exactement à la frontière géographique des Côtes de Nuits et de Beaune. La limite administrative s'est arrêtée à la commune de Corgoloin, mais la colline, elle, continue un peu plus loin ; les vignes et les vins aussi. Au-delà de la combe de Magny, qui concrétise la séparation, commence la montagne de Corton, aux grandes pentes à intercalations marneuses, constituant avec toutes ses expositions, est, sud et ouest, l'une des plus belles unités viticoles de la Côte.

Ces différentes situations confèrent à l'appellation ladoix une variété de types auxquels s'ajoute une production de vins blancs mieux adaptés aux sols marneux de l'argovien ; c'est le cas des gréchons, par exemple, situés sur les mêmes niveaux géologiques que les corton-charlemagne, plus au sud, mais jouissant d'une exposition moins favorable. Les vins de ce lieu-dit sont très typés. Ayant produit 3 681 hl en rouge et 957 hl en blanc en 2001, l'appellation ladoix est peu connue ; c'est dommage !

Autre particularité : bien que jouissant d'une classification favorable donnée par le Comité de viticulture de Beaune en 1860, Ladoix ne possédait pas de premiers crus : omission qui a été régularisée par l'INAO en 1978 : la Micaude, la Corvée et le Clou d'Orge, aux vins de même caractère que ceux de la Côte de Nuits, les Mourottes (basses et hautes), aux allures sauvages, le Bois-Roussot, Sur la Lave, sont les principaux de ces premiers crus.

PIERRE ANDRE
Le Rognet 2000

	1er cru	1 ha	4 500	🍶 30 à 38 €

Les tuiles vernissées du château Corton-André annoncent la promotion en 1er cru de ce Rognet (à la récolte 2000). Saluons comme il se doit ce chardonnay d'une teinte claire qui ouvre ainsi une nouvelle page de son histoire. Son bouquet retient particulièrement l'attention. Minéral et iodé, il exprime beaucoup de personnalité. Sa constitution est impeccable, son élégance assurée. Il fait honneur à Pierre André (1895-1972), ce Lorrain devenu amoureux fou de la Bourgogne.

🍷 Pierre André, Ch. de Corton-André, 21420 Aloxe-Corton, tél. 03.80.26.44.25, fax 03.80.26.43.57, e-mail pandre@axnet.fr ⏲ t.l.j. 10h-18h

DOM. CACHAT-OCQUIDANT ET FILS
Les Madonnes Vieilles vignes 2000★

■	1,21 ha	6 000	🍶 8 à 11 €

Après le Clos des Langres en venant de Nuits, et avant le hameau de Buisson, vous avez quelques lieux-dits sur votre droite. L'un s'appelle La Mort : on ne l'a jamais lu sur une étiquette... Puis ces Madonnes. On fait volontiers adoration devant leur robe d'un rubis glorieux et dont le bouquet s'ouvre sur des arômes de fruits. Les grains sont assez fins et plutôt ronds. La chair, le velouté promettent une grande harmonie après deux à trois ans de garde.

🍷 Dom. Cachat-Ocquidant et Fils, 3, pl. du Souvenir, 21550 Ladoix-Serrigny, tél. 03.80.26.45.30, fax 03.80.26.48.16 ☑ ⏲ r.-v.

CHEVALIER PERE ET FILS
Les Gréchons 2000★★★

	1er cru	0,47 ha	2 500	🍶 15 à 23 €

Les Gréchons voient les choses de haut. Tout au sommet du coteau, un *climat* d'altitude : faut-il s'étonner s'il remporte le coup de cœur ? La voilà, la jolie robe. Miel, beurre, noisette, son bouquet pain grillé semble préparer le petit déjeuner. Subtile, la bouche est de pure race. A ne pas savourer trop tôt car il y a des arômes en réserve. S'il vous faut également un rouge, le **village 99 (8 à 11 €)** peut faire votre affaire : vin de garde aux reins solides, il obtient une étoile.

🍷 SCE Chevalier Père et Fils, Buisson, 21550 Ladoix-Serrigny, tél. 03.80.26.46.30, fax 03.80.26.41.47, e-mail ladoixch@club-internet.fr ☑ ⏲ r.-v.

> Avec quoi marier le ladoix ? Une bécasse flambée, par exemple.

EDMOND CORNU ET FILS
Vieilles vignes 1999

■	2 ha	11 000	🍶 11 à 15 €

Un domaine familial de 14 ha. Un ladoix d'un rouge relativement clair. Peu serré, comme l'on dit. Le nez n'est guère bavard à ce stade de son histoire. Les tanins se manifestent en bouche. Un 99 traité sans fioritures ni ratures à attendre trois ans, tout comme en **rouge le Bois Roussot 1er cru 99**.

🍷 EARL Edmond Cornu et Fils, Le Meix Gobillon, 21550 Ladoix-Serrigny, tél. 03.80.26.40.79, fax 03.80.26.48.34 ☑ 🏠 ⏲ r.-v.

JEAN-LUC DUBOIS
La Combe 1999★

■	0,83 ha	3 500	🍶 8 à 11 €

Sur la route de Magny-lès-Villers qui monte aux Hautes-Côtes, cette Combe est un petit *climat*. Pourpre foncé, son 99 devrait bien évoluer s'il ne le fait déjà. C'est plutôt le nez qui produit cette impression. La bouche, en effet, est assez souple, équilibrée sur une matière qui, sans être considérable, paraît de bonne composition. A boire en 2003.

🍷 EARL Dom. Jean-Luc Dubois, 9, rue des Brenôts, 21200 Chorey-lès-Beaune, tél. 03.80.22.28.36, fax 03.80.22.83.08 ☑ ⏲ r.-v.

DOM. DUBOIS-CACHAT 2000

■	0,28 ha	1 800	🍶 5 à 8 €

Une bouteille légère et friande, précoce et que l'on ouvrira en début de repas dès à présent, sur des œufs en meurette par exemple. Frais en attaque, bien fruité, pourvu d'un léger boisé, il exprime ainsi ses meilleures qualités. Ne cherchez pas ici un corps de statue antique, la concentration d'un bloc de marbre. Mais un de ces petits plaisirs qu'on aime se faire sans coût excessif.

🍷 Dom. Dubois-Cachat, 2, Grande-Rue, 21200 Chorey-lès-Beaune, tél. 03.80.22.27.83, fax 03.80.22.27.83 ☑ ⏲ r.-v.

LOU DUMONT 2000★

■	n.c.	300	🍶 8 à 11 €

Cette jeune maison de négoce-éleveur s'est spécialisée dans l'export vers l'Asie. Un ancien sommelier japonais, M. Nakada, en est le maître de chai. Bienvenue donc à cette équipe qui, à en juger par ce ladoix, ne manque pas de compétence. Ignorant tout cela, puisque la dégustation se fait à l'aveugle, un de nos jurés signale parmi les arômes constatés la présence du... thé ! Cela ne s'invente pas. Il y a aussi du fruit noir, du grillé, ouvrant sur un corps charnu, fruité, un peu astringent sur la fin. A boire jeune et dans la bonne moyenne pour le millésime. *Kampaï !*

🍷 Lou Dumont, 1, rue Sainte-Anne, 21700 Nuits-Saint-Georges, tél. 03.80.62.32.48, fax 03.80.62.30.85, e-mail info@loudumont.com ☑ ⏲ r.-v.

FRANCOIS GAY 1999★★

■	0,49 ha	3 000	🍶 8 à 11 €

Jamais deux sans trois... Coup de cœur pour ses millésimes 96 et 95, ce viticulteur récidive avec le 99. Son ladoix est exemplaire. Rouge griotte, d'une couleur profonde, il est orné de reflets rouge cardinal. Le regard ébloui, on ose à peine humer ce bouquet assez mâle de sous-bois qu'un fin boisé nuance agréablement. Quelle

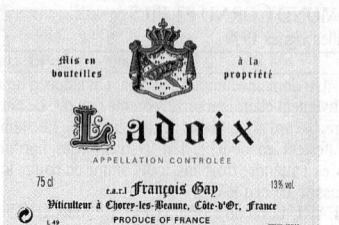

harmonie ensuite ! Quelle jolie mâche ! Tâter le vin prend tout son sens, et la vanille présente en bouche n'enlève rien au charme de la composition.

☙ EARL François Gay, 9, rue des Fiètres, 21200 Chorey-lès-Beaune, tél. 03.80.22.69.58, fax 03.80.24.71.42 ☑ ☥ t.l.j. sf dim. 8h-12h 14h-18h

DOM. JEAN GUITON
La Corvée 1999

■ 1er cru	0,79 ha	3 300	🍶 11 à 15 €

La Corvée se situe entre Corgoloin et le hameau de Buisson, à cheval sur la « frontière » des Côtes de Nuits et de Beaune. Dans sa robe rubis appuyé, cette cuvée distille des arômes d'épices douces (les dix-huit mois de fût) et de groseille (l'expression du cépage). Le fond est tannique et tout est au rendez-vous. Plus élégant que concentré, avec une mâche roborative.

☙ Dom. Jean Guiton, 4, rte de Pommard, 21200 Bligny-lès-Beaune, tél. 03.80.26.82.88, fax 03.80.26.85.05, e-mail domaine.guiton@libertysurf.fr ☑ ☥ r.-v.

DOM. ROBERT ET RAYMOND JACOB 2000★★

▨	1 ha	5 000	🍶 8 à 11 €

L'une des plus heureuses surprises de la dégustation. Or gris-vert pâle, ce chardonnay séduit par l'expression d'arômes frais et profonds. Riche et puissante, la bouche légèrement épicée est dotée d'une belle acidité qui garantit le maintien durable. De la race, de la classe !

☙ Dom. Robert et Raymond Jacob, hameau de Buisson, 21550 Ladoix-Serrigny, tél. 03.80.26.40.42, fax 03.80.26.49.34 ☑ ☥ r.-v.

HUBERT JACOB MAUCLAIR 2000

■	0,66 ha	3 700	🍶 8 à 11 €

Sa robe est assez éclatante, rubis à reflets bleutés. Son nez n'est pas encore expansif. Malgré cette discrétion, des arômes de cerise noire se profilent à l'horizon. De structure souple sur fond tannique, rafraîchissant, c'est un 2000 à attendre jusqu'en 2004.

☙ Hubert Jacob Mauclair, 56, Grande-Rue, Changey, 21420 Echevronne, tél. 03.80.21.57.07, fax 03.80.21.57.07 ☑ ☥ r.-v.

DOM. RAYMOND LAUNAY
Clou d'Orge 2000★

▨	1,89 ha	10 000	🍶 11 à 15 €

François Parent et Anne-Françoise Gros, son épouse, viennent de reprendre la direction de ce domaine, conjointement à leurs domaines respectifs. Ce ladoix blanc fait ses premiers pas dans le monde sous une robe nette et limpide, discrète en couleur. On y respire le vin frais. Son parcours en bouche est aimable, équilibré, frais et de bonne longueur.

☙ Dom. Raymond Launay, rue des Charmots, 21630 Pommard, tél. 03.80.24.08.03, fax 03.80.24.12.87, e-mail domaine.launay@wanadoo.fr ☑ ☥ t.l.j. 9h-18h30; groupes sur r.-v.

DOM. MAILLARD PERE ET FILS
Les Chaillots 2000★

■	n.c.	n.c.	🍶 11 à 15 €

Il s'inscrit tout de suite dans un style bourguignon et de tradition par sa couleur. Son nez pinote bien, diffusant beaucoup d'arômes complémentaires, la framboise, le cassis. En bouche, sa vivacité dure assez longtemps, mais ses tanins (assez fins au demeurant) masquent encore sa vraie nature. On lui fait pleine confiance pour demain.

☙ Dom. Maillard Père et Fils, 2, rue Joseph-Bard, 21200 Chorey-lès-Beaune, tél. 03.80.22.10.67, fax 03.80.24.00.42 ☑ ☥ r.-v.

DOM. MARATRAY-DUBREUIL
Les Gréchons 1999

■	0,77 ha	n.c.	🍶 8 à 11 €

Dix-huit mois de fût pour ce vin où cerise pâle et poivron vert établissent un dialogue intéressant à suivre entre l'œil et le nez. Puis la conversation s'engage sur le fond. Vif sur les tanins présents mais dénués d'agressivité, ce 99 doit encore apaiser son acidité. Pour les puristes, de beaux jambages ! Il faudra savoir l'attendre.

☙ Dom. Maratray-Dubreuil, 5, pl. du Souvenir, 21550 Ladoix-Serrigny, tél. 03.80.26.41.09, fax 03.80.26.49.07, e-mail maratray.dubreuil@club-internet.fr ☑ ☥ r.-v.

GHISLAINE ET BERNARD MARECHAL-CAILLOT
Côte de Beaune 2000★

■	1,81 ha	4 500	🍶 11 à 15 €

Sur les 10 ha du domaine, près de deux sont consacrés à ce vin rouge cerise. Ses arômes sont comparés au bourgeon de cassis. Un boisé bien fondu permet d'apprécier un corps séduisant tant en attaque qu'en persistance. Retour d'arômes (fraise) et beau potentiel pour une bouteille que l'on conservera deux ou trois ans afin de la conduire à son optimum.

☙ Bernard et Ghislaine Maréchal-Caillot, 10, rte de Chalon, 21200 Bligny-lès-Beaune, tél. 03.80.21.44.55, fax 03.80.26.88.21 ☑ ☥ r.-v.

DOM. NUDANT
Les Gréchons 2000★★

■ 1er cru	0,65 ha	4 600	🍶 15 à 23 €

Au milieu du XIXe siècle, le Dr Lavalle se contente de citer Ladoix (Ladouée, écrivait-on alors) sans mentionner ses crus. La situation est aujourd'hui bien différente et ladoix a su se faire un nom. Cette bouteille est en effet une réussite en chardonnay. Eucalyptus et menthol agrémentent son bouquet de pain frais, beurré il va sans dire. Capable de rivaliser d'intelligence gustative avec le plus succulent foie gras, il possède de la chair sous une rigoureuse colonne vertébrale. Le **ladoix 99 (village)** est cité : encore assez tannique, il devrait bien évoluer.

☙ Dom. André Nudant et Fils, 11, RN 74, 21550 Ladoix-Serrigny, tél. 03.80.26.40.48, fax 03.80.26.47.13, e-mail domaine.nudant@wanadoo.fr ☑ � r.-v.

DOM. PRIN 1999

■	0,97 ha	6 500	▮❶⬦ 11 à 15 €

Coup de cœur l'an passé pour son 98 rouge, ce domaine de 5 ha élève en cuve et en fût (un tiers, deux tiers des dix-huit mois). Son 99 affiche un rouge grenat limpide. Un peu d'évolution au nez où l'on respire des arômes de fougère, de fruits rouges (cerise griotte). C'est une bouteille que l'on peut boire dès à présent : il ne laisse pas indifférent (bonne structure, sensation de confiture de fraises en bouche).

☙ Dom. Prin, 12, rue de Serrigny, 21550 Ladoix-Serrigny, tél. 03.80.26.40.63, fax 03.80.26.46.16 ☑ � r.-v.

Aloxe-corton

Si l'on tient compte de la superficie classée en corton et corton-charlemagne, l'appellation aloxe-corton en occupe une faible part, sur la plus petite commune de la Côte de Beaune, et a produit en 2001, 5 794 hl de vin rouge et 28 hl en blanc. Les premiers crus y sont réputés : les Maréchaudes, les Valozières, les Lolières (grandes et petites) sont les plus connus.

La commune est le siège d'un négoce actif, et plusieurs châteaux aux magnifiques tuiles vernissées méritent le coup d'œil. La famille Latour y possède un superbe domaine dont il faut visiter la cuverie du siècle dernier, qui reste encore un modèle du genre pour les vinifications bourguignonnes.

ARNOUX PERE ET FILS 2000★★

■	1,5 ha	7 500	▮❶⬦ 15 à 23 €

Le coup de cœur lui échappe d'un souffle, d'un rien. A une voix près, mais c'est la démocratie... Cela dit, quel beau vin ! Exceptionnel dans son millésime, il porte une robe de bal. Mûre très mûre, il développe des arômes fins et délicats, assortis de poivre, muscade et autres épices. Montrant en bouche une extrême jeunesse, il est sérieux, dense, serré tout en exprimant un caractère déjà chaleureux. On boit la terre, le terroir.

☙ Arnoux Père et Fils, rue des Brenôts, 21200 Chorey-lès-Beaune, tél. 03.80.22.57.98, fax 03.80.22.16.85 ☑ ⬥ r.-v.

DOM. DE BRULLY 1999★

■	1,8 ha	8 000	▮❶⬦ 23 à 30 €

Créé durant les années 1980, ce domaine s'est fait sa place au soleil des crus. Son aloxe-corton équilibré, concentré, mais aux tanins fondus, est en pleine forme. Sous une teinte rouge cassis, on débusque des senteurs sauvages et animales qui rappellent les romans de Vincenot. Une petite pointe de framboise et d'épices apparaît en finale. Vous choisirez un plat riche en saveur (lapin de garenne, par exemple) pour mettre en valeur sa nature généreuse.

☙ Dom. de Brully, 21190 Saint-Aubin, tél. 03.80.21.32.92, fax 03.80.21.35.00 ☑ ⬥ r.-v.

DOM. CACHAT-OCQUIDANT ET FILS
Les Maréchaudes 2000★

■ 1er cru	0,15 ha	1 050	❶ 15 à 23 €

Bienvenue à notre coup de cœur de l'an 2000 (pour un 97). Parti à une vente pour acheter une maison, M. Occquidant en revint en ayant acheté... le Clos des Vergennes. C'était en 1937. Son épouse n'était pas contente, mais aujourd'hui on se félicite d'une telle décision. Ces Maréchaudes rouge cerise noire révèlent des parfums de fruits mûrs, de cerise à l'eau-de-vie. La légère acidité s'accompagne d'une petite amertume dans un esprit rustique dit de tradition. Bien construit, il a du potentiel.

☙ Dom. Cachat-Ocquidant et Fils, 3, pl. du Souvenir, 21550 Ladoix-Serrigny, tél. 03.80.26.45.30, fax 03.80.26.48.16 ☑ ⬥ r.-v.

DOM. MARGUERITE CARILLON
Les Maréchaudes 2000★

■ 1er cru	0,4 ha	2 800	❶ 15 à 23 €

Les Maréchaudes sont à cheval sur aloxe et ladoix, près des Paulands bien connus en raison du restaurant éponyme. Maréchaud signifiait jadis un marécage, un lieu humide. Le temps ont changé et cet aloxe-corton est vaillant comme tout. Robe rubis profond, jambes présentes, il embaume la griotte. Façon de parler car ce qu'on appelle en Bourgogne la griotte est plutôt la cerise montmorency. C'est un vin élégant, dépourvu de dureté, qu'un bel élevage mesuré a fait met en valeur.

☙ Dom. Marguerite Carillon, 7, rte de Monthélie, 21190 Meursault, tél. 03.80.21.22.45, fax 03.80.21.28.05

CHEVALIER PERE ET FILS 1999★

■	1,5 ha	8 000	❶ 15 à 23 €

Le temps est loin où le domaine vendait l'essentiel de son vin aux ouvriers des carrières voisines. On met ici en bouteille depuis 1959, et Chevalier Père et Fils s'est fait un nom. Son 99 regorge d'une mâche savoureuse qui ne surprend pas sur la Montagne de Corton. Rouge vif, il possède une touche de fût sur un côté animal. Il ne cherche aucun effet d'extraction, et se contente avec succès d'une vinification respectant le terroir. Finale un peu chocolatée persistante.

☙ SCE Chevalier Père et Fils, Buisson, 21550 Ladoix-Serrigny, tél. 03.80.26.46.30, fax 03.80.26.41.47, e-mail ladoixch@club-internet.fr ☑ ⬥ r.-v.

EDMOND CORNU ET FILS
Les Moutottes 1999★

■ 1er cru	0,5 ha	2 400	⦀ 23 à 30 €

Vieille famille de Ladoix régnant sur 14,30 ha. Ce vin provient d'un secteur de Ladoix qui a vu récemment une dizaine d'hectares passer de l'appellation « village » à celle de 1er cru, après de longs travaux d'approche. Cela était justifié. Ces Moutottes ont de la couleur et du brillant. Les fruits rouges accompagnés de notes grillées suivent toutes les étapes de la dégustation de ce vin bien fait, équilibré, qui donne un honnête plaisir.

🜊 EARL Edmond Cornu et Fils,
Le Meix Gobillon, 21550 Ladoix-Serrigny,
tél. 03.80.26.40.79, fax 03.80.26.48.34
☑ 🏠 🍷 r.-v.

BERNARD DUBOIS ET FILS
Les Brunettes 1999★★

■	1,54 ha	7 000	⦀ 11 à 15 €

Le domaine fondé en 1930 par Lucien Dubois est demeuré familial depuis cette date. Ses Brunettes ne passent jamais inaperçues. Le millésime 96 fut d'ailleurs honoré d'un coup de cœur dans notre édition 2000. Ce *climat* est niché au cœur du village d'Aloxe. Pourpre profond, le 99 se plaît sous ses arômes de jeunesse où l'on sent le fruit frais. Rond et gras, il est confortable et décoré de myrtille. Complexe, avec des notes animales en rétro, un vrai pinot noir et un aloxe-corton bien typé qui se gardera.

🜊 Dom. Bernard Dubois et Fils, 8, rue des Chobins,
21200 Chorey-lès-Beaune, tél. 03.80.22.13.56,
fax 03.80.24.61.43 ☑ 🍷 r.-v.

DOM. LIONEL DUFOUR
Les Valozières 2000★

■ 1er cru	0,34 ha	2 500	⦀ 38 à 46 €

Juste sous les Bressandes, les Valozières partagent cette partie du coteau avec cet illustre grand cru. Elles soutiennent ici la comparaison. Rubis-grenat, leur bouquet marie intelligemment la vanille et le cassis. Derrière une attaque nette et franche, l'acidité est satisfaisante, les tanins aimables, la persistance asssez douce. Sa jeunesse incite à lui donner le temps de dominer le fût. Il n'en sera que meilleur dans deux à trois ans.

🜊 SCI Lionel Dufour, imp. des Amandiers,
21190 Meursault, tél. 03.80.21.67.02, fax 03.87.69.79.88

DOM. FOLLIN-ARBELET 2000★

■	0,75 ha	2 500	⦀ 15 à 23 €

L'aigle à deux têtes figure sur le blason de l'étiquette de ce vin à la robe nette et brillante. Le nez est à dominante boisée, pour le moment du moins. Sa structure est élégante et souple, fine et agréable. Un bon *village* soigné comme il faut. Notez aussi sur vos tablettes le **Clos du Chapitre 2000 en 1er cru** qui obtient la même note.

🜊 Dom. Follin-Arbelet, Les Vercots,
21420 Aloxe-Corton, tél. 03.80.26.46.73,
fax 03.80.26.43.32 ☑ 🍷 r.-v.

FRANCOIS GAY 1999★★

■	0,73 ha	4 500	⦀ 11 à 15 €

Domaine représentatif de cette portion de la Côte de Beaune, offrant une bonne gamme d'appellation. S'agit-il ici de la première vigne acquise sur Aloxe par ces vignerons de Chorey, une Toppe-Martenot achetée en 1945 ? Ce vin en tout cas vaut le détour. Rouge à reflets vifs et noirâtres,

il respire le sous-bois et l'animal, le gibier n'est pas très loin dans les fourrés. L'approche est un peu vive, mais fraîche (groseille). Solide, cette bouteille demande plusieurs années de vieillissement.

🜊 EARL François Gay, 9, rue des Fiètres,
21200 Chorey-lès-Beaune, tél. 03.80.22.69.58,
fax 03.80.24.71.42 ☑ 🍷 t.l.j. sf dim. 8h-12h 14h-18h

MICHEL GAY 1999

■	1,23 ha	7 500	⦀ 11 à 15 €

Michel et François Gay sont frères. Tous deux sortent de la « Viti » de Beaune. D'une belle couleur grenat (peu soutenu cependant), voici un aloxe-corton qui présente un nez simple et droit de pinot noir. Réglisse, sous-bois, petits fruits, à votre bon cœur ! Ce vin très honnête, épicé et persistant, demande quelques années de garde : il devrait bien évoluer en cave.

🜊 Michel Gay, 1b, rue des Brenôts,
21200 Chorey-lès-Beaune, tél. 03.80.22.22.73,
fax 03.80.22.95.78 ☑ 🍷 r.-v.

CH. GENOT-BOULANGER
Clos du Chapître 1999

■ 1er cru	0,95 ha	3 200	⦀ 15 à 23 €

Ce 1er cru se trouve au sein des Meix, sur Aloxe et tout près du village. La robe ? Elle répond aux canons de l'AOC. Le bouquet ? Quelques nuances torréfiées, du fruit bien entendu. La structure d'une grande finesse et la saveur réglissée plaident en faveur de cette bouteille.

🜊 SCEV Ch. Génot-Boulanger, 25, rue de Cîteaux,
21190 Meursault, tél. 03.80.21.49.20,
fax 03.80.21.49.21, e-mail genot.boulanger@wanadoo.fr
☑ 🍷 r.-v.
🜊 Delaby

CHRISTIAN GROS
Les Petites Lolières 1999★

■ 1er cru	0,16 ha	900	⦀ 11 à 15 €

Originaire de Ladoix, cette famille a beaucoup travaillé pour mettre bout à bout douze beaux hectares (Domaine Gros-Faiveley à la génération précédente). Situé tout contre les Grandes Lolières (un grand cru de corton), ce *climat* a tout pour réussir. Déjà, en 1993, le millésime 90 a été sacré coup de cœur. Pourpre intense et limpide, bien parfumé au cassis et la framboise, le 99 affiche encore des tanins guerriers mais – après un temps d'élevage – il donnera un certain plaisir. Il présente une bonne harmonie générale.

🜊 Christian Gros, rue de la Chaume,
21700 Premeaux-Prissey, tél. 03.80.61.29.74,
fax 03.80.61.39.77 ☑ 🍷 r.-v.

DOM. ANTONIN GUYON
Les Fournières 1999★

■ 1er cru	1,35 ha	7 500	⦀ 23 à 30 €

L'un des domaines familiaux les plus étendus de la Côte (48 ha répartis de Gevrey à Santenay). Ce 1er cru se trouve tout près du village d'Aloxe et il donne un vin cerise violacé qui reste au nez sur ce fruit. On ne s'en plaint pas. Il a d'ailleurs de la suite dans les idées car au palais la griotte accompagne un corps ample et rond, bien structuré. De garde. Les Fournières 90 ont obtenu un coup de cœur en 1994.

🜊 Dom. Antonin Guyon, 21420 Savigny-lès-Beaune,
tél. 03.80.67.13.24, fax 03.80.66.85.87,
e-mail vins@guyon-bourgogne.com ☑ 🍷 r.-v.

DOM. ROBERT ET RAYMOND JACOB 2000★

■   1 ha   6 000   ❿ 11 à 15 €

Robert et Raymond Jacob ont pris la suite de leurs parents en 1983. Anciens polyculteurs, ils se consacrent à la vigne depuis le début des années 1950. Coup de cœur en 1992 pour son 88, ce domaine de 10 ha signe cette fois un 2000 qui présente une robe légère mais brillante. Le nez de petits fruits rouges lui va comme un gant. Dotée d'assez d'ampleur et de gras, la bouche gourmande sur un mode léger, résolument fruits rouges elle aussi, développe quelques notes animales, ce vin ne devra pas être attendu trop longtemps.

🕭 Dom. Robert et Raymond Jacob,
hameau de Buisson, 21550 Ladoix-Serrigny,
tél. 03.80.26.40.42, fax 03.80.26.49.34 ☑ ☖ r.-v.

DANIEL LARGEOT 2000★★

■   0,6 ha   3 600   ❿ 11 à 15 €

Très prometteur, ce vin constitue l'une des meilleures bouteilles dégustées dans l'appellation. Sa jolie robe rubis classique s'orne de reflets grenat. Des notes empyreumatiques ouvrent sur un premier nez fumé, toasté, avec une pointe de tabac. Après aération naissent des accents de noyau de cerise, de pivoine, d'iris : c'est l'une des œnologues les plus estimées qui nous confie cela sur sa fiche. La bouche, très sérieuse et structurée, s'offre à un fruité gourmand. Quasiment parfait pour le millésime, un 2000 à conserver quatre à cinq ans.

🕭 Daniel Largeot, 5, rue des Brenôts,
21200 Chorey-lès-Beaune, tél. 03.80.22.15.10,
fax 03.80.22.60.62 ☑ ☖ r.-v.

La côte de Beaune (Nord)

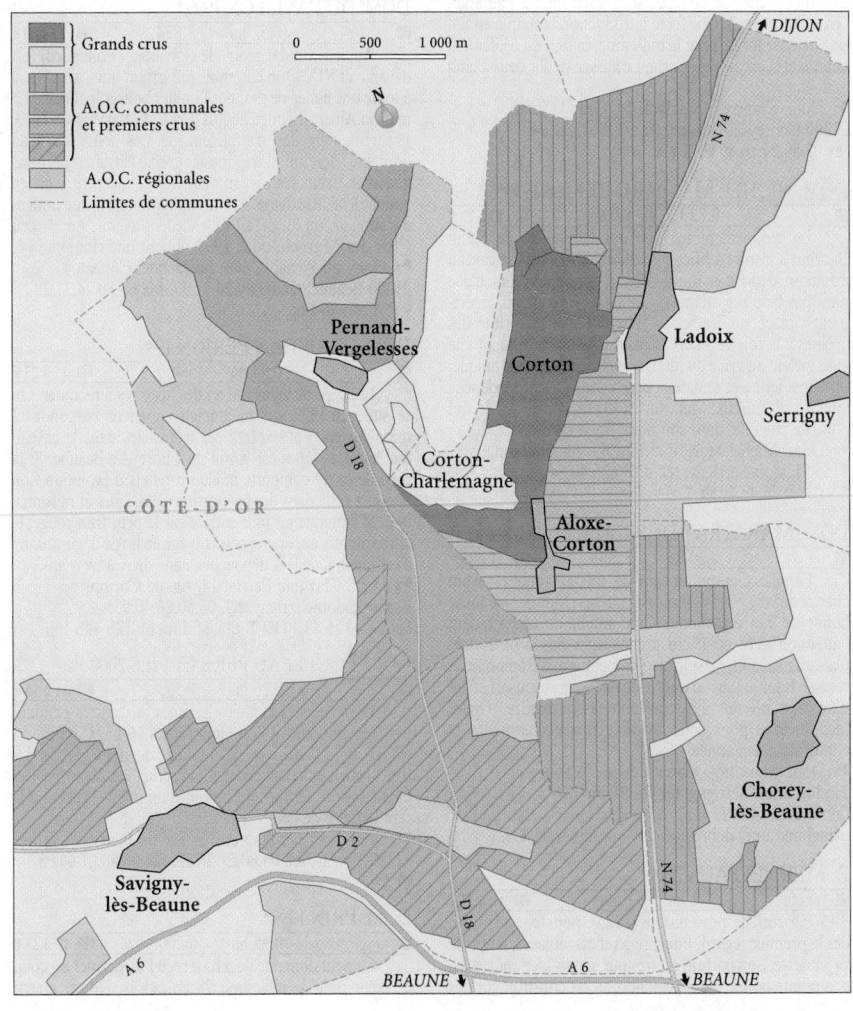

Grands crus

A.O.C. communales
et premiers crus

A.O.C. régionales

Limites de communes

0   500   1 000 m

↑ DIJON

N 74

Pernand-
Vergelesses

Ladoix

Corton

Serrigny

D 18

Corton-
Charlemagne

CÔTE-D'OR

Aloxe-
Corton

Chorey-
lès-Beaune

D 2

Savigny-
lès-Beaune

N 74

D 18

A 6   A 6

BEAUNE ↓   ↓ BEAUNE

DOM. LOUIS LATOUR 1999

■   3,5 ha   12 000   ❙❙❙ 15 à 23 €

Louis Latour serait heureux de lire sur l'une des fiches de dégustation : « Peu d'extraction ». En effet, il a horreur de ce mot, estimant que l'extraction (souvent rude) n'appartient pas aux principes de la vinification bourguignonne. Parlons plus volontiers de sollicitation de la couleur, d'éveil aux arômes. On a ici affaire à un vin de pinot très fin, aux odeurs de macération, à la concentration correcte sur des tanins déjà évolués. A boire.

❧ Dom. Louis Latour, 18, rue des Tonneliers,
21204 Beaune, tél. 03.80.24.81.00, fax 03.80.22.36.21,
e-mail louislatour@louislatour.com

FRANCOISE MALDANT
Les Valozières 1999

■ 1er cru   1,15 ha   2 000   ❙❙❙ 15 à 23 €

Veuve de Jean-Ernest Maldant, Françoise a repris le domaine à la fin des années 1980. Ces Valozières possèdent une robe riche ; le bouquet se dégage bien à l'aération (groseille, noyau). Une forte introduction tannique en fait un vin assez ferme pour le millésime, mais il est également charnu et ceci compense cela. Le laisser vieillir deux à cinq ans.

❧ Dom. Françoise Maldant, 24, Grande-Rue,
21200 Chorey-lès-Beaune, tél. 03.80.22.11.94,
fax 03.80.24.10.40 ☑ ⍗ r.-v.

DOM. MICHEL MALLARD ET FILS 1999*

■   0,82 ha   5 000   ❙❙❙ 15 à 23 €

Le groupement parisien des Chevaliers de Saint-Bacchus a inspiré à Michel Mallard le nom de son caveau à Ladoix, dédié à ce saint reconnu par l'église lorsqu'elle n'est pas trop regardante... Grenat assez soutenu, légèrement violacé sur les bords, limpide, ce 99 exprime des arômes à la fois végétaux et fruités. Ceux-ci évoluent vite et se mêlent au grillé du fût. Une belle charpente tannique, un corps jeune et tentateur conduisent à cette évidence : vineux, chaleureux, voilà un excellent vin de garde qui n'oublie pas que, dans son nom, il y a corton...

❧ Dom. Michel Mallard et Fils, 43, rte de Dijon,
21550 Ladoix-Serrigny, tél. 03.80.26.40.64,
fax 03.80.26.47.49 ☑ ⍗ r.-v.

DOM. MARATRAY-DUBREUIL 1999*

■ 1er cru   0,24 ha   2 500   ❙❙❙ 11 à 15 €

Famille d'entrepreneurs de travaux publics ayant changé de voie pour devenir viticulteurs. Maurice a épousé la fille de Pierre Dubreuil. Le domaine de 16 ha retient l'attention avec ce 1er cru grenat léger aux arômes très plaisants sans être explosifs (pruneau cuit, framboise et cerise). Intense tout au long d'une bouche soyeuse, le fruit d'un bon niveau, il se présente assez tendre. On le recommande pour cette manière d'être charmante et conforme à son année.

❧ Dom. Maratray-Dubreuil, 5, pl. du Souvenir,
21550 Ladoix-Serrigny, tél. 03.80.26.41.09,
fax 03.80.26.49.07,
e-mail maratray.dubreuil@club-internet.fr ☑ ⍗ r.-v.

D. MEUNEVEAUX 2000*

■ 1er cru   1 ha   1 500   ❙❙❙ 15 à 23 €

Un rôti de porc aux pruneaux pour ce vin, riche dès le premier regard. Pourpre à reflets violacés, il affiche sa jeunesse. Son parfum est très pur, cassis bien mûr, avec une pointe boisée. Gras, équilibré, il est construit sur des tanins denses et solides, longs, qui demandent deux à trois ans de garde.

❧ Didier Meuneveaux, 9, rue Boulmeau,
21420 Aloxe-Corton, tél. 03.80.26.42.33,
fax 03.80.26.48.60, e-mail tmeuneveaux@club-internet.fr
☑ ⍗ r.-v.

MOILLARD 2000*

■   2,8 ha   15 000   ❙❙❙ 15 à 23 €

Camille Rodier voyait dans le vin d'Aloxe « le roi des bons vivants ». Cette bouteille d'esprit traditionnel en offre l'illustration parfaite. Sa typicité est en effet excellente et digne de son appellation, mais elle est encore tannique à cet âge et il faut la laisser vieilllir, ne serait-ce que pour apaiser ses ardeurs grillées.

❧ Moillard, 2, rue François-Mignotte,
21700 Nuits-Saint-Georges, tél. 03.80.62.42.22,
fax 03.80.61.28.13, e-mail nuicave@wanadoo.fr
☑ ⍗ t.l.j. 10h-18h; f. jan.

DOM. DU PAVILLON 1999*

■   0,52 ha   3 824   ❙❙❙ 23 à 30 €

Ancien vendangeoir, le Pavillon (Pommard) est devenu au XIXᵉs. un ensemble important qui a appartenu à toute une lignée de grandes familles bourguignonnes. La maison Albert Bichot a acquis le clos du Pavillon en 1993. Plusieurs parcelles complètent de nos jours ce beau domaine. Ici un aloxe rouge grenat et aux parfums généreux (fruits rouges, animal). Très concentré, il est en bouche à l'état sauvage. Ses tanins hyper-serrés demandent à s'adoucir, on lui prédit un excellent avenir. Le 1er cru Clos des Maréchaudes 1999 obtient une citation.

❧ Dom. du Pavillon, 6bis, bd Jacques-Copeau,
21200 Beaune, tél. 03.80.24.37.37, fax 03.80.24.37.38
❧ Albert Bichot

DOM. CHRISTIAN PERRIN 1999

■   0,94 ha   5 400   ❙❙❙ 15 à 23 €

Les ceps de vigne ont ici des histoires à raconter. On se situe en effet sur un ancien cimetière burgonde et mérovingien. Vous verrez ces trouvailles dans le caveau familial. Ce climat est voisin de Chorey-lès-Beaune. Si la robe de ce 99 comporte quelques reflets d'évolution, son bouquet reste dans des proportions classiques et raisonnables. Si l'attaque est tout entière sur le petit fruit rouge, le vin se montre encore un peu sauvage en fin de dégustation ; c'est une bouteille à déboucher dans deux à trois ans.

❧ Dom. Christian Perrin, 14, rue de Corton,
21550 Ladoix-Serrigny, tél. 03.80.26.40.93,
fax 03.80.26.48.40 ☑ ⍗ t.l.j. sf dim. 8h-12h 14h-18h

DOM. POULLEAU PERE ET FILS 2000

■   0,26 ha   1 500   ❙❙❙ 11 à 15 €

Des parcelles ajoutées les unes aux autres pendant trois générations, et l'on atteint les 8,16 ha. Carmin, un village au nez convivial de confiture de vieux garçon (les fruits rouges à l'eau-de-vie). Charpenté, il a du corps. Ses tanins encore fermes ont besoin d'un coup de rabot. Ce sera l'affaire de deux à trois ans d'attente.

❧ Dom. Poulleau Père et Fils, rue du Pied-de-la-Vallée,
21190 Volnay, tél. 03.80.21.26.52, fax 03.80.21.64.03
☑ ⍗ r.-v.

DOM. PRIN 1999*

■   0,95 ha   6 200   ❙❙❙ 15 à 23 €

Ce petit domaine de 5 ha a reçu l'an dernier un coup de cœur pour le millésime 98 en ladoix. Rouge grenat moyen, le nez orienté vers le sous-bois et la framboise, voici un '99 aux tanins bien maîtrisés. Sans développer une persistance considérable, il atttaque tout en finesse, montre du nerf et ne manque pas de corps. Agréable mais probablement pas de longue garde.

➥ Dom. Prin, 12, rue de Serrigny,
21550 Ladoix-Serrigny, tél. 03.80.26.40.63,
fax 03.80.26.46.16 ☑ ⍾ r.-v.

DOM. RAPET PERE ET FILS 2000★

■	3 ha	10 000	⑪ 15 à 23 €

Depuis des siècles, les Rapet font partie des piliers de Pernand. Pourpre rubis et d'aspect velouté, avec un tout début de nuance mordorée, ce 2000 laisse parler la framboise sous un boisé tempéré. Dès le départ on ressent une impression de souplesse. Un rien hérissé par des tanins vigilants, le fruit est ensuite comme tenu en lisière du sujet. Faites-lui confiance, il sortira de sa réserve et prendra part au jeu. Issu d'un sol profond et de terres rouges, ce vin montre que bon sang ne saurait mentir.

➥ Dom. Rapet Père et Fils,
21420 Pernand-Vergelesses, tél. 03.80.21.59.94,
fax 03.80.21.54.01 ☑ ⍾ r.-v.

DOM. GEORGES ROY ET FILS 1999★

■	0,51 ha	3 000	⑪ 11 à 15 €

Ce domaine de 8,50 ha propose un 99 paré d'une robe grenat de bonne intensité. Il a de la profondeur conjuguant avec adresse fruits noirs et rouges (cerise). Sa belle étoffe équilibrée est assez onctueuse ; ses tanins amples et persistants sont chargés de veiller sur son avenir (cinq à six ans).

➥ Dom. Georges Roy et Fils, 20, rue des Moutots,
21200 Chorey-lès-Beaune, tél. 03.80.22.16.28,
fax 03.80.24.76.38 ☑ ⍾ r.-v.

LES CAVES DE LA VERVELLE 2000

■	0,3 ha	1 500	⑪ 11 à 15 €

Construit par un chancelier de Bourgogne au XIVᵉs., ce noble château (Bligny-lès-Beaune et son domaine) a été cédé par le groupe AXA à la SAFER, puis à la Cave des Hautes-Côtes. Grenat bleuté, son aloxe-corton développe des arômes assez mâles mais sans se livrer beaucoup. Bien structuré par des tanins élégamment mariés au fruit, persistant, il saura attendre quatre à cinq ans.

➥ Cave de Sainte-Marie-la-Blanche et du Ch. Bligny,
rte de Verdun, 21200 Sainte-Marie-la-Blanche,
tél. 03.80.26.60.60, fax 03.80.26.54.47 ☑

Pernand-vergelesses

Situé à la réunion de deux vallées, exposé plein sud, le village de Pernand est sans doute le plus « vigneron » de la Côte. Rues étroites, caves profondes, vignes de coteaux, hommes de grand cœur et vins subtils lui ont fait une solide réputation, à laquelle de vieilles familles bourguignonnes ont largement contribué. En 2001, on a produit 3 825 hl de vins rouges dont

le premier cru le plus réputé, à juste titre, est l'Ile des Vergelesses, tout en finesse ; et aussi d'excellents vins blancs (1 975 hl).

DOM. BELIN-RAPET
La Morand 2000★

▨	0,3 ha	1 200	⑪ 11 à 15 €

Ce *climat* est à Pernand un très proche voisin du corton-charlemagne. Etonnez-vous s'il vivifie le chardonnay. D'un jaune doré intense, il consacre son inspiration aromatique aux fruits jaunes et au souvenir du fût. Assez long à se révéler en bouche, il finit cependant par tenir un discours intéressant.

➥ Dom. Belin-Rapet, Les Combottes,
21420 Pernand-Vergelesses, tél. 03.80.22.77.51,
fax 03.80.22.76.59, e-mail ludovic.belin @ wanadoo.fr
☑ ⍾ r.-v.

DOM. CHANDON DE BRIAILLES
Ile des Vergelesses 1999★

■ 1er cru	3 ha	12 000	⑪ 15 à 23 €

Il s'agit ici d'une propriété historique dont le jardin est une pure merveille (à Savigny). Ce 1er cru évoque la cannelle, le poivre, puis la fraise très mûre, très aromatique. Les tanins sont admis à la Cour : on les croit diplômés de Sandhurst tant ils sont formés à bonne école. Une grande élégance et de la persistance. Attendre que cette bouteille ait acquis deux ou trois ans de plus.

➥ Dom. Chandon de Briailles, 1, rue Sœur-Goby,
21420 Savigny-lès-Beaune, tél. 03.80.21.52.31,
fax 03.80.21.59.15 ☑ ⍾ r.-v.
➥ de Nicolay

DOM. CHARACHE-BERGERET
Les Plantes Deschamps et Combottes 2000

	1,2 ha	6 900	⑪ 11 à 15 €

Sur le coteau qui domine la route montant à Echevronne, ce *climat* fournit ici un chardonnay à la couleur discrète et au nez distrayant. Floral, minéral sur un décor légèrement fumé qui n'ignore pas une touche de miel. Moelleux, gras, chaleureux, il n'inspire pas particulièrement la pitié. La sagesse conduit à le prendre dans ces bonnes dispositions sans tenter un long séjour en cave.

➥ René Charache-Bergeret, 21200 Bouze-lès-Beaune,
tél. 03.80.26.00.86, fax 03.80.26.00.86 ☑ ⍾ r.-v.

DOM. DU CHATEAU DE CHOREY
Les Combottes 1999★

	2,7 ha	20 000	⑪ 11 à 15 €

Le joli château de Chorey a été reconstruit au XVIIᵉs. sur les ruines d'une maison forte du XIIIᵉs. dont il subsiste tours et douves. Ce vin ne porte pourtant pas le heaume ni l'armure. Floral et boisé, il est plutôt fait pour l'aubépine et l'amour courtois. Or assez soutenu, il s'ouvre sur des notes de pâtisserie, puis de citron vert. Un peu nerveux, mais il a du corps et il sera au mieux de sa forme en 2003.

➥ Dom. du Château de Chorey, Chorey-lès-Beaune,
21200 Beaune, tél. 03.80.24.06.39, fax 03.80.24.77.72
☑ 🏠 ⍾ r.-v.
➥ B. Germain

DOM. CORNU 1999★★

■	0,39 ha	2 400	⑪ 8 à 11 €

A deux doigts de la troisième étoile et même du coup de cœur, un vin sublime. Il suscite tous les enthousiasmes tant il se présente bien, tant il joue avec finesse. Le fruit rouge équilibre les tanins du bois et l'alcool. La chair est enrobée en une mâche savoureuse. A la hauteur d'un 1er cru.

🕿 Dom. Claude Cornu, rue du Meix-Grenot, 21700 Magny-lès-Villers, tél. 03.80.62.92.05, fax 03.80.62.72.22 ☑ ▼ r.-v.

DOM. DENIS PERE ET FILS 1999

	0,5 ha	2 500	**⦿ 11 à 15 €**

Sous des dehors gracieux (or léger à nuances vertes), ce 99 est « bien honnête » comme on dit en Bourgogne. Sa minéralité a l'accent du pays est, si la vanille occupe la toile de fond, elle apparaît fine et discrète. L'attaque est agréable sur quelques rondelles de citron vert mêlé à une légère sensation de poivre blanc. L'ensemble équilibré est très élégant.

🕿 Dom. Denis Père et Fils, chem. des Vignes-Blanches, 21420 Pernand-Vergelesses, tél. 03.80.21.50.91, fax 03.80.26.10.32 ☑ ▼ r.-v.

DOM. DOUDET
Les Fichots Vieilles vignes 2000★★

■ 1er cru	0,6 ha	2 800	**⦿ 15 à 23 €**

Exactement le vin dont Jacques Copeau devint amoureux quand, fondateur de la NRF et du Vieux Colombier, il quitta Paris pour vivre à Pernand. Sous un costume de scène d'un rouge violacé, diabolique, la menthe, l'épice, le fruit en confiture emplissent le nez. On se trouve ensuite en présence d'un pinot merveilleusement rustique, au meilleur sens du mot. Vigneron dans l'âme, où la matière et le corps ne font qu'un. Superbe bouteille qui fêtera sa centième, sa cinq centième, sous les rappels.

🕿 Dom. Doudet, 3, rue Henri-Cyrot, 21420 Savigny-lès-Beaune, tél. 03.80.21.51.74, fax 03.80.21.50.69 ☑

DOM. P. DUBREUIL-FONTAINE PERE ET FILS 2000

	1,5 ha	9 000	**⦿ 11 à 15 €**

Or pâle, brillant, cristallin, un pernand comme les aimait « le Pierre », haute figure du village. Il est frais, floral, franc et net, d'une bonhomie de bon aloi. L'acidité (tonalité de jeunesse) le rend un peu nerveux mais cela lui passera. Le boisé se dissipera dans un à deux ans. Un vin sans détour.

🕿 Dom. Dubreuil-Fontaine Père et Fils, rue Rameau-Lamarosse, 21420 Pernand-Vergelesses, tél. 03.80.21.55.43, fax 03.80.21.51.69, e-mail dubreuil.fontaine @ wanadoo.fr ☑ ▼ t.l.j. 8h30-12h 14h-18h; sam. 9h-12h

DOM. JEAN-JACQUES GIRARD
Les Belles Filles 2000

	n.c.	n.c.	**⦿ 11 à 15 €**

Le château de Savigny a une histoire fort intéressante. C'est dans le village qu'est installé ce domaine. Or vert assez soutenu, ce 2000 au nez un peu citronné, frais et vif comme la première brise du printemps, attaque sur l'abricot, le zeste d'agrumes. Vineux, il est bientôt imposant, gros, presque crémeux et long. A découvrir pendant les trois prochaines années.

🕿 Dom. Jean-Jacques Girard, 16, rue de Cîteaux, 21420 Savigny-lès-Beaune, tél. 03.80.21.56.15, fax 03.80.26.10.08 ☑ ▼ r.-v.

DOM. DOMINIQUE GUYON
Les Vergelesses 1999★

■ 1er cru	0,58 ha	3 600	**⦿ 15 à 23 €**

Comment résister aux assauts de ces Vergelesses, ce vin de soie au corps très bien construit ? Peut-on refuser son fruit ? Pourtant, ne cédez pas trop tôt à la tentation car le plaisir croîtra avec le temps. De ce bonheur vous n'apercevez encore qu'un tout petit bout. Sa couleur est superbe, le nez peu disert (vanille, épices douces pour l'essentiel).

🕿 Dom. Dominique Guyon, 21420 Savigny-lès-Beaune, tél. 03.80.67.13.24, fax 03.80.66.85.87, e-mail vins @ guyon-bourgogne.com ☑ ▼ r.-v.

FREDERIC JACOB 2000★

	0,3 ha	1 200	**▮⦿ 8 à 11 €**

Jaune pâle, ce 2000 est bien parfumé (agrumes, amande grillée) ; sa vivacité ne fait pas écran. Finesse et harmonie sont au rendez-vous. « Et si on l'essayait sur un bon pâté en croûte », interroge un dégustateur conquis. Le **village rouge 2000 (5 à 8 €)** cité, est à attendre un à deux ans. Il sait arrondir les angles.

🕿 Frédéric Jacob, 50, Grande-Rue, 21420 Changey-Echevronne, tél. 03.80.21.55.58, fax 03.80.62.75.36 ☑ ▼ r.-v.

DOM. LALEURE-PIOT 2000★

1er cru	2 ha	12 500	**⦿ 11 à 15 €**

A côté d'un **1er cru Ile des Vergelesses rouge 2000 (15 à 23 €)** très concentré, à la charpente impressionnante (il obtient une citation), ce 1er cru blanc du domaine appelle la truite au bleu. Or vert brillant, fleurs blanches (acacia), fruits secs et boisé grillé discret, il offre en bouche une évolution onctueuse et riche où le gras n'est pas dépourvu de l'acidité nécessaire à une bonne garde.

🕿 Dom. Laleure-Piot, rue de Pralot, 21420 Pernand-Vergelesses, tél. 03.80.21.52.37, fax 03.80.21.59.48, e-mail infos @ laleure-piot.com ☑ ▼ t.l.j. 8h-12h 14h-18h; sam. dim. sur r.-v.

LE MANOIR MURISALTIEN
Sous le Bois de Noël et les Belles Filles 2000

	n.c.	3 000	**⦿ 15 à 23 €**

« Qui voit Pernand n'est pas dedans », prétend le dicton. Car il faut de bonnes jambes pour grimper jusqu'au village. Il faut du nerf, de la vigueur, et ce pernand n'en manque pas. Limpide à petits reflets verts, il est assez grillé, vif et pourvu d'un gras qui vient à point épauler la bouche. Ne pas ouvrir trop tôt cette bouteille : il y a de la fraîcheur et du souffle, elle peut attendre.

🕿 Marc Dumont, 4, rue du Clos-de-Mazeray, 21190 Meursault, tél. 03.80.21.21.83, fax 03.80.21.66.48, e-mail vin @ demessey.com ☑ ▼ r.-v.

DOM. PIERRE MAREY ET FILS
Les Belles Filles 2000★

■	1,62 ha	8 000	**⦿ 8 à 11 €**

Il y a des vins qui ont une bonne fée sur leur berceau. S'appeler Les Belles Filles facilite la vie. Cela dit, ce 2000 rubis clair et au nez intensément fruité, vif et jeune, attaque en souplesse. Doté d'une belle matière, équilibré et d'une bonne longueur, il est agréable au palais. Pour les amateurs de sensations nouvelles : le **1er cru Sous Frétille (2000) blanc** obtient une citation.

† EARL Pierre Marey et Fils, rue Jacques-Copeau, 21420 Pernand-Vergelesses, tél. 03.80.21.51.71, fax 03.80.26.10.48 ☑ ￪ r.-v.

DOM. PAVELOT 2000★

■	1,42 ha	7 500	ⅢⅡ 8 à 11 €

Créé au XVIIes., ce domaine compte 8,5 ha. Le fils a rejoint le père en 1998. On aime bien cette étiquette ornée d'un dessin style 1930. Le vin ? La robe a de l'éclat. Le nez ? Entre la violette et la myrtille. L'attaque est directe, la bouche équilibrée. L'affaire s'achève sur le fruit à noyau, le fruit à l'eau-de-vie. Un très beau *village* à attendre deux à cinq ans. Une même note est attribuée au 1er cru **Sous Frétille 2000 blanc** (15 à 23 €) de bonne composition.

† EARL Dom. Régis et Luc Pavelot, rue du Paulant, 21420 Pernand-Vergelesses, tél. 03.80.26.13.65, fax 03.80.26.13.65 ☑ ￪ r.-v.

POULET PERE ET FILS 2000

■	n.c.	n.c.	ⅢⅡ 23 à 30 €

Marque historique (l'une des plus anciennes de Bourgogne) devenue la propriété de la maison Laurent Max à Nuits. Elle signe un vin marchand, bien doré, un peu porté sur le fruit exotique et qu'un boisé léger tapisse de pain grillé.

† Poulet Père et Fils, 6, rue de Chaux, 21700 Nuits-Saint-Georges, tél. 03.80.62.43.02, fax 03.80.62.68.02 ￪ r.-v.

DOM. RAPET PERE ET FILS
Sous Frétille 2000★★

■ 1er cru	1 ha	4 000	ⅢⅡ 15 à 23 €

On frétille de plaisir. D'autant que ce vin vient d'être promu 1er cru au millésime 2000 (lieu-dit situé sous la Vierge de Pernand) et on le déguste ainsi pour la première fois. Couleur blé pâle, il sait tirer parti de son nez où jouent le miel, l'amande, le fruit exotique. Le gras surabondant lui donne de la longueur, et un peu d'acidité assure sa garde.

† Dom. Rapet Père et Fils, 21420 Pernand-Vergelesses, tél. 03.80.21.59.94, fax 03.80.21.54.01 ☑ ￪ r.-v.

DOM. ROLLIN PERE ET FILS 1999★

■	3 ha	11 000	ⅢⅡ 8 à 11 €

L'honnêteté est dans sa nature. De quelque côté qu'on l'approche, l'impression est favorable. Certes, sa robe grenat laisse transparaître de légers reflets d'évolution, mais le bouquet est vraiment plaisant. Vanillé, avec des notes de réglisse, il n'oublie pas les fruits rouges conservés dans l'eau-de-vie. On retrouve la cerise en bouche et des tanins très rabotés qui évitent toute aspérité. On vous signale aussi **l'Ile des Vergelesses 99, 1er cru rouge** (15 à 23 €) qui obtient une citation, et le **village blanc 2000** (11 à 15 €) qui reçoit une étoile pour son fruité, son onctuosité, sa persistance.

† Rollin Père et Fils, rte des Vergelesses, 21420 Pernand-Vergelesses, tél. 03.80.21.57.31, fax 03.80.26.10.38 ☑ ￪ r.-v.

DOM. NICOLAS ROSSIGNOL 2000★

■	0,1 ha	600	ⅢⅡ 11 à 15 €

Nicolas Rossignol s'installe en 1997. Il propose un vin jeune qui a du potentiel. Or vert comme il se doit, le chardonnay s'exprime ici de façon minérale et florale sur fond boisé. L'attaque est fraîche. Le gras et l'acidité se compensent mutuellement. A servir entre 2003 et 2005.

† Dom. Nicolas Rossignol, rue de Mont, 21190 Volnay, tél. 03.80.21.62.43, fax 03.80.21.27.61 ☑ ￪ r.-v.

Corton

La « montagne de Corton » est constituée, du point de vue géologique et donc du point de vue des sols et des types de vins, de différents niveaux. Couronnées par le bois qui pousse sur les calcaires durs du rauracien (oxfordien supérieur), les marnes argoviennes laissent apparaître des terres blanches propices aux vins blancs (sur plusieurs dizaines de mètres). Elles recouvrent la « dalle nacrée » calcaire en plaquettes, avec de nombreuses coquilles d'huîtres de grande dimension, sur laquelle ont évolué des sols bruns propices à la production de vins rouges.

Le nom du lieu-dit est associé à l'appellation corton, qui peut être utilisée en blanc, mais est surtout connue en rouge. Les Bressandes sont produits sur des terres rouges et allient à la puissance la finesse que leur confère le sol. En revanche, dans la partie haute des Renardes, des Languettes et du Clos du Roy, les terres blanches donnent en rouge des vins charpentés qui, en vieillissant, prennent des notes animales, sauvages, que l'on retrouve dans les Mourottes de Ladoix. Le corton est le grand cru le plus important en volume : 3 797 hl en rouge et 101 hl en blanc en 2001.

ARNOUX PERE ET FILS
Rognet 2000

■ Gd cru	0,33 ha	1 700	▮Ⅲ↓ 30 à 38 €
82 83 |89| |90| |91| 92 **97** 98 99 00		

Parcelle de 0,33 ha achetée en 1984 à la maison Charles Viénot qui n'avait pas encore changé de destin. Couleur à la limite du noir, ce 2000 au grillé discret évoque l'humus au nez. Net, plein, fin et fruité, il est équilibré ce qui conduit à le recommander, d'autant qu'il tient bien en selle et n'a pas fini son chemin sur Terre.

† Arnoux Père et Fils, rue des Brenôts, 21200 Chorey-lès-Beaune, tél. 03.80.22.57.98, fax 03.80.22.16.85 ☑ ￪ r.-v.

JEAN-CLAUDE BELLAND
Grèves 2000★

■ Gd cru	0,55 ha	n.c.	ⅢⅡ 23 à 30 €

Par son mariage avec une petite-fille Poisot-Latour, Adrien Belland a étendu son domaine sur le coteau de Corton. Parmi ses vignes, un demi-hectare dans les

Grèves, climat plus connu à Beaune et situé ici entre Perrières et Bressandes. Vin à revoir... dans une dizaine d'années. Grenat foncé (grande extraction), il a un joli nez (cerise, fraise des bois), beaucoup de charpente et de tanins, un boisé bien maîtrisé. Cette mâche, ce côté rustique, vont en effet se lisser, se bonifier. Avec le temps...
↬ Jean-Claude Belland, 21590 Santenay, tél. 03.80.20.61.90, fax 03.80.20.65.60 ☑ ⵏ r.-v.

BONNEAU DU MARTRAY 1999★★

■ Gd cru	1,6 ha	6 900	⫼ 46 à 76 €

⑧⓪ 86 88 |89| |90| 92 |93| **94** 95 **96** 97 98 **99**

Prestigieux domaine datant du XVIII°s. (11 ha de nos jours, entièrement situés sur la Montagne de Corton). Celui que l'on attendait : un corton digne de ce nom, se présentant comme un vin de garde (dix ans et plus). Rouge presque noir et violacé, il porte un fruit discret qui semble être la mûre. Il est plus aromatique en rétro, avec des notes poivrées, pimentées. Sa structure est puissante et fortement tannique. Donnons-lui le temps de quitter son armure.
↬ Dom. Bonneau du Martray, 21420 Pernand-Vergelesses, tél. 03.80.21.50.64, fax 03.80.21.57.19 ☑
↬ de La Morinière

DOM. BOUCHARD PERE ET FILS
Le Corton 1999★

■ Gd cru	3,67 ha	n.c.	⫼ 38 à 46 €

L'une des rares étiquettes à porter Le Corton, parcelle acquise en 1909, sur plus de 6 ha d'un seul tenant, en corton et en corton-charlemagne, par le précédent propriétaire. D'un grenat limpide, ce 99 harmonieux et persistant a des vertus durables. Chaleureux, généreux, soyeux, gracieux, les rimes viennent vite à l'esprit et les vers n'auront aucune peine à se glisser entre elles. Son bouquet ? Notes torréfiées (moka, cacao, grillé) laissant poindre une légère touche de fleurs et de fruits rouges.
↬ Bouchard Père et Fils, Ch. de Beaune, 21200 Beaune, tél. 03.80.24.80.24, fax 03.80.22.55.88, e-mail france@bouchard-pereetfils.com ⵏ r.-v.

DOM. HENRI ET GILLES BUISSON
Le Rognet-et-Corton 1999★

■ Gd cru	0,32 ha	1 800	⫼ 23 à 30 €

Vigne acquise en 1984 (0,32 ha) par l'intermédiaire de la Safer. Solide, charpenté, charnu, c'est un Rognet-et-Corton très typé. Pourpre soutenu, le nez ferme (cuir, poivre), il repose sur un socle en pierre de comblanchien. Les tanins sont présents, mais pas envahissants. Il a de la matière et des espérances malgré un boisé marqué. « Très bien, mais surtout attendre », note un courtier.
↬ Dom. Henri et Gilles Buisson, imp. du Clou, 21190 Saint-Romain, tél. 03.80.21.27.91, fax 03.80.21.64.87 ☑ ⛪ ⵏ r.-v.
↬ Gilles Buisson

DOM. CACHAT-OCQUIDANT ET FILS
Clos des Vergennes Monopole 2000★

■ Gd cru	1,42 ha	5 000	⫼ 23 à 30 €

86 **87** 88 |**90**| 91 95 96 |97| 98 99 00

Ce Clos Vergennes fut acquis en 1937. Un investissement lourd mais un retour fort important. Son vin, un peu austère aujourd'hui mais très beau, offre une bouche quasiment parfaite. Sa complexité débute au premier coup

de nez, profond, sur la griotte et la framboise. Rubis à fond grenat, sa robe est brillante. Il sera mis en valeur par une simple côte de bœuf, dans cinq à six ans.
↬ Dom. Cachat-Ocquidant et Fils, 3, pl. du Souvenir, 21550 Ladoix-Serrigny, tél. 03.80.26.45.30, fax 03.80.26.48.16 ☑ ⵏ r.-v.

MAURICE ET ANNE-MARIE CHAPUIS
Perrières 1999

■ Gd cru	1,07 ha	4 500	⫼ 11 à 15 €

Au milieu du XIX°s., une fille Pavelot épousa le jeune Chapuis, instituteur au village. Ils eurent deux enfants et beaucoup de pieds de vigne. Ce Perrières 99 est en pleine promotion épiscopale, hésitant entre le violet et le rouge cardinal. Le bouquet, peu évolué, est encore partagé : on y respire la fraise et la vanille. Ses tanins restent fermes mais l'architecture est là, et bien là. Aucun souci jusqu'à la fin de l'actuelle décennie.
↬ Dom. Maurice Chapuis, 3, rue Boulmeau, 21420 Aloxe-Corton, tél. 03.80.26.40.99, fax 03.80.26.40.89, e-mail info@domainechapuis.com ☑ ⵏ r.-v.

DOM. DU CH. DE CHASSAGNE-MONTRACHET
Clos des Fiètres 1999★

■ Gd cru	0,35 ha	1 900	⫼ 38 à 46 €

Michel Picard signe un corton Clos des Fiètres, *climat* situé juste au-dessus du village d'Aloxe. Rubis soutenu, son bouquet privilégie pour le moment le grillé. L'attaque est pleine, les tanins présents mais fondus ; la fraîcheur est agréable sur la fin.
↬ SCV Dom. du ch. de Chassagne-Montrachet, 21190 Chassagne-Montrachet, tél. 03.85.87.51.01, fax 03.85.87.51.01

DOM. CORNU 1999★

■ Gd cru	0,61 ha	2 900	⫼ 23 à 30 €

Domaine de 16 ha dont le siège est proche de Nuits-Saint-Georges. Ce corton a vécu dix-huit mois en fût. Presque noir à reflets rubis, ce vin profond est bien sûr très jeune. Epices (réglisse, muscade, vanille) et baies noires se partagent le discours. Puissant, « musclé », dit un juré, tannique et long, il est de belle typicité et de grande garde (huit à dix ans, voire davantage).
↬ Dom. Cornu, rue du Meix-Grenot, 21700 Magny-lès-Villers, tél. 03.80.62.92.05, fax 03.80.62.72.22 ☑ ⵏ r.-v.

LOU DUMONT 2000

■ Gd cru	n.c.	n.c.	⫼ 30 à 38 €

Cette jeune maison exporte vers l'Asie et bénéficie de la collaboration d'un sommelier japonais, M. Nakada. La robe est ici très riche pour le millésime. Des arômes de surmaturité (pruneau) annoncent un vin très jeune mais expressif, ne manquant ni de nerf ni de gras. Le merrain est fin mais les tanins sont très serrés. D'une typicité correcte, il demande quatre à cinq ans de garde pour accompagner le classique coq au vin.
↬ Lou Dumont, 1, rue Sainte-Anne, 21700 Nuits-Saint-Georges, tél. 03.80.62.32.48, fax 03.80.62.30.85, e-mail info@loudumont.com ☑ ⵏ r.-v.

CLOS DES CORTONS FAIVELEY 1999

■ Gd cru	2,97 ha	17 800	�**Ⅲ** 46 à 76 €

85 86 88 89 |90| 91 92 |94| |⊙| **96 97 98** 99

François Faiveley ne se contente pas d'être l'héritier de cette maison fondée en 1825 par Pierre Faiveley puisqu'il est l'un des maîtres de l'industrie ferroviaire. Avec son œnologue Régis Surrell, il a choisi de travailler ses vignes « selon les lois naturelles ». Ce grand cru, portant le nom familial après un jugement de 1930, est encore dans l'enfance. Brillant, d'un rouge profond dans le verre, il laisse s'exprimer un nez de petits fruits kirschés, mais très vite le fût prend le dessus. Il faudra être très patient pour le laisser venir.

↤ Bourgognes Faiveley, 8, rue du Tribourg, 21701 Nuits-Saint-Georges, tél. 03.80.61.04.55, fax 03.80.62.33.37, e-mail bourgognes.faiveley@wanadoo.fr ☑

DOM. ANNE-MARIE GILLE
Les Renardes 2000★

■ Gd cru	0,16 ha	800	�**Ⅲ** 30 à 38 €

Anne-Marie Gille, œnologue, a hérité de vieilles vignes de son grand-père en 1983, dont certaines sont centenaires. Celles de ces Renardes ont quarante-sept ans, et c'est déjà respectable. Une robe soutenue à reflets pourprés, un nez grillé, puissant, où percent quelques notes de fruits mûrs composent l'introduction. Le développement se fait encore sur le fût mais la matière le supporte. Sa finale empyreumatique est prometteuse. Un vin moderne, et un vrai grand cru destiné à un gibier.

↤ Dom. Anne-Marie Gille, 34, RN 74, 21700 Comblanchien, tél. 03.80.62.94.13, fax 03.80.62.99.88, e-mail domaine.gille@wanadoo.fr ☑ ⅄ r.-v.

ANTONIN GUYON
Clos du Roy 1999

■ Gd cru	0,55 ha	3 500	�**Ⅲ** 30 à 38 €

« Le vrai principe fécond, le vrai principe artistique, c'est la réserve », disait Thomas Mann. Plein de retenue, ce vin a pourtant le conseil. Rouge vif, il montre pourtant de l'ardeur et passe en beauté l'épreuve du nez (joli fruité développé à l'aération). Ses tanins encore fermes demandent de l'attendre plusieurs années, sachant toutefois que sa structure ne lui promet pas l'éternité. Egalement retenues, des **Bressandes 99 rouge** à attendre trois à quatre ans.

↤ Dom. Antonin Guyon, 21420 Savigny-lès-Beaune, tél. 03.80.67.13.24, fax 03.80.66.85.87, e-mail vins@guyon-bourgogne.com ☑ ⅄ r.-v.

DOM. LALEURE-PIOT
Bressandes 2000★

■ Gd cru	0,21 ha	1000	�**Ⅲ** 23 à 30 €

Un achat en Rognet, une location en Bressandes, le domaine a pris pied en grand cru. Rouge cerise noire, ce 2000 aux arômes de fruits macérés, de myrtille, de sous-bois (truffe) et de boisé léger, tient bien sur ses jambes. Structurée, sa charpente est présente mais harmonieuse, les tanins étant de qualité. Cette bouteille de garde a un bon potentiel.

↤ Dom. Laleure-Piot, rue de Pralot, 21420 Pernand-Vergelesses, tél. 03.80.21.52.37, fax 03.80.21.59.48, e-mail infos@laleure-piot.com ☑ ⅄ t.l.j. 8h-12h 14h-18h; sam. dim. sur r.-v.
☞ Frédéric Laleure

RENE LEQUIN-COLIN
Les Languettes 2000★

■ Gd cru	0,09 ha	500	�**Ⅲ** 15 à 23 €

Domaine fondé par Isidore Lequin et son épouse Thérésine Roussot, dans les années 1880. Le sol marneux des Languettes le prédestine au chardonnay qui s'y exprime souvent avec finesse. S'il est équilibré, ce 2000 montre une certaine austérité sur nuance épicée. Il est donc nécessaire de le garder plusieurs années en cave, le temps qu'il se fasse, qu'il daigne sourire. Son nez profond de griotte, sa couleur saisissante, son équilibre promettent un grand vin digne d'un filet de cerf.

↤ René Lequin-Colin, 10, rue de Lavau, 21590 Santenay, tél. 03.80.20.66.71, fax 03.80.20.66.71, e-mail renelequin@aol.com ☑ ⅄ r.-v.

DOM. MAILLARD PERE ET FILS
Renardes 2000★★★

■ Gd cru	n.c.	n.c.	�**Ⅲ** 23 à 30 €

Cette bouteille nous fait entrer dans le secret des dieux. Un très grand corton ! Coup de cœur il y a deux ans (millésime 98), ce domaine renoue avec la gloire. Acclamé par le grand jury, ce corton vient bon premier. Vrai pinot noir « à l'ancienne », racé, consistant, il possède un excellent rapport gras-tanins. Sa concentration saute aux yeux puis au nez, tandis que le fût apparaît bien maîtrisé et utile en l'espèce. Il sera meilleur encore dans quatre à cinq ans. Une étoile a été attribuée à la cuvée principale **Corton blanc grand cru 2000** (30 à 38 €). Son bouquet est un feu d'artifice (fleurs, notes miellées, amande grillée), mais ce vin devra vieillir en cave lui aussi.

↤ Dom. Maillard Père et Fils, 2, rue Joseph-Bard, 21200 Chorey-lès-Beaune, tél. 03.80.22.10.67, fax 03.80.24.00.42 ☑ ⅄ r.-v.

MAISON MALLARD-GAULIN
Renardes 2000

■ Gd cru	0,6 ha	1 900	�**Ⅲ** 46 à 76 €

Si l'ensemble demande à être fondu, les principales caractéristiques du corton s'y trouvent et sont en place. Beaucoup d'éclat sous le regard, un nez de venaison très typé Renardes (quelques notes de cerise adoucissant la chose), il est ample et souple, bien enveloppé dans son gras sans oublier l'effet chaleureux de l'alcool.

↤ Maison Mallard-Gaulin, 21420 Aloxe-Corton, tél. 03.80.26.46.10, fax 03.80.26.43.57

D. MEUNEVEAUX
Perrières 2000★

■ Gd cru	0,66 ha	2 100	�**Ⅲ** 15 à 23 €

Lors de la chute de la maison Gauthey, Max (qui faisait des vignes en tâche pour la maison Latour) acheta

BOURGOGNE

une vigne aux Perrières. Ainsi est né ce domaine et, justement, c'est un Perrières qui a été sélectionné. Rouge à reflets bleu violacé, un 2000 aux arômes de sous-bois, d'humus, de champignon, d'une belle concentration en bouche, celle-ci étant relevée, épicée, longue et expressive. Terroir respecté.

☛ Didier Meuneveaux, 9, rue Boulmeau,
21420 Aloxe-Corton, tél. 03.80.26.42.33,
fax 03.80.26.48.60, e-mail tmeuneveaux@club-internet.fr
☑ ☥ r.-v.

DOM. NUDANT
Bressandes 2000★

	Gd cru	0,6 ha	2 200		30 à 38 €

D'un rouge sombre très profond, bouqueté sur des notes vanillées et très mûres, ce vin attaque comme s'il s'agissait d'une symphonie : de l'ampleur, du volume. Les cuivres ensuite (les tanins). Aucune agressivité, et le solo de flûte constitue un bon support acide. Harmonieux et à sa place ici, il ne dédaignera pas d'accompagner un faisan et un cîteaux.

☛ Dom. Nudant, 11, RN 74, 21550 Ladoix-Serrigny,
tél. 03.80.26.40.48, fax 03.80.26.47.13,
e-mail domaine.nudant@wanadoo.fr ☑ ☥ r.-v.

DOM. JACQUES PRIEUR
Bressandes 1999★

	Gd cru	1,73 ha	4 000		46 à 76 €

Haut en couleur, très étoffé, ce vin domine son sujet... mais il ne le survole pas ! Robe burlat très mûre, très foncée. Bouquet épicé sur une pointe de cassis. Onctueux en ouverture, il est bien épaulé par une structure solide. Il ne laisse aucune liberté à ses tanins. Beaucoup de panache en bouche, puis une finale longue. On sait que ce domaine a été pris en main par Antonin Rodet.

☛ Dom. Jacques Prieur, 6, rue des Santenots,
21190 Meursault, tél. 03.80.21.23.85, fax 03.80.21.29.19
☑ ☥ r.-v.

DOM. RAPET PERE ET FILS 2000

	Gd cru	0,5 ha	2 000		23 à 30 €

Une grande famille de la viticulture bourguignonne. Son corton d'un rouge appuyé répartit intelligemment ses arômes : du fruit noir, un peu de vanille... Tannique et concentré, il répond à la définition classique du corton depuis les docteurs Morelot et Lavalle au XIX^{e}s. Un vin ferme, franc, corsé et de belle carrure. Celui-ci attendra quatre ou cinq ans.

☛ Dom. Rapet Père et Fils,
21420 Pernand-Vergelesses, tél. 03.80.21.59.94,
fax 03.80.21.54.01 ☑ ☥ r.-v.

DOM. REINE PEDAUQUE
Renardes 2000

	Gd cru	n.c.	n.c.		30 à 38 €

Pierre André se prit de passion pour le corton et, dans les années 1920 et 1930, créa un domaine ainsi que La Reine Pédauque. L'ensemble demeure aujourd'hui familial. Sous une robe légère, plein de feu, un Renardes fidèle à sa réputation de bouquet aux notes de gibier, évoluant vers la violette, les fruits rouges à l'eau-de-vie. L'attaque est franche, directe. Plus de finesse que de matière, et un élevage au bois bien maîtrisé.

☛ Reine Pédauque, Le Village, 21420 Aloxe-Corton,
tél. 03.80.25.00.00, fax 03.80.26.42.00,
e-mail rpedauque@axnet.fr ☥ r.-v.

Corton-charlemagne

L'appellation charlemagne, dans laquelle jusqu'en 1948 pouvait entrer l'aligoté, n'est pas utilisée. L'appellation corton-charlemagne représente 2 420 hl en 2001, dont la plus grande partie est produite sur les communes de Pernand-Vergelesses et d'Aloxe-Corton. Les vins de cette appellation – dont le nom est dû à l'empereur Charles le Grand qui aurait fait planter des blancs pour ne pas tacher sa barbe – sont d'un bel or vert et atteignent leur plénitude après cinq à dix ans.

DOM. BONNEAU DU MARTRAY 1999

	Gd cru	9,5 ha	61 000		46 à 76 €
79 83	90		91		92		93	95 96 97 98 99					

Marie de Rabutin-Chantal, marquise de Sévigné, auteur de *Lettres* qu'on a plaisir à lire trois cent cinquante ans après leur première publication, est l'un des ancêtres des propriétaires de ce domaine dont la production en grand cru est très importante. D'un clair brillant d'un reflet vert bien bourguignon, ce millésime ne s'exprime pas encore. Cependant on perçoit déjà des notes de fleurs blanches, de noisette et de vanille qui s'associent en bouche à une touche beurrée sur fond grillé. Une bouteille à laisser dormir dans une bonne cave avant de lui faire épouser des écrevisses à la Newburg.

☛ Dom. Bonneau du Martray,
21420 Pernand-Vergelesses, tél. 03.80.21.50.64,
fax 03.80.21.57.19 ☑
☛ de la Morinière

DOM. BOUCHARD PERE ET FILS 1999★★

	Gd cru	3,25 ha	n.c.		46 à 76 €

Un vin étincelant de couleur et dans la tradition. Son nez brioché n'efface pas la note d'agrumes et particulièrement de citron, de pamplemousse. Ronde en attaque, carrée sur le milieu, la bouche réalise un parcours sans faute. À tout seigneur... Quand on a 3,25 ha en corton-charlemagne, on ne peut qu'être grand.

☛ Bouchard Père et Fils, Ch. de Beaune,
21200 Beaune, tél. 03.80.24.80.24, fax 03.80.22.55.88,
e-mail france@bouchard-pereetfils.com ☥ r.-v.

CAPITAIN-GAGNEROT 2000

	Gd cru	0,42 ha	2 400		38 à 46 €

« Loyauté fait ma force », proclame la devise du domaine. Celui-ci fêtait en 2002 son 200e anniversaire. Son corton-charlemagne orne sa barbe fleurie d'arômes soigneusement choisis : chèvrefeuille et fleur de lys. De circonstance ! Fraîche et élancée dès l'abord, la bouche est de velours ; suave, elle demande à vieillir, notamment pour renforcer le gras au dernier chapitre.

☛ Capitain-Gagnerot, 38, rte de Dijon,
21550 Ladoix-Serrigny, tél. 03.80.26.41.36,
fax 03.80.26.46.29 ☑ ☥ r.-v.

MAURICE ET ANNE-MARIE CHAPUIS 2000★

	Gd cru	1,12 ha	5 000		30 à 38 €

Cette famille a beaucoup contribué à la connaissance des vins du pays. Elle ne produit pas seulement des livres, des émissions radio, mais aussi de fort bons vins. Ce corton-charlemagne mérite toutes les attentions. Sa robe est plaisante. Son bouquet évoque la pêche de vigne. Vous souvenez-vous de ce parfum unique ? Ce fruit n'existe malheureusement plus guère. Au palais, le vin s'impose avec beaucoup de saveur, de présence. Mais c'est encore un sauvageon, à faire rentrer dans le rang. Potentiel de garde : 2010.

☛ Dom. Maurice Chapuis, 3, rue Boulmeau, 21420 Aloxe-Corton, tél. 03.80.26.40.99, fax 03.80.26.40.89, e-mail info@domainechapuis.com **☑ ☍ r.-v.**

DOM. DENIS PERE ET FILS 1999

| Gd cru | 0,5 ha | 2 500 | **▥ 30 à 38 €** |

On aimerait savoir ce que valait le millésime 800 en corton-charlemagne. La Bourgogne n'a guère que deux cents ans de références sûres... Cela dit, ce 99 a du panache. Sa couleur est impeccable. Son nez est légèrement oxydatif, mais ce n'est pas désagréable en grand blanc. Cela contribue à la mise en scène de la pièce. D'autant qu'elle est ici bien construite, d'un développement long et profond.

☛ Dom. Denis Père et Fils, chem. des Vignes-Blanches, 21420 Pernand-Vergelesses, tél. 03.80.21.50.91, fax 03.80.26.10.32 **☍ r.-v.**

DOM. DOUDET 2000★★

| Gd cru | 0,5 ha | 2 400 | **▥ 46 à 76 €** |

Impérial, ce charlemagne ! Paille clair, il apparaît d'abord assez fermé, puis il s'ouvre sur des notes d'amande fraîche. Présente et structurante, son acidité vanillée assure un excellent suivi. Le tout se développe à l'aération. Vraiment le gras d'un grand cru, la sensation du miel, une finale onctueuse à souhait. Ce domaine compte 7 ha entre Beaune et la Montagne de Corton.

☛ Dom. Doudet, 3, rue Henri-Cyrot, 21420 Savigny-lès-Beaune, tél. 03.80.21.51.74, fax 03.80.21.50.69 **☑**

DOM. DUBREUIL-FONTAINE PERE ET FILS 2000★

| Gd cru | 0,7 ha | 3 500 | **▥ 30 à 38 €** |

Parcelle achetée par le grand-père Arbinet : plantée en aligoté, elle a atteint aujourd'hui un âge respectable. Or à reflets bronze, fringant et fougueux, ce millésime semble avoir des ressources. Son nez, de type assez minéral, demande deux à trois ans pour s'ouvrir. La bouche s'exprime davantage, associant agrumes, cire d'abeille et notes florales (aubépine). À essayer sur un brochet Belle-vue.

☛ Dom. Dubreuil-Fontaine Père et Fils, rue Rameau-Lamarosse, 21420 Pernand-Vergelesses, tél. 03.80.21.55.43, fax 03.80.21.51.69, e-mail dubreuil.fontaine@wanadoo.fr **☑ ☍ t.l.j.** 8h30-12h 14h-18h; sam. 9h-12h
☛ Bernard Dubreuil

DUFOULEUR PERE ET FILS 2000

| Gd cru | n.c. | 1 700 | **▥ 30 à 38 €** |

Le nez copieux et légèrement au miel, net et franc, sans surprise, ce 2000 s'exprime mieux en bouche par des notes de cire, d'amande, ponctuées d'un boisé constamment présent. Une petite note de citronnelle persiste. Agréable, un vin marchand qui plaira au plus grand nombre... des heureux élus.

☛ Dufouleur Père et Fils, 17, rue Thurot, 21700 Nuits-Saint-Georges, tél. 03.80.61.21.21, fax 03.80.61.10.65, e-mail dufouleur@axnet.fr **☑ ☍ t.l.j.** 9h-19h

DOM. ANTONIN GUYON 2000★★

| Gd cru | 0,55 ha | 3 500 | **▥ 46 à 76 €** |

|92| |93| |94| 95 **96** 97 98 99 **00**

Ce demi-hectare donne un corton-charlemagne de pure race carolingienne, apte à gouverner le monde du goût. Or ? Évidemment. Délicatement boisé, le nez est aérien ; il papillonne sur la croûte de pain, l'amande, le miel, sinon l'exotique. Grasse, élégante et fraîche, la dégustation se poursuit jusqu'à un point final parfaitement enrobé. Ce vin fait partie de ce qu'on aime le mieux cette année. Sans aller au coup de cœur, c'est remarquable.

☛ Dom. Antonin Guyon, 21420 Savigny-lès-Beaune, tél. 03.80.67.13.24, fax 03.80.66.85.87, e-mail vins@guyon-bourgogne.com **☑ ☍ r.-v.**

DOM. MICHEL JUILLOT 1999★

| Gd cru | 0,65 ha | 2 500 | **▥ + de 76 €** |

Si Charlemagne a inventé l'école, avait-il prévu des cours d'initiation à la dégustation ? Improbable, mais on aurait pu se servir de ce 99 comme livre du maître. D'un jaune soutenu, ce vin au nez discret et suave (agrumes, vanille et pain grillé) se présente en bouche d'une démarche fraîche puis accentue et développe sa démonstration. Pédagogique et prometteur, il est signé – une fois n'est pas coutume – par un domaine de la Côte chalonnaise.

☛ Dom. Michel Juillot, 59, Grande-Rue, BP 10, 71640 Mercurey, tél. 03.85.98.99.89, fax 03.85.98.99.88, e-mail infos@domaine-michel-juillot.fr **☑ ☍ r.-v.**

LOUIS LEQUIN 2000

| Gd cru | 0,09 ha | 570 | **▥ 30 à 38 €** |

Plus de trois siècles de présence viticole : ce domaine connut une heure de gloire politique avec l'arrière-grand-père du propriétaire actuel qui fut président de la section du Parti radical socialiste de Côte-d'Or et l'un des artisans de l'élection de Sadi Carnot. Revenons à ce vin de couleur jaune citron, aux parfums de fleurs blanches agréables et frais. La structure reflète bien le millésime, mais le bois devra se fondre avec deux ou trois ans de garde.

☛ Louis Lequin, 1, rue du Pasquier-du-Pont, 21590 Santenay, tél. 03.80.20.63.82, fax 03.80.20.67.14, e-mail louis.lequin@wanadoo.fr **☑ ☍ r.-v.**

RENE LEQUIN-COLIN 2000★

| Gd cru | 0,09 ha | 580 | **▥ 38 à 46 €** |

Ce domaine de Santenay pousse ici une pointe tout au bout de la Côte de Beaune septentrionale. La parcelle est minuscule (deux ouvrées) mais elle ne se croise pas les bras. Sur fond ou classique, l'aubépine rejoint le pain d'épice. L'entrée en bouche est nerveuse, citronnée, puis paraissent des notes mentholées, mêlées d'amande fraîche, et enfin minérales. Équilibré et riche, ample et long, c'est un très beau vin.

☛ René Lequin-Colin, 10, rue de Lavau, 21590 Santenay, tél. 03.80.20.66.71, fax 03.80.20.66.71, e-mail renelequin@aol.com **☑ ☍ r.-v.**

DOM. MICHEL MALLARD ET FILS 2000★

| Gd cru | 0,11 ha | 600 | **▥ 38 à 46 €** |

L'austérité n'est pas son fort : ce vin riche pourra vivre cinq ans et plus, mais il est déjà bien agréable.

BOURGOGNE

Maturité et finesse témoignent d'un bon travail à la vigne et à la cuverie. La robe est jolie, le bouquet, porté sur la muscade, la vanille et aussi la fleur blanche ; le gras, superbe, ample et glorieux ; la texture fine et serrée. Un vrai grand cru pour les grands poissons blancs à la crème.

➦ Dom. Michel Mallard et Fils, 43, rte de Dijon, 21550 Ladoix-Serrigny, tél. 03.80.26.40.64, fax 03.80.26.47.49 ☑ ❢ r.-v.

DOM. NUDANT 2000★★

Gd cru	0,15 ha	800	⏣ 38 à 46 €

On le boira sur tout, sauf sur un plat iodé. Jaune or aux larmes épaisses, ouvert sur des accents beurrés mêlé d'agrumes, il est gras, corpulent même, sous de légères notes de grillé, d'épices et à nouveau d'agrumes très persistants. Un dégustateur, grand cuisinier bourguignon, affirme : « Bien dans mon goût, c'est le vin idéal pour sublimer un plat. »

➦ Dom. Nudant, 11, RN 74, 21550 Ladoix-Serrigny, tél. 03.80.26.40.48, fax 03.80.26.47.13, e-mail domaine.nudant@wanadoo.fr ☑ ❢ r.-v.

DOM. PAVELOT 2000★

Gd cru	0,46 ha	2 800	⏣ 30 à 38 €

Or pâle à reflets verts, ce 2000 porte le costume de l'emploi et dispose d'un joli petit brin de nez : réglisse, boisé léger, mie de pain... Il remplit bien la bouche dès la première attaque ; il a du relief, une finale réussie. C'est un vin de qualité, équilibrant le gras et l'acidité. Ce domaine n'utilise pas des caisses de plastique en période de vendange mais toujours des paniers en osier. Comme celui qui illustre l'étiquette.

➦ EARL Dom. Régis et Luc Pavelot, rue du Paulant, 21420 Pernand-Vergelesses, tél. 03.80.26.13.65, fax 03.80.26.13.65 ☑ ❢ r.-v.

DOM. RAPET PERE ET FILS 2000★

Gd cru	2 ha	8 000	⏣ 30 à 38 €

On dégustait il y a deux cents ans dans un tâte-vin marqué Rapet. C'est dire que la famille a du bon vin dans le sang. Une image, bien sûr ! Jaune discret, ce vin boisé a un nez d'églantine légèrement miellé. L'attaque est vive, citronnée, puis le gras insiste dès qu'on en vient aux choses sérieuses. D'un bon équilibre général, sans excès de complexité, il est élégant, digne de filets de poisson à la crème.

➦ Dom. Rapet Père et Fils, 21420 Pernand-Vergelesses, tél. 03.80.21.59.94, fax 03.80.21.54.01 ☑ ❢ r.-v.

DOM. REINE PEDAUQUE 2000

Gd cru	n.c.	n.c.	⏣ 46 à 76 €

Charlemagne et la Reine Pédauque sont de vieilles connaissances qui se reçoivent volontiers. Or argenté, ce 2000 brillant et limpide s'éveille sur le pain grillé. Il conviendra de le décanter avant le service, mais il supportera un plat relevé et, puisque nous sommes à la Cour, disons un homard à l'américaine. Le fût est assez présent, sur une structure souple ornée de cire et d'amande.

➦ Reine Pédauque, Le Village, 21420 Aloxe-Corton, tél. 03.80.25.00.00, fax 03.80.26.42.00, e-mail rpedauque@axnet.fr ❢ r.-v.

Savigny-lès-beaune

Savigny est aussi un village vigneron par excellence. L'esprit du terroir y est entretenu, et la confrérie de la Cousinerie de Bourgogne est le symbole de l'hospitalité bourguignonne. Les Cousins jurent d'accueillir leurs convives « bouteilles sur table et cœur sur la main ».

Les vins de Savigny, en dehors du fait qu'ils sont « nourrissants, théologiques et morbifuges », sont souples, tout en finesse, fruités, agréables, jeunes tout en vieillissant bien. En 2001, l'AOC a produit 14 449 hl de vin rouge et 1 840 hl de vin blanc.

ARNOUX PERE ET FILS
Les Vergelesses 2000★

■ 1er cru	0,25 ha	1 300	■ ⏣ ⓵ 11 à 15 €

Jeune, très jeune, trop jeune. Ce n'est pas un défaut, et mieux vaut être jeune que trop vieux... Rouge grenat d'une impressionnante intensité, noyau de cerise tout juste esquissé sur un nez encore fermé, un Vergelesses d'apparence austère, beaucoup plus explicite alors que la dégustation se poursuit. Il ne pourra que se bonifier avec deux ou trois ans de garde. Important domaine de Chorey (23 ha) qui monte ici à l'assaut du coteau !

➦ Arnoux Père et Fils, rue des Brenôts, 21200 Chorey-lès-Beaune, tél. 03.80.22.57.98, fax 03.80.22.16.85 ☑ ❢ r.-v.

DOM. BARBIER ET FILS
Les Fourches 1999

■	0,4 ha	2 500	⏣ 15 à 23 €

C'est un *climat* situé dans le milieu du pays et qui exprime ici l'association nuitonne Barbier/Dufouleur. Comme à la mairie ! Ce vin très extrait et encore rustique, aux tanins vifs, se présente en fait pour un second mandat. Il sera bien, mais plus tard. Presque noire, la robe met en valeur un bouquet poivré, épicé qui laisse entrevoir les petits fruits de vieux garçon, conservés dans l'alcool.

➦ Dom. Barbier et Fils, 17, rue Thurot, 21700 Nuits-Saint-Georges, tél. 03.80.61.21.21, fax 03.80.61.10.65 ☑ ❢ r.-v.

➦ Guy et Xavier Dufouleur

DOM. GABRIEL BOUCHARD
Les Liards 1999★★

■	0,22 ha	1 600	⏣ 11 à 15 €

Petit domaine de 4 ha en tout, et l'un des derniers viticulteurs situés en plein cœur de Beaune. A inscrire à l'inventaire supplémentaire du patrimoine... Ces Liards méritent bien leur nom. Rouge grenat profond, ce vin a déjà eu le temps de composer un bouquet complexe et joliment fruité. Sans doute montre-t-il un peu de vivacité sous la poussée de ses tanins de jeunesse. Mais, rassurez-vous, la fraîcheur et le charme sont au rendez-vous. Ces 22 ares ne se sont pas croisé les bras en 1999.

➦ Dom. Gabriel Bouchard, 4, rue du Tribunal, 21200 Beaune, tél. 03.80.22.68.63 ☑ ❢ r.-v.

➦ Alain Bouchard

BOUCHARD AINE ET FILS
Les Peuillets Cuvée Signature 2000

■ 1er cru	n.c.	2 715	8 à 11 €

Un flacon rubis aux essences florales. Une bouche si fraîche et longue, bien vineuse. On vous conseille de servir déjà cette bouteille sur une viande blanche.
☛ Bouchard Aîné et Fils, hôtel du Conseiller-du-Roy, 4, bd Mal-Foch, 21200 Beaune, tél. 03.80.24.24.00, fax 03.80.24.64.12 ☓ t.l.j. 9h30-12h30 14h-18h30

CHRISTOPHE BUISSON
Le Mouttier Amet 2000

■	0,35 ha	1 500	⬚ 11 à 15 €

Parti de rien, encore sans vignoble en 1990, Christophe Buisson était cependant déjà courtier en vins. Depuis 1996, il est viticulteur à 100 %. Question pour un champion : où ce *climat* se niche-t-il ? Tout petit, il se faufile entre la rivière et les Narbantons. Version 2000, il est d'une couleur intense et plutôt dense. Le nez est assez ouvert, orienté vers le végétal et le fruit noir. La structure est tendre en première bouche, puis les choses se corsent un peu par la suite. A boire entre 2004 et 2005.
☛ Christophe Buisson, rue de la Tartebouille, 21190 Saint-Romain, tél. 03.80.21.63.92, fax 03.80.21.67.03 ☑ ☓ r.-v.

CAPITAIN-GAGNEROT
Les Charnières 1999★

■ 1er cru	0,63 ha	3 000	⬚ 11 à 15 €

Les Charnières sont coincées dans les Lavières, côté Pernand. Il faut connaître ces choses-là. Il est moins utile de savoir que les pierres de cette cave proviennent de l'ancienne prison de Beaune aujourd'hui démolie. C'est en 1802 que la famille s'est mise à vendre son vin à la clientèle privée. Solide tradition ! Le regard de ces Charnières est ici d'un rubis éclatant. Le nez doit être sollicité pour exprimer de fraîches notes fruitées en ses derniers retranchements. D'une bonne évolution au palais, il s'affirme avec netteté et finesse.
☛ Capitain-Gagnerot, 38, rte de Dijon, 21550 Ladoix-Serrigny, tél. 03.80.26.41.36, fax 03.80.26.46.29 ☑ ☓ r.-v.

DENIS CARRE 2000★★

■	n.c.	n.c.	⬚ 8 à 11 €

Les beaux sentiments, disait Gide, font souvent de la mauvaise littérature. En revanche, ils font de beaux vins. Celui-ci par exemple : rouge bigarreau orné de reflets, il a le premier nez assez fin puis il diversifie ses messages. Après une attaque très fine sur des notes d'épices, de cèdre et de baies sauvages, il se montre gras, vanillé, long et de garde. De belle définition et dans la partie haute de la dégustation.
☛ Denis Carré, rue du Puits-Bouret, 21190 Meloisey, tél. 03.80.26.02.21, fax 03.80.26.04.64 ☑ ☓ r.-v.

DOM. CHANDON DE BRIAILLES
Aux Fourneaux 1999★

■ 1er cru	1,5 ha	3 000	⬚ 11 à 15 €

Le manoir est superbe et le jardin compte parmi les plus beaux de Bourgogne. Vraiment un lieu privilégié ! D'un rubis clair et net, ces Fourneaux ont un penchant floral et une bouche quelque peu sauvageonne (jeune, un tantinet agressive) qui témoigne de l'ouverture d'esprit de cette vieille et grande famille. Pas de soucis pour l'avenir : ils devront rester en cave trois ans et vivront bien dix ans.

☛ Dom. Chandon de Briailles, 1, rue Sœur-Goby, 21420 Savigny-lès-Beaune, tél. 03.80.21.52.31, fax 03.80.21.59.15 ☑ ☓ r.-v.
☛ de Nicolay

PIERRE CORNU-CAMUS 1999★

■	1,17 ha	3 000	⬚ 8 à 11 €

Le 1er cru les Charnières (en rouge) 99 est très exactement un bourgogne à l'ancienne : robuste et armé pour la garde, riche et en attente de finition. Très intéressant dans ce style qui n'est pas sans intérêt. Aussi bien noté que ce *village* pourpre grenat, à la robe étoffée et qui fleure bon un cassis authentique. Le triptyque fruit-acidité-alcool est bien en place. Toujours cette façon de faire d'autrefois, bien dans son AOC.
☛ Pierre Cornu-Camus, 2, rue Varlot, 21420 Echevronne, tél. 03.80.21.57.23, fax 03.80.26.11.94 ☑ ☓ r.-v.

DOUDET-NAUDIN 2000★★

■	1,7 ha	5 900	⬚ 11 à 15 €

Nourrissants, théologiques et morbifuges, les vins de Savigny possèdent un nouveau fleuron : celui-ci. Le coup de cœur salue en effet sa brillance et son brio. La framboise en arrière-nez participe au grand art. Une élégante touche vanillée accompagne une bouche pleine de fruit et d'élan, puissante. On sent à la vinification et à l'élevage une recherche de l'inspiration. Cette maison de négoce-éleveur vinifie le plus possible elle-même, comme c'est souvent le cas maintenant en Bourgogne.
☛ Doudet-Naudin, 3, rue Henri-Cyrot, 21420 Savigny-lès-Beaune, tél. 03.80.21.51.74, fax 03.80.21.50.69, e-mail doudet-naudin@wanadoo.fr ☑ ☓ r.-v.
☛ Yves Doudet

BERNARD DUBOIS ET FILS
Clos des Guettes 1999★★

■ 1er cru	0,81 ha	5 500	⬚ 11 à 15 €

Ce domaine, créé en 1930 par Lucien Dubois, a présenté Les Ratausses 99 (une étoile) savoureuses et très mâles. C'est tout juste si on ose les abandonner pour monter encore un barreau de l'échelle avec ce Clos des Guettes qui n'est pas spectaculaire à l'œil, mais dont les arômes ont vraiment de quoi séduire le nez par une pointe de vanille et beaucoup de fruit. Equilibré, bien fait, un vin où tout est à sa place.
☛ Dom. Bernard Dubois et Fils, 8, rue des Chobins, 21200 Chorey-lès-Beaune, tél. 03.80.22.13.56, fax 03.80.24.61.43 ☑ ☓ r.-v.

DOM. FERY ET FILS
Les Vergelesses 2000★

■ 1er cru	0,25 ha	1 500	ⅠⅠⅠ 11 à 15 €

Raffiné, c'est le mot que l'on cherchait en forme de synthèse. La table est unanime dans son jugement, portant sur un chardonnay qui, s'il n'est pas tout à fait conforme au canon 924 du Code de droit canonique, ferait un excellent vin de messe. L'intensité colorante est sans défaut, et de petites fleurs blanches parsèment son bouquet comme sur une tapisserie médiévale. Attaque vive avec une sensation de gras persistant, dans un environnement d'agrumes.
➥ Dom. Jean Fery et Fils, 21420 Echevronne, tél. 03.80.21.59.60, fax 03.80.21.59.59 ☑ 🏠 ▼ r.-v.
➥ Jean-Louis Fery

DOM. DE LA GALOPIERE 2000

■	1 ha	3 000	ⅠⅠⅠ 8 à 11 €

Propriété ancestrale reprise en 1982 par Claire et Gabriel Fournier. Une large gamme d'appellations sur 15 ha en Côte de Beaune. Le savigny 2000 est rubis grenat. Si le fruit rouge y fait son apparition, on aura une pensée particulière pour le nez champignonné. Un peu vif en attaque, un pinot noir bien équilibré et que rien ne précipite en bouche. L'attendre un peu.
➥ Claire et Gabriel Fournier, Dom. de la Galopière, 6, rue de l'Eglise, 21200 Bligny-lès-beaune, tél. 03.80.21.46.50, fax 03.80.21.49.93, e-mail c.g.fournier@wanadoo.fr ☑ ▼ r.-v.

FRANCOIS GAY 1999★★

■	0,69 ha	4 200	ⅠⅠⅠ 8 à 11 €

Dix-huit mois en fûts de chêne (dont 25 % neufs) pour ce vin d'avenir : paré d'une robe cerise noire, à reflets violines, il offre une corbeille de fruits au nez (griotte, cassis) alliée à des notes fumées et épicées. Gras et charnu, très charpenté, puissant, il affiche une très belle matière.
➥ EARL François Gay, 9, rue des Fiètres, 21200 Chorey-lès-Beaune, tél. 03.80.22.69.58, fax 03.80.24.71.42 ☑ ▼ t.l.j. sf dim. 8h-12h 14h-18h

MICHEL GAY
Les Serpentières 1999★★

■ 1er cru	0,46 ha	3 100	ⅠⅠⅠ 11 à 15 €

Avec ce 1er cru, il faut prendre un billet aller-retour car il donne des envies de revenez-y. Sa robe est d'un rubis un peu violacé, d'un goût exquis. Boisé fin, épices, le bouquet ne s'écarte pas de ces arômes. Bouche assez acidulée, un peu comme la groseille avec des touches d'épices douces (cannelle). Le gras est suave, la finale plutôt vive sur des tanins robustes qui s'assagiront après deux ou trois ans de garde. Un gibier à plume lui conviendra alors.
➥ Michel Gay, 1b, rue des Brenôts, 21200 Chorey-lès-Beaune, tél. 03.80.22.22.73, fax 03.80.22.95.78 ☑ ▼ r.-v.

CH. GENOT-BOULANGER
Aux Vergelesses 1999★

■ 1er cru	0,21 ha	1 600	ⅠⅠⅠ 15 à 23 €

Ce vaste domaine (près de 30 ha) présente ce savigny or pâle et translucide. La fleur blanche supporte le boisé. En bouche, la première impression est vive, suivie de tout le gras nécessaire avec un peu de miel d'acacia pour le moelleux. La longueur est satisfaisante. Si vous le servez à l'heure du fromage, choisissez le comté ou le saint-nectaire : il n'y verra que des avantages.

➥ SCEV Ch. Génot-Boulanger, 25, rue de Cîteaux, 21190 Meursault, tél. 03.80.21.49.20, fax 03.80.21.49.21, e-mail genot.boulanger@wanadoo.fr ☑ ▼ r.-v.
➥ Delaby

GESWEILER ET FILS 2000★★

■	n.c.	1 200	ⅠⅠⅠ 11 à 15 €

L'histoire de Geiseweiler est un roman à épisodes. La marque appartient de nos jours à la maison Michel Picard, de Chagny. Son savigny 2000 demande sans doute à vieillir, mais il se situe dans le haut de gamme. Rouge bigarreau marmotte (vous savez, la cerise des environs d'Auxerre), évoluant avec précaution vers le fruit mûr, un joli vin à boire maintenant sur sa fraîcheur de groseille, ou à laisser en attente car il a de profondes réserves. Le savigny 1er cru rouge 99 (15 à 23 €) est également conseillé. Il obtient une étoile.
➥ SA Geisweiler, 4, rte de Dijon, 21700 Nuits-Saint-Georges, tél. 03.80.62.35.00
➥ Michel Picard

JEAN-MICHEL GIBOULOT
Aux Gravains 1999★

■ 1er cru	0,59 ha	3 000	ⅠⅠⅠ 11 à 15 €

Un village blanc 2000 tout à fait recommandable à attendre un ou deux ans, cité par le jury, et ces Gravains en 1er cru : leur robe est bien réussie et les arômes cherchent encore à s'exprimer pleinement à partir de leurs camps de base : l'un fruité et l'autre fumé. Tannique, ferme, ce 99, vêtu d'une robe parfaite, offre des notes boisées et épicées ; on a affaire au bourgogne à l'ancienne, vinifié pour la longue garde, peu souriant au débotté et qui devrait être flamboyant dans quelques années.
➥ Jean-Michel Giboulot, 27, rue du Gal-Leclerc, 21420 Savigny-lès-beaune, tél. 03.80.21.52.30, fax 03.80.26.10.06 ☑ ▼ r.-v.

DOM. PHILIPPE GIRARD
Vieilles vignes 2000★

■	2 ha	8 000	ⅠⅠⅠ 11 à 15 €

Des vignes de quarante ans, un domaine familial de 9 ha : de bons atouts pour ce vin qui a passé onze mois en fût. Sa robe profonde, son boisé bien marié aux notes fruitées, son ampleur, son équilibre, tout concourt à une réelle harmonie. On peut déjà le goûter, et il vieillira encore.
➥ Dom. Philippe Girard, 37, rue du Gal-Leclerc, 21420 Savigny-lès-beaune, tél. 03.80.21.57.97, fax 03.80.26.14.84 ☑ ▼ r.-v.

DOM. JEAN-JACQUES GIRARD 1999★

■	3,78 ha	20 300	ⅠⅠⅠ 11 à 15 €

Pourpre ou grenat ? Disons les deux entremêlés. Un vin assez boisé, tout d'abord frais et vif, puis qui se montre peu à peu charnu et corpulent. Il a de la race. Trois ans de garde sont conseillés par le jury.
➥ Dom. Jean-Jacques Girard, 16, rue de Cîteaux, 21420 Savigny-lès-beaune, tél. 03.80.21.56.15, fax 03.80.26.10.08 ☑ ▼ r.-v.

DOM. A.-F. GROS
Clos des Guettes 2000★★

■ 1er cru	0,66 ha	4 600	ⅠⅠⅠ 15 à 23 €

Vigne acquise en 1995 et provenant de la vente du Clos des Guettes par la famille Pinoteau de Rodinger. Le

DOMAINE A.-F. GROS
POMMARD . COTE-D'OR . FRANCE
WWW.AF-GROS.COM

Savigny-les-Beaune
Clos des Guettes
PREMIER CRU
Appellation Contrôlée
MIS EN BOUTEILLE AU DOMAINE
13 % vol.   750 ml

coup de cœur lui offre cette année une nouvelle consécration. Très intense à l'œil et au nez, ce 2000 déjà bien ouvert présente une belle structure, des tanins harmonieux, une typicité indiscutable. Une bouteille à ouvrir entre 2004 et 2006.

🍷 Dom. A.-F. Gros, La Garelle, Grande-Rue, 21630 Pommard, tél. 03.80.22.61.85, fax 03.80.24.03.16, e-mail af-gros@wanadoo.fr ☑ ∑ r.-v.
🍷 Anne-Françoise Parent-Gros.

DOM. LES GUETTOTTES
Aux Clous 2000★

■ 1er cru	0,21 ha	1 500	🍾 11 à 15 €

Ce chardonnay montre qu'à Savigny les blancs peuvent admirablement tirer leur épingle du jeu. De teinte claire, il est riche en arômes d'anis et de pain grillé. Encore un peu sur sa réserve, il attaque avec souplesse. En cave, il devrait s'exprimer dans le bon sens. Ce *climat* se trouve en bas des dernières maisons du village.

🍷 Pierre et Jean-Baptiste Lebreuil, 17, rue Chanson-Maldant, 21420 Savigny-lès-Beaune, tél. 03.80.21.52.95, fax 03.80.26.10.82, e-mail jean-baptiste.lebreuil@wanadoo.fr ☑ ∑ t.l.j. 9h30-11h30 14h-18h

DOM. PIERRE GUILLEMOT
Les Jarrons 2000★★

■ 1er cru	0,28 ha	1 500	🍾 11 à 15 €

Coups de cœur à répétition (les millésimes 89, 91, 97 en ont été jugés dignes), ce domaine propose en rouge d'honnêtes **Narbantons 2000** (une étoile) et d'excellents **Aux Serpentières 2000** (deux étoiles) où l'on trouve de la cerise noire, sur un boisé bien mené. Notre préférence se porte toutefois sur ces Jarrons. Ils sont encore taillés à la serpe, dessinés à grands traits, mais ce sera superbe ! Le nez offre des nuances de kirsch sur les fruits noirs. Très complexe, ce vin est doté d'une structure puissante et équilibrée, très longue. A ouvrir dans deux à cinq ans sur un carré d'agneau.

🍷 SCE du Dom. Pierre Guillemot, 1, rue Boulanger-et-Vallée, 21420 Savigny-lès-Beaune, tél. 03.80.21.50.40, fax 03.80.21.99.98 ☑ ∑ r.-v.

DOM. GUYON
Les Peuillets 2000★

■ 1er cru	0,25 ha	1 800	🍾 11 à 15 €

Depuis 1993, la famille Guyon a cessé l'exploitation de son orge de brasserie pour se consacrer pleinement à son domaine viticole. Grenat soutenu, porté par ses arômes de jeunesse (café, petits fruits), ce savigny est nourri et très agréable. Sa constitution lui permet de tenir fermement en bouche. Son harmonie générale est reconnue. Vin de garde, mais attention à ne pas laisser passer sa fraîcheur. Elle entre pour beaucoup dans son charme.

🍷 EARL Dom. Guyon, 11-16, RN 74, 21700 Vosne-Romanée, tél. 03.80.61.02.46, fax 03.80.62.36.56 ☑ ∑ r.-v.

DOM. PATRICK JACOB-GIRARD
Les Marconnets 1999

■ 1er cru	0,96 ha	6 000	🍾 8 à 11 €

Le Marconnets sont à égale distance de Lille et de Marseille : Georges Pompidou a inauguré ici l'A6. Ces Marconnets obtiennent la même note que **Les Gravains 99**, également dégustés. Le domaine s'étend sur 8,7 ha. Rubis assez léger, ce 99 monte correctement en puissance. Le terroir est bien souligné. En un mot, il faut savoir le prendre et ne pas le bousculer. L'amateur pressé passera à côté.

🍷 Dom. Patrick Jacob-Girard, 2, rue de Cîteaux, 21420 Savigny-lès-Beaune, tél. 03.80.21.52.29, fax 03.80.26.19.07, e-mail jacobgir@terre-net.fr ☑ ∑ r.-v.

HUBERT JACOB MAUCLAIR 1999

■	0,48 ha	2 900	🍾 8 à 11 €

Hameau d'Echevronne, Changey se trouve dans les Hautes-Côtes juste au-dessus de Savigny. Ce *village* possède une robe limpide. Les trois coups de nez donnent du résultat : le fruit surtout, de style classique. On pense à une volaille à chair tendre pour escorter ce 99, tant il est frais, souple et léger.

🍷 Hubert Jacob Mauclair, 56, Grande-Rue, Changey, 21420 Echevronne, tél. 03.80.21.57.07, fax 03.80.21.57.07 ☑ ∑ r.-v.

DOM. GUY-PIERRE JEAN ET FILS
Les Grands Liards 2000★

■	n.c.	n.c.	🍾 11 à 15 €

Le blason du domaine porte un cor de chasse, une hure de sanglier, des feuilles de chêne et deux dagues. Autant dire qu'on est ici en pleine *Billebaude*, en plein roman d'Henri Vincenot qui, toutefois, ne chassait pas à courre... Trois semaines en cuve de bois ont façonné ce savigny très coloré (bigarreau) au nez fin. Son harmonie est soutenue par un gras bien présent, et cette matière sérieuse s'affinera au fil du temps. La délicatesse accompagne la finale.

🍷 Dom. Guy-Pierre Jean et Fils, rue des Caillettes, 21420 Aloxe-Corton, tél. 03.80.26.44.72, fax 03.80.26.45.36 ☑ ∑ r.-v.

LABOURE-ROI 1999

■	n.c.	n.c.	🍾 11 à 15 €

La très ancienne maison Labouré-Roi (1832 à Nuits) vit une vie nouvelle et entreprenante grâce à la passion d'une famille de soyeux et constructeurs automobiles lyonnais, les Cottin. Grand dynamisme et présence à la Bourse. Ce savigny constitue une bonne... action. Rubis cerise, groseille kirschée, l'introduction en bouche est carrée, ferme, vive et rustique. Mais c'est une bouteille bien typée et qui gagnera ses étoiles d'ici cinq à dix ans.

🍷 Labouré-Roi, rue Lavoisier, 21700 Nuits-Saint-Georges, tél. 03.80.62.64.00, fax 03.80.62.64.10 ∑ r.-v.

DANIEL LARGEOT 2000★

■	0,6 ha	3 600	🍾 11 à 15 €

Le précédent millésime a reçu le coup de cœur l'an dernier. Ce 2000 se défend très bien par lui-même. D'une présentation visuelle impeccable, il offre un premier nez de fruits rouges puis à l'aération des notes empyreumatiques. En bouche, on passe du fruit (en attaque) au vanillé (en finale). Une élégance dont on pourra profiter pendant trois ans.

➤ Daniel Largeot, 5, rue des Brenôts,
21200 Chorey-lès-Beaune, tél. 03.80.22.15.10,
fax 03.80.22.60.62 ☑ ⵏ r.-v.

DOM. MAILLARD PERE ET FILS 2000★

■	n.c.	n.c.	ⅡⅠ 11 à 15 €

Beau vin faisant honneur à l'appellation *village*. Les deux petits anges de l'étiquette accompagnent au paradis cette bouteille bien droite. Sous une robe rouge de magistrat au Parlement de Bourgogne, elle débute sur une note torréfiée avant de se nuancer (les fruits rouges mais aussi le cèdre). La puissance tient lieu de corps, et le merrain n'est pas absent du sujet.

➤ Dom. Maillard Père et Fils, 2, rue Joseph-Bard,
21200 Chorey-lès-Beaune, tél. 03.80.22.10.67,
fax 03.80.24.00.42 ☑ ⵏ r.-v.

JEAN-LUC MALDANT
Vinomélie 2000★

■	0,3 ha	1 500	ⅡⅠ 30 à 38 €

Étiquette originale mettant surtout en valeur un mot de fantaisie, Vinomélie, comme un nom de cuvée. Ce chardonnay d'un or jaune brillant est fait pour plaire, et il y réussit. Pour tout public, dirait-on au cinéma. Arômes beurrés et bonbon anglais, bouche grasse et flatteuse. Jean-Luc Maldant exploite 6 ha.

➤ Jean-Luc Maldant,
26, Grande-Rue, 21200 Chorey-lès-Beaune,
tél. 03.80.24.14.15, fax 03.80.24.14.50,
e-mail domaine.maldant@wanadoo.fr ☑ ⵏ r.-v.

DOM. MICHEL MALLARD ET FILS
Les Serpentières 1999★★

■ 1er cru	1,1 ha	6 800	ⅡⅠ 11 à 15 €

Savigny côté Pernand, voici un 99 qui ne manque pas de panache. Dans son smoking cerise noire, il se présente comme l'arbitre des élégances. Ses arômes très développés n'évoquent-ils pas le coulis de fruits rouges ? De la matière en bouche dans un contexte réglissé et vanillé. Il dispose de dix belles années et pourra être ouvert dès 2004.

➤ Dom. Michel Mallard et Fils,
43, rte de Dijon, 21550 Ladoix-Serrigny,
tél. 03.80.26.40.64, fax 03.80.26.47.49 ☑ ⵏ r.-v.
➤ Patrick Mallard

DOM. MONGEARD-MUGNERET
Les Narbantons 2000★

■ 1er cru	1,3 ha	6 500	ⅡⅠ 15 à 23 €

Vincent Mongeard veille sur un domaine fermement implanté dans la Côte (25 ha). Ses Narbantons sont un bon vin issu de vieilles vignes de quarante-quatre ans. La robe est très « Côte de Nuits » tant elle est sombre. Vanillé et fleuri, le bouquet se comporte sans violence. Sauvage et réglissée à l'attaque, la bouche manifeste toutefois de l'aménité en finale. Une bouteille à ouvrir entre 2003 et 2008 sur des viandes blanches et des fromages.

➤ Dom. Mongeard-Mugneret,
14, rue de la Fontaine, 21700 Vosne-Romanée,
tél. 03.80.61.11.95, fax 03.80.62.35.75,
e-mail mongeard@reseauconcept.nt ☑ ⵏ r.-v.

ALBERT MOROT
La Batailère aux Vergelesses 1999★

■ 1er cru	1,81 ha	10 000	ⅡⅠ 15 à 23 €

Batailère aux Vergelesses ? Si les Vergelesses existent bien entendu sur l'atlas de référence, qu'en est-il de cette Batailère ? Cela doit faire partie des usages locaux, loyaux et constants, sans aucun doute. Il n'y a pas ici de grandes prétentions de garde, mais une bouteille convenable et faite pour un carré d'agneau. Rouge à reflets rosés, le nez moyennement ouvert, elle répond en bouche aux attentes espérées (structure et persistance).

➤ Albert Morot, Ch. de la Creusotte,
20, av. Charles-Jaffelin, 21200 Beaune,
tél. 03.80.22.35.39, fax 03.80.22.47.50,
e-mail albertmorot@aol.com ☑ ⵏ r.-v.

JEAN-MARC PAVELOT 2000★★

■	5,14 ha	20 000	ⅡⅠ 11 à 15 €

Titulaire de nombreux coups de cœur dans nos éditions passées, ce viticulteur propose de très jolis vins. Celui-ci tout d'abord, dont la robe brillante annonce les vertus : fruits mûrs, équilibre, longueur et garde assurée. Deux 1ers crus obtiennent chacun une étoile : **La Dominode 2000** (15 à 23 €), intéressante et complexe, dont la constitution permet un beau mariage du vin et du bois dans deux ou trois ans ; ainsi que **Aux Guettes 2000**, fin et racé, aux tanins soyeux. Trois beaux pinots noirs qui laissent s'exprimer le terroir qui leur a donné naissance.

➤ Jean-Marc et Hugues Pavelot,
1, chem. des Guettottes, 21420 Savigny-lès-Beaune,
tél. 03.80.21.55.21, fax 03.80.21.59.73 ☑ ⵏ r.-v.

DOM. DU PRIEURE
Les Grands Picotins 1999★★

■	1 ha	n.c.	ⅡⅠ 11 à 15 €

Comme le disaient les Anciens, toute vertu est fondée sur la mesure. Fin, élégant et complexe, de Grands Picotins qu'on ne trouve pas sous le sabot d'un cheval ! Un objet rare, et l'équilibre domine le sujet. De bout en bout : rouge grenat, parfumé (groseille), ce vin est charpenté, appuyé sur de solides arguments... tout en gardant sa grâce. De ce domaine de 13 ha notez également le **savigny blanc 2000** (8 à 11 €) de très belle venue, une étoile, ainsi que **Les Lavières en rouge 2000** citées.

➤ Jean-Michel Maurice, Dom. du Prieuré,
23, rte de Beaune, 21420 Savigny-lès-Beaune,
tél. 03.80.21.54.27, fax 03.80.21.59.77 ☑ ⵏ r.-v.

DOM. PRIN 1999★

■	0,84 ha	5 800	ⵏⅡ ⅠⅠ 11 à 15 €

Le grand-père de Louis Prin quitta sa Bresse natale pour devenir vigneron chez une baronne d'Aloxe-Corton. Il se maria ici, et le domaine vit le jour. Si vous voulez savoir ce qu'est, à l'œil, la nuance œil-de-perdrix, contemplez cette bouteille au bouquet prononcé (fruits cuits, cuir). Cette cuvée très souple et assez longue, vit en bonne intelligence avec ses tanins ; on la boira dans sa jeunesse en 2003-2004.

🐦 Dom. Prin, 12, rue de Serrigny,
21550 Ladoix-Serrigny, tél. 03.80.26.40.63,
fax 03.80.26.46.16 ☑ 🍷 r.-v.

REGIS ROSSIGNOL-CHANGARNIER
Les Bas Liards 1999★

■	0,26 ha	1 500	ⅢⅢ 8 à 11 €

Rouge bordeaux (ne soyons pas chauvins), des Bas Liards aux notes de torréfaction légèrement agrémentées de cassis. La structure tannique est charpentée : beaucoup d'extraction pour un vin plein de chair et qu'on imagine plus voluptueux d'ici quelques années.

🐦 Régis Rossignol, rue d'Amour, 21190 Volnay,
tél. 03.80.21.61.59, fax 03.80.21.61.59 🍷 r.-v.

DOM. DE TERREGELESSES
Les Vergelesses 2000

■ 1er cru	n.c.	4 500	ⅢⅢ 15 à 23 €

Cette famille bourguignonne a donné un ambassadeur à la France, un grand-maître à la Confrérie des Chevaliers du Tastevin et un maire à Aloxe-Corton. Ce savigny blanc-vert et limpide concentre ses arômes sur le tilleul et l'aubépine. De l'ampleur et du gras. De persistance moyenne, et minéral en fin de dégustation, il est classique et à laisser au moins un an en cave. En **rouge le savigny village 99** (11 à 15 €) est cité : original, corpulent, épicé, il devra attendre trois ans avant d'être servi à la table d'hôte du domaine.

🐦 Dom. des Terregelesses, 7, rempart Saint-Jean,
21200 Beaune, tél. 03.80.24.21.65, fax 03.80.24.21.44
☑ 🏠 🍷 r.-v.

Chorey-lès-beaune

Situé dans la plaine, en face du cône de déjection de la combe de Bouilland, le village possède quelques lieux-dits voisins de Savigny. On y a produit, en 2001, 6 331 hl d'appellation communale rouge, et 227 hl de blanc.

ARNOUX PERE ET FILS
Les Confrelins 2000★

■	2,5 ha	13 000	🍴ⅢⅢ 8 à 11 €

Confrelin se situe tout contre la limite communale de Beaune. Six mois de cuve, un an de fût, et voilà ce jeune homme dans son départ pour la vie. Il est bien vêtu, et son parfum délicat tourne autour de la mûre, de la myrtille. Il a du nerf et du gras ainsi que des tanins équilibrés ; on apprécie sa fraîcheur goûteuse et un excellent retour d'arômes confirmant le nez.

🐦 Arnoux Père et Fils, rue des Brenôts,
21200 Chorey-lès-Beaune, tél. 03.80.22.57.98,
fax 03.80.22.16.85 ☑ 🍷 r.-v.

DOM. JEAN-LUC DUBOIS
Clos Margot 1999★

■	2,18 ha	3 500	ⅢⅢ 8 à 11 €

Clos Margot n'est pas une invention publicitaire mais le nom d'un véritable lieu-dit du village. Il y a des vins qui ont de la chance ! Margot porte ici une robe rouge grenat. Ses parfums de pivoine, de sous-bois et d'épices séduisent d'emblée. Veloutée dès l'attaque, plutôt ouverte, cette bouteille élégante est à maturité et on pourra la marier bientôt à un lapin de garenne car elle a du corps et de la force.

🐦 EARL Dom. Jean-Luc Dubois, 9, rue des Brenôts,
21200 Chorey-lès-Beaune, tél. 03.80.22.28.36,
fax 03.80.22.83.08 ☑ 🍷 r.-v.

DOM. DUBOIS D'ORGEVAL 1999

■	2 ha	4 000	ⅢⅢ 11 à 15 €

Pourpre foncé, déjà bien ouvert sur la cerise noire, ce 99 est à point. La rondeur et le fruit sont sur un pied d'égalité. Le volume accompagne de bons et honnêtes tanins en soutien logistique et dans le prolongement d'un goût agréable. A laisser mûrir en cave deux à trois ans. Ce domaine de 13 ha indique son numéro de téléphone sur l'étiquette, mention assez rare.

🐦 Dom. Dubois d'Orgeval, 3, rue Joseph-Bard,
21200 Chorey-lès-Beaune, tél. 03.80.24.70.89,
fax 03.80.22.45.02 ☑ 🍷 r.-v.

BERNARD DUBOIS ET FILS
Les Beaumonts 1999★

■	1,48 ha	6 500	🍴ⅢⅢ 11 à 15 €

Un vin très apprécié par le jury. Il regorge de couleur, un grenat cerné de rose. Son nez est richement pourvu et déjà généreux. Cassis bien sûr, sur un soupçon de vanille (cuve puis huit mois de fût). Au palais on est transporté à Constantinople tant le décor est moelleux et fruité. L'échange n'est cependant ni alangui ni assoupi. Ses arômes secondaires déjà fondus expliquent en partie ce sentiment d'aisance, mais une petite touche d'acidité vient au bon moment et lui assurera au moins quatre à cinq ans de garde.

🐦 Dom. Bernard Dubois et Fils, 8, rue des Chobins,
21200 Chorey-lès-Beaune, tél. 03.80.22.13.56,
fax 03.80.24.61.43 ☑ 🍷 r.-v.

FORGEOT PERE ET FILS 1999

■	n.c.	n.c.	🍴ⅢⅢ 11 à 15 €

Forgeot est une marque de Bouchard Père et Fils. Un nom du pays : Pierre Forgeot fut naguère l'un des piliers de la profession et un écrivain à la plume vineuse. Rouge assez brique, ce vin rappelle le sirop de fraise (légèrement kirsché, si vous voulez tout savoir) avant d'établir en bouche un campement dont la fraîcheur s'abrite derrière des tanins encore guerriers. A attendre deux à trois ans.

🐦 Grands Vins Forgeot, 15, rue du Château,
21200 Beaune, tél. 03.80.24.80.50, fax 03.80.22.55.88

FRANCOIS GAY 1999★

■	2,75 ha	15 000	ⅢⅢ 8 à 11 €

Rubis violacé, un 99 aux arômes entrelacés de baies noires, de sève de pin, d'herbes de senteurs. Il donne l'impression de rendements prudents et, bien qu'encore un

BOURGOGNE

peu tannique, il se montre complet et structuré. Sa typicité Côte de Beaune 99 joue en sa faveur. Il peut prendre quelques années de bouteille.

⌐ EARL François Gay, 9, rue des Fiètres, 21200 Chorey-lès-beaune, tél. 03.80.22.69.58, fax 03.80.24.71.42 ☑ ⟂ t.l.j. sf dim. 8h-12h 14h-18h

MICHEL GAY 1999

■	3,5 ha	17 400	⦿	8 à 11 €

Son arrière-grand-père était ouvrier vigneron. Michel Gay est aujourd'hui à la tête de 8,5 ha, implantés en corton (Renardes), en beaune (Grèves) etc. Son chorey a une jolie robe pourpre à reflets carminés (beaucoup de glycérol contribuant à son charme). Le bouquet est nuancé, du floral (iris) au fruité (cassis). Sa pointe d'amertume, son petit côté austère ne l'empêchent pas d'aller, pas à pas et sans forcer l'allure, vers un épanouissement plus complexe qu'il n'y paraît dans trois ou quatre ans, voire davantage. Ce domaine est situé à 100 m du château de Chorey.

⌐ Michel Gay, 1b, rue des Brenôts, 21200 Chorey-lès-beaune, tél. 03.80.22.22.73, fax 03.80.22.95.78 ☑ ⟂ r.-v.

DOM. LALEURE-PIOT
Les Champs longs 2000

■	2 ha	11 000	⦿	8 à 11 €

La simplicité même. Pas compliqué du tout, en effet, ce chorey Champs longs (côté Ladoix-Serrigny) qui brille entre pourpre et grenat. Ses senteurs se dessinent lentement sur des accents fauves et sauvages. Il n'est pas dépourvu de moyens. De la verdeur certes, mais ses tanins n'ont pas de raideur.

⌐ Dom. Laleure-Piot, rue de Pralot, 21420 Pernand-Vergelesses, tél. 03.80.21.52.37, fax 03.80.21.59.48, e-mail infos@laleure-piot.com ☑ ⟂ t.l.j. 8h-12h 14h-18h; sam. dim. sur r.-v.

DANIEL LARGEOT
Les Beaumonts 2000

■	2 ha	12 000	⦿	8 à 11 €

On parlait jadis du vin chorey comme d'un « vin médecin ». Il épaulait fréquemment les cuvées un peu fluettes des crus voisins. L'AOC défend maintenant toute seule ses couleurs. Rubis grenat assez intense, ce 2000 n'a pas le nez très disert (léger sous-bois, traces de groseille). Ses tanins, sa petite amertume, son aimable rusticité en font en effet un vin valeureux et solide, dans la tradition.

⌐ Daniel Largeot, 5, rue des Brenôts, 21200 Chorey-lès-beaune, tél. 03.80.22.15.10, fax 03.80.22.60.62 ☑ ⟂ r.-v.

DOM. MAILLARD PERE ET FILS 2000

■	n.c.	n.c.	⦿	8 à 11 €

Créé il y a un demi-siècle par Daniel Maillard, le domaine couvre de nos jours 18 ha sur sept villages. La couleur est ici bien extraite : rubis pourpre assez excès, cette robe lui va bien. Au nez, pas d'excès non plus. Juste une certaine profondeur où perce la mûre. Belle impression d'emblée. Puis on sent la matière solide et présente. Ce 2000 peut attendre, car « il s'agit d'un vin sérieux assez typique de son terroir ».

⌐ Dom. Maillard Père et Fils, 2, rue Joseph-Bard, 21200 Chorey-lès-beaune, tél. 03.80.22.10.67, fax 03.80.24.00.42 ☑ ⟂ r.-v.

CATHERINE ET CLAUDE MARECHAL 2000★

■	1,27 ha	7 000	⦿	11 à 15 €

La couleur de ce 2000 semble inspirée des feuilles de vigne en automne, d'un rouge violacé. Le nez discret se révèle très fin : on y perçoit des notes confiturées, des touches de fruits cuits ainsi qu'une nuance de tabac. Il attaque sans agressivité, construit une architecture ample et offre, sur un relief tannique, une bonne finition aromatique (mûre). Sa jeunesse lui vaut la sympathie : trois à cinq ans de garde.

⌐ EARL Catherine et Claude Maréchal, 6, rte de Chalon, 21200 Bligny-lès-Beaune, tél. 03.80.21.44.37, fax 03.80.26.85.01 ☑ ⟂ r.-v.

DOM. POULLEAU PERE ET FILS 2000★

■	0,45 ha	2 700	⦿	8 à 11 €

Ce domaine familial s'est agrandi au fil des générations pour atteindre aujourd'hui 8,16 ha. Paré d'une robe purpurine de forte intensité, ce vin a été élevé douze mois en fût de chêne. Au nez, on commence par des notes végétales, puis du pruneau cuit dans un ensemble quelque peu torréfié. Le fruit se libère en bouche (framboise) où l'on constate une constitution équilibrée, un état général tout à fait satisfaisant : c'est tout bonnement un bon vin. Respect du millésime et de l'appellation.

⌐ Dom. Poulleau Père et Fils, rue du Pied-de-la-Vallée, 21190 Volnay, tél. 03.80.21.26.52, fax 03.80.21.64.03 ☑ ⟂ r.-v.

ROGER ET JOEL REMY
Les Beaumonts 2000★

■	2 ha	9 000	⦿	5 à 8 €

Repris en 1995, ce domaine présente des Beaumonts, *climat* situé à l'ouest de la RN 74, contigu à savigny-lès-beaune. La robe de ce 99, rubis soutenu, introduit un nez bien parfumé où l'un lit la cerise et l'autre la framboise. Au palais, le fruit s'avère très frais, friand. Sa structure est moyenne mais équilibrée avec des tanins à bonne école et une persistance fort satisfaisante. A servir pendant trois ans.

⌐ SCEA Roger et Joël Rémy, 4, rue du Paradis, 21200 Sainte-Marie-la-Blanche, tél. 03.80.26.60.80, fax 03.80.26.53.03, e-mail domaine.remy@wanadoo.fr ☑ ⟂ r.-v.

DOM. GEORGES ROY ET FILS 2000★

■	0,32 ha	2 100	⦿	8 à 11 €

Un domaine de 8,50 ha à la production intéressante en chorey blanc : ce vin a de bonnes couleurs c'est-à-dire jaune assez pâle assorti de reflets verts. Si le nez est joliment fruité, il reste sur la réserve où la bouche ne dispose pas d'une puissance capable de le porter longtemps dans le temps, mais il est tendre, rond, bouqueté, doté d'un boisé bien tempéré. A déboucher dans les deux années à venir.

⌐ Dom. Georges Roy et Fils, 20, rue des Moutots, 21200 Chorey-lès-beaune, tél. 03.80.22.16.28, fax 03.80.24.76.38 ☑ ⟂ r.-v.

DOM. DES TERREGELESSES 2000★

■	n.c.	1 200	⦿	8 à 11 €

Le chorey blanc progresse mais, ces dernières années encore, il ne représentait que 5 000 à 10 000 cols sur un total de 700 000 pour l'appellation. Un magasin (1999), une table d'hôte (2000) complètent un peu l'installation de ce domaine né de la famille Senard. Qualité de la robe, bouquet citron-tilleul, le boisé bien fondu, c'est un 2000 en plein essor et qui plaira.

➠ Dom. des Terregelesses, 7, rempart Saint-Jean, 21200 Beaune, tél. 03.80.24.21.65, fax 03.80.24.21.44 ☑ 🏠 ⟊ r.-v.

Beaune

En superficie, l'appellation beaune est l'une des plus importantes de la Côte. Mais Beaune, ville d'environ 20 000 habitants, est aussi et surtout la capitale viti-vinicole de la Bourgogne. Siège d'un important négoce, Centre d'un nœud autoroutier très important, elle est une des cités les plus touristiques de France. La vente des vins des Hospices est devenue un événement mondial, et représente certainement l'une des ventes de charité les plus illustres.

Les vins, essentiellement rouges, sont pleins de force et de distinction. La situation géographique a permis le classement en premiers crus d'une grande partie du vignoble, et, parmi les plus prestigieux, nous pouvons retenir les Bressandes, le Clos du Roy, les Grèves, les Teurons et les Champimonts. En 2001, l'AOC a produit 15 977 hl de vin rouge et 1 847 hl de vin blanc.

JEAN-LUC AEGERTER
Clos des Capucins 2000★

	0,05 ha	600	🍶 15 à 23 €

Jean-Luc Aegerter a racheté à Nuits, en 1977, la maison Pierre Gruber. Puis il a mis son nom sur ses étiquettes, volant de ses propres ailes. Ce chardonnay beaunois se présente sous une robe bouton-d'or. Le miel irrigue un bouquet chaleureux. Rond et vif, il confirme l'opinion de Serena Sutcliffe : « Les blancs s'offrent ici assez jeunes. »
➠ Jean-Luc Aegerter, 49, rue Henri-Challand, BP 56, 21700 Vosne-Romanée Cedex, tél. 03.80.61.02.88, fax 03.80.62.37.99, e-mail jean-luc.aegerter@wanadoo.fr ☑ ⟊ r.-v.

ARNOUX PERE ET FILS
Les Cent Vignes 2000★

■ 1er cru	0,5 ha	2 500	🍶🍶⬇ 15 à 23 €

Beaune est sans doute la seule ville au monde où l'on rêve de tomber malade... Avec un tel hôtel-Dieu ! Avec de telles bouteilles ! Ce domaine installé à Chorey (23 ha) propose un Cent Vignes assez masculin. La robe a de l'allant et le nez commence par le bois avant de s'engager sur la cerise noire. Il a de l'ampleur, du volume : sa chair gagnera en finesse avec l'âge.
➠ Arnoux Père et Fils, rue des Brenôts, 21200 Chorey-lès-Beaune, tél. 03.80.22.57.98, fax 03.80.22.16.85 ☑ ⟊ r.-v.

LYCEE VITICOLE DE BEAUNE 1999★

■	2,96 ha	n.c.	🍶 8 à 11 €

Née en 1884, l'école de viticulture de Beaune est aujourd'hui un lycée accueillant près de mille élèves,

apprentis et adultes en formation. Heureux lycée qui possède 19,3 ha de vignes ! Le proviseur peut être rassuré : voici un 99 qui passe l'écrit et l'oral sans trop de peine. C'est un *village* d'un rouge franc avec de jolis reflets, un tantinet complexe, typé et harmonieux. On note en marge de la copie : « vineux ! ». Le 1er cru Les Champimonts 99 (11 à 15 €) obtient la même note.
➠ Dom. du Lycée viticole de Beaune, 16, av. Charles-Jaffelin, 21200 Beaune, tél. 03.80.26.35.81, fax 03.80.22.76.69 ☑ ⟊ t.l.j. sf dim. 8h-11h30 14h-17h; sam. 8h-11h30

DOM. GABRIEL BOUCHARD
Cent Vignes 1999★

■ 1er cru	0,13 ha	900	🍶 15 à 23 €

4 ha seulement, et le coup de cœur en 1991 (Clos du Roi 88) puis en 1995 (Cent Vignes 91). Justement les revoici ces Cent Vignes. Beaune jusqu'au bout des ongles, un 99 pourpre à reflets sombres, de structure légère mais bien équilibrée. Au nez quelques touches de sous-bois. Au palais ? Assez soyeux et sachant prolonger ses saveurs.
➠ Dom. Gabriel Bouchard, 4, rue du Tribunal, 21200 Beaune, tél. 03.80.22.68.63 ☑ ⟊ r.-v.
➠ Alain Bouchard

DOM. BOUCHARD PERE ET FILS
Grèves Vigne de l'Enfant Jésus 1999★★

■ 1er cru	4 ha	n.c.	🍶🍶⬇ 38 à 46 €

Une Vigne de l'Enfant Jésus ne se refuse pas, surtout quand elle est aussi adorable. Cette ancienne propriété des Carmélites de Beaune (cette communauté vient de quitter la ville) constitue une « principauté » au sein des Grèves, comme la Moutonne à Chablis. Revêtu d'une belle robe rubis brillant, ce 99 élégant et fruité porte bien son nom. Le petit roi de grâce, dont les tanins vont s'assouplir pour révéler une nature riche et glorieuse.
➠ Bouchard Père et Fils, Ch. de Beaune, 21200 Beaune, tél. 03.80.24.80.24, fax 03.80.22.55.88, e-mail france@bouchard-pereetfils.com ⟊ r.-v.

BOUCHET AINE ET FILS
Clos du Roi Cuvée Signature 2000★

■ 1er cru	n.c.	1 788	🍶 23 à 30 €

C'est l'année du Clos du Roi. Celui-ci rêve déjà d'être présenté à la cour. Son rubis brillant ne surprend pas. Les jeunes marquis s'habillent ainsi. Son bouquet est prudent, avançant à pas comptés. Un nez philosophal. Au palais, il a de bonnes manières, assez d'acidité, une colonne vertébrale et une discrétion de bon aloi. Sa principale qualité ? La finesse. Jean-Claude Boisset a repris cette très vieille maison beaunoise et l'a installée « dans ses meubles » en un superbe hôtel qu'on visite avec bonheur sur le boulevard de ceinture.
➠ Bouchard Aîné et Fils, hôtel du Conseiller-du-Roy, 4, bd Mal-Foch, 21200 Beaune, tél. 03.80.24.24.00, fax 03.80.24.64.12 ☑ ⟊ t.l.j. 9h30-12h30 14h-18h30

DOM. JEAN-MARC BOULEY
Les Reversées 1999★

■ 1er cru	n.c.	n.c.	🍶 15 à 23 €

Grappe d'or de notre Guide en 1994, ce domaine de 12 ha réunit à Volnay les vignes des deux grands-pères. Les Reversées tiennent le milieu, sur le coteau. Violet limpide et à jambages, un 99 en super-forme d'abord assez fermé puis griotte, réglisse, cannelle. On doit l'aérer un peu pour

BOURGOGNE

saisir tout son bouquet. Sans dureté, des tanins assez mûrs composent une bouche bien faite et d'une complexité aromatique durable. La finale est vive et fruitée. On n'en pense que du bien.

🐦 Jean-Marc Bouley, chem. de la Cave, 21190 Volnay, tél. 03.80.21.62.33, fax 03.80.21.64.78, e-mail jeanmarc.bouley@wanadoo.fr ☑ ⟂ r.-v.

DOM. CAMUS-BRUCHON
Clos du Roi 2000★

■ 1er cru	0,19 ha	1 050	⫴ 15 à 23 €

L'une des cuvées-vedettes de ce domaine de Savigny qui couvre 9,1 ha, dont ces quelques ouvrées en Clos du Roi. Plein de jeunesse, ce millésime n'est pas du tout « fin de siècle ». Au contraire, il a de l'avenir. Rubis foncé, il est particulièrement odorant, flatteur même : épices, mûres, sous-bois, feuille morte. Sa constitution et sa structure ne suscitent aucune critique. L'harmonie est constante, la fin de bouche élégante.

🐦 Lucien Camus-Bruchon, Les Cruottes, 16, rue de Chorey, 21420 Savigny-lès-Beaune, tél. 03.80.21.51.08, fax 03.80.26.10.21 ☑ ⟂ r.-v.

DOM. CHANSON PERE ET FILS
Clos des Mouches 2000★★

■ 1er cru	1,76 ha	12 000	⫴ 30 à 38 €

Le beaune blanc est moins connu que le beaune rouge, mais il lui arrive de rivaliser avec les meilleurs chardonnays. Tel celui-ci signé par la nouvelle équipe de la maison. Jaune pâle à reflets or, il a le nez délicieusement beurré sur un léger grillé. Fruitée, ronde et soutenue, sa saveur un tantinet minérale, n'oublie pas en finale une belle vivacité ; voilà de bonnes raisons d'avoir avec ce Clos des Mouches un entretien particulier.

🐦 Maison Chanson Père et Fils, 10, rue Paul-Chanson, 21200 Beaune, tél. 03.80.25.97.97, fax 03.80.24.17.42, e-mail tmarion@vins-chanson.com

CH. DE CHASSAGNE-MONTRACHET
Montée Rouge 1999★★

■	0,93 ha	5 700	⫴ 15 à 23 €

La Montée Rouge fait partie des grands classiques beaunois. N'y voyez aucune allusion politique et l'on n'est pas ici sur le parcours Bastille-Nation. Présenté par un domaine repris par Michel Picard (Chagny), notre coup de cœur voit fuser les louanges : superbe, magnifique... Typicité parfaite, élégance et virilité, potentiel fantastique, un, deux, trois : partez mais courez vite, il y en a fort peu. Il est rare en effet de rencontrer autant de grandeur et de charme.

🐦 SCV Dom. du ch. de Chassagne-Montrachet, 21190 Chassagne-Montrachet, tél. 03.85.87.51.01, fax 03.85.87.51.01
🐦 Michel Picard

DOM. DU CH. DE CHOREY
Les Teurons 1999

■ 1er cru	2 ha	8 000	⫴ 23 à 30 €

Chorey a acquis au fil du temps sa personnalité propre. On y produit de bons vins longtemps baptisés beaune et le château a de l'allure. Ces Teurons en proviennent (domaine de 17 ha fondé sur une ancienne maison de négoce-éleveur passée en propriété). Rubis noir et limpide, ce 99 n'a rien à se reprocher. Les arômes sont un peu boisés (réglissés), un peu fruités. Le corps a de la chaleur et ses dix-huit mois de fût l'ont marqué.

🐦 Dom. du Château de Chorey, Chorey-lès-Beaune, 21200 Beaune, tél. 03.80.24.06.39, fax 03.80.24.77.72 ☑ 🏠 ⟂ r.-v.
🐦 Germain

YVES DARVIOT
Les Grèves 1999

■ 1er cru	0,7 ha	4 000	⫴ 15 à 23 €

On en est ici à la huitième génération dans la vigne. Et l'on est au centre de Beaune, une ville où il n'y a plus beaucoup de viticulteurs. A deux pas de la mairie. Ces Grèves 99 ne se croisent pas les bras. D'une nuance rubis clair, d'un fruité spontané (lié à des arômes poivrés, réglissés), ce vin, produit sur 70 ares, est attrayant dès l'attaque. L'étoffe n'est pas serrée, mais le fruit est présent au rendez-vous. Sans doute ses tanins lui donneront-ils un coup d'épaule. Plutôt une bouteille à déguster maintenant.

🐦 Dom. Yves Darviot, 2, pl. Morimont, 21200 Beaune, tél. 03.80.24.74.87, fax 03.80.22.02.89, e-mail ydarviot@club-internet.fr ☑ 🏠 ⟂ r.-v.

DOM. DOUDET
Clos du Roy 2000★

■ 1er cru	0,41 ha	2 100	⫴ 15 à 23 €

Un Clos du Roy à son niveau. Entre le rubis et le grenat, la robe offre un aspect original. Distingué. Le nez est fermé mais engageant. Sur une pointe épicée et poivrée, l'équilibre est parfait entre les tanins et l'acidité : il pourra faire un long séjour en cave avant de trouver sa place sur des pigeons rôtis ou un gibier à poil.

🐦 Dom. Doudet, 3, rue Henri-Cyrot, 21420 Savigny-lès-Beaune, tél. 03.80.21.51.74, fax 03.80.21.50.69 ☑

JOSEPH DROUHIN
Clos des Mouches 2000★★

▨	15 ha	n.c.	⫴ + de 76 €

Pénétré de soleil, souvent considéré comme la quintessence du vin de Beaune, un Clos des Mouches suscite l'intérêt plus encore que la curiosité. La maison J. Drouhin a fait de ces abeilles son cheval de bataille (coup de cœur dans les guides 1988, 1989, 1995 et 1996 !). Brillant et limpide, hésitant encore entre la vanille et le pain d'épice, il ne manque ni d'élégance ni de persistance. Richesse rime ici avec finesse. Quelques années de garde sont conseillées, ne serait-ce que pour l'assouplissement du fût.

🐦 Joseph Drouhin, 7, rue d'Enfer, 21200 Beaune, tél. 03.80.24.68.88, fax 03.80.22.43.14, e-mail maisondrouhin@drouhin.com ⟂ r.-v.

DOM. LOIS DUFOULEUR
Clos du Dessus des Marconnets 2000★

■	0,5 ha	3 000	ⅢⅠ 15 à 23 €

Père d'Amélie Poulain, le cinéaste Jean-Pierre Jeunet est venu dans cette cave réfléchir au fabuleux destin du... vin de Bourgogne. L'un des nombreux domaines Dufouleur (4,5 ha celui-ci). Ce Dessus des Marconnets (juste à votre gauche quand vous quittez Beaune pour Paris) présente beaucoup de caractère. Aux coups de nez, le fruit partage ses ardeurs friandes avec le grillé du fût. Légère nuance tabac. Il y a ensuite de la rondeur et du grain. Le **Clos du Roi 1er cru 2000** obtient une citation.
☛ Loïs Dufouleur, 8, bd Bretonnière, 21200 Beaune, tél. 03.80.22.04.62, fax 03.80.24.25.60, e-mail domloïsdufouleur@aol.com ☑ ⵙ r.-v.

MICHEL GAY
Les Toussaints 2000

■ 1er cru	0,42 ha	2 800	ⅢⅠ 11 à 15 €

Les Grèves 99 (15 à 23 €) peuvent retenir votre attention dans cette cave authentiquement vigneronne (8,5 ha). Ces Toussaints aussi. Dans leur robe fraîche et brillante, ils ne pèchent pas par excès de bois et c'est très bien. La cerise accompagne un vin qui s'exprime surtout par sa jeunesse. Une brise de printemps. Le mieux est d'en faire la connaissance sans attendre l'an 40.
☛ Michel Gay, 1b, rue des Brenôts, 21200 Chorey-lès-Beaune, tél. 03.80.22.22.73, fax 03.80.22.95.78 ☑ ⵙ r.-v.

CH. GENOT-BOULANGER
Grèves 1999★★

■ 1er cru	1,04 ha	6 000	ⅢⅠ 15 à 23 €

Très bon vin issu d'un vaste domaine (27,4 ha) de Meursault. Grenat soutenu et cerise noire, sa robe est de velours. Son nez est un puits de 30 m où l'on recueille l'animal, la framboise, l'essence de pin, le grillé. Sa profondeur est étonnante. Puis on est saisi, dès l'entrée en bouche, par le volume d'un vin riche et d'une généreuse sensualité. Equilibre parfait parmi toutes les composantes, finale longue et heureuse.
☛ SCEV Ch. Génot-Boulanger, 25, rue de Cîteaux, 21190 Meursault, tél. 03.80.21.49.20, fax 03.80.21.49.21, e-mail genot.boulanger@wanadoo.fr ☑ ⵙ r.-v.
☛ Delaby

GUILLEMARD-CLERC
Clos des Coucherias 1999★

■ 1er cru	0,71 ha	4 000	ⅢⅠ 8 à 11 €

L'adresse de ce domaine circule quelquefois dans la valise diplomatique... Pourpre moyen assez mat, ce 99 pourra accompagner un magret de canard au vin rouge. Son nez d'essence de pin, d'épices douces consent à délivrer la fraise ou la framboise. Il est indiscutablement boisé. En bouche, le fruit prend sa revanche dans un corps bien dessiné et de volume respectable. Là, le plaisir est complet et notre ambassadeur peut rédiger une note euphorique à son ministre... Bel avenir très probablement.
☛ Dom. Guillemard-Clerc, 19, rue Drouhin, 21190 Puligny-Montrachet, tél. 03.80.21.34.22, fax 03.80.21.39.60, e-mail guillemard-clerc.domaine@wanadoo.fr ☑ ⵙ r.-v.
☛ Franck et Corinne Guillemard

GUILLEMARD-POTHIER
Les Grèves 1999

■ 1er cru	1,28 ha	8 000	ⅢⅠ + de 76 €

Ce domaine familial s'étend sur 14 ha situés dans les Hautes-Côtes de Beaune. Pourpre foncé homogène, sans excès d'extraction, ce 99 présente un nez très présent et, pourrait-on dire, d'un boisé « à l'ancienne ». Sans vanille intempestive. Son caractère est solide. Il est pourvu de mâche. Sans austérité ni aspérités. Sa complexité est encore potentielle. Sans rien d'aléatoire. Fait pour durer.
☛ EARL Guillemard-Pothier, 21190 Meloisey, tél. 03.80.26.01.11, fax 03.80.26.03.72 ☑ ⵙ r.-v.

DOM. JEAN GUITON
Les Sizies 1999★

■ 1er cru	0,53 ha	2 000	ⅢⅠ 11 à 15 €

Les Sizies se trouvent au milieu du coteau, légèrement du côté de l'AOC pommard. Le domaine Jean Guiton en détient un demi-hectare (l'ensemble de la propriété comprend 13 ha). La robe bien typée et intense annonce le bouquet complexe fait de fruits noirs et rouges et d'épices (cannelle) ; puis l'attaque est assez souple, plaisante, soyeuse. Bien faite, structurée et libre de tout boisé excessif, une bouteille à servir dans deux ou trois ans.
☛ Dom. Jean Guiton, 4, rte de Pommard, 21200 Bligny-lès-Beaune, tél. 03.80.26.82.88, fax 03.80.26.85.05, e-mail meloisey.guiton@libertysurf.fr ☑ ⵙ r.-v.

DOM. LUCIEN JACOB
Les Toussaints 2000★

■ 1er cru	0,3 ha	1 800	ⅢⅠ 11 à 15 €

Lucien Jacob a passé en 1989 le relais à ses enfants, Jean-Michel et Christine Jacob, Chantal Forey-Jacob. Il est vrai que l'ancien député a de quoi s'occuper au Conseil général, où il défend le pays beaunois et la vigne. L'éraflage à 100 % explique peut-être cette sensation de fraîcheur que l'on ressent tant au nez qu'en bouche. L'attaque est vive, le fruit très présent, la longueur intéressante.
☛ Dom. Lucien Jacob, 21420 Echevronne, tél. 03.80.21.52.15, fax 03.80.21.55.65, e-mail lucien-jacob@wanadoo.fr
☑ ⵙ t.l.j. 9h-12h 14h-17h; f. 15-31 août

JEAN LECELLIER
Les Perrières 2000

■ 1er cru	1,4 ha	2 700	ⅢⅠ 46 à 76 €

S'appeler Lecellier ! On croit rêver... Il s'agit en fait d'une marque de la maison Clavelier bien connue dans la Côte (notamment par tous les passionnés de ballons ovales). Ce 2000 réussit une ouverture intéressante grâce à des arômes agréables, un peu confits. L'attaque ne manque pas de vivacité, on l'imagine. Cela n'ira pas à l'essai transformé, mais le drop de loin n'apparaît pas impossible.
☛ Jean Lecellier, rte de Beaune, 21700 Comblanchien, tél. 03.80.62.94.11, fax 03.80.62.95.20 ⵙ r.-v.

DOM. JESSIAUME PERE ET FILS
Cent Vignes 2000★

■ 1er cru	1,16 ha	5 400	ⅢⅠ 15 à 23 €

La robe est typée 2000, mais avec une toute petite nuance d'évolution. Le bouquet joue sur le fruit sec, encore peu expressif, légèrement torréfié. La structure est aussi dominée par le fût, mais elle est équilibrée et prometteuse. Il faut cinq ans de garde à cette bouteille avant de la servir à l'heure du fromage.

BOURGOGNE

↜ Dom. Jessiaume Père et Fils, 10, rue de la Gare,
21590 Santenay, tél. 03.80.20.60.03, fax 03.80.20.62.87
☑ ⊺ t.l.j. sf dim. 8h-12h 13h-19h

JEAN-LUC JOILLOT
Montagne Saint Désiré 2000★

■	0,6 ha	3 800	⏘ 11 à 15 €

Comme son nom l'indique, un vin qu'il faut savoir... désirer. Il a tout dans sa hotte : du fond, de la mâche, de la vinosité, de la générosité. Mais il faut laisser du *temps au temps*, comme le disait saint Bernard bien avant un président de la République. Pas trop, d'ailleurs : deux à trois ans. Rouge profond, il n'a pas perdu de vue son séjour en fût : un merrain entreprenant.
↜ Jean-Luc Joillot, rue Marey-Monge, BP 11,
21630 Pommard, tél. 03.80.24.20.26, fax 03.80.24.67.54
☑ ⊺ r.-v.

DOM. PIERRE LABET
Clos des Monsnières 2000★★

	0,7 ha	n.c.	⏘ 15 à 23 €

Un pied au château de la Tour, au cœur du Clos de Vougeot, et l'autre ici sur 6 ha. Un pied en Côte de Nuits et l'autre en Côte de Beaune : l'intelligence même, façon Bourgogne. Il est encore un peu tôt pour juger cet « oiseau rare » (la devise de la famille), mais soyez-en sûrs il a du potentiel. Grenat intense, cassis odorant, il joue la sécurité. En bouche, il s'enhardit sur un élan déterminé et puissant où s'enrobe peu à peu un fruit encore retenu. Pruneau réglissé en finale. Un **Dessus des Marconnets 2000**, aux qualités identiques, est fortement conseillé.
↜ Dom. Pierre Labet, Clos de Vougeot,
21640 Vougeot, tél. 03.80.62.86.13, fax 03.80.62.82.72,
e-mail contact@françoislabet.com
☑ ⊺ t.l.j. sf mar. 10h-19h; f. 15 nov. à Pâques
↜ François Labet

LOUIS LATOUR
Vignes Franches 1999★

■ 1er cru	3 ha	8 500	⏘ 15 à 23 €

Climat proche du fameux Clos des Mouches. Il produit un vin pourpre léger, au nez relevé par le cassis et au boisé bien maîtrisé : les arômes apparaissent très flatteurs. La constitution est belle, tout comme la richesse en fruit. Rond et plein de promesse sur un fumet de gigot d'agneau pour mettre en valeur son arrière-goût de groseille.
↜ Dom. Louis Latour, 18, rue des Tonneliers,
21204 Beaune, tél. 03.80.24.81.00, fax 03.80.22.36.21,
e-mail louislatour@louislatour.com

DOM. CHANTAL LESCURE
Les Chouacheux 1999

■ 1er cru	1,5 ha	2 900	⏘ 11 à 15 €

Ce domaine, fondé par une branche de la famille Lescure rendue célèbre par l'invention de la cocotte-minute Seb, s'étend sur 18 ha. Le cor de chasse et les Chouacheux figurant sur l'étiquette suggère une dégustation accompagnée d'un gibier, bien sûr. Robe très foncée, nez de cassis légèrement mokaté, bouche chaude et puissante avec pas mal de gras et une honnête persistance.
↜ Dom. Chantal Lescure, 34 A, rue Thurot,
21700 Nuits-Saint-Georges,
tél. 03.80.61.16.79, fax 03.80.61.36.64,
e-mail contact@domaine-lescure.com ☑ ⊺ r.-v.

DOM. DU CHATEAU DE MEURSAULT
Cent Vignes 1999★

■	1,96 ha	11 800	⏘ 23 à 30 €

Créé par André Boisseaux, le domaine du château de Meursault est naturellement comme chez lui à Beaune. Ses Cent Vignes 99 exhalent des arômes de fruits mûrs et de pain grillé dans un mariage classique. Le gras et la rondeur s'équilibrent bien pour composer un vin prêt à être servi.
↜ Dom. du Château de Meursault, 21190 Meursault,
tél. 03.80.26.22.75, fax 03.80.26.22.76 ☑ ⊺ r.-v.

ALBERT MOROT
Cent Vignes 1999★

■ 1er cru	1,27 ha	7 600	⏘ 15 à 23 €

« Le vin de Beaune ne perd sa cause que faute de comparer », dit le proverbe. Et de fait ! Violet, mais sans trop appuyer sur la couleur, ce 99 s'oriente vers un boisé discret, un cassis élégant. La première impression en bouche est excellente et la suite le confirme. Un Cent Vignes (côté Savigny) facile à approcher, flatteur. Très « marchand » comme l'on dit. Les **Grèves 99** et de fort bons **Toussaints du même millésime** obtiennent chacun une étoile.
↜ Albert Morot, Ch. de la Creusotte,
20, av. Charles-Jaffelin, 21200 Beaune,
tél. 03.80.22.35.39, fax 03.80.22.47.50,
e-mail albertmorot@aol.com ☑ ⊺ r.-v.

DOM. PARENT
Les Epenottes 1999

■ 1er cru	1,74 ha	12 000	⏘ 15 à 23 €

L'aïeul de la famille fut le guide et le fournisseur de Thomas Jefferson lors de son passage en Bourgogne en 1787. Autant dire que ce domaine a ses entrées à la Maison-Blanche. Anne et Catherine ont pris les commandes en 1998 sur 10 ha. Leurs Epenottes sont d'un grenat assez profond et ont des accents aromatiques de forêt et de gibier. Le corps est encore carré mais il est bien construit, et saura vieillir.
↜ SAE Dom. Parent, pl. de l'Eglise, BP 8,
21630 Pommard, tél. 03.80.22.15.08, fax 03.80.24.19.33,
e-mail parent-pommard@axnet.fr ☑ ⊺ r.-v.

DOM. PARIGOT PERE ET FILS
Grèves 2000

■ 1er cru	0,44 ha	2 800	⏘ 15 à 23 €

Un demi-hectare des Grèves au sein du domaine qui atteint presque les 20 ha. Pourpre clair, ce 2000 dispose d'un nez plus fin que profond. La compote de fruits rouges en fait tout le charme. Peu tannique, peu astringent, ce vin souple et fruité devrait mieux aimer le canard que la dinde. Coup de cœur en 1990 pour le même vin millésime 87.
↜ Dom. Parigot Père et Fils, rte de Pommard,
21190 Meloisey, tél. 03.80.26.01.70, fax 03.80.26.04.32
☑ ⊺ r.-v.

MAX ET ANNE-MARYE PIGUET-CHOUET
Les Bons Feuvres 2000

■	0,32 ha	1 200	⏘ 8 à 11 €

Max reprend le domaine familial en 1979. Vingt ans plus tard, il crée une société avec son épouse, attendant la reprise des 9,6 ha par ses trois fils qui suivent cette voie toute tracée. A dominante tannique, un vin structuré, né aux Bons Feuvres (à droite du RN 74 quand on va à Pommard). Carmin, d'intensité moyenne, il évoque la cerise macérée et montre en ouverture une certaine tendresse. Sera plaisant dès l'année qui vient.

↳ EARL Max et Anne-Marye Piguet-Chouet, rte de Beaune, 21190 Auxey-Duresses, tél. 03.80.21.25.78, fax 03.80.21.68.31, e-mail piguet.chouet@wanadoo.fr
☑ ⵣ r.-v.

THIERRY PINQUIER-BROVELLI
Les Chaumes Gauffriot 2000★

■	0,3 ha	1 500	ⵠ 8 à 11 €

Petit domaine de 5,5 ha créé par un ouvrier vigneron à la génération d'avant. Savez-vous où sont situés les Chaumes Gauffriot sur la carte ? Tout au-dessus de Montée Rouge sur la Montagne de Beaune. De là-haut on voit parfois le mont Blanc. Rouge carmin à beaux jambages, ce 2000, encore tenu par ses tanins, évolue dans le bon sens. Cassis et vanille s'associent malgré tout. On peut donc le goûter dans sa jeunesse mais il est capable de progresser.
↳ Pinquier Père et Fils, 5, rue Pierre-Mouchoux, 21190 Meursault, tél. 03.80.21.24.87, fax 03.80.21.61.09
☑ 🏠 ⵣ t.l.j. 8h30-12h 13h30-19h

DOM. JACQUES PRIEUR
Champs Pimont 1999★

■ 1er cru	2,3 ha	12 500	ⵠ 15 à 23 €

Domaine estimé, repris naguère par Antonin Rodet. Une œnologue célèbre : Nadine Gublin. Et un joli 1er cru dont la robe est dans la nature de son millésime. Avec un peu de violette sur fond de fruits rouges, le bouquet n'oublie pas son fût mais sait se diversifier. En bouche, la coule de source : cerise, framboise, comment dire ? Sa charpente en fait un vin de garde, mais la bouteille peut être débouchée dès à présent sur son fruit. Ce **même 1er cru en blanc 99 (23 à 30 €)** obtient une citation.
↳ Dom. Jacques Prieur, 6, rue des Santenots, 21190 Meursault, tél. 03.80.21.23.85, fax 03.80.21.29.19
☑ ⵣ r.-v.

DOM. PRIEUR-BRUNET
Clos du Roy 1999★★

■ 1er cru	0,4 ha	2 500	ⵠ 23 à 30 €

De Santenay à Beaune, il n'y a qu'un pas. Sur ses 20 ha, ce domaine a la chance de détenir 40 ares en Clos du Roy. Une monarchie éclairée et en robe de sacre. Le bouquet un peu confit demande à s'ouvrir. Puis le vin gravit lentement les marches du palais avec une majesté impressionnante. Concentration, richesse, et quelle jeunesse capiteuse ! On est surpris de ne pas le rencontrer dans les *Mémoires* de Saint-Simon.
↳ Dom. Prieur-Brunet, rue de Narosse, 21590 Santenay, tél. 03.80.20.60.56, fax 03.80.20.64.31, e-mail uny-prieur@prieur-santenay.com ☑ ⵣ r.-v.

DOM. RAPET PERE ET FILS
Clos du Roi 2000★

■ 1er cru	0,5 ha	2 500	ⵠ 11 à 15 €

Cette parcelle très précoce est toujours la première vendangée au domaine Rapet, l'un des plus célèbres en Bourgogne. Des lueurs très intenses illuminent la robe d'un 2000 déclinant ses arômes sur des bases de cassis et d'épices. On a envie de pousser plus loin les investigations. Au palais, il s'affirme par sa puissance, rayonne et persiste. Il s'accordera très bien avec une cuisine au goût prononcé.
↳ Dom. Rapet Père et Fils, 21420 Pernand-Vergelesses, tél. 03.80.21.59.94, fax 03.80.21.54.01 ☑ ⵣ r.-v.

MICHEL REBOURGEON
Les Chouacheux 1999★

■ 1er cru	0,26 ha	1 380	ⵠ 11 à 15 €

Michel a succédé à son père en 1996 et, depuis la remise en état du domaine dans les années 1920, on en est à la troisième génération. Ce *climat* penche vers Pommard. Ce 99, à la robe cerise et au bouquet nettement porté sur la myrtille et le fruit à l'eau-de-vie, n'oublie pas une petite touche réglissée de bon aloi. Ses tanins et sa mâche lui assurent une longue garde et l'on fera bien de ne pas le boire trop jeune.
↳ Dom. Michel Rebourgeon, pl. de l'Europe, 21630 Pommard, tél. 03.80.22.22.83, fax 03.80.22.90.64, e-mail michel.rebourgeon@wanadoo.fr ☑ ⵣ r.-v.

DOM. REBOURGEON-MURE
Les Vignes Franches 2000★

■ 1er cru	0,62 ha	3 000	ⵠ 11 à 15 €

Le fondateur du domaine s'appelait Jean Bourgogne et les papiers de famille le prouvent. C'était il y a quatre cent cinquante ans à Pommard. Qui dit mieux ? L'anniversaire était en 2002. Encore un peu tôt pour juger ce millésime. Voyons donc le 2000. Sa teinte franche et nette conduit à un bouquet déjà ouvert, fruité et vanillé. Souple, le vin offre une texture très aimable, une jolie trame, assez de chair pour y prendre son plaisir. Typé terroir et plein d'avenir.
↳ Dom. Rebourgeon-Mure, Grande-Rue, 21630 Pommard, tél. 03.80.22.75.39, fax 03.80.22.71.00
☑ ⵣ r.-v.

REGIS ROSSIGNOL-CHANGARNIER
Les Theurons 1999★

■ 1er cru	0,62 ha	3 000	ⵠ 15 à 23 €

62 ares en Theurons donnent cette bonne bouteille de beaune. Un vin rubis assez intense, généreux en fruits rouges, qui met tout de suite la bouche en prise directe avec une attaque tannique à souhait. Il répond à ce qu'on attend d'un 1er cru ainsi qu'à son appellation. Devrait vieillir sans difficulté.
↳ Régis Rossignol, rue d'Amour, 21190 Volnay, tél. 03.80.21.61.59, fax 03.80.21.61.59 ☑ ⵣ r.-v.

DOM. CHARLES THOMAS
Grèves 1999★

■ 1er cru	2,2 ha	15 000	ⵠ 15 à 23 €

Le domaine familial des Thomas (maison Moillard à Nuits). D'une couleur sombre et dense, un 99 aux arômes épicés. La fraise des bois trouve à s'y nicher. Strict et peu loquace au premier abord, il se libère progressivement de façon assez concentrée. Sa matière garantit son avenir. Les paris sont engagés : quand s'ouvrira-t-il pleinement ?
↳ Dom. Charles Thomas, chem. rural 59, 21700 Nuits-Saint-Georges, tél. 03.80.62.42.10, fax 03.80.61.28.13, e-mail thomas.freres@wanadoo.fr
☑ ⵣ t.l.j. 10h-18h ; f. jan.

CH. DE LA VELLE
Cuvée Vieilles vignes 2000★

■	0,5 ha	3 000	ⵠ 8 à 11 €

Coup de cœur en 1999 pour ses Monsnières 96, ce domaine situé à Meursault (8 ha) reçoit souvent de bonnes notes. Cette cuvée Vieilles vignes est violacée comme on s'y attend. Le fruit et le fût cohabitent. Enrobé dès l'attaque, ce vin marie la force du tanin et l'acidité nécessaire à une garde raisonnable. Rien ne vient interrompre la logique d'un équilibre assez rond et corpulent. A ouvrir dans trois à quatre ans.

☛ Bertrand Darviot, Ch. de La Velle,
17, rue de La Velle, 21190 Meursault,
tél. 03.80.21.22.83, fax 03.80.21.65.60,
e-mail chateaudelavelle@infonie.fr ☑ 📇 🏠 ⊺ r.-v.

VIOLOT-GUILLEMARD
Montagne Saint-Désiré 2000★

	0,55 ha	2 000	🍷 11 à 15 €

Au-dessus du Clos des Mouches et donc côté Pommard, ce *climat* fait de bonnes choses. Issu d'un domaine familial (5,2 ha) où l'on connaît chaque pied de vigne, un vin d'un rouge soutenu et néanmoins limpide, finement fruité, un peu boisé sur des notes torréfiées et fumées. Franchise et netteté caractérisent la bouche déjà fondue et délicatement framboisée. Le **Clos des Mouches 99 (15 à 23 €)**, élevé en fût neuf, obtient, lui aussi, une étoile. L'attendre trois à cinq ans.

☛ Thierry Violot-Guillemard, rue Sainte-Marguerite,
21630 Pommard, tél. 03.80.22.49.98, fax 03.80.22.94.40
☑ 📇 ⊺ r.-v.

Côte de beaune

Ane pas confondre avec le côte de beaune-villages, l'appellation côte de beaune ne peut être produite que sur quelques lieux-dits de la Montagne de Beaune. Elle a déclaré 1 079 hl de vin rouge et 524 hl de vin blanc en 2001.

LYCEE VITICOLE DE BEAUNE 2000

	0,53 ha	n.c.	📖🍷♦ 8 à 11 €

Heureux lycée qui possède un domaine de près de 20 ha de vignes ! Et qui vit en autarcie vineuse : les fûts sortent de l'école de tonnellerie, etc. Un blanc au teint pâle, comme les joues de marquis dans les films de Visconti. Le nez en revanche est plus présent, dans une scénographie florale, élégante. De beaux arômes d'amande douce s'expriment en finale.

☛ Dom. du Lycée viticole de Beaune,
16, av. Charles-Jaffelin, 21200 Beaune,
tél. 03.80.26.35.81, fax 03.80.22.76.69
☑ ⊺ t.l.j. sf dim. 8h-11h30 14h-17h; sam. 8h-11h30

DOM. DUBOIS D'ORGEVAL 1999★

	0,5 ha	3 000	🍷 11 à 15 €

Or vert, il se présente sous son plus beau jour. Un parfum de miel et de noisette surtout l'accompagne sur son chemin. L'attaque reste dans les convenances admises, sans rien bousculer. On trouve au palais des nuances d'acacia. Un 99 élégant.

☛ Dom. Dubois d'Orgeval, 3, rue Joseph-Bard,
21200 Chorey-lès-Beaune, tél. 03.80.24.70.89,
fax 03.80.22.45.02 ☑ ⊺ r.-v.

JEAN GAGNEROT
Les Monts Cenières 2000

		n.c.	5 000	🍷 11 à 15 €

Bel or ma foi ! A cette franchise visuelle s'ajoute un nez relativement complexe et assez floral, très pur et bien

établi. Chaleureux, ce vin se comporte en bouche de façon d'abord aimable et douce, puis sur un ton plus austère. Un an d'attente. Jean Gagnerot est une marque de La Reine Pédauque. Ces Monts Cenières se trouvent sur les hauteurs de Beaune, mais on les écrit en général Monsnières.

☛ Jean Gagnerot, 21420 Aloxe-Corton,
tél. 03.80.25.00.00, fax 03.80.26.42.00,
e-mail vinibeaune@bourgogne.net ⊺ r.-v.

EMMANUEL GIBOULOT
La Grande Chatelaine 2000

	n.c.	2 300	🍷 8 à 11 €

La Grande Chatelaine est un climat long et étroit, situé au haut du plateau, en bordure de la route de Bouze-lès-Beaune. Elle produit un 2000 à la robe très brillante, pleine de reflets. Son bouquet paraît plus profond que la plupart des autres vins de la table. Vanille, fleurs blanches et fruits secs, le tiercé dans l'ordre. L'acidité s'accompagne de pamplemousse, d'agrumes, et elle n'étouffe pas le moelleux. La structure n'est pas considérable, mais le tout se laisse boire sans difficulté.

☛ Dom. Emmanuel Giboulot, Combertault,
21200 Beaune, tél. 03.80.26.52.85, fax 03.80.26.53.67
☑ ⊺ r.-v.

Pommard

C'est l'appellation bourguignonne la plus connue à l'étranger, sans doute en raison de sa facilité de prononciation... Le vignoble a produit 13 922 hl en 2001. L'argovien marneux est ici remplacé par des calcaires tendres, et les vins produits sont solides, tanniques ; ils ont une bonne aptitude à la garde. Les meilleurs climats sont classés en premiers crus, dont les plus connus sont les Rugiens et les Epenots.

ROGER BELLAND
Les Cras 2000

	0,98 ha	5 000	🍷 15 à 23 €

Les Cras ne font pas allusion à de noirs corbeaux, mais au sol pierreux (« les crais »). Ce domaine de Santenay en exploite près d'1 ha et en tire un 2000 bien dans son millésime. Peu de vivacité de couleur, mais de la profondeur. Pas mal boisé sur un apport naturel encore effacé mais équilibré. La bouche en revanche est plus éloquente, et c'est là l'essentiel. Agréable au début, fine du milieu à la fin. Tendre. Un vin à goûter dans deux ou trois ans.

☛ Dom. Roger Belland, 3, rue de la Chapelle,
21590 Santenay, tél. 03.80.20.60.95, fax 03.80.20.63.93,
e-mail belland-roger@wanadoo.fr ☑ ⊺ r.-v.

DOM. GABRIEL BILLARD
Les Charmots 1999★★

1er cru	0,38 ha	1 800	🍷 15 à 23 €

Un domaine qui domine son sujet. Il est vrai que Laurence Jobard, œnologue très estimée, en est copropriétaire et voit dans ces Charmots la prunelle de ses yeux. Elle fut coup de cœur en 1993 (pour le millésime 90) et à nouveau en 2001 (97). Cette bouteille remarquée confirme s'il en était besoin une qualité constante. Grenat foncé, le vin garde des arômes en réserve et avance seulement quelques pions : le cassis ou la mûre sont aux avant-postes. Pleine et complète, la bouche s'amuse à une attaque franche et vive, avant de laisser son corps s'exprimer longuement et en beauté. Ne pas ouvrir avant 2006.

↳ SCEA Dom. Gabriel Billard, imp. de la Commaraine, 21630 Pommard, tél. 03.80.22.27.82, fax 03.85.49.49.02 ☑ ⟁ r.-v.

↳ Mmes Jobard et Desmonet

DOM. BILLARD-GONNET 1999★

		2 ha	6 000		23 à 30 €

Propriétaire de huit premiers crus à Pommard, cette famille bénit les successions et les héritages survenus depuis 1766 (quand on a mis pour la première fois du raisin dans une cuve). Les Billard-Gonnet aiment faire des cuvées rondes d'excellente qualité. C'est le cas ici. Le gras apparaît dès la robe de ce 99. Superbe. Le bouquet s'oriente vers le poivre et l'on croit y suivre le gibier à la trace. Ouvert. Sa structure se construit de façon progressive et ses tanins sont déjà fondus. Bon fond, beau potentiel. Les **Chaponnières 1er cru 99** (15 à 23 €) obtiennent une citation. Leurs tanins présents mais soyeux s'affranchiront avec le temps.

↳ Dom. Billard-Gonnet, rte d'Ivry, 21630 Pommard, tél. 03.80.22.17.33, fax 03.80.22.68.92, e-mail billard.gonnet@wanadoo.fr ☑ ⟁ r.-v.

ERIC BOIGELOT 1999★

		0,35 ha	2 000		15 à 23 €

Au chapitre du pommard, Camille Rodier parle d'« un nom savoureux et rabelaisien ». Encore faut-il que la bouteille confirme cette réputation. Ouvrez celle-ci. Rouge profond, le pinot noir donne ici un bouquet animal et sauvage qui vous invite à une partie de chasse. Jusqu'à la finale très soutenue, la bouche privilégie la finesse, l'élégance. Riche et néanmoins généreux, un 99 qui gagne à être aéré. Mais ne le faites pas trop tôt : c'est un vin de garde.

↳ Dom. Eric Boigelot, 21, rue des Forges, 21190 Meursault, tél. 03.80.21.65.85, fax 03.80.21.66.01 ☑ ⟁ r.-v.

BOUCHARD AINE ET FILS
Les Épenots 1999

1er cru		n.c.	3 000		30 à 38 €

Dans *Madame Bovary*, Flaubert parle du pommard. Homais s'en délecte car il « lui excite les facultés ». On ne saurait mieux dire de ces Épenots 99 rubis sombre et d'un éclat intense. Leur bouquet est romantique : c'est un bel arôme de rose fanée dans une expression cependant discrète. Bien enrobée par le gras, l'attaque est ardente. Puis on distingue une charpente bien équilibrée mais fortement épaulée par ses tanins. De longueur moyenne.

↳ Bouchard Aîné et Fils, hôtel du Conseiller-du-Roy, 4, bd Mal-Foch, 21200 Beaune, tél. 03.80.24.24.00, fax 03.80.24.64.12 ☑ ⟁ t.l.j. 9h30-12h30 14h-18h30

DOM. DENIS BOUSSEY 2000★

		0,56 ha	3 000		15 à 23 €

« À bon vin point d'enseigne » ; le croyez-vous vraiment ? S'appeler pommard n'est pas rien. Celui-ci honore son étiquette. Rubis foncé, il n'a pas une folle intensité aromatique, restant pour l'instant sur le brûlé du fût. Mais en bouche, les saveurs et les tanins riment avec bonheur dans une bonne rondeur. Même si la démarche est vigoureuse, rien n'agresse. Version classique de l'appellation.

↳ Dom. Denis Boussey, 1, rue du Pied-de-la-Vallée, 21190 Monthélie, tél. 03.80.21.21.23, fax 03.80.21.62.46 ☑ ⟁ r.-v.

DOM. CAPUANO-FERRERI ET FILS
La Chanière 2000

		n.c.	n.c.		11 à 15 €

Sombre et violacée, une Chanière offrant au nez un fruité intense où le cassis s'exprime dans une ambiance grillée, torréfiée. Jeune et parfumé à l'attaque, le pinot noir s'appuie fortement sur ses tanins, mais sa structure est intéressante, et la touche d'astringence ne surprend pas à cet âge. Cela conduit à le mettre au repos pendant deux ou trois ans.

↳ John Capuano, 14, rue Chauchien, 21590 Santenay, tél. 03.80.20.64.12, fax 03.80.20.65.75 ☑ ⟁ r.-v.

DENIS CARRE
Les Noizons 2000★

		n.c.	n.c.		15 à 23 €

Coup de cœur récemment pour ses Charmots 99, naguère pour ces mêmes Noizons millésimés 92, Denis Carré est un habitué des places d'honneur. Son 2000 aura une meilleure note dans un an, mais il a déjà des arguments à faire valoir : sa robe grenat profond et brillant, son corps concentré et complexe. La continuité du nez à la bouche est particulièrement intéressante. On reste dans l'humus, le champignon, le sous-bois à l'affût d'un beau gibier (il n'est pas loin...). Ses tanins s'enrobent peu à peu. Il faut noter sur votre livre de cave : pas avant 2006-2007.

↳ Denis Carré, rue du Puits-Bouret, 21190 Meloisey, tél. 03.80.26.02.21, fax 03.80.26.04.64 ☑ ⟁ r.-v.

CHARTRON ET TREBUCHET 1999

		n.c.	3 000		23 à 30 €

Il demande sans doute à s'épanouir un peu, mais l'architecture, la charpente, la vivacité sont dans une honnête moyenne. De teinte pourpre, il déroute au premier nez puis laisse parler, à l'agitation, le fût et la griotte. La bouche chocolatée et fruitée est bien concentrée. Les tanins ont encore du mordant. C'est typiquement un vin à conserver. L'association Chartron et Trébuchet est aujourd'hui un souvenir, Louis Trébuchet changeant de cap.

↳ Chartron et Trébuchet, 13, Grande-Rue, 21190 Puligny-Montrachet, tél. 03.80.21.32.85, fax 03.80.21.36.35, e-mail info@chartron-trebuchet.com ☑ ⟁ r.-v.

CLAVELIER
Les Noizons 1999

		0,3 ha	1 800		30 à 38 €

Maison reprise il y a quelques années par Bernard Hudelot, le sage des Hautes-Côtes, qui propose ses Noizons (*climat* situé à l'entrée de la combe, à flanc de coteau et bien exposé). D'une couleur expressive, ils ne perdent pas de temps en ronds de jambe inutiles. Tirant sur la mûre et aussi la framboise, ils sont aromatiques. D'une réelle présence en bouche avec un caractère robuste et décidé, ce vin se situe dans la bonne moyenne : il a encore du travail pour obtenir un fondu parfait avant d'accompagner un lapin chasseur.

➥ Maison Clavelier, 49, RN 74 Comblanchien,
21700 Nuits-Saint-Georges, tél. 03.80.62.94.11,
fax 03.80.62.95.20, e-mail vins.clavelier@wanadoo.fr
☑ ⵏ t.l.j. 10h-18h

DOM. COSTE-CAUMARTIN
Les Frémiers 1999★

■ 1er cru	1,65 ha	8 600	ⱔ 15 à 23 €

Si le nom de Coste-Caumartin fut naguère célèbre dans le monde des équipements de cuisine, il est également réputé dans celui du vin. Le domaine appartient à cette famille depuis 1780 et il s'ordonne autour de beaux bâtiments du XVIIᵉs. avec, en leur centre, un puits couvert d'ardoises de 1641. Rubis presque noir et profond, ce vin a le nez intarissable : on lui prête des accents de cassis, de réglisse, de pivoine. En bouche, il fait un peu le sauvageon : vineux, tannique, carré, il est pommard jusqu'au bout des lèvres, sur un registre classique.
➥ SCE du dom. Coste-Caumartin, rue du Parc,
21630 Pommard, tél. 03.80.22.45.04, fax 03.80.22.65.22,
e-mail coste.caumartin@wanadoo.fr
☑ ⵏ t.l.j. 10h-12h 14h-19h; dim. sur r.-v.; f. 21 déc.-5 jan.
➥ Jérôme Sordet

DOM. DE COURCEL
Les Croix noires 1999★★

■ 1er cru	0,75 ha	1 700	ⱔ 30 à 38 €

Une belle propriété du XVIᵉs. appartenant à la famille de Courcel (coup de cœur en 1992 et en 1989). Vous apprécierez ses **Vaumuriens 99** (23 à 30 €), une étoile (un des jurés note sur sa fiche : « Du bon boulot ! »), ses **Rugiens 99** (38 à 46 €), cités, et plus encore ce premier cru peu connu, pas très étendu, que l'on rencontre à proximité des Rugiens. Rouge sombre, aux senteurs de bourgeon de cassis et d'épices douces, il offre une typicité quasiment parfaite pour qui aime le pommard de tradition, franc et structuré, gras et charpenté, aux tanins de soie (marqués cependant). Coulis de framboises et réglisse tapissent le palais. Très beau et encore un peu hermétique, comme s'il cherchait le Grand Œuvre des alchimistes. Huit à dix ans de garde.
➥ Dom. de Courcel, pl. de l'Eglise,
21630 Pommard, tél. 03.80.22.10.64, fax 03.80.24.98.73
☑ ⵏ r.-v.

VINCENT DANCER
Les Pézerolles 2000★★

■ 1er cru	31 ha	1 500	ⱔ 15 à 23 €

Ce viticulteur, installé en 1996, a reçu un coup de cœur l'an dernier ; ce domaine de Chassagne signe cette fois un 2000 à la robe conquérante, rouge violacé, comme le coucher de soleil sur la Côte. Sa fraîcheur aromatique ne lui interdit pas d'esquisser son projet : le petit fruit noir et l'animal. Féminité du corps, élégance du geste, un « top model » aux tanins fins comme des grains de sable et à la saveur réglissée. Le fruit revient en finale. Assurément parmi les meilleurs vins dégustés.
➥ Vincent Dancer, 23, rte de Santenay,
21190 Chassagne-Montrachet, tél. 03.80.21.94.48,
fax 03.80.21.39.48, e-mail vincentdancer@aol.com
☑ ⵏ r.-v.

HENRI DELAGRANGE ET FILS
Les Bertins 2000★

■ 1er cru	0,45 ha	2 800	ⱔ 15 à 23 €

Dès 1831, le Dr Denis Morelot cite les Bertins parmi « les excellents *climats* » de Pommard. À cette époque, les

Delagrange étaient déjà vignerons au pays. L'accord se fait sans peine entre le vin et le viticulteur, pour un 1ᵉʳ cru rouge à reflets mauves et à jambage important. Le merrain joue des coudes, sans réussir à déloger la myrtille. Dense et structuré, il séduit le palais par des notes d'épices douces bientôt suivies d'un fruit croquant et mûr. Tout en délicatesse, il est très pommard « new look ». Le **pommard village Les Vaumuriens Hauts 2000** (11 à 15 €) obtient une étoile. Pas très dense mais bien fait, il attendra deux ou trois ans.
➥ Dom. Henri Delagrange et Fils, rue de la Cure,
21190 Volnay, tél. 03.80.21.61.88, fax 03.80.21.67.09
☑ ⵏ r.-v.

RODOLPHE DEMOUGEOT
Les Vignots 2000★

■	n.c.	n.c.	ⱔ 15 à 23 €

Rodolphe Demougeot (33 ans) a créé son domaine il y a dix ans (7,5 ha) et a reçu le coup de cœur en 1997 (Les Vignots 94). Il présente un 2000 aux jambages importants et serrés, rubis à reflets violets, en montée de puissance. Du premier coup de nez à la finale, ce vin se montre frais, jeune et franc. Bien fruité, sans fioritures, il y a de la chair et du nerf. En finale, le kirsch se présente. Cette bouteille est sur la bonne voie. Trois ou quatre ans de garde.
➥ Dom. Rodolphe Demougeot, 2, rue du
Clos-de-Mazeray, 21190 Meursault, tél. 03.80.21.28.99,
fax 03.80.21.29.18 ☑ ⵏ r.-v.

DOUDET-NAUDIN 1999

■	1,3 ha	4 800	ⱔ 23 à 30 €

Notre coup de cœur en 1999 pour le millésime 96. Il exprime dans ce millésime 99 ses qualités derrière une belle robe rubis. Rubis profond en y regardant à deux fois. Son bouquet est ouvert : il a le nez au vent, entre le sous-bois et la vanille. En bouche, une nuance réglissée précise l'apport du chêne dans une perspective favorable. Pour les plats en sauce, lorsqu'il aura vieilli.
➥ Doudet-Naudin, 3, rue Henri-Cyrot,
21420 Savigny-lès-Beaune, tél. 03.80.21.51.74,
fax 03.80.21.50.69, e-mail doudet-naudin@wanadoo.fr
☑ ⵏ r.-v.
➥ Yves Doudet

CH. DE DRACY
Baron de Charette Monopole 1999★

■	0,4 ha	2 430	ⱔ 23 à 30 €

Forteresse militaire construite en 1298, ce château souvent remanié a conservé un superbe caractère et mérite le détour, tout comme le beau village couchois éponyme. Vinifié par Colin Ware, l'œnologue de la maison Albert Bichot, ce 99 rouge soutenu à reflets rubis offre d'agréables parfums de vanille et de sous-bois. Souple et grasse en même temps que tannique, la bouche se confie sur des notes de réglisse et de fruits mûrs. Quatre à cinq ans en cave lui feront le plus grand bien.
➥ SCA Ch. de Dracy, 71490 Dracy-lès-Couches,
tél. 03.85.49.62.13, fax 03.80.24.37.38 ⵏ r.-v.
➥ Benoît de Charette

CH. GENOT-BOULANGER 1999★

■	2,22 ha	11 600	ⱔ 15 à 23 €

Propriété de la famille Génot-Delaby depuis 1974, ce domaine de quelque 27 ha s'étend de Chambolle à Mercurey. Clos de vougeot, corton-charlemagne figurent sur la liste. Son pommard se présente sous une robe d'un rouge soutenu, limpide et sombre. Ses senteurs réglissées, gentiment boisées, annoncent quelque chose de bien. L'extraction est poussée ; concentré, ce vin possède néanmoins une structure équilibrée par l'acidité et les tanins. A ne pas boire trop vite, et avec un pâté de faisan ou de sanglier, par exemple.

🕭 SCEV Ch. Génot-Boulanger, 25, rue de Cîteaux, 21190 Meursault, tél. 03.80.21.49.20, fax 03.80.21.49.21, e-mail genot.boulanger@wanadoo.fr
☑ ⊤ r.-v.
🕭 M. Delaby

GILBERT ET PHILIPPE GERMAIN 1999★
■	0,95 ha	3 000	🍷 11 à 15 €

Il y a quarante ans, des friches boisées redevenaient des vignes. Brevet de noblesse : ce domaine de Nantoux

dans les Hautes-Côtes possède de nos jours pignon sur vigne dans la Côte. Ce pommard à la robe intense exprime seulement quelques arômes réglissés sans s'y attarder. Tannique et boisée, sa constitution doit se fondre pour sortir du rang. Le pari ne semble pas trop risqué car la persistance sont de qualité.

🕭 Gilbert et Philippe Germain, 21190 Nantoux, tél. 03.80.26.05.63, fax 03.80.26.05.12, e-mail germain.vins@wanadoo.fr ☑ ⬆ ⊤ r.-v.

GERMAIN PERE ET FILS 1999★
■	0,85 ha	2 600	🍷 11 à 15 €

Mi-pourpre mi-grenat, ce 99 délivre des arômes de bonne intensité. Sauvages, on a du mal à les fixer, mais il faut savoir les retenir (fruits mûrs). En bouche, les tanins et le boisé font une arrivée assez réussie au milieu du

BOURGOGNE

La côte de Beaune (Centre-Nord)

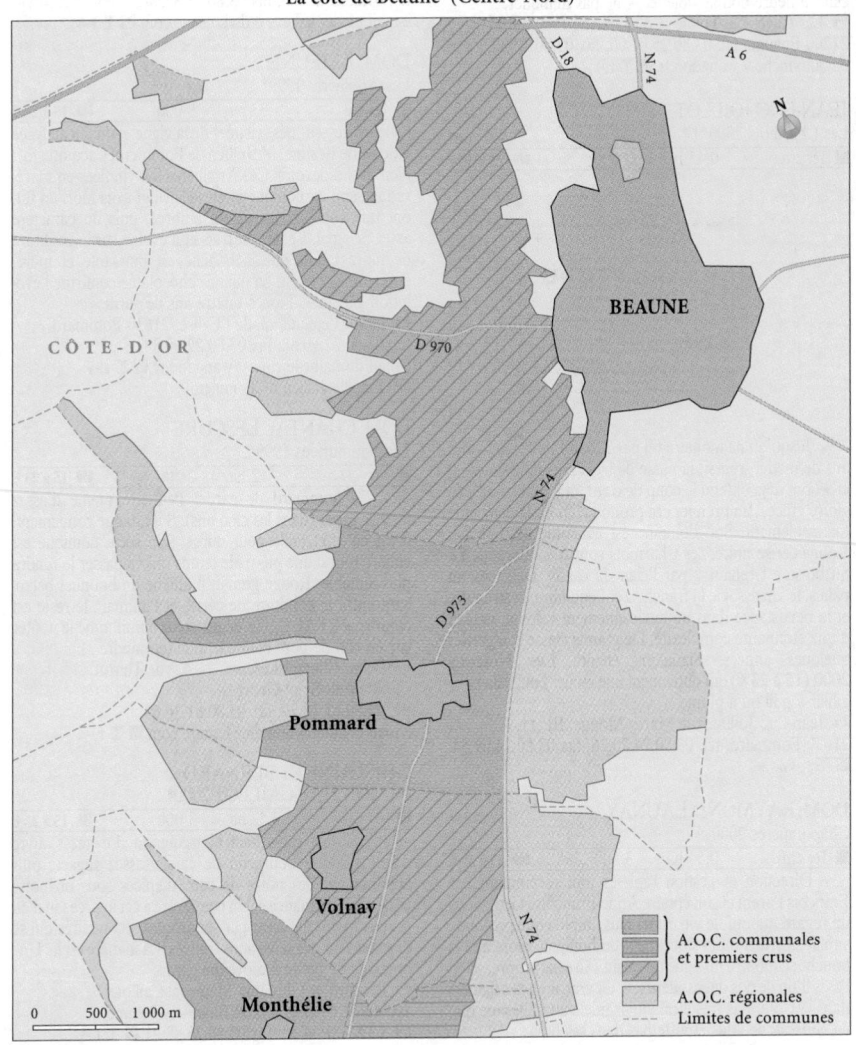

- A.O.C. communales et premiers crus
- A.O.C. régionales
- Limites de communes

parcours. Le tout est rond et généreux, enveloppé d'un peu de fruit. Sa délicatesse de sentiments devrait se maintenir au moins deux ans. Coup de cœur dans notre édition 1998.
🐦 EARL Dom. Germain Père et Fils,
rue de la Pierre-Ronde, 21190 Saint-Romain,
tél. 03.80.21.60.15, fax 03.80.21.67.87,
e-mail patrick.germain8@wanadoo.fr ☑ ⛫ ⌇ r.-v.

LES CAVES DES HAUTES-COTES 2000★

■	n.c.	21 000	⦀ 15 à 23 €

Qui l'eût cru ? Les coopérateurs des Hautes-Côtes ont pris naguère le contrôle de la Cave de Pommard. D'où sans doute ces 3 ha sur les 520 que vinifie aujourd'hui cette cave considérable. « Vin plutôt bien fait », note un dégustateur sur sa fiche. Il pratique la litote bourguignonne car il s'agit en fait d'un pommard très typé, frais et fruité, assez bavard en bouche et exprimant un vrai caractère. Rubis clair, il fleure bon la violette. À ne pas manquer.
🐦 Les Caves des Hautes-Côtes, rte de Pommard,
21200 Beaune, tél. 03.80.25.01.00, fax 03.80.22.87.05,
e-mail vinchc@wanadoo.fr ☑ ⌇ r.-v.

JEAN-LUC JOILLOT
Les Charmots 2000★★★

■ 1er cru	0,45 ha	2 400	⦀ 23 à 30 €

Jusqu'où ne montera-t-il pas ? Jean-Luc Joillot, vingt ans de métier, réussit la passe de trois : ses millésimes 90 et 99 ont déjà obtenu le coup de cœur, et il renoue avec la gloire grâce à un premier cru produit ici pour la deuxième fois seulement. Son domaine est constitué de 13,5 ha. Rouge cerise noire, ces Charmots sont très odorants. Le fin boisé est rehaussé par l'élan du cassis. Délicieux au palais, le vin associe la franchise et l'équilibre, la structure et la persistance dans un environnement velouté, gras et d'une étonnante complexité. De grande classe et à garder quelques années. Signalons encore **Les Noizons 2000** (15 à 23 €) qui obtiennent une étoile. Tout cela pour gibier à poil ou à plume.
🐦 Jean-Luc Joillot, rue Marey-Monge, BP 11,
21630 Pommard, tél. 03.80.24.20.26, fax 03.80.24.67.54
☑ ⌇ r.-v.

DOM. RAYMOND LAUNAY
Chaponnières 2000

■ 1er cru	0,59 ha	3 900	⦀ 23 à 30 €

Direction et gestion reprises tout récemment par François Parent et son épouse Anne-Françoise Gros. Sous un regard attentif, le vin est ici plus limpide que profond ; vanille et fruits mûrs s'occupent du bouquet, alors que la bouche se montre mi-figue mi-raisin. Au sens propre, selon l'avis d'un de nos dégustateurs. C'est vrai, il y a des figuiers dans la Côte. Pas très étoffé mais fidèle au millésime qui, en général, ne vous étouffe pas dans ses bras.

🐦 Dom. Raymond Launay, rue des Charmots,
21630 Pommard, tél. 03.80.24.08.03, fax 03.80.24.12.87,
e-mail domaine.launay@wanadoo.fr ☑ ⌇ t.l.j. 9h-18h30;
groupes sur r.-v.

OLIVIER LEFLAIVE 1999★

■	n.c.	n.c.	⦀ 23 à 30 €

« Tu n'es pas à la Croix de Pommard... » disait-on jadis à quelqu'un qui n'était pas au bout de ses peines. On peut dire la même chose à ce vin plaisir qui tapisse admirablement le palais, suave et d'une finition parfaite ; mais seul l'âge lui permettra de quitter son armure boisée pour adopter le vêtement qui lui conviendra beaucoup mieux. Naguère cogérant du domaine Leflaive, Olivier suit sa propre voie de viticulteur et de négociant-éleveur.
🐦 Olivier Leflaive, pl. du Monument,
21190 Puligny-Montrachet,
tél. 03.80.21.37.65, fax 03.80.21.33.94,
e-mail olivier-leflaive@dial.oleane.com ☑ ⌇ r.-v.

DOM. LEJEUNE
Les Argillières 1999★

■ 1er cru	1,33 ha	8 000	⦀ 15 à 23 €

Professeur des sciences de la vigne et du vin au lycée viticole de Beaune, M. Jullien de Pommerol s'acquitte fort bien de ses devoirs. Ces Argillières 99, vinifiées en macération semi carbonique et élevées vingt-trois mois en fût, ont une couleur légèrement ambrée, puis un caractère assez original. Le nez est frais et il évolue sur la confiture de mûre tandis que la bouche est puissante et mûre, goûteuse à souhait. Sa nuance chocolatée confirme l'évolution générale. Trois à quatre ans de garde.
🐦 Dom. Lejeune, pl. de l'Eglise, 21630 Pommard,
tél. 03.80.22.90.88, fax 03.80.22.90.88,
e-mail domaine-lejeune@wanadoo.fr ☑ ⌇ r.-v.
🐦 Famille Jullien de Pommerol

DOM. CHANTAL LESCURE
Les Vaumuriens 1999★

■	2 ha	2 500	⦀ 15 à 23 €

Un pommard de garde. Peut-être même d'assez longue garde (dans les cinq ans). S'il attaque rondement, il est en effet taillé pour durer. Son socle tannique est encore tout d'une pièce : le temps qui va passer le rendra plus aimable. Rouge grenat, il affiche un bouquet balançant entre la confiture de cerise et l'animal ; le reste est conforme à l'AOC. Un dégustateur aurait aimé le goûter sur un rôti de porc bien parfumé (coriandre...).
🐦 Dom. Chantal Lescure, 34 A, rue Thurot,
21700 Nuits-Saint-Georges,
tél. 03.80.61.16.79, fax 03.80.61.36.64,
e-mail contact@domaine-lescure.com ☑ ⌇ r.-v.

GHISLAINE ET BERNARD MARECHAL-CAILLOT 2000★

■	0,52 ha	3 000	⦀ 15 à 23 €

Voici un rubis bien bourguignon. Le nez s'ouvre d'abord sur le bourgeon de cassis, assez fugace, puis apparaissent des notes de cuir, d'épices sous un boisé correctement maîtrisé. Un peu sévère à cet âge, ce vin n'en est pas moins agréable par ses arômes secondaires qui se dégagent sur des sensations fruitées. La matière est là. Une bouteille de petite à moyenne garde.
🐦 Bernard et Ghislaine Maréchal-Caillot,
10, rte de Chalon, 21200 Bligny-lès-Beaune,
tél. 03.80.21.44.55, fax 03.80.26.88.21 ☑ ⌇ r.-v.

DOM. MAZILLY PERE ET FILS 1999★★

■   1,2 ha   7 000   ◫ 15 à 23 €

La beauté même tout en gardant les pieds sur terre. Un pommard qui s'épanouit à l'air libre et qui possède un fort potentiel. Il a d'ailleurs participé au grand jury pour le coup de cœur. Il est grenat un peu bleuté, peu communicatif au nez (nuances de fruits rouges et de gibier) et de grande race dès qu'on aborde le vif du sujet. À la fois charpenté et charnu, rond et tannique, il a envie d'en dire plus. Et il le dira dans les quatre à cinq ans. « Typique de l'image qu'on se fait d'un pommard », conclut un expert.

⌐ Dom. Mazilly Père et Fils, rte de Pommard, 21190 Meloisey, tél. 03.80.26.02.00, fax 03.80.26.03.67 ☑ ⏀ r.-v.

DOM. MOISSENET-BONNARD
Les Pézerolles 2000★★

■ 1er cru   0,26 ha   1 500   ◫ 15 à 23 €

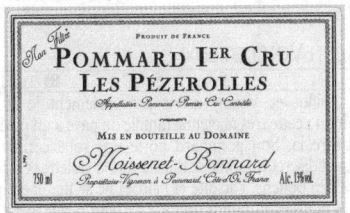

Une cave où l'on ne s'ennuie vraiment pas. D'excellents **Petits Epenots 2000** et des **Charmots 2000** très prometteurs obtiennent chacun une étoile alors que ces Pézerolles sont récompensés par un éblouissant coup de cœur. La robe rappelle le mot de Victor Hugo à propos du pommard : « Le combat du jour et de la nuit ». Le kirsch illumine le bouquet qui, encore jeune, apparaît déjà riche et flatteur. À la rondeur de l'attaque succède une charpente puissante, consistante, d'une exceptionnelle présence. Ce millésime mythique demande à se garder car il n'a pas fini de progresser. Son seul défaut : sa rareté. N'oublions pas le conseil gastronomique : une tourte chaude à base de gibier.

⌐ Dom. Moissenet-Bonnard, rte d'Autun, 21630 Pommard, tél. 03.80.24.62.34, fax 03.80.22.30.04 ☑ ⏀ t.l.j. 9h-12h30 13h30-19h; sam. dim. sur r.-v.; f. fév.

DOM. PARENT
Les Chaponnières 1999★

■ 1er cru   0,6 ha   4 300   ◫ 23 à 30 €

Les **Epenots 99 (30 à 38 €)** retiennent l'attention avec le même succès que ces Chaponnières grenat bleuté. Franc de nez, ce vin réussit un sans-faute lors du concours complet, jouant le fruit rouge et un boisé harmonieux. Une certaine originalité s'en dégage. Sa longueur est très appréciée. A ne pas ouvrir tout de suite, puis à servir sur des viandes rouges.

⌐ SAE Dom. Parent, pl. de l'Eglise, BP 8, 21630 Pommard, tél. 03.80.22.15.08, fax 03.80.24.19.33, e-mail parent-pommard@axnet.fr ☑ ⏀ r.-v.

DOM. ANNICK PARENT
Les Rugiens 2000

■ 1er cru   0,49 ha   1 600   ◫ 23 à 30 €

Pour la première fois depuis des lustres, une femme est à la tête du domaine. Déguster des Rugiens ne se refuse pas. Grenat brillant, ils ne souffrent pas d'un excès de bois et entonnent un air connu : mûre, myrtille. Ils ne sont pas bâtis pour le dix mille mètres mais pour le demi-fond. La sévérité actuelle ne nuit pas à l'harmonie générale. Pour accompagner ce vin, la maîtresse de maison confectionnera des papillotes de pieds de porc avec estouffade de légumes.

⌐ Dom. Annick Parent, rue du Château-Gaillard, 21190 Monthélie, tél. 03.80.21.21.98, fax 03.80.21.21.98, e-mail annick.parent@wanadoo.fr ☑ ⏀ r.-v.

⌐ Jean Parent

FRANCOIS PARENT
Les Pézerolles 2000★

■ 1er cru   n.c.   1 300   ◫ 23 à 30 €

Pézerolles (pois chiche) a donné son nom à une famille du cru. Les Pézerolles de Montjeu ont beaucoup contribué aux sciences de la vigne en Bourgogne, durant les années 1800. Le rubis de la robe de ce pommard est légèrement cuivré, son bouquet est à demi fermé. Le terroir habite son corps qui monte en puissance de façon régulière et sûre. Bel exercice de style sur un sujet difficile : un vin à la fois tannique et velouté. Sa pointe réglissée s'accordera à la blanquette de veau qui mijote déjà sur le feu.

⌐ François Parent, Ch. des Guettes, 14 bis, rue Pierre-Joigneaux, 21200 Beaune, tél. 03.80.22.61.85, fax 03.80.24.03.16, e-mail francois@parent-pommard.com ☑ ⏀ r.-v.

DOM. PARIGOT PERE ET FILS
Clos de la Chanière 2000★

■ 1er cru   0,86 ha   5 500   ◫ 15 à 23 €

La Chanière se trouve sur la route de Saint-Romain en quittant le village. Elle produit un premier cru pourvu d'un bon potentiel mais qui, incontestablement, peut se déguster dès à présent si on aime les vins jeunes. Robe superbe et nez de terroir entre cuir et réglisse. Pas déplaisant du tout. Ayant éliminé les ardeurs de son fût mais encore tannique, un pommard bien typé et qui tient sur ses pieds. Ce domaine a reçu un coup de cœur il y a tout juste dix ans pour son 90.

⌐ Dom. Parigot Père et Fils, rte de Pommard, 21190 Meloisey, tél. 03.80.26.01.70, fax 03.80.26.04.32 ☑ ⏀ r.-v.

DOM. DU PAVILLON
Clos du Pavillon Monopole 1999★

■   3,86 ha   25 500   ◫ 30 à 38 €

Le Clos du Pavillon fait partie des acquisitions heureuses de la maison Albert Bichot. C'est en 1993 qu'elle a pris pied dans cette propriété dont la cave d'une seule travée peut accueillir huit cents pièces de vin. Cette bouteille y est née. Ses dix-huit mois de fût lui ont permis de se parer d'un rubis intense, de se parfumer de rose et de framboise, et de se concentrer sur le sujet « boisé mais sans excès » : elle tient son rang. Le jury lui propose un rôti de veau longuement glacé au four. La maison présente aussi un **Clos Micault 1er cru 99** qui obtient une étoile.

⌐ Albert Bichot, Dom. du Pavillon, 6 bis, bd J.-Copeau, 21200 Beaune, tél. 03.80.24.37.37, fax 03.80.24.37.38

LOUISE PERRIN 2000

■ 1er cru   n.c.   600   ⦙⦙⦙ 23 à 30 €

« Le parler que j'aime, disait Montaigne, c'est un parler simple et naïf, succulent et nerveux, court et serré... » N'est-ce pas celui de cette bouteille ? Le teint couperosé de nos vieux vignerons, une odeur de fond de cave, on trouve ici la fraîcheur du fruit, des tanins bien fondus, une certaine vivacité. Un parler simple et spontané. Mme Perrin a acquis en 2001 cette maison familiale et en a réaménagé les caves à l'intention de ses vins.
⌖ Louise Perrin, 9, rue Franche, 21420 Aloxe-Corton, tél. 03.80.26.46.70, fax 03.80.26.47.16, e-mail cave-louise-perrin @ wanadoo.fr ☑ ⵢ t.l.j. 8h-22h

CH. DE POMMARD 1999★

■   19 ha   40 000   ⦙⦙⦙ 30 à 38 €

Le plus vaste domaine viticole d'un seul tenant en Côte-d'Or : 19 ha ceints de murs. C'est l'œuvre de la famille Marey-Monge au début du XIXᵉs., à laquelle succède ici le Pr. Jean-Louis Laplanche, l'un des plus éminents psychanalystes français. Seuls 40 % de la récolte (vieilles vignes) composent la cuvée Château de Pommard. Son édition 99 apparaît harmonieuse et racée sous un rubis foncé à reflets grenat. Le nez est complexe à souhait (animal, petits fruits noirs et épices). Structuré et puissant, « il est bien balancé », et sa longueur est prometteuse.
⌖ Jean-Louis Laplanche, Ch. de Pommard, 21630 Pommard, tél. 03.80.22.07.99, fax 03.80.24.65.88 ☑ ⵢ t.l.j. 9h-18h d'avril à nov.

DOM. REBOURGEON-MURE

Grands-Épenots 2000★

■ 1er cru   0,28 ha   1 500   ⦙⦙⦙ 15 à 23 €

Pommard fut au XIXᵉs. un nom particulièrement usurpé. Il sonnait bien. Tout vin rouge bourguignon tannique, robuste et haut en couleur, recevait à Bercy (célèbre pour ses « baptistères ») cette étiquette. Maintenant, l'identité est respectée. Cette bouteille pourpre et de bonne intensité pour le millésime offre un bouquet où vanille et cerise noire se marient. Le gras est bienvenu et les tanins aujourd'hui présents se manifesteront sur le tard de façon sympathique.
⌖ Dom. Rebourgeon-Mure, Grande-Rue, 21630 Pommard, tél. 03.80.22.75.39, fax 03.80.22.71.00 ☑ ⵢ r.-v.

CAVE PRIVEE D'ANTONIN RODET

Clos Blanc 1999★★

■ 1er cru   n.c.   3 192   ⦙⦙⦙ 38 à 46 €

Disputer la finale du coup de cœur n'est pas à la portée de toutes les bouteilles. Celle-ci y réussit. Choisissez-la pour surprendre vos invités au-delà des Epenots, le Clos Blanc est un... rouge. Robe cassis et nez cerise, ce 99, très extrait, a de l'ampleur. La vanille du fût est bien fondue et laisse percer un joli goût fruité. À attendre de un à dix ans, selon votre curiosité. Une mention pour **Les Épenots 99 1er cru**, plus simples et d'une avancée encore assez sauvage.
⌖ Antonin Rodet, 71640 Mercurey, tél. 03.85.98.12.12, fax 03.85.45.25.49, e-mail rodet @ rodet.com
☑ ⵢ t.l.j. sf sam. dim. 9h-12h 14h-18h

REGIS ROSSIGNOL-CHANGARNIER 1999★

■   0,51 ha   2 100   ⦙⦙⦙ 15 à 23 €

Tendre et sauvage, nous dit-on de ce 99 issu de vendanges triées non égrappées. Sa couleur est très accentuée. Des notes animales, des fruits noirs concentrés forment son bouquet. Les tanins participent à la construction de la charpente et donnent un aspect encore sévère à cette bouteille épicée, qui attend son heure car le fruit est en embuscade, prêt à bondir.
⌖ Régis Rossignol, rue d'Amour, 21190 Volnay, tél. 03.80.21.61.59, fax 03.80.21.61.59 ☑ ⵢ r.-v.

VAUDOISEY-CREUSEFOND 1999★

■   1,51 ha   5 500   ⦙⦙⦙ 11 à 15 €

Comme chacun d'entre nous, il ne restera pas toujours jeune. Aussi conseillons-nous de déboucher cette bouteille dans quelques mois, afin de profiter de la rondeur du fruit, d'un tempérament chaleureux et, en définitive, assez tendre. Rouge griotte, elle hésite encore entre la vanille et la framboise, mais elle sait qu'elle devra bientôt opter. Un bon point pour la soie de ses tanins.
⌖ Vaudoisey-Creusefond, rte d'Autun, 21630 Pommard, tél. 03.80.22.48.63, fax 03.80.24.16.81 ☑ ⵢ r.-v.

JOSEPH VOILLOT 2000

■   1,9 ha   5 000   ⦙⦙⦙ 11 à 15 €

Voillot et Volnay n'ont pas seulement le V en commun : cette très ancienne famille du pays a un pied ici et l'autre là. Son pommard porte une robe cerise. Le bouquet discret et raffiné se tourne vers la violette et la rose fanée. En bouche, l'acidité et l'alcool ne se marchent pas sur les pieds et les tanins sont sur un petit nuage. Ce n'est pas le Parthénon, mais un vin gracieux dont le potentiel aura produit des intérêts d'ici deux ans.
⌖ Dom. Joseph Voillot, pl. de l'Eglise, 21190 Volnay, tél. 03.80.21.62.27, fax 03.80.21.66.63 ☑ ⵢ r.-v.

Volnay

Blotti au creux du coteau, le village de Volnay évoque une jolie carte postale bourguignonne. Moins connue que sa voisine, l'appellation n'a rien à lui envier, et les vins sont tout en finesse ; ils vont de la légèreté des Santenots, situés sur la commune voisine de Meursault, à la solidité et à la vigueur du Clos des Chênes ou des Champans. Nous ne les citerons pas tous ici de peur d'en oublier... Le Clos des Soixante Ouvrées y est également très connu et donne l'occasion de définir l'ouvrée : quatre ares et vingt-huit centiares, unité de base des terres viticoles correspondant à la surface travaillée à la pioche par un ouvrier dans sa journée, au Moyen Age.

De nombreux auteurs du siècle dernier ont cité le vin de Volnay. Nous rappellerons le vicomte de Vergnette qui, en 1845, au congrès des Vignerons français, terminait ainsi son savant rapport : « Les vins de Volnay seront encore longtemps comme ils étaient au XIVᵉ s., sous nos ducs, qui y possédaient les vignobles de Caille-du-Roy (Cailleray, devenu Caillerets) : les premiers vins du monde. » Signalons que 7 685 hl de volnay ont été produits en 2001.

BITOUZET-PRIEUR
Clos des Chênes 1999

■ 1er cru	0,35 ha	2 150	ⅢⅢ 23 à 30 €

Un Clos des Chênes boisé ne surprend pas tellement. Rouge à reflets rosés, ce vin, dont 20 % est élevé en fût neuf, a un parfum éclaté entre la fraise, le sous-bois, le petit fruit dans l'alcool. Intéressant, tout ça ! La charpente est légère, mais l'accord acidité-tanins se réalise sans peine. Ce domaine allant de Beaune à Puligny (12 ha), né de deux familles de Volnay et de Meursault, propose également un **1er cru Caillerets 99**, cité, à attendre trois ans.
🖝 Vincent Bitouzet-Prieur, rue de la Combe, 21190 Volnay, tél. 03.80.21.62.13, fax 03.80.21.63.39
☑ ⟲ r.-v.

ERIC BOIGELOT
Les Santenots 1999★

■ 1er cru	0,16 ha	1000	ⅢⅢ 15 à 23 €

Les 8 ha du domaine comportent quatre ouvrées de Santenots, et ce *climat* ne passe jamais inaperçu. Grenat à reflets légèrement tuilés, ce 99 a besoin d'aération pour apaiser les ardeurs d'un nez sauvage, un peu foxé. Doté d'un beau corps et de mâche, il a du caractère. Rien n'agressif cependant, et le fruit tapisse bien la bouche. Attente de deux à trois ans fortement conseillée.
🖝 Dom. Eric Boigelot, 21, rue des Forges, 21190 Meursault, tél. 03.80.21.65.85, fax 03.80.21.66.01
☑ ⟲ r.-v.

DOM. BOUCHARD PERE ET FILS
Caillerets Ancienne Cuvée Carnot 1999★★

■ 1er cru	4 ha	n.c.	■ⅢⅢ⟱ 23 à 30 €

Le berceau de la famille Carnot se situe à Nolay. Elle possédait naguère des vignes assez nombreuses en Côte de Beaune – d'où le nom de cette cuvée. L'organisateur de la victoire est ici le fruit rouge. Comme on s'y attend, l'attaque est bien enlevée avec ce qu'il faut de tanins en appui. Nuance de café au nez, ce 99 se montre élégant et racé. Laissez-le prendre du galon durant quelques années de garde.
🖝 Bouchard Père et Fils, Ch. de Beaune, 21200 Beaune, tél. 03.80.24.80.24, fax 03.80.22.55.88, e-mail france@bouchard-pereetfils.com ⟲ r.-v.

DOM. VINCENT BOUZEREAU
Les Champans 1999★

■ 1er cru	0,2 ha	900	ⅢⅢ 15 à 23 €

Vincent a le culte des aïeux. Il vient d'éditer une série de cartes postales illustrées de photos de son grand-père vigneron. Elevé à bonne école, et pourvu de 7 ha, il connaît son métier. Ce 1er cru est en effet à la hauteur du sujet. Rubis sombre, il se contente pour l'instant d'un nez discret, fruité et réglissé. Tannique et d'une longueur suffisante, bien équilibré, ce vin est à attendre trois ans.
🖝 Vincent Bouzereau, 7, rue Labbé, 21190 Meursault, tél. 03.80.21.61.08, fax 03.80.21.65.97
☑ ⟲ r.-v.

PIERRE BOUZEREAU-EMONIN
Santenots 1999★

■ 1er cru	n.c.	2 000	ⅢⅢ 15 à 23 €

Un peu de chaleur, du corps, de la matière, de la longueur : ce Santenots grenat garde des reflets de jeunesse. Au nez, la violette apparaît sur des notes animales avec des touches de fruits rouges : l'équation est correcte et le reste en bouche, malgré des tanins qui vont se calmer après deux ou trois ans de garde.
🖝 Pierre Bouzereau-Emonin, 7, rue Labbé, 21190 Meursault, tél. 03.80.21.23.74, fax 03.80.21.24.39
☑ ⟲ r.-v.

DOM. FRANCOIS BUFFET
Clos de la Rougeotte Monopole 1999★★

■ 1er cru	0,5 ha	1 500	ⅢⅢ 23 à 30 €

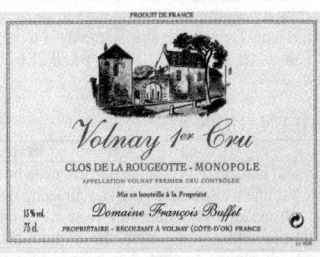

Les 7 ha du domaine passent en revue les meilleurs crus de pommard et de volnay. Coup de cœur pour un mémorable Clos des Chênes 94, Jacques Buffet propose ici un remarquable premier cru en Monopole, le Clos de La Rougeotte situé dans Les Frémiets. Ce vin, superbe et velouté, au nez de myrtille et de laurier, se montre complexe et d'un équilibre fabuleux. Deux autres **volnay 1er cru 99, Clos des Chênes** et **Champans** obtiennent chacun une étoile.
🖝 Dom. François Buffet, petite place de l'Eglise, 21190 Volnay, tél. 03.80.21.62.74, fax 03.80.21.65.82, e-mail dfbuffet@aol.com ☑ ⟲ r.-v.

MAISON CHANDESAIS 2000

■	n.c.	16 000	ⅢⅢ 15 à 23 €

Vieille maison de la Côte chalonnaise reprise par Michel Picard. Son volnay n'y va pas par quatre chemins. Il accroche tout de suite le regard grâce à sa robe engageante. Intense, limpide, rien ne lui manque. La framboise s'installe au cœur du bouquet et n'en bouge plus. Un certain boisé apparaît et se poursuit en bouche sans que l'on en souffre. Si la finale demeure un peu tannique, sa structure n'inspire aucune critique.
🖝 SA Emile Chandesais, rue Saint-Nicolas, 71150 Chagny, tél. 03.85.91.41.77, fax 03.85.91.40.26
🖝 Michel Picard

CHARTRON ET TREBUCHET 1999

■	n.c.	2 100	ⅢⅢ 15 à 23 €

Louis Trébuchet a cédé ses parts dans l'affaire Chartron et Trébuchet. Le nom subsistera néanmoins durant quelques années. Le mariage du fût et du vin donnera dans deux ou trois ans quelque chose de bon sur un fond mokaté. La bouche, d'une certaine tenue, joue sur la finesse. La robe est couleur griotte. L'ensemble est élégant.

➤ Chartron et Trébuchet, 13, Grande-Rue,
21190 Puligny-Montrachet, tél. 03.80.21.32.85,
fax 03.80.21.36.35, e-mail info@chartron-trebuchet.com
☑ ϒ r.-v.

HENRI DELAGRANGE ET FILS
Clos des Chênes 2000★

■ 1er cru	0,65 ha	3 800	⦙⦙⦙ 15 à 23 €

Vieille et solide famille où bourguignonne rime avec
vigneronne. *Veritas... Qualitas.* L'étiquette explicite introduit un volnay haut de gamme, au potentiel important et
d'une typicité indiscutée. Rouge-violet, il possède un de ces
nez animaux et fruités qui donnent envie de passer sa vie
à Volnay. Son nez est encourageant, et l'on sait le sens de
la litote des Bourguignons. Pleine et entière, un peu
mordante aujourd'hui (elle devra attendre l'âge mûr), la
bouche est cohérente avec le nez. Des paupiettes de volaille
aux morilles à préparer en 2004 pour l'accompagner.
➤ Dom. Henri Delagrange et Fils, rue de la Cure,
21190 Volnay, tél. 03.80.21.61.88, fax 03.80.21.67.09
☑ ϒ r.-v.

DOUDET-NAUDIN 2000★

■	0,55 ha	2 400	⦙⦙⦙ 11 à 15 €

On sent la main d'un homme derrière cette bouteille
produite par une maison de négoce-éleveur, coup de cœur
en 1997 (Brouillards 94). Alain Ambroise est en effet un
maître de chai réputé et il présente ici un pinot noir à la
robe particulièrement sombre. Les arômes sont encore
serrés et ils prennent une allure de pain d'épice, de bois très
présent. Il offre cependant un beau volume, dense et
intense, après une attaque plutôt suave. L'extraction à
l'état pur. Ne pas ouvrir avant deux ans.
➤ Doudet-Naudin, 3, rue Henri-Cyrot,
21420 Savigny-lès-Beaune, tél. 03.80.21.51.74,
fax 03.80.21.50.69, e-mail doudet-naudin@wanadoo.fr
☑ ϒ r.-v.
➤ Yves Doudet

DOMAINES BERNARD
ET LOUIS GLANTENAY
Les Santenots 1999

■ 1er cru	0,67 ha	2 120	⦙⦙⦙ 15 à 23 €

Des Santenots produits sur plus d'un demi-hectare.
Leur nuance ? Grenat très légèrement tuilé. Leur bouquet ? La violette y trouve sa place parmi d'autres sensations, comme les fruits en compote. Et en bouche ?
L'attaque est bien conduite, ouvrant sur une matière solide
et une bonne rétro sur le fruit. Il y a là du corps, mais aussi
de la souplesse. Il s'agit d'un domaine familial implanté ici
depuis fort longtemps.
➤ SCE Bernard et Louis Glantenay, rue de Vaut,
21190 Volnay, tél. 03.80.21.62.20, fax 03.80.21.67.78,
e-mail glantenay@wailea9.com ☑ ϒ r.-v.

GRIVELET PERE ET FILS 1999

■	n.c.	14 000	⦙⦙⦙ 23 à 30 €

D'un rubis tout à fait bourguignon, il dispose de tout
le potentiel nécessaire à une assez longue garde. Son
bouquet n'est pas encore très expansif, sur des notes
végétales. L'ensemble (fruits et tanins) s'appuie sur une
structure satisfaisante, mais sa dureté actuelle conduit à
poursuivre son élevage. Maison naguère très connue dans
la Côte, Grivelet Père et Fils est aujourd'hui reprise par
Jean-Claude Boisset.

➤ Grivelet Père et Fils, quai Dumorey,
21700 Nuits-Saint-Georges, tél. 03.80.62.60.80,
fax 03.80.62.61.60 ☑

DOM. JEAN GUITON
Les Petits Poisots 1999

	0,35 ha	2 000	⦙⦙⦙ 11 à 15 €

L'église Saint-Cyr possède une belle *Adoration des
Mages*. Et l'on imagine Melchior ou Balthazar offrant
discrètement à saint Joseph une bouteille de volnay...
celle-ci par exemple, très colorée et le nez tirant sur le café,
la cannelle. Beaucoup de concentration et de vigueur :
l'extraction est ici à son maximum. Dans un contexte
rustique et qui « terroite », la matière est de qualité.
➤ Dom. Jean Guiton, 4, rte de Pommard,
21200 Bligny-lès-Beaune, tél. 03.80.26.82.88,
fax 03.80.26.85.05,
e-mail domaine.guiton@libertysurf.fr ϒ r.-v.

DOM. ANTONIN GUYON
Clos des Chênes 1999★★

■ 1er cru	0,87 ha	4 800	⦙⦙⦙ 23 à 30 €

Bossuet adorait le vin de Volnay et y trempait
volontiers sa plume pour écrire ses oraisons. Celle-ci n'a
rien de funèbre. Un 99 de très bonne qualité. D'un rouge
violacé, il rappelle une page de Malaparte dans *Kaputt*
consacrée au vin de Bourgogne dans une légation nordi-
que ; de père en fils les Guyon (48 ha de vignes) ne sont-ils
pas à Dijon consuls de Finlande ? Bouquet, fin et complexe, de fruits à l'eau-de-vie sur vanille, épices et compagnie. Le cassis siège au palais. Ce vin complet est à attendre
bien sûr. Bossuet eût été satisfait.
➤ Dom. Antonin Guyon, 21420 Savigny-lès-Beaune,
tél. 03.80.67.13.24, fax 03.80.66.85.87,
e-mail vins@guyon-bourgogne.com ☑ ϒ r.-v.

DOM. HUBER-VERDEREAU
Robardelles 2000★

■	1 ha	6 400	⦙⦙⦙ 11 à 15 €

Juste en dessous du Caillerets sur le coteau, ce *climat*
s'épanouit ici de la meilleure manière. Rouge cerise
d'intensité moyenne et à reflets sombres, un 2000, issu d'un
domaine de 5,5 ha (les Jeunes Professionnels de la Vigne,
l'ont honoré en 2000), reste autour de notes de café et de
fruits secs. D'une bonne structure générale au terme d'une
attaque aimable, franche et sans nervosité, accompagnée
d'un boisé bien mené, il commence à peine à s'ouvrir. Ce
sera un très beau vin dans deux ou trois ans.
➤ Dom. Huber-Verdereau, rue de la Cave,
21190 Volnay, tél. 03.80.22.51.50, fax 03.80.22.48.32
☑ ϒ r.-v.

DOM. MICHEL LAFARGE 1999

■	2 ha	10 000	⦙⦙⦙ 15 à 23 €

L'habit ne fait peut-être pas le moine, mais il est clair
que ce beau carmin brillant annonce un produit intéressant. Quelques notes de fruits noirs parsèment la bouche
où le fruit et le bois s'équilibrent. L'alcool introduit
aujourd'hui en bouche une certaine sécheresse, mais le
gras, les tanins ont un côté sympathique qui l'emporte sur
toute autre considération. Domaine de 10 ha, dont deux
pour ce *village*.
➤ Dom. Michel Lafarge, rue de la Combe,
21190 Volnay, tél. 03.80.21.61.61, fax 03.80.21.67.83
☑ ϒ r.-v.

OLIVIER LEFLAIVE
Clos des Angles 1999★

■ 1er cru	n.c.	n.c.	Ⅲ 23 à 30 €

Olivier Leflaive fut coup de cœur en volnay dans l'édition 1991 et pour un 87. Quant à ce Clos des Angles, il se montre charnu et velouté. Pourpre plein d'éclat, il a le nez bien ouvert : sa gamme aromatique va du floral (iris) aux épices en passant par la confiture de framboises. Si son attaque est vive, les tanins sont déjà enrobés, et ce 99 est disposé à passer à table pendant trois ou quatre ans. Cette maison de négoce-éleveur fut fondée par un ancien cogérant du Domaine Leflaive.
🍷 Olivier Leflaive, pl. du Monument,
21190 Puligny-Montrachet,
tél. 03.80.21.37.65, fax 03.80.21.33.94,
e-mail olivier-leflaive@dial.oleane.com ☑ ⵓ r.-v.

CH. DE MEURSAULT
Clos des Chênes 1999

■ 1er cru	2,63 ha	15 000	Ⅲ 30 à 38 €

Ancien et vaste domaine bourguignon avec 60 ha, ce château possède une bonne part de ce 1er cru. Structuré mais fin, carmin à reflets clairs, ce 99, encore bien jeune, se montre fruité et épicé. Le boisé confère des notes de torréfaction, de réglisse, bien mesurées. Deux ou trois ans de garde apporteront le plaisir qu'on attend d'un 1er cru.
🍷 Dom. du Château de Meursault, 21190 Meursault, tél. 03.80.26.22.75, fax 03.80.26.22.76 ☑ ⵓ r.-v.

DOM. RENE MONNIER
Clos des Chênes 2000★

■ 1er cru	n.c.	4 000	Ⅲ 11 à 15 €

Ce Clos des Chênes met le jury d'accord : il est prometteur et il ne sera pas, plus tard, le moins doué des enfants du domaine (16 ha). Doté d'une robe framboise et d'un nez animal, il réussit son examen en bouche. Charnu, charpenté, il demande à s'affiner et à courir sur une plus longue distance, mais il a déjà un bon capital à faire valoir sur un pigeon.
🍷 Dom. René Monnier, 6, rue du Dr-Rolland,
21190 Meursault, tél. 03.80.21.29.32, fax 03.80.21.61.79
☑ ⵓ t.l.j. 8h-12h 14h-18h
🍷 M. et Mme Bouillot

DOM. ANNICK PARENT
Fremiets 1999★★★

■ 1er cru	0,74 ha	3 500	Ⅲ 23 à 30 €

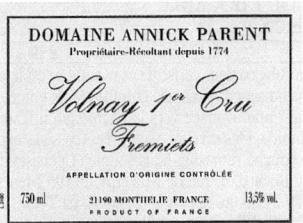

Les cuves sont en bois. Le pressoir à vis verticale date de 1932. Et voyez-vous, cela donne un coup de cœur ! Première femme à la tête du domaine depuis sa fondation en 1774, cette viticultrice observe les pratiques culturales de la lutte raisonnée et réussit un vin pourpre sombre au bouquet puissant et riche. On y décèle les fruits noirs dans un élan poivré. Souple et généreux, d'une charpente suffisante, il affirme progressivement des tanins bien campés mais rassurants. Digne d'un turbot grillé ou d'une entrecôte charolaise !
🍷 Dom. Annick Parent, rue du Château-Gaillard,
21190 Monthélie, tél. 03.80.21.21.98,
fax 03.80.21.21.98, e-mail annick.parent@wanadoo.fr
☑ ⵓ r.-v.

DOM. PONSARD-CHEVALIER
Cros Martin 2000

■	0,39 ha	1000	Ⅲ 11 à 15 €

Michel Ponsard et Danielle Chevalier ont créé leur domaine en 1977. Leur fils Stéphane travaille aujourd'hui avec eux sur les 10 ha exploités. Cros Martin est un *climat* de l'AOC village, côté soleil levant. Cros signifie « clos » et Martin est sans aucun doute le nom d'un des anciens propriétaires. Rouge vif brillant, ce vin emporte l'adhésion grâce à son nez cerise intense. Au palais, il affiche un fruit agréable, une attaque douce et un tempérament « gouleyant ». Léger mais très aimable.
🍷 Dom. Ponsard-Chevalier, 2, Les Tilles,
21590 Santenay, tél. 03.80.20.60.87, fax 03.80.20.61.10,
e-mail stephane-ponsard@wanadoo.fr ☑ ⵓ r.-v.

DOM. POULLEAU PERE ET FILS 2000★

■ 1er cru	0,2 ha	900	Ⅲ 15 à 23 €

Poulleau est bien un nom de la Côte. Il a même donné naguère une poétesse qui façonnait de jolis vers. La poésie n'est pas absente de ce vin d'un rouge puissant et déjà bouqueté autour d'éléments classiques (réglisse notamment). Un peu d'astringence due à ses tanins encore présents, mais une impression de légèreté qui contribue à son charme. A ouvrir dans deux ans et à boire jusqu'en 2008... s'il en reste.
🍷 Dom. Poulleau Père et Fils, rue du Pied-de-la-Vallée,
21190 Volnay, tél. 03.80.21.26.52, fax 03.80.21.64.03
☑ ⵓ r.-v.

DOM. JACQUES PRIEUR
Champans 1999★★

■ 1er cru	0,35 ha	1 700	Ⅲ 30 à 38 €

Finaliste du coup de cœur, ce Champans n'est pas pressé de quitter la cave. Sa merveilleuse harmonie donne ce qu'on appelle « un vin gourmand ». D'une teinte rubis foncé très soutenue, il offre une bonne persistance aromatique. Peut-être un peu austère aujourd'hui en bouche, mais sa mâche est savoureuse. Ample et gras, il fait partie des moments de bonheur de cette dégustation. On sait que ce domaine est devenu Antonin Rodet tout en gardant sa personnalité.
🍷 Dom. Jacques Prieur, 6, rue des Santenots,
21190 Meursault, tél. 03.80.21.23.85, fax 03.80.21.29.19
☑ ⵓ r.-v.

MICHEL REBOURGEON 1999

■ 1er cru	0,31 ha	1 500	Ⅲ 11 à 15 €

Ce 1er cru est issu des *climats* Carelle-sous-la-Chapelle et Brouillards, à l'est du village. Michel Rebourgeon n'a que 3,26 ha de vignes, mais il sait leur donner de l'allant. Joli rubis pour ce 99 aux arômes encore confidentiels. Gras, rond, d'une longueur honorable, il mérite de figurer ici. Il possède en effet de quoi attendre deux à trois ans et se bonifiera entre-temps.

BOURGOGNE

🍴 Dom. Michel Rebourgeon, pl. de l'Europe, 21630 Pommard, tél. 03.80.22.22.83, fax 03.80.22.90.64, e-mail michel.rebourgeon@wanadoo.fr ☑ ☂ r.-v.

DOM. REBOURGEON-MURE
Caillerets 2000★

■ 1er cru	0,32 ha	1 500	⊞ 15 à 23 €

Coup de cœur l'an dernier pour ce même Caillerets (99), puis en 1995 pour son 91 et en 1992 pour son 89, ce domaine familial de Pommard (7,11 ha) connaît son volnay sur le bout des doigts. Doit-on s'étonner si l'on perçoit la mûre dans son expression aromatique ? Celle-ci offre de belles promesses. Son corps est encore tannique, mais il ne manque ni de gras ni de finesse. Un petit goût de cerise complète le tableau. Une délicieuse côte de bœuf lui conviendra dans trois ans.

🍴 Daniel Rebourgeon-Mure, Grande-Rue, 21630 Pommard, tél. 03.80.22.75.39, fax 03.80.22.71.00 ☑ ☂ r.-v.

DOM. NICOLAS ROSSIGNOL
Fremiets 2000★

■ 1er cru	0,18 ha	600	⊞ 23 à 30 €

Carmin à reflets roses, il est très « tendance » dans les couleurs de la mode 2002-2003. Parfums explicites, pénétrés par la violette et l'églantine comme dans les meilleures familles du pinot noir. La bouche n'est pas follement riche, mais elle n'est pas avare de ses dons : une physionomie franche et nette. Bref, un volnay élégant. Les Fremiets se situent du côté Pommard. 1 200 bouteilles du 1er cru Ronceret 2000 obtiennent également une étoile. Un classique à laisser reposer deux ou trois ans.

🍴 Dom. Nicolas Rossignol, rue de Mont, 21190 Volnay, tél. 03.80.21.62.43, fax 03.80.21.27.61 ☑ ☂ r.-v.

REGIS ROSSIGNOL-CHANGARNIER 1999★

■ 1er cru	0,8 ha	4 000	⊞ 15 à 23 €

Domaine très classique, jamais en manque d'inspiration, où l'on connaît par cœur son volnay. Le premier nom, Rossignol, est une souche qui a produit beaucoup de domaines dans la Côte et jusqu'à Gevrey. Le second, Changarnier, reste attaché à la mémoire d'un fameux général bourguignon. D'où ce vin de terroir quelque peu conquérant. Rubis-grenat, il porte son drapeau. Bouquet agréable de fruits noirs, de réglisse et à tendance chocolat. Bouche bien faite, élégante et longue. De garde. Le **volnay village 99** obtient une étoile : parfaitement bien élevé, il est plein de promesses.

🍴 Régis Rossignol, rue d'Amour, 21190 Volnay, tél. 03.80.21.61.59, fax 03.80.21.61.59 ☂ r.-v.

DE SOUSA-BOULEY 1999

■	0,29 ha	1 700	⊞ 11 à 15 €

On se fera un gentil petit plaisir en débouchant ce 99 à la couleur rouge sombre et franche en 2004. Le nez offre des sensations de réglisse et d'épices. Le corps, léger, a de la fraîcheur, de la délicatesse : il ne vous interpelle pas, mais il reste dans son rôle et correspond assez bien à l'idée qu'on se fait d'un volnay *village*.

🍴 Albert de Sousa-Bouley, 25, RN 74, 21190 Meursault, tél. 03.80.21.22.79, fax 03.80.21.66.76 ☑ ☂ t.l.j. 8h-20h

CHRISTOPHE VAUDOISEY
Vieilles vignes 2000★

■	0,3 ha	n.c.	⊞ 11 à 15 €

Un modèle du genre. Robe d'une profondeur insondable. Bouquet de mûre, de cassis, où entre la vanille du fût. C'est un volnay qui bouscule les traditions : il est masculin, puissant, c'est bon et réussi. Tout s'arrangera bien avec le temps, car sa structure et ses caudalies qui concluent la dégustation annoncent un 2000 de bonne garde. Egalement conseillé avec une étoile, **Mitans en 1er cru 2000 (15 à 23 €)** : soyeux, ce vin a de l'avenir si vous savez l'attendre.

🍴 Christophe Vaudoisey, pl. de l'Eglise, 21190 Volnay, tél. 03.80.21.20.14, fax 03.80.21.27.80, e-mail christophe.vaudoisey@libertysurf.fr ☑ ☂ t.l.j. sf dim. 9h-12h 14h-18h

JOSEPH VOILLOT 2000★★

■	2 ha	6 000	⊞ 11 à 15 €

Le cep généalogique des Voillot a de profondes racines à Volnay. 10 ha témoignent de la qualité d'une tradition vigneronne très ancrée dans le terroir. Cerise foncé, voici un 2000 au nez net et pur, déjà ouvert sur la fraise et la framboise. Un vrai vin de plaisir, un beau *village*, surtout pour le millésime. Il a de l'envergure et de la race, et défend bien son pavillon ; il figure parmi les meilleurs que nous avons goûtés. Poulet de Bresse ou canard pourront l'accompagner.

🍴 Dom. Joseph Voillot, pl. de l'Eglise, 21190 Volnay, tél. 03.80.21.62.27, fax 03.80.21.66.63 ☑ ☂ r.-v.

Monthélie

La combe de Saint-Romain sépare les terroirs à rouge des terroirs à blanc ; Monthélie est exposé sur le versant sud de cette combe. Dans ce petit village moins connu que ses voisins, les vins sont d'excellente qualité. 2001 a produit 5 173 hl de vin rouge et 486 hl de vin blanc.

DOM. GUY BOCARD
Toisières 2000★

■	0,13 ha	800	⊞⊞ 8 à 11 €

La robe couleur cerise de ce monthélie est légère. Ses arômes choisissent la vanille comme clé de voûte, tout en esquissant une avancée vers le champignon, l'animal, la terre humide. Des saveurs confiturées (cassis) s'expriment en une bouche ramassée mais souple et persistante.

🍴 Guy Bocard, 4, rue de Mazeray, 21190 Meursault, tél. 03.80.21.26.06, fax 03.80.21.64.92 ☑ ☂ t.l.j. sf dim. 10h-12h 14h-18h

DOM. DENIS BOUSSEY
Les Hauts Brins 2000★

■	1,16 ha	6 000	⊞ 8 à 11 €

Ces Hauts Brins se situent tout près des 1ers crus sur le coteau volnay. Ils ont ici tout ce qu'il faut d'intensité colorante et aromatique, ouvrant sur un paysage légèrement framboisé. Bien vinifié et tirant le maximum du millésime, ce 2000 dispose d'un support (corps et structure) largement suffisant ainsi que d'un bon équilibre entre l'alcool et les tanins. Sa garde sera sereine. A retenir aussi : une longueur appréciable, atteignant les six caudalies.

🌿 Dom. Denis Boussey, 1, rue du Pied-de-la-Vallée, 21190 Monthélie, tél. 03.80.21.21.23, fax 03.80.21.62.46
☑ 𝚼 r.-v.

DOM. BOUZERAND-DUJARDIN 1999

| ■ | 3,05 ha | 15 000 | ⦀ 11 à 15 € |

Viticulteur, Bernard Bouzerand s'est découvert un jour une passion pour la sculpture sur bois et il a peu à peu passé la main afin de pouvoir se consacrer à son jardin secret. Ce n'est d'ailleurs pas le seul vigneron aux mains artistes, et l'on pense au père Quillardet à Marsannay. Quant à ce 99, il a un tempérament vigoureux : robe rouge foncé, nez fortement épicé, tanins très présents qui devraient s'arrondir dans trois ou quatre ans.

🌿 Dom. Bouzerand-Dujardin, pl. de l'Eglise, 21190 Monthélie, tél. 03.80.21.20.08, fax 03.80.21.28.16, e-mail domaine.bouzerand.dujardin@wanadoo.fr
☑ 𝚼 r.-v.

RODOLPHE DEMOUGEOT
La Combe Danay 2000★

| ■ | 0,3 ha | 1 800 | ⦀ 11 à 15 € |

On ne vit pas de promesses, mais celles-ci ont de quoi nous rassurer. Coup de cœur en 2001 pour son 98, ce domaine n'a guère plus de dix ans d'âge. Sa Combe Danay (*climat* situé sur la route de Nantoux) est d'un beau rouge sombre foncé et elle offre un bouquet déjà très plaisant (cannelle et cerise). Riche et complexe pour un 2000, ce vin tout en finesse a des tanins qui ne se montrent pas incivils et des arômes secondaires de bourgeon de cassis qui viennent en contrepoint d'un gras plutôt soyeux.

🌿 Dom. Rodolphe Demougeot, 2, rue du Clos-de-Mazeray, 21190 Meursault, tél. 03.80.21.28.99, fax 03.80.21.29.18 ☑ 𝚼 r.-v.

M. DESCHAMPS 1999★

| ▨ | 0,72 ha | 5 000 | ⦀ 8 à 11 € |

Voilà plus de quarante ans que ce viticulteur a pris la suite de son père, comme son père l'avait fait de son grand-père. Son vin de couleur très pâle scintille joliment et le beurre frais caractérise son bouquet. Brioche du dimanche ! Ce style charnu et riche se poursuit en bouche (notes de pain grillé, de citronnelle) et la structure se dessine peu à peu. Un vin moderne et de bonne qualité.

🌿 Michel Deschamps, rue du Château-Gaillard, 21190 Monthélie, tél. 03.80.21.28.60, fax 03.80.21.65.77
☑ 𝚼 r.-v.

GERARD DOREAU 2000

| ■ | 2,5 ha | 15 000 | ⦀ 8 à 11 € |

Gérard Doreau fut l'un de nos premiers coups de cœur dans cette appellation. En 1988 si nos souvenirs sont bons. Son pinot noir 2000 possède beaucoup de gras. Son attaque est vive, assez soutenue et elle révèle le fruit (sensation de kirsch). Sa présence tannique nécessite un certain assouplissement.

🌿 Gérard Doreau, rue du Dessous, 21190 Monthélie, tél. 03.80.21.27.89, fax 03.80.21.62.19 ☑ 𝚼 r.-v.

PAUL GARAUDET
Les Duresses 2000★★★

| ■ 1er cru | 0,8 ha | 3 600 | ⦀ 11 à 15 € |

Il met tout le monde d'accord. Le grand jury est en effet unanime pour lui accorder le coup de cœur. Ces Duresses de monthélie n'ont rien à envier à celles d'auxey. Sa robe grenat est particulièrement soutenue pour un 2000. Si le fût est bien présent, le fruit rouge ne reste pas inactif. Le palais recueille beaucoup de compliments, tant sur sa matière que sur son équilibre. Le **village 2000 rouge (8 à 11€)** est plus souple et soyeux, mais également digne d'attention : il obtient une étoile.

🌿 Paul Garaudet, imp. de l'Eglise, 21190 Monthélie, tél. 03.80.21.28.78, fax 03.80.21.66.04 ☑ 𝚼 r.-v.

GILBERT ET PHILIPPE GERMAIN 2000★

| ▨ | 2,2 ha | 5 000 | ⦀ 8 à 11 € |

Installés en 1962, les parents de Gilbert et Philippe ont quitté la polyculture pour se consacrer à la vigne et planter sur des friches anciennement en vignes, puis ils ont entrepris la vente directe. L'exploitation est aujourd'hui de bonne envergure (12 ha). Rien à reprocher à la robe de ce 2000 et si le nez est fermé (cannelle, nuances végétales), il semble prometteur. Après une bonne attaque franche et une première impression de vin jeune, la réglisse et le poivre prennent le relais. Sa mâche assez tannique doit s'assouplir avec trois à cinq ans de garde.

🌿 Gilbert et Philippe Germain, 21190 Nantoux, tél. 03.80.26.05.63, fax 03.80.26.05.12, e-mail germain.vins@wanadoo.fr ☑ ⌂ 𝚼 r.-v.

DOM. REMI JOBARD
Sur la Velle 1999★

| ■ 1er cru | 0,4 ha | 2 000 | ▤ ⦀ ♦ 11 à 15 € |

Côté Volnay, un monthélie qui n'est pas très éloigné des deux étoiles. Cette partie du vignoble présente des traits communs avec l'appellation voisine. On se trouve ici en présence d'un vin de garde à la robe griotte et au nez très démonstratif (du cassis au cuir en passant par le poivre). Un peu de mâche, une structure solide : il est particulièrement bouqueté et d'un fruit aromatique en bouche. Dans deux à trois ans, il fera des étincelles.

🌿 Dom. Rémi Jobard, 12, rue Sudot, 21190 Meursault, tél. 03.80.21.20.23, fax 03.80.21.67.69, e-mail remi.jobard@libertysurf.fr
☑ 𝚼 r.-v.

LABOURE-ROI 1999

| ▨ | n.c. | n.c. | ⦀ 8 à 11 € |

Une cuvaison assez courte, une douzaine de mois de fût, pour ce 99 qui se situe visuellement entre le rubis et le mauve. Pas de doute : il est cassis au nez et affiche des convictions profondes. Capiteux, riche en alcool, il est encore appuyé sur ses tanins comme on s'appuie sur des principes : pour les faire céder, à la façon de Talleyrand. A garder éventuellement un peu, mais plutôt à boire en fin d'année 2003.

🐦 Labouré-Roi, rue Lavoisier,
21700 Nuits-Saint-Georges, tél. 03.80.62.64.00,
fax 03.80.62.64.10 ⟳ r.-v.

LOUIS LATOUR
Clos des Troisières 1999★

	0,15 ha	900	🍶 15 à 23 €

Ce *climat* touche la commune de Meursault. Il donne ici un chardonnay tout à fait recommandable. Un de nos jurés le situe même au niveau du coup de cœur. Ses reflets verts accompagnent une teinte intense et bien dorée. Le premier nez est vanillé et beurré, puis les arômes évoluent de façon plus mûre. Ce vin a de la race et de la distinction. Très agréable et quasiment prêt à être servi.

🐦 Dom. Louis Latour, 18, rue des Tonneliers,
21200 Beaune, tél. 03.80.24.81.00, fax 03.80.22.36.21

CH. DE MONTHELIE
Sur la Velle 1999★

■ 1er cru	3 ha	9 753	🍶 11 à 15 €

Coup de cœur en 2000 et en 1992 pour ce même vin millésimé 96 et 88, le château de Monthélie tient son rang. De jolies jambes apparaissent à l'œil et attirent le regard sur une tonalité brillante et limpide. Humez-le, et vous sentirez le sous-bois, la framboise sauvage... Ample, mâle, complet, ce 99 pourrait figurer dans la galerie des ancêtres de la famille revêtu de son armure de parade. Un peu épicé évidemment, mais que de corps et de prestance ! Et quels tanins, par saint Eric !

🐦 Dom. Eric de Suremain, Ch. de Monthélie,
21190 Monthélie, tél. 03.80.21.23.32,
fax 03.80.21.66.37, e-mail desuremain@wanadoo.fr
☑ 🏠 ⟳ r.-v.

DOM. ANNICK PARENT
Champs-Fulliot 2000★

■ 1er cru	0,28 ha	1 500	🍶 11 à 15 €

Historiquement considéré comme le meilleur *climat* du village, les Champs-Fulliot s'épanouissent ici sous les traits d'un vin jeune et déjà profond. Framboise, cassis, les arômes sont choisis sur un bon catalogue et l'apport du fût demeure raisonnable. Le corps est généreux, charpenté, encore un peu ferme, représentatif de l'appellation. Citons également les **Duresses 2000 en rouge**, d'un même niveau. Du même domaine sous une étiquette **Jean Parent, le 1er cru Sur la Velle rouge 2000** obtient une étoile.

🐦 Dom. Annick Parent, rue du Château-Gaillard,
21190 Monthélie, tél. 03.80.21.21.98,
fax 03.80.21.21.98, e-mail annick.parent@wanadoo.fr
☑ ⟳ r.-v.
🐦 Jean Parent

DOM. PINQUIER PERE ET FILS 2000

■	1,2 ha	6 800	🍶 8 à 11 €

« Une poule à Monthélie meurt de faim durant les moissons », affirme le vieux dicton. Car la vigne est depuis longtemps la principale activité du village. La couleur de ce 2000 est l'une des plus intenses de la série. Son bouquet

boisé joue sur le moka, dans l'attente d'autre chose. Rustique sans doute, mais l'âge lui fera du bien (deux à trois ans, pas davantage).

🐦 Pinquier Père et Fils, 5, rue Pierre-Mouchoux,
21190 Meursault, tél. 03.80.21.24.87, fax 03.80.21.61.09
☑ 🏨 ⟳ t.l.j. 8h30-12h 13h30-19h

VINCENT PONT 2000★

▨	0,22 ha	1000	🍶 8 à 11 €

Vincent a acheté sa première vigne à dix-sept ans en 1979. Il a pris des vignes en fermage puis en métayage. Il a démontré qu'un jeune pouvait s'installer. Jaune paille clair, son bouquet réunit la fleur blanche et le pain beurré, avec une pointe originale d'angélique, de raisin de corinthe. L'acidité est suffisante, le gras bien en place, la structure assez ferme pour évoluer de façon positive. Petit retour de pêche blanche jusqu'à la finale vanillée du meilleur effet.

🐦 Vincent Pont, rue des Etoiles,
21190 Auxey-Duresses, tél. 03.80.21.27.00,
fax 03.80.21.24.49 ☑ ⟳ r.-v.

PASCAL PRUNIER-BONHEUR
les Vignes Rondes 2000★

■ 1er cru	0,49 ha	3 000	🍶 11 à 15 €

Si l'on prononce « month'lie », on écrit « monthélie » et n'allez pas croire que ce vin n'a pas d'accent ! Pourpre profond, ce 2000 encore discret dans ses parfums de cassis, mêlé à un boisé fort présent irradie en revanche en bouche. Typé terroir et millésime, il est vineux, expressif. Les tanins restent dans des limites convenables. Une touche de cerise du meilleur effet se retrouve en finale. Vignes Rondes ? Elles méritent bien leur nom.

🐦 Pascal Prunier-Bonheur, 23, rue des Plantes,
21190 Meursault, tél. 03.80.21.66.56,
fax 03.80.21.67.33,
e-mail pascal.prunier-bonheur@wanadoo.fr ☑ ⟳ r.-v.

PRUNIER-DAMY
Les Duresses 2000★

■ 1er cru	0,42 ha	2 500	🍶 11 à 15 €

Lauréat du coup de cœur pour son 94 rouge, ce domaine présente un 2000 rouge évoluant un peu (sa robe notamment). Au-delà d'un nez torréfié tirant sur le fruit confit et signalant sa maturité, on rencontre en bouche de bonnes surprises avec des sensations réglissées et un brin de violette. Sa vinosité est imposante et carrée. Lorsque tout cela sera fondu, le résultat sera excellent. Notez aussi le **Clos de Ressi 2000 rouge en village (8 à 11 €)** gentil comme tout, qui obtient une citation.

🐦 Philippe Prunier-Damy, rue du Pont-Boillot,
21190 Auxey-Duresses, tél. 03.80.21.60.38,
fax 03.80.21.26.64 ☑ ⟳ r.-v.

DOM. SAINT-FIACRE 2000★

▨	0,32 ha	2 000	🍶 8 à 11 €

Saint Fiacre maniait la bêche avec autant d'ardeur que le goupillon. Patron des jardiniers, il marche ici sur les plates-bandes de saint Vincent. Mais entre saints du paradis... Rubis un peu violacé, ce vin aux arômes timides se montre assez tendre. Sa nature « féminine » pourra plaire sur un plat léger comme l'agneau, ou un fromage crémeux type brillat-savarin.

🐦 Aline et Joël Patriarche, SCEA Dom. Saint-Fiacre,
21190 Tailly, tél. 03.80.26.84.38, fax 03.80.26.87.97
☑ ⟳ r.-v.

Auxey-duresses

Auxey possède des vignes sur les deux versants. Les premiers crus rouges des Duresses et du Val sont très réputés. Sur le versant « Meursault », on produit d'excellents vins blancs qui, sans avoir la réputation des grandes appellations, sont également très intéressants. L'appellation a produit en 2001, 1 827 hl en blanc et 4 419 hl en rouge.

DOM. GUY BOCARD 2000

■ 1er cru	0,19 ha	1 200	▮⏅♦ 11 à 15 €

D'un noir intense, couleur d'encre, un vin qui souligne d'emblée son extraction. Vineux et boisés, ses arômes rappellent la confiture de mûres. L'attaque souple et grasse ouvre sur une structure assez tannique. Il faut suivre la vie de ce vin moderne pour répondre à la question du temps de garde, mais il est indiscutablement apte à plaire à un coq au vin.

🠖 Guy Bocard, 4, rue de Mazeray, 21190 Meursault, tél. 03.80.21.26.06, fax 03.80.21.64.92 ☑ ⏆ t.l.j. sf dim. 10h-12h 14h-18h

BOUCHARD PERE ET FILS
Les Duresses 1999

■ 1er cru	n.c.	n.c.	▮⏅ 11 à 15 €

Très attaché aux coutumes de Bourgogne, le Champenois Joseph Henriot a rapidement donné de l'impulsion à Bouchard Père et Fils. Nous permettra-t-on de dire que ces Duresses ont une teinte bordeaux ? Nous voilà en plein œcuménisme viti-vinicole. Aux coups de nez, on perçoit nettement le cassis et un peu le fruit à l'eau-de-vie. Cette bouteille a de l'avenir car, si elle montre à ce jour un caractère encore ferme, elle a un beau grain, une solide texture, de l'étoffe et de la vigueur.

🠖 Bouchard Père et Fils, Ch. de Beaune, 21200 Beaune, tél. 03.80.24.80.24, fax 03.80.22.55.88, e-mail france@bouchard-pereetfils.com ⏆ r.-v.

DOM. ERIC BOUSSEY
Les Nampoillons 2000★

■	0,33 ha	2 000	⏅ 8 à 11 €

S'il y a un *climat* peu connu parmi tous ceux du village, c'est bien les Nampoillons. Cherchez-les sur la route de Saint-Romain : ils gagnent à être connus. Brillant de mille feux (beaucoup pour ce millésime), grenat à la limite du violacé, le pinot noir s'exprime par des arômes de myrtille mêlés à des notes animales tout au long de la dégustation. Les tanins denses et fermes lui permettront d'attendre trois à quatre ans que l'harmonie soit complète.

🠖 EARL du Dom. Eric Boussey, Grande-Rue, 21190 Monthélie, tél. 03.80.21.60.70, fax 03.80.21.26.12 ☑ ⏆ r.-v.

DENIS CARRE 2000★

■	n.c.	n.c.	⏅ 8 à 11 €

Ce n'est pas un hasard si les moines de Cluny avaient littéralement colonisé ce village et Monthélie, avant même l'an mil. Intense et profond, ce vin a, mille ans plus tard, le même éclat lumineux. Ses arômes de fruits très mûrs ont un aspect fauve. Les Hautes-Côtes et leurs grandes forêts ne sont guère éloignées. Superbe bouche de vin fin, de vin jeune très épanoui qu'il faut savourer maintenant.

🠖 Denis Carré, rue du Puits-Bouret, 21190 Meloisey, tél. 03.80.26.02.21, fax 03.80.26.04.64 ☑ ⏆ r.-v.

CHRISTIAN CHOLET-PELLETIER 2000★

	0,25 ha	1000	⏅ 5 à 8 €

Installé sur le piémont de la Côte, ce domaine de 10 ha signe ici un excellent auxey blanc. D'ailleurs, son 97 eut le coup de cœur en l'an 2000. Couleur Toison d'or, il cache bien son jeu dès qu'on le hume. Le nez apparaît tout d'abord fugace puis il se détermine à l'aération, à la fois floral et d'une certaine minéralité. Puissant et charpenté, soutenu par une petite pointe d'acidité, il réussit presque le sans-faute dans une bouche bien persistante.

🠖 Christian Cholet, 21190 Corcelles-les-Arts, tél. 03.80.21.47.76, fax 03.80.21.47.76 ☑ ⏆ t.l.j. 8h-12h 14h-18h

CH. DE CÎTEAUX
Les Duresses 2000★

■ 1er cru	0,5 ha	3 000	⏅ 11 à 15 €

Avant le Clos de Vougeot et dès 1098, les religieux de Cîteaux prirent pied à Meursault. D'où le nom de ce château. Les deux villages sont voisins et les Duresses le porte-étendard d'auxey. Rubis très foncé, celles-ci débordent de plénitude et présentent un bouquet de cerise et de noyau mêlés à un boisé très raisonnable. Leur corpulence rappelle le ventre d'un foudre. Un peu austère en finale, ce vin devra attendre deux ou trois ans avant d'être servi.

🠖 Philippe Bouzereau, Ch. de Cîteaux, 18-20, rue de Cîteaux, BP 25, 21190 Meursault, tél. 03.80.21.20.32, fax 03.80.21.64.34, e-mail info@domaine.bouzereau.fr ☑ ⏆ r.-v.

CLOS DU MOULIN AUX MOINES
Monopole Elevé en fût de chêne 2000★

■	2,5 ha	12 500	⏅ 8 à 11 €

Auxey était jadis un village de moulins. Le Moulin aux Moines rappelle aujourd'hui encore que la rivière des Clous fit, avant le vin, la fortune du pays. Acquis en 1995 par Muriel et Emile Hanique, ce monument historique doit sa restauration à Roland Thévenin. Quant au pinot, sa robe est profonde et le fruit noir conjugue ses efforts aromatiques avec les épices. D'aimables tanins accompagnent un développement agréable et léger. Inutile de l'attendre très longtemps.

🠖 Emile Hanique, Dom. du Moulin aux Moines, 21190 Auxey-Duresses, tél. 03.80.21.60.79, fax 03.80.21.60.79, e-mail contact@laterrasse.fr ☑ ⏅ ⏆ t.l.j. 9h-12h30 14h-19h

DOM. JEAN-PIERRE DICONNE
Les Duresses 2000★

■ 1er cru	0,41 ha	2 200	⏅ 11 à 15 €

Paul Diconne s'installe comme vigneron à Auxey durant les années 1920. Puis son fils en 1972, et le domaine grandit peu à peu pour atteindre aujourd'hui les 8,5 ha. Ses Duresses sont le type même du vin de garde. D'un beau rubis, elles ont le nez vineux, racé, framboisé. Après une attaque souple, le vin repose sur une texture intéressante : les tanins soutiennent la voûte comme de robustes piliers de cathédrale. A laisser vieillir. Notez aussi dans le même esprit le **village rouge 2000 (8 à 11 €)**, goûteux et tannique à la fois, qu'on ne pourra boire ou peu plus tôt.

🠖 Jean-Pierre Diconne, rue de la Velle, 21190 Auxey-Duresses, tél. 03.80.21.25.04, fax 03.80.21.25.60 ☑ ⏆ r.-v.

DOM. DUPONT-FAHN
Les Vireux 2000★

	1 ha	3 000		8 à 11 €

Les Vireux ont le dos tout contre la limite communale de l'AOC meursault, sur le coteau qui fait face aux 1ers crus. Paille clair, ce vin amorce une démarche aromatique intéressante, capiteuse à l'aération avec des accents mentholés et d'aubépine. La bouche est riche et flatteuse avec beaucoup de moelleux provenant de raisins très mûrs.
🖙 Raymond Dupont-Fahn, rue Polaire, 21100 Auxey-Duresses, tél. 03.80.21.20.21, fax 03.80.21.21.22 ☑ ☏ r.-v.

HENRI DE BAHÈZRE 2000★

	n.c.	2 400		11 à 15 €

Henri de Bahèzre est une vénérable maison nuitonne (celle de la famille Rodier naguère) reprise par Moillard. Elle présente un *village* aux tanins sympathiques. Sa couleur est classique sur une tonalité limpide. Son bouquet prend son élan sur le cassis. La suite n'est pas très puissante mais elle est néanmoins goûteuse et s'accordera avec un filet mignon de veau, une viande pas trop fauve.
🖙 Henri de Bahèzre, 21700 Nuits-Saint-Georges, tél. 03.80.62.42.03, fax 03.80.61.28.13, e-mail nuicave@wanadoo.fr ☑ ☏ t.l.j. 10h-18h

DOM. JESSIAUME PERE ET FILS
Les Ecusseaux 2000★

■ 1er cru	0,41 ha	2 100		11 à 15 €

Rouge griotte, son nez ne fait pas d'infidélités à la cerise tout en restant mesuré dans sa prestation. Charnu et corsé, il demeure assez longtemps au palais. Il est toutefois évident que sa vinification le porte davantage vers l'avenir que vers le présent. Il devrait s'arrondir dans les deux à trois ans. Le millésime 90 a reçu le coup de cœur en 1994.
🖙 Dom. Jessiaume Père et Fils, 10, rue de la Gare, 21590 Santenay, tél. 03.80.20.60.03, fax 03.80.20.62.87 ☑ ☏ t.l.j. sf dim. 8h-12h 13h-19h

DOM. A. ET B. LABRY 1999

■	5,5 ha	21 000		8 à 11 €

Comme si la partie se jouait entre deux couleurs, on hésite ici entre le rouge et le blanc qui, tous deux, ont droit de cité dans cette édition du Guide. D'une nuance agréable à l'œil, ce vin est né d'un pinot fruité (petite bouffée de chaleur) dont l'acidité est dépourvue d'agressivité. Sa force ne l'empêche pas d'exprimer la finesse. Le **village blanc 2000 (11 à 15 €)** devra attendre deux ans sagement en cave.
🖙 Dom. André et Bernard Labry, Melin, 21190 Auxey-Duresses, tél. 03.80.21.21.60, fax 03.80.21.64.15, e-mail domaine-labry@wanadoo.fr ☑ ⛪ ☏ r.-v.

JEAN ET GILLES LAFOUGE
Climat du Val 2000

■ 1er cru	0,42 ha	2 500		11 à 15 €

On ne compte plus les générations de cette famille dans les vignes d'Auxey et, pour tout vous dire, le **1er cru La Chapelle 2000 rouge** est d'une beauté romane : un vrai vin de terroir. Elle obtient la même note que ce *climat du Val* qui n'a rien de commun avec le *Dormeur du val* tel que le voyait Rimbaud. Non, rubis légèrement ambré, c'est un vin qui se réveille en bouche après un nez endormi. Il prend peu à peu de l'assurance, s'affirme au fur et à mesure que la dégustation progresse. Sévère à ce jour, il semble capable de se bonifier encore.

🖙 Dom. Jean et Gilles Lafouge, 21190 Auxey-Duresses, tél. 03.80.21.68.17, fax 03.80.21.60.43 ☑ ☏ r.-v.

HENRI LATOUR ET FILS 2000

	0,56 ha	3 800		11 à 15 €

Depuis 1992, ce domaine pratique la culture en lutte intégrée, par respect de l'environnement. Parmi ses 16 ha, il a choisi cet auxey-duresses qui a intéressé le jury. Or vert clair, pâle, sa robe séduit par sa fraîcheur. Son nez de fleurettes chardonne gentiment. L'acidité est convenable, la franchise assurée. C'est léger et coulant.
🖙 Henri Latour et Fils, rte de Beaune, 21190 Auxey-Duresses, tél. 03.80.21.65.49, fax 03.80.21.63.08, e-mail h.latour.fils@wanadoo.fr ☑ ☏ r.-v.

DOM. MAROSLAVAC-LEGER
Les Bretterins 1999

■ 1er cru	0,28 ha	1 800	■ ⬥	11 à 15 €

Roland est le petit-fils de Stephan, émigré yougoslave venu en Bourgogne chercher du travail. C'était en 1930. Quelle réussite, mais que de travail ! Parmi ses 8 ha, ces Bretterins se situent dans la partie centrale du village, où se rassemblent les 1ers crus. Rouge grenat, ce 99 tire sur la groseille. Sa solide structure tannique est conforme à l'appellation : un auxey montre souvent les dents dans sa jeunesse. Ce vin puissant tient la route.
🖙 Dom. Maroslavac-Léger, 43, Grande-Rue, 21190 Puligny-Montrachet, tél. 03.80.21.31.23, fax 03.80.21.91.39, e-mail maroslavac-leger@wanadoo.fr ☑ ☏ r.-v.

MORET-NOMINE 2000

	n.c.	3 000		8 à 11 €

Sous sa robe légèrement teintée de jaune, une jolie bouteille. Elle a choisi la fleur blanche comme parfum de printemps et elle ne manque pas de gras ni de corps. Sa nature évolutive incite à une consommation dans l'année qui vient.
🖙 D. Moret et O. Nominé, hameau de Barboron, 21420 Savigny-lès-Beaune, tél. 03.80.21.58.35, fax 03.80.26.10.59 ☑

MAX ET ANNE-MARIE PIGUET-CHOUET
Les Boutonniers 2000

	0,38 ha	1 200		8 à 11 €

Toujours un blanc au voisinage de Meursault. Or vert limpide, étincelant, il garde en réserve les secrets de son bouquet, s'éveillant sur le pain d'épice et l'amande, laissant s'exprimer une petite touche vanillée dans un contexte minéral. Assez gras, ce 2000 poursuit son parcours de façon positive. Les trois fils du domaine vont bientôt succéder à Max Piguet-Chouet (établi depuis 1979) rejoint par Anne-Marye. Avec un y, pensez-y quand vous leur écrirez.
🖙 EARL Max et Anne-Marye Piguet-Chouet, rte de Beaune, 21190 Auxey-Duresses, tél. 03.80.21.25.78, fax 03.80.21.68.31, e-mail piguet.chouet@wanadoo.fr ☑ ☏ r.-v.

PIGUET-GIRARDIN
Les Grands Champs 1999

■ 1er cru	0,15 ha	900		8 à 11 €

Comme beaucoup de domaines familiaux, celui-ci s'est étendu au fil des décennies jusqu'aux 12 ha actuels.

Une bonne moyenne. Légèrement ambré, ce 99 n'est pas très loquace quand on y plonge le nez. Un tout petit peu de cassis ? Il faudrait la plume de Saint-Simon pour dessiner le portrait de ce vin sévère et de bonne tenue ; ses tanins l'aideront à prendre de l'âge. Il réserve de bonnes surprises.

↪ SCE Piguet-Girardin, rue du Meix, 21190 Auxey-Duresses, tél. 03.80.21.60.26, fax 03.80.21.66.61 ☑ ⵏ r.-v.

DOM. JEAN-PIERRE ET LAURENT PRUNIER 1999★

| ■ | 1 ha | 5 500 | ⑪ 8 à 11 € |

Prunier est un nom qu'on rencontre ici à chaque coin de rue, à chaque changement de rang de vigne. Voyez donc les prénoms ou noms composés. Le 99 grenat violacé aux senteurs de myrtille, de cerise noire, assez confiturées se révèle dense et bien fait, ses tanins soyeux étant accommodants, le fruit discret, le goût épicé. Cela donnera une fort belle bouteille d'ici trois à quatre ans. Et l'étiquette est kitch.

↪ Dom. Jean-Pierre et Laurent Prunier, rue Traversière, 21190 Auxey-Duresses, tél. 03.80.21.27.51, fax 03.80.21.27.51 ☑ ⵏ r.-v.

MICHEL PRUNIER 2000

| ■ | 1,64 ha | 7 000 | ⑪⑪♦ 8 à 11 € |

Issu d'une famille de six enfants, Michel a pris sa part d'héritage (1 ha seulement) et créé son domaine avec une petite location. A ce jour, il exploite 12,3 ha. On se trouve ici en présence d'une robe très légèrement évoluée et d'un bon nez discrètement boisé (élevage en cuve puis en fût), partagé entre l'animal et le fruit. Rond, fin, tirant ensuite sur la groseille, ce vin est plaisant et à boire maintenant sans se poser de problèmes métaphysiques.

↪ Michel Prunier, rte de Beaune, 21190 Auxey-Duresses, tél. 03.80.21.21.05, fax 03.80.21.64.73 ☑ ⵏ r.-v.

DOM. VINCENT PRUNIER
Les Grands Champs 2000★

| ■ 1er cru | 0,35 ha | 1 380 | ⑪ 11 à 15 € |

Ce *climat* occupe la partie inférieure du coteau des 1ers crus, au pied de la montagne du Bourdon qui présente une assise marno-calcaire très caillouteuse. Rouge griotte ? Disons plutôt cerise Montmorency puisque cette famille posséda un château à Auxey. L'influence du fût donne un nez grillé, torréfié qui ne manque pas de charme. Moelleux et souple, ce vin a juste ce qu'il faut d'acidité pour être tout à fait dans le ton. Le millésime 98 fut coup de cœur dans le Guide 2001.

↪ Vincent Prunier, rte de Beaune, 21190 Auxey-Duresses, tél. 03.80.21.27.77, fax 03.80.21.68.87 ☑ ⵏ r.-v.

PASCAL PRUNIER-BONHEUR 1999★★

| ■ | 0,4 ha | 2 400 | ⑪ 8 à 11 € |

Pascal Prunier fut titulaire d'un coup de cœur dans le passé. Le voici à nouveau élu par le grand jury pour un vin pourpre grenat qui offre une très bonne harmonie générale et pourra dormir en cave sur ses deux oreilles pendant quelques années. Les fruits mûrs tapissent son nez, tandis qu'en bouche il se montre dense et onctueux, déjà riche, réglissé. A défaut de celui-ci, vous pouvez choisir le **1er cru Les Duresses rouge 2000** (11 à 15 €) qui s'annonce très bien sur le mode vin plaisir et obtient une étoile.

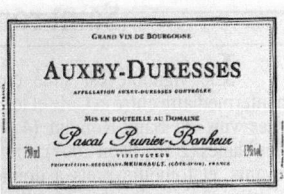

↪ Pascal Prunier-Bonheur, 23, rue des Plantes, 21190 Meursault, tél. 03.80.21.66.56, fax 03.80.21.67.33, e-mail pascal.prunier-bonheur@wanadoo.fr ☑ ⵏ r.-v.

PRUNIER-DAMY
Clos du Val 2000

| ■ 1er cru | 0,45 ha | 2 500 | ⑪ 11 à 15 € |

Un Clos du Val dont la robe limpide, d'un rubis bien affirmé, s'accorde parfaitement à un ensemble aromatique complexe et expressif (cerise pour l'essentiel). Ces arômes contribuent également au charme du palais. La chair est souple, les tanins délicats et tendres. La typicité est respectée et l'on prendra beaucoup de plaisir en compagnie de ce vin de soie.

↪ Philippe Prunier-Damy, rue du Pont-Boillot, 21190 Auxey-Duresses, tél. 03.80.21.60.38, fax 03.80.21.26.64 ☑ ⵏ r.-v.

PIERRE TAUPENOT★
Côte de Beaune 1999★

| ■ | 1,9 ha | 6 585 | ■⑪ 8 à 11 € |

Ce simple *village* qui entre dans la danse en robe cerise aux merveilleuses paillettes séduit par son nez aux notes animales (gibier) qui annonce la puissance, la longueur de la bouche, marquée par une belle présence tannique qui garantit une bonne garde. Le **1er cru Les Grands Champs rouge 99** (11 à 15 €) obtient une étoile alors que le **1er cru Les Duresses rouge 99** est cité.

↪ Dom. Pierre Taupenot, rue du Chevrotin, 21190 Saint-Romain, tél. 03.80.21.24.37, fax 03.80.21.68.42 ☑ ⵏ r.-v.

JEAN-MARC VINCENT
Les Hautes 2000

| ▨ | 0,9 ha | 3 000 | ⑪ 11 à 15 € |

Situé entre Macabrée et Vireux, ce *climat* voisin de meursault montre qu'ici la nature délimite assez nettement les rouges et les blancs. Du chardonnay bien sûr, d'un doré caressant au regard et d'un bouquet de pierre à fusil. Ce côté pierreux se rencontre à nouveau au palais, garantissant la typicité. Son acidité élevée lui permettra de s'ouvrir encore, probablement dans un décor d'agrumes. Jean-Marc a repris le domaine de son grand-père en 1997 (4,5 ha).

↪ Jean-Marc Vincent, 3, rue Sainte-Agathe, 21590 Santenay, tél. 03.80.20.67.37, fax 03.80.20.67.37, e-mail vincent.j-m@wanadoo.fr ☑ ⵏ r.-v.

> Pour bien gérer sa cave, il faut établir un calendrier, sur plusieurs années, en notant pour chacun des vins de garde qui la composent, le meilleur moment pour le servir afin de ne pas dépasser le temps de son apogée.

Saint-romain

Le vignoble est situé dans une position intermédiaire entre la Côte et les Hautes Côtes. Les vins de Saint-Romain (4 417 hl), surtout les blancs (2 507 hl en 2001), sont fruités et gouleyants, et toujours prêts à donner plus qu'ils n'ont promis, selon les viticulteurs eux-mêmes. Le site est magnifique et mérite une petite excursion.

BERTRAND AMBROISE 2000

	1 ha	3 600	11 à 15 €

Frère de saint Lupicin, Romain vécut en ermite dans le Jura puis il fonda un monastère qui devint la ville de Saint-Claude. Jaune jonquille, ce vin portant son nom s'efforce d'acquérir l'odeur de sainteté : citron, agrumes et dans l'immédiat, un puissant vanillé. Assez marquée à ce stade, son acidité lui donne de la fraîcheur ; la maturité viendra couronner ses bonnes intentions.

↪ Maison Bertrand Ambroise, rue de l'Eglise, 21700 Premeaux-Prissey, tél. 03.80.62.30.19, fax 03.80.62.38.69, e-mail bertrand.ambroise@wanadoo.fr ☑ ⵂ r.-v.

ARTHUR BAROLET 1999★

	3,5 ha	20 000	8 à 11 €

Acquise par le groupe suisse Schenk puissamment implanté à Beaune et à Savigny, la vieille maison Arthur Barolet fit naguère les beaux jours des plus grands hôtels des ventes lorsqu'on dispersa la fabuleuse collection de millésimes anciens de cet antiquaire beaunois. Or pâle, de couleur très fraîche, ce chardonnay est encore partagé entre le bois et le sous-bois. D'un bon caractère en bouche, il offre une attaque presque onctueuse, et évolue vers des sentiments plus vifs ; un rien de minéral. Même note pour le **village 99 blanc de François Martenot** (même groupe).

↪ Arthur Barolet et Fils, rue du Dr-Barolet, 21200 Beaune, tél. 03.80.24.94.01, fax 03.80.22.54.31, e-mail gerard.salmon@hdv.fr

DOM. GABRIEL BOUCHARD
Perrière 2000★

	0,39 ha	2 000	8 à 11 €

Tout est bien qui finit bien : surtout quand cela commence ainsi. Or jaune, jaune paille, il a une teinte limpide et le nez délicat. Celui-ci s'affirme progressivement : minéral, plus riche (fruits exotiques). Soyeuse, la bouche est franche, équilibrée ensuite portée par la fraîcheur sans que le fût ne l'abîme. Une bouteille qu'on débouchera dans l'année ou qu'on gardera cinq à six ans.

↪ Dom. Gabriel Bouchard, 4, rue du Tribunal, 21200 Beaune, tél. 03.80.22.68.63 ☑ ⵂ r.-v.
↪ Alain Bouchard

CHRISTOPHE BUISSON
Sous le Château 2000★★

	0,5 ha	3 500	8 à 11 €

Il y a le Mérite agricole. Quant au Mérite viticole, c'est le coup de cœur qui salue ce vin à la robe purpurine et d'un éclat saisissant. Rien d'excessif au nez. Il n'abuse

pas du fût et place joliment bien ses atouts : le champignon sur lit d'humus, la fraise des bois. A la première impression d'insouciante légèreté succède un charme plus explicite mais toujours primesautier. L'acidité et l'alcool sont en parfaite harmonie. A saisir dans la cave de cet ancien courtier en vins devenu vigneron à temps plein. Notez aussi le **même climat en blanc 2000 (11 à 14 €)**, à fort potentiel, une étoile.

↪ Christophe Buisson, rue de la Tartebouille, 21190 Saint-Romain, tél. 03.80.21.63.92, fax 03.80.21.67.03 ☑ ⵂ r.-v.

DOM. HENRI ET GILLES BUISSON 1999★

	0,75 ha	5 000	8 à 11 €

D'un rouge net et brillant, ce saint-romain ouvre le nez avec prudence sur la fraise en confiture. Ample et assez complet, il renoue avec le fruit tel que nos grands-mères l'accommodaient si bien dans leurs chaudrons, tout en se présentant avec un rien d'austérité. Il demande à vieillir un peu. Il plaît grâce à sa franchise. Ce Domaine a choisi de représenter le panorama de la falaise sur l'étiquette de ce vin. Son **village blanc 99 (11 à 15 €)** obtient une citation. Il plaira à une terrine de poisson.

↪ Dom. Henri et Gilles Buisson, imp. du Clou, 21190 Saint-Romain, tél. 03.80.21.27.91, fax 03.80.21.64.87 ☑ 🏠 ⵂ r.-v.

DENIS CARRE
Le Jarron 2000★

	n.c.	n.c.	8 à 11 €

Un de nos dégustateurs l'a adoré, les autres le jugeant atypique. Il est vrai que pour ses Jarrons Denis Carré a reçu le coup de cœur en 1997 (millésime 94) et l'an dernier (99). Le 2000 porte une robe profonde du meilleur effet ; on ne perçoit ici aucun excès d'extraction. Le bouquet ne manque pas de complexité, racé certes, expressif, tournant autour du musc, de la fourrure et du cuir, bourgeon de cassis sur les bords. Le palais est d'une concentration phénoménale. Riche assurément.

↪ Denis Carré, rue du Puits-Bouret, 21190 Meloisey, tél. 03.80.26.02.21, fax 03.80.26.04.64 ☑ ⵂ r.-v.

DOM. DU CLOS SAINTE-MARIE
Sous le Château 2000★

	n.c.	1 200	11 à 15 €

Les rouges de Saint-Romain ont souvent besoin de quelques années de garde pour offrir leur premier sourire. Les blancs moins fréquemment, mais cela arrive. Voyez cette bouteille bien typée et qui ne souffrira pas d'attendre 2005. Jaune clair soutenu, elle a la mangue, le pamplemousse, la vanille, comme si elle rentrait de vacances. La bouche est élégante, assez droite avec un bon rappel aromatique. Boisé présent que le temps gomme peu à peu.

↳ Jean Poulet, Le Clos Sainte-Marie, rue de la Pierre-Ronde, 21190 Saint-Romain, tél. 03.80.21.21.18, fax 03.80.21.66.93 ☑ ⌂ 𝕐 r.-v.

DOM. DE LA CREA
Sous Roche 2000★

| ■ | 1,5 ha | 6 000 | ⦀ 8 à 11 € |

Excellent saint-romain à la robe pourpre grenat. Le fût ouvre ses bras au cassis mêlé à des nuances franchement animales. Souple et charnu, le vin respecte le juste milieu. Ses tanins composent une charpente suffisante, sans être pesante. Sa complexité semble assurée. Il faudra cependant se montrer patient, la matière étant là pour nous y inciter (trois à quatre ans).
↳ Dom. de la Créa, Cave de Pommard, 1, rte de Beaune, 21630 Pommard, tél. 03.80.24.99.00, fax 03.80.24.62.42, e-mail cécile.chenu@wanadoo.fr ☑ 🏠 𝕐 t.l.j. 10h-19h
↳ Cécile Repolt

GUY DUBUET 2000

| ■ | 0,6 ha | 2 500 | ⦀ 8 à 11 € |

Petit domaine (moins de 5 ha) offrant un pinot rouge cerise. Son nez fin et framboisé, son gras et sa longueur incitent à l'attente car il y a du potentiel sous ces tanins assez austères qui ne le mettent guère en valeur dans l'immédiat. Patienter un à deux ans.
↳ Guy Dubuet, rue Bonne-Femme, 21190 Monthélie, tél. 03.80.21.26.22, fax 03.80.21.29.79 ☑ 𝕐 r.-v.

GERMAIN PERE ET FILS
Sous le Château 2000★

| ■ | 1,46 ha | 3 000 | ⦀ 8 à 11 € |

Un pied sur Beaune, l'autre sur Saint-Romain, cette propriété familiale (13,4 ha) signe un 2000 pourpre vermillon à l'éclat brillant. On perçoit un léger parfum de rose, mais la vanille l'emporte encore. La bouche se révèle assez ronde après une attaque musclée. Ses tanins sont bien fondus, caressants et soyeux. Bouteille à son apogée en 2003.
↳ EARL Dom. Germain Père et Fils, rue de la Pierre-Ronde, 21190 Saint-Romain, tél. 03.80.21.60.15, fax 03.80.21.67.87, e-mail patrick.germain8@wanadoo.fr ☑ ⌂ 𝕐 r.-v.

ALAIN GRAS 2000★★

| ▨ | 2 ha | 11 000 | ▮⦀ 11 à 15 € |

Le grand-père et le père vendaient leur vin au négoce. Alain s'est lancé dans la bouteille en 1979, quand il a repris le domaine (11,4 ha). Son saint-romain blanc s'exprime de main de maître. Or vif, floral et fruits secs (noisette), il a de la rondeur et une superbe matière. Un vin de caractère et une réussite dans l'appellation.
↳ Alain Gras, rue Sous-la-Velle, 21190 Saint-Romain-le-Haut, tél. 03.80.21.27.83, fax 03.80.21.65.56 ☑ 𝕐 r.-v.

GUY-PIERRE JEAN ET FILS
Clos de la Branière 2000

| ▨ | 1 ha | 2 000 | ⦀ 11 à 15 € |

Le viticulteur devra vous dire où se situe ce Clos de la Branière absent de l'atlas le plus complet. Cela dit, l'essentiel est dans la bouteille. D'un bel or jaune paille et

limpide, ce 2000 n'a pas rompu les amarres avec le fût : derrière de discrets arômes de menthe, on ne perçoit que lui. Puis en première vague, le corps semble charnu, ample, d'une bonne acidité, et parfumé de touches florales et de fruits confits. Attendre un an pour le déguster.
↳ Dom. Guy-Pierre Jean et Fils, rue des Caillettes, 21420 Aloxe-Corton, tél. 03.80.26.44.72, fax 03.80.26.45.36 ☑ 𝕐 r.-v.

HENRI LATOUR ET FILS 2000★

| ▨ | 1,71 ha | 4 700 | ⦀ 8 à 11 € |

25 % de fûts neufs et une année d'élevage pour produire ce 2000 d'un jaune très pâle. Son nez demeure sur la réserve, mais il paraît disposé à en dire davantage sur la finesse (léger sous-bois). Une bouteille joyeuse, pas compliquée, et en fin de compte attrayante. C'est un style qui tranche un peu. Plus véridique que nombre de produits standard.
↳ Henri Latour et Fils, rte de Beaune, 21190 Auxey-Duresses, tél. 03.80.21.65.49, fax 03.80.21.63.08, e-mail h.latour.fils@wanadoo.fr ☑ 𝕐 r.-v.

FRANCOIS RAPET 2000★

| ▨ | 5 ha | 4 000 | ▮▾ 8 à 11 € |

Poète à ses heures et père de l'appellation, Roland Thevenin eût composé un sonnet à la gloire de ce saint-romain d'un joli satin pourpre clair et qui chante la violette, la jacinthe. Le corps est bien tracé, équilibré. Les tanins ne nuisent pas à la suavité tendre et légère de l'ensemble.
↳ EARL François Rapet et Fils, rue Sous-le-Château, 21190 Saint-Romain, tél. 03.80.21.22.08, fax 03.80.21.60.19 ☑ 𝕐 t.l.j. 9h30-12h 14h-18h

DOM. DE LA ROCHE AIGUE 2000★

| | 0,5 ha | 800 | ⦀ 8 à 11 € |

Le domaine d'Eric et Florence Guillemard se situe ici, à deux pas de Saint-Romain, à Melin, hameau d'Auxey-Duresses, sur le rebord de la côte. Claire et nette, cette bouteille offre des arômes de citron et quelques nuances minérales. Le boisé n'étouffe pas le bouquet. Quant à la bouche, si fraîche et si tendre, elle se laisse boire sans protester. Vin de soif, comme on dit.
↳ Eric et Florence Guillemard, EARL La Roche Aiguë, rue du Glacis, 21190 Auxey-Duresses, tél. 03.80.21.28.33, fax 03.80.21.63.55 ☑ 𝕐 r.-v.

Meursault

Avec Meursault commence la véritable production de grands vins blancs (19 397 hl en 2001). Certains premiers crus sont mondialement réputés : les Perrières, les Charmes, les Poruzots, les Genevrières, les Gouttes d'Or, etc. Tous allient la subtilité à la force, la fougère à l'amande grillée, l'aptitude à être

BOURGOGNE

consommés jeunes aux possibilités de longévité. Meursault est bien la « capitale des vins blancs de Bourgogne ». Notons une petite production de vin rouge, 636 hl en 2001.

Les « petits châteaux » qui restent à Meursault sont les témoins d'une opulence ancienne, attestant une notoriété certaine des vins produits. La Paulée, qui a pour origine le repas pris en commun à la fin des vendanges, est devenue une manifestation traditionnelle qui se déroule le troisième jour des « Trois Glorieuses ».

BERTRAND AMBROISE
Les Poruzots 2000★

	0,2 ha	1 200	⦿ 30 à 38 €

Bon compromis entre la puissance, le gras, la fraîcheur : un chardonnay qui ne s'exprime pas à l'emporte-pièce, mais avec des nuances. Sauf à l'œil. Bouton-d'or, il clame sa couleur, sans biaiser le moins du monde. L'amande grillée signale l'élevage en fût, le fruit très mûr, l'évolution prochaine du bouquet. Son tempérament onctueux le rend fort agréable.

↬ Maison Bertrand Ambroise, rue de l'Eglise, 21700 Premeaux-Prissey, tél. 03.80.62.30.19, fax 03.80.62.38.69,
e-mail bertrand.ambroise@wanadoo.fr ☑ Ⲧ r.-v.

DOM. GUY BOCARD
Les Grands Charrons 1999★

	0,43 ha	2 000	▮⦿ 15 à 23 €

De cette cave est sorti à deux reprises le coup de cœur : en 1997 et en 1995. Le jury accorde aux Narvaux 99 une mention qui va au-delà du geste de courtoisie. Pourtant ce sont encore Les Grands Charrons qui ont la préférence. Décoré à l'or fin, souple et fondu, ce vin donne une image assez tendre du meursault qui plaît sincèrement. D'autant qu'en y regardant bien, on aperçoit du fond et de la qualité. Il évoluera vers la plénitude qu'il atteindra dans un à deux ans.

↬ Guy Bocard, 4, rue de Mazeray, 21190 Meursault, tél. 03.80.21.26.06, fax 03.80.21.64.92 ☑ Ⲧ t.l.j. sf dim. 10h-12h 14h-18h

DOM. BOUCHARD PERE ET FILS
Genevrières 1999★

1er cru	2,65 ha	n.c.	⦿ 38 à 46 €

Assez pâle, un Genevrières aux arômes bien frais, caractéristiques. On y trouve la fleur d'aubépine, la rondelle de citron. Un peu d'air lui permet d'exprimer son terroir et l'on conseille de déboucher la bouteille avant le repas. Il n'est guère corpulent, mais ce n'est pas un inconvénient. Sensation vanillée et pointe de fraîcheur au dernier acte. A attendre trois à quatre ans, sans risque.

↬ Bouchard Père et Fils, Ch. de Beaune, 21200 Beaune, tél. 03.80.24.80.24, fax 03.80.22.55.88, e-mail france@bouchard-pereetfils.com Ⲧ r.-v.

ERIC BOUSSEY
Limozin 1999

	69 ha	3 500	⦿ 11 à 15 €

Paille intense, ce 99 ne fait pas étalage de ses arômes. Il les garde dans un tiroir secret, tout en laissant découvrir

à peine des nuances agréables d'églantine ou encore mentholées. Du gras, de la présence mais un boisé prédominant, compensé il est vrai par une acidité satisfaisante. Le fruit apparaît en finale. On conseille une année de garde.

↬ EARL du Dom. Eric Boussey, Grande-Rue, 21190 Monthélie, tél. 03.80.21.60.70, fax 03.80.21.26.12 ☑ Ⲧ r.-v.

DOM. BOUZERAND-DUJARDIN 2000★

	0,44 ha	900	⦿ 15 à 23 €

Ah ! si l'on connaissait la recette de la terrine de la mère Daugier... Elle accompagnerait si bien ce *village* bien réussi. Jolie robe dans la tradition, ce vanillé à pointe d'angélique qui devra calmer sa vivacité de jeunesse. Matière, équilibre, saveurs précoces, ce vin a tout en main pour mûrir en paix. et assez vite : il sera prêt en 2003.

↬ Dom. Bouzerand-Dujardin, pl. de l'Eglise, 21190 Monthélie, tél. 03.80.21.20.08, fax 03.80.21.28.16, e-mail domaine.bouzerand.dujardin@wanadoo.fr ☑ Ⲧ r.-v.

DOM. JEAN-MARIE BOUZEREAU
Goutte d'Or 2000★★

1er cru	0,1 ha	600	⦿ 23 à 30 €

Fromage ou dessert ? Les deux car cette Goutte d'Or ne fait pas les choses à moitié. Guère plus de deux ouvrées (0,10 ha), mais quel vin ! Sa structure touche à la perfection : un meursault 1er cru dans toute sa plénitude. Un chat de race ronronne et s'étire voluptueusement sur une soie dorée. Son boisé léger se traduit par l'amande, la noisette, tandis que le fruit assez mûr joue merveilleusement sa partition. A choisir sans hésiter. Le Charmes 2000 est également plaisant en 1er cru.

↬ Jean-Marie Bouzereau, 5, rue de la Planche Meunière, 21190 Meursault, tél. 03.80.21.62.41, fax 03.80.21.24.39 ☑ Ⲧ r.-v.

DOM. VINCENT BOUZEREAU
Goutte d'Or 2000★

1er cru	0,1 ha	450	⦿ 23 à 30 €

Père de la démocratie américaine, Thomas Jefferson commandait régulièrement du meursault Goutte d'Or. Celui-ci, au demeurant, a valu le coup de cœur à Vincent Bouzereau en l'an 2000 (millésime 97). Ce nouveau millésime porte bien son nom. Jaune d'or évidemment, il s'appuie sur des arômes briochés et floraux avant de se montrer très riche en bouche. Riche n'est d'ailleurs pas le mot : il faut dire opulent. Parfait si l'on aime le vin en majesté. Quant au village 2000 (15 à 23 €), il est d'un goût très pur, puissant et généreux, et obtient une étoile.

↬ Vincent Bouzereau, 7, rue Labbé, 21190 Meursault, tél. 03.80.21.61.08, fax 03.80.21.65.97 ☑ Ⲧ r.-v.

MICHEL BOUZEREAU ET FILS
Les Tessons 2000★★

	0,5 ha	n.c.	⦿ 15 à 23 €

Le coup de cœur fait partie des habitués de la maison. Ce domaine de 11 ha l'a obtenu l'an dernier pour le millésime 99 et déjà en 2000 pour des Genevrières 97. Il propose cette fois des Tessons figurant parmi les meilleurs vins dégustés. Or limpide, le nez au saut du lit (noisette, agrumes), ce vin est net et expressif, d'une maturité épanouie. Il est à découvrir maintenant. Nous attirons également votre attention sur Les Charmes-Dessus 2000 (23 à 30 €) qui obtiennent une étoile.

Michel Bouzereau et Fils,
3, rue de la Planche-Meunière,
21190 Meursault, tél. 03.80.21.20.74, fax 03.80.21.66.41
☑ ⏱ r.-v.

DOM. HUBERT BOUZEREAU-GRUERE
Charmes 2000★★

1er cru	0,65 ha	3 000	🍷 23 à 30 €

Petit-fils d'Edmond et fils de Louis, Hubert veille sur l'un des nombreux domaines Bouzereau. Il a élaboré un sérieux candidat au coup de cœur. Ce Charmes imprime à tous ses actes une sensualité retenue, une plénitude accomplie qui relèvent du grand art. Robe somptueuse, il va sans dire, arômes de beurre et de noisette, élégance

et puissance d'un chardonnay porté aux nues. Ne le dégustez pas tout de suite car il prendra de la longueur avec le temps.

Hubert Bouzereau-Gruère,
22 a, rue de la Velle, 21190 Meursault,
tél. 03.80.21.20.05, fax 03.80.21.68.16,
e-mail hubert.bouzereau.gruere @ libertysurf.fr
☑ 🏠 ⏱ r.-v.

MAISON JOSEPH DE BUCY
Les Narvaux 2000

	n.c.	1 622	🍷🍷↓ 15 à 23 €

Naguère associé à un viticulteur murisaltien, Joseph de Bucy a relancé une marque à son nom dans le négoce

La côte de Beaune (Centre-Sud)

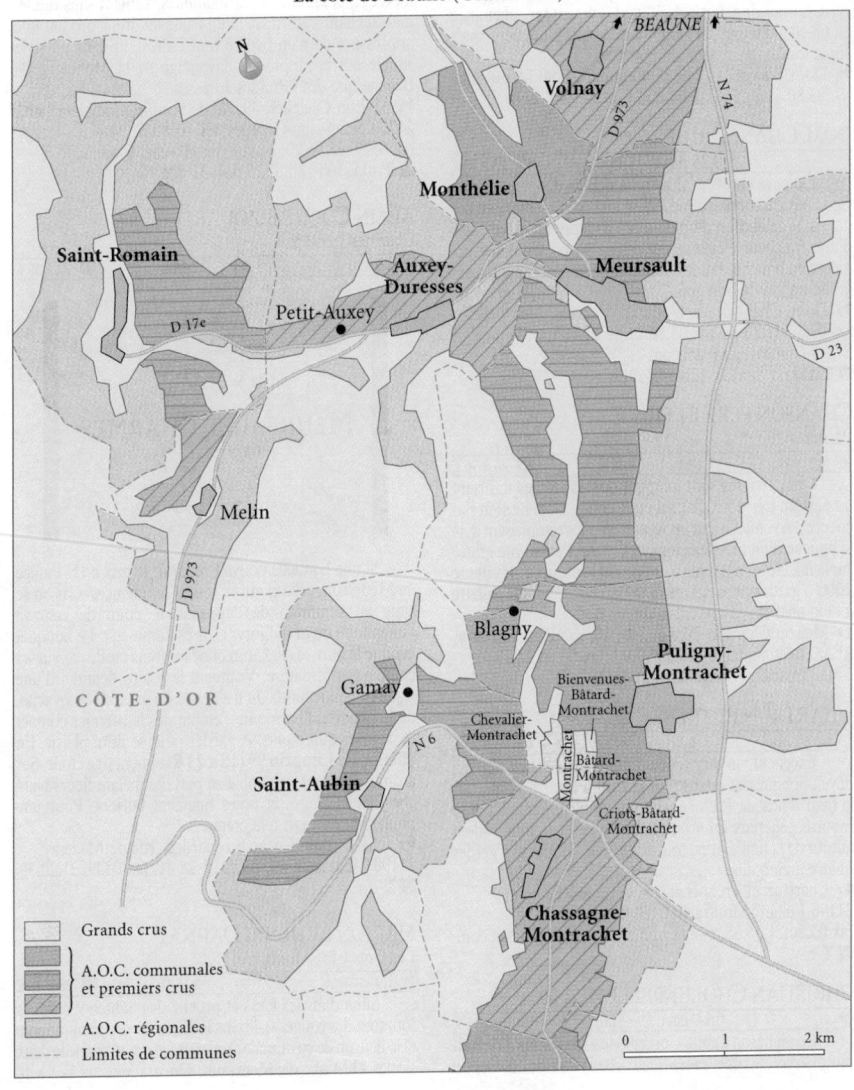

en 1996. Elevé sous les remparts de Beaune, ce vin d'une belle couleur a le nez assez fin, très jeune et sur la réserve. Sa nervosité en bouche est associée, selon l'usage, au citron et au pamplemousse. Le gras fait irruption en finale. Typé 2000.

⌐ Maison Joseph de Bucy, 34, rue Eugène-Spuller, 21200 Beaune, tél. 03.80.24.91.60, fax 03.80.24.91.54, e-mail jodebucy@aol.com ☑ ☥ r.-v.

DOM. CAILLOT
Clos du Cromin 1999★

	0,32 ha	2 000	▮⏶ 23 à 30 €

Typé meursault, ce 99 jaune paille assez intense offre des arômes fruités, les mettant au service d'une structure digne de ce nom. On apprécie encore ses arômes secondaires (une jolie violette), sa longueur et ses vertus de garde. A ouvrir à partir de 2004. L'étiquette parcheminée est un chef-d'œuvre en péril. On ne la voit plus guère, mais après tout...

⌐ Dom. Caillot, 14, rue du Cromin, 21190 Meursault, tél. 03.80.21.21.70, fax 03.80.21.69.58 ☑ ☥ r.-v.

DOM. CHANGARNIER 2000★

	0,25 ha	1 600	⏶ 15 à 23 €

De père en fils à Monthélie depuis dix générations. Cette famille connaît donc ici son meursault sur le bout des doigts. Si celui-ci est d'un tempérament discret, il bénéficie d'une fraîcheur élégante qui assure sa présence harmonieuse en bouche. Jaune à reflets argentés, noisette et pain grillé, un vin de bon goût.

⌐ Dom. Changarnier, pl. du Puits, 21190 Monthélie, tél. 03.80.21.22.18, fax 03.80.21.68.21, e-mail changarnier@aol.com
☑ ☥ t.l.j. sf dim. 9h-12h 14h-19h

CHANSON PERE ET FILS
Perrières 2000★

1er cru	n.c.	1 500	⏶ 46 à 76 €

Ces Perrières sont joliment dorées et elles diffusent un parfum très doux de miel et de coing. Elles ne sont pas encore parvenues à leur apogée, mais elles remplissent déjà la bouche d'un moelleux long et beurré. Petite note grillée sur la fin. Notez aussi sur votre carnet le **meursault village 2000** à garder précieusement si l'on aime investir (quatre à cinq ans) et qui obtient la même note.

⌐ Maison Chanson Père et Fils, 10, rue Paul-Chanson, 21200 Beaune, tél. 03.80.25.97.97, fax 03.80.24.17.42, e-mail tmarion@vins-chanson.com

CHARTRON ET TREBUCHET 2000★★

	n.c.	7 000	⏶ 23 à 30 €

Excellent vin du négoce. Jaune pâle à reflets verts, il développe un nez intense sur le fruit à chair blanche, sur la fleur d'acacia. Riche et charnu, ample et complet, il se montre généreux en arômes. Le coing et le miel rôdent autour de la finale. Il est tout aussi bien à boire qu'à garder quatre à cinq ans.

⌐ Chartron et Trébuchet, 13, Grande-Rue, 21190 Puligny-Montrachet, tél. 03.80.21.32.85, fax 03.80.21.36.35, e-mail info@chartron-trebuchet.com ☑ ☥ r.-v.

CHRISTIAN CHOLET-PELLETIER 2000★★

	0,14 ha	900	⏶ 8 à 11 €

Ce vigneron habite Corcelles-les-Arts, mais il devrait plutôt dire Corcelles-les-Beaux-Arts : d'une franchise

exemplaire, son vin est en effet remarquable et se retrouve parmi les candidats au maillot jaune. Paille à nuance légère et brillante, il nous fait l'hommage d'un bouquet de rêve : vif, élégant, floral, un tantinet miellé. Fondé sur un bel équilibre de l'acidité et du moelleux, fleuri et soyeux, il n'en finit plus tant il est persistant. Pour une poularde de Bresse à la crème, rien de moins. Dommage qu'il y ait si peu de bouteilles.

⌐ Christian Cholet, 21190 Corcelles-les-Arts, tél. 03.80.21.47.76, fax 03.80.21.47.76
☑ ☥ t.l.j. 8h-12h 14h-18h

CLAVELIER 1999

	0,78 ha	1 800	⏶ 30 à 38 €

Ce 99 obtient son billet pour le Guide en développant d'excellents arguments aromatiques, vanillés sans doute, mais sachant s'affirmer. D'un fruité tendre, il produit une impression de pain beurré tout en restant dans un style simple qui le rapproche davantage de la Montagne de Beaune que des Grandes Jorasses.

⌐ Maison Clavelier, 49, rte de beaune, Comblanchien, 21700 Nuits-saint-Georges, tél. 03.80.62.94.11, fax 03.80.62.95.20, e-mail vins.clavelier@wanadoo.fr ☑ ☥ t.l.j. 10h-18h; f. 25 déc.-31 déc.

ALAIN COCHE-BIZOUARD
Charmes 1999★★

1er cru	0,3 ha	2 000	⏶ 23 à 30 €

Si une bouteille pouvait recevoir le prix de la Paulée de Meursault, celle-ci aurait toutes ses chances. Car on se situe au summum de l'appellation, coup de cœur à l'unanimité du grand jury. L'or est lumineux. Le bouquet évoque le buis, le silex. Fin et néanmoins étoffé, ce vin est comblé par la nature. Vraiment le « zéro défaut » d'une superbe vinification. Qu'il s'agisse du gras, de la vivacité, de la richesse, l'harmonie s'établit dès le premier contact et ne nous quitte plus. A garder pour se faire plaisir. En **village, Le Limozin 99 (15 à 23 €)** obtient une étoile. Ses arômes affichent une noblesse parfaite mêlant fleurs blanches, fruits blancs et notes finement boisées. Pour une poularde de Bresse à la crème.

⌐ EARL Alain Coche-Bizouard, 5, rue de Mazeray, 21190 Meursault, tél. 03.80.21.28.41, fax 03.80.21.22.38 ☑ ☥ r.-v.

MARION ET HENRI DARNAT
Les Cras Clos Monopole 2000★

1er cru	0,75 ha	5 000	⏶ 38 à 46 €

Situé dans les Cras et proche des Santenots Blancs (qui sont des rouges !), le clos Richemont est un monopole et le fleuron de ce domaine qui partage depuis près de deux siècles l'histoire de Meursault. On pratique ici la « viticulture douce » depuis déjà longtemps. Le teint pâle de cette bouteille s'accorde avec un nez aux touches minérales et d'amande. On ne doute pas de son aptitude à épanouir ses solides atouts : sa structure se profile, embellie par le coing et la fleur d'acacia.

🐦 Dom. Darnat, 20, rue des Forges, 21190 Meursault, tél. 03.80.21.23.30, fax 03.80.21.64.62 ☑ ⟆ r.-v.

DEMESSEY 2000

	n.c.	n.c.	🍶 23 à 30 €

C'est aussi le manoir murisaltien, pour qui connaît bien Meursault. Cette maison propose un *village* d'un beau jaune soutenu, au nez très brioché. Il ne se contente d'ailleurs pas de cet arôme, faisant appel à la vanille et aux fruits exotiques (goyave, indique un amateur éclairé). L'élevage en fût domine, mais la structure du vin est suffisante pour lui permettre de bien évoluer.

🐦 Marc Dumont, Ch. Demessey, 71700 Ozenay, tél. 03.85.51.33.83, fax 03.85.51.33.82, e-mail vin@demessey.com ☑ 🏠 🏠 ⟆ r.-v.

DOUDET-NAUDIN 2000★

0,4 ha	1 800	🍶 23 à 30 €

Maison de négoce fondée en 1849 et restée indépendante et familiale. Ce n'est pas si fréquent dans la Côte. Yves Doudet et Alain Ambroise sont les co-auteurs de ce poème à la gloire du meursault. Le style en est brillant et le souffle aromatique, profond, intense (miel d'acacia, orange confite sur les notes grillées du chêne). Tendre mais également vif, il est aussi rond et gras que Raminagrobis dans la fable. Aucune déception n'est à craindre dans les trois ou quatre ans à venir.

🐦 Doudet-Naudin, 3, rue Henri-Cyrot, 21420 Savigny-lès-Beaune, tél. 03.80.21.51.74, fax 03.80.21.50.69, e-mail doudet-naudin@wanadoo.fr ☑ ⟆ r.-v.

🐦 Yves Doudet

JOSEPH DROUHIN 1999★★

	n.c.	n.c.	🍶 23 à 30 €

Coup de cœur l'an dernier et cette fois-ci bien placé. La robe or blanc de ce 99 offre quelques reflets, son bouquet est incontournable : fin et cependant tout en puissance, au grillé discret, il chante *a cappella* l'aubépine et l'amande. En bouche, l'impression première est bientôt confirmée par l'harmonie d'un gras savoureux. Beau vin typé dans une atmosphère de richesse.

🐦 Joseph Drouhin, 7, rue d'Enfer, 21200 Beaune, tél. 03.80.24.68.88, fax 03.80.22.43.14, e-mail maisondrouhin@drouhin.com ⟆ r.-v.

DUFOULEUR PERE ET FILS 2000★

	n.c.	7 500	🍶 23 à 30 €

D'une teinte un peu ambrée, flatteuse à l'œil, ce meursault n'a pas perdu tout souvenir de son fût, car ses arômes en portent la trace sur un fond floral et légèrement beurré. Tendre comme un amoureux de la veille, il est relevé par ce qu'il faut d'acidité. Un gras chaleureux arrive en renfort et l'accompagne assez longuement. Il reflète bien l'appellation et il devrait marquer des points en cave.

🐦 Dufouleur Père et Fils, 17, rue Thurot, 21700 Nuits-Saint-Georges, tél. 03.80.61.21.21, fax 03.80.61.10.65, e-mail dufouleur@axnet.fr ☑ ⟆ t.l.j. 9h-19h

DOM. DUPONT-FAHN
Vieilles Vignes 2000★

	n.c.	n.c.	🍶 11 à 15 €

Le grand-père de Michel était fermier dans le Morvan quand il décida un jour de venir voir ici si la nature n'était pas plus clémente. De fait ! Cette cuvée de Vieilles vignes se présente sous des traits jaune d'or. Le coing, le miel tapissent son bouquet. La bouche est moelleuse et ample. On se rappelle Camille Rodier parlant du meursault : « Un vin riche en alcool... » Il conviendra en effet au foie gras, mais dans deux à trois ans. **Les Vireuils 2000** ont étonné le jury par la présence de notes de surmaturité. Mais si ce vin n'est pas typé meursault, il n'en est pas moins très intéressant ; miel, fleurs d'églantine, fruits exotiques s'en donnent à cœur joie. Une étoile.

🐦 Michel Dupont-Fahn, Monthélie, 21190 Meursault, tél. 03.80.21.26.78, fax 03.80.21.21.22 ☑ ⟆ r.-v.

AUX GAMBAL 1999

	n.c.	2 070	🍶 15 à 23 €

Pâle et peu intense, la robe est charmante. Le parfum est encore léger, fleur blanche classique. Souple et nerveux, ce vin demande à s'ouvrir. L'alcool se fait remarquer, de même que l'acidité. Cette bouteille assez originale est signée par un nouveau venu dans le négoce bourguignon, originaire de Boston et installé en 1997. Il achète principalement en raisins et en moûts.

🐦 Maison Alex Gambal, 4, rue Jacques-Vincent, 21200 Beaune, tél. 03.80.22.75.81, fax 03.80.22.21.66, e-mail alex@alexgambal.com ☑ ⟆ r.-v.

PAUL GARAUDET
Vieille Vigne 2000★

	2 ha	7 500	🍶 15 à 23 €

Il porte la robe des 2000, celui-ci. Intense, brillante. Le nez prend des aspects agréables, sur une teinte florale, un peu vanillée. L'attaque est souple, le corps est gras : homogène, classique, c'est un vin qui ne perturbera pas vos habitudes et qui est déjà assez éveillé pour passer de la cave à la salle à manger.

🐦 Paul Garaudet, imp. de l'Eglise, 21190 Monthélie, tél. 03.80.21.28.78, fax 03.80.21.66.04 ☑ ⟆ r.-v.

DOM. VINCENT GIRARDIN
Les Narvaux 2000★

	n.c.	n.c.	🍶 15 à 23 €

Bien connu de nos lecteurs, Vincent Girardin est un homme de qualité à en croire les vins qu'il produit. Ses Narvaux concilient un boisé végétal et les qualités du cépage sur des accents naturellement grillés mais aussi de pomme mûre et de miel d'acacia. Long et gras, il semble disposer d'un bon potentiel : le jury affirme qu'il s'améliorera d'ici deux ans environ.

🐦 Caveau des Grands Crus, pl. de la Bascule, 21190 Chassagne-Montrachet, tél. 03.80.21.96.06, fax 03.80.21.96.23 ☑ ⟆ r.-v.

🐦 Vincent Girardin

ALBERT GRIVAULT 1999

	1,43 ha	10 000	🍶 15 à 23 €

Fondateur du domaine en 1873, Albert Grivault fit don d'une vigne de Meursault-Charmes aux Hospices de Beaune. Ce cru fut coup de cœur dans le Guide 1999. Et justement voici le millésime 99. Or blanc à reflets verts, aubépine et silex (vin à carafer), il a du volume et du gras, de l'étoffe. A déboucher dans les temps qui viennent

SC Dom. Albert Grivault, 7, pl. du Murger,
21190 Meursault, tél. 03.80.21.23.12, fax 03.80.21.24.70
☑ ⵞ r.-v.

DOM. ANTONIN GUYON
Les Charmes-Dessus 2000

1er cru	0,69 ha	4 500	🍶 38 à 46 €

Merci à ce domaine qui précise sur l'étiquette Charmes-Dessus, sans se contenter de Charmes. Les connaisseurs savent en effet que les Dessus ont davantage de structure, de pudeur que les Dessous, plus ronds et plus sensuels. Ces Dessus sont doté d'un or gris à reflets verts. Leur nez se manifeste très vite par une sensation délicieuse de beurre frais. Moelleux, ils ont du caractère et vont s'épanouir sous votre bonne garde (jusqu'à quatre ou cinq ans).

Dom. Antonin Guyon, 21420 Savigny-lès-Beaune, tél. 03.80.67.13.24, fax 03.80.66.85.87,
e-mail vins @ guyon-bourgogne.com ☑ ⵞ r.-v.

MAISON LOUIS JADOT
Charmes 1999★

1er cru	0,6 ha	3 600	🍶 46 à 76 €

Le savoir-boire est parfois une école de patience. Il faudra rester l'arme au pied auprès de ce meursault bien appuyé sur le jaune et qui réunit en son bouquet le beurre et la fougère. Combien de temps ? De trois à quatre ans si vous êtes vraiment sage... Peu ouvert à ce jour, il n'est ni trop gras ni trop boisé. L'acidité renforce l'équilibre durable de ce 99 qui accompagnera en son temps un poisson au beurre blanc.

Maison Louis Jadot, 21, rue Eugène-Spuller, 21200 Beaune, tél. 03.80.22.10.57, fax 03.80.22.56.03,
e-mail contact@louisjadot.com ⵞ r.-v.

DOM. JOBARD-MOREY
Poruzots 2000

	0,51 ha	1 950	🍶 15 à 23 €

Domaine issu de vieilles familles bourguignonnes, les Morey et les Jobard Poruzots, ou Poruzot comme orthographié sur l'étiquette ? Peu importe, on n'est pas à la dictée de Bernard Pivot. Paille soutenu à reflets argentés, ce vin illustre le type de nez empyreumatique sur fond boisé. Le corps n'est pas inintéressant. Il est à bonne maturité et il offre du potentiel. Les **Charmes en 1er cru (2000)** sont agréables sur une tonalité primesautière et obtiennent une citation.

Dom. Jobard-Morey, 1, rue de la Barre, 21190 Meursault, tél. 03.80.21.26.43, fax 03.80.21.60.91
☑ ⵞ r.-v.

JEAN LATOUR-LABILLE ET FILS 2000

1er cru	0,9 ha	3 000	🍶 15 à 23 €

De la matière et du caractère. Sans doute convient-il de le laisser vieillir un peu (disons deux à trois ans), mais il n'y a pas lieu de se montrer inquiet. Doré clair, ce 2000 mérite son rang de 1er cru. Son bouquet n'a pas encore abaissé toutes ses cartes. On l'imagine minéral et floral. La bouche rappelle l'abricot confit dans un volume assez ample. Le domaine couvre une petite douzaine d'hectares.

Jean Latour-Labille et Fils, 6, rue du 8-Mai, 21190 Meursault, tél. 03.80.21.22.49, fax 03.80.21.67.86
☑ ⵞ r.-v.

Vincent Latour

JEAN LATOUR-LABILLE ET FILS 2000

	0,55 ha	n.c.	🍶 5 à 8 €

Le meursault rouge existe : nous l'avons rencontré ! Grenat à reflets sombres, un pinot noir qui suggère le fruit en compote. Élégant, d'une approche agréable, il se montre assez chaleureux. Construit sur des tanins encore solides, il devra attendre trois à quatre ans. La place du merrain est judicieusement calculée. Le **1er cru Les Cras rouge 2000 (11 à 15 €)** est également honorable.

Jean Latour-Labille et Fils, 6, rue du 8-Mai, 21190 Meursault, tél. 03.80.21.22.49, fax 03.80.21.67.86
☑ ⵞ r.-v.

OLIVIER LEFLAIVE
Tillets 1999

	n.c.	n.c.	🍶 23 à 30 €

Des Tillets 99 sous la robe qu'on attend. Leur bouquet offre une bonne concentration et, s'il faut opter pour la tendance majoritaire, on dira la pêche de vigne. Difficile de s'en souvenir il est vrai, car il n'y en a plus guère. Le corps est fin, frais, correct et de petite garde (deux ans ?).

Olivier Leflaive, pl. du Monument, 21190 Puligny-Montrachet, tél. 03.80.21.37.65,
fax 03.80.21.33.94,
e-mail olivier-leflaive @ dial.oleane.com ☑ ⵞ r.-v.

CHRISTOPHE MARY
Charmes 2000★

1er cru	0,17 ha	150	🍶 15 à 23 €

Meursault occupe tant de place dans le paysage que l'on parle d'une « Côte de Meursault ». Et pas seulement dans le paysage. C'est un nom qui emplit le verre à lui tout seul. Ce 2000 d'un or intense, ferme et concentré, rappelle un peu la pain d'épice. Puissant, équilibré, moelleux, il est de composition assez originale.

Christophe Mary, rue de la Garenne, 21190 Corcelles-les-Arts, tél. 03.80.21.48.98,
fax 03.80.21.48.98 ☑ ⵞ r.-v.

DOM. MESTRE-MICHELOT
Limozin 2000

	0,21 ha	1 400	🍶 15 à 23 €

Peu de reflets, mais une approche très délicate de ce Limozin. Dès le premier coup de nez, une note minérale se mêle au grillé plus habituel. Un départ tout en finesse, sans effets de manche. Au palais, la texture est intéressante et les arômes secondaires (fleur blanche surtout) ont droit de cité dans un contexte vif ; cette acidité garantit un vieillissement qu'il faut mettre en pratique afin d'enrober le sujet et d'accroître son moelleux.

Dom. Mestre-Michelot, 12 bis, rue de Mazeray, 21190 Meursault, tél. 03.80.21.23.17, fax 03.80.21.63.62
☑ ⵞ r.-v.

CH. DE MEURSAULT 1999★

1er cru	5 ha	35 000	🍶 38 à 46 €

Grâce à André Boisseaux, le château de Meursault et son parc ont été sauvés de la dégradation et remis en valeur. Ce vin occupe donc au pays une place seigneuriale. Il est ici à son rang. On ne s'étonnera pas de le voir porter l'or et l'émeraude. Un parfum assez opulent de fruit mûr. Aucune évolution pour ce 99 qui conserve entière sa fraîcheur de jeunesse, légèrement mentholée. Il a toute la puissance du millésime sans déviation aromatique (fleur blanche dominante en bouche). Du même groupe, sous la marque **Couvent des Cordelières, les Grands Charrons 2000** (23 à 30 €) reçoivent également une étoile.

🍷 Dom. du Château de Meursault, 21190 Meursault, tél. 03.80.26.22.75, fax 03.80.26.22.76 ☑ ⱦ r.-v.

MOILLARD
Clos du Cromin 2000

	1,6 ha	6 900	🍶 23 à 30 €

Chaque chose à sa place et chaque chose en son temps, semble nous dire ce Clos du Cromin or pâle assorti de reflets verts. Son bouquet évoque les fruits de la Passion et la truffe. Destiné à une consommation à remettre à plus tard, il jouit d'une bonne acidité. Sa rondeur toastée, miellée, n'étonne pas dans le paysage.

🍷 Moillard, 2, rue François-Mignotte, 21700 Nuits-Saint-Georges, tél. 03.80.62.42.22, fax 03.80.61.28.13, e-mail nuicave@wanadoo.fr
☑ ⱦ t.l.j. 10h-18h; f. jan.

DOM. RENE MONNIER
Les Chevalières 2000

	2,45 ha	14 000	🍶 11 à 15 €

Ces Chevalières (le coteau qui domine la célèbre flèche de l'église de Meursault) seront le partenaire idéal d'une volaille bien juteuse. Les premières vignes de la parcelle appartiennent à la famille depuis 1723 ! Autant dire que ce vin fait ici partie des meubles. D'un jaune très clair, il a des senteurs de raisins rôtis par le soleil, de beurre et de pain grillé. Sitôt l'attaque passée, le gras prend de l'ampleur. Convivial, assez flatteur, un 2000 épanoui et d'une expression directe.

🍷 Dom. René Monnier, 6, rue du Dr-Rolland, 21190 Meursault, tél. 03.80.21.29.32, fax 03.80.21.61.79
☑ ⱦ t.l.j. 8h-12h 14h-18h
🍷 M. et Mme Bouillot

MORET-NOMINE
Sous la Velle 2000

	n.c.	900	🍶 15 à 23 €

Jaune clair, ce 2000 compose un bouquet à l'aide d'agrumes et de fruits secs. Un peu évolué peut-être, mais possédant un sérieux potentiel de garde. Il fait en bouche l'essentiel de son effort et on lui en est reconnaissant. Sa persistance est en effet presque époustouflante, sur des accents de pêche et de miel.

🍷 D. Moret et O. Nominé, hameau de Barboron, 21420 Savigny-lès-Beaune, tél. 03.80.21.58.35, fax 03.80.26.10.59 ☑

MUGNIER PERE ET FILS
Les Narvaux 1999

	n.c.	n.c.	🍶 🍶 23 à 30 €

La P'tiote Cave et ses Narvaux ; ce *climat* se trouve au-dessus des Genevrières sur le coteau. Or blanc cristallin, ce 99 est vanillé et beurré. Derrière une attaque franche, une petite acidité demeure, n'empêchant pas la rondeur aimable. Une bonne bouteille néo-classique si l'on s'en tient au boisé nettement sensible.

🍷 EARL la P'tiote Cave, Valotte, 71150 Chassey-le-Camp, tél. 03.85.87.15.21, fax 03.85.87.28.08 ☑ ⱦ r.-v.

NAUDIN-TIERCIN
Les Chevalières 2000

	n.c.	600	🍶 15 à 23 €

On n'est nullement hostile à cette bouteille, mais son boisé couvre ce qu'elle aurait à dire. On devra donc attendre pour qu'il se fonde. Quant au reste, il est bouton-d'or et assez floral, avec du gras et une certaine ampleur.

🍷 Naudin-Tiercin, av. Charles-de-Gaulle, 21200 Beaune, tél. 03.80.25.91.30, fax 03.80.25.91.29
☑ ⱦ t.l.j. sf sam. dim. 9h-12h 14h-18h; f. août

G. PRIEUR
Chevalières 1999★

	0,55 ha	4 100	🍶 23 à 30 €

De bonnes larmes sur le verre et elles n'expriment pas la tristesse. Brillance et limpidité sont au rendez-vous. L'amande et la fougère conduisent la cohorte des arômes. En bouche, l'amande est la plus prompte et s'engouffre la première. Sans être monumental, ce vin bien bâti, discrètement boisé, est d'une persistance assez durable.

🍷 G. Prieur, Santenay Le haut, 21590 Santenay, tél. 03.80.21.23.92 ☑ ⱦ r.-v.

CAVE PRIVEE D'ANTONIN RODET
La Cras 1999

1er cru	n.c.	1 646	🍶 46 à 76 €

Coup de cœur l'an passé pour le millésime 98, voici le 99. Antonin Rodet vous fait les honneurs de sa « cave privée »... Jaune assez soutenu, le vin verse quelques larmes à la surface du verre. Il connaît ses classiques et sait attendrir, même s'il montre quelques notes d'évolution au nez avec des notes de maturité (abricot, noyau), puis une charpente honorable mariée à des arômes de coing. On peut néanmoins l'attendre jusqu'en 2004.

🍷 Antonin Rodet, 71640 Mercurey, tél. 03.85.98.12.12, fax 03.85.45.25.49, e-mail rodet@rodet.com
☑ ⱦ t.l.j. sf sam. dim. 9h-12h 14h-18h

ROPITEAU
Les Casse-Têtes 2000★

	n.c.	900	🍶 15 à 23 €

Les Casse-Têtes ne sont pas à prendre au pied de la lettre. Réussis, comme c'est le cas ici, ils figurent parmi les meilleurs *villages* du pays. L'or de ce 2000 a les tempes argentées et une âme de séducteur. Son parfum d'amande amère et de miel en fait l'arbitre des élégances. Il attaque avec doigté, joue de ses arômes secondaires, nuance son gras de finesse et de fraîcheur. Laissez-le patienter un peu. Maison historique de Meursault reprise par Jean-Claude Boisset, et qui garde sa liberté de mouvement.

🍷 Ropiteau Frères, 13, rue du 11-Novembre, 21190 Meursault, tél. 03.80.21.69.20, fax 03.80.21.69.29, e-mail lemstra.f@attglobal.net
☑ ⱦ t.l.j. 9h-19h; f. mi-nov. à Pâques

CH. ROSSIGNOL-JEANNIARD 2000

	0,9 ha	1 800	🍶 15 à 23 €

Or brillant, ce *village* offre au nez une fine sensation de silex et d'églantine. Cette finesse se retrouve au palais, marqué par une matière étoffée. Le boisé est léger, et la finale agréable a des connotations exotiques.

🍷 Ch. Rossignol-Jeanniard, rue de Mont, 21190 Volnay, tél. 03.80.21.62.43, fax 03.80.21.27.61
☑ ⱦ r.-v.

BOURGOGNE

DE SOUSA-BOULEY
Les Millerans 2000★★

	0,51 ha	1 800	Ⅲ 11 à 15 €

Passé de Volnay à Meursault après l'achat d'une maison, Albert de Sousa-Bouley est un passionné de vieux outils. Ses Millerans se trouvent à la sortie du bourg sur la route de Puligny. Ils donnent une bouteille très réussie et qui méritera peut-être le coup de cœur un peu plus tard, dans le secret de votre cave. Doré clair, ce vin compose un bouquet moelleux à partir du beurre, du miel, de la verveine. D'une belle texture et avec un rien de complexité, la bouche se félicite d'accueillir un chardonnay plein de charme et vif d'esprit.

🕼 Albert de Sousa-Bouley, 25, RN 74, 21190 Meursault, tél. 03.80.21.22.79, fax 03.80.21.66.76 ⵀ t.l.j. 8h-20h

CH. DE LA VELLE
Clos de la Velle 2000

	0,5 ha	3 000	Ⅲ 11 à 15 €

Le château de la Velle est à Meursault une demeure seigneuriale du XVIᵉs. : une cave forte, comme on dit un château fort. Il délivre ici un message revêtu d'un léger or vert. Son parfum délicat et complexe est un jardin blanc : aubépine, acacia, fruits à chair blanche. Il demande à s'ouvrir en bouche, afin d'y accueillir un poisson de rivière, une truite meunière.

🕼 Ch. de la Velle, 17, rue de la Velle, 21190 Meursault, tél. 03.80.21.22.83, fax 03.80.21.65.60, e-mail chateaudelavelle@infonie.fr ⵀ r.-v.

🕼 Bertrand Daviot

Blagny

Situé à cheval sur les communes de Meursault et de Puligny-Montrachet, un vignoble homogène s'est développé autour du hameau de Blagny. On y produit des vins rouges remarquables portant l'appellation blagny (256 hl en 2001), mais la plus grande superficie est plantée en chardonnay pour donner, selon la commune, du meursault 1ᵉʳ cru ou du puligny-montrachet 1ᵉʳ cru.

DOM. HENRI CLERC ET FILS
Sous le Dos d'Ane 1999★

1er cru	0,93 ha	1 780	Ⅲ 23 à 30 €

94 |95| **96** |97| 98 99

Ce Dos d'Ane ne comporte aucune secousse fâcheuse. Il se franchit aisément : depuis la robe cerise noire à l'intensité profonde (plus profonde que lumineuse) jusqu'à l'arrière-bouche aux tanins encore assez serrés. Son bouquet est généreux, sur une tonalité de fraise, de framboise et de léger sous-bois. On peut s'attendre à un bon avenir (trois à cinq ans sans problème).

🕼 Dom. Henri Clerc et Fils, pl. des Marronniers, 21190 Puligny-Montrachet, tél. 03.80.21.32.74, fax 03.80.21.39.60 ⵀ r.-v.

🕼 Bernard Clerc

DOM. LARUE
Sous le Puits 1999★

1er cru	0,2 ha	1000	Ⅲ 15 à 23 €

Jeune talent 2001, ce viticulteur a reçu ainsi le coup de chapeau de la profession bourguignonne. Il y a beaucoup de bonnes choses à découvrir sous ce Puits. N'attendez pas une eau claire, pure, vive... mais un pinot noir à la couleur magnifique et qui suggère le fruit à l'eau-de-vie ; il ne le perd pas en route, le boisé étant bien conduit ; il devrait s'épanouir d'ici quelques paires d'années.

🕼 Dom. Larue, Gamay, 21190 Saint-Aubin, tél. 03.80.21.30.74, fax 03.80.21.91.36 ⵀ r.-v.

DOM. MATROT-WITTERSHEIM
La Pièce sous le Bois 2000

1er cru	0,85 ha	5 500	Ⅲ 15 à 23 €

Domaine issu de la division du domaine Joseph Matrot dirigé jusqu'en 1999 par Thérèse Matrot-Wittersheim. Aujourd'hui, les deux filles et leur mère revendiquent bien haut les droits de la femme en pays de vigne. Rubis à couronne violacée, ce blagny a le nez légèrement animal plutôt fermé mais franc. Vineux et robuste, il s'appuie sur des tanins déjà bien fondus.

🕼 SCE Dom. Matrot-Wittersheim, 2, pl. de l'Europe, 21190 Meursault, tél. 03.80.21.21.13, fax 03.80.21.21.14, e-mail matrot.wittersheim@wanadoo.fr ⵀ r.-v.

PAUL PERNOT ET SES FILS
La Pièce sous le Bois 2000

1er cru	0,34 ha	1 500	Ⅲ 15 à 23 €

L'éclat de la braise brille dans sa robe. Du sous-bois à la groseille, ses arômes dessinent un large panorama, mais seule l'esquisse apparaît aujourd'hui bien qu'il n'y ait pas trop de fût. Son fruit gourmand est enrobé dans une mâche importante où se mêlent puissance et vivacité.

🕼 EARL Paul Pernot et ses Fils, 7, pl. du Monument, 21190 Puligny-Montrachet, tél. 03.80.21.32.35, fax 03.80.21.94.51 ⵀ r.-v.

Puligny-montrachet

Centre de gravité des vins blancs de Côte-d'Or, serrée entre ses deux voisines meursault et chassagne, cette petite commune tranquille ne fait en surface de vignes que la moitié de meursault, ou les deux tiers de chassagne, mais se console de cette modestie apparente en possédant les plus grands crus blancs de Bourgogne, dont le montrachet, en partage avec Chassagne.

La position géographique de ces grands crus, selon les géologues de l'université de

Dijon, correspond à une émergence de l'horizon bathonien, qui leur confère plus de finesse, plus d'harmonie et plus de subtilité aromatique qu'aux vins récoltés sur les marnes avoisinantes. L'AOC a produit 10 863 hl de vin blanc et 59 hl de vin rouge en 2001.

Les autres *climats* et premiers crus de la commune exhalent fréquemment des senteurs végétales à nuances résineuses ou terpéniques, qui leur donnent beaucoup de distinction.

JEAN-CLAUDE BACHELET
Sous le Puits 1999★

1er cru	0,23 ha	n.c.	15 à 23 €

Sous le Puits, c'est Blagny. Les hauteurs ! Jean-Claude Bachelet est un viticulteur de Saint-Aubin. Il livre ce 99 bien doré, brillant, au bouquet intense et aguichant. Fruits blancs, fleurs blanches, on sait qu'il y a là un chardonnay expressif. L'attaque est vive, la suite équilibrée et la longueur phénoménale. Son fond très copieux promet une grande bouteille dans deux à trois ans.
🍴 Jean-Claude Bachelet, 1, rue de la Fontaine, 21190 Saint-Aubin, tél. 03.80.21.31.01, fax 03.80.21.91.71, e-mail jcbachelet@aol.com ☑ ⚍ r.-v.

ALBERT BICHOT 1999

	n.c.	2 756	30 à 38 €

« Vin vert, riche de Bourgogne », disait-on jadis. Un dicton qui pourrait être appliqué à celui-ci. Délicat, beurré, juste un peu boisé, souple et classique avec la pointe rituelle d'amertume, ce 99 a été élevé dix-huit mois en fûts dont 80 % sont neufs.
🍴 Albert Bichot, Dom. du Pavillon, 6 *bis*, bd J.-Copeau, 21200 Beaune, tél. 03.80.24.37.37, fax 03.80.24.37.38

BOISSEAUX-ESTIVANT 2000★

	n.c.	1 500	30 à 38 €

Dirigée par Pierre Ponnelle, cette maison beaunoise a de la bouteille. À ne pas confondre avec les œuvres d'André Boisseaux qui, d'ailleurs, ne mit jamais son propre nom en avant. Un 2000 empli de saveurs et de senteurs miellés. Rondeur, équilibre, persistance : il pratique avec bonheur cette règle de trois que les enfants de Puligny apprennent dès la maternelle. Petite pointe vive en finale et de moyenne garde (trois ans environ).
🍴 Boisseaux-Estivant, 38, fg Saint-Nicolas, BP 107, 21200 Beaune, tél. 03.80.22.26.84, fax 03.80.24.19.73 ☑

MICHEL BOUZEREAU ET FILS
Les Champs Gains 2000★★

1er cru	n.c.	n.c.	23 à 30 €

Climat en haut de coteau, très calcaire, en montant vers Blagny. Le coup de cœur honore sa typicité parfaite, son élégance très puligny. Le fût ne prend jamais le pas sur le vin. Les reflets verts, le bouquet odorant (notes de poire), la bouche pleine et riche, tout est à l'honneur du cépage, du terroir et du vinificateur. Notez que ce millésime mythique est encore jeune et pourra progresser, ajoutant l'ampleur à la distinction présente.

🍴 Michel Bouzereau et Fils, 3, rue de la Planche-Meunière, 21190 Meursault, tél. 03.80.21.20.74, fax 03.80.21.66.41 ☑ ⚍ r.-v.

HUBERT BOUZEREAU-GRUERE 2000

	0,5 ha	600	15 à 23 €

Ce domaine passe de père en fille avec une constance remarquable : Marie-France, Marie-Anne, Marie-Laure... Ce *village* est peu aromatique (léger floral) à cette étape de sa vie, mais en revanche bien coloré. Charpenté, il est agréable et honnêtement fait. Deux années de garde sont conseillées.
🍴 Hubert Bouzereau-Gruère, 22 a, rue de la Velle, 21190 Meursault, tél. 03.80.21.20.05, fax 03.80.21.68.16, e-mail hubert.bouzereau.gruere@libertysurf.fr ☑ 🏠 ⚍ r.-v.

DOM. CHANZY
Les Reuchaux 1999★

	n.c.	n.c.	15 à 23 €

Une formation hôtelière et une vocation viti-vinicole ont conduit Daniel Chanzy à remettre ce domaine sur pied en 1974. Son puligny célèbre un bon terroir. Juste chaleureux comme il faut, moelleux et gras, il répond au portrait-robot de l'appellation. Son bouquet tourne autour de l'amande amère et du chèvrefeuille. Prévoir une cuisine assez riche, par exemple le jambon à la crème qui fit la gloire gastronomique de Saulieu.
🍴 Daniel Chanzy, Dom. Chanzy, 1, rue de la Fontaine, 71150 Bouzeron, tél. 03.85.87.23.69, fax 03.85.87.62.12, e-mail daniel.chanzy@wanadoo.fr ☑ ⚍ r.-v.

DOM. JEAN CHARTRON
Les Folatières Vinifié en fût de chêne 2000★

1er cru	0,46 ha	3 000	38 à 46 €

Il s'agit ici du domaine Jean Chartron, distinct de la maison Chartron et Trébuchet. Le **Clos du Cailleret 2000**, cité, et le **Clos de la Pucelle 2000**, une étoile, sont de bons 1ers crus blancs, tout comme cette bouteille de Folatières dont la netteté minérale retient l'attention. Il s'agit d'un vin souple et élancé, offrant un bon potentiel de garde. Sa finale est assez affirmée et fait également partie de ses atouts.
🍴 Dom. Jean Chartron, 13, Grande-Rue, 21190 Puligny-Montrachet, tél. 03.80.21.32.85, fax 03.80.21.36.35, e-mail info@chartron-trebuchet.com ☑ ⚍ r.-v.

DOM. DE LA CHOUPETTE 2000

	2,12 ha	3 600	⏷ 15 à 23 €

6 ha en 1992 à la naissance du domaine, 30 aujourd'hui. Des arômes de noisette et de beurre frais viennent à point sur un bon fondu et de la fraîcheur. La texture soyeuse donne un charme réel à cette bouteille.
🍷 EARL dom. de la Choupette, 2, pl. de la Mairie, 21590 Santenay, tél. 03.80.20.60.27, fax 03.80.20.65.70 ☑ ⲩ r.-v.
🍷 Gutrin Fils

DOM. DUPONT-FAHN
Les Grands Champs 2000★★★

	n.c.	n.c.	⏷ 11 à 15 €

Ce vin a-t-il absorbé plus de soleil que les autres ? On se le demande tant son or est éclatant. Son bouquet a de beaux contours et un fond complexe (agrumes, fleurs, noisette bien fondue). Au palais, le miel et la cire d'abeille accompagnent un corps onctueux, offrant sans retenue tous ses charmes. Coup de cœur à ne pas trop laisser vieillir. Si on était vous, on le boirait maintenant.
🍷 Michel Dupont-Fahn, Monthélie, 21190 Meursault, tél. 03.80.21.26.78, fax 03.80.21.21.22 ☑ ⲩ r.-v.

RAYMOND DUREUIL-JANTHIAL
Les Champs Gains 2000

1er cru	0,19 ha	1 200	⏷ 23 à 30 €

Né à Puligny-Montrachet de père vigneron, Raymond a épousé la fille unique d'un vigneron de Rully. Vous n'imaginez pas tout ce que ce puligny peut faire pour vous... Elle est belle, cette bouteille. Elle s'entoure d'un frais parfum floral. Son attaque est déterminée, franche et honnête. Le chêne reste discret. Il faudra cependant deux ou trois ans de garde pour que jeunesse se passe.
🍷 Raymond Dureuil-Janthial, rue de la Buisserolle, 71150 Rully, tél. 03.85.87.02.37, fax 03.85.87.00.24 ☑ ⲩ t.l.j. 9h-12h 15h-19h; dim. sur r.-v.

SYLVAIN LANGOUREAU
Les Chalumaux 2000

1er cru	0,13 ha	1 200	⏷ 15 à 23 €

Installé en 1988 sur la propriété familiale, Sylvain Langoureau a entrepris jusqu'à ces dernières années de gros travaux d'aménagement de sa cave. Ce premier cru vêtu de paille claire a un nez charmant de noisette et d'amande grillées dialoguant avec une note citronnée et des épices douces (cannelle). Le boisé est fondu et le palais reconnaît les fleurs blanches (acacia), les fleurs d'oranger, une touche anisée sur un léger fumé. Sa structure lui permettra d'attendre quatre ou cinq ans.

🍷 Sylvain Langoureau, hameau de Gamay, 21190 Saint-Aubin, tél. 03.80.21.39.99, fax 03.80.21.39.99 ☑ ⲩ r.-v.

OLIVIER LEFLAIVE
Champ Gain 1999

1er cru	n.c.	n.c.	⏷ 38 à 46 €

De l'art d'harmoniser les contraires. Suave et ferme, sachant arranger les choses, un vin assez riche en alcool et qui séduira les amateurs de chardonnay dense et capiteux. À l'œil et au nez, l'impression est identique et dans la même tonalité.
🍷 Olivier Leflaive, pl. du Monument, 21190 Puligny-Montrachet, tél. 03.80.21.37.65, fax 03.80.21.33.94, e-mail olivier-leflaive@dial.oleane.com ☑ ⲩ r.-v.

MAISON MALLARD-GAULIN 2000★

	0,4 ha	2 400	⏷ 46 à 76 €

Assez boisé, un 2000 or pâle offrant une impression de rondeur après une attaque du genre « ces raisins sont trop verts... » Mais l'intensité du goût, la netteté de la phrase, la longueur citronnée, tout cela relève à la fois d'une bonne naissance et d'un heureux savoir-faire. Sera à maturité dans une paire d'années.
🍷 Maison Mallard-Gaulin, 21420 Aloxe-Corton, tél. 03.80.26.46.10

DOM. MAROSLAVAC-LEGER
Les Corvées des Vignes 1999

	0,8 ha	6 000	ⲓ ⏷ ⳑ 15 à 23 €

Climat situé à proximité de l'AOC meursault. Son 99 or ambré à quelques jolis reflets. Son bouquet évolue et offre en conséquence une complexité rassurante pour l'avenir. Miel, beurre, vivacité minérale. Ni très corpulent ni très persistant, ce vin est aimable. Etiquette classique mais qui recompose le blason de la Bourgogne en en changeant les couleurs.
🍷 Dom. Maroslavac-Léger, 43, Grande-Rue, 21190 Puligny-Montrachet, tél. 03.80.21.31.23, fax 03.80.21.91.39, e-mail maroslavac-leger@wanadoo.fr ☑ ⲩ r.-v.

CHRISTOPHE MARY 2000

	0,14 ha	150	⏷ 11 à 15 €

Actif sur ses 3,10 ha depuis 1986, Christophe Mary propose un *village* or soutenu, odorant, rond et gras, pas trop boisé, bien structuré, fort sympathique. Le mettre en cave deux à cinq ans pour qu'il s'épanouisse davantage.
🍷 Christophe Mary, rue de la Garenne, 21190 Corcelles-les-Arts, tél. 03.80.21.48.98, fax 03.80.21.48.98 ☑ ⲩ r.-v.

DOM. RENE MONNIER
Les Folatières 2000★

1er cru	0,83 ha	6 000	⏷ 15 à 23 €

Au-dessus du Clavaillon, à côté du Cailleret, les Folatières sont une « folle terre » qu'emportent volontiers les gros orages. On la remonte, rassurez-vous, et depuis des siècles. Cette bouteille offre une sensualité à fleur de terre mais il faut attendre sa maturité pour en tirer le maximum. Jolie présentation et bouquet de bonne qualité (aubépine et fruits blancs).
🍷 Dom. René Monnier, 6, rue du Dr-Rolland, 21190 Meursault, tél. 03.80.21.29.32, fax 03.80.21.61.79 ☑ ⲩ t.l.j. 8h-12h 14h-18h
🍷 M. et Mme Bouillot

MORET-NOMINE 2000

▦	n.c.	600	⑪ 15 à 23 €

Eve au paradis terrestre n'avait pas de plus belle robe. Dorée, limpide... La tentation rêvée. Le miel et l'acacia complètent le tableau. On comprend la suite : l'attaque est vive et citronnée, la bouche assez boisée (amande grillée, ce fruit n'est pas défendu). Bouteille bonne pour le purgatoire où elle attendra sagement deux à trois ans le moment de vous retrouver.
⤚ D. Moret et O. Nominé, hameau de Barboron, 21420 Savigny-lès-Beaune, tél. 03.80.21.58.35, fax 03.80.26.10.59 ☑

CAVE PRIVEE D'ANTONIN RODET
Hameau de Blagny 1999

▦ 1er cru	n.c.	1 579	⑪ 46 à 76 €

Jaune paille intense, il n'y va pas par quatre chemins. On aime bien ces vins qui ne tournent pas autour du pot. Beurre, miel, pain grillé, voilà un excellent petit déjeuner le temps d'y poser le nez. Le style est généreux, rond et gras, un peu chaleureux mais avec ce rien d'acidité en conclusion qui apparaît comme la morale d'une fable de La Fontaine.
⤚ Antonin Rodet, 71640 Mercurey, tél. 03.85.98.12.12, fax 03.85.45.25.49, e-mail rodet@rodet.com
☑ ⵣ t.l.j. sf sam. dim. 9h-12h 14h-18h

DOM. ROUX PERE ET FILS
Les Enseignères 2000*

▦	0,33 ha	2 000	⑪ 30 à 38 €

Savez-vous que ce *climat* est voisin de palier du grand cru bienvenues-bâtard-montrachet ? La robe est ici très discrète, mais les parfums sont subtils et intenses à la fois, associant notes florales et grillées. En bouche, le paysage change et devient exotique avec des arômes de mangue, de papaye et de boisé épicé, qui ne nuisent en rien à l'équilibre. Simplement celui-ci se fait sensuel, séducteur.
⤚ Dom. Roux Père et Fils, 21190 Saint-Aubin, tél. 03.80.21.32.92, fax 03.80.21.35.00 ☑ ⵣ r.-v.

Montrachet, chevalier, bâtard, bienvenues bâtard, criots bâtard

La particularité la plus étonnante de ces grands crus, dans un passé récent, était de se faire attendre plus ou moins longtemps avant de manifester dans sa plénitude la qualité exceptionnelle que l'on attendait d'eux. Dix ans était le délai accordé au « grand » montrachet pour atteindre sa maturité, cinq ans pour le bâtard et son entourage ; seul le chevalier-montrachet semblait manifester plus rapidement une ouverture communicative.

Depuis quelques années cependant, on rencontre des cuvées de montrachet avec un bouquet d'une puissance exceptionnelle et des saveurs si élaborées que l'on peut en apprécier la qualité immédiatement, sans avoir à supputer l'avenir. Le volume de production est, là aussi, très faible : l'ensemble des grands crus de montrachet a représenté 1 439 hl en 2001.

Montrachet

DOM. JACQUES PRIEUR 1999★★

▦ Gd cru	0,59 ha	3 400	⑪ + de 76 €

58 a 63 ca acquis par des achats successifs au fil du temps, sur Chassagne. L'œnologue Nadine Gublin (Antonin Rodet) a apporté tous ses soins à ce montrachet dont l'éclat de la robe et le grain de son bouquet sont remarquables. Ce dernier ne trahit pas son fût tout en se montrant large d'esprit (menthol, abricot confit). On sent en bouche la vendange amenée à parfaite maturité. Ce 99 a naturellement besoin de prendre de la hauteur en descendant à la cave. Coup de cœur en 1994, distinguant le millésime 90.
⤚ Dom. Jacques Prieur, 6, rue des Santenots, 21190 Meursault, tél. 03.80.21.23.85, fax 03.80.21.29.19
☑ ⵣ r.-v.

DOM. DE LA ROMANEE-CONTI 2000★★

▦ Gd cru	0,67 ha	n.c.	⑪ + de 76 €
|83| |86| ⓨ |91| |93| 97 98 ⓨ 00		

Une vraie leçon de choses, comme on les enseignait autrefois à l'école. Sur ce terroir très particulier, différent de celui du meursault par exemple, la maturité exacerbée et l'opulence s'accordent à l'acidité, à la fraîcheur. Ici des 14, 14,5 ° naturels, pas un milligramme de sucre résiduel, le miel un peu vif que l'on dit d'acacia. Sous une robe dorée, impériale, il a le sexe des anges. Il fait partie de ses vins qui semblent se moquer de leur millésime, tant ils visent loin.
⤚ SC du Dom. de la Romanée-Conti, 1, rue Derrière-le-Four, 21700 Vosne-Romanée, tél. 03.80.62.48.80, fax 03.80.61.05.72

Chevalier-montrachet

DOM. BOUCHARD PERE ET FILS 1999

▦ Gd cru	2,54 ha	n.c.	⑪ + de 76 €

La plus importante propriété en chevalier-montrachet (2,5 ha). Voici une bouteille qui regarde l'avenir. À l'œil, un vin limpide, or à reflets verts, très frais. On apprécie la complexité du nez (abricots secs, pomme verte, grillé). Fringant, jeune et alerte, ce 99 ne semble guère pressé de partir en croisade (quatre à cinq ans de garde). Le coup de cœur lui a été décerné l'an dernier pour le précédent millésime.
⤚ Bouchard Père et Fils, Ch. de Beaune, 21200 Beaune, tél. 03.80.24.80.24, fax 03.80.22.55.88, e-mail france@bouchard-pereetfils.com ⵣ r.-v.

DOM. JEAN CHARTRON
Clos des Chevaliers 2000★

Gd cru	0,47 ha	2 100	**❙❙❙** + de 76 €
91 92 93 94	95	96	97	98 99 00			

Il émerveille le regard par sa couleur paille clair. Sur décor de cire d'abeille, le nez reste assez fixe sur le coing. Le corps s'affirme ample et rond. On a envie de se promener en cette prairie fleurie. D'un style classique, ce vin devrait faire son chemin. Le coup de cœur lui a été attribué en 1997 (pour le 94).
🕯 Dom. Jean Chartron, 13, Grande-Rue, 21190 Puligny-Montrachet, tél. 03.80.21.32.85, fax 03.80.21.36.35, e-mail info@chartron-trebuchet.com ☑ ⵏ r.-v.

VINCENT DANCER 2000★★

Gd cru	0,1 ha	300	**❙❙❙** 46 à 76 €

Parcelle de 9,66 a provenant de la succession Armand Lochardet, à Chassagne. Elle a une sœur jumelle (Courlet de Vrégile). Or à reflets verts selon les usages du pays, le bouquet de ce 2000 est celui d'une jeune mariée (fleur blanche, on l'aura compris) sur fond vanillé. Excellent suivi floral à l'étape suivante. Les agrumes vifs lui apportent une fraîcheur utile. S'appuyant sur douze mois de fût, ce vin possède un grand potentiel et de superbes charmes naturels. L'attendre deux ans puis le servir, s'il en reste, pendant dix ans.
🕯 Vincent Dancer, 23, rte de Santenay, 21190 Chassagne-Montrachet, tél. 03.80.21.94.48, fax 03.80.21.39.48, e-mail vincentdancer@aol.com ☑ ⵏ r.-v.

LOUIS LATOUR 2000★

Gd cru	0,59 ha	2 400	**❙❙❙** + de 76 €

La plus grande partie de cette vigne est un achat effectué en 1913 à la veuve de Léonce Bocquet, longtemps propriétaire du château du Clos de Vougeot. Or à reflets émeraude, ce 2000 est tout frais émoulu du terroir où il fait ses études ! Fleur blanche, vanille s'ajoutent à un arôme en forme de clin d'œil chablisien : le mousseron. La bouche est ronde, avenante et d'un bon gras, mais il lui est conseillé de poursuivre ses études en cave, à bac +4 au moins.
🕯 Dom. Louis Latour, 18, rue des Tonneliers, 21200 Beaune, tél. 03.80.24.81.00, fax 03.80.22.36.21

Bâtard-montrachet

DOM. BACHELET-RAMONET PERE ET FILS 2000★

Gd cru	0,45 ha	1 500	**❙❙❙** 46 à 76 €

Un peu de surmaturité le rend pour l'instant assez corpulent, ferme, imposant. Puissant, gentiment complexe, il ne manque ni de gras ni de chaleur. Il reste à discerner avec le temps les charmes secrets de son corps. Très pâle, ou gris, sa robe a de l'élégance. Son bouquet n'oublie pas le fût, y associant des notes de pêche et d'agrumes confits. Finale intéressante, entre le citron et la croûte de pain. Claude Ramonet est le petit-fils du célébrissime père Ramonet.
🕯 Dom. Bachelet-Ramonet Père et Fils, 11, rue du Parterre, 21190 Chassagne-Montrachet, tél. 03.80.21.32.97, fax 03.80.21.91.41 ☑ ⵏ r.-v.

DOM. CAILLOT 1999

Gd cru	0,49 ha	1 400	**❙❙❙** + de 76 €

Il y a peut-être là-dedans, sous un or jaune assez intense, bien brillant comme il se doit, un train de vie austère qui cache une fortune appréciable. Son bouquet de fruits secs s'accompagne de quelques accents floraux. Sa bouche est constituée d'une jolie structure qui demande un à deux ans de garde.
🕯 Dom. Caillot, 14, rue du Cromin, 21190 Meursault, tél. 03.80.21.21.70, fax 03.80.21.69.58 ☑ ⵏ r.-v.

LOUIS LEQUIN 2000★★

Gd cru	0,12 ha	750	**❙❙❙** + de 76 €
94 ⑨⑥ 98 **99 00**			

Retenu pour le coup de cœur, un vin présenté par Louis, frère de René. L'historien de la famille. Mandrin n'a-t-il pas délivré de la prison d'Autun l'aïeul Antoine ? Puisqu'on parle d'histoire, voici le Grand Bâtard à la Cour des ducs de Bourgogne ! Il porte évidemment le collier de la Toison d'Or. Son nez fleur de lys est tout à fait de circonstance et nous n'inventons rien : cela figure sur une fiche de dégustation ! L'acidité est en retrait, le gras voluptueux, la persistance infatigable. Ce bâtard au sang pur a reçu en 1999 le coup de cœur (millésime 96).
🕯 Louis Lequin, 1, rue du Pasquier-du-Pont, 21590 Santenay, tél. 03.80.20.63.82, fax 03.80.20.67.14, e-mail louis.lequin@wanadoo.fr ☑ ⵏ r.-v.

RENE LEQUIN-COLIN 2000★

Gd cru	0,12 ha	500	**❙❙❙** 46 à 76 €

Passionné par la traçabilité, ce domaine attache un grand soin à l'histoire de chacun de ses fûts. Assisté maintenant de son fils François, René avait créé sa propre exploitation en 1993. Auparavant : Lequin-Roussot Frères. Ce bâtard porté sur les agrumes et n'abusant pas du bois neuf (tout en sachant s'en servir) montre déjà un gras prometteur, une rondeur sympathique, une structure estimable. L'attaque est ciselée, la finale assez longue. A attendre bien sûr trois à cinq ans minimum.
🕯 René Lequin-Colin, 10, rue de Lavau, 21590 Santenay, tél. 03.80.20.66.71, fax 03.80.20.66.71, e-mail renelequin@aol.com ☑ ⵏ r.-v.

Bienvenues-bâtard-montrachet

JEAN-CLAUDE BACHELET 1999

Gd cru	0,09 ha	n.c.	**❙❙❙** 38 à 46 €

Parcelle acquise en 1960 à la famille Dupaquier, de Puligny (9,42 ares). Ce vin (coup de cœur l'an dernier pour le millésime précédent) est d'un or vert très classique (jambes rapidement présentes). L'eucalyptus lui offre une note aromatique originale et rafraîchissante, sur fond nettement vanillé. Ce grand cru ne doit pas être suivi l'injonction de Louis XIV : il doit attendre... Structuré, il est encore carré d'épaules, un peu austère : encourageons-le à lutter contre ce penchant (il y réussira avec deux à cinq ans de bonne garde).
🕯 Jean-Claude Bachelet, 1, rue de la Fontaine, 21190 Saint-Aubin, tél. 03.80.21.31.01, fax 03.80.21.91.71, e-mail jcbachelet@aol.com ☑ ⵏ r.-v.

DOM. BACHELET-RAMONET PERE ET FILS 2000★★

Gd cru	0,13 ha	412	🍷	46 à 76 €

C'est tout juste si cette année on ne fait pas le tour complet de l'appellation. Intéressante visite d'inspection ! Jeune et vif, ce 2000 est bien fait, bien né. Racé, il laisse entrevoir de sérieux atouts dans son jeu, d'autant que l'acidité portera la bouteille en avant et lui fera accomplir des bonds. « L'espérance est une attente certaine », écrivait Dante. Elle sera ici récompensée.

☞ Dom. Bachelet-Ramonet Père et Fils, 11, rue du Parterre, 21190 Chassagne-Montrachet, tél. 03.80.21.32.97, fax 03.80.21.91.41 ☑ ⲒⲢ r.-v.

CHARTRON ET TREBUCHET 2000★★

Gd cru	n.c.	700	🍷	+ de 76 €

Il y a des années comme ça... Les bienvenues-bâtard-montrachet raflent cette année les médailles du dessus du tableau. Il est bon quelquefois de passer à la génération suivante et d'être fils...du bâtard. En effet, si Bienvenues est ici un *climat* très ancien, son association au Bâtard date officiellement des années 1930. Cela dit le coup de cœur n'a pas été inventé pour rien. Nez de pêche, de caramel au lait, élégant et frais. De la race en bouche sur un boisé harmonieux. Beau retour d'arômes, d'agrumes légèrement miellés. Ce 2000 fait longuement la révérence en finale.

☞ Chartron et Trébuchet, 13, Grande-Rue, 21190 Puligny-Montrachet, tél. 03.80.21.32.85, fax 03.80.21.36.35, e-mail info@chartron-trebuchet.com ☑ ⲒⲢ r.-v.

DOM. HENRI CLERC ET FILS 2000★★★

Gd cru	0,46 ha	1 062	🍷 46 à 76 €

On peut être petit (grand cru de 3,68 ha dont 46 ares ici) et exercer un ascendant impressionnant. Sa robe ? Relisez Roupnel : « les magiques reflets verdâtres de cet or liquide ». Son bouquet ? Il ne s'abandonne pas à la volubilité, restant centré sur son sujet, le miel teinté d'abricot. Quelle richesse en abordant la suite ! Cette plénitude n'est pas exempte de chaleur, de densité, mais le

toucher est d'un soyeux... Digne d'accompagner chez Troisgros l'œuf au caviar, en baissant les yeux tant on vit un moment mémorable. Déjà coup de cœur en 1994 (millésime 91).

☞ Dom. Henri Clerc et Fils, pl. des Marronniers, 21190 Puligny-Montrachet, tél. 03.80.21.32.74, fax 03.80.21.39.60 ☑ ⲒⲢ r.-v.

☞ Bernard Clerc

Criots-bâtard-montrachet

ROGER BELLAND 2000★

Gd cru	0,61 ha	3 000	🍷	+ de 76 €

89 |94| |95| 96 **98 99** 00

Ce grand cru minuscule ne l'est plus verre en main, d'autant que le domaine possède un bon tiers des Criots. C'est une belle bouteille pour saumon à l'oseille, dominée par des arômes et des saveurs de miel : on croit déguster parmi les abeilles. D'une teinte citron-vert, un vin d'un grand équilibre, porté à son baptême par son parrain boisé et qui confirme de bout en bout un niveau à la hauteur de ses légitimes prétentions. On ne boit pas tous les jours d'aussi beaux grands crus blancs.

☞ Dom. Roger Belland, 3, rue de la Chapelle, 21590 Santenay, tél. 03.80.20.60.95, fax 03.80.20.63.93, e-mail belland-roger@wanadoo.fr ☑ ⲒⲢ r.-v.

Chassagne-montrachet

Une nouvelle combe, celle de Saint-Aubin, parcourue par la RN 6, forme à peu près la limite méridionale de la zone des vins blancs, suivie par celle des vins rouges ; les Ruchottes marquent la fin. Les Clos Saint-Jean et Morgeot, vins solides et vigoureux, sont les plus réputés des chassagne. Les blancs représentent 8 861 hl et les rouges 6 332 hl en 2001.

JEAN-CLAUDE BACHELET
La Boudriotte 1999★★

1er cru	0,11 ha	n.c.	🍷	8 à 11 €

Mi-rouge mi-blanche, la Boudriotte apparaît comme une île au sein du Morgeot. Elle se présente ici selon ses canons classiques. Grenat clair, ses arômes chantent la framboise, la fraise des bois en première approche. Puis à l'aération, ils s'épicent un peu, ils se réglissent... Beaucoup de matière, de charpente sur des tanins assez souples. D'une bonne persistance aromatique, ce 99 n'a pas encore tout donné, et il lui faut deux à trois ans minimum pour passer à table.

☞ Jean-Claude Bachelet, 1, rue de la Fontaine, 21190 Saint-Aubin, tél. 03.80.21.31.01, fax 03.80.21.91.71, e-mail jcbachelet@aol.com ☑ ⲒⲢ r.-v.

DOM. BACHELET-RAMONET PERE ET FILS
La Romanée 2000★

1er cru	0,24 ha	1 500	🍷	15 à 23 €

Bachelet plus Ramonet, allez trouver meilleure alliance à Chassagne ! Alain et Marie-Paule Bonnefoy, le

BOURGOGNE

gendre et la fille de Claude Ramonet, sont désormais à la tête de 13 ha de fort belles vignes. Cette Romanée par exemple. A reflets citron vert, elle étincelle. Bouquet très frais, toujours sur les agrumes. La suite est plus florale (acacia). Si vous voulez surprendre vos amis, offrez-leur le menu des trois Romanées : celle-ci pour commencer, puis celle de gevrey (rouge) et enfin le grand cru de Vosne. Notez aussi le **Caillerets blanc 2000**, une étoile, encore replié mais plein de réserves, et le **Clos de la Boudriotte rouge 99 (11 à 15 €)**, cité, à laisser dormir en cave trois à six ans.

🕊 Dom. Bachelet-Ramonet Père et Fils,
11, rue du Parterre, 21190 Chassagne-Montrachet,
tél. 03.80.21.32.97, fax 03.80.21.91.41 ☑ ▼ r.-v.

DOM. BACHEY-LEGROS ET FILS 2000

	1,4 ha	1 900	🍷 11 à 15 €

De passage en Bourgogne, Thomas Jefferson fut émerveillé par le meursault Goutte d'or d'un certain M. Bachey. Peut-être un aïeul de ces viticulteurs ? Rubis très foncé, intense et limpide, un pinot noir à tendances animales (cuir, épices) assez tannique et offrant au palais quelques baies rouges. A boire dans un an.

🕊 EARL Dom. Bachey-Legros,
12, rue de la Charrière, 21590 Santenay,
tél. 03.80.20.64.14, fax 03.80.20.64.14 ☑ ▼ r.-v.

ROGER BELLAND
Morgeot-Clos Pitois Monopole 2000

1er cru	1,21 ha	6 000	🍷 23 à 30 €

Coup de cœur pour ce même vin millésimé 98, Roger Belland est cité dans ce *climat* sous les deux couleurs : un **rouge 2000 (11 à 15 €)**, et cette bouteille d'un or léger qui exprime à ce jour des arômes discrets (fleur blanche, pain grillé) et une bouche encore réservée quoique sur une assise raisonnable et une démarche franche, sans doute un peu jeune. Mais ils sont bien faits tous les deux.

🕊 Dom. Roger Belland, 3, rue de la Chapelle,
21590 Santenay, tél. 03.80.20.60.95, fax 03.80.20.63.93,
e-mail belland-roger@wanadoo.fr ☑ ▼ r.-v.

DOM. HUBERT BOUZEREAU-GRUERE
Les Blanchots Dessous 2000★

	0,23 ha	1 500	🍷 15 à 23 €

Savez-vous que ces Blanchots sont contigus du grand cru criots-bâtard-montrachet et très proches voisins de le bâtard ? Au milieu des années 1930, on avait d'ailleurs songé à les élever au rang de grand cru. Rassurez-vous il n'y a pas ici de délit d'initié... Produit en famille (Marie-Anne et Marie-Laure Bouzereau-Gruère travaillent sur l'exploitation), ce vin pour *happy few* se présente sous une robe d'un jaune brillant. La noisette, l'amande, l'abricot sec participent à son bouquet. Franc et vif, un 2000 déjà très agréable et qui pourra vieillir.

🕊 Hubert Bouzereau-Gruère, 22 a, rue de la Velle,
21190 Meursault, tél. 03.80.21.20.05,
fax 03.80.21.68.16,
e-mail hubert.bouzereau.gruere@libertysurf.fr
☑ 🏠 ▼ r.-v.

CHAMPY PERE ET CIE
Morgeot 2000★

1er cru	n.c.	1 200	🍷 38 à 46 €

Morgeot fédère plusieurs *climats*, mais les sols étant assez différents de l'un à l'autre il faudrait nous dire si c'est Tête de Clos, les Grands Clos, etc. Cela dit, les deux Pierre

(Meurgey et Beuchet) signent un vin doré clair, très limpide, au bouquet volubile : châtaigne, muscade. La bouche est mûre sur un bon support acide, la vivacité s'exprimant sur des notes de pamplemousse. Méritoire : il garde du gras pour la finale, ce qui n'est pas le cas de tout le monde.

🕊 Maison Champy, 5, rue du Grenier-à-Sel,
21200 Beaune, tél. 03.80.25.09.99, fax 03.80.25.09.95
☑ ▼ r.-v.

🕊 Pierre Meurgey, Pierre Beuchet

CH. DE LA CHARRIERE
Les Champs de Morjot 1999★

▪	0,97 ha	5 000	🍷 11 à 15 €

« L'avantage de la ligne droite est de couper toutes les autres », disait Lamartine. Ce vin est du même avis. Très typé chassagne rouge, il n'y va pas par quatre chemins : d'une couleur flatteuse et attirante, il exprime un léger sous-bois de même que des notes de café. Un côté un peu « féminin », si l'on ose avoir recours à cette comparaison sexiste. Pas énormément de gras, la taille minceur, mais toujours ce charme spontané. La Charrière est une belle demeure ancienne de Santenay.

🕊 EARL Dom. Yves Girardin, Ch. de La Charrière,
1, rte des Maranges, 21590 Santenay,
tél. 03.80.20.64.36, fax 03.80.20.66.32 ☑ ▼ r.-v.

DOM. JEAN CHARTRON
Les Benoîtes 2000★

	0,62 ha	4 200	🍷 23 à 30 €

A la hauteur de Morgeot mais dans la partie *village* de l'appellation ce *climat* se trouve du côté de Remigny. D'un bel or pâle, il donne un résultat concluant sur des notes florales et mentholées. Il attaque en fanfare dans une bouche vive, ample, mais aussi ronde : le gras ne lui fait pas défaut, et tout se termine sur une petite note miellée du meilleur effet. Le mariage du vin et du fût est abouti.

🕊 Dom. Chartron-Dupard, 13, Grande-Rue,
21190 Puligny-Montrachet, tél. 03.80.21.32.85,
fax 03.80.21.36.35, e-mail info@chartron-trebuchet.com
☑ ▼ r.-v.

CH. DE CHASSAGNE-MONTRACHET
En Pimont 2000★

	2,54 ha	18 000	🍷 23 à 30 €

Repris par Michel Picard, négociant-éleveur à Chagny (et autres lieux, car il crée actuellement un domaine au Canada !), ce château présente un *climat* tout en haut du coteau, côté saint-aubin. D'une couleur assez pâle, ce vin rayonne : beaucoup de brillance. Nez original où l'on distingue la figue, le coing. Vive mais franche, l'entrée en matière ouvre sur une structure très concentrée. Elégance et plénitude conduisent à une fin de bouche enrobée de fruits secs. *Village* de bon niveau que l'on peut découvrir dès à présent ou garder trois à quatre ans.

🕊 SCV Dom. du ch. de Chassagne-Montrachet,
21190 Chassagne-Montrachet,
tél. 03.85.87.51.01, fax 03.85.87.51.01

🕊 Michel Picard

BERNARD COLIN ET FILS
Les Chenevottes 1999★

1er cru	0,33 ha	n.c.	🍷 15 à 23 €

Climat faisant face au montrachet de l'autre côté de la RN 6 : on n'est pas loin du paradis. D'un or vert brillant, ce 99 aux effluves citronnés avec une petite nuance de noisette présente une belle fraîcheur dès l'attaque avec aussi du gras et du fruit. La netteté est sans défaut et le goût savoureux. La continuité de nez en bouche se réalise de façon assez minérale en respectant la typicité du *village*. Le **Clos Saint-Jean 99 blanc** peut compléter agréablement la commande : il obtient une étoile.

🐦 Bernard Colin et Fils, 22, rue Charles-Paquelin, 21190 Chassagne-Montrachet, tél. 03.80.21.92.40, fax 03.80.21.93.23
☑ ✕ t.l.j. 8h30-12h 14h-19h; dim. sur r.-v.

FRANCOIS D'ALLAINES 1999

1er cru	n.c.	600	⬥ 30 à 38 €

L'acidité et l'alcool, on dirait Fred Astaire dans les bras de Ginger Rogers. Un couple de rêve sur les ailes de la danse. Robe paille, parfums de miel et de pain d'épice, ce 1er cru manifeste de tout petits signes d'évolution (à l'œil) ainsi qu'une pointe d'exotisme (au nez). Bouche beurrée un peu sur la réserve, mais un millésime prêt à être dégusté en 2003 et 2004.

🐦 François d'Allaines, La Corvée du Paquier, 71150 Demigny, tél. 03.85.49.90.16, fax 03.85.49.90.19, e-mail francois@dallaines.com ✕ r.-v.

VINCENT DANCER
La Romanée 2000★★

1er cru	0,44 ha	2 700	⬥ 15 à 23 €

La force tranquille. Tout y est : le fût bien tempéré, le fruit séducteur, l'harmonie de l'acidité et du gras, la pointe minérale, la race en un mot. Or paille, cette Romanée figure dans le peloton de tête et l'on prendra plaisir à s'attarder sur des détails traités avec soin : une touche mentholée au nez, par exemple. Dans le même millésime, le **1er cru, rouge, La Grande Borne**, est cité. Vétérinaire près de Mulhouse, Armand Dancer a reçu en héritage de belles pièces de vigne (notamment en chevalier-montrachet), et on se situe ici à la génération suivante.

🐦 Vincent Dancer, 23, rte de Santenay, 21190 Chassagne-Montrachet, tél. 03.80.21.94.48, fax 03.80.21.39.48, e-mail vincentdancer@aol.com
☑ ✕ r.-v.

DUPERRIER-ADAM
Les Caillerets 1999★★

1er cru	0,19 ha	1 100	⬥ 15 à 23 €

Donnant tort à Henri Vincenot qui prétendait que les Bourguignons sont incapables de tomber d'accord, cette bouteille fait l'unanimité du jury. Velours pourpre sombre, à la limite de la nuit obscure, des Caillerets dont le nez très complexe ouvre sur le poivre, le sous-bois, la truffe. D'une remarquable concentration, il laisse à ses tanins très présents le soin de prendre le pas sur l'acidité. Cette vinification à la façon d'autrefois aboutit à une véritable cathédrale. Dès que ses vitraux seront en place (quatre ou cinq ans), ce sera superbe.

🐦 SCA Duperrier-Adam, 3, pl. des Noyers, 21190 Chassagne-Montrachet, tél. 03.80.21.31.10, fax 03.80.21.31.10 ☑ ✕ t.l.j. 8h30-11h30 14h-17h30; sam. dim. sur r.-v.; f. 5-31 août

ALEX GAMBAL
La Maltroie 1999

1er cru	0,15 ha	1 314	⬥ 23 à 30 €

Négoce créé en 1997 seulement par Alex Gambal, originaire de Boston. Souhaitons-lui bonne chance dans cette croisière au long cours. Jaune paille léger à reflets

verts comme il se doit, ce vin offre un nez typé par le chardonnay : beurre, noisette grillée, fruits secs. La bouche n'est pas très démonstrative mais, dans un contexte boisé, on sent qu'elle peut prendre de l'ampleur.

🐦 Maison Alex Gambal, 4, rue Jacques-Vincent, 21200 Beaune, tél. 03.80.22.75.81, fax 03.80.22.21.66, e-mail alex@alexgambal.com ☑ ✕ r.-v.

VINCENT GIRARDIN
Clos de la Boudriotte Vieilles vignes 2000★★

1er cru	0,7 ha	4 500	⬥ 15 à 23 €

Superbe, ce Clos de la Boudriotte ! Très grand. A conserver absolument car on l'appréciera davantage encore avec un peu de recul. Pourpre foncé, il joue sa partition avec succès. Porté sur le fruit cuit, la cerise à l'eau-de-vie, son bouquet est envoûtant. La bouche est à l'avenant. Après des débuts francs et nets, la matière, la concentration passent à l'action sur un registre beaucoup plus ambitieux. Les tanins ? Fringants et très accommodants. Un peu de chaleur, mais cela convient à son type de beauté.

🐦 Caveau des Grands Crus, pl. de la Bascule, 21190 Chassagne-Montrachet, tél. 03.80.21.96.06, fax 03.80.21.96.23 ☑ ✕ r.-v.
🐦 Vincent Girardin

DOM. DES HAUTES-CORNIERES
Morgeot 1999

1er cru	2 ha	12 000	⬥ 15 à 23 €

Un morgeot rouge cerise à reflets violets. A tendance animale, son premier nez laisse place à des notes végétales (sureau) au sein d'un boisé déjà fondu. On est en présence d'un vin jeune qui donne libre cours à ses tanins, puis le fruit se réveille avec une bonne acidité et dans une mâche assez prononcée. Le domaine Ph. Chapelle couvre 20 ha en Côte de Beaune.

🐦 Ph. Chapelle et Fils, Dom. des Hautes-Cornières, 21590 Santenay, tél. 03.80.20.60.09, fax 03.80.20.61.01, e-mail contact@domainechapelle.com ☑ ✕ t.l.j. sf dim. 9h-12h 14h-17h; f. août

GABRIEL ET PAUL JOUARD
Vieilles vignes 1999★★★

	1,5 ha	1 500	⬥ 8 à 11 €

Grand Vin de Bourgogne
CHASSAGNE-MONTRACHET
"Vieilles Vignes"
GABRIEL & PAUL JOUARD

Primus inter pares, voici le meilleur de tous. Si nos souvenirs sont bons, c'est le premier coup de cœur de Paul Jouard, à la tête du domaine familial (10,5 ha) depuis dix ans. Il consacre un pinot noir à la robe très riche en glycérol. Le bouquet est flatteur (café, fruits rouges) avec le développement de belles nuances aromatiques. En bouche, il est radieux et épanoui, tout en demeurant sagement équilibré. A la hauteur d'un 1er cru ! En chardonnay, **Les Vides Bourses 2000 (15 à 23 €)** (un 1er cru justement) ont eux aussi de solides arguments et obtiennent une étoile.

🕭 EARL Dom. Gabriel et Paul Jouard,
3, rue du Petit-Puits, 21190 Chassagne-Montrachet,
tél. 03.80.21.94.73, fax 03.80.21.30.30,
e-mail domgetpauljouard@clubinternet.fr ☑ ⊺ r.-v.

DOM. LAMY-PILLOT
Boudriotte 2000★★

1er cru	0,6 ha	3 500	📖 11 à 15 €

Rémy Lamy a travaillé pendant cinq ans dans les vignes du duc de Magenta avant de s'installer à son compte. Aujourd'hui arrondi à 20 ha, le domaine compte parmi ses titres de gloire d'avoir été choisi comme métayer en... montrachet. Ici une Boudriotte rouge d'un bel éclat ; ses arômes sont puissants et sauvages, animaux en diable. L'attaque est très souple, l'acidité bien enrobée par le gras. Plus structuré que charpenté, ce vin est à attendre trois à quatre ans.

🕭 Dom. Lamy-Pillot, 31, rte de Santenay,
21190 Chassagne-Montrachet, tél. 03.80.21.30.52,
fax 03.80.21.30.02, e-mail lamy.pillot@wanadoo.fr
☑ ⊺ r.-v.

RENE LEQUIN-COLIN
Les Vergers 2000★

1er cru	0,45 ha	3 000	📖 15 à 23 €

Deux bouteilles également dignes de figurer ici. Chardonnay dans les deux cas, même millésime. Saluons **Les Charrières**, cité, en *village* mais notre préférence respecte la hiérarchie : ce 1er cru (les deux *climats* se trouvent du côté de l'AOC puligny) illustre avec art le style chassagne : robe d'un doré frais, gentil nez retroussé sur le fruit blanc et la noisette. Sa constitution n'est pas fragile. Une certaine minéralité habite ce vin tout en rondeur. François prend peu à peu le relais de son père sur près de 9 ha.

🕭 René Lequin-Colin, 10, rue de Lavau,
21590 Santenay, tél. 03.80.20.66.71, fax 03.80.20.66.71,
e-mail renelequin@aol.com ☑ ⊺ r.-v.

CH. DE LA MALTROYE
Clos du Château de la Maltroye Monopole 2000★★

1er cru	1,37 ha	8 190	📖 15 à 23 €

Sous son étiquette parcheminée à bords roulés, ce vin est de plain-pied avec la tradition. Bourgogne, Bourgogne ! Le décor, le prologue, le sujet, tout est réuni ici pour vous envelopper dans un bon scénario. Robe cassis, fin vanillé, les tanins prévenants, la bouche fraîche et fruitée, un vin plaisir. Le **Morgeot Vigne blanche blanc 2000 (23 à 30 €)**, une étoile, ne vous décevra pas, non plus que le **Clos du Château de la Maltroye blanc 2000 (23 à 30 €)**, cité.

🕭 Ch. de la Maltroye, 16, rue de la Murée,
21190 Chassagne-Montrachet, tél. 03.80.21.32.45,
fax 03.80.21.34.54 ☑ ⊺ r.-v.

🕭 Cournut

MARCHE AUX VINS 2000

	n.c.	1 820	📖 23 à 30 €

Or paille, ce chardonnay conserve de ses seize mois de fût des notes grillées tant au nez qu'en bouche. Côté bouquet, la fleur blanche, l'acacia prennent le relais. Côté palais, il offre suffisamment de gras et on lui reconnaît une longueur digne de respect. Installée dans l'ancienne église qui fait face à l'Hôtel-Dieu de Beaune, le Marché aux Vins est une initiative d'André Boisseaux (Patriarche, Kriter).

🕭 Marché aux vins, rue Nicolas-Rolin, 21200 Beaune,
tél. 03.80.25.08.20, fax 03.80.25.08.21
☑ ⊺ t.l.j. 9h30-12h 14h-18h

PROSPER MAUFOUX 1999

	n.c.	n.c.	📖 23 à 30 €

Fondée en 1860 à Santenay, cette maison demeure bien vivante un siècle et demi plus tard (elle produit également la marque Naudin-Varrault). Son chassagne d'un or légèrement soutenu exprime des arômes de citron, de silex, dans une gamme assez fraîche. Le fût est encore présent, sans être envahissant. Un vin qui a du fond et qui se termine par une finale acidulée. A boire maintenant sur un poisson.

🕭 Prosper Maufoux, pl. du Jet-d'Eau, 21590 Santenay,
tél. 03.80.20.60.40, fax 03.80.20.63.26,
e-mail prosper.maufoux@wanadoo.fr ☑ ⊺ t.l.j. 8h-18h

DOM. PATRICK MIOLANE
La Canière 1999★★★

	0,73 ha	5 300	📖 8 à 11 €

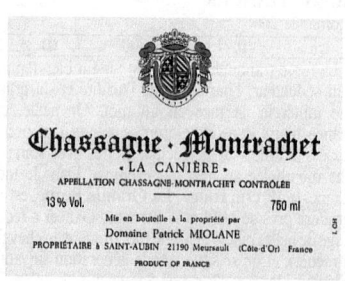

Il faut bien connaître son chassagne pour situer cette Canière, juste en dessous de la Maltroie en milieu de village. Violine très foncé, ce 99 au bouquet attrayant décline ses arômes de vin jeune, de réglisse et de kirsch. Une souplesse charmante, un fondu remarquable, du gras, de la finesse, une rétro-olfaction sur les fruits : ce vin est exceptionnel. Beaucoup de 1ers crus ne lui arrivent pas à la cheville ! N.B. Occupe la deuxième place sur le podium du grand jury.

🕭 Dom. Patrick Miolane, 21190 Saint-Aubin,
tél. 03.80.21.31.94, fax 03.80.21.30.62,
e-mail domainepatrick.miolane@wanadoo.fr ☑ ⊺ r.-v.

DOM. BERNARD MOREAU ET FILS
Grandes Ruchottes 2000★

1er cru	0,35 ha	n.c.	📖 23 à 30 €

De ce domaine de 9,1 ha nous retenons, en 1er cru, une **Maltroie 2000 en blanc (15 à 23 €)** citée, **Les Chenevottes 2000 en blanc (15 à 23 €)**, une étoile, pour leur équilibre et un parfum de tilleul, ainsi que ces Grandes Ruchottes, *climat* en haut de coteau. Légèrement teinté d'or, ce vin offre au nez d'aimables intentions (aubépine et pain grillé) puis en bouche une jolie fraîcheur qui promet du fruit. Satisfaisant et prometteur pour l'avenir, il frôle les deux étoiles.

🕭 Bernard Moreau et Fils, 3, rte de Chagny,
21190 Chassagne-Montrachet, tél. 03.80.21.33.70,
fax 03.80.21.30.05 ☑ ⊺ r.-v.

MICHEL MOREY-COFFINET
En Remilly 2000★

	1er cru	0,38 ha	2 400		23 à 30 €

Pour tout vous dire, En Rémilly se situe à quelques mètres seulement du montrachet. Une parenté ? Ces terroirs en ont une évidente... Dans le millésime 96, le 1er cru comme le grand cru ont reçu un coup de cœur. Jaune profond, doté d'un bouquet minéral subtil, ce vin assez riche et puissant, un rien dominateur, pourra se conserver. Notez aussi un **1er cru Les Caillerets 2000 en blanc**, intéressant pour sa très belle structure et un je-ne-sais-quoi de chèvrefeuille. Même note.
🍇 Dom. Michel Morey-Coffinet, 6, pl. du Grand-Four, 21190 Chassagne-Montrachet, tél. 03.80.21.31.71, fax 03.80.21.90.81 ☑ ♈ r.-v.

MARIE-LOUISE PARISOT 2000★★

	n.c.	n.c.		23 à 30 €

Cette maison de négoce-éleveur a été reprise par la famille Cottin (Labouré-Roi). D'un or bien expressif, ce *village* au discret boisé offre son support à la fleur blanche, à de jolies notes de citron et de noisette. D'une attaque fraîche et vive, il allie l'étoffe à la rondeur, et la persistance au palais est étonnante. Sous la marque **Labouré-Roi, en rouge 2000 (11 à 15 €)**, le vin obtient une citation : le fût parfaitement maîtrisé repose sur un fond de qualité. Le pinot s'exprimera dans deux ou trois ans.
🍇 Marie-Louise Parisot, rue Lavoisier, 21700 Nuits-Saint-Georges, tél. 03.80.62.64.11, fax 03.80.62.64.13 ♈ r.-v.

DOM. PRIEUR-BRUNET
Morgeot 1999★

	1er cru	0,55 ha	3 000		15 à 23 €

Un Morgeot rouge vif, ouvert sur le cassis puis évoluant vers le fruit rouge de bonne intensité. Confirmant ces arômes, sa constitution repose actuellement sur de jeunes tanins aux dents longues. Il n'y a peut-être pas ici la chair d'un Rubens, mais un corps à la fois élégant et costaud. Equilibré en somme. L'attendre deux ans avant de le servir sur des plats en sauce.
🍇 Dom. Prieur-Brunet, rue de Narosse, 21590 Santenay, tél. 03.80.20.60.56, fax 03.80.20.64.31, e-mail uny-prieur@prieur-santenay.com ☑ ♈ r.-v.
🍇 D. Prieur

ROPITEAU 2000★

	1er cru	n.c.	2 500		15 à 23 €

Si la teinte de sa robe a quelque chose de bouddhique, n'allez pas croire à un vin zen ! Le miel et l'acacia s'en donnent à cœur-joie dès vos premiers coups de nez. Léger, souple, avec une pointe de vivacité et un caractère minéral, il est visiblement né pour une vie pas forcément très longue mais bien remplie. Elevé dans les anciens celliers de l'hôpital de Meursault sous un nom prestigieux dans la Côte, cette maison, reprise par Jean-Claude Boisset, conserve cependant son autonomie vinicole. Sous l'étiquette **Jean-Claude Boisset, un chassagne blanc 99** obtient également une étoile, tout comme la cuvée **rouge 2000 de Grivelet Père et Fils** dans l'AOC *village*.
🍇 Ropiteau Frères, 13, rue du 11-Novembre, 21190 Meursault, tél. 03.80.21.69.20, fax 03.80.21.69.29, e-mail lemstra.f@attglobal.net ☑ ♈ t.l.j. 9h-19h; f. mi-nov. à Pâques

ROUX PERE ET FILS 2000

	0,8 ha	6 000		23 à 30 €

Il fut coup de cœur pour son chassagne blanc 95. Celui-ci possède une robe dorée agrémentée de reflets vert olive. Le nez est encore marqué par le fût (beurre et noisette, grillé). Au palais, l'impression de franchise demeure sous-jacente ; il faut en effet que le fondu s'opère. Le domaine ? En 1960, Fernand Roux laisse à son fils Marcel 5 ha de vignes, quelques vaches et deux chevaux. Partir en ville ou s'accrocher ? Marcel s'accroche avec l'aide de ses enfants (35 ha aujourd'hui !). Une saga.
🍇 Dom. Roux Père et Fils, 21190 Saint-Aubin, tél. 03.80.21.32.92, fax 03.80.21.35.00 ☑ ♈ r.-v.

SORINE ET FILS
Vieilles vignes 2000★★

	0,42 ha	2 600		8 à 11 €

Descendants d'une vieille famille du cru, les Sorine sont revenus à la vigne en 1946. Christian veille de nos jours sur 10,8 ha répartis en une quarantaine de parcelles. Son chassagne rouge emprunte sa couleur au rubis et son bouquet à la framboise, à la groseille. La vinification apparaît très soignée : en bouche une bonne constitution comportant des tanins agréables, de la finesse et une harmonie indéniable. Bien fait, distingué et représentatif de l'appellation.
🍇 Sorine et Fils, 4, rue Petit, Le Haut-Village, 21590 Santenay, tél. 03.80.20.66.27, fax 03.80.20.61.65 ☑ ♈ r.-v.

HENRI DE VILLAMONT 2000

	0,68 ha	3 350		23 à 30 €

Trop jeune pour pouvoir vraiment se présenter sous son meilleur jour, un chassagne néanmoins à sa place dans le Guide. Or léger, son jardin intérieur est à la fois d'hiver (fruits secs) et d'été (fruits mûrs) selon la durée du vin dans le verre. Sa vivacité de jeunesse lui donne un caractère un peu impulsif, mais le temps apaisera ses ardeurs. Maison appartenant au groupe suisse Schenk et installée à Savigny dans l'ancien château de Léonce Bocquet.
🍇 SA Henri de Villamont, rue du Dr-Guyot, 21420 Savigny-lès-Beaune, tél. 03.80.24.70.07, fax 03.80.22.54.31, e-mail hdv@planetb.fr ☑ ♈ t.l.j. sf mar. 10h-18h30; jeu. 14h-18h30; f. 15 nov.-1er avril

Saint-aubin

Saint-Aubin est dans une position topographique voisine des Hautes-Côtes ; mais une partie de la commune joint Chassagne au sud et Puligny et Blagny à l'est. Les Murgers des Dents de Chien, premier cru de saint-aubin, se trouvent même à faible distance des chevalier-montrachet et des Caillerets. Il faut dire que les vins sont également de grande qualité. Le vignoble s'est un peu développé en rouge (2 840 hl en 2001), mais c'est en blanc (4 996 hl) qu'il atteint le meilleur.

BOURGOGNE

FRANCOIS D'ALLAINES
En Rémilly 1999★★

1er cru	n.c.	3 600	⊞ 15 à 23 €

Ce 99 entre en bouche par la grande porte, sous des feux dorés et un parfum très étudié associant l'aubépine et le silex ; le boisé brûlé se signale en arrière-plan. Sa structure et sa concentration sont au-delà des normes habituelles. Sa maturité l'épaule déjà et pour assez longtemps.
⌐ François d'Allaines, La Corvée du Paquier, 71150 Demigny, tél. 03.85.49.90.16, fax 03.85.49.90.19, e-mail francois@dallaines.com ⟟ r.-v.

PHILIPPE BOUCHARD 1999

1er cru	n.c.	2 500	⊞ 15 à 23 €

Philippe Bouchard est une marque de La Reine Pédauque. La robe de ce saint-aubin, d'un or accentué, invite à aller plus loin. Le premier rendez-vous est consacré à son parfum. Des fruits blancs bien mûrs s'allient à un boisé complémentaire, nullement ostentatoire. D'une bonne présence en bouche sur des arômes de poire et de vin, il possède une belle acidité qui permet d'attendre un peu le moment de tout lui dire.
⌐ Philippe Bouchard, 21420 Aloxe-Corton, tél. 03.80.25.00.00, fax 03.80.26.42.00, e-mail vinibeaune@bourgogne.net ⟟ r.-v.

DOM. GILLES BOUTON
Les Champlots 2000★

1er cru	0,22 ha	1 300	⊞ 8 à 11 €

« Le bouton vaut la rose », prétend Gilles Bouton sur son étiquette. Ce pinot d'un rouge pénétrant a le nez sur le bourgeon de cassis et une discrète vanille. La cerise vient ensuite, sur un fond tannique élégant et fondu. Ce qui le distingue en définitive des autres, c'est le fruit. Il l'a glorieux et rouge.
⌐ Gilles Bouton, Gamay, 21190 Saint-Aubin, tél. 03.80.21.32.63, fax 03.80.21.90.74 ☑ ⟟ r.-v.

DOM. JEAN CHARTRON
Les Murgers des Dents de Chien 2000★

1er cru	10,52 ha	3 500	⊞ 15 à 23 €

Brillant et clair, ce vin produit à deux pas de Puligny, et au-dessus de son prestigieux coteau, a bon nez. Le fût n'éteint pas le fruit, mais l'aération lui est profitable ; il montre alors une nuance de noisette grillée. Sa bouche est savoureuse. Tout est en développement, franc. Attendre deux ou trois ans.
⌐ Dom. Chartron-Dupard, 13, Grande-Rue, 21190 Puligny-Montrachet, tél. 03.80.21.32.85, fax 03.80.21.36.35, e-mail info@chartron-trebuchet.com ☑ ⟟ r.-v.

CH. DE CHASSAGNE-MONTRACHET
Le Charmois 2000★

1er cru	5,37 ha	20 000	⊞ 15 à 23 €

Le château de Chassagne a été repris par Michel Picard, le vigneron-orchestre de Chagny. Cela a pour conséquence ce saint-aubin dont la bouche explose pour commencer. Jaune franc, ce 2000 floral et très odorant (fruits confits) au troisième coup de nez reste complexe, toujours un peu vif et doté d'une durée de vie assez longue (jusqu'à quatre à cinq ans).
⌐ SCV Dom. du ch. de Chassagne-Montrachet, 21190 Chassagne-Montrachet, tél. 03.85.87.51.01, fax 03.85.87.51.01
⌐ Michel Picard

FRANCOISE ET DENIS CLAIR
Les Frionnes 2000★★★

1er cru	0,42 ha	3 500	⊞ 8 à 11 €

Il y a des litanies qu'on aime bien. Ce domaine propose un **saint-aubin 1er cru rouge 2000 (5 à 8 €)**, une étoile, tout comme **Les Champlots 1er cru blanc 2000**. Evidemment le mieux pour vous serait d'acquérir notre coup de cœur, ces excitantes Frionnes. Un boisé parfaitement conduit mène par le bout du nez des arômes typés fleur blanche, délicats et subtils. Ce 2000 de très bonne facture a du caractère, de la profondeur ; on peut estimer sa durée de vie à cinq ou six ans sans difficulté.
⌐ Françoise et Denis Clair, 14, rue de la Chapelle, 21590 Santenay, tél. 03.80.20.61.96, fax 03.80.20.65.19 ☑ ⟟ r.-v.

BERNARD COLIN ET FILS
En Remilly 1999★

1er cru	n.c.	n.c.	⊞ 8 à 11 €

« Ayez, si vous pouvez, un langage simple », préconisait La Bruyère. Ce vin a retenu le conseil. Son volume n'est pas immense, mais il montre un bel équilibre sur des bases pures et franches. Minéral et floral, il ne cherche pas l'impossible et trouve l'harmonie. Il est totalement plaisant et se destine aux viandes blanches pendant trois à quatre ans. Ce domaine de 8 ha a conquis plusieurs coups de cœur au fil des ans et ne compte plus ses étoiles tant il a été décoré par le Guide Hachette.
⌐ Bernard Colin et Fils, 22, rue Charles-Paquelin, 21190 Chassagne-Montrachet, tél. 03.80.21.92.40, fax 03.80.21.93.23 ☑ ⟟ t.l.j. 8h30-12h 14h-19h; dim. sur r.-v.

DOM. DARNAT
En Rémilly 2000★

1er cru	0,25 ha	1 500	⊞ 15 à 23 €

Le saint-aubin est un vin pour *happy few*. L'appellation est peu connue et rares sont ceux qui savent qu'elle niche tout près de Chassagne et Puligny. Admirablement situé, ce *climat* est l'un des plus recherchés. Ce 2000 s'exprime par une robe dorée sans outrance, un nez très ouvert sur le floral, une bouche structurée et complexe. Son grand mérite est de ne tenir aucun langage pesant : fin, aérien, tout est de dentelle.
⌐ Dom. Darnat, 20, rue des Forges, 21190 Meursault, tél. 03.80.21.23.30, fax 03.80.21.64.62 ☑ ⟟ r.-v.

LIONEL DUFOUR
Les Murgers des Dents de Chien 2000★★

1er cru	1 ha	6 000	⊞ 38 à 46 €

Un bon vin peut parfois se présenter sous une étiquette délirante. Ici celle de l'Echansonnerie de l'Ordre

du Goût'Vinage de France (*sic*) destinée à un importateur de San Diego, en Californie. Ce saint-aubin à la robe éclatante et cristalline impressionne en effet. Le chèvrefeuille, la menthe verte et le tilleul sont réunis autour de son nez pour un intéressant colloque. Un corps très ferme à l'attaque évolue vers une féminité délicate et sensuelle en milieu de bouche. La finale minérale est superbe.
🕦 Sté Lionel Dufour, 6, allée des Amandiers, 21190 Meursault, tél. 03.80.21.67.02, fax 03.87.69.71.13 Ⓥ

DOM. HUBERT LAMY
La Princée 2000★★

	2 ha	12 000	Ⅲ 11 à 15 €

Coup de cœur en 2001 et aussi en 1999 (pour ses 98 et 96 blancs), Hubert Lamy abat à nouveau un carré d'as. La Princée, est-ce un nom de *climat* ? Elle nous enthousiasme par sa robe de princesse dans les contes de fées, son bouquet où le fruit et le bois se marient à une bouche riche et fine à la fois. Rétro de fruits à chair blanche, acidité parfaite, longueur et caractère, les mots manquent. Citons aussi **Les Frionnes 1er cru blanc 2000** (15 à 23 €), une étoile, et **En Rémilly 1er cru blanc** (15 à 23 €), remarquable et qui mérite un prix d'excellence (deux étoiles).
🕦 Dom. Hubert Lamy, Le Paradis, 21190 Saint-Aubin, tél. 03.80.21.32.55, fax 03.80.21.38.32 Ⓥ Ⴤ r.-v.

DOM. LAMY-PILLOT
Les Argilliers 2000★

	0,54 ha	3 000	Ⅲ 8 à 11 €

Climat montant sur La Rochepot. Pourpre à reflets violets, environné du fût, ce bel enfant affiche de bon cœur toute sa vigueur. Inutile de prendre sa loupe pour y discerner des nuances fruitées et de douces subtilités. Le bois et les tanins constituent un vin assez charpenté pour durer, mais pas plus de quatre à cinq ans.
🕦 Dom. Lamy-Pillot, 31, rte de Santenay, 21190 Chassagne-Montrachet, tél. 03.80.21.30.52, fax 03.80.21.30.02, e-mail lamy.pillot@wanadoo.fr Ⓥ Ⴤ r.-v.

DOM. LAMY-PILLOT
Les Pucelles 2000★

	0,8 ha	5 500	Ⅲ 11 à 15 €

Saint Aubin aurait été évêque d'Angers au VIe s. Du vin de Loire passons à celui de Bourgogne, en dégustant ce millésime. Son nez laisse tout juste entrevoir un zeste de citron. Plutôt élégant et assez rond, persistant et plein de jeunesse. Il se révèle mi-floral mi-fruité en bouche. On estime préférable de reporter à plus tard sa première expérience à table (dans un an ou deux).

🕦 Dom. Lamy-Pillot, 31, rte de Santenay, 21190 Chassagne-Montrachet, tél. 03.80.21.30.52, fax 03.80.21.30.02, e-mail lamy.pillot@wanadoo.fr Ⓥ Ⴤ r.-v.

SYLVAIN LANGOUREAU
En Remilly 2000★

1er cru	1,4 ha	9 000	Ⅲ 8 à 11 €

Un coup de cœur en 1999 (millésime 96) fit remarquer ce producteur. De quelques ouvrées, le domaine est passé en un siècle à 7 ha, et depuis 1998 une cave moderne (construite par un compagnon maçon dans les règles de l'art) prolonge la très vieille cave du XVIIe s. D'une couleur fidèle, ce 2000 s'ouvre, après aération, sur des notes florales et minérales qui se poursuivent en bouche avec, en plus, une touche de fruits blancs intéressante. Authentique, sans artifice, une bouteille à servir entre 2003 et 2007.
🕦 Sylvain Langoureau, hameau de Gamay, 21190 Saint-Aubin, tél. 03.80.21.39.99, fax 03.80.21.39.99 Ⓥ Ⴤ r.-v.

DOM. LARUE
Les Combes 2000★

1er cru	0,46 ha	3 000	Ⅲ 11 à 15 €

Les Combes ; le *climat* s'appelle même les Combes du Sud et se découvre lorsque, de la Côte, on monte sur le hameau de Gamay. Ce vin classique et typique, limpide au regard, offre une grande pureté florale sur un fond brioché. L'acidité est là pour participer à sa durée.
🕦 Dom. Larue, Gamay, 21190 Saint-Aubin, tél. 03.80.21.30.74, fax 03.80.21.91.36 Ⓥ Ⴤ r.-v.

MAISON MALLARD-GAULIN 1999★

1er cru	0,35 ha	2 000	Ⅲ 23 à 30 €

Sa couleur vieil or est bien agréable. Ses arômes vont et viennent de la fleur blanche à la cannelle en passant par la pomme. L'approche signe la souplesse du millésime. Le boisé, bien maîtrisé, trouve le moyen de mettre tout le monde de son côté. Proposé pour un poisson de rivière par l'un, et une sole meunière par un autre.
🕦 Maison Mallard-Gaulin, 21420 Aloxe-Corton, tél. 03.80.26.46.10

LE MANOIR MURISALTIEN 2000★

1er cru	n.c.	n.c.	Ⅲ 23 à 30 €

Une bouteille à ouvrir une bonne heure avant le repas. Si sa robe est sans problème, son nez s'éveille à pas lents – ce qui n'est pas dramatique à son âge – sur des arômes de pêche. En bouche, le bois se fait discret. On trouve de la douceur et de la souplesse. A boire déjà sur des viandes blanches.
🕦 Marc Dumont, 4, rue du Clos-de-Mazeray, 21190 Meursault, tél. 03.80.21.21.83, fax 03.80.21.66.48, e-mail vin@demessey.com Ⴤ r.-v.

DOM. DES MEIX
Les Murgers des Dents de Chien 2000

1er cru	1,1 ha	7 000	Ⅲ 8 à 11 €

Christophe Guillo a construit en 2001 sa nouvelle cuverie. Ces Murgers des Dents de Chien sont à deux pas du Montrachet. Jaune soutenu, le nez concentré sur les fruits exotiques et confits, ce 2000 assurément surmaturé (miel, cire d'abeille) traite l'affaire avec ce qu'il faut de volume et de gras. Choisir un brochet en sauce aux airelles. Une bouteille à déboucher maintenant.

☛ Christophe Guillo, Dom. des Meix,
21200 Combertault, tél. 03.80.26.67.05,
fax 03.80.26.67.05, e-mail guillo.c@wanadoo.fr
☑ ☥ r.-v.

DOM. PATRICK MIOLANE 2000★★

	0,4 ha	1 500	⏚ 8 à 11 €

D'un léger doré-vert, un vin aux senteurs abricotées, miellées, qu'un doux boisé escorte gentiment. Très flatté en effet par le fût, il montre rondeur et souplesse, et est capable de tenir debout deux à trois ans en attendant un bon poisson.
☛ Dom. Patrick Miolane, 21190 Saint-Aubin,
tél. 03.80.21.31.94, fax 03.80.21.30.62,
e-mail domainepatrick.miolane@wanadoo.fr ☑ ☥ r.-v.

PIERRE PONNELLE 2000

1er cru	n.c.	3 000	⏚ 23 à 30 €

Vieux routier compétent, Jean-Pierre veille sur cette maison vénérable reprise par Jean-Claude Boisset. Ce saint-aubin jaune-vert et pomme verte crie son origine sur un beau jambage. La touche d'amertume fait partie du décor. La longueur n'est pas exceptionnelle mais le corps se tient droit et debout.
☛ Maison Pierre Ponnelle,
abbaye de Saint-Martin, chem. des Teurons,
21200 Beaune, tél. 03.80.22.19.12, fax 03.80.24.14.84,
e-mail mayaud.f@cva-beaune.fr

BERNARD PRUDHON
Les Castets 2000

1er cru	0,64 ha	2 100	⏚ 8 à 11 €

Dix ans de présence sur ces 8 ha : Bernard Prudhon est à 50 m de l'église romane fondée au Xᵉs. Allez donc les trouver, ses Casters ! Ce *climat* est proche des Travers de chez Edouard. Le vin porte une robe engageante. Le bouquet est ici centré autour du cassis dans un panorama de fruits exotiques. Les tanins encore un peu rustiques font dire à l'un des dégustateurs qu'il s'agit d'un vin de mâchon. Mais les autres jurés conseillent de le garder deux ans en cave.
☛ Bernard Prudhon, 12, rue des Perrières,
21190 Saint-Aubin, tél. 03.80.21.35.66,
fax 03.80.21.35.66 ☑ ☥ r.-v.

HENRI PRUDHON ET FILS
Sur Gamay 2000★

1er cru	0,65 ha	4 700	⏚ 8 à 11 €

N'oublions pas que le hameau du Gamay siège sur cette commune. Voilà un blanc qui ne craint pas de s'appeler « Sur gamay » ! Il est limpide et clair comme l'eau de roche. La bouche est jolie et donne du plaisir. **Sur le Sentier du Clou 99 rouge** : suave et soyeux, ce vin emporte l'adhésion. Même note.
☛ Henri Prudhon et Fils, 21190 Saint-Aubin,
tél. 03.80.21.36.70, fax 03.80.21.91.55 ☑ ☥ r.-v.
☛ Gérard Prudhon

DOM. ROUX PERE ET FILS
La Pucelle 2000★★

	0,5 ha	3 000	⏚ 11 à 15 €

Les Roux disposent d'un vaste domaine de 35 ha créé dans les années 1960. Cette Pucelle à l'œil clair, parcourue de reflets verts, entoure les louanges du mariage de la fleur blanche et du fût parfaitement réussi. D'une très belle harmonie, cette bouteille est à boire pendant cinq ans... s'il vous en reste.
☛ Dom. Roux Père et Fils, 21190 Saint-Aubin,
tél. 03.80.21.32.92, fax 03.80.21.35.00 ☑ ☥ r.-v.

MICHEL SERVEAU
En l'Ebaupin 2000★

	0,14 ha	900	⏚ 8 à 11 €

Rubis intense, sans excès de couleur cependant, c'est un *village* né à proximité des Pucelles, en montant à La Rochepot. Son nez discret s'ouvre sur la cerise. Tendre, construit sur de fins tanins, franc de goût, il est élégant. Un dégustateur l'aurait choisi pour des cailles aux truffes.
☛ Michel Serveau, rte de Beaune, 21340 La Rochepot,
tél. 03.80.21.70.24, fax 03.80.21.71.87
☑ ⌂ ☥ t.l.j. 8h-19h

GERARD THOMAS
Murgers des Dents de Chien 2000★

1er cru	1,82 ha	12 000	⏚ 8 à 11 €

Un vin qu'on imagine volontiers goûter à la Saint-Vincent tournante lors du casse-croûte du samedi matin, pour l'accueil des confréries. Un bon blanc, mais pas n'importe quel blanc. Ces messieurs des confréries n'offrent leurs épaules qu'en échange d'un 1er cru. Celui-là fera l'affaire. D'un or assez vif, il cale son nez entre le fruit sec et le grillé. Il a de la fraîcheur, mais pas trop, du gras en proportion. Quelques petites années d'attente lui feront du bien. Signalons aussi un **1er cru, Les Frionnes rouge 2000**, cité avec un commentaire élogieux : « Beau travail ».
☛ Dom. Gérard Thomas, 21190 Saint-Aubin,
tél. 03.80.21.32.57, fax 03.80.21.36.51 ☑ ☥ r.-v.

THOMAS FRERES 2000★

	n.c.	10 000	⏚ 11 à 15 €

Beau vin dans un millésime difficile où tout le monde n'a pas réussi des bouteilles aussi harmonieuses et structurées. Violet, il s'empourpre. Framboisé, il va au devant du cuir, de la fourrure. En bouche, il a de la retenue, de la distinction, de l'assurance dans l'équilibre. De bonne garde (trois à quatre ans). Thomas Frères est une variante de Moillard.
☛ Thomas Frères, BP 6, 21701 Nuits-Saint-Georges Cedex, tél. 03.80.62.42.00, fax 03.80.61.28.13,
e-mail thomas.frères@wanadoo.fr
☑ ☥ t.l.j. 10h-18h; f. jan.

DOM. DE VALLIERE
Les Cortons 2000★★

1er cru	0,4 ha	4 000	⏚ 15 à 23 €

Au moment du coup de cœur, la question s'est posée : retenir cette bouteille ? ou non ; la balance pencha du mauvais côté, mais ce vin figure ainsi parmi les plus convaincants de la dégustation. Paille clair à légers reflets verts, floral et nuancé de noisette, il est racé, souple et appuyé sur des bases solides. Produit par Roux Père et Fils sous un autre nom (coup de cœur en l'an 2000).
☛ Dom. de Vallière, 21190 Saint-Aubin,
tél. 03.80.21.32.92, fax 03.80.21.35.00 ☑ ☥ r.-v.

Santenay

Dominé par la montagne des Trois-Croix, le village de Santenay est devenu, grâce à sa « fontaine salée » aux eaux les plus lithinées d'Europe, une ville d'eau réputée... C'est donc un village polyvalent, puisque son terroir produit également d'excellents vins rouges. Les Gravières, la Comme, Beauregard en sont les crus les plus connus. Comme à Chassagne, le vignoble présente la particularité d'être souvent conduit en cordon de Royat, élément qualitatif non négligeable. Enfin, les deux appellations de chassagne et santenay débordent sur la commune de Remigny, en Saône-et-Loire, où l'on trouve aussi les appellations de cheilly, sampigny et dezize-lès-maranges, maintenant regroupées sous l'appellation maranges. L'AOC santenay a produit, 2 087 hl de vin blanc et 13 406 hl de vin rouge en 2001.

JEAN-CLAUDE BELLAND
Clos Genet 2000★

■		1,56 ha	5 000	❚❚❚ 8 à 11 €

Quand on dit Belland à Santenay, il est préférable de connaître le prénom... Domaine de 12 ha bien présent au Clos Genet : ce 2000 fera merveille sur un jambon braisé. D'une robe très foncée, il privilégie les arômes de fruits frais (groseille, framboise) sous un fin boisé. D'un très bel équilibre et riche d'un fort potentiel, la bouche confirme l'impression première. Un plaisir assuré dans trois à cinq ans.
↜ Jean-Claude Belland, 21590 Santenay,
tél. 03.80.20.61.90, fax 03.80.20.65.60 ☑ ⵏ r.-v.

ROGER BELLAND
Beauregard 2000★★

■ 1er cru	3,22 ha	16 000	❚❚❚ 11 à 15 €

Rober Belland a obtenu un coup de cœur en 2002 et en 1998 pour ses 99 et 95, c'est (pourrait-on dire) le pape du Beauregard. Les 23 ha du domaine gérés de main de maître depuis bientôt vingt-cinq ans ne l'empêchent pas de dorloter ce 1er cru dont il possède 3,22 ha (vignes enherbées). Rubis soutenu, quittant fort heureusement sa gangue boisée pour les arômes fruités très authentiques, ce vin dispose d'un excellent socle lui permettant d'attendre trois à cinq ans.
↜ Dom. Roger Belland, 3, rue de la Chapelle, 21590 Santenay, tél. 03.80.20.60.95, fax 03.80.20.63.93, e-mail belland-roger @ wanadoo.fr ☑ ⵏ r.-v.

ALBERT BICHOT 1999★

■		n.c.	41 500	❚❚❚ 15 à 23 €

Sa jolie robe cerise noire, intense et limpide, introduit le sujet dans un style *people*. D'autant que le parfum rappelle, par sa touche de cassis, le *n° 5 de Chanel*. Peu charpenté, un vin néanmoins concentré sur le fruit rouge, gardant sa fraîcheur, s'exprimant en finesse.
↜ Albert Bichot, Dom. du Pavillon, 6 *bis*, bd J.-Copeau, 21200 Beaune, tél. 03.80.24.37.37, fax 03.80.24.37.38

DOM. BORGEOT
Beauregard 2000★★

■ 1er cru	n.c.	n.c.	❚❚❚♦ 11 à 15 €

Sans doute faut-il patienter un peu, le temps de lui laisser le loisir d'exprimer toutes ses nuances odorantes. Mais ce santenay a déjà de quoi vous plaire. Assez clair, couleur fraise, il tend vers les épices et la mûre. Cette jolie cuvée, aux tanins bien fondus et à une persistance très honnête, provient de Remigny, commune qui ne possède que quelques vignes en AOC santenay.
↜ Dom. Borgeot, rte de Chassagne, 71150 Remigny, tél. 03.85.87.19.92, fax 03.85.87.19.95 ⵏ r.-v.

DOM. DE LA BUISSIERE
Clos Rousseau 1999★

■ 1er cru	0,4 ha	n.c.	❚❚❚ 11 à 15 €

Les Clos Rousseau constituent à Santenay un puissant bastion de 1ers crus qui ne passent jamais inaperçus. Celui-ci a les joues empourprées comme s'il revenait du marché. Il laisse espérer un bouquet de cerise, sans trop en dire pour le moment. Fortement tannique, il parle framboise et réglisse en bouche. A boire dans deux à trois ans.
↜ Jean Moreau, Dom. de la Buissière, 4, rue de la Buissière, 21590 Santenay, tél. 03.80.20.61.79, fax 03.80.20.64.76 ☑ ⵏ r.-v.

CH. DE LA CHARRIERE
La Maladière 2000★

■ 1er cru	1,27 ha	7 000	❚❚❚ 11 à 15 €

Du domaine Yves Girardin (16 ha), on peut vous conseiller deux bouteilles également notées. Celle-ci à déboucher une heure avant le service car elle a besoin d'un peu d'air pour se gonfler les poumons. Tendre, elle s'ouvre petit à petit, commençant par l'épice et finissant sur le fruit. Notons aussi le **Sous la Roche blanc 2000** (8 à 11 €) qui vous donnera satisfaction dès 2003.
↜ EARL Dom. Yves Girardin, Ch. de La Charrière, 1, rte des Maranges, 21590 Santenay, tél. 03.80.20.64.36, fax 03.80.20.66.32 ☑ ⵏ r.-v.

DOM. CHEVROT
Clos Rousseau 2000★

■ 1er cru	1,6 ha	8 500	❚❚❚ 8 à 11 €

L'accueil à la ferme ? Dites plutôt à la cuverie ! Sept personnes peuvent tenir à l'aise dans le gîte rural qui complète les 12 ha de la propriété. Voici un santenay très ferme. La robe est indiscutable. Le bouquet de bonne compagnie porte sur la griotte nuancée de vanille avec une pointe de cassis. Bien structurée, une bouteille à attendre deux ou trois ans.
↜ Catherine et Fernand Chevrot, Dom. Chevrot, 19, rte de Couches, 71150 Cheilly-lès-Maranges, tél. 03.85.91.10.55, fax 03.85.91.13.24, e-mail domaine.chevrot @ wanadoo.fr
☑ ⌂ ⵏ t.l.j. 9h-12h 14h-18h; dim. 9h-12h; f. 6-30 jan.

DOM. DE LA CHOUPETTE
Vieilles vignes 1999★★

■		11,14 ha	3 000	❚❚❚ 11 à 15 €

Créé en 1992 sur 5 ha et porté aujourd'hui à 30 ha, ce domaine de la Choupette signe un 99, finaliste dans le grand jury des coups de cœur. Cerise noire, la robe est particulièrement intense. Les arômes de fruits rouges légèrement confiturés parcourent toute la dégustation accompagnés d'un bon boisé. Ses tanins sont agréables, présents mais sans excès. Destiné à un gibier à plume dans deux ans.

🔧 EARL dom. de la Choupette, 2, pl. de la Mairie, 21590 Santenay, tél. 03.80.20.60.27, fax 03.80.20.65.70 ☑ ♈ r.-v.

🔧 Ph. et J.-C. Gutrin

FRANCOISE ET DENIS CLAIR
Clos Genet 2000★★★

		1,2 ha	5 500	■ 🍶 8 à 11 €

Le millésime 99 avait déjà reçu le coup de cœur. Joli doublé ! Françoise et Denis Clair exploitent un peu plus de 11 ha et ils fêtent leurs quinze ans d'installation. La lutte raisonnée donne ici de bons résultats : grenat sombre à reflets légèrement pourprés, ce Clos Genet se montre complexe (arômes de griotte s'ouvrant peu à peu) tout en ayant des accents de sous-bois, de gibier qui lui donnent son caractère.

🔧 Françoise et Denis Clair, 14, rue de la Chapelle, 21590 Santenay, tél. 03.80.20.61.96, fax 03.80.20.65.19 ☑ ♈ r.-v.

MICHEL CLAIR
Clos de Tavannes 2000★

■ 1er cru	0,21 ha	1 200	🍶 8 à 11 €

Grand personnage de l'histoire bourguignonne, M. de Tavannes l'eût dégusté sur un faisan. D'un rouge conquérant, quel beau vin... Son bouquet violent, sauvage, s'accorde bien à la scène. Peu de tanins cependant et beaucoup de fruit, la suite a le cœur tendre et un goût de cerise. Ce domaine situé sur Pernand, Santenay et les Hautes-Côtes (16,7 ha), a proposé un **Sous la Roche 2000 blanc (11 à 15 €)** aux arômes de bergamote. Il est cité. A boire jeune.

🔧 EARL Dom. Michel Clair, 2, rue de Lavau, 21590 Santenay, tél. 03.80.20.62.55, fax 03.80.20.65.37 ☑ ♈ r.-v.

Y. ET C. CONTAT-GRANGE
Saint Jean de Narosse 2000★

	0,36 ha	1 800	🍶 8 à 11 €

Coup de cœur en 1996 pour le 93 en rouge. Ici un chardonnay or pâle qui révèle quelques arômes discrets et que l'on situe du côté des fruits blancs (poire). Il a beaucoup de gras, d'où cette sensation de plénitude, de maturité qui aboutit à une finale assez longue et très ample. Blanquette de veau ? Cela doit bien s'accorder à ce type de vin.

🔧 Contat-Grangé, Grande-Rue, 71150 Dezize-lès-Maranges, tél. 03.85.91.15.87, fax 03.85.91.12.54, e-mail contat-grange@wanadoo.fr ☑ ♈ r.-v.

DOM. VINCENT GIRARDIN
Clos du Beauregard 2000★★★

	1er cru	0,88 ha	5 200	🍶 11 à 15 €

Equilibré, ce vin à la robe claire légèrement ambrée évolue vers le coing après des débuts vanillés. Au palais, ses notes toastées s'accompagnent d'un tempérament vif et bien sec. Il offre tous les ingrédients d'une excellente typicité. Sa persistance retient aussi l'attention, jusqu'à une finale où les agrumes ont leur mot à dire. Vincent Girardin n'en est pas à son premier coup de cœur, mais celui-ci est peut-être le plus charmeur qu'il ait signé. Cité, **Les Gravières en blanc 2000 (15 à 23 €)**.

🔧 Caveau des Grands Crus, pl. de la Bascule, 21190 Chassagne-Montrachet, tél. 03.80.21.96.06, fax 03.80.21.96.23 ☑ ♈ r.-v.

🔧 Vincent Girardin

DOM. LOUIS JADOT
Clos de Malte 1999★

	1,5 ha	30 000	🍶 15 à 23 €

Les chevaliers de Malte vignerons à Santenay ? Cette dénomination d'usage honore en tout cas cette étiquette. Cet ordre eut en effet des possessions en Bourgogne. D'un or intense, ce 99 se partage entre une expression florale et des intentions fruitées. La matière est bien présente et d'un équilibre où le fût respecte le vin. Porteur de subtilités que le temps affinera, ce vin peut attendre trois ans encore.

🔧 Maison Louis Jadot, 21, rue Eugène-Spuller, 21200 Beaune, tél. 03.80.22.10.57, fax 03.80.22.56.03, e-mail contact@louisjadot.com ♈ r.-v.

DOM. JESSIAUME PERE ET FILS
Gravières 2000★

	1er cru	0,53 ha	3 600	🍶 15 à 23 €

Comme chacun sait, Santenay hésite depuis toujours entre la nymphe des eaux et le dieu du vin. Station thermale et uvale. Cette bouteille penche du côté vineux pour un chardonnay des Gravières (*climat* mixte, rouge ou blanc) d'un or dominant et au bouquet ouvert sur le silex, la pomme, le grillé. L'attaque est généreuse, l'acidité convenable, la rondeur suffisante.

🔧 Dom. Jessiaume Père et Fils, 10, rue de la Gare, 21590 Santenay, tél. 03.80.20.60.03, fax 03.80.20.62.87 ☑ ♈ t.l.j. sf dim. 8h-12h 13h-19h

GABRIEL ET PAUL JOUARD 1999★★

■	1,3 ha	1 500	🍶 8 à 11 €

Paul Jouard incarne la septième génération au domaine. Il est passé par la Viti de Beaune et, le BTS en poche, il s'est installé en 1992 en créant une société avec ses parents (10,5 ha). Son 99 a de la flamme. Cela se voit au premier coup d'œil. Cassis et moka s'expriment avec élégance au nez. L'attaque et la suite sont dans la même logique. Cela donne un vin haut de gamme où le boisé est bien intégré. A ouvrir dans deux ou trois ans sur viandes blanches et fromages doux.

☛ EARL Dom. Gabriel et Paul Jouard, 3, rue du Petit-Puits, 21190 Chassagne-Montrachet, tél. 03.80.21.94.73, fax 03.80.21.30.30, e-mail domgetpauljouard@clubinternet.fr ☑ ⍾ r.-v.

DOM. RAYMOND LAUNAY
Clos de Gatsulard 1999★

■	2,95 ha	12 000	⏚	15 à 23 €

Anne-Françoise Gros et François Parent (ils sont époux) viennent de reprendre en gérance ce domaine privé de la présence de son fondateur, décédé il y a quelques années. Gatsulard (clos en monopole) était en haut du coteau l'enfant chéri de Raymond Launay. Ce 99 a du potentiel, de la réserve et pas mal de choses à dire plus tard. D'un aspect coloré, puissant, animal, il se montre conforme à la nature du *climat*. Nez de réglisse et de fourrure.

☛ Dom. Raymond Launay, rue des Charmots, 21630 Pommard, tél. 03.80.24.08.03, fax 03.80.24.12.87, e-mail domaine.launay@wanadoo.fr ☑ ⍾ t.l.j. 9h-18h30; groupes sur r.-v.

HERVE DE LAVOREILLE
Clos du Passetemps 1999★

■ 1er cru	0,36 ha	1 800	⏚	11 à 15 €

Domaine historique né des œuvres de J.-M. Duvault-Blochet au XIXᵉ s. et, à ce titre, cousin du domaine de La Romanée-Conti qui appartenait à ce fabuleux personnage. Nous avons aimé le **Clos des Gravières blanc 2000 (15 à 23 €)** qui obtient la même note que celui-ci. Il porte encore une robe de jeunesse. Ses arômes délicats parfument agréablement le nez (cerise). Au palais, il joue l'élégance et l'harmonie. Ses tanins soutiennent une belle conclusion. Comme le dit la devise du domaine, *la souche est bonne* !

☛ Dom. Hervé de Lavoreille, 10, rue de la Crée, Santenay-Le-Haut, 21590 Santenay, tél. 03.80.20.61.57, fax 03.80.20.66.03, e-mail delavoreille.herve@wanadoo.fr ☑ ⍾ t.l.j. 9h-12h 14h-19h

RENE LEQUIN-COLIN
La Comme 2000★

■ 1er cru	0,9 ha	5 500	⏚	11 à 15 €

Après avoir travaillé avec son père puis son frère, ce viticulteur a créé en 1993 sa propre exploitation. Son fils François, titulaire d'un BTS viti-œno, fait équipe avec lui. En tout 8,7 ha et une grande attention portée aux fûts sélectionnés chez plusieurs tonneliers et suivis de près. D'une couleur brillante et intense, ce vin offre en effet un joli boisé. Ses tanins de bonne lignée et sa longueur appréciable permettent de le boire dès maintenant ou de l'attendre deux ou trois ans.

☛ René Lequin-Colin, 10, rue de Lavau, 21590 Santenay, tél. 03.80.20.66.71, fax 03.80.20.66.71, e-mail renelequin@aol.com ☑ ⍾ r.-v.

LOUIS MAX
La Comme 1999

■ 1er cru	n.c.	1 800	⏚	46 à 76 €

L'histoire de cette maison nuitonne est un vrai roman. Son santenay 1ᵉʳ cru se présente sous des traits plus simples, plaisants et destinés à une consommation prochaine. Le violacé brillant est d'une gouache habituelle au

village. Parfums démonstratifs, grillés et boisés. Un juré note sur sa fiche : « Un peu trop théorique peut-être. Du Nouveau Monde. » Cela dit, cela se goûte bien.

☛ Louis Max, 6, rue de Chaux, 21700 Nuits-Saint-Georges, tél. 03.80.62.43.01, fax 03.80.62.43.16

MESTRE PERE ET FILS
Passe-Temps 1999

■ 1er cru	1,38 ha	3 200	⏚	11 à 15 €

20 % de fûts neufs, table de tri, rien n'est laissé au hasard dans ce domaine de 21 ha. Ce vin ? Un début d'évolution est perceptible au regard : une frange brique. Cela s'arrête là car le bouquet réglissé est conforme à l'âge de la bouteille. La bouche est agréable et correcte. On s'intéressera par ailleurs au **Passe-Temps 2000 en blanc**, bien réussi.

☛ Mestre Père et Fils, 12, pl. du Jet-d'Eau, BP 24, 21590 Santenay, tél. 03.80.20.60.11, fax 03.80.20.60.97, e-mail gilbert-mestre@wanadoo.fr ☑ ⍾ t.l.j. sf dim. 9h-12h 14h-17h30; f. 20 déc.-8 jan.

CH. MOROT-GAUDRY 1999

■	0,67 ha	1 500	▮⏚	8 à 11 €

Appartenant à cette famille depuis cent cinquante ans, le vieux moulin à grains se consacre au bon vin depuis sa fermeture en 1965. Chantal Morot-Gaudry veille sur un domaine de 4,5 ha. Son 99 a de la couleur, et il tient au nez un discours teinté de framboise. Encore serré et assez rustique, il ne manque pas de matière et devra attendre quatre à cinq ans avant d'accompagner un civet de lapin.

☛ Ch. Morot-Gaudry, Moulin Pignot, 71150 Paris-l'Hôpital, tél. 03.85.91.11.09, fax 03.85.91.11.09 ☑ ⌂ ⍾ r.-v.

LUCIEN MUZARD ET FILS
Champs Claude 2000★

▨	0,37 ha	2 300	⏚	11 à 15 €

Une petite partie de l'AOC santenay se situe sur la commune voisine de Remigny (Saône-et-Loire) : c'est le cas de ce vin jaune pâle, aux arômes d'agrumes. Sa fraîcheur et son charme en feront une excellente bouteille d'entrée de bouche qu'il est également conseillé de boire assez jeune. Très ancienne famille du village, Les Muzard possèdent 23 ha.

☛ Lucien Muzard et Fils, 11 *bis*, rue de la Cour-Verreuil, BP 25, 21590 Santenay, tél. 03.80.20.61.85, fax 03.80.20.66.02, e-mail lucien-muzard-et-fils@wanadoo.fr ☑ ⍾ r.-v.

NICOLAS PERE ET FILS
Les Charmes Dessous 2000★★

■	0,31 ha	2 000	▮	8 à 11 €

Climat situé en direction de Cheilly-lès-Maranges, au sud de l'appellation. Sept générations se sont succédé au domaine qui, depuis 1998, n'est plus « père et fils » mais fils tout court (12 ha). Notre jury est unanime pour juger ce pinot noir rouge profond parmi les bouteilles les plus intéressantes. Parfums de violette, corps solide, fraîcheur et plénitude, bonne garde assurée : que demander de plus ?

☛ EARL Nicolas Père et Fils, 38, rte de Cirey, 21340 Nolay, tél. 03.80.21.82.92, fax 03.80.21.85.47, e-mail nicolas-alain2@wanadoo.fr ☑ ⍾ t.l.j. 9h-12h 13h30-19h; f. 1 semaine en fév. et en août

DOM. CLAUDE NOUVEAU 2000★

	1,5 ha	8 000		11 à 15 €

C'est en blanc qu'on salue cette année la présence de ce producteur bien connu des habitués du Guide dont le domaine homogène recouvre 13 ha. Son chardonnay est d'un jaune serin très brillant. La fleur est délicate au nez. Franche, vive, minérale, la bouche répond à ce qu'on en attend : sa structure se développera-t-elle ? Peut-être, mais, si on était vous, on l'aimerait dès maintenant pour son côté friand.

➽ EARL Dom. Claude Nouveau, Marchezeuil, 21340 Change, tél. 03.85.91.13.34, fax 03.85.91.10.39 ☑ ⊤ r.-v.

PIGUET-GIRARDIN
Comme 2000★★

1er cru	1,4 ha	5 000		11 à 15 €

Domaine de 12 ha. Cette vigne a été achetée par le père qui, bon père, l'offrit à sa fille en 1982. Après cela, allez vous marier ailleurs qu'en Bourgogne ! La robe de ce Comme 2000 est sous nos yeux quelque peu évoluée. Le bouquet, très mûr, s'équilibre à l'aération : thym, poivre, réglisse se retrouvent dans une bouche qui reçoit son contentement de nuances intéressantes sur fond grillé. Si l'on veut, on peut le conserver un peu avant de le servir sur un gibier.

➽ SCE Piguet-Girardin, rue du Meix, 21190 Auxey-Duresses, tél. 03.80.21.60.26, fax 03.80.21.66.61 ☑ ⊤ r.-v.

DOM. PONSARD-CHEVALIER
Charmes Dessus 1999★★

	n.c.	3 600		8 à 11 €

La féminité même, ces Charmes Dessus peuvent être achetées sans hésiter : paré d'une robe cerise noire, ce vin offre un nez où les fruits rouges le disputent à des notes toastées nées d'un boisé bien maîtrisé. Ample, charnue, appuyée sur des tanins fins et fruités, la bouche se montre équilibrée et subtile jusque dans une finale très harmonieuse. **Les Daumelles 2000 en blanc** obtiennent une étoile.

➽ Dom. Ponsard-Chevalier, 2, Les Tilles, 21590 Santenay, tél. 03.80.20.60.87, fax 03.80.20.61.10, e-mail stephane-ponsard@wanadoo.fr ☑ ⊤ r.-v.

DOM. PRIEUR-BRUNET
Comme 1999★★★

1er cru	0,88 ha	5 200		15 à 23 €

Un Comme... comme on aimerait en boire tous les jours ! Il vient en tête de tous les vins présentés par cette commune et reçoit un coup de cœur. Rubis à l'éclat brillant, le nez tout en finesse et subtilité (épices, nuances florales), il offre une présence remarquable. Un gras

voluptueux et un fût bien tempéré. Exprimant son terroir, typé santenay, il mérite quelques années de garde. Cette famille, installée depuis 1804, est très engagée dans la vie sociale du village.

➽ Dom. Prieur-Brunet, rue de Narosse, 21590 Santenay, tél. 03.80.20.60.56, fax 03.80.20.64.31, e-mail uny-prieur@prieur-santenay.com ☑ ⊤ r.-v.
➽ D. Prieur

JEAN-CLAUDE REGNAUDOT ET FILS 1999★★

	0,79 ha	1 750		8 à 11 €

Il y a des bouteilles qui, comme ça, suscitent la discussion. Va savoir ! Ainsi celle-ci. D'une présentation 10/10, elle sacrifie au boisé, au torréfié mais on voudra bien l'admettre comme une chose allant désormais de soi. Dans un environnement souple et rond, en même temps que concentré, très beurré en finale, ce vin est-il à carafer ? Tiendra-t-il au-delà de deux, trois ans ? Le jury en a longtemps parlé car on se situe à un niveau élevé. Le fils de Jean-Claude Regnaudot, Didier, a rejoint le domaine en 2000, BTS en poche.

➽ Jean-Claude Regnaudot et Fils, Grande-Rue, 71150 Dezize-lès-Maranges, tél. 03.85.91.15.95, fax 03.85.91.16.45 ☑ ⊤ r.-v.

SORINE ET FILS
Beaurepaire 2000★

1er cru	0,9 ha	3 000		8 à 11 €

Beaurepaire prolonge Maladière en allant vers Chassagne. Cette vieille famille du cru a donné naissance à plusieurs lieux-dits : *La Croix Sorine, Derrière chez Sorine...* Le masculin a pris le dessus à l'état-civil, et voici en effet un 2000 à la robe légèrement rosée, au bouquet de poivre, de clou de girofle. Puissant puis friand, un peu léger du fait de sa jeunesse. Certainement prometteur.

➽ Sorine et Fils, 4, rue Petit, Le Haut-Village, 21590 Santenay, tél. 03.80.20.66.27, fax 03.80.20.61.65 ☑ ⊤ r.-v.

ROMUALD VALOT
La Maladière 2000★

1er cru	n.c.	3 900		11 à 15 €

Romuald est issu d'une famille de viticulteurs. Il possède un beau domaine de 17 ha et il a créé sa société de négoce-éleveur à Beaune en 1995. Il nous propose une Maladière (1er cru classique du pays) tendre et souple, rappelant le kirsch, et qu'une pointe d'amertume n'embarrasse nullement. Nez entre vanille et fraise, en cours de construction. À l'œil ? Parfait. Sous sa marque de négoce, **Naudin Tiercin, le santenay village rouge 99 (8 à 11 €)** obtient une étoile. À boire déjà, mais pouvant attendre deux ans.

➽ Romuald Valot, 14, rue des Tonneliers, 21200 Beaune, tél. 03.80.26.84.63, fax 03.80.26.84.63 ☑ ⊤ r.-v.

DOM. DES VIGNES DES DEMOISELLES
Clos Rousseau 2000★

1er cru	0,42 ha	1 478		11 à 15 €

On vous l'a déjà dit dans maintes éditions : avoir été baptisé par le chanoine Kir (alors curé de Nolay) n'est pas une chose qu'on oublie durant sa vie ! Gabriel Demangeot a eu cette chance. Ce 1er cru grenat violacé met le nez en éveil puis en odeur de sainteté. Fleur de cerisier, il est l'harmonie changée en bouquet. Zen comme il n'est pas permis ! Sa belle tenue en bouche autour d'un boisé encore présent permettra de l'attendre trois à quatre ans. Coup de cœur en 2001 dans l'AOC *village* (millésime 98).

🕿 Gabriel Demangeot et Fils, rue de Santenay, 21340 Change, tél. 03.85.91.11.10, fax 03.85.91.16.83 ☑ ⟁ r.-v.

JEAN-MARC VINCENT
Le Passetemps 1999★

■ 1er cru	0,85 ha	1 800	⏚ 11 à 15 €

Jean-Marc Vincent a repris en 1997 le domaine de son grand-père. Les racines familiales et viticoles plus anciennes se perdent dans la nuit des temps. Petit domaine (4,5 ha) permettant de s'investir pleinement et de tutoyer chacun de ses pieds de vigne. Ce Passetemps, d'un grenat profond, respecte les arômes spontanés du vin. La belle acidité conduit à laisser faire la nature, la constitution étant excellente comme l'écrit un membre du jury : « Il est construit sur un joli tapis de tanins qui ne demandent qu'un peu de temps pour en faire un grand vin. »

🕿 Jean-Marc Vincent, 3, rue Sainte-Agathe, 21590 Santenay, tél. 03.80.20.67.37, fax 03.80.20.67.37, e-mail vincent.j-m@wanadoo.fr ☑ ⟁ r.-v.

Consultez le tableau des accords mets-vins p. 45.

La côte de Beaune (Sud)

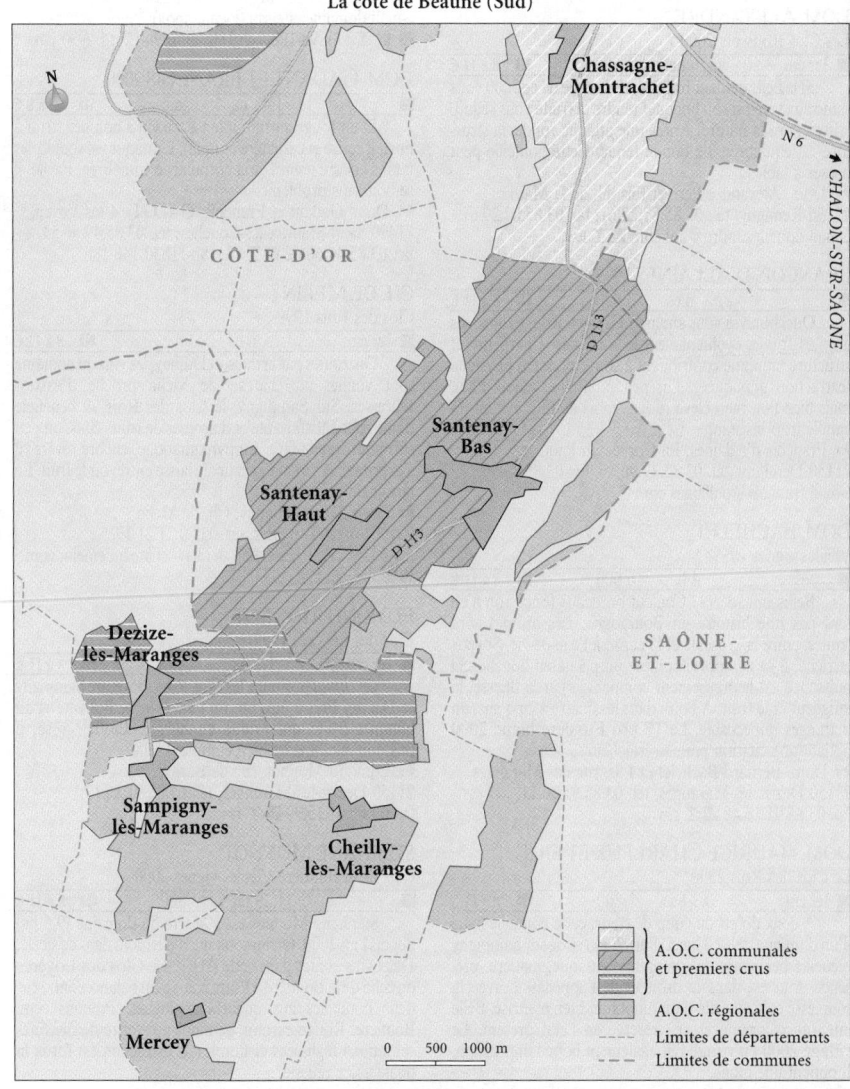

Maranges

Le vignoble de maranges situé en Saône-et-Loire (Chailly, Dezize, Sampigny) bénéficie depuis 1989 d'un regroupement en une AOC unique, comportant six premiers crus. Il s'agit de vins rouges et blancs, les premiers ayant droit également à l'AOC côte de beaune-villages et étant naguère vendus ainsi. Fruités, ayant du corps et bien charpentés, ils peuvent vieillir de cinq à dix ans. Ce vignoble a produit en 2001, 8 668 hl d'AOC maranges dont 228 hl en blanc.

DOM. ALEXANDRE
Les Clos Roussots 2000

■ 1er cru	0,26 ha	1 700	⦀	8 à 11 €

Si la belle couleur brillante de la robe de ce 2000 vous saute aux yeux, si son bouquet tendre et fruité vous séduit, laissez faire la nature. Après une attaque ronde, la structure est équilibrée, de bonne tenue. Cette bouteille peut passer à table.
🕤 Dom. Alexandre Père et Fils, pl. de la Mairie, 71150 Remigny, tél. 03.85.87.22.61, fax 03.85.87.29.61, e-mail domalexandre@aol.com ☑ ⵣ r.-v.

FRANCOIS D'ALLAINES 1999*

■	n.c.	3 000	⦀	8 à 11 €

Quel bon vin vous amène ? Celui-ci. Rouge rubis, ses arômes fruités évoluent vers le sous-bois. Charpente et structure tannique contribuent à son expression physique (extraction appliquée). Un peu monobloc aujourd'hui, mais bien fait, bien élevé (douze mois de fût), évitant un vanillé trop insistant.
🕤 François d'Allaines, La Corvée du Paquier, 71150 Demigny, tél. 03.85.49.90.16, fax 03.85.49.90.19, e-mail francois@dallaines.com ⵣ r.-v.

DOM. BACHELET
Vieilles vignes 1999★★

■	4 ha	6 000	⦀	8 à 11 €

Bellissime, ce 99 ! Couleur bordeaux foncé : on n'en fera pas une histoire en Bourgogne. Les arômes sont fruités, entre la groseille et la cerise à l'eau-de-vie. Soyeux et riche, il se comporte comme un pacha en bouche. Sa puissance est heureusement compensée par la finesse, la longueur et le fruit. A boire dans les quatre à cinq ans, un maranges impeccable. Le **1er cru Fussière blanc 2000** obtient une citation pour sa fraîcheur.
🕤 Dom. Bernard Bachelet et Fils, rue des Maranges, 71150 Dezize-lès-Maranges, tél. 03.85.91.16.11, fax 03.85.91.16.48 ☑ ⵣ r.-v.

DOM. MAURICE CHARLEUX ET FILS
Le Clos des Rois 2000★★

■ 1er cru	1,05 ha	1 800	⦀	8 à 11 €

A deux doigts du coup de cœur, cette bouteille issue d'un domaine de 12,3 ha et d'un *climat* situé sur Sampigny recueille beaucoup de sympathie. Attaque, matière, présence, tout est dans le droit fil de l'appellation avec la souplesse et la vivacité d'un pinot noir bien maîtrisé. Belle intensité colorante et nez réservé en l'état présent. Le **village 2000 en rouge** fait également bonne impression. Il obtient une étoile.

🕤 Dom. Maurice Charleux et Fils, Petite-Rue, 71150 Dezize-lès-Maranges, tél. 03.85.91.15.15, fax 03.85.91.11.81 ☑ ⵣ r.-v.

DOM. CHEVROT 2000★

■	3 ha	16 000	⦀	8 à 11 €

Paul et Henriette ont créé ce domaine. Fernand et Catherine le développent sur 12 ha. Il y a un gîte rural si vous souhaitez déguster en cave tout à loisir, et les vendanges se font à la main et dans toutes les langues. Cette bouteille se montre elle aussi accueillante par ses parfums floraux (rose, jasmin). Souple et rond, un joli vin de type léger.
🕤 Catherine et Fernand Chevrot, Dom. Chevrot, 19, rte de Couches, 71150 Cheilly-lès-Maranges, tél. 03.85.91.10.55, fax 03.85.91.13.24, e-mail domaine.chevrot@wanadoo.fr
☑ 🏠 ⵣ t.l.j. 9h-12h 14h-18h; dim. 9h-12h; f. 6-30 jan.

DOM. GADANT ET FRANCOIS 2000

■	1,48 ha	n.c.	⦀	5 à 8 €

D'un rouge carmin intense, ce vin a bon nez (fruit à noyau, cerise et caractère animal). L'attaque est souple, les tanins encore jeunes et la corpulence équilibrée. Facile, il se boit sans problème.
🕤 Dom. Gadant et François, GAEC Le Clos Voyen, 71490 Saint-Maurice-lès-Couches, tél. 03.85.49.66.54, fax 03.85.49.60.62 ☑ ⵣ t.l.j. 8h-11h30 14h-18h

CH. DE MELIN
Clos des Rois 1999

■ 1er cru	n.c.	n.c.	⦀	8 à 11 €

Distribués par la maison Dumay, les vins du domaine sont vinifiés au château de Melin proche d'Auxey-Duresses. Sur Sampigny, le Clos des Rois 99 bénéficie d'une robe satisfaisante et d'arômes de fruits cuits, un peu surmaturés peut-être. Empyreumatique, encore sévère, il s'exprime peu, même si la finale laisse entrevoir le fruit. Le laisser un peu vieillir.
🕤 Dom. Derats-Dumay, Ch. de Melin, 21190 Auxey-Duresses, tél. 03.80.21.21.19, fax 03.80.21.21.72, e-mail derats@chateaudemelin.com
☑ ⵣ t.l.j. 9h-19h

EDMOND MONNOT
Clos des Loyères 1999*

■ 1er cru	1,1 ha	7 692	⦀	8 à 11 €

Ce *climat* prolonge les Clos Roussots entre Sampigny et Dezize. Prêt à boire, à la robe brillante et au bouquet fruité qui évolue en finesse. Etoffé, corsé, il possède une bouche bien comme il faut.
🕤 Edmond Monnot, rue de Borgy, 71150 Dezize-lès-Maranges, tél. 03.85.91.16.12, fax 03.85.91.15.99 ☑ ⵣ r.-v.

STEPHANE MONNOT
Clos de la Boutière Vieilles vignes 2000

■	1,39 ha	3 800	⦀	8 à 11 €

Stéphane Monnot est à la tête du domaine (9,6 ha) depuis l'an 2000. On lui souhaite d'aller loin dans ce siècle. Deux vins goûtés dans cette AOC : **le Clos des Loyères** ou celui de la Boutière ? Votre cœur peut balancer entre ces deux bouteilles aux qualités analogues. Prenons cette Boutière. Rouge carmin, ce pinot noir offre de discrètes sensations réglissées et florales. L'extraction est forte, la finale assez réussie.

➥ Stéphane Monnot, rue de Borgy,
71150 Dezize-lès-Maranges, tél. 03.85.91.16.12,
fax 03.85.91.15.99 ⟐ r.-v.

BERNARD REGNAUDOT
Clos des Rois 2000★★

■ 1er cru	1 ha	4 000	⊞ 8 à 11 €

Grands Vins de Bourgogne

Maranges 1ᵉʳ Cru
«Clos des Rois»
APPELLATION MARANGES 1ᵉʳ CRU CONTRÔLÉE

13,5% vol.   750 ml

Mis en bouteille à la Propriété par
Bernard REGNAUDOT
VITICULTEUR A DEZIZE-LES-MARANGES - SAÔNE-ET-LOIRE - FRANCE
PRODUCT OF FRANCE

    C'est le premier coup de cœur de ce viticulteur dans l'appellation. Les quatorze jours de cuvaison de ce Clos des Rois ont été bien employés : d'un rubis intense à reflets légèrement roses, le nez assez marqué par le fût, il plaît beaucoup dès l'attaque. Sa trame tannique est superbe, son élégance magnifique. On sent le respect du raisin. Un vin racé à attendre trois à cinq ans.
➥ Bernard Regnaudot, rte de Nolay,
71150 Dezize-lès-Maranges, tél. 03.85.91.14.90,
fax 03.85.91.14.90 ☑ ⟐ r.-v.

JEAN-CLAUDE REGNAUDOT ET FILS
Les Clos Roussots 2000

■ 1er cru	0,52 ha	2 950	⊞ 8 à 11 €

    Coup de cœur pour sa Fussière rouge 94, Jean-Claude Regnaudot est épaulé depuis l'an 2000 par son fils Didier tout droit sorti de la « Viti » avec son BTS. Pourpre foncé, ce millésime 2000 attaque avec puissance, tant au nez qu'en bouche. Il a du gras et de la chair, et aussi des tanins très jeunes qui doivent se discipliner.
➥ Jean-Claude Regnaudot et Fils, Grande-Rue,
71150 Dezize-lès-Maranges, tél. 03.85.91.15.95,
fax 03.85.91.16.45 ☑ ⟐ r.-v.

MICHEL SARRAZIN ET FILS 2000

	0,3 ha	2 000	⊞ 8 à 11 €

    Paille soutenue à reflets verts, ce millésime se cache encore derrière des notes minérales. A l'aération, les fruits blancs paraissent. Complexe dès l'attaque, le vin joue sur des notes grillées mêlées d'agrumes persistantes. Attendre un à deux ans que la structure devienne plus aimable.
➥ Michel Sarrazin et Fils, Charnailles, 71640 Jambles,
tél. 03.85.44.30.57, fax 03.85.44.31.22,
e-mail sarrazin2@wanadoo.fr ☑ ⟐ r.-v.

Côte de beaune-villages

A ne pas confondre avec l'appellation côte de nuits-villages qui possède une aire de production particulière, l'appellation côte de beaune-villages n'est en elle-même pas délimitée.

C'est une appellation de substitution pour tous les vins rouges des appellations communales de la Côte de Beaune, à l'exception de beaune, aloxe-corton, pommard et volnay. 175 hl ont été déclarés en 2001.

ALBERT BICHOT 1999★

■	n.c.	46 000	▮⊞◖ 15 à 23 €

    Y aurait-il un regain d'intérêt pour l'appellation ? Le négoce en tout cas lui fait les yeux doux. Si toutes les bouteilles sont comme celle-ci, on n'y voit que des avantages. D'un beau rubis, elle repose sur une structure qui lui permet de construire quelque chose. Le bouquet n'est guère prononcé (mûre), mais la bouche paraît heureuse et fait partager ce sentiment.
➥ Albert Bichot, Dom. du Pavillon,
6 bis, bd J.-Copeau, 21200 Beaune,
tél. 03.80.24.37.37, fax 03.80.24.37.38

CHANSON PERE ET FILS 1999

■	n.c.	22 800	▮⊞◖ 15 à 23 €

    Sa structure est essentiellement tannique, dans une bonne harmonie. Pour un 99, il a une démarche très jeune. D'abord sur le cassis et la mûre, il joue en bouche la cerise, et de bout en bout. Il est inutile de remettre à plus tard l'envie de le boire.
➥ Maison Chanson Père et Fils, 10, rue Paul-Chanson,
21200 Beaune, tél. 03.80.25.97.97, fax 03.80.24.17.42,
e-mail tmarion@vins-chanson.com

DOM. GUY DIDIER 2000★★

■	0,38 ha	2 100	▮⊞ 11 à 15 €

PRODUCT OF FRANCE
Côte de Beaune-Villages
APPELLATION CÔTE DE BEAUNE-VILLAGES CONTRÔLÉE
DOMAINE GUY DIDIER

750 ml

Mis en bouteille à la Propriété
PAR DOMAINE GUY DIDIER, CHEMIN RURAL 29, NUITS-SAINT-GEORGES, FRANCE

    Un coup de cœur dans cette appellation est chose rarissime. Aussi faut-il inscrire sur vos tablettes cette bouteille. D'un rubis ferme et profond, elle énumère des arômes intenses et francs de fruits rouges, de fruits secs, de vanille discrète qui s'harmonisent bien. Le millésime 2000 est ici dans ses meilleurs jours et il permettra grâce à cette réussite (une bouche très accessible, agréable et coulante) de mieux connaître le côte de beaune-villages.
➥ Dom. Guy Didier, chem. rural n° 29,
21700 Nuits-Saint-Georges, tél. 03.80.62.42.00,
fax 03.80.61.28.13, e-mail nuicave@wanadoo.fr
☑ ⟐ t.l.j. 10h-18h; f. jan.

MARIE-LOUISE PARISOT 2000★

■	n.c.	n.c.	▮◖ 8 à 11 €

    Reprise par la famille Cottin (Labouré-Roi), cette maison offre ici son nom à un pinot noir d'un rouge affirmé. Son nez prend le temps de s'éveiller et il semble

qu'il exprimera le fruit rouge. Classique pour l'appellation, il se montre convaincant. Rond, plein de chair, d'une acidité assez marquée, il ne manque ni de chaleur ni de cette simplicité bon enfant qu'on appelle « rustique ».
🜚 Marie-Louise Parisot, rue Lavoisier, 21700 Nuits-Saint-Georges, tél. 03.80.62.64.11, fax 03.80.62.64.13 ⊤ r.-v.

La Côte chalonnaise

Bourgogne côte chalonnaise

Née le 27 février 1990, l'AOC bourgogne côte chalonnaise a donné 20 387 hl en rouge, et 6 597 hl en blanc en 2001. Selon la méthode appliquée déjà dans les Hautes-Côtes, un agrément résultant d'une seconde dégustation complète la dégustation obligatoire qui a lieu partout.

Située entre Chagny et Saint-Gengoux-le-National (Saône-et-Loire), la Côte chalonnaise possède une identité qui est reconnue à juste titre.

FRANCOIS D'ALLAINES 2000★

	n.c.	6 000	⅏	5 à 8 €

Vinifié et élevé à 100 % en fût pendant dix mois, ce chardonnay jaune clair a de l'accent. Son nez intense de pamplemousse connaît un renfort beurré, brioché. On retrouve ces arômes en retour, sur une bouche fraîche. De type léger et agréable.
🜚 François d'Allaines, La Corvée du Paquier, 71150 Demigny, tél. 03.85.49.90.16, fax 03.85.49.90.19, e-mail francois@dallaines.com ⊤ r.-v.

DOM. DANIEL DAVANTURE ET FILS 1999

	1,3 ha	6 000		5 à 8 €

Ancré depuis longtemps dans ce vignoble, un domaine de 17,7 ha. Son 99 rouge s'abrite encore sous une mâche tannique qui devrait s'assouplir. On devine en effet un corps structuré et le charme du cépage. Peu de dominante aromatique, sinon la terre après la pluie, l'humus. L'animal n'est pas loin... Couleur ? Rouge cardinal.
🜚 Daniel Davanture et Fils, GAEC des Murgers, rue de la Montée, 71390 Saint-Désert, tél. 03.85.47.90.42, fax 03.85.47.99.88 ☑ ⊤ r.-v.

CAVE DES VIGNERONS DE GENOUILLY 2000★

	10 ha	16 000	▪↓	3 à 5 €

Genouilly possède une belle église romane. Lisez le Guide bleu pour en savoir davantage. La coopérative vinifie 70 ha mis en commun, dont 10 ha pour ce chardonnay. Or clair et qui, comme la valse, obéit aux trois

temps : minéral, sec et floral. Au nez comme en bouche, on tourbillonne ainsi. Laissez-vous emporter par cette soudaine rencontre.
🜚 Cave des vignerons de Genouilly, 71460 Genouilly, tél. 03.85.49.23.72, fax 03.85.49.23.58 ☑ ⊤ t.l.j. sf dim. 8h-12h 14h-18h

DOM. MICHEL GOUBARD ET FILS
Mont-Avril 2000

	n.c.	60 000	▪⅏↓	5 à 8 €

L'une des rares étiquettes bourguignonnes évoquant un fait historique réel : l'abbé Courtépée parlant du climat Mont-Avril dans sa Description du Duché de Bourgogne au XVIIIᵉs. Ce pinot grenat sombre est élevé à la fois en cuve et en fût. Il joue sur le fruit mûr en confiture, le sous-bois, les champignons. L'ensemble est très aromatique, encore tannique, solidement bâti, persistant.
🜚 EARL Michel Goubard et Fils, Basseville, 71390 Saint-Désert, tél. 03.85.47.91.06, fax 03.85.47.98.12 ☑ ⊤ t.l.j. 8h-12h 14h-19h; dim. sur r.-v.

LES HERITIERS LAMY 1999

	1,4 ha	1 600	⅏	5 à 8 €

Une étiquette qui fait songer à celle du fameux Opus One californien. La propriété est dans la famille depuis deux cent cinquante ans. Elle est gérée par Bernard Lamy, lequel se partage entre Saint-Martin-sous-Montaigu et Boulogne-Billancourt. Sous une robe à reflets, la vanille (vingt-deux mois de fût) laisse la framboise montrer un peu le bout de son nez. La bouche est cependant légère, avec une réelle présence fruitée.
🜚 Bernard Lamy, rue de la Mairie, 71640 Saint-Martin-sous-Montaigu, tél. 01.46.04.46.57, fax 01.46.04.46.57, e-mail blamy@lesheritierslamy.com ☑ ⊤ r.-v.

FRANCOIS LAUGEROTTE 2000

	0,3 ha	2 500	▪	5 à 8 €

On ne compte plus les générations de cette famille attachée à la vigne. Elle s'occupe de 5 ha et peut connaître ainsi chacun de ses ceps. Le blanc se présente ici sous des traits pâles à reflets verts. Le nez est assez chaleureux, avec des notes d'amande. En bouche, le gras se mêle à l'amertume dans un contexte de nervosité citronnée qui réveillera un escargot bouché.
🜚 Marie-Hélène et François Laugerotte, 71640 Saint-Denis-de-Vaux, tél. 03.85.44.36.35, fax 03.85.44.42.70 ☑ ⊤ r.-v.

DOM. DES MOIROTS 2000

	2,5 ha	4 000	▪	5 à 8 €

Lucien et Christophe Denizot possèdent des vignes de trente ans. Ils portent des soins attentifs au vignoble et ne ménagent pas leurs efforts, disposant d'une table de tri. « Un vin bien balancé », note un juré. Avec des reflets violines dans sa robe couleur griotte, il affiche sa jeunesse. Ses parfums intenses de fruits rouges se manifestent aussi en bouche autour d'une structure tannique qui demande deux ans de vieillissement.
🜚 Lucien et Christophe Denizot, 14, rue des Moirots, 71390 Bissey-sous-Cruchaud, tél. 06.83.41.55.24, fax 03.85.92.09.42 ☑ ⊤ r.-v.

NARJOUX-NORMAND 1999

■	2 ha	n.c.	▮ ⦿	5 à 8 €

Allez tout droit dans la *gruotte*, à la daube de sanglier, avec ce 99 aux tanins importants. Son acidité lui permettra de vieillir en paix durant deux à trois ans. Elevé pour moitié en cuve et pour moitié en fût, il a la bouche pleine et il ne peut pas vraiment parler pour l'instant. Rubis noir, il dédie son bouquet aux fruits presque confits.

↳ EARL Normand Narjoux,
71640 Saint-Martin-sous-Montaigu, tél. 03.85.45.14.29, fax 03.85.45.19.40 ☑ Ⲧ r.-v.

DOM. DES PIERRES BLANCHES 1999

■	3 ha	20 000	⦿	5 à 8 €

Créée en 1931, cette coopérative réunit aujourd'hui 860 ha de vignes. La cuvée que nous dégustons en représente une infime partie. Rouge grenat, ce 99 est assez ouvert sur le cassis. Il attaque avec flamme en s'appuyant sur des tanins très fermes. La fraîcheur apparaît en finale avec une touche de minéralité épicée. A ne pas déboucher avant trois ou quatre ans.

↳ Cave des Vignerons de Buxy,
Les Vignes de La Croix, 71390 Buxy, tél. 03.85.92.03.03, fax 03.85.92.08.06, e-mail labuxynoise@cave-buxy.fr ☑ Ⲧ r.-v.

CH. DE SASSANGY
Clos du Prieuré Monopole 1999★★

■	5 ha	20 000	⦿	5 à 8 €

Domaine endormi depuis le phylloxéra, réveillé par le couple Jean et Geno Musso en 1980, agrandi par l'achat du château de Sassangy construit vers 1730, et travaillé en agriculture biologique. Il fut l'un des premiers lauréats du Guide. Ce vin est bien typé côte chalonnaise. Il exprime finesse et souplesse sous une robe vive à reflets de jeunesse. Son beau nez de pinot léger a des accents friands de petits fruits. Entre l'acidité et les tanins, il choisit le juste milieu. Vraiment ce qu'on attend de l'appellation.

↳ Ch. de Sassangy, Le Château, 71390 Sassangy, tél. 03.85.96.18.61, fax 03.85.26.18.62 ☑ Ⲧ r.-v.
↳ Jean et Geno Musso

VENOT
Elevé en fût de chêne 1999★★★

■	5 ha	6 000	⦿	5 à 8 €

Ce domaine de 13 ha existe depuis vingt ans. Son étiquette est comme déchirée en deux par le travers. Le vin, en revanche, comporte les deux moitiés et... davantage. Coup de cœur pour sa robe rouge intense, son bouquet style bourgeon de cassis et sa bouche délicieuse. Plein et

charnu, ce 99 est un modèle de structure et d'harmonie. Il mérite deux à trois ans de patience car il est extrêmement bien constitué. Un peu boisé certes, mais cela lui convient.

↳ GAEC Venot, «La Corvée», 71390 Moroges, tél. 03.85.47.94.02, fax 03.85.47.90.20 ☑ Ⲧ r.-v.

Bouzeron

Petit village situé entre Chagny et Rully, Bouzeron est de longue date réputé pour ses vins d'aligoté. Cette variété occupe la plus grande partie du vignoble communal, soit 62 ha environ. Planté sur des coteaux d'orientation est-sud-est, sur des sols à forte proportion calcaire, ce cépage à l'origine de vins blancs vifs s'exprime particulièrement bien, donnant naissance à des vins complexes et d'une « rondeur pointue ». Les vignerons du lieu, après avoir obtenu l'appellation bourgogne aligoté bouzeron en 1979, ont réussi à hisser l'aire de production au rang d'AOC communale. La production a été de 2 136 hl en 2001.

DOM. CHANZY
Clos de la Fortune 2000

▨	n.c.	n.c.	▮	5 à 8 €

C'est en 1974 et à vingt et un ans que Daniel Chanzy a repris et remis en valeur ce domaine à l'abandon. Coup de cœur pour ses millésimes 86 et 97, l'un avant l'appellation nouvelle et l'autre après. Or pâle, il s'agit ici d'un aligoté minéral, citronné, dont l'acidité est assez prononcée dans un contexte puissant. Un plateau d'huîtres lui conviendra.

↳ Daniel Chanzy, Dom. Chanzy,
1, rue de la Fontaine, 71150 Bouzeron, tél. 03.85.87.23.69, fax 03.85.87.62.12, e-mail daniel.chanzy@wanadoo.fr ☑ Ⲧ r.-v.

PIERRE COGNY ET DAVID DEPRES 2000

▨	6 ha	13 000	▮⬥	5 à 8 €

Vin à boire rapidement car il vit un début d'évolution. Cela n'apparaît pas au regard mais au nez (notes miellées), et la bouche confirme ce goût (cire d'abeille). Sauf en fin de parcours où il montre de la vivacité, il avance d'un pas lent et très calme.

↳ Dom. de la Vieille Fontaine, 71150 Bouzeron, tél. 03.85.87.19.96, fax 03.85.87.19.96 ☑ Ⲧ r.-v.

DOM. PATRICK GUILLOT 2000★

▨	1,52 ha	5 500	▮⬥	5 à 8 €

Le millésime précédent a reçu un coup de cœur. Celui-ci affiche un teint paille à reflets verts très marqués. Ses arômes doivent se développer : jusqu'à présent ils sont plutôt fruités avec une note minérale. Vif et ferme, bien typé de son cépage, un vin pour huîtres ou crustacés.

➥ Dom. Patrick Guillot, 9 A, rue de Vaugeailles,
71640 Mercurey, tél. 03.85.45.27.40, fax 03.85.45.28.57
☑ ⊤ r.-v.

ANDRE LHERITIER 1999★

	0,2 ha	1000	▮	5 à 8 €

D'un jaune plein de fraîcheur, d'une sage discrétion, voici l'aligoté bien ouvert, agréable et franc. On aime sa jeunesse un peu impétueuse mais en fin de compte délicate, gouleyante, sur des accents d'agrumes confits. A essayer sur une terrine de légumes. Petit domaine certes (moins de 2 ha), mais nullement confidentiel.

➥ André Lhéritier, 4, bd de la Liberté, 71150 Chagny, tél. 03.85.87.00.09 ☑ ⊤ t.l.j. 8h30-11h30 14h-19h; f. 5-20 août

DOM. DE LA RENARDE
Les Cordères 2000★

	1,7 ha	12 000	▮ ⏽ ⬇	5 à 8 €

Président de l'AOC crémant de Bourgogne, Jean-François Delorme maîtrise également le vin tranquille. Son bouzeron se présente bien, sur fond minéral et avec une touche de miel. Sa typicité est excellente, offrant du gras, de la souplesse, une certaine richesse dans la structure et surtout beaucoup de fraîcheur. Destiné à une terrine de poisson.

➥ André Delorme, 2, rue de la République, BP 15, 71150 Rully, tél. 03.85.87.10.12, fax 03.85.87.04.60, e-mail andre-delorme@wanadoo.fr ☑ ⊤ t.l.j. sf dim. 9h-12h 14h-18h; groupes sur r.-v.

Rully

La Côte chalonnaise, ou région de Mercurey, assure la transition entre le vignoble de Côte-d'Or et celui du Mâconnais. L'appellation rully déborde de sa commune d'origine sur celle de Chagny, petite capitale gastronomique. On y produit plus de vins blancs (9 251 hl) que de vins rouges (4 989 hl en 2001). Nés sur le jurassique supérieur, ils sont aimables et généralement de bonne garde. Certains lieux-dits classés en 1er cru ont déjà accédé à la notoriété.

FRANCOIS D'ALLAINES
La Fosse 2000★

1er cru		n.c.	1 800	⏽ 11 à 15 €

A boire sur le fruit et pour se faire plaisir... Il n'est pas très long mais harmonieux, spontané, charmeur. *Aimez et vous serez aimé*, conseillait Bussy-Rabutin. Cette bouteille a retenu la leçon. Peut-être est-elle encore un peu fermée, mais elle donnera tout dans six mois d'ici. Et pourquoi pas à l'apéritif ?

➥ François d'Allaines, La Corvée du Paquier, 71150 Demigny, tél. 03.85.49.90.16, fax 03.85.49.90.19, e-mail francois@dallaines.com ⊤ r.-v.

DOM. CHRISTIAN BELLEVILLE
La Pucelle 2000

1er cru	0,95 ha	6 000	▮ ⏽ ⬇	11 à 15 €

A la tête de ce vaste domaine de 38 ha depuis 1982, Christian Belleville propose cette Pucelle parée d'une robe pour aller danser. Son nez commence à chardonner. Pointue comme le silex, cette nature est à ne pas bousculer... trop vite : sa silhouette déjà ne manque pas d'allure. Des entrées de poisson lui conviendront. Coup de cœur dans notre édition 2000.

➥ Dom. Christian Belleville, 1, rue des Bordes, 71150 Rully, tél. 03.85.91.06.00, fax 03.85.91.06.01, e-mail dombellevi@aol.com ☑ ⊤ r.-v.

DOM. GERARD BERGER-RIVE ET FILS
En Rosey 2000★

▮		3,54 ha	10 000	⏽ 5 à 8 €

Ce *climat* est situé sur le plateau dominant les rochers d'Agneux : un amphithéâtre presque romain où se joue cette pièce en cinq actes respectant la règle des trois unités (de lieu évidemment, d'action – le chardonnay, de temps – le millésime, très réussi ici). Le costume est classique, le boisé bien mené, les tanins présents sur scène et contribuant beaucoup à l'intensité dramatique. En **blanc, la Cuvée Louise 2000** (8 à 11 €) obtient une citation. Nerveux et élégant, il est destiné à une terrine de poisson.

➥ Dom. Gérard Berger-Rive et Fils, Manoir de Mercey, 2, rue Saint-Louis, 71150 Cheilly-lès-Maranges, tél. 03.85.91.13.81, fax 03.85.91.17.06 ☑ ⊤ r.-v.

JEAN-CLAUDE BRELIERE
Les Margotés 2000★

1er cru		2 ha	11 000	⏽ 11 à 15 €

Vignoble créé par les parents de Jean-Claude Brelière en 1948, repris en 1984 par cet œnologue diplômé de l'université de Bourgogne. A côté des **Champs cloux 1er cru 2000 rouge** qui passent la rampe, ces Margotés en blanc se montrent harmonieux. A servir à l'entrée, une bouteille aux fins parfums de chèvrefeuille qui apparaît jolie, aimable, et dont le boisé est bien assimilé. Un caractère très tendre.

➥ Jean-Claude Brelière, 1, pl. de l'Eglise, 71150 Rully, tél. 03.85.91.22.01, fax 03.85.87.20.64, e-mail domainebreliere@wanadoo.fr ☑ ⊤ r.-v.

DOM. MICHEL BRIDAY
Gresigny 2000★

1er cru	0,73 ha	5 000	▮ ⏽ ⬇	11 à 15 €

Dès le XVIIIe s., l'abbé Courtépée vantait ce *climat* – et déjà pour son blanc. Ce millésime 2000 est en effet d'heureuse venue. Sa robe n'est pas surchargée. Son nez est raffiné, sur la pierre à fusil. Très rully ! Ce n'est pas d'une folle complexité, mais net, frais, coulant, soyeux. Avec un tel breuvage les cuisses de grenouille à la crème vont faire de ces bonds...

➥ EARL Stéphane Briday, 31, Grande-Rue, 71150 Rully, tél. 03.85.87.07.90, fax 03.85.91.25.68, e-mail stephane.briday@wanadoo.fr ☑ ⌂ ⊤ r.-v.

DOM. DU CHAPITRE
Mont-Palais 1999

1er cru	1,18 ha	2 500	▮ ⏽	8 à 11 €

La famille Niepce est associée au souvenir de Nicéphore qui inventa la photographie à deux pas de Rully. Clic-clac, la robe vive à reflets verts, au disque

Le Chalonnais et le Mâconnais

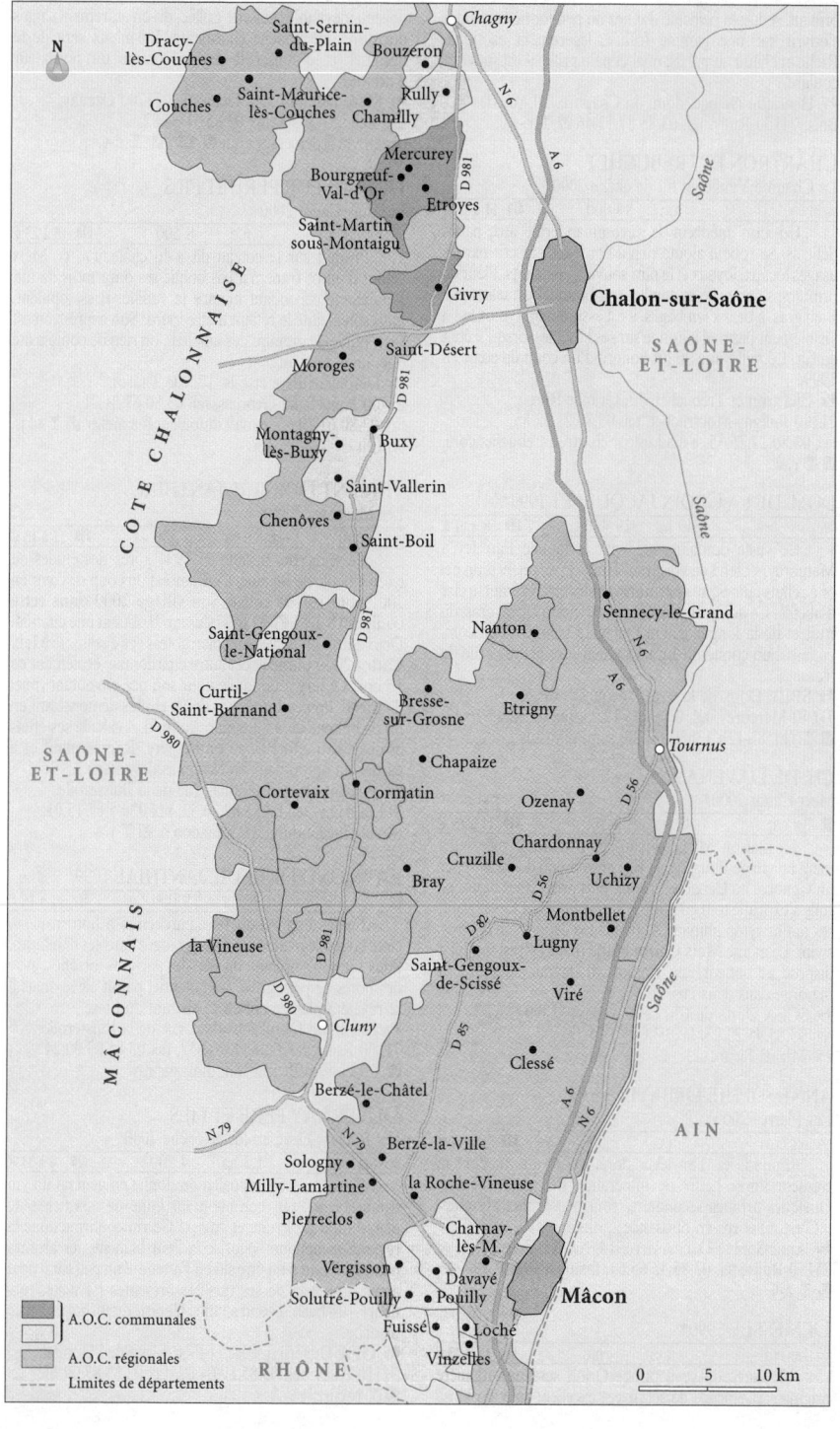

brillant, séduit la pellicule. Le nez un peu fermé consent à s'ouvrir sur une gamme fruitée, légèrement exotique. Riche et chaud au palais, miel et pain grillé, il est suave et coulant.

🖐 Henriette Niepce, dom. du Chapitre, 20, rue des Buis, 71150 Rully, tél. 03.85.87.11.46 ☑ Ⱡ r.-v.

CHARTRON ET TREBUCHET
La Chaume Vinifié en fût de chêne 2000★

	n.c.	80 000	⅊ 11 à 15 €

Un bon médecin le recommanderait aux palais délicats. Sa robe n'ajoute rien à l'or léger prescrit par les usages locaux, loyaux et le plus souvent constants. Fleur de printemps, cannelle et vanille, son bouquet est classique. Bien gras, à beaux jambages, il est assurément typé. On l'a visiblement pas mal bâtonné sur ses lies fines lorsqu'il était en fût. Le millésime 96 fut honoré d'un coup de cœur en 1999.

🖐 Chartron et Trébuchet, 13, Grande-Rue, 21190 Puligny-Montrachet, tél. 03.80.21.32.85, fax 03.80.21.36.35, e-mail info@chartron-trebuchet.com ☑ Ⱡ r.-v.

DOM. DE LA CROIX JACQUELET 1999★

	2,49 ha	19 426	⅊ 8 à 11 €

Ce vaste domaine, créé par la famille Faiveley à Mercurey, s'étend en voisin sur Rully. Pour un 99 d'un bel or à reflets jaunes, aux parfums vanillés et suggérant la cire d'abeille. Ce qu'on appelle un vin sérieux, avec du gras, du fruit et de la longueur. On l'imagine volontiers en compagnie d'un comté du Jura à sa meilleure heure : celle du fromage.

🖐 SBEV Dom. de la Croix Jacquelet, BP 6, 71640 Mercurey, tél. 03.85.45.12.23, fax 03.85.45.26.42 ☑ Ⱡ t.l.j. 8h-12h 13h30-16h30; sam. dim. sur r.-v.

CH. DE DAVENAY
Meix Cadot 2000★

1er cru	0,49 ha	3 500	⅊ 11 à 15 €

La maison Michel Picard ne s'intéresse pas seulement au vin de Bourgogne. Elle entreprend de développer un vignoble au Canada. Produit plus près de ses bases, ce rully s'exprime tout en finesse. Son volume est satisfaisant, ses tanins sympathiques, sa puissance dépourvue d'agressivité. Le même **Meix Cadot blanc (8 à 11 €)** est très bien disposé et obtient une citation. Il devrait atteindre sa majorité dans deux ans.

🖐 SCEA Dom. du Ch. de Davenay, 71390 Buxy, tél. 03.85.45.23.23, fax 03.85.45.16.37
🖐 Michel Picard

ANNE-SOPHIE DEBAVELAERE
Les Pierres 2000

1er cru	n.c.	2 500	⅊ 8 à 11 €

Limpide et d'un léger doré, boisé, un vin dont la rondeur limite l'effet de minéralité. Il a peu d'acidité. Quelques arômes secondaires font penser aux agrumes. « C'est un corps en puissance », dit-on.

🖐 Anne-Sophie Debavelaere, 14, rue de Cloux, 71150 Rully, tél. 03.85.48.65.64, fax 03.85.93.13.29 ☑ Ⱡ r.-v.

DEMESSEY 1999★

1er cru	n.c.	n.c.	⅊ 15 à 23 €

Un carré de veau prince Orloff sera une manière originale et efficace de servir cet excellent rully au boisé

devenu inévitable (noisette grillée, dit-on autrement), mais qui offre une bouche charmante. Le mieux sera de le décanter et d'utiliser la carafe comme un révélateur d'arômes.

🖐 Marc Dumont, Ch. Demessey, 71700 Ozenay, tél. 03.85.51.33.83, fax 03.85.51.33.82, e-mail vin@demessey.com ☑ 🏠 🏠 Ⱡ r.-v.

DUFOULEUR PERE ET FILS
Le Meix Cadot 2000

1er cru	n.c.	8 500	⅊ 15 à 23 €

Produit sur le coteau dit « du château », ce Meix Cadot d'un or franc n'a pas oublié ses onze mois de fût. L'aubépine cependant nuance la vanille. Il est opulent, mais son acidité le retient un rien lourd. Son expression est susceptible de prendre des nuances, un rien de complexité d'ici un à deux ans.

🖐 Dufouleur Père et Fils, 17, rue Thurot, 21700 Nuits-Saint-Georges, tél. 03.80.61.21.21, fax 03.80.61.10.65, e-mail dufouleur@axnet.fr ☑ Ⱡ t.l.j. 9h-19h

VINCENT DUREUIL-JANTHIAL
Les Margotés 2000★

1er cru	0,83 ha	5 500	⅊ 11 à 15 €

Ce vigneron, installé en 1994 après des études au lycée viticole de Beaune, a été lauréat du coup de cœur en 2001 pour son 98 rouge. Son **village 2000 dans cette couleur (8 à 11 €)** est très plaisant. Il obtient une citation. Deux autres bouteilles sont bien notées et à égalité : le **Meix Cadot 2000 blanc** et cet autre chardonnay également en 1er cru. Le jury a un faible pour son nez envoûtant (miel d'acacia), un peu boisé sans doute et plus démonstratif en fin de bouche qu'à l'attaque. Au fond, il calcule ses effets et place son effort là où on l'espère. Représentatif et à garder un an ou deux en cave, pas davantage.

🖐 Vincent Dureuil-Janthial, rue de la Buisserolle, 71150 Rully, tél. 03.85.87.26.32, fax 03.85.87.15.01, e-mail vincent.dureuil@wanadoo.fr ☑ Ⱡ r.-v.

RAYMOND DUREUIL-JANTHIAL 1999

	1,47 ha	9 000	⅊ 11 à 15 €

Fidèle à son étiquette « parchemin à bord roulé », cette bouteille n'aime pas être dérangée dans ses habitudes. Sous son rubis brillant, on sent des parfums torréfiés, avec des notes de pain grillé. Le potentiel paraît élevé, mais il se révélera pleinement une fois libérant du boisé.

🖐 Raymond Dureuil-Janthial, rue de la Buisserolle, 71150 Rully, tél. 03.85.87.02.37, fax 03.85.87.00.24 ☑ Ⱡ t.l.j. 9h-12h 15h-19h; dim. sur r.-v.

DUVERNAY PERE ET FILS
Les Raclots Elevé en fût de chêne 2000★

1er cru	1,3 ha	4 700	⅊ 8 à 11 €

Ce secteur de l'appellation donne en général un vin fruité et gras. Or, que lit-on sur l'une de nos fiches de dégustation ? « Fruité et gras » ! Ce vin confirme donc la règle. Son bouquet valorise la fleur blanche, les arômes beurrés. Il faut peut-être savoir l'attendre un peu car il peut avoir – au-delà de ses qualités présentes (vivacité, rondeur) – un beau second souffle. Choisir un turbot en sauce blanche.

🖐 GFA Duvernay Père et Fils, 4, rue de l'Hôpital, 71150 Rully, tél. 03.85.87.04.69, fax 03.85.87.09.17 ☑ Ⱡ r.-v.

DOM. DE LA FOLIE
Clos Saint-Jacques 1999★

	1er cru	1,69 ha	12 000	⊞ 11 à 15 €

Etienne-Jules Marey, l'un des pères du cinéma, possédait cette propriété et en vendangeait les vignes. Il s'agit aujourd'hui encore de la même famille, et tous les grands noms du cinéma ont fait le pèlerinage de ce Saint-Jacques moins lointain que Compostelle. Un vin à attendre car le film en est aux *rushes* et il reste à en faire le montage. L'or vert est présent au générique, de même que le minéral et le floral. Le boisé est discret. Citons aussi en **blanc le Clos du Chaigne 99 (8 à 11 €)** : il tient bien sa place en 1er cru et obtient une étoile.
➤ Dom. de la Folie, 71150 Chagny,
tél. 03.85.87.18.59, fax 03.85.87.03.53,
e-mail domaine.de.la.folie@wanadoo.fr ☑ ⴲ t.l.j. 9h-19h
➤ Noël-Bouton

DOM. DES FROMANGES
Les Fromanges 1999★

		7,5 ha	20 000	■⊞↓ 8 à 11 €

Installés depuis… 1720, les Protheau conduisent aujourd'hui un domaine de 55 ha. Faisant très jeune pour un 99, ce vin sait s'y prendre pour vous entraîner là où il veut, dans son camp. Clair et frais, il séduit l'œil et le nez d'un élan printanier. La bouche offre quelques notes fruitées dans un ensemble équilibré et somme toute convaincant. Une lotte en gigot, pour les cordons-bleus.
➤ F. Protheau et Fils, Ch. d'Etroyes, BP 22,
71640 Mercurey, tél. 03.85.98.99.10, fax 03.85.98.99.00,
e-mail commercial@protheau.com ⴲ t.l.j. sf dim.
9h-12h 15h-17h30

CHRISTOPHE GRANDMOUGIN ET FILS
Marissou Cuvée Christophe-Andréa 2000★

	1er cru	3,04 ha	4 000	⊞ 8 à 11 €

Brillant, bien doré, il délivre de fugaces senteurs briochées sous l'amande grillée du fût. On lui reconnaît en outre une finesse qui va se développer avec le temps. Le gras équilibre sa fraîcheur citronnée. Du bon travail. Ce domaine a d'ailleurs reçu le coup de cœur en 2000 (millésime 96). Dernier conseil du jury : « A goûter sur des coquilles Saint-Jacques poêlées ». Le **1er cru La Fosse blanc 2000 (11 à 15 €)** obtient une étoile : un joli boisé bien fondu sur une matière équilibrée, ronde, qu'appréciera une volaille à la crème.
➤ Christophe-Jean Grandmougin,
11, rue Saint-Jacques, 71150 Rully,
tél. 03.85.87.23.79, fax 03.85.87.17.34 ☑ ⴲ r.-v.

DOM. ANDRE LHERITIER
Clos Roch 1999★

		0,7 ha	3 000	⊞ 8 à 11 €

Exploitation familiale dont le siège se trouve en plein cœur de Chagny, pas très loin de Lameloise, et qui tire un bon parti de son Clos Roch. Sa robe est d'un beau gras rubis foncé, son nez demeurant discret. Il s'éveille seulement sur des notes épicées, poivrées. Vin encore jeune, élégant, aux tanins apaisés persistants. De bonne constitution, comme le **Clos Roch 99 blanc**. Le rouge à attendre, le blanc à servir sur quelques grenouilles.
➤ André Lhéritier, 4, bd de la Liberté, 71150 Chagny,
tél. 03.85.87.00.09 ☑ ⴲ t.l.j. 8h30-11h30 14h-19h;
f. 5-20 août

PHILIPPE MILAN ET FILS 2000★★

	1,22 ha	6 000	■⊞ 8 à 11 €

D'un jaune canari bien prononcé, un chardonnay au bouquet net et fin, délicieux en bouche et figurant parmi les grandes satisfactions de cette dégustation, manquant de peu le coup de cœur. Gras, moelleux, il est confortable. Ses douze mois de fût lui donnent, sans excès, un petit goût de noisette en accord avec les vertus du terroir.
➤ Philippe Milan et Fils, Valotte,
71150 Chassey-le-Camp, tél. 03.85.91.21.38,
fax 03.85.87.00.85 ☑ ⴲ r.-v.

MORET-NOMINE 2000

	n.c.	3 000	⊞ 5 à 8 €

Un vin qu'on reverrait avec plaisir. Jolie matière mais peu d'expression pour l'instant. Ce sont là choses constatées souvent. Sa couleur est plaisante, ses arômes de beurre frais et sa bouche très homogène.
➤ D. Moret et O. Nominé, hameau de Barboron,
21420 Savigny-lès-Beaune, tél. 03.80.21.58.35,
fax 03.80.26.10.59 ☑

ROPITEAU 2000★

	1er cru	n.c.	14 600	⊞ 8 à 11 €

Ropiteau à Rully, c'est le choc des cultures. Meursault est une expression du cépage, Rully en est une autre. Ce choc ne fait pas de victime, rassurez-vous. Ce vin a « la fraîcheur et le poli du marbre », selon l'expression heureuse d'Hubert Duyker. Robe très nette et légère, un fût raisonnable mais présent (notes grillées) et la plus belle bouche qui soit. Parti pour quatre à cinq ans, voire plus. Pensez aux grands fromages bourguignons.
➤ Ropiteau Frères, 13, rue du 11-Novembre,
21190 Meursault, tél. 03.80.21.69.20,
fax 03.80.21.69.29, e-mail lemstra.f@attglobal.net
☑ ⴲ t.l.j. 9h-19h; f. mi-nov. à Pâques

CH. DE RULLY 1999★★

	n.c.	8 790	⊞ 11 à 15 €

Au château de Rully (domaine géré par Antonin Rodet), on va sortir le fameux verre de Charles de Saint-Ligier pour fêter cette distinction (il contient trois litres et c'est le troisième coup de cœur !). Ce vin, il est vrai, a de l'allure : robe de parade, nez de fruits confits. Quelle présence ! Sa complexité aromatique évolue vers des sensations réglissées, épicées. L'acidité est parfaite et l'ampleur digne d'un cru. **La Pucelle en 1er cru 99 blanc** est prête à passer à l'acte : prenez rendez-vous, elle n'est pas farouche. Le **Château de Rully village blanc 99** obtient, comme le 1er cru, une étoile.

🐓 Dom. du Ch. de Rully, 71640 Mercurey,
tél. 03.85.98.12.12, fax 03.85.45.25.49,
e-mail rodet@rodet.com ☑ ㅜ r.-v. chez Antonin Rodet
🐓 Comte R. de Ternay

DOM. ROLAND SOUNIT
La Bergerie Vieilli en fût de chêne 2000

■		1 ha	7 000	⑪ 8 à 11 €

Sa bouche est en phase avec le nez, sur la groseille, mais aussi le tilleul à y regarder de plus près. Peu de couleur, mais ce n'est pas ce qu'on boit. Typé 2000, il pourra être servi assez jeune. Ses tanins sont déjà tendres. L'attendre jusqu'en 2004 ne lui fera pas de mal non plus.
🐓 SCEA Dom. Roland Sounit, rte de Monthélie, 21190 Meursault, tél. 03.80.21.22.45, fax 03.80.21.28.05

ERIC DE SUREMAIN
Préaux 1999★

■ 1er cru		1 ha	6 400	⑪ 8 à 11 €

Les vignes du domaine du château de Monthélie (11 ha) sont travaillées en biodynamie. Grenat presque noir, son 99 montre de la souplesse en fin de bouche après une traversée forte et puissante. Dominé par les arômes réglissés et vanillés de son élevage, il possède un potentiel de quatre à cinq ans qui lui permettra de parfaire son fondu. On discerne déjà des parfums de fruits rouges et noirs sous-jacents.
🐓 Dom. Eric de Suremain, Ch. de Monthélie, 21190 Monthélie, tél. 03.80.21.23.32, fax 03.80.21.66.37, e-mail desuremain@wanadoo.fr ☑ 🏠 ㅜ r.-v.

LA TOUR BLONDEAU 2000★

■		n.c.	n.c.	▮⑪⬥ 8 à 11 €

La Tour Blondeau, Forgeot... C'est Bouchard Père et Fils. Quant au Saint-Esprit, c'est ce rully. Il se cherche encore un peu mais il possède un fort potentiel à moyen terme (disons un à deux ans pour rester dans des délais raisonnables). Finement boisé, d'une teinte pâle, il est pour l'heure citron vert ; sous peu il s'arrondira pour devenir très soutenu.
🐓 Grands Vins Forgeot, 15, rue du Château, 21200 Beaune, tél. 03.80.24.80.50, fax 03.80.22.55.88

Mercurey

Mercurey, situé à 12 km au nord-ouest de Chalon-sur-Saône, en bordure de la route Chagny-Cluny, jouxte au sud le vignoble de Rully. C'est l'appellation communale la plus importante en volume de la Côte chalonnaise : 28 047 hl dont 3 644 en blanc en 2001. Elle s'étend sur trois communes : Mercurey, Saint-Martin-sous-Montaigu et Bourgneuf-Val-d'Or.

Quelques lieux-dits bénéficient de la dénomination « premier cru ». Les vins sont en général légers et agréables, avec de bonnes aptitudes au vieillissement.

DOM. BRINTET
Les Crêts 2000★

■ 1er cru	0,23 ha	1000	⑪ 11 à 15 €

Une bouteille à emporter dans sa sacoche si, entre amis, vous faites à bicyclette la voie verte qui traverse la Saône-et-Loire. Avec un chèvre frais. Légèrement grillé, sans excès de coloration, ce joli vin à l'acidité bien présente joue sur le chèvrefeuille puis une touche de miel vient équilibrer sa fraîcheur. **La Levrière rouge 2000** (monopole du domaine sur 1,34 ha) a droit à une mention.
🐓 Dom. Luc Brintet, 105, Grande-Rue, 71640 Mercurey, tél. 03.85.45.14.50, fax 03.85.45.28.23 ☑ ㅜ r.-v.

CH. DE CHAMILLY 1999

■	3,93 ha	13 200	▮⑪⬥ 8 à 11 €

Les châtelains de Chamilly, ancrés dans la vigne depuis plusieurs générations, possèdent une ravissante demeure nichée dans la verdure. Deux coups de cœur ont récompensé les 88 et 92. Gigot d'agneau conseillé pour ce 99 dont l'extraction de couleur a été réalisée avec soin. Franc et net, souple, il mêle à ses aimables tanins une touche de chaleur et l'exubérance aromatique d'un cassis très soutenu.
🐓 Véronique Desfontaine, EARL Ch. de Chamilly, 71510 Chamilly, tél. 03.85.87.22.24, fax 03.85.91.23.91, e-mail chateau.chamilly@wanadoo.fr ☑ 🏠 ㅜ r.-v.

CH. DE CHAMIREY 1999★★★

■	4,5 ha	94 629	▮⑪⬥ 11 à 15 €

Le château de Chamirey est le vignoble familial des marquis de Jouennes d'Herville liés au destin d'Antonin Rodet et qui reçut plusieurs coups de cœur dans le passé (92 par exemple). Une fée s'est penchée sur le berceau de ce 99 : le coup de cœur rend un légitime hommage à ce mercurey haut de gamme. Cerise noire, il choisit sur sa palette d'arômes le fruit très mûr, le cuir, le fût raisonnable. Extrêmement fruité et goûteux, il entre en bouche comme s'il entrait en scène. Homogène du début à la fin, réalisant l'adéquation parfaite de tous les éléments, il est charnu, structuré, enrobé et persistant. En **blanc le 1er cru La Mission 99** (15 à 23 €) obtient une étoile.
🐓 Dom. du Château de Chamirey, 71640 Mercurey, tél. 03.85.98.12.12, fax 03.85.45.25.49, e-mail rodet@rodet.com ☑ ㅜ t.l.j. sf sam. dim. 9h-12h 13h30-18h
🐓 Ch. Devillard

PIERRE CHANAU 1999★

■		n.c.	48 670	▮⬥ 5 à 8 €

C'est chez Auchan que vous trouverez le délicieux mercurey élaboré par Antonin Rodet. Superbe robe très jeune à reflets violets. Une belle expression de petits fruits rouges accompagne toute la dégustation de ce vin bien structuré destiné à toutes les viandes grillées.

🔓 Pierre Chanau, 71640 Mercurey, tél. 03.85.98.12.12, fax 03.85.45.25.49, e-mail rodet@rodet.com

CHANSON PERE ET FILS 2000★

■	n.c.	17 000	🍷⬛⬥ 15 à 23 €

Acquise par le Champenois Bollinger, la vieille maison Chanson Père et Fils a bien réussi son mercurey 2000. Rouge griotte à reflets violacés, il penche tantôt pour la violette, tantôt pour le fruit mûr quand on déchiffre son nez. En bouche, le fruit tient la tête d'affiche. La mâche n'en est toutefois pas absente, et l'ampleur apparaît importante. A boire dans les deux ans.

🔓 Maison Chanson Père et Fils, 10, rue Paul-Chanson, 21200 Beaune, tél. 03.80.25.97.97, fax 03.80.24.17.42, e-mail tmarion@vins-chanson.com

DOM. DE CHARMY
Les Champs Martin 2000

▨ 1er cru	n.c.	2 200	🍷 15 à 23 €

Présenté par la famille Lanvin (maison nuitonne P. Misserey), un mercurey jaune doré dont le nez est assez enjôleur et la bouche prometteuse. Son bouquet beurré prend appui sur la vanille du chêne. L'attaque met en valeur le gras, puis la vivacité l'emporte et contribue à sa fraîcheur, surtout sur la fin du parcours.

🔓 Maison P. Misserey, 3, rue des Seuillets, BP 10, 21701 Nuits-Saint-Georges Cedex, tél. 03.80.61.07.74, fax 03.80.61.31.40, e-mail lanvin-sa@worldonline.fr ☑ 🍷 r.-v.

JEAN-PIERRE CHARTON
Clos du Roy 2000

■ 1er cru	1 ha	5 000	🍷 8 à 11 €

Née à Savigny-lès-Beaune, cette famille vigneronne s'est en partie implantée ici. Pourpre violacé intense, ce Clos du Roy (1er cru réputé en mercurey) fait la révérence avec aisance. La cerise domine la distribution, tant au nez qu'au palais. Un pinot noir intéressant, partagé entre la finesse et la fougue, à boire vers 2005.

🔓 Jean-Pierre Charton, 29, Grande-Rue, 71640 Mercurey, tél. 03.85.45.22.39, fax 03.85.45.22.39 ☑ 🍷 r.-v.

DOM. CHAUMONT PERE ET FILS 1999★★

■	0,8 ha	2 100	🍷 8 à 11 €

Un 99 élevé pendant vingt mois en foudres et issu d'un domaine ayant un pied sur mercurey et l'autre sur givry. Après trente ans de culture biologique, les Chaumont sont passés à la lutte intégrée. Cette étiquette habille un des meilleurs vins dégustés ce jour-là. Presque violet et très profond, il offre un nez encore réglissé, épicé, boisé qui demande à s'ouvrir. La bouche conserve sa fraîcheur jusqu'au point final. Elle a du souffle et pourra vieillir deux à quatre ans sans souci.

🔓 Dom. Chaumont Père et Fils, Le Clos Saint-Georges, 71640 Saint-Jean-de-Vaux, tél. 03.85.45.13.77, fax 03.85.45.27.77, e-mail didierchaumont@aol.com ☑ 🍷 r.-v.

DOM. DE LA CROIX JACQUELET
La Perrière 1999

■	2,3 ha	8 472	🍷 8 à 11 €

La Croix Jacquelet est un très vaste domaine (près de 80 ha sur Mercurey) faisant partie de la maison J. Faiveley

de Nuits-Saint-Georges. Cette Perrière d'un teint cerise clair partage ses intentions aromatiques entre la noisette, l'amande grillée, la framboise et la cerise. Dense, dotée d'une belle matière, elle devra attendre deux à trois ans.

🔓 SBEV Dom. de la Croix Jacquelet, BP 6, 71640 Mercurey, tél. 03.85.45.12.23, fax 03.85.45.26.42 ☑ 🍷 t.l.j. 8h-12h 13h30-16h30; sam. dim. sur r.-v.

DOM. DE L'EUROPE
Les Closeaux 2000★

■	1 ha	5 000	🍷 5 à 8 €

Le domaine de l'Europe couvre 2,5 ha seulement. Il signe un beau mercurey pourpre soutenu aux tanins sans doute un peu jeunes à ce stade de son évolution mais de belle venue. Son bouquet opte résolument pour le fruit (cassis). Ce vin a beaucoup de prestance dès l'attaque et jusqu'à la finale kirschée. Artiste peintre descendue de Belgique, Chantal vit avec Guy, champion de France de montgolfière, une passion commune pour le vin. L'Europe du concret.

🔓 Chantal Côte et Guy Cinquin, Dom. de l'Europe, 5 pl. du Bourgneuf, 71640 Mercurey, tél. 06.08.04.28.12, fax 03.85.45.23.82, e-mail cote-cinquin@wanadoo.fr ☑ 🍷 r.-v.

DOM. DE FISSEY 1999

■	1,64 ha	7 680	🍷⬛⬥ 8 à 11 €

Yves est un Parisien reconverti dans le vin. Une *boutique winery*, comme on dit en Californie : 1,64 ha seulement. On peut dès lors connaître par son prénom chacun de ses pieds de vigne. Réussi dans un style léger, son 99 grenat/rubis au nez vanille/cassis n'est pas trop grillé, les deux-tiers de l'élevage ayant eu lieu en cuve. Sympathique et agréable.

🔓 Yves et Catherine Léveillé, Dom. de Fissey, 71390 Moroges, tél. 03.85.47.98.70, fax 03.85.47.99.40 ☑ 🍷 r.-v.

DOM. GOUFFIER
Clos de la Charmée 1999★

■	1,88 ha	5 000	🍷 11 à 15 €

La subtilité des **Champs Martin 99 rouge** est portée à votre attention et lui doit une citation. Quant à ce Clos de la Charmée, il possède une robe si profonde qu'il ravit. Pruneau, cannelle, le nez est gourmand. Les tanins se mêlent au fruit pour composer un vin très frais, *boosté* par l'acidité.

🔓 Dom. Gouffier, 11, Grande-Rue, 71150 Fontaines, tél. 03.85.91.49.66, fax 03.85.91.46.98, e-mail jerome.gouffier@wanadoo.fr ☑ 🍷 r.-v.

DOM. MICHEL ISAIE
Clos du Paradis 1999

■ 1er cru	0,75 ha	3 500	🍷 8 à 11 €

Nul n'est prophète en son pays, sinon Michel Isaïe en Côte chalonnaise où sa famille est présente depuis 1785. Il nous annonce, bien sûr, le paradis. Ce message est d'un beau rubis. La vinosité apparaît dès l'étape du nez. L'arrivée en bouche ? En fanfare. Corps et texture prennent un relais solide. Profitons-en dès 2003.

🔓 Michel Isaïe, chem. de l'Ouche, 71640 Saint-Jean-de-Vaux, tél. 03.85.45.23.32, fax 03.85.45.29.38 ☑ 🍷 r.-v.

JEANNIN-NALTET PÈRE ET FILS
Clos des Grands Voyens Monopole 1999★★

■ 1er cru	4,91 ha	28 000	ⅢⅠ 8 à 11 €

GRAND VIN DE BOURGOGNE

Mercurey 1er cru

CLOS DES GRANDS VOYENS

APPELLATION MERCUREY 1ʳᵉ CRU CONTRÔLÉE

Monopole

Jeannin-Naltet Père et Fils

Viticulteurs à Mercurey (71640) France

MIS EN BOUTEILLE A LA PROPRIÉTÉ

Les Jeannin-Naltet ont joué depuis un siècle un rôle important dans l'économie bourguignonne. Ils partagent la vie de Mercurey depuis cinq générations. Le coup de cœur qui les honore aujourd'hui est amplement mérité. Sous sa robe classique, le bouquet riche et puissant balance entre la griotte et l'animal. Assez chaleureux, il nous rappelle le mot de Colette : « Savez-vous ce qu'est une caresse ? Buvez un verre de mercurey ! ». Rond, structuré, celui-ci révèle son terroir dans le fruit. A déguster dans les deux à trois ans.

↬ Jeannin-Naltet Père et Fils, 4, rue de Jamproyes, 71640 Mercurey, tél. 03.85.45.13.83, fax 03.85.45.18.24, e-mail jeannin-naltet-pere-et-fils@wanadoo.fr ☑ ⵀ r.-v.

DOM. EMILE JUILLOT
Les Combins 2000

■ 1er cru	0,92 ha	5 000	ⅢⅠ 8 à 11 €

Nathalie et Jean-Claude (coup de cœur pour les millésimes 88 et 93) dirigent depuis 1985 le domaine créé par leurs grands-parents. Ils en ont doublé la superficie, celle-ci restant familiale (11,5 ha). Ce 1er cru se pare d'une riche couleur. La vanille se montre accommodante : elle laisse un peu de place au fruit rouge. La bouche suit un tracé linéaire, comme une flèche tirée avec maîtrise, visant la cerise mûre. Voyez aussi le **1er cru La Cailloute 2000 blanc**.

↬ EARL N. et J.-C. Theulot, Dom. Emile Juillot, 4, rue de Mercurey, 71640 Mercurey, tél. 03.85.45.13.87, fax 03.85.45.28.07, e-mail e.juillot.theulot@wanadoo.fr ☑ ⵀ r.-v.

DOM. MICHEL JUILLOT 2000★★

■	10 ha	60 000	ⅢⅠ 11 à 15 €

Ce vaste domaine de 30 ha est bien connu des lecteurs. Michel Juillot, arrivé sur le domaine familial en 1963, est secondé par son fils Laurent depuis 1988. Leur *village* à la robe intense est finement boisé ; les fruits rouges, très présents, accompagnent toute la dégustation. Les tanins bien enrobés demandent un à deux ans de garde. Le **1er cru blanc Champs Martins 99 (15 à 23 €)** dont la maturité est épanouie obtient une citation, alors que le **1er cru Clos Tonnerre rouge 2000 (15 à 23 €)** reçoit une étoile.

↬ Dom. Michel Juillot, 59, Grande-Rue, BP 10, 71640 Mercurey, tél. 03.85.98.99.89, fax 03.85.98.99.88, e-mail infos@domaine-michel-juillot.fr ☑ ⵀ r.-v.

DOM. LORENZON
Champs Martin 2000★

■	0,5 ha	2 500	ⅢⅠ 11 à 15 €

Bruno Lorenzon mène son vignoble de 4,5 ha depuis 1997. Il fut salué l'an dernier par un coup de cœur pour sa cuvée spéciale. Ses Champs Martins, jaunes à reflets dorés, sont encore assez vanillés, cependant ils ont du gras en attaque. D'une fraîcheur fleurie, ils possèdent ce qu'il faut d'acidité. Le boisé apparaît plus discret au palais. La longueur est correcte. Autre bouteille sortie de la même cave : **la cuvée Carline (1er cru rouge 2000, 15 à 23 €)**, une étoile, à attendre longtemps.

↬ Dom. Bruno Lorenzon, 14, rue du Reu, 71640 Mercurey, tél. 03.85.45.13.51, fax 03.85.45.15.52 ☑ ⵀ r.-v.

MANOIR MURISALTIEN
Monthelon 1999

■	n.c.	3 500	ⅢⅠ 11 à 15 €

Sur le conseil de Mme d'Epinay, Diderot soignait ses fièvres et courbatures par des cures de bourgogne et de bons amis. Même si vous n'endurez pas de tels maux, vous pouvez toujours faire l'essai de l'ordonnance à titre préventif. Ce mercurey rubis léger s'abrite derrière un léger boisé. La relation acidité-alcool est assez bien établie, et le fruit distrait agréablement l'esprit. Le Manoir Murisaltien et Demessey sont les variantes de la même maison.

↬ Marc Dumont, 4, rue du Clos-de-Mazeray, 21190 Meursault, tél. 03.80.21.21.83, fax 03.80.21.66.48, e-mail vin@demessey.com ☑ ⵀ r.-v.

PROSPER MAUFOUX
Clos des Montaigus 1999★

■ 1er cru	n.c.	n.c.	■ 11 à 15 €

Très naturel, ce clos des Montaigus ressemble à une peinture de Vuillard : la couleur en est serrée et la touche feutrée. Le bouquet évoque la quiétude sereine d'une scène d'intérieur où l'on attend les personnages. L'atmosphère du pinot noir est bien rendue, faite d'accords mineurs et d'une gamme de tons rapprochés. Mais, direz-vous, il ne s'agit pas d'une toile mais d'une bouteille. Ce mercurey est un vin intimiste et plaisant.

↬ Prosper Maufoux, pl. du Jet-d'Eau, 21590 Santenay, tél. 03.80.20.60.40, fax 03.80.20.63.26, e-mail prosper.maufoux@wanadoo.fr ☑ ⵀ t.l.j. 8h-18h

DOM. LOUIS MAX
Les Vasées 1999★

■ 1er cru	n.c.	5 000	ⅢⅠ 46 à 76 €

La maison Louis Max vient de racheter la maison Jaboulet-Vercherre. Elle nous convie ici à déguster un bon produit dont l'équilibre et la texture vont encore se parfaire. Cerise noire, pas de surprise sous le regard. Le boisé demeure assez fin, sans bloquer l'expression du fruit. A laisser vieillir deux à trois ans.

↬ Louis Max, 6, rue de Chaux, 21700 Nuits-Saint-Georges, tél. 03.80.62.43.01, fax 03.80.62.43.16

MAZOYER FRERES ET FILS 2000★

■	1 ha	5 000	■Ⅲↆ 5 à 8 €

Vieille famille bourguignonne, les Mazoyer conduisent 15 ha. Leur *village* 2000, paré d'une robe brillante et foncée à la fois, joue le bourgeon de cassis et le boisé fumé (cannelle, vanille, réglisse, café). Il n'oublie pas, en bouche, la cerise. Equilibré, il affiche un bon potentiel.

☛ Patrick et Véronique Mazoyer, imp. du Ruisseau, 71390 Saint-Désert, tél. 03.85.47.95.28, fax 03.85.47.98.91 ☑ ☥ r.-v.

DOM. DU MEIX-FOULOT 1999★★

■ 1er cru	1,7 ha	10 000	▥⏀ 11 à 15 €

Agnès Dewe a pris la suite de son père en 1996, Paul de Launay ayant été longtemps l'un des piliers de la viticulture en Côte chalonnaise. Ce 1er cru nous regarde bien en face. Rubis très sombre, il présente un bouquet garni par le sous-bois, le champignon, la cerise noire. A cette forte extraction succède une sensation de finesse due à la complicité de tanins de bonne naissance. Jolie finale. Puissant tout en demeurant équilibré, ce vin devra attendre quelques années comme le 1er cru Les Veleys rouge 99 qui obtient une citation.
☛ Dom. du Meix-Foulot, 71640 Mercurey, tél. 03.85.45.13.92, fax 03.85.45.28.10 ☥ r.-v.
☛ Paul de Launay

DOM. L. MENAND PERE ET FILS
Clos des Combins 2000★

■ 1er cru	3 ha	15 000	⏀ 8 à 11 €

Le 1er cru Les Champs Martin rouge 2000 peut vous satisfaire. Un cran au-dessus, cet autre 1er cru dont on aime la couleur rouge tirant sur le mauve. Il a peu de nez encore, à l'exception d'une touche vanillée et d'une allusion au cuir. Derrière sa constitution assez charnue, pleine et entière, on trouve une structure tannique costaude qui lui confère un bon potentiel et une typicité convenable.
☛ Dom. L. Menand Père et Fils, Chamerose, 71640 Mercurey, tél. 03.85.45.19.19, fax 03.85.45.10.23 ☑ ☥ r.-v.

JM ET L PILLOT
En Sazenay 1999★★

■ 1er cru	1,6 ha	10 000	⏀ 11 à 15 €

On sait que Mercurey produit surtout du rouge. Le blanc y réussit cependant comme on le constate avec un **mercurey blanc 2000** bien fondu et relevé par une acidité satisfaisante qui lui vaut une étoile. C'est pourtant au pinot noir que vont les éloges car le coup de cœur rôde autour de la bouteille. Larmes généreuses sur fond grenat ; le nez laisse apparaître à l'aération quelques notes fruitées. Le palais se montre souple et rond sur une matière solide. Une constitution remarquable où le boisé ne quitte guère la place.
☛ Dom. Jean-Michel et Laurent Pillot, rue des Vendangeurs, 71640 Mellecey, tél. 03.85.45.20.48, fax 03.85.45.20.48 ☑ ☥ r.-v.

DOM. MAURICE PROTHEAU
Clos l'Evêque 2000★★

■ 1er cru	0,06 ha	600	⏀ 11 à 15 €

Quelque 55 ha en rully et mercurey : ce domaine important porte un nom célèbre ici depuis trois bons siècles. Ancien régisseur des Hospices de Beaune, M. Porcheret veille sur la vinification. Elle produit ce 2000 limpide et à notes grillées sur un fond légèrement floral. Il a du gras, de la présence, de la longueur, et le bois habille bien le vin jusque dans la finale. Cette belle continuité traduit un bon potentiel de garde (trois à quatre ans).
☛ F. Protheau et Fils, Ch. d'Etroyes, BP 22, 71640 Mercurey, tél. 03.85.98.99.10, fax 03.85.98.99.00, e-mail commercial@protheau.com
☥ t.l.j. sf dim. 9h-12h 15h-17h30

FRANCOIS RAQUILLET
Les Naugues 2000★

■ 1er cru	0,4 ha	2 500	▥⏀ 11 à 15 €

Créé en 1961, ce domaine de 10 ha est conduit depuis 1989 par François Raquillet. Son **1er cru Les Puillets rouge 2000 (8 à 11 €)** est situé sur le même pied que Les Naugues. Pourpre, sombre, assez boisé, ce vin est flatteur pour son millésime. En bouche, tout y est bien proportionné et les tanins jouent un rôle efficace. D'un style plutôt rond.
☛ François Raquillet, 19, rue de Jamproyes, 71640 Mercurey, tél. 03.85.45.14.61, fax 03.85.45.28.05 ☑ ☥ r.-v.

OLIVIER RAQUILLET
Les Vellées 2000★

■ 1er cru	0,85 ha	5 500	⏀ 8 à 11 €

Main de fer, gant de velours. Ainsi dit-on souvent du mercurey. C'est Henri Elwing qui a trouvé cette image assez juste. Cette bouteille élégante ne manque pas de puissance ; elle correspond bien à cette définition. Rouge grenat profond, le vin passe, à l'aération, de l'animal à la groseille fraîche. Fameux ! Le fût n'est pas envahissant. Un potentiel à valoriser dans les deux ans. Citons aussi le **village rouge 2000 (5 à 8 €)** à attendre lui aussi.
☛ Olivier Raquillet, Chamirey, 71640 Mercurey, tél. 03.85.45.18.38, fax 03.85.45.20.35 ☑ ☥ r.-v.

CH. DE SANTENAY 2000

▦	5,39 ha	40 900	⏀ 8 à 11 €

Propriétaire naguère du château de Santenay, Paul Pidault s'était beaucoup développé sur Mercurey. Ce domaine a changé plusieurs fois de mains. Son mercurey est frais, friand, agréable et d'une bonne vivacité. Très cristallin, il offre quelques reflets jaune pâle. Quant au bouquet, il suggère le fruit à chair blanche sur une toile de fond minérale.
☛ SAS Ch. de Santenay, 1, rue du Château, 21590 Santenay, tél. 03.80.20.61.87, fax 03.80.20.63.66 ☑ ☥ r.-v.

ALBERT SOUNIT
Les Puillets 2000

■ 1er cru	n.c.	1 200	⏀ 11 à 15 €

Créée en 1851 par Flavien Jeunet, reprise par Albert Sounit en 1930, cette maison appartient depuis dix ans à son importateur danois, grand amateur de bourgogne. Celui-ci peut presque chanter : « Au sein d'une vigne, j'ai reçu le jour... ». Pourpre intense, ce mercurey très ouvert (cerise) est rond à la mise en bouche, puis vif mais sans dureté. Léger sur le mode élégant.
☛ Albert Sounit, 5, pl. du Champ-de-Foire, 71150 Rully, tél. 03.85.87.20.71, fax 03.85.87.09.71, e-mail albert.sounit@wanadoo.fr ☑ ☥ t.l.j. 9h-12h 14h-18h; sam. dim. sur r.-v.

DOM. ROLAND SOUNIT
Les Varennes 2000

▦	2,1 ha	14 000	⏀ 8 à 11 €

Sous sa robe claire et limpide, il a besoin d'air pour se confier dans le verre et laisser les fruits rouges s'exprimer. L'ensemble est ensuite assez fondu. Son équilibre n'appelle aucune critique et on le juge digne de figurer ici.
☛ SCEA Dom. Roland Sounit, rte de Monthélie, 21190 Meursault, tél. 03.80.21.22.45, fax 03.80.21.28.05

BOURGOGNE

DOM. TREMEAUX PERE ET FILS
Les Naugues 1999★

■ 1er cru	0,5 ha	2 800	▪ 8 à 11 €

Comme le disent nos amis québécois, « j'ai le goût d'y aller ». Cette bouteille incite en effet à la découverte. Sa nuance est d'une couleur encore jeune. Les arômes naissants se cantonnent à quelques accents empyreumatiques puis la bouche déroule un tapis fruité et rond où le pinot noir joue sa partition.

⚓ Dom. Trémeaux Père et Fils, 10, rue de Jamproyes, 71640 Mercurey, tél. 03.85.45.23.03, fax 03.85.45.23.03 ☑ ⏳ r.-v.

DOM. TUPINIER-BAUTISTA
Vieilles Vignes 2000★

■	1 ha	4 000	⏳ 8 à 11 €

Notation très homogène pour ce pinot noir de bonne intensité colorante et très brillant. Le nez joue sur des notes animales et de sous-bois. L'agitation dans le verre lui fait du bien et il évolue vers le cassis. Il faudra donc décanter ce vin. Déjà fondu et expressif, le palais retrouve un bel ensemble où le fruit est omniprésent. Une pointe de vanille vient conclure une dégustation agréable. Bref, *ad multos annos !* comme disaient nos pères.

⚓ Manuel Bautista, Dom. Tupinier-Bautista, Touches, 71640 Mercurey, tél. 03.85.45.26.38, fax 03.85.45.27.99 ☑ ⏳ r.-v.

DOM. VOARICK 1999★

■	6,38 ha	40 000	⏳■♦ 8 à 11 €

Le Domaine Voarick fait partie des « pièces rapportées » au sein de la maison Michel Picard (comme Chandesais par exemple). Rubis écarlate, ce 99 s'ouvre à l'aération (le servir en carafe serait le mieux). Ses arômes mettent en valeur le café sur un fond animal assez discret. Son volume est appréciable, ses tanins réservés. Son potentiel est réel (deux à quatre ans).

⚓ SCV Dom. Emile Voarick, 71640 Saint-Martin-sous-Montaigu, tél. 03.85.45.23.23, fax 03.85.45.16.37 ☑ ⏳ t.l.j. sf sam. dim. 8h-12h 14h-18h

⚓ Michel Picard

Givry

A 6 km au sud de Mercurey, cette petite bourgade typiquement bourguignonne est riche en monuments historiques. Le givry rouge, la production principale (18 870 hl en 2001), aurait été le vin préféré d'Henri IV. Mais le blanc (1 919 hl en 2001) intéresse aussi. Les prix sont très abordables. L'appellation s'étend principalement sur la commune de Givry, mais « déborde » légèrement sur Jambles et Dracy-le-Fort.

FRANCOIS D'ALLAINES
Les Grognots 2000

	n.c.	1 200	⏳ 8 à 11 €

Ces Grognots ont un abord un peu grognon. Le jeu de mot est facile mais juste. Si vous préférez, disons sévère

en attaque. Les arômes se développent toutefois en fin de bouche et créent un décor d'une grande fraîcheur, assez plaisant. Déjà, le très joli nez évoquait le chèvrefeuille, le miel, le pain d'épice et la mandarine. Sa couleur dorée à légers reflets était aussi engageante.

⚓ François d'Allaines, La Corvée du Paquier, 71150 Demigny, tél. 03.85.49.90.16, fax 03.85.49.90.19, e-mail francois@dallaines.com ⏳ r.-v.

GUILLEMETTE ET XAVIER BESSON
Le Petit Prétan 2000★

■	2 ha	10 000	⏳ 8 à 11 €

On aime ici la musique, au point d'accueillir un festival dans la cave qui date du XVIIᵉ s. L'ouverture ? Sur un rideau de scène cerise noire intense et le chant lyrique du fruit rouge macéré. Le premier mouvement *con brio* : fraîcheur et équilibre. Joli hautbois, c'est le fût. Deuxième mouvement sur le fruit mûr encore, rappelant l'ouverture. Troisième mouvement plus grave, légèrement tannique, *con moto*. Décantation conseillée afin d'en profiter sans trop tarder.

⚓ Guillemette et Xavier Besson, 9, rue des Bois-Chevaux, 71640 Givry, tél. 03.85.44.42.44, fax 03.85.44.42.44 ☑ ⏳ r.-v.

RENE BOURGEON 2000

■	n.c.	n.c.	⏳ 8 à 11 €

Jambles, où vous ne manquerez pas de visiter l'église Saint-Bénigne, compte de nombreuses belles maisons vigneronnes. Nous ne savons rien de celle des Bourgeon, mais son vin pourpre, limpide à reflets violets répond au descriptif habituel. Son nez encore discret se montre juste, un peu sauvage. Tannique et charpenté, il n'est pas dépourvu d'une longueur aimable et poivrée. L'attendre deux ou trois ans. Signalons les coups de cœur des millésimes 86 et 95.

⚓ GAEC René Bourgeon, 2, rue du Chapitre, 71640 Jambles, tél. 03.85.44.35.85, fax 03.85.44.57.80 ☑ ⏳ r.-v.

DOM. CHOFFLET-VALDENAIRE
Clos de Choue 2000★

■ 1er cru	3 ha	12 000	⏳ 11 à 15 €

Trois siècles de présence à Russilly : ce domaine de 11 ha est fidèle à ses racines, proposant un givry fort typé et à attendre de douze à vingt-quatre mois. Cerise noire, d'un ton très intense, il respecte pour l'essentiel le caractère aromatique du vin : fruits cuits, épices, bourgeon de cassis. Cette sensation, surtout celle des fruits cuits, se poursuit en bouche. Souples et francs, ses tanins sont soigneusement limés : un 2000 à la hauteur. Le 1ᵉʳ **cru Clos Jus rouge 2000** obtient une étoile tout comme, en *village*, **Les Galaffres blanc 2000 (8 à 11€)**.

⚓ Dom. Chofflet-Valdenaire, Russilly, 71640 Givry, tél. 03.85.44.34.78, fax 03.85.44.45.25, e-mail chofflet.valdemaire@wanadoo.fr ☑ ⏳ r.-v.

DANIEL DAVANTURE ET FILS 1999★

■	0,75 ha	5 000	⏳ 5 à 8 €

2 km séparent ce domaine de l'église du XIIᵉ s. : cela vaut la peine de les parcourir. Produit au lieu-dit Champ Pourot (qu'il fut naguère question de classer en 1ᵉʳ cru), ce vin pourra être servi au prochain congrès des archéologues bourguignons. On y a retrouvé en effet des pointes de flèche laissées par les hommes de la Préhistoire. Sa robe est

vive. Son bouquet réglissé, animal. On y sent le fruit très mûr. Ample et souple, un 99 à considérer en fonction de son âge et de sa maturité, à déguster dans l'année à venir.

🍴 Dom. Davanture et Fils, GAEC des Murgers, rue de la Montée, 71390 Saint-Désert, tél. 03.85.47.90.42, fax 03.85.47.99.88 ☑ 🍷 r.-v.

PROPRIETE DESVIGNES
Les Grandes Vignes 2000

🔲 1er cru	0,25 ha	2 000	🍴↓	8 à 11 €

De nombreuses maisons anciennes, typiques de la Côte chalonnaise jalonnent la route de la Bourgogne romane. Cette propriété couvre 11 ha, dont une petite parcelle en chardonnay. Celle-ci nous vaut un vin or blanc, au nez d'aubépine. En première analyse, on juge la bouche nerveuse. Mais elle ne tarde pas à se montrer plus conciliante tout en gardant un caractère citronné.

🍴 Propriété Desvignes, 36, rue de Jambles, Poncey, 71640 Givry, tél. 03.85.44.37.81, fax 03.85.44.43.53 ☑ 🏠 🍷 r.-v.

DIDIER ERKER
Les Bois Chevaux 2000★

🔲 1er cru	1 ha	6 500	🍶	5 à 8 €

Domaine récent, pris en main en 1996 par ce viticulteur qui a réussi une jolie cuvée, bien équilibrée sur une ligne de finesse et d'élégance plutôt que de rondeur et de puissance. Si la robe paraît légère, le nez en revanche est très affirmatif, tout entier sur le fruit noir macéré dans l'alcool. Le fût, bien à propos, amène délicatement le vin « un peu plus loin ». L'attendre un à deux ans avant de le servir sur des volailles.

🍴 Didier Erker, 7 bis, bd Saint-Martin, 71640 Givry, tél. 03.85.44.39.62, fax 03.85.44.39.62, e-mail erker@givry.net ☑ 🍷 t.l.j. 8h30-20h

DOM. DE LA FERTE 1999★★

⬛	1,5 ha	6 845	🍶	8 à 11 €

1999 — **1999**

Domaine de la Ferté

Arnould Thénard Propriétaire

GIVRY
Appellation Givry Contrôlée

ANTONIN RODET

750 ml　MIS EN BOUTEILLE PAR ANTONIN RODET A F 71640-294 · PRODUCE OF FRANCE　13% vol.

Bertrand Devillard (Antonin Rodet) a su prendre en gestion plusieurs domaines importants : J. Prieur (Meursault), château de Rully et ce domaine de la Ferté (l'ancienne abbaye cistercienne de La Ferté appartenant à une branche de la famille Thénard). Ce givry rouge étincelant est tout cerise : on croque le fruit à pleines dents. Concentré, intense, soutenu, un futur chevalier durant la nuit précédant l'adoubement ; aucun défaut dans son armure. L'âme même du cru. Le **1er cru La Servoisine rouge 99 (11 à 15 €)** obtient une étoile. C'est un vin puissant, à l'extraction importante, austère aujourd'hui, grand dans trois ou quatre ans.

🍴 Antonin Rodet, 71640 Mercurey, tél. 03.85.98.12.12, fax 03.85.45.25.49, e-mail rodet@rodet.com
☑ 🍷 t.l.j. sf sam. dim. 9h-12h 14h-18h
🍴 Arnould Thénard

DOM. MICHEL GOUBARD ET FILS
La Grande Berge 2000

⬛ 1er cru	2,6 ha	15 000	🔲🍶↓	5 à 8 €

Présents à Saint-Désert depuis 1600, les Goubard ont toujours joué un rôle important dans la Côte chalonnaise. Ils proposent... une lettre de mon moulin : l'étiquette porte en effet une belle image de moulin. Quant à la missive, elle a l'accent bourguignon. Le cadre est très soutenu, le cadre noir. Fougère, le nez est plus concentré qu'expressif. Charpenté, il tient bien ses tanins en laisse, montre une certaine souplesse de caractère et un bon fond. A ouvrir dans deux ou trois ans.

🍴 EARL Michel Goubard et Fils, Basseville, 71390 Saint-Désert, tél. 03.85.47.91.06, fax 03.85.47.98.12 ☑ 🍷 t.l.j. 8h-12h 14h-19h; dim. sur r.-v.

DOM. MASSE PERE ET FILS
Champ Lalot 2000

⬛	0,5 ha	3 000	🍶	8 à 11 €

Depuis l'église Saint-Jean édifiée au XVIIIe s. on a une très belle vue sur la région. Sous son étiquette très « années 1930 », représentant le village dans son cadre charmant, ce pinot rubis porte un rouge grenat aux reflets violacés. Fruits des bois, framboise très mûre, son nez est un puits profond. Souple, fruité, généreux, il se promène longuement en bouche.

🍴 Dom. Masse Père et Fils, 71640 Barizey, tél. 03.85.44.36.73, fax 03.85.44.36.73 ☑ 🍷 r.-v.

DOM. DU MOULIN NEUF
La Plante 2000★

🔲 1er cru	0,8 ha	6 500	🍴↓	5 à 8 €

Pascal Danjean fêtera ses dix ans de vinification ici en 2003. Il a, c'est vrai, la chance d'habiter un superbe village. Son givry blanc est harmonieux et racé. Le jury le voit bien avec un poisson au beurre blanc. Son intensité aromatique est suffisante (acacia, miel). Plutôt charnu et assez long, il prend toute sa place.

🍴 Pascal Danjean-Berthoux, Le Moulin Neuf, 71640 Jambles, tél. 03.85.44.54.74, fax 03.85.44.33.46 ☑ 🍷 r.-v.

GERARD MOUTON
Clos Jus 1999★

⬛ 1er cru	2 ha	11 000	🍶	8 à 11 €

Arrivé à l'heure des évènements de mai 1968, Gérard Mouton conduit avec constance ses dix hectares. Son Clos Jus a de la classe. On le sent tout de suite. Au regard, évidemment, mais là n'est pas vraiment la question. Au nez, c'est déjà plus subtil, complexe. Il est de bonne tenue, sa bouche étant charnue et cerisée. Tout doit bien se passer d'ici deux ans, car c'est du travail soigné.

🍴 Gérard Mouton, 6, rue de l'Orcène, Poncey, 71640 Givry, tél. 03.85.44.37.99, fax 03.85.44.48.19, e-mail domaine-mouton@vin-givry.com ☑ 🍷 r.-v.

BOURGOGNE

DOM. RAGOT

Clos Jus 2000★

■ 1er cru 1 ha 6 000 ⅠⅠ 8 à 11 €

Le décrire ? Une belle robe, un nez de framboise bien mûre, de la rondeur et du volume en attaque, un bon développement aromatique sur une matière tannique n'interdisant pas une finale plus flatteuse. Voici le scénario et ses promesses. D'autant que les longs métrages précédents ont été primés (coup de cœur en 1987 et 1997). Cité, le **1er cru La Grande Berge 2000 rouge** laisse le pinot s'exprimer avec grâce.

🔑 Dom. Jean-Paul Ragot, 4, rue de l'Ecole, Poncey, 71640 Givry, tél. 03.85.44.35.67, fax 03.85.44.38.84 ☑ 🏠 Ⲩ t.l.j. sf dim. 8h-20h

MICHEL SARRAZIN ET FILS

Les Grands Prétants 2000★★

■ 1er cru 1,3 ha 8 000 ⅠⅠ 8 à 11 €

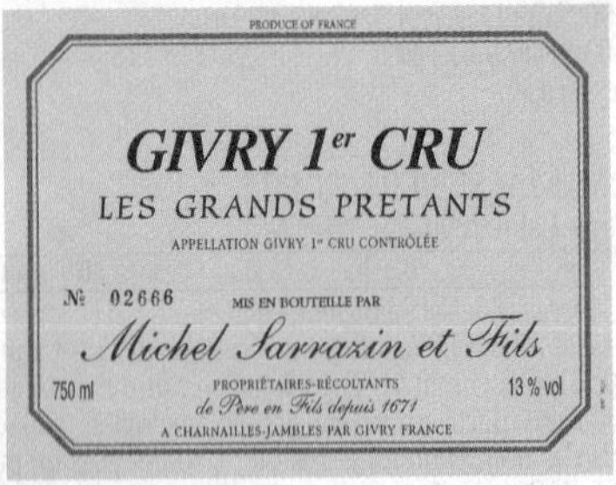
PRODUCE OF FRANCE
GIVRY 1er CRU
LES GRANDS PRETANTS
APPELLATION GIVRY 1er CRU CONTRÔLÉE
N° 02666
MIS EN BOUTEILLE PAR
Michel Sarrazin et Fils
750 ml
PROPRIÉTAIRES-RÉCOLTANTS
de Père en Fils depuis 1671
13 % vol
A CHARNAILLES-JAMBLES PAR GIVRY FRANCE

La généalogie de ce domaine remonte à 1671. Quelques siècles plus tard, il est toujours dans la même famille ; celle-ci propose un très beau vin. « Suivez mon panache rouge ! » eût pu dire Henri IV. Rouge cerise noire, ce 2000 est riche d'un bouquet dont le jury raffole : cannelle, pain d'épice, framboise sauvage. Le boisé témoigne d'une grande habileté car rien ne jure. Le fruit est adorable, la finale fort longue. Un authentique 1er cru. Coup de cœur pour les millésimes 90 et 95.

🔑 Michel Sarrazin et Fils, Charnailles, 71640 Jambles, tél. 03.85.44.30.57, fax 03.85.44.31.22, e-mail sarrazin2@wanadoo.fr ☑ Ⲩ r.-v.

LA SAULERAIE

Champ Nalot 2000★★

■ 1,51 ha 9 000 ⅠⅠ 8 à 11 €

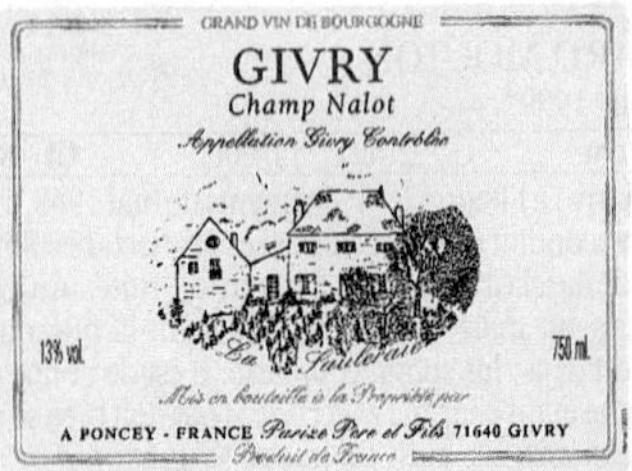
GRAND VIN DE BOURGOGNE
GIVRY
Champ Nalot
Appellation Givry Contrôlée
13% vol
750 ml
La Sauleraie
Mis en bouteille à la Propriété par
A PONCEY - FRANCE Parize Père et Fils 71640 GIVRY
Produit de France

Givry existe par ses vins mais aussi par son architecture. C'est donc une destination idéale de tourisme viticole. Ce domaine fait partie de ceux qui sont incontournables à en juger par la démonstration : les **1ers crus Les Grandes Vignes 2000 en blanc** et en **rouge (11 à 15 €)** obtiennent une étoile pour leur harmonie et leur race. Quant à ce Champ Nalot, il ajoute un coup de cœur au palmarès. Pourpre violacé, il constitue un beau vin de garde, puissant et tannique (deux ans minimum). Ses arômes sont classiques (fauves, épicés, pivoine), puis ils prennent un tour quelque peu exotique (fruits de la passion), pas désagréable du tout et gentiment dépaysant. C'est une corbeille de fruits. Déjà coup de cœur dans le Guide 2000.

🔑 Parize Père et Fils, 18, rue des Faussillons, 71640 Givry, tél. 03.85.44.38.60, fax 03.85.44.43.54, e-mail laurent.parize@wanadoo.fr ☑ Ⲩ t.l.j. 9h-19h; dim. sur r.-v.

DOM. JEAN TATRAUX ET FILS

Les Grandes Berges 2000★

■ 1er cru 0,95 ha 6 000 Ⅰ ⅠⅠ ↓ 5 à 8 €

Né sur un domaine de 6 ha, un vin d'avenir, aux tanins encore incisifs mais qui va les dompter, comme des lions sous le chapiteau d'un cirque. La couleur est soutenue, le nez à la fois puissant et distingué, réglissé, marqué par son terroir. Ample et riche, la bouche mêle raisin et fruits rouges à l'emprise du fût. La touche de plaisir attendue va venir dans trois à cinq ans, n'en doutons pas.

🔑 Dom. Jean Tatraux et Fils, 20, rue de l'Orcène, 71640 Givry, tél. 03.85.44.36.89, fax 03.85.44.59.43 ☑ Ⲩ r.-v.

DOM. THENARD 2000

□ 2,22 ha 9 000 ⅠⅠ 5 à 8 €

Ce prestigieux domaine familial créé en 1830 possède 23 ha et vinifie dans des caves du XVIIIes. Une partie de la famille vit encore à Givry et signe ce chardonnay aux arômes de tilleul mêlés à une touche minérale. Or blanc, il est bien construit pour l'année, vif et néanmoins équilibré par un beau fruit. Sa longueur finement boisée est très agréable. A servir au cours des trois prochaines années. Cette propriété fut deux fois couronnée d'un coup de cœur (millésimes 85 et 90).

🔑 Dom. Thénard, 7, rue de l'Hôtel-de-Ville, 71640 Givry, tél. 03.85.44.31.36, fax 03.85.44.47.83 ☑ Ⲩ r.-v.

DOM. VOARICK 2000★

■ 1,88 ha 13 000 ⅠⅠ 11 à 15 €

Michel Picard veille sur le domaine Voarick. Son **givry blanc 2000** très convenable et ce pinot noir bien typé obtiennent chacun une étoile. Puissant, racé, ce dernier tire sur l'animal et les fruits rouges macérés. Le fût est maîtrisé, l'équilibre assuré. Sur fond d'épices et de réglisse, il a toute la longueur désirée. La petite note d'amertume ressentie en finale est habituelle et s'estompera après une année de garde. Le servir alors sur une terrine de gibier.

🔑 SCV Dom. Emile Voarick, 71640 Saint-Martin-sous-Montaigu, tél. 03.85.45.23.23, fax 03.85.45.16.37 ☑ Ⲩ t.l.j. sf sam. dim. 8h-12h 14h-18h

🔑 Michel Picard

> Mieux vaut ne pas transporter des vins de qualité au cœur de l'été ou de l'hiver ; il faut les préserver des températures extrêmes.

Montagny

Entièrement voué aux vins blancs, Montagny, village le plus méridional de la région, annonce déjà le Mâconnais. L'appellation peut être produite sur quatre communes : Montagny, Buxy, Saint-Vallerin et Jully-lès-Buxy. Les *climats* peuvent être seuls revendiqués sur la commune de Montagny. La production a atteint 15 963 hl en 2001.

DOM. ARNOUX PERE ET FILS
Les Bonnevaux 2000

1er cru	0,5 ha	3 000	▮↓	5 à 8 €

Sa robe tire sur le jaune et son nez plutôt minéral se montre également fruité. Il a aussi de la fraîcheur. La bouche confirme cette physionomie. Son acidité n'est jamais agressive. En finale, paraît une touche miellée. Ce joli vin va évoluer en rondeur tout en gardant sa jeunesse un peu timide mais sympathique.
➤ Dom. Arnoux Père et Fils, 7, rue du Lavoir, 71390 Buxy, tél. 03.85.92.11.06, fax 03.85.92.19.28 ✓ ⊤ r.-v.

CAVE DE VIGNERONS DE BISSEY 2000★

1er cru	5,18 ha	14 000	▮⦿↓	5 à 8 €

Créée lors de l'éveil de la coopération viti-vinicole en Saône-et-Loire (1928), cette vaillante cave coopérative contrôle 87 ha, dont un peu plus de 5 pour ce montagny aux reflets verdâtres. Il sait mettre ses qualités en avant : la netteté et la fraîcheur spontanée de ses arômes minéraux, la tenue d'un corps assez gras évoquant le fruit en pleine maturité. Elevage mi-cuve mi-fût évitant l'abus de brûlage : comme dans les contes de fées, la fin est charmante.
➤ Cave de Vignerons de Bissey, 71390 Bissey-sous-Cruchaud, tél. 03.85.92.12.16, fax 03.85.92.08.71, e-mail cave.bissey@wanadoo.fr ✓ ⊤ r.-v.

LA BUXYNOISE
Les Coères 1999★

1er cru	13,38 ha	60 000	▮↓	8 à 11 €

La cave des vignerons de Buxy est une institution (860 ha). Elle signe de bonnes bouteilles. Très aromatique sous une teinte claire, celle-ci développe des accents minéraux et miellés qui vont très bien ensemble. Ce vin puissant parvient à son plein épanouissement et se situe à la hauteur d'un riche poisson.
➤ Cave de Vignerons de Buxy, Les Vignes de La Croix, 71390 Buxy, tél. 03.85.92.03.03, fax 03.85.92.08.06, e-mail labuxynoise@cave-buxy.fr ✓ ⊤ r.-v.

JOSEPH DROUHIN 1999★

	n.c.	n.c.	⦿	11 à 15 €

L'un des grands poètes français du XX^{e}s., André Frénaud, a souvent chanté le montagny qui berça son enfance. Cette bouteille aurait contribué à son inspiration. Paille pâle, elle décline ses arômes préférés : la noisette, le beurre qui prédomine en bouche. Quelque chose de minéral dans un contexte vif et fruité, puis une conclusion persistante : ce chardonnay commence à s'ouvrir, et un peu d'aération le fait monter d'un cran. Il aiguisera l'appétit à l'apéritif.
➤ Joseph Drouhin, 7, rue d'Enfer, 21200 Beaune, tél. 03.80.24.68.88, fax 03.80.22.43.14, e-mail maisondrouhin@drouhin.com ⊤ r.-v.

CH. DE LA GUICHE 2000

	n.c.	5 000	▮⦿	8 à 11 €

Si les premiers crus sont au nombre de quarante-neuf sur l'AOC, les *villages* se sont longtemps montrés plus discrets. La Saint-Vincent tournante de 2002 a permis de se faire une idée plus précise des crus, des terroirs. « Montagny, vive la vie », chantait-on dans les rues en hommage à ce vin, par exemple : petite robe élégante, bouquet de noisette, d'amande amère où s'entrelacent le buis, le lierre. Soyeux, il est de constitution légère et à boire jeune.
➤ Dom. du château de la Guiche, 71390 Jully-les-Buxy, tél. 03.80.26.88.70, fax 03.80.26.80.69, e-mail goichot.sa@wanadoo.fr ✓

JEAN-CLAUDE PIGNERET 2000

1er cru	1,44 ha	2 200	▮⦿	5 à 8 €

Travaillant en lutte raisonnée et pratiquant contre les prédateurs de la vigne le principe de la confusion sexuelle, ce domaine, dont les vignes sont situées en milieu de coteau, propose un 1er cru qui sera agréable sur table dans un an. Déjà tendre et fruité, il affiche des notes d'amande grillée, d'agrumes et de fruits mûrs. Saint-Désert possède une église fortifiée néo-gothique. A ne pas manquer lors d'une promenade-découverte des vins de la Côte chalonnaise.
➤ Jean-Claude Pigneret, rue de la Pompe, 71390 Saint-Désert, tél. 03.85.47.94.40 ✓ ⊤ r.-v.

DOM. DE LA TOUR 1999★

1er cru	4,92 ha	18 000	⦿	5 à 8 €

Ce viticulteur a quitté la cave coopérative en 1988 pour voler de ses propres ailes sur une exploitation provenant de la ferme du château de la Tour. Jaune or soutenu, un vin d'expression : il repose sur une belle matière, et on aime son gras, sa longueur en bouche. Noisette, moka, il est très boisé, mais le fruit n'est pas absent : il doit absolument se défaire de cette gangue pour séduire tout à fait. D'autant qu'on tient ici un excellent produit.
➤ Daniel Joblot, SCV dom. de la Tour, 71390 Saint-Vallerin, tél. 03.85.92.13.69, fax 03.85.92.09.43 ✓ ⊤ r.-v.

LES VIGNES DU SOLEIL 2000

1er cru	0,5 ha	4 000	⦿	5 à 8 €

S'appeler Les Vignes du Soleil (une marque de la cave coopérative de Genouilly) revendique de l'ambition. Il est vrai qu'équilibré, assez fin, ce chardonnay laisse les idées claires. Or d'un jaune pâle, il entreprend de composer son nez selon les règles : c'est encore incisif et cependant flatteur.
➤ Cave des vignerons de Genouilly, 71460 Genouilly, tél. 03.85.49.23.72, fax 03.85.49.23.58 ✓ ⊤ t.l.j. sf dim. 8h-12h 14h-18h

BOURGOGNE

Le Mâconnais

Mâcon, mâcon supérieur et mâcon-villages

Les appellations mâcon, mâcon supérieur ou mâcon suivi de la commune d'origine sont utilisées pour les vins rouges, rosés et blancs. Les vins blancs peuvent s'appeler aussi pinot-chardonnay-mâcon et mâcon-villages. L'aire de production est relativement vaste, et, depuis la région de Tournus jusqu'aux environs de Mâcon, la diversité des situations se traduit par une grande variété dans la production.

Le secteur de Lugny, Chardonnay, propice à la production de vins blancs légers et agréables, est le plus connu, et de nombreux viticulteurs se sont groupés en caves coopératives pour vinifier et faire connaître leurs vins. C'est d'ailleurs dans ce secteur que la production s'est développée. En 2001, elle atteint 249 465 hl dont 46 226 en rouge.

justifiant sa place de leader au grand jury des coups de cœur. A noter également le **mâcon Igé rosé 2000**, couleur grenadine, aux senteurs de framboise, qui obtient deux étoiles.

☞ Paul-Henry Borie, Ch. de La Bruyère, 71960 Igé, tél. 03.85.33.30.72, fax 03.85.33.40.65, e-mail mph.borie@wanadoo.fr ☑ ☒ t.l.j. 8h-12h 14h-19h

LES BRUYERES
Pierreclos 2000

| | 10 ha | 40 000 | ▮▮ | 3 à 5 € |

Le domaine familial s'est doté en 1999 d'installations ultramodernes, qui ont manifestement profité à cette cuvée Les Bruyères 2000. La robe cerise est brillante, le nez discret de fruits rouges bien typé ; léger et friand au palais, il pourra être servi lors d'un mâchon entre amis.

☞ Maurice Lapalus et Fils, Les Bruyères, 71960 Pierreclos, tél. 03.85.35.71.90, fax 03.85.35.71.79, e-mail lapalus.maurice@wanadoo.fr ☑ ☒ r.-v.

DOM. DE LA CROIX SENAILLET 2000★

| | 2,27 ha | 21 000 | ▮▮ | 5 à 8 € |

Beau domaine de 22 ha, la Croix Senaillet n'a implanté les vignes blanches qu'en 1991. D'une couleur iris superbe, ce vin présente un nez intense floral et mentholé. Acidulé, léger et friand, il se révèle très typé mâcon ; prêt à l'automne prochain, il pourra s'épanouir encore en bouteille une ou deux années.

☞ GAEC Richard et Stéphane Martin, Dom. de La Croix Senaillet, En Coland, 71960 Davayé, tél. 03.85.35.82.83, fax 03.85.35.87.22, e-mail domainedelacroixsenaillet@club-internet. ☑ ☒ r.-v.

DOM. ELOY 2001★

| | 2 ha | n.c. | ▮ | 3 à 5 € |

Des sols argilo-calcaires sont à l'origine de ce vin à la robe rubis à reflets violets, aux parfums intenses et frais de cassis, de framboise mêlés de nuances lactiques de jeunesse. Linéaire et souple, ce mâcon rouge fruité sera apprécié dans l'année avec des brochettes. Autre citation pour le **mâcon Pierreclos 2001**, aux arômes puissants de fruits rouges et au palais franc et rond. Celui-ci pourra attendre deux ans.

☞ Dom. Jean-Yves Eloy, Le Plan, 71960 Fuissé, tél. 03.85.35.67.03, fax 03.85.35.67.07 ☑ ☒ r.-v.

LES VIGNERONS D'IGE
Igé Elevé en fût de chêne 2000★★

| | n.c. | 9 000 | ▥ | 3 à 5 € |

« C'est un matador ! Il a le sang chaud », s'exclame un dégustateur enthousiasmé par la puissance de ce mâcon

Mâcon

JEAN-MARC ET CEDRIC BALANDRAS 2000

| | 1,6 ha | 2 400 | ▮▮ | 3 à 5 € |

Le domaine de Cédric et Jean-Marc Balandras est situé dans un pittoresque hameau sur les hauteurs de Serrières. Si l'habitation est sur Cerves (commune du Rhône), le caveau est sur Serrières de l'autre côté du chemin. Ils proposent ce vin très flatteur, paré d'une belle couleur jaune clair à reflets verts. Le nez intense développe des arômes floraux, mentholés et d'amandes douces. Gras, charnu au palais, ce 2000 garde cependant une certaine vivacité, qui lui permettra de vieillir un ou deux ans. Une année de vieillissement également recommandée pour le **mâcon Serrières rouge 2000 cuvée Les Gravières** (5 à 8 €) pourpre violacé, au nez de fraise des bois et à la concentration importante.

☞ Jean-Marc et Cédric Balandras, EARL Les Guérins, 71960 Serrières, tél. 03.85.35.72.94, fax 03.85.35.70.82 ☑ ⌂ ☒ r.-v.

CH. DE LA BRUYERE
Igé 1999★★

| | 2,1 ha | 15 500 | ▮▥▮ | 3 à 5 € |

Issu d'une macération carbonique et d'un élevage traditionnel, ce 99 offre à l'œil une magnifique robe rubis. Sa palette aromatique est remarquable, du fruit rouge frais jusqu'à des fragrances grillées, confites. En bouche, des tanins soyeux lui donnent une structure bien équilibrée par la rondeur et le gras. Dense, riche, sa finale est puissante,

Igé rouge. Enveloppé d'une robe carmin profonde et veloutée, ce vin reste encore discret à l'olfaction : notes de fruits rouges et nuances boisées. En revanche, le palais s'avère charnu, puissant avec une empreinte boisée harmonieuse. Sa charpente tannique solide demande quelques mois pour s'affiner.

🍇 Cave coop. des vignerons d' Igé, 71960 Igé, tél. 03.85.33.33.56, fax 03.85.33.41.89, e-mail lesvigneronsdige@lesvigneronsdige.com ☑ 🍷 t.l.j. sf dim. 8h-12h 14h-18h

DOM. LACHARME ET FILS
La Roche Vineuse 2000

■	0,9 ha	6 600	■	5 à 8 €

Sur les pas de l'acteur Charles Berling, parrain du Guide Hachette 2002, récemment venu au domaine Lacharme, vous pourrez sans doute déguster cette jolie cuvée de mâcon rouge. Elle s'annonce par une robe légère rubis et par des notes de fruits rouges intenses : fraise et groseille. La bouche révèle avec douceur de la souplesse, un bon équilibre acide-alcool et une finale kirschée. Un vin à partager entre amis autour de charcuteries du pays.

🍇 Dom. Lacharme et Fils, Le Pied du Mont, 71960 La Roche-Vineuse, tél. 03.85.36.61.80, fax 03.85.37.77.02 ☑ 🍷 r.-v.

LES VIGNERONS DE MANCEY
Mancey 2000★

■	n.c.	48 000	■ 🍶	3 à 5 €

Mancey, jolie petite bourgade du Mâconnais, est également réputée pour ses fromages de chèvre. D'ailleurs, ce mâcon fera un merveilleux compagnon à tout un plateau plutôt affiné. Rouge cerise, brillant, il s'exprime par une large gamme de parfums tels que la cerise, la framboise et le cassis. La bouche fraîche et fruitée révèle en finale des tanins qui doivent se fondre. Ce vin devrait trouver son harmonie après un an de vieillissement.

🍇 Cave des vignerons de Mancey, RN 6, BP 100, 71700 Tournus, tél. 03.85.51.00.83, fax 03.85.51.71.20 ☑ 🍷 r.-v.

ALAIN NORMAND
La Roche Vineuse 2000

■	3 ha	4 000	■	3 à 5 €

Alain Normand a repris ce domaine en 1993. Depuis, il met en place progressivement un mode de conduite traditionnel avec notamment le labour des vignes et la protection raisonnée. Sa cuvée, d'une couleur grenat de bonne intensité, exhale des arômes de grillé et de fruits rouges mûrs. Entre rondeur et tanins fins, le palais est fondu et persiste longuement. Friand et gouleyant, un vin fait pour accompagner les charcuteries régionales.

🍇 Alain Normand, chem. de la Grange-du-Dîme, 71960 La Roche-Vineuse, tél. 03.85.36.61.69, fax 03.85.51.60.97 ☑ 🍷 r.-v.

DOM. DES PONCETYS
Davayé 2000★

■	4,3 ha	26 000	⬥	5 à 8 €

Ce domaine de 18 ha appartient au lycée viticole de Mâcon-Davayé et permet à de nombreux élèves, chaque année, d'acquérir le savoir-faire du si beau métier de vigneron. Grenat intense, riche d'arômes subtils de fruits rouges et d'épices, mêlés à de fines notes boisées, ce vin raffiné est équilibré, doté de tanins fins et souples. La finale longue et fruitée procure un grand plaisir. Une bouteille bien « orchestrée » à servir sur des rognons de veau.

🍇 Lycée viticole de Mâcon-Davayé, Dom. des Poncetys, 71960 Davayé, tél. 03.85.33.56.20, fax 03.85.35.86.34, e-mail legtamacon@wanadoo.fr ☑ 🍷 r.-v.

DOM. DE RUERE
Pierreclos Cuvée Prestige Vieilles vignes 2000★★

■	2 ha	5 000	■	3 à 5 €

Issue de vignes de plus de soixante ans au cœur du Triangle d'Or (Pierreclos, Bussières, Serrières) réputé pour la qualité des vins rouges, cette remarquable cuvée consacre ce domaine. Elle a tout pour plaire : une robe d'un rouge cerise léger, des parfums fruités associés à des notes florales intenses. Elégants, sa chair, son fruit et sa structure remplissent harmonieusement la bouche. Persistante et expressive de son terroir, elle est à boire dès aujourd'hui sur une viande rouge grillée.

🍇 Thérèse Eloy, Ruère, 71960 Pierreclos, tél. 03.85.35.70.19, fax 03.85.35.70.19 ☑ 🍷 r.-v.

DOM. DE LA SARAZINIERE
Bussières Les Devants Vieilles vignes 2000★

■	0,8 ha	5 000	⬥	5 à 8 €

Le millésime 2000 a été très généreux, alors Philippe Trébignaud a effectué un éclaircissage sévère de la vendange. Récoltés fin septembre, à la main, ces gamays de vieilles vignes (soixante-quinze ans) ont donné une excellente cuvée qui n'a pas laissé le jury insensible. Une belle robe rouge grenat annonce des parfums intenses de cerise, de cassis et de framboise. Après une bonne attaque, elle s'épanouit amplement en bouche. Structuré, avec des tanins encore fermes, c'est un vin puissant, équilibré, qui mérite un à deux ans de garde.

🍇 Philippe Trébignaud, Dom. de La Sarazinière, 71960 Bussières, tél. 03.85.37.76.04, fax 03.85.37.76.23, e-mail philippe.trebignaud@wanadoo.fr ☑ 🍷 r.-v.

Mâcon supérieur

DOM. COTEAU DES MARGOTS
Pierreclos 2000

■	1 ha	3 000	■	3 à 5 €

Ce vin issu du Triangle d'Or des mâcon rouges est l'archétype de son appellation. Revêtu d'une jolie robe limpide, d'un grenat intense, ce 2000 fruité et légèrement épicé s'avère souple, équilibré et harmonieux. Il accompagnera agréablement une assiette de cochonnailles.

⌐ Jean-Luc Duroussay, Les Margots, 71960 Pierreclos, tél. 03.85.35.73.91, fax 03.85.35.76.00 ☑ Ⴘ r.-v.

DOM. LAROCHETTE-MANCIAT
Les Morizottes 2001★

	0,75 ha	7 000	∎⅃	5 à 8 €

Plus de 85 % de la production de ce domaine s'exporte vers d'autres horizons. Aussi, précipitez-vous chez Marie-Pierre et Olivier Larochette et réservez dès à présent cette cuvée or vert, au nez puissant, citronné et mentholé. La bouche a procuré de belles émotions aux dégustateurs pour sa richesse, sa longueur et son équilibre. Attendre un ou deux ans avant d'ouvrir cette bouteille sur un plat d'andouillettes.
⌐ Dom. Larochette-Manciat, rue du Lavoir, 71570 Chaintré, tél. 03.85.35.61.50, fax 03.85.35.67.06, e-mail o-larochette@club-internet.fr ☑ Ⴘ r.-v.

VAUCHER PERE ET FILS 2000

∎		n.c.	20 000	∎⅃	3 à 5 €

Sélectionné et commercialisé par la maison présidée par A. Cottin à Nuits-Saint-Georges, ce 2000 à la robe cerise intense s'avère encore fermé et rappelle les fruits noirs et la framboise. Concentré et d'une bonne longueur, c'est un bon vin paysan, savoureux, parfait pour accompagner une soupe aux choux ou un saucisson lyonnais.
⌐ Vaucher Père et Fils, rue Lavoisier, 21700 Nuits-Saint-Georges, tél. 03.80.62.64.00, fax 03.80.62.64.10 Ⴘ r.-v.

Mâcon-villages

HERITIERS AUVIGUE
Solutré 2000★★

	n.c.	2 000	⬙	5 à 8 €

Au pied de la Roche de Solutré est élaborée cette remarquable cuvée. La robe est telle qu'on la conçoit pour un 2000 : jaune pâle avec des reflets verts, brillante et limpide. Les notes grillées, vanillées du bois ne masquent pas le fruité de l'abricot mûr et la fraîcheur du citron se prolonge en bouche. Rond, concentré, encore jeune, ce vin est en devenir.
⌐ Héritiers Auvigue, 3131, rte de Davayé, 71850 Charnay-Les-Macon, tél. 03.85.29.16.76 ☑ Ⴘ r.-v.

BLANC D'AZENAY
Azé Cuvée en Fût de Chêne 2000

	3 ha	20 270	∎⬙⅃	5 à 8 €

Georges Blanc, chef de renommée internationale, a eu l'audace en 1986 de créer de toute pièce un vignoble, qui aujourd'hui compte 17 ha. A sa tête, une jeune femme, Colette Morel, qui a su, au fil des ans, révéler les potentiels du terroir d'Azé. Pour preuve, ce joli vin à la robe jaune clair, brillante et limpide. Le nez, encore discret, marqué par la minéralité s'ouvre sur des notes de pâte d'amandes. On retrouve en bouche les fruits secs (amandes grillées) ainsi que des saveurs citronnées. Bonne harmonie générale. Egalement cité pour son **mâcon-villages Fleur d'Azenay 2000**.

⌐ Georges Blanc, Dom. d'Azenay, Rizerolles, 71260 Azé, tél. 03.85.33.37.93, fax 04.74.50.21.00, e-mail blanc@relaisetchateaux.fr ☑ Ⴘ r.-v.

DOM. DU BICHERON
Péronne 2000

	18 ha	20 000	∎⅃	3 à 5 €

S'il se montre simple dans son développement, ce mâcon n'en est pas moins sympathique et réussi. Assez brillant aux reflets dorés, il reste discret au nez avec des notes légères de fleurs blanches et des touches de miel. Bien droit, il est net et frais avec une finale douce et suave. Vin d'apéritif.
⌐ Daniel Rousset, Dom. du Bicheron, Saint-Pierre-de-Lanques, 71260 Péronne, tél. 03.85.36.94.53, fax 03.85.36.99.80 ☑ Ⴘ r.-v.

DOM. DU BICHERON
Péronne Vieilles vignes 2000

	1 ha	2 600	∎⅃	5 à 8 €

Nos dégustateurs ont apprécié les arômes de ce mâcon-Péronne issu de vignes de soixante ans. Les notes de miel et de coing rivalisent avec des nuances anisées agréables. Ample et rond, il est certes un peu lourd. Mais la structure aromatique est intéressante. On retrouve le coing de l'olfaction agrémenté d'une finale gingembre très fraîche.
⌐ Daniel Rousset, Dom. du Bicheron, Saint-Pierre-de-Lanques, 71260 Péronne, tél. 03.85.36.94.53, fax 03.85.36.99.80 ☑ Ⴘ r.-v.

CAVE DES VIGNERONS DE BUXY
Clos de Mont-Rachet 1999★★

	7 ha	60 000	∎⅃	5 à 8 €

Située le long de la voie verte (ancienne voie de chemin de fer réhabilitée en itinéraire multi-sport), la cave des vignerons regroupe 860 ha. Sept ont suffi à l'élaboration de cette magnifique cuvée 99 à la robe dorée étincelante. Les arômes de fleurs blanches relevés d'une note de miel révèlent une grande finesse et laissent une agréable sensation. Bien équilibré, fondu, il est à boire d'ici un an ou deux accompagné d'un jambon persillé.
⌐ Cave des Vignerons de Buxy, Les Vignes de La Croix, 71390 Buxy, tél. 03.85.92.03.03, fax 03.85.92.08.06, e-mail labuxynoise@cave-buxy.fr ☑ Ⴘ r.-v.

DOM. CHENE
La Roche vineuse Cuvée Vieilles vignes 2000

	1 ha	4 000	∎	5 à 8 €

Au cœur du Val lamartinien, faites une halte au domaine Chêne, l'un des chais les plus modernes et les mieux équipés de la région. Vous aurez peut-être la chance d'y déguster cette cuvée Vieilles vignes. Sous une robe jaune soutenu, elle possède un nez franc de fleur d'oranger et d'agrumes nuancés de notes végétales. La bouche offre de la vivacité et le même fruité perçu à l'olfaction. Un vin typique, à boire dès à présent.
⌐ Dom. Chêne, Ch. Chardon, 71960 Berzé-la-Ville, tél. 03.85.37.65.30, fax 03.85.37.75.39, e-mail gaecchene@aol.com ☑ Ⴘ r.-v.

DOM. MICHEL CHEVEAU
Solutré-Pouilly 2000★

	1,5 ha	1000	∎⅃	5 à 8 €

La vendange manuelle, pratique maintenue au sein du domaine, a permis une sélection des raisins. Michel

Cheveau et son fils Nicolas en ont tiré un vin alliant puissance et élégance. Paré d'une jolie robe or vert, il livre des parfums de cire d'abeille, de miel, associés à des notes fleuries. Après une attaque nette, la bouche révèle un très bel équilibre. Fraîche en bouche, c'est une bouteille typique du Mâconnais.

🕏 Dom. Michel Cheveau, 71960 Solutré-Pouilly, tél. 03.85.35.81.50, fax 03.85.35.87.88 ☑ ⲧ r.-v.

DOM. CLOS GAILLARD
Solutré 2001★★

	1,32 ha	n.c.	▮ 5 à 8 €

Une jolie étiquette, réplique d'une gravure ancienne montrant le vieux Mâcon depuis la rive de Saint-Laurent. Le domaine a du goût. Cette cuvée aussi : teinte or à reflets verts, odeur discrète de citron, qui s'ouvre à l'aération sur des arômes fruités et floraux. La bouche est fraîche et tendre. Ce vin remarquable devrait devenir très plaisant après quelques mois de bouteille. Escargots de Bourgogne, grenouilles, viandes blanches et fromages de chèvre s'en réjouiront.

🕏 EARL Gérald Favre, Pouilly le Bas, 71960 Solutré-Pouilly, tél. 03.85.35.80.14, fax 03.85.35.87.50, e-mail earlgerald@aol.com ☑ ⲧ t.l.j. 10h-12h30 14h30-19h

DOM. DU CLOS GANDIN 2001

	2 ha	16 000	▮ 5 à 8 €

Au cœur du circuit de l'art roman, à quelques kilomètres de Tournus, le vignoble du Clos Gandin prospère sur les coteaux bien orientés du jurassique. Encore jeune, cette printanière cuvée 2001 n'en est pas moins déjà très plaisante. Son fruité citronné est un peu monocorde, mais de bonne facture, et la bouche séduit par sa fraîcheur et son équilibre.

🕏 Delorme Frères, Dom. du Clos Gandin, La Cortière, 71700 Plottes, tél. 03.85.40.50.89, fax 03.85.40.50.89 ☑ ⲧ t.l.j. 8h-20h

COLLIN-BOURISSET
Solutré 2000

	1,5 ha	10 000	▮♦ 5 à 8 €

Depuis cent quatre-vingts ans, la maison Collin et Bourisset n'a de cesse de perpétuer une tradition de qualité basée sur un savoir-faire de sélection. Elle propose un mâcon Solutré jaune clair, au nez frais de fleurs et de fruits. La bouche possède la même intensité aromatique et une jolie matière. La finale acidulée laisse présager d'un bel avenir.

🕏 Collin-Bourisset Vins Fins, rue de la Gare, 71680 Crèches-sur-Saône, tél. 03.85.36.57.25, fax 03.85.37.15.38, e-mail cbourisset@goffornet.com ☑ ⲧ r.-v.

CHRISTIAN COLLOVRAY ET JEAN-LUC TERRIER 2000★

	n.c.	n.c.	▮♦ 5 à 8 €

Christian Collovray et Jean-Luc Terrier, tous deux de tradition viticole, se sont associés récemment pour fonder « Les Vins des Personnets », société de négoce qui a aujourd'hui pignon sur rue. Ils proposent un mâcon-villages très typé. Intense et expressif, il développe des arômes de fleurs blanches, de fruits mûrs et de miel. Les nuances fruitées mûres laissent penser que le raisin a été cueilli à bonne maturité. Harmonieux, il est idéal dès aujourd'hui sur un poulet à la crème mais il supportera aisément trois à quatre ans de vieillissement. **Le Domaine des Deux Roches 2000** obtient la même note.

🕏 Vins des Personnets, Les Personnets, 71960 Davayé, tél. 03.85.35.83.29, fax 03.85.35.86.12

COMMANDERIE DES SARMENTS DU MACONNAIS 2000★

	20 ha	90 000	▮ 3 à 5 €

La Commanderie des Sarments du Mâconnais a pour objet la sélection des vins dont elle garantit la qualité et la typicité. De plus, elle met le fruit de son travail au service de la générosité car sur chaque bouteille, une contribution est versée à la Fondation pour l'Enfance. Cette cuvée proposée par la maison Thorin se présente brillamment avec une robe dorée. Le nez, marqué par les fleurs blanches séduit, tout comme la bouche structurée et équilibrée. La finale acidulée laisse présager une belle évolution.

🕏 Maison Thorin, Le Pont des Samsons, 69430 Quincié-en-Beaujolais, tél. 04.74.69.09.10, fax 04.74.69.09.28, e-mail information@maisonthorin.com

CH. DEMESSEY
Cruzille Les Avoueries Elevé en Fût de Chêne 2000★★

	n.c.	n.c.	▯ 5 à 8 €

Situé entre Tournus et Cluny, au cœur du Mâconnais, le domaine du Château Demessey s'étend sur 89 ha. Son propriétaire, Marc Dumont, a entièrement restauré le château qui abrite les caves où a été vinifiée et élevée, avec le plus grand soin, cette magnifique cuvée Les Avoueries. Issue de parcelles argilo-calcaires orientées plein est au sommet du coteau de Cruzille, elle se présente avec une robe jaune d'or brillant, des arômes complexes : minéraux, mie de pain toasté et une touche fraîche d'eucalyptus. D'une rondeur exceptionnelle, elle a définitivement séduit le jury qui conseille de servir ce vin tout au long d'un repas.

🕏 Marc Dumont, Ch. Demessey, 71700 Ozenay, tél. 03.85.51.33.83, fax 03.85.51.33.82, e-mail vin@demessey.com ☑ 🏠 🏠 ⲧ r.-v.

JEAN-MICHEL DROUIN
Solutré 2001★

	0,5 ha	4 500	▮♦ 3 à 5 €

Ce 2001, quoique encore jeune, paraît très prometteur et à la hauteur des autres productions de Béatrice et Jean-Michel Drouin. Couleur argent limpide, il offre un très joli nez d'agrumes typé chardonnay. Agréablement frais et fruité, il possède une certaine vivacité et une bonne persistance aromatique, qui lui permettront de tenir deux ou trois ans. A noter l'excellent rapport qualité-prix de cette bouteille.

🕏 Jean-Michel Drouin, Les Gerbeaux, 71960 Solutré-Pouilly, tél. 03.85.35.80.17, fax 03.85.35.87.12 ☑ ⲧ r.-v.

LES EGLANTIERES 1999★

	n.c.	n.c.	▮ 8 à 11 €

Accompagné d'une viande blanche rôtie, ce mâcon-villages très réussi saura séduire les amoureux des paysages lamartiniens et les guérir de toute mélancolie ! Doré, à reflets chauds, il s'en affirme dès l'olfaction une grande complexité par ses arômes de fruits à noyau, d'acacia, de miel et de noisette. Quant à la bouche, équilibrée, ronde et fraîche, elle assure à l'ensemble une grande harmonie.

BOURGOGNE

➤ Dupond d'Halluin, BP 79, 235, rue de Thizy,
69653 Villefranche-sur-Saône, tél. 04.74.65.24.32,
fax 04.74.68.04.14

PIERRE FERRAUD ET FILS 2000★

	n.c.	13 000	▐	5 à 8 €

Ce vin s'habille d'un bel or brillant. Le nez, encore
discret, s'ouvre sur des notes de fruits mûrs et de fleurs
blanches. Rond et gras, il possède une bonne longueur.
Agréable aujourd'hui, il pourra sans faillir vieillir deux à
trois ans.
➤ Pierre Ferraud et Fils, 31, rue du Mal-Foch,
69220 Belleville, tél. 04.74.06.47.60, fax 04.74.66.05.50,
e-mail ferraud@asi.fr ☑ ⊻ t.l.j. sf dim. 8h-12h 14h-18h

DOM. FICHET
Igé La Cra Cuvée Prestige 2000★★

	1 ha	8 000	⑪	11 à 15 €

2000, millésime mythique tant attendu ! Et le domaine Fichet ne nous déçoit pas, car il réussit l'exploit
d'aligner deux vins, jugés, comme remarquables, en tête de
classement. Habillée d'une robe dorée, la cuvée La Cra, si
elle reste discrète au nez pour l'instant, offre une bouche
riche, volumineuse, équilibrée qui lui confère une finale
longue. Le **Château London (5 à 8 €)**, coteau réputé
d'Igé, s'exprime sur des notes complexes de cire d'abeille,
de citron confit et de chèvrefeuille. Vins racés et élégants
prêts à affronter le début du XXIᵉs.
➤ Dom. Fichet, Le Martoret, 71960 Igé,
tél. 03.85.33.30.46, fax 03.85.33.44.55,
e-mail olivier.fichet@wanadoo.fr ☑ ⊻ r.-v.

DOM. DE LA GARENNE 2000

	3 ha	22 000		5 à 8 €

Issue des vignes les plus hautes du pittoresque village
d'Azé, célèbre pour ses grottes préhistoriques, cette cuvée
est élaborée par deux cadres du restaurant de Georges
Blanc. D'une jolie couleur jaune clair, ce vin très fin
s'exprime sur des notes d'agrumes et de citronnelle. Souple
et franc, il possède une finale acidulée agréable.
➤ Renoud-Grappin et Périnet, Dom. de La Garenne,
rte de Péronne, 71260 Azé, tél. 04.74.55.06.08,
fax 04.74.55.10.08 ⊻ r.-v.

DOM. DU GRAND PRE
Solutré 2000★

	0,4 ha	4 000	▐↓	3 à 5 €

Solutré, plus réputée pour ses pouilly-fuissé et sa
roche, possède néanmoins quelques parcelles argilo-
calcaires en mâcon. Et le vin issu de celles-ci est fort
agréable comme en témoigne cette cuvée aux parfums bien
mûrs d'ananas, de miel et de brioche rehaussés par des
notes vanillées et épicées. Le cépage domine en bouche,
avec un bon équilibre, une certaine rondeur et une finale
qui demande encore du temps.
➤ Philippe Desroches, Dom. du Grand-Pré,
71960 Solutré-Pouilly, tél. 03.85.35.86.94,
fax 03.85.35.86.62, e-mail ph.desroches@wanadoo.fr
☑ ⊻ r.-v.

CH. DE LA GREFFIERE
La Roche-Vineuse Vieilles vignes 2000★

	4,5 ha	40 000	▐⑪↓	5 à 8 €

A mi-chemin entre Solutré et Cluny, faites une petite
halte au château de la Greffière pour y apprécier sa maison

typiquement mâconnaise de 1585, sa grande cave voûtée
de 1780, son musée créé en 2001 et ses vins. Jaune pâle et
limpide, celui-ci laisse s'échapper des notes de fleurs
blanches et de chèvrefeuille très puissantes. L'équilibre
gras-acide est élégant et le palais séduit jusqu'à la finale
acidulée. Rafraîchissant et à servir à l'apéritif. Une citation
pour ce **mâcon-villages** floral et minéral qui sera plus à
l'aise sur un plat cuisiné.
➤ Isabelle et Vincent Greuzard, Ch. de la Greffière,
71960 La Roche-Vineuse, tél. 03.85.37.79.11,
fax 03.85.36.62.88 ☑ ⊻ t.l.j. 9h-12h 14h-18h

LAURENT HUET 2000★

	0,7 ha	2 300	▐	3 à 5 €

Vigneron jovial, Laurent Huet élabore des vins
expressifs. Habillée d'une belle robe jaune d'or, cette cuvée
possède du caractère et s'exprime avec beaucoup de
finesse. Le premier nez minéral est très vite suivi par une
multitude de notes fruitées. En bouche, le développement
est progressif, avec un bel équilibre rondeur-acidité et une
finale persistante. Bien dans son AOC.
➤ Laurent Huet, La Croix de Fer, 71260 Clessé,
tél. 03.85.36.96.99, fax 03.85.36.98.87 ☑ ⌂ ⊻ r.-v.

DOM. DE LA JACARDE
Fuissé 2000★★

	2 ha	6 000	▐⑪↓	5 à 8 €

Cette cuvée du domaine de la Jacarde est produite sur
les hauteurs de Fuissé, en bordure du village de Leynes, là
où les terroirs argilo-calcaires bourguignons cèdent la
place aux schistes et granits du Beaujolais. Le jaune d'or
de la robe est étincelant. Le nez complexe s'ouvre sur des
arômes d'agrumes confits, de surmaturité, rehaussés par
une légère nuance boisée. En fond de verre, se dévoilent
des notes de noisette agréables. La belle matière, soutenue
par une touche vanillée bien dosée, permet d'apprécier ce
vin dès aujourd'hui sur une andouillette mâconnaise.
➤ Joseph Burrier, Ch. de Beauregard, 71960 Fuissé,
tél. 03.85.35.60.76, fax 03.85.35.66.04,
e-mail joseph.burrier@mageos.com ☑ ⊻ r.-v.

DOM. MARC JAMBON ET FILS
Pierreclos Cuvée Fût de Chêne 2000★

	2 ha	5 000	⑪	5 à 8 €

Après avoir exercé de nombreuses responsabilités
syndicales, Marc Jambon est retourné à ses racines. Avec
son fils Pierre-Antoine, il construit un nouveau chai. Or
vert brillant, ce 2000 présente un nez fin, alliant fruits secs
et notes boisées du fût. Encore marqué par le bois, le vin
se développe en bouche sur du gras et de la rondeur jusque
dans une finale longue et savoureuse. Attendre un à deux
ans pour trouver l'harmonie parfaite bois-vin.
➤ Dom. Marc Jambon et Fils, La Grange,
71960 Pierreclos, tél. 03.85.35.73.15, fax 03.85.35.75.62,
e-mail marc.jambon@wanadoo.fr ☑ ⊻ r.-v.

DOM. DE LALANDE
Chânes Les Serreudières 2000★★★

	n.c.	n.c.	▐	5 à 8 €

Finaliste au grand jury, cette cuvée a frôlé le coup de
cœur. Rien d'étonnant à cela car Dominique Cornin
s'affirme comme un des très bons vignerons de la région.
La couleur or est attirante, et le reste est impressionnant.
Très riche, ce vin offre un festival d'arômes : ananas,
abricot, vanille et une pointe de minéralité. L'attaque est

généreuse, le potentiel prometteur et la finale très longue. A goûter également le **mâcon-Chaintré 2000** qui obtient une étoile notamment pour ses notes de surmaturité.

❦ Dominique Cornin, chem. du Roy-de-Croix, 71570 Chaintré, tél. 03.85.37.43.58, fax 03.85.37.43.58, e-mail dominique.cornin@fnac.net ☑ ⴼ r.-v.

DOM. DE LANQUES
Péronne Cuvée Papillon 2000★

	2 ha	2 000	▯▯	46 à 76 €

Sorti de la cave coopérative en 2000, le domaine de Lanques force le respect car pour sa première vinification en cave particulière, le classement est plus qu'honorable. La cuvée Papillon, dont l'âge moyen des vignes avoisine les soixante-dix ans, est tout en nuance et délicatesse. D'intenses arômes de raisin mûr, de poire et d'agrumes dominent au nez alors que la bouche demande encore une ou deux années de vieillissement. Une volaille pochée lui conviendra alors.

❦ EARL Papillon, Saint-Pierre-de-Lanques, 71260 Péronne, tél. 03.85.23.95.70, fax 03.85.23.95.74 ☑ ⴼ ⴼ r.-v.

DOM. ROGER LUQUET
Les Mulots 2000★★

	2,63 ha	20 000	▯▯	5 à 8 €

Vaste exploitation viticole située dans le magnifique village aux maisons vigneronnes de Fuissé, ce domaine jouit d'une réputation internationale. À l'étroit dans le Mâconnais méridional, le vignoble s'est développé à Cortevaix, charmant village du Clunysois. C'est de ces coteaux calcaires, plantés de jeunes vignes, qu'est issue cette cuvée. Très belle expression de son terroir et de son cépage, ce mâcon-villages brille dans le verre de tous ses reflets dorés. Son nez délicatement fruité (coing, pêche) précède un palais équilibré, gras, d'une parfaite harmonie. A boire dès à présent sur un sandre ou un brochet. La cuvée **Clos de Condemine 2000** a obtenu une étoile.

❦ Dom. Roger Luquet, 71960 Fuissé, tél. 03.85.35.60.91, fax 03.85.35.60.12 ☑ ⴼ t.l.j. sf dim. 8h-19h

CAVE DES VIGNERONS DE MANCEY
Vieilles vignes 2000

	n.c.	18 000	▯▯	5 à 8 €

Remarquée par son équilibre harmonieux au palais, cette cuvée possède de beaux reflets et un nez fin de pomme. Elle accompagnera les délicieux fromages de chèvre du Mâconnais.

❦ Cave des vignerons de Mancey, RN 6, BP 100, 71700 Tournus, tél. 03.85.51.00.83, fax 03.85.51.71.20 ☑ ⴼ r.-v.

DOM. MICHEL 2000★★

	1 ha	7 000	▯▯	8 à 11 €

Les frères Michel sont considérés aujourd'hui comme une référence au nord du Mâconnais. Leurs méthodes de travail, l'amour du métier et la passion du vin transmis par leur père René leur permettent de proposer chaque année d'excellentes cuvées. Ce mâcon-villages d'origine argilo-calcaire possède toute la race qu'on est en droit d'attendre d'un 2000. Marqué au nez par des arômes complexes minéraux et fruités (fruits mûrs), il affiche au palais une volumineuse matière, qui se retrouve dans l'harmonie finale. C'est un vin long et armé pour la garde (deux à trois ans).

❦ Dom. René Michel et ses Fils, Cray, 71260 Clessé, tél. 03.85.36.94.27, fax 03.85.36.99.63 ☑ ⴼ r.-v.

LE MOULIN DU PONT
Solutré Elevé en Fût 2000★

	n.c.	12 000	▯▥▯	5 à 8 €

Habitué du Guide, ce négociant-éleveur propose une cuvée de belle facture, parée d'une robe dorée à reflets verts. Le nez est discret, avec quelques notes minérales. En revanche, la bouche est souple, bien équilibrée, soutenue par des saveurs de fruits blancs et d'agrumes. Un vin racé.

❦ Vins Auvigue, Le Moulin-du-Pont, 71850 Charnay-lès-Mâcon, tél. 03.85.34.17.36, fax 03.85.34.75.88, e-mail vins.auvigue@wanadoo.fr ☑ ⴼ r.-v.

LES MURGERES
Burgy 2000★

	n.c.	7 000	▯	8 à 11 €

Négociant-éleveur au cœur du Beaujolais, cette maison présente un 2000 de belle race. Sa dominante fleurs blanches (acacia, chèvrefeuille) et sa maturité s'apprécient au palais, qui se montre à la fois ample et fondu. Pour une volaille de Bresse à la crème.

❦ Vins Henry Fessy, Bel-Air, 69220 Saint-Jean-d'Ardières, tél. 04.74.66.00.16, fax 04.74.69.61.67, e-mail vins.fessy@wanadoo.fr ☑ ⴼ r.-v.

ALAIN NORMAND
La Roche Vineuse 2000

	6 ha	10 000	▯	5 à 8 €

Alain Normand fait partie de cette jeune génération de vignerons entreprenants du Mâconnais. Ses vins issus de récolte manuelle, de pressurage en vendange entière et d'un élevage sur lies fines durant dix mois, sont toujours de belle qualité. D'une étincelante robe jaune pâle à reflets verts s'échappent des arômes fins et frais de citron et de bourgeon de cassis. Friand et désaltérant, ce mâcon s'appréciera notamment avec des huîtres.

❦ Alain Normand, chem. de la Grange-du-Dîme, 71960 La Roche-Vineuse, tél. 03.85.36.61.69, fax 03.85.51.60.97 ☑ ⴼ r.-v.

DOM. DES PERELLES 2001

	2,5 ha	n.c.	▯▯	3 à 5 €

Menée avec maîtrise par Jean-Yves Larochette, cette exploitation est située à la frontière Beaujolais-Mâconnais. Jaune d'or soutenu à l'œil, délicatement fruité au nez, ce vin est agréable au palais, et devra être bu dès cet automne sur une assiette de charcuteries.

EARL Jean-Yves Larochette, Les Pérelles, 71570 Chânes, tél. 03.85.37.41.47, fax 03.85.37.15.25, e-mail j.y.larochette@wanadoo.fr ☑ ☓ r.-v.

DOM. PHILIPPE
Vieilles vignes 2000

2 ha	12 000	🍾🥂	5 à 8 €

Jean-Claude Philippe s'est installé en 1972 sur 3,5 ha de métayage en cave coopérative. Depuis, il n'a eu de cesse de s'agrandir (sans plantation nouvelle) pour compter aujourd'hui 20 ha vinifiés au domaine depuis 1998. Quelle progression ! Issue de vignes âgées de soixante-dix ans, cette cuvée a « dérouté » notre jury par son côté « muscaté » intense. Il lui reconnaît une belle couleur jaune d'or, un nez puissant (muscat, grillé, amande) et une bouche fruitée et gouleyante. Peu typique mais tellement agréable. A vous de juger !

Jean-Claude Philippe, En Chapotin, 71260 Viré, tél. 03.85.27.99.13, fax 03.85.27.99.14 ☑ ☓ t.l.j. 8h-19h30

DOM. DE ROCHEBIN
Azé 2000

13,03 ha	60 000	🍾🥂	3 à 5 €

Convenant à l'apéritif, cette cuvée éditée à soixante mille exemplaires ravira les amateurs de vin frais et léger. Equilibré, ce mâcon développe des arômes d'agrumes (citron, pamplemousse) agréables.

Dom. de Rochebin, En Normont, 71260 Azé, tél. 03.85.33.33.37, fax 03.85.33.34.00 ☓ r.-v.

DOM. DES ROCHES 2000★★

15 ha	80 000	🍾🥂	5 à 8 €

Négociant-éleveur dans le Beaujolais, la maison Mommessin sélectionne également des vins blancs du Mâconnais, et ce depuis des décennies. Originaire de la commune d'Igé, celui-ci a ébloui le jury. D'une couleur qui révèle sa jeunesse, ce vin exhale des arômes complexes de fruits surmûris (coing) et de fleurs blanches. Au palais, il est pulpeux et riche, et n'en finit pas. Charmeur, il est déjà plaisant mais aussi apte à la garde. Frais et floral, le **mâcon-villages Vieilles vignes Mommessin 2000** obtient une citation.

Mommessin, Le Pont-des-Samsons, 69430 Quincié-en-Beaujolais, tél. 04.74.69.09.30, fax 04.74.69.09.29, e-mail information@mommessin.com ☓ r.-v.

DOM. DU ROURE DE PAULIN
Fuissé 2000★

0,6 ha	5 000	🍾🍷🥂	5 à 8 €

Né sur une propriété familiale, ce mâcon-Fuissé doré et limpide recèle des arômes confits tels que ananas rôti,

pain d'épice et pâte d'amande. Rond et équilibré, il possède une belle matière et des notes de cire d'abeille qui prolongent la finale en nombreuses caudalies. Il sera le compagnon d'une fine terrine de foie gras.

Jean-Claude du Roure, 71960 Fuissé, tél. 03.85.35.65.48, fax 03.85.35.68.50, e-mail domaine.durourejc@wanadoo.fr ☑ ☓ r.-v.

DOM. DE RUERE 2000

1 ha	3 000	🍾🥂	3 à 5 €

Accroché à flanc de coteau et surplombant le somptueux château de Pierreclos, le domaine de Ruère est une exploitation familiale très attachée à la tradition comme le montre ce millésime typique et désaltérant. Pomme verte et citron, les arômes dominants et la bouche longue et fraîche en font un bon vin d'apéritif.

Thérèse Eloy, Ruère, 71960 Pierreclos, tél. 03.85.35.70.19, fax 03.85.35.70.19 ☑ ☓ r.-v.

RAPHAEL ET GERARD SALLET
Uchizy Clos des Ravières 2000★★★

0,38 ha	3 200	🍷	8 à 11 €

Depuis 1988, date de l'installation de Raphaël à la tête du domaine, la famille Sallet s'est taillée une solide réputation en matière de blanc. Ce superbe mâcon-Uchizy 2000 montre que cette renommée n'est pas près de s'éteindre. D'un doré profond, riche d'arômes boisés, beurrés et épicés, il possède une bouche dense et racée qui a littéralement ébloui le jury. Il accompagnera parfaitement les crustacés et autres produits nobles de la mer. Le **mâcon-Chardonnay 2000**, dans un style différent, obtient une citation. C'est un vin de casse-croûte, de pique-nique, alors que le coup de cœur est digne d'un brochet ou d'un sandre.

EARL Raphaël et Gérard Sallet, L'Arfentière, rte de Chardonnay, 71700 Uchizy, tél. 03.85.40.50.45, fax 03.85.40.59.86, e-mail earlsallet@clubinternet.fr ☑ 🏠 ☓ r.-v.

DOM. DE LA SARAZINIERE
Buissières Cuvée Claude Seigneuret Vieilles vignes 2000

0,9 ha	5 000	🍷	5 à 8 €

Vigneron exemplaire, tant au niveau de l'approche des terroirs qu'à celui de l'élevage des vins, Philippe Trébignaud a élaboré encore une jolie cuvée boisée de mâcon Buissières blanc. Le jour de la dégustation, le bois dominait encore le vin, mais la tendance devrait s'inverser car la matière possède un réel potentiel. Des arômes intenses de grillé et de vanille s'étirent longuement. A attendre deux ou trois ans : il gagnera alors des étoiles et séduira le palais du Nouveau Monde.

Philippe Trébignaud, Dom. de La Sarazinière, 71960 Bussières, tél. 03.85.37.76.04, fax 03.85.37.76.23, e-mail philippe.trebignaud@wanadoo.fr ☑ ☓ r.-v.

DOM. SAUMAIZE-MICHELIN
Les Sertaux 2000★

1 ha	4 600		5 à 8 €

Produit sur la commune de Buissières, non loin de la Roche de Vergisson, ce vin tire sa sève d'un sol à dominance marno-calcaire associé à de l'argile. Il porte une belle robe or pâle brillante. L'élevage en fût a certainement apporté ces notes beurrées qui se mêlent aux arômes plus classiques de fruits secs et de grillé. Les nuances empyreumatiques dominent encore au palais, qui révèle une finale onctueuse et persistante. Ensemble harmonieux qui donnera sa pleine expression dans deux ou trois ans.
➥ Roger et Christine Saumaize-Michelin, Le Martelet, 71960 Vergisson, tél. 03.85.35.84.05, fax 03.85.35.86.77 ☑ ▼ r.-v.

DOM. DE LA SOUFRANDISE
Fuissé le Ronté 2000★★

1 ha	9 000		8 à 11 €

On se souvient d'un coup de cœur pour le millésime 95 en pouilly-fuissé, pour un 98 en mâcon-villages même cuvée que ce 2000... Ce domaine créé par un soldat de Napoléon reste l'une des valeurs sûres du Mâconnais. Parfaitement réussie, sa robe jaune d'or est étincelante, tout comme ses parfums intenses et complexes qui développent des notes de fruits secs, d'abricot et d'écorce d'orange. Au palais, on découvre un superbe volume, de la concentration et des arômes de confiserie. « On en mangerait », s'exclame un juré enthousiaste. Un beau vin à garder quelques années en cave.
➥ EARL Dom. la Soufrandise, Françoise et Nicolas Melin, 71960 Fuissé, tél. 03.85.35.64.04, fax 03.85.35.65.57 ☑ ▼ r.-v.

DOM. GERALD ET PHILIBERT TALMARD
Chardonnay Cuvée Joseph Talmard 2000★

5 ha	47 000		3 à 5 €

Gérald est arrivé en 1997 pour seconder son père Philibert Talmard. Tous les deux rendent un vibrant hommage à leur aïeul Joseph, avec cette cuvée d'un bel or cristallin. Ce vin intense semble d'abord frais par ses accents de citron et de pamplemousse, puis il privilégie le fruit compoté (coing). Généreux dès l'attaque, sa bouche équilibrée révèle un caractère minéral typique. Le **mâcon-Uchizy** obtient également une étoile. Ces deux cuvées sont à boire dans un à deux ans.
➥ Dom. Gérald et Philibert Talmard, rue des Fosses, 71700 Uchizy, tél. 03.85.40.53.18, fax 03.85.40.53.52, e-mail gerald.talmard@wanadoo.fr ☑ ▼ r.-v.

DOM. THIBERT PERE ET FILS
Prissé En Chailloux 2001

1,3 ha	11 000		5 à 8 €

Le 2000 fut coup de cœur l'an dernier. Le 2001 reflète bien son millésime et la typicité du terroir particulier de Prissé (plus limoneux qu'argilo-calcaire). D'une couleur pâle, presque argent vert, ce vin offre des senteurs typiques où se mêlent la fleur d'acacia, la poire et le beurre frais. Riche et rond, le palais encore vif s'achève sur des notes exotiques agréables. Atteindra sa complète plénitude dans deux ou trois ans.
➥ GAEC Dom. Thibert Père et Fils, Le Bourg, 71960 Fuissé, tél. 03.85.27.02.66, fax 03.85.35.66.21, e-mail domthibe@club-internet.fr ☑ ▼ r.-v.

CH. DE LA TOUR PENET
Péronne 2000★

1 ha	3 000		5 à 8 €

Ce magnifique château du XVIIᵉs. ayant appartenu à Alphonse de Lamartine est aujourd'hui une propriété viticole de 4 ha conduite avec art par Marie-Odile Janin. Elle élabore ce joli vin aux arômes d'amande grillée, de vanille et de miel. Très mûr, voire surmûri, il est harmonieux notamment par les notes citronnées de la finale. Charmeur, il est à boire dès à présent, mais peut supporter quelques années de vieillissement.
➥ Marie-Odile Janin, La Tour Penet, 71260 Péronne, tél. 03.85.36.94.01 ☑

CELINE ET LAURENT TRIPOZ
Loché Les Chênes 2000★

0,8 ha	1 800		8 à 11 €

Céline et Laurent Tripoz sont en train de convertir leur vignoble à la biodynamie. Leur cuvée jaune d'or intense présente des arômes puissants et complexes : les notes vanillées, fumées, pain grillé se marient aux nuances de fruits mûrs, de coing et de bergamote. Opulente et riche, la bouche harmonieuse s'étire en longueur pour s'achever sur une touche citronnée agréable. Un très beau vin, à servir sur des poissons grillés d'ici un à deux ans.
➥ Céline et Laurent Tripoz, pl. de la Mairie, 71000 Loché-Mâcon, tél. 03.85.35.66.09, fax 03.85.35.64.23, e-mail celine-laurent.tripoz@libertysurf.fr ☑ ▼ r.-v.

DIDIER TRIPOZ
Charnay Clos des Tournons 2000

4 ha	30 000		5 à 8 €

Le Clos des Tournons, d'une superficie de plus de 9 ha, est exploité par Didier Tripoz depuis 1988. C'est de ce clos qu'est issue cette cuvée à la robe légère et lumineuse. Le nez complexe est marqué par des arômes de fruits secs (abricot, amande) et de foin. Une petite note acidulée apparaît en bouche, par ailleurs bien équilibrée. Un vin recommandé sur un fromage de chèvre mâconnais.
➥ Didier Tripoz, 450, chem. des Tournons, 71850 Charnay-lès-Mâcon, tél. 03.85.34.14.52, fax 03.85.20.24.99, e-mail didiertripoz@wanadoo.fr ☑ ▼ r.-v.

DOM. VESSIGAUD
Fuissé 2000

2,1 ha	18 500		5 à 8 €

A la recherche de l'authentique afin d'exprimer la typicité de ses terroirs, le domaine Vessigaud travaille de la façon la plus naturelle possible. Cité dans le Guide pour deux cuvées : mâcon-fuissé 2000 et **mâcon-solutré 2000**. Délicatesse et finesse aromatique pour la première avec ses arômes de fleurs blanches et de miel. Rondeur et puissance pour la seconde, essentiellement caractérisée par son équilibre et sa complexité.
➥ Dom. Vessigaud Père et Fils, hameau de Pouilly, 71960 Solutré, tél. 03.85.35.81.18, fax 03.85.35.84.29 ☑ ▼ r.-v.

Sachez ranger votre cave : les blancs près du sol, les rouges au-dessus ; les vins de garde dans les rangées du fond, les bouteilles à boire en situation frontale.

BOURGOGNE

Viré-clessé

Appellation communale récente née le 4 novembre 1998, viré-clessé a de solides ambitions en matière de vins blancs. La délimitation porte sur 552 ha dont les quatre cinquièmes sont actuellement plantés ; ils ont produit 16 639 hl en 2001. Les dénominations mâcon-viré et mâcon-clessé disparaîtront en 2002.

DOM. ANDRE BONHOMME
Vieilles vignes 2000

2 ha	10 000	▌⊞↓	8 à 11 €

Il faut entrer dans l'église de Viré où se trouve un admirable *ecce homo* du XVIes. Il faut aussi connaître André Bonhomme, l'un des grands messieurs du vin qui s'investit dans le devenir de l'appellation. Attaché à la qualité et à l'authenticité, il propose une cuvée Vieilles vignes (soixante-huit ans d'âge moyen), de belle facture, or pâle à reflets bronze. Elle possède des arômes expressifs d'amandes grillées et des notes boisées. La bouche réussit à allier la fraîcheur et le gras et fait preuve d'une bonne persistance fruitée. A attendre un ou deux ans.
◖ André Bonhomme, Cidex 2108, 71260 Viré, tél. 03.85.27.93.93, fax 03.85.27.93.94 ☑ ⓘ r.-v.

CLOS DU CHATEAU
Vieilles vignes 2000*

2,5 ha	12 000	▌	5 à 8 €

A quelques encâblures du domaine de Marielle et Robert Marin, se dresse fièrement la chapelle de Quintaine, dominant un joli coteau de vignes. Il est difficile de briller davantage : doré intense à reflets verts, ce 2000 possède une couleur alléchante. Il développe des arômes complexes de pamplemousse et de cassis soutenus par des notes de beurre et de miel. Moins expressif en bouche, il devra attendre quelques mois pour s'épanouir. Il n'a donc probablement pas dit son dernier mot.
◖ Robert et Marielle Marin, rte de la Vigne-Blanche, 71260 Clessé, tél. 03.85.36.95.92, fax 03.85.36.93.07
☑ ⓘ r.-v.
◖ G. Mornand

DOM. RENE MICHEL ET SES FILS
Vieilles vignes 2000

10 ha	70 000	▌↓	8 à 11 €

Régulièrement mentionné dans le Guide, le domaine Michel est une valeur sûre de l'appellation. Peu expressifs les premières années, ses vins ont besoin de temps pour s'épanouir. Ce 2000 s'annonce par une robe or pâle scintillante et des parfums intenses et complexes où se mêlent les fleurs blanches de l'acacia et du tilleul aux fruits secs. Ample et équilibré, mais encore sur la réserve, il accompagnera merveilleusement les poissons de Saône après quelques années de vieillissement en cave (de deux à cinq ans).
◖ Dom. René Michel et ses Fils, Cray, 71260 Clessé, tél. 03.85.36.94.27, fax 03.85.36.99.63 ☑ ⓘ r.-v.

RONGIER ET FILS 2000

8 ha	n.c.	▌	5 à 8 €

Clessé, situé sur le circuit mâconnais des églises romanes, possède une église du XIes. au très beau clocher

octogonal. Le village est bien sûr sur une route des vins. A l'œil, ce 2000 présente une couleur jaune pâle avec d'intenses reflets verts ; des arômes assez complexes s'ouvrent sur des notes d'ananas, de champignons frais et de pâte de coing. Si l'attaque est riche, le palais n'en est pas moins équilibré, frais et s'achève sur des notes muscatées agréables. Délicate et parfumée, cette bouteille accompagnera des mets fins tels les poissons nobles.
◖ EARL Claudius Rongier et Fils, rue du Mur, 71260 Clessé, tél. 03.85.36.94.05, fax 03.85.36.94.05
☑ ⓘ r.-v.

CAVE DE LA VIGNE BLANCHE
Vieilles vignes 2000

3 ha	17 500	▌↓	5 à 8 €

Issue de sélection de vignes de soixante ans, cette cuvée élevée de façon traditionnelle se pare d'une belle robe dorée à reflets verts. Des fragrances de haies vives (églantine, acacia...) se mêlent à des notes de surmaturité. Après une attaque perlante, le vin se révèle souple, suave et laisse une bonne impression. Flatteur, il est déjà à boire. Une mention également pour le **viré-clessé 2000**, sans autre dénomination, fruité et convivial.
◖ Cave Coop. de Clessé, rte de la Vigne-Blanche, 71260 Clessé, tél. 03.85.36.93.88, fax 03.85.36.97.49, e-mail cavecooperative.vigneblanche@wanadoo.fr
☑ ⓘ r.-v.

Pouilly-fuissé

Le profil des roches de Solutré et de Vergisson s'avance dans le ciel comme la proue de deux navires ; à leur pied, le vignoble le plus prestigieux du Mâconnais, celui de pouilly-fuissé, se développe sur les communes de Fuissé, Solutré-Pouilly, Vergisson, et Chaintré. La production atteint 44 592 hl en 2001.

Les vins de Pouilly ont acquis une très grande notoriété, notamment à l'exportation, et leurs prix ont toujours été en compétition avec ceux des chablis. Ils sont vifs, pleins de sève et parfumés. Lorsqu'ils sont élevés en fût de chêne, ils acquièrent en vieillissant des arômes caractéristiques d'amande grillée ou de noisette.

DOM. ABELANET-LANEYRIE
Cuvée Prestige 1998***

1 ha	1 693	⊞	15 à 23 €

Issue d'une sélection des meilleurs terroirs du domaine, cette cuvée est récoltée à forte maturité. Vinifiée et élevée en fût de chêne avec bâtonnages réguliers, elle a tout d'un grand vin. Parée d'une robe jaune pâle brillante, elle offre un nez très aromatique de fruits confits, de pâte de coing et d'abricot sec, témoin d'une vendange surmaturée. Elle s'impose surtout par sa bouche riche, légèrement miellée et subtilement équilibrée. Belle alliance en perspective avec un foie gras.

◥ Abélanet-Laneyrie, Les Buissonnats, 71570 Chaintré, tél. 03.85.35.61.95, fax 03.85.35.66.43, e-mail ericabel@club-internet.fr ☑ ⵏ r.-v.

AUVIGUE
Hors Classe 2000★

| | n.c. | 2 000 | ⑪ 15 à 23 € |

Récoltée à 14 % vol. le 12 octobre 2000, cette cuvée « hors classe » mérite grandement son nom. Revêtue d'une robe or paille brillante et limpide, elle évoque au nez le grillé et les fruits mûrs. Savamment dosé, le bois accompagne une ample structure dans un ensemble harmonieux malgré une finale aujourd'hui légèrement amère. A découvrir avec des grenouilles rôties en persillade en 2003.

◥ Vins Auvigue, Le Moulin-du-Pont, 71850 Charnay-lès-Mâcon, tél. 03.85.34.17.36, fax 03.85.34.75.88, e-mail vins.auvigue@wanadoo.fr ☑ ⵏ r.-v.

CH. DE BEAUREGARD
Les Ménétrières 2000★★

| | 0,7 ha | 4 000 | ⑪ 15 à 23 € |

Il semble que l'arrivée de Frédéric-Marc Burrier à la tête du domaine familial ait donné un souffle nouveau au château de Beauregard. Récompensé par un coup de cœur dans la précédente édition pour un 99, il réussit cette magnifique cuvée des Ménétrières. Etincelante dans une robe d'un beau jaune à reflets dorés, elle distille de remarquables arômes à la fois floraux (fleurs d'acacia, buis...) et boisés (vanillé, grillé, toast chaud...). L'attaque gustative est franche, puis la bouche se montre ample et généreuse. La touche finale minérale et acidulée exprime le terroir et promet un bel avenir (dix ans). Egalement appréciée, la **cuvée classique 2000 (11 à 15 €)**, jugée très réussie, saura séduire d'ici un an ou deux grâce à ses notes de surmaturité et à son ampleur. Un domaine à suivre de très près.

◥ Joseph Burrier, Ch. de Beauregard, 71960 Fuissé, tél. 03.85.35.60.76, fax 03.85.35.66.04, e-mail joseph.burrier@mageos.com ☑ ⵏ r.-v.
◥ F.-M. Burrier

LA CHARDONNERAIE 2000★★

| | n.c. | 6 600 | ▮ 11 à 15 € |

Etiquetée « La Chardonneraie » par la maison de négoce Ferraud, cette bouteille ne peut, en effet, renier son cépage. D'une belle couleur aux reflets jaune-vert, les fleurs blanches (acacia, chèvrefeuille) marquent le premier nez tandis que des notes fruitées type abricot, poire apparaissent après aération. Acidulée à l'attaque, la bouche se montre ensuite généreuse et structurée. Sur la finale, on retrouve l'incroyable corbeille de fruits du nez. Remar-

quable dès aujourd'hui, cette bouteille pourra également accompagner les poissons les plus fins dans deux ou trois ans.

◥ Pierre Ferraud et Fils, 31, rue du Mal-Foch, 69220 Belleville, tél. 04.74.06.47.60, fax 04.74.66.05.50, e-mail ferraud@asi.fr ☑ ⵏ t.l.j. sf dim. 8h-12h 14h-18h

DOM. CHATAIGNERAIE LABORIER
Elevé en Fût 2000★★

| | 3 ha | 3 000 | ⑪ 11 à 15 € |

Vendangée à la main le 16 septembre 2000, vinifiée en fût de chêne pendant dix mois, cette cuvée s'avère dès aujourd'hui remarquable. D'un aspect très jeune, jaune clair à reflets verts, elle livre des parfums à dominante de fruits secs : amandes grillées, noisette, affinés par une pointe de vanille. La bouche se distingue par ses arômes de pain grillé ainsi que par une structure complexe et équilibrée. La touche finale mentholée lui donne de la fraîcheur et une belle longueur. A boire ou à conserver deux ou trois ans.

◥ Dom. Châtaigneraie Laborier, Les Bruyères, 71960 Vergisson, tél. 03.85.35.85.51, fax 03.85.35.82.42, e-mail gil.morat@wanadoo.fr ☑ ⵏ r.-v.
◥ Gilles Morat

DOM. MICHEL CHEVEAU
Cuvée Michel André 2000

| | 0,3 ha | n.c. | ⑪ 15 à 23 € |

Cette cuvée Michel André est un hommage au grand-père et au père de Nicolas Cheveau qui a pris la tête de ce domaine familial en 1999. Jaune doré à l'œil, ce 2000 finement boisé offre des senteurs de fleurs blanches et de fruits cuits (pâte de coing). Ample, sa structure à l'équilibre flatteur compose une bouche riche, impressionnante par sa longueur et ses notes surmaturées. Légèrement en marge du profil de l'appellation, il n'en reste pas moins un excellent vin.

◥ Dom. Michel Cheveau, 71960 Solutré-Pouilly, tél. 03.85.35.81.50, fax 03.85.35.87.88 ☑ ⵏ r.-v.

CLOS DE LA CHAPELLE 2000

| | 0,4 ha | 1 600 | ⑪ 15 à 23 € |

Pascal Rollet est un vigneron passionné et un fervent défenseur de l'appellation. Il propose cette cuvée issue de très vieilles vignes (soixante-quatorze ans), vendangées manuellement et élevées en fût pendant neuf mois. Or vert à vert pâle, ce vin discret s'ouvre sur d'élégants parfums floraux (acacia, aubépine) puis fruités et même miellés. Tendre à l'attaque, sa belle matière est soutenue par une acidité intense. Des notes d'agrumes (citron vert et citronnelle) finalisent le tout. Equilibré mais encore peu expressif aujourd'hui, laissons-lui le temps de s'affirmer (deux à trois ans).

◥ Pascal Rollet, hameau de Pouilly, 71960 Solutré-Pouilly, tél. 03.85.35.81.51, fax 03.85.35.86.43 ☑ ⵏ t.l.j. 9h-18h

CLOS DU MARTELET 2000★

| | 0,75 ha | 4 000 | ⑪ 8 à 11 € |

Cette superbe propriété située au pied de la Roche de Vergisson compte 1,20 ha de vignes entièrement clos de murs en pierre. Michelle Galley, à sa tête depuis 1985, élabore des vins de grande finesse, grâce notamment à la maîtrise des rendements. Ce 2000, à la robe dorée et brillante, est empreint de nombreux reflets vert pâle. Son nez évoque les fleurs (acacia, jasmin...) et la bouche, encore

BOURGOGNE

sur la réserve, possède de l'élégance, de la souplesse et d'agréables notes citronnées en finale. Très réussi, il est à boire dans un ou deux ans avec, pourquoi pas, un plateau de fruits de mer.

⌐ Michelle Galley-Golliard, Le Tremblay, La Cras, 71250 Cluny, tél. 03.85.59.11.58, fax 03.85.59.21.46
☑ ⏧ r.-v.

DOM. CORDIER PERE ET FILS
Vers Cras 2000★

	0,3 ha	1 800	⏧ 23 à 30 €

Roger le père et Christophe le fils mènent en tandem ce domaine de renommée internationale. Situé sur les hauteurs de Fuissé, celui-ci s'étend aujourd'hui sur 13,5 ha des plus beaux terroirs du Mâconnais. Vers Cras 2000, d'une couleur dorée à reflets gris, est d'emblée séducteur. Des arômes de torréfaction (café, grillé...) embaument le verre. L'attaque vive aux nuances séveuses laisse la place à un bel équilibre gras-acidité mais la finale est dominée par l'élevage en fût. Avec la puissance qu'il dégage, il est évident que dans quelques années (trois à cinq ans) ce vin saura atteindre les sommets. **Vers Pouilly 2000** est cité pour son fruit et sa plénitude dès aujourd'hui.

⌐ Dom. Cordier Père et Fils, 71960 Fuissé, tél. 03.85.35.62.89, fax 03.85.35.64.01, e-mail domaine.cordier@wanadoo.fr ⏧ r.-v.

DOM. MICHEL DELORME
Vieilles Vignes 2000★★

	0,9 ha	6 000	⏧ 11 à 15 €

Au cœur du bourg de Vergisson, cette demeure du XVIIIᵉˢ., fleurie et pleine de charme, évoque la plénitude. Très aromatique (miel, fruits secs, toast chaud...), cette cuvée offre une complexité de saveurs équilibrées et une matière riche et puissante. Un vin racé qui montre les potentialités de garde des pouilly-fuissé.

⌐ Dom. Michel Delorme, Le Bourg, 71960 Vergisson, tél. 03.85.35.84.50, fax 03.85.35.84.50, e-mail micheldelorme@club-internet.fr
☑ ⏧ t.l.j. 10h-19h

ANDRE DEPARDON
La Mure 2000★

	1,25 ha	3 000	☒⏧ 5 à 8 €

Produite par André Depardon, figure emblématique du Beaujolais, et mise en marché (à tarif très raisonnable) par l'Eventail de Vignerons Producteurs, cette cuvée, jaune pâle assez brillante, livre des parfums puissants de fruits exotiques et de miel d'acacia. L'attaque souple est suivie d'impressions charnues accompagnées de notes minérales et citronnées. Appréciable dès aujourd'hui ou à conserver quelques années en cave.

⌐ André Depardon, 71570 Leynes, tél. 04.74.06.10.10, fax 04.74.66.13.77 ☑ ⏧ r.-v.

DOM. DES DEUX ROCHES 2000★

	n.c.	n.c.	⏧ 15 à 23 €

Un vin jaune d'or soutenu, où les agrumes confits viennent se fondre avec la réglisse. Au palais, richesse et rondeur s'ébattent dans un environnement miellé et fruité (pâte de coing). Long en bouche, ce vin est prêt à boire, et pourquoi pas sur des ris de veau.

⌐ Dom. des Deux Roches, 71960 Davayé, tél. 03.85.35.86.51, fax 03.85.35.86.12 ⏧ r.-v.

CORINNE ET THIERRY DROUIN
Maréchaude 2000★★

	0,12 ha	800	⏧ 11 à 15 €

Une petite parcelle de 12 ares d'une vingtaine d'années exposée plein sud sur sol calcaire est à l'origine de ce vin à la robe dorée. Un registre délicatement boisé marque son premier nez, puis laisse apparaître des notes d'agrumes confites et de miel. Tout d'abord discret, il monte vite en puissance avec notamment une extraordinaire présence aromatique florale : églantine, tilleul... Race et finesse caractérisent cette cuvée qui pourra être servie dans sa prime jeunesse sur un homard ou alors sur un foie gras dans six à huit ans.

⌐ Corinne et Thierry Drouin, Le Grand Pré, 71960 Vergisson, tél. 03.85.35.84.36, fax 03.85.35.86.84
☑ ⏧ r.-v.

GEORGES DUBŒUF
Prestige 2000★★★

	n.c.	24 000	☒⏧↓ 8 à 11 €

Née sur les terres des origines de Georges Dubœuf, cette cuvée Prestige s'annonce par une robe d'un bel or lumineux. Le nez, fin et délicat, mêle les fleurs, la noisette et la vanille, rehaussé par une note mentholée. L'attaque franche et vive est relayée par une superbe matière, riche, séveuse qui se prolonge longuement avec élégance et persistance. Du grand art.

⌐ SA Les Vins Georges Dubœuf, quartier de la Gare, BP 12, 71570 Romanèche-Thorins, tél. 03.85.35.34.20, fax 03.85.35.34.25, e-mail gduboeuf@duboeuf.com
☑ ⏧ t.l.j. 9h-18h au Hameau en Beaujolais; f. 1ᵉʳ-15 jan.

GEORGES DUBŒUF
Elevée en Fût de Chêne 1999★★★

	n.c.	24 000	⏧ 8 à 11 €

Georges Dubœuf met toute sa passion et son savoir-faire dans l'élaboration et l'élevage de cette cuvée. Les raisins entiers sont pressurés avec soin et le moût fermente en fût de chêne neuf. Le résultat est un vin parfait, or intense, très représentatif de son appellation. Les arômes sont caractéristiques d'une vendange mûre (fruits jaunes, miel) et d'un élevage sous bois (beurre frais, grillé). La bouche ronde, riche et puissante, se révèle corsée et s'achève sur des notes de café et de réglisse des plus plaisantes. Un grand seigneur, à prix doux, à réserver pour les plus grandes occasions.

⌐ SA Les Vins Georges Dubœuf, quartier de la Gare, BP 12, 71570 Romanèche-Thorins, tél. 03.85.35.34.20, fax 03.85.35.34.25, e-mail gduboeuf@duboeuf.com
☑ ⏧ t.l.j. 9h-18h au Hameau en Beaujolais; f. 1ᵉʳ-15 jan.

ERIC FOREST
Haut de Crays Vieille Vigne 2000★

	0,3 ha	900	⏧ 15 à 23 €

Récemment installé, Eric Forest, en digne héritier de la lignée des Forest, réussit l'exploit, dès sa première récolte, d'inscrire son pouilly-fuissé 2000 parmi les plus grands. La robe est d'une belle couleur dorée, brillante et limpide. L'olfaction est puissante, composée de notes fruitées (raisins mûrs, citrons confits) très plaisantes et boisées. Le vin se révèle gras et généreux ponctué de touches d'agrumes très fraîches. Le support boisé présent ne gêne en rien le plaisir. Harmonieux, il pourra accompagner une volaille de Bresse à la crème d'ici un à deux ans.

⌐ Eric Forest, Le Martelet, 71960 Vergisson, tél. 06.22.41.42.55 ☑ ⏧ r.-v.

CH. FUISSE
Vieilles Vignes 2000★★★

	6 ha	15 000	ⅰ⅃ 23 à 30 €

Parmi la vaste palette de vins proposés par Jean-Jacques Vincent, propriétaire du Château Fuissé, on retiendra plus particulièrement cette année ces superbes Vieilles vignes. Issues d'un assemblage d'une quinzaine de parcelles sur les communes de Pouilly et de Fuissé, elles sont vinifiées selon la méthode traditionnelle bourguignonne (en fût, sur lie avec bâtonnage). D'une belle robe jaune d'or brillante s'échappent de nombreuses notes boisées, grillées, puis avec l'aération, des senteurs florales (lilas, chèvrefeuille). La bouche est vive et franche, l'équilibre acide-alcool harmonieux, et la finale s'achève sur de douces nuances fruitées. Encore sur la réserve, il sera magnifique dans trois à cinq ans sur des poissons nobles. Egalement très réussi, le **Château Fuissé 2000** développe un nez de torréfaction et de fleurs sèches, annonçant une bouche ronde et fraîche. Et pour finir, le **Clos monopole du Château 2000** (15 à 23 €) est cité par le jury pour ses arômes de coing et son aptitude à être apprécié dès aujourd'hui.

🕭 SC Ch. de Fuissé, Le Plan, 71960 Fuissé,
tél. 03.85.27.05.90, fax 03.85.35.67.34,
e-mail domaine@chateau-fuisse ☑ ⅄ r.-v.

🕭 Jean-Jacques Vincent

DOM. DE FUSSIACUS
Vieilles vignes 2000★

	2,5 ha	10 000	ⅰ⅃ 11 à 15 €

Un terroir argilo-calcaire, des vignes cinquantenaires, un élevage en fût bien mené et voici ce pouilly-fuissé. Il se présente dans une robe jaune à reflets or et son nez discret, vanillé et fruité est finement boisé. La bouche franche, vive, possède une jolie matière et la finale est presque veloutée. C'est un vin agréable et complet qui pourra être l'hôte de votre table d'ici un an ou deux. Cité, le pouilly-fuissé **Domaine Les Vieux Murs 2000** est agréable, typé et à boire dès à présent.

🕭 Jean-Paul Paquet, 71960 Fuissé, tél. 03.85.27.01.06, fax 03.85.27.01.07, e-mail fussiacus@wanadoo.fr
☑ ⅄ r.-v.

DOM. DES GERBEAUX
Cuvée Jacques Charvet 2000★★★

	0,2 ha	1 100	ⅰ⅃ 15 à 23 €

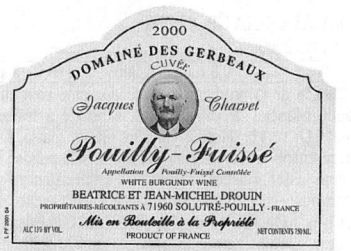

Comme à son habitude, Jean-Michel Drouin sait tirer la quintessence de ses vieilles vignes de quatre-vingts ans et de leur terroir. Il obtient un indiscutable coup de cœur pour la cuvée Jacques Charvet à l'or profond. Une palette aromatique complexe alliant grillé, fruits secs et miel laisse un magnifique fond de verre. La bouche riche et souple à

la fois fait entrevoir des notes minérales du terroir et de vanille de l'élevage. Un très bon support acide lui donne de la longueur et du charme. Puissant mais élégant, il est à attendre trois ou quatre ans. La cuvée **Champs Roux de Pouilly 2000** (11 à 15 €) est remarquable par ses arômes enchanteurs de fleurs blanches, de pêche, de poire et son excellente harmonie bois-vin. **Terroirs de Pouilly et Fuissé 2000** (8 à 11 €), assemblage de vieilles vignes, est cité pour ses notes fruitées et sa vivacité printanière qui annonce un bel avenir.

🕭 Jean-Michel Drouin, Les Gerbeaux,
71960 Solutré-Pouilly, tél. 03.85.35.80.17,
fax 03.85.35.87.12 ☑ ⅄ r.-v.

DOM. GIRARD 2000★

	1,4 ha	8 000	ⅰ ⅰ⅃ ⅃ 8 à 11 €

Ce vin signé Noël Girard possède une robe dorée soutenue. Les caractères aromatiques sont intenses et complexes : grillé puis fleurs blanches et enfin une note anisée. Des nuances boisées accompagnent bien sa structure ample et grasse. De bonne harmonie générale, il est à boire dès aujourd'hui.

🕭 Noël Girard, Les Gerbeaux, 71960 Solutré,
tél. 03.85.35.83.28, fax 03.85.35.86.81 ☑ ⅄ r.-v.

DOM. GONON
Tradition 2000

	n.c.	1 500	ⅰ⅃ 8 à 11 €

Tradition est le nom de cette cuvée qui a retenu l'attention du jury. Or pâle limpide dans le verre, elle développe des arômes floraux et boisés (fumée, vanille). Derrière une attaque acidulée, on retrouve le boisé bien intégré, mêlé à la minéralité du terroir. Un vin d'avenir à déguster dans trois ou quatre ans. Les **Vieilles vignes 2000** à la robe claire et brillante, qui révèlent en bouche des arômes d'agrumes mais surtout un excellent équilibre, méritent d'être citées.

🕭 Dom. Gonon, 71960 Vergisson, tél. 03.85.37.78.42,
fax 03.85.37.77.14, e-mail domgonon@aol.com
☑ ⅄ r.-v.

DOM. JEAN GOYON 2000

	2 ha	7 000	ⅰ ⅰ⅃ ⅃ 11 à 15 €

Issus des vignes presque cinquantenaires de la commune de Solutré, les raisins sont cueillis à la main, et le plus grand soin est apporté à leur traitement : pressoir pneumatique, cuves thermorégulées etc... Cette cuvée habillée d'or enchante dès le premier regard. Typé et de bonne intensité, le nez est vanillé, beurré et délicatement fleuri. Quelques notes de moka apparaissent à l'aération. Le boisé s'impose ensuite et demande un an pour se fondre.

🕭 Dom. Jean Goyon, Au Bourg,
71960 Solutré-Pouilly, tél. 03.85.35.81.15,
fax 03.85.35.87.03,
e-mail jean.goyon.domaine@wanadoo.fr ☑ ⅄ r.-v.

THIERRY GUERIN
La Roche 2000★

	n.c.	3 000	ⅰ⅃ 8 à 11 €

Adossé à la Roche, Vergisson enchante par son site et son point de vue sur la vallée de la Saône et par temps clair sur le massif du Mont-Blanc. Thierry Guérin y a produit un pouilly-fuissé tout en finesse et en élégance, floral et fruité. Equilibré, rond et long, il sera à boire d'ici un à deux ans sur un poisson de rivière.

☛ Thierry Guérin, Le Sabotier, 71960 Vergisson,
tél. 03.85.35.84.06, fax 03.85.35.87.38 ☑ ⍗ r.-v.

DOM. JEANDEAU
La Terre Jeanduc 2000★★

	0,2 ha	1 200	🍷 15 à 23 €

La Gloriette des Prouges, magnifique bâtisse au cœur
de Fuissé, est le siège du domaine Jeandeau. Ce domaine,
petit par la taille (3,5 ha), entre dans la cour des grands
grâce aux efforts consentis ces dernières années, en matière
de culture de la vigne (conversion en biologie et biodynamie) et de vinification. La Terre Jeanduc, vin de garde par
excellence, possède une robe dorée intense, un nez boisé
et minéral d'une grande finesse. La bouche s'avère dès
l'attaque complexe et équilibrée et s'achève sur des notes
beurrées et grillées. « Beaucoup de vin dans cette bouteille », conclut un dégustateur. Le **pouilly-fuissé Tradition 2000 (11 à 15 €)** a séduit le jury, notamment par le
fruit bien présent qui permet de le consommer d'ici un ou
deux ans.

☛ Dom. Jeandeau, La Gloriette des Prouges,
71960 Fuissé, tél. 03.85.29.20.46, fax 03.85.20.16.62,
e-mail sylvain @ domainejeandeau.com ☑ ⍗ r.-v.

MICHELE ET GERARD KINSELLA 1999

	0,68 ha	4 000	🍷 8 à 11 €

Michèle et Gérard Kinsella sont installés à Chénas en
Beaujolais mais exploitent une parcelle de 0,68 ha de
pouilly-fuissé. Elevé six mois en cuve, ce vin or pâle égrène
des notes simples et fines de chèvrefeuille et d'épices.
Souple, rond, il est frais et agréable.

☛ EARL des Chassignols, Les Deschamps,
69840 Chénas, tél. 03.85.33.85.70, fax 03.85.33.85.70,
e-mail gerard @ chassignols.com ☑ ⍗ r.-v.

DOM. DE LALANDE 2000★★

	n.c.	3 000	🍷 8 à 11 €

Un terroir de qualité et une grande passion du métier
de vigneron. La rencontre des deux donne des vins
remarquables tel ce 2000. Dès le premier regard, on est
séduit par sa belle teinte jaune paille. Complexe et intense,
le nez offre une multitude de fragrances : vanille, pain
grillé, noisette, beurre, écorce d'orange... La bouche
ample, fraîche, fruitée est en harmonie parfaite avec les
arômes. La finale confiserie et viennoiserie appelle une
nouvelle gorgée. Une belle réussite mariant harmonieusement le bois et le vin.

☛ Dominique Cornin, chem. du Roy-de-Croix,
71570 Chaintré, tél. 03.85.37.43.58, fax 03.85.37.43.58,
e-mail dominique.cornin @ fnac.net ☑ ⍗ r.-v.

DOM. EDMOND LANEYRIE 1999★

	1 ha	2 500	🍷⤓ 8 à 11 €

Edmond Laneyrie, président de l'Union des producteurs de pouilly-fuissé, a longtemps œuvré pour la reconnaissance de l'appellation. En nous offrant ce très réussi
99, les successeurs se montrent dignes de leur ancêtre.
D'une belle couleur dorée à reflets verts, il s'en dégage de
délicats arômes floraux (tilleul, acacia). La bouche élégante
et douce se montre équilibrée. La finale fruitée le rend
agréable dès aujourd'hui.

☛ Dom. Edmond Laneyrie, Le Bourg,
71960 Solutré-Pouilly, tél. 03.85.35.80.67,
fax 03.85.35.80.67 ☑ ⍗ r.-v.

☛ GFA des Domaines Laneyrie

DOM. LAPIERRE
Vieilles Vignes[] 2000

	1 ha	2 000	🍷 11 à 15 €

Sur les pentes argilo-calcaires des Chailloux, ce
domaine produit un pouilly-fuissé bien typé, à la belle
couleur vieil or et aux arômes évoquant les fleurs blanches,
le miel et le boisé. Il accompagnera une volaille à la crème
ou un brochet au beurre blanc.

☛ Michel Lapierre, Le Bourg, 71960 Solutré-Pouilly,
tél. 03.85.35.80.45, fax 03.85.35.87.61 ☑ ⍗ r.-v.

DOM. LAROCHETTE-MANCIAT
Grande Réserve 2000★★

	0,5 ha	2 000	🍷 15 à 23 €

Installés depuis 1988, Marie-Pierre et Olivier Larochette, vignerons passionnés, ont connu une ascension
fulgurante ces dernières années. Il suffit pour s'en convaincre de déguster cette Grande Réserve. Revêtue d'un jaune
d'or intense, elle développe au nez de fins arômes vanillés,
grillés et cire d'abeille. Le palais est opulent et concentré.
La ligne gustative est pure et la structure parfaite. Le boisé,
encore très présent, laisse malgré tout s'exprimer une belle
minéralité. Origine, typicité, maturité d'élevage de grande
classe caractérisent cette exceptionnelle cuvée. Egalement
remarquable, la cuvée **Vieilles vignes 2000 (11 à 15 €)**
finement ciselée et dentelée est un modèle du genre. Un
véritable travail d'orfèvre. A citer **Les Petites Bruyères
2000 (11 à 15 €)** issues de vignes plus jeunes mais
admirablement vinifiées et élevées sans fût. Une réussite
parfaite.

☛ Dom. Larochette-Manciat, rue du Lavoir,
71570 Chaintré, tél. 03.85.35.61.50, fax 03.85.35.67.06,
e-mail o-larochette @ club-internet.fr ☑ ⍗ r.-v.

☛ O. et M.-P. Larochette

DOM. DES MAILLETTES
Grande Réserve 2000

	0,6 ha	5 000	🍷 11 à 15 €

Elevé en fût pendant neuf mois, ce pouilly-fuissé en
garde la marque. Brillant et jaune clair, il développe des
notes grillées, brûlées, torréfiées et de moka, empreintes
de bois. Puissante mais friande, boisée mais beurrée, la
bouche se révèle assez longue et agréable ; elle demandera
deux à trois ans pour s'harmoniser. A servir alors sur une
tourte au saumon.

☛ Guy Saumaize, Les Maillettes, 71960 Davayé,
tél. 03.85.35.82.65, fax 03.85.35.86.69 ☑ ⍗ r.-v.

DOM. MANCIAT-PONCET
Les Crays 2000

	0,8 ha	6 000	▌🍷⤓ 8 à 11 €

95 % de la production de ce domaine conduit par
Claude Manciat depuis 1970 est exportée à travers le
monde. Or vert brillant, ce vin offre un nez toasté, beurré
et légèrement fruité. L'attaque fraîche suit puis sa belle
matière, assez longue, s'installe. Il saura attendre deux
à trois ans.

☛ Dom. Manciat-Poncet, 65, chem. des Gérards,
Levigny, 71850 Charnay-lès-Mâcon, tél. 03.85.29.22.93,
fax 03.85.29.17.59 ☑ ⍗ r.-v.

☛ Claude Manciat

DOM. MATHIAS 2000★

	3 ha	20 000	🍷 11 à 15 €

Le village de Chaintré, haut lieu de la gastronomie
grâce à son fameux restaurant La Table de Chaintré est

également un haut lieu viticole grâce à ses terroirs joliment exposés. Ce domaine situé au bourg propose ce 2000 doré et brillant. Le nez relativement intense, évoquant le raisin mûr, est doucement boisé. Equilibré et dense, très franc jusque dans la finale aux notes minérales, fraîches, ce vin est à boire dès aujourd'hui sur des noix de Saint-Jacques à la fondue de pomme et d'endive.

🕯 Béatrice et Gilles Mathias, rue Saint-Vincent, 71570 Chaintré, tél. 03.85.27.00.50, fax 03.85.27.00.52 ☑ 🏠 ✸ r.-v.

PIERRE OLIVIER 2000★

	n.c.	10 000	🍴 11 à 15 €

Proposé par un négociant, ce pouilly-fuissé est revêtu d'une robe dorée brillante. Maracuja, mangue et autres fruits exotiques composent les premières notes du nez, puis apparaissent des notes épicées et minérales des plus distinguées. Après une attaque franche, il développe une matière correcte structurée par la minéralité. Prototype de ce que peut produire un terroir argilo-calcaire à dominante calcaire, il est intéressant par sa typicité, même si l'austérité domine encore la bouche (mais pas le nez).

🕯 Pierre Olivier, 2, rue François-Mignotte, 21700 Nuits-Saint-Georges, tél. 03.80.62.42.08, fax 03.80.61.28.13, e-mail micave@wanadoo.fr ☑ ✸ t.l.j. 10h-18h; f. jan.

MARIE-LOUISE PARISOT 2000★

	n.c.	n.c.	🍴 11 à 15 €

Or brillant à reflets verts, ce pouilly-fuissé offre des senteurs de noisette, de beurre, de grillé, accompagnées d'une pointe mentholée. Concentré et complexe, il est encore marqué au palais par la torréfaction du boisé. Apprécié par le jury, ce vin est proposé par un négociant de Nuits-Saint-Georges.

🕯 Marie-Louise Parisot, rue Lavoisier, 21700 Nuits-Saint-Georges, tél. 03.80.62.64.11, fax 03.80.62.64.13 ✸ r.-v.

CH. DES RONTETS
Pierrefolle 2000

	0,6 ha	4 000	🍷 11 à 15 €

Pierrefolle est le nom d'une parcelle que la famille Gazeau a baptisée ainsi lors de sa plantation il y a environ quarante ans. La roche très proche fut dynamitée et des tonnes de pierres furent évacuées. Légèrement ambrée, brillante et limpide, cette cuvée propose un nez complexe, beurré, toasté mais également chèvrefeuille. Fraîche et équilibrée, un peu fermée et austère aujourd'hui, elle devrait progresser l'an prochain lorsque le fût sera fondu.

🕯 Claire et Fabio Gazeau-Montrasi, Ch. des Rontets, 71960 Fuissé, tél. 03.85.32.90.18, fax 03.85.35.66.80, e-mail chateaurontets@compuserve.com ☑ ✸ r.-v.

CH. DES RONTETS
Les Birbettes 1999★★

	1,1 ha	4 826	🍷 15 à 23 €

Claire et Fabio Montrasi se sont installés en 1995 et se sont mis en tête de ne produire que des vins de caractère marqué du terroir. Cela ne peut que vous réjouir car le résultat est remarquable. Ce très beau 99, fin et riche à la fois, se révèle typique de son appellation. Avec sa robe d'or étincelante, ses senteurs de fruits mûrs et de vanille et sa bouche puissante et fraîche, il est vos « maestros » de la dégustation. Possédant un bon potentiel de garde, il saura attendre plusieurs années dans votre cave avant d'être servi sur un poisson noble.

🕯 Claire et Fabio Gazeau-Montrasi, Ch. des Rontets, 71960 Fuissé, tél. 03.85.32.90.18, fax 03.85.35.66.80, e-mail chateaurontets@compuserve.com ☑ ✸ r.-v.

JACQUES SAUMAIZE
Vieilles Vignes 2000

	n.c.	n.c.	🍷 11 à 15 €

D'une robe or vert pâle, il s'échappe de ce vin des effluves de fleurs séchées, de bergamote et de vanille. Ample dès l'attaque, il possède une structure équilibrée mais austère. Strict et bien fait, il gagnera à attendre un peu.

🕯 Jacques et Nathalie Saumaize, Les Bruyères, 71960 Vergisson, tél. 03.85.35.82.14, fax 03.85.35.87.00 ☑ ✸ r.-v.

DOM. SAUMAIZE-MICHELIN
Vigne blanche 2000★★

	2 ha	12 000	🍷 8 à 11 €

Christine et Roger Saumaize réalisent un véritable travail de fourmi à la vigne (taille en vert, labour...) afin d'obtenir la meilleure expression de leurs beaux terroirs. Cette Vigne blanche, coup de cœur pour le 99 dans l'édition précédente, est un assemblage de plusieurs petites parcelles aux sols majoritairement calcaires, avec des contrées argileuses et marneuses. Habillé d'une livrée d'or vert, limpide et brillant, il est déjà d'un seul regard « une référence pour l'appellation », selon un dégustateur. Fruité (abricot, noisette), floral, minéral et boisé, il possède une palette aromatique exceptionnelle. Riche et fraîche, la bouche est souple mais soutenue par une structure imposante. Encore jeune et fougueux, ce vin témoigne déjà d'une classe hors du commun. A citer le Clos sur la Roche 2000 (11 à 15 €) mêlant les arômes de vanille et de fruits secs au caractère minéral du terroir (silex et fumée). L'exubérance boisée n'est pas encore totalement maîtrisée. A revoir dans trois ou quatre ans.

🕯 Roger et Christine Saumaize-Michelin, Le Martelet, 71960 Vergisson, tél. 03.85.35.84.05, fax 03.85.35.86.77 ☑ ✸ r.-v.

DOM. SIMONIN
Vieilles vignes 2000★★

	5 ha	5 300	🍷 11 à 15 €

Un chapon aux girolles, tel est le mets proposé par un dégustateur pour accompagner ce joli vin à la robe or vert étincelante. Très ouvert à l'olfaction, il livre une kyrielle d'arômes : pain d'épice, poivre, fruit mûr, verveine et silex. Après une attaque fraîche, il se développe en bouche et propose une longueur de plusieurs caudalies grâce à sa puissante matière. Issu de vignes quinquagénaires sur sol argilo-calcaire, il est un des seigneurs de l'appellation.

🕯 Jacques Simonin, Le Bourg, 71960 Vergisson, tél. 03.85.35.84.72, fax 03.85.35.85.34 ☑ ✸ r.-v.

DOM. LA SOUFRANDISE
Levrouté 2000★

	1 ha	3 000	🍴 15 à 23 €

Françoise et Nicolas Melin n'en finissent plus de nous surprendre mais qu'ils continuent ! Jugée très réussie mais atypique, cette cuvée Levrouté a été récoltée le 8 octobre 2000. La robe d'une couleur jaune d'or intense, ourlée de belles larmes, fait les présentations. Les arômes de fruits confits, de pâte de coing et de miel témoignent d'une surmaturité avec une pointe de sous-bois caractéristique du botrytis. Ce vin est puissant, gras avec une belle

BOURGOGNE

structure acide lui conférant finesse et légèreté. Il sera le bon compagnon d'un foie gras à Noël par exemple. On notera également la citation du **Clos Marie 2000** (11 à 15 €) dans un registre beaucoup plus classique.

➥ Françoise et Nicolas Melin, EARL Dom. La Soufrandise, 71960 Fuissé, tél. 03.85.35.64.04, fax 03.85.35.65.57 ☑ ☗ r.-v.

DOM. THIBERT PERE ET FILS
Vignes Blanches 2000★

0,6 ha	4 300	⦙⦙⦙	11 à 15 €

Deux cuvées du domaine Thibert ont retenu l'attention des jurés. Citée, la **Vigne à la Côte 2000** (15 à 23 €) se présente déjà avec une robe jaune d'or très intense. Une sensation boisée (grillé, toasté) domine la dégustation de ce vin à attendre. Ces Vignes blanches, d'une couleur or pâle à reflets verts, brillent de tous leurs feux. Bois très partagé au nez, donnant une complexité intéressante. Un boisé délicat soutient une bouche dense et riche et la finale est longue. Dans deux ou trois ans, il accompagnera heureusement un plateau de fromages de chèvre du Mâconnais.

➥ GAEC Dom. Thibert Père et Fils, Le Bourg, 71960 Fuissé, tél. 03.85.27.02.66, fax 03.85.35.66.21, e-mail domthibe@club-internet.fr ☑ ☗ r.-v.

CHANTAL ET DOMINIQUE VAUPRE 1999★

0,29 ha	2 328	⦙⦙⦙	8 à 11 €

Le savoir-faire de ce couple de vignerons s'exprime dans ce 99. Il étonne par sa palette aromatique complexe mais élégante où se côtoient des arômes de fleurs (tilleul, verveine) et de miel. Tout en souplesse, c'est un racé qui saura séduire à l'apéritif.

➥ Dominique Vaupré, Le Bourg, 71960 Solutré-Pouilly, tél. 03.85.35.85.67, fax 03.85.35.86.63 ☑ ☗ r.-v.

DOM. VESSIGAUD
Vieilles vignes 2000★★

2,5 ha	20 000	⦙⦙⦙	11 à 15 €

Dans la famille Vessigaud, le métier de vigneron se transmet de père en fils depuis plusieurs générations... ainsi que les citations dans le Guide Hachette ! Ils proposent cette année deux cuvées de belle facture. Les Vieilles vignes possèdent une robe profonde, très dorée, presque déjà patinée par des parfums fort intenses s'ouvrent sur des notes grillées, toastées et minérales. La bouche est ample et la présence du bois bien supportée par la matière. L'acidité est fondue et laisse une finale agréable. Déjà à boire ou à attendre deux ou trois ans. **Vers Pouilly 2000** (8 à 11 €) est l'expression même du terroir mais encore sur la réserve. Il va falloir s'armer de patience pour qu'elle se livre totalement. Le jury lui attribue déjà une étoile.

➥ Dom. Vessigaud Père et Fils, hameau de Pouilly, 71960 Solutré, tél. 03.85.35.81.18, fax 03.85.35.84.29 ☑ ☗ r.-v.

DOM. DES VIEILLES PIERRES
La Roche Vieilles vignes 2000★

0,4 ha	2 200	◨◧	11 à 15 €

On ne présente plus Jean-Jacques Litaud, habitué du Guide, qui cette année nous propose deux cuvées d'égale valeur. D'une couleur paille, brillante et limpide, la première offre des senteurs de pamplemousse et de vanille.

Gras et onctueux, le palais équilibré s'achève sur des notes d'ananas frais. Vin gourmand et harmonieux qui se laisse déjà boire mais peut attendre quatre à cinq ans au fond de votre cave. **Les Crays 2000** (15 à 23 €) issus également de vieilles vignes mais élevés onze mois en fût possèdent un potentiel énorme. Des notes grillées légèrement torréfiées, ainsi que des arômes d'amande, de citronnelle et de tilleul composent la palette aromatique. La bouche puissante et minérale se révèle équilibrée malgré la présence de bois. Vin d'avenir, il s'épanouira jusqu'à une dizaine d'années et pourra festoyer avec un homard breton grillé.

➥ Jean-Jacques Litaud, Les Nembrets, 71960 Vergisson, tél. 03.85.85.85.69, fax 03.85.35.86.26, e-mail jean-jacques.litaud@wanadoo.fr ☑ ☗ r.-v.

LES VIEUX MURS 1999★

n.c.	n.c.	◨◧	8 à 11 €

Proposée par la très sérieuse maison de négoce Loron et fils, cette bouteille à prix raisonnable, limpide, dorée est d'un bon équilibre alliant richesse et acidité. Ajoutez quelques notes de pain grillé et de fruits secs et vous aurez un vin à mettre en cave sans remords.

➥ Ets Loron, Pontanevaux, 71570 La Chapelle-de-Guinchay, tél. 03.85.36.81.20, fax 03.85.33.83.19, e-mail vinloron@wanadoo.fr ☑ ☗ r.-v.

Pouilly loché
et pouilly vinzelles

Beaucoup moins connues que leur voisine, ces petites appellations situées sur les communes de Loché et Vinzelles produisent des vins de même nature que le pouilly-fuissé, avec peut-être un peu moins de corps. La production a atteint en 2001, 1 829 hl en loché et 2 716 hl en vinzelles, uniquement en vins blancs.

Pouilly loché

DOM. CORDIER PERE ET FILS 2000★

0,45 ha	3 000	⦙⦙⦙	11 à 15 €

Marier l'élevage en fût et le bois n'est pas toujours chose facile. C'est ici réussi. Ce 2000 à la robe jaune soutenu présente un nez boisé, grillé intense qui ne manque pas d'élégance. Marquée par le fût, la bouche semble aujourd'hui en deçà de son potentiel car elle possède malgré tout de la charpente et une belle longueur. « Le fût révèlera la puissance du vin après quelques années de bouteille », note un dégustateur.

☛ Dom. Cordier Père et Fils, 71960 Fuissé, tél. 03.85.35.62.89, fax 03.85.35.64.01, e-mail domaine.cordier@wanadoo.fr Ⓨ r.-v.

ALAIN DELAYE 2000★★

| | n.c. | 7 800 | ▌⫴ | 8 à 11 € |

Ce domaine de petite taille (2,5 ha) appartient à Alain Delaye, jeune retraité du ministère de l'Agriculture. Les sols argilo-calcaires ainsi que l'exposition à l'est des parcelles assurent aux raisins une maturité précoce. Le nez de ce 2000 est frais et présente des arômes d'églantine assez intenses. L'attaque est vive, et la bouche équilibrée possède de la minéralité et une longueur intéressante. Représentative de son appellation et de son millésime, c'est une bouteille idéale pour accompagner des viandes blanches.

☛ Alain Delaye, Les Mûres, 71000 Loché-Mâcon, tél. 03.85.35.61.63, fax 03.85.35.61.63 ☑ Ⓨ r.-v.

CAVE DES GRANDS CRUS BLANCS
Vieilles vignes 1999

| | 0,5 ha | 3 500 | ▌♦ | 8 à 11 € |

Habillé d'une robe jaune paille pour l'occasion, ce vin possède une palette aromatique fruitée (ananas, pamplemousse, coing) nuancée de notes de noisettes grillées. L'attaque est ronde, la bouche concentrée et imposante. Une certaine chaleur se fait ressentir en finale, ce qui indique qu'il est à boire rapidement.

☛ Cave des Grands Crus blancs, 71680 Vinzelles, tél. 03.85.27.05.70, fax 03.85.27.05.71 ☑ Ⓨ r.-v.

DOM. SAINT-PHILIBERT
Clos des Rocs 1999★

| | 2,4 ha | 5 000 | ⫴ | 8 à 11 € |

Ces remarquables terroirs, exposés à l'est, propriétés du domaine Saint-Philibert, ont donné deux cuvées très réussies. Celle-ci, or vert brillant, offre des arômes floraux élégants. Bien équilibré, le palais se montre charmant, persistant et citronné en finale. Qualifiée de vin artisanal, la **cuvée principale du domaine Saint-Philibert 2000**, qui est élevée en cuve, possède un nez frais d'agrumes marié à la minéralité du terroir. Finesse et élégance caractérisent la bouche qui se révèle d'une bonne longueur.

☛ Philippe Bérard, Dom. Saint-Philibert, 71000 Loché-Mâcon, tél. 04.78.43.24.96, fax 04.78.35.90.87, e-mail berard.loche@wanadoo.fr ☑ Ⓨ r.-v.

Pouilly vinzelles

P. FERRAUD ET FILS 2000

| | n.c. | 4 000 | ▌ | 8 à 11 € |

Cette maison de négoce du Beaujolais a sélectionné et élevé une cuvée à la robe jaune clair et limpide. D'un nez encore discret, s'échappent des arômes floraux associés à des notes beurrées. Vif et flatteur, le palais est harmonieux. Cette bouteille sera, sans conteste, une amie des apéritifs qui suivront une partie de tennis...

☛ Pierre Ferraud et Fils, 31, rue du Mal-Foch, 69220 Belleville, tél. 04.74.06.47.60, fax 04.74.66.05.50, e-mail ferraud@asi.fr ☑ Ⓨ t.l.j. sf dim. 8h-12h 14h-18h

DOM. DE FUSSIACUS 2001★

| | 0,35 ha | 2 600 | ⫴ | 8 à 11 € |

Coup de cœur l'an passé, le pouilly-vinzelles de Jean-Paul Paquet s'avère très réussi dans le millésime 2001. D'un joli jaune pâle cristallin, il laisse s'échapper des notes florales (fleur d'acacia) et d'agrumes (pamplemousse rose). La vivacité perçue à l'attaque est suivie d'une rondeur et d'une souplesse lui conférant une longue tenue en bouche. Vin prometteur, qui s'épanouira avec le temps (trois à cinq ans).

☛ Jean-Paul Paquet, 71960 Fuissé, tél. 03.85.27.01.06, fax 03.85.27.01.07, e-mail fussiacus@wanadoo.fr ☑ Ⓨ r.-v.

CAVE DES GRANDS CRUS BLANCS
Les Quarts 2000★

| | 6,83 ha | 7 200 | ▌♦ | 8 à 11 € |

Les Quarts, c'est l'un des *climats* les plus fameux de l'appellation pouilly-vinzelles. La Cave des Grands Crus Blancs créée en 1929 a la chance d'en compter 6,83 ha. Ce 2000, or pâle dans le verre, déploie un puissant bouquet floral et minéral, suivi d'une bouche équilibrée et tendre. Harmonieux, il sera l'excellent compagnon d'une truite aux amandes. Une autre cuvée, **vieillie en fût de chêne 98**, a intéressé le jury par l'or profond de sa robe, ses arômes où boisé et fruits confits sont en harmonie ; une citation récompense le palais riche et épanoui.

☛ Cave des Grands Crus blancs, 71680 Vinzelles, tél. 03.85.27.05.70, fax 03.85.27.05.71 ☑ Ⓨ r.-v.

DOM. MATHIAS 2000★

| | 1 ha | 8 000 | ▌♦ | 8 à 11 € |

Habitué du Guide, le domaine Mathias propose une cuvée digne d'un travail d'orfèvre. Illuminée de reflets verts, la robe or pâle est aussi printanière que le bouquet à dominante florale (pivoine et acacia). Légère et fine, la bouche est élégante, rappelant les plus délicates dentelles.

☛ Béatrice et Gilles Mathias, rue Saint-Vincent, 71570 Chaintré, tél. 03.85.27.00.50, fax 03.85.27.00.52 ☑ ⌂ Ⓨ r.-v.

DOM. DES PERELLES 2000★

| | 0,6 ha | 2 000 | ▌⫴ | 5 à 8 € |

Jean-Marc Thibert exploite une propriété de 8,5 ha sise sur la frontière séparant le Beaujolais du Mâconnais. Ce 2000 recueille beaucoup de compliments notamment pour sa typicité. Or blanc à reflets verts, son nez discret mêle des nuances florales et minérales. L'attaque fraîche se poursuit sur un bel équilibre pour s'achever sur une finale fruitée agréable. Bien construit, ce vin pourra vieillir de deux à cinq ans avant d'accompagner les poissons blancs.

☛ Jean-Marc Thibert, Les Pérelles, 71680 Crèches-sur-Saône, tél. 03.85.37.14.56, fax 03.85.37.46.02 ☑ Ⓨ r.-v.

LA SOUFRANDIERE 2000★★

| | 0,5 ha | 3 400 | ▌⫴♦ | 8 à 11 € |

Jean-Philippe et Jean-Guillaume Bret ont repris en 2000 la propriété familiale jusqu'alors vinifiée à la cave coopérative. « Des raisins d'exception pour des vins d'exception », telle est la devise des deux frères, et cette cuvée qui a enchanté le jury leur donne raison. D'une robe

BOURGOGNE

dorée intense s'échappent des flaveurs complexes de miel d'acacia, de chèvrefeuille et de fruits très mûrs. Ce grand vin de garde est ample, riche, relevé d'une pointe d'acidité. D'une belle longueur, très typée, cette bouteille s'épanouira patiemment dans votre cave pendant cinq à sept ans. La **cuvée Les Quarts 2000 (11 à 15 €)**, encore dominée par le fût, présente un gros potentiel de vieillissement et des arômes fins d'épices et de citronnelle. Elle obtient une citation. Un domaine à suivre de très près !

☙ J.-P. et J.-G. Bret, EARL La Soufrandière, 71680 Vinzelles, tél. 03.85.35.67.72, fax 03.85.35.67.72, e-mail lasoufrandiere@libertysurf.fr ☑ ⵀ r.-v.

DOM. THIBERT PERE ET FILS 2000

	1,1 ha	8 500	Ⅲ	8 à 11 €

D'un or blanc très léger, ce pouilly-vinzelles annonce en fanfare, dès le premier nez, son élevage en fût, puis après aération, des nuances florales et fruitées émergent. Même schéma au palais, dominé par la présence des notes boisées avec tout de même une jolie matière en fond. A attendre deux ou trois ans afin que bois et vin s'harmonisent.

☙ GAEC Dom. Thibert Père et Fils, Le Bourg, 71960 Fuissé, tél. 03.85.27.02.66, fax 03.85.35.66.21, e-mail domthibe@club-internet.fr ⵀ r.-v.

CH. DE VINZELLES 1999

	4,41 ha	19 000	▌	8 à 11 €

La particularité de ce magnifique domaine consiste en la présence de deux châteaux distants de quelques mètres, la maison forte de Vinzelles du XIᵉs. et la maison noble des XIIIᵉ et XVIIᵉs. La famille de Lostende, aux commandes depuis de nombreuses années, s'est lancée dans la vente directe de sa production avec le millésime 99. Ce vin jaune clair affiche des arômes discrets de fleurs sauvages et de citron. Bien typé, il se montre souple et équilibré avec une finale amande grillée.

☙ Françoise de Lostende, Ch. de Vinzelles, 71680 Vinzelles, tél. 06.07.11.43.88, fax 03.85.35.60.97 ☑ ⵀ r.-v.

Saint-véran

Réservée aux vins blancs produits sur huit communes de la Saône-et-Loire, saint-véran a été reconnue en 1971. La production (40 469 hl en 2001) peut être située dans la hiérarchie entre le pouilly et les mâcons suivis d'un nom de village. Ces vins sont légers, élégants, fruités, et accompagnent à merveille les débuts de repas.

Produite surtout sur des terroirs calcaires, l'appellation constitue la limite sud du Mâconnais.

CH. DES CHAILLOUX
Elevé en fût de chêne 1999★

	0,5 ha	3 000	Ⅲ	8 à 11 €

Installé au château de Chailloux depuis 1999, Frédéric Curis réussit l'exploit d'être remarqué dès son premier

millésime avec ce saint-véran élevé en fût de chêne. L'apparence or clair à reflets verts laisse la place à un nez fin et élégant de fruits jaunes (poire, pêche) et de vanille. Franc, équilibré au palais, il se prolonge sur des notes boisées encore intenses. Harmonieux dès aujourd'hui, il peut encore attendre deux ou trois ans dans votre cave.

☙ Frédéric Curis, Ch. des Chailloux, 71960 Davayé, tél. 03.85.35.88.02, fax 03.85.35.88.03, e-mail frederic.curis@wanadoo.fr ☑ ⵀ r.-v.

CAVE DE CHAINTRE 2001★

	17,88 ha	80 000	▌⬇	5 à 8 €

La cave de Chaintré créée en 1928 fait preuve de constance et de régularité. Quoiqu'encore très jeune, son saint-véran possède déjà une robe dorée pleine d'éclat et des nuances d'agrumes sur des notes de fleurs blanches (acacia et aubépine). En bouche, on retrouve le citron et le pamplemousse, avec une belle matière et de l'équilibre. Ce vin sera parfait d'ici un à trois ans pour accompagner un brochet de nos rivières.

☙ Cave de Chaintré, 71570 Chaintré, tél. 03.85.35.61.61, fax 03.85.35.61.48 ☑ ⵀ r.-v.

DOM. CHATAIGNERAIE LABORIER 2000★

	2 ha	3 000	▌	8 à 11 €

Non loin de Mâcon, Vergisson, veillé par sa Roche, est lové au fond d'un vallon couvert de vignes. C'est ici que vous dénicherez ce domaine de 5 ha dirigé depuis 1997 par Gilles Morat. Il propose un 2000 issu de vignes de vingt-huit ans d'âge plantées sur sol argilo-calcaire, récoltées manuellement et c'est très réussi. Sa couleur or pâle, ses notes fruitées, beurrées et son palais ample et équilibré en font un vin typé. « Il chardonne bien », conclut un dégustateur.

☙ Dom. Châtaigneraie Laborier, Les Bruyères, 71960 Vergisson, tél. 03.85.35.85.51, fax 03.85.35.82.42, e-mail gil.morat@wanadoo.fr ☑ ⵀ r.-v.
☙ Gilles Morat

DOM. CHENE
Cuvée Prestige 2000★

	0,5 ha	3 200	▌Ⅲ	5 à 8 €

Sur les traces d'Alphonse de Lamartine, en ce joli paysage vallonné, s'est implanté le domaine Chêne sur un vignoble de 28 ha. La cuvée Prestige élevée pour moitié en fût de chêne possède une palette aromatique allant de la vanille à la noisette, en passant par des notes truffées. Rond, souple, le boisé bien défini, ce vin est agréable au palais dès aujourd'hui.

☙ Dom. Chêne, Ch. Chardon, 71960 Berzé-la-Ville, tél. 03.85.37.65.30, fax 03.85.37.75.39, e-mail gaecchene@aol.com ☑ ⵀ r.-v.

CHRISTIAN COLLOVRAY ET J.-L. TERRIER 2000

	n.c.	30 000	▌Ⅲ⬇	8 à 11 €

Sélectionnée par une maison de négoce récemment créée par le domaine des Deux Roches (voir plus haut), cette cuvée possède tous les atouts pour séduire. Sous une robe dorée à l'or fin, se cache un bouquet extraordinaire composé de notes florales (acacia, rose), fruitées (raisin, fruit de la Passion) et empyreumatiques (grillé, vanille, beurre). Une référence en matière de complexité aromatique. La bouche n'est pas en reste avec une attaque légère et fraîche, un équilibre parfait et une finale noisette. Vin aérien et désaltérant à servir lors des apéritifs.

↜ Vins des Personnets, Les Personnets, 71960 Davayé, tél. 03.85.35.83.29, fax 03.85.35.86.12

DOM. CORDIER PERE ET FILS
Clos à la côte 2000★

	0,36 ha	2 200	🍶 15 à 23 €

Que ce soit en pouilly-fumé ou en saint-véran, la renommée de ce domaine si souvent coup de cœur n'est plus à faire. Ce n'est pas cette cuvée du Clos à la côte qui lui nuira. De sa vinification et de son élevage en fût, elle a tiré une jolie note vanillée qui s'intègre dans un bouquet de fleurs blanches. Sa bouche, encore marquée par le fût, est structurée et équilibrée. Des notes de fruits mûrs et des nuances minérales accompagnent une longue finale boisée. Encore jeune, ce millésime promet une belle bouteille d'ici trois ou quatre ans.
↜ Dom. Cordier Père et Fils, 71960 Fuissé, tél. 03.85.35.62.89, fax 03.85.35.64.01, e-mail domaine.cordier@wanadoo.fr ☑ ⍏ r.-v.

DOM. CORSIN 2000★★

	4,6 ha	36 000	🍶🍶🍶 8 à 11 €

Depuis 1983, c'est Gilles et Jean-Jacques Corsin qui président aux destinées du domaine familial, dont les vins furent maintes fois récompensés dans le Guide. Ce saint-véran, d'origine calcaire, se distingue par un nez d'une grande subtilité qui mêle arômes floraux et citron jaune. Charmeur et acidulé, le palais est à l'image du nez, équilibré, délicat, et s'achève sur des notes de noisette et d'amande douce. De la dentelle ! Plaisant dès aujourd'hui, il possède néanmoins un beau potentiel de vieillissement.
↜ Dom. Corsin, Les Plantés, 71960 Davayé, tél. 03.85.35.83.69, fax 03.85.35.86.64 ☑ ⍏ r.-v.

DOM. DE LA CROIX SENAILLET
La Grande Bruyère 2000★★

	1,5 ha	8 000	🍶🍶 8 à 11 €

En arrivant à Davayé, vous ne pourrez pas manquer le domaine qui se dresse fièrement au-dessus des coteaux du village. De la fierté, Richard et son frère Stéphane peuvent en avoir aujourd'hui, après avoir si somptueusement réussi ce millésime : trois vins présentés, trois retenus. Le **saint-véran classique (5 à 8 €)** (assemblage de plusieurs parcelles) est recommandé pour sa fraîcheur et sa gourmandise. **Les Rochats (8 à 11 €)**, produit d'un sol pauvre et caillouteux, est un vin élégant et racé aux arômes d'agrumes et de fleurs blanches couronné d'une étoile. Quant à cette Grande Bruyère issue d'un sol argilo-calcaire, au nez complexe de fruits mûrs, de violette, de truffe et à la bouche ample et généreuse, elle recueille tous les suffrages et obtient la récompense suprême du grand jury.

↜ GAEC Richard et Stéphane Martin, Dom. de La Croix Senaillet, En Coland, 71960 Davayé, tél. 03.85.35.82.83, fax 03.85.35.87.22, e-mail domainedelacroixsenaillet@club-internet.fr ☑ ⍏ r.-v.

DOM. MICHEL DELORME 2000

	0,29 ha	2 400	🍶 5 à 8 €

Au cœur du village de Vergisson, face à la Roche de Solutré, se situe la demeure de Michel Delorme. Typiquement mâconnaise, avec sa galerie courant le long de la façade, elle est construite sur une cave du XVIIIᵉs. recelant de jolis vins tel ce saint-véran 2000. Floral dès l'attaque, le nez laisse apparaître ensuite quelques fines effluves grillées. Généreux, rond, mais encore sur la réserve aujourd'hui, il devrait s'exprimer pleinement d'ici dix-huit mois et pourquoi pas sur une volaille à la crème.
↜ Dom. Michel Delorme, Le Bourg, 71960 Vergisson, tél. 03.85.35.84.50, fax 03.85.35.84.50, e-mail micheldelorme@club-internet.fr ☑ ⍏ t.l.j. 10h-19h

DOM. DENUZILLER
Les Bruyères 2000★

	0,36 ha	2 500	🍶 5 à 8 €

Installés au pied de la Roche de Solutré depuis 1999, les Denuziller ont eu la surprise de découvrir, lors de la construction de la dernière cave, les vestiges d'un site du moustérien (quaternaire). Leur cuvée Les Bruyères n'a rien de préhistorique mais elle est le reflet d'un terroir très expressif. Intenses et fines, des notes minérales et de confiserie précèdent une bouche ample et concentrée qui prolonge la sensation de minéralité jusque dans une finale élégante. Possédant un bon potentiel de garde, ce vin devrait s'épanouir d'ici trois à cinq ans.
↜ Dom. Denuziller, 71960 Solutré-Pouilly, tél. 03.85.35.80.77, fax 03.85.35.83.38 ☑ ⍏ t.l.j. 8h-12h 13h-19h

DOM. DES DEUX ROCHES
Vieilles vignes 2000★

	n.c.	30 000	🍶🍶🍶 11 à 15 €

Christian Collovray et Jean-Luc Terrier, à la tête de ce domaine, ont su ces dernières années donner un nouvel élan à l'exploitation familiale, pour aujourd'hui atteindre 35 ha et une réputation mondiale. Ces Vieilles vignes parées d'une robe or vert lumineuse offrent des parfums fins et délicats de fleurs blanches, d'abricot, de pêche associés à une note miellée. Même richesse au palais, avec une attaque ample, suivie d'un développement aromatique plutôt fruité (pêche de vigne et coing). Une légère touche boisée harmonise l'ensemble pour donner un vin d'une belle facture. Le jury accorde également une étoile aux **Terres noires 2000 (8 à 11 €)** florales et subtiles et une citation pour **Les Cras 2000 (15 à 23 €)** qui s'épanouiront lorsque le bois sera fondu.
↜ Dom. des Deux Roches, 71960 Davayé, tél. 03.85.35.86.51, fax 03.85.35.86.12 ☑ ⍏ r.-v.

JOSEPH DROUHIN 2000★

	n.c.	n.c.	🍶 8 à 11 €

Cette jolie sélection est proposée par l'un des plus célèbres négociants de Côte d'or, Robert Drouhin. Entre jaune pâle et doré, ce saint-véran joue sur de discrètes et élégantes notes de fleurs blanches. Fraîche et fruitée, équilibrée, la bouche évolue vers des arômes suaves et finement noisettés très harmonieux. Saumon ou volaille à la crème lui feront un juste sort.

➤ Joseph Drouhin, 7, rue d'Enfer, 21200 Beaune, tél. 03.80.24.68.88, fax 03.80.22.43.14, e-mail maisondrouhin @ drouhin.com ☥ r.-v.

GEORGES DUBŒUF 2000

| | n.c. | 12 000 | ∎♦ | 5 à 8 € |

On ne présente plus Georges Dubœuf, le « Pape du Beaujolais », également à l'origine du « Hameau en Beaujolais », espace culturel dédié à la vigne et au vin. Ce négociant sélectionne avec la rigueur qu'on lui connaît des vins blancs du Mâconnais, comme ce saint-véran 2000. Jaune d'or à l'apparence, il développe de fraîches notes d'agrumes et de fleurs. Rehaussé d'une pointe minérale, le palais se montre souple, équilibré et fruité. Plaisant et agréable, il est à boire dans sa jeunesse.

➤ SA Les Vins Georges Dubœuf, quartier de la Gare, BP 12, 71570 Romanèche-Thorins, tél. 03.85.35.34.20, fax 03.85.35.34.25, e-mail gduboeuf @ duboeuf.com
☑ ☥ t.l.j. 9h-18h au Hameau en Beaujolais; f. 1er-15 jan.

DOM. DUCOTE 2000★★

| | n.c. | n.c. | ∎ | 5 à 8 € |

Une robe or blanc limpide et un nez complexe très typé chardonnay : fleurs blanches, amandes fraîches... ont d'emblée retenu l'attention du jury. Équilibré, plein, vin emplit la bouche de façon harmonieuse. Très frais, il possède une finale éblouissante. Proposé par Pierre Janny, œnologue et négociant, ce saint-véran 2000 accompagnera parfaitement un plat de grenouilles persillées.

➤ Pierre Janny, La Condemine, 71260 Péronne, tél. 03.85.23.96.20, fax 03.85.36.96.58, e-mail pierre-janny @ wanadoo.fr

DOM. DE LA FEUILLARDE
Classique 2000★

| | 4 ha | 30 000 | ∎♦ | 5 à 8 € |

Ce domaine familial situé à l'extrémité nord de l'appellation reçoit deux fois une étoile sur ce millésime. La cuvée classique, issue de vignes de quarante ans récoltées manuellement, possède un nez franc et fin, une bouche fraîche et équilibrée, et une finale aromatique rappelant le bouquet de la mariée. La cuvée **fût de chêne (8 à 11 €)** a passé onze mois sous bois, ce qui lui confère des arômes légèrement grillés, savamment dosés. Longue en bouche, elle s'appréciera dès l'automne sur des viandes blanches.

➤ Lucien Thomas, Dom. de La Feuillarde, 71960 Prissé, tél. 03.85.34.54.45, fax 03.85.34.31.50, e-mail contact @ domaine-feuillarde.com
☑ ☥ t.l.j. 8h-12h 13h-19h

LAURENT FORTUNE
Condemines 2000★

| | 0,75 ha | 1 300 | ∎♦ | 5 à 8 € |

Ce Condemines est issu de vignes de vingt-cinq ans plantées dans la partie méridionale de l'appellation. Jaune clair à reflets verts, il développe un nez de fleurs blanches et d'amandes fraîches. Équilibré, ce vin du terroir est harmonieux, frais et élégant, long.

➤ Laurent Fortune, 71570 Leynes, tél. 04.74.06.10.10, fax 04.74.66.13.77 ☑ ☥ r.-v.

DOM. DE FUSSIACUS 2000★★

| | 1,1 ha | 9 800 | ∎⦿♦ | 8 à 11 € |

Habitué des coups de cœur Hachette, Jean-Paul Paquet se distingue encore cette année avec un 2000 remarquable. Une robe jaune d'or soutenu annonce un nez aux arômes de souvenirs d'enfance : sucré, vanillé, semoule au lait. Quel délice ! La bouche n'est pas en reste, avec un bel équilibre, de l'ampleur et une finale citronnée très fraîche. Alors, n'hésitez pas si vous passez par Fuissé à frapper à la porte du domaine ; un accueil chaleureux et convivial vous sera réservé.

➤ Jean-Paul Paquet, 71960 Fuissé, tél. 03.85.27.01.06, fax 03.85.27.01.07, e-mail fussiacus @ wanadoo.fr
☑ ☥ r.-v.

CH. DE LA GREFFIERE 2000

| | 1,16 ha | 4 000 | ∎⦿♦ | 5 à 8 € |

Dressé fièrement sur le flanc d'un coteau de vignes, le château de la Greffière a de l'allure. Son saint-véran d'ailleurs n'en manque pas. D'une robe jaune d'or intense émanent des parfums fins et subtils d'aubépine, de vanille et de grillé. Minéral et épicé au contact du palais, il s'avère léger et prêt.

➤ Isabelle et Vincent Greuzard, Ch. de La Greffière, 71960 La Roche-Vineuse, tél. 03.85.37.79.11, fax 03.85.36.62.88 ☑ ☥ t.l.j. 9h-12h 14h-18h

THIERRY GUERIN
Clos des pierres brûlées 2000★

| | 1,2 ha | 8 000 | ∎ | 5 à 8 € |

Non loin de Solutré, Vergisson étend son vignoble entre les deux roches. Dans ce site touristique privilégié, Thierry Guérin exploite aujourd'hui 7,5 ha de vignes. Originaire d'un terroir argilo-calcaire, ce saint-véran à la robe or pâle développe des arômes intenses et complexes de citron, fleurs blanches et poire. Équilibré et ample, le palais se montre fruité et la finale très fraîche. A boire d'ici deux ou trois ans avec une entrée de poissons blancs.

➤ Thierry Guérin, Le Sabotier, 71960 Vergisson, tél. 03.85.35.84.06, fax 03.85.35.87.38 ☑ ☥ r.-v.

CH. DE LEYNES
Vieilles vignes 2000

| | 1,5 ha | 10 000 | ⦿ | 8 à 11 € |

Une grande galerie mâconnaise, un parc centenaire, ce château des Correaux a près de trois siècles. Jean Bernard propose deux cuvées, **Le Clos des Juillys 2000 (5 à 8 €)** friand, fleurant bon la pêche et l'abricot et qui sera à boire dès l'automne prochain. La cuvée Vieilles vignes aux notes aptides, intenses, révèle son élevage en fût de chêne dès la mise en bouche. Il lui faudra bien un an ou deux pour intégrer le bois.

➤ Jean Bernard, Les Correaux, 71570 Leynes, tél. 03.85.35.11.59, fax 03.85.35.13.94, e-mail bernard-leynes @ caramail.com ☑ ☥ r.-v.

DOM. LA MAISON
La Maison Vieille vigne 1999

| | 1,5 ha | 8 000 | ∎♦ | 5 à 8 € |

Produite par les descendants du « père » de l'appellation saint-véran, cette cuvée a séduit le jury par sa couleur jaune paille intense, ses parfums de fleurs blanches et sa bouche puissante et acidulée. Une jolie bouteille à garder encore un à deux ans.

↳ Jean Chagny, Au bourg, 71570 Leynes,
tél. 03.85.35.10.16, fax 03.85.35.12.09,
e-mail domaine-la-maison@free.fr ☑ ⍟ r.-v.

DOM. DES PONCETYS
Cuvée Terroir 2000

0,65 ha	4 000	⑪	5 à 8 €

Issue d'une seule et même parcelle de vignes âgées de cinquante et un ans, cette cuvée est entièrement vinifiée en foudre de chêne de 25 hl. Revêtue d'une robe or pâle, elle offre des arômes intenses et complexes de fleurs et de fruits blancs (tilleul et pêche) relevés par une agréable note de fenouil. Après une attaque franche, elle se montre souple, équilibrée et d'une grande finesse. La belle finale miellée s'harmonisera parfaitement avec un poulet aux morilles.
↳ Lycée viticole de Mâcon-Davayé, Dom. des Poncetys, 71960 Davayé, tél. 03.85.33.56.20, fax 03.85.35.86.34, e-mail legta.macon@wanadoo.fr ☑ ⍟ r.-v.

CAVE DE PRISSE-SOLOGNY-VERZE 2000★

160,14 ha	30 000	∎↓	5 à 8 €

En pays lamartinien, trois caves coopératives ont fusionné en 1997 pour donner ce groupement qui vinifie plus de 900 ha. Il nous propose un saint-véran typique du millésime 2000. Une robe brillante d'un or vert profond dévoile des arômes de pamplemousse et d'orange fraîche nuancés de fleurs blanches. Du gras et de l'acidité confèrent à ce vin une structure équilibrée soutenue par une bonne minéralité. Charnu et gourmand, il pourra s'apprécier dès l'automne prochain à l'apéritif.
↳ Cave de Prissé-Sologny-Verzé, Les Grandes-Vignes, 71960 Prissé, tél. 03.85.37.88.06, fax 03.85.37.61.76, e-mail cave.prisse@wanadoo.fr ☑ ⍟ r.-v.

MICHEL REY
Les Champs de Perdrix 2000★

0,3 ha	2 500	⑪	5 à 8 €

Vergisson : petite bourgade du sud mâconnais flanquée de deux roches où il fait bon se promener. Lors de vos pérégrinations, arrêtez-vous au Repostère chez Michel Rey et demandez à savourer cette jolie cuvée issue de très jeunes vignes. Or jaune clair, elle montre néanmoins une belle constitution. Le nez discret laisse échapper quelques effluves grillées et vanillées. Franc et frais, encore légèrement dominé par le fût, un vin de garde à servir d'ici un à deux ans.
↳ Michel Rey, Le Repostère, 71960 Vergisson, tél. 03.85.35.85.78, fax 03.85.35.87.91 ☑ ⍟ r.-v.

JACQUES SAUMAIZE
La vieille vigne des crêches 2000★

n.c.	n.c.	⑪	8 à 11 €

Produit par un vigneron de référence de l'appellation, ce vin à la robe or pâle, au nez intense de grillé, beurré et à la bouche ronde et riche mais encore marquée par le fût, devra patienter quelques mois. Le jury accorde une

citation à la cuvée **Les Poncetys 2000** qui se révèle florale et acidulée (citron vert, pamplemousse). Même note pour le saint-véran **En crêches 2000 (5 à 8 €)** lumineux, de bonne intensité, qui sera à boire dans un an. Ce domaine confirme ici la qualité de sa production.
↳ Jacques et Nathalie Saumaize, Les Bruyères, 71960 Vergisson, tél. 03.85.35.82.14, fax 03.85.35.87.00 ☑ ⍟ r.-v.

DOM. SAUMAIZE-MICHELIN
Les Vieilles vignes 2000★★

0,7 ha	5 000	⑪	8 à 11 €

2000
DOMAINE SAUMAIZE-MICHELIN
LES VIEILLES VIGNES
SAINT-VÉRAN
APPELLATION SAINT-VÉRAN CONTRÔLÉE
MIS EN BOUTEILLE À LA PROPRIÉTÉ PAR ROGER ET CHRISTINE SAUMAIZE
VIGNERONS-RÉCOLTANTS "LE MARTELET" - 71960 VERGISSON - FRANCE
PRODUCT OF FRANCE

Autant de constance dans la recherche de l'exceptionnel mérite d'être applaudi. Christine et Roger Saumaize offrent une fois de plus un saint-véran Vieilles vignes à l'étoffe remarquable. Une robe dorée étincelante annonce un bouquet intense et complexe de vanille, de mie de pain grillé, soutenu par des notes fruitées. L'élégance se poursuit en bouche dans un parfait équilibre fût/vin, avec une persistance qui rappelle la tarte au citron meringuée. Un seigneur qui aura sa place sur vos tables de fête. Une citation pour la cuvée **Les Crèches 2000 (5 à 8 €)**, qui devra attendre quelques années afin d'harmoniser le mariage chêne-vin.
↳ Roger et Christine Saumaize-Michelin, Le Martelet, 71960 Vergisson, tél. 03.85.35.84.05, fax 03.85.35.86.77 ☑ ⍟ r.-v.

DOM. DES VALANGES
Cuvée hors classe 2000★

2 ha	12 000	∎⑪↓	8 à 11 €

Michel Paquet est l'un des fervents et valeureux défenseurs de l'appellation saint-véran en qualité de président. Cette cuvée baptisée hors classe 2000 possède une robe brillante et dorée, un nez complexe, assez intense, de sous-bois, de grillé et de fruits mûrs. Après une attaque à la fois fraîche et ample, la bouche ronde et grasse est bien équilibrée par une présence boisée délicate. Un ensemble élégant et flatteur qui s'affirmera dans un ou deux ans.
↳ Michel Paquet, Dom. des Valanges, 71960 Davayé, tél. 03.85.35.85.03, fax 03.85.35.86.67, e-mail domaine-des-valanges@wanadoo.fr ☑ ⍟ r.-v.

LA CHAMPAGNE

Vin des rois et des princes devenu celui de toutes les fêtes, le champagne s'auréole de la gloire et du prestige de porter dans le monde entier l'élégance et la séduction françaises. Son illustre réputation, il la doit autant à son histoire qu'à ses traits spécifiques qui font que, pour beaucoup, il n'est vin de Champagne que le champagne ; ce n'est pourtant pas si simple...

En effet, la région champenoise, située à moins de 200 km au nord-est de Paris, constitue l'aire délimitée de trois appellations d'origine contrôlée : le champagne, les coteaux champenois et le rosé des riceys, sur une aire spécifique, les deux dernières AOC ne donnant naissance qu'à une centaine de milliers de bouteilles. Cette zone, la plus septentrionale des régions vinicoles de France, s'étend principalement sur les départements de la Marne et de l'Aube, avec de modestes extensions dans l'Aisne, la Seine-et-Marne et la Haute-Marne. La surface plantée est de 31 730 ha , la superficie en production étant de 30 504 ha en 2001.

De part et d'autre de la Marne, Reims et Epernay se partagent le rôle de capitale du champagne ; la première bénéficie en outre de l'attrait de ses monuments et musées pour attirer la foule des visiteurs qui peuvent découvrir également l'univers surprenant des caves, parfois fort anciennes, des « grandes maisons ».

Un même paysage vallonné se révèle dans tout le vignoble, où l'on distingue cependant traditionnellement plusieurs régions : la Montagne de Reims, (6 797 ha) où certaines vignes sont orientées au nord, avec des sols sablonneux ; la Côte des Blancs (3 146 ha) bénéficiant, aux portes d'Epernay, d'une relative régularité climatique ; la Grande vallée de la Marne (1 864 ha) et les deux rives de la vallée de la Marne (5 092 ha), prolongées par le vignoble de l'Aisne et de la vallée du Surmelin (2 272 ha), dont les pentes sont couvertes de vignes, la qualité de la production ne variant guère, contrairement à ce que l'on pourrait croire, selon l'orientation au nord ou au sud ; le vignoble de l'Aube (6 933 ha), enfin, à l'extrême sud-est de l'aire d'appellation et séparé des autres secteurs par une zone de 75 km où la vigne n'est pas cultivée. Plus élevé et davantage exposé aux gelées de printemps, il n'en produit pas moins des vins de qualité ; c'est là que se trouve la seule appellation communale : celle du rosé des riceys. On distingue également d'autres entités géographiques : la région d'Epernay (1 238 ha), les vallées de la Vesle (993 ha) et de l'Ardres (905 ha), les régions de Cangy (1 018 ha), de Sézanne (1 382 ha) et de Vitry-le-François (330 ha).

Le retrait de la mer, il y a quelque 70 millions d'années, puis les bouleversements dus aux secousses telluriques ont formé un socle crayeux dont la perméabilité et la richesse en principes minéraux apportent leur finesse aux vins de la Champagne ; une couche superficielle argilo-calcaire recouvre ce socle sur près de 60 % des terroirs actuellement plantés. Dans l'Aube, la composition des sols les rapproche de ceux de la Bourgogne voisine (marnes).

Si le gel – à une telle latitude, les gelées de printemps sont fréquentes – rend difficile la régularité de la production, les écarts climatiques sont cependant tempérés par la présence d'importants massifs forestiers ; ils équilibrent la douceur atlantique et la rigueur continentale, en entretenant une relative humidité. L'absence d'excès de chaleur est également un élément déterminant de la finesse des vins. Le choix des cépages, bien sûr, s'adapte aux variations pédologiques et climatiques. Pinot noir (12 067 ha), pinot meunier (10 783 ha), chardonnay (8 790 ha) ainsi que les autres variétés – pinot blanc, pinot gris, petit meslier, arbane (90 ha) – se partagent les 31 730 ha plantés. La viticulture et l'élaboration des vins occupent environ 31 000 personnes, dont 14 800 vignerons exploitants.

L'élaboration particulière du champagne sur plusieurs années (en moyenne trois ans et beaucoup plus pour les millésimés) oblige à un stockage supérieur à 1 milliard de bouteilles. La production annuelle atteint 2 137 989 hl pour un chiffre d'affaires de 2,9 milliards d'euros. L'exportation du champagne (1,386 milliard d'euros) représente une part importante du chiffre d'affaires des exportations françaises de vin (5, 349 milliards d'euros). Viennent en tête des pays importateurs la Grande-Bretagne, les Etats-Unis, l'Allemagne suivis de la Belgique, l'Italie, la Suisse, le Japon, les Pays-Bas.

On fait du vin en Champagne au moins depuis l'invasion romaine. Il fut blanc, puis rouge et enfin gris, c'est-à-dire blanc ou presque, issu de pressurage de raisins noirs. Déjà, il avait la fâcheuse habitude de « bouillonner dans ses vaisseaux », c'est-à-dire de mousser dans les tonneaux. Ce fut sans doute en Angleterre que l'on inventa la mise en bouteilles systématique de ces vins instables qui, jusqu'en 1700 environ, étaient livrés en fût ; cela eut pour effet de permettre au gaz carbonique de se dissoudre dans le vin : le vin effervescent était né. Procureur de l'abbaye de Hautvillers et technicien avant la lettre, dom Pérignon produira dans son abbaye les meilleurs vins ; c'est aussi lui qui les vendra le plus cher...

En 1728, le conseil du roi autorise le transport du vin en bouteilles ; un an plus tard, la première maison de vin de négoce est fondée : Ruinart. D'autres suivront (Moët en 1743), mais c'est au XIXe s. que la plupart des grandes maisons se créent ou s'affirment. En 1804, Mme Clicquot lance le premier champagne rosé, et, dès 1830, apparaissent les premières étiquettes collées sur les bouteilles. A partir de 1860, Mme Pommery boit des « bruts », tandis que, vers 1870, sont proposés les premiers champagnes millésimés. Raymond Abelé invente, en 1884, le banc de dégorgement à la glace, avant que le phylloxéra puis les deux guerres ne ravagent les vignobles. Depuis 1945, les fûts de bois ont cédé la place, le plus souvent, aux cuves en acier inoxydable, dégorgement et finition sont automatisés, alors que le remuage lui-même se mécanise.

Une grande partie des vignerons champenois appartient aujourd'hui à la catégorie des producteurs de raisins : ce sont les « vendeurs au kilo ». Ils cèdent tout ou partie de leur production aux grandes marques qui vinifient, élaborent et commercialisent. Cette pratique a conduit l'interprofession à proposer un prix recommandé des raisins et à attribuer à chaque commune une cotation en fonction de la qualité de sa production : c'est l'échelle des crus. Les vins issus des communes viticoles sont classés dans une échelle des crus, apparue dès la fin du XIXe s. Cotés 100 %, ils ont droit au titre de « grand cru », ceux cotés de 99 à 90 % bénéficient de la mention « premier cru », la cotation des autres s'échelonne de 89 à 80 %. Le prix des raisins varie selon le pourcentage communal. Le rendement maximum à l'hectare est modulé chaque année (maximum = 12 500 kg), alors que 160 kg de raisins ne permettent pas d'obtenir plus d'un hectolitre de moût apte à être vinifié en champagne.

Champagne

La singularité du champagne apparaît dès les vendanges. La machine à vendanger est interdite ; toute la cueillette est manuelle car il est essentiel que les baies (grains) de raisin parviennent en parfait état au lieu de pressurage. Pour cela, on remplace les hottes par de petits paniers, afin que le raisin ne soit pas écrasé. Il a fallu aussi créer des centres de pressurage disséminés au cœur du vignoble afin de raccourcir le temps de transport du raisin. Pourquoi tous ces soins ? Parce que le champa-gne étant un vin blanc issu en majeure partie d'un raisin noir – le pinot –, il convient que le jus incolore ne soit pas taché au contact de l'extérieur de la peau.

Le pressurage, lui, doit se faire sans délai et permettre de recueillir successivement et séparément le jus issu des zones concentriques du grain ; d'où la forme particulière des pressoirs traditionnels champenois : on y entasse le raisin sur une vaste surface mais à une faible hauteur, pour ne pas abîmer les baies et pour faciliter la circulation du jus ; la vendange n'est jamais éraflée.

La Champagne

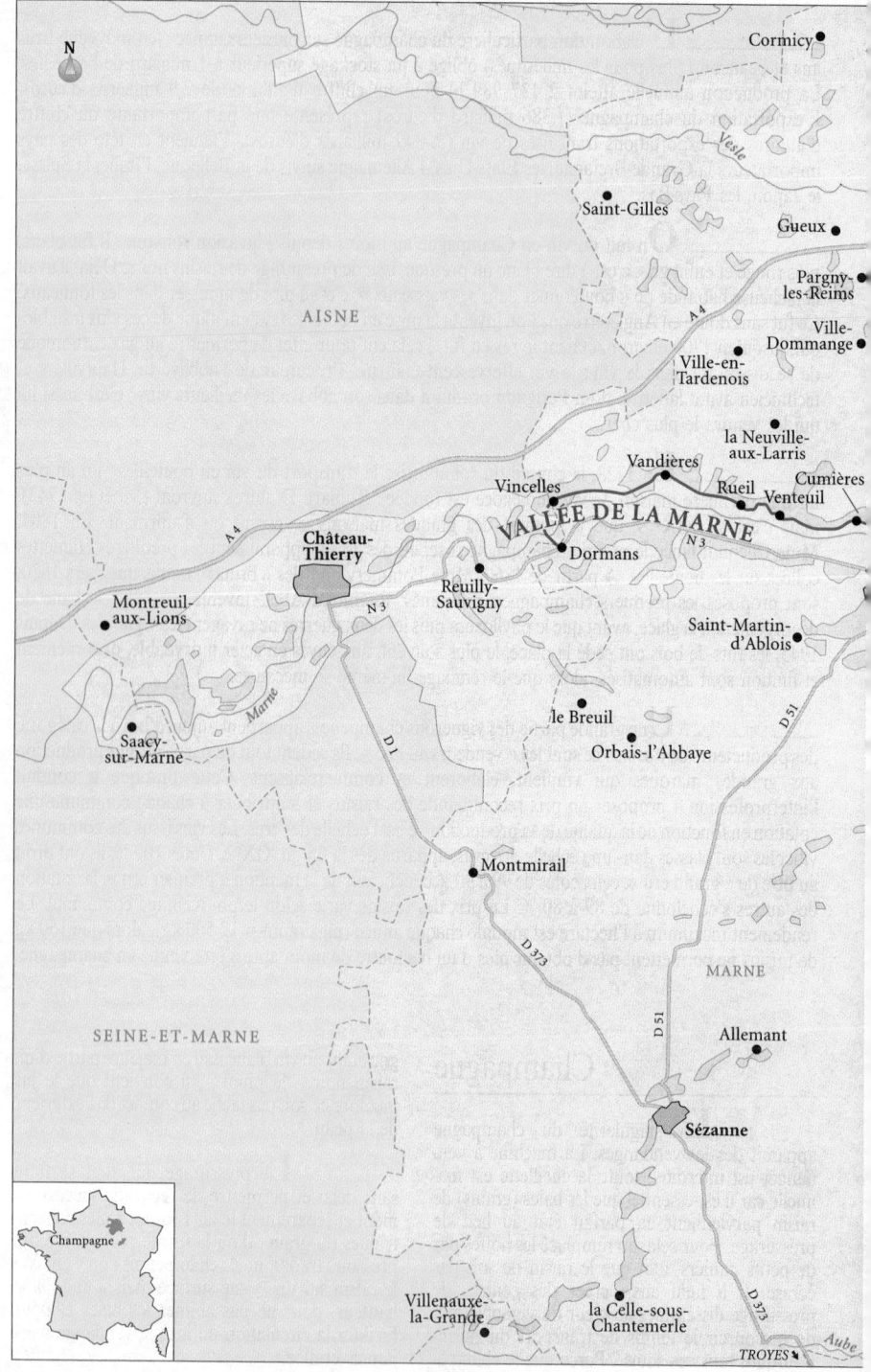

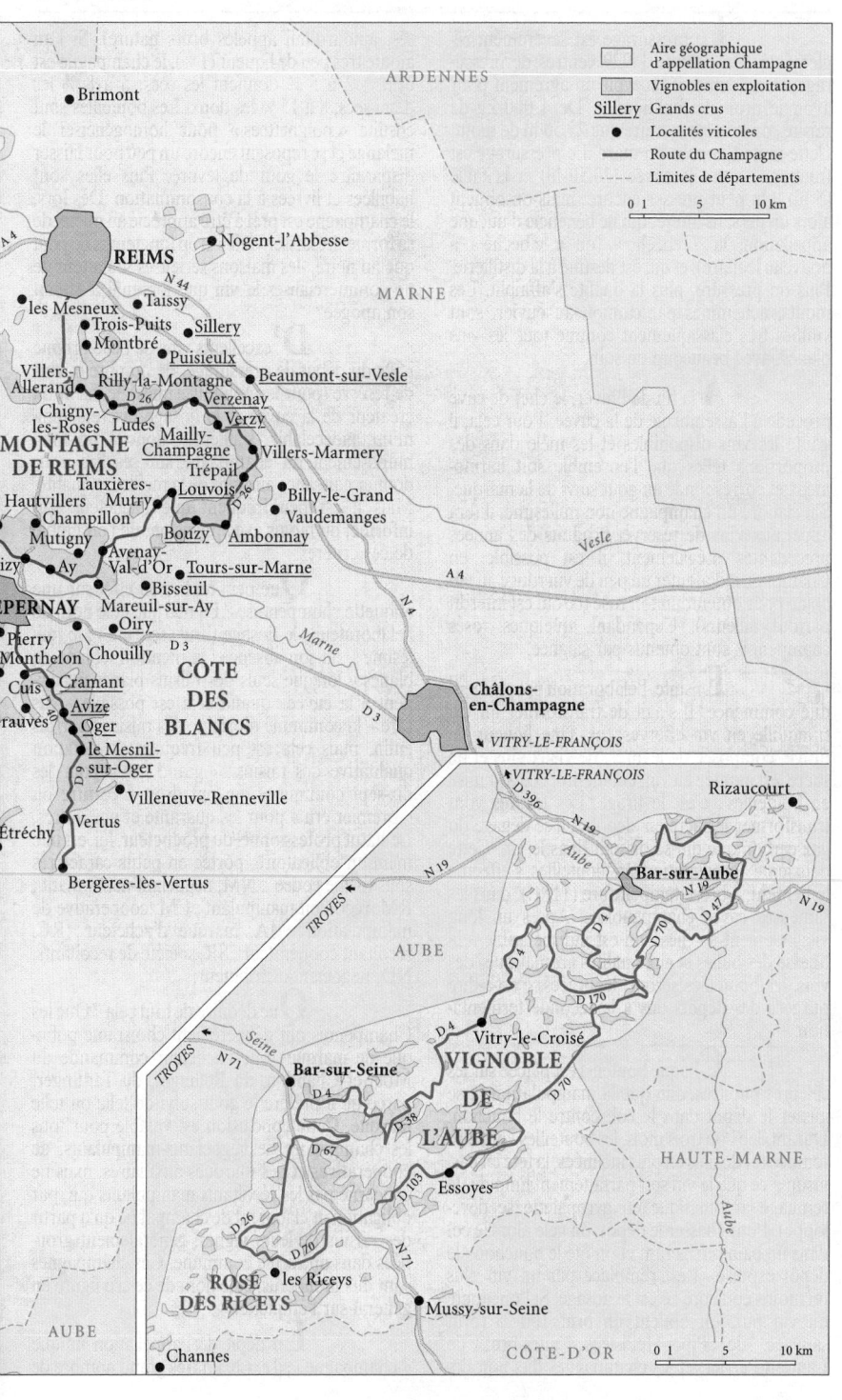

Le pressurage est sévèrement réglementé. On compte 1 929 centres de pressurage, et chacun doit recevoir un agrément pour avoir le droit de fonctionner. De 4 000 kg de raisins, on ne peut extraire que 25,50 hl de moût. Cette unité s'appelle un marc. Le pressurage est fractionné entre la cuvée (20,50 hl) et la taille (5 hl). On peut presser encore, mais on obtient alors un jus sans intérêt qui ne bénéficie d'aucune appellation, la « rebêche » (on a « bêché » à nouveau le marc), et qui est destiné à la distillerie. Plus on pressure, plus la qualité s'affaiblit. Les moûts, acheminés par camion au cuvier, sont vinifiés très classiquement comme tous les vins blancs, avec beaucoup de soin.

A la fin de l'hiver, le chef de cave procède à l'assemblage de la cuvée. Pour cela, il goûte les vins disponibles et les mêle dans des proportions telles que l'ensemble soit harmonieux et corresponde au goût suivi de la marque. S'il élabore un champagne non millésimé, il fera appel aux vins de réserve, produits des années précédentes. Légalement, il est possible, en Champagne, d'ajouter un peu de vin rouge au vin blanc pour obtenir un ton rosé (ce qui est interdit partout ailleurs). Cependant, quelques rosés champenois sont obtenus par saignée.

Ensuite, l'élaboration proprement dite commence. Il s'agit de transformer un vin tranquille en vin effervescent. Une liqueur de tirage, composée de levures, de vieux vins et de sucre, est ajoutée au vin, et l'on procède à la mise en bouteilles : c'est le tirage. Les levures vont transformer le sucre en alcool et il se dégage du gaz carbonique qui se dissout dans le vin. Cette deuxième fermentation en bouteilles s'effectue lentement, à basse température (11 °C), dans les fameuses caves champenoises. Après un long vieillissement sur lies, qui est indispensable à la finesse des bulles et aux qualités aromatiques des vins, les bouteilles seront dégorgées, c'est-à-dire purgées des dépôts dus à la seconde fermentation.

Chaque bouteille est placée sur les célèbres pupitres, afin que la manipulation fasse glisser le dépôt dans le col, contre le bouchon. Durant deux ou trois mois, les bouteilles vont être remuées et de plus en plus inclinées, la tête en bas, jusqu'à ce que le vin soit parfaitement limpide (le remuage automatique en gyropalette se développe). Pour chasser le dépôt, on gèle alors le col dans un bain réfrigérant et on ôte le bouchon ; le dépôt expulsé, il est remplacé par un vin plus ou moins édulcoré : c'est le dosage. Si l'on ajoute du vin pur, on obtient un brut 100 % (brut sauvage de Piper-Heidsieck, ultra-brut de Laurent-Perrier, et les champagnes dits non do-

sés, aujourd'hui appelés bruts nature). Si l'on ajoute très peu de liqueur (1 %), le champagne est brut ; 2 à 5 % donnent les secs, 5 à 8 % les demi-secs, 8 à 15 % les doux. Les bouteilles sont ensuite « poignettées » pour homogénéiser le mélange et se reposent encore un peu pour laisser disparaître le goût de levure. Puis elles sont habillées et livrées à la consommation. Dès lors, le champagne est prêt à être apprécié au mieux de sa forme. Le laisser vieillir trop longtemps ne peut que lui nuire : les maisons sérieuses se flattent de ne commercialiser le vin que lorsqu'il a atteint son apogée.

D'excellents vins de belle origine issus du début de pressurage, de nombreux vins de réserve (pour les non-millésimés), le talent du créateur de la cuvée et le dosage discret, minimum, indécelable, s'allieront donc à un long mûrissement du champagne sur ses lies pour donner naissance aux vins de la meilleure qualité. Mais il est peu fréquent que l'acheteur soit informé, du moins avec précision, de l'ensemble de ces critères.

Que peut-on lire en effet sur une étiquette champenoise ? La marque et le nom de l'élaborateur ; le dosage (brut, sec, etc.) ; le millésime – ou son absence ; la mention « blanc de blancs » lorsque seuls des raisins blancs participent à la cuvée ; quand cela est possible – cas rare – la commune d'origine des raisins ; parfois enfin, mais cela est peu fréquent, la cotation qualitative des raisins : « grand cru » pour les dix-sept communes qui ont droit à ce titre ou « premier cru » pour les quarante et une autres. Le statut professionnel du producteur, lui, est une mention obligatoire, portée en petits caractères sous forme codée : NM, négociant-manipulant ; RM, récoltant-manipulant ; CM, coopérative de manipulation ; MA, marque d'acheteur ; RC, récoltant-coopérateur ; SR, société de récoltants, ND, négociant-distributeur.

Que déduire de tout cela ? Que les Champenois ont délibérément choisi une politique de marque ; que l'acheteur commande du Moët et Chandon, du Bollinger, du Taittinger, parce qu'il préfère le goût suivi de telle ou telle marque. Cette conclusion est valable pour tous les champagnes de négociants-manipulants, de coopératives et des marques auxiliaires, mais ne concerne pas les récoltants-manipulants qui, par obligation, n'élaborent de champagne qu'à partir des raisins de leurs vignes, généralement groupées dans une seule commune. Ces champagnes sont dits monocrus, et le nom de ce cru figure en général sur l'étiquette.

En dépit de l'appellation unique « champagne », il existe un très grand nombre de champagnes différents, dont les caractères organoleptiques variables sont susceptibles de satisfaire tous les usages et tous les goûts des consommateurs. Ainsi, le champagne peut-il être blanc de blancs ; blanc de noirs (de pinot meunier, de pinot noir ou des deux) ; issu du mélange blanc de blancs/blanc de noirs, dans toutes les proportions imaginables ; d'un seul cru ou de plusieurs ; originaire d'un grand cru, d'un premier cru ou de communes de moindre prestige ; millésimé ou non (les non-millésimés peuvent être composés de vins jeunes, ou faire appel à plus ou moins de vins de réserve ; parfois ils sont le produit de l'assemblage d'années millésimées) ; non dosé ou dosé très variablement ; mûri brièvement ou longuement sur ses lies ; dégorgé depuis un temps plus ou moins long ; blanc ou rosé (rosé obtenu par mélange ou par saignée)... La plupart de ces éléments pouvant se combiner entre eux, il existe donc une infinité de champagnes. Quel que soit son type, on s'accorde à penser que le meilleur est celui qui a mûri le plus longtemps sur ses lies (cinq à dix ans), consommé dans les six mois suivant son dégorgement.

En fonction de ce qui précède, on s'explique mieux que le prix des bouteilles puisse varier de un à huit, et qu'il existe des « hauts de gamme » ou des « cuvées spéciales ». Il est malheureusement certain que, dans les grandes marques, les champagnes les moins chers sont les moins intéressants. En revanche, la grande différence de prix qui sépare la gamme intermédiaire (millésimés) de la plus élevée ne traduit pas toujours rigoureusement un saut qualitatif.

Le champagne se boit entre 7 et 9 °C, frais pour les blancs de blancs et les champagnes jeunes, moins rafraîchi pour les millésimés et les champagnes vineux. Outre la bouteille classique de 75 cl, le champagne est proposé en quart, demi, magnum (2 bout.), jéroboam (4 bout.), mathusalem (8 bout.), salmanazar (12 bout.)... La bouteille sera refroidie progressivement par immersion dans un seau à champagne contenant de l'eau et de la glace. Pour le déboucher, enlever ensemble muselet et habillage. Si le bouchon tend à être expulsé par la pression, on le laissera venir avec habillage et muselet. Lorsque le bouchon résiste, on le maintient d'une main alors que l'on fait tourner la bouteille de l'autre. Le bouchon est extrait lentement, sans bruit, sans décompression brutale.

Le champagne ne doit pas être servi dans des coupes, mais dans des verres de cristal, étroits et élancés, secs, non refroidis par des glaçons, exempts de toute trace de détergent qui tuerait les bulles et la mousse. Il se boit aussi bien en apéritif, qu'avec les entrées et les poissons maigres. Les vins vineux, à majorité blancs de noirs, et les grands millésimés sont souvent servis avec les viandes en sauces. Au dessert et avec les mets sucrés, on boira un demi-sec plutôt qu'un brut, le sucre renforçant trop la sensibilité du palais aux structures acides.

Les derniers millésimes : 1982, grand millésime complet ; 1983, droit, sans artifices ; 1984 n'est pas un millésime, n'en parlons pas ; 1985, grandes bouteilles ; 1986, qualité moyenne, rarement millésimé ; 1987, un mauvais souvenir ; 1988, 1989, 1990, trois belles années à savourer ; 1991 : faible, généralement non millésimé ; 1992, 1993, 1994 : années moyennes ; quelques grandes maisons ont millésimé 92 ou 93 ; 1995 : la meilleure année depuis 1990 ; 1996 : grande année millésimée en janvier 2000.

DE L'ABBATIALE

	1er cru	n.c.	7 104	🍾🥄 15 à 23 €

Les Locret sont vignerons à Hautvillers depuis 1620. La neuvième génération sera féminine, Charlotte étant la fille de Philippe Locret. Ce premier cru comporte autant de raisins noirs que de raisins blancs des années 1998 et 1996. Il est minéral, dense, frais, ample en bouche. Il convient à la table. (RM)

☛ SARL Locret-Lachaud,
40, rue Saint-Vincent, 51160 Hautvillers,
tél. 03.26.59.40.20, fax 03.26.59.40.92,
e-mail champagnelocretlachaud@wanadoo.fr ☑ ☨ r.-v.

HENRI ABELE 1990★★

	n.c.	n.c.	🍾🥄 30 à 38 €

Reprise par le géant espagnol Freixenet, la société Henri Abelé produit sous sa marque ce remarquable millésime 90 associant 68 % de chardonnay à 32 % de pinot noir. A la fois floral (fleurs blanches et violette) et fruité (fruits rouges des bois), il est frais, élégant, très jeune encore. La cuvée des **Soirées parisiennes 97** (23 à 30 €) est un vin de repas. Elle est citée. Sous la marque **Le Sourire de Reims**, le **rosé 97** (plus de 76 €) est charpenté, ferme, destiné aux viandes blanches. Il obtient une étoile. (NM)

☛ Champagne Henri Abelé, 50, rue de Sillery,
51100 Reims, tél. 03.26.87.79.80, fax 03.26.87.79.81,
e-mail mf.lagarde@champagne-abele.com ☑ ☨ r.-v.

ABEL LEPITRE
Millésimé 1997★

	n.c.	n.c.	23 à 30 €

Thierry Garnier et Dominique Lebœuf, œnologues de Philipponnat, ont étonné avec ce millésime tant décrié et ici très réussi. Or vert sillonné de bulles vives, il a un nez intense : brioche, pain grillé, amande fraîche, fruits... Puissant, équilibré, persistant, il a du caractère. Le **blanc de blancs Cuvée n° 134** (46 à 76 €), chardonnay bien typé, obtient une citation tout comme l'**Idéale Cuvée** (15 à 23 €), un champagne réussi où les fruits ont la part belle. (NM)

🍴 Champagne Philipponnat,
13, rue du Pont, 51160 Mareuil-sur-Aÿ,
tél. 03.26.56.93.00, fax 03.26.56.93.18,
e-mail info@champagnephilipponnat.com

AGRAPART ET FILS★

● Gd cru	1 ha	6 000	▣ ↓ 38 à 46 €

Maison fondée en 1894 disposant d'un vignoble de 9,65 ha dans les grands crus de la Côte des Blancs. Cette cuvée naît de l'assemblage d'un tiers de raisins récoltés en 1997, vieillis en fût, et de deux tiers de 1998. Elle n'est composée que de chardonnay teinté par 7 % de pinot noir. Ce vin pâle, au nez discret et à l'attaque fraîche, est fruité et équilibré. Le **blanc de blancs Réserve (30 à 38 €)** des années 1996 et 1997 se révèle structuré, fin et long. Il obtient une citation. (RM)
🍴 Agrapart et Fils, 57, av. Jean-Jaurès, 51190 Avize,
tél. 03.26.57.51.38, fax 03.26.57.05.06,
e-mail champagne.agrapart@wanadoo.fr ☑ ⍨ r.-v.

ALBERT LE BRUN
Vieille France

●	n.c.	65 000	15 à 23 €

Fondée à Avize en 1860, cette marque a été transférée à Châlons-en-Champagne en 1963 ; depuis, elle a changé de main à plusieurs reprises. La majeure partie de sa gamme est livrée dans une curieuse bouteille dont la forme est inspirée d'un tableau du XVIIIᵉ s. : la cuvée Vieille France comporte 65 % de pinot noir et du chardonnay. Elle est structurée, puissante, vive et longue. La version **rosé** de ce vin est due à l'adjonction de 10 % de vin rouge ; c'est un champagne orangé, évolué, sensiblement dosé. Elle obtient une citation et peut être servie dès maintenant. (NM)
🍴 Albert Le Brun, 93, av. de Paris,
51000 Châlons-en-Champagne,
tél. 03.26.68.18.68, fax 03.26.21.53.31,
e-mail a.bergeot@champagne-lebrun.com ☑ ⍨ r.-v.

GILLES ALLAIT★

●	n.c.	1000	11 à 15 €

Ce rosé comprend beaucoup de pinot meunier (77 %) et un peu de chardonnay, teintés de 13 % de vin rouge. Un champagne légèrement évolué, très mûr, à la belle couleur saumonée couronnée d'une effervescence persistante. Équilibré et long, il est très agréable. (RM)
🍴 Gilles Allait, 2, rue du Château,
51700 Passy-Grigny,
tél. 03.26.52.92.19, fax 03.26.52.97.22 ☑ ⍨ r.-v.

DE L'ARGENTAINE
Rosé

●	2 ha	16 000	▣ ↓ 11 à 15 €

Cette marque est celle d'une coopérative établie dans la vallée de la Marne. Son rosé, qui ne comporte qu'un quart de chardonnay, est empyreumatique, brioché, féminin, tout en rondeur. Pâle à reflets fuchsia, il joue également sur la framboise et la poire. La **Réserve spéciale** (70 % de pinot noir et 30 % de chardonnay) est principalement issue de l'année 1997. Elle est citée pour sa fraîcheur et son homogénéité. (CM)
🍴 Coopérative vinicole l'Union, Cidex 318,
51700 Vandières, tél. 03.26.58.68.68, fax 03.26.58.68.69,
e-mail delargentaine@wanadoo.fr ☑ ⍨ r.-v.

JEAN-ANTOINE ARISTON
Carte jaune★★

●	2 ha	20 000	▣ 11 à 15 €

Brouillet se trouve sur le circuit des églises romanes de la vallée de l'Ardre. Une halte s'impose dans cette exploitation familiale. Le Carte jaune est issu des trois cépages champenois récoltés en 1997, 1998 et 1999. C'est un champagne au bouquet riche et intense (pain d'épices, fruits rouges et fruits confits), souple, rond et équilibré, qui sera excellent en apéritif (avec canapés) ou à table (sur des viandes). (RM)
🍴 Jean-Antoine Ariston, 4, rue Haute, 51170 Brouillet,
tél. 03.26.97.47.02, fax 03.26.97.49.79,
e-mail champagne.ariston@wanadoo.fr ☑ ⍨ r.-v.

MICHEL ARNOULD ET FILS★

● Gd cru	1,5 ha	5 000	▣ ⏚ 11 à 15 €

Installé depuis 1961, Michel Arnould règne sur un vignoble d'une douzaine d'hectares. Ce rosé cuivré est un blanc de noirs teinté. Il doit au pinot noir ses arômes de cerise et de griotte, des saveurs que l'on retrouve en bouche après une attaque nette. Bien structuré, équilibré, il mettra en valeur les côtelettes de chevreuil aux airelles. (RM)
🍴 Michel Arnould et Fils, 28, rue de Mailly,
51360 Verzenay, tél. 03.26.49.40.06, fax 03.26.49.44.61,
e-mail info@champagne-michel-arnould.com ☑ ⍨ r.-v.

ASPASIE
Blanc de blancs★

●	2 ha	4 000	▣ 15 à 23 €

Vignerons depuis trois siècles, les Ariston exploitent un vignoble de plus de 10 ha. Aspasie est un blanc de blancs né de chardonnay récolté en 1998. Sa couleur répond aux critères de son cépage. Ses arômes évoquent la noisette, les fleurs, accompagnés d'une note minérale. Équilibré et complexe, ce champagne, baptisé en hommage à une ancêtre de caractère, pourra être servi avec des noix de Saint-Jacques poêlées. (RM)
🍴 Rémi Ariston, 4 et 8, Grande-Rue, 51170 Brouillet,
tél. 03.26.97.43.46, fax 03.26.97.49.34,
e-mail contact@champagne-aristonfils.com
☑ 🏠 ⍨ t.l.j. 9h-12h 14h-18h; dim. sur r.-v.;
f. 3ᵉ sem. août

AUBRY DE HUMBERT 1996★

● 1er cru	7 ha	3 000	▣ ↓ 15 à 23 €

Les Aubry exploitent un vignoble de 16 ha dans la Montagne de Reims et produisent des champagnes très originaux. Ils rappellent que, le 6 mai 1211, l'archevêque Aubry de Humbert posait la première pierre de la cathédrale de Reims. La cuvée qui porte son nom est issue des trois cépages champenois. Elle est aussi vive au nez qu'en bouche où son dosage est perceptible. Le **Sablé rosé Nicolas François Aubry 1er cru 96** mérite d'être cité pour la fraîcheur de son expression fruitée. (RM)
🍴 SCEV Champagne Aubry,
4 et 6, Grande-Rue, 51390 Jouy-les-Reims,
tél. 03.26.49.20.07, fax 03.26.49.75.27 ☑ ⍨ r.-v.

CH. DE L'AUCHE
Cuvée Privilège★

●	n.c.	3 000	▣ ↓ 15 à 23 €

Une coopérative créée en 1961 dont le volume de commercialisation représente 400 000 cols (ou bouteilles) ; cette cuvée Privilège, à l'effervescence fine, offre des notes de fruits confits, d'épices, d'agrumes. Vineux et puissant,

équilibré, c'est un vin de caractère. La **cuvée Sélection (8 à 11 €)**, assemblage des années 1997, 1998 et 1999, est un blanc de noirs. Elle obtient une étoile. (CM)
🕏 Champagne Ch. de l'Auche, Rue de Germigny, 51390 Janvry, tél. 03.26.03.63.40, fax 03.26.03.66.93, e-mail info@champagne-de-lauche.com ✅ 🍷 r.-v.

AUTREAU DE CHAMPILLON
Réserve★★

	9,7 ha	30 000	🍾 11 à 15 €

Cette marque familiale est à la tête de 27 ha de vignes, situés à flanc du vallon des Rosières. Une belle effervescence se dégage de ce Réserve, mi-noirs mi-blancs, au nez de fleurs blanches et de brioche. Equilibré, fruité et grillé, c'est un champagne polyvalent pour l'apéritif et la table. (NM)
🕏 SARL Vignobles Champenois, 15, rue René-Baudet, 51160 Champillon, tél. 03.26.59.46.00, fax 03.26.59.44.85
✅ 🍷 t.l.j. 9h-12h 14h-18h; sam. dim. sur r.-v.; f. 5-20 août
🕏 Eric Autréau

AUTREAU-LASNOT
Prestige Millésime 1998★

	1 ha	4 630	🍾🎁 11 à 15 €

Fabrice et Florent ont rejoint leurs parents sur un beau domaine d'une dizaine d'hectares situé sur la commune de Venteuil, idéalement exposé au sud. Cette cuvée Prestige est mi-noirs mi-blancs. Elle fait songer au miel et aux fruits à chair blanche. En bouche, un développement harmonieux conduit à une finale longue. Le **rosé**, issu de trois cépages champenois des années 1996, 1997 et 1998, est un champagne d'apéritif qui a atteint son apogée. Il obtient une citation. (RM)
🕏 Champagne Autréau-Lasnot, 6, rue du Château, 51480 Venteuil, tél. 03.26.58.49.35, fax 03.26.58.65.44
✅ 🍷 t.l.j. sf dim. 9h-12h 13h30-18h; sur r.-v. dim. matin et pour groupes
🕏 Gérard Autréau

BAGNOST PERE ET FILS
Cuvée Tradition 1997★★

	0,45 ha	2 500	🍾🍷 11 à 15 €

Coup de cœur dans l'édition 2001 du Guide, ce récoltant, à la tête d'un vignoble de 8 ha, a élaboré une remarquable cuvée constituée de deux tiers de chardonnay et d'un tiers de pinot noir. Une fine effervescence anime la robe dorée limpide, tandis que des notes vanillées et miellées se joignent aux fruits rouges mûrs pour accompagner le bel équilibre jusqu'à une finale persistante. La **cuvée Réserve 98**, mi-noirs mi-blancs, citronnée et vive, obtient une citation. (RM)
🕏 Champagne Bagnost Père et Fils, 30, rue du Gal-de-Gaulle, 51530 Pierry, tél. 03.26.54.04.22, fax 03.26.55.67.17 ✅ 🍷 r.-v.
🕏 Claude Bagnost

BANDOCK-MANGIN

	6,3 ha	23 000	🍾 11 à 15 €

Exploitation familiale de création récente disposant d'un vignoble de 6,3 ha situé sur les coteaux de Bouzy. Ce brut sans année est trois fois plus noirs que blancs, des raisins vendangés en 1999 épaulés par des vins de réserve de 1998 et 1997. Or pâle, citronné, vif et fruité, d'une bonne longueur, il sera agréable à l'apéritif et sur un poisson. (RC)

🕏 Yannick Bandock, 3, rue Victor-Hugo, 51150 Bouzy, tél. 03.26.57.09.09, fax 03.26.51.65.19, e-mail bandock-mangin@wanadoo.fr ✅ 🍷 r.-v.

CHRISTIAN BANNIERE
Cuvée spéciale★

Gd cru	0,5 ha	2 000	🍾🍷 15 à 23 €

Née à Bouzy, grand cru de la Montagne de Reims, cette Cuvée spéciale est un peu plus noirs (59 %) que blancs. Complexe et minérale, elle a du caractère, de la puissance et son dosage est juste. Equilibré, le **Grande Réserve** est très noirs (78 %) : des raisins des années 1995 et 1996. Il ne faut plus l'attendre. (RM)
🕏 Christian Bannière, 5, rue Yvonnet, 51150 Bouzy, tél. 03.26.57.58.15, fax 03.26.59.35.02, e-mail champagne.bannière@wanadoo.fr ✅ 🍷 r.-v.

PAUL BARA
Grand Rosé de Bouzy

Gd cru	n.c.	n.c.	🍾🍷 15 à 23 €

Ce vignoble s'étend sur 11 ha dans la commune de Bouzy. Le Grand Rosé a déjà eu les honneurs du Guide ; il est très noirs (90 %) et doit sa teinte au vin rouge de Bouzy. Ce champagne est vif et frais. Sa légèreté le destine à l'apéritif. Le **brut 97**, une cuvée dans l'esprit de la précédente, dont le dosage est perceptible, allie souplesse et ampleur. (RM)
🕏 Champagne Paul Bara, 4, rue Yvonnet, 51150 Bouzy, tél. 03.26.57.00.50, fax 03.26.57.81.24
✅ 🍷 r.-v.

F. BARBIER
Blanc de blancs★★

Gd cru	3 ha	20 000	🍾🍷 11 à 15 €

Fabien, Floriane, Flaviène, Florys, frères et sœurs, dits les Quatre F, ont repris la maison familiale fondée en 1911, dont le vignoble est situé à Sézanne et dans la Côte des Blancs. Ce blanc de blancs grand cru né de l'année 2000 est très jeune. Arborant la couleur idéale de son cépage, il est floral, frais, presque exotique et tient bien en bouche. (RM)
🕏 Champagne F. Barbier, 554, av. Jean-Jaurès, 51190 Avize, tél. 03.26.57.10.18, fax 03.26.58.31.77
✅ 🍷 r.-v.

BARBIER-LOUVET
Cuvée de réserve★

	2 ha	n.c.	🍾 11 à 15 €

Domaine familial de 6,5 ha situé sur la commune de Bouzy et fondé en 1835. 60 % de pinot noir et 40 % de chardonnay de 1999 associés à 30 % de vin de réserve sont à l'origine d'arômes de miel et de beurre et d'une bouche fraîche et distinguée. A citer le **Tradition**, très noirs (90 % de pinot de 1999), au fruité de groseille et de cassis, tout à la fois vif et rond, et le **blanc de blancs**, toujours 1999, floral et fin. (RM)
🕏 Champagne Barbier-Louvet, 8, rue de Louvois, 51150 Tauxières, tél. 03.26.57.04.79, fax 03.26.52.60.18, e-mail barbierserge@wanadoo.fr ✅ 🍷 r.-v.

BARDOUX PERE ET FILS 1995★

	n.c.	1 940	🍾🍷 15 à 23 €

Les Bardoux sont vignerons depuis plus de trois siècles à Villedommange. Actuellement, Pascal Bardoux exploite un vignoble de 4 ha. Les trois cépages champenois

se retrouvent dans ce 95 à la mousse fine et persistante ; floral au nez et en bouche, il est fin et frais. Sa finale fruitée ajoute à son charme. Le **brut 1ᵉʳ cru (11 à 15 €)**, très noirs lui aussi (84 %), frais et fruité, obtient une citation. (RM)
🍴 Pascal Bardoux,
5-7, rue Saint-Vincent, 51390 Villedommange,
tél. 03.26.49.25.35, fax 03.26.49.23.15,
e-mail contact@champagne-bardoux.com ☑ 🏠 ⵏ r.-v.

G. DE BARFONTARC
Cuvée Sainte-Germaine Cuvée réservée 1996

	n.c.	33 908	🍴⬇ 11 à 15 €

Cette marque est celle de la coopérative vinicole de la région de Baroville, dans l'Aube ; elle vinifie la production de 90 ha de vignes. Cette cuvée est classique, avec trois parts de pinot noir pour deux de chardonnay. Son bouquet puissant de biscotte beurrée, sa bouche empyreumatique rappelant le nez, donnent un champagne élégant et long. (CM)
🍴 Champagne G. de Barfontarc, rte de Bar-sur-Aube,
10200 Baroville, tél. 03.25.27.07.09, fax 03.25.27.23.00
☑ ⵏ t.l.j. sf dim. 9h-12h 13h30-17h30

EDMOND BARNAUT
Grande Réserve

Gd cru	12,5 ha	40 000	🍴⬇ 11 à 15 €

Le Chemin des Vignes, établi par les échevins de Bouzy, permet une belle découverte de ce vignoble. Philippe Secondé, œnologue et descendant d'Edmond Barnaut, fondateur de cette marque en 1874, propose une Grande Réserve qui comporte deux fois plus de pinot noir que de chardonnay. Elle est dominée par les arômes d'agrumes alors qu'en bouche la mirabelle s'exprime. (RM)
🍴 Champagne Edmond Barnaut,
2, rue Gambetta, BP 19, 51150 Bouzy,
tél. 03.26.57.01.54, fax 03.26.57.09.97,
e-mail contact@champagne-barnaut.com
☑ ⵏ t.l.j. 10h30-12h30 14h-17h30; jan. sur r.-v.
🍴 P. et E. Secondé

ROGER BARNIER
Cuvée blanche 1997★

	1 ha	4 600	🍴🍷 15 à 23 €

Frédéric Berthelot exploite une marque lancée en 1834 et dispose d'un vignoble s'étendant sur 7 ha. Ce champagne a passé six mois sous bois. C'est un blanc de blancs, ce qui explique les notes de brioche, de pêche blanche et de fruits secs. Equilibré, puissant et long, il laisse une bonne impression. (RM)
🍴 Champagne Roger Barnier,
1, rue Marais-de-Saint-Gond, 51270 Villevenard,
tél. 02.26.52.82.77, fax 02.26.52.81.09,
e-mail alicam@wanadoo.fr ☑ 🏠 ⵏ r.-v.

BARON ALBERT
Tradition

	n.c.	50 000	🍴⬇ 11 à 15 €

Charly-sur-Marne, cité viticole comme l'attestent les noms des rues et des lieux-dits, est habitée par les Baron, vignerons depuis plus de trois siècles. Exploitant un vignoble de 30 ha, Claude Baron vinifie selon une méthode personnelle : pas de fermentation malolactique et élevage en fût des vins de chardonnay. La cuvée Tradition, sélectionnée dans le Guide d'année en année, est très noirs (90 % pinot meunier) : elle est fraîche et minérale ; sa

rondeur est accentuée par le dosage. La cuvée **Carte d'Or** est également citée. Elle est vinifiée selon la même méthode, mais l'assemblage est presque aussi blancs que noirs. Le chardonnay lui confère un esprit primesautier. (NM)
🍴 Champagne Baron Albert, 1, rue des Chaillots,
Grand-Porteron, 02310 Charly-sur-Marne,
tél. 03.23.82.02.65, fax 03.23.82.02.44,
e-mail champagnebaronalbert@wanadoo.fr ☑ ⵏ r.-v.

BARON-FUENTE
Grand Millésime 1996★★

	7 ha	30 000	🍴⬇ 11 à 15 €

Autre branche de la famille Baron, également installée à Charly-sur-Marne, dont le vignoble se développe sur une cinquantaine d'hectares. Ce sont aujourd'hui les enfants de Dolorès Fuenté et Gabriel Baron qui prennent en main les destinées de la marque. Cette cuvée, issue des trois cépages champenois (dont 45 % de chardonnay), séduit autant le nez que la bouche avec ses arômes sensuels d'amande fruitée et son équilibre complexe et long. Coup de cœur pour un vin plaisir. (NM)
🍴 Champagne Baron-Fuenté,
21, av. Fernand-Drouet, 02310 Charly-sur-Marne,
tél. 03.23.82.01.97, fax 03.23.82.01.97,
e-mail champagne.baron-fuente@wanadoo.fr ☑ ⵏ r.-v.

BAUGET-JOUETTE
Grande Réserve 1995★

	n.c.	1000	🍴⬇ 23 à 30 €

Les Bauget sont à la fois viticulteurs et négociants comme beaucoup de Champenois aujourd'hui. Leur vignoble s'étend sur une quinzaine d'hectares aux alentours d'Epernay. Leur Grande Réserve comprend trois fois plus de blancs que de noirs (20 % pinot meunier) ; il est floral, vif et complexe. D'une très belle harmonie, ce 95 est prêt pour vos cocktails. (NM)
🍴 Champagne Bauget-Jouette, 1, rue Champfleury,
51200 Epernay, tél. 03.26.54.44.05, fax 03.26.55.37.99,
e-mail champagne.bauget@wanadoo.fr ☑ ⵏ r.-v.

BAUSER
Réserve★

	14 ha	10 000	🍴⬇ 11 à 15 €

Ce récoltant-manipulant des Riceys dispose de 14 ha de vignes dont le premier millésime vinifié remonte à 1975. Son Réserve est un blanc de noirs de 1998 au bouquet de fleurs blanches, souple et rond en bouche. Le **rosé**, issu d'une cuvée de pinot noir de 1999, équilibré et délicat, obtient une étoile. (RM)
🍴 EARL Bauser, rte de Tonnerre, 10340 Les Riceys,
tél. 03.25.29.32.92, fax 03.25.29.96.29,
e-mail champagne-bauser@worldonline.fr ☑ ⵏ r.-v.

HERBERT BEAUFORT
Blanc de blancs Cuvée du Mélomane

Gd cru	3 ha	20 000	🍾 15 à 23 €

L'une des plus anciennes familles viticoles de Bouzy disposant de 16,5 ha de vigne, dont 10 ha dans le grand cru Bouzy. Ce blanc de blancs est singulier car cette commune est surtout connue pour ses pinots noirs. Il n'a pas fait sa fermentation malolactique. Sa robe est or pâle. Ronde et plaisante, sa bouche complexe tend vers le miel. L'**Extra-brut 97 (23 à 30 €)**, un blanc de noirs, à 10 % près, ne connaît pas non plus la fermentation malolactique. Il faut saluer l'art du vinificateur car ce champagne est frais, complexe et structuré. (RM)
🍾 Herbert Beaufort, 32, rue de Tours, BP 07, 51150 Bouzy, tél. 03.26.57.01.34, fax 03.26.57.09.08
☑ ⅄ r.-v.
🍾 Henry Beaufort

JACQUES BEAUFORT
Demi-sec 1988★★

	5 ha	5 000	🍾 ⅏ 23 à 30 €

Jacques Beaufort semble avoir deux particularités : pratiquer la culture biologique en soignant ses vignes par « aromathérapie et homéopathie » et manifeste son goût pour les champagnes demi-secs. Les dégustateurs complimentent celui-ci passé par le bois, où ils découvrent des notes de poivre et de clou de girofle, de fruits exotiques et de miel exubérantes. Un champagne évolué pour amateurs. Le **brut 1991 (15 à 23 €)**, quatre fois plus noirs que blancs, puissant, riche, évolué, original, obtient une citation. Sous la marque **André Beaufort le brut sans année Réserve grand cru (15 à 23 €)**, associant 1992 et 1993, obtient une étoile. (RM)
🍾 Jacques Beaufort, 1, rue de Vaudemange, 51150 Ambonnay, tél. 03.26.57.01.50, fax 03.26.52.83.50, e-mail champagne.beaufort@libertysurf.fr
☑ ⅄ t.l.j. 9h-12h30 13h30-20h

BEAUMET
Blanc de noirs★

	n.c.	20 000	🍾 ⅃ 15 à 23 €

Maison fondée en 1878 et reprise en 1977 par Jacques Trouillard dont la famille est propriétaire d'un important vignoble. Ce blanc de noirs est équilibré, discret mais harmonieux, apte à accompagner une viande blanche. La **cuvée Malakoff 95 (23 à 30 €)**, un blanc de blancs or pâle, à la mousse fine et vive, gagne une étoile pour sa complexité aromatique, sa longueur et sa puissance. (NM)
🍾 Champagne Beaumet, Ch. Malakoff, 3, rue Malakoff, 51207 Epernay Cedex, tél. 03.26.59.50.10, fax 03.26.54.78.52, e-mail chateau.malakoff@wanadoo.fr
🍾 J. Trouillard

BEAUMONT DES CRAYERES
Grand Rosé★

	4 ha	30 000	🍾 ⅃ 11 à 15 €

Ce groupement de producteurs d'Epernay, qui réunit deux cent cinquante vignerons propriétaires de 75 ha de vignes, propose un rosé issu des trois cépages champenois et des années 1996 à 1998. C'est un vin frais, fruité, équilibré, pour apéritif et dessert. Sa couleur saumonée est élégante. La cuvée **Fleur de Prestige 96 (15 à 23 €)**, typée par son millésime, est vive et longue ; elle n'a pas encore atteint son apogée. (CM)

🍾 Champagne Beaumont des Crayères, BP 1030, 51318 Epernay Cedex, tél. 03.26.55.29.40, fax 03.26.54.26.30, e-mail contact@champagne-beaumont.com
☑ ⅄ t.l.j. 10h-12h 14h-17h; f. sam. dim. de Noël à Pâques

L. BENARD-PITOIS
Carte blanche

1er cru	n.c.	n.c.	🍾 ⅃ 11 à 15 €

Le château de Mareuil, à trois kilomètres d'Aÿ, fut propriété du maréchal Lannes sous l'Empire. Le village intéresse le visiteur également pour son église du XIIe s. et pour ses maisons de champagne telle celle-ci dont le vignoble s'étend sur 10 ha, comprenant deux grands crus et quatre premiers crus. Ce Carte blanche comporte quatre fois plus de pinot que de chardonnay des années 1998 et 1999. Fruité et crémeux, il conviendra bien à l'apéritif. (RM)
🍾 Champagne L. Bénard-Pitois, 23, rue Duval, 51160 Mareuil-sur-Aÿ, tél. 03.26.52.60.28, fax 03.26.52.60.12, e-mail benard-pitois@wanadoo.fr
☑ ⅄ r.-v.

BERECHE ET FILS
Reflet d'Antan★★

	n.c.	1000	⅏ 15 à 23 €

Les Berèche, vignerons depuis 1847, possèdent un vignoble de plus de 8 ha à Ludes. Cette cuvée bien nommée est élevée dans le bois ; le tirage se fait sous liège ; la fermentation malolactique est évitée. Ce vin d'or de l'année 1998, fruité, vanillé, rond et long, a du caractère et un excellent potentiel. Le **Réserve (11 à 15 €)**, vinifié comme le Reflet d'Antan et issu des trois cépages champenois, se montre frais et minéral ; ses saveurs d'agrumes lui valent une étoile. (RM)
🍾 Champagne Berèche et Fils, Le Craon-de-Ludes, BP 18, 51500 Ludes, tél. 03.26.61.13.28, fax 03.26.61.14.14, e-mail info@champagne-bereche-et-fils.com ☑ ⅄ r.-v.

F. BERGERONNEAU-MARION
Millésimé 1997★

1er cru	0,6 ha	4 000	🍾 15 à 23 €

Marque lancée en 1984 par le père du propriétaire actuel. Le vignoble s'étend sur 13 ha. Ce 97, millésime rare, présente un bouquet de fleurs d'acacia et une bouche aérienne. Il est idéal à l'apéritif. Le **blanc de blancs** gagne une étoile pour ses arômes briochés, sa finesse épicée et son élégance. Une citation au bénéfice du **Tradition (11 à 15 €)**, presque un blanc de noirs (10 % de chardonnay) des années 1998 et 1999, structuré et puissant. (RM)
🍾 Florent Bergeronneau, 22, rue de la Prévoté, 51390 Villedommange, tél. 03.26.49.75.26, fax 03.26.49.20.85 ☑ ⅄ r.-v.

CH. BERTHELOT
Carte noire★

Gd cru	n.c.	5 000	🍾 11 à 15 €

L'un des plus petits domaines cité dans le Guide, mais situé en grand cru. Ce Carte noire est un blanc de blancs, bien que l'étiquette n'en dise rien. Il naît des années 1998 et 1999 ; son bouquet fait songer aux fleurs blanches et au pain grillé ; sa bouche florale et équilibrée rappelle le miel et les fruits secs. (RM)

⌐ɿ Christian Berthelot, 32, rue Ernest-Valle,
51190 Avize, tél. 03.26.57.58.99, fax 03.26.51.87.26
☑ 𝐘 r.-v.

PAUL BERTHELOT
Blason d'Or★

	n.c.	n.c.	🍴 11 à 15 €

Cette maison est située à Dizy, anciennement Dizy-Magenta, proche d'Epernay. Son Blason d'Or est aussi noirs que blancs ; son bouquet est biscuité, grillé, beurré. En bouche, rondeur et puissance s'expriment sans nuire à sa fraîcheur. (NM)
⌐ɿ SARL Paul Berthelot, 889, av. du Gal-Leclerc,
51530 Dizy, tél. 03.26.55.23.83, fax 03.26.54.36.31
☑ 𝐘 r.-v.

BILLECART-SALMON
Blanc de blancs★

Gd cru	n.c.	50 000	30 à 38 €

Maison toujours familiale fondée en 1818, spécialisée dans la production de champagnes de qualité. Les dégustateurs ont sélectionné trois vins : le blanc de blancs, or vert à la belle effervescence, offre un nez de fruits mûrs (abricot et agrumes) ; frais et fin, il est équilibré. La **cuvée Nicolas François Billecart 97 (46 à 76 €)**, pinot 60 % et chardonnay, est riche et complexe, flatteuse. Elle obtient une citation tout comme le **Réserve (23 à 30 €)**, issu des trois cépages, équilibré. (NM)
⌐ɿ Champagne Billecart-Salmon,
40, rue Carnot, 51160 Mareuil-sur-Aÿ,
tél. 03.26.52.60.22, fax 03.26.52.64.88,
e-mail billecart @ champagne-billecart.fr ☑ 𝐘 r.-v.

BINET
Blanc de blancs 1997★

	n.c.	95 000	🍴 23 à 30 €

Depuis sa fondation par Léon Binet en 1849, cette maison a été reprise par le champagne Germain en 1948, et plus récemment par le groupe Prin en 2000. Le blanc de blancs 97, tout à la fois souple, nerveux et long, est surtout jeune. L'attendre un petit peu pour le servir sur des crustacés. Le **brut Elite (15 à 23 €)** fait appel aux trois cépages champenois. Il est cité pour sa fraîcheur équilibrée. (NM)
⌐ɿ Champagne Binet,
31, rue de Reims, 51500 Rilly-la-Montagne,
tél. 03.26.88.05.00, fax 03.26.88.05.05,
e-mail info@champagne-binet.com ☑ 𝐘 r.-v.

CH. DE BLIGNY
Blanc de blancs★

	6 ha	50 000	🍴 11 à 15 €

L'un des deux champagnes « de château », celui-ci étant situé dans l'Aube. Le vignoble s'étend sur 18 ha. Ce blanc de blancs aux arômes de pain grillé et de pâte de coings est beurré, rond et long en bouche. Le **Grande Réserve**, mi-noirs mi-blancs (des années 1997 et 1998), est élégant, vif, trop vif pour certains dégustateurs qui conseillent de l'attendre un à deux ans. (RM)
⌐ɿ Champagne Ch. de Bligny, 10200 Bligny,
tél. 03.25.27.40.11, fax 03.25.27.04.52
☑ 𝐘 t.l.j. sf sam. dim. 8h-12h 14h-17h30
⌐ɿ Rapeneau

H. BLIN ET CIE
Tradition★

	90 ha	400 000	🍴 11 à 15 €

120 ha de vignes appartenant à une centaine d'adhérents sont vinifiés par ce groupement de producteurs fondé en 1947. La cuvée Tradition comporte trois fois plus de pinot meunier que de chardonnay ; elle est fraîche, vive, équilibrée. Le champagne de tout un repas. Le **rosé (15 à 23 €)** recueille également une étoile. Il s'agit de la cuvée Tradition colorée par une notable proportion de vin rouge : bouquet de fruits rouges (framboise, cerise) et saveurs vineuses après une attaque franche. (CM)
⌐ɿ SC Champagne H. Blin et Cie, 5, rue de Verdun,
51700 Vincelles, tél. 03.26.58.20.04, fax 03.26.58.29.67,
e-mail contact@champagne-blin.com ☑ 𝐘 r.-v.

TH. BLONDEL
Blanc de blancs 1998★

1er cru	4 ha	4 000	🍴 15 à 23 €

Une maison isolée au milieu des vignes à cinq kilomètres au sud-est de Reims : c'est le domaine de 9,5 ha acquis en 1914 par l'arrière-grand-père du propriétaire actuel. Son **rosé (11 à 15 €)** est un rosé de noirs, assemblage des années 1998 et 1999 ; les fruits rouges frais ou cuits sont à l'honneur dans ce champagne structuré. Il obtient une étoile comme ce blanc de blancs 1998, floral élégant, citronné et frais. Le **Vieux Millésime 95**, un blanc de blancs, est cité pour sa fraîcheur citronnée et son équilibre élégant. (NM)
⌐ɿ Th. Blondel, Dom. des Monts-Fournois,
51500 Ludes, tél. 03.26.03.43.92, fax 03.26.03.44.10
☑ 𝐘 r.-v.

BOIZEL
Réserve★★

	n.c.	400 000	🍴 15 à 23 €

Cette maison, fondée en 1834, constitue depuis 1994 l'un des maillons du groupe BCC. Le brut Réserve est une cuvée classique pinot-chardonnay (70-30) très complimentée pour ses arômes et ses saveurs de moka torréfié, de fleurs capiteuses et pour sa finale longue. Deux étoiles à nouveau pour le **Joyau de chardonnay 89 (38 à 46 €)**, un champagne qui a atteint son apogée, empyreumatique, fortement construit, intense et long. (NM)
⌐ɿ Champagne Boizel, 46, av. de Champagne,
51200 Epernay, tél. 03.26.55.21.51, fax 03.26.54.31.83,
e-mail boizelinfo@boizel.fr
⌐ɿ BCC

BOLLINGER
R.D. 1990★★

	n.c.	n.c.	🍾 + de 76 €

Cette maison, fondée en 1829, est l'une des rares à demeurer familiale. Elle dispose d'un important vignoble

(150 ha). Cette cuvée spéciale est très spéciale. Elle divise les dégustateurs, certains lui reprochent son boisé et son évolution, d'autres sont extrêmement séduits par sa maturité, sa complexité, sa puissance et son caractère accusé, dus à sa forte proportion de raisins noirs et surtout à son élaboration si soignée et si particulière. Sans aucun doute l'un des champagnes les plus typés du Guide. La **Grande Année 95 (46 à 76 €)** recueille une étoile, elle suscite des commentaires proches de ceux provoqués par le R.D. 90. Sa composition est la suivante : deux tiers de pinot noir et un tiers de chardonnay. La puissance des pinots noirs en fait un champagne de table. (NM)

🐦 Bollinger,
16, rue Jules-Lobet, 51160 Aÿ-Champagne,
tél. 03.26.53.33.66, fax 03.26.54.85.59

BONNAIRE
Blanc de blancs★

Gd cru	9 ha	n.c.	⬛⬇	15 à 23 €

Depuis 1932, date de sa création, ce domaine s'est agrandi, atteignant 13,5 ha dans la Côte des Blancs et 8,5 ha dans la vallée de la Marne. Cette cuvée est typée : ses arômes de pain grillé brioché et ses saveurs généreuses répondent à toutes les attentes. Équilibrée et longue, elle est évoluée mais reste fraîche. (RM)

🐦 Jean-Louis Bonnaire, 120, rue d'Epernay,
51530 Cramant, tél. 03.26.57.50.85, fax 03.26.57.59.17,
e-mail info@champagnebonnaire.com
✅ 🍸 t.l.j. 9h-12h 14h-17h; sam. dim. sur r.-v.; f. août

ALEXANDRE BONNET
Madrigal 1993★

	40,44 ha	7 000	15 à 23 €

La maison Alexandre Bonnet est une propriété familiale de 40 ha installée aux Riceys ; elle appartient depuis 1998 au groupe BCC (Boizel-Chanoine-Champagne). La cuvée Madrigal, mi-blancs mi-noirs, a bien évolué. Elle offre des arômes biscuités, grillés, beurrés, impression que l'on retrouve en bouche. Elle doit être servie. (NM)

🐦 SA Maison Alexandre Bonnet,
138, rue du Gal-de-Gaulle, 10340 Les Riceys,
tél. 03.25.29.30.93, fax 03.25.29.38.65,
e-mail info@alexandrebonnet.com ✅ 🍸 r.-v.
🐦 BCC

JULES BONNET 1998★

1er cru	1,5 ha	5 000	⬛	15 à 23 €

Chamery et son église du XIIᵉs. Thierry Bonnet y élabore des cuvées nées de différents terroirs de la Montagne de Reims. Celle-ci, passée par le bois, est un blanc de noirs aux arômes de pain d'épice. L'agrément de la bouche doit beaucoup au dosage tout comme pour le **Vintage 98 (11 à 15 €)** issu des trois cépages champenois en proportions égales. Le nez est frais, floral, mais la bouche est imposante ; il obtient une citation. (RM)

🐦 Thierry Bonnet, Champagne Bonnet-ponson,
20, rue du Sourd, 51500 Chamery,
tél. 03.26.97.65.40, fax 03.26.97.67.11,
e-mail champagne.bonnet.ponson@wanadoo.fr
✅ 🍸 r.-v.

FRANCK BONVILLE
Blanc de blancs Prestige★★

Gd cru	15 ha	10 000	⬛	15 à 23 €

Franck Bonville a lancé sa marque en 1945. Son fils Gilles exploite un vignoble qui s'étend sur 15 ha. Olivier est

l'œnologue. La cuvée Prestige naît de l'assemblage de vins de 1995 et 1996 ; elle fleure le miel d'acacia légèrement fumé, et sa bouche est complexe. Le **blanc de blancs brut Réserve 96 grand cru** obtient le même score : il est aussi fin que le précédent ; sa minéralité est sans doute plus grande. Une étoile salue le **blanc de blancs brut Sélection**, un assemblage des années 1997 et 1998, équilibré et frais. Ces deux derniers jouent dans la fourchette 11 à 15 €. (RM)

🐦 Champagne Franck Bonville, 9, rue Pasteur,
51190 Avize, tél. 03.26.57.52.30, fax 03.26.57.59.90,
e-mail franck-bonville@wanadoo.fr ✅ 🍸 r.-v.

BOUCHE PERE ET FILS
Grande Réserve 1993

	n.c.	30 000	⬛⬇	15 à 23 €

Disséminé sur onze crus différents, dont cinq grands crus, ce vignoble de 35 ha, créé en 1945, est dirigé depuis 1970 par le fils du fondateur. Le Grande Réserve comporte 55 % de raisins noirs ; il est évolué et dosé. La **cuvée Saphir (23 à 30 €)** est citée : elle privilégie le chardonnay (60 %). Elle est biscuitée, intense et longue. (NM)

🐦 Champagne Bouché Père et Fils,
10, rue Charles-de-Gaulle, 51530 Pierry,
tél. 03.26.54.12.44, fax 03.26.55.07.02 ✅ 🍸 r.-v.

RAYMOND BOULARD
Réserve★

	5 ha	n.c.	⬛⬛	23 à 30 €

Bien que déjà vignerons au temps de la Révolution, les Boulard n'ont lancé leur marque qu'en 1952. Leur vignoble de 10 ha s'étend sur la Montagne de Reims et dans la vallée de la Marne. Le Réserve – les trois cépages champenois – fait tout d'abord songer aux fruits secs puis aux agrumes confits, ainsi qu'au tilleul. Fraîche et nette, la bouche joue sur la pomme mûre accompagnée d'une pointe vanillée. Le **rosé** est également cité. C'est un rosé de noirs de l'année 1999, coloré, discret au nez mais intense en bouche. (NM)

🐦 Champagne Raymond Boulard,
1, rue du Tambour, 51480 La Neuville-aux-Larris,
tél. 03.26.58.12.08, fax 03.26.61.54.92,
e-mail info@champagne-boulard.fr ✅ 🍸 r.-v.

JEAN-PAUL BOULONNAIS
Tradition

1er cru	n.c.	20 000	⬛	11 à 15 €

Vertus, village touristique, abrite les Boulonnais qui exploitent un vignoble de 5 ha. Le Tradition quatre fois plus blancs que noirs, des années 1997 et 1998, attaque franchement ; son développement charnu et fruité en bouche contribue à une finale agréable. Le **blanc de blancs Réserve**, aux notes de miel, de citron et de pamplemousse, est frais. Il convient à l'accompagnement des fruits de mer. (NM)

🐦 Jean-Paul Boulonnais, 14, rue de l'Abbaye,
51130 Vertus, tél. 03.26.52.23.41, fax 03.26.52.27.55,
e-mail jean-paul.boulonnais@wanadoo.fr ✅ 🍸 r.-v.

R. BOURDELOIS
Cuvée Prestige★

	n.c.	10 500	⬛	15 à 23 €

Un vignoble de 5,80 ha créé à l'aube du XXᵉs. Sa cuvée Prestige comporte 70 % de chardonnay ; elle assemble des vins de 1996 et 1997. Une mousse fine et élégante couronne une robe brillante. Miellé et biscuité, ce vin est équilibré et long. Le **95 (11 à 15 €)**, issu des trois cépage champenois, est intéressant et nerveux. Le servir sur des cailles aux raisins. (RM)

🕭 Raymond Bourdelois, 737, av. du Gal-Leclerc, 51530 Dizy, tél. 03.26.55.23.34, fax 03.26.51.29.81
☑ ⟼ r.-v.

BOURGEOIS
Cuvée du Dernier Siècle 1995★★

	n.c.	n.c.	🍶 11 à 15 €

Marque d'un négociant du nord de la vallée de la Marne. Cette cuvée devrait plutôt s'appeler « cuvée du siècle dernier » car il n'y a pas (pour l'instant !) de dernier siècle. L'étiquette ne le dit pas, mais il s'agit d'un blanc de blancs. Coup de cœur ? Oui, pour sa complexité, son harmonie, ses arômes d'agrumes et ses notes grillées, et pour sa finesse. Le dosage est-il perceptible ? Les trois cépages champenois se marient dans le **Sélection** qui gagne une étoile ; puissant et long, il est destiné aux repas. (NM)

🕭 Champagne Bourgeois,
43, Grande-Rue, 02310 Crouttes-sur-Marne,
tél. 03.23.82.15.71, fax 03.23.82.55.11,
e-mail champagne-bourgeois@wanadoo.fr ☑ ⟼ r.-v.

BOURGEOIS-BOULONNAIS
Tradition★

1er cru	5,5 ha	n.c.	🍶 11 à 15 €

Alain Bourgeois exploite un vignoble de 5,5 ha exclusivement situé dans la commune de Vertus, premier cru. Le Tradition est très blancs (85 %), on y retrouve les fruits confits, une touche fumée et des saveurs équilibrées et jeunes. Le **blanc de blancs** est cité pour ses arômes floraux et ses senteurs de fruits secs. En bouche, il est fruité et épicé. (RM)

🕭 Champagne Bourgeois-Boulonnais,
8, rue de l'Abbaye, 51130 Vertus, tél. 03.26.52.26.73, fax 03.26.52.06.55 ☑ ⟼ r.-v.

G. BOUTILLEZ-VIGNON
Blanc de blancs★

1er cru	1 ha	3 000	🍶 15 à 23 €

Vignerons depuis cinq siècles, les Boutillez n'ont lancé leur marque qu'en 1976. Ce blanc de blancs de 1999 et de vins de réserve de 1998 et 1997, aux notes de miel et de cire, est riche et complexe. Typique, donc rafraîchissant. (RM)

🕭 G. Boutillez-Vignon,
26, rue Pasteur, 51380 Villers-Marmery,
tél. 03.26.97.95.87, fax 03.26.97.97.23
☑ ⟼ t.l.j. 10h-12h 14h-18h; sam. dim. sur r.-v.; f. 15 août-1er sept.

L. ET F. BOYER
Cuvée Jeanne★

	n.c.	n.c.	🍶 ⎗ 15 à 23 €

Domaine créé en 1959 par Madame David Legras, repris en 1994 par sa fille Lydie Boyer. La cuvée Jeanne, composée de 72 % de chardonnay, connaît le bois des fûts. Le boisé est discret, dominé par l'élégance du bouquet de fleurs blanches. En bouche, un vin frais, fruité et ample. (RM)

🕭 Lydie Boyer, 27, rue Dom-Pérignon,
51530 Chouilly, tél. 03.26.55.41.06, fax 03.26.55.01.78
☑ ⟼ r.-v.

BRATEAU-MOREAUX

	4,5 ha	28 995	🍶 8 à 11 €

Ce champagne, le moins cher de la dégustation, est né dans la vallée de la Marne, de pinot meunier récolté en 2000. Or brillant et limpide, il a un joli cordon. Des arômes de fruits rouges précèdent une attaque franche et des saveurs de fruits cuits. (RM)

🕭 Dominique Brateau, 12, rue Douchy,
51700 Leuvrigny, tél. 03.26.58.00.99, fax 03.26.52.83.61
☑ ⟼ r.-v.

BRETON FILS

	n.c.	n.c.	🍶 ⎗ 11 à 15 €

Congy est riche en histoire. Elle renferme une église du XIIIᵉs., un château restauré dans le style Renaissance qui fut propriété de Sully et quelques menhirs... A quatre kilomètres, vous découvrirez le château d'Etoges. Mais, auparavant, arrêtez-vous chez les fils d'Ange Breton. Leur rosé, teinté par 14 % de vin rouge, ne manque pas de couleur. Un fruité rouge s'impose au nez et en bouche, avec puissance et longueur. (RM)

🕭 SCEV Breton Fils, 12, rue Courte-Pilate,
51270 Congy, tél. 03.26.59.31.03, fax 03.26.59.30.60
☑ ⟼ t.l.j. 8h30-12h 13h30-17h30
🕭 Ange Breton

BRICE
Verzenay

Gd cru	n.c.	n.c.	🍶 15 à 23 €

Issu d'une famille de viticulteurs installés à Bouzy depuis le XVIIᵉs., Jean-Paul Brice ne fonde sa maison de négoce qu'en 1994. Il produit une gamme de champagnes de grands crus, tel celui-ci né de l'assemblage de vins de Verzenay (grand cru) de 1998 et 1997 ; c'est une cuvée très noirs (90 %) au nez brioché, à l'attaque nette, et de belle longueur. (NM)

🕭 Champagne Brice, 3, rue Yvonnet, 51150 Bouzy,
tél. 03.26.52.06.60, fax 03.26.57.05.07,
e-mail champagnebrice@wanadoo.fr ☑ ⟼ r.-v.

BRICOUT 1992★

	n.c.	n.c.	🍶 23 à 30 €

Reprise en 1998 par le groupe Delbeck, cette maison, fondée par Charles Koch en 1820, propose ce 92, un blanc de blancs, même si l'étiquette ne l'annonce pas. Ses arômes sont puissants et frais ; la bouche calque le nez. A citer le **Réserve (15 à 23 €)** issu des trois cépages champenois, au bouquet de coing et de sous-bois, et la **cuvée Arthur Bricout grand cru**, pinot-chardonnay (30-70), briochée, ample, épicée et surtout très jeune. (NM)

🕭 SA Champagne Bricout et Koch,
59, rte de Cramant, 51190 Avize,
tél. 03.26.53.30.00, fax 03.26.57.59.26 ☑ ⟼ r.-v.
🕭 Groupe Delbeck

BROCHET-HERVIEUX
Millésime 1995

⬤ 1er cru	n.c.	15 000	**15 à 23 €**

Cette cuvée née d'un vignoble de 16 ha assemble quatre fois plus de pinot noir que de chardonnay. Elle fleure les fruits blancs alors que la bouche charme par sa légèreté et sa fraîcheur. (RM)
🕽 Brochet-Hervieux, 12, rue de Villers-aux-Nœuds, 51500 Ecueil, tél. 03.26.49.77.44, fax 03.26.49.77.17
☑ ⵏ r.-v.

ANDRE BROCHOT 1993★★

⬤	n.c.	n.c.	**15 à 23 €**

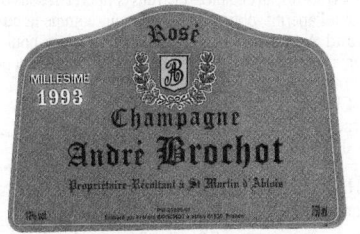

Ce vignoble de la côte sud d'Epernay pratique des labours à l'ancienne et conduit sa vigne en culture biologique ; il fait des vinifications lentes de huit à dix mois. Ce rosé est particulier : il a dix ans, ou presque, et c'est un blanc de noirs de pinot meunier ! Les dégustateurs s'extasient : onctuosité du miel, réglisse, menthe, fruits cuits, fruits secs, richesse, rondeur, complexité, longueur, etc. Coup de cœur du grand jury. Deux champagnes doivent être cités : le **Grande Réserve**, mi-noirs mi-blancs, et la **Cuvée**, 100 % pinot meunier, deux champagnes équilibrés et prêts à boire, 11 à 15 € chacun. (RM)
🕽 Francis Brochot, 21, rue de Champagne, 51530 Vinay, tél. 03.26.59.91.39, fax 03.26.59.91.39
☑ ⵏ r.-v.

BRUGNON 1998

⬤	4 ha	15 000	**15 à 23 €**

Animateur de la vie économique et sociale de Champagne, Alain Brugnon conduit le domaine créé par son grand-père et qui s'étend sur 7,50 ha. Deux tiers de chardonnay et un tiers de pinot noir composent cette cuvée d'une belle brillance, empyreumatique, nerveuse et de bonne longueur. (RM)
🕽 Alain Brugnon, 1, rue Brûlée, 51500 Ecueil, tél. 03.26.49.25.95, fax 03.26.49.76.56, e-mail brugnon@cder.fr ☑ ⵏ r.-v.

LE BRUN-SERVENAY
Réserve★

⬤	2,5 ha	20 000	**11 à 15 €**

Fondé en 1945 à Avize, grand cru de la Côte des Blancs, ce domaine dispose d'un vignoble de 8 ha. Le Réserve est aussi blancs que noirs (les deux pinots à égalité) assemblant des noirs de 1996 à 1999. C'est un champagne au cordon régulier et persistant, rond et équilibré, restituant parfaitement la finesse des chardonnays. (RM)
🕽 EARL Le Brun-Servenay, 14, pl. Léon-Bourgeois, 51190 Avize, tél. 03.26.57.52.75, fax 03.26.57.02.71
☑ ⵏ r.-v.

CHRISTIAN BUSIN
Cuvée d'Uzès

⬤ Gd cru	1 ha	2 000	**15 à 23 €**

Un vignoble de six hectares situé dans les communes de Verzy et de Verzenay, toutes deux classées grand cru. La cuvée d'Uzès est issue d'une sélection de vieilles vignes de pinot noir et de chardonnay (80-20) à l'origine d'arômes discrets mais complexes et d'une bouche à l'attaque douce, structurée et fraîche. (RM)
🕽 Champagne Christian Busin, 33, rue Thiers et 4, rue d'Uzès, 51360 Verzenay, tél. 03.26.49.40.94, fax 03.26.49.44.19, e-mail champagnebusin@aol.com ☑ ⵏ ⵏ r.-v.

JACQUES BUSIN
Cuvée du Siècle★

⬤ Gd cru	n.c.	3 000	**15 à 23 €**

Heureux vigneron dont les vignobles sont situés dans les communes de Verzenay, Verzy, Ambonnay et Sillery, quatre grands crus ! Cette cuvée du Siècle comprend quatre fois plus de pinot noir que de chardonnay, des années 1996 et 1997 : les dégustateurs louent son équilibre, ses arômes épicés, son fruité de cassis et la minéralité de sa bouche. Le **brut grand cru** pinot-chardonnay (70-30) des années 1998 et 1999 et le **Réserve 97 grand cru** (pinot-chardonnay 60-40), tous deux 11 à 15 €, sont cités pour leur vivacité et leur équilibre. (RM)
🕽 Jacques Busin, 17, rue Thiers, 51360 Verzenay, tél. 03.26.49.40.36, fax 03.26.49.81.11, e-mail jacques-busin@wanadoo.fr ☑ ⵏ r.-v.

GUY CADEL 1996

⬤	3 ha	12 000	**11 à 15 €**

Une cuvée apparemment classique (40 % chardonnay, 60 % pinot meunier). Elle est très représentative du 96, y compris dans ses contradictions : agrumes et fruits secs lui donnent un air de jeunesse alors que les notes de pruneau, de fruits mûrs annoncent le millésime. En bouche, on retrouve à la fois la vivacité conjuguée à la souplesse. Un champagne pour l'apéritif mais aussi pour la table. (RM)
🕽 Champagne Guy Cadel, 13, rue Jean-Jaurès, 51530 Mardeuil, tél. 03.26.55.24.59, fax 03.26.55.25.83, e-mail guycadel@terre-net.fr ☑ ⵏ r.-v.
🕽 P. Thiebault

PIERRE CALLOT
Clos Jacquin★★

⬤ Gd cru	0,07 ha	1 200	**38 à 46 €**

En 1995, Pierre Callot fonde sa marque et, quinze ans plus tard, il achète à Piper Heidsieck le domaine actuel en souvenir du premier vigneron de la famille : Louis Callot, né à Avize en 1784. Ce Clos Jacquin est né du mariage de deux belles années : 1995 et 1996. Les vins ont passé douze mois dans le bois. Les dégustateurs ne tarissent pas d'éloges : beurré, grillé subtil. Le mot le plus employé est « élégance ». Le **blanc de blancs Grande Réserve (15 à 23 €)**, issu des récoltes 1993, 1994 et 1995, passe également sous bois. Il obtient une étoile. (RM)
🕽 Champagne Pierre Callot et Fils, 100, av. Jean-Jaurès, 51190 Avize, tél. 03.26.57.51.57, fax 03.26.57.99.15 ☑ ⵏ r.-v.

CANARD-DUCHENE
Charles VII Grande Cuvée ★★

⬤	n.c.	n.c.	**15 à 23 €**

Appartenant à la galaxie LVMH, la célèbre maison de Ludes (Montagne de Reims) fut fondée en 1868. Sa cuvée Charles VII, haut de gamme de la maison, rend hommage au roi de France qui mit fin à la guerre de Cent Ans. Composé de 39 % de pinot noir, 12 % de pinot meunier, 36 % de chardonnay, teinté par 13 % de vin de pinot noir, le rosé sans année a les faveurs du jury ; les pinots qui le composent ne sont pas étrangers au succès de ce champagne soyeux et fin, dont l'évolution atteint l'harmonie parfaite. Le **blanc de noirs Charles VII Grande Cuvée** (avec 70 % de pinot noir) obtient une étoile pour sa fraîcheur et sa persistance. « Exceptionnel à l'apéritif », écrit un dégustateur. (NM)

☛ Canard-Duchêne, 1, rue Edmond-Canard, 51500 Ludes, tél. 03.26.61.11.60, fax 03.26.40.60.17, e-mail info@canard-duchene.fr ☑ ⊥ t.l.j. sf dim. 10h-13h 14h-17h; f. 1er nov. au 30 mars

JEAN-YVES DE CARLINI
Blanc de noirs Cuvée Montgolfière

Gd cru	3 ha	6 500	☷ 11 à 15 €

A 2 km des Faux de Verzy, hêtres aux ramures étonnantes, ce domaine dont le vignoble s'étend sur 6,5 ha, en particulier dans la commune de Verzenay – grand cru –, propose cette année un large assemblage de pinot noir issu des vendanges de 1997 à 2000. L'or de sa robe a des reflets roses. Le nez fruité de mirabelle annonce un champagne rond, puissant, équilibré. (RM)

☛ Jean-Yves de Carlini, 13, rue de Mailly, 51360 Verzenay, tél. 03.26.49.43.91, fax 03.26.49.46.46 ☑ ⊥ r.-v.

VICOMTE DE CASTELLANE
Croix rouge★

	n.c.	n.c.	☷⬇ 15 à 23 €

« Boni » de Castellane défrayait la chronique alors que Florens de Castellane lançait sa marque en 1895. Les trois cépages champenois sont mis à contribution dans ce rosé qui doit sa teinte à 17 % de vin rouge. Un rosé classique aux arômes de fruits cuits, rond et fin, équilibré, à la finale fruitée. Le **millésimé 95** reçoit une étoile pour sa persistance harmonieuse, légitime si l'on songe aux grands crus de blancs et de noirs qui le composent. Le célèbre **Croix rouge en blanc**, en fait croix de Saint-André des régiments champenois, issu des trois cépages et de 15 % de vins de réserve, élégant et facile, obtient une citation (NM)

☛ Champagne de Castellane, 57, rue de Verdun, 51204 Epernay Cedex, tél. 03.26.51.19.19, fax 03.26.54.24.81, e-mail info@castellane.com ☑ ⊥ t.l.j. 10h-12h 14h-18h; f. 1erjan.-1ermai

CLAUDE CAZALS
Blanc de blancs 1995★★

Gd cru	3 ha	20 000	☷⬇ 15 à 23 €

Tonnelier dans l'Hérault, Ernest Cazals s'installe en 1897 dans la Côte des Blancs. Ses descendants disposent aujourd'hui de 9 ha de vigne. Le 95 à la belle effervescence est remarquable par sa finesse, sa complexité, son équilibre et sa longueur. La **Cuvée vive extra-brut** gagne une étoile. Le chardonnay récolté en 1997 a donné un vin d'une grande finesse : épices, pain grillé, fruits mûrs et agrumes en font un parfait acteur de l'apéritif. Une citation est attribuée au **Carte Or**, issu de vins de chardonnay de 1997 et 1998 et de vins de réserve, car il est direct, simple et vif. Ces deux derniers champagnes jouent dans la fourchette 11 à 15 €. (RC)

☛ Champagne Claude Cazals, 28, rue du Grand-Mont, 51190 Le Mesnil-sur-Oger, tél. 03.26.57.52.26, fax 03.26.57.78.43, e-mail cazals.delphine@wanadoo.fr ☑ ⊥ r.-v.

CHARLES DE CAZANOVE
Cazanova★★

	n.c.	n.c.	☷⬇ 15 à 23 €

Demeurée familiale depuis sa fondation en 1811, cette maison a proposé trois beaux champagnes. La cuvée Cazanova naît des trois cépages champenois récoltés dans quarante-deux crus. Elle séduit par son équilibre, son élégance aromatique, sa netteté et sa fraîcheur. Le **Tradition Père et Fils (11 à 15 €)**, issu de chardonnay et de pinots (30-70), aux nuances de fruits confits et de sous-bois, idéal à l'apéritif, obtient une étoile tout comme la **cuvée Grand Apparat**, 60 % de chardonnay, louée pour ses arômes tertiaires, pour sa fraîcheur bien équilibrée et pour sa longueur. (NM)

☛ Charles de Cazanove, 1, rue des Cotelles, 51200 Epernay, tél. 03.26.59.57.40, fax 03.26.54.16.38 ☑

CHANOINE
Tsarine★

	n.c.	n.c.	15 à 23 €

Dans l'ordre d'ancienneté, Chanoine (1730) est en seconde position après Ruinart (1729). Cette marque renaît au sein du groupe BCC. Sa cuvée jeune, vive et fraîche, à la robe saumonée traversée par une effervescence fine et persistante, séduit d'emblée. Deux autres champagnes sont retenus par le jury : le **Grande Réserve (11 à 15 €)**, un brut sans année au nez discret de fruits frais, bien construit (une citation), et le **Tsarine 95**, qui obtient une étoile pour son ampleur. (NM)

☛ Champagne Chanoine Frères, allée du Vignoble, 51100 Reims, tél. 03.26.36.61.60, fax 03.26.36.66.62, e-mail chanoine-freres@wanadoo.fr

CHAPUY
Blanc de blancs Réserve Carte verte

Gd cru	6,25 ha	16 000	☷⬇ 15 à 23 €

Un ancêtre Chapuy a été le premier maire d'Oger à la Révolution. C'est dire l'ancienneté de l'implantation familiale dans la Côte des Blancs. Cette marque dispose d'un vignoble de plus de 6 ha. La Réserve Carte verte assemble des vins de réserve de 1997 et 1998 au vin de base de 1999 ; c'est un champagne dont l'attaque souple suit un bouquet compoté et précède une bouche très fruitée (abricot) et équilibrée. (NM)

☛ SA Champagne Chapuy, 8 bis, rue de Flavigny, BP 14, 51190 Oger, tél. 03.26.57.51.30, fax 03.26.57.59.25, e-mail champagne.chapuy@web-agri.fr ☑ ⊥ r.-v.

ROLAND CHARDIN
Grande Réserve★

	1,2 ha	7 000	☷ 11 à 15 €

Ce récoltant-manipulant de l'Aube exploite un vignoble de 6,5 ha. Le Grande Réserve est quatre fois plus noirs que blancs. Sont assemblés des vins issus de raisins vendangés en 1997 et 1998, au service d'un nez discret et d'une bouche fruitée et fraîche. La **cuvée Prestige 97** comporte 85 % de chardonnay. Elle confirme que les 97 évoluent rapidement tout en laissant une bouche fraîche. Elle obtient une citation. (RM)

➤ Roland Chardin,
25, rue de l'Eglise, 10340 Avirey-Lingey,
tél. 03.25.29.33.90, fax 03.25.29.14.01 ☑ ☜ r.-v.

GUY CHARLEMAGNE
Blanc de blancs Mesnillésime 1996

⬤ Gd cru	2 ha	15 000	⬚ 15 à 23 €

La maison Guy Charlemagne exploite un vignoble de 14 ha sis en Côte des Blancs. Les vins sont vinifiés dans des fûts de chêne et ne font pas leur fermentation malolactique. Cette bouteille, spectaculairement étiquetée, contient un champagne dont les arômes de fleurs blanches sont discrets. En bouche, l'attaque est vive, même si le dosage est sensible, puis le fruité s'impose, légèrement marqué par le boisé vanillé. (SR)
➤ Guy Charlemagne,
4, rue de La Brèche-d'Oger, 51190 Le Mesnil-sur-Oger,
tél. 03.26.57.52.98, fax 03.26.57.97.81 ☑ ☜ r.-v.

ROBERT CHARLEMAGNE
Blanc de blancs Millésime 1995★★

⬤ Gd cru	0,8 ha	5 000	⬚ 15 à 23 €

Une propriété familiale exploitant un vignoble de 4,3 ha dans la Côte des Blancs. Coup de cœur ? Pas coup de cœur ? Les neuf dégustateurs du grand jury sont partagés. Epicé, minéral, frais, fin, associant la subtilité des agrumes à une grande longueur, c'est un vin parfait. Quelques dégustateurs sont sensibles à un léger manque de puissance. Le **Réserve**, un blanc de blancs avec vins de réserve, est cité pour sa fraîcheur citronnée et sa jolie finale. (RM)
➤ Champagne Robert Charlemagne,
av. Eugène-Guillaume, 51190 Le Mesnil-sur-Oger,
tél. 03.26.57.51.02, fax 03.26.57.58.05,
e-mail info@champagne-robert-charlemagne.com
☑ ☜ r.-v.

CHARLES-LOUIS DES LIVRY
Cuvée blanc de noirs★★

⬤ Gd cru	2 ha	8 000	⬚ 11 à 15 €

Ludovic Hatté a lancé ce champagne en hommage à son grand-père, fondateur du vignoble. C'est un blanc de noirs (pinot noir) de la commune de Verzenay (grand cru) assemblant des raisins récoltés en 1995 et 1996. On y découvre des fruits rouges et noirs (cassis), une grande fraîcheur ; puis équilibre et harmonie s'imposent dans une bouche ample et longue. Un champagne de repas. (RM)
➤ Ludovic Hatté, 3, rue Thiers, 51360 Verzenay,
tél. 03.26.49.43.94, fax 03.26.49.81.96 ☑ ☜ r.-v.

CHARLIER ET FILS
Prestige★★

⬤	2 ha	n.c.	⬚ 11 à 15 €

Installé sur la rive droite de la vallée de la Marne, Jacky Charlier cultive un vignoble de 14 ha. Sa famille a toujours élevé les vins dans le bois bien avant que cela ne devienne à la mode. Ce rosé est spécial car il provient d'une saignée (et non d'un mélange). Sa robe rose profond est saumonée ; son nez de fruits confits et de miel précède une bouche puissante et équilibrée. Le **Carte noire** est cité. Les trois cépages champenois (dont 65 % de pinot meunier) contribuent aux saveurs de pêche jaune. (RM)
➤ Charlier et Fils, 4, rue des Pervenches, Aux Foudres de Chêne, 51700 Montigny-sous-Châtillon,
tél. 03.26.58.35.18, fax 03.26.58.02.31,
e-mail champagne.charlier@wanadoo.fr ☑ ⛪ ☜ r.-v.

J. CHARPENTIER★

⬤	n.c.	12 000	⬚ 11 à 15 €

Au cœur de la vallée de la Marne, rive droite, cette propriété familiale de 12 ha élabore ce rosé très réussi qui doit tout aux raisins noirs (dont 80 % de pinot meunier). La teinte ? « Rosé, pas trop », écrit l'un des dégustateurs. « Assez corsé, acidité bien fondue, ample en bouche, pourquoi pas avec un gigot ? », écrit un autre dégustateur. (RM)
➤ Jacky Charpentier,
88, rue de Reuil, 51700 Villers-sous-Châtillon,
tél. 03.26.58.05.78, fax 03.26.58.36.59,
e-mail champagnejcharpentier@wanadoo.fr
☑ ⛪ ☜ r.-v.

JEAN-MARC ET CELINE CHARPENTIER★

⬤	0,5 ha	4 000	⬚ 15 à 23 €

Un vignoble de 10 ha travaillé selon les principes de la culture intégrée. Ce rosé, issu de pinot meunier (78 %) et de chardonnay (22 %), est teinté par un vin rouge de pinot meunier. Il est fruité, rond, facile à boire. (RC)
➤ Jean-Marc et Céline Charpentier,
4, rue de l'Ecole, 02310 Charly-sur-Marne,
tél. 03.23.82.10.72, fax 03.23.82.31.80,
e-mail jean-marc@champagne-charpentier.com
☑ ☜ r.-v.

CHARTOGNE-TAILLET
Blanc de blancs★

⬤	n.c.	2 500	⬚ 15 à 23 €

Les Chartogne exploitent un vignoble de 11 ha à Merfy non loin de Saint-Thierry où l'on a planté de la vigne dès le IXᵉs. Les ancêtres de Philippe Chartogne étaient déjà vignerons à Merfy, ainsi qu'en attestent des carnets déposés aux archives de Reims. Ce blanc de blancs de la récolte de 1997 n'a que partiellement fait sa fermentation malolactique. Il est vif, bien qu'une touche d'évolution soit perceptible. Une étoile pour la cuvée **Fiacre 96**, issue de 60 % de chardonnay et de 40 % de pinot noir, sans fermentation malolactique. Elle est très complimentée : « Fruits exotiques confits, complexité, onctuosité, charpente, concourent au caractère de ce vin plaisir ». (RM)
➤ Champagne Chartogne-Taillet, 37-39, Grande-Rue, 51220 Merfy, tél. 03.26.03.10.17, fax 03.26.03.19.15,
e-mail chartogne.taillet@wanadoo.fr ☑ ☜ r.-v.

CHASSENAY D'ARCE
Cuvée Privilège★★

⬤	n.c.	110 317	⬚ 11 à 15 €

Cent trente vignerons de la vallée de l'Arce cultivant 310 ha de vignes constituent ce groupement de producteurs fondé en 1956. La cuvée Privilège naît du mariage de deux parts de chardonnay pour trois parts de pinot noir (raisins récoltés en 1995, 1996 et 1997). Cet assemblage réussi, aux arômes de pâte de coings, de pain grillé et d'agrumes, se révèle équilibré et élégant. La **cuvée Sélection**, très noirs (85 % de pinot noir des années 1996 à 1998), fine, florale, briochée, offre une bouche persistante où règne la pêche de vigne. Elle obtient une étoile. (CM)
➤ Champagne Chassenay d'Arce,
11, rue du Pressoir, 10110 Ville-sur-Arce,
tél. 03.25.38.30.70, fax 03.25.38.79.17,
e-mail champagne-chassenay-darce@wanadoo.fr
☑ ☜ r.-v.

GUY DE CHASSEY 1993

Gd cru	0,5 ha	3 000	■ 15 à 23 €

Disposant de 9,5 ha, ce vignoble familial élabore un millésime 93 qui marie classiquement 40 % de chardonnay à 60 % de pinot noir. Il est floral au nez et en bouche. Sa finale fraîche évoque les fruits rouges. (RM)
⌖ Champagne Guy de Chassey,
1, pl. de la Demi-Lune, 51150 Louvois,
tél. 03.26.57.04.45, fax 03.26.57.82.08,
e-mail mo.de.chassey@wanadoo.fr
☑ ⊥ t.l.j. 9h30-12h30 14h-18h30

CHAUDRON ET FILS
Grande Réserve

	7 ha	n.c.	■ 11 à 15 €

Verzenay et son célèbre moulin accueillent la famille Chaudron depuis 1820. Le Grande Réserve est une cuvée classique : 70 % de pinot noir, 30 % de chardonnay. Ses arômes de pain grillé brioché au nez se retrouvent avec complexité dans une bouche longue. Le **rosé** est cité : c'est une cuvée identique mais teintée, riche, crémeuse, prête. Egalement cité, le **96 (15 à 23 €)**, mi-blancs mi-noirs, grillé, droit, vif, puissant et long. A déguster pour la gloire du millésime. (NM)
⌖ Chaudron, 2, rue de Beaumont, 51360 Verzenay,
tél. 03.26.50.08.68, fax 03.26.50.08.71,
e-mail champagnechaudron@wanadoo.fr ☑ ⊥ r.-v.

HENRI CHAUVET
Cuvée noire 1997★

	1 ha	3 500	■↓ 11 à 15 €

L'aventure viticole familiale commence au début du XXᵉs. La quatrième génération poursuit l'œuvre commencée alors, sur un vignoble de 8 ha. La Cuvée noire ne l'est qu'à 60 % ! Son nez est très original (pinède, menthe, iode, citronnelle), sa bouche intense et complexe. Excellent. Le **rosé** gagne une étoile également. Issu de 70 % de pinot noir, il est structuré, corpulent et long. (RM)
⌖ Damien Chauvet, 6, rue de la Liberté,
BP 12, 51500 Rilly-la-Montagne,
tél. 03.26.03.42.69, fax 03.26.03.45.14,
e-mail contact@champagne-chauvet.com ☑ ⊥ r.-v.

MARC CHAUVET 1996★

	1,2 ha	12 000	■↓ 11 à 15 €

Clotilde Chauvet est l'œnologue de cette propriété familiale de 12 ha. Le 96 est mi-noirs mi-blancs. Tout en fraîcheur citronnée, tout en jeunesse et peut-être encore un peu sévère, ce champagne a du caractère. Une étoile aussi pour le **brut** assemblage des trois cépages champenois des années 1998 et 1997, élégant, harmonieux, rehaussé d'une note mentholée : il sera parfait à l'apéritif. Le **Sélection**, à peine plus blancs que noirs, sans fermentation malolactique (c'est souvent le cas chez Marc Chauvet), léger, rafraîchissant et vif, obtient une citation. (RM)
⌖ Marc Chauvet, 1-3, rue de la Liberté,
51500 Rilly-la-Montagne, tél. 03.26.03.42.71,
fax 03.26.03.42.38, e-mail chauvet@eder.fr ☑ ⊥ r.-v.

CHAMPAGNE CHAUVET
Cachet rouge 1990★

	n.c.	8 000	■ 15 à 23 €

Les premières caves de cette maison de négoce de Tours-sur-Marne ont été creusées à la fin du XVIIIᵉs., même si la marque a été créée en 1848. Ce Cachet rouge 90 diffère de celui qui a gagné une étoile l'année dernière

par l'importance que prend le chardonnay de Bisseuil (60 %). C'est un champagne très réussi aux saveurs de pêche blanche et à la finale fraîche. Le **Carte blanche (11 à 15 €)**, né de raisins récoltés en 1998 (60 % pinot noir, 40 % chardonnay) complétés par des vins de 1994, 1995 et 1996, floral, harmonieux et persistant, obtient une citation. (NM)
⌖ Champagne Chauvet,
41, av. de Champagne, 51150 Tours-sur-Marne,
tél. 03.26.58.92.37, fax 03.26.58.96.31,
e-mail champagnechauvet@yahoo.fr ☑ ⊥ r.-v.
⌖ Famille Paillard-Chauvet

ARNAUD DE CHEURLIN
Réserve★

	2 ha	12 000	■ 11 à 15 €

Un vignoble de l'Aube créé il y a une vingtaine d'années. Son Réserve est trois fois plus noirs que blancs ; il est floral (fleurs blanches), puissant et long. Aussi bien notée, la **cuvée Prestige** associe autant de chardonnay que de pinot noir des récoltes de 1997. Elle est épicée, fruitée (fruits blancs), ample, fine et fraîche. A servir sur des noix de Saint-Jacques. (RM)
⌖ Arnaud de Cheurlin,
58, Grande-Rue, 10110 Celles-sur-Ource,
tél. 03.25.38.53.90, fax 03.25.38.58.07 ☑ ⊥ r.-v.

RICHARD CHEURLIN
Blanc de blancs 1998★

	0,5 ha	2 000	■↓ 15 à 23 €

Les Cheurlin sont nombreux à Celles-sur-Ource ; Richard Cheurlin, depuis 1978, a lancé sa marque et agrandi son vignoble pour le porter à plus de 8 ha. Le blanc de blancs 98 doit à l'Aube sa rondeur et au cépage sa finesse citronnée et sa longueur. Une citation pour le **Carte noire (11 à 15 €)** issu de pinot noir (70 %) et de chardonnay (30 %) des années 1998 et 1999 : fruits blancs et équilibre caractérisent ce champagne léger. Le **Carte Or (11 à 15 €)** est également cité. Une cuvée proche de la précédente. (RM)
⌖ Richard Cheurlin,
16, rue des Huguenots, 10110 Celles-sur-Ource,
tél. 03.25.38.55.04, fax 03.25.38.58.33,
e-mail richard.cheurlin@wanadoo.fr ☑ ⊥ r.-v.

CHEURLIN DANGIN
Cuvée spéciale Prestige

	3 ha	8 000	■ 11 à 15 €

Deux familles de la Côte des Bars donnent naissance, en 1960, à une marque, les vignobles étant antérieurement jumelés. La Cuvée spéciale (pinot noir et chardonnay à parts égales des années 1996 et 1997) propose des arômes de fleurs et de fruits exotiques, et une bouche ronde et évoluée. (RM)
⌖ Cheurlin-Dangin,
17, Grande-Rue, BP 2, 10110 Celles-sur-Ource,
tél. 03.25.38.50.26, fax 03.25.38.58.51 ☑ ⊥ r.-v.

GASTON CHIQUET
Tradition

1er cru	12 ha	100 000	■↓ 11 à 15 €

Les Chiquet sont vignerons depuis plusieurs siècles, mais ce n'est qu'en 1935 que Gaston Chiquet lança sa marque. Ses descendants poursuivent son œuvre et cultivent un vignoble de 22 ha. Les trois cépages champenois (récoltés en 1997 et 1998) jouent leur rôle dans ce vin très souple, dont le dosage est peu perceptible. Un champagne à l'ancienne. (RM)

❦ Champagne Gaston Chiquet,
912, av. du Gal-Leclerc, 51530 Dizy,
tél. 03.26.55.22.02, fax 03.26.51.83.81,
e-mail info@gaston-chiquet.com ☑ ☥ r.-v.
❦ C. Chiquet

CLEMENT ET FILS
Réserve★

	n.c.	10 000		11 à 15 €

Congy possède des sépultures préhistoriques ainsi que deux menhirs nommés Pierre-Fitte et Pierre-Nue. Les amateurs ne manqueront pas de se rendre sur ce vignoble de 5,5 ha. Le Réserve, une cuvée classique (70 % de pinots pour 30 % de chardonnay) née de raisins cueillis en 1997 et 1998, associe le fruit exotique intense à la fraîcheur du palais. Le **rosé**, issu d'une cuvée similaire mais rose clair, nimbé de quelques reflets orangés, est aussi intense, puissant, épicé et long. Il obtient une étoile. (RM)
❦ Champagne Clément et Fils, 15, rue des Prés,
51270 Congy, tél. 03.26.59.31.19, fax 03.26.59.22.63
☑ ⌂ ☥ r.-v.

CLERAMBAULT
Cuvée Carte noire★

	n.c.	53 000		11 à 15 €

Ce groupement de producteurs de Neuville-sur-Seine (Aube) vinifie et commercialise le produit de 140 ha de vignes. Le Carte noire est un brut sans année issu des trois cépages champenois (dont 57 % de pinot noir). Peut-être sa robe a-t-elle un léger « œil » (reflet rose) ? Peut-être commence-t-il à évoluer ? Mais il est certainement fruité, rond, et se boit facilement. (CM)
❦ Champagne Clérambault,
122, Grande-Rue, 10250 Neuville-sur-Seine,
tél. 03.25.38.38.60, fax 03.25.38.24.36,
e-mail champagne-clerambault@wanadoo.fr ☑ ☥ r.-v.

JOEL CLOSSON★

	0,5 ha	4 000		11 à 15 €

De tout temps, les Closson ont habité le village de Saulchery dans la vallée de la Marne, mais Joël Closson ne lance sa marque qu'en 1984, tout en cultivant un vignoble de plus de 5 ha. Ce rosé, né des vendanges de 1998 et 1999, est presque un blanc de noirs (chardonnay 10 %) teinté par 20 % de vin rouge. Au nez, les fruits rouges très mûrs, voire confits, s'imposent alors que la bouche est vineuse, vanillée et ronde. La **cuvée Prestige**, identique à la précédente, à la couleur près, présente les mêmes caractères fruités. (RM)
❦ Joël Closson, 155, rte Nationale,
02310 Saulchery, tél. 03.23.70.17.34, fax 03.23.70.15.24
☑ ☥ r.-v.

PAUL CLOUET

Gd cru	3 ha	n.c.		11 à 15 €

L'exploitation de Paul Clouet, récoltant-manipulant, est basée à Bouzy, commune réputée pour le pinot noir et qui est classée en grand cru. Ce brut sans année très noirs (80 %) est fruité, miellé, beurré, rond, équilibré, à point. (RM)
❦ Paul Clouet, 10, rue Jeanne-d'Arc, 51150 Bouzy,
tél. 03.26.57.07.31, fax 03.26.52.64.65
☑ 🏠 ⌂ ☥ t.l.j. 10h-12h 14h-17h

MICHEL COCTEAUX
Chardonnay

	4 ha	25 000		11 à 15 €

Michel Cocteaux créa ce domaine avec la collaboration de son père Eugène Cocteaux, qui était alors régisseur d'une grande marque. Aujourd'hui le fils du fondateur, Benoît Cocteaux, reprend le flambeau. Cette cuvée n'est issue que de chardonnay. C'est donc un blanc de blancs, né des années 1998, 1999 et 2000. Il est curieusement vineux, tendant vers l'abricot et le miel. Le **97** est également cité, un blanc de blancs, dans l'esprit du précédent. (RM)
❦ Michel Cocteaux,
12, rue du Château, 51260 Montgenost,
tél. 03.26.80.49.09, fax 03.26.80.44.60 ☑ ☥ r.-v.

COLIN
Blanc de blancs Cramant 1997★

Gd cru	1 ha	6 000	15 à 23 €

Coopérateurs jusqu'en 1997, les Colin sont vignerons depuis 1829. Ils élaborent désormais leur champagne à partir d'un vignoble de 8,5 ha situé dans la Côte des Blancs, en particulier à Cramant, commune classée grand cru, d'où est originaire cet excellent 97, année difficile. Son nez est complexe, alliant les agrumes confits et les arômes floraux que l'on retrouve dans une bouche minérale. Un poisson en sauce semble un accord idéal. (RM)
❦ Colin, 101, av. du Gal-de-Gaulle, 51130 Vertus,
tél. 03.26.58.86.32, fax 03.26.51.69.79,
e-mail info@champagne-colin.com
☑ ☥ t.l.j. sf dim. 9h-12h 14h-17h30

COLLARD-CHARDELLE 1986★★

	n.c.	n.c.		23 à 30 €

Marque modifiée en 1974, car chez les Collard on change l'étiquette à chaque génération. Le vignoble s'étend sur plus de 8 ha sur la rive droite de la Marne. L'œnologue conseil, J. Darsonville, pourra partager, avec Daniel Collard, les félicitations du jury : ce 86, millésime de petite réputation, est remarquable. Il doit beaucoup au pinot meunier (70 %). Dans l'édition 2002 du Guide, il frise le coup de cœur ; aujourd'hui il conserve ses deux étoiles parce qu'il demeure vif et frais, au grand étonnement des dégustateurs. La **cuvée Prestige (15 à 23 €)**, issue de vins de 1996, 1997 et 1998, de raisins aux trois quarts noirs dont 50 % de pinot meunier, est passée par le bois : noisette et fruits jaunes s'expriment dans un vin frais équilibré qui obtient une étoile. Enfin, le **rosé (11 à 15 €)** est cité ; c'est un rosé de noirs coloré par du vin rouge, une bouteille pour la table. (RM)
❦ Champagne Collard-Chardelle,
68, rue de Reuil, 51700 Villers-sous-Châtillon,
tél. 03.26.58.00.50, fax 03.26.58.34.76 ☑ ☥ r.-v.

COLLARD-PICARD
Cuvée Prestige Millésimé 1996

	n.c.	n.c.		15 à 23 €

1996 voit la création de cette nouvelle marque née de la reprise de 6,32 ha de l'exploitation familiale. Cette cuvée millésimée – un grand millésime – naît de 25 % de chardonnay du Mesnil et de pinots, dont 50 % de pinot meunier ; les vins passent neuf mois dans le bois. C'est un champagne puissant et long au dosage sensible. Une citation est attribuée à la **cuvée Prestige** sans année, née de vins de 1996, 1997 et 1998, un assemblage et une

CHAMPAGNE

vinification identiques à ceux du champagne millésimé. Après une attaque franche, l'harmonie de l'assemblage s'exprime. (RM)

🍾 Champagne Collard-Picard,
61, rue du Château, 51700 Villers-sous-Châtillon,
tél. 03.26.52.36.93, fax 03.26.59.90.82,
e-mail champcp51@aol.com ☑ ⲧ r.-v.

RAOUL COLLET
Carte rouge

70 ha	n.c.	11 à 15 €

La plus ancienne société de producteurs de la Champagne, créée à Aÿ en 1921. Les sociétaires exploitent aujourd'hui 600 ha de vignes. Le Carte rouge naît d'un assemblage classique pinot-chardonnay (70 %-30 %). Il est évolué au nez et d'une extrême jeunesse en bouche. Floral et vif. (CM)

🍾 Champagne Raoul Collet,
14, bd Pasteur, 51160 Aÿ-Champagne,
tél. 03.26.55.15.88, fax 03.26.54.02.40,
e-mail champagne-raoul-collet@wanadoo.fr ☑ ⲧ r.-v.

CHARLES COLLIN★★

n.c.	n.c.	■↓ 11 à 15 €

Groupement de producteurs de l'Aube créé en 1952, qui vinifie le produit de 250 ha et qui propose une vaste gamme de champagnes, dont le rosé issu d'une cuvée très noirs (90 %), empyreumatique au nez, rond, onctueux et long en bouche. A boire frais à l'apéritif. Un champagne de caractère. Le millésimé 90 (15 à 23 €), une grande année qui devient rare, est né de 25 % de chardonnay et de 75 % de pinot noir. Miel, pâte d'amandes, fruits confits se conjuguent dans ce vin puissant, doublement étoilé, destiné à tout un repas. (CM)

🍾 Champagne Charles Collin,
27, rue des Pressoirs, BP 1, 10360 Fontette,
tél. 03.25.38.31.00, fax 03.25.29.68.64,
e-mail champagne-charles-collin@wanadoo.fr ☑ ⲧ r.-v.

MICHEL COLLON
Réserve

n.c.	20 000	■↓ 8 à 11 €

L'une des premières marques de l'Aube, lancée en 1932 par André Collon, père du propriétaire actuel. Le vignoble s'étend sur 7 ha. Le Réserve est très noirs (80 %), né principalement de raisins vendangés en 1999. Sa robe « fait l'œil », c'est-à-dire qu'elle a des reflets roses ; son nez est discret alors qu'en bouche se révèlent des fruits rouges. Il faudra l'attendre quelques mois. (RM)

🍾 Michel Collon, 27, Grande-Rue, 10110 Landreville,
tél. 03.25.38.53.04, fax 03.25.38.53.04,
e-mail champ.collon@wanadoo.fr ☑ ⲧ r.-v.

JACQUES COPINET
Blanc de blancs Cuvée Marie Etienne 1996★★

1,5 ha	20 000	■↓ 15 à 23 €

Jacques Copinet se trouve à la tête d'un vignoble de 7 ha dans le Sézannais. Son blanc de blancs 96 est conforme à ce que l'on attend de ce grand millésime, tout en minéralité, nervosité, complexité et richesse. La cuvée Marie Etienne non millésimée gagne une étoile. Elle naît de l'assemblage de vins de 1996, 1997 et 1998. Une étoile encore pour le blanc de blancs Sélection (récoltes de 1997, 1998, 1999) miellé-brioché, fondu, assez long. (RM)

🍾 Jacques Copinet,
11, rue de l'Ormeau, 51260 Montgenost,
tél. 03.26.80.49.14, fax 03.26.80.44.61,
e-mail champagne.copinet@wanadoo.fr ☑ ⲧ r.-v.

STEPHANE COQUILLETTE
Cuvée Diane

n.c.	3 016	■ 15 à 23 €

Stéphane Coquillette exploite un vignoble de 7 ha. Sa cuvée Diane, un blanc de blancs, issue principalement de raisins vendangés en 1998, est épaulée par des vins de réserve de 1993 et 1994. On y découvre les agrumes, l'aubépine, le genêt. Après une attaque nette et fraîche, la légèreté de ce champagne d'apéritif s'oppose à sa longueur. (RM)

🍾 Stéphane Coquillette, 15, rue des Ecoles,
51530 Chouilly, tél. 03.26.51.74.12, fax 03.26.54.90.97 ☑ ⲧ r.-v.

CORDEUIL PERE ET FILS
Cuvée des Fondateurs★

n.c.	n.c.	11 à 15 €

Un vignoble de 7,5 ha situé dans l'Aube et cultivé selon les principes de l'agriculture raisonnée. Une cuvée au nez floral (fleurs blanches, aubépine) puis d'agrumes (citron vert) et de miel, arômes que l'on retrouve en bouche après une attaque franche. Une grande vivacité confirme la jeunesse de ce champagne ample. (RM)

🍾 Champagne Cordeuil, 2, rue de Fontette,
10360 Noé-les-Mallets, tél. 03.25.29.65.37,
fax 03.25.29.65.37 ☑ ⲧ t.l.j. 8h30-12h 14h-19h

COUCHE PERE ET FILS★

5 ha	40 000	■↓ 8 à 11 €

Cette exploitation comprend un vignoble de 8 ha. Ses champagnes ne font pas leur fermentation malolactique. Son brut associe des vins de 1997 et 1998. La cuvée se compose de 30 % de chardonnay et de 70 % de pinot noir. Aubépine et fleurs blanches précèdent une bouche élégante et complexe. Le rosé (11 à 15 €) est cité : il s'agit de la cuvée précédente teintée. C'est un vin frais et facile pour l'apéritif. (RM)

🍾 EARL Champagne Couche, 29, Grande-Rue,
10110 Buxeuil, tél. 03.25.38.53.96, fax 03.25.38.41.69 ☑ ⲧ r.-v.

ROGER COULON
Grande Réserve★

4 ha	35 000	■⑪↓ 11 à 15 €

Eric Coulon se trouve à la tête d'un vignoble de 9 ha situé non loin de Reims. Ce Grande Réserve fait appel aux trois cépages champenois à parts égales et naît de l'assemblage de vins de 1995 et 1996. Une partie des vins sont élevés dans le bois. Le fruité, la complexité, la structure et la fraîcheur de ce champagne donnent du plaisir. La cuvée Prestige (15 à 23 €), quatre fois plus blanches que noirs (1991 et 1992), obtient une étoile pour son fruité, son équilibre et sa longueur, alors que le rosé, issu de chardonnay et des deux pinots, structuré, long et élégant, obtient une citation. (RM)

🍾 Eric Coulon, 12, rue de la Vigne-du-Roi,
51390 Vrigny, tél. 03.26.03.61.65, fax 03.26.03.43.68 ☑ ⲧ r.-v.

DAVID COUVREUR
Cuvée de Réserve

	0,8 ha	8 000		11 à 15 €

Les générations se suivent, David Couvreur, fils d'Alain Couvreur, présente son champagne et exploite un vignoble de 1,15 ha. La cuvée de Réserve permet au chardonnay (75 %) de dominer le pinot meunier avec des arômes de beurre frais et de brioche. En bouche, le vin est équilibré et long. (RM)
➤ David Couvreur, 18, Grande-Rue, 51140 Prouilly, tél. 03.26.48.58.95, fax 03.26.48.26.29 ☑ ⏲ r.-v.

DOMINIQUE CRETE ET FILS
Cuvée Emeraude 1997★

	1 ha	2 500		11 à 15 €

Sur le mont Félix, occupé depuis l'Antiquité, a été érigée en 1108 l'église de Chavot, reconstruite au XVIᵉs. Dominique Crété est installé à Moussy, commune située au pied de ce mont. Sa cuvée Emeraude, mi-blancs mi-noirs (pinot meunier), est florale, délicate, équilibrée et longue. La **cuvée Sélection** obtient une étoile. Elle est très blancs (chardonnay 85 %, pinot meunier 15 %) ; son nez est fin mais discret et la bouche accueille un fruité surmûri. Le **blanc de blancs grand cru** est cité pour sa fraîcheur et son équilibre. (RM)
➤ Dominique Crété, 63, rte Nationale, 51530 Moussy, tél. 03.26.54.52.10, fax 03.26.52.79.93 ☑ ⏲ r.-v.

LYCEE AGRICOLE DE CREZANCY
Blanc de blancs★

	n.c.	5 600		11 à 15 €

Le lycée agricole et viticole de Crézancy, situé dans la vallée de la Marne, est né d'une donation par la famille du pionnier de l'aviation française, Guynemer ; l'établissement dispose d'un vignoble de près de 3 ha. Le blanc de blancs aux bulles fines est un vin vif et élégant, aromatique et frais, très représentatif de son cépage. La **cuvée Euphrasie Guynemer 96** (60 % de chardonnay et 40 % de pinot meunier) reçoit une étoile pour sa finesse florale, pour son ampleur miellée bien adaptée à l'apéritif. (RM)
➤ Lycée agricole et viticole de Crézancy, rue de Paris, 02650 Crézancy, tél. 03.23.71.50.70, fax 03.23.71.50.71 ☑ ⏲ r.-v.

COMTE AUDOIN DE DAMPIERRE
Œil-de-perdrix

	n.c.	n.c.		15 à 23 €

Ce n'est pas un nom de théâtre ; le comte existe, il vit dans un château, aime les voitures anciennes, a pris le statut de négociant et fondé sa marque en 1986. Son rosé Œil-de-perdrix est un blanc de blancs teinté par du Bouzy rouge. La robe pâle, le nez discret, la bouche presque mentholée en font un vin pour amateur. (NM)
➤ Comte Audoin de Dampierre, 3, pl. Boisseau, 51140 Chenay, tél. 03.26.03.11.13, fax 03.26.03.18.05, e-mail champagne.dampierre@wanadoo.fr ☑ ⏲ r.-v.

PAUL DANGIN ET FILS
Prestige 1997★★

	3 ha	10 000		15 à 23 €

De Bar-sur-Seine, pour aller à Châtillon, vous emprunterez la pittoresque route départementale qui suit la vallée de l'Ource. Ce domaine, qui s'étend sur 33 ha, vous fera découvrir sa remarquable cuvée Prestige qui assemble 70 % de chardonnay et 30 % de pinot noir. Elle offre de riches arômes de fleurs blanches et de miel. En bouche, on retrouve le miel accompagné par des notes d'agrumes qui se fondent avec ampleur et souplesse. Un grand apéritif. La **Cuvée du Cinquantenaire 97** et la cuvée **Tradition 98 Elaborée en fût de chêne**, toutes deux de **11 à 15 €**, toutes deux très blancs, méritent d'être citées ; la première pour sa bouche d'agrumes confits, la seconde pour son harmonie, tant au nez qu'en bouche. (RM)
➤ SCEV Paul Dangin et Fils, 11, rue du Pont, 10110 Celles-sur-Ource, tél. 03.25.38.50.27, fax 03.25.38.58.08 ☑ ⏲ r.-v.

HENRI DAVID-HEUCQ ET FILS 1996★

	1,5 ha	4 000		15 à 23 €

Appliquant la lutte raisonnée, Henri David poursuit une longue tradition viticole sur son domaine de 8 ha. Cette cuvée assemble autant de chardonnay que de pinot meunier. Or jaune brillant, elle évoque plus le chardonnay au nez avec des notes d'agrumes (citron). Bien structurée, elle joue sur la fraîcheur. Choisissez une blanquette de veau à l'ancienne pour la servir à vos amis. Un poisson lui conviendra tout aussi bien. (RM)
➤ Champagne Henri David-Heucq, rte de Romery, 51480 Fleury-la-Rivière, tél. 03.26.58.47.19, fax 03.26.52.36.25 ☑ ⏲ r.-v.

JACQUES DEFRANCE
Prestige

	n.c.	2 000		11 à 15 €

Constitué en 1900, ce vignoble s'étend aujourd'hui sur 10 ha. Cette petite cuvée associe 20 % de pinot noir au chardonnay et est issue des années 1996, 1998 et 1999. Derrière l'or pâle à reflets argentés, l'effervescence est intense. Les notes de fruits confits et de fruits secs accompagnent la dégustation d'un champagne franc et frais. (RM)
➤ Jacques Defrance, 28, rue de la Plante, 10340 Les Riceys, tél. 03.25.29.32.20, fax 03.25.29.77.83 ☑ ⏲ r.-v.

DEHOURS
Confidentielle★

	n.c.	n.c.		11 à 15 €

Jérôme Dehours préside aux destinées de cette marque familiale fondée en 1930. La cuvée Confidentielle naît de 60 % de chardonnay et 40 % de pinot noir. Fine et délicate, l'effervescence traverse une robe or à reflets verts. Empyreumatique, ce champagne se révèle soyeux, racé, typé. La finale est agréable. (NM)
➤ Champagne Dehours et Fils, 2, rue de la Chapelle, Cerseuil, 51700 Mareuil-le-Port, tél. 03.26.52.71.75, fax 03.26.52.73.83, e-mail champagne.dehours@wanadoo.fr ☑ ⏲ r.-v.

DEHU PERE ET FILS
Rosé Prestige

	n.c.	1 800		11 à 15 €

Fossoy – proche de Château-Thierry – possède une église des XIIᵉ et XVIᵉs. dominée par un clocher carré. Les Déhu, installés à 300 m, se consacrent à la vigne depuis plus d'un siècle. Le Rosé Prestige est très noirs (85 %). Relativement ample, il a atteint son apogée, tant au nez qu'en bouche, où la finale se révèle fraîche. C'est un rosé de repas. (RC)

Déhu Père et Fils, 3, rue Saint-Georges,
02650 Fossoy, tél. 03.23.71.90.47, fax 03.23.71.88.91,
e-mail varocien@aol.com ☑ ☒ r.-v.

DELABARRE
Millésimé 1995★★

	0,5 ha	1 500	🍾🍷 15 à 23 €

Les Delabarre sont vignerons depuis les années 1920
à Vaudières, dont l'église possède un porche roman. Une
petite marche de cinq minutes vous permettra de découvrir
leur champagne. Les trois cépages collaborent également
à ce 95 qui fut présenté au grand jury des coups de cœur.
Il est complexe, riche, ample, gras et surtout très long.
Destiné aux amateurs de champagne évolué et puissant ;
à découvrir l'après-midi, pour le plaisir, ou sur un dessert.
(RM)
Christiane Delabarre, 26, rue de Châtillon,
51700 Vandières, tél. 03.26.58.02.65, fax 03.26.57.10.94,
e-mail delabarre.christiane@wanadoo.fr ☑ ☒ r.-v.

DELAHAIE
Cuvée sublime★

	n.c.	2 200	23 à 30 €

Cette Cuvée sublime fait appel à quatre fois plus de
chardonnay que de pinot noir ; elle est issue de raisins
récoltés en 1995 et 1996, deux excellentes années. Les
dégustateurs couvrent ce champagne d'amateurs de
compliments : une robe or vert, un nez brioché, grillé,
beurré, une bouche ronde, longue, et un dosage parfait.
(NM)
Jacques Brochet, 22, rue des Rocherets,
51200 Épernay, tél. 03.26.54.08.74, fax 03.26.54.34.45,
e-mail champagne.delahaie@wanadoo.fr ☑ ☒ r.-v.

DELAMOTTE
Blanc de blancs 1995★★

	n.c.	n.c.	🍾 23 à 30 €

Cette maison appartient à Laurent-Perrier dont
l'œnologue, Alain Terrier, vinifie les vins. Située au cœur
de la Côte des Blancs, au Mesnil-sur-Oger, la maison
Delamotte est voisine du Champagne Salon, également
propriété de Laurent-Perrier. Ce Blanc de blancs 95 est
habillé d'or soutenu. Fruits confits et miel composent son
bouquet, alors qu'en bouche il est souple, riche, généreux
et évolué. Le blanc de blancs sans année, issu des
récoltes 1996 et 1997, est cité pour ses arômes floraux, sa
richesse et sa fraîcheur. (NM)
Delamotte, 5, rue de la Brèche-d'Oger,
51190 Le Mesnil-sur-Oger,
tél. 03.26.57.51.65, fax 03.26.57.79.29

ANDRE DELAUNOIS
Carte d'Or

	7,64 ha	17 000	🍾 11 à 15 €

Le mont Joli qui culmine à 274 m offre une superbe
vue sur Reims. A ses pieds, Rilly-la-Montagne produit des
vins renommés. Les trois cépages champenois sont mis à
contribution, de même que 20 % de vins de réserve, dans
ce Carte d'Or faisant songer aux fruits blancs. Fin et bien
équilibré, il pourra être servi sur des volailles. (RM)
Champagne André Delaunois,
17, rue Roger-Salengro, 51500 Rilly-la-Montagne,
tél. 03.26.03.42.87, fax 03.26.03.45.40 ☑ ☒ r.-v.

DELAVENNE PERE ET FILS
Cuvée rose★

● Gd cru	1,5 ha	12 000	🍾🍷 15 à 23 €

Le vignoble s'étend sur 8 ha au sud de la Montagne
de Reims, et les vins sont élaborés dans une cave voûtée,
creusée à 8 m dans la craie, offrant d'excellentes conditions
de garde. Autant de raisins blancs que de raisins noirs
composent cette cuvée, si l'on tient compte des 15 % de
Bouzy (pinot noir) destinés à teinter le vin de base. Un rosé
pâle qui présente des touches florales et épicées, suivies
d'une finale fraîche et harmonieuse. (RM)
Delavenne Père et Fils, 6, rue de Tours,
51150 Bouzy, tél. 03.26.57.02.04, fax 03.26.58.82.93
☑ ☒ r.-v.

DELBECK
Héritage

	22 ha	300 000	🍾🍷 15 à 23 €

Maison rémoise, Delbeck fut créée sous la monarchie
de Juillet en 1832. La cuvée Héritage, d'un bel or jaune
pâle, est classique avec ses 70 % de raisins noirs et ses 30 %
de chardonnay. On y découvre des notes briochées,
beurrées, et des arômes fruités de bonne longueur. Des
poissons grillés lui conviendront. Le **Vintage 96 (23 à
30 €)** obtient une citation pour son élégance et sa subtilité.
(NM)
Champagne Delbeck, 39, rue du Gal-Sarrail, BP 77,
51053 Reims, tél. 03.26.77.58.00, fax 03.26.77.58.01,
e-mail info@delbeck.com ☑
Martin de La Giraudière

DELOUVIN NOWACK
Extra Sélection 1996★★

	1,2 ha	15 000	🍾🍷 11 à 15 €

Vandières jouit d'un superbe point de vue sur la vallée
de la Marne. Vignerons depuis des siècles, les Delouvin
vinifient depuis les années 1930 et c'est en 1976 que
Bertrand Delouvin a pris en charge vignes et marque. Son
Extra Sélection 96 frôle le coup de cœur. Chardonnay
(60 %) et pinot meunier (40 %) dialoguent tout au long de
la dégustation : à reflets verts, cette cuvée séduit
d'emblée. Le bouquet intense de miel, noisette, citron,
fleurs et fruits blancs n'est pas en reste. Rond, ample et
long, un grand champagne dont la complexité invite à le
déguster seul à l'apéritif. (RM)
Champagne Delouvin-Nowack, 29, rue Principale,
51700 Vandières, tél. 03.26.58.02.70, fax 03.26.57.10.11
☑ ☒ r.-v.
Bertrand Delouvin

YVES DELOZANNE★★

●	n.c.	2 200	🍾🍷 11 à 15 €

Un vignoble familial de 8,5 ha dans la vallée de
l'Ardre a donné ce brut rosé, qui comprend autant du pinot
noir que de pinot meunier, teintés par 17 % de vin rouge.
Dans sa robe ambrée-tuilée, il inspire un coup de cœur à
quelques dégustateurs pour sa puissance, son harmonie et
sa grande longueur. Deux étoiles sont également attribuées
au **brut 92 (15 à 23 €)**, une année difficile, rarement
vinifiée seule. Il est issu des trois cépages champenois : son
attaque est franche, son équilibre juste, sa finale longue.
Enfin, la **cuvée Symphonie 89 (15 à 23 €)** obtient une
étoile. Mi-noirs mi-blancs, un champagne évolué, très
équilibré, pour amateurs. (RM)

🍷 Champagne Yves Delozanne,
67, rue de Savigny, 51170 Serzy-et-Prin,
tél. 03.26.97.40.18, fax 03.26.97.49.14,
e-mail info@champagne-yvesdelozanne.com ☑ ⊤ r.-v.

SERGE DEMIERE
Blanc de blancs★★

● 1er cru	3 ha	12 000	🗍 11 à 15 €

Marque lancée en 1976, disposant d'un vignoble de
6 ha dans la région d'Ambonnay. Ce blanc de blancs naît
de raisins récoltés en 1999 ; les dégustateurs apprécient ses
arômes de fruits secs, de noisette, d'amande et de biscuit.
En bouche, rondeur et complexité s'imposent. (RM)
🍷 Serge Demière, 7, rue de la Commanderie,
51150 Ambonnay, tél. 03.26.57.07.79,
fax 03.26.57.82.15 ☑ ⊤ r.-v.

DEMILLY DE BAERE
Blanc de blancs Cuvée rare

● 2 ha	16 000	🗍 11 à 15 €

Les Demilly se sont installés dans ce village de l'Aube
en 1624. Gérard Demilly y exploite un vignoble de 4 ha,
partiellement complanté de pinot blanc, un cépage autorisé mais très rare. Sans doute est-ce à cause du pinot blanc
(29 %) que cette cuvée s'appelle « rare ». C'est un champagne blanc de blancs puisque l'autre cépage est également
blanc : 71 % de chardonnay, des raisins récoltés en 1999.
Son attaque est vive. Fraîche mais dosée, la bouche est
aromatique. A servir sur un pot-au-feu de canard aux
légumes printaniers. (NM)
🍷 Gérard Demilly, Dom. de La Verrerie,
rue du Château, 10200 Bligny,
tél. 03.25.27.44.81, fax 03.25.27.45.02,
e-mail champagne-demilly@barsuraube.net ☑ ⊤ r.-v.

MICHEL DERVIN
MD★

●	n.c.	30 606	🗍 11 à 15 €

Exploitant un vignoble de 4 ha, Michel Dervin a créé
sa marque en 1983. Sa cuvée MD est un blanc de noirs des
deux pinots (pinot meunier 80 % pinot noir 20 %) issus des
vendanges de 1998 et 1999. Un reflet rose orne sa robe.
Puissant au nez et en bouche et d'une longueur remarquable, c'est un champagne de repas. A découvrir lors de
la fête de la route du champagne, Les Festibulles, qui a lieu
autour du 20 juillet. (NM)
🍷 Michel Dervin, rte de Belval, 51480 Cuchery,
tél. 03.26.58.15.22, fax 03.26.58.11.12,
e-mail dervin.michel@wanadoo.fr ☑ ⊤ r.-v.

DESBORDES-AMIAUD
Cuvée 3e Millénaire 1995

● 1er cru	n.c.	10 000	🗍 15 à 23 €

Il y a plus de soixante-cinq ans que cette exploitation,
disposant de 9 ha de vignes, est conduite par des femmes.
Les champagnes Desbordes-Amiaud ne font pas de fermentation malolactique. Coup de cœur il y a deux ans pour
le millésime 89, cette cuvée millésimée 95, et le **brut
millésimé 86**, tous deux cités, naissent chacun d'un
assemblage comprenant quatre fois plus de pinot noir que
de chardonnay. Ces champagnes sont dits « originaux »,
voire « fruits exotiques » par les dégustateurs, qui estiment
qu'ils ont atteint leur apogée. (RM)
🍷 Marie-Christine Desbordes,
2, rue de Villers-aux-Nœuds, 51500 Ecueil,
tél. 03.26.49.77.58, fax 03.26.49.27.34 ☑ ⊤ r.-v.

LAURENT DESMAZIERES
Cuvée Tradition★

●	18 ha	n.c.	🗍 11 à 15 €

Cette marque appartient au Champagne Cattier. La
cuvée Tradition est composée de 50 % de pinot meunier,
40 % de pinot noir, complétés par 10 % de chardonnay.
L'attaque est vive et le fruité surmûri. Une très belle robe
rose pâle, un nez de petits fruits rouges, vif et frais. Puis la
bouche se fait gourmande (fraise, groseille et pâte de
fruits). Elle appelle un dessert. (NM)
🍷 Laurent Desmazières,
6 et 11, rue Dom-Pérignon, 51500 Chigny-les-Roses,
tél. 03.26.03.42.11, fax 03.26.03.43.13 ☑

A. DESMOULINS ET CIE★

●	n.c.	n.c.	15 à 23 €

Jean Bouloré préside cette maison de négoce d'Epernay, dont le rosé naît de chardonnay (30 %) et des deux
pinots (56 %), teintés par 14 % de Bouzy : il est frais, fin,
souligné d'une touche tannique ; la cerise à l'eau-de-vie
domine l'ensemble. La **Grande Cuvée** obtient une étoile ;
elle associe 50 % de chardonnay aux deux pinots. Florale,
vive, structurée et longue, elle se mariera avec les fruits de
mer ou se servira seule. (NM)
🍷 Champagne A. Desmoulins et Cie,
44, av. Foch, BP 10, 51201 Epernay Cedex,
tél. 03.26.54.24.24, fax 03.26.54.26.15 ☑ ⊤ r.-v.

PAUL DETHUNE

● Gd cru	1 ha	4 000	🗍 ⑪ 11 à 15 €

Exploitation de 7 ha sise à Ambonnay, bourg fleuri et
commune classée grand cru, conduite depuis 1840 par les
Déthune. Les vins Paul Déthune passent six mois sous le
bois. Le rosé, quatre fois plus noirs que blancs, est issu des
vendanges de 1996 à 1999 : il est pâle, « bonbon anglais »,
agréable et facile. Citée également, la cuvée **Princesse des
Thunes (15 à 23 €)** se partage entre pinot noir et
chardonnay des années 1994 à 1997 ; elle est ronde et
fruitée. (RM)
🍷 Paul Déthune, 2, rue du Moulin, 51150 Ambonnay,
tél. 03.26.57.01.88, fax 03.26.57.09.31,
e-mail info@champagne-dethune.com ☑ ⊤ r.-v.

DEUTZ
Cuvée William Deutz 1995★★★

●	n.c.	30 000	🗍 + de 76 €

Célèbre maison fondée en 1838, demeurée dans les
mains des descendants des fondateurs jusqu'en 1993, lors
de la prise de contrôle de Deutz par Roederer. Connue
pour ses champagnes haut de gamme, elle a retrouvé toute
sa superbe. En témoigne cette cuvée William Deutz 95, qui
subjugue les dégustateurs. Assemblage des deux pinots à

35 % de chardonnay, elle brille de très beaux reflets. Finesse, complexité, ampleur, élégance, longueur, excellent et superbe champagne ; les compliments sont nombreux. Le grand jury confirme le coup de cœur. (NM)

☙ Champagne Deutz,
16, rue Jeanson, 51160 Aÿ-Champagne,
tél. 03.26.56.94.00, fax 03.26.56.94.10,
e-mail france@champagne.deutz.com

DEUTZ
Blanc de blancs Amour de Deutz 1995★★

	n.c.	8 000	∎ ♦ + de 76 €

Le premier millésime de cette cuvée fut le 93 lancé en 1999. Ce haut de gamme est frais, minéral, floral, épicé, brioché, fin et long. Le **Classic (23 à 30 €)**, issu des trois cépages champenois des années 1997 et 1998, est un champagne équilibré, où notes briochées, fruits blancs et amande grillée se répondent ; il obtient une étoile. (NM)

☙ Champagne Deutz,
16, rue Jeanson, 51160 Aÿ-Champagne,
tél. 03.26.56.94.00, fax 03.26.56.94.10,
e-mail france@champagne.deutz.com

DOM BASLE
Cuvée première 1996

Gd cru	0,75 ha	6 500	∎ 15 à 23 €

La famille Lallement-Deville qui étiquette un champagne à son patronyme produit également le champagne Dom Basle, marque portant le nom d'un ermite qui vécut à Verzy à l'époque mérovingienne. Ce 96 est un peu plus noirs que blancs (55-45). Paille soutenu et brillant, il laisse tout d'abord s'exprimer le chardonnay par des notes beurrées-grillées puis une pointe minérale paraît, la fraîcheur s'installe. Très jeune mais complet, ce vin doit attendre deux ans. (RM)

☙ Champagne Lallement-Deville,
28, rue Irénée-Gass, BP 29, 51380 Verzy,
tél. 03.26.97.95.90, fax 03.26.97.98.25,
e-mail dombasle@wanadoo.fr ☑ ⛿ ⵑ r.-v.
☙ Damien Lallement

PIERRE DOMI
Cuvée Memory★

	0,2 ha	1 100	∎ 11 à 15 €

Depuis trois générations, ce domaine familial de 8 ha exploite sa marque déposée en 1947. La cuvée Memory comporte 80 % de pinot meunier pour 20 % de chardonnay récoltés en 1996. Son nez de fruits confits de bonne intensité est suivi par une bouche fraîche et longue. Le **blanc de blancs de 1997** mérite d'être cité pour sa rondeur et son ampleur et pour ses arômes de coing, d'orange confite et ses traces d'évolution. (RM)

☙ Champagne Pierre Domi,
8, Grande-Rue, 51190 Grauves,
tél. 03.26.59.71.03, fax 03.26.52.86.91 ☑ ⵑ r.-v.

DOM RUINART 1988★★

	n.c.	n.c.	∎ + de 76 €

Doyenne des maisons de champagne fondée en 1729 et aujourd'hui dans le giron du groupe LVMH, Ruinart propose un « vieux » millésime particulièrement apprécié par l'un de nos grands dégustateurs œnologues qui le juge « excellent ». Ce rosé fut coup de cœur dans la précédente édition du Guide ; il naît d'environ 80 % de chardonnay pour 20 % de pinot noir. Le plus étrange est son grand âge : sa robe est tuilée, son nez évolué, mais le vin est équilibré,

puissant et long, jouant sur des notes de fruits mûrs et cuits. Pour amateurs de champagnes évolués. Le **Ruinart rosé sans année (30 à 38 €)** est une valeur sûre qui obtient une étoile. Connu à la fois pour son équilibre, sa finesse et sa régularité d'année en année, il sera apprécié à l'apéritif comme à table. (NM)

☙ Champagne Ruinart, 4, rue des Crayères,
BP 85, 51053 Reims Cedex,
tél. 03.26.77.51.51, fax 03.26.82.88.43 ☑ ⵑ r.-v.

DOQUET-JEANMAIRE 1992★

1er cru	n.c.	3 500	∎ ♦ 15 à 23 €

Michel Doquet et Nicole Jeanmaire se sont unis, donnant naissance en 1974 au champagne Doquet-Jeanmaire (10 ha en Côte des Blancs et 5,5 ha dans le Perthois). Pascal Docquet conduit le domaine depuis 1995 et applique les règles de la culture raisonnée. Le 92, millésime rare et difficile, est un champagne puissant, rond, assez long, qui peut accompagner un repas. **Cœur de Terroir** obtient une citation ; autre blanc de blancs mais d'un millésime plus connu et plus ancien, 89, il se révèle rond, fondu, puissant, évolué ; il pourra assister une viande. (SR)

☙ Doquet-Jeanmaire,
44, chem. du Moulin de la Cense-Bizet, 51130 Vertus,
tél. 03.26.52.16.50, fax 03.26.59.36.71,
e-mail info@champagne-doquet-jeanmaire.com
☑ ⵑ r.-v.

DIDIER DOUÉ
Prestige★

	0,6 ha	5 000	∎ 15 à 23 €

A 10 km de Troyes, Montgueux offre un superbe point de vue sur le vignoble de l'Aube. Installé depuis plus de vingt-cinq ans, Didier Doué possède 4,5 ha. Sa cuvée Prestige naît de 40 % de pinot noir pour 60 % de chardonnay, issus des récoltes 1995 et 1996 ; elle est florale, empyreumatique, briochée, et a du caractère. (RM)

☙ Champagne Didier Doué,
chem. des Vignes, 10300 Montgueux,
tél. 03.25.79.44.33, fax 03.25.79.40.04 ☑ ⵑ r.-v.

DOURDON-VIEILLARD
Grande Réserve

	1,5 ha	10 000	∎ ♦ 11 à 15 €

Deux familles de vignerons se sont unies pour créer cette exploitation de 9,5 ha dans la vallée de la Marne. Leur Grande Réserve est une cuvée classique, constituée de 60 % de raisins blancs et 40 % de raisins noirs. Le chardonnay lui apporte fraîcheur, distinction, élégance, alors que les pinots lui confèrent équilibre et fruité. Cité également le **Vieilles vignes (15 à 23 €)**, un blanc de noirs (70 % pinots meunier) de 1997. Equilibré, il peut accompagner tout un repas. (RM)

☙ Dourdon-Vieillard, 7, rue du Château, 51480 Reuil,
tél. 03.26.58.06.38, fax 03.26.58.35.13,
e-mail dourdonvieillard@aol.com ☑ ⵑ r.-v.

DOYARD
Œil-de-Perdrix Collection de l'An I 1996★★

1er cru	1 ha	3 600	⦚ 15 à 23 €

Les Doyard sont récoltants-manipulants depuis 1927, et le fondateur, Maurice Doyard, a participé activement à la naissance de l'Organisation interprofessionnelle du Champagne. Leur vignoble couvre 7 ha. Ce champagne aux reflets rosés – œil-de-perdrix – est un rosé de pressurage dont la teinte peut être rectifiée par incorporation de vin rouge. La cuvée comprend trois quarts de pinot noir et un quart de chardonnay vinifiés en barrique ; la fermentation malolactique n'est que partielle. Elégant et complexe, marqué par un léger boisé, ce vin offre un nez extraordinaire où tous les petits fruits rouges s'expriment (framboise sauvage, airelle, griotte), accompagnés de notes de cassis, de pain d'épice. Tout cela se retrouve en bouche avec une touche briochée. Un champagne de caractère. (RM)

🔸 Champagne Robert Doyard et Fils,
61, av. Bammental, 51130 Vertus,
tél. 03.26.52.14.74, fax 03.26.52.24.02,
e-mail champagne.doyard@wanadoo.fr ☑ ⅂ r.-v.

DOYARD-MAHE
Blanc de blancs 1996★★

| | 1er cru | n.c. | 3 200 | ▮♦ 15 à 23 € |

Autre petit-fils de Maurice Doyard, Philippe Doyard-Mahé a fondé sa marque dans une ancienne fabrique de paillons qui enveloppaient les bouteilles au XIXᵉs. Son blanc de blancs 96 est fin, élégant, frais et rond, équilibré. Bien à l'image du cépage et du millésime. Le **Carte d'Or (11 à 15 €)**, un blanc de blancs issu des raisins vendangés de 1997 à 1999, obtient une étoile pour sa distinction citronnée et pour son équilibre. (RM)

🔸 Philippe Doyard-Mahé, Moulin d'Argensole,
51130 Vertus, tél. 03.26.52.23.85, fax 03.26.59.36.69,
e-mail champagne.doyard.mahe@hexanet.fr
☑ ⅂ t.l.j. sf dim. 10h-12h 14h-18h

DRAPPIER
Grande Sendrée 1996

| | | n.c. | 6 100 | 30 à 38 € |

Les Drappier sont installés à Urville (Aube) depuis 1808, leur vignoble s'étend sur 30 ha. La date de dégorgement figure sur l'étiquette. Ici, il s'agit de décembre 2001. La cuvée Grande Sendrée 96 est un blanc de noirs à la mousse abondante, à la couleur très soutenue, au fruité généreux (framboise, cerise), à l'attaque douce. Un champagne vineux et flatteur. (NM)

🔸 Drappier, rue des Vignes, 10200 Urville,
tél. 03.25.27.40.15, fax 03.25.27.41.19,
e-mail info@champagne-drappier.com
☑ ⅂ t.l.j. 8h-12h 14h-18h

DRIANT-VALENTIN

| | 1er cru | 2 ha | 15 000 | ▮♦ 11 à 15 € |

La route qui conduit à Avize traverse les paysages somptueux des vignes de la Côte des Blancs. Cela seul mériterait le voyage. On peut aussi y voir l'église du XIIᵉs. et son portail roman sur le flanc nord. On peut encore y trouver bien des maisons de champagne dont celle-ci. Son brut 1ᵉʳ cru (chardonnay 60 % et pinot 40 %), issus de raisins récoltés en 1997 et 1998, est marqué par un fruité rouge et une puissance notable. La cuvée **Grande Réserve Extra-brut 1ᵉʳ cru**, née de quatre fois plus de chardonnay que de pinot noir (1993 et 1995), est équilibrée et sa finale, fumée. Un dégustateur lui trouve un nez balsamique mêlé de violette. C'est une bouteille de caractère. (RM)

🔸 Jacques Driant, 4, imp. de la Ferme,
51190 Grauves, tél. 03.26.59.72.26, fax 03.26.59.76.55
☑ ⅂ r.-v.

DROUILLY L.V.
Tradition★

| | 0,9 ha | 4 000 | ▮ ⅏ 15 à 23 € |

Marque récemment lancée (1996), après ses études d'œnologie, par le fils de Roland Drouilly, créateur de cette exploitation et du vignoble de 8 ha. Les vins, qui passent par le bois, font, pour moitié seulement, leur fermentation malolactique. La Tradition, 60 % pinot noir et 40 % chardonnay de 1997, est élégant et jeune ; sa jeunesse implique une touche de vivacité. Il convient à l'apéritif et à un poisson cru. (RM)

🔸 Roland Drouilly,
1, rte de Chacenay, 10360 Noé-les-Mallets,
tél. 03.25.29.65.35, fax 03.25.38.25.30 ☑ ⅂ r.-v.

CLAUDE DUBOIS
Demi-sec★★

| | 2 ha | n.c. | ⅏ 11 à 15 € |

Claude Dubois est le petit-fils d'Edouard Dubois, qui s'est illustré en 1911 lors de la révolte des vignerons et qui fut surnommé « le rédempteur de la Champagne ». Il est exceptionnel qu'un champagne demi-sec soit distingué par les dégustateurs. Celui-ci est très noirs (90 % dont 50 % de pinot meunier), des raisins vendangés en 1999 qui sont passés par le bois. On y découvre l'amande, la minéralité mais surtout une fraîcheur harmonieuse, très rare pour ce type de champagne. La **cuvée du Rédempteur 92 (15 à 23 €)** obtient une citation, tout comme la **cuvée Almanachs** (pinot noir de 1996) qui a atteint son apogée. (RM)

🔸 Claude Dubois, rte d'Arty, 51480 Venteuil,
tél. 03.26.58.48.37, fax 03.26.58.63.46,
e-mail redempteur@wanadoo.fr
☑ ⅂ t.l.j. 8h-12h 14h-17h30; sam. dim. sur r.-v.

GERARD DUBOIS
Blanc de blancs 1994★

| | Gd cru | 1 ha | 4 500 | ▮ 11 à 15 € |

Installé en 1970 sur le domaine familial, Gérard Dubois possède 6 ha de vignes dans ce grand cru réputé. Quelle belle réussite dans un millésime si difficile ! Son blanc de blancs est marqué par des arômes de brioché, de noisette et de miel, alors qu'en bouche, complexité et longueur réjouissent les dégustateurs. (RM)

🔸 Gérard Dubois, 67, rue Ernest-Vallé, 51190 Avize,
tél. 03.26.57.58.60, fax 03.26.57.41.94 ☑ ⅂ r.-v.

HERVE DUBOIS
Blanc de blancs 1997

| | Gd cru | 2,7 ha | 4 000 | ▮ 11 à 15 € |

Hervé Dubois, depuis plus de vingt ans à la tête de ses 4,4 ha, propose un 97, millésime rare et de faible réputation, et qu'il a fort bien réussi. Ce blanc de blancs, qui n'a pas fait sa fermentation malolactique, est favorablement accueilli par les dégustateurs, qui le trouvent à la fois fin et puissant, équilibré et classique. (RM)

🔸 Hervé Dubois, 67, rue Ernest-Vallé, 51190 Avize,
tél. 03.26.57.52.45, fax 03.26.57.99.26 ☑ ⅂ r.-v.

ROBERT DUFOUR
Blanc de blancs

| | | 3 ha | 6 500 | ▮ 15 à 23 € |

Ce vignoble de 14 ha a été créé il y a trente ans dans l'Aube par Robert Dufour. Son blanc de blancs, or clair, est discrètement brioché et beurré. Les fruits mûrs apparaissent dans une bouche fraîche, harmonieuse et légère. (RM)

┡ Champagne Robert Dufour,
4, rue de la Croix-Malot, 10110 Landreville,
tél. 03.25.29.66.19, fax 03.25.38.56.50 ☑ 🏠 � r.-v.

DANIEL DUMONT
Cuvée d'Excellence 1996

	0,7 ha	5 000	▬ 15 à 23 €

Depuis trente ans, Daniel Dumont a développé le vignoble, dont il avait hérité, pour le porter à plus de 10 ha. Sa Cuvée d'Excellence naît d'un assemblage classique de 60 % de chardonnay pour 40 % de pinot noir. Ce 96 est plein de jeunesse ; floral et fruité (fruits blancs), il laisse une bouche équilibrée et fraîche, aux saveurs d'agrumes. (RM)
┡ SA Champagne Daniel Dumont,
11, rue Gambetta, 51500 Rilly-la-Montagne,
tél. 03.26.03.40.67, fax 03.26.03.44.82 ☑ ⍦ r.-v.

R. DUMONT ET FILS★★

	1 ha	4 000	▬♦ 11 à 15 €

Champignol-lez-Mondeville accueille les Dumont depuis 1792, année où, à Valmy, à 70 km à l'est de Reims, Dumouriez remporta le premier succès des armées de la Révolution. Ici, nous sommes au sud de Bar-sur-Aube, non loin de Clairvaux. Voici un rosé de noirs aux arômes de fruits rouges frais et aux saveurs de framboise et de groseille. Un champagne franc et persistant. (RM)
┡ R. Dumont et Fils,
10200 Champignol-lez-Mondeville,
tél. 03.25.27.45.95, fax 03.25.27.45.97 ☑ ⍦ r.-v.

DUVAL-LEROY
Fleur de Champagne Blanc de Chardonnay 1996★★

	n.c.	300 000	▬♦ 15 à 23 €

Hervé Jestin, œnologue de la plus importante maison de négoce de la Côte des Blancs créée en 1859 et dont le vignoble s'étend sur 150 ha, a mis en œuvre de superbes cuvées. Ce blanc de blancs 96 aux arômes de pain grillé légèrement fumé et de pamplemousse, est charpenté, puissant et fin, doté d'une belle vivacité. Un très beau cordon de mousse traverse l'or pâle dans le verre. Trois champagnes obtiennent une étoile : le **Fleur de Champagne** (trois quarts blancs, un quart noirs), le **millésime 95** (deux tiers blancs, un tiers noirs) et le **Décor Paris** (40 % chardonnay, 60 % pinot noir), tous trois équilibrés ; le premier épicé, le second évolué et long, le troisième empyreumatique et complexe. (NM)
┡ Champagne Duval-Leroy, 69, av. de Bammental,
51130 Vertus, tél. 03.26.52.10.75, fax 03.26.52.37.10,
e-mail champagne@duval-leroy.com ☑ ⍦ r.-v.
┡ Carol Duval

ALBERIC DUVAT★

	1,5 ha	n.c.	15 à 23 €

1968 : création de la marque Duvat qui exploite un vignoble depuis trois générations. Ce rosé est issu de 60 % de pinots et de 40 % de chardonnay récoltés en 1996. Sa belle robe saumonée est parcourue de bulles fines et persistantes. Son nez est de bonne tenue, et sa bouche encore jeune et fraîche. (RM)
┡ Albéric Duvat,
20, Grande-Rue, 51270 Ferebrianges,
tél. 03.26.59.35.69, fax 03.26.59.34.04 ☑ ⍦ r.-v.

XAVIER DUVAT ET FILS
Tête de cuvée 1997★

	2 ha	20 000	⍰ 15 à 23 €

Depuis douze ans, ce vignoble familial de 10 ha, repris en 1990 par Xavier Duvat, travaille en lutte raisonnée. 60 % de chardonnay et 40 % de pinots – dont 30 % de pinot meunier – sont à l'origine de son 97, passé six mois sous bois, complimenté par les dégustateurs pour ses arômes agréables et discrets et sa bouche expressive, fumée et fine, où le boisé paraît encore. (RM)
┡ Xavier Duvat, 7, allée du Diamant, 51200 Epernay,
tél. 06.07.72.58.53, fax 03.26.59.34.04,
e-mail xduvat@net-up.com ☑

CHARLES ELLNER★

1er cru	n.c.	52 600	11 à 15 €

Maison familiale qui a pris le statut de négociant en 1972. Elle est discrète bien que disposant d'un important vignoble de 54 ha. L'assemblage de cette cuvée est classique : 70 % de pinot noir pour 30 % de chardonnay des années 1996 et 1997. Son bouquet complexe mêle amandes grillées, miel et fruits confits, précédant une bouche équilibrée. Une étoile a été décernée au **millésime 93 (15 à 23 €)** (proportions pinot-chardonnay inversées), tout en rondeur et en souplesse, alors que la **cuvée de Réserve** , bien dans le style et l'esprit du 1er cru, obtient une citation. (NM)
┡ Champagne Charles Ellner,
6, rue Côte-Legris BP 223, 51200 Epernay,
tél. 03.26.55.60.25, fax 03.26.51.54.00,
e-mail info@champagne-ellner.com ☑ ⍦ r.-v.

ESTERLIN
Blanc de blancs★

	n.c.	35 000	▬♦ 11 à 15 €

Ce groupement de producteurs exploite un vignoble de 120 ha, majoritairement complanté de chardonnay. Une étoile pour ce blanc de blancs né de la vendange de 1995, très fin, très vif, très long. Un blanc de blancs similaire mais **millésimé 95 (15 à 23 €)** gagne également une étoile alors que la **Sélection** est cité (chardonnay-pinots 60-40, récoltes 1996-1997). Fin et minéral, il est destiné à l'apéritif. (CM)
┡ Champagne Esterlin,
25, av. de Champagne, BP 342, 51334 Epernay Cedex,
tél. 03.26.59.71.52, fax 03.26.59.77.72,
e-mail contact@champagne-esterlin.fr ☑ ⍦ r.-v.

JEAN-MARIE ETIENNE★

1er cru	3,5 ha	27 000	▬ 11 à 15 €

Daniel et Pascal Etienne dirigent aujourd'hui l'affaire créée par leur père à Cumières, halte nautique du tourisme fluvial sur la Marne. Occasion de se procurer un champagne, issu des trois cépages champenois récoltés en 1997 et complétés par 35 % de vins de réserve de 1995 et 1996. Il est vineux, puissant, excellent à table. Le **rosé brut 1er cru** et la **Cuvée spéciale** obtiennent chacun une citation. Le premier pour ses arômes de fraise et sa bouche de fruits rouges, le second pour son évolution favorable vers la rondeur et la complexité. (RM)
┡ Etienne, 33, rue Louis-Dupont, 51480 Cumières,
tél. 03.26.51.66.62, fax 03.26.55.04.65 ☑ ⍦ r.-v.

EUSTACHE DESCHAMPS★

1er cru	2 ha	10 000	▬♦ 11 à 15 €

La coopérative de Vertus honore le plus grand poète non seulement local mais aussi français du XIVe s., théoricien de l'Art poétique ; il s'intéressa au vin et l'un de ses textes évoque le raisin « pynos ». Ce rosé, dont la cuvée comprend 10 % de chardonnay et 90 % de pinot noir, est un rosé de saignée, ce qui n'est pas fréquent en Champagne. Vif et gourmand, il évoque fruit confit et pâte de fruits. (CM)

➦ Champagne Eustache Deschamps,
38, av. de Bammental, 51130 Vertus,
tél. 03.26.52.18.95, fax 03.26.58.39.47 ☑ ⵥ r.-v.

FANIEL-FILAINE
Réserve★

n.c.	n.c.	11 à 15 €

Deux familles vigneronnes se sont unies et ont créé cette marque qui dispose d'un vignoble de 5,5 ha dans la vallée de la Marne. Le Réserve est plus noirs que blancs (15 % de chardonnay). Subtil, équilibré, et floral, il évoque également les fruits mûrs et offre une finale d'une élégante jeunesse. (NM)

➦ Faniel-Filaine, 77, rue Paul-Douce, 51480 Damery,
tél. 03.26.58.62.67, fax 03.26.58.03.26 ☑ ⵥ r.-v.

PHILIPPE FAYS

2 ha	17 000	11 à 15 €

Philippe Fays exploite à Celles-sur-Ource, dans l'Aube, 4,5 ha de vignes qui lui viennent de son père et de son grand-père. Le brut et le **Réserve** sont cités, le premier est un blanc de noirs (1999, 1998), le second est aussi noirs que blancs (1997, 1998), deux champagnes aux arômes d'agrumes soulignés de minéral, vifs et briochés en bouche. (RM)

➦ Philippe Fays,
94, Grande-Rue, 10110 Celles-sur-Ource,
tél. 03.25.38.51.47, fax 03.25.38.23.04 ☑ ⵥ r.-v.

NICOLAS FEUILLATTE
Grand Cru de Chouilly 1995★★

Gd cru	n.c.	8 000	23 à 30 €

Tous les mélomanes parisiens connaissent le magasin Nicolas Feuillatte situé à côté de la salle Pleyel. Musique et champagne, un accord classique que cette cuvée, issue de l'un des quatre grands crus vinifiés par la coopérative, pourra accompagner. Ce blanc de blancs de Chouilly de 1995 est plébiscité par les neuf dégustateurs du grand jury : « Champagne puissant, évolué, aux notes florales, grillées et miellées, beurrées, fumées et briochées ». Après une attaque franche, l'ampleur du palais et sa longueur s'imposent avec élégance. Coup de cœur, évidemment. (CM)

➦ Champagne Nicolas Feuillatte, BP 210, Chouilly,
51206 Epernay, tél. 03.26.59.55.50, fax 03.26.59.55.82
☑ ⵥ r.-v.

NICOLAS FEUILLATTE
Blanc de blancs millésimé 1995★★

1er cru	n.c.	50 000	15 à 23 €

La coopérative de Chouilly vinifie 2 130 ha de vigne. « Enorme », dites-vous. Oui, mais ses cuvées, nombreuses, sont réussies. Ce blanc de blancs 1er cru 95 est remarquable, sa complexité, son équilibre et sa fraîcheur (pâte d'amandes citronnée) séduisent. Bien notée (une étoile), la **cuvée Palmes d'Or 95 (46 à 76 €)**, mi-noirs mi-blancs, fine, élégante, riche, convient aux poissons et aux viandes blanches à la crème. Le **brut (11 à 15 €)**, issu des trois cépages champenois, puissant, gras et... dosé, a été cité par les dégustateurs. (CM)

➦ Champagne Nicolas Feuillatte, BP 210, Chouilly,
51206 Epernay, tél. 03.26.59.55.50, fax 03.26.59.55.82
☑ ⵥ r.-v.

BERNARD FIGUET
Cuvée de réserve

	4 ha	30 000	11 à 15 €

Les Figuet comptent un siècle de viticulture familiale. Ce Réserve, mi-blancs mi-noirs (dont 30 % de pinot meunier), issu principalement de la vendange de 1998, est d'une grande jeunesse ; il est en train de se polir et se fondre. (RM)

➦ Champagne Bernard Figuet,
144, rte Nationale, 02310 Saulchery,
tél. 03.23.70.16.32, fax 03.23.70.17.22 ☑ ⵥ r.-v.

ALEXANDRE FILAINE
Cuvée Confidence

	1 ha	3 000	11 à 15 €

Cette cuvée Confidence, issue des trois cépages champenois, a été vinifiée huit mois dans le bois et non filtrée. Le nez affiche une réelle typicité et une certaine évolution par ses notes de cerise à l'eau-de-vie. La bouche, vanillée par son élevage, est à la fois puissante et souple. La finale est légèrement réglissée. (RM)

➦ Fabrice Gass, 17, rue Poincaré, 51480 Damery,
tél. 03.26.58.58.39 ☑ ⵥ t.l.j. 8h-12h 13h-19h

ROBERT FLEURY

	n.c.	2 000	23 à 30 €

Jean-Pierre Fleury cultive, depuis 1989, ses 13 ha en biodynamie, alors que la marque Fleury a été lancée quarante ans auparavant. Le vin est élevé dans le bois, puis tiré sous liège avec bouchons agrafés. De vieux pinots noirs et de vieux chardonnays se marient dans cette cuvée évoluée mais ample, à boire maintenant à table. (NM)

➦ Champagne Fleury,
43, Grande-Rue, 10250 Courteron,
tél. 03.25.38.20.28, fax 03.25.38.24.65,
e-mail champagne-fleury@wanadoo.fr ☑ ⵥ r.-v.
➦ Jean-Pierre Fleury

JEAN DE LA FONTAINE★

	n.c.	5 000	11 à 15 €

Cette marque appartient au Champagne Baron Albert, qui effectue des vinifications particulières dont bénéficient les champagnes Jean de La Fontaine ; ce nom célèbre le poète, qui se promenait souvent dans les vignes. Ce rosé est issu d'une cuvée où le chardonnay représente 45 % de l'assemblage associant des vins de 1996, 1997 et 1998. Un cordon fin traverse une robe « juste travaillée comme il faut ». Quelques épices, des fruits rouges, un

CHAMPAGNE

dosage parfait caractérisent une bouche ronde, souple et longue. La cuvée **Prestige**, presque un blanc de noirs de pinot meunier (90 %), équilibrée, reçoit une citation. (NM)
🕿 Champagne Jean de La Fontaine, 1, rue des Chaillots, Grand Porteron, 02310 Charly-sur-Marne, tél. 03.23.82.02.65, fax 03.23.82.02.44, e-mail champagnebaronalbert@wanadoo.fr ☑ ℐ r.-v.
🕿 Baron Albert

FORGET-BRIMONT

● 1er cru   n.c.   5 000   📖♦ 15 à 23 €

Michel Forget exploite, dans la Montagne de Reims, un vignoble d'une douzaine d'hectares depuis 1978. Les trois cépages champenois collaborent à son rosé rose bonbon, au nez intense de fruits rouges, frais et empyreumatique en bouche. (NM)
🕿 Champagne Forget-Brimont,
11, rte de Louvois, 51500 Craon de Ludes,
tél. 03.26.61.10.45, fax 03.26.61.11.58,
e-mail contact@champagne-forget-brimont.fr
☑ ℐ t.l.j. 8h-12h 14h-18h; sam. dim. sur r.-v.; f. août
🕿 Michel Forget

FORGET-CHEMIN
Carte blanche★

            10 ha   60 000   11 à 15 €

Un contrat territorial d'exploitation engage ce récoltant vers une culture raisonnée, respectueuse de l'environnement. Sur un vignoble de 12 ha, dans la Montagne de Reims, est produite cette Carte blanche, un quart blancs, trois quarts noirs (dont 50 % de pinot meunier) ; ce champagne d'apéritif, à l'œil très clair, au bouquet de fleurs blanches et de notes minérales, se révèle fin, frais et très plaisant. Une étoile a été attribuée à la **Cuvée 3ᵉ Millénaire**, elle aussi très noirs, bien équilibrée. Le **Spécial Club 97 (15 à 23 €)**, mi-noirs mi-blancs, fruité, souple, dosé, obtient une citation. (RM)
🕿 Champagne Forget-Chemin, 15, rue Victor-Hugo, 51500 Ludes, tél. 03.26.61.12.17, fax 03.26.61.14.51, e-mail champagne.forget-chemin@voila.fr ☑ ℐ r.-v.

FOURNAISE-THIBAUT 1997★

            0,5 ha   7 000   📖♦ 11 à 15 €

C'est à Châtillon-sur-Marne que naquit celui qui devint le pape Urbain II (1088-1099) qui prêcha la première croisade avec Pierre l'Ermite. Sa statue domine la vallée de la Marne. C'est là que Daniel Fournaise exploite ses 3 ha de vignes. Son 97, un millésime rare et difficile, naît d'autant de pinot noir que de chardonnay ; il est fin, élégant et persistant. Son **brut sans année**, que l'on doit aux trois cépages champenois vendangés en 1997 et 1998, se montre brioché, rond et puissant ; il obtient une citation. (RM)
🕿 Daniel Fournaise,
2, rue des Boucheries, 51700 Châtillon-sur-Marne,
tél. 03.26.58.06.44, fax 03.26.51.60.91 ☑ ℐ r.-v.

THIERRY FOURNIER
Cuvée de réserve Demi-sec

            0,5 ha   4 000   📖 11 à 15 €

Thierry Fournier a, depuis 1983, étendu son vignoble (8,7 ha) sur quatre communes de la vallée de la Marne. Les trois cépages champenois collaborent également à ce demi-sec brioché, citronné, qui a le mérite de n'être pas trop sucré. Une belle effervescence participe à son charme. (RM)

🕿 Thierry Fournier, 8, rue du Moulin, Neuville, 51700 Festigny, tél. 03.26.58.04.23, fax 03.26.58.09.91, e-mail thierry.fournier7@wanadoo.fr ☑ ℐ r.-v.

PHILIPPE FOURRIER
Carte d'Or★★

            4 ha   n.c.   📖 11 à 15 €

Baroville, village de l'Aube, est situé à 7 km de Clairvaux. Philippe Fourrier dispose d'un vignoble de 11 ha. Les dégustateurs ont distingué trois vins. Ce Carte d'Or, un blanc de noirs de 1999, emporte tous les suffrages. D'une belle effervescence, il est fruité, grillé, confit, harmonieux. C'est un champagne de repas. La **cuvée Prestige**, un blanc de blancs de 1999, floral, fin, flatteur et long, obtient une étoile, et le **millésime 96**, mi-noirs mi-blancs, frais, épicé et rond, est cité. (NM)
🕿 Champagne Philippe Fourrier, rte de Bar-sur-Aube, 10200 Baroville, tél. 03.25.27.13.44, fax 03.25.27.12.49, e-mail champagne.fourrier@wanadoo.fr ☑ ℐ r.-v.

FRANCOIS-BROSSOLETTE 1996★★

            n.c.   3 000   📖♦ 15 à 23 €

A quelque 6 km des Riceys, au confluent de la Seine et de la Laigne, Polisy renferme un château du XVIᵉs. Le vignoble des Brossolette couvre une douzaine d'hectares. Deux tiers de pinot noir et un tiers de chardonnay se retrouvent dans ce 96 or à reflets verts, qui chardonne au nez, se montre vif à l'attaque, mais aussi vineux et ample. Une étoile est attribuée au **Tradition**, quatre fois plus noirs que blancs, faisant songer aux fleurs blanches et aux abricots confits. Une citation récompense le **blanc de blancs** des années 1996, 1998, 1999 ; comme le champagne précédent, il est floral, minéral et rond. Ces deux derniers entrent dans la fourchette 11 à 15 €. (RM)
🕿 François-Brossolette, 42, Grande-Rue, 10110 Polisy, tél. 03.25.38.57.17, fax 03.25.38.51.56 ☑ ℐ r.-v.

FRESNET-BAUDOT
Elégance 1996★

● Gd cru   0,5 ha   1000   📖◗ 15 à 23 €

Œnologue, Laurent Fresnet, fils aîné, est maître de chai et élaborateur de ce domaine qui dispose de 3,5 ha de vignes dans trois grands crus de la Montagne de Reims. Deux parts de pinot noir pour trois de chardonnay sont assemblées dans ce 96 élevé en fût. Sa couleur intense, vieil or, son nez de fleurs et de pêches blanches, son attaque franche, sa constitution et sa belle longueur en font un champagne à goûter – et à savourer – pour lui-même. (RM)
🕿 Fresnet-Baudot, 9, rte de Puisieulx, 51500 Sillery, tél. 03.26.49.11.74, fax 03.26.49.10.72 ☑ ℐ r.-v.

GABRIEL-PAGIN ET FILS
Grande Réserve

            2 ha   n.c.   📖◗ 11 à 15 €

Sur la rive droite de la Livre, Avenay-Val-d'Or renferme une église, dont le chevet du XIIIᵉs. et la façade flamboyante méritent votre regard (orgues du XVIᵉs.). Ce domaine familial de 9,6 ha propose une cuvée Grande Réserve, trois fois plus blancs que noirs. Elle attaque vivement et se développe avec souplesse. Sous la marque **Roger Gabriel**, la **cuvée Prestige (15 à 23 €)** est également citée. Elle naît d'autant de raisins noirs que de raisins blancs. Souplesse et équilibre sont ses qualités. (RM)

⚲ Pascal Gabriel,
4, rue des Remparts, 51160 Avenay-Val-d'Or,
tél. 03.26.52.31.03, fax 03.26.58.87.20 ☑ ⭑ 🍷 r.-v.

GAIDOZ-FORGET
Réserve★

	n.c.	4 000	15 à 23 €

Le parc régional de la Montagne de Reims vient
d'être doté d'un système d'informations touristiques par
téléguidage (système GPS) qui permet une visite intelligente de la région. Destiné aux automobilistes, il n'indique
pas encore les maisons de champagne, prudence oblige. En
respectant la règle de la sobriété au volant, vous pourrez
acquérir, chez ce vigneron, cette cuvée Réserve (80 % de
pinot meunier). C'est un champagne équilibré, qui fait
songer aux fruits blancs. (RM)
⚲ Gaidoz-Forget, 1, rue Carnot, 51500 Ludes,
tél. 03.26.61.13.03, fax 03.26.61.11.65,
e-mail lgaidoz@wanadoo.fr ☑ 🍷 r.-v.

GAILLARD-GIROT

	3,5 ha	25 000	🍶 ⬭ 11 à 15 €

Les vins vieillissent ici partiellement en fût. Le pinot
meunier (78 %) joue la partie principale. On lui doit des
arômes de fruits blancs et une impression vive de fraîcheur.
(RM)
⚲ EARL Gaillard-Girot, 43, rue Victor-Hugo,
51530 Mardeuil, tél. 03.26.51.64.59, fax 03.26.51.70.59,
e-mail champagne-gaillard-girot@wanadoo.fr ☑ 🍷 r.-v.

REMY GALICHET★

	2,5 ha	2 500	🍶 ⬥ 11 à 15 €

Implantés à Bouzy en 1959, les Galichet ont construit
un site de production de 2 500 m² en 1998. Disposant d'un
vignoble de 9 ha, ils proposent ce rosé de noirs teinté par
18 % de vin rouge de Bouzy qui séduit par sa fraîcheur et
sa structure fine. Le dosage est perceptible. En blanc, le
Réserve, mi-noirs mi-blancs, de la récolte de 1996, mérite
une citation pour sa finale fruitée. (NM)
⚲ Rémy Galichet,
15, rue Auban-Moet, 51150 Tours-sur-Marne,
tél. 03.26.57.12.03, fax 03.26.52.86.53
☑ 🍷 t.l.j. 9h-12h 14h-17h; sam. dim. sur r.-v.

GALLIMARD PERE ET FILS
Cuvée Prestige 1997

	n.c.	11 000	15 à 23 €

Les Gallimard ont réuni une dizaine d'hectares du
côté des Riceys. Cette cuvée Prestige porte le difficile
millésime 97. Blanc de noirs de pinot noir, elle est
équilibrée, vive et grasse à la fois, prête à accompagner un
repas. (NM)
⚲ Champagne Gallimard Père et Fils,
18, rue Gaston-Cheq, 10340 Les Riceys,
tél. 03.25.29.32.44, fax 03.25.38.55.20 ☑ 🍷 r.-v.

GARDET
Charles Gardet 1996★

	n.c.	30 000	15 à 23 €

La maison fut fondée en 1895 par Charles Gardet. La
cuvée millésimée lui rend hommage, alors que les autres
champagnes produits ici sont étiquetés Georges Gardet.
Cette cuvée 96 se compose d'un peu plus de raisins blancs
que noirs (60 % de chardonnay pour 40 % de pinot noir).
Claire, limpide, traversée de fines bulles, elle montre un nez

frais et fruité, marqué par le chardonnay. Equilibrée et
longue, vive mais fondue, elle convient à l'apéritif. Le brut
Spécial issu des trois cépages champenois des années 1996
et 1997, bien fait et léger, obtient une citation. (NM)
⚲ Champagne Georges Gardet,
13, rue Georges-Legros, 51500 Chigny-les-Roses,
tél. 03.26.03.42.03, fax 03.26.03.43.95,
e-mail info@champagne-gardet.com ☑ 🍷 r.-v.

GAUDINAT-BOIVIN
Millésimé 1996★

	0,21 ha	1 500	⬤ 11 à 15 €

Roger Gaudinat a pris les rênes du vignoble familial
en 1964. Chardonnay et pinot meunier collaborent à parts
égales à cette cuvée millésimée. Non seulement fruits mûrs,
fruits cuits, fruits blancs, mais aussi fruits confits : tous les
dégustateurs aiment le nez de ce champagne. Son attaque
est franche et sa puissance le destine au repas. (RM)
⚲ EARL Gaudinat-Boivin, 6, rue des Vignes,
Mesnil-le-Huttier, 51700 Festigny,
tél. 03.26.58.01.52, fax 03.26.58.97.46 ☑ 🍷 r.-v.
⚲ Roger Gaudinat

GAUTHEROT
Sélection 1996★★

	2 ha	18 489	🍶 ⬥ 15 à 23 €

Tout comme la Jeanne hier, le Charles-de-Gaulle a
aujourd'hui à son bord cette marque venue de l'Aube. Le
millésime 96 ne déçoit pas les hommes du porte-avion
français : plus noirs (70 %) que blancs, il allie la fraîcheur,
l'équilibre à un fruité d'agrumes et de pêche de vigne. Peut
être servi sur un foie gras. (RM)
⚲ François Gautherot,
29, Grande-Rue, 10110 Celles-sur-Ource,
tél. 03.25.38.50.03, fax 03.25.38.58.14 ☑ 🍷 r.-v.

MICHEL GENET
Blanc de blancs Grande Réserve 1996★

Gd cru	2 ha	13 000	🍶 11 à 15 €

A quelque 4 km d'Epernay, se trouve à Chouilly une
église du XIᵉ s. Et cette marque, dont les champagnes sont
élaborés depuis cinq ans par Vincent Genet. Le blanc de
blancs de Chouilly, un grand cru, est représentatif d'un
grand millésime : le 96. Lumineux et limpide, parcouru par
une fine effervescence, il est vif, frais, équilibré, de l'attaque
soyeuse et franche à la finale d'abricot confit. Un apéritif
de luxe. (RM)
⚲ Michel Genet, 22, rue des Partelaines,
51530 Chouilly, tél. 03.26.55.40.51, fax 03.26.59.16.92
☑ 🍷 r.-v.

RENE GEOFFROY
Cuvée de Réserve★

1er cru	6 ha	62 000	🍶 11 à 15 €

Ce vignoble de 13 ha situé dans la vallée de la Marne
est travaillé en lutte raisonnée. Les champagnes de René
Geoffroy ne font pas de fermentation malolactique.
Celui-ci naît des deux pinots associés à 10 % de chardonnay
des vendanges de 1998 et 1999. Un fin cordon, un nez
floral et fruité signé par le pinot meunier, tout annonce une
belle dégustation. Frais, corpulent, gras et long, un vin de
grand apéritif. (RM)
⚲ René Geoffroy, 150, rue du Bois-des-Jots,
51480 Cumières, tél. 03.26.55.32.31, fax 03.26.54.66.50,
e-mail info@champagne-geoffroy.com ☑ 🍷 r.-v.

CHAMPAGNE

PIERRE GERBAIS
Tradition

	6,2 ha	50 000	■ ♦ 11 à 15 €

Pierre Gerbais, dont le vignoble de près de 14 ha est situé dans l'Aube, a obtenu un coup de cœur dans le Guide 2001. 5 % de pinot blanc complètent 10 % de chardonnay et 85 % de pinot noir : cette cuvée Tradition est donc très noirs. De couleur paille, elle se montre nerveuse et structurée, en un mot agréable. (NM)
•┓ Pierre Gerbais, 13, rue du Pont, BP 17, 10110 Celles-sur-Ource, tél. 03.25.38.51.29, fax 03.25.38.55.17, e-mail champ.gerbais@wanadoo.fr ☑ � r.-v.

GERMAIN★

	n.c.	n.c.	■ ♦ 15 à 23 €

Autre marque reprise par Vranken. Beaucoup de raisins noirs (80 % avec le pinot noir majoritaire) associés à 20 % de chardonnay apportent rondeur et souplesse à ce champagne facile à boire. (NM)
•┓ Germain, 17, av. de Champagne, 51200 Epernay, tél. 03.26.59.50.50, fax 03.26.52.19.65
•┓ P. F. Vranken

PIERRE GIMONNET ET FILS
Blanc de blancs Gastronome 1998

1er cru	n.c.	50 806	■ ♦ 15 à 23 €

Marque lancée en 1935 disposant d'un important vignoble (26 ha) exploité par le fils et les petits-fils de son fondateur. Ce champagne est issu de Cramant et de Chouilly, deux grands crus, et de 20 % du premier cru Cuis. Un vin élégant, à la belle effervescence, aux arômes citronnés, presque mentholés, finement miellés. Equilibré et vif, il aimera les fruits de mer. (RM)
•┓ SA Pierre Gimonnet et Fils, 1, rue de la République, 51530 Cuis, tél. 03.26.59.78.70, fax 03.26.59.79.84
☑ � t.l.j. sf dim. 8h30-12h 14h-18h; sam. sur r.-v.; f. août

GIMONNET-OGER
Blanc de blancs 1996★

1er cru	n.c.	3 000	■ 15 à 23 €

L'une des ramifications de la famille Gimonnet. Installé sur les coteaux couverts de vigne, Cuis possède une belle église. Ce 96, or pâle à reflets verts, est typique, puissant, miellé, encore jeune comme le révèle sa finale vive. Peut se garder deux ou trois ans. Le blanc de blancs Sélection sans année, floral, plus évolué et de bonne longueur, est prêt. Il obtient une citation. (RM)
•┓ Jean-Luc Gimonnet, 7, rue Jean-Mermoz, 51530 Cuis, tél. 03.26.59.86.50, fax 03.26.59.86.53, e-mail chg-o@wanadoo.fr ☑ � r.-v.

BERNARD GIRARDIN
Blanc de blancs Cuvée Vibrato★★

	1 ha	3 000	■ 15 à 23 €

Sur les coteaux d'Epernay, une femme conduit ce vignoble familial. La cuvée Vibrato n'annonce pas, par son étiquette, deux informations intéressantes et positives : le millésime 96 (excellent) et le cépage, chardonnay (blanc de blancs). Brioche, pain d'épice, miel, beurre, fruits secs, agrumes, coing... tout concourt à la qualité de ce champagne alliant finesse, équilibre et longueur. La cuvée de Réserve millésimée 98 (11 à 15 €) plaira, elle aussi, aux musiciens, non seulement pour son étiquette (partitions), mais aussi pour sa fraîcheur légère. Elle aurait pu être intitulée « Pizzicato ». (RM)

•┓ Sandrine Britès-Girardin, Champagne Bernard-Girardin, 14, Grande-Rue, 51530 Mancy, tél. 03.26.59.70.78, fax 03.26.59.02.02, e-mail info@champagne-bgirardin.com ☑ � r.-v.

PIERRE GOBILLARD

1er cru	4 ha	35 000	■ 11 à 15 €

Marque familiale fondée en 1947 exploitant un vignoble de 6 ha. Ce brut sans année, élaboré par Vincent Gobillard, fait appel aux trois cépages champenois, le chardonnay représentant 25 %. Il est équilibré et agréable. Sa légèreté florale conviendra à l'apéritif. (RM)
•┓ Champagne Pierre Gobillard, 341, rue des Côtes-de-l'Héry, 51160 Hautvillers, tél. 03.26.59.45.66, fax 03.26.52.04.43, e-mail info@champagne-gobillard-pierre.com ☑ � r.-v.

PAUL GOBILLARD 1995★

	n.c.	25 000	■ ♦ 15 à 23 €

Repris en 2001 par Jean-Louis Malard, le château de Pierry ainsi que la marque Charles d'Arragon, qui appartenaient à Jean-Paul Gobillard, ont présenté deux cuvées très réussies. Celle-ci, millésimée 95, mi-noirs mi-blancs, est florale, briochée, longue et équilibrée. La cuvée Régence Charles d'Arragon gagne une étoile pour son ampleur ronde et sa grande persistance. (NM)
•┓ Paul Gobillard, Ch. de Pierry, BP 1, 51530 Pierry, tél. 03.26.54.05.11, fax 03.26.54.46.03, e-mail paulgobillard@wanadoo.fr ☑ � r.-v.
•┓ Jean-Louis Malard

J.-M. GOBILLARD ET FILS
Privilège des Moines★

	1,6 ha	15 000	⬛⬛⬛ 15 à 23 €

Juste en face de l'abbaye d'Hautvillers, chaque week-end, de Pâques à Noël, s'ouvre le caveau de cette marque fondée en 1955 et disposant d'un important vignoble de 25 ha. Sa belle cuvée, issue de 70 % de chardonnay et de 30 % de pinot, élevée sous bois avec bâtonnage, est équilibrée, fraîche, fruitée, persistante. Autre champagne très réussi, la cuvée Prestige 1er cru 98, composée de deux parts de pinot noir et de trois parts de chardonnay, ample et fraîche, mêle des nuances de petits fruits charnus (framboise et mirabelle) d'une réelle élégance. Enfin, sous la marque Gervais Gobillard, le rosé (11 à 15 €) des années 1998 et 1999 reçoit également une étoile. Alliant fraîcheur et fruité, il sera agréable à l'apéritif ; un dégustateur sommelier le propose sur des pâtes au saumon. (NM)
•┓ Champagne J.-M. Gobillard et Fils, 38, rue de l'Eglise, 51160 Hautvillers, tél. 03.26.51.00.24, fax 03.26.51.00.18, e-mail champagne-gobillard@wanadoo.fr ☑ � r.-v.

GODME PERE ET FILS

● Gd cru	1,5 ha	10 000	11 à 15 €

Les propriétaires de ce vignoble de 11,5 ha s'investissent beaucoup dans les programmes de préservation de la qualité des sols et du respect de l'environnement, en adhérant aux règles de la lutte intégrée. Leur rosé grand cru, quatre fois plus noirs que blancs, est habillé d'une robe rose pâle. Equilibré, il propose un fruité rouge et quelques touches épicées. (RM)

↬ Champagne Godmé Père et Fils, 10, rue de Verzy, 51360 Verzenay, tél. 03.26.49.48.70, fax 03.26.49.45.30 ☑ ☷ r.-v.

PAUL GOERG
Tradition★★

	n.c.	200 000	▯◖ 11 à 15 €

Une centaine d'adhérents possédant 120 ha se sont regroupés pour vinifier et commercialiser leur production sous la houlette de l'œnologue Daniel Aubertin. Remarquable, cette cuvée Tradition, un peu plus marquée par les raisins blancs que noirs (60 % contre 40 %), suscite le coup de cœur pour son élégance, pour sa structure équilibrée et pour sa complexité. Elle naît des vendanges de 1996, 1997 et 1998. Des bulles fines ajoutent au charme de cette grande bouteille à déguster au coin du feu. La **cuvée du Centenaire 96 (23 à 30 €)** fait la part belle aux raisins blancs (85 %). Aussi discrète qu'équilibrée, elle obtient une citation. (CM)

↬ Champagne Paul Goerg, 30, rue du Gal-Leclerc, 51130 Vertus, tél. 03.26.52.15.31, fax 03.26.52.23.96, e-mail champagne-goerg@wanadoo.fr ☑ ☷ r.-v.

FRANCOIS GONET★★

	1 ha	2 000	▯ 11 à 15 €

Catherine Grivot-Gonet a repris en 1997 les rênes du vignoble familial de 6 ha, situé dans la Côte des Blancs. Ce brut sans année assemble autant de raisins noirs que de raisins blancs. A un nez empyreumatique succède une bouche souple et longue. Cité, le **blanc de blancs Réserve**, issu des vendanges 1997, frais, léger et jeune, est destiné à l'heure apéritive. (RM)

↬ Catherine Grivot-Gonet, 5, rue du Stade, 51190 Le Mesnil-sur-Oger, tél. 03.26.58.85.83, fax 03.26.59.37.84 ☑ ☷ r.-v.

MICHEL GONET
Blanc de blancs★

Gd cru	8 ha	80 000	▯ 15 à 23 €

Michel Gonet se trouve à la tête d'un important vignoble de 40 ha, bien implanté dans la Côte des Blancs, ainsi que de vastes propriétés bordelaises. Ses enfants sont très impliqués dans la conduite de ces domaines. Son blanc de blancs des années 1998 et 1999 est souple, brioché, beurré, vanillé, très représentatif de son cépage. (RM)

↬ Michel Gonet et Fils, 196, av. Jean-Jaurès, 51190 Avize, tél. 03.26.57.50.56, fax 03.26.57.91.98, e-mail champagne.gonet@wanadoo.fr ☑ ☷ t.l.j. 9h-12h 13h-17h; sam. dim. sur r.-v.; f. août

PHILIPPE GONET
Réserve★

	8 ha	27 320	▯◖ 11 à 15 €

Denise Gonet gère les 19 ha du vignoble familial et veille sur les caves datant du XVIII<e>s. Les trois cépages champenois collaborent à ce brut Réserve miellé, complexe, équilibré, parfaitement dosé. Une étoile est attribuée également au **blanc de blancs** associant les années 1996 et 1997, proche du vin précédent en plus élégant. A citer, le **blanc de blancs 98 (15 à 23 €)**, assez minéral, à laisser vieillir. (RM)

↬ Champagne Philippe Gonet, 1, rue de la Brèche-d'Oger, 51190 Le Mesnil-sur-Oger, tél. 03.26.57.53.47, fax 03.26.57.51.03, e-mail info@champagne-philippe-gonet.com ☑ ☷ r.-v. ↬ Denise Gonet

GONET SULCOVA★

	1 ha	5 000	▯◖ 15 à 23 €

C'est dans des crayères voûtées du XIXe., bien équipées en gyropalettes, que sont élaborés les champagnes de Vincent Gonet. Ce rosé de noirs présente un nez vineux (confiture de mûres) et une bouche structurée et grasse. Proposez-lui une bavaroise aux fruits rouges. Le **blanc de blancs Spécial Club 95** est floral, équilibré et harmonieux. Il gagne une étoile et pourra accompagner des cailles aux raisins. Une citation pour le **blanc de blancs** des années 1997, 1998, 1999, souple, aux arômes d'agrumes et dont le dosage est perceptible. (RM)

↬ Champagne Gonet-Sulcova, 13, rue Henri-Martin, 51200 Epernay, tél. 03.26.54.37.63, fax 03.26.54.87.73, e-mail gonet-sulcova@wanadoo.fr ☑ ☷ r.-v. ↬ Vincent Gonet

GOSSET
Célébris 1995★★

	n.c.	40 000	▯ ⬗◖ 46 à 76 €

Les Gosset croisent le destin du vignoble d'Aÿ depuis 1584. Mais ils ont cédé la marque à Béatrice Cointreau en 1993. La cuvée **Grande Réserve (30 à 38 €)** comprend presque autant de raisins blancs que noirs, associant les vendanges 1997, 1996 et 1995. Elle livre des saveurs de miel et de griotte, puis se montre fraîche et longue, ce qui lui vaut une étoile. Cependant, la cuvée Célébris 95 séduit plus encore. D'une composition équilibrée entre raisins blancs et noirs, mais non soumise à une fermentation malolactique, elle affiche une teinte vieil or et une fine effervescence. Puissant, miellé, long, voici un fabuleux vin de dessert pour amateurs passionnés. (NM)

↬ Champagne Gosset, 69, rue Jules-Blondeau, BP 7, 51160 Aÿ-Champagne, tél. 03.26.56.99.56, fax 03.26.51.55.88, e-mail info@champagne-gosset.com ☑ ☷ r.-v. ↬ Béatrice Cointreau

GOUSSARD ET DAUPHIN
Cuvée Grand Millésime 1995★

	n.c.	1000	15 à 23 €

C'est en 1989 que l'œnologue Didier Goussard s'associe avec son beau-frère pour élaborer des champagnes dans une cave qu'ils conçoivent à 6 km des Riceys.

L'excellent millésime 95 est révélé par une cuvée de pinot noir et de chardonnay (40 % contre 60 %) au style léger et élégant. Son caractère minéral, floral et fruité en fait le vin idéal pour l'apéritif ou les cocktails. (RM)

↬ Goussard et Dauphin, GAEC du Val de Sarce, 2, chem. Saint-Vincent, 10340 Avirey-Lingey, tél. 03.25.29.30.03, fax 03.25.29.85.96, e-mail goussard.dauphin@wanadoo.fr ☑ ⵣ r.-v.

GOUTORBE
Spécial Club 1997★★

	Gd cru	10 ha	12 000	▮ 15 à 23 €

Marque lancée en 1945 par Henri Goutorbe, pépiniériste viticole. Trois quarts de raisins noirs et un quart de raisins blancs, récoltés dans la difficile année 1997, composent cette cuvée florale, balsamique, fine, ronde et élégante. Le rosé, dont la composition suit les mêmes proportions, présente un fruité vif d'agrumes, de la fraîcheur et de la longueur. Il obtient une étoile. La même note est attribuée à la Cuvée traditionnelle (15 à 23 €), qui associe trois quarts de raisins noirs et un quart de raisins blancs récoltés en 1998 à 15 % de vins de réserve. Ronde et puissante, elle décline les fruits confits et le coing. (RM)

↬ René Goutorbe, 9 bis, rue Jeanson, 51160 Aÿ-Champagne, tél. 03.26.55.21.70, fax 03.26.56.85.11 ☑ ⵣ r.-v.

GRANZANY PERE ET FILS
Sélection

		1,4 ha	11 000	▮ 11 à 15 €

Exploitation familiale disposant de 6,5 ha de vignes dans la vallée de la Marne. 60 % de chardonnay et 40 % des deux pinots se retrouvent dans ce brut floral et fruité (fruits à chair blanche), équilibré, long, élégant, dosé. (RM)

↬ Champagne Granzany Père et Fils, 7, rue de la Poterne, 51480 Venteuil, tél. 03.26.58.60.62, fax 03.26.51.10.21 ☑ ⵣ r.-v.

ALFRED GRATIEN★★

	n.c.	n.c.	⬚ 23 à 30 €

Créée en 1864, la maison Alfred Gratien a récemment changé de mains, tout en demeurant fidèle aux vinifications en pièces champenoises (205 l). A peu près autant de chardonnay que de pinot noir complétés de 14 % de pinot noir constituent cette cuvée. Si le nez évoque le caramel et la vanille, la bouche, le boisé et le grillé, les notes de fruits et de fleurs blanches ne sont pas absentes de l'expression. Une étoile est attribuée au millésime 83 (46 à 76 €), deux tiers blancs, un tiers noirs : « un vieux vin très frais », racé et harmonieux. (NM)

↬ Champagne Alfred Gratien, 30, rue Maurice-Cerveaux, 51200 Epernay, tél. 03.26.54.38.20, fax 03.26.54.53.44, e-mail contact@alfredgratien.com ☑ ⵣ r.-v.

GRONGNET
Blanc de noirs★

		1 ha	3 000	⬚ 15 à 23 €

En cinq générations les Grongnet ont constitué un vignoble de 10 ha. Les vins sont élevés six mois dans des foudres et ne font pas de fermentation malolactique. Ce blanc de noirs n'est issu que de pinot meunier. Un champagne légèrement évolué, miellé, floral, généreux. Sous la marque Carpe Diem (11 à 15 €), le champagne Grongnet propose une cuvée issue des trois cépages champenois des années 1999 et 1998. Vive, équilibrée et longue, celle-ci obtient une citation. (RM)

↬ Grongnet, 41, Grande-Rue, 51270 Etoges, tél. 03.26.59.30.50, fax 03.26.59.30.98, e-mail champagnegrongnet@wanadoo.fr ☑ ⵣ r.-v.

GRUET★

	10 ha	244 820	▮⬩ 11 à 15 €

Depuis plus de trois siècles, les Gruet sont vignerons dans la Côte des Bars. Aujourd'hui ils cultivent une dizaine d'hectares. Trois parts de pinot noir pour une de chardonnay se marient dans ce brut sans année, intense, évolué, légèrement confit et néanmoins vif et frais. Une citation est accordée au champagne étiqueté Charles Ier 96 (15 à 23 €), mi-noirs mi-blancs, frais, équilibré, mais extrêmement discret. (NM)

↬ SARL Champagne Gruet, 48, Grande-Rue, 10110 Buxeuil, tél. 03.25.38.54.94, fax 03.25.38.51.84, e-mail champagne-gruet@wanadoo.fr ☑ ⵣ r.-v.

G. GRUET ET FILS
Blanc de blancs Millésimé 1998★★

	117 ha	120 000	▮⬩ 11 à 15 €

Ce groupement de quatre-vingt-quinze producteurs, qui cultive 117 ha de vignes du côté de Bethon, produit sous le nom du fondateur un beau chardonnay – pourtant originaire d'une zone excentrée – aux parfums de fleurs blanches, complexe, frais, nerveux, équilibré et long. Une bouteille pour un apéritif plaisant. (CM)

↬ Coop. Union vinicole des Coteaux de Bethon, 5, rue des Pressoirs, 51260 Bethon, tél. 03.26.80.48.19, fax 03.26.80.44.57 ☑ ⵣ r.-v.

MAURICE GRUMIER 1996

	1 ha	2 000	▮ 15 à 23 €

Un vignoble de 7,5 ha qui produisait depuis longtemps du champagne avant de prendre, en 1945, le nom qu'il porte aujourd'hui. Avec ses 70 % de chardonnay, cette cuvée d'intensité moyenne offre des caractères empyreumatiques. Structurée et ronde, elle devra être servie dans l'année. (RM)

↬ Guy Grumier, 13, rte d'Arty, 51480 Venteuil, tél. 03.26.58.48.10, fax 03.26.58.66.08 ☑ ⵣ r.-v.

ROMAIN GUISTEL

	4 ha	40 000	▮ 11 à 15 €

Marque ayant le statut de négociant disposant d'un vignoble de 5 ha. Ce brut sans année associe les années 1997 et 1998. C'est un blanc de noirs issu du pinot meunier. Souple en attaque, fruité et rond, il s'accordera avec une viande blanche. Citée également la Grande Réserve, un blanc de blancs né des vendanges de 1996 et 1997, qui dévoile un profil aromatiquement riche, puissant, frais et onctueux. (NM)

↬ Champagne Romain Guistel, 1, rue du Rempart-de-l'Ouest, 51480 Damery, tél. 03.26.58.40.40, fax 03.26.52.04.28, e-mail r.guistel@wanadoo.fr ☑ ⵣ t.l.j. 8h-12h 14h-19h

HAMM
Sélection

	n.c.	40 000	▮ 11 à 15 €

Maison familiale indépendant, Hamm a été fondée en 1910 à Aÿ, commune viticole située à 3 km au nord-est d'Epernay. Elle propose une cuvée Sélection issue des trois cépages champenois, les deux pinots étant à égalité, accompagnés de 20 % de chardonnay. Le nez est brioché et fruité, la bouche fraîche et légère. Ce champagne ne subit pas de fermentation malolactique. (NM)

🛒 Champagne Hamm,
16, rue N.-Philipponnat, 51160 Aÿ-Champagne,
tél. 03.26.55.44.19, fax 03.26.51.98.68 ☑ ☂ r.-v.

HARLIN
Harmonie★

	2 ha	16 000	🍾 11 à 15 €

Sept générations de Harlin (deux tonneliers et cinq vignerons) se sont succédé à Tours-sur-Marne. Les champagnes de cette maison ne subissent pas de fermentation malolactique. 60 % de pinot noir et 40 % de chardonnay composent la cuvée Harmonie à la robe jeune, aux arômes de fleurs blanches briochées, équilibrée mais dosée, classique. Le **Grand Rosé (15 à 23 €)**, deux tiers blancs et un tiers noirs, dont 12 % de bouzy rouge au fruité compoté, frais et désaltérant, obtient également une étoile. (NM)
🛒 Harlin, 41, av. de Champagne,
51150 Tours-sur-Marne,
tél. 03.26.51.88.95, fax 03.26.58.96.31,
e-mail champagneharlin@yahoo.fr ☑ ☂ r.-v.
🛒 Famille Paillard

HARLIN PERE ET FILS★

Gd cru	2 ha	12 000	🍾 11 à 15 €

A quelques kilomètres de Dormans, Port-à-Binson marque l'entrée des grands vignobles de Champagne. Cette marque fut lancée en 1975 par les Harlin qui cultivent la vigne depuis un siècle. 60 % de pinot noir et 40 % de chardonnay associés dans ce champagne au nez de fruits noirs, équilibré, complexe, mais léger. Une étoile également pour le **Prestige 96**, assemblage identique au champagne précédent, aromatiquement complexe (vanillé, floral), long et intense en bouche. (RM)
🛒 Harlin Père et Fils,
8, rue de la Fontaine, 51700 Port-à-Binson,
tél. 03.26.58.34.38, fax 03.26.58.63.78 ☑ ☂ r.-v.

JEAN-NOEL HATON
Cuvée Prestige★★

	n.c.	n.c.	🍾❄ 11 à 15 €

Gros bourg, Damery possède une très belle église qui se dessine sur les versants méridionaux, couverts de vignes, de la Montagne de Reims. Cette maison, fondée en 1928, exploite un vignoble de 13 ha. La cuvée Prestige, mi-noirs mi-blancs, offre un bouquet complexe, puis des saveurs de miel et d'agrumes : un champagne de charme. La **cuvée Prestige millésimée 96 (15 à 23 €)** obtient deux étoiles. Née d'un peu plus de raisins blancs (60 %), elle est vive, ample, et brille par sa longueur. Quant au **rosé (11 à 15 €)**, servez-le sur des gambas grillées. Il obtient une étoile. (NM)
🛒 Jean-Noël Haton,
5, rue Jean-Mermoz, 51480 Damery,
tél. 03.26.58.40.45, fax 03.26.58.63.55 ☑ ☂ r.-v.

HATON ET FILS
Grande Réserve rose★

	n.c.	n.c.	🍾 11 à 15 €

La maison possède certes son vignoble familial, mais elle procède aussi à l'achat de raisins : Philippe Haton a ainsi choisi le statut de négociant. Son champagne (75 % de pinot meunier, 5 % de pinot noir et 20 % de chardonnay de l'année 1999) est complexe, riche et vineux. Une citation est attribuée à la **cuvée Prestige** issue de raisins mi-noirs mi-blancs de 1998, car elle est florale, équilibrée et fraîche. (NM)

🛒 Haton et Fils, 3, rue Jean-Mermoz, 51480 Damery,
tél. 03.26.58.41.11, fax 03.26.58.45.98 ☑ ☂ r.-v.

BERNARD HATTE ET FILS
Benjamin★

	n.c.	2 000	15 à 23 €

Christophe Hatté vinifie depuis 1986 les 8,5 ha du domaine familial situés sur quatre grands crus de la Montagne de Reims. La cuvée Benjamin naît du millésime 1997 et d'un assemblage classique contenant 60 % de pinot noir et 40 % de chardonnay. Son bouquet intensément fruité, sa vivacité et son ampleur en bouche sont à apprécier dès maintenant. (RM)
🛒 EARL Bernard Hatté et fils,
1, rue de la Petite-Fontaine, 51360 Verzenay,
tél. 03.26.49.42.43, fax 03.26.49.41.39
☑ ☂ t.l.j. 9h-12h 14h-18h
🛒 Christophe Hatté

CHARLES HEIDSIECK
Champagne Charlie 1985★★

	n.c.	n.c.	🍾❄ + de 76 €

Célèbre marque rémoise fondée en 1851. 1985... Un millésime qui ne déçoit pas. Issu des trois cépages champenois, il est fin et puissant à la fois. Des notes de cuir incitent le jury à noter : « Vin de spécialistes ». Long et complexe, ce 85 est loin d'avoir fini sa vie. Une grande bouteille qui pourra même accompagner un gibier. Le **Blanc des Millénaires 90 (46 à 76 €)** est un champagne célèbre d'un grand millésime. Il est structuré et, lui aussi, complexe. A réserver aux amateurs de vins évolués qui le serviront avec une oie fondante en gelée. (NM)
🛒 Charles Heidsieck,
4, bd Henry-Vasnier, 51100 Reims,
tél. 03.26.84.43.50, fax 03.26.84.43.86 ☑ ☂ r.-v.

HEIDSIECK & CO MONOPOLE
Rosé Top★

	n.c.	n.c.	15 à 23 €

Maison fondée en 1785 par Florens Louis Heidsieck, qui a appartenu à Mumm (Seagram) de 1972 à 1996, année de sa cession à Vranken. En 1998, on retrouva en mer Baltique, par 64 m de fond, une épave coulée en 1916 contenant 2 400 bouteilles du millésime 1907. Miraculées, nous dit-on. Voici trois cuvées d'aujourd'hui. Le rosé est très noirs avec ses 80 % de pinots. Après un bouquet élégant de fruits et de pain d'épice, il se fait moelleux et long. Le **Diamant bleu 95 (30 à 38 €)**, une cuvée spéciale mi-noirs mi-blancs, fruitée, fine, à l'attaque souple, ainsi que le **Gold Top 97**, issu des trois cépages champenois, au nez évolué, souple et destiné aux desserts, obtiennent chacun une citation. (NM)
🛒 Heidsieck & Co Monopole,
17, av. de Champagne, 51200 Epernay,
tél. 03.26.59.50.50, fax 03.26.52.19.65 ☑
🛒 P.-F. Vranken

HENRIET-BAZIN
Blanc de blancs★★

1er cru	3 ha	10 000	11 à 15 €

Les Henriet habitent l'une des quatre communes de la Montagne de Reims qui cultivent le chardonnay. Leur vignoble de qualité comprend deux grands crus et un premier cru. Ce blanc de blancs des années 1999 et 1998, or pâle brillant, couronné d'une belle effervescence, est fin, citronné, persistant et équilibré. Etonnant mariage proposé : le crottin de Chavignol. Pourquoi pas ? (RM)

Champagne

↑ Champagne Henriet-Bazin,
9 *bis*, rue Dom-Pérignon, 51380 Villers-Marmery,
tél. 03.26.97.96.81, fax 03.26.97.97.30,
e-mail Henriet.Bazin@wanadoo.fr ☑ ⚱ r.-v.

HENRIOT
Blanc de blancs ★

| | n.c. | n.c. | ⚑ ⚰ 15 à 23 € |

Fondée par madame veuve Apolline Henriot en 1808, cette maison est aujourd'hui conduite par Joseph Henriot, qui bénéficie contractuellement d'un excellent vignoble dans la Côte des Blancs. Ce blanc de blancs, spécialité de la marque, a atteint son apogée. Il fait songer aux fruits très mûrs, voire cuits, et à la pâte de coings. Le champagne harmonieux de l'apéritif et du repas. (NM)

↑ Champagne Henriot,
81, rue Coquebert, 51100 Reims, tél. 03.26.89.53.00,
fax 03.26.89.53.10 ☑ ⚱ r.-v.

DIDIER HERBERT★

| Gd cru | 2 ha | 7 000 | ⚑ ⚰ 11 à 15 € |

Récoltant-manipulant de Rilly-la-Montagne, disposant d'un vignoble de 7 ha, Didier Herbert a choisi le statut de négociant pour augmenter sa production. Ce grand cru provient de la commune de Mailly-Champagne et comprend un tiers de chardonnay et deux tiers de pinot noir récoltés en 1998. Ses arômes sont aériens, floraux, frais, distingués ; son attaque est vive, son dosage sensible. Une étoile également pour la **Cuvée Platinium 97 (15 à 23 €)**, 1er cru assemblant trois parts de chardonnay pour deux de pinot noir. Florale mais plus évoluée, celle-ci présente une attaque souple, de la fraîcheur et de la longueur. Elle est également généreusement dosée. (NM)

↑ Didier Herbert,
32, rue de Reims, 51500 Rilly-la-Montagne,
tél. 03.26.03.41.53, fax 03.26.03.44.64,
e-mail infos@champagneherbert.fr ☑ ⚱ r.-v.

HEUCQ PERE ET FILS
Tradition★

| | 3,5 ha | 35 000 | ⚑ ⚰ 11 à 15 € |

Trois générations se sont succédé à la tête du vignoble de plus de 5,5 ha qu'André Heucq dirige depuis 1973. Son Tradition est un blanc de noirs (80 % pinot meunier) des années 1998 et 1997. Miel, agrumes et fleurs blanches l'emportent en persistance sur tout autre arôme. Bien équilibré et harmonieux, ce champagne d'apéritif promet un bon vieillissement. Une étoile encore pour la **cuvée Antique 96**, mi-noirs mi-blancs, à la fois citronnée et onctueuse, fraîche et longue. Une étoile enfin pour la **cuvée Prestige**, un peu plus noirs que blancs (60/40), aux notes d'épices, de fruits confits et de bonbon anglais. Toutes deux valent entre 15 et 23 €. (RM)

↑ André Heucq, 51700 Cuisles,
tél. 03.26.58.10.08, fax 03.26.58.12.00,
e-mail andreheucq@wanadoo.fr ☑ ⚱ r.-v.

HOSTOMME
Blanc de blancs 1996

| Gd cru | 1 ha | 10 000 | ⚑ ⚒ ⚰ 15 à 23 € |

La commune de Chouilly, siège de cette marque de négoce, est connue pour la qualité de ses chardonnays, ce qu'illustre ce blanc de blancs à la mousse légère, au nez encore un peu fermé et à la bouche fraîche, vanillée et longue. (NM)

↑ Champagne Hostomme, 5, rue de l'Allée,
51530 Chouilly, tél. 03.26.55.40.79, fax 03.26.55.08.55,
e-mail champagne.hostomme@wanadoo.fr ☑ ⚱ r.-v.

HUGUENOT-TASSIN
Cuvée Tradition

| | 3,8 ha | 25 000 | ⚑ 8 à 11 € |

Ce vignoble de l'Aube offre la particularité d'être partiellement complanté de pinot blanc, que l'on retrouve à raison de 35 %, accompagnés de pinot noir (60 %) et d'un soupçon de chardonnay (5 %) dans cette cuvée Tradition. La mousse fine et persistante, le cordon léger traversant l'or pâle, annoncent un champagne floral et équilibré, prêt pour l'apéritif. (RM)

↑ Benoît Huguenot,
4, rue du Val-Lune, 10110 Celles-sur-Ource,
tél. 03.25.38.54.49, fax 03.25.38.50.40 ☑ ⚱ r.-v.

IVERNEL
Prestige

| | n.c. | 50 000 | ⚑ ⚰ 15 à 23 € |

La tradition nous apprend que le vendangeoir de François Ier se trouve dans la maison des Ivernel, l'une des plus anciennes familles d'Aÿ. La marque, créée en 1890 par Gustave Ivernel, a été reprise par Gosset, et est aujourd'hui dirigée par Béatrice Cointreau. Cette cuvée Prestige (un tiers blancs deux tiers noirs), très fruitée au nez, est légère et ronde en bouche, avec des saveurs de miel et de fruits confits. (NM)

↑ Champagne Ivernel, BP 15, 51160 Aÿ-Champagne,
tél. 03.26.55.21.10, fax 03.26.51.55.88 ☑ ⚱ r.-v.

ROBERT JACOB
Prestige★★

| | 1,5 ha | 6 000 | ⚑ ⚒ ⚰ 15 à 23 € |

Le vignoble créé par Robert Jacob en 1960 s'étend sur 6 ha. Son fils Daniel a lancé la marque en 1976. Le brut Prestige est un blanc de blancs, bien que l'étiquette n'en dise rien, des chardonnays récoltés en 1998. Le vin passe par le bois et ne fait pas sa fermentation malolactique. Les dégustateurs plébiscitent « son élégance, sa finesse, sa race, son équilibre, ses arômes d'agrumes mentholés, sa persistance hors du commun »... Coup de cœur du grand jury. Digne de Saint-Jacques aux truffes ou de tout grand poisson blanc. (RM)

↑ Champagne Jacob, 14, rue de Morres,
10110 Merrey-sur-Arce, tél. 03.25.29.83.74,
fax 03.25.29.34.86 ☑ ⚱ t.l.j. sf dim. 9h-12h 14h-18h

ROBERT JACOB
Tradition★★

| | 5 ha | 12 000 | ⚑ ⚰ 11 à 15 € |

Daniel Jacob vole de succès en succès. Deux étoiles récompensent une cuvée classiquement noirs et blancs

(60-40), composée de la vendange de 1997 et des vins de réserve de 1998 et 1999. Mousse fine, intense expression aromatique, attaque suave, bel équilibre, superbe longueur : un champagne de grande classe. « Une coupe en appelle une autre », écrit un dégustateur. Attention à ne pas en abuser ! (RM)

🕊 Champagne Jacob, 14, rue de Morres, 10110 Merrey-sur-Arce, tél. 03.25.29.83.74, fax 03.25.29.34.86 ☑ ⊺ t.l.j. sf dim. 9h-12h 14h-18h

JACQUART
Mosaïque★★

	n.c.	1 400 000	▯ ♦ 15 à 23 €

Fondé en 1962, ce groupement de producteurs, qui bénéficiait d'une grande aura du temps de son directeur Christian Doisy, vinifie aujourd'hui des vignobles s'étendant sur 1 000 ha. Un champagne comme ce Mosaïque contribuera à maintenir ce renom. Mi-blancs mi-noirs (15 % de pinot meunier), il frise le coup de cœur pour sa fraîcheur, son onctuosité, sa finesse. Sont cités le **blanc de blancs Mosaïque (23 à 30 €)** et le **Mosaïque rosé**, le premier pour sa bouche ample, le second pour sa rondeur de fruits confits. (CM)

🕊 Jacquart et Associés Distribution, 6, rue de Mars, 51100 Reims, tél. 03.26.07.88.40, fax 03.26.07.12.07, e-mail jacquart@ebc.net

YVES JACQUES
Cuvée Sélection★★★

	3 ha	n.c.	11 à 15 €

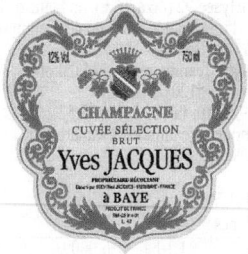

Baye, sur la route d'Epernay à Sézanne, possède un château restauré mais qui conserve des tours du Moyen Age et une remarquable chapelle du XIIIᵉs. C'est dans ce bourg que la famille Jacques s'installe en 1932 et qu'Yves Jacques agrandit le vignoble (16 ha) afin de lancer sa marque dès 1960. Le Sélection est un blanc de blancs, ce que l'étiquette n'annonce pas, de 1998 assisté de vins de réserve des années 1997 et 1996. Un vin floral (tilleul), aux notes de miel et de beurre, complexe, surtout élégant, frais, avec une finale exceptionnelle. Un coup de cœur qui ravira un turbot. Le **brut rosé** associant les années 1997, 1998 et 1999 obtient une étoile. (RM)

🕊 Champagne Yves Jacques, 1, rue de Montpertuis, 51270 Baye, tél. 03.26.52.80.77, fax 03.26.52.83.97 ☑ ⊺ r.-v.

CAMILLE JACQUET
Grande Réserve★

	3 ha	25 000	▯ 11 à 15 €

Nouvelle marque lancée en 2001 par le Champagne Jean Pernet. Le Grande Réserve est plus noirs que blancs

(60-40) et fait appel aux trois cépages champenois (20 % de pinot meunier). Complexe et brioché, nerveux et de bonne longueur, il éveillera l'appétit en apéritif. (NM)

🕊 Champagne Camille Jacquet, 3, Le Pont-de-Bois, 51530 Chavot-Courcourt, tél. 03.26.57.54.24, fax 03.26.57.96.98 ☑ ⊺ r.-v.

JACQUINET-DUMEZ

○ 1er cru	2,5 ha	n.c.	▯ ♦ 11 à 15 €

Olivier Jacquinet travaille ses 7 ha de vigne, classés en premier cru, en lutte intégrée. Ce champagne est un blanc de noirs des deux pinots (20 % pinot meunier). Des bulles régulières traversent l'or de la robe ; le nez animal est légèrement évolué, mais la bouche est fraîche et longue. Conviendra à certains fromages ou à des charcuteries raffinées. (RM)

🕊 Champagne Jacquinet-Dumez, 26, rue de Reims, 51370 Les Mesneux, tél. 03.26.36.25.25, fax 03.26.36.58.92, e-mail jacquinet-dumez@wanadoo.fr ☑ ⊺ r.-v.

PIERRE JAMAIN

○	2 ha	2 100	▯ 11 à 15 €

La fille de Pierre Jamain, Elizabeth, a repris le domaine en 1985 et elle a choisi de travailler ses vignes en lutte intégrée – ou raisonnée. Le vignoble offre la particularité d'être situé à l'extrême sud de l'aire d'appellation marnaise. Ce brut rosé naît de deux tiers de raisins blancs et de un tiers de raisins noirs des années 1998, 1997 et 1996. Floral et puissant, avec une touche d'évolution, il se montre vif et long. (RM)

🕊 Pierre Jamain, 1, rue des Tuileries, 51260 La Celle-sur-Chantemerle, tél. 03.26.80.21.64, fax 03.26.80.29.32 ☑ ⊺ r.-v.

🕊 E. Jamain-Dona

J.M. DE JAMART
Sélection 1995★

○	n.c.	2 000	▯ 15 à 23 €

A Saint-Martin-d'Ablois, on aime tant le champagne que le clocher de l'église du XVIᵉs. semble avoir la forme d'un... bouchon de champagne. Situé sur un circuit de grande randonnée, un parc ombragé offre une halte de fraîcheur. A cinq cents mètres, cette maison propose un millésime 95, pratiquement blanc de noirs de pinot meunier (pinot noir 5 %) : il est corpulent, floral (tilleul) ; son attaque est vive. On découvre des fragrances de pêches de vigne et une belle complexité. (NM)

🕊 E. Jamart et Cie, 13, rue Marcel-Soyeux, 51530 Saint-Martin-d'Ablois, tél. 03.26.59.92.78, fax 03.26.59.95.23, e-mail champagne.jamart@wanadoo.fr
☑ ⊺ t.l.j. 9h-12h 14h-17h30; dim. sur r.-v., f. 15-31 août
🕊 J.-Michel Oudart

CHRISTOPHE JANISSON
Séduction millésimé 1996★

○ Gd cru	n.c.	3 500	▯ 11 à 15 €

Les Janisson sont vignerons depuis plus de trois siècles ; ils font de la bouteille à partir de 1920 et cultivent un vignoble de 5,5 ha. Leurs champagnes ne font pas de fermentation malolactique. Le Séduction, étiquette or, naît de raisins récoltés dans la commune de Mailly-Champagne (grand cru). C'est un champagne classique, franc, équilibré, puissant, souple et long. Destiné au repas. Le **Tradition**, très noirs (80 %), fruité, complexe et élégant, obtient une citation. (RM)

☙ Christophe Janisson,
20, rue Kellermann, 51500 Mailly-Champagne,
tél. 03.26.49.46.82, fax 03.26.83.16.54,
e-mail janisson.christophe@libertysurf.fr ☑ ⵏ r.-v.

PH. JANISSON
Cuvée Tradition★★

	1er cru	4 ha	30 000		11 à 15 €

Philippe Janisson a la chance d'être l'héritier d'une lignée de vignerons qui ont constitué un vignoble implanté sur quatre grands crus et trois premiers crus. Ce Tradition naît de l'assemblage des trois cépages champenois, à parts égales, des années 1998 et 1999. Les dégustateurs ne tarissent pas d'éloges : « nez très riche de poire, de coing et de miel » ; en bouche « amandes, noisettes, cire d'abeille, onctuosité, fraîcheur, persistance »... Un coup de cœur à déguster sur des entrées chaudes (feuilletés). La **cuvée Grande Réserve (15 à 23 €)** obtient une citation. Mi-noirs mi-blancs, ce champagne assemble les années 1996 et 1997. Parfaitement dosé, il joue sur la griotte et les fleurs blanches. (NM)

☙ Philippe Janisson,
17, rue Gougelet, 51500 Chigny-les-Roses,
tél. 03.26.03.46.93, fax 03.26.03.49.00,
e-mail champagne@janisson.fr ☑ ⵏ r.-v.

JANISSON-BARADON ET FILS 1995★

		3 ha	6 361		15 à 23 €

Cette exploitation reçut un coup de cœur dans l'édition 2001. Elle ouvre une « boutique au domaine » cette année, et pratique la lutte raisonnée dans ses vignes. Ce 95 est largement plus blancs que noirs (70-30). Son nez d'amande est évolué et harmonieux, sa bouche est souple, fondue, équilibrée. Une citation pour **Les Toulettes 97 (23 à 30 €)**, un blanc de blancs vinifié à l'ancienne, élevé en fûts de 250 l, tiré sous liège, dégorgé à la demande. Un champagne d'amateur, complexe, charpenté, gras. L'étiquette ne porte pas la mention blanc de blancs. (RM)

☙ SCEV Janisson-Baradon, 2, rue des Vignerons,
51200 Epernay, tél. 03.26.54.45.85, fax 03.26.54.25.54,
e-mail info@champagne-janisson.com ☑ ⵏ r.-v.

JANISSON ET FILS
Prestige★★

		1 ha	10 000		15 à 23 €

Vignoble familial créé en 1923 par Robert Arnould. Les vins sont vinifiés avec soin, comme le prouve cette cuvée Prestige, qui privilégie les raisins noirs (70 %) ; les fruits et les fleurs sont très présents, tant au nez qu'en bouche. Un champagne harmonieux pour accompagner une viande blanche. (NM)

☙ Champagne Manuel Janisson,
6, rue de la Procession, 51360 Verzenay,
tél. 03.26.49.40.19, fax 03.26.49.43.58,
e-mail champagne.janisson@libertysurf.fr ☑ ⵏ r.-v.

RENE JARDIN
Cuvée Noir et Blanc★

		8 ha	80 000		11 à 15 €

Née en 1889, cette maison possède 22 ha de vignes réparties en divers crus champenois. Cette cuvée est issue des trois cépages champenois en parts égales des années 1997 et 1998 ; son nez puissant, où les fruits rouges côtoient des notes de pâtisserie, et sa bouche fraîche, équilibrée et longue, lui permettront d'être servi à table. (NM)

☙ Champagne René Jardin,
3, rue Charpentier-Laurain, 51190 Le Mesnil-sur-Oger,
tél. 03.26.57.50.26, fax 03.26.57.98.22,
e-mail contact@champagne-jardin.fr ☑ ⵏ r.-v.

JEANMAIRE
Chardonnay Vintage 1995★★

		n.c.	20 000		23 à 30 €

Le château Malakoff, siège des trois marques de la famille Trouillard, renferme une très belle cave dont l'équipement est des plus modernes. A la tête de 121 ha de vignes, ce négociant exporte 60 % de sa production. Ce blanc de blancs à l'effervescence fine et abondante, très équilibré, offre de beaux arômes de brioche, d'amande grillée et de fleurs. A servir sur un poisson. Sont citées la **Cuvée Rosé (15 à 23 €)**, un rosé de noirs, plein et aimable, et la **cuvée Elysée 92 (46 à 76 €)**, un blanc de blancs haut de gamme, d'une grande personnalité, empyreumatique, encore frais pour son âge. (NM)

☙ Champagne Jeanmaire, Ch. Malakoff
3, rue Malakoff, 51207 Epernay,
tél. 03.26.59.50.10, fax 03.26.54.78.52,
e-mail champagne.jeanmaire@wanadoo.fr
☙ J. Trouillard

RENE JOLLY
Blanc de blancs

		1,1 ha	6 000		11 à 15 €

Dans ce village de l'Aube, une église classée du XVIᵉ s. Les Jolly, installés ici depuis le XVIIIᵉ s., ont commencé le troisième millénaire avec Pierre-Eric qui, en 2001, conçoit un nouveau centre de pressurage. Ce chardonnay des années 1997 et 1998, or pâle à reflets verts, possède au nez très jeune, encore un peu fermé, où paraissent néanmoins des notes briochées et vanillées. Franc, équilibré, bien dosé, il termine sur une note de menthe fraîche. (RM)

☙ Champagne René Jolly, 10, rue de la Gare,
10110 Landreville, tél. 03.25.38.50.91,
fax 03.25.38.30.51, e-mail jollyperic@easynet.fr
☑ ⵏ t.l.j. 9h-17h; sam. dim. sur r.-v.
☙ Pierre-Eric Jolly

BERTRAND JOREZ
Prestige★

	1er cru	n.c.	n.c.	11 à 15 €

Bertrand Jorez est viticulteur sur près de 5 ha, dans la Montagne de Reims. Il commercialise cette cuvée Prestige très classique (40 % chardonnay, 17 % pinot noir et 43 % pinot meunier de 1996) à l'effervescence fine, aux

notes douces de beurre, aux arômes de fleurs blanches, frais et long, à servir à l'apéritif puis sur un poisson. (RC)
🔒 Bertrand Jorez, 13, rue de Reims, 51500 Ludes, tél. 03.26.61.14.05, fax 03.26.61.14.96, e-mail bertrand.forez@wanadoo.fr ☑ ⊺ r.-v.

JEAN JOSSELIN
Tradition 1999★★

	n.c.	6 464	📗 11 à 15 €

Si vous visitez Essoyes parce que c'était le fief de Renoir et que le maître de l'impressionisme y repose, vous n'hésiterez pas à parcourir 7 km pour vous rendre chez le producteur d'un tel champagne. Son Tradition fait appel à 40 % de chardonnay et 60 % de pinot noir de 1999 : c'est un assemblage classique qui a donné un champagne classique, au nez finement floral, aux saveurs de fruits blancs, rond et long, à servir en toutes occasions et particulièrement sur un dessert de fruits frais. (RM)
🔒 Jean-Pierre Josselin, 14, rue des Vannes, 10250 Gyé-sur-Seine, tél. 03.25.38.21.48, fax 03.25.38.25.00, e-mail champagne-josselin@netcourrier.com ☑ ⊺ r.-v.

KRUG
Clos du Mesnil 1988★★

	1,85 ha	16 554	🍾 + de 76 €

L'une des plus célèbres maisons de champagne, fondée en 1843, absorbée par LVMH en 1999, et dont les Krug assurent toujours l'élaboration des champagnes qui portent leur nom. C'est également l'une des marques qui a reçu le plus de coups de cœur en dix-huit ans de Guide Hachette, et qui fut grappe d'or, distinction suprême, en 2001. On ne présente plus ce champagne célèbre, ni le clos de 1,85 ha ceint de murs datant de 1698 situé au centre du village du Mesnil-sur-Oger, perle de la Côte des Blancs. Un blanc de blancs « vinifié à la Krug » – les petits fûts usagés – magistral par son nez noiseté, beurré, minéral, légèrement boisé, en cours d'évolution, dont la bouche masculine (pour un blanc de blancs) se montre nerveuse, droite et infiniment longue. Coup de cœur unanime. (NM)
🔒 Krug Vins fins de Champagne, 5, rue Coquebert, 51100 Reims, tél. 03.26.84.44.20, fax 03.26.84.44.49, e-mail krug@krug.fr ☑ ⊺ r.-v.

KRUG
Collection 1981★★

	n.c.	n.c.	🍾 + de 76 €

Le champagne Krug demeure une exception : ce 81 le confirme. Pourtant, si la composition de cette cuvée mi-blancs mi-noirs (dont 19 % de pinot meunier) est classique, en revanche le champagne ne l'est pas. Les dégustateurs écrivent : « Vin inclassable, s'adresse à une clientèle très avertie et amateur de vieux vins », etc. Et ils

l'aiment ! Deux étoiles encore pour la **Grande Cuvée** qui suscite souvent des coups de cœur ; trois quarts noirs et un quart blancs, elle est ronde, fondue, et ses arômes de coing, fruits confiturés, touche de bois sont à la dimension de sa grande longueur. Deux étoiles enfin pour le **88**, coup de cœur dans l'édition 2002, toujours incroyablement harmonieux. (NM)
🔒 Krug Vins fins de Champagne, 5, rue Coquebert, 51100 Reims, tél. 03.26.84.44.20, fax 03.26.84.44.49, e-mail krug@krug.fr ☑ ⊺ r.-v.

MICHEL LABBE ET FILS
Prestige★★

	1 ha	3 000	📗 15 à 23 €

Ce vignoble familial dispose d'un vignoble de 8 ha. Son champagne a beau être mi-noirs mi-blancs, il semble dominé par le chardonnay qui lui confère élégance et finesse. Une cuvée pour toutes circonstances, riche et harmonieuse. (RM)
🔒 Champagne Michel Labbé et Fils, 5, chem. du Hasat, 51500 Chamery, tél. 03.26.97.65.45, fax 03.26.97.67.42
☑ ⊺ t.l.j. 9h-12h 14h-18h; f. 15-31 août
🔒 Didier Labbé

LACROIX
Tradition★

	6 ha	60 000	📗🍾 11 à 15 €

Jean Lacroix exploite un vignoble de 11 ha dans la vallée de la Marne. Il élève ses vins dans des foudres. La cuvée Tradition est très noire : 90 % dont 70 % de pinot meunier. Le miel et les agrumes s'y conjuguent autour d'un équilibre plaisant, une jolie longueur. Cité, le **millésimé 1996 (15 à 23 €)**, mi-blancs, mi-noirs (les deux pinots), est un vin d'or jaune, floral, citronné et harmonieux. (RM)
🔒 EARL Jean Lacroix, 14, rue des Genêts, 51700 Montigny-sous-Châtillon, tél. 03.26.58.35.17, fax 03.26.58.36.39 ☑ ⊺ t.l.j. 10h-12h 14h-17h; dim. sur r.-v.; f. 15-31 août, 24-31 déc.

LAHERTE FRERES 1997★

	n.c.	7 500	🍾 15 à 23 €

Maison de négoce fondée en 1889, disposant d'un vignoble de plus de 8 ha. Ce brut millésimé est un vin de chardonnay complété de 10 % de pinot meunier. Le résultat est convaincant, illustré par un nez de fruits blancs et de mirabelle, confirmé par la légèreté d'une bouche fine et longue où l'agrume domine. (NM)
🔒 Laherte Frères, 3, rue des Jardins, 51530 Chavot-Courcourt, tél. 03.26.54.32.09, fax 03.26.51.54.77, e-mail champagne.laherte.freres@wanadoo.fr ☑ ⊺ r.-v.

ALAIN LALLEMENT
Prestige 1997★

Gd cru	0,3 ha	3 000	📗 11 à 15 €

Cette étiquette, lancée en 1975 par une famille de viticulteurs installée à Verzy (grand cru) depuis un siècle, propose un beau 97, alors que le millésime s'annonçait difficile. Presque aussi noirs que blancs, le vin se pare d'une belle couleur traversée par une effervescence fine et persistante. Intensément fruité au nez, il se montre équilibré, fin, harmonieux, presque féminin. (RM)
🔒 Alain Lallement, 19, rue Carnot, 51380 Verzy, tél. 03.26.97.92.32, fax 03.26.97.92.32 ☑ ⊺ r.-v.

RENE-JAMES LALLIER

	n.c.	n.c.	▮ᴅ 15 à 23 €

Une toute jeune marque, lancée en 1996, vinifiant les raisins noirs d'Aÿ et des raisins blancs de la Côte des Blancs. Cette cuvée rosée assemble 85 % de pinot noir au chardonnay. Son bouquet de fruits rouges (framboise et groseille) s'impose tant au nez que parmi les saveurs d'une bouche au dosage sensible. Le **blanc de blancs** obtient également une citation : c'est un champagne équilibré, aux arômes d'agrumes, d'un bon équilibre. (NM)
↬ SA Champagne René-James Lallier,
4, pl. de la Libération, 51160 Aÿ-Champagne,
tél. 03.26.55.32.87, fax 03.26.55.79.93 ☑ ⏄ r.-v.

JEAN-JACQUES LAMOUREUX
Cuvée spéciale

	1,4 ha	10 140	▮ᴅ 11 à 15 €

Depuis 1985, Jean-Jacques Lamoureux élabore ses champagnes dans une cave du XVIIᵉs. Son vignoble s'étend sur 7,5 ha dans la commune des Riceys célèbre pour ses rosés, sur les calcaires durs du portlandien. Cette cuvée spéciale comprend un peu plus de raisins blancs que noirs (57-43) de 1998. Fine, délicate et élégante, elle exprime de discrets parfums de fruits blancs et de fruits secs avec une pointe florale. Un champagne qui devra vieillir encore. (RM)
↬ Jean-Jacques Lamoureux,
27 *bis*, rue du Gal-de-Gaulle, 10340 Les Riceys,
tél. 03.25.29.11.55, fax 03.25.29.69.22 ☑ ⏄ r.-v.

VINCENT LAMOUREUX
Blanc de blancs

	0,5 ha	2 500	▮ 11 à 15 €

Riche d'un patrimoine culturel et architectural important, le village des Riceys mérite le détour. On y rencontre aussi d'excellents récoltants, comme cette marque née de l'association de deux vignobles familiaux. Ce blanc de blancs vient donc d'une commune réputée pour ses pinots noirs... Il est issu de récoltes de 1997 et de 1998. Après un nez intense de miel et de noisette, la bouche crémeuse, confite et citronnée s'impose. (RM)
↬ Vincent Lamoureux,
2, rue du Sénateur-Lesaché, 10340 Les Riceys,
tél. 03.25.29.39.32, fax 03.25.29.80.30 ☑ ⏄ r.-v.

LANCELOT FILS
Cramant Blanc de blancs Cuvée spéciale 1997★★

Gd cru	0,65 ha	6 000	15 à 23 €

Claude Lancelot vend ses champagnes sous son nom et sous celui de Lancelot Fils. Ce Cramant 97 est « sublimement fin », note un excellent dégustateur : ses arômes de sous-bois et de fleurs blanches, sa bouche, idéalement dosée, à la fois fraîche et miellée, qui prolonge exactement

le nez, son effervescence élégante au service d'une grande complexité, tout justifie le coup de cœur. Le **rosé Tradition Saint-Jean** doit être cité pour sa jeunesse, de même que la **Cuvée Brio 95 étiquetée Claude Lancelot**, pinot-chardonnay à parts égales, souple, et qu'il ne faut plus attendre. (RM)
↬ Claude Lancelot-Goussard, 30, rue Ernest-Vallé,
51190 Avize, tél. 03.26.57.94.68, fax 03.26.57.79.02,
e-mail nadinelancelot@hotmail.com ☑ ⏄ r.-v.

LANCELOT-PIENNE
Cramant Blanc de blancs Marie Lancelot 1995★★

Gd cru	1 ha	10 000	▮ᴅ 15 à 23 €

À l'image des beaux domaines familiaux du grand cru Cramant, cette marque s'est constituée en quatre générations. Gilles Lancelot, œnologue, associe tradition et modernité. Sa cuvée, née d'un grand cru et d'un grand millésime, ne déçoit pas, tant par sa fine effervescence au cœur d'une robe ou traversée de reflets verts, que par ses arômes et ses saveurs puissamment épicés, beurrés, ou par son équilibre. Le **blanc de blancs 98**, floral, équilibré et long, est cité à l'instar du **Sélection**, mi-noirs, mi-blancs des années 1995 à 1997. Souple et rond, ce dernier champagne est particulièrement destiné à la table. (RM)
↬ Champagne Lancelot-Pienne, 1, allée de la Forêt,
51530 Cramant, tél. 03.26.57.55.74, fax 03.26.57.53.02,
e-mail champagne@lancelot.fr ☑ ⏄ r.-v.

P. LANCELOT-ROYER
Blanc de blancs Cuvée des Chevaliers★★

Gd cru	2,2 ha	12 000	11 à 15 €

Depuis plusieurs siècles les Lancelot sont viticulteurs à Cramant, village classé grand cru auquel aucun visiteur ne peut rester insensible. Ce blanc de blancs (un tiers de vendanges de 1996 et deux tiers de 1997) a été présenté au grand jury. Les dégustateurs n'ont pas tous voté le coup de cœur, mais reconnaissent la qualité de ce vin racé, élégant, riche et raffiné... « Il ressemble à un chardonnay de terre profonde », note l'un des jurés. La **cuvée de Réserve RR, blanc de blancs** obtient une étoile pour sa souplesse. Grasse et ample, elle est légèrement miellée ; son dosage est perceptible. (RM)
↬ EARL P. Lancelot-Royer,
540, rue du Gal-de-Gaulle, 51530 Cramant,
tél. 03.26.57.51.41, fax 03.26.57.12.25,
e-mail champagne.lancelot.royer@cder.fr ☑ ⏄ r.-v.

LANSON
Noble Cuvée 1989★

	n.c.	n.c.	▮ᴅ 46 à 76 €

Maison fondée en 1760 par François Delamotte qui lui donna son nom. Depuis 1856, elle s'appelle Lanson. Elle a été rachetée en 1991, mais sans son vignoble, par le groupe Marne et Champagne. La tradition de vinification sans fermentation malolactique a été maintenue. Cette cuvée haut de gamme est l'une des rares à porter encore le millésime 1989. Elle accuse son âge, tant à l'œil qu'au palais, mais elle conserve beaucoup de rondeur et reste harmonieuse. Un vin d'amateurs avertis. (NM)
↬ Lanson, 12, bd Lundy, 51100 Reims,
tél. 03.26.78.50.50, fax 03.26.78.53.88 ☑ ⏄ r.-v.

GUY LARMANDIER
Cramant Blanc de blancs Cuvée Prestige 1996★

Gd cru	4 ha	7 000	▮ 15 à 23 €

Située dans le vieux Vertus, cette ancienne maison est proche de la belle église Saint-Martin du XIIᵉs. Elle descend de Jules Larmandier qui fut l'un des premiers récoltants-manipulants de la Côte des blancs. Son petit-fils François assure la pérennité du nom. Une fine mousse persistante traverse la robe claire et brillante de ce 96 floral et fruité, au nez de beurre frais, de moka, de grillé, avec une touche minérale. Vif, équilibré et long, ce champagne pourra être longtemps dégusté. Le **Brut 1er cru (11 à 15 €)** doit être cité pour sa fraîcheur et son ampleur. Un vin d'apéritif. (RM)

🏠 EARL Champagne Guy Larmandier,
30, rue du Gal-Koenig, 51130 Vertus,
tél. 03.26.52.12.41, fax 03.26.52.19.38
☑ ⌥ t.l.j. sf dim. 8h-12h 14h-18h; f. août

LARMANDIER-BERNIER
Blanc de blancs Spécial Club Extra-brut 1996★★

1er cru	1 ha	6 000	🍾⌛ 15 à 23 €

Pierre Larmandier succède à sa mère, laquelle est l'une des filles de Jules Larmandier, récoltant-manipulant avant l'heure et grand propriétaire de vignes. Il est extrêmement rare de voir un extra-brut aussi bien noté, surtout un blanc de blancs. Excellent, jeune et long, un vin d'amateur. Le **Terre de Vertus 1er cru blanc de blancs**, à l'architecture discrète mais solide, évoque la brioche vanillée : il manifeste un bon équilibre dans la légèreté. (RM)

🏠 Champagne Larmandier-Bernier,
43, rue du 28-Août, 51130 Vertus,
tél. 03.26.52.13.24, fax 03.26.52.21.00,
e-mail larmandier@terre-net.fr ☑ ⌥ r.-v.

LARMANDIER PERE ET FILS
Blanc de blancs Perlé de Larmandier 1998★

1er cru	n.c.	n.c.	🍾⌛ 15 à 23 €

En 1898, Jules Larmandier lançait sa marque et, quelques années plus tard, son Perlé, un tirage à demi-mousse de chardonnay de Chevilly et de Cramant, deux grands crus, et d'un premier cru (20 % de Cuis). Ce 98, à l'effervescence tumultueuse, nerveux et jeune, est destiné à l'apéritif. Deux champagnes obtiennent une citation : le **Cramant vendange 1995** et le **1er cru des années 1993 à 1999 (11 à 15 €)**. Le premier, riche en notes de tilleul, de sous-bois et de caramel, est équilibré, délicat. Le second fait songer aux fleurs blanches ; son attaque est vive, jeune, et son dosage idéal. (RM)

🏠 Larmandier Père et Fils,
1, rue de la République, 51530 Cuis,
tél. 03.26.57.52.19, fax 03.26.59.79.84 ☑ ⌥ r.-v.
🏠 Famille Gimonnet-Larmandier

MAURICE LASSALLE 1997★★

1er cru	1,2 ha	5 000	🍾 11 à 15 €

L'église de Chigny-les-Roses du XVIe s. renferme un Christ en croix sur une poutre de gloire. Le village mérite également un détour pour découvrir un champagne assemblant 50 % de pinot meunier, 25 % de pinot noir et 25 % de chardonnay. Ce vin n'a pas fait sa fermentation malolactique : il est franc, pur, d'une grande finesse, équilibré, en un mot intéressant. Le **brut 1er cru** de la récolte 1998 obtient une citation. Issu des trois cépages champenois, il est aussi équilibré que long. (RM)

🏠 Maurice Lassalle,
24, rue Georges Legros, 51500 Chigny-les-Roses,
tél. 03.26.03.42.20, fax 03.26.03.45.96,
e-mail erilas@champagne-lassalle.com ☑ ⌥ r.-v.

P. LASSALLE-HANIN
Blanc de blancs

	0,6 ha	3 000	🍾 11 à 15 €

Nous sommes là en bordure du parc naturel régional de la Montagne de Reims. Ce domaine, exploité par deux frères et les fils de l'un d'eux, propose un blanc de blancs sans année de la vendange 1998. Des senteurs briochées et florales se partagent la palette, alors que la poire, le pain d'épices, le miel d'acacia, les fleurs blanches et à nouveau la brioche se marient dans un équilibre rond. (RM)

🏠 Champagne P. Lassalle-Hanin,
2, rue des Vignes, 51500 Chigny-les-Roses,
tél. 03.26.03.40.96, fax 03.26.03.42.10 ☑ ⌥ r.-v.

MARIE-FRANCE DE LATOUR
Cuvée An 2000★

	n.c.	n.c.	🍾 23 à 30 €

Non loin du golf de Gueux, Vrigny accueille la maison de Marie-France de Latour, fondée en 1961 ; celle-ci exploite un vignoble de près de 4 ha. Cette cuvée permet à 40 % de raisins blancs et à 60 % de raisins noirs d'exprimer leur intensité, leur rondeur et leur plénitude. (RM)

🏠 Champagne Marie-France de Latour,
Clos Saint-Vincent, BP 2 Gueux, 51390 Vrigny,
tél. 03.26.03.60.41, fax 03.26.03.64.05
☑ ⌥ t.l.j. 10h-12h30 14h-19h; f. août

LAUNOIS PERE ET FILS
Blanc de blancs Cuvée Réservée★★

Gd cru	10 ha	60 000	🍾 11 à 15 €

De longue date, les Launois sont vignerons dans la Côte des Blancs. Ils exploitent 22 ha et font visiter un musée des Outils du vin. Ce blanc de blancs sans année, clair à reflets verts comme tout bon chardonnay, est un vin long, rond, élégant et complet. Le **blanc de blancs 96** dense, complexe, équilibré, racé, avec du caractère, ce qui lui vaut une étoile. (RM)

🏠 Bernard Launois,
2, av. Eugène-Guillaume, 51190 Le Mesnil-sur-Oger,
tél. 03.26.57.50.15, fax 03.26.57.97.82 ☑ ⌥ r.-v.

LAURENT-GABRIEL
Grande Réserve★

1er cru	2,2 ha	16 000	11 à 15 €

Marque lancée en 1982 disposant d'un vignoble de 2,5 ha. Sa cuvée Grande Réserve associant les années 1995 et 1996, dominée par le pinot noir (65 %) et associant 20 % de chardonnay à 15 % de pinot meunier, se présente dans une robe vieil or. Le nez est porté par les fruits confits et les fruits secs, la confiture d'abricots, alors que le palais est frais, ample dans son développement et long. La **Carte d'or 1er cru** des années 1997 et 1998, à l'assemblage proche du précédent (le pinot noir approchant les 70 %), obtient la même note. (RM)

🏠 Champagne Laurent-Gabriel,
2, rue des Remparts, 51160 Avenay-Val-d'Or,
tél. 03.26.52.32.69, fax 03.26.59.92.08,
e-mail champagne.laurent-gabriel@voila.fr ☑ ⌥ r.-v.

LAURENT-PERRIER
Grand Siècle Lumière du millénaire 1990★★★

	n.c.	n.c.	🍾⌛ + de 76 €

Exceptionnellement, la cuvée Grand Siècle a été millésimée. Elle assemble à parts égales raisins noirs et

CHAMPAGNE

blancs. L'œil déjà est ravi par la fine effervescence traversant un or soutenu et brillant. Sublime de complexité, de subtilité, de longueur, d'équilibre et d'élégance, un champagne magistral, parfaitement accompli. Coup de cœur unanime. (NM)

⚑ Champagne Laurent-Perrier, Dom. de Tours-sur-Marne, 51150 Tours-sur-Marne, tél. 03.26.58.91.22, fax 03.26.58.77.29 ☑ ⃛ r.-v.

LAURENT-PERRIER
Grand Siècle La Cuvée★

	n.c.	n.c.	🍴🍷 46 à 76 €

Née Pierlot (patronyme de son fondateur) en 1812, devenue Leroy-Pierlot, cette maison n'a pris son nom actuel qu'en 1881. Elle est la seule grande maison à n'être ni à Reims, ni à Epernay, mais à Tours-sur-Marne, frontière historique de la Bourgogne et de la Champagne. Sa cuvée naît d'un peu plus de chardonnay que de pinot noir. Elle n'est pas millésimée, mais tous les vins qui la composent sont d'années millésimées : ici les pinots noirs sont de 1993 et les chardonnays de 1990 et de 1988. Une parfaite symphonie empyreumatique, citronnée, fraîche et longue. (NM)

⚑ Champagne Laurent-Perrier, Dom. de Tours-sur-Marne, 51150 Tours-sur-Marne, tél. 03.26.58.91.22, fax 03.26.58.77.29 ☑ ⃛ r.-v.

GEORGES LAVAL
Carte Rouge

1er cru	0,75 ha	6 500	🍴 15 à 23 €

Vincent Laval a lancé sa marque en 1971, année où il a décidé de travailler son vignoble en culture biologique (contrôlé par ECOCERT). Il dispose de 2,5 ha de vigne. Le Carte rouge comporte 70 % de raisins noirs, dont 55 % de pinot meunier des années 98 et 99. Il est frais et fruité. La **cuvée Les Chênes 96 (23 à 30 €)** enthousiasme certains dégustateurs. C'est un blanc de blancs, élevé onze mois sous bois. « Un vin d'âme » pour tête-à-tête... Avis aux amateurs ! (RM)

⚑ Vincent Laval, 16, ruelle du Carrefour, 51480 Cumières, tél. 03.26.51.73.66, fax 03.26.57.80.87 ☑ ⃛ r.-v.

PAUL LEBRUN
Blanc de blancs Grande Réserve 1996★

	4,04 ha	32 966	🍴 11 à 15 €

Cette exploitation familiale de Cramant a été fondée il y a un siècle par Henri Lebrun. Le vignoble de 16,50 ha n'est planté que de chardonnay. La cuvée Grande Réserve, à l'effervescence persistante et fine, est un champagne intense et plein ; son dosage est sensible. Le **Carte d'or**, un blanc de blancs également, mais des années 1997 et 1998, se montre minéral, floral, frais et ne fait pas oublier son dosage. Il mérite une citation. (NM)

⚑ SA Champagne Vignier-Lebrun, 35, rue Nestor-Gaunel, 51530 Cramant, tél. 03.26.57.54.88, fax 03.26.57.90.02, e-mail champagne.vignier-lebrun@wanadoo.fr ☑ ⃛ r.-v.

LECLERC-BRIANT
Rubis 1998★★

●	0,8 ha	5 600	🍴🍷 23 à 30 €

Le rosé de Leclerc-Briant se distingue de tous les autres, sans confusion possible : sa robe est si soutenue qu'elle paraît presque rouge, car ce champagne doit tout au pinot noir. Avec ses tonalités de fruits rouges, il est bien construit, puissant, et offre de larges possibilités d'accords à table. A citer, le blanc de noirs **Les Crayères de la collection Les Authentiques**, un champagne de cru à l'attaque fraîche, rond en bouche, une bouche alourdie par le dosage. (NM)

⚑ Champagne Leclerc-Briant, 67, rue Chaude-Ruelle, B.P. 108, 51204 Epernay Cedex, tél. 03.26.54.45.33, fax 03.26.54.49.59, e-mail PLB@leclercbriant.com ☑ ⃛ t.l.j. 9h-11h30 13h30-17h30; sam. dim. et jours fériés sur r.-v.; f. 5-25 août

⚑ Pascal Leclerc-Briant

LECLERC-BRIANT
Cuvée Divine 1990★★

	1,5 ha	10 000	🍴🍷 30 à 38 €

Neuf dégustateurs ravis par une bouteille qui représente bel et bien le haut de la gamme de Pascal Leclerc-Briant, converti à la biodynamie. Composée d'autant de raisins noirs que blancs, cette Divine est incroyablement fraîche et jeune. Son nez floral offre une touche de miel d'acacia ; en bouche, l'attaque nette, briochée, évoluant vers les agrumes avec finesse, complexité et persistance. Elle porte bien son nom. (NM)

⚑ Champagne Leclerc-Briant, 67, rue Chaude-Ruelle, B.P. 108, 51204 Epernay Cedex, tél. 03.26.54.45.33, fax 03.26.54.49.59, e-mail PLB@leclercbriant.com ☑ ⃛ t.l.j. 9h-11h30 13h30-17h30; sam. dim. et jours fériés sur r.-v.; f. 5-25 août

LEGOUGE-COPIN 1996★

	n.c.	1 000	🍴🍷 15 à 23 €

Verneuil-sur-Marne possède une jolie église des XIIe et XIIIes., située en bord de rivière. Jocelyne Legouge-Copin cultive 4,5 ha de vignes sur cette commune. Du mariage du pinot noir (70 %) et du chardonnay (30 %) est né ce champagne fruité, miellé et brioché, tant au nez qu'en bouche. (RM)

⚑ Champagne Legouge-Copin, 6, rue de l'Abbé-Bernard, 51700 Verneuil, tél. 03.26.52.96.89, fax 03.26.51.85.62 ☑ ⃛ r.-v.

R. ET L. LEGRAS
Blanc de blancs ★

Gd cru	14 ha	200 000	∎♦ 11 à 15 €

L'origine du vignoble des Legras, installé dans la Côte des Blancs, remonte à deux siècles. Ce blanc des blancs sans année, jaune d'or à reflets verts, est très classique, assez rond et d'une belle intensité aromatique (fleurs et fruits secs). (NM)

⌐ Champagne R. et L. Legras, 10, rue des Partelaines, 51530 Chouilly, tél. 03.26.54.50.79, fax 03.26.54.88.74, e-mail champagne.r.l.legras@wanadoo.fr ☑ ⏀ r.-v.

LEGRAS ET HAAS
Blanc de blancs Millésime 1996★

Gd cru	15 ha	2 000	∎♦ 15 à 23 €

On raconte ici qu'Henri IV, enfant, jouait dans la cour de l'ancien château de Chouilly. Le bon roi reste une référence dans la république viticole. François Legras et ses fils Rémi et Olivier ont créé cette marque en 1991 et possèdent aujourd'hui 30 ha de vignes en propre. Leur blanc de blancs, de belle maturité, rond, long et d'un équilibre vif, offre un excellent bouquet d'agrumes mêlés de notes briochées et grillées. On vous propose de le servir sur un filet de lapereau farci... ou de le boire seul, pour lui-même. (NM)

⌐ Legras et Haas, 7-9, Grande-Rue, 51530 Chouilly, tél. 03.26.55.40.92, fax 03.26.55.16.78 ⏀ r.-v.

LELARGE-PUGEOT

	3 ha	n.c.	∎ 11 à 15 €

A 10 km de Reims, Dominique Lelarge conduit son domaine en lutte intégrée. Il propose un brut assemblant les années 1997 et 1998, avec 60 % de pinot meunier, 20 % de pinot noir et 20 % de chardonnay. C'est un classique, fin, brioché, fruité (agrumes), équilibré et frais. Délicieux à l'apéritif avec des toasts ou sur des crustacés. (RM)

⌐ Dominique Lelarge, 30, rue Saint-Vincent, 51390 Vrigny, tél. 03.26.03.69.43, fax 03.26.03.68.93, e-mail champagnelelarge-pugeot@wanadoo.fr
☑ ⏀ t.l.j. sf dim. 9h-12h 14h-18h

PATRICE LEMAIRE 1997★

	n.c.	2 500	⊞ 11 à 15 €

Claude Lemaire s'est lancé dans la manipulation en 1950. En 1988, son fils Patrice a repris l'exploitation, sise à Boursault, sur la rive gauche de la vallée de la Marne. Le 97 est un blanc de blancs, bien que l'étiquette ne l'annonce pas, élevé six mois en fût. Il est brioché, citronné et d'un charme certain, tant au nez qu'en bouche. Le **Rosé étiqueté Claude Lemaire**, issu des trois cépages champenois (des vins qui passent par le bois et qui ont été assemblés à 10 % de vin rouge), obtient une étoile pour son fruité, sa longueur. Il accompagnera dignement une charlotte aux fruits rouges. (RM)

⌐ Patrice Lemaire,
9, rue Croix-Saint-Jean, 51480 Boursault,
tél. 03.26.58.40.58, fax 03.26.52.30.67 ☑ ⏀ r.-v.

PHILIPPE LEMAIRE
Troisième Millénaire

	0,3 ha	1 500	∎⊞ 11 à 15 €

Sur la rive gauche de la Marne, aux portes d'Epernay, Philippe Lemaire propose cette cuvée qui fait appel aux trois cépages champenois, dont 20 % de chardonnay. Celle-ci a été élevée trois mois sous bois avec bâtonnage sur lies. De belle finesse, ses arômes complexes et intéressants persistent dans une bouche ample. (RM)

⌐ Philippe Lemaire, 40, rue du 8-Mai, 51480 Œuilly, tél. 03.26.58.30.82, fax 03.26.52.92.44 ☑ ⏀ r.-v.

MICHEL LENIQUE
Blanc de blancs Réserve★

	2 ha	12 000	∎♦ 11 à 15 €

Les Lenique sont vignerons depuis le milieu du XVIIIᵉs., époque où Jacques Cazotte - qui résida à Pierry - écrivit *Le Diable amoureux*, nouvelle fantastique, chef-d'œuvre de la littérature de ce siècle. Leur blanc de blancs assemble les années 1995 et 1996. Son nez est discret mais typé par le cépage, la bouche, empyreumatique et persistante. Le **96 (15 à 23 €)** obtient une citation. Presque un blanc de blancs (10 % de pinot meunier), il est citronné, minéral et surtout long. Le premier champagne conviendra à une terrine de poisson, le second à un foie gras. (NM)

⌐ SA Lenique et Fils, 20, rue du Gal-de-Gaulle, 51530 Pierry, tél. 03.26.54.03.65, fax 03.26.51.57.14, e-mail salenique@wanadoo.fr ☑ ⏀ r.-v.

A. R. LENOBLE
Réserve★

	n.c.	n.c.	15 à 23 €

Damery, patrie de la tragédienne Adrienne Lecouvreur (1692-1730), possède une ravissante église remontant au XIIᵉs. et renfermant un beau buffet d'orgue en bois sculpté du XVIIIᵉs. Les amateurs de musique sont souvent des œnophiles. Aussi le village, réunissant plusieurs maisons, les intéresse. Cette marque, coup de cœur dans le Guide 2001, propose une cuvée Réserve dans laquelle les trois cépages champenois récoltés en 1998 sont renforcés par 15 % de vins de réserve. Ils donnent vie à ce champagne au nez fruité, intense, rond, équilibré et long. (NM)

⌐ Champagne A.R. Lenoble, 35, rue Paul-Douce, 51480 Damery, tél. 03.26.58.42.60, fax 03.26.58.65.57, e-mail contact@champagne-lenoble.com ⏀ r.-v.

⌐ Malassagne

LETE-VAUTRAIN
Grande Réserve★

	6,2 ha	10 000	∎♦ 11 à 15 €

Marque lancée en 1972, disposant d'un vignoble de plus de 6 ha situé à la route 204, où se déroula la deuxième bataille de la Marne en 1918. Les champagnes Lété-Vautrain ne font que partiellement leur fermentation malolactique. 90 % de raisins noirs (dont 65 % de pinot meunier) se marient dans ce Grande Réserve assemblant les années 1995 à 1998. Très bien dosé, floral (violette), réglissé et frais, il est bien adapté à l'apéritif. (RM)

⌐ Champagne Lété-Vautrain,
11, rue Semars, Hameau de Courteau,
02400 Château-Thierry, tél. 03.23.83.05.38,
fax 03.23.83.87.45, e-mail lete.vautr@quid-info.fr
☑ ⏀ t.l.j. sf dim. 8h30-12h30 13h30-18h30

LIEBART-REGNIER
Brut de brut★★

	8 ha	4 500	∎♦ 11 à 15 €

Laurent Liébart a repris en 1987 les 8 ha de vignes répartis sur deux crus de la vallée de la Marne, Baslieux et Vaucienne. Le brut de brut est né pour 60 % de pinot meunier, pour 30 % de pinot noir et pour 10 % de chardonnay des années 1996 et 1995 - deux beaux millésimes. C'est un remarquable champagne dont la mousse fine, abondante et persistante invite à découvrir les arômes miellés et fruités, comme la puissance d'une bouche longue et équilibrée. Le **Brut** reçoit une étoile. La cuvée est différente : les raisins noirs (80 % dont 47 % de pinot noir) ont été récoltés en 1998 et 1999. Elle conviendra à l'apéritif et au début du repas par sa finesse florale, son équilibre et sa persistance. (RM)

🍷 Liébart-Régnier,
6, rue Saint-Vincent, 51700 Baslieux-sous-Châtillon,
tél. 03.26.58.11.60, fax 03.26.52.34.60,
e-mail liebart-regnier@wanadoo.fr ☑ ☒ r.-v.

🍷 Laurent Liébart

BERNARD LONCLAS 1996★

	0,4 ha	2 100	🍷 15 à 23 €

Bernard Lonclas a planté ses premiers ceps en 1976 et a fondé sa marque en 1979. Aujourd'hui, son vignoble approche les 6 ha. Son 96, un grand millésime, naît de 60 % de pinot (dont 40 % de pinot meunier) et de 40 % de chardonnay. Voici un champagne plein de jeunesse, qui réjouit par sa vivacité, sa structure nette, son ampleur et sa longueur. A citer le **blanc de blancs (11 à 15 €)** des années 1998 à 2000 : un vin léger, minéral, floral (fleurs blanches) pour l'apétitif. (RM)

🍷 Bernard Lonclas, chem. de Travent, 51300 Bassuet,
tél. 03.26.73.98.20, fax 03.26.73.16.17 ☑ ☒ r.-v.

GERARD LORIOT
Tradition★

	4,5 ha	38 000	🍷 11 à 15 €

Elaborateurs de champagne depuis 1921, les Loriot sont à la tête de 6,10 ha. Cette cuvée assemble les années 1998 et 1999 du seul pinot meunier. C'est un vrai champagne de repas, de viande blanche surtout, mais aussi de crustacés... Ample, fruité, frais et souple, il affiche un joli équilibre. Sa mousse fine et abondante et sa couleur or pâle ajoutent à son charme. (RM)

🍷 Gérard Loriot, 10, rue Saint-Vincent,
Le Mesnil-le-Huttier, 51700 Festigny,
tél. 03.26.58.35.32, fax 03.26.51.93.71 ☑ ☒ r.-v.

MICHEL LORIOT
Réserve

	4 ha	39 000	11 à 15 €

Léopold Loriot, arrière-grand-père de Michel Loriot, installe le premier pressoir du village de Festigny en 1904. Récoltants, les Loriot sont parmi les premiers à fonder leur propre marque en 1931. Le brut Réserve est un blanc de noirs, issu du pinot meunier des années 1998 et 1999. D'une belle couleur, fruité (fruits rouges) et épicé, il est vineux, élégant et long. Le **rosé**, également cité par le jury, sera à son aise sur une volaille rôtie. (RM)

🍷 Michel Loriot, 13, rue de Bel-Air, 51700 Festigny,
tél. 03.26.58.34.01, fax 03.26.58.03.98,
e-mail info@champagne-michelloriot.com ☑ ☒ r.-v.

JOSEPH LORIOT-PAGEL
Cuvée de Réserve 1996★★

	1,5 ha	3 000	🍷 15 à 23 €

Léopold, Germain, André et enfin Joseph Loriot ont constitué le vignoble (8,1 ha) et lancé la marque Loriot en 1931. Le vignoble de la vallée de la Marne a été complété par celui des Pagel à Avize et à Cramant. La cuvée de Réserve (75 % de raisins noirs dont 55 % de pinot meunier) est riche, fine, équilibrée et intense. Sont cités : le **blanc de blancs 96** et la **Carte d'or (11 à 15 €)**. Le premier affiche

beaucoup de vivacité, la seconde (85 % de raisins noirs, dont 65 % de pinot meunier des années 1997 à 1999) se montre fraîche et complexe. (RM)

🍷 Joseph Loriot, 33, rue de la République,
51700 Festigny, tél. 03.26.58.33.53, fax 03.26.58.05.37
☑ ☒ r.-v.

YVES LOUVET
Cuvée de Sélection★

	4 ha	25 000	🍷 8 à 11 €

Etabli à 2 km de Louvois, dont le château construit par le ministre de Louis XIV n'a laissé que peu de vestiges, Yves Louvet exploite un vignoble de 6,5 ha. Issue d'un assemblage comprenant trois fois plus de pinot noir que de chardonnay, cette cuvée, née de vins de 1998, est très marquée par le pinot. D'un certain caractère, elle se révèle empyreumatique, ronde et structurée. (RM)

🍷 Yves Louvet, 21, rue du Poncet, 51150 Tauxières,
tél. 03.26.57.03.27, fax 03.26.57.67.77 ☑ ☒ r.-v.

PHILIPPE DE LOZEY
Cuvée Réserve★★

	12 ha	25 000	🍷 11 à 15 €

L'excellente maison de négoce auboise, habituée des places d'honneur, est dirigée par Philippe et Daniel Cheurlin. Le brut Réserve est quatre fois plus noirs que blancs (assemblage des années 1998-1999). Paille dorée parcourue par un fin cordon, cette cuvée est remarquable. On y décèle des arômes de café et de fumé, qui se doublent de griotte au palais. Equilibré, doté d'une matière raffinée, ce champagne laisse une impression durable d'élégance. Le **brut Prestige (15 à 23 €)**, aussi noirs que blancs, révèle complexité aromatique et structure. Il obtient deux étoiles. (NM)

🍷 Champagne Philippe de Lozey,
72, Grande-Rue, BP 3, 10110 Celles-sur-Ource,
tél. 03.25.38.51.34, fax 03.25.38.54.80,
e-mail de.lozey@wanadoo.fr ☑ ☒ r.-v.

🍷 Philippe Cheurlin

M. MAILLART
Cuvée de Réserve 1995★★

	1,6 ha	15 000	🍷 11 à 15 €

A la tête d'un vignoble de plus de 8 ha implanté non loin de Reims, Michel Maillart a élaboré une remarquable Cuvée de réserve, à l'assemblage à peine plus blancs que noirs (55 % de chardonnay et 45 % de pinot noir). Ce champagne séduit par sa belle couleur or vert. Les arômes très briochés, accompagnés de notes d'abricots confits, sont aussi très frais. La rondeur reste équilibrée. Un beau millésimé. (RM)

🍷 Michel Maillart, 13, rue de Villers, 51500 Ecueil,
tél. 03.26.49.77.89, fax 03.26.49.24.79,
e-mail m.maillart@free.fr ☑ ☒ r.-v.

MAILLY GRAND CRU
Réserve★

Gd cru	n.c.	n.c.	🍷 15 à 23 €

Etonnant privilège que de pouvoir porter le nom de sa commune et du classement de celle-ci dans l'échelle des crus. C'est pourtant ce que réalise cette excellente coopérative réservée aux propriétaires de vignes situées dans la commune de Mailly, classée grand cru, couvrant ainsi environ 70 ha. Ce Réserve est trois fois plus noirs que blancs. Son nez est discrètement citronné ; en bouche, il est rond, équilibré et convient aux repas. Le **millésimé 96**

(23 à 30 €), assemblage identique, a toute la vivacité des agrumes, une touche briochée et une belle longueur fraîche. Il obtient une étoile alors que la **cuvée Les Echansons 95 (46 à 76 €)**, dont la fraîcheur élégante est soutenue par une belle acidité, obtient une citation. (CM)

🔁 Champagne Mailly Grand Cru,
28, rue de la Libération, 51500 Mailly-Champagne,
tél. 03.26.49.41.10, fax 03.26.49.42.27,
e-mail contact@champagne-mailly.com ☑ ⏺ r.-v.

MALARD
Excellence

Gd cru	n.c.	n.c.	15 à 23 €

Dynamique maison de négoce dont le siège est avenue de Champagne, les Champs-Elysées des vins effervescents, et qui élabore ses vins à Oiry. Trois champagnes sont cités, trois grands crus : l'Excellence, très noirs (80 %), de bonne facture, justement dosé et équilibré, le **pinot noir-chardonnay**, assemblage identique au précédent dans le même esprit, et le **chardonnay** fin et long. (NM)

🔁 Champagne J.-L. Malard,
65, av. de Champagne, BP 95, 51203 Epernay Cedex,
tél. 03.26.59.58.88, fax 03.26.52.75.54 ☑

HENRI MANDOIS
Cuvée de Réserve★

	12 ha	100 000	11 à 15 €

Le frère Oudart – moine tout aussi légendaire que Dom Pérignon – veille sur Pierry où il est enterré. La cave d'Henri Mandois est directement sous sa protection puisqu'elle est située sous l'église. Disposant d'un vignoble de 30 ha, Henri Mandois propose cent mille bouteilles de cette cuvée à l'effervescence constante, au nez fin, à la bouche élégante, quoique ferme, de bonne longueur. Le **blanc de blancs 1ᵉʳ cru**, frais, structuré, équilibré et long, obtient une étoile. (NM)

🔁 Champagne Henri Mandois,
66, rue du Gal-de-Gaulle, 51530 Pierry,
tél. 03.26.54.03.18, fax 03.26.51.53.66,
e-mail info@champagne-mandois.fr ☑ ⏺ r.-v.

MANSARD

1er cru	n.c.	70 000	11 à 15 €

Marque d'un négociant d'Epernay, la famille Rapeneau, ce Mansard est un premier cru classique, plus blancs que noirs (60-40). Fin et léger, il semble bien adapté à l'apéritif. (NM)

🔁 Champagne Mansard-Baillet, 14, rue Chaude-Ruelle, 51200 Epernay, tél. 03.26.54.18.55, fax 03.26.51.99.50 ☑ ⏺ t.l.j. sf sam. dim. 8h-12h 13h-30-17h

PATRICE MARC
Ultima Forsan★★

	0,2 ha	2 000	11 à 15 €

Patrice Marc exploite un vignoble de 3 ha à Fleury-la-Rivière. L'Ultima Forsan naît des vendanges de 1999 et 1998 et assemble 70 % de raisins noirs et 30 % de raisins blancs. Or pâle et doté d'une mousse fine et persistante, il est frais, épicé, équilibré, puissant, élevé sous bois. Le **rosé** est cité ; la cuvée comprend les trois cépages champenois, colorée par 13 % de vin rouge de pinot noir. Ce rosé passe lui aussi par le bois ; les dégustateurs le remarquent et aiment sa fraîcheur qui n'exclut pas une touche masculine. (RM)

🔁 Patrice Marc,
1, rue du Creux-Chemin, 51480 Fleury-la-Rivière,
tél. 03.26.58.46.88, fax 03.26.59.48.21,
e-mail contact@champagne-marc.com ☑ ⏺ r.-v.

A. MARGAINE
Blanc de blancs Spécial Club 1997★

	n.c.	3 500	15 à 23 €

Gaston Margaine a fondé sa marque en 1910. Ses fils, petit-fils et arrière petit-fils lui ont succédé. Le vignoble s'étend en particulier dans la commune de Villers-Marmery, connue pour ses chardonnays, d'où est issu ce blanc de blancs du difficile millésime 97. Une bonne effervescence et un très joli nez floral et élégant précèdent une bouche nerveuse et fraîche, équilibrée. La **Cuvée traditionnelle (11 à 15 €)** est un 99 épaulé par des vins de réserve de quatre années différentes. On y trouve le pamplemousse et de la vivacité masquée par le dosage ; à attendre six mois. Elle obtient une citation. (RM)

🔁 Champagne A. Margaine,
3, av. de Champagne, 51380 Villers-Marmery,
tél. 03.26.97.92.13, fax 03.26.97.97.45 ☑ ⏺ r.-v.

MARGUET-BONNERAVE
Camée★

Gd cru	3 ha	28 000	11 à 15 €

Cette marque dispose d'un vignoble de 13 ha dans des grands crus (Ambonnay, Bouzy, Mailly). Son style est dû à l'emploi de beaucoup de vins de réserve. Ce rosé est un rosé de macération (donc de pinot noir, de l'année 1999) dans lequel on incorpore 15 % de chardonnay et 40 % de vins de réserve blancs (1998, 1997). Une méthode qui produit un rosé ample, vineux, rond, fin et long. La cuvée **Tradition** (1997, 1998 et 1999), constituée majoritairement de pinot (70 %) ainsi que de vins de réserve vieillis en fût, obtient une citation. Matière charnue et acidité se marient dans une belle persistance. (RM)

🔁 Champagne Marguet-Bonnerave,
14, rue de Bouzy, 51150 Ambonnay,
tél. 03.26.57.01.08, fax 03.26.57.09.98,
e-mail info@champagne-bonnerave.com ☑ ⏺ r.-v.

MARIE STUART
Cuvée de la Reine★

	n.c.	n.c.	15 à 23 €

Fondée en 1867, cette maison de négoce dont le destin a été mouvementé jusqu'à ce qu'Alain Thiénot s'en porte acquéreur, propose la cuvée de la Reine, qui privilégie le chardonnay (90 %) sur le pinot noir. Elle est florale, vive, aérienne, pleine de jeunesse, rafraîchissante, idéale à l'apéritif. (NM)

🔁 Champagne Marie-Stuart, 8, pl. de la République, 51100 Reims, tél. 03.26.77.50.50, fax 03.26.77.50.59, e-mail marie.stuart@wanadoo.fr

JEAN-PIERRE MARNIQUET 1989★★

	n.c.	5 000	15 à 23 €

Ce récoltant-manipulant exploite depuis 1974 un vignoble de 7 ha dans la vallée de la Marne. Son 89, un tiers blancs deux tiers noirs (dont 50 % de pinot meunier) est d'une grande jeunesse. Ses arômes délicats de fleurs blanches et de violette annoncent un champagne fin, équilibré, fondu et harmonieux. (RM)

🔁 Jean-Pierre Marniquet, 8, rue des Crayères,
51480 Venteuil, tél. 03.26.58.48.99, fax 03.26.58.45.21,
e-mail jp.marniquet@cder.fr ☑ ⏺ r.-v.

MARQUIS DE LA FAYETTE

1er cru	n.c.	n.c.	15 à 23 €

Marque de négoce créée en 1912 par le marquis de La Fayette et relancée en 1986 par son fils et la SA Pierrel qui a favorisé son exportation, et pas seulement aux États-Unis ! Ce champagne est un blanc de blancs, bien que l'étiquette n'en dise rien. Les dégustateurs le devinent. Sa rondeur lui vient d'un début d'évolution. A destiner aux poissons en sauce. (NM)
🍷 SA Pierrel et Associés, 26, rue Henri-Dunant, 51200 Epernay, tél. 03.26.51.00.90, fax 03.26.51.69.40, e-mail champagne@pierrel.fr ☂ r.-v.

MARQUIS DE SADE★

	5 ha	50 000	▮ 15 à 23 €

Michel Gonet est propriétaire du pavillon de chasse du marquis de Sade. Il a créé cette marque en 1973 et dispose d'un important vignoble (40 ha) dans la Côte des Blancs, le Sézannais et l'Aube. Ce brut est un rosé de noirs de 1998 ; il est pâle, frais, équilibré, rehaussé de quelques notes épicées. A servir sur un agneau. (RM)
🍷 Michel Gonet et Fils, 196, av. Jean-Jaurès, 51190 Avize, tél. 03.26.57.50.56, fax 03.26.57.91.98, e-mail champagne.gonet@wanadoo.fr
✅ ☂ t.l.j. 9h-12h 13h-17h; sam. dim. sur r.-v.; f. août

G. H. MARTEL & C⁰
Prestige

	30 ha	300 000	▮♦ 11 à 15 €

Autre marque Rapeneau, celle-ci de fondation ancienne (1869), disposant d'un important vignoble de 80 ha et qui fut autonome jusqu'en 1970. Cette cuvée Prestige fait appel à beaucoup de pinot noir (70 %) et à 30 % de chardonnay. C'est un champagne d'apéritif au nez discret et de bonne rondeur en bouche. (NM)
🍷 Champagne G.H. Martel, 69, av. de Champagne, BP 1011, 51318 Epernay Cedex, tél. 03.26.51.06.33, fax 03.26.54.41.52 ✅

PAUL-LOUIS MARTIN

Gd cru	0,75 ha	5 000	▮♦ 11 à 15 €

Paul-Louis Martin, récoltant-manipulant de Bouzy sur un vignoble de plus de 8 ha, a confié aux Rapeneau le destin de ses vins. Ce rosé grand cru est issu de deux tiers de pinot noir, 20 % de chardonnay, coloré par 15 % de Bouzy rouge des années 1997 et 1998. La mousse est durable, le nez discret, la bouche fraîche, ronde et fruitée. Préparez une tarte aux cerises. (RM)
🍷 Champagne Paul-Louis Martin, 3, rue d'Ambonnay, 51150 Bouzy, tél. 03.26.57.01.27, fax 03.26.57.83.25
✅ ☂ r.-v.
🍷 V. Rapeneau

DENIS MARX
Grande Réserve★

	5 ha	30 000	15 à 23 €

Denis Marx s'installe en 1975 et crée un vignoble qui atteint aujourd'hui 10 ha. Son fils l'a rejoint. Leur Grande Réserve est très noirs (85 % dont 55 % de pinot meunier) ; elle est corpulente, ample, structurée et d'avenir. (RM)
🍷 Denis Marx, 31, rue de la Chapelle, 51700 Cerseuil, tél. 03.26.52.71.96, fax 03.26.52.72.65 ✅ ☂ r.-v.

THIERRY MASSIN★

	1 ha	6 000	11 à 15 €

Un vignoble familial développé par Thierry Massin et sa sœur Dominique depuis 1977. Leur rosé est issu des deux pinots (pinot noir 50 %, pinot meunier 25 %) des années 1998 et 1999 teinté par du vin rouge de pinot noir. Il est très marqué par les fruits rouges, fraises compotées et groseilles pour être précis. Équilibré, il peut passer à table ou être servi sur des tartelettes sablées aux fruits rouges. (RM)
🍷 Thierry Massin, 6, rte des Deux-Bar, 10110 Ville-sur-Arce, tél. 03.25.38.74.01, fax 03.25.38.79.10, e-mail champagne.thierry.massin@wanadoo.fr
✅ ☂ t.l.j. 9h-12h 13h30-18h30; sam. dim. sur r.-v.

REMY MASSIN ET FILS
Cuvée Tradition

	12 ha	77 500	▮♦ 11 à 15 €

Appartenant aux vignobles de l'Aube, cette exploitation lancée en 1974 par Rémy Massin est aujourd'hui conduite par son fils Sylvère. La cuvée Tradition est un blanc de noirs des années 1997 à 1999. Il est rond et équilibré. Sa finale est encore jeune. A servir à l'apéritif. (RM)
🍷 Champagne Rémy Massin et Fils, 34, Grande-Rue, 10110 Ville-sur-Arce, tél. 03.25.38.74.09, fax 03.25.38.77.67, e-mail remy.massin.fils@wanadoo.fr
✅ ☂ t.l.j. 10h-12h 14h-18h; sam. dim. sur r.-v.

LOUIS MASSING
Cuvée Prestige

Gd cru	2 ha	10 000	▮♦ 15 à 23 €

Vignoble de 11 ha, créé originellement par Louis Massing, repris par son fils puis par ses petits-enfants. Cette cuvée Prestige est un blanc de blancs, ce que n'annonce pas l'étiquette. Il naît de la récolte 1996, dont il a la forte acidité. Fleurs blanches, agrumes et minéralité sont ses caractéristiques. (NM)
🍷 SA Champagne Deregard-Massing, RD 9, 51190 Avize, tél. 03.26.57.52.92, fax 03.26.57.78.23 ✅ ☂ r.-v.

HERVE MATHELIN
Cuvée Privilège★★

	0,6 ha	4 000	▮ 11 à 15 €

C'est au XVIIIᵉs. que les Mathelin prennent racine ici. Gaëtan Mathelin crée son vignoble en 1930, Hervé Mathelin lance sa marque en 1961 ; depuis 1999, Nicolas Mathelin lui a succédé. Le vignoble s'étend sur 14 ha dans la vallée de la Marne. A 5 % pinot, ce champagne à l'effervescence délicate est un blanc de noirs, fin, vif et rond, bien dosé, long et agréable. Le rosé obtient une étoile ; les trois cépages champenois y collaborent et son fruité rouge est souligné par l'acidulé d'un goût de bonbon anglais. Lui offrir une charlotte aux framboises pendant les fêtes. (RM)
🍷 Hervé Mathelin, 2, rte de Paris, 51700 Troissy, tél. 03.26.57.16.54, fax 03.26.57.16.54, e-mail herve.mathelin@wanadoo.fr ✅ ☂ r.-v.

SERGE MATHIEU
Cuvée Tradition Blanc de noirs★

	5 ha	35 000	▮♦ 11 à 15 €

Serge Mathieu, à la tête d'un vignoble familial de 11 ha, a constitué un stock de plus de quatre années de vente, gage de qualité. Le Tradition 100 % pinot noir, récoltes de 1996 à 1998, est vineux quoique frais ; fruité et acidité s'épaulent bien. Le Select (15 à 23 €), mi-blancs mi-noirs de 1996 et 1997, est vif, équilibré et long. Il obtient une étoile, tout comme le **95** plus blancs que noirs (chardonnay 70 % et pinot noir 30 %) à la bouche ample, harmonieuse, directe. Trois excellentes cuvées. (RM)

🕭 Champagne Serge Mathieu,
6, rue des Vignes, 10340 Avirey-Lingey,
tél. 03.25.29.32.58, fax 03.25.29.11.57,
e-mail champagne.mathieu@wanadoo.fr ☑ 🏠 🍷 r.-v.

MATHIEU-PRINCET
Grande Réserve★★

1er cru	4 ha	35 000	⬛ 11 à 15 €

Située à l'orée de la Côte des Blancs, la commune de Grauves possède une église de la Nativité-de-la-Vierge des XVᵉ et XVIᵉ s. dont le chœur Renaissance est fort intéressant. Le vignoble de Michel Mathieu fait partie des *must* : ne fut-il pas coup de cœur dans l'édition 2001 ? Ce Grande Réserve est tout simplement remarquable : mi-noirs, mi-blancs, il assemble les années 1994 à 1996. C'est un champagne destiné à la table, complexe, harmonieux et long. (RM)

🕭 SARL Mathieu-Princet, 16, rue Bruyère,
51190 Grauves, tél. 03.26.59.73.72, fax 03.26.59.77.75,
e-mail mathieuprincet@cder.fr ☑ 🍷 r.-v.

🕭 Michel Mathieu

PASCAL MAZET★

1er cru	2 ha	15 000	⬛ 11 à 15 €

Pascal Mazet exploite un vignoble situé sur la Montagne de Reims et loge ses vins de réserve dans le bois, technique utilisée pour ce premier cru associant des vins de 1995, 1996 et 1997, 30 % de chardonnay et 70 % de pinots, dont 50 % de pinot meunier. Ce champagne aux fines bulles a un nez encore discret mais très agréable. Après une attaque vive, l'ampleur s'installe ; le dosage est parfait. La finale fraîche est prometteuse. Assez ample, le **millésime 95 (15 à 23 €)**, issu de chardonnay à 40 % et des pinots noir et meunier à parts égales, est riche et confit, excellent à l'apéritif. (RM)

🕭 Pascal Mazet, 8, rue des Carrières,
51500 Chigny-les-Roses,
tél. 03.26.03.41.13, fax 03.26.03.41.74,
e-mail champagne.mazet@free.fr ☑ 🍷 r.-v.

MERCIER
Cuvée Eugène Mercier★

n.c.	200 000	15 à 23 €

1858 : fondation de la maison Mercier. 1970 : fusion avec Moët et Chandon, aujourd'hui LVMH. Elle dispose d'un vaste vignoble, qui s'étend sur 231 ha, et de caves gigantesques qu'il faut avoir visitées pour ses galeries et ses foudres exceptionnels. La cuvée Eugène Mercier a été créée en 1970 en hommage au fondateur. Elle réunit 60 % de pinot noir, 30 % de pinot meunier complétés par le chardonnay. Une mousse fine et abondante traverse le verre, incitant à la conversation. Le nez répond à l'attente, à la fois présent et élégant, alors que l'impression en bouche est miellée et confite, le dosage contribuant à cette sensation. Le **brut 98** obtient également une étoile. Les trois cépages sont sollicités ; puissant, rond et structuré, il conviendra aux poissons en sauce et viandes blanches. (NM)

🕭 Champagne Mercier, 75, av. de Champagne,
51200 Epernay, tél. 03.26.51.22.00, fax 03.26.51.20.24,
e-mail mcharpentier@mercier.tm.fr 🍷 t.l.j. 9h30-11h30 14h-16h30 ; f. mar. et mer. 1ᵉʳ déc.-15 mars

JEAN MICHEL
Carte blanche

4,5 ha	40 000	⬛ 11 à 15 €

Les Michel sont vignerons depuis un siècle et demi. Leur vignoble s'étend sur 10 ha du côté de Moussy. Le Carte blanche est trois fois plus noirs que blancs ; les noirs sont des pinots meuniers récoltés en 1998. C'est un champagne équilibré, frais, complexe, dont le dosage est sensible. Le **Carte d'Or** est également cité. Sa composition est très proche de la cuvée précédente, mais les raisins ont été récoltés en 1996. Agréable et long, il est doté d'un grand potentiel. (RM)

🕭 Champagne Jean Michel,
15, rue Jean-Jaurès, BP 14, 51530 Moussy,
tél. 03.26.54.03.33, fax 03.26.51.62.66 ☑ 🍷 r.-v.

J.B. MICHEL
Carte blanche

7 ha	45 000	11 à 15 €

Dans ses caves voûtées datant du XIXᵉ s., Bruno Michel a installé ses chais qui contiennent une centaine de pièces de bois de 225 l. La cuvée Carte blanche naît de 40 % de raisins blancs et de 60 % de raisins noirs (des pinots meuniers) des années 1996, 1997 et 1998. Elle est d'une très belle couleur or pâle, couronnée par une mousse abondante. Brioche et pain grillé l'emportent sur le fruit. Sa vive acidité justifie son dosage. La **cuvée Le Chardon 96 (15 à 23 €)** assemble 80 % de chardonnay et 20 % de pinot meunier. Sa robe ressemble à un blanc de blancs, impression confirmée au nez et en bouche, avec des arômes et des saveurs empyreumatiques. (RM)

🕭 Bruno Michel, 4, allée de la Vieille-Ferme,
51530 Pierry, tél. 03.26.55.10.54, fax 03.26.54.75.77,
e-mail champagne.j.b.michel@cder.fr ☑ 🍷 r.-v.

GUY MICHEL ET FILS
Réserve

n.c.	93 716	8 à 11 €

Une maison du XVIIIᵉ s., habitée par les Michel, vignerons à Pierry depuis 1847. Beaucoup de pinot meunier (50 %) et 20 % de pinot noir complété par 30 % de chardonnay des années 1996, 1997 et 1998, constituent ce Réserve complexe, fin et de bonne longueur. Agréable à tout moment. (RM)

🕭 SCEV G. Michel et Fils, 54, rue Léon-Bourgeois,
51530 Pierry, tél. 03.26.54.67.12, fax 03.26.58.15.84
☑ 🍷 r.-v.

CHARLES MIGNON
Cuvée Prestige★★

1er cru	n.c.	n.c.	15 à 23 €

Cette marque dynamique créée en 1995 vinifie également d'autres champagnes sous des étiquettes différentes. Deux champagnes obtiennent deux étoiles, la cuvée Prestige et le **Grand Millésime 95 blanc**. Le premier, fruits rouges compotés, souple et structuré ; le second est un champagne « de corps », son ampleur généreuse et complexe le destine à la table. (NM)

🕭 Charles Mignon, 1, av. de Champagne,
51200 Epernay, tél. 03.26.58.33.33, fax 03.26.51.54.10,
e-mail bruno.mignon@champagne-mignon.fr ☑ 🍷 r.-v.

PIERRE MIGNON★

n.c.	n.c.	⬛ 15 à 23 €

Créée il y a trente ans, cette entreprise familiale s'est considérablement développée, puisqu'elle produit

CHAMPAGNE

aujourd'hui 320 000 bouteilles par an. Son rosé est très noirs (70 % de pinot meunier et 15 % de pinot noir) ; il déborde de fruits rouges, tant au nez qu'en bouche. Celle-ci, équilibrée, lui permettra d'accompagner les viandes blanches. Le **brut Prestige**, à peine moins noirs que le précédent (20 % de chardonnay), souple et élégant, obtient une citation. (NM)

☛ Pierre Mignon, 5, rue des Grappes-d'Or,
51210 Le Breuil, tél. 03.26.59.22.03, fax 03.26.59.26.74,
e-mail p.mignon@lemel.fr ☑ ⊥ r.-v.

MIGNON ET PIERREL
Cuvée florale 1995★

	1er cru	n.c.	n.c.	15 à 23 €

Négociant à Epernay, cette maison propose avec cette Cuvée florale 95 un blanc de blancs, très structuré, long et fondu, pour amateurs de vins mûrs. Une étoile a été décernée à la **Cuvée florale rosé**, d'une teinte légèrement évoluée, tuilée, évolution que l'on retrouve au nez et en bouche autour d'un fruité très mûr. (NM)

☛ SA Pierrel et Associés, 26, rue Henri-Dunant,
51200 Epernay, tél. 03.26.51.00.90, fax 03.26.51.69.40,
e-mail champagne@pierrel.fr ☑ ⊥ r.-v.

MILAN
Blanc de blancs Cuvée de réserve★

	Gd cru	n.c.	n.c.	▥ 11 à 15 €

Charles Milan fut l'un des premiers vignerons à avoir « fait de la bouteille » en Champagne dès 1864. Depuis, ses descendants cultivent 6 ha de chardonnay. Le blanc de blancs a tous les caractères aromatiques de son cépage. Il est puissant, rond, beurré, fumé, fruité (fruits confits), équilibré et long. La cuvée **Terres de Noël Sélection 95 (15 à 23 €)** est expressive, fine, complexe, fraîche et persistante. Elle est citée et prête pour les débuts de repas. (NM)

☛ Champagne Milan, 6, rue d'Avize, 51190 Oger,
tél. 03.26.57.50.09, fax 03.26.57.78.47,
e-mail info@champagne-milan.com
☑ ⊥ t.l.j. 10h-12h30 14h-18h; dim. sur r.-v.; f. janv.
☛ Henry-Pol Milan

ALBERT DE MILLY

		n.c.	n.c.	▤ 11 à 15 €

Albert Demilly, après des études œnologiques, fonde sa marque en 1980. Ce brut exploite les trois cépages champenois. Une mousse fine et une couleur or séduisent d'emblée. Brioché, équilibré et souple, fruité (fruits rouges) et long, c'est un champagne de repas. (NM)

☛ SARL A. Demilly, La Maladrie,
Bisseuil, 51150 Tours-sur-Marne, tél. 03.26.52.33.44,
fax 03.26.58.94.00, e-mail demilly@wanadoo.fr
☑ ⊥ t.l.j. sf dim. 8h-12h 14h-19h; f. août

MOET ET CHANDON
Vintage 1996★★

		n.c.	n.c.	▤ 30 à 38 €

Moët et Chandon, appartenant au groupe LVMH, est de très loin la première maison de champagne. Première en nombre de bouteilles produites, première en chiffre d'affaires, première si l'on considère la surface de son vignoble, c'est aussi l'une des plus anciennes (1743). Ce 96 est mi-blancs mi-noirs. La bouteille porte une nouvelle étiquette sur laquelle on peut lire que la vénérable maison d'Epernay a lancé son premier champagne millésimé en 1842. Ce blanc est de type floral avec une touche

de poire et quelques éléments empyreumatiques. Fermeté et longueur en font un champagne de caractère. Deux étoiles également pour le **Vintage rosé 96** comprenant 40 % de raisins blancs et 60 % de rouges, un champagne fruité (orange et cerise) aussi fumé qu'épicé. Un dégustateur écrit : « Parfait avec une cuisse de lapereau aux girolles ». (NM)

☛ Champagne Moët et Chandon,
20, av. de Champagne, 51200 Epernay,
tél. 03.26.51.20.00, fax 03.26.54.84.23 ☑ ⊥ r.-v.

ROBERT MONCUIT
Blanc de blancs 1992

	Gd cru	0,8 ha	7 000	▤⊥ 15 à 23 €

Françoise Amillet a repris en main l'expoitation de sa famille en 2000. Elle a entrepris une rénovation importante des bâtiments. Mais les vignes (8 ha), âgées de quarante ans, sont situées sur la commune du Mesnil-sur-Oger, dans la Côte des Blancs, classée grand cru. Or soutenu, ce millésime 92 a des arômes intéressants (noisette, notes grillées, beurrées, miel...). Rond, long et équilibré. (RM)

☛ Champagne Robert Moncuit,
2, pl. de la Gare, 51190 Le Mesnil-sur-Oger,
tél. 03.26.57.52.71, fax 03.26.57.74.14 ☑ ⊥ r.-v.
☛ Françoise Amillet

PIERRE MONCUIT
Blanc de blancs 1996★

	Gd cru	5 ha	42 000	▤⊥ 15 à 23 €

Marque lancée en 1928 afin d'exploiter les raisins d'un vignoble de 19 ha constitué une quarantaine d'années auparavant. Yves et Nicole Moncuit proposent de grands blancs de blancs. Tel ce 96 qui a tous les arguments de son cépage lorsqu'il est bien conduit ! La robe or vert, les arômes d'agrumes confits et de miel, la bouche idéalement nerveuse et élégante. La **cuvée Nicole Moncuit Vieille vigne 95**, intense, puissante, fleurant le coing, l'abricot et les fruits secs, charpentée, ronde et longue, obtient une étoile. Elle est destinée aux volailles et viandes blanches. (RM)

☛ Champagne Pierre Moncuit,
11, rue Persault-Maheu, 51190 Le Mesnil-sur-Oger,
tél. 03.26.57.52.65, fax 03.26.57.97.89 ☑ ⊥ r.-v.

MONMARTHE
Carte blanche★★★

	1er cru	11 ha	100 000	▤⊥ 11 à 15 €

Une Vierge à la grappe, sculptée sur la façade, vous accueille lorsque vous arrivez devant l'église de Ludes, dans la Montagne de Reims. Jean-Guy Monmarthe cultive un vignoble qui appartient à sa famille depuis le XVIIIᵉs. La composition de ce Carte blanche est très classique : autant de pinot noir que de pinot meunier, complétés par 20 % de chardonnay, assemblant les années 1997, 1998 et 1999. Agréable dès le premier regard, cette cuvée vineuse et équilibrée, voire charpentée, est d'une ampleur exceptionnelle. Son potentiel est à la hauteur. « Le meilleur brut sans année de la dégustation ? » s'interroge le jury qui, unanimement, lui attribue trois étoiles. Le **millésimé 96 (15 à 23 €)**, mi-noirs mi-blancs, complexe et long, mérite une citation. (RM)

☛ Jean-Guy Monmarthe, 38, rue Victor-Hugo,
51500 Ludes, tél. 03.26.61.10.99, fax 03.26.61.12.67,
e-mail champagne-monmarthe@wanadoo.fr ☑ ⊥ r.-v.

RONALD MOREAU
Blanc de blancs

	1 ha	3 000		11 à 15 €

Installés à 300 m de l'église du XIᵉˢ. de Chouilly, les Moreau cultivent la vigne depuis 1930 et ont lancé leur marque en 1978. Ce blanc de blancs issu de la vendange 2000 est très complimenté par les dégustateurs pour sa fraîcheur miellée, sa fine effervescence. A ouvrir à Pâques 2003. (RM)
🍇 Ronald Moreau, 14 *bis*, rue du Moulin, 51530 Chouilly, tél. 03.26.59.77.28 ☑

MOREL PERE ET FILS
Réserve★★

	4 ha	16 000		11 à 15 €

Depuis 1997, Pascal Morel propose des champagnes alors que jusqu'à présent, il ne vinifiait que du rosé des Riceys. Le Réserve, né des vendanges 1999 à 1996, assemble 90 % de pinot noir et 10 % de chardonnay. Il est charnu, équilibré et fondu, très long. Un champagne de repas ou de début de repas. (RM)
🍇 Morel Père et Fils, 93, rue du Gal-de-Gaulle, 10340 Les Riceys, tél. 03.25.29.10.88, fax 03.25.29.66.72, e-mail morel.pereetfils@wanadoo.fr ☑ ⟁ r.-v.

PIERRE MORLET
Grande Réserve★★

	1er cru	n.c.	6 000		11 à 15 €

L'église Saint-Trésain possède de grandes richesses dont une façade flamboyante. Cinquante mètres plus loin, vous découvrirez ce remarquable champagne rosé, un blanc de noirs des années 1996 à 1999 ; les vins fermentent en fût et en cuve ; c'est un rosé de macération. Il est très fruits confits, complet, ample, puissant et harmonieux. Une étoile est décernée à la **Cuvée suivie**, trois fois plus noirs que blancs, structurée et ronde. (NM)
🍇 Champagne Pierre Morlet, 7, rue Paulin-Paris, 51160 Avenay-Val-d'Or, tél. 03.26.52.32.32, fax 03.26.59.77.13 ☑ ⟁ r.-v.

JEAN MOUTARDIER
La Centenaire

	1 ha	10 000		15 à 23 €

La vallée du Surmelin est un lieu propice au pinot meunier. C'est pourtant la cuvée La Centenaire qui est sélectionnée : elle est très blancs, 85 % de chardonnay pour 15 % de pinot meunier. Elle a de la personnalité avec sa teinte dorée, ses arômes pralinés et son ampleur vanillée. Conviendra à un poisson fumé. (NM)
🍇 Champagne Jean Moutardier, 51210 Le Breuil, tél. 03.26.59.21.09, fax 03.26.59.21.25, e-mail moutardi@ebc.net ☑ ⟁ r.-v.

MOUTARD PERE ET FILS
Cuvée Prestige

	n.c.	80 000		11 à 15 €

Entreprise de négoce de Buxeuil (église des XIᵉ, XIIᵉ et XIIIᵉˢ.), dans l'Aube, dont la cuvée Prestige est mi-blancs mi-noirs. Son nez est discret, sa bouche classique, un champagne « à tout faire », note un dégustateur, en guise d'accord gourmand. (NM)
🍇 SARL Champagne Moutard-Diligent, 6, rue des Ponts, BP 1, 10110 Buxeuil, tél. 03.25.38.50.73, fax 03.25.38.57.72, e-mail champagne.moutard@wanadoo.fr ☑ ⟁ r.-v.

PH. MOUZON-LEROUX
Cuvée Prestige 1995★

	Gd cru	n.c.	6 000		15 à 23 €

Installé sur la Montagne de Reims, le vignoble s'étend sur près de 10 ha. Comme vous y invite un juré, « Par une belle soirée d'automne, invitez vos amis sur la terrasse pour y déguster cette cuvée », très blancs (80 %), citronnée et miellée, fine et légère. Le **brut rosé (11 à 15 €)**, 85 % pinot noir, élégant au fruité rouge, dosé généreusement, obtient une étoile. (RM)
🍇 EARL Mouzon-Leroux, 16, rue Basse-des-Carrières, 51380 Verzy, tél. 03.26.97.96.68, fax 03.26.97.97.67, e-mail champagne-mouzon-leroux@wanadoo.fr ☑ ⟁ r.-v.

MUMM DE CRAMANT
Blanc de blancs★

	Gd cru	n.c.	50 000		38 à 46 €

Jacobus, Gottlieb et Philip Mumm, dont les parents sont négociants en vin dans le Rhin allemand, s'installent à Reims en 1827. Ainsi commence l'histoire de cette grande maison dont l'existence a été mouvementée jusqu'à sa reprise en 2000 par le groupe Allied Domecq. Voici l'une des célèbres cuvées de la maison, qui commercialise huit millions de bouteilles par an, lancée en 1934 sous le nom de Crémant de Cramant. Ce champagne se caractérise par sa finesse. Si l'on veut ajouter quelque chose, on dira : dosage parfait ; ou encore : cordon très fin, teintes du chardonnay, parfums de fleurs blanches, d'agrumes... Gérard Boyer le sert sur des huîtres chaudes aux filaments de légumes. Le **Mumm grand cru (23 à 30 €)** presque aussi blanc (42 %) que noirs (58 %), très franc, ainsi que la cuvée **Mumm Cordon Rouge (15 à 23 €)**, 30 % chardonnay, obtiennent une citation. (NM)
🍇 G.-H. Mumm et Cie, 29, rue du Champ-de-Mars, 51100 Reims, tél. 03.26.49.59.69, fax 03.26.40.46.13, e-mail mumm@mumm.fr ☑ ⟁ r.-v.
🍇 Allied Domecq

NAPOLEON 1991★

	n.c.	n.c.	23 à 30 €

Le champagne Prieur, fondé en 1825, s'est fait reconnaître propriété exclusive de la marque Napoléon, qu'elle destinait curieusement alors au marché russe. Ce 91, millésime ancien et difficile, est particulier : il a gagné en complexité et demeure suffisamment frais. On y découvrira la vanille, les fruits tropicaux. Etonnant, et à essayer. (NM)
🍇 Champagne Napoléon, 2, rue de Villers-aux-Bois, 51130 Vertus, tél. 03.26.52.11.74, fax 03.26.52.29.10, e-mail prieur-napoleon@wanadoo.fr ☑ ⟁ r.-v.
🍇 Ch. et A. Prieur

CHARLES ORBAN
Blanc de blancs Carte d'Or★

	1 ha	5 000		11 à 15 €

Charles Orban appartient aujourd'hui à la maison Rapeneau ; le vignoble l'alimentant s'étend sur 9 ha. Ce blanc de blancs des années 1998 et 1997, aux notes de caramel et de pâte de coings, se révèle frais, assez persistant. Le **Carte blanche**, très noirs (90 % dont 70 % de pinot meunier de 1998 et 1999), est cité pour son côté miellé accompagné par une touche d'amertume. (SR)
🍇 Champagne Charles Orban, 44, rte de Paris, 51700 Troissy, tél. 03.26.52.70.05, fax 03.26.52.74.66 ☑ ⟁ t.l.j. sf dim. 10h-19h
🍇 Rapeneau

CUVÉE ORPALE
Blanc de blancs 1995★

Gd cru	300 ha	50 000	⬇ 38 à 46 €

1 200 ha sont vinifiés par la coopérative d'Avize sous la baguette œnologique d'Alain Coharde. Cette cuvée emblématique de l'Union Champagne est réalisée à partir de chardonnay. Le vin n'a fait sa fermentation que pour moitié. D'une belle jeunesse, il allie équilibre et fraîcheur. (CM)

⌁ Union Champagne, 7, rue Pasteur, 51190 Avize, tél. 03.26.57.94.22, fax 03.26.57.57.98, e-mail info@union-champagne.fr ☑ ⵟ r.-v.

OUDINOT

	n.c.	80 000	⬛⬇ 15 à 23 €

Fondée en 1889 et reprise en 1981 par Jacques Trouillard, cette maison bénéficie du vignoble de 121 ha des frères Trouillard et des spécialistes de Jean Maire. Elle propose un rosé de noirs (dont 30 % de pinot meunier) vif, léger, aérien. (NM)

⌁ Champagne Oudinot, Ch. Malakoff, 3, rue Malakoff, 51207 Epernay, tél. 03.26.59.50.10, fax 03.26.54.78.52, e-mail chateau.malakoff@wanadoo.fr
⌁ J. Trouillard

BRUNO PAILLARD
Première Cuvée★

	n.c.	n.c.	⬛⬤⬇ 15 à 23 €

Bruno Paillard avait, en 1981 lorsqu'il créa son entreprise, une ambition bien arrêtée : produire des champagnes haut de gamme. Pari réussi puisqu'il exporte les trois quarts de sa production. La Première Cuvée issue des trois cépages champenois passe en partie par le bois (15 %). Les dominantes sont une effervescence fine, un bon équilibre, une grande harmonie et de la longueur sur des notes aromatiques élégantes. Le **chardonnay Réserve privée (23 à 30 €)**, floral avec une touche de menthe et d'agrumes, se montre frais et long. Il obtient une étoile. (NM)

⌁ Champagne Bruno Paillard, av. de Champagne, 51100 Reims, tél. 03.26.36.20.22, fax 03.26.36.57.72, e-mail brunopaillard@aol.com ☑ ⵟ r.-v.

PALMER ET Cᴼ★

	n.c.	n.c.	⬛⬇ 11 à 15 €

Fondé en 1947 à Avize, ce groupement de producteurs installa son siège à Reims en 1989, d'où il jouit d'une vue exceptionnelle sur la cathédrale. Actuellement, deux cent soixante sociétaires possèdent 372 ha, et la production s'élève à trois millions de bouteilles. Trois champagnes obtiennent une étoile : ce brut sans année issu de deux parts de pinot noir pour trois de chardonnay, riche en notes d'agrumes, structuré, facile à boire ; le **blanc de blancs 95 (15 à 23 €)**, ample, puissant, équilibré ; enfin la cuvée **Amazone de Palmer (23 à 30 €)**, mi-noirs mi-blancs, seul champagne logé dans une bouteille ovale, à la fois minéral, ample et complexe. « Grand vin un peu austère », note un dégustateur. (CM)

⌁ Champagne Palmer et Cᴼ, 67, rue Jacquart, 51100 Reims, tél. 03.26.07.35.07, fax 03.26.07.45.24 ☑ ⵟ r.-v.

PANNIER
Egérie 1996★

	n.c.	10 000	⬛⬇ 23 à 30 €

Installée dans des caves médiévales dont la pierre servit à construire dès le XIIᵉs. de nombreux monuments, cette coopérative – Covama signifiant coopérative de la vallée de la Marne – a repris en 1971 une marque fondée en 1899 par Louis-Eugène Pannier. Les vignes couvrent aujourd'hui 600 ha. La cuvée Egérie, un champagne haut de gamme, naît pour moitié de chardonnay et pour moitié de pinots, dont 10 % de pinot meunier. Une mousse fine couronne l'or limpide de la robe. Miel, beurre et notes grillées lui confèrent beaucoup de charme. Vive, très vive, la bouche est équilibrée, longue et fraîche. (CM)

⌁ SCVM Covama, 25, rue Roger-Catillon, B.P. 55, 02403 Château-Thierry Cedex, tél. 03.23.69.51.30, fax 03.23.69.51.31, e-mail champagnepannier@champagnepannier.com ☑ ⵟ r.-v.

PAQUES ET FILS
Carte rouge 1996

1er cru	2 ha	20 000	⬛⬇ 11 à 15 €

Maison familiale fondée en 1905 exploitant un vignoble de 9,5 ha sur la Montagne de Reims. Ce 96 mi-noirs mi-blancs, de belle teinte, très agréable par ses notes grillées et miellées, aurait gagné une étoile si son dosage avait été plus discret. Egalement citée, la **cuvée Aurore chardonnay**. (RM)

⌁ Champagne Paques et Fils, 1, rue Valmy, 51500 Rilly-la-Montagne, tél. 03.26.03.42.53, fax 03.26.03.40.29, e-mail phil.paques@wanadoo.fr ☑ ⵟ r.-v.

PASCAL-DELETTE 1998★★

	0,45 ha	5 015	⬛ 11 à 15 €

Le château de Cuisles est devenu propriété des Pascal et, bien qu'il soit situé à 3 km de leur cave, ces derniers vous proposent des chambres d'hôtes. Occasion de goûter à ce rosé qui naît d'un blanc de noirs de pinot meunier teinté par 12 % de vin rouge. Chaleureux, il évolue avec rondeur. Son fruité ne nuit pas à sa finesse. Aussi adapté à l'apéritif qu'au repas. Est citée, la **Cuvée de Réserve 98**, un blanc de noirs des deux pinots (75 % pinot meunier), franc, de bonne longueur. (RM)

⌁ Pascal-Delette, 48, rue Valentine-Régnier, 51700 Baslieux-sous-Châtillon, tél. 03.26.58.11.35, fax 03.26.57.11.93 ☑ ⌂ ⵟ t.l.j. 8h-12h30 14h-19h

DENIS PATOUX
Carte d'Or

	n.c.	n.c.	15 à 23 €

Vandières s'enorgueillit de posséder une église des XIᵉ et XIIᵉs., mais aussi d'accueillir des vignerons comme Denis Patoux qui fut coup de cœur dans le Guide 2002. Son Carte d'Or est issu de 70 % de pinot noir et de 30 % de chardonnay. Frais, avec des notes de pomme, il attaque franchement en bouche et affirme un bon équilibre. Il sera bien venu à table. (RM)

⌁ Denis Patoux, 1, rue Bailly, 51700 Vandières, tél. 03.26.58.36.34, fax 03.26.59.16.10 ☑ ⵟ r.-v.

PEHU-SIMONET
Blanc de blancs Cuvée spéciale★

Gd cru	0,3 ha	2 200	⬛ 11 à 15 €

En cinq générations, les Péhu-Simonet ont constitué un vignoble de 5 ha à Verzenay, un grand cru de caractère. La marque elle-même a vu le jour en 1948. Ce blanc de blancs des années 1998 et 1993 est puissant, aussi rond que fin – ce qui est rare –, frais et long. Il possède un important potentiel et accompagnera une viande blanche en sauce. (RM)

🔹 GAEC Les grands terroirs Pehu,
7, rue de la Gare, B.P. 22, 51360 Verzenay,
tél. 03.26.49.43.20, fax 03.26.49.45.06 ☑ ⏆ r.-v.

JEAN-MICHEL PELLETIER
Sélection

	1 ha	9 000	▮ 11 à 15 €

Jean-Michel Pelletier, après une formation en œnologie, a repris le vignoble familial en 1982. Son Sélection, composé des trois cépages champenois, dont 50 % de pinot meunier, et des vendanges de 1998, 1997 et 1996, est léger et équilibré, mais évolué. Le rosé assemble les années 1999, 1998 et 1997. Issu de 30 % de chardonnay et de 70 % de pinot meunier, il doit sa couleur à un vin rouge de pinot meunier. C'est un champagne léger, désaltérant, rond et fruité. (RC)

🔹 Jean-Michel Pelletier,
22, rue Bruslard, 51700 Passy-Grigny,
tél. 03.26.52.65.86, fax 03.26.52.65.86,
e-mail champagnejmpelletier@free.fr ☑ ⏆ r.-v.

JEAN PERNET
Blanc de blancs Cuvée Prestige★

Gd cru	1,5 ha	10 000	▮⬇ 15 à 23 €

Ce blanc de blancs grand cru naît des vendanges de 1996 et de 1997. Jaune pâle à reflets verts, d'une belle effervescence, il offre de jolis arômes de coing, de miel et d'abricot sec. Après une attaque vive et franche, il s'installe en bouche avec équilibre et développe les mêmes flaveurs jusque dans une assez longue finale. (RM)

🔹 Champagne Jean Pernet,
6, rue de la Brèche-d'Oger, 51190 Le Mesnil-sur-Oger,
tél. 03.26.57.54.24, fax 03.26.57.96.98,
e-mail champagne.pernet@wanadoo.fr ☑ ⏆ r.-v.

PERNET-LEBRUN
Cuvée Authentick 1995★

	n.c.	2 050	▮⬇ 15 à 23 €

Les Pernet-Lebrun ont constitué un vignoble de 11 ha. La cuvée Authentick – « ck » en clin d'œil au prénom de l'actuel propriétaire, Janick – est issue des trois cépages champenois à parts égales. Elle brille dans le verre. Son nez est puissant et animal, sa bouche riche, ample, fruitée, mais la finale légère. Un champagne de repas. Le rosé (11 à 15 €) obtient une citation. Les cépages qui le constituent sont le pinot meunier pour moitié, le pinot noir (12 %) et le chardonnay (38 %) de la récolte 1999. Flatteur par ses notes de fruits rouges confits, le vin se montre souple et chaleureux. (RM)

🔹 Pernet-Lebrun, Ancien-Moulin, 51530 Mancy,
tél. 03.26.59.71.63, fax 03.26.57.10.42 ☑ ⏆ r.-v.

JOSEPH PERRIER
Cuvée Joséphine 1989★

	n.c.	n.c.	▮⬇ 46 à 76 €

Témoignage du gothique primitif malgré les destructions et restaurations des siècles écoulés, Notre-Dame-en-Vaux et son cloître valent le détour. Les amateurs de vin découvriront aussi à Châlons-en-Champagne, deux maisons, dont celle de Joseph Perrier, très ancienne, qui est depuis peu entre les mains d'Alain Thiénot. La cuvée Joséphine, en bouteilles sérigraphiées, est un peu plus noirs que blancs (55-45). Son nez est évolué, mais elle se montre

ample et harmonieuse en bouche. Sont citées : la **Cuvée royale** (15 à 23 €) issue des trois cépages champenois, bien équilibrée, et la **Cuvée royale rosé** (23 à 30 €), trois fois plus noirs que blancs, légère, vive et fraîche. (NM)

🔹 SA Champagne Joseph Perrier,
69, av. de Paris, BP 31, 51000 Châlons-en-Champagne,
tél. 03.26.68.29.51, fax 03.26.70.57.16,
e-mail josephperrier@wanadoo.fr ☑ ⏆ r.-v.

PERRIER-JOUËT
Belle Epoque 1996

	n.c.	n.c.	▮⬇ 46 à 76 €

Depuis 1959, Perrier-Jouët et Mumm ont un destin lié (voir Mumm). Une part de la notoriété de cette marque est due à la bouteille « Aux anémones » dessinée en 1902 par Emile Gallé, aujourd'hui destinée à la cuvée Belle Epoque, mi-noirs mi-blancs, florale, citronnée, directe, très nerveuse qui demande à vieillir avant d'accompagner des huîtres. (NM)

🔹 Champagne Perrier-Jouët, 28, av. de Champagne,
51380 Verzy, tél. 03.26.53.38.00, fax 03.26.54.54.55,
e-mail champagne@perrier-jouet.com ☑ ⏆ t.l.j. sf sam. dim. 9h15-11h30 14h15-16h30; groupes sur r.-v.

DANIEL PERRIN 1995★

	2 ha	10 000	15 à 23 €

Le champagne de cette propriété est vinifié par Christian Perrin (le frère cadet de Daniel) dans des installations modernes. Le 95, aussi noirs que blancs, affiche une mousse fine et persistante, des arômes de fruits rouges à l'eau-de-vie, mais aussi de fleurs, de beurre et de noisette. Rond et bien structuré, élégant, il est plaisant. (RM)

🔹 EARL Champagne Daniel Perrin, rue des Vignes,
10200 Urville, tél. 03.25.27.40.36, fax 03.25.27.74.57
☑ ⏆ r.-v.

PERSEVAL-FARGE
Cuvée Jean-Baptiste

1er cru	2 ha	1 000	▮⬛⬇ 15 à 23 €

Vignerons depuis le XVIIIᵉs., les Perseval ont fondé leur marque en 1955 et cultivent 4 ha de vignes. Cette bouteille mi-noirs mi-blancs des années 1992 à 1994, à l'élégante couleur vieil or brillant, est passée légèrement sous bois. Elle est miellée, vanillée, vineuse, destinée à la table. (RM)

🔹 Isabelle et Benoist Perseval, 12, rue du Voisin,
51500 Chamery, tél. 03.26.97.64.70, fax 03.26.97.67.67,
e-mail champagne.perseval-farge@wanadoo.fr ☑ ⏆ r.-v.

PIERRE PETERS
Blanc de blancs Extra brut

Gd cru	2,5 ha	10 000	15 à 23 €

Ce vignoble de 17,5 ha spécialisé dans la culture du chardonnay propose un blanc de blancs classique, pur, car peu ou pas dosé, minéral à souhait, avec une touche de cuir, puis de fleurs. Un champagne droit et direct. (RM)

🔹 Champagne Pierre Peters,
26, rue des Lombards, 51190 Le Mesnil-sur-Oger,
tél. 03.26.57.50.32, fax 03.26.57.97.71 ☑ ⏆ r.-v.
🔹 F. Peters

MAURICE PHILIPPART
Prestige 1990★

1er cru	n.c.	11 236	▮ 15 à 23 €

Ces vignes (6 ha) semblent être entrées dans la famille en 1827. Le millésimé 90, une cuvée assemblant 60 % de

chardonnay au pinot noir, à l'effervescence fine dans une robe or, est un champagne généreux, puissant, ample, aux arômes de cuir et de pruneau ; il est prêt à être servi. (RM)
➼ Maurice Philippart,
16, rue de Rilly, 51500 Chigny-les-Roses,
tél. 03.26.03.42.44, fax 03.26.03.46.05,
e-mail franck.philippart1@libertysurf.fr
☑ ⵣ t.l.j. sf dim. 9h-11h30 14h-18h; sam. sur r.-v.

PHILIPPONNAT
Réserve millésimée 1993★★

n.c.	n.c.	23 à 30 €

En 1522 un Philipponnat est cité comme propriétaire de vignes entre Aÿ et Dizy. Les Philipponnat fondent leur maison en 1910. Passée en 1997 sous le contrôle de BCC, celle-ci est toujours dirigée par un Philipponnat. Ce Réserve naît d'une cuvée classique où le chardonnay (4 %) accompagne le pinot noir. Il est miellé, musqué, fleure le coing et les fruits confits. Son âge lui donne complexité et longueur. Le **Réserve rosé**, assemblant cépages noirs, blancs et vin rouge, est long, puissant et complexe. Ce champagne de caractère convient aux repas. (NM)
➼ Champagne Philipponnat,
13, rue du Pont, 51160 Mareuil-sur-Aÿ,
tél. 03.26.56.93.00, fax 03.26.56.93.18,
e-mail info@champagnephilipponnat.com

JACQUES PICARD
Corinne Picard★

3,5 ha	30 000	⬛⬇ 11 à 15 €

Le brut Corinne Picard est trois fois plus chardonnay que raisins noirs (meunier 25 % et pinot). Il convient à l'apéritif par sa franchise, sa fraîcheur et son équilibre. La **cuvée Réserve 96**, assemblage proche du précédent, à la fois souple et nerveuse, vineuse et puissante, mais surtout élégante, obtient également une étoile. (RM)
➼ Champagne Jacques Picard,
12, rue de Luxembourg, 51420 Berru,
tél. 03.26.03.22.46, fax 03.26.03.26.03 ☑ ⵣ r.-v.

PICARD ET BOYER
Cuvée Réserve★

n.c.	n.c.	⬛⬛ 15 à 23 €

Entreprise créée en 1928 par Mme Boude-Huet et reprise par son gendre Brismontier en 1960, cédée aux propriétaires actuels trente-trois ans plus tard. Elle dispose de vignes plantées en 1928 toujours en production. La cuvée Réserve est un blanc de noirs de pinot meunier. Le cordon persiste longuement dans le verre. Le nez est un festival de fruits compotés, confits, associés à des notes florales, miellées et à une touche empyreumatique. Harmonieuse et équilibrée, puissante, une bouteille pour apéritifs ou desserts. (RM)
➼ SCEV Picard et Boyer, chem. de Vrilly,
51100 Reims, tél. 03.26.85.11.69, fax 03.26.82.60.88
☑ ⵣ r.-v.

PIERREL
Grande Cuvée Prestige 1995

1er cru	n.c.	n.c.	15 à 23 €

Cette maison de négoce d'Epernay est à la tête de plusieurs marques que l'on retrouve dans le Guide : Marquis de La Fayette, Mignon et Pierrel. Ce 95 est un blanc de blancs, ce que l'étiquette tait. Un champagne bien vinifié, ample, destiné à l'apéritif. La **cuvée Arabesque**

rosé assemble 30 % de chardonnay à 70 % de pinot noir ; sous une robe légère, elle offre un nez puissant de cuir et de fruits rouges annonçant une bouche structurée. (NM)
➼ SA Pierrel et Associés, 26, rue Henri-Dunant,
51200 Epernay, tél. 03.26.51.00.90, fax 03.26.51.69.40,
e-mail champagne@pierrel.fr ☑ ⵣ r.-v.

PIERSON-CUVELIER★★

● Gd cru	2,5 ha	4 000	⬛⬛⬇	11 à 15 €

1901 marque la naissance de ce vignoble familial qui compte aujourd'hui 8,5 ha. Ce rosé, qui a connu le bois, est le produit d'une macération (15 %), de bouzy rouge (9 %) et de 76 % de pinot noir. Remarquable de complexité, fruité (petits fruits rouges et agrumes), il possède du caractère, un réel équilibre et de la longueur. Il conviendra en toute occasion. Sont citées : la **cuvée Tradition grand cru**, très noirs (87 %), et la **cuvée Prestige Carte d'Or grand cru**, entièrement noirs, toutes deux intenses, typées, marquées par les fruits mûrs. (RM)
➼ Champagne Pierson-Cuvelier, 4, rue de Verzy,
51150 Louvois, tél. 03.26.57.03.72, fax 03.26.51.83.84
☑ ⵣ r.-v.

PIPER-HEIDSIECK 1995★

n.c.	n.c.	23 à 30 €

Depuis 1990, cette marque, comme Charles Heidsieck, appartient à Rémy Cointreau. Elle a été fondée en 1785 et a donné naissance aux trois Heidsieck, le troisième étant Heidsieck Monopole. Raisins noirs et raisins blancs se marient dans ce 95 plus évolué au nez qu'en bouche, car celle-ci demeure très fraîche. (NM)
➼ Piper-Heidsieck, 51, bd Henry-Vasnier,
51100 Reims, tél. 03.26.84.43.00, fax 03.26.84.43.49
☑ ⵣ r.-v.

POISSINET-ASCAS
Grande Réserve★★

n.c.	13 600	⬛	11 à 15 €

Plusieurs cuvées sont élaborées par cette entreprise familiale qui exploite 8,2 ha. Le Grande Réserve est un blanc de noirs de pinot meunier vendangé en 1998. C'est un champagne bien adapté à l'apéritif : l'effervescence est fine et vive, vivacité que l'on retrouve au palais. Fruité, équilibré et d'une grande fraîcheur, il est également remarquable par sa longueur harmonieuse. Le **blanc de blancs millésimé 95** obtient une étoile pour sa finesse élégante, son fruité de pêche jaune et de citron confit, et sa petite note briochée. Un vin de poisson blanc à la crème. Encore une étoile pour le **Carte d'Or 96** issu des trois cépages champenois à égalité. Il se montre puissant, vineux, corpulent et sera parfait lors d'un repas. (RM)
➼ Champagne Poissinet-Ascas, 8, rue du Pont,
51480 Cuchery, tél. 03.26.58.12.93, fax 03.26.52.03.55
☑ ⵣ r.-v.

POL ROGER
Extra Cuvée de Réserve★★

n.c.	n.c.	⬛⬇	23 à 30 €

Pol Roger, maison restée familiale depuis 1849, a très tôt connu un développement sur les marchés étrangers qui représentent aujourd'hui 65 % de son chiffre d'affaires. Cette cuvée perpétue le renom de cette marque, elle naît des trois cépages champenois à égalité. Or clair parsemé de fines bulles, fruité, toasté, vanillé, frais et vif, ce champagne équilibré sera excellent à l'apéritif. « Si toute l'appellation avait cette qualité », note un dégustateur ravi. (NM)

➤ SA Pol Roger, 1, rue Henri-Lelarge, 51200 Epernay, tél. 03.26.59.58.00, fax 03.26.55.25.70, e-mail polroger@polroger.fr ☑ Ⲙ r.-v.

POMMERY
Cuvée Louise 1995★★

	45 ha	n.c.	▮ ▮ + de 76 €

Fondée en 1836, cette maison a connu plusieurs propriétaires parmi lesquels le groupe LVMH qui, en 2002, l'a cédée à Paul Vranken, mais en conservant l'admirable vignoble constitué par Mme veuve Pommery. Dans le **Brut royal (15 à 23 €)** qui obtient, tout comme le **brut rosé**, une étoile, trois cépages champenois se conjuguent au profit d'un fruité complexe, d'un bon équilibre et d'une longueur estimable ; sa production s'élève à cinq millions de bouteilles annuelles. Cette cuvée Louise 95 issue de pinot noir et de chardonnay est merveilleusement équilibrée, fine, avec des notes d'épices, d'agrumes et de fruits blancs. Sa robe or pâle participe au charme du grand champagne de repas (destiné à un bar grillé par exemple) ; le millésime 89 avait reçu l'an dernier un coup de cœur. (NM)

➤ SA Champagne Pommery, 5, pl. du Gal-Gouraud, B.P. 87, 51053 Reims Cedex, tél. 03.26.61.62.63, fax 03.26.61.61.60 ☑ Ⲙ r.-v.

➤ Vranken

PASCAL PONSON
Rosé des Gentes Dames

	1 ha	5 659	▮ ▮ 11 à 15 €

Pascal Ponson habite un joli village fleuri, non loin d'une église romane (XIIᵉs.). Il cultive 12,7 ha de vignes situées sur plusieurs communes. Son rosé, coloré par 13 % de vin rouge incorporé dans un blanc de noirs comprenant 75 % de pinot meunier, est pâle ; des arômes de fruits rouges et de coing accompagnent la dégustation de ce champagne souple au dosage sensible. A servir à l'heure du thé ou sur un dessert aux fruits rouges. (RM)

➤ Pascal Ponson, 2, rue du Château, 51390 Coulommes-la-Montagne, tél. 03.26.49.20.17, fax 03.26.49.76.48, e-mail ponson@wanadoo.fr ☑ Ⲙ r.-v.

CHARLES POUGEOISE

● 1er cru	0,5 ha	n.c.	11 à 15 €

Marque lancée en 1954 disposant de 9 ha de vignes sur la commune de Vertus, à l'extrémité de la Côte des Blancs. Ce rosé, à base de chardonnay teinté par du vin rouge, est fin, vif et long. On y découvre la fraise des bois très mûre. (RM)

➤ SCEV Charles Pougeoise, 21, bd Paul-Goerg, 51130 Vertus, tél. 03.26.52.26.63, fax 03.26.52.19.66, e-mail charles.pougeoise@terre-net.fr ☑ Ⲙ r.-v.

ROGER POUILLON ET FILS
Fleur de Mareuil 50ᵉ Anniversaire★★

● 1er cru	n.c.	n.c.	▮❙ 15 à 23 €

Roger Pouillon a créé sa marque en 1947. Son fils, puis son petit-fils (œnologue) ont rejoint l'exploitation dont le vignoble de 7 ha s'étend sur des grands et premiers crus. La Fleur de Mareuil est aussi blancs que noirs. Il assemble les années 1996 et 1997 et les vins passent par le bois. Ce champagne de caractère, crémeux et complexe, est riche d'arômes intéressants et longs. **Le Brut Vigneron (11 à 15 €)**, assemblage identique, mais qui ne connaît pas le bois

et qui réunit les années 1997 et 1998, obtient une citation pour sa dominante de fruits rouges et pour sa légèreté fraîche. (RM)

➤ Roger Pouillon et Fils, 3, rue de la Couple, 51160 Mareuil-sur-Ay, tél. 03.26.52.60.08, fax 03.26.59.49.83, e-mail contact@champagne-pouillon.com ☑ Ⲙ r.-v.

POUL-JUSTINE
Tradition

● 1er cru	4 ha	30 000	▮ 11 à 15 €

Créé en 1927, ce vignoble de 8 ha est aujourd'hui dirigé par Michel Poul, petit-fils du fondateur. Deux champagnes sont cités : ce Tradition et le **96 (15 à 23 €)**, tous deux mi-noirs mi-blancs. Le premier assemblage des années 1995 à 1998, est vineux, friand et rond ; le second, au bouquet tout en fruits à chair blanche et en pamplemousse, est vif et bien fait. (RM)

➤ EARL Poul-Justine, 6, rue Gambetta, 51160 Avenay-Val-d'Or, tél. 03.26.52.32.58, fax 03.26.52.65.92, e-mail poul-michel@wanadoo.fr ☑ Ⲙ r.-v.

➤ Michel Poul

PRESTIGE DES SACRES 1995★★

	n.c.	13 000	▮ ▮ 11 à 15 €

Les sociétaires de ce groupement de producteurs sont propriétaires de 122 ha de vignes. Le grand jury des coups de cœur a été séduit par ce 95 mi-noirs mi-blancs : le succès est unanime, car c'est un champagne complexe, harmonieux, fondu, distingué. Sa robe « d'époque » (traduisez « bien dans le style du millésime »), or parsemé de fines bulles et ses arômes de fleur de vigne, de tilleul, de camomille, de fruits jaunes et de raisin mûr participent à son charme, tout comme la finale qui allie fruits confits et agrumes et donne « un plaisir à croquer ». Le **Prestige des Sacres rosé**, blanc de noirs teinté par 13 % de vin rouge des vendanges 1997 à 1999, obtient deux étoiles. La rondeur fruitée ne cache pas la fraîcheur et la légèreté. (CM)

➤ Champagne Prestige des Sacres, rue de Germigny, 51390 Janvry, tél. 03.26.03.63.40, fax 03.26.03.66.93, e-mail info@champagne-prestige-des-sacres.com ☑ Ⲙ r.-v.

YANNICK PREVOTEAU
Carte d'Or★

	6,5 ha	61 000	▮ 11 à 15 €

Exploitant un vignoble de 9,5 ha constitué par plusieurs générations, Gérald Prévoteau élabore des champagnes dont les vins de base ne font pas leur fermentation malolactique. Il obtient deux fois une étoile : pour le Carte d'Or issu des trois cépages champenois, floral, intense, plein et équilibré ; pour **La Perle des Treilles (15 à 23 €)**, plus noirs que blancs (60-40), qui offre un bouquet de fruits jaunes confits, une attaque fraîche et un bon équilibre. Un dégustateur remarque sa « très belle expression de terroir ». (RM)

🍾 Yannick Prévoteau, 4 *bis*, av. de Champagne, 51480 Damery, tél. 03.26.58.41.65, fax 03.26.58.61.05, e-mail yannick.prevoteau@wanadoo.fr ☑ ⏐ r.-v.

PREVOTEAU-PERRIER
Grande Réserve★★

	n.c.	80 000	11 à 15 €

Patrice Prévoteau travaille avec son gendre Christophe Boudard et cultive un vignoble de 14 ha, tout en achetant la production de 7 ha de chardonnay. Le Grande Réserve, composé des trois cépages champenois à parts égales des années 1996 à 1998, est frais, franc et direct. La cuvée **Adrienne Lecouvreur (15 à 23 €)**, mi-noirs mi-blancs des années 1995 à 1997, laisse surtout s'exprimer le chardonnay : on lui trouve des notes épicées et citronnées de bonne longueur. C'est un vin de repas. (NM)

🍾 Champagne Prévoteau-Perrier, 15, rue André-Maginot, 51480 Damery, tél. 03.26.58.41.56, fax 03.26.58.65.88 ☑ ⏐ r.-v.

PRIN PERE ET FILS
Blanc de blancs 1995★

	n.c.	n.c.	🍾⬗ 23 à 30 €

Daniel Prin, œnologue, conduit sa maison de négoce d'Avize depuis 1977. Son blanc de blancs 95 séduit d'emblée par sa très belle mousse bordant sa robe jaune pâle à reflets verts. Le nez intense joue sur les fruits blancs, les notes florales et le miel. La bouche est légère, néanmoins longue. Une étoile également pour la cuvée spéciale **Sixième Sens (30 à 38 €)**, un autre blanc de blancs, complexe, frais, équilibré et persistant. (NM)

🍾 Champagne Prin Père et Fils, 28, rue Ernest-Valle, 51190 Avize, tél. 03.26.53.54.55, fax 03.26.53.54.56, e-mail info@champagne-prin.com ☑ ⏐ r.-v.

QUATRESOLS-GAUTHIER

1er cru	n.c.	14 600	11 à 15 €

René Quatresols a élaboré sa première bouteille en 1928. Son petit-fils Régis exploite un vignoble de 7 ha sur la Montagne de Reims. Les trois cépages champenois collaborent à ce brut 1er cru fruité, équilibré, de style aérien qui conviendra aux fruits de mer. (RM)

🍾 Régis Quatresols, 4, rue de Mailly, 51500 Ludes, tél. 03.26.61.10.13, fax 03.26.61.12.71, e-mail regis.quatresols@wanadoo.fr ☑ ⏐ r.-v.

QUENARDEL ET FILS
Cuvée Millenium 1996★★

	1 ha	8 000	🍾⬗ 15 à 23 €

La maison Quénardel et Fils dispose de caves de deux cent cinquante ans d'âge et exploite un vignoble de 8 ha.

Son 96 est trois fois plus blancs que noirs. Les dégustateurs chantent ses louanges : « Rondeur, vinosité, brioche, équilibre, fraîcheur, subtilité ». Et d'ajouter qu'il est gras, liquoreux, très long... « On peut croquer dedans ». Coup de cœur des neuf dégustateurs du grand jury. Le rosé **millésimé 96** obtient une étoile. Structuré, harmonieux et aromatique, c'est un champagne de repas. (RM)

🍾 Champagne Quénardel et Fils, 1, place de la Mairie, 51360 Verzenay, tél. 03.26.49.40.63, fax 03.26.49.45.21 ☑ ⏐ r.-v.

🍾 Faucomarez

SERGE RAFFLIN
Brut Cuvée★

	n.c.	n.c.	11 à 15 €

Rafflin-Peters dans les années 1920, Serge Rafflin depuis les années 1950, cette marque est aujourd'hui dirigée par Denis Rafflin qui cultive 9,5 ha de vignes. Un cinquième de chardonnay et les deux pinots se partagent son Brut Cuvée au cordon léger, aux arômes citronnés. La bouche équilibrée se révèle d'une belle fraîcheur. La **cuvée Prestige 97 (15 à 23 €)** associe 60 % de chardonnay au pinot noir. Amande et pomme verte se retrouvent tout au long de la dégustation de ce vin destiné à un poisson. La finale fraîche est épicée. (RM)

🍾 Denis Rafflin, 10, rue Nationale, BP 25, 51500 Ludes, tél. 03.26.61.12.84, fax 03.26.61.14.07, e-mail denis.rafflin@wanadoo.fr ☑ ⏐ r.-v.

DIDIER RAIMOND
Cuvée Sublime

	0,2 ha	1000	🍾 11 à 15 €

Plaisir des promenades sur les sentiers qui sillonnent les vignobles des coteaux d'Epernay. Plaisir des rencontres de vignerons, de la découverte de leurs vins. Cette cuvée Sublime, d'une belle effervescence, est biscuitée, beurrée, grillée. La fraîcheur s'impose avec élégance, signature du chardonnay. (RM)

🍾 Didier Raimond, 39, rue des Petits-Prés, 51200 Epernay, tél. 03.26.54.39.05, fax 03.26.54.51.70, e-mail champagnedidier.raimond@wanadoo.fr ☑ ⏐ r.-v.

RASSELET PERE ET FILS 1995★

	2 ha	n.c.	🍾 15 à 23 €

Une cuvée classique associant pinot noir et chardonnay (60 % pour 40 %) : ce millésimé 95 est élégant, miellé, rond, de bonne longueur. Tout est à la hauteur de ce que laissait espérer la belle couleur or clair parsemée de fines bulles. (RM)

🍾 Champagne Rasselet Père et Fils, 13, rue des Hussards, Montvoisin, 51480 Œuilly, tél. 03.26.58.30.26, fax 03.26.57.10.65, e-mail champ.rasselet@voila.fr ☑ ⏐ r.-v.

PASCAL REDON
Tradition★★

1er cru	2,6 ha	24 000	🍾⬗ 11 à 15 €

Pascal Redon, récoltant-manipulant, exploite un vignoble de 4,3 ha sur l'excellente commune de Trépail, connue pour la qualité de ses chardonnays. Son Tradition contient quatre fois plus de raisins blancs que noirs. Un cordon persistant traverse l'or clair et brillant à reflets verts. Fleurs, fruits blancs, poire et miel jouent au nez comme en bouche. Cette dernière, fine et équilibrée, signe un remarquable brut sans année. La **Cuvée du Hordon**

(15 à 23 €) obtient une étoile. C'est un champagne mi-blancs mi-noirs, floral, qui évolue au palais vers le citron et la pêche. Tout cela a beaucoup de charme. (RM)
➥ Pascal Redon, 2, rue de la Mairie, 51380 Trépail, tél. 03.26.57.06.02, fax 03.26.58.66.54 ☑ ⵏ r.-v.

BERNARD REMY
Blanc de blancs★

	1 ha	4 000		🍴↓ 11 à 15 €

Constitué en 1968, le vignoble de 8 ha a donné deux jolies cuvées. L'une, ce blanc de blancs issu de raisins récoltés en 1994 et en 1995, d'une bonne effervescence (mousse fine et cordon persistant), offre des parfums d'agrumes (citron vert), frais, fins et jeunes. Un dosage juste participe à l'équilibre. L'autre, en rosé, est un blanc de blancs teinté par du vin de pinot noir de 1998 et 1999. Il est pâle, plein d'esprit et de finesse, frais et long. (NM)
➥ Bernard Rémy, 19, rue des Auges, 51120 Allemant, tél. 03.26.80.60.34, fax 03.26.80.37.18, e-mail e.mail.champagne.remybernard@wanadoo.fr ☑ ⵏ r.-v.

R. RENAUDIN
Blanc de blancs 1996★★

	8 ha	27 466		🍴↓ 15 à 23 €

Créé en 1933 par un viticulteur de la région de Moussy, proche d'Epernay, ce vignoble se développe sur 24 ha. Son blanc de blancs, très bien accueilli par les dégustateurs, est apprécié pour sa légèreté, sa finesse et son équilibre nerveux qui lui permettra d'accompagner les plus grands poissons. Une citation a été attribuée au **brut Réserve**, mi-noirs mi-blancs, surmûri (notes de fruits confits) et vineux. (RM)
➥ SCEV Dom. des Conardins, 31, rue de la Liberté, 51530 Moussy, tél. 03.26.54.03.41, fax 03.26.54.31.12, e-mail champagne@r-renaudin.com ☑ ⵏ r.-v.
➥ Tellier

MARC RIGOLOT
Blanc de blancs★

	2 ha	n.c.		🍴↓ 11 à 15 €

Le vignoble, créé en 1830, est conduit par ce récoltant-manipulant depuis 1975. Son blanc de blancs, soyeux, riche et complexe, offre un bouquet intéressant associant des notes minérales et briochées aux arômes d'agrumes confits. Sa mousse est abondante. Un champagne qui conviendra à une tarte aux poires. (RM)
➥ Champagne Marc Rigolot, 54, rue Julien-Ducos, 51530 Saint-Martin-d'Ablois, tél. 03.26.59.95.52, fax 03.26.59.94.95 ⵏ r.-v.

ROBERT-ALLAIT
Cuvée réservée

	6 ha	50 000		🍴 11 à 15 €

Marque lancée en 1960, exploitant un vignoble de 13 ha développé sur six communes de la rive droite de la vallée de la Marne. Ce champagne est un blanc de noirs, né de pinot meunier récolté en 1998 et 1999. Il est jeune, fruité, vineux, d'une simplicité rustique de bon aloi. Il gagnera à vieillir quelque temps. (RM)
➥ Régis Robert, 6, rue du Parc, 51700 Villers-sous-Châtillon, tél. 03.26.58.37.23, fax 03.26.58.39.26, e-mail champagneallait@wanadoo.fr ☑ ⵏ r.-v.

ERIC RODEZ
Blanc de blancs★★

	n.c.	5 054		🍴🍷 11 à 15 €

Eric Rodez est œnologue. Il est aussi vigneron et dispose d'un vignoble de plus de 6 ha. Il vinifie son chardonnay en partie sous bois (65 %), en partie en cuve, et n'effectue que partiellement la fermentation malolactique. Assemblage des années de la décennie – ou du moins des millésimes 91 à 97 –, son champagne est superbe dès le premier regard : or intense parsemé de bulles fines, avec quelques reflets verts. Il possède un nez assez atypique, mais intéressant, qui fait penser à la minéralité d'un chablis. Néanmoins, le chardonnay de Champagne est bien là, non seulement floral (acacia), fruité (agrumes et fruits secs), mais aussi boisé, vanillé, grillé. En un mot : complexe. Bien structuré, le palais paraît rond, puissant, long et élégant. Coup de cœur du grand jury. (RM)
➥ Eric Rodez, 4, rue d'Isse, 51150 Ambonnay, tél. 03.26.57.04.93, fax 03.26.57.02.15, e-mail e.rodez@champagne-rodez.fr ☑ ⵏ r.-v.

LOUIS ROEDERER
Brut Premier★

	n.c.	n.c.		🍴↓ 23 à 30 €

En 1760, cette maison était connue sous le nom de Dubois Père et Fils. Ce n'est qu'en 1833 que Louis Roederer lui donna son nom. Le « vignoble maison » s'étend sur 200 ha. Selon la tradition, une maison se reconnaît à son brut sans année ; le Brut Premier (deux tiers noirs et un tiers blancs) est donc le porte-drapeau de cette marque rémoise connue pour sa cuvée spéciale, inventée en 1876 pour le tsar Alexandre II, le Cristal 95 (+ 76 €), associant 55 % de pinot noir au chardonnay. Le Brut Premier doit son caractère et sa régularité aux vins de réserve qui le composent. C'est un champagne légèrement empyreumatique, vineux et rond. (NM)
➥ Champagne Louis Roederer, 21, bd Lundy, 51100 Reims, tél. 03.26.40.42.11, fax 03.26.47.66.51, e-mail com@champagne-roederer.com

ROGGE CERESER
Cuvée de réserve★

	n.c.	1 700		🍴↓ 11 à 15 €

Passy-Grigny possède une ferme du Temple, ancienne commanderie des Templiers dont il reste la chapelle du XIIIᵉ. Ce récoltant-manipulant exploite plus de 7 ha. A 7 % près, cette cuvée de réserve est un blanc de noirs (dont 78 % de pinot meunier). C'est un champagne équilibré, extrêmement floral, avec une touche de miel. (RM)
➥ SCEV Rogge Cereser, 1, imp. des Bergeries, 51700 Passy-Grigny, tél. 03.26.52.96.05, fax 03.26.52.07.73, e-mail champagne.rogge.cereser@wanadoo.fr ☑ ⵏ r.-v.

JACQUES ROUSSEAUX
Cuvée de la Montgolfière★

	0,5 ha	n.c.	▮ 11 à 15 €

La famille Rousseaux habite Verzenay depuis deux cents ans. Voici un champagne pour les passionnés de voyages en montgolfière : l'étiquette représente un aérostat survolant le Phare de Verzenay. Issu de raisins mi-blancs mi-noirs vendangés en 1998 et 1999, ce vin joliment vêtu est puissant, gras, brioché et bien équilibré. Le **rosé** est cité par le jury : c'est un rosé de noirs de 1999. S'il n'est pas puissant, il offre un beau fruité et pourra ainsi accompagner une soupe de fruits rouges. (RM)
➥ Jacques Rousseaux, 5, rue de Puisieulx, 51360 Verzenay, tél. 03.26.49.42.73, fax 03.26.49.40.72, e-mail champagne.jacques.rousseaux@cder.fr ☑ ℐ r.-v.

ROUSSEAUX-BATTEUX★

	0,2 ha	2 016	▮ 11 à 15 €

Une cave traditionnelle, taillée dans la craie à la fin du XIXes. Le rosé de Denis Rousseaux est issu de pinot noir des années 1999 et 1998. Des reflets ambrés parsèment la robe brillante. Des touches fruitées et poivrées commencent à s'exprimer avec finesse dans ce champagne équilibré et long. (RM)
➥ Rousseaux-Batteux, 17, rue de Mailly, 51360 Verzenay, tél. 03.26.49.81.81, fax 03.26.49.48.49 ☑ ℐ r.-v.

ROUSSEAUX-FRESNET
Cuvée Prestige★★

Gd cru	0,2 ha	1 500	▮ 15 à 23 €

Ce domaine, situé à 800 m du Phare de Verzenay, exploite un vignoble de 4,5 ha. Sa cuvée Prestige assemble 90 % de pinot noir à 10 % de chardonnay. Or brillant, elle se montre non seulement vineuse, vive, ample, mais aussi élégante, riche... longuement riche. Le **brut sans année (11 à 15 €)** obtient une étoile : il privilégie les raisins noirs (80 % de pinot noir pour 20 % de chardonnay). Parcourue d'une mousse abondante et fine, la robe or pâle scintille d'un léger reflet rose. Fruits mûrs et fruits confits se partagent les flaveurs d'une bouche ronde et généreuse. Une harmonie à conjuguer avec une tarte aux fruits. (RM)
➥ Jean-Brice Rousseaux-Fresnet, 21, rue Chanzy, BP 12, 51360 Verzenay, tél. 03.26.49.45.66, fax 03.26.49.40.09 ☑ ℐ r.-v.

ROYER PERE ET FILS
Cuvée de réserve★

	n.c.	n.c.	▮ 11 à 15 €

Ce vignoble familial de 22 ha est bien implanté dans la Côte des Blancs (Aube). La Cuvée de réserve associe 75 % de pinot noir au chardonnay. Son nez de fruits blancs (pêche) précède une bouche structurée et fruitée. Le **96**, aussi blancs que noirs, vif, aérien et fin obtient une citation. (RM)
➥ Champagne Royer Père et Fils, 120, Grande-Rue BP 6, 10110 Landreville, tél. 03.25.38.52.16, fax 03.25.38.37.17, e-mail champagne.royer@wanadoo.fr ☑ ℐ r.-v.

RUFFIN ET FILS
Cuvée Chardonnay d'Or

	3 ha	25 000	▮♦ 11 à 15 €

La maison de champagne Ruffin a été fondée en 1946 par Jacques Ruffin. Dominique, son fils, s'est lancé dans la vinification dès 1973, tandis qu'Alexandre, son petit-fils, a rejoint le domaine (11 ha) en 1995. Le blanc de blancs assemble les années 1998 et 1999. Il offre une robe dorée avec quelques reflets verts, traversée d'une bonne effervescence. Fruits blancs et fleurs blanches accompagnent des parfums miellés, épicés qui se prolongent jusque dans une finale complexe et harmonieuse, conclusion d'un parcours où vivacité et ampleur s'équilibrent. Pour poisson ou apéritif. (NM)
➥ Champagne Ruffin et Fils, 20, Grande-Rue, BP 1, 51270 Etoges, tél. 03.26.59.30.14, fax 03.26.59.34.96, e-mail champ.ruffin@wanadoo.fr ☑ ℐ r.-v.

RENE RUTAT
Grande Réserve

1er cru	n.c.	10 000	▮ 11 à 15 €

Le champagne René Rutat est né au début des années 1960 ; repris par Michel Rutat en 1985, le vignoble s'étend sur 6 ha. La Grande Réserve est un blanc de blancs assemblant des raisins de 1997 (70 %) et de 1998. Riche, printanier, ample et frais, il saura accompagner des noix de Saint-Jacques. Le **blanc de blancs demi-sec 1er cru**, complexe au nez, souple en bouche, équilibré et bien dans son type, obtient une citation. (RM)
➥ Champagne René Rutat, av. du Gal-de-Gaulle, 51130 Vertus, tél. 03.26.52.14.79, fax 03.26.52.97.36, e-mail champagne.rutat@terre-net.fr ☑ ℐ r.-v.

LOUIS DE SACY
Cuvée Tentation Demi-sec 1986★

	n.c.	n.c.	15 à 23 €

L'une des plus vieilles familles champenoises, implantée à Verzy depuis 1633, exploitant 25 ha de vignes dans la Montagne de Reims, la Côte des Blancs et la vallée de la Marne. Cette cuvée est un demi-sec composé de 80 % de chardonnay et de 20 % de pinot meunier. Puissante, elle évoque les fruits confits et le coing, tant au nez qu'en bouche. Particulière par sa douceur, elle est destinée aux desserts ou aux biscuits sans crème. (NM)
➥ Champagne Louis de Sacy, 6, rue de Verzenay, B.P. 2, 51380 Verzy, tél. 03.26.97.91.13, fax 03.26.97.94.25, e-mail contact@champagne-louis-de-sacy.fr ☑ ℐ r.-v.
➥ Alain Sacy

SAINT-CHAMANT
Cuvée de chardonnay 1995★

	n.c.	16 846	▮ 15 à 23 €

Né sur les calcaires de la Côte des Blancs, ce 95, typé chardonnay, est issu d'un raisin parfaitement mûr comme le révèlent les arômes de fruits compotés et de miel épicé. Jaune pâle à reflets verts, là encore bien marqué par le cépage, il se montre structuré et équilibré, même si son dosage est perceptible. Un champagne de repas ; peut-être sur foie gras. (RM)
➥ Christian Coquillette, Champagne Saint-Chamant, 50, av. Paul-Chandon, 51200 Epernay, tél. 03.26.54.38.09, fax 03.26.54.96.55 ☑ ℐ r.-v.

DE SAINT-GALL
Extra-brut★

Gd cru	n.c.	10 000	15 à 23 €

Marque de l'Union Champagne, union de coopératives d'importance vinifiant pour diverses firmes. De nombreux blancs de blancs sont étiquetés Saint-Gall, dont cet extra-brut (5 g de sucre), aérien et fin, que l'on boit facilement. Le **blanc de blancs 1er cru** des années 1997 à 1999, rond, fruité mais fortement dosé, obtient une citation. (CM)

🔥 Union Champagne, 7, rue Pasteur, 51190 Avize, tél. 03.26.57.94.22, fax 03.26.57.57.98, e-mail info@union-champagne.fr ☑ 🍷 r.-v.

SAINT-NICAISE
Blanc de blancs Prestige 1997

1er cru	0,5 ha	5 000	15 à 23 €

Les frères Bauchet exploitent un grand vignoble de 37 ha dans la Côte des Blancs et dans l'Aube. Depuis 1960, ils vendent un champagne sous la marque Saint-Nicaise. Ce blanc de blancs au nez discret s'affirme en bouche avec vigueur. Sa fraîcheur ne déplaît pas. (RM)

🔥 Sté Bauchet Frères, rue de la Crayère, 51150 Bisseuil, tél. 03.26.58.92.12, fax 03.26.58.94.74, e-mail bauchet.champagne@wanadoo.fr ☑ 🍷 r.-v.

SALMON 1997★

	5 ha	7 000	🍾 15 à 23 €

Située sur le circuit des églises romanes de Champagne-Ardennes, cette marque, lancée en 1958 par la famille Salmon, exploite un vignoble de 10 ha. Son 97 est issu de 70 % de pinot meunier et de 30 % de chardonnay. Or clair, il est miellé et musqué, floral et beurré, fruité et assez rond en bouche. Le **brut Réserve sans année (11 à 15 €)** est un blanc de noirs de pinot meunier des années 1998-1999 : floral, structuré et ample, il obtient une citation. (RM)

🔥 EARL Champagne Salmon, 21-23, rue du Capitaine-Chesnais, 51170 Chaumuzy, tél. 03.26.61.82.36, fax 03.26.61.80.24 ☑ 🍷 r.-v.

DENIS SALOMON
Cuvée Prestige 1998

	1,2 ha	9 963	11 à 15 €

Ce blanc de noirs comporte 30 % de pinot meunier. Il « fait sa malo ». Au nez et en bouche, il offre un même fruité de pomme, d'abricot et une touche florale. Destiné à un pique-nique campagnard. (RM)

🔥 Denis Salomon, 5, rue Principale, 51700 Vandières, tél. 03.26.58.05.77, fax 03.26.58.00.25, e-mail info@champagne-salomon.com ☑ 🍷 r.-v.

SALON
Blanc de blancs 1990★

Gd cru	n.c.	45 000	+ de 76 €

Maison exceptionnelle qui ne produit que des champagnes millésimés, toujours blanc de blancs, toujours issus de raisins récoltés sur la commune du Mesnil-sur-Oger, classée grand cru. Un champagne « très spécial », écrit un dégustateur qui ajoute : « ample, floral, complexe, empyreumatique et long ». Or brillant, cristalline, la robe n'a pas une ride. Et la bouche est conforme au millésime. (NM)

🔥 Champagne Salon, 5, rue de la Brèche-d'Oger, 51190 Le Mesnil-sur-Oger, tél. 03.26.57.51.65, fax 03.26.57.79.29 🍷 r.-v.

SANGER
Blanc de blancs 1996★★

Gd cru	n.c.	10 000	🍾🥄 15 à 23 €

Ce champagne est produit par le lycée viticole de la Champagne, lycée où sont formés les futurs vignerons. Ce blanc de blancs 96, floral, beurré et grillé, s'exprime avec

élégance et délicatesse. Une étoile est attribuée au **brut sans année (11 à 15 €)**, produit des trois cépages champenois à égalité : un champagne fruité, équilibré, dont le dosage est perceptible. (CM)

🔥 Coopérative des Anciens, Lycée viticole, 51190 Avize, tél. 03.26.57.79.79, fax 03.26.57.78.58 ☑ 🍷 t.l.j. sf sam. dim. 8h-12h 14h-18h

CAMILLE SAVES
Carte d'Or★★

Gd cru	7,5 ha	23 210	11 à 15 €

La propriété est née en 1894 du mariage d'Eugène Savès avec la fille d'un vigneron de Bouzy. Leurs descendants ont porté le vignoble à 9 ha : 7,5 ha en grand cru et 1,5 ha en premier cru. Les vins ne font pas leur fermentation malolactique. Le Carte d'Or, trois quarts noirs et un quart blancs, des années 1997 et 1996, est vineux, frais et long. La **Cuvée de Réserve (15 à 23 €)** obtient une étoile. Issu de deux fois plus de chardonnay que de pinot noir, ce champagne aux arômes de fruits rouges et de brioche repose sur un bon équilibre. (RM)

🔥 Camille Savès, 4, rue de Condé, 51150 Bouzy, tél. 03.26.57.00.33, fax 03.26.57.03.83, e-mail champagne.saves@hexanet.fr ☑ 🍷 r.-v.
🔥 Hervé Savès

FRANCOIS SECONDE★

Gd cru	1 ha	2 500	🍾 🎁 11 à 15 €

François Secondé est l'un des rares récoltants-manipulants de Sillery. Son champagne, un rosé de noirs de couleur rubis, est ample et équilibré, très fortement marqué par les fruits rouges. Le **brut millésimé 97 (15 à 23 €)** obtient une étoile ; c'est un blanc de blancs de Sillery, commune classée grand cru, aux arômes de pain grillé, de fleurs et de miel. (RM)

🔥 François Secondé, 6, rue des Galipes, 51500 Sillery, tél. 03.26.49.16.67, fax 03.26.49.11.55 ☑ 🍷 r.-v.

CRISTIAN SENEZ
Grande Réserve 1995★

	2,5 ha	12 360	🍾🥄 15 à 23 €

Christian Senez exploite un vignoble de 30 ha dans l'Aube depuis 1973. Ses champagnes ne font pas leur fermentation malolactique. Ce Grande Réserve, deux tiers noirs, un tiers blancs, bien équilibré, discret au nez, se révèle en bouche par des arômes de cire d'abeille, de miel et de pain d'épice. Le 95, assemblage identique, est proche du précédent, peut-être un peu plus sec. Il est cité, tout comme le **rosé 98**, bien teinté, dont la cuvée est quatre fois plus noirs que blancs et qui exprime d'agréables flaveurs de grenadine et de griotte. (NM)

🔥 Champagne Cristian Senez, 6, Grande-Rue, 10360 Fontette, tél. 03.25.29.60.62, fax 03.25.29.64.63, e-mail champagne.senez@wanadoo.fr ☑ 🍷 r.-v.

SERVEAUX FILS
Blanc de blancs★★

	0,5 ha	4 540	🍾🥄 11 à 15 €

Un vignoble de l'Aube bien inscrit dans les beaux paysages de coteaux et un blanc de blancs fin, fondu, équilibré et frais. « Vraiment très réussi », écrit un dégustateur, qui lui attribue avec les autres jurés deux étoiles. (RM)

🔥 Pascal Serveaux, 2, rue de Champagne, 02850 Passy-sur-Marne, tél. 03.23.70.35.65, fax 03.23.70.15.99, e-mail serveauxp@aol.com ☑ 🍷 r.-v.

SIMON-SELOSSE
Blanc de blancs Extra-brut★

	Gd cru	0,5 ha	3 000	▯ 11 à 15 €

Philippe Simon vinifie depuis 1990. Son vignoble de 4,5 ha est tout entier implanté en Côte des Blancs. Ce blanc de blancs extra-brut de 1998, or soutenu, est minéral, frais, intense, citronné, pointu et long. Bien dans son type. Le **blanc de blancs**, normalement dosé, obtient une citation ; il est très proche du précédent, le dosage lui ajoutant une touche confite. (RM)

➥ Champagne Simon-Selosse, 20, rue d'Oger, 51190 Avize, tél. 03.26.57.52.40, fax 03.26.52.85.16, e-mail champ.simon-selosse@wanadoo.fr
☑ ⊺ t.l.j. 10h-12h 14h-18h; dim. sur r.-v.; f. du 15-31 août

A. SOUTIRAN
Perle noire★

		n.c.	9 000	▯ ⑪ ⅃ 15 à 23 €

Cette maison dispose de 4,3 ha de vignes et achète la récolte de 12,5 ha. Le Perle noire est un blanc de noirs qui est passé brièvement par le bois, ce dont témoigne le nez miellé, légèrement évolué. Un champagne de bonne ampleur pour l'apéritif. A citer également, le **brut grand cru** (60 % de pinot noir et 40 % de chardonnay) équilibré et rond, marqué par les fruits rouges. (NM)

➥ Soutiran-Pelletier, 12, rue Saint-Vincent, 51150 Ambonnay, tél. 03.26.57.07.87, fax 03.26.57.81.74, e-mail info@soutiran.com
☑ ⊺ t.l.j. sf dim. 9h-12h 14h-18h; f. 1er-7 fév.

PATRICK SOUTIRAN
Blanc de blancs★

	0,75 ha	4 200	▯ ⅃ 15 à 23 €

Vieux bourg médiéval, Ambonnay possède une église du XIIᵉs. souvent remaniée, mais intéressante par sa tour-clocher, son transept et son chœur. Faites une pause chez Patrick Soutiran pour découvrir ce blanc de blancs des années 1998 et 1999, brioché, toasté, aux notes d'agrumes confits. C'est un champagne de repas. (RM)

➥ Patrick Soutiran, 3, rue des Crayères, 51150 Ambonnay, tél. 03.26.57.08.18, fax 03.26.57.81.87, e-mail patrick.soutiran@wanadoo.fr ☑ ⬧ ⊺ r.-v.

STEPHANE ET FILS
Grande Réserve

		n.c.	5 000	▯ 11 à 15 €

Propriété familiale située à 30 m du château de Boursault et dont les vignes sont cultivées en lutte raisonnée. Ce champagne très noirs, les deux pinots se partageant à égalité les 90 % de la cuvée, offre un nez discret de fruits blancs et de fruits secs, alors que la bouche joue sur les fruits confits. Une bouteille bien adaptée à la table. (RM)

➥ EARL Stéphane et Fils, 1, pl. Berry, 51480 Boursault, tél. 03.26.58.40.81, fax 03.26.51.03.79 ☑ ⊺ r.-v.
➥ Xavier Foin

TAITTINGER
Blanc de blancs Comtes de Champagne 1995★★

		n.c.	502 300	⑪ + de 76 €

Il en est ainsi avec le Comtes de Champagne : il faut le servir au verre aux dégustateurs afin qu'ils ne puissent le reconnaître car il est logé dans une belle bouteille du XVIIIᵉs. Ce millésime, né sur les meilleurs terroirs de la Côte des Blancs, a pris la dimension d'un grand vin. Légèrement boisé (6 % passent six mois en barriques neuves), parfaitement construit, il se montre aujourd'hui impérieux, floral et épicé, infiniment long. Un remarquable champagne de repas. Taittinger, dont les racines remontent à 1734, a proposé deux autres cuvées qui obtiennent chacune une étoile. Le **brut Réserve (23 à 30 €)**, assemblant les années 1996, 1997 et 1998, est issu des trois cépages champenois. Il est rond, riche et fruité. Le **millésimé 96 (30 à 38 €)**, 45 % chardonnay et 55 % pinot noir, se révèle... très 96 ! C'est un beau vin en devenir. (NM)

➥ Taittinger, 9, pl. Saint-Nicaise, 51100 Reims, tél. 03.26.85.45.35, fax 03.26.50.14.30 ☑ ⊺ r.-v.

TANNEUX-MAHY 2000

	●	0,45 ha	5 000	▯ ⅃ 15 à 23 €

Installé à Mardeuil dans la Marne, ce vigneron dispose d'un vignoble de 6,5 ha. Son vin est un rosé de saignée effectuée après douze heures de macération : c'est donc un rosé de noirs, de pinot meunier. Un champagne à la robe assez soutenue, très fruité et frais, équilibré et discret qui pourrait accompagner des desserts aux fruits rouges. (RM)

➥ Jacques Tanneux, 7, rue Jean-Jaurès, 51530 Mardeuil, tél. 03.26.55.24.57, fax 03.26.52.84.59, e-mail champagne.tanneux@wanadoo.fr ☑ ⊺ r.-v.

TARLANT
Brut Zéro★★

	2 ha	15 000	▯ ⑪ ⅃ 11 à 15 €

Les Tarlant sont vignerons depuis 1687. Ils ont élaboré leurs premières bouteilles en 1929 et exploitent un vignoble de 13 ha sur lequel ils ont mis en œuvre les pratiques culturales de la lutte intégrée (enherbement, confusion sexuelle...). Ce brut Zéro des années 1996 à 1998 naît des trois cépages champenois à parts égales. C'est un champagne difficile à réussir puisqu'il n'est pas dosé. Il est pourtant très équilibré, intense et frais. Sa robe or pâle à reflets or foncé (peut-on être plus précis ?) et ses arômes fruités délicieux ajoutent à sa qualité impressionnante. Sont cités : la **cuvée Louis (23 à 30 €)**, boisée et fraîche, qui assemble les années 1990 et 1991, et, à parts égales, chardonnay et pinot noir ; ainsi que le **Prestige 1995 (15 à 23 €)**, légèrement plus blancs que noirs (60-40), fruité, noiseté, pour amateurs de champagnes évolués. (RM)

➥ Champagne Tarlant, 51480 Œuilly, tél. 03.26.58.30.60, fax 03.26.58.37.31, e-mail champagne@tarlant.com
☑ ⊺ t.l.j. sf dim. 10h-12h 13h30-17h30; sur r.-v. 10h30-14h-16h

EMMANUEL TASSIN
Prestige 1998★

	0,5 ha	2 300	▯ 11 à 15 €

Un champagne de l'Aube qui assemble 60 % de pinot noir à 30 % de chardonnay et 10 % de pinot blanc. L'effervescence est fine et discrète dans une robe jaune paille traversée de reflets or. Cassis et fruits secs, poire aussi, accompagnent une bouche souple et ronde, bien structurée et de bonne longueur. Une bouteille élégante. (RM)

📍 Emmanuel Tassin,
104, Grande-Rue, 10110 Celles-sur-Ource,
tél. 03.25.38.59.44, fax 03.25.29.94.59 ☑ ⴲ r.-v.

J. DE TELMONT
Blanc de blancs Grand Couronnement 1995

	3,5 ha	30 000	▮ ⸲ 15 à 23 €

Installée à Damery, à 6 km au nord-ouest d'Epernay sur la route touristique du champagne, cette maison familiale de négoce exploite en propre un important vignoble de 32 ha. Cette cuvée Grand Couronnement est toujours millésimée. Issue de chardonnay de grande origine, elle se présente sous une couleur paille à reflets verts avec une fine effervescence ; poire et fruits confits au nez, vineuse et empyreumatique, elle est dosée. (NM)
📍 Champagne J. de Telmont, 1, av. de Champagne,
51480 Damery, tél. 03.26.58.40.33, fax 03.26.58.63.93,
e-mail telmont@wanadoo.fr ☑ ⴲ r.-v.

V. TESTULAT
Blanc de blancs★★

	2 ha	18 000	11 à 15 €

C'est sous le règne de Napoléon III que ce vignoble fut planté. Depuis, cette marque a fait son chemin car elle dispose en propre de 20 ha. Ce blanc de blancs né des années 1998 et 1999 reçoit un coup de cœur. Il a la sagesse d'un champagne équilibré, long, plein, dont l'intensité et les notes minérales et florales mêlées à des accents miellés se révèlent lorsqu'on l'aère. La profondeur des arômes est alors à la hauteur de la couleur or vert brillant. A réserver aux poissons en sauce. (NM)
📍 SA Champagne V. Testulat,
23, rue Léger-Bertin, BP 21, 51200 Epernay,
tél. 03.26.54.10.65, fax 03.26.54.61.18,
e-mail vtestulat@champagne-testulat.com ☑ ⴲ r.-v.

JACKY THERREY
Carte blanche

	2 ha	20 000	11 à 15 €

Quittant le centre médiéval de Troyes, il vous faudra quinze minutes pour atteindre la cave de Jacky Therrey. Installé depuis 1965, celui-ci a développé son vignoble de Montgueux, puis celui de La Celles-sur-Ource. Son Carte blanche comprend quatre fois plus de chardonnay que de pinot noir. Un joli cordon traverse le verre où chatoient les couleurs du chardonnay. Le parcours de dégustation révèle un champagne frais, fruité, équilibré et discret. (RM)
📍 Jacky Therrey, 8, rte de Montgueux,
La Grange-au-Rez, 10300 Montgueux,
tél. 03.25.70.30.87, fax 03.25.70.30.84,
e-mail therrey-eric@wanadoo.fr ☑ ⴲ r.-v.

ALAIN THIENOT
Grande Cuvée 1995★★

	n.c.	n.c.	▮ ⑪ ⸲ 46 à 76 €

Alain Thiénot a lancé sa propre marque il y a quelques années et conduit simultanément les marques Marie Stuart et Joseph Perrier, ainsi que ses châteaux bordelais. Sa Grande Cuvée 95 (60 % de raisins blancs de grands et 1ers crus et 40 % de raisins noirs de classement identique) naît de vins de base fermentés en barrique. Les dégustateurs lui reconnaissent une belle effervescence, une attaque très puissante, et louent son harmonie et sa persistance. Cité, le **brut millésimé 95 (23 à 30 €)**, mi-noirs, mi-blancs, tout en fruits secs et en notes grillées, arrive à son apogée. (NM)
📍 Champagne Alain Thiénot, 4, rue Joseph-Cugnot,
51500 Taissy, tél. 03.26.77.50.10, fax 03.26.77.50.19,
e-mail vignobles.alain-thienot@alain-thienot.fr ☑ ⴲ r.-v.

DIOGENE TISSIER ET FILS 1997★★

	0,5 ha	4 500	▮ 11 à 15 €

Le lecteur sait que Diogène (IVᵉs. av. J.-C.) avait élu domicile dans un tonneau afin de montrer à ses contemporains son mépris de la richesse. Non sans humour, l'étiquette de ce champagne représente le fondateur de la marque... dans une barrique ! Plus sérieusement, ce 97 est marqué par les raisins blancs (70 %) : il est souple, assez puissant et de bonne longueur. Une belle performance pour un millésime difficile. Le **rosé** obtient une citation. Né de vins de 1998 et de 1999 colorés par 12 % de vin rouge, il se montre intense, fruité et chaleureux. (SR)
📍 Diogène Tissier et fils,
10, rue du Gal-Leclerc, 51530 Chavot-Courcourt,
tél. 03.26.54.32.47, fax 03.26.54.32.48,
e-mail diogenetissier@hexanet.fr ☑ ⴲ r.-v.

MICHEL TIXIER
Cuvée réservée★

	2 ha	10 000	▮ 8 à 11 €

Benoît Tixier, fils du fondateur de ce domaine, cultive un vignoble de 4 ha. Sa Cuvée réservée naît des trois cépages champenois, dont 60 % de pinot meunier de 1997 complétés de vin de 1998. Ce champagne évolué aux notes de fruits confits et de fumé, équilibré et long, peut accompagner un gibier. Le **brut rosé (11 à 15 €)**, 100 % pinot noir des années 1998-1996, est habillé d'une robe orangée. Tout à la fois brioché, long et frais, il obtient une étoile. (RM)
📍 Benoît Tixier,
8, rue des Vignes, 51500 Chigny-les-Roses,
tél. 03.26.03.42.61, fax 03.26.03.41.80 ☑ ⴲ r.-v.

LOUIS TOLLET
Cuvée Prestige★★

1er cru	n.c.	n.c.	11 à 15 €

Louis Tollet est une autre marque lancée en 1995 par le champagne Charles Mignon. La cuvée Prestige est jeune, fraîche, légèrement mentholée, fine et persistante. Son élégante effervescence dans une couleur or brillant ajoute à son charme. Le **rosé cuvée Prestige 1er cru (11 à 15 €)** obtient une citation ; il présente un caractère onctueux allié à une fraîcheur briochée. (NM)
📍 Charles Mignon, 1, av. de Champagne,
51200 Epernay, tél. 03.26.58.33.33, fax 03.26.51.54.10,
e-mail bruno.mignon@champagne-mignon.fr ⴲ r.-v.

CHAMPAGNE

G. TRIBAUT 1996★

| | n.c. | 14 460 | ∎ 15 à 23 € |

Les premières vignes Tribaut ont été acquises en 1935. Les techniques ancestrales de remuage sur pupitre et de dégorgement « à la volée » font partie du charme de la visite de ces domaines-vignerons. Le 96 est mi-noirs mi-blancs. Souple, rond et ample, il offre un très agréable bouquet d'agrumes confits. Le **blanc de blancs de Réserve**, assemblant les années 1997 et 1998, obtient une citation pour sa couleur or vert, son nez d'agrumes et de pêche blanche, sa longueur briochée. (RM)
⌖ Champagne G. Tribaut, 88, rue d'Eguisheim,
B.P. 5, 51160 Hautvillers,
tél. 03.26.59.40.57, fax 03.26.59.43.74,
e-mail champagne.tribaut@wanadoo.fr
☑ ⅄ t.l.j. 9h-12h 14h-18h30

TRIBAUT-SCHLŒSSER
Cuvée René Schlœsser

| | 5 ha | 18 000 | 15 à 23 € |

Depuis 1988, Francis Tribaut est en charge de cette marque et des 45 ha de son vignoble. Cette cuvée blancs-noirs (60-40) offre au regard de jolies bulles fines et nombreuses sur fond or pâle. D'un abord floral puis fruité (pêche et citron), elle possède une rondeur plaisante. (NM)
⌖ Tribaut-Schlœsser, 21, rue Saint-Vincent,
51480 Romery, tél. 03.26.58.64.21, fax 03.26.58.44.08,
e-mail tribaut.romery@wanadoo.fr ☑ ⅄ r.-v.

TRICHET-DIDIER
Réserve★

| 1er cru | 2,1 ha | 18 000 | ∎♦ 11 à 15 € |

Il vous faudra dix minutes pour atteindre ce domaine après avoir admiré les Faux de Verzy, ces hêtres tortueux formant un paysage étonnant. Vous choisirez ce brut Réserve, issu des trois cépages champenois (dont 56 % de pinot meunier) assemblant les années 1997 et 1998, puissant, rond et corpulent. Ou encore, la **Cuvée spéciale**, citée – en fait un blanc de blancs (l'étiquette n'en dit rien) –, fraîche, acidulée et équilibrée. (NM)
⌖ SARL Trichet-Didier, 11, rue du Petit-Trois-Puits,
51500 Trois-Puits, tél. 03.26.82.64.10,
fax 03.26.97.80.99, e-mail trichet-didier@terre-net.fr
☑ ⅄ t.l.j. 8h-12h 13h-20h

ALFRED TRITANT
Carte d'Or★

| Gd cru | 3 ha | 10 000 | ∎ 11 à 15 € |

Vignerons de Bouzy grand cru, les Tritant exploitent un vignoble de plus de 3 ha. Le Carte d'Or naît de l'assemblage de deux fois plus de pinot noir que de chardonnay ; cela donne des arômes floraux et épicés, et un vin riche et plein. Une étoile a été attribuée à la **cuvée Prestige (15 à 23 €)**, assemblage identique à la Carte d'Or, qui est tout aussi florale, et possède beaucoup de vivacité. Un champagne printanier. Le **millésimé 96 (15 à 23 €)** a obtenu une citation pour ses arômes d'agrumes confits et de cédrat. (RM)
⌖ Alfred Tritant, 23, rue de Tours, 51150 Bouzy,
tél. 03.26.57.01.16, fax 03.26.58.49.56,
e-mail champagne-tritant@wanadoo.fr
☑ ⅄ t.l.j. 9h-12h 14h-17h30; sam. dim. jours fériés
sur r.-v.

JEAN VALENTIN ET FILS
Sélection★

| | 1,1 ha | 9 000 | ∎♦ 11 à 15 € |

En 1922, la mère de Jean Valentin fonde sa maison de champagne. De 1946 à 1994, son fils lui succède, puis celui-ci passe la main à son propre fils Gilles Valentin. Le vignoble s'étend sur 5,5 ha dans la Montagne de Reims. Le brut Sélection est issu des trois cépages champenois des années 1996 à 1998. Ce champagne aimable, marqué par la brioche fraîche, se montre harmonieux et long. Le **millésimé 97** mi-noirs mi-blancs, fondu, un peu doré, est assez floral. Il obtient une citation. (RM)
⌖ Champagne Jean Valentin et fils,
9, rue Saint-Rémi, 51500 Sacy, tél. 03.26.49.21.91,
fax 03.26.49.27.68, e-mail givalentin@wanadoo.fr
☑ ⅄ t.l.j. sf dim. 8h-19h; sam. sur r.-v.

VARNIER-FANNIERE
Blanc de blancs

| Gd cru | 2 ha | 19 000 | ∎ 11 à 15 € |

En 1860, un Fannière cultive sa vigne d'Avize ; en 1950, Jean Fannière lance sa marque, laquelle est reprise par Guy Varnier, son gendre. Dès 1989, Denis Varnier, fils de Guy, reprend l'exploitation. Né dans la Côte des Blancs, ce blanc de blancs des années 1999 et 2000 est franc, plus léger que long, agréablement marqué par des notes d'agrumes. Un classique. (RM)
⌖ Champagne Varnier-Fannière, 23, rempart du Midi,
51190 Avize, tél. 03.26.57.53.36, fax 03.26.57.17.07,
e-mail contact@varnier-fanniere.com
☑ ⅄ t.l.j. sf dim. 9h-18h

VAUTRAIN-PAULET
Blanc de blancs

| 1er cru | 1 ha | 7 000 | ∎ 11 à 15 € |

Ce récoltant-manipulant de Dizy, village situé entre Epernay et Hautvillers, exploite un vignoble de 11 ha. Ce blanc de blancs, or pâle à l'effervescence fine, est tout en fleurs blanches et en notes de citron. Il présente des traces d'évolution au nez alors qu'en bouche les fruits à chair blanche s'imposent. Dosage sensible. (RM)
⌖ Vautrain-Paulet, 195, rue du Colonel-Fabien,
51530 Dizy, tél. 03.26.55.24.16, fax 03.26.51.97.42,
e-mail arnaud.vautrain@wanadoo.fr ☑ ⅄ r.-v.

F. VAUVERSIN
Blanc de blancs★

| Gd cru | 2 ha | 12 000 | ∎ 11 à 15 € |

Vignerons depuis 1640, les Vauversin sont installés à Oger, au sud d'Avize. Leur vignoble s'étend sur 3 ha. Assemblant deux années (1998 et 1999), ce chardonnay or pâle traversé de reflets verts offre des arômes bien typés (sous-bois, fleurs blanches, notes de beurre et de fruits secs). Des traces d'évolution précèdent une bouche souple et longue. (RM)
⌖ Bruno Vauversin, 9 bis, rue de Flavigny,
51190 Oger, tél. 03.26.57.51.01, fax 03.26.51.64.44,
e-mail bruno.vauversin@wanadoo.fr ☑ ⅄ r.-v.

VAZART-COQUART
Blanc de blancs Réserve

| Gd cru | 11 ha | 20 000 | ∎♦ 11 à 15 € |

Marque lancée par Louis Vazart et son fils Jacques en 1953. En 1995, Jean-Pierre Vazart, fils de Jacques, rejoint son père sur ce vignoble de 11 ha. Ce blanc de blancs, des années 1996 à 1999, vif et franc, aux arômes de citron et de fruits secs, bien typé, conviendra parfaitement à l'apéritif. (RM)

☛ Champagne Vazart-Coquart, 6, rue des Partelaines, 51530 Chouilly, tél. 03.26.55.40.04, fax 03.26.55.15.94, e-mail vazart@cder.fr ☑ Ⴤ r.-v.

JEAN VELUT
Tradition

	3 ha	17 000	11 à 15 €

Marque lancée en 1965 par une dynastie de vignerons installée dans un village situé à l'est de Troyes (12 km). Beaucoup de chardonnay (85 %) et 15 % de pinot noir se conjuguent dans ce Tradition où dominent les notes d'agrumes (citron et pamplemousse). Doux en finale, il sera bon, servi frais, à l'apéritif. Cité encore, le **millésimé 96 (15 à 23 €)**, à 8 % près un blanc de blancs, floral et de grande harmonie en bouche. (RM)

☛ EARL Champagne Velut, 9, rue du Moulin, 10300 Montgueux, tél. 03.25.74.83.31, fax 03.25.74.17.25, e-mail champ.velut@wanadoo.fr ☑ Ⴤ r.-v.

VELY-CHARTIER FILS

	5,6 ha	47 000	11 à 15 €

Festigny s'enorgueillit de posséder une église du XVIe s. Avec 90 % de pinot meunier et 5 % de pinot noir, à 5 % près ce champagne est un blanc de noirs, légèrement évolué, imposant, destiné à la table. (RM)

☛ Vély-Chartier fils, rue des Limoneaux, 51700 Festigny, tél. 03.26.58.00.49, fax 03.26.58.93.58 ☑ Ⴤ r.-v.

DE VENOGE
Grand Vin des Princes 1993★★★

	115 ha	n.c.	38 à 46 €

Fondé en 1837 par un aristocrate du canton de Vaud (Suisse), de Venoge renoue ici avec la tradition des coups de cœur pour un blanc de blancs (l'étiquette ne l'annonce pas). Ce Grand Vin des Princes est logé dans son étrange carafe et a donc été servi au verre aux dégustateurs. Les compliments fusent sous la plume des neuf jurés du grand jury des coups de cœur : « Classique, fin, puissant, étoffé, long, élégant, équilibré, exceptionnel, remarquable ». A servir sur de grands poissons ou, pourquoi pas, sur un homard un jour de fête. (NM)

☛ Champagne de Venoge, 46, av. de Champagne, 51200 Epernay, tél. 03.26.53.34.34, fax 03.26.53.34.35 ☑

DE VENOGE
Brut millésimé 1995★★

	115 ha	n.c.	23 à 30 €

Cette maison d'Epernay a changé de mains à plusieurs reprises avant d'être absorbée par le groupe BCC. Etoiles et citation indiquent la constante qualité de la production. Deux étoiles pour ce 95, très noirs (85 %, dont 15 % de pinot meunier) ; puissant, corpulent, ample. Est-ce un champagne « de corps » ou « de cœur » ? La question reste entière. En revanche, c'est assurément un champagne de table. Une étoile pour le **blanc de blancs 95** fruité, droit, direct. Une citation pour le **brut Sélect Cordon bleu (15 à 23 €)**, trois quarts noirs dont un quart de pinot meunier, vif, jeune et dosé. (NM)

☛ Champagne de Venoge, 46, av. de Champagne, 51200 Epernay, tél. 03.26.53.34.34, fax 03.26.53.34.35 ☑

J.-L. VERGNON
Blanc de blancs

Gd cru	4,75 ha	n.c.	11 à 15 €

Jean-Louis Vergnon dispose d'un vignoble de 5,3 ha dans la Côte des Blancs. Ce blanc de blancs associe les années 1996, 1997 et 1998. Il est fin, élégant, frais, habillé d'or parsemé de vert, avec une note d'aubépine de bon aloi. (RM)

☛ SCEV J.-L. Vergnon, 1, Grande-Rue, 51190 Le Mesnil-sur-Oger, tél. 03.26.57.53.86, fax 03.26.52.07.06, e-mail champagne.jl.vergnon@wanadoo.fr ☑ Ⴤ t.l.j. sf sam. dim. 8h-12h 14h-18h; f. du 15 août au 1er sept.

ALAIN VESSELLE
Cuvée Saint-Eloi★

Gd cru	n.c.	n.c.	15 à 23 €

A Bouzy, on ne compte plus les Vesselle tant ils sont nombreux... Et depuis des siècles. Chacun a sa marque. Celle-ci a été lancée en 1969 et se consacre exclusivement à un vignoble classé grand cru. Cette cuvée honore le saint patron du propriétaire. Associant à parts égales pinot noir et chardonnay (vin de base de 1998), habillée d'or, elle s'ouvre sur des notes de beurre et de caramel, puis affiche des arômes de fruits (orange) et de miel. Corpulent, c'est un champagne de plaisir. (RM)

☛ SCEV Alain Vesselle, 8, rue de Louvois, 51150 Bouzy, tél. 03.26.57.00.88, fax 03.26.57.09.77, e-mail champagneavesselle@wanadoo.fr ☑ Ⴤ r.-v.
☛ Eloi Vesselle

B. VESSELLE
Réserve★

1er cru	n.c.	10 000	15 à 23 €

Une démultiplication de la marque Georges Vesselle lancée par son fils Bruno en 1994. Le Réserve, plus noirs que blancs (70-30), est surtout puissant et fruité. Son effervescence fine et persistante traverse l'or dans le verre. Fruits mûrs et miel se partagent les flaveurs. (NM)

☛ Bruno Vesselle, 16, rue des Postes, 51150 Bouzy, tél. 03.26.57.00.15, fax 03.26.57.09.20, e-mail contact@champagne-vesselle.fr

GEORGES VESSELLE
Brut zéro 1997

Gd cru	0,25 ha	2 000	15 à 23 €

Georges Vesselle, qui avait repris les 4 ha de vignes de son père, a été maire de Bouzy pendant vingt-cinq ans tout en portant son exploitation à 17,5 ha. Le Brut zéro est très puissant au nez et en bouche, citronné, frais, long, extrêmement brut ! (NM)

🍷 Georges Vesselle, 16, rue des Postes, 51150 Bouzy, tél. 03.26.57.00.15, fax 03.26.57.09.20, e-mail contact@champagne-vesselle.fr

☑ ▾ t.l.j. sf sam. dim. 9h-12h 14h-17h

JEAN VESSELLE
Œil-de-perdrix

●		3,5 ha	25 000	11 à 15 €

Jean Vesselle a suivi les traces de son père et de son grand-père. C'est au tour de sa fille de conduire l'entreprise qui dispose d'un vignoble de 11 ha. Ce champagne œil-de-perdrix est un blanc de noirs « taché », et cela n'a ici rien de péjoratif. Il est frais, floral et fruité, assez aérien. Vous le destinerez à l'apéritif. (RM)

🍷 Champagne Jean Vesselle, 4, rue Victor-Hugo, 51150 Bouzy, tél. 03.26.57.01.55, fax 03.26.57.06.95

☑ ▾ r.-v.

MAURICE VESSELLE
Collection 1985★★★

● Gd cru	3 ha	20 000	30 à 38 €

Des vignes labourées en profondeur afin que le beau terroir argilo-calcaire de Bouzy puisse s'exprimer dans le vin. Et un « vieux » millésime qui figure parmi les meilleurs de Champagne. Ce 85 remporte tous les suffrages. Il est très noirs (85 %) et n'a pas fait sa fermentation malolactique. Est-ce le secret de sa fraîcheur ? Une incroyable fraîcheur pour un champagne de dix-sept ans. Avec l'âge, il a gagné en complexité, en fondu, en harmonie. Un beau vin fruité et torréfié (pain grillé), équilibré, ample et long... Une grande bouteille pour de grands repas. (RM)

🍷 Champagne Maurice Vesselle, 2, rue Yvonnet, 51150 Bouzy, tél. 03.26.57.00.81, fax 03.26.57.83.08

☑ ▾ t.l.j. 10h-12h 14h-18h

VEUVE CLICQUOT PONSARDIN
La Grande Dame 1995★★

●	n.c.	n.c.	+ de 76 €

La célèbre maison rémoise, fondée en 1772, a toujours respecté la devise de Madame Veuve Cliquot : « Une seule qualité, la toute première ». En 1987, le groupe LVMH en a pris le contrôle sans déroger à cette règle. Le rosé Réserve 95 (38 à 46 €) – une cuvée noirs-blancs (57-28) teintée par 15 % de vin rouge – est d'une grande finesse. C'est un champagne complexe, frais et gourmand. Deux étoiles encore pour ce Grande Dame 95, presque deux tiers noirs et un tiers blancs, gras, long, riche et complexe, aux arômes superbes de fruits et de fleurs blanches, d'agrumes et de grillé. Un champagne charnel. Deux fois une étoile sont attribuées au **Vintage Réserve**

95 (38 à 46 €) et au **Carte jaune (23 à 30 €)**, toujours sensiblement deux tiers noirs et un tiers blancs. Le 95 est harmonieux et long, le Carte jaune, fin, frais, brioché, un brut sans année remarquable. (NM)

🍷 Veuve Clicquot-Ponsardin, 12, rue du Temple, 51100 Reims, tél. 03.26.89.54.40, fax 03.26.40.60.17

☑ ▾ r.-v.

VEUVE DOUSSOT
Grande Cuvée Extra-brut★★

●	1,2 ha	9 000	11 à 15 €

Lancée en 1973 par la famille Joly, cette marque porte le nom de la grand-mère des fondateurs, dont le mari est mort lors de la Seconde Guerre mondiale. Le vignoble s'étend sur plus de 18 ha dans l'Aube. La Grande Cuvée extra-brut, c'est-à-dire non dosée ou faiblement dosée, est très noirs (85 %). C'est la première fois qu'un extra-brut reçoit un coup de cœur. Il naît de la vendange de 1998. Un champagne remarquable, qui offre un nez floral, balsamique, réglissé, puis une bouche nerveuse, équilibrée, nette et fruitée (pomme et framboise). La cuvée **brut millésime 98** et le **brut rosé** né de la vendange de 1999, mais non millésimé, obtiennent chacun une étoile. Le blanc est bien charpenté, le rosé vif et élégant. (RM)

🍷 SCEV des Monts de Noé, 1, rue de Chatet, 10360 Noé-les-Mallets, tél. 03.25.29.60.61, fax 03.25.29.11.78, e-mail champagne.vente.doussot@wanadoo.fr ☑ ▾ r.-v.

🍷 Joly

VEUVE FOURNY ET FILS 1996★

● 1er cru	0,5 ha	4 000	⬛⬛ 15 à 23 €

Travaillant dans la vigne depuis 1856, cette famille a fondé sa maison en 1930. Aujourd'hui, Charles-Henry et Emmanuel Fourny vinifient des champagnes très particuliers, de clos, et passant par le bois, bâtonnés sur lies. Ce 96 est un blanc de blancs (l'étiquette ne le mentionne pas) de vieilles vignes. Il est citronné, animal, ample et fin, parfait à l'apéritif. Le **R de Veuve Fourny et Fils**, cité, naît des trois cépages champenois récoltés en 1998 et 1997. Il est floral, grillé, vanillé, boisé et conviendrait à des cailles farcies sur lit de choucroute, nous dit-on. (NM)

🍷 Champagne Veuve Fourny et Fils, 2-5, rue du Mesnil, BP 12, 51130 Vertus, tél. 03.26.52.16.30, fax 03.26.52.20.13, e-mail info@champagne-veuve-fourny.com

☑ ▾ t.l.j. sf dim. 9h-12h 14h-18h

Pour découvrir l'actualité de la France viticole et de ses régions, consultez les « Quoi de neuf » pp. 51 à 71.

VEUVE MAITRE-GEOFFROY

Blanc de blancs Cuvée du Centenaire 1998

1er cru	0,8 ha	5 187	■ 15 à 23 €

Situé à 2 km de l'abbaye d'Hautvillers, ce domaine, créé en 1878 par l'arrière-grand-mère du propriétaire actuel, exploite un vignoble de 12 ha. Ce blanc de blancs de la récolte de 1998 est confit, souple, onctueux, évolué et dosé. Le **Grand Rosé (11 à 15 €)** est cité également. Cette cuvée comprend plus de raisins noirs que de raisins blancs (60-40) de 1998 et 1997 ; elle est acidulée, bonbons anglais, avec des notes d'amande. Son attaque est plus douce que nerveuse. (RM)

➔ Veuve Maître-Geoffroy, 116, rue Gaston-Poittevin, 51480 Cumières, tél. 03.26.55.29.87, fax 03.26.51.85.77, e-mail contact@champagne-maitre-geoffroy.com
☑ ⏺ t.l.j. 9h-12h 14h-17h; sam. dim. sur r.-v.; f. en août

MARCEL VEZIEN

Prestige Double Eagle II

	1,2 ha	13 000	■ 11 à 15 €

Jean-Pierre Vézien conduit maintenant le domaine créé par son père en 1978. Il dispose d'un vignoble de 14 ha. Cette cuvée rappelle le nom du ballon qui traversa l'Atlantique en 1978. Elle est très noirs (80 %), des raisins cueillis en 1996-1997. Ce champagne équilibré est gentiment fruité et corpulent. Sont également cités : le **brut Sélection**, assemblage identique au précédent mais des années 1997-1998, et le **brut** presque tout noirs (95 %) des années 1999-2000, deux champagnes floraux, légers et directs, destinés à l'apéritif. (NM)

➔ SCEV Champagne Marcel Vézien et Fils, 68, Grande-Rue, 10110 Celles-sur-Ource, tél. 03.25.38.50.22, fax 03.25.38.56.09, e-mail contact@champagne-vezien.com
☑ ⏺ t.l.j. 8h30-18h; sam. dim. sur r.-v.

FLORENT VIARD

Cuvée Prestige 1996★★

1er cru	0,25 ha	2 000	11 à 15 €

Florent Viard a créé son domaine de 2 ha en 1994, au cœur de la Côte. Ses champagnes font leur malo. Cette cuvée Prestige fait la part belle au chardonnay (85 %) ; elle se montre complexe, vanillée, vive, minérale. Autre succès avec un **blanc de blancs** des années 1995 à 1999, or jaune brillant, à la fraîcheur vanillée, net, harmonieux, qui obtient deux étoiles. Un dégustateur aime la note minérale, esprit du terroir. (CM)

➔ Champagne Florent Viard, av. Saint-Vincent, 51130 Vertus, tél. 03.26.51.60.82 ☑ ⏺ r.-v.

VILMART ET CIE

Cuvée Rubis★

	0,5 ha	5 000	⬛ 15 à 23 €

Maison familiale fondée en 1890 par Désiré Vilmart, aujourd'hui conduite par Laurent Champs, son arrière-petit-fils. Le vignoble s'étend sur 11 ha dans la Montagne de Reims. Pour vinifier ses vins, Laurent Champs fait largement appel au bois. La cuvée Rubis est issue de raisins noirs (90 %) et a connu le bois dix mois durant. Ce rosé des années 1998 et 1999 est dit « superbe » ou encore « facile à boire, mais de caractère ». Un grand rosé original et complexe digne d'une poêlée de Saint-Jacques. A citer, le **Cœur de cuvée 96 (30 à 38 €)**, très blancs (80 %), élevé dix mois sous bois, frais et discret, souple, équilibré et long. (RM)

➔ Champagne Vilmart et Cie, 5, rue des Gravières, 51500 Rilly-la-Montagne, tél. 03.26.03.40.01, fax 03.26.03.46.57, e-mail laurent.champs@champagnevilmart.fr ☑ ⏺ r.-v.
➔ Laurent Champs

A. VIOT ET FILS

	3,9 ha	39 721	■ 11 à 15 €

Armand Viot fut l'un des acteurs de la révolte des vignerons en 1911. En 1962, son fils lui succède à la tête de la maison qu'il avait créée, en 1977 son petit-fils rejoint l'entreprise, qui exploite 7,8 ha de vignes et qui est équipée de gyropalettes pour le remuage. Ce brut sans année naît des trois cépages champenois de 1997, épaulés par 12 % de 1996. C'est un vin aux arômes de fleurs et d'agrumes. Rond et frais, très jeune, il dispose d'un bon potentiel de garde. (RM)

➔ Champagne A. Viot et fils, 59, Grande-Rue, 10200 Colombé- la-Fosse, tél. 03.25.27.02.07, fax 03.25.27.77.70 ☑ ⏺ t.l.j. sf dim. 8h30-18h30

VOIRIN-DESMOULINS

Cuvée Prestige 1996★★

Gd cru	2 ha	3 700	■ 15 à 23 €

Familiale depuis soixante ans, cette propriété, aujourd'hui dirigée par une femme, dispose d'un vignoble de 9 ha, du côté de Chouilly, classé grand cru. La cuvée Prestige naît de l'assemblage de 70 % de chardonnay et de 30 % de pinot noir ; elle bénéficie de toute les qualités du grand millésime 96. Floral, avec une pointe d'évolution, fréquente pour les 96, ce champagne se montre vif, harmonieux et frais, bien dosé. « Je me fais plaisir », note un dégustateur. (RM)

➔ SCEV Voirin-Desmoulins, 24, rue des Partelaines, 51530 Chouilly, tél. 03.26.54.50.30, fax 03.26.52.87.87, e-mail champagne.voirin-desmoulins@wanadoo.fr
☑ ⏺ r.-v.
➔ Pascale Voirin

VOIRIN-JUMEL

Blanc de blancs

1er cru	3,75 ha	15 000	11 à 15 €

Famille de viticulteurs qui, dès 1950 sous la dénomination Charles Voirin proposait son champagne. La marque naît de l'union de Gilles Voirin et de Françoise Jumel ; le vignoble de 10,3 ha est réparti sur huit communes de grands et premiers crus. Ce blanc de blancs or intense se montre rond, gras, équilibré. Ses arômes de beurre, de mie de pain et d'agrumes (pamplemousse) évoluent jusqu'à une finale minérale. Un champagne de garde (trois ou quatre ans). (RM)

➔ EARL champagne Voirin-Jumel, 555, rue de la Libération, 51530 Crémant, tél. 03.26.57.55.82, fax 03.26.57.56.29, e-mail info@champagne-voirin-jumel.com ☑ 🏠 ⏺ r.-v.

VOLLEREAUX

Blanc de blancs

	n.c.	n.c.	■ 23 à 30 €

Des caves situées à 20 m de profondeur et datant du XVIIIᵉs. ont abrité ce champagne blanc de blancs assemblant les années 1997 à 1999. Or pâle et traversé de fines bulles, il a de jolis parfums de fleurs (lys), de pêche et de miel de pin. Frais et équilibré, il conviendra à l'apéritif. (NM)

⏴ SA Champagne Vollereaux, 48, rue Léon-Bourgeois, 51530 Pierry, tél. 03.26.54.03.05, fax 03.26.54.88.36, e-mail champagne.vollereauxsa@wanadoo.fr
☑ ⟁ t.l.j. sf dim. a.-m. 10h30-12h 15h-18h

VRANKEN
Demoiselle Grande Cuvée★★

	n.c.	n.c.	15 à 23 €

Paul Vranken, qui n'est pas champenois, a dû œuvrer pour se faire respecter. Aujourd'hui, il dispose de plusieurs marques dont, entre autres, Heidsieck Monopole et Pommery. Sa marque (1976), Demoiselle-Vranken, s'habitue aux coups de cœur. La Demoiselle existe depuis 1985. Dès le départ, dans un esprit moderne, les raisins blancs ont été privilégiés, ce qui est le cas de cette Grande Cuvée composée de 60 % de chardonnay pour 40 % de pinot. Tout en finesse, en harmonie, en équilibre, en longueur, et surtout, tout en séduction, elle affiche un nez remarquable de fruits secs, de sous-bois, de raisin mûr et de fleurs. Un champagne digne d'accompagner un poisson blanc en sauce. (NM)
⏴ Vranken, 42, av. de Champagne, 51200 Epernay, tél. 03.26.59.50.50, fax 03.26.52.19.65 ☑ ⟁ r.-v.
⏴ P.-F. Vranken

VRANKEN
Demoiselle Grande Cuvée★★

	n.c.	n.c.	15 à 23 €

Encore des succès pour Paul Vranken. Ce rosé est un blanc de blancs coloré par 15 % de vin rouge. Il est élégant, frais, équilibré et raffiné. Deux étoiles également pour la **Charles Lafitte Grande Cuvée rosé** comportant 40 % de chardonnay et 60 % de pinot que l'on peut décrire en trois mots : équilibre, élégance et longueur. Deux autres champagnes gagnent chacun une étoile : le **Vranken 97**, noirs-blancs (60-40), et le **Charles Lafitte Orgueil de France**, mi-noirs mi-blancs ; le premier au nez superbe et au fruité massif en bouche, le second assez proche du précédent, tous deux destinés à l'accompagnement de repas festifs. (NM)
⏴ Vranken, 42, av. de Champagne, 51200 Epernay, tél. 03.26.59.50.50, fax 03.26.52.19.65 ☑ ⟁ r.-v.

Coteaux champenois

Appelés vins nature de Champagne, ils devinrent AOC en 1974 et prirent le nom de coteaux champenois. Tranquilles, ils sont rouges, plus rarement rosés ; on boira les blancs avec respect et curiosité historique, en songeant qu'ils sont la survivance de temps anciens, antérieurs à la naissance du champagne. Comme lui, ils peuvent naître de raisins noirs vinifiés en blanc (blanc de noirs), de raisins blancs (blanc de blancs), ou encore d'assemblages.

Le coteau champenois rouge le plus connu porte le nom de la célèbre commune de Bouzy (grand cru de pinot noir). Dans cette commune, on peut admirer l'un des deux vignobles les plus étranges au monde (l'autre est situé à Ay) : un vaste panneau indique « vieilles vignes françaises préphylloxériques » ; on ne les distinguerait pas des autres si elles n'étaient conduites « en foule », selon une technique immémoriale abandonnée partout ailleurs. Tous les travaux sont exécutés artisanalement, à l'aide d'outils anciens. C'est la maison Bollinger qui entretient ce joyau destiné à l'élaboration du champagne le plus rare et le plus cher.

Les coteaux champenois se boivent jeunes, à 7-8 °C et avec les plats convenant aux vins très secs pour les blancs, à 9-10 °C et avec des mets légers (viandes blanches et... huîtres) pour les rouges que l'on pourra, pour quelques années exceptionnelles, laisser vieillir.

BERNARD BREMONT
Ambonnay★★

	0,5 ha	1000	⭍ 11 à 15 €

Un pinot noir récolté dans la commune d'Ambonnay et élevé douze mois en fût. Sa robe est intense ; le cassis et les fruits rouges ainsi qu'une touche de boisé annoncent une bouche riche, dont les saveurs rappellent le nez. Un coteaux puissant et long. Idéal sur un agneau rôti.
⏴ SCE Champagne Bernard Bremont, 1, rue de Reims, 51150 Ambonnay, tél. 03.26.57.01.65, fax 03.26.57.80.65 ☑ ⟁ r.-v.

CHARLES DE CAZANOVE 1993

	n.c.	n.c.	⯃⭍⭣ 11 à 15 €

Voilà un vin rouge dont la robe ne dissimule pas l'âge ; il est issu exclusivement de pinot meunier et élevé en pièce champenoise (205 l). Son bouquet de fruits cuits, légèrement animal, sa souplesse et sa finale modérément tannique témoignent de son évolution. Il faut le boire sans attendre.
⏴ Charles de Cazanove, 1, rue des Cotelles, 51200 Epernay, tél. 03.26.59.57.40, fax 03.26.54.16.38 ☑

DOYARD-MAHE
Vertus★

	0,6 ha	n.c.	⭍ 11 à 15 €

Ce coteaux champenois rouge (pinot noir) Vertus est issu principalement de la récolte 2000 complétée par des vins de 1998, 1996 et 1995. Il est bien entendu élevé dans le bois. Sa robe grenat est un peu jeune, sa structure tannique encore présente mais sa longueur très prometteuse : ce sera une grande bouteille dans deux ou trois ans.

Philippe Doyard-Mahé, Moulin d'Argensole,
51130 Vertus, tél. 03.26.52.23.85, fax 03.26.59.36.69,
e-mail champagne.doyard.mahe@hexanet.fr
☑ ⏛ t.l.j. sf dim. 10h-12h 14h-18h

RENE GEOFFROY
Cumières 1997★

■	0,6 ha	3 800	⏛ 15 à 23 €

Vin rouge dont la teinte a évolué et qui présente un bouquet de fruits et de sous-bois. La bouche propose un équilibre entre matière et acidité. La finale fraîche joue sur la griotte. Cette bouteille peut être servie sur les viandes blanches et les fromages de chèvre.

René Geoffroy, 150, rue du Bois-des-Jots, 51480 Cumières, tél. 03.26.55.32.31, fax 03.26.54.66.50, e-mail info@champagne-geoffroy.com ☑ ⏛ r.-v.

MARC HEBRART
Mareuil★

■	0,3 ha	n.c.	⏛ 11 à 15 €

Aucun engrais chimique et lutte intégrée : voici les deux règles de culture adoptées par Marc Hébrart. Son Mareuil rouge, issu de très vieilles vignes de cinquante ans, avoue sa jeunesse à travers quelques reflets violacés. Son nez est épicé et sa bouche évoque les fruits rouges et le cassis. Bien structuré, ce vin est déjà rond et harmonieux mais pourra être attendu.

EARL Champagne Hébrart, 18, rue du Pont, 51160 Mareuil-sur-Ay, tél. 03.26.52.60.75, fax 03.26.52.92.64 ☑ ⏛ r.-v.

VINCENT LAMOUREUX 1998

■	0,5 ha	1 500	▮⏛ 8 à 11 €

Un coteaux champenois rouge originaire des Riceys, connu pour son rosé issu de pinots noirs. Celui-ci a passé six mois en cuve et trois mois en fût. Il est légèrement tuilé, épicé, torréfié. Ses tanins mûrs, très fondus, engagent à le servir sans attendre.

Vincent Lamoureux, 2, rue du Sénateur-Lesaché, 10340 Les Riceys, tél. 03.25.29.39.32, fax 03.25.29.80.30 ☑ ⏛ r.-v.

LARMANDIER-BERNIER
Vertus 1999

■	0,75 ha	2 000	⏛ 15 à 23 €

Coup de cœur pour ce même vin dans le millésime 96, Pierre Larmandier travaille en biodynamie sur une partie de son domaine. Son Vertus rouge de teinte soutenue offre un fruité épicé, souvenir d'un long élevage sous bois (dix-huit mois). Pour cette raison, il est fortement tannique. A attendre un an ou deux avant de le servir sur des viandes rouges ou en sauce.

Champagne Larmandier-Bernier, 43, rue du 28-Août, 51130 Vertus, tél. 03.26.52.13.24, fax 03.26.52.21.00, e-mail larmandier@terre-net.fr ☑ ⏛ r.-v.

ALAIN VESSELLE
Bouzy 1997★

■	3 ha	10 000	▮⏛ 15 à 23 €

Le Bouzy rouge est obligatoirement issu de pinot noir. Celui-ci est vinifié en cuve thermorégulée et élevé dans le bois. Des reflets violacés animent la robe profonde. Une touche de boisé vanillé complète le fruité du nez. Structure équilibrée et tanins fondus se manifestent dans une bouche longue. Dès cet hiver, goûtez cette bouteille sur un navarin d'agneau.

SCEV Alain Vesselle, 8, rue de Louvois, 51150 Bouzy, tél. 03.26.57.00.88, fax 03.26.57.09.77, e-mail champagneavesselle@wanadoo.fr ☑ ⏛ r.-v.
Eloi Vesselle

Rosé des riceys

Les trois villages des Riceys (Haut, Haute-Rive et Bas) sont situés à l'extrême sud de l'Aube, non loin de Bar-sur-Seine. La commune des Riceys accueille les trois appellations : champagne, coteaux champenois et rosé des riceys. Ce dernier est un vin tranquille, d'une grande rareté (819 hl ont été récoltés en 1999 et 640 hl en 2000) et d'une grande qualité, l'un des meilleurs rosés de France. C'est un vin que buvait déjà Louis XIV : il aurait été apporté à Versailles par les spécialistes établissant les fondations du château, les « canats », originaires des Riceys.

Ce rosé est issu de la vinification par macération courte de pinot noir, dont le degré alcoolique naturel ne peut être inférieur à 10 °. Il faut interrompre la macération – « saigner la cuve » – à l'instant précis où apparaît le « goût des riceys » qui, sinon, disparaît. Ne sont labellisés que les rosés marqués par ce goût spécial. Elevé en cuve, le rosé des riceys se boit jeune, à 8-9 °C ; élevé en pièce, il attendra entre trois et dix ans, et on le servira alors à 10-12 °C, pendant le repas. Jeune, il se boira à l'apéritif ou au début du repas.

VINCENT LAMOUREUX 1999★

■	0,5 ha	2 000	▮⏛ 11 à 15 €

Vincent Lamoureux est une marque issue de la réunion de deux vignobles familiaux en 1988 permettant d'exploiter 7 ha. Ce rosé naît d'un demi-hectare de vignes de pinot noir plantées sur la commune des Riceys. Sa teinte est légère, son nez de fruits cuits est boisé, sa bouche est fraîche, structurée, sa finale est vineuse.

Vincent Lamoureux, 2, rue du Sénateur-Lesaché, 10340 Les Riceys, tél. 03.25.29.39.32, fax 03.25.29.80.30 ☑ ⏛ r.-v.

MOREL PERE ET FILS 1998

■	2 ha	10 000	⏛ 11 à 15 €

Durant des années, les Morel étaient les seuls vrais spécialistes du rosé des riceys et ne produisaient alors que ce type de vin. La robe de celui-ci commence à évoluer. Le nez fleure la cerise et le cassis. La bouche, restée fraîche et vineuse, perdure.

Morel Père et Fils, 93, rue du Gal-de-Gaulle, 10340 Les Riceys, tél. 03.25.29.10.88, fax 03.25.29.66.72, e-mail morel.pereetfils@wanadoo.fr ☑ ⏛ r.-v.

CHAMPAGNE

LE JURA, LA SAVOIE ET LE BUGEY

Le Jura

_____ **F**aisant le pendant de celui de la haute Bourgogne, de l'autre côté de la vallée de la Saône, ce vignoble occupe les pentes qui descendent du premier plateau des monts du Jura vers la plaine, selon une bande nord-sud traversant tout le département, depuis la région de Salins-les-Bains jusqu'à celle de Saint-Amour. Ces pentes, beaucoup plus dispersées et irrégulières que celles de la Côte-d'Or, se répartissent sous toutes les expositions, mais ce ne sont que les plus favorables qui portent des vignes, à une altitude se situant entre 250 et 400 m. Le vignoble couvre environ 1 854 ha sur lesquels ont été produits, en 2001, environ 83 560 hl.

_____ **N**ettement continental, le climat voit ses caractères accusés par l'orientation générale en façade ouest et par les traits spécifiques du relief jurassien, notamment l'existence des « reculées » ; les hivers sont très rudes et les étés très irréguliers, mais avec souvent beaucoup de journées chaudes. La vendange s'effectue pendant une période assez longue, se prolongeant parfois jusqu'à novembre en raison des différences de précocité qui existent entre les cépages. Les sols sont en majorité issus du trias et du lias, surtout dans la partie nord, ainsi que des calcaires qui les surmontent, surtout dans le sud du département. Les cépages locaux sont parfaitement adaptés à ces terrains argileux et sont capables de réaliser une remarquable qualité spécifique. Ils nécessitent toutefois un mode de conduite assez élevé au-dessus du sol, pour éloigner le raisin d'une humidité parfois néfaste à l'automne. C'est la taille dite « en courgées », longs bois arqués que l'on retrouve sur les sols semblables du Mâconnais. La culture de la vigne est ici très ancienne : elle remonte au moins au début de l'ère chrétienne si l'on en croit les textes de Pline ; et il est sûr que le vin du Jura, qu'appréciait tout particulièrement Henri IV, était fort en vogue dès le Moyen Age.

_____ **P**leine de charme, la vieille cité d'Arbois, si paisible, est la capitale de ce vignoble ; on y évoque le souvenir de Pasteur qui, après y avoir passé sa jeunesse, y revint souvent. C'est là, de la vigne à la maison familiale, qu'il mena ses travaux sur les fermentations, si précieux pour la science œnologique ; ils devaient, entre autres, aboutir à la découverte de la « pasteurisation ».

_____ **D**es cépages locaux voisinent avec d'autres, issus de la Bourgogne. L'un d'entre eux, le poulsard (ou ploussard), est propre aux premières marches des monts du Jura ; il n'a été cultivé, semble-t-il, que dans le Revermont, ensemble géographique incluant également le vignoble du Bugey, où il porte le nom de mècle. Ce très joli raisin à gros grains oblongs, délicieusement parfumé, à pellicule fine peu colorée, contient peu de tanin. C'est le cépage type des vins rosés, qui sont en fait vinifiés ici le plus souvent comme des rouges. Le trousseau, autre cépage local, est en revanche riche en couleur et en tanin, et c'est lui qui donne les vins rouges classiques très caractéristiques des appellations d'origine du Jura. Le pinot noir, venu de la Bourgogne, lui est souvent associé en petites proportions pour l'élaboration des vins rouges. Il a par ailleurs un avenir important pour la vinification de vins blancs de noirs destinés à des assemblages avec le blanc de blancs, pour élaborer des mousseux de qualité. Le chardonnay, comme en Bourgogne, réussit ici parfaitement sur les terres argileuses, où il apporte aux vins blancs leur bouquet inégalable. Le savagnin, cépage blanc local, cultivé sur les marnes les plus ingrates, donne, après plus de six ans d'élevage spécial dans des fûts en vidange, le magnifique vin jaune de très grande classe. Le vin de paille est également l'une des grandes productions du Jura.

_____ **L**a région paraît spécialement favorable à l'obtention d'un type d'excellents mousseux de belle classe, issus, comme on l'a dit, d'un assemblage de blanc de noirs (pinot) et de blanc de blancs (chardonnay). Ces mousseux sont de grande qualité, depuis que les vignerons ont compris qu'il fallait les élaborer avec des raisins d'un niveau de maturité assurant la fraîcheur nécessaire.

Les vins blancs et rouges sont de style classique, mais, du fait semble-t-il d'une attraction pour le vin jaune, on cherche à leur donner un caractère très évolué, presque oxydé. Il y a un demi-siècle, il existait même des vins rouges de plus de cent ans, mais on est maintenant revenu à des évolutions plus normales.

Le rosé, quant à lui, est en fait un vin rouge peu coloré et peu tannique, qui se rapproche souvent plus du rouge que du rosé des autres vignobles. De ce fait, il est apte à un certain vieillissement. Il ira très bien sur les mets assez légers, les vrais rouges - surtout issus de trousseau - étant réservés aux mets puissants. Le blanc a les usages habituels, viandes blanches et poissons ; s'il est vieux, il sera un bon partenaire du fromage de comté. Le vin jaune excelle sur le comté mais aussi sur le roquefort et sur certains plats difficiles à accorder aux vins tels le canard à l'orange ou les préparations en sauce américaine.

Arbois

La plus connue des appellations d'origine du Jura s'applique à tous les types de vins, produits sur douze communes de la région d'Arbois, soit environ 854 ha ; la production a atteint 37 775 hl en 2001, dont 20 432 hl de rouges et rosés, 16 716 hl de blancs ou jaunes, 367 hl de vins de paille et 260 hl d'effervescents. Il faut rappeler l'importance des marnes triasiques dans cette zone, et la qualité toute particulière des « rosés » de poulsard qui sont issus des sols correspondants.

LUCIEN AVIET
Vin jaune Cuvée de la Confrérie 1995★★

	0,4 ha	900		23 à 30 €

Au caveau de Bacchus, on ne levure pas, et seul le bois a droit de cité dans la cave : ici, tout respire la tradition. Quand la figue sèche, le miel, la noix et l'abricot sec viennent vous caresser le nez, c'est bon signe et l'annonce d'un beau vin jaune. Il a de la puissance en bouche, mais sans lourdeur. La matière est présente avec l'acidité nécessaire à son développement harmonieux. Au palais, les arômes à dominante de fruits secs s'enchaînent dans une très belle complexité. C'est un vin carré, mais la générosité est presque sans limite. Il est néanmoins conseillé d'attendre cinq à dix ans pour en profiter. Le plaisir n'en sera que plus grand, face à un homard, par exemple. Le **rosé 2000 cuvée des Docteurs (5 à 8 €)** obtient une citation : il est tout en fruits rouges et gouleyant.
☛ Lucien Aviet et Fils, 39600 Montigny-lès-Arsures, tél. 03.84.66.11.02 ☑ ϒ r.-v.

LUCIEN AVIET
Cuvée des Géologues Trousseau 2000★

	0,6 ha	3 500		8 à 11 €

L'incontournable cuvée des Géologues est élaborée avec passion, millésime après millésime, par le malicieux Bacchus, alias Lucien Aviet, accompagné désormais de son fils. Le nez est très fruité avec une dominante de fraise des bois, mais la framboise et la cerise se montrent aussi. Flatteur en bouche, il laisse une légère note acide qui lui

donne de la fraîcheur. Un peu tendre, il est néanmoins harmonieux. C'est un vin prêt à boire. Son fruité est d'un grand intérêt : il serait dommage de le laisser passer.
☛ Lucien Aviet et Fils, 39600 Montigny-lès-Arsures, tél. 03.84.66.11.02 ☑ ϒ r.-v.

PAUL BENOIT
Pupillin Pinot noir 2000★

	2 ha	12 000		5 à 8 €

En juin 2002, la nouvelle génération arrive chez Paul Benoit. Son fils le rejoint en effet sur l'exploitation. Un vent de jeunesse souffle aussi sur cet arbois Pupillin pur pinot noir. Le nez est ouvert et fruité (réglisse, framboise, fraise). L'impression de fraîcheur ainsi développée se retrouve également dans une bouche dotée d'une belle matière. Les tanins sont présents et laissent déjà augurer une évolution soyeuse.
☛ Paul Benoit, rue du Chardonnay, La Chenevière, 39600 Pupillin, tél. 03.84.37.43.72, fax 03.84.66.24.61 ☑ ϒ t.l.j. 9h-19h30

MARCEL CABELIER
Chardonnay 1999

	20 ha	30 000		5 à 8 €

Marcel Cabelier est la marque de la Compagnie des Grands Vins du Jura, installée à Crançot, en bordure du vignoble. La robe de cet arbois est claire sur fond jaune avec de beaux reflets verts. Les fleurs blanches et les fruits mûrs s'installent durablement au nez, offrant une certaine sensation d'épanouissement. L'attaque est riche puis la bouche se tait. Il faudra lui laisser le temps de s'exprimer.
☛ Compagnie des Grands Vins du Jura, rte de Champagnole, 39570 Crançot, tél. 03.84.87.61.30, fax 03.84.48.21.36, e-mail jura@grandschais.fr ☑ ϒ r.-v.

DOM. DE LA CROIX D'ARGIS 2000

	77 ha	10 500		8 à 11 €

La Croix d'Argis est le plus jeune des domaines Henri Maire, avec des vignes d'une vingtaine d'années en moyenne. C'est aussi la plus importante de ses propriétés, avec 81 ha complantées de cinq cépages. La robe de ce vin d'assemblage qui comporte 70 % de pinot, 20 % de poulsard et 10 % de trousseau est très soutenue, ce qui n'est pas habituel dans les vins rouges jurassiens. Surtout végétal (bourgeon de cassis), le nez évolue vers de belles notes de griotte. La bouche est ronde, équilibrée. Si le vin est bien fait, le jury reste plus perplexe quant à sa typicité.

JURA

🕿 SCV des domaines Henri Maire, Ch. Boichailles, 39600 Arbois, tél. 03.84.66.12.34, fax 03.84.66.42.42
☑ ⊥ t.l.j. 9h-12h 14h-18h

JOSEPH DORBON
Vieilles vignes Chardonnay 1999★★

	0,5 ha	3 000		5 à 8 €

Joseph Dorbon s'est installé en 1996, et il a maintenant 3 ha de vignes. Le nez de son arbois blanc n'est pas commun, marqué à la fois par des notes de melon et de mirabelle, coiffé par une touche de boisé. La bouche s'exprime dans l'élégance, sans grande puissance, mais avec équilibre. C'est un vin très « pur », quelque chose de bien dessiné, très cohérent du début à la fin de la dégustation. Il ne faudrait peut-être pas aller plus loin au risque de voir un affaiblissement de la typicité, mais le jury aime cette douce harmonie. Un vin prêt à boire.
🕿 Joseph Dorbon, pl. de la Liberté, 39600 Vadans, tél. 03.84.37.47.93, fax 03.84.37.47.93 ☑ ⊥ t.l.j. 10h-19h

DANIEL DUGOIS
Cuvée Grevillière Trousseau 1999★

	1 ha	6 000		8 à 11 €

Une « coquille », dans le Guide précédent, nous avait fait écrire que Daniel Dugois cultivait 780 ha de vignes soit à peu près la superficie de tout le vignoble d'Arbois ! Vous aurez rectifié : Daniel Dugois ne cultive que 7 ha et 80 ares mais donne à ses vignes et aux vins qui en sont issus tous les soins nécessaires. Ce beau vin de trousseau en est le témoin. Assez puissant au nez, il joue sur les petits fruits rouges mais aussi sur les épices. D'un bon équilibre alcool-acidité-tanins, il offre une belle harmonie fruitée. Un rôti de veau s'impose.
🕿 Daniel Dugois, 4, rue de la Mirode, 39600 Les Arsures, tél. 03.84.66.03.41, fax 03.84.37.44.59 ☑ ⛫ ⊥ r.-v.

DOM. FORET
Pinot noir 1999★

	1 ha	5 000		5 à 8 €

Implantées à Prenan, aux Corvées et à Curon, lieux-dits des communes de Montigny et d'Arbois, ces vignes ont donné un vin à la robe rubis intense, agrémentée de reflets violacés : c'est une belle parure que porte ce 99 de pinot noir. L'intensité est aussi de mise pour le nez qui, juste derrière des notes de cassis et de cerise, développe des nuances de gibier. La bouche est plus légère, mais bien équilibrée, et n'a sans doute pas encore tout dit. On décèle déjà, néanmoins, de jolis arômes de fruits rouges que la jeunesse empêche encore de s'exprimer. A attendre trois à cinq ans.
🕿 Dom. Foret, 13, rue de la Faïencerie, 39600 Arbois, tél. 03.84.66.23.01, fax 03.84.66.10.98 ☑ ⊥ r.-v.

RAPHAEL FUMEY ET ADELINE CHATELAIN
Vin de paille 1998★

	0,25 ha	1 200		15 à 23 €

Ces jeunes viticulteurs se sont lancés dans la vente directe il y a une petite dizaine d'années. Ils ont maintenant une exploitation de 13 ha de vignes. Certains vins de paille sont très colorés. Celui-ci est gentiment doré. Il y a de la matière en bouche, où le sucre est plutôt dominant avec un fruité discret.

🕿 EARL Raphaël Fumey et Adeline Chatelain, 39600 Montigny-lès-Arsures, tél. 03.84.66.27.84, fax 03.84.66.27.84 ☑ ⊥ r.-v.

DOM. GRANGE CANOZ
Savagnin 1997★

	1 ha	2 000		11 à 15 €

C'est avec un 96 que Patrick Johann avait décroché un coup de cœur dans l'édition 2001. Dans le millésime 97, cette bouteille est toujours aussi caractéristique d'un bon savagnin sous voile par ses notes d'amande, d'épices et de noix. Ouvert et expressif, c'est un vin très riche.
🕿 Patrick et Michèle Johann, Grange Canoz, 39600 Arbois, tél. 03.84.66.13.82, fax 03.84.37.48.81 ☑ ⊥ r.-v.

DOM. LIGIER PERE ET FILS
Cuvée des Poètes Elevé en fût de chêne 1998★★★

	0,7 ha	2 500		8 à 11 €

Etablie en 1986 sur le vignoble d'Arbois, la maison Ligier s'étend également dans l'aire d'appellation côtes du jura, où les premières vignes ont été plantées en 2001. Il faudra donc encore attendre que les vignes prennent de l'âge. Les poètes ont-ils toujours raison ? Cette cuvée qui leur est dédiée nous donne une partie de la réponse : les belles choses sont essentielles à la vie. En adeptes de l'hédonisme, nos dégustateurs ont décelé dans ce vin un superbe équilibre et une fraîcheur fruitée qui en font un grand régal. Tous s'accordent à dire que c'est là la démonstration d'un véritable talent de vinificateur. Un vin d'amoureux.
🕿 Ligier Père et Fils, 7, rte de Poligny, 39380 Mont-sous-Vaudrey, tél. 03.84.71.74.75, fax 03.84.81.59.82, e-mail gaec.ligier@wanadoo.fr ☑ ⊥ t.l.j. 8h30-12h 13h30-19h

DOM. LIGIER PERE ET FILS
Savagnin 1998★★

	1 ha	3 500		11 à 15 €

Cet arbois, c'est de l'or vert ! Verte est en effet sa robe, et d'or son potentiel. On va se l'arracher, ce vin au nez épicé et minéral. Après une belle attaque en bouche, on sent à la fois de la rondeur et une certaine acidité. Ce pur savagnin a vieilli trois ans en vidange et sous voile. Il a donc hérité d'une tonalité un peu « vin jaune ». Noix et noisette s'offrent dans une belle longueur et une certaine typicité. Un vrai comtois qui ne se rend pas !
🕿 Ligier Père et Fils, 7, rte de Poligny, 39380 Mont-sous-Vaudrey, tél. 03.84.71.74.75, fax 03.84.81.59.82, e-mail gaec.ligier@wanadoo.fr ☑ ⊥ t.l.j. 8h30-12h 13h30-19h

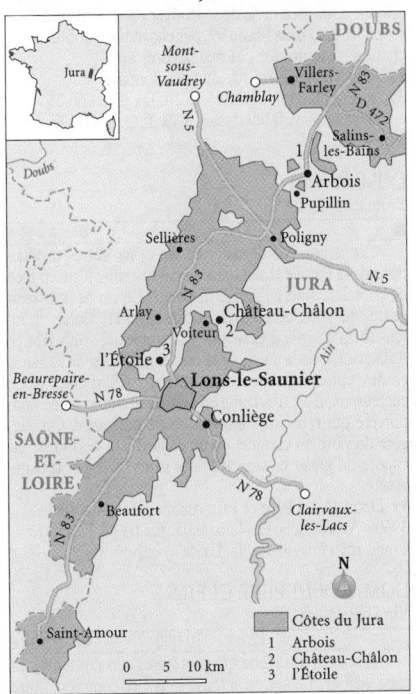

Le Jura

DESIRE PETIT ET FILS
Ploussard 2000★★

■	3,8 ha	20 000	▮▮ 5 à 8 €

Une importante exploitation viticole qui mise sur la vente à la propriété. Chaque année, la maison Désiré Petit, du nom du fondateur, père des actuels propriétaires, organise ses journées portes ouvertes à l'Ascension. De la complexité et de la puissance : ce vin pur ploussard attaque fort. Les parfums de sous-bois, de fruits à l'alcool et autres donnent envie d'y plonger les lèvres. Chose faite, on pourrait voir la vie en rose s'il ne s'agissait d'un beau vin pelure d'oignon. D'une remarquable finesse, il conduit au cœur d'une matière solide mais mûre, dans laquelle les tanins soutiennent un fruité qui attise la gourmandise.
➜ Dom. Désiré Petit, rue du Ploussard,
39600 Pupillin, tél. 03.84.66.01.20, fax 03.84.66.26.59
☑ ⵙ t.l.j. 9h-12h 14h-19h
➜ Gérard et Marcel Petit

DESIRE PETIT ET FILS
Pupillin Vin de paille 1998★★★

▨	0,8 ha	3 700	▥ 15 à 23 €

Déjà, lors de la précédente édition du Guide, la maison Désiré Petit nous avait fait chavirer avec un délicieux vin de paille. Ce 98 suit la même trace. L'or lumineux de sa robe forme le premier appareil d'une implacable arme de séduction. Le nez de coing, de figue confite et de cire d'abeille appelle le plaisir. Quant à la bouche, elle offre un équilibre parfait entre sucre et acidité, une complexité aromatique certaine et une harmonie qui porte haut la sensualité. Le vin de paille a la réputation d'être un très bon reconstituant. C'est assurément le cas, tant il réchauffe l'âme par l'agrément qu'il procure. (Bouteilles de 37,5 cl.)
➜ Dom. Désiré Petit, rue du Ploussard,
39600 Pupillin, tél. 03.84.66.01.20, fax 03.84.66.26.59
☑ ⵙ t.l.j. 9h-12h 14h-19h
➜ Gérard et Marcel Petit

FREDERIC LORNET
Trousseau des Dames 2000★

■	0,7 ha	3 200	▥ 8 à 11 €

Les chais de Frédéric Lornet sont installés dans l'ancienne abbaye de Genne, et on déguste dans la chapelle rénovée. C'est dire si c'est religieusement qu'il faut apprécier ce joli vin de trousseau au nez de fruits rouges et d'épices que d'étonnantes notes de fruits exotiques (ananas, litchi) viennent compléter. Si la consistance n'est pas son fort, la tenue aromatique et l'équilibre rendent ce vin plaisant. Un péché de gourmandise en perspective.
➜ Frédéric Lornet, L'Abbaye,
39600 Montigny-lès-Arsures, tél. 03.84.37.44.95,
fax 03.84.37.40.17 ☑ ⵙ t.l.j. 10h-12h 13h30-19h

FREDERIC LORNET
Chardonnay 2000★★

▨	2 ha	9 500	▥ 5 à 8 €

Elevé en foudre de 40 hl sur lies avec ouillages réguliers, ce vin pur chardonnay est lumineux. Belle intensité également au nez dans un distingué mélange d'amande verte, de chèvrefeuille, de pêche et de noisette. De la souplesse et du volume en bouche. Une belle expression de fleurs blanches et de noisette précède une finale citronnée qui apporte une fraîcheur très appréciée par le jury. Il faut juste deux, trois ans pour qu'il se fonde un peu, mais il est déjà d'une belle élégance. Une truite ne dédaignerait pas de l'accompagner.
➜ Frédéric Lornet,
L'Abbaye, 39600 Montigny-lès-Arsures,
tél. 03.84.37.44.95, fax 03.84.37.40.17
☑ ⵙ t.l.j. 10h-12h 13h30-19h

DOM. DE LA PINTE
Savagnin 1998★★

	5 ha	10 000	▥ 11 à 15 €

Il y a du confit, du raisin très sec dans cet arbois pur savagnin qui prendrait presque un petit air de vin de paille au nez. La richesse aromatique est confirmée en bouche, entre confiture d'abricots, miel et raisin sec. Du gras enveloppe le tout avec juste une touche acide en finale qui donne un ton de fraîcheur tout à fait opportun. Un vin un peu atypique mais très élégant. En confirmation de son caractère très particulier, il s'avère être plus à l'aise au dessert ou à l'apéritif qu'avec un plat principal. Ensuite, si vous servez un civet de sanglier, vous pouvez choisir le

JURA

trousseau 99 (8 à 11 €), cité parce qu'il n'est pas très typé, mais réussi, très concentré, encore tannique (à attendre cinq à dix ans).

☛ Dom. de la Pinte, rte de Lyon, BP 16, 39600 Arbois, tél. 03.84.66.06.47, fax 03.84.66.24.58, e-mail accueil@lapinte.fr
☑ ⌶ t.l.j. 9h-12h 14h-18h; dim sur r.-v.
☛ Martin Roger

MARCEL POUX
Réserve de Curon Savagnin 1999★

	n.c.	6 000	5 à 8 €

Marcel Poux fut un homme politique, mais aussi un vigneron. La marque a été rachetée par la société Henri Maire qui propose les vins sous sa bannière aux restaurateurs et cavistes. Cet arbois pur savagnin a déjà une robe très soutenue, vieil or avec des reflets orangés. Il affiche une belle expression au nez, entre fruits bien mûrs et fruits secs : il y a de la pomme, du melon, mais aussi de l'amande et de la noix. Élégant en bouche, où il allie rondeur et puissance sans lourdeur, il est déjà prêt à boire et attend un sandre à l'oseille et à la crème.
☛ Marcel Poux, Gevin SARL, 39600 Arbois, tél. 03.84.66.12.34, fax 03.84.37.42.42

JACQUES PUFFENEY
Vin jaune 1995

	2,3 ha	3 000	⏸ 23 à 30 €

Il est des vins comme des hommes. Tous ont une personnalité différente et qui s'exprime sur plusieurs registres dans le temps. Celui-ci est encore fermé. En insistant un peu, on devine le caractère élégant délivré par des notes de raisin sec et d'épices. En bouche, on reste sur une bonne impression.
☛ Jacques Puffeney, quartier Saint-Laurent, 39600 Montigny-lès-Arsures, tél. 03.84.66.10.89, fax 03.84.66.08.36 ☑ ⌶ r.-v.

LA CAVE DE LA REINE JEANNE
Chardonnay 2000★

	1,5 ha	8 000	⏸⏸↓ 5 à 8 €

Viticulteur renommé à Montigny-lès-Arsures, Stéphane Tissot a créé avec sa femme cette affaire de négoce en 1997. Cet arbois pur chardonnay a été vinifié pour moitié en fûts, dont 10 % sont neufs, et pour moitié en cuve. Le nez est très agréable, à la fois intense et complexe, marqué par un côté floral auquel s'ajoutent d'élégantes notes minérales. Avec un certain éclat, la bouche s'ouvre sur un fond fruité et minéral bien équilibré. Quelques années de vieillissement permettront à ce beau vin de s'exprimer encore mieux.
☛ Le Cellier des Tiercelines, 54, Grande-Rue, 39600 Arbois, tél. 03.84.66.08.27, fax 03.84.66.25.08
☑ ⌶ r.-v.
☛ Bénédicte et Stéphane Tissot

DOM. DE LA RENARDIERE
Ploussard 2000

	1,2 ha	8 000	⏸ 5 à 8 €

2000 était la douzième vendange de Jean-Michel Petit, installé dans le village de Pupillin, proclamé capitale mondiale du ploussard. Evidemment, ce jeune viticulteur, qui est allé voir à l'étranger ce qui se passait avant de s'installer, cultive et vinifie ce cépage traditionnel. Avec cette vendange de fin de siècle, il a obtenu un vin au nez discret qui oscille entre végétal et framboise. Equilibré en

bouche, il offre une finale assez longue. Il est à boire, et une pintade rôtie sera ravie de se trouver dans votre assiette à ses côtés. L'**arbois blanc 99**, pur chardonnay, obtient une citation. A apprécier dès maintenant.
☛ Jean-Michel Petit, rue du Chardonnay, 39600 Pupillin, tél. 03.84.66.25.10, fax 03.84.66.25.70, e-mail renardiere@libertysurf.fr ☑ ⌶ t.l.j. 10h-12h 13h30-19h

DOM. ROLET
Trousseau 2000★★

■	10 ha	20 000	⏸ 8 à 11 €

Vous pourrez déguster ce vin et les autres productions de la famille Rolet dans un caveau situé juste en face de l'hôtel de ville, à l'entrée d'Arbois. Ce vin de trousseau porte une robe cerise avec quelques reflets violets. L'intensité du nez n'a d'égale que sa complexité : on y trouve de la griotte, de la mûre, de la cerise mais aussi de l'ananas et des épices. Quel voyage olfactif ! Charpenté, assez chaleureux, il est très fruité en bouche et finit sur une note poivrée qui rehausse l'impression de puissance. On suggère du porc au caramel ou un canard à la pékinoise, ou encore du gibier cuisiné avec des fruits ! C'est l'exotisme assuré.
☛ Dom. Rolet Père et Fils, rue de l'Hôtel-de-Ville, 39600 Arbois, tél. 03.84.66.00.05, fax 03.84.37.47.41, e-mail rolet@wanadoo.fr ⌶ r.-v.

DOM. ROLET PERE ET FILS
Vin jaune 1995

	12 ha	10 000	⏸ 23 à 30 €

Voilà un vin jaune qui porte bien son nom, avec sa robe vieil or. Le nez est intense sans être complexe outre mesure dans un registre plutôt épicé. De l'équilibre en bouche, une belle acidité portée par une structure assez légère.
☛ Dom. Rolet Père et Fils, rue de l'Hôtel-de-Ville, 39600 Arbois, tél. 03.84.66.00.05, fax 03.84.37.47.41, e-mail rolet@wanadoo.fr ⌶ r.-v.

ANDRE ET MIREILLE TISSOT
Trousseau 2000★★

■	3,5 ha	14 000	⏸⏸ 8 à 11 €

Avec déjà un vin de trousseau coup de cœur dans le millésime précédent, André et Mireille Tissot restent une valeur sûre du vignoble arboisien mais sont aussi capables de nous étonner régulièrement. Couleur cerise, ce vin devient intense au nez où des notes de fruits rouges cuits côtoient le boisé, le gibier et les épices. Si la bouche se montre encore un peu tannique, la gamme aromatique suit le nez, entre fruits rouges et épices. Une grande matière et une réelle concentration ne nuisent pas à son superbe équilibre général. Et il devrait encore s'épanouir au vieillissement. Une côte de bœuf saignante ou un cuissot de chevreuil, voilà ce qu'il faut pour être à sa hauteur.

↢ André et Mireille Tissot,
39600 Montigny-lès-Arsures,
tél. 03.84.66.08.27, fax 03.84.66.25.08
☑ ▼ t.l.j. 9h-12h 14h-19h; dim. sur r.-v.
↢ André et Stéphane Tissot

ANDRE ET MIREILLE TISSOT
Vin jaune 1994

	2 ha	5 000	▥ 23 à 30 €

La cave du domaine contient un de ces fûts à vin jaune dont une face, vitrée, permet d'admirer le voile de levures protecteur qui moutonne à la surface du vin. Ce 94 est encore fermé, malgré une première impression puissante et large dans une bouche prometteuse. Il faudra l'attendre.

↢ André et Mireille Tissot,
39600 Montigny-lès-Arsures,
tél. 03.84.66.08.27, fax 03.84.66.25.08
☑ ▼ t.l.j. 9h-12h 14h-19h; dim. sur r.-v.

DOM. DE LA TOURNELLE
Trousseau 2000

▪	0,4 ha	2 000	▥ 8 à 11 €

Le vignoble jurassien, Pascal Clairet le connaît bien pour avoir été technicien viticole pendant cinq ans, puis directeur de l'Institut des vins du Jura. Désormais producteur, il nous conte le Jura viticole avec le fruit de sa propre récolte. Le nez de ce vin pur trousseau est puissant, d'abord quetsche et pruneau puis amande. Sa belle nature aromatique l'emporte sur une charpente légère. Avec un rôti de porc aux pruneaux ou des cailles aux raisins, il permettra de passer un bon moment. Le pur chardonnay en **arbois blanc sec 2000** obtient une même note : il devra attendre deux à trois ans que le boisé se fonde.

↢ Pascal Clairet, 5, Petite-Place, 39600 Arbois,
tél. 03.84.66.25.76, fax 03.84.66.27.15,
e-mail domainedelatournelle@wanadoo.fr ☑ ▼ r.-v.

Château-chalon

Le plus prestigieux des vins du Jura, produit sur 45 ha, est exclusivement du vin jaune, le célèbre vin de voile élaboré selon des règles strictes. Le raisin est récolté dans un site remarquable, sur les marnes noires du lias ; les falaises, au-dessus desquelles est établi le vieux village, le surplombent. La production est limitée mais a atteint, en 2000, 1 717 hl ; la mise en vente s'effectue six ans et trois mois après la vendange. Il est à noter que, dans un souci de qualité, les producteurs eux-mêmes ont refusé l'agrément en AOC pour les récoltes de 1974, 1980, 1984 et 2001.

BAUD PERE ET FILS 1994★★

	1,5 ha	1 800	▥ 23 à 30 €

Robe d'or, notes de cacao, de curry et de tabac blond au nez, quelle élégance ! Avec beaucoup de fraîcheur et de jeunesse, la bouche délivre de jolies notes de noix fraîche, de noisette grillée, d'épices et de cacao. Intensité et longueur sont au rendez-vous. On n'attend que le homard pour se mettre à table... mais dans quelques années seulement.

↢ Dom. Baud Père et Fils, rte de Voiteur,
39210 Le Vernois, tél. 03.84.25.31.41,
fax 03.84.25.30.09 ☑ ▼ r.-v.

DOM. BERTHET-BONDET 1995★

	5 ha	10 000	▥ 23 à 30 €

Pour trouver la cave de Jean Berthet-Bondet, il faut monter dans ce nid d'aigle qu'est le village de Château-Chalon. La route sinueuse offre un superbe panorama sur le vignoble. Le nez de ce château-chalon n'est pas explosif mais bien typé. C'est avec grande finesse que se développent les odeurs d'épices, de cacao, de tabac et de sirop d'orgeat. S'il est assez vif en bouche pour l'instant, c'est pour mieux vieillir. Jeunesse passée, il sera parfait.

↢ EARL Berthet-Bondet, 39210 Château-Chalon,
tél. 03.84.44.60.48, fax 03.84.44.61.13,
e-mail domaine.berthet.bondet@wanadoo.fr ☑ ▼ r.-v.

PHILIPPE BUTIN 1995★★

	0,16 ha	1 000	▥ 23 à 30 €

Epices, noix verte et noisette sont bien présents et forment un nez à la fois intense et agréable. La structure est équilibrée entre alcool et acidité. Avec un côté cacao assez marqué, mais aussi avec de la noix fraîche et des épices, c'est un très joli vin qui a déjà bien évolué mais qui reste fort prometteur. Il peut s'accorder avec des plats relevés. On songe aux grenadins de veau sauce poivre, par exemple.

↢ Philippe Butin, 21, rue de la Combe, 39210 Lavigny,
tél. 03.84.25.36.26, fax 03.84.25.39.18 ▼ r.-v.

D. ET P. CHALANDARD 1994

	1 ha	2 000	▤ ▥ 23 à 30 €

C'est dans une robe jaune pâle et avec un nez discret de noix verte que ce château-chalon nous accueille. Très jeune, très frais, il est à peine ouvert. Même impression en bouche où l'on sent du potentiel derrière une grande réserve. On ne peut qu'attendre qu'il se dévoile.

↢ Daniel et Pascal Chalandard,
GAEC du Vieux Pressoir, rte de Voiteur,
39210 Le Vernois,
tél. 03.84.25.31.11, fax 03.84.25.37.62,
e-mail chalandard.pascal@wanadoo.fr ☑ ▼ r.-v.

FRANCK GUIGNERET 1994*

0,35 ha	1 000	⅏ 23 à 30 €

Franck Guigneret n'est installé que depuis 1994, mais son château-chalon a déjà conquis la Chine. Un premier millésime, au nez intense et racé, dans un registre noix verte affirmé. S'il montre de la puissance en bouche, il n'en possède pas moins une certaine finesse. Ce vin jaune est plus dans la veine d'un arbois que d'un château-chalon, compte tenu de son ampleur, mais il comblera les amateurs de vins masculins. Une dégustatrice conseille une tarte au roquefort pour l'accompagner.

⌐ Franck Guigneret, rue des Chèvres, 39210 Château-Chalon, tél. 03.84.44.67.97, fax 03.84.44.69.20, e-mail savagnin@aol.com ☑ ⴲ r.-v.

DOM. DE LA PINTE 1994*

0,4 ha	1 000	⅏ 23 à 30 €

C'est en 1993 que cette exploitation arboisienne a acquis 40 ares dans l'appellation la plus convoitée du vignoble jurassien. Le nez de ce château-chalon, d'une très belle jeunesse, charme avec ses odeurs d'épices, de noix, de champignon et de tabac sec. La bouche s'ouvre lentement mais va crescendo pour finir dans une très belle longueur, où le côté champignon ressort. L'acidité est bien présente et constitue une bonne base de vieillissement. Cela lui donne certes un côté un peu dur pour l'instant, mais d'ici cinq à dix ans le temps aura fait son effet et il pourra accompagner des quenelles de brochet.

⌐ Dom. de la Pinte, rte de Lyon, BP 16, 39600 Arbois, tél. 03.84.66.06.47, fax 03.84.66.24.58, e-mail accueil@lapinte.fr ☑ ⴲ t.l.j. 9h-12h 14h-18h; dim sur r.-v. ⌐ Roger Martin

FRUITIERE VINICOLE DE VOITEUR 1991**

15 ha	10 000	⅋⅏ 23 à 30 €

1991 a été une année particulière dans le Jura. Le gel de printemps a engendré une toute petite récolte, très concentrée et, par conséquent, un peu déroutante. Avec une robe assez pâle pour un millésime déjà ancien, ce château-chalon a un nez discret mais que l'on peut qualifier de joli, tant il est délicat. Très belle harmonie en bouche sur fond de cacao et de noisette grillée : quelle élégance aromatique ! La poularde au vin jaune s'impose.

⌐ Fruitière vinicole de Voiteur, 60, rue de Nevy-sur-Seille, 39210 Voiteur, tél. 03.84.85.21.29, fax 03.84.85.27.67, e-mail voiteur@fruitiere-vinicole-voiteur.fr ☑ ⴲ r.-v.

Côtes du jura

L'appellation englobe toute la zone du vignoble de vins fins. La surface en production est de 635 ha et a donné en 2001 25 396 hl (14 359 hl en vins blancs ou jaunes, 6 076 hl en rouges, 203 hl en vins de paille, 4 758 hl en mousseux).

CH. D'ARLAY
Vin jaune 1994*

3 ha	6 000	⅏ 23 à 30 €

Alain de Laguiche, héritier d'une dynastie remontant au VIᵉˢ., est le propriétaire de ce château classé monument historique et que l'on peut visiter encore. Un vin de haute lignée également qui se jaune au nez encore fermé mais racé. La matière s'exprime agréablement dans une bouche où la noix succède aux épices. L'équilibre est d'une bonne harmonie générale, il devra attendre entre cinq et dix ans pour atteindre une parfaite maturité.

⌐ Alain de Laguiche, Ch. d'Arlay, rte de Saint-Germain, 39140 Arlay, tél. 03.84.85.04.22, fax 03.84.48.17.96, e-mail chateau@arlay.com ☑ ⴲ t.l.j. sf dim. 9h-12h 14h-18h

DOM. BERTHET-BONDET
Tradition 1999**

n.c.	20 000	⅏ 8 à 11 €

Dans cette exploitation où les vins blancs dominent, la cuvée Tradition est un assemblage chardonnay-savagnin. La noix verte dispute à l'amande les faveurs du nez, tandis qu'en bouche une belle acidité participe à sa juste hauteur à un bon équilibre, sur fond aromatique de noix mêlée d'épices. Avec beaucoup d'élégance et de finesse, ce vin accompagnera en toute harmonie la cuisine à la crème qu'il aura lui-même parfumée. Mais sachons attendre trois à quatre ans.

⌐ EARL Berthet-Bondet, 39210 Château-Chalon, tél. 03.84.44.60.48, fax 03.84.44.61.13, e-mail domaine.berthet.bondet@wanadoo.fr ☑ ⴲ r.-v.

DOM. BERTHET-BONDET
Savagnin 1997**

2 ha	4 000	⅏ 11 à 15 €

Il y a de la prestance dans cette cuvée pur savagnin qui aime à caresser l'œil dans son jaune d'or intense. Quelle force, mais quelle délicatesse aussi, dans ce nez noiseté, brioché et grillé ! La bouche s'ouvre sur une matière irréprochable, ciselée par une acidité comparable à de la dentelle. Les notes puissantes de noix et de grillé ne font que renforcer l'impression de volume. Ce vin remarquable, à l'énorme potentiel, peut être déjà dégusté, mais il gagnerait encore à attendre deux à trois ans.

⌐ EARL Berthet-Bondet, 39210 Château-Chalon, tél. 03.84.44.60.48, fax 03.84.44.61.13, e-mail domaine.berthet.bondet@wanadoo.fr ☑ ⴲ r.-v.

XAVIER ET CLAUDE BUCHOT
Cuvée Charles Baudelaire 1998*

1,2 ha	4 500	⅋⅏⅃ 5 à 8 €

Ici, on pratique l'agriculture biologique. Ce vin d'assemblage chardonnay-savagnin offre un nez intense de noix et de noisette qu'un peu de grillé vient agréablement compléter. Il a de la matière en bouche où le savagnin fait bien sentir sa présence. De la fraîcheur, voire de la vivacité,

mais une structure qui, au final, se révèle équilibrée. Jeune, il doit encore s'épanouir même s'il laisse déjà une bonne impression.
🛱 Claude Buchot, 39190 Maynal, tél. 03.84.85.94.27, fax 03.84.85.94.27 ☑ 🍷 r.-v.

CLAUDE BUCHOT
Vin jaune 1995

	0,8 ha	n.c.	🍷 23 à 30 €

Avec une intensité tout à fait honorable, le nez de ce vin jaune offre des notes de fruits confits, de fruits secs et d'épices. Très jeune, la bouche, dotée d'un beau potentiel, demande à s'harmoniser avec quelques années de garde.
🛱 Claude Buchot, 39190 Maynal, tél. 03.84.85.94.27, fax 03.84.85.94.27 ☑ 🍷 r.-v.

PHILIPPE BUTIN
Chardonnay 1998★★

	1 ha	6 000	🍷 5 à 8 €

Le vin jaune 94 de Philippe Butin avait tant conquis le jury qu'un coup de cœur lui a été décerné dans la précédente édition du Guide. Son vin blanc 98 ne démérite pas. Peu expressif au départ, le nez s'ouvre pourtant rapidement sur d'élégantes notes de fleurs blanches et de miel. Frais et équilibré, il joue entre vanille et miel dans une belle longueur. A la fois puissant et distingué, ce vin étonne par sa fraîcheur pour son âge. C'est sans doute dû à une fine acidité qui est gage d'un beau potentiel de vieillissement.
🛱 Philippe Butin, 21, rue de la Combe, 39210 Lavigny, tél. 03.84.25.36.26, fax 03.84.25.39.18 ☑ 🍷 r.-v.

CAVEAU DES BYARDS
Chardonnay 1999★

	5 ha	35 000	🍷 5 à 8 €

Situé juste à l'entrée du Vernois, le caveau des Byards est une toute petite coopérative par sa taille, mais qui joue dans la cour des grands par la qualité de ses vins. La cuvée de chardonnay 98 avait tellement séduit le jury qu'un coup de cœur l'avait honorée. Le millésime suivant offre un nez bien agréable de fruits cuits, de champignon et de noix. Après une attaque pleine et intense, la typicité jurassienne est au rendez-vous, mais il lui faut encore un ou deux ans pour être totalement prêt.
🛱 Caveau des Byards, 39210 Le Vernois, tél. 03.84.25.33.52, fax 03.84.25.38.02 ☑ 🍷 r.-v.

CAVEAU DES BYARDS
Cuvée La Gryphée Chardonnay 1999

	1 ha	3 000	🍷 5 à 8 €

Cette cuvée La Gryphée est obtenue à partir du seul chardonnay élevé douze mois en pièces avec bâtonnage sur lies fines. Le résultat n'est pas considéré comme particulièrement typique mais s'avère néanmoins réussi intrinsèquement. Le boisé et la vanille ressortent nettement au nez, tandis que la pomme mûre s'exprime dans une bouche longue et équilibrée, riche et au boisé tout aussi présent.
🛱 Caveau des Byards, 39210 Le Vernois, tél. 03.84.25.33.52, fax 03.84.25.38.02 ☑ 🍷 r.-v.

DANIEL ET PASCAL CHALANDARD
Cuvée Solène 1999★★★

	2,5 ha	15 000	🍷 5 à 8 €

Que de jolis noms ! Après une cuvée Axel, jugée exceptionnelle l'an dernier, c'est au tour d'une cuvée

Solène d'enchanter le jury. Cette fois-ci, c'est le coup de cœur. Un dégustateur résume finalement bien la chose : « On ne peut pas se tromper, c'est un vin du Jura ». Oui, il est bien typé, avec ce nez de savagnin qui sent bon la pomme, la noisette, le miel, mais aussi la fleur d'acacia. Et quelle intensité ! En bouche, l'harmonie est très présente, avec une belle acidité qui soutient un ensemble très franc, où la noisette et l'amande s'en donnent à cœur joie. S'il peut être bu dès maintenant, ce vin d'une grande richesse trouvera encore de quoi se bonifier d'ici deux ou trois ans. Les Solène ont bien de la chance de recevoir un tel hommage !
🛱 Daniel et Pascal Chalandard, GAEC du Vieux Pressoir, rte de Voiteur, 39210 Le Vernois, tél. 03.84.25.31.15, fax 03.84.25.37.62, e-mail chalandard.pascal@wanadoo.fr ☑ 🍷 r.-v.

MARIE ET DENIS CHEVASSU
Pinot noir 2000★

	0,7 ha	2 500	🍾 5 à 8 €

Sur les quatre filles du couple Chevassu, trois exercent un métier en relation avec la viticulture ou l'œnologie : professeur de viticulture, sommelière, œonologue. Une véritable passion familiale ! Vinifié et élevé en cuve, ce pur pinot noir affiche une belle robe cerise et un nez de cassis et de pivoine qui s'ouvre à l'aération. La bouche est encore fermée mais recèle une très belle matière. Quand les angles se seront arrondis, soit d'ici deux ans, ce sera une bien belle bouteille qui mettra en valeur un gibier à plume.
🛱 Denis Chevassu, Granges Bernard, 39210 Ménétru-le-Vignoble, tél. 03.84.85.23.67, fax 03.84.85.23.67 ☑ 🍷 r.-v.

MARIE ET DENIS CHEVASSU
Chardonnay 1999

	2 ha	n.c.	🍷 5 à 8 €

Pour ceux qui veulent mieux connaître cette exploitation à la fois productrice de lait à Comté et de vin, ce qui devient rare, rendez-vous à la ferme le premier dimanche d'août où les portes sont ouvertes pour visites, jeux et dégustations. Ouvert, ce vin pur chardonnay l'est aussi. Il est vif, mais se laisse facilement boire.
🛱 Denis Chevassu, Granges Bernard, 39210 Ménétru-le-Vignoble, tél. 03.84.85.23.67, fax 03.84.85.23.67 ☑ 🍷 r.-v.

RICHARD DELAY
Pinot noir Elevé en fût de chêne 1999★★

	1,8 ha	3 200	🍷 5 à 8 €

Richard Delay, depuis de nombreuses années, défend la place de la viticulture dans cette partie sud du vignoble jurassien que l'on appelle le sud Revermont. Le

JURA

pinot noir occupe presque un tiers de sa propriété. Vinifié seul, il donne un vin au nez plaisant, très finement boisé, relevé par des notes de grillé et de réglisse. La bouche est riche sur un fond boisé. Des arômes de griotte et de menthe poivrée la rendent particulièrement chaleureuse. Voilà un vin qui défend la cause du cépage pinot noir qui représente 10 % de l'encépagement jurassien.

☙ Richard Delay, 37, rue du Château, 39570 Gevingey, tél. 03.84.47.46.78, fax 03.84.43.26.75, e-mail delay@freesurf.fr ☑ ⵊ r.-v.

RICHARD DELAY
Vin de paille 1998★★★

0,4 ha	500	⮑ 11 à 15 €

Élaboré essentiellement à partir de chardonnay, avec juste un peu de savagnin et de poulsard, ce n'est pas l'intensité qui le caractérise au nez, mais sa complexité : de l'amande, de la compote de fruits et de l'écorce d'orange. Que d'élégance en bouche, que d'équilibre et de longueur aromatique ! Tout est valorisé dans ce vin. Il a pourtant encore des possibilités d'épanouissement au vieillissement. Une bouteille rare à tous les sens du terme.

☙ Richard Delay, 37, rue du Château, 39570 Gevingey, tél. 03.84.47.46.78, fax 03.84.43.26.75, e-mail delay@freesurf.fr ☑ ⵊ r.-v.

DOM. JULIEN GANEVAT
Cuvée Julien Ganevat Pinot noir 2000★★

0,8 ha	2 500	⮑ 11 à 15 €

Le pinot noir, Jean-François Ganevat le connaît bien puisqu'il a passé dix ans en Bourgogne en tant que maître de chai. C'est sans doute aussi parce qu'il a vinifié « à la bourguignonne » ces raisins pourtant bien jurassiens que le jury a trouvé ce vin peu typé Jura. Nonobstant l'atypicité, les dégustateurs ont relevé un joli nez boisé et une bouche pleine et ronde où le cassis se marie avec la mûre. « Un vin bien fait, mais quelque peu déraciné. »

☙ Dom. Ganevat, La Combe-Rotalier, 39190 Rotalier, tél. 03.84.25.02.69, fax 03.84.25.02.69 ☑ ⵊ r.-v.

DOM. GRAND FRERES 1999★

5 ha	35 000	🍶⮑♨	5 à 8 €

Vous trouverez la cave au bout du village, à gauche, en direction de Frontenay. Il y a une usine de tabletterie et de coffrets en bois presque en face. Dominique Grand a quitté le GAEC, mais ce domaine continue sa vie avec l'apport de nouvelles contributions, comme celle d'Emmanuel Grand. Cette cuvée de blanc pur chardonnay est très florale au nez. La structure est légère, mais l'équilibre est au rendez-vous. Cela en fait un vin facile, qui s'adaptera à des occasions multiples. Il est déjà prêt à boire.

☙ Dom. Grand Frères, rue du Savagnin, 39230 Passenans, tél. 03.84.85.28.88, fax 03.84.44.67.47, e-mail grandfreres@wanadoo.fr ☑ ⵊ t.l.j. 9h-12h 14h-18h; f. sam. dim. en jan. et fév.

DOM. GRAND FRERES
Vin de paille 1998★

2 ha	9 500	⮑ 15 à 23 €

C'est déjà un grand plaisir que d'admirer cette robe ambrée et ses nuances vieil or. Le nez ne déçoit pas : complexe et intense, c'est sur une base miellée que se développent du fruit en compote, des fruits secs ou encore des fruits confits. Le royaume du fruité en quelque sorte, si ce n'était les épices qui viennent agréablement souligner le tout. Une très légère dominante du sucré, mais de beaux arômes permettent de le conseiller sur une tarte aux fruits.

☙ Dom. Grand Frères, rue du Savagnin, 39230 Passenans, tél. 03.84.85.28.88, fax 03.84.44.67.47, e-mail grandfreres@wanadoo.fr ☑ ⵊ t.l.j. 9h-12h 14h-18h; f. sam. dim. en jan. et fév.

CH. GREA
Vieilles vignes Chardonnay 1999★

0,5 ha	2 200	⮑ 11 à 15 €

Les châteaux ne sont pas légion dans le vignoble jurassien. Celui-ci propose un vin blanc pur chardonnay, vieilli dix-huit mois en fût de 228 l. Si la robe est très avenante, dans ses tons jaune d'or, le nez est plus fermé avec cependant déjà quelques notes florales et de noisette. Après une attaque franche, le volume s'affiche en bouche, avec un côté citronné bien agréable, tandis que la pomme se plaît à marquer la finale. Un vin au beau potentiel. Dans les trois ans, l'affaire devrait être faite.

☙ Nicolas Caire, Ch. Gréa, 14, rue Froideville, 39190 Rotalier, tél. 06.81.83.67.80, fax 03.84.25.05.47, e-mail n.caire@free.fr ☑ ⵊ r.-v.

CAVEAU DES JACOBINS
Vin jaune 1994★★

1,2 ha	11 400	⮑ 15 à 23 €

Finesse et puissance se rejoignent dans le nez de ce vin jaune qui attire irrésistiblement. Comment échapper à ses notes de curry, ses tons de noix et ses effluves de fruits confits ? Quelle séduction également dans sa bouche ronde et équilibrée qui joue une symphonie de fruits secs et d'épices ! Le caractère « jaune » est encore retenu, mais ce vin a indéniablement de la superbe.

☙ Caveau des Jacobins, rue Nicolas-Appert, 39800 Poligny, tél. 03.84.37.01.37, fax 03.84.37.30.47, e-mail caveaudesjacobins@free.fr ☑ ⵊ t.l.j. 9h30-12h 14h-18h30

CLAUDE JOLY
Vin de paille 1998★★

1 ha	4 500	⮑ 15 à 23 €

De l'ocre, de l'acajou : les tons de la robe de ce vin de paille sont splendides. Le nez suit, dans un superbe développement de cannelle, de fruits secs et de miel de sapin, puis l'équilibre s'affirme avec beaucoup de rondeur. Quand le raisin sec côtoie la pomme chaude, c'est tout simplement très bon.

☙ EARL Claude et Cédric Joly, chem. des Patarattes, 39190 Rotalier, tél. 03.84.25.04.14, fax 03.84.25.14.48 ☑ ⵊ r.-v.

DOM. LABET
Fleur de Marne La Bardette 1998★

0,6 ha	3 030	⮑ 3 à 5 €

Les millésimes passent... et les commentaires se ressemblent. Comme pour le 97, le jury apprécie l'élégance aromatique, l'équilibre et la qualité de la vinification, mais trouve le bois très présent. Trop pour être un jurassien accompli, mais assez « tendance ». La cuvée **Les Varrons 99**, trois étoiles l'an dernier pour le 98, citée pour le 99, est aujourd'hui, elle aussi, très marquée par le fût. Deux vins à garder quelque temps.

☙ Alain Labet Père et Fils, pl. du Village, 39190 Rotalier, tél. 03.84.25.11.13, fax 03.84.25.06.75 ☑ ⵊ r.-v.

FRÉDÉRIC LAMBERT
Chardonnay 1999★

	0,3 ha	1 300		5 à 8 €

Des premières vignes en 1993, un agrandissement en 1995 : si Frédéric Lambert n'a pour l'instant qu'une toute petite propriété d'un hectare, il obtient de beaux résultats. Ce pur chardonnay a un nez déjà bien ouvert sur la noisette, l'amande et la pomme fraîche. L'attaque est vive, mais le gras vient vite caresser le palais et rassure. On peut maintenant se laisser aller à goûter et à savourer longuement cette finale de champignon frais et de noix superbe. A carafer préalablement avant de l'apprécier pleinement d'ici deux ans.
☙ Frédéric Lambert, Pont du bourg, 39230 Le Chateley, tél. 03.84.25.97.83, fax 03.84.25.97.83 ☑ ☨ r.-v.

DOM. MOREL-THIBAUT
Vin de paille 1998★★

	1,4 ha	3 000		15 à 23 €

Ce vin de paille est issu de l'assemblage de chardonnay pour moitié, de poulsard, de savagnin et de trousseau. La maison Morel-Thibaut a plusieurs fois fait chavirer le jury avec son vin de paille dans les éditions précédentes du Guide. Ce millésime n'échappe pas à cette règle fort plaisante : il est superbe. Le nez hésite entre fruits mûrs et fruits secs, mais ce doute n'apporte que des bienfaits : la palette aromatique n'en est que plus riche. Beaucoup de sucre en bouche, cependant l'acidité semble suffisamment présente pour assurer l'équilibre. De la rondeur, de la complexité aussi dans les notes de fruits secs qui sollicitent l'accompagnement de quelques chocolats forts en cacao.
☙ Dom. Morel-Thibaut, 8, rue Coittier, 39800 Poligny, tél. 03.84.37.07.61, fax 03.84.37.07.61 ☑ ☨ r.-v.

DOM. MOREL-THIBAUT
Trousseau 2000

	1,12 ha	8 200		5 à 8 €

L'amitié d'enfance se concrétise parfois par des réalisations professionnelles communes quand vient l'âge adulte. C'est le cas de ce domaine partagé par deux compères. Est-ce un signe ? Un des dégustateurs propose de boire ce trousseau entre amis. C'est vrai qu'il est facile, ce vin, très agréable par son ton acidulé. C'est une harmonie simple qui est proposée, sans grande complexité, mais avec une certaine élégance. Trinquons !
☙ Dom. Morel-Thibaut, 8, rue Coittier, 39800 Poligny, tél. 03.84.37.07.61, fax 03.84.37.07.61 ☑ ☨ r.-v.

DOM. MOREL-THIBAUT
Vin jaune 1995

	1,5 ha	n.c.		23 à 30 €

Malgré une légère pointe de madérisation, ce vin jaune affiche un nez d'une belle intensité sur fond de fruits confits, de raisin de Corinthe et de noix sèche. Au palais, la vivacité est de mise : une bouteille à attendre.
☙ Dom. Morel-Thibaut, 8, rue Coittier, 39800 Poligny, tél. 03.84.37.07.61, fax 03.84.37.07.61 ☑ ☨ r.-v.

DOM. PIGNIER
Trousseau 2000★

	0,65 ha	3 500		5 à 8 €

Quand on est propriétaire d'un vignoble depuis 1794, on y est nécessairement très attaché. Marie-Florence, Antoine et Jean-Etienne Pignier perpétuent la tradition de sept générations de vignerons. Ce rouge, de teinte profonde, ne se donne pas immédiatement. Ce n'est en effet qu'au bout de quelques secondes que les fruits noirs s'offrent de manière puissante. Le vin est équilibré sur une chair ronde et riche qui distille d'agréables notes de fruits rouges. Les tanins sont présents, mais sans excès. Il y aurait presque un peu de sang bourguignon dans ce vin qui plaira en compagnie d'un filet de bœuf.
☙ Dom. Pignier, Cellier des Chartreux, 39570 Montaigu, tél. 03.84.24.24.30, fax 03.84.47.46.00, e-mail pignier-vignerons@wanadoo.fr ☑ ☨ t.l.j. sf dim. 8h-12h 13h45-19h

XAVIER REVERCHON
Saint Savin 1999★★

	0,7 ha	5 200	▌▐▌♦	5 à 8 €

Xavier Reverchon aime à rappeler qu'avant le phylloxéra, le vignoble de Poligny s'étendait sur plus de 600 ha alors qu'il n'en occupe actuellement plus qu'une centaine. Le viticulteur fait partie de ces familles qui ont tenu bon et voient aujourd'hui les efforts de plusieurs générations récompensés. Cette cuvée Saint Savin en est le témoin. C'est un vin de chardonnay vieilli en foudre huit mois puis en demi-muid sans ouillage. C'est un vrai jurassien qui offre un nez tout en finesse, d'abord très minéral puis marqué par des accents de pomme mûre et de noisette. Avec beaucoup de matière en bouche et à la fois du gras et de l'acidité, il est qualifié de vin « vrai » : son élégance est jugée remarquable et sa finesse de « rarement égalée ». Que voulez-vous de mieux !
☙ Xavier Reverchon, 2, rue du Clos, 39800 Poligny, tél. 03.84.37.02.58, fax 03.84.37.00.58 ☑ ☨ r.-v.

XAVIER REVERCHON
Les Trouillots Vin jaune 1995★★★

	0,95 ha	750		23 à 30 €

Il a déjà une certaine allure à l'œil, ce vin jaune dans sa robe de bronze. Noix verte, épices et touche torréfiée nous sollicitent sans cesse au nez. L'attaque est vive en bouche, mais la rondeur vient vite nous flatter pour arriver à un très bel équilibre. C'est vraiment la structure type d'un vin jaune. Puissance, finesse, longueur, rien ne manque. Ou plutôt si : il lui manque une bonne dizaine d'années pour exploser.

☞ Xavier Reverchon, 2, rue du Clos, 39800 Poligny, tél. 03.84.37.02.58, fax 03.84.37.00.58 ☑ ᛰ r.-v.

DOM. DES ROUSSOTS
Vermeil 2000★

■	2 ha	n.c.	5 à 8 €

Dans cette exploitation, chaque cépage rouge est vinifié séparément et aussi en mélange. Cette cuvée est un assemblage de trousseau et de poulsard à parts égales. La robe est claire, couleur pelure d'oignon, ce qui est assez typique de ce genre de production. Le nez de fruits rouges qu'agrémente une touche de réglisse est des plus agréables. La bouche, riche et structurée, finit sur le fruit dans un ballet fort sympathique de griotte et d'airelle. Ce vin d'assemblage réussi doit se boire comme un rosé, avec une charcuterie par exemple. Le **Vin de paille 98 (15 à 23 €)** obtient une citation. Couleur vieil or, il joue sur les épices, les fruits secs et le café ainsi que sur le miel. Un vin puissant et solide.

☞ Bernard Badoz, 15, rue du Collège, 39800 Poligny, tél. 03.84.37.11.85, fax 03.84.37.11.18 ☑ t.l.j. 8h-12h 14h-20h

JEAN TRESY ET FILS
Trousseau 2000

■	n.c.	2 700	ᛰ	5 à 8 €

Il y a de l'extraction dans ce vin de trousseau. Il faut dire que Denis Tresy cuve « à la bourguignonne » quinze jours avec remontages et pigeages. Cela donne effectivement un vin intense en couleur, avec une robe rubis foncé. Le nez puissant mais plaisant joue dans le registre animal avec des notes de fruits rouges (cerise, griotte, groseille). En bouche, les tanins sont présents, quoique sans rudesse. Dans une matière suffisante et équilibrée, le fruité s'installe durablement. Simple, agréable.

☞ Jean Trésy et Fils, rte des Longevernes, 39230 Passenans, tél. 03.84.85.22.40, fax 03.84.44.99.73, e-mail tresy.vin@wanadoo.fr ☑ ᛰ r.-v.

LA VIGNIERE
Vin de paille 1998★★

	n.c.	30 000	▥	15 à 23 €

Henri Maire commercialise 30 à 50 % des vins AOC du vignoble jurassien. Le vin de paille fait évidemment partie de sa gamme. Ce 98 est intense au nez dans un registre de fruits cuits, de fruits secs et d'épices. Un bel équilibre se dégage d'une bouche ronde et fruitée. Miel et fruits secs sont soulignés par un trait de torréfié délicat. A boire ou à attendre. (Bouteilles de 37,5 cl.)

☞ Henri Maire, Dom. de Boichailles, 39600 Arbois, tél. 08.11.45.39.39, fax 03.84.66.42.42, e-mail info@henri-maire.fr ☑ ᛰ r.-v.

FRUITIERE VINICOLE DE VOITEUR
Cuvée Prestige 1999★

	4 ha	20 000	ᛰ▥	8 à 11 €

La cuvée Prestige de la Fruitière vinicole de Voiteur est composée de 75 % de chardonnay et de 25 % de savagnin. C'est un vin au nez très beurré, finement souligné

d'un trait de noisette. La bouche est marquée par le savagnin, avec une accroche un peu dure mais où la matière est profonde et équilibrée. Noisette et amande côtoient un petit côté citronné bien composé. A réserver pour l'accompagnement de plats solides tels que fondue ou fromage de mont d'or chaud.

☞ Fruitière vinicole de Voiteur, 60, rue de Nevy-sur-Seille, 39210 Voiteur, tél. 03.84.85.21.29, fax 03.84.85.27.67, e-mail voiteur@fruitiere-vinicole-voiteur.fr ☑ ᛰ r.-v.

FRUITIERE VINICOLE DE VOITEUR
Chardonnay Vieilli un an en fût de chêne 1999★

	5 ha	30 000	ᛰ▥	5 à 8 €

Cette cuvée spécifique a vieilli un en fût de chêne après avoir été vinifiée en cuve inox. C'est bien de l'afficher, mais c'est somme toute une pratique très courante dans le vignoble. Ce beau 99 demande à être aéré pour que le nez se développe. Très franc en bouche, c'est un vin plutôt frais avec une bonne acidité. Les arômes de pomme mûre enchantent le palais. Un dégustateur trouve que c'est le genre de vin qui vous donne du tonus au casse-croûte du matin. Laissez-vous tenter !

☞ Fruitière vinicole de Voiteur, 60, rue de Nevy-sur-Seille, 39210 Voiteur, tél. 03.84.85.21.29, fax 03.84.85.27.67, e-mail voiteur@fruitiere-vinicole-voiteur.fr ☑ ᛰ r.-v.

Crémant du jura

Reconnue par décret du 9 octobre 1995, l'AOC crémant du jura s'applique à des mousseux élaborés selon les règles strictes des crémants, à partir de raisins récoltés à l'intérieur de l'aire de production de l'AOC côtes du jura. Les cépages rouges autorisés sont le poulsard (ou ploussard), le pinot noir appelé localement gros noirien, le pinot gris et le trousseau ; les cépages blancs sont le savagnin (appelé localement naturé), le chardonnay (appelé melon d'Arbois ou gamay blanc). Notez qu'en 2001 ont été déclarés 14 344 hl de crémant.

FRUITIERE VINICOLE D'ARBOIS 1999

	20 ha	150 000	ᛰ	5 à 8 €

La Fruitière vinicole d'Arbois est l'un des acteurs les plus dynamiques de la place, avec trois caveaux de dégustation à Arbois et un sur le site d'Arc-et-Senans, face à la saline royale. Un peu évolué au nez, ce crémant pur chardonnay est assez vineux en bouche. Il est prêt à boire.

☞ Fruitière vinicole d'Arbois, 2, rue des Fossés, 39600 Arbois, tél. 03.84.66.11.67, fax 03.84.37.48.80 ☑ ᛰ t.l.j. 9h30-18h30 de juil. à oct.

BAUD 1999★

	3,5 ha	25 000	ᛰ	5 à 8 €

De jolies petites bulles montent délicatement dans un décor or clair : une superbe entrée en matière. Mais quel nez curieux ! A la fois violette, lait chauffé et café grillé. Complexe mais atypique. La bouche est vive avec une dominante plutôt végétale. Un crémant insolite.

☞ Dom. Baud Père et Fils, rte de Voiteur, 39210 Le Vernois, tél. 03.84.25.31.41, fax 03.84.25.30.09 ⓘ r.-v.

DANIEL BROCARD 1999★★

	2 ha	6 000	ⓘ	5 à 8 €

Daniel Brocard est à la tête de cette propriété familiale depuis 1992. De belles bulles s'échappent d'une robe très claire habillant un crémant aux arômes complexes, oscillant entre fruits confits et notes florales. La bouche, assez dosée, est riche. Elle s'apprécie dans une belle longueur. Ce vin d'apéritif peut même vous suivre sur une entrée, avec du foie gras par exemple.

☞ Daniel Brocard, 4, rue du Haut, 39570 Pannessières, tél. 03.84.43.04.67, fax 03.84.86.28.99 ☑ ⓘ t.l.j. sf dim. 8h-19h

CAVEAU DES BYARDS 1999★

	3 ha	18 000	ⓘ♦	5 à 8 €

Ce blanc de blancs a l'effervescence fine et le caractère ouvert. Le nez puissant et racé annonce une bonne suite. Pas de mauvaise surprise en bouche, au contraire : plaisant, équilibré, il finit sur une note légèrement amère mais qui passe bien. Une bouche de réglisse se rappelle à nous de façon agréable. Un vin d'où se dégage une belle harmonie, pour l'apéritif.

☞ Caveau des Byards, 39210 Le Vernois, tél. 03.84.25.33.52, fax 03.84.25.38.02 ☑ ⓘ r.-v.

DANIEL ET PASCAL CHALANDARD 2000

	1,5 ha	10 000	ⓘ	5 à 8 €

Daniel Chalandard s'est installé en 1970 après avoir travaillé comme technicien chimiste. C'est en 1994 que son fils Pascal l'a rejoint pour créer le GAEC du Vieux Pressoir. D'une robe jaune doré se dégage une mousse très intense. Le nez est plus discret mais frais. En bouche, un côté assez vif incite le jury à recommander ce crémant pour l'apéritif.

☞ Daniel et Pascal Chalandard, GAEC du Vieux Pressoir, rte de Voiteur, 39210 Le Vernois, tél. 03.84.25.31.15, fax 03.84.25.37.62, e-mail chalandard.pascal@wanadoo.fr ☑ ⓘ r.-v.

CH. DE L'ETOILE 1999★★

	5 ha	20 000	ⓘ♦	5 à 8 €

L'élaboration des vins effervescents a toujours été au cœur du savoir-faire de cette maison réputée qui domine le village de l'Etoile. Avec du chardonnay, Georges Vandelle a bâti un crémant d'une belle effervescence, fine

et persistante. Le nez est très classique mais arrive néanmoins à interpeller : il est d'une richesse et d'une finesse étonnantes. Ses nuances fruitées et vanillées sont charmeuses. Une base florale et un côté miel assurent son caractère en bouche. Et quelle fraîcheur acidulée ! Le jury le trouve si remarquable qu'il conseille de ne pas s'en séparer de tout un repas.

☞ Georges Vandelle, GAEC Ch. de L'Etoile, 994, rue Bouillod, 39570 L'Etoile, tél. 03.84.47.33.07, fax 03.84.24.93.52 ☑ ⓘ r.-v.

DOM. GANEVAT 2000

	1 ha	7 300	ⓘ♦	5 à 8 €

Jean-François Ganevat a repris le domaine familial depuis 1998. Ce crémant pur chardonnay a la bulle fougueuse. Le nez est beaucoup plus assagi, voire un peu évolué. La bouche reste très vive avec malgré tout un niveau aromatique satisfaisant.

☞ Dom. Ganevat, La Combe-Rotalier, 39190 Rotalier, tél. 03.84.25.02.69, fax 03.84.25.02.69 ☑ ⓘ r.-v.

DOM. GENELETTI
Prestige 1996

	n.c.	14 000		5 à 8 €

Michel Geneletti a choisi de présenter un crémant du jura d'un millésime déjà ancien. Une jolie bulle anime le verre, et le nez de pain grillé demeure assez intense. Il a peut-être perdu un peu de fruit mais reste riche et complexe et, de ce fait, assez intéressant. Compte tenu de son caractère très particulier, il sera plus à l'aise sur une entrée de type foie gras qu'à l'apéritif ou au dessert.

☞ Dom. Michel Geneletti, 373, rue de l'Eglise, 39570 L'Etoile, tél. 03.84.47.46.25, fax 03.84.47.38.18 ☑ ⓘ r.-v.

CLAUDE JOLY 2000

	3 ha	20 000		5 à 8 €

La finesse des bulles est un indice de qualité des vins effervescents. Pari gagné pour ce crémant qui dégage une mousse fine et intense, sur un joli fond jaune clair. Le nez est frais, plutôt axé sur les fruits exotiques. L'attaque en bouche est fruitée, puis l'équilibre s'impose avec une belle acidité qui soutient un fruité en harmonie avec le nez.

☞ EARL Claude et Cédric Joly, chem. des Patarattes, 39190 Rotalier, tél. 03.84.25.04.14, fax 03.84.25.14.48 ⓘ r.-v.

DOM. LIGIER PERE ET FILS
Blanc de blancs 1999

	1,2 ha	4 000	ⓘ	5 à 8 €

Une exploitation créée en 1986 et où le travail se fait en famille. Quand on pense famille, on pense aussi fête. Le crémant est tout à fait adapté à toutes les cérémonies qui jalonnent la vie : un blanc de blancs jeune et fruité, dont le caractère est frais et léger.

☞ Ligier Père et Fils, 7, rte de Poligny, 39380 Mont-sous-Vaudrey, tél. 03.84.71.74.75, fax 03.84.81.59.82, e-mail gaec.ligier@wanadoo.fr ☑ ⓘ t.l.j. 8h30-12h 13h30-19h

DOM. DE MONTBOURGEAU

	2 ha	15 000	ⓘ♦	5 à 8 €

Chaque génération a posé sa pierre sur ce domaine aux allures bucoliques. Nicole Deriaux, fille de Jean Gros, tient actuellement les rênes avec la volonté de valoriser la vente à la propriété. Ce crémant est surtout apprécié pour

JURA

son nez d'agrumes et de fruits exotiques. La bouche présente un caractère de miel et d'hydromel très prononcé. A réserver aux desserts.

🍴 Jean Gros, Dom. de Montbourgeau, 39570 L'Etoile, tél. 03.84.47.32.96, fax 03.84.24.41.44, e-mail domaine-montbourgeau@wanadoo.fr ✅ 🍷 r.-v.

PIGNIER 1999

	0,7 ha	6 000	🍾 5 à 8 €

Pour élaborer son crémant rosé, la famille Pignier a utilisé du pinot noir et du poulsard en égale quantité. Les bulles montent de manière durable dans une robe couleur framboise. Encore fermé et discret, c'est un vin bien équilibré.

🍴 Dom. Pignier, Cellier des Chartreux, 39570 Montaigu, tél. 03.84.24.24.30, fax 03.84.47.46.00, e-mail pignier-vignerons@wanadoo.fr ✅ 🍷 t.l.j. sf dim. 8h-12h 13h45-19h

DOM. PIERRE RICHARD 1999★★★

	2 ha	10 000	5 à 8 €

Une belle persistance du cordon dans une robe jaune très pâle aux beaux reflets : voilà une ravissante approche. Le nez vient vite confirmer cette première impression très favorable : les fleurs blanches sont en toile de fond tandis qu'une note d'abricot se fait insistante. Dans une bouche tapissée d'une très belle acidité, la palette aromatique explose : du vanillé, du torréfié, une note végétale fraîche, et toujours cette touche d'abricot qui nous accompagne jusqu'en finale. Un vin très original qui ne manquera pas d'accompagner une tarte... à l'abricot.

🍴 Pierre Richard, rue Florentine, 39210 Le Vernois, tél. 03.84.25.33.27, fax 03.84.25.36.13 ✅ 🍷 r.-v.

ROLET
Cœur de chardonnay 1999

	2,5 ha	16 000	🍾 8 à 11 €

Un crémant pur chardonnay qui affiche son effervescence de manière forte dans une robe jaune très pâle. Le nez est frais tandis qu'en bouche une pointe d'acidité agréable amuse le palais. Pour l'apéritif. C'est une bouteille sérigraphiée.

🍴 Dom. Rolet Père et Fils, rue de l'Hôtel-de-Ville, 39600 Arbois, tél. 03.84.66.00.05, fax 03.84.37.47.41, e-mail rolet@wanadoo.fr 🍷 r.-v.

CLAUDE ROUSSELOT-PAILLEY 2000

	2 ha	13 000	🍾 5 à 8 €

Ce crémant pur chardonnay présente une robe jaune clair et un joli cordon de bulles fines : tout est là pour

séduire. Le nez encore très jeune, accompagné de quelques notes d'agrumes et de torréfié, annonce une bouche vive, dotée d'un beau fond fruité. Un vin sans doute pénalisé par un dégorgement récent lors de la dégustation mais qui devrait bien s'épanouir d'ici un à deux ans.

🍴 Claude Rousselot-Pailley, 140, rue Neuve, 39600 Lavigny, tél. 03.84.25.38.38, fax 03.84.25.31.25 ✅ 🍷 r.-v.

ANDRE ET MIREILLE TISSOT 2000★

	4 ha	24 000	🍾 5 à 8 €

André et Mireille Tissot ont choisi d'assembler chardonnay et pinot noir à parts égales pour élaborer ce crémant. Un équilibre qui se retrouve dans un vin à la fois frais et aguicheur. De la robe de couleur paille se dégagent des bulles nerveuses. Le nez nous fait voyager entre agrumes, fruits exotiques et tons floraux. Si l'acidité est bien présente, elle ne met pas en péril la structure et l'harmonie générale d'un vin qui pourra se servir à l'apéritif ou au dessert.

🍴 André et Mireille Tissot, 39600 Montigny-lès-Arsures, tél. 03.84.66.08.27, fax 03.84.66.25.08 ✅ 🍷 t.l.j. 9h-12h 14h-19h; dim. sur r.-v. 🍷 Stéphane et André Tissot

JACQUES TISSOT 1999★

	1,5 ha	9 000	🍾 5 à 8 €

Intensité et finesse de l'effervescence, voilà un crémant de choix. Et quelle élégance dans cet écrin jaune légèrement doré, offrant des nuances fruitées au nez, légères mais plaisantes ! En bouche, le fruit revient, soutenu par une bonne acidité et couronné par une note minérale délicate. Une très belle harmonie générale avec un côté presque féminin. Certains n'hésitent pas à le comparer à nos vins effervescents les plus renommés.

🍴 Dom. Jacques Tissot, 39, rue de Courcelles, 39600 Arbois, tél. 03.84.66.14.27, fax 03.84.66.24.88, e-mail courrier@domaine-jacques-tissot.fr ✅ 🏠 🍷 r.-v.

DOM. PHILIPPE VANDELLE 1999★

	3 ha	23 000	🍾 5 à 8 €

Bernard et Philippe Vandelle poursuivent désormais leur route de manière indépendante après avoir œuvré dans le cadre familial du château de l'Etoile. Ce crémant pur chardonnay est déjà marqué au nez par une certaine évolution, mais sa nature est complexe, autour de notes évoquant le beurre ou la noisette. L'expression est bonne en bouche, avec de l'équilibre et une persistance réussie dans une série aromatique qui prolonge le nez. Un bel ensemble de caractère évolué, marqué par la noisette et qui plaira au dessert.

🍴 Dom. Philippe Vandelle, 186, rue Bouillod, 39570 L'Etoile, tél. 03.84.86.49.57, fax 03.84.86.49.58 ✅ 🍷 t.l.j. sf dim. 9h-12h 14h-19h

VIN FOU 1998

	n.c.	45 000	🍾 15 à 23 €

Le Vin fou a été la grande réussite d'Henri Maire, célèbre négociant de la place d'Arbois mais aussi propriétaire de vignobles dans le Jura. « Vin fou » est une marque qui n'accompagne pas que l'appellation crémant du jura. Le cordon est léger mais fin, régulier et persistant. Les agrumes se retrouvent tant au nez qu'en bouche. La structure est ronde, presque trop sage, ce qui surprend dans un vin né sous le signe de l'effervescence.

🍷 Henri Maire, Dom. de Boichailles, 39600 Arbois, tél. 08.11.45.39.39, fax 03.84.66.42.42, e-mail info@henri-maire.fr ☑ ⌇ r.-v.

FRUITIERE VINICOLE DE VOITEUR

	10 ha	70 000		▮▮	5 à 8 €

De la coopérative, on aperçoit parfaitement le village de Château-Chalon sur son escarpement. Cordon de bulles fines et robe jaune pâle : c'est un très bel accueil que vous réserve ce crémant. Le nez évoque les agrumes, et la bouche suit. Sans beaucoup d'acidité, c'est un vin discret mais qui sera agréable au dessert.

🍷 Fruitière vinicole de Voiteur, 60, rue de Nevy-sur-Seille, 39210 Voiteur, tél. 03.84.85.21.29, fax 03.84.85.27.67, e-mail voiteur@fruitiere-vinicole-voiteur.fr ☑ ⌇ r.-v.

L'étoile

L e village doit son nom à des fossiles, segments de tiges d'encrines (échinodermes en forme de fleurs), petites étoiles à cinq branches. Son vignoble (73 ha) a produit 2 607 hl de vins blancs, jaunes, de paille et mousseux en 2001.

MARCEL CABELIER 1999

	n.c.	30 000	▮▮▮	5 à 8 €

Marcel Cabelier est la marque d'un important négociant établi situé dans le Jura, mais à l'extérieur du vignoble de l'Etoile. Les beaux arômes citronnés n'ont pas trompé le jury : c'est bien un pur chardonnay, qui est incisif au nez, quoique bien équilibré en bouche. L'ampleur est modérée et le vin encore fermé, en devenir. Il faut lui laisser le temps de s'ouvrir.

🍷 Compagnie des Grands Vins du Jura, rte de Champagnole, 39570 Crançot, tél. 03.84.87.61.30, fax 03.84.48.21.36, e-mail jura@grandschais.fr ☑ 🏠 ⌇ r.-v.

DANIEL ET PASCAL CHALANDARD
Cuvée Axel 1999

	n.c.	8 000	▮▮▮	5 à 8 €

Si la famille Chalandard exploite un peu plus d'un hectare de vignes à l'Etoile, la cave n'est pas située dans cette zone d'appellation, mais dans les Côtes du Jura. Le vin d'assemblage de savagnin (80 %) et de 20 % de chardonnay a été élevé un an en cuve puis un an en fût. Le nez présente d'agréables nuances fruitées dans un ton de belle maturité. La bouche est ronde. Les notes d'ananas et de bonbon anglais donnent un style fruité intéressant et qui persiste bien. Discret, ce 99 peut permettre une excellente initiation à la connaissance des vins du Jura.

🍷 Daniel et Pascal Chalandard, GAEC du Vieux Pressoir, rte de Voiteur, 39210 Le Vernois, tél. 03.84.25.31.15, fax 03.84.25.37.62, e-mail chalandard.pascal@wanadoo.fr ☑ ⌇ r.-v.

CH. DE L'ETOILE
Cuvée des Ceps d'or 1999★

	4 ha	15 000	▥	8 à 11 €

Ce château est une valeur sûre du Guide depuis de nombreuses années, Georges Vandelle le menant avec passion depuis plus de trente ans. Son 99 est encore fermé ; le savagnin n'y représente que 5 % de l'assemblage à côté du chardonnay. Le mariage semble pourtant heureux à nos dégustateurs. Il donne une belle impression au nez et en bouche affichant une grande finesse et une structure bien dessinée. Homard ou viande blanche sauce curry, à vous de choisir.

🍷 Georges Vandelle, GAEC Ch. de L'Etoile, 994, rue Bouillod, 39570 L'Etoile, tél. 03.84.47.33.07, fax 03.84.24.93.52 ☑ ⌇ r.-v.

DOM. GENELETTI 1997★

	3 ha	15 000	▥	5 à 8 €

A côté de sa cuvée pur chardonnay qui obtient une citation pour son **millésime 98 (5 à 8 €)** où l'on retrouve la pomme, la noisette et l'amande, mais aussi la pêche, Michel Geneletti produit un vin d'assemblage où le savagnin rentre à la hauteur précise de... 8 %. Le nez d'amande grillée est élégant. L'attaque est vive, avec une touche de boisé qui demeure tout au long d'une dégustation révélant un bel équilibre. Il peut être servi dès maintenant, comme attendre cinq ans de plus.

🍷 Dom. Michel Geneletti, 373, rue de l'Eglise, 39570 L'Etoile, tél. 03.84.47.46.25, fax 03.84.47.38.18 ☑ ⌇ r.-v.

DOM. DE MONTBOURGEAU 1998★★

	0,5 ha	2 000	▥	11 à 15 €

Nicole Deriaux continue de mener ce domaine avec dextérité et passion. Cet étoile n'est pas un vin jaune mais un pur savagnin, qui a quand même passé quatre ans en fût de chêne. On l'a vinifié en cuve inox de manière traditionnelle, sans rechercher forcément la formation d'un voile de levure, valorisant ainsi en lui un autre aspect, tout aussi intéressant, du cépage. Du grillé et de la noix s'expriment au nez, auxquels viennent s'ajouter une pointe de fenouil et une touche de beurré. Cela donne... le vin à la bouche ! L'attaque est vive et la structure encore un peu rude, mais il y a de beaux atouts dans ce 98 aromatique et persistant ; à attendre deux à trois ans.

JURA

☙ Jean Gros, Dom. de Montbourgeau, 39570 L'Etoile, tél. 03.84.47.32.96, fax 03.84.24.41.44, e-mail domaine-montbourgeau@wanadoo.fr ☑ ⵟ r.-v.

DOM. DE MONTBOURGEAU
Vin de paille 1998★★

	1 ha	1 000	⑪ 11 à 15 €

Le cadre du domaine de Montbourgeau est très agréable et mérite la visite du lecteur, qui sera émerveillé par ce vin de paille fleurant bon l'herbe sèche et le raisin confit. La générosité du sucre et la réponse acide donnent un volume superbe. Quel plaisir de retrouver les arômes du nez que le cacao vient soutenir ! De la séduction à l'état pur. Un dégustateur a même qualifié « d'aérien » ce vin de paille parfait.
☙ Jean Gros, Dom. de Montbourgeau, 39570 L'Etoile, tél. 03.84.47.32.96, fax 03.84.24.41.44, e-mail domaine-montbourgeau@wanadoo.fr ☑ ⵟ r.-v.

AUGUSTE PIROU
Montavoye 2000★

	n.c.	50 000	5 à 8 €

Auguste Pirou est l'une des marques de la célèbre maison de négoce Henri Maire dont la vente se fait essentiellement en grande distribution. Le choix d'assembler 80 % de savagnin et 20 % de chardonnay dans cette cuvée a été apprécié par le jury qui trouve là un vin bien limpide, avec beaucoup de fraîcheur au nez dans une belle complexité fruitée. Si l'attaque est vive, la rondeur vient vite caresser le palais. Le végétal et le floral dominent avec une belle persistance aromatique. Encore très jeune, ce vin équilibré pourra accompagner un poisson de rivière tel sandre ou truite.

☙ Auguste Pirou, Caves de Faramand, 39600 Arbois, tél. 03.84.66.42.70, fax 03.84.66.42.42, e-mail info@auguste-pirou.fr

DOM. PHILIPPE VANDELLE
Vieilles vignes 1999★

	3 ha	15 000	🖥⑪♨ 5 à 8 €

La famille Vandelle cultive la vigne et vinifie depuis plus d'un siècle à l'Etoile ; Bernard et Philippe Vandelle, qui travaillaient jusqu'à présent dans le cadre du château de l'Etoile, volent désormais de leurs propres ailes. Les épices, la noix et la pomme qui viennent au nez ne donnent qu'une envie : poursuivre la dégustation. Après une attaque vive, les nuances d'amande amère donnent un ton « typé » à ce vin qui demande encore à s'ouvrir. Il faut donc patienter.
☙ Dom. Philippe Vandelle, 186, rue Bouillod, 39570 L'Etoile, tél. 03.84.86.49.57, fax 03.84.86.49.58 ☑ ⵟ t.l.j. sf dim. 9h-12h 14h-19h

DOM. PHILIPPE VANDELLE
Vin jaune 1993★

	2 ha	4 000	🖥⑪♨ 15 à 23 €

Cette robe vieil or a tout pour attirer l'œil par sa bonne brillance et son excellente limpidité. Le nez est intense et déjà évolué, avec des tons de noix sèche, de cacao et d'épices. La structure est assez imposante : il y a de la concentration dans ce vin jaune qui s'avère être une belle réussite dans un millésime réputé difficile.
☙ Dom. Philippe Vandelle, 186, rue Bouillod, 39570 L'Etoile, tél. 03.84.86.49.57, fax 03.84.86.49.58 ☑ ⵟ t.l.j. sf dim. 9h-12h 14h-19h

La Savoie

Du lac Léman à la vallée de l'Isère, dans les deux départements de la Savoie et de la Haute-Savoie, le vignoble occupe les basses pentes favorables des Alpes. En constante extension (près de 1 800 ha), il produit bon an mal an environ 115 000 hl. Il forme une mosaïque complexe au gré des différentes vallées dans lesquelles il est établi en îlots plus ou moins importants. Cette diversité géographique se retrouve dans les variantes climatiques, les caractères montagnards étant accentués par le relief ou tempérés par le voisinage des lacs Léman et du Bourget.

Vin de savoie et roussette de savoie sont les appellations régionales, utilisées dans toutes les zones ; elles peuvent être suivies de la mention d'un cru, mais ne s'appliquent alors en général qu'à des vins tranquilles, uniquement blancs pour les roussettes. Les vins des secteurs de Crépy et de Seyssel ont droit chacun à leur propre appellation.

Les cépages, du fait de la grande dispersion du vignoble, sont assez nombreux mais, en réalité, un certain nombre n'existent qu'en très faible quantité : le pinot et le chardonnay, notamment. Quatre blancs et deux noirs sont les principaux, en même temps que ceux qui donnent des vins originaux spécifiques. Le gamay, importé du Beaujolais voisin après la crise phylloxérique, est celui des vins frais et légers, à consommer dans l'année. La mondeuse, cépage local, donne des vins rouges bien charpentés, notamment à Arbin, dont elle est la variété exclusive ; c'était, avant le phylloxéra, le cépage le plus important de la Savoie ; il est souhaitable qu'il reprenne sa place, car ses vins sont de belle qualité et ont beaucoup de caractère. La jacquère est le cépage blanc le plus répandu ; elle donne des vins blancs frais et légers, à consommer jeunes. L'altesse est un cépage très fin, typiquement savoyard, celui des vins blancs vendus sous le nom de roussette de savoie. La roussanne portant le nom local de bergeron, donne également des vins blancs de haute qualité, spécialement à Chignin, avec le chignin-bergeron. Enfin, le chasselas, présent sur les rives du lac Léman, est utilisé dans la partie haut-savoyarde de l'AOC.

Crépy

Comme sur toute la rive du lac Léman, c'est le chasselas qui est planté dans le vignoble de Crépy (80 ha dont 67 revendiqués en 2001) ; il est le cépage unique. Il donne 4 095 hl en 2001 de vin blanc léger. Cette petite région a obtenu l'AOC en 1948.

DOM. LE CHALET 2001

	2 ha	13 000	❰❱	3 à 5 €

Présent régulièrement dans le Guide, Jacques Métral propose un crépy des plus classiques, nettement marqué par des notes d'agrumes qui dominent des arômes plus beurrés. La bouche, très ronde, presque grasse, possède une bonne structure et laisse parler le terroir. Un vin encore jeune, qui ne manquera pas de se fondre au cours d'une petite garde.

↪ Jacques Métral, Dom. Le Chalet, 74140 Loisin, tél. 04.50.94.10.60, fax 04.50.94.18.39

☑ ♈ t.l.j. sf dim. 9h-12h 14h-19h

Vin de savoie

Le vignoble donnant droit à l'appellation vin de savoie est installé le plus souvent sur les anciennes moraines glaciaires ou sur les éboulis, ce qui, joint à la dispersion géographique, conduit à une diversité souvent consacrée par l'adjonction d'une dénomination locale à celui de l'appellation régionale. Au bord du Léman, c'est, comme sur la rive suisse, le chasselas qui, à Marin, Ripaille, Marignan, donne des vins blancs légers, à boire jeunes, et que l'on élabore souvent perlants. Les autres zones ont des cépages différents et, selon la vocation des sols, produisent des vins blancs ou des vins rouges. On trouve ainsi, du nord au sud, Ayze, au bord de l'Arve, avec des vins blancs pétillants ou mousseux, puis, au bord du lac du Bourget (et au sud de l'appellation seyssel), la Chautagne, dont les vins rouges en particulier ont un caractère affirmé. Au sud de Chambéry, les bords du mont Granier recèlent des vins blancs frais, comme l'apremont et le cru des Abymes, vignoble établi sur le site d'un effondrement qui, en 1248, fit des milliers de victimes. En face, Monterminod, envahi par l'urbanisation, a malgré tout conservé un vignoble qui donne des vins remarquables ; il est suivi de ceux de Saint-Jeoire-Prieuré, de l'autre côté de Challes-les-Eaux, puis de Chignin, dont le bergeron a une renommée parfaitement justifiée. En remontant l'Isère par la rive droite, les pentes sud-est sont occupées par les crus de Montmélian, Arbin, Cruet et Saint-Jean-de-la-Porte.

Produits en faible quantité (106 765 hl en 2001) dans une région très touristique, les vins de savoie sont surtout consommés dans leur jeunesse, sur place, avec un marché où la demande dépasse parfois l'offre. Les vins de savoie blancs vont bien sur les produits des lacs ou de la mer, et les rouges issus de gamay s'accordent avec beaucoup de mets. Il est cependant dommage de consommer jeunes les vins rouges de mondeuse, qui ont besoin de plusieurs années pour s'épanouir et s'assouplir : ces teilles de haut niveau conviendront aux plats puissants, au gibier, à l'excellente tomme de Savoie et au fameux reblochon.

DOM. G. ET G. BOUVET
Chardonnay Prestige 1999

	2 ha	6 000		5 à 8 €

Partisan de l'élevage sous bois, le domaine Bouvet présente ici le résultat de son savoir-faire. Le mariage est plutôt réussi, aucune des caractéristiques de ce vin n'a été masquée. La bouche demeure ample et ronde, laissant s'exprimer les notes grillées qui ponctuent toute la dégustation. Ce chardonnay bien structuré peut accompagner élégamment viandes blanches et fromages.
↬ Dom. G. et G. Bouvet, Fréterive, 73250 Saint-Pierre-d'Albigny, tél. 04.79.28.54.11, fax 04.79.28.51.97 ☑ ⊤ r.-v.
↬ Henriette Bouvet

LE CELLIER DU PALAIS
Apremont Cuvée des Hautes-Vignes 2001★

	5,59 ha	n.c.		3 à 5 €

Depuis une dizaine d'années, René Bernard est épaulé par sa fille, Béatrice. Voilà un bel apremont, déjà très ouvert et pratiquement prêt à boire. Issu d'un terroir argilo-calcaire établi sur crétacé et d'une vendange mûre à souhait, il présente au nez les caractéristiques notes de fleurs blanches et de fruits mûrs. Sa bouche, marquée par une certaine rondeur, est soutenue par la vivacité qui sied si bien à ce style de vin.
↬ René et Béatrice Bernard, Le Cellier du Palais, 73190 Apremont, tél. 04.79.28.33.30, fax 04.79.28.28.61 ☑ ⊤ r.-v.

BERNARD CHEVALLIER
Jongieux Gamay 2001

	3,64 ha	10 000		3 à 5 €

Installé en 1996, rejoint par Chantal sur l'exploitation en 2001, Jean-Pierre Bernard s'inscrit dans la dynamique

viticole qui caractérise sa commune. Pratiquant la lutte intégrée, il observe attentivement la vie de son vignoble avant toute intervention. Il a tiré du gamay un vin de bonne constitution, auquel on peut prédire quelques années d'épanouissement.
↬ EARL Bernard Chevallier, Le Haut, 73170 Jongieux, tél. 04.79.36.86.90 ☑ ⊤ r.-v.

DOM. JEAN-PIERRE ET PHILIPPE GRISARD
Saint-Jean-de-la-Porte Mondeuse 2001★★

	0,75 ha	6 000		3 à 5 €

Les frères Grisard, pépiniéristes et viticulteurs, proposent une mondeuse issue d'une macération longue après égrappage. Les marques d'un grand vin sont bien là. La présence d'arômes typiques du cépage et surtout la rondeur des tanins emportent l'adhésion du jury. Equilibrée et harmonieuse, une bouteille à déboucher à la parution du Guide.
↬ Jean-Pierre et Philippe Grisard, Chef-lieu, 73250 Fréterive, tél. 04.79.28.54.09, fax 04.79.71.41.36 ☑ ⊤ t.l.j. sf dim. 8h-12h 13h30-18h30

CH. DE LUCEY
Mondeuse 2001

	0,8 ha	3 000		3 à 5 €

Le château de Lucey, dont la construction est antérieure au XIIIᵉ s., était autrefois entouré de vignes. Il en possède aujourd'hui 3 ha. Plutôt connu pour sa roussette de Savoie, il propose ici un vin issu de plants d'une trentaine d'années. Très ouvert au nez, dominé par des notes épicées, celui-ci se montre solide et charpenté. Une bouteille encore un peu rustique, que le temps devrait affiner. A encaver un an ou deux.
↬ SCEA Ch. de Lucey, 73170 Lucey, tél. 04.79.44.01.00, fax 04.79.44.01.00 ☑ ⊤ r.-v.
↬ Defforey

DOM. DE MÉJANE
Chardonnay 2001★

	1,88 ha	13 600		3 à 5 €

Son activité de pépiniériste a permis à Jean-Georges Henriquet de mettre en valeur tous les cépages de l'appellation dans son vignoble. Il a su tirer de ce chardonnay complexité et richesse. A la symphonie des arômes fruités et floraux, succède une suite de saveurs à caractère plus minéral. Doté d'un bon équilibre entre douceur et vivacité, ce vin saura conserver ses qualités durant quelques années.
↬ Jean-Georges Henriquet, Dom. de Méjane, 73250 Saint-Jean-de-la-Porte, tél. 04.79.71.48.51, fax 04.79.28.53.20 ☑ ⊤ t.l.j. 9h-18h; dim. sur r.-v.

DOM. DE MÉJANE
Pinot noir 2001

| ■ | 2,57 ha | 18 000 | ■ ♦ | 3 à 5 € |

Jean-Georges Henriquet, adhérent d'une cave coopérative jusqu'en 2000, a depuis décidé de se lancer dans la vinification. Installé dans une ancienne propriété viticole du XVIIIᵉs., il a rénové l'ensemble de son équipement. Il propose un pinot au nez délicieusement marqué par la framboise et autres fruits rouges, dont la bouche fraîche se termine en un bouquet persistant. Un vin finalement très typique du cépage.

↰ Jean-Georges Henriquet, Dom. de Méjane,
73250 Saint-Jean-de-la-Porte, tél. 04.79.71.48.51,
fax 04.79.28.53.20 ☑ ⌥ t.l.j. 9h-18h; dim. sur r.-v.

JEAN-BAPTISTE PERCEVAUX
Mondeuse 2000★

| ■ | n.c. | n.c. | | 3 à 5 € |

Voici une jolie bouteille à la robe rubis profond, typique des mondeuses amples et généreuses. Très mar- quée par les fruits noirs, sa palette aromatique accompagne toute la dégustation. Un vin très représentatif de son appellation, commercialisé par la maison Perret à Billième.
↰ Jean-Baptiste Percevaux, Bergin,
73170 Saint-Jean-de-Chevelu, tél. 04.79.36.71.84

DOM. PERRIER PERE ET FILS
Arbin Mondeuse Graine de Terroir 2000

| ■ | 0,3 ha | 2 000 | ⦿ | 8 à 11 € |

Au pied du parc des Bauges, Gilbert Perrier cultive 30 ha de vignes, dont une parcelle de ceps d'une cinquantaine d'années, à l'origine de cet Arbin bien né. Dans une palette d'arômes complète, les notes d'épices et de cacao le disputent aux arômes plus animaux. La bouche franche et vive s'appuie sur des tanins solides qui devraient s'arrondir bientôt.
↰ SA Dom. Jean Perrier Père et Fils,
Saint-André, 73800 Les Marches,
tél. 04.79.28.11.45, fax 04.79.28.09.91
☑ ⌥ t.l.j. sf dim. 9h-12h 14h-18h; sam. sur r.-v.

La Savoie

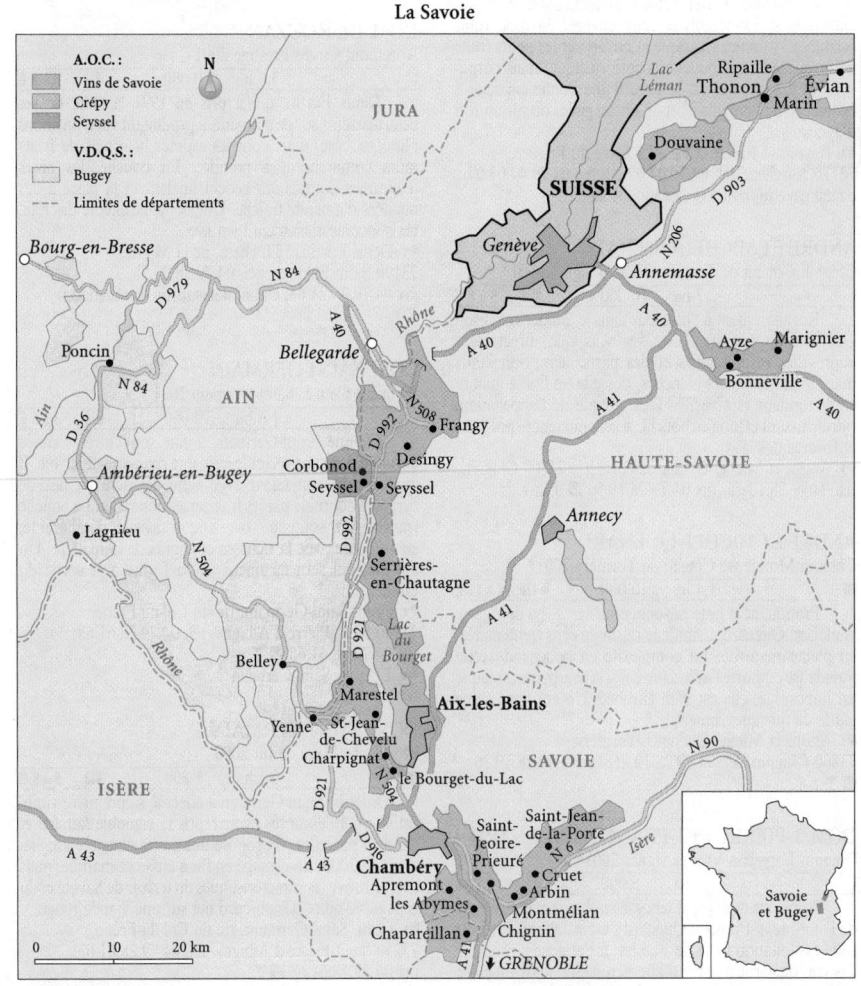

DOM. MARC PORTAZ
Abymes 2001★

	1,5 ha	12 000	∎ ⬩	3 à 5 €

Installé depuis 2000, Jean-Marc Portaz continue en compagnie de son père l'œuvre familiale. Habitués du Guide, tous deux élaborent un vin au nez ouvert, dominé par la violette. La bouche, d'abord marquée par les fruits blancs, se termine sur des notes rappelant le noyau. L'impression générale reste celle d'un vin équilibré, typique de son appellation, qui accompagnera avec classe lavarets et autres ombles chevaliers des lacs.
➦ EARL Dom. Marc Portaz, allée du Colombier, 38530 Chapareillan, tél. 04.76.45.23.51, fax 04.76.45.57.60 ☑ ☥ r.-v.
➦ J.-M. Portaz

LA CAVE DU PRIEURE
Jongieux Mondeuse 2001★

	2,5 ha	15 000	∎ ⬩	5 à 8 €

La famille Barlet réussit généralement bien ses vins rouges. En témoigne cette cuvée à la robe rubis éclatante. A un nez classique et ouvert sur les petits fruits noirs, succède une bouche encore rustique, mais corpulente et longue, qui est le gage d'une bonne capacité à évoluer. Une bouteille à servir sur un gibier ou sur un rôti d'agneau.
➦ Raymond Barlet et Fils, La Cave du Prieuré, 73170 Jongieux, tél. 04.79.44.02.22, fax 04.79.44.03.07, e-mail caveduprieure@wanadoo.fr ☑ ☥ r.-v.

ANDRE ET MICHEL QUENARD
Chignin Coteau de Torméry Vieilles vignes 2001★

	7 ha	10 000	∎ ⬩	5 à 8 €

Régulièrement à l'honneur dans le Guide, la maison Quénard ne commercialise ses vins que directement auprès des restaurateurs et des particuliers. Son 2001, marqué par les fleurs blanches, possède un bon équilibre entre rondeur et vivacité. Très typique de l'appellation, rafraîchissant et long en bouche, il accompagnera poissons et fritures des lacs.
➦ André et Michel Quénard, Torméry, 73800 Chignin, tél. 04.79.28.12.75, fax 04.79.28.19.36 ☑ ☥ r.-v.

ANDRE ET MICHEL QUENARD
Chignin Mondeuse Coteau de Torméry 2001★

	1,4 ha	10 000	∎ ⬗	8 à 11 €

Pratiquant la lutte raisonnée sur ses 21 ha de vignes, la maison Quénard a vinifié le raisin de ceps trentenaires, en pleine maturité. La complexité en bouche de cette mondeuse emporte l'adhésion, car si la charpente tannique est imposante, elle est bien enrobée. Un vin apte à une garde de quelques années.
➦ André et Michel Quénard, Torméry, 73800 Chignin, tél. 04.79.28.12.75, fax 04.79.28.19.36 ☑ ☥ r.-v.

DOM. J.-PIERRE ET J.-FRANCOIS QUENARD
Chignin Bergeron Vieilles vignes 2001★

	0,6 ha	5 000	∎	8 à 11 €

Après un diplôme d'œnologue obtenu à l'université de Dijon, Jean-François Quénard s'est installé en 1987 sur cette exploitation forte de 14,5 ha. Il s'attache à produire des vins de garde à partir du bergeron. Son 2001 est en ce sens une réussite, car sa structure est prometteuse. En fin de bouche, les arômes s'affinent et prennent des accents plus minéraux. Un vin de classe, encore fermé mais qui possède les atouts d'un grand.
➦ Dom. J.-Pierre et J.-François Quénard, Le Villard, 73800 Chignin, tél. 04.79.28.08.29, fax 04.79.28.18.92 ☑ ☥ r.-v.

LES FILS DE RENE QUENARD
Chignin Bergeron La Bergeronnelle 2001★★

	3 ha	15 000	∎	5 à 8 €

Le jury a été charmé par cette cuvée aux arômes délicieusement mentholés. La bouche séduit d'emblée par sa vivacité comme par sa belle expression du terroir et du cépage. De ce tumulte juvénile ressort une impression de puissance, gage d'une bonne évolution dans le temps.
➦ Les Fils de René Quénard, Les Tours, Cidex 4707, 73800 Chignin, tél. 04.79.28.01.15, fax 04.79.28.18.98 ☑ ☥ r.-v.

DOM. DE ROUZAN
Apremont Cuvée Prestige 2001

	3,6 ha	10 000	∎ ⬩	5 à 8 €

Denis Fortin, qui a pris en 1991 la suite de ses beaux-parents sur ce domaine, a produit un vin d'un abord plutôt réservé, mais dont les arômes bien nets de fruits mûrs commencent à poindre. En bouche, les notes d'agrumes dominantes cèdent finalement la place à des nuances d'amande fraîche. Une bouteille encore discrète, mais incontestablement bien née.
➦ Denis Fortin, 152, chem. de la Mairie, 73190 Saint-Baldoph, tél. 04.79.28.25.58, fax 04.79.28.21.63, e-mail denis.fortin@wanadoo.fr ☥ r.-v.

DOM. SAINT-GERMAIN
Jacquère Coutaz Saint-Germain 2001

	1,3 ha	10 000	∎ ⬩	3 à 5 €

Etienne Saint-Germain a fait son entrée l'année dernière dans notre Guide avec une roussette-de-savoie. Il confirme ici son talent avec cette jacquère au nez de caractère, dominé par les fragrances minérales. La bouche franche est soutenue par une fraîcheur désaltérante, en équilibre avec la richesse et le gras de la matière. Un joli vin, qui sera au mieux de sa forme à la sortie du Guide.
➦ Dom. Saint-Germain, rte du Col-du-Frêne, 73250 Saint-Pierre-d'Albigny, tél. 04.79.28.61.68, fax 04.79.28.61.68 ☑ ☥ r.-v.
➦ E. et R. Saint-Germain

DOM. SAINT-GERMAIN
Mondeuse Elevé en fût 2000

	0,3 ha	1 800	⬗	5 à 8 €

Etienne Saint-Germain a effectué sa première vinification en 1999, après avoir repris le vignoble familial et d'autres parcelles. Il propose une cuvée élaborée longuement en 2000. Le passage en fût a laissé sa marque, mais l'on retrouve les caractéristiques du terroir de Savoie et du cépage. A boire dès aujourd'hui sur une viande rouge.
➦ Dom. Saint-Germain, rte du Col-du-Frêne, 73250 Saint-Pierre-d'Albigny, tél. 04.79.28.61.68, fax 04.79.28.61.68 ☑ ☥ r.-v.

VACHER
Chignin 2001★

| | 1 ha | 8 600 | ▮▲ | 3 à 5 € |

Bien belle cuvée que ce blanc au nez classique de pierre à fusil, rehaussé de quelques notes citronnées. La bouche laisse percevoir un support fruité de bon aloi. L'ensemble est plaisant et fait de ce vin un ambassadeur talentueux de l'AOC.
☛ Maison Adrien Vacher, 2 A, plan Cumin, 73800 Les Marches, tél. 04.79.28.11.48, fax 04.79.28.09.26 ☑ ♈ r.-v.

VACHER
Abymes 2001★

| | 1,5 ha | 10 000 | ▮ | 3 à 5 € |

La maison Vacher est l'un des piliers du négoce savoyard. Les investissements consentis ces dernières années portent leurs fruits. Tout est élégance et suavité dans ce vin blanc aux fragrances minérales et florales. Son équilibre s'appuie sur une vivacité contenue et somme toute agréable. Vous apprécierez sa finale citronnée et rafraîchissante qui en fera un excellent compagnon du début de repas, typique de son AOC.
☛ Maison Adrien Vacher, 2 A, plan Cumin, 73800 Les Marches, tél. 04.79.28.11.48, fax 04.79.28.09.26 ☑ ♈ r.-v.

JEAN ET ERIC VALLIER
Ayze 2000

| | 5 ha | 43 000 | ▮▲ | 5 à 8 € |

Voici un vin élaboré dans les règles de l'art : vendange entière et fermentation malolactique. Il est rond, bien présent en bouche. Les accents de noisette et de brioche vous accompagneront tout au long de la dégustation, soulignés de bulles de qualité. Cette bouteille pourra être servie sur tout un repas.
☛ GAEC Jean et Eric Vallier, 1320, rte de la Côte-d'Hyot, 74130 Bonneville, tél. 04.50.97.10.12, fax 04.50.97.58.12 ☑ ♈ r.-v.

DOM. VIALLET
Chignin Bergeron 2000

| | 2 ha | 16 000 | ▮▲ | 5 à 8 € |

A la suite de Marcel Viallet qui acquit ce domaine en 1966, Pierre Viallet conduit la destinée du vignoble depuis 1984. Une impression d'équilibre et d'harmonie ressort de la dégustation de ce vin déjà fondu et long, qui pourra être dégusté dès la sortie du Guide sur les poissons du lac ou les spécialités au fromage de la Savoie.
☛ GAEC Dom. Viallet, rte de Myans, 73190 Apremont, tél. 04.79.28.33.29, fax 04.79.28.20.68 ☑ ♈ t.l.j. sf sam. dim. 8h-12h 14h-17h30

VIALLET
Mondeuse Cuvée Marcel Alexis 2000★★

| ▮ | 2,3 ha | 12 000 | ⦿ | 11 à 15 € |

Le millésime 2000 restera dans les mémoires savoyardes, notamment grâce à des vins rouges charnus et taillés pour la garde. C'est exactement ce qu'offre ce vin à la robe pourpre caractéristique. La présence en bouche enchante et ne semble pas devoir finir, soutenue par des tanins ronds et longs. Ce vin gagnera une certaine suavité après quelques années de vieillissement.

☛ Maison Philippe Viallet, Le Gaz, 73190 Apremont, tél. 04.79.28.33.29, fax 04.79.28.20.68, e-mail viallet@aol.com ☑ ♈ r.-v.

Roussette de savoie

Issue du seul cépage altesse (depuis le nouveau décret du 18 mars 1998), la roussette de savoie se trouve essentiellement à Frangy, le long de la rivière des Usses, à Monthoux et à Marestel, au bord du lac du Bourget. L'usage qui veut que l'on serve jeunes les roussettes de ce cru est regrettable, puisque, bien épanouies avec l'âge, elles font merveille avec des préparations de poisson ou de viandes blanches ; ce sont elles qui accompagnent le beaufort local. 1 927 hl ont été produits en 2001.

EUGENE CARREL
Marestel 2000★

| | 1,5 ha | 9 000 | ▮▲ | 8 à 11 € |

Le jury a retenu ce vin aux reflets or, présentant un nez intense dans lequel dominent fruits confits et caramel. La bouche vive et puissante, complexe aussi, libère une sarabande de notes fruitées, voire exotiques. Un vin de classe, qui devra attendre un peu pour atteindre sa pleine mesure.
☛ Eugène Carrel, Le Haut, 73170 Jongieux, tél. 04.79.44.00.20, fax 04.79.44.03.06 ☑ ♈ r.-v.

FRANÇOIS CARREL ET FILS
Marestel Cuvée Prestige 2000★

| | 1,3 ha | 6 500 | ▮⦿▲ | 5 à 8 € |

Ce domaine de 11,5 ha n'a cessé de croître depuis que le grand-père de vigneron planta en 1949 2 ha de vignes en complément des autres cultures. Equilibre et harmonie traduisent avec exactitude les impressions ressenties à la dégustation de ce vin. Issu d'une vinification longue à basse température, voilà une roussette sage, trop peut-être ? Néanmoins, la classe est là et vous pouvez goûter dès la sortie du Guide aux charmes de ce marestel à l'allure plutôt féminine.
☛ François et Eric Carrel, 73170 Jongieux, tél. 04.79.44.02.20, fax 04.79.44.03.73 ☑ ♈ t.l.j. 8h-12h30 14h-19h

SYLVAIN CHEVALLIER
Marestel 2000★★

| | 1 ha | 5 000 | ▮▲ | 8 à 11 € |

Sylvain Chevallier prodigue tous les soins nécessaires à ses 9,6 ha de vignes. Depuis quelques années, les vins de la maison sont remarqués. Sa roussette obtient la meilleure note de l'appellation. D'une grande complexité, elle ne se livre encore qu'avec retenue. La palette aromatique est agrémentée d'une pointe d'anis gaie, tandis que la bouche, soutenue par une bonne structure héritée d'une vendange bien mûre, est rehaussée de notes épicées. Un vin que l'on pourra laisser évoluer quelques années avant de le servir sur les mets les plus fins.

🍷 Sylvain Chevallier, Le Haut, 73170 Jongieux, tél. 04.79.44.03.30, fax 04.79.44.03.13 ☑ ⛪ ⵏ r.-v.

JEAN-PIERRE ET PHILIPPE GRISARD 2001

	1,24 ha	9 800	▮◭	3 à 5 €

Installés sur le rebord méridional du massif des Bauges où ils exploitent leur vignoble ancré dans les éboulis argilo-calcaires, les Grisard s'attachent à produire des vendanges de qualité. Encore marquée par des arômes primaires, cette cuvée révèle néanmoins une grande complexité en bouche. A l'issue d'un élevage soigné, elle pourra être dégustée avec plaisir en 2003.

🍷 Jean-Pierre et Philippe Grisard, Chef-lieu, 73250 Fréterive, tél. 04.79.28.54.09, fax 04.79.71.41.36 ☑ ⵏ t.l.j. sf dim. 8h-12h 13h30-18h30

JEAN PERRIER ET FILS
Fleur d'Altesse 2000

	n.c.	6 000	▮◭	5 à 8 €

Cette cuvée exprime pleinement son potentiel. Sa bouche fraîche laisse une large place aux arômes de fruits jaunes, doublés de quelques notes plus exotiques. L'harmonie générale est l'un des points forts de ce vin qui accompagnera avec élégance poissons et viandes blanches.

🍷 SA Dom. Jean Perrier Père et Fils, Saint-André, 73800 Les Marches, tél. 04.79.28.11.45, fax 04.79.28.09.91 ☑ ⵏ t.l.j. sf dim. 9h-12h 14h-18h; sam. sur r.-v.

LA CAVE DU PRIEURE 2001

	2 ha	14 000	▮◭	5 à 8 €

Cette cuvée bien représentative de son appellation et du millésime s'offre sans histoire. Une jolie robe paillée lui sert d'écrin. Marquée par des notes florales, la palette aromatique s'enrichit de nuances citronnées en finale. Ce vin vous ravira par son équilibre en bouche, son élégance, soutenue par une pointe de fraîcheur bienvenue. A boire dès la sortie du Guide.

🍷 Raymond Barlet et Fils, La Cave du Prieuré, 73170 Jongieux, tél. 04.79.44.02.22, fax 04.79.44.03.07, e-mail caveduprieure @ wanadoo.fr ☑ ⵏ r.-v.

DOM. DE ROUZAN 2000★

	0,25 ha	2 000	▮◭	5 à 8 €

Une roussette parfaitement représentative du millésime : celui-ci fut d'abord très prometteur puis quelque peu inquiété par la pluie, avant de retrouver un mois d'octobre radieux. La bouche éclatante et franche laisse une impression de gras et de complexité. Sa finale, plus effacée, n'enlève cependant rien à cet ensemble bien réussi. Cette bouteille pourra accompagner avec bonheur poissons et fromages de Savoie.

🍷 Denis Fortin, 152, chem. de la Mairie, 73190 Saint-Baldoph, tél. 04.79.28.25.58, fax 04.79.28.21.63, e-mail denis.fortin @ wanadoo.fr ☑ ⵏ r.-v.

DOM. DE LA VIOLETTE 2001

	1 ha	6 500	▮◭	5 à 8 €

Changement de mains pour ce domaine dorénavant exploité par la maison Vacher, négociant savoyard. A priori, la qualité des vins ne semble pas en avoir souffert, tant cette roussette est apparue pleine de finesse. Les notes de fruits se marient fort bien avec une finale plus minérale. Le jury a noté en fin de dégustation cette pointe de vivacité typique de l'appellation. Assurément une belle bouteille, à déboucher à la parution du Guide.

🍷 SCEA Dom. de la Violette, 73800 Les Marches, tél. 04.79.28.13.30, fax 04.79.28.06.26 ☑ ⵏ t.l.j. sf dim. 9h-12h 14h-18h; f. 15-31 août
🍷 C.-H. Gayet

JEAN VULLIEN ET FILS 2001

	1,8 ha	15 000	▮◭	5 à 8 €

Installé à l'extrémité est de la Combe de Savoie, le vignoble des Vullien est constitué d'un ensemble de terroirs où les cépages de Savoie trouvent bonne place. Cette roussette, encore dans ses langes le jour de la dégustation, présente déjà une bonne intensité aromatique et de la richesse en bouche. Equilibrée, elle aura acquis à la sortie du Guide ce supplément d'âme qui est la marque des vins bien nés.

🍷 EARL Jean Vullien et Fils, La Grande Roue, 73250 Fréterive, tél. 04.79.28.61.58, fax 04.79.28.69.37, e-mail domaine.jean.vullien.et.fils @ wanadoo.fr ☑ ⵏ t.l.j. sf dim. 8h30-12h 14h-18h30; sam. 8h30-12h

Le Bugey

Bugey AOVDQS

Dans le département de l'Ain, le vignoble du Bugey occupe les basses pentes des monts du Jura, dans l'extrême sud du Revermont, depuis le niveau de Bourg-en-Bresse jusqu'à Ambérieu-en-Bugey, ainsi que celles qui, de Seyssel à Lagnieu, descendent sur la rive droite du Rhône. Autrefois important, il est aujourd'hui réduit et dispersé.

Il est établi le plus souvent sur des éboulis calcaires de pentes assez fortes. L'encépagement reflète la situation de carrefour de la région : en rouge, le poulsard jurassien - limité à l'assemblage des effervescents de Cerdon - y voisine avec la mondeuse savoyarde et le pinot et le gamay de Bourgogne ; de même, en blanc, la jacquère et l'altesse sont en concurrence avec le chardonnay - majoritaire - et l'aligoté, sans oublier la molette, cépage local surtout utilisé dans l'élaboration des vins mousseux.

SYLVAIN BOIS
Chardonnay 2001★

	0,77 ha	7 300	▮▮	3 à 5 €

Sylvain Bois, installé depuis mars 2001, est en train de constituer son vignoble à partir des vignes de son grand-père. Représentant de cette génération revenue à la terre, il s'attache avec détermination à soigner ses produits. Entrer dans le Guide Hachette est incontestablement un pas important, y rester demeure un challenge. Nul doute qu'avec des vins bien nés comme cette bouteille, Sylvain Bois y parviendra. Vous découvrirez un vin puissant au nez, exhalant la poire, dont l'attaque en bouche vive et fraîche ne masque pas la longueur. Ce vin franc et droit accompagnera un poulet aux morilles.
❦ Sylvain Bois, Les Mortiers, 01350 Béon, tél. 06.88.49.03.95, fax 04.79.87.01.72 ☑ ☖ ⟂ t.l.j. sf dim. 9h-12h 13h30-19h; f. 1ᵉʳ-15 août

LE CAVEAU BUGISTE
Chardonnay Tradition 2001★★

	10 ha	60 000	▮▮	3 à 5 €

Le caveau bugiste, depuis quelques années, retarde au maximum les vendanges dans les vignes qui s'y prêtent. Probablement issue au moins en partie de celles-ci, cette cuvée s'est imposée sans coup férir comme le meilleur blanc du Bugey proposé au jury. La palette aromatique décline sa gamme complexe, du fruit aux notes grillées. La bouche, ample et soyeuse, s'épanouit dans une finale interminable. Assurément un grand vin, déjà prêt à boire.
❦ SARL Le Caveau Bugiste, Chef-Lieu, 01350 Vongnes, tél. 04.79.87.92.32, fax 04.79.87.91.11 ☑ ☖ ⟂ t.l.j. 9h-12h 14h-19h

LE CAVEAU BUGISTE
Manicle 2001

	3 ha	16 000	◫	8 à 11 €

En 2000, le caveau Bugiste a racheté un domaine dans le cru Manicle, l'un des plus fameux du Bugey. Elaborés à partir de pinot en vins rouges et de chardonnay en vins blancs, les produits de ce cru bénéficient de replantations d'une quinzaine d'années. Le jury a été favorablement impressionné par ce vin déjà évolué, issu

d'une macération longue. Les notes de pruneau apparaissent rapidement puis évoluent vers le pain d'épice. La bouche est tout en rondeur et se prolonge dans une impression de plénitude soutenue par des tanins très fondus. Un joli bugey qui pourra être débouché à la sortie du Guide.
❦ SARL Le Caveau Bugiste, Chef-Lieu, 01350 Vongnes, tél. 04.79.87.92.32, fax 04.79.87.91.11 ☑ ☖ ⟂ t.l.j. 9h-12h 14h-19h

P. CHARLIN 2000

	2,1 ha	21 000	▮▮	8 à 11 €

Montagnieu doit sa notoriété à ses vins mousseux dont elle a commencé l'élaboration à une époque où la technique de cette production était loin d'être maîtrisée. Aujourd'hui, la typicité des vins peut être mise en valeur. Ce 2000, aux arômes de fruits frais, vous enchantera par sa générosité alliée à la finesse de ses bulles. Un joli vin d'apéritif.
❦ Patrick Charlin, Le Richenard, 01680 Groslée, tél. 04.74.39.73.54, fax 04.74.39.75.16 ☑ ☖ ⟂ r.-v.

P. CHARLIN
Pinot noir Vieilles vignes 2000★

	0,66 ha	3 000	◫	8 à 11 €

Patrick Charlin a pris l'habitude de présenter des pinots élevés en fût. La réussite est à nouveau au rendez-vous avec ce joli vin à la robe rubis profond. Le nez est très bavard, mêlant la griotte aux notes torréfiées. La bouche confirme une rigueur de bon aloi, soutenue par des tanins vigoureux, encore un peu pointus. Un bugey déjà en pleine forme et qui supportera quelques années d'évolution.
❦ Patrick Charlin, Le Richenard, 01680 Groslée, tél. 04.74.39.73.54, fax 04.74.39.75.16 ☑ ☖ ⟂ r.-v.

CAVEAU DES DEMOISELLES
Pinot noir 2000★

	0,45 ha	3 000	◫	5 à 8 €

Entrée réussie dans le Guide pour Valéry Guillermin, installé sur son vignoble depuis l'année 2000. Celui-ci a sélectionné cette cuvée issue de vignes d'une trentaine d'années. Le nez ne trompe pas et ce pinot exhale ses arômes typiques : cerise et cassis sur un fond de vanille. La bouche est quelque peu fraîche, mais longue et équilibrée. On aurait aimé un peu plus d'enrobage sur la fin de la dégustation. On pourra laisser quelques années à cette bouteille pour se parfaire.
❦ Caveau des Demoiselles, Le Bourg, 01300 Virignin, tél. 06.11.43.41.65, fax 04.79.81.98.66, e-mail mdbval@wanadoo.fr ☑ ⟂ r.-v.
❦ Guillermin

CAVEAU DES DEMOISELLES
Mondeuse Cuvée des Vignes oubliées 2000★

	0,37 ha	1 500	◫	5 à 8 €

Même type de sélection pour cette mondeuse et même résultat. Aux arômes typiques du cépage, succède une bouche encore austère. Néanmoins, la matière est là, gage d'une évolution favorable. La finale riche mêle épices et fruits rouges. Un joli produit à attendre un peu.
❦ Caveau des Demoiselles, Le Bourg, 01300 Virignin, tél. 06.11.43.41.65, fax 04.79.81.98.66, e-mail mdbval@wanadoo.fr ☑ ⟂ r.-v.

BUGEY

JACQUES DUPORT ET J.-P. DUMAS
Mondeuse 2001★★

	1,2 ha	6 000		5 à 8 €

Le président du syndicat donne l'exemple en décrochant un second coup de cœur après celui de l'édition 2001. Il s'agit à nouveau d'une mondeuse, issue de vieilles vignes de quarante ans, vinifiées en vendange entière. D'un abord très discret, c'est en bouche qu'éclate ce grand vin à l'attaque puissante et ample. Malgré sa jeunesse encore turbulente, il se montre d'une grande finesse, très typique de son appellation. A attendre quelques années.

➥ SARL Duport-Dumas, Caveau du Pont-Bancet, 01680 Groslée, tél. 04.74.39.74.21, fax 04.74.39.70.95 ☑ ☎ t.l.j. sf dim. 8h-19h
➥ Jacques Duport

DOM. MONIN
Gamay Vieilles vignes 2001

	2 ha	10 000		5 à 8 €

C'est un vin encore rustique que nos jurés ont tenu à citer. Encore marqué le jour de la dégustation par une foule d'arômes primaires, il révèle une personnalité affirmée en bouche. Bien structuré et doté d'un support tannique intéressant grâce à un élevage soignée - marque de la maison -, il devrait atteindre sa maturité à la parution du Guide.
➥ Dom. Monin, 01350 Vongnes, tél. 04.79.87.92.33, fax 04.79.87.93.25 ☑ ☎ ☎ t.l.j. 9h-12h30 15h-19h

DOM. MONIN
Pinot noir Vieilles vignes 2001

	1,5 ha	7 000		5 à 8 €

Issu d'une cuvaison longue et d'un élevage en fût, voici un pinot très disert à la palette aromatique complète et expressive. Sa bouche, plutôt vigoureuse, possède une structure tannique issue d'une bonne matière première. Ce vin corsé, franc, persiste bien. A déguster sur un magret de canard.
➥ Dom. Monin, 01350 Vongnes, tél. 04.79.87.92.33, fax 04.79.87.93.25 ☑ ☎ ☎ t.l.j. 9h-12h30 15h-19h

FRANCK PEILLOT
Mondeuse 2001

	0,72 ha	6 200		5 à 8 €

Le terroir de Montagnieu est l'un de ceux où le cépage mondeuse s'exprime avec le plus d'éclat. Cette bouteille ne renie ni ses origines ni sa vinification classique mais est respectueuse du raisin. Des notes de fruits rouges se mêlent à celles, plus profondes, de réglisse, voire d'animal. La dégustation révèle un vin déjà très souple, aux tanins ronds et fondus. Prêt à boire, il pourra cependant attendre quelques années sans problème.
➥ Franck Peillot, Au village, 01470 Montagnieu, tél. 04.74.36.71.56, fax 04.74.36.14.12, e-mail franckpeillot@aol.com ☑ ☎ r.-v.

PHILIPPE PERDRIX
Roussette 2001★

	1,3 ha	11 000		3 à 5 €

Ses arômes floraux dominants sont caractéristiques du cépage. Ce 2001 s'offre rapidement en bouche où sa structure se révèle vive et classique. D'une grande finesse soulignée par sa longue finale, ce joli vin est marqué par une vinification à basse température.
➥ Philippe Perdrix, Villeneuve, 01300 Saint-Benoît, tél. 04.74.39.74.24, fax 04.74.39.74.24 ☑ ☎ t.l.j. sf dim. 9h-12h 14h-19h

CAVEAU QUINARD
Coteaux de Son Nant Chardonnay 1999★★

	1,2 ha	7 660		5 à 8 €

Trois générations de Quinard se croisent chaque jour sur cette exploitation de type familial. Créée en 1973, elle atteint aujourd'hui 12 ha et les installations ont été rénovées en 1999. Maurice Quinard présente un 99 élevé durant neuf mois en cuve. Les jurés ont apprécié son nez très riche, évoquant la surmaturité au travers de quelques notes de torréfaction. La bouche franche, bien équilibrée entre rondeur et vivacité, laisse une impression d'ampleur et de gras. Un vin joliment évolué, né d'une vinification de premier ordre. Vous pouvez le servir sur des quenelles de brochet dès aujourd'hui.
➥ Maurice Quinard, Au bourg, 01300 Massignieu-de-Rives, tél. 04.79.42.10.18, fax 04.79.42.12.84 ☑ ☎ r.-v.

MARJORIE ET BERNARD RONDEAU
Cerdon Méthode ancestrale 2001

●	2,1 ha	21 000		5 à 8 €

Caractéristique d'une élaboration à partir des seuls sucres de la cuvée, ce joli rosé explose dans une symphonie de bulles dynamiques. Le tumulte retombé, vous pourrez savourer l'incomparable coupe de fruits rouges qu'il exhale à loisir. Comme toujours, un vin convivial, à servir à l'apéritif ou à tout moment de la journée.
➥ Marjorie et Bernard Rondeau, Cornelle, 01640 Boyeux-Saint-Jérôme, tél. 04.74.37.12.34, fax 04.74.37.12.34 ☑ ☎ r.-v.

THIERRY TISSOT
Gamay 2001★

	1,12 ha	9 700		3 à 5 €

Entré dans le Guide 2002, Thierry Tissot confirme ici son savoir-faire. Ce jeune viticulteur, fort d'une solide formation, incarne la nouvelle génération de vignerons bugistes. Il propose un vin puissant, structuré, qui devra cependant s'affiner au cours d'une ou deux années de garde. Si le nez hésite entre épices et fruits rouges, les tanins, encore un peu rugueux, évoquent la réglisse et commencent à se fondre dans la matière.
➥ Thierry Tissot, quai du Buizin, 01150 Vaux-en-Bugey, tél. 04.74.35.80.55, e-mail thierrytissot@hotmail.com ☑ ☎ r.-v.

LE LANGUEDOC ET LE ROUSSILLON

_____ Entre la bordure méridionale du Massif central et les régions orientales des Pyrénées, c'est une mosaïque de vignobles et une large palette de vins qui s'offrent à travers quatre départements côtiers : le Gard, l'Hérault, l'Aude, les Pyrénées-Orientales, grand cirque de collines aux pentes parfois raides se succédant jusqu'à la mer, constituant quatre zones successives : la plus haute, formée de régions montagneuses, notamment de terrains anciens du Massif central ; la seconde, région des soubergues et des garrigues, la partie la plus ancienne du vignoble ; la troisième, la plaine alluviale assez bien abritée présentant quelques coteaux peu élevés (200 m) ; et la quatrième, zone littorale formée de plages basses et d'étangs dont les récents aménagements ont fait l'une des régions de vacances les plus dynamiques d'Europe. Ici encore, c'est aux Grecs que l'on doit sans doute l'implantation de la vigne, dès le VIIIe s. av. J.-C., au voisinage des points de pénétration et d'échanges. Avec les Romains, le vignoble se développa rapidement et concurrença même le vignoble romain, si bien qu'en l'an 92 l'empereur Domitien ordonna l'arrachage de la moitié des surfaces plantées ! La culture de la vigne resta alors une spécificité de la Narbonnaise pendant deux siècles. En 270, Probus redonna au vignoble du Languedoc-Roussillon un nouveau départ, en annulant les décrets de 92. Celui-ci se maintint sous les Wisigoths, puis dépérit lorsque les Sarrasins intervinrent dans la région. Le début du IXe s. marqua une renaissance du vignoble, dans laquelle l'Eglise joua un rôle important grâce à ses monastères et à ses abbayes. La vigne est alors placée surtout sur les coteaux, les terres de plaine étant réservées aux cultures vivrières.

_____ Le commerce du vin s'étendit surtout aux XIVe et XVe s., de nouvelles technologies voyant le jour, tandis que les exploitations se multipliaient. Aux XVIe et XVIIes. se développa aussi la fabrication des eaux-de-vie.

_____ Aux XVIIe et XVIIIe s., l'essor économique de la région passe par la création du port de Sète, l'ouverture du canal des Deux Mers, la réfection de la voie romaine, le développement des manufactures de tissage de draps et de soieries. Il donne une nouvelle impulsion à la viticulture. Facilitée par les nouvelles infrastructures de transport, l'exportation du vin et des eaux-de-vie est encouragée.

_____ On assiste alors au développement d'un nouveau vignoble de plaine, et l'on voit apparaître dès cette période la notion de terroir viticole, où les vins liquoreux occupent déjà une grande place. La création du chemin de fer, entre les années 1850 et 1880, diminue les distances et assure l'ouverture de nouveaux marchés dont les besoins seront satisfaits par l'abondante production de vignobles reconstitués après la crise du phylloxéra.

_____ Grâce à ses terroirs situés sur les coteaux, dans le Gard, l'Hérault, le Minervois, les Corbières et le Roussillon, un vignoble planté de cépages traditionnels (voisin des vignobles qui avaient fait la gloire du Languedoc-Roussillon au siècle précédent) va se développer à partir des années 1950. Un grand nombre de vins deviennent alors AOVDQS et AOC, tandis que l'on constate une orientation vers une viticulture de qualité.

_____ Les différentes zones de production du Languedoc-Roussillon se trouvent dans des situations très variées quant à l'altitude, à la proximité de la mer, à l'établissement en terrasses ou en coteaux, aux sols et aux terroirs.

_____ Les sols et les terroirs peuvent être ainsi des schistes de massifs primaires comme à Banyuls, à Maury, en Corbières, en Minervois et à Saint-Chinian ; des grès du lias et du trias alternant souvent avec des marnes comme en Corbières et à Saint-Jean-de-Blaquière ; des terrasses et cailloux roulés du quaternaire, excellent terroir à vignes comme à Rivesaltes, Val-d'Orbieu, Caunes-Minervois, dans la Méjanelle ou les Costières de Nîmes ; des terrains calcaires à caillautis souvent en pente ou situés sur des plateaux, comme en Roussillon, en Corbières, en Minervois ; ou, dans les coteaux du Languedoc, des terrains d'alluvions récentes (sans oublier les arènes granitiques et gneiss des Albères et Fenouillèdes).

Le climat méditerranéen assure l'unité du Languedoc-Roussillon, climat fait parfois de contraintes et de violence. C'est en effet la région la plus chaude de France (moyenne annuelle voisine de 14º C, avec des températures pouvant dépasser 30º C en juillet et en août) ; les pluies sont rares, irrégulières et mal réparties. La belle saison connaît toujours un manque d'eau important du 15 mai au 15 août. Dans beaucoup d'endroits du Languedoc-Roussillon, seule la culture de la vigne et de l'olivier est possible. Il tombe 350 mm d'eau au Barcarès, la localité la moins arrosée de France. Mais la quantité d'eau peut varier du simple au triple suivant l'endroit (400 mm au bord

Le Languedoc

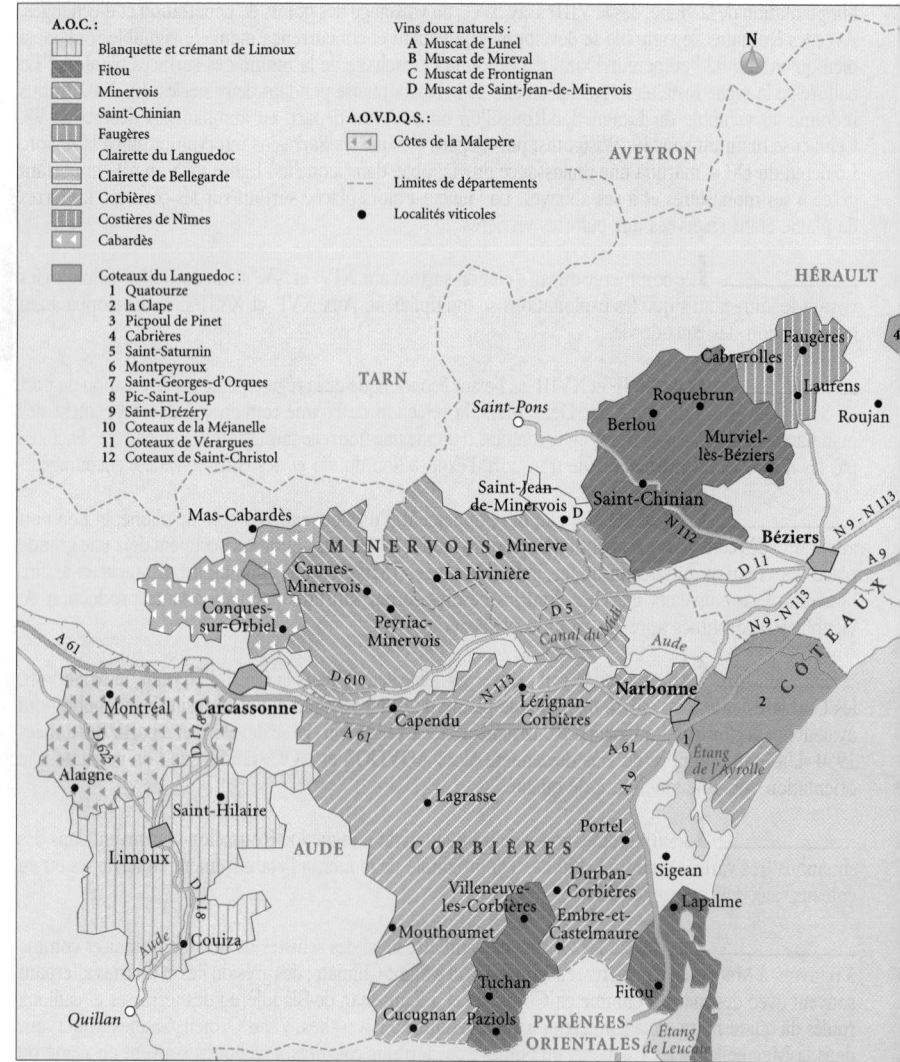

de la mer, 1 200 mm sur les massifs montagneux). Les vents viennent renforcer la sécheresse du climat lorsqu'ils soufflent de la terre (mistral, cers, tramontane) ; au contraire, les vents provenant de la mer modèrent les effets de la chaleur et apportent une humidité bénéfique à la vigne.

          Le réseau hydrographique est particulièrement dense ; on compte une vingtaine de rivières, souvent transformées en torrents après les orages, souvent à sec à certaines périodes de sécheresse. Elles ont contribué à l'établissement du relief et des terroirs depuis la Vallée du Rhône jusqu'à la Têt, dans les Pyrénées-Orientales.

          Sols et climat constituent un environnement très favorable à la vigne en Languedoc-Roussillon, ce qui explique qu'y soient localisées près de 40 % de la production nationale, dont annuellement environ 2 700 000 hl en AOC et 30 000 hl en AOVDQS.

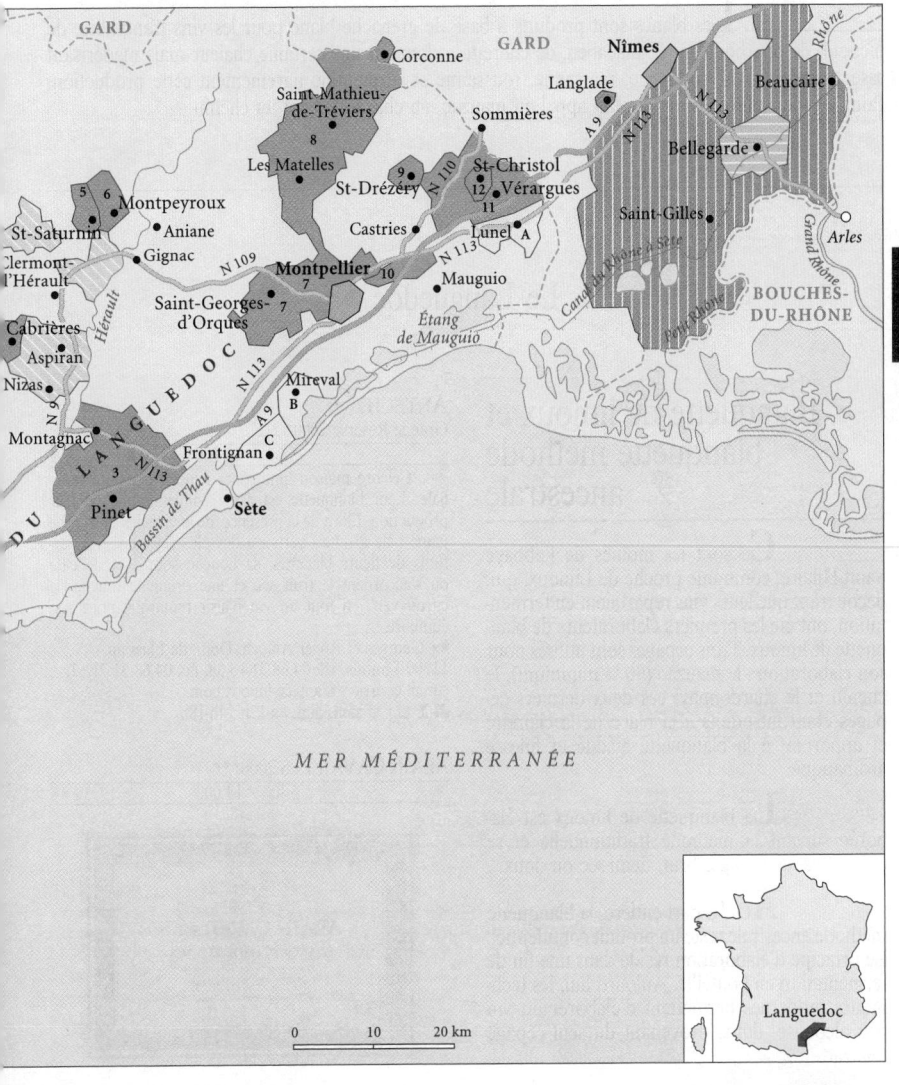

LE LANGUEDOC

Dans le vignoble de vins de table, on constate depuis 1950 une évolution de l'encépagement : régression très importante de l'aramon, cépage de vins de table légers planté au XIX^{e}s., au profit des cépages traditionnels du Languedoc-Roussillon (carignan, cinsault, grenache noir, syrah et mourvèdre) ; et implantation d'autres cépages plus aromatiques (cabernet-sauvignon, cabernet franc, merlot et chardonnay).

Dans le vignoble de vins fins, les cépages rouges sont le carignan qui apporte au vin structure, tenue et couleur ; le grenache, cépage sensible à la coulure, qui donne au vin sa chaleur, participe au bouquet mais s'oxyde facilement lors du vieillissement ; la syrah, cépage de qualité, qui apporte ses tanins et un arôme se développant avec le temps ; le mourvèdre, qui vieillit bien et donne des vins élégants, résistants à l'oxydation ; le cinsault enfin, qui, cultivé en terrain pauvre, donne un vin souple présentant un fruité agréable et surtout entrant dans l'assemblage des vins rosés.

Les blancs sont produits à base de grenache blanc pour les vins tranquilles, de picpoul, de bourboulenc, de macabeu, de clairette – donnant une certaine chaleur mais madérisant assez rapidement. Depuis peu, marsanne, roussanne et vermentino agrémentent cette production. Pour les vins effervescents, on fait appel au mauzac, au chardonnay et au chenin.

Le Languedoc

Blanquette de limoux et blanquette méthode ancestrale

Ce sont les moines de l'abbaye Saint-Hilaire, commune proche de Limoux, qui, découvrant que leurs vins repartaient en fermentation, ont été les premiers élaborateurs de blanquette de limoux. Trois cépages sont utilisés pour son élaboration : le mauzac (90 % minimum), le chenin et le chardonnay, ces deux derniers cépages étant introduits à la place de la clairette et apportant à la blanquette acidité et finesse aromatique.

La blanquette de limoux est élaborée suivant la méthode traditionnelle et se présente sous dosages brut, demi-sec ou doux.

AOC à part entière, la blanquette méthode ancestrale reste un produit confidentiel. Le principe d'élaboration réside dans une fin de fermentation en bouteille. Aujourd'hui, les techniques modernes permettent d'élaborer un vin peu alcoolisé, doux, provenant du seul cépage mauzac.

ANTECH
Grande Réserve 2000★

| | 3 ha | 20 000 | | ■↓ | 5 à 8 € |

Célèbre maison limouxine, Antech demeure familiale. Leur blanquette est assez emblématique de leur production. Elle a de la présence, de la vivacité, et sa robe jaune pâle à reflets verts est des plus seyantes. Ses parfums de fleurs blanches, sa bouche souple et délicate où s'accordent le fruit sec et une originale touche de citron vert, en font un vin plaisir remarqué pour son équilibre.

☛ Georges et Roger Antech, Dom. de Flassian, 11300 Limoux, tél. 04.68.31.15.88, fax 04.68.31.71.61, e-mail courriers@antech-limoux.com
☑ ⏇ t.l.j. sf sam. dim. 8h-12h 14h-18h

ALAIN CAVAILLES 2000★★★

| | 5 ha | 18 000 | | | 5 à 8 € |

Après avoir obtenu deux étoiles en 2002, Alain Cavaillès se propulse sur la plus haute marche cette année avec un coup de cœur pour sa blanquette. Ce jeune viticulteur, installé depuis peu dans la région, vient d'inaugurer sa nouvelle cave au-dessus du village de Magrie réputé pour son église fortifiée. Le vin danse dans le verre, donnant à admirer sa robe jaune pâle aux reflets verts. La fraîcheur repose sur des senteurs de pomme verte, légèrement mentholées sans oublier une touche florale. Le plaisir est plus grand encore en bouche où fruit et fleur se disputent la fraîcheur dans un contexte savoureux au superbe équilibre.

🠪 Alain Cavaillès, chem. d'Alon, 11300 Magrie,
tél. 04.68.31.66.14, fax 04.68.31.11.01,
e-mail cavailles.alain@wanadoo.fr ☑ � r.-v.

DOM. COLLIN
Cuvée Jean-Philippe★★

	6 ha	28 000	3 à 5 €

Fidèles lecteurs du Guide, il n'est nul besoin de vous présenter Michel Rosier. Cette année encore, ce Champenois ne vous décevra pas avec la cuvée Jean-Philippe. Le jury a apprécié son effervescence vive et fraîche, jaune pâle à reflets verts. La fleur d'acacia domine dès l'approche, accompagnée d'une note subtile d'agrumes. La bouche est souple, agréable, romantique.

🠪 Dom. Rosier, rue Farman, 11300 Limoux,
tél. 04.68.31.48.38, fax 04.68.31.34.16,
e-mail domaine-rosier@wanadoo.fr ☑ � r.-v.

DELMAS★

	n.c.	40 000	5 à 8 €

C'est comme cuisinier que Bernard Delmas débute dans la vie professionnelle. Très vite il reprend la petite exploitation paternelle en élaborant quelques fûts de blanquette méthode ancestrale. Désormais, au domaine de la Batteuse, avec beaucoup de volonté et de rigueur, il gère 22 ha en culture biologique. Même les dégustateurs les plus exigeants ont été séduits par cette blanquette d'un jaune pâle aux arômes floraux d'acacia, légèrement mentholés. Le vin est frais, agréable, à la fois vif et ample ; sa belle présence se maintient jusque dans la finale citronnée.

🠪 Dom. Delmas, 11190 Antugnac,
tél. 04.68.74.21.02, fax 04.68.74.19.90
☑ � t.l.j. 8h-12h 14h-18h

GUINOT
Cuvée réservée★

	12 ha	50 000	5 à 8 €

La famille Guinot est propriétaire agricole depuis François Ier. La commercialisation de la blanquette date de 1875, ce qui en fait la plus ancienne maison d'élaboration de la région. La robe d'or de cette cuvée attire le regard. Puis le vin s'exprime, fin et floral. La bouche reprend le fruit : la pomme mûre, légèrement acidulée lui confère une finale remarquée.

🠪 Maison Guinot, 3, av. Chemin-de-Ronde, BP 74,
11304 Limoux, tél. 04.68.31.01.33, fax 04.68.31.60.05,
e-mail guinot@blanquette.fr
☑ � t.l.j. sf sam. dim. 9h-12h 14h-18h

DOM. LAFFOND

	2 ha	n.c.	5 à 8 €

Encore un Champenois qui n'est pas venu ici pour faire de la figuration ! Installé depuis seulement deux ans à La Serpent, il est déjà reconnu parmi les plus grands Limouxins. Sa blanquette à l'effervescence délicate, aux arômes floraux, garde une bonne vivacité. C'est un produit typique du terroir de la Haute Vallée.

🠪 François Laffond, 12, Grand'Rue,
11190 La Serpent, tél. 04.68.31.22.30,
fax 04.68.31.49.89 ☑ � t.l.j. 9h-20h

SIEUR D'ARQUES
Méthode ancestrale Tradition

	n.c.	150 000	5 à 8 €

Cette blanquette dont la méthode d'élaboration est très ancienne – à partir du seul cépage mauzac – ne titre que 6% d'alcool. Jaune doré, elle offre un nez caractéristique de pomme, rehaussé d'un zeste de cannelle. Son bel équilibre sucre-acide est le signe d'une bonne maîtrise technique. A consommer sur des gâteaux ou mieux, avec des crêpes.

🠪 Aimery-Sieur d'Arques, av. de Carcassonne,
BP 30, 11303 Limoux Cedex,
tél. 04.68.74.63.00, fax 04.68.74.63.12 � r.-v.

Crémant de limoux

Reconnu par le décret du 21 août 1990, le crémant de limoux n'en est pas pour autant peu expérimenté. En effet, les conditions de production de la blanquette étant très strictes et très proches du crémant, les Limouxins n'ont eu aucune difficulté à intégrer ce groupe d'élite.

Depuis déjà quelques années s'affinaient dans les chais des cuvées issues de subtils mariages entre la personnalité et la typicité du mauzac, l'élégance et la rondeur du chardonnay, la jeunesse et la fraîcheur du chenin.

AIMERY★

	n.c.	150 000	5 à 8 €

Alain Gayda, président national des œnologues, vient de prendre la direction de la cave des Sieurs d'Arques tout en conservant sa fonction première de maître-œnologue. C'est une juste reconnaissance de son dynamisme et de son esprit d'innovation en perpétuelle effervescence. Ce crémant paré d'une robe or tendre dispense des arômes grillés de biscotte, s'enrichissant d'un fruité suave de pomme mûre. Le vin est plein, ample, plaisant, savoureux et surprenant de fraîcheur en finale.

🠪 Aimery-Sieur d'Arques, av. de Carcassonne,
BP 30, 11303 Limoux Cedex,
tél. 04.68.74.63.00, fax 04.68.74.63.12 � r.-v.
🠪 Vignerons du Sieur d'Arques

ANTECH
Cuvée Saint-Laurent★

	4,05 ha	27 000	5 à 8 €

Si Georges, le frère aîné des Antech, s'est retiré pour assumer la présidence de la CCI de l'Aude, la continuité

LANGUEDOC

est bien assurée. Cette maison apparaît régulièrement, soit avec cette cuvée, soit par l'intermédiaire de la grande cuvée. La robe jaune paille est parcourue par une effervescence fine et discrète. Le nez élégant et fin est typique. Puis le vin s'exprime, ample, riche, mariant le grillé et le fondu de la noisette tout en conservant beaucoup de jeunesse dans la finale.

☛ Georges et Roger Antech, Dom. de Flassian, 11300 Limoux, tél. 04.68.31.15.88, fax 04.68.31.71.61, e-mail courriers@antech-limoux.com

☑ ⵗ t.l.j. sf sam. dim. 8h-12h 14h-18h

DOM. B ET B BOUCHE★

	3,5 ha	3 000	8 à 11 €

A croire que toute la Champagne s'est donné rendez-vous en Limouxin. Ces Champenois déclinent une nouvelle fois le mot qualité. La robe jaune paille aux reflets verts laisse apparaître des senteurs florales et de fruits mûrs. Le vin s'exprime pleinement en bouche, rond et gras ; il s'étire sur des notes de pain grillé, de noisette, puis évolue de manière tout à fait surprenante dans un registre légèrement cacaoté.

☛ Dom. B. et B. Bouché, 9, chem. de Clerly, 11300 La Digne-d'Aval, tél. 06.08.70.04.63, fax 04.68.31.64.95, e-mail l-c-d-s@wanadoo.fr ☑ ⵗ r.-v.

ROBERT 1997★★

	4 ha	20 000	8 à 11 €

Dominant la vallée de l'Aude, le domaine de Fourn est caressé par les derniers rayons de soleil qui s'estompent au-delà des monts cathares de la Malepère. Là, dans un cadre qui inspire la sérénité, ce vin jaune pâle aux senteurs de pain grillé, de pêche blanche, vous attire puis vous envoûte entre fruit mûr et fleur miellée, tout en finesse mais tellement présent.

☛ GFA Robert, Dom. de Fourn, 11300 Pieusse, tél. 04.68.31.15.03, fax 04.68.31.77.65 ☑ ⵗ r.-v.

CH. DE VILLELONGUE 2000★★

	6 ha	28 000	5 à 8 €

Déjà coup de cœur en 1995, cité en 1996, sans oublier les cuvées Jean-Philippe ou Michel Olivier plusieurs fois à l'honneur dans ce Guide, Michel Rosier joue la continuité dans la perfection. Cette châtelaine a beaucoup de noblesse tant par sa belle robe or pâle que par la finesse et l'élégance de ses arômes floraux agrémentés de senteurs de pêche de vigne, préludes à une bouche suave, équilibrée et de bonne tenue.

☛ Dom. Rosier, rue Farman, 11300 Limoux, tél. 04.68.31.48.38, fax 04.68.31.34.16, e-mail domaine-rosier@wanadoo.fr ☑ ⵗ r.-v.

Limoux

L'appellation limoux nature reconnue en 1938 était en réalité le vin de base destiné à l'élaboration de l'appellation blanquette de limoux et toutes les maisons de négoce en commercialisaient quelque peu.

En 1981, cette AOC s'est vu interdire à son grand regret l'utilisation du terme nature et elle est devenue limoux. Resté à 100 % mauzac, le limoux a décliné lentement, les vins de base blanquette de limoux étant alors élaborés avec du chenin, du chardonnay et du mauzac.

Cette appellation renaît avec l'intégration, pour la première fois à la récolte 1992, des cépages chenin et chardonnay, le mauzac restant toutefois obligatoire. Une particularité : la fermentation et l'élevage jusqu'au 1er mai, à réaliser obligatoirement en fût de chêne. La dynamique équipe limouxine voit ainsi ses efforts récompensés.

DOM. ASTRUC 2000★

	3,5 ha	15 000	5 à 8 €

Créée en 1862, cette ancienne maison qui allie tradition, savoir-faire et dynamisme, a su se faire un nom par la qualité de ses produits. Sous sa robe brillante, cousue d'or, de somptueuses fragrances de verveine, fenouil et fruits exotiques émanent de ce vin dont la vivacité et la complexité aromatique présagent un bel avenir.

☛ SARL Pierjacq Astruc, 20, av. du Chardonnay, 11300 Malras, tél. 04.68.31.13.26, fax 04.68.31.72.11, e-mail domaine.astruc@libertysurf.fr

☑ ⵗ t.l.j. sf sam. dim. 8h-12h 14h-18h
☛ Jacques Astruc

TOQUES ET CLOCHERS
Terroir Océanique 2000★

	n.c.	35 000	8 à 11 €

Parmi les quatre terroirs de la cave de Sieur d'Arques, pas de jaloux. Tous en effet, grâce à l'émulation, ont eu selon les années les honneurs du Guide. Sous sa belle cape dorée, celui-ci, encore un peu fermé, révèle des arômes complexes de brioche, noisette et châtaigne. En bouche, ce vin gras, ample et généreux s'allie à la perfection à un boisé discret qui laisse en finale le dernier mot à la fleur d'acacia.

☛ Aimery-Sieur d'Arques, av. de Carcassonne, BP 30, 11303 Limoux Cedex, tél. 04.68.74.63.00, fax 04.68.74.63.12 ☑ ⵗ r.-v.

TOQUES ET CLOCHERS
Terroir Méditerranéen 2000★★

	n.c.	35 000	8 à 11 €

Tout le vignoble de l'appellation se répartit en quatre terroirs distincts. L'Autan aura ses vignes bordées de rosiers jaunes, l'Océanique de rosiers roses, le Méditerranéen de rosiers rouges et la Haute Vallée de rosiers oranges. L'or de la robe de celui-ci rayonne. Il est finement boisé au nez et la bouche se révèle généreuse, emplie de réglisse et de vanille. Sa belle vivacité en finale est le fruit de la jeunesse.

☙ Aimery-Sieur d'Arques, av. de Carcassonne, BP 30, 11303 Limoux Cedex, tél. 04.68.74.63.00, fax 04.68.74.63.12 ☑ ☥ r.-v.

Clairette de bellegarde

Reconnue AOC en 1949, la clairette de bellegarde est produite dans la partie sud-est des Costières de Nîmes, dans une petite région comprise entre Beaucaire et Saint-Gilles, et entre Arles et Nîmes, sur des sols rouges caillouteux. Elle présente un bouquet caractéristique. En 2001, 2 457 hl de vin ont été produits.

MAS CARLOT
Cuvée Tradition 2001

	6 ha	25 000	▮↓	3 à 5 €

La Madone, cette statue de la vierge installée en 1875 dans la tour de Bellegarde, vestige du château, veille sur la ville et les vignobles environnants. Le mas Carlot propose une jolie clairette à la robe jaune clair et au nez complexe de fleurs blanches, légèrement muscaté dont l'attaque vive est surprenante. Cette ardeur est compensée par une finale florale d'une grande douceur. Une bouteille à boire dans l'année sur un poisson en sauce.

☙ Nathalie Blanc-Marès, Mas Carlo, rte de Redessan, 30127 Bellegarde, tél. 04.66.01.11.83, fax 04.66.01.62.74, e-mail mascarlot@aol.com
☑ ☥ t.l.j. 8h-12h 14h-17h; sam. dim. sur r.-v.

Clairette du languedoc

Les vignes sont cultivées sur 112 ha dans huit communes de la vallée moyenne de l'Hérault et ont produit 3 992 hl en 2001. Après vinification à basse température avec le minimum d'oxydation, on obtient un vin blanc généreux, à la robe jaune soutenu. Il peut être sec, demi-sec ou moelleux. En vieillissant, il acquiert un goût de rancio qui plaît à certains consommateurs. Il s'allie bien à la bourride sétoise et à la baudroie à l'américaine.

ADISSAN
Sec 2001★★

	15 ha	50 000	▮↓	3 à 5 €

Incontournable clairette d'Adissan avec son nez caractéristique, par des notes de fleurs blanches (aubépine)

et marqué de fruits (poire, coing et agrumes). Un très joli vin, tout en finesse, qu'il faut boire sans attendre sur un loup grillé ou une dorade marinée.

☙ La Clairette d'Adissan, 34230 Adissan, tél. 04.67.25.01.07, fax 04.67.25.37.76, e-mail clairette.adissan@wanadoo.fr
☑ ☥ t.l.j. sf sam. dim. 9h-12h 14h-18h

PAULHAN
Moelleux 2000★★

	32 ha	8 000	▮	3 à 5 €

Une tradition retrouvée, un plaisir recherché : les vignerons de la coopérative de Paulhan ont réussi ce remarquable vin moelleux dont les parfums (pomme, coing frais et mûre) s'accordent à la souplesse et à la rondeur de sa structure. Le jury conseille de le boire sur une charlotte aux poires.

☙ Clairette de Paulhan, 20, rte de la Clairette, 34230 Paulhan, tél. 04.67.27.01.50, fax 04.67.25.37.32
☑ ☥ t.l.j. sf dim. 9h-12h30 15h-19h

Corbières

Les corbières, VDQS depuis 1951, sont passés AOC en 1985. L'appellation s'étend sur 14 377 ha, sur quatre-vingt-sept communes, pour une production de 691 041 hl en 2001 (7 % de blanc et rosé, 93 % de rouge). Ce sont des vins généreux, puisqu'ils titrent entre 11º et 13º d'alcool. Ils sont élaborés à partir d'assemblage de cépages comportant un maximum de 60 % de carignan.

Les Corbières constituent une région typiquement viticole, et n'offrent guère d'autres possibilités de culture. L'influence méditerranéenne dominante, mais également une certaine influence océanique à l'ouest, le cloisonnement des sites par un relief accentué, l'extrême diversité des sols, conduisent aujourd'hui à une réflexion sur les spécificités des terroirs de l'AOC.

CH. AIGUILLOUX
Cuvée des Trois Seigneurs 2000★★

▮	5 ha	18 000	◫	11 à 15 €

Trois Seigneurs pour un seul château, celui des Aiguilloux, et peut-être le seigneur des Corbières, car il pourrait dire : « Tous les ans, je me présente et, chaque fois, je suis apprécié. » Couleur, certainement pas excessive, grenat et parfaitement limpide ; arômes en finesse ; personnalité et discrétion ; notes boisées et vanillées ; bouche dynamique alliant souplesse et assise tannique. L'approche de ce 2000 est facile et la persistance aromatique remarquable. Recommandé pour une initiation au corbières.

❧ Marthe et François Lemarié,
Ch. Aiguilloux, 11200 Thézan-des-Corbières,
tél. 04.68.43.32.71, fax 04.68.43.30.66,
e-mail aiguilloux@wanadoo.fr
☑ ⟨ t.l.j. 10h-12h 14h-18h; f. 27 déc.-4 jan.

CH. DE BELLE ISLE
Elevé en fût 2000★

■	9,2 ha	9 000	⦿	5 à 8 €

Quelle aventure pour le château de Belle Isle ! Une poignée d'amis, tous ayant un lien avec les Corbières viticoles, s'unissent et parient de remettre en valeur ce petit château. Leur dixième vinification est leur première récompense. Le nez de cette cuvée est franc, puissant, fait de fruits cuits ou confits avec même un soupçon de figue. Ces caractères se retrouvent agréablement portés par une bouche ronde et harmonieuse.
❧ SCEA Belle Isle, Ch. de Belle Isle,
11200 Lézignan-Corbières,
tél. 04.68.27.90.46, fax 04.68.27.90.46 ☑ ⟨ t.l.j. 8h-20h

DOM. DE LA BOUYSSE
Mazerac 2000★

■	3,2 ha	17 397	⦿	8 à 11 €

2000, l'année du terroir de Boutenac : c'est pourquoi se révèle la cuvée Mazerac de Martine Pagès et Christophe Molinier ; mais c'est aussi le résultat de leur savoir-faire : pas d'artifice, la vérité par la qualité. Sélection des parcelles, maîtrise du rendement, cuvaison en grains pour le carignan et le mourvèdre, égrappage pour la grenache. Voici un vrai bon et franc corbières : il a de la longueur, de la complexité et peut déjà s'apprécier, mais il sera parfait dans quelques mois pour un civet de sanglier.
❧ Dom. de la Bouysse, rue des Ecoles,
11200 Saint-André-de-Roquelongue,
tél. 04.68.45.15.23, fax 04.68.45.50.34 ☑ ⌂ ⟨ r.-v.
❧ C. Molinier et M. Pagès

CH. CANOS 2001★

■	2,5 ha	13 500		5 à 8 €

Le Château Canos rosé de Pierre Galinier a une robe rose pâle. Tendre et velouté, fin et discret, il courtise déjà des arômes frais et attrayants. On le convoite, puis la mise en bouche emporte l'adhésion par la présence de beaux arômes gustatifs, imposant une grande harmonie entre douceur et fraîcheur. Prévoir un loup grillé au romarin.
❧ SCEA Pierre et André Galinier, Dom. de Canos,
rue des Etangs, 11200 Luc-sur-Orbieu,
tél. 04.68.27.10.76, fax 04.68.27.61.08,
e-mail chateaucanos@wanadoo.fr ☑ ⟨ r.-v.

CASTELMAURE
Cuvée n° 3 2000★★

■	15 ha	35 000	⦿	15 à 23 €

Ce fameux n° 3, parfaitement à l'honneur en 1999, revient en 2000 avec les mêmes atouts ; tout aussi brillant – son boisé encore dominant, mais annonçant un fort potentiel –, ce vin homogène, solide, avec un caractère affirmé est cependant facile d'accès. Qui faut-il remercier ? Le terroir, les vignerons d'Embres, la patte des œnologues, le charisme de B. Pueyo, la vision à l'esprit artistique du président Marien ? Et si, fortuitement, la Cuvée n° 3 n'est

plus disponible, n'hésitez pas, la **Grande Cuvée de Castelmaure rouge 2000 (8 à 11 €)** est tout aussi généreuse.
❧ SCV Castelmaure, 4, rte des Cannelles,
11360 Embres-et-Castelmaure,
tél. 04.68.45.91.83, fax 04.68.45.83.56,
e-mail castelmaure@wanadoo.fr
☑ ⟨ t.l.j. sf dim. 10h-12h 15h-18h

DOM. DES CHANDELLES 1999★

■	4 ha	10 000	⦿	11 à 15 €

Pour présenter les Chandelles, se reporter au Guide de l'année précédente ; pour se réjouir une nouvelle fois, déguster le millésime 99 ; couleur intense mais qui tend à s'infléchir en nuances bigarreau, arômes entre fruits mûrs et confits aux notes de pruneau, réglisse, chocolat, sésame. L'impression gustative confirme toutes ces qualités grâce à un parfait équilibre, une belle longueur et des tanins au beau relief. Le secret du connaisseur : le carafer.
❧ Dom. des Chandelles, 5, rte de Narbonne,
11800 Barbaira, tél. 04.68.79.00.10, fax 04.68.79.21.92
☑ ⟨ r.-v.
❧ P. et S. Munday

CH. DE CRUSCADES 1999★

■	3,5 ha	20 000	⦿	5 à 8 €

Cruscades, un sol difficile, très filtrant, souvent trop aride, où réussir l'équilibre cep-siccité du sol est aussi ardu que de marcher sur un fil. Il faut être ingénieur agronome pour y parvenir. Régis Loevenbruck remporte le pari avec ce 99 : robe grenat, nez discret varié, harmonieux, avec une pointe de vivacité ; un corbières cohérent et droit.
❧ Régis Loevenbruck,
2, rue de la République, 11200 Cruscades,
tél. 04.68.27.68.88, fax 04.68.27.16.56,
e-mail loeven@terre-net.fr ☑ ⟨ r.-v.

CUVEE DELTEIL 2000★

■	1 ha	5 400	⦿	5 à 8 €

« Je suis à l'ouest des Corbières, mon climat n'est plus aussi méditerranéen, c'est pourquoi je préfère la syrah et j'en oublie le carignan, et même, pour cette année, le grenache ; je m'appelle la Cuvée Delteil. » Couleur vive, belle palette aromatique de fruits mûrs, nuancée par une parfaite évolution. Charnue, agréable, aussi plaisante que le nez, la structure sans aspérité est d'une parfaite harmonie générale. A boire dès à présent mais aussi bien à garder ; cependant dépêchez-vous, cette cuvée est presque confidentielle.
❧ Cellier Joseph Delteil,
1, rue Joseph-Delteil, 11220 Servies-en-Val,
tél. 04.68.24.08.74, fax 04.68.24.01.37,
e-mail cellier.joseph.delteil@wanadoo.fr
☑ ⟨ t.l.j. sf sam. dim. 8h-12h 14h-17h

BLANC DE BLANCS DES DEMOISELLES 2001★

■	10 ha	25 000	⦿	3 à 5 €

La Demoiselle de Saint-Laurent vous donne un nouveau rendez-vous avec ce 2001 ; elle s'offre à vous encore plus pulpeuse, charnue, le teint pâle mais pur, dotée de flaveurs où l'on distingue les fleurs blanches, le muguet et presque la rose ; sa silhouette confirme une parfaite maturité, mais reste fraîche et rieuse, grâce à de fines perles qui animent le palais.

⌐┐ SCV Cellier des Demoiselles, 5, rue de la Cave,
11220 Saint-Laurent-de-la-Cabrerisse,
tél. 04.68.44.02.73, fax 04.68.44.07.05
☑ ⵏ t.l.j. sf sam. dim. 8h-12h 14h-18h

DOM. DOHIN LE ROY
Les Airelles 2000★

| ■ | 7 ha | 20 000 | ⵏ❶◑♦ | 5 à 8 € |

Difficile à cerner aujourd'hui, ce corbières du Maritime engendré par Jacques et Dominique Raynaud. Sa teinte très affirmée annonce des arômes variés de torréfaction envahissants au palais. Celui-ci, doté de tanins puissants, a des accents prononcés. Une vraie personnalité qui demande à se peaufiner.
⌐┐ SCEA des Airelles, 21, av. des Plages,
11540 Roquefort-des-Corbières,
tél. 04.68.48.23.88, fax 04.68.48.23.88,
e-mail domainedohinleroy@wanadoo.fr ☑ ⵏ r.-v.
⌐┐ Raynaud

CH. LA DOMEQUE
Grand Millésime 1999★

| ■ | 6,5 ha | 35 000 | ❶◑ | 8 à 11 € |

Très traditionnel, le Château La Domèque assemble grenache, syrah et mourvèdre, mais a oublié le carignan. Ces trois cépages, vinifiés sans la rafle, mais avec une macération de trois semaines, ont été élevés en barrique pendant un an. Le vin a une couleur digne de son âge, des arômes hésitant entre fleurs, fruits et épices : iris, violette, pruneau, poivre... Plutôt charmeur par ses tanins élégants, il est prêt à boire et accompagnera parfaitement volailles rôties ou fromages doux.
⌐┐ GAEC Roger et Fils,
Dom. La Domèque, 11200 Canet-d'Aude,
tél. 04.68.43.81.96, fax 04.68.43.86.00 ☑ ⵏ r.-v.

CH. ETANG DES COLOMBES
Bois des Dames 2000★★★

| ■ | 5 ha | 15 000 | ❶◑ | 8 à 11 € |

Henri Gualco a su parfaitement transmettre le relais de ses responsabilités nationales ; à ses dires, il s'épanouit aux Caraïbes, mais il n'a pas abandonné pour autant ses vignes ; il en récolte même les efforts antérieurs de plantation, d'amélioration du chai, des bâtiments. Compétence, amabilité, disponibilité sont les atouts de son équipe qui porte l'Etang des Colombes vers la notoriété. Un **blanc 2001** (3 à 5 €) aux arômes frais et variés de rose, et ce Bois des Dames très près de la perfection : fondu du boisé, race, épices, réglisse, bouche plaisir à fort potentiel qui exprime un vrai terroir et une élégante personnalité.
⌐┐ Henri Gualco, Ch. Etang des Colombes,
11200 Cruscades, tél. 04.68.27.00.03, fax 04.68.27.24.63
☑ ⵏ t.l.j. 8h-12h 14h-18h

DOM. LOUISE FABRY
Le Pountil 2000

| ■ | 3,4 ha | 1 700 | ❶◑ | 8 à 11 € |

Estelle et Jérôme Fabry préfèrent depuis 1999 la vigne à la finance. Très judicieusement pour ce domaine situé à l'ouest des Corbières, ils évitent le carignan, profitent d'un parfait élevage en fût et créent la cuvée du Pountil. L'ensemble se perçoit onctueux, velouté, doux et fondu, mais assez frais par ses notes mentholées. Ce vin accompagnera parfaitement un gigot d'agneau à la broche.
⌐┐ Dom. Louise Fabry, 8, rue du Pountil,
11220 Montlaur, tél. 04.68.24.04.89, fax 04.68.24.04.89,
e-mail domainelouise-fabry@wanadoo.fr ☑ ⵏ r.-v.

DOM. DE FONTSAINTE
Gris de gris 2001★

| ■ | 9 ha | 58 800 | 3 à 5 € |

Le gris de gris de Bruno Laboucarié, l'avez-vous déjà goûté, dégusté, humé, apprécié ? Il est irrésistible : pâle, brillant, discret, aromatiquement nuancé, fin, élégant, distingué, et cependant intense. L'impression gustative prolonge le plaisir : petite vivacité agrémentée d'un léger picotement qui titille le palais, puis parfaite harmonie où gras et volume confortent élégance et distinction. Notez également, en devenir, un **corbières rouge : la cuvée Centurion 99**.
⌐┐ SEP Laboucarié, Dom. de Fontsainte,
11200 Boutenac, tél. 04.68.27.07.63, fax 04.68.27.62.01
☑ ⵏ r.-v.

CH. GLEON MONTANIE
Cuvée Gaston Bonnes 2000

| ■ | n.c. | n.c. | 11 à 15 € |

Château Gléon Montanié se place en classique des corbières : mêmes traits et attraits, couleur sans reproche, très profonde. Le nez intense, au boisé pour l'instant dominant, évoque aussi des arômes d'épices. Soutenue par des tanins fermes, mais tempérés par l'onctuosité, cette cuvée Gaston Bonnes confirme qu'elle a du devenir. Il faut l'oublier quelque temps ; elle doit mûrir et se révèlera avec une cuisine typiquement méridionale : gibier mariné, cassoulet ou matelote d'anguille au vin rouge.
⌐┐ Philippe Montanié, Ch. Gléon Montanié,
11360 Villesèque-des-Corbières,
tél. 04.68.48.28.25, fax 04.68.48.83.39,
e-mail info@gléon-montanie.com ☑ ⵏ r.-v.

DOM. DU GRAND ARC
Cuvée des Quarante 2000★★

| ■ | 6 ha | 30 000 | ❶◑ | 5 à 8 € |

2001 n'était pas un millésime favorable pour les corbières rosés aux alentours des citadelles cathares, mais Bruno Schenck su à élaborer une remarquable cuvée des Quarante d'un rouge rubis profond. Elle a une grande palette aromatique oscillant entre arômes primaires, comme les fruits rouges et le cassis, et senteurs plus évoluées, comme les épices et la truffe. Le tout est confiné dans une bouche souple et suave, élégante, construite sur de fabuleux tanins. Au mieux de sa forme elle sera parfaite sur un plat sucré-salé, tel un magret de canard au miel et aux épices.
⌐┐ Dom. du Grand Arc, La Fleurine, rue Tranquille,
11350 Padern, tél. 04.68.45.01.03, fax 04.68.45.01.03,
e-mail info@grand-arc.com ☑ ⵏ r.-v.
⌐┐ Bruno Schenck

DOM. DU GRAND CRES
Cuvée majeure 1999★

■		6 ha	20 000	||| 11 à 15 €

A chaque sélection, le Grand Crès confirme qu'il lui faut plus de vingt-quatre mois pour se distinguer, car l'élevage est un réel avantage. Le jury a apprécié ce millésime aux parfums intenses de griotte, qui se révèlent avec une pointe de futaille, très Nouveau Monde et cependant corbières : agréable, vanillé, puissant, attirant par ses reliefs de garrigue.

➥ Hervé et Pascaline Leferrer, Dom. du Grand Crès, 40, av. de la Mer, 11200 Ferrals-les-Corbières, tél. 04.68.43.69.08, fax 04.68.43.58.99 ☑ ⵏ r.-v.

DOM. GRAND LAUZE 2000★★

■		2 ha	6 000	▮ ||| 11 à 15 €

Un père qui attendait avec impatience son fils pour enfin faire vivre un vrai chai, c'est cela l'histoire récente du domaine. Arrivé en 1997, André Ledogar incarne déjà la sagesse du vigneron, le respect de la nature, à la frontière de la biodynamie et de la culture plus que raisonnée ; Xavier, le fils, c'est le maître de chai à l'écoute de son cuvier. Aussi ce 2000 ne peut être qu'authentique, franc, ample, et d'une interminable longueur.

➥ Xavier et André Ledogar, 4, rue des Amandiers, 11200 Ferrals-les-Corbières, tél. 06.81.06.14.51, fax 04.68.43.67.60 ☑ ⵏ r.-v.

CH. GRAND MOULIN
Vieilles vignes Elevé en fût de chêne 1999★

■		n.c.	80 000	▮ ||| 5 à 8 €

Château Grand Moulin, l'une des caves les plus affectées par les pluies torrentielles et les inondations de novembre 1999. Chai dévasté, envasé et, malgré cela, des cuves sauvées parfaitement élevées. Ses nuances olfactives s'apparentent au cacao, à la confiture de fruits surmûris, au grillé. L'impression gustative annonce gras et harmonie, de la belle attaque jusque dans la finale ; à boire ou à attendre, on peut choisir ou hésiter. A noter un **Vieilles vignes élevé en fût blanc 2000 (8 à 11 €)**, original : mis en fût dès le débourbage, vinifié et laissé sur lie, il est exceptionnel par sa réponse aromatique.

➥ Jean-Noël Bousquet, 6, av. Gallieni, 11200 Luc-sur-Orbieu, tél. 04.68.27.40.80, fax 04.68.27.12.11,

CH. DE L'HORTE
Grande Réserve 2000★★

■		2 ha	9 000	||| 11 à 15 €

Si vous vous reportez au Guide 2002, vous verrez le Château de l'Horte en coup de cœur et il s'en fallut de peu pour que Jean-Pierre Biard le soit à nouveau pour sa Grande Réserve 2000 ; une robe parfaite, encore très primaire, un nez puissant de silex chaud, mais aussi de fruits rouges frais, de l'ampleur, du volume, quelques reliefs de futaille, des tanins généreux, tout cela forme un ensemble auquel quelques mois de patience donneront toute sa plénitude.

➥ Jean-Pierre Biard, Ch. de L'Horte, 11700 Montbrun-des-Corbières, tél. 04.68.43.91.70, fax 04.68.43.95.36 ☑ ⵏ ⵏ r.-v.

CH. DE L'ILLE 2000★

■		9 ha	33 000		5 à 8 €

Entre mer Méditerranée et étang de Bages, Peyriac-de-Mer possède une belle église fortifiée du XIVᵉs. Les vignes de syrah, grenache et mourvèdre composent ce corbières, moderne et enjôleur, qui charme par ses notes sauvages et ses arômes de fruits rouges frais et de violette. La présence en bouche est douce, même si les tanins titillent le palais. La finale est longue et nette : un corbières autrement.

➥ Paul Flandroy, Ch. de L'Ille, rue de L'Etang, 11440 Peyriac-de-Mer, tél. 04.68.41.05.96, fax 04.68.42.81.73 ☑ ⵏ r.-v.

CH. LACOUR MANOY
Cuvée Aristide 2000★

■		5 ha	3 300	▮▲	5 à 8 €

Ce domaine de 35 ha est situé à 8 km de l'abbaye de Fontfroide dans les magnifiques paysages cathares. Le lecteur peut hésiter entre la cuvée **Louis Domairon 2000 (11 à 15 €)** et la cuvée Aristide. Notre préférence ira à cette dernière pour ses arômes puissants de cannelle et autres épices, et ses touches de fruits mûrs, pour son bel équilibre et ses accents de garrigue. A réserver aux plats méridionaux.

➥ EARL André-Jacques Arnaud, 6, rue du Noyer, 11200 Montseret, tél. 04.68.43.39.59, fax 04.68.43.39.59, e-mail lacour.manoy@wanadoo.fr ☑ ⵏ ⵏ r.-v.

DOM. LAS VALS
Montagne d'Alaric 2000★★

■		10 ha	11 000	▮ ||| ▲	15 à 23 €

Le domaine Las Vals s'est déjà distingué avec une première cuvée en 1999 ; il revient avec un tirage plus volumineux, mais tout aussi talentueux. Le mourvèdre fait son œuvre : complexité, intensité, générosité, tant au nez qu'en bouche ; celle-ci présente une attaque nette, concentrée. Cette bouteille mérite d'être laissée au cellier quelques mois. En attendant, dégustez le **blanc de la vigne La Prière, du Château La Baronne, 2001 (8 à 11 €)** : il est puissant, floral, exotique.

➥ SCEA Suzette Lignères, Ch. La Baronne, 11700 Fontcouverte, tél. 04.68.43.90.20, fax 04.68.43.96.73, e-mail chateaulabaronne@net-up.com ☑ ⵏ r.-v.

PEYRES NOBLES 2001★

■		29 ha	140 000	▮▲	5 à 8 €

Peyres Nobles rosé : un parfait mariage entre le terroir et les cépages, ce qui implique que l'homme a su orchestrer cette union. Les éboulis de l'Alaric apportent le terroir ; grenache dominant, syrah distinguée, cinsault jovial et mourvèdre sont ses cépages. Couleur violine, nez intense, parfaite harmonie gustative, pour ce rosé qui accompagnera tout le repas.

➥ Vignerons de Camplong, av. de la Promenade, 11200 Camplong-d'Aude, tél. 04.68.43.60.86, fax 04.68.43.69.21, e-mail vignerons-camplong@wanadoo.fr ☑ ⵏ ⵏ t.l.j. sf dim. 8h-12h 14h-18h

CH. PRIEURE BORDE-ROUGE
Signature 2001★

■		2 ha	6 000	||| 5 à 8 €

Le château Prieuré Borde-Rouge se cache dans un méandre de l'Orbieu, mais, passée la boucle, on aperçoit l'abbaye de Lagrasse où, là même, chaque année se déroule le Banquet du Livre. Mais chez les Devillers-Quenehen, si l'érudition est de mise, la culture du bon vin domine ; ils signent un corbières blanc intense, floral et fruité, parfait en bouche, oscillant entre gras et fraîcheur avec beaucoup de personnalité.

☛ UC Foncalieu, Dom. de Corneille, 11290 Arzens, tél. 04.68.76.21.68, fax 04.68.76.32.01, e-mail mkt@foncalieuvignobles.com

PRIEURE SAINTE-MARIE D'ALBAS
Terre rouge 2000★

■	1,5 ha	5 000	⑪	5 à 8 €

Un seul nom : Galibert ; deux prénoms : Jean-Louis et Gisèle ; un seul terroir : celui d'Alaric ; deux cuvées Terre rouge et Clos de Cassis ; la meilleure ? Ce jour, à cette dégustation, la première l'emporte. Elle a des reflets violacés de jeunesse et se montre puissante, racée, mentholée à côté de nuances minérales. La bouche en rondeur s'appuie sur des tanins soyeux. La finale est persistante. Le **Clos de Cassis 2000** montre aussi ses avantages en épices et réglisse. Leur seul point commun : les carafer pour les mieux apprécier.

☛ Gisèle et Jean-Louis Galibert, Prieuré Sainte-Marie-d'Albas, 11700 Moux, tél. 04.68.79.09.64, fax 04.68.79.28.39 ☑ Ⲧ r.-v.

CH. LA PUJADE
Cuvée Gomard 2000★

■	7 ha	30 000	⑪	5 à 8 €

En quelques années, Château La Pujade, racheté en 1997, trouve ses marques avec trois cuvées : **Charlemagne**, Gomard, **Romaine** ; pour 2000, la cuvée Gomard domine par sa couleur très traditionnelle, sombre mais limpide, et des senteurs qui balancent entre odeurs et arômes de fruits rouges, violette, romarin, gibier et pruneau. D'une parfaite tenue gustative, elle se révèle onctueuse et bien élevée.

☛ Ch. la Pujade, 3, av. des Vignerons, 11200 Ferrals-les-Corbières, tél. 04.68.43.55.65, fax 04.68.43.56.16, e-mail chateaupujade@aol.com ☑ Ⲧ r.-v.

☛ Vivianne Mennesson

DOM. DE ROQUEFOURCAT
Cuvée spéciale 2000

■	2,67 ha	13 300	▮⑪↓	5 à 8 €

Louis Aliaga n'a pu se séparer de l'exploitation familiale ; au contraire, il l'a remise dans le sens du corbières originel. Replantation à dominante syrah et grenache, préservation du carignan authentique, reprise totale du cuvier, du matériel, élevage en fût, mise en bouteilles. Tous les maillons de la chaîne de qualité ont été traités. Les résultats sont prometteurs avec ce 2000 à la couleur un peu prune. Le boisé est encore un peu vif, mais le vin a de l'allure, de la ressource et un bon fond soyeux. A avoir dans son cellier.

☛ Louis Aliaga, Dom. de Roquefourcat, 22, av. de la Mer, 11200 Thézan-des-Corbières, tél. 04.68.43.33.76, fax 04.66.43.33.76, e-mail roquefourcat@wanadoo.fr ☑ Ⲧ r.-v.

ROQUE SESTIERE
Vieilles vignes 2001★★

■	3 ha	15 000	▮↓	5 à 8 €

Roque Sestière s'est largement fait connaître grâce à son blanc. Les Vieilles vignes de blanc se distinguent certes avec la rondeur du 2001, mais se montrent florales avec

une pointe de vanille fraîche ; et le **corbières rouge 2000** n'est pas loin. Blanc, rouge, Roland Lagarde a vraiment la notion du parfait équilibre.

☛ EARL Roland Lagarde, Dom. Roque Sestière, rue des Etangs, 11200 Luc-sur-Orbieu, tél. 04.68.27.18.00, fax 04.68.27.04.18, e-mail roque.sestiere@wanadoo.fr
☑ Ⲧ r.-v.; juin, juil., août t.l.j. sf dim. 10h-18h

DOM. ROUIRE-SEGUR 2001★

■	n.c.	7 000		3 à 5 €

Quel que soit le millésime, Geneviève Bourdel présente un rosé bien fait. Sans secret, sans recette, juste le respect des cépages, du terroir, et une parfaite maîtrise de la vinification. Ce rosé d'une extrême pureté, sans excès, droit, à l'intensité aromatique plutôt fruitée, a une attaque franche, nette, mais cependant tendre et veloutée. Que diriez-vous d'une grillade de blanc de poulet pour l'accompagner ?

☛ Geneviève Bourdel, Dom. Rouïre-Ségur, 11220 Ribaute, tél. 04.68.27.19.76, fax 04.68.27.62.51
☑ Ⲧ r.-v.

LA FOLIE DU CH. SAINT-AURIOL 1999★★

■	1 ha	6 000	⑪	15 à 23 €

Habituellement, le Château Saint-Auriol se présente sous une seule et même étiquette avec un vin identique de qualité ; mais pour ses vingt ans, en 1999, il a fait une « folie », une cuvée confidentielle uniquement de syrah et de mourvèdre, élevée plus d'un an en fût. Sa couleur est irréprochable, tout comme son nez grillé, toasté, épicé. La bouche dense, longue, élégante est à peine dominée par le bois : encore un peu de patience... il se bonifie.

☛ SA vignobles Vialade-Salvagnac, Ch. Saint-Auriol, 11220 Lagrasse, tél. 04.68.43.29.50, fax 04.68.43.29.59, e-mail info@meschateaux.com
☑ ⛫ Ⲧ t.l.j. sf sam. dim. 14h-17h

CH. SAINT-ESTEVE
Prestige 2000

■	58 ha	200 000	▮⑪↓	3 à 5 €

Le château Saint-Estève présente la particularité d'avoir effectué, depuis plus de dix ans, une complète réorganisation de l'exploitation : remembrement des parcelles, implantation des cépages, encépagement parfaitement novateur, et pourtant très clairvoyant : grenache et syrah à 60 %, carignan à 40 %. La bouteille 2000 se regarde (vive, brillante, avec un rien d'évolution), se hume en fruits frais avec un soupçon de boisé, se goûte très droitement car elle est franche, nette et souple.

☛ GFA Ch. Saint-Estève, 11200 Thézan-des-Corbières, tél. 04.68.43.38.71, fax 04.68.79.16.19 ☑ Ⲧ r.-v.

☛ Eric Latham

CH. SAINT-JAMES 2001★

■	n.c.	n.c.		3 à 5 €

Les éboulis et les colluvions du château Saint-James de Christophe Gualco révèlent en 2001 un parfait corbières blanc. Un fameux dosage de grenache, de bourboulenc, de roussanne, de maccabeu et peut-être du muscat à petit grain libèrent de puissants arômes aux reliefs variés allant du fruit mûr au cassis, au melon, au bourgeon de pin, le tout dans une bouche parfaitement équilibrée.

☛ Christophe Gualco, Ch. Saint-James, 11200 Névian, tél. 04.68.27.00.03, fax 04.68.27.24.63 ☑

LANGUEDOC

CH. SAINT-JEAN DE LA GINESTE 2000

	n.c.	n.c.	3 à 5 €

La tradition du bon goût avec beaucoup de caractère, c'est ce qui ressort de ce vin encore un peu bourru. On lui trouve des arômes de fruits surmûris, un boisé prononcé, un relief de garrigue, de la puissance, de la force, des tanins présents, une certaine chaleur de vrai Méridional. Il faut lui laisser quelque temps pour devenir un grand corbières.
🍴 M. et Mme Bacave, Saint-Jean de la Gineste, 11200 Saint-André-de-Roquelongue, tél. 04.68.45.12.58

DOM. SERRES-MAZARD
Cuvée Henri Serres 2000★★

	3 ha	n.c.	🍾 11 à 15 €

Un domaine déjà remarqué et remarquable, en particulier pour son accent de garrigue. Cette année, Jean-Pierre Mazard propose une cuvée tout en élégance sans perte de personnalité. Une harmonie parfaite entre le carignan du grand-père et la syrah en pleine force de l'âge. La couleur confirmée intense, grenat, est nuancée par une patine lustrée. Les arômes oscillent entre fruits secs, griotte, giroflée, poivre, pain grillé et fin boisé ; on pourrait encore poursuivre, mais le relief gustatif conforte cet ensemble souple et ferme, typique et complet ; on le dit féminin et grandement prometteur pour plusieurs années encore.
🍴 Annie et Jean-Pierre Mazard, 11220 Talairan, tél. 04.68.44.02.22, fax 04.68.44.08.47 ☑ 🏠 🍷 r.-v.

CH. SERRES SAINTE LUCIE 2000★

	n.c.	106 660	🍶🍾 - de 3 €

Lors de la récolte 2000, le terroir de Boutenac semblait posséder un potentiel qualitatif exceptionnel ; pas étonnant que de nouvelles adresses se révèlent. Château Serres Sainte Lucie a su dominer la matière ; c'est un vrai vin rouge, net, brillant. Un élevage en fût bien maîtrisé a donné des reliefs vanillés. Sa consistance persiste avec du réglissé, des tanins copieux mais doux. Le caractère se perçoit, le terroir s'exprime.
🍴 UC Foncalieu, Dom. de Corneille, 11290 Arzens, tél. 04.68.76.21.68, fax 04.68.76.32.01, e-mail mkt@foncalieuvignobles.com

SEXTANT 2000★

	100 ha	50 000	🍾 11 à 15 €

Sous le titre des vignerons du Mont Ténarel d'Octaviana se cache la cave coopérative d'Ornaisons, mais aussi de remarquables sélections de cuvées et de terroirs, un vrai tour de force que d'avoir réussi à conserver jusque dans la bouteille autant de particularités et de singularités. Le **Domaine Bompieyre Magnan 99 (8 à 11 €)** et le **Domaine Chris Limouzy 99 (3 à 5 €)** ne doivent pas être négligés, mais la cuvée Sextant se révèle la plus pleine, celle dont le bon relief boisé est gage d'une parfaite évolution. A garder précautionneusement.
🍴 Vignerons du Mont Tenarel d'Octaviana, 53, av. des Corbières, 11200 Ornaisons, tél. 04.68.27.09.76, fax 04.68.27.58.15 ☑ 🍷 r.-v.

TERRA VINEA 2000★★★

	4,75 ha	20 000	🍾 8 à 11 €

Voici la Corbières méridionale, celle qui voit la mer, celle du mourvèdre, du soleil, des caves souterraines de gypse, en fait celle du Terra Vinea des caves Rocbère. Sa

robe est presque noire ; les parfums montent, lourds, puissants (garrigue et vanille), mais c'est en bouche que la sensation devient plus forte : forte ossature, générosité, ampleur, solidité, à la limite de l'envahissant. Les senteurs déjà relevées reviennent aussi enivrantes et agréables. Chaleureux et accueillant, puis structuré et puissant, ce vin est à attendre quelques mois et à réserver à des saupiquets et gibiers.
🍴 Caves Rocbère, 11490 Portel-des-Corbières, tél. 04.68.48.28.05, fax 04.68.48.45.92
🏨 🏠 🍷 t.l.j. sf dim. 9h-12h 14h-19h

DOM. DU TRILLOL 2001

	2,76 ha	9 000	🍾 5 à 8 €

Trouverez-vous le domaine du Trillol ? Certes c'est en Corbières, derrière Cucugnan, après Peyreperthuse, mais... n'oubliez pas la carte routière ; cela vaut assurément le détour ; ensuite, plus simplement, emplissez votre verre de ce blanc 2001. Dominante marsanne et roussanne, mais surtout une vinification en fût dès qu'apparaissent les premiers ferments. La récompense : senteurs exceptionnelles de pamplemousse, de litchi, de mangue, le tout dans une enveloppe suave au début, puis fraîche en finale.
🍴 Dom. du Trillol, 11350 Cucugnan, tél. 04.68.45.01.13, fax 04.68.45.00.67, e-mail cave.reverend@wanadoo.fr
☑ 🍷 t.l.j. 10h30-18h ; f. jan. et fév.

CH. VIEUX MOULIN
Les Ailes du Vieux Moulin 2000

	2,5 ha	6 500	🍾 15 à 23 €

Une sélection rigoureuse, tant au choix des vignes qu'à l'assemblage judicieux des cépages à parts égales de carignan, de grenache et de mourvèdre. Il s'agit d'une cuvée presque confidentielle, encore vigoureuse. Il serait nécessaire d'attendre ; le bois très présent, mais gage de longévité, révèle un vin aux forts accents, au caractère trempé, à la robuste carrure ; les amateurs de sensations sauront le conserver dans une bonne cave pour l'apprécier sur des viandes marinées.
🍴 Alexandre They, Ch. Vieux Moulin, 11700 Montbrun-des-Corbières, tél. 04.68.43.29.39, fax 04.68.43.29.36, e-mail alex.they@vieuxmoulin.net ☑ 🍷 r.-v.

DOM. DE VILLEMAJOU 2000★

	40 ha	120 000	🍾 8 à 11 €

Nouvelle distinction pour Gérard Bertrand, avec son fameux Domaine de Villemajou. Il reçoit une citation pour son **blanc 2001** à la touche légère, mais la distinction revient au rouge 2000 dont la présentation est sans reproche. Sa grande diversité aromatique joue sur la finesse et la persistance avec des notes empyreumatiques, boisées, épicées, réglissées, mais aussi de griotte. Son équilibre est parfait, franc, souple et structuré à la fois, ample. Il peut s'apprécier dès à présent, mais également dans quelques années ; rassurez-vous, le tirage en bouteilles n'est pas confidentiel.

🍷 Gérard Bertrand, Dom. de Villemajou, 11200 Saint-André-de-Roquelongue, tél. 04.68.42.68.68, fax 04.68.45.11.73 ☑ ⊺ r.-v.

CH. DE VILLENOUVETTE
Cuvée Marcel Barsalou 1999★★

■	4 ha	22 000	ⅢⅠ 8 à 11 €

Coup de cœur pour son 98, le Château de Villenouvette se fait remarquer à nouveau pour le millésime 99. S'il n'a pas le privilège d'étaler son étiquette, il n'en démontre pas moins ses vertus ; sombre, profonde, sa couleur annonce une vraie personnalité aux réponses multiples d'épices, de quetsche, de café. L'ampleur est là, bien campée, avec de fameux tanins surmontés d'un reflet boisé parfait.

🍷 Vignerons de la Méditerranée, ZI Plaisance, 12, rue du Rec-de-Veyret, BP 414, 11104 Narbonne Cedex, tél. 04.68.42.75.00, fax 04.68.42.75.01, e-mail rhirtz@listel.fr ⊺ r.-v.

🍷 J.-Y. Barsalou

CH. VILLEROUGE LA CREMADE
Les Serres douces 2000★

■	5,16 ha	20 600	■Ⅲ↓ 8 à 11 €

Il a suffi d'un an pour mettre en avant le château de Villerouge la Crémade racheté en 1999. La philosophie ? Préserver les vieilles vignes de carignan, bichonner le grenache et profiter de la syrah, s'appliquer au moment de la récolte, surveiller la vinification, élever petitement mais parfaitement en fût... en fait, faire naître la qualité. En retour, vous avez une vraie bouteille de corbières, un vin puissant, généreux, prometteur, onctueux, agréable, avec une grande persistance.

🍷 Ch. Villerouge la Crémade, 1, chem. de Thézan, TM 15, 11200 Fabrezan, tél. 04.68.43.59.70, fax 04.68.43.59.72 ☑ ⊺ r.-v.

🍷 SCI La Crémade

CH. LA VOULTE-GASPARETS
Cuvée Romain Pauc 2000★★★

■	10 ha	36 000	Ⅲ 15 à 23 €

Le corbières par excellence, le terroir en excès, la personnalité affirmée, la cuvée Romain Pauc 2000 est née. Aussi pour cette année, on ne fera pas les éloges de l'« inventeur » mais de cette fameuse cuvée ; la couleur est très profonde, nette, avec juste un reflet modéré. Les nuances odorantes variées, discrètes, très douces, évoquent les fleurs, les fruits, et s'expriment avec élégance, originalité et grâce ; cette fameuse harmonie se perpétue à la dégustation : l'équilibre est plus que parfait. Ce vin a du grain, de la présence, du caractère, une suite interminable. Et si c'était la perfection ?...

🍷 Patrick Reverdy, Ch. La Voulte-Gasparets, 11200 Boutenac, tél. 04.68.27.07.86, fax 04.68.27.41.33, e-mail chateau-la-voulte@wanadoo.fr

☑ ⊺ t.l.j. 9h-12h 14h-18h

Costières de nîmes

Ce sont 25 000 ha de terrains classés en AOC ; 12 000 ha sont actuellement plantés dans ce périmètre. Les vins rouges, rosés ou blancs sont élaborés dans un vignoble établi sur les pentes ensoleillées de coteaux constitués de cailloux roulés, dans un quadrilatère délimité par Meynes, Vauvert, Saint-Gilles et Beaucaire, au sud-est de Nîmes, au nord de la Camargue. 265 133 hl de vin ont été agréés en 2001 sous l'appellation costières de nîmes (dont 10 601 hl de blanc), produits sur le territoire de vingt-quatre communes. Les rosés s'associent aux charcuteries des Cévennes, les blancs se marient fort bien aux coquillages et aux poissons de la Méditerranée et les rouges, chaleureux et corsés, préfèrent les viandes grillées. Une confrérie vineuse, l'Ordre de la Boisson de la Stricte Observance des Costières de Nîmes, a repris une tradition créée en 1703. Une route des Vins parcourt cette région au départ de Nîmes.

CH. AMPHOUX 2001★

■	12 ha	10 000	■↓ 3 à 5 €

Les familles Amphoux et Giran étaient déjà viticultrices à Beauvoisin en 1627. Quant au domaine, qui date de 1840, il propose un vin plaisant et séduisant avec sa robe grenat foncé, ses arômes nets de fruits rouges et sa bouche équilibrée et pleine aux tanins fins.

🍷 EARL Alain Giran, Ch. Amphoux, rue de La Chicanette, 30640 Beauvoisin, tél. 04.66.01.92.57, fax 04.66.01.97.73, e-mail chateauamphoux@wanadoo.fr ☑ ⊺ r.-v.

CH. DES AVEYLANS
Vieilli en fût de chêne 2001★★

■	1,74 ha	9 800	Ⅲ 5 à 8 €

Cette année, le château décroche deux étoiles pour sa cuvée vieillie en fût de chêne. Un noir profond caractérise la robe de ce vin épicé dont l'ampleur remarquable laisse apparaître des tanins nobles et puissants. La finale finement vanillée, participe au charme de cette bouteille remarquable, parfaitement élevée, qu'il faudra garder quelques années en cave.

LANGUEDOC

◄┐ EARL Hubert Sendra, Dom. des Aveylans,
30127 Bellegarde, tél. 04.66.70.10.28, fax 04.66.01.01.26
☑ ⊺ r.-v.

DOM. BARBE CAILLETTE
Jovis Tradition 2000★

■	4 ha	2 700	ⓘ⬇	3 à 5 €

Une étiquette très originale, dessinée par un artiste,
orne la bouteille de ce Jovis. Le vin à la robe rouge foncé,
dense avec des reflets violets, révèle un équilibre réussi,
associé à des arômes plaisants de type fruits rouges. Il est
agréable à boire dès maintenant.
◄┐ Pelorce-Arquetout, Mas Jovis, 30600 Gallician,
tél. 04.66.51.34.97, fax 04.66.51.39.21,
e-mail domaine.barbe-caillette@laposte.net
☑ ⊺ t.l.j. 11h-13h 16h30-19h

CH. DE BELLE-COSTE
Cuvée Saint-Marc 2001★

■	5 ha	20 000		5 à 8 €

Une robe rose bonbon à reflets brillants, un nez
agréable de fruits rouges (fraise) et de banane, une attaque
ronde pour un vin dont l'équilibre marqué par la générosité du millésime conserve cependant de la fraîcheur.
◄┐ Bertrand du Tremblay, Ch. de Belle-Coste,
30132 Caissargues, tél. 04.66.20.26.48,
fax 04.66.20.16.90, e-mail dutremblay@belle-coste.com
☑ ⊺ t.l.j. sf dim. 9h-12h 14h-18h

CH. PAUL BLANC 2001★

■	1 ha	3 000	ⓘ	5 à 8 €

Même note que l'année dernière pour ce blanc
élaboré uniquement à partir de roussanne. Il montre de
beaux reflets verts et un profil aromatique discret de fleurs
séchées. La bouche, tout en rondeur, dévoile des saveurs
épicées jusqu'à une finale plutôt persistante. La belle
ampleur et la longueur aromatique du rouge 2000, une
étoile, caractérisent un vin de garde.
◄┐ Nathalie Blanc-Marès, Ch. Paul Blanc,
rte de Redessan, 30127 Bellegarde, tél. 04.66.01.11.83,
fax 04.66.01.62.74, e-mail mascarlot@aol.com
☑ ⊺ t.l.j. 8h-12h 14h-17h; sam. dim. et fériés sur r.-v.
◄┐ Paul Blanc

MAS DES BRESSADES
Cuvée Tradition 2001★★

■	8 ha	50 000	ⓘ⬇	5 à 8 €

Trois vins du domaine sont sélectionnés cette année.
D'abord, la cuvée Tradition, élevée six mois en cuve, qui
laisse poindre des notes de fruits confits malgré un nez
encore fermé. Le jury a particulièrement apprécié son
ampleur remarquable et ses tanins nobles. Une finale tout
en souplesse laisse présager une belle évolution. La cuvée
Excellence rouge 2000, élevée un an en barrique (8 à
11 €) obtient une étoile pour son beau volume en bouche
et sa complexité. Même note pour la cuvée Excellence
blanc 2001 (8 à 11 €) qui a passé cinq mois en fût.
◄┐ Cyril Marès, Le Grand Plagnol, rte de Bellegarde,
30129 Manduel, tél. 04.66.01.66.00, fax 04.66.01.80.20,
e-mail masdesbressades@aol.com ☑ ⊺ r.-v.

DOM. DES CANTARELLES
Cuvée Vieilles vignes 2001★

■	2,8 ha	14 000	ⓘ	5 à 8 €

Grâce à sa robe d'un rouge très soutenu et à son nez
concentré qui se développera avec l'âge, cette cuvée a

séduit le jury. Les fruits noirs (mûre et cassis) et un côté
vanillé sont déjà perceptibles en rétro-olfaction. La structure est celle d'un vin de garde avec des tanins bien
présents. Attendre trois ou quatre ans avant de le déguster
sur un gibier.
◄┐ Jean-François Fayel, Dom. des Cantarelles,
30127 Bellegarde, tél. 04.66.01.16.78, fax 04.66.01.02.80
☑ ⊺ r.-v.

DOM. DE CESAR
Cuvée Vialla de Soleyrol 2000★

■	3,75 ha	20 000	ⓘ	5 à 8 €

Le nom du domaine ne fait pas allusion à l'empereur
romain mais à César Guiot, propriétaire du domaine au
début du XXᵉs. Sa petite-fille propose un vin d'un rouge
profond à reflets violacés, qui a passé six mois en fût. Tout
en fruits cuits, cerise, et notes d'épices douces, il se montre
bien équilibré avec une fin de bouche savoureuse. Le
Domaine du Mas de la Tour rouge 2001, également
produit par la coopérative, reçoit une étoile. A attendre
trois ou quatre ans.
◄┐ Costières et Soleil, rue Emile-Bilhau, BP 25,
30510 Générac, tél. 04.66.01.31.31, fax 04.66.01.38.85,
e-mail costieres-et-soleil@wanadoo.fr
☑ ⊺ t.l.j. sf dim. 10h-12h30 15h30-19h

MAS CORINNE 2001★

■	4,17 ha	33 000	ⓘ	3 à 5 €

Une exception dans ce millésime 2001 où la concentration est souvent omniprésente. Avec cette bouteille,
place à la finesse et à l'élégance ! Des tanins fondus et une
bonne harmonie pour un vin sans prétention mais qui sera
apprécié des amateurs. A consommer dans l'année.
◄┐ La Compagnie rhodanienne, chem. Neuf,
30210 Castillon-du-Gard, tél. 04.66.37.49.50,
fax 04.66.37.49.51, e-mail cie.rhodanienne@wanadoo.fr
⊺ t.l.j. sf sam. dim. 8h-12h30 14h-17h30

MICHEL GASSIER
Lou Coucardié 2000★

■	4 ha	6 000	ⓘ	23 à 30 €

La forte personnalité de la terre camarguaise symbolisée par une très belle étiquette rouge et sable à tête de
taureau. La cuvée Lou Coucardié est d'un noir profond ;
le nez attaque sur des notes animales et se prolonge en
nuances de fruits bien mûrs, de pruneau et de concentré de
cassis qui persistent ensuite en bouche. Le bois est fondu
et les tanins jeunes n'altèrent pas la bonne longueur.
◄┐ Michel Gassier, Ch. des Canaux, 30132 Caissargues,
tél. 04.66.38.44.30, fax 04.66.38.44.21,
e-mail m.gassier@michelgassier.com
☑ ⊺ t.l.j. sf dim. 15h-19h; sam. 9h-12h 14h-18h

CH. GRANDE CASSAGNE 2001★★

■	10 ha	70 000	ⓘ⬇	3 à 5 €

Une valeur sûre de l'appellation, dont la production
est déjà apparue plusieurs fois parmi les meilleurs vins du
Guide. Celui-ci, d'une couleur profonde et intense, a été
apprécié pour sa puissance aromatique et sa complexité.
Les fruits (baies noires, cassis, mûre) sont prolongés par
une note végétale (bourgeon). La puissance de ses tanins
jeunes, sa longue persistance aromatique, lui assurent un
bon potentiel pour les années à venir. Avec son nez encore
fermé d'épices et de poivre qui s'ouvrira dans deux ou trois
ans et sa bouche à l'équilibre, à la puissance tannique et à

la longueur superbes, la cuvée **La Civette rouge 2001** a été bien appréciée par le jury, tout comme le **rosé 2001**, une étoile.

🐚 Dardé Fils, La Grande Cassagne,
30800 Saint-Gilles, tél. 04.66.87.32.90,
fax 04.66.87.32.90 ☑ ⍁ r.-v.

CH. GUIOT 2001★

	■ 35 ha	220 000	■♦	3 à 5 €

Depuis 1984, la famille Cornut a quitté la cave coopérative pour vinifier elle-même son vin. Elle a également rénové son chai et agrandi son domaine qui compte aujourd'hui 70 ha. Un nez nettement épicé, une ampleur manifeste, des tanins puissants laissent présager une bonne évolution dans le temps. La finale, bien qu'un peu chaude, est particulièrement intéressante. Le **rosé 2001**, très harmonieux, obtient également une étoile.

🐚 GFA Ch. Guiot, Dom. de Guiot,
30800 Saint-Gilles,
tél. 04.66.73.30.86, fax 04.66.73.32.09 ☑ ⍁ r.-v.
🐚 Cornut

DOM. HAUT-PLATEAU 2001★

	■ 3 ha	20 000	3 à 5 €

Denis Fournier, amateur de chevauchées à travers les magnifiques paysages de la Camargue, propose un vin à la robe foncée, brillante, aux reflets violets, et au nez printanier avec des notes de cerise et de fraise qui se retrouvent en bouche sur des tanins fins. La belle maturité de la syrah et du grenache lui apporte rondeur et harmonie. Les conseils d'un tout jeune œnologue ont donné une belle impulsion à cette cave.

🐚 Denis Fournier, Dom. Haut-Plateau,
30129 Manduel, tél. 04.66.20.31.78, fax 04.66.20.20.53
☑ ⍁ r.-v.

CH. LAMARGUE 2001★★

	■ 12 ha	20 000	■♦	5 à 8 €

La ville de Saint-Gilles, toute proche du domaine, possède une splendide abbatiale du XIIᵉs. Cette bouteille est magnifique. Son fruité intense rappelle la fraise garriguette de Nîmes fraîchement cueillie. Une bouche ample et des arômes enrichis de notes d'agrumes sont du meilleur effet. La finale équilibrée permet à ce rosé de se hisser parmi les meilleurs des costières. Le **Ch. Lamargue rouge 2001 (8 à 11 €)** obtient une étoile. Ses tanins ronds et puissants laissent entrevoir une bonne évolution pour qui sait attendre. Même note pour le **blanc 2001** caractérisé par des arômes de fruits exotiques.

🐚 Ch. Lamargue, rte de Vauvert,
30800 Saint-Gilles, tél. 04.66.87.31.89,
fax 04.66.87.41.87 ☑ ⍁ r.-v.
🐚 Campari

DOM. DU MAS DE NAILLE 2001★

	■ 5 ha	25 000	■♦	3 à 5 €

Autrefois relais de diligence et propriété des moines, le mas de Naille est aujourd'hui un domaine viticole. Son costières de nîmes possède un nez complexe de fruits confits et d'épices et des tanins souples qui le destinent à être bu dans l'année. Un vin plaisir, bien marché.

🐚 SCA des Grands Vins de Pazac, rte de Redessan,
30840 Meynes, tél. 04.66.57.59.95, fax 04.66.57.57.63
☑ ⍁ r.-v.

CH. MAS NEUF
Compostelle 2000★

	■ 6 ha	24 000	⑪	8 à 11 €

Le domaine est installé dans un ancien relais de poste, sur la route de Saint-Jacques-de-Compostelle. Sa cuvée Compostelle, qui a connu le fût, se caractérise par un nez de marc de raisin. C'est un vin souple et gouleyant avec une finale épicée et harmonieuse. Une bouteille sympathique à boire dans l'année.

🐚 Ch. Mas Neuf, 30600 Gallician,
tél. 04.66.73.33.23, fax 04.66.73.33.49,
e-mail luc.baudet@chateaumasneuf.com
☑ 🏠 ⍁ t.l.j. sf sam. dim. 9h-12h 14h-18h

DOM. MOULIN D'EOLE 2001

	■ 5 ha	n.c.	■⑪♦	3 à 5 €

Un vieux moulin domine depuis plus de deux cents ans le vignoble actuel. Cette bouteille se présente dans une robe blanc pâle, brillante, aux reflets grisés. Le nez discret mais élégant s'ouvre sur des notes minérales avant d'évoluer vers le fruit (citron, ananas, abricot). Il s'épanouit ensuite sur des notes plus lourdes d'abricot sec et de pêche qui se retrouvent en rétro-olfaction. La bouche, équilibrée et ronde, offre une bonne fraîcheur en finale. A aérer.

🐚 SCA Les Vignerons de Beauvoisin,
av. de la Gare, 30640 Beauvoisin,
tél. 04.66.01.37.14, fax 04.66.01.85.73,
e-mail vignerons.beauvoisin@costieres.com ☑ ⍁ r.-v.

CH. MOURGUES DU GRES
Capitelles des Mourgues 2000★★★

	■ 2 ha	10 000	⑪	8 à 11 €

Concert de jazz et dégustation dans le caveau du domaine lors du festival de jazz de Nîmes. Un programme alléchant ! Comme chaque année, ce château figure en bonne place au palmarès. La cuvée des Capitelles des Mourgues à la robe sombre, presque noire, au nez puissant, concentré, complexe, encore fermé, est déclarée coup de cœur et reçoit trois étoiles. La violette et le cuir frais, associés à des notes de fumé et de grillé, sont perceptibles. La structure est celle d'un vin de garde avec ses tanins savoureux et veloutés et sa longue finale. Un 2000 très homogène à la fois fin et puissant qui récompense le travail du vigneron à la vigne et au chai. La cuvée **Terre d'Argence rouge 2001 (5 à 8 €)** reçoit deux étoiles. C'est une bouteille noir d'encre aux arômes concentrés de cassis et d'épices qui présente beaucoup de matière et un bel équilibre. Il est conseillé de l'attendre deux à quatre ans. Une étoile également pour **Les Galets dorés blanc 2001 (3 à 5 €)**.

📮 François Collard, Ch. Mourgues du Grès,
30300 Beaucaire, tél. 04.66.59.46.10, fax 04.66.59.34.21,
e-mail mourguesdugres@wanadoo.fr ☑ ⊺ t.l.j. sf dim.
9h-12h 14h-16h; sam. sur r.-v.

CH. DE NAGES
Vieilles vignes 2001★★

| | 3 ha | 15 000 | 🔲🕪♨ | 8 à 11 € |

Des vignes âgées de trente ans plantées sur un sol de galets roulés ont donné ce vin à la robe jaune clair à reflets brillants. Le nez se montre agréable et complexe avec des arômes de fruits exotiques, d'abricot sec et de pain beurré et, en rétro-olfaction, une touche vanillée. L'équilibre est marqué par une bonne fraîcheur acide, et la finale est longue et savoureuse. Une vinification et un élevage fort bien réussis. La cuvée **Vieilles vignes rouge 2000** obtient une étoile. Sa chaleur et sa puissance en bouche sauront vous combler d'ici un à deux ans.
📮 EARL Roger Gassier,
Ch. de Nages, 30132 Caissargues,
tél. 04.66.38.44.20, fax 04.66.38.44.21,
e-mail m.gassier@châteaudenages.com ☑ ⊺ r.-v.

NOBLE GRESS
Elevé en fût de chêne 2000★

| | 2 ha | 8 000 | 🕪 | 5 à 8 € |

Une sélection de terroirs bien maîtrisée et réussie pour ce vin à la robe pourpre à reflets brillants. Le nez porte nettement la marque du passage de dix mois en fût ainsi que quelques notes de café, de chocolat et de liqueur de cassis. La bouche est bien structurée, puissante avec une finale tannique.
📮 SCA Cave des vignerons de Vauvert,
12, rue Ausselon, 30600 Vauvert,
tél. 04.66.88.20.31, fax 04.66.88.35.09 ☑ ⊺ r.-v.

CH. D'OR ET DE GUEULES
Cuvée classique 2001★

| | 15 ha | 84 000 | 🔲♨ | 3 à 5 € |

Saint-Gilles possède non seulement un beau patrimoine touristique mais également des domaines viticoles intéressants. Cette Cuvée classique présente un nez d'herbes sèches, une bouche gouleyante aux arômes plutôt sur les épices, qui s'achève en douceur. Ce costières, à consommer dans l'année, conviendra aux amateurs de vins souples et agréables. Egalement très réussie, la **cuvée Tradition rouge 2000 (5 à 8 €)** est, elle aussi, à boire sans tarder.
📮 Ch. d'Or et de Gueules, rte de Générac, chem. des Cassagnes, 30800 Saint-Gilles,
tél. 04.66.87.32.86, fax 04.66.87.39.11,
e-mail chateaudoretdegueules@wanadoo.fr ☑ ⊺ r.-v.
📮 Diane de Puymorin

DOM. DE LA PATIENCE
Vieilli en fût de chêne 2000★

| | 1,5 ha | 5 000 | 🕪 | 5 à 8 € |

Le petit village de Lédenon, où est installé le domaine de la Patience, possède quelques belles maisons. Cette cuvée vieillie en fût de chêne avec sa jolie robe aux reflets brillants, son nez plaisant, ses arômes de cerise, de cuir frais, sa note de kirsch et une nuance vanillée est le résultat d'une vinification et d'un élevage bien conduits. L'équilibre, très agréable, est marqué par des tanins de belle qualité, déjà bien affinés. Un vin harmonieux.

📮 EARL Dom. de la Patience,
chem. du Serre Plouma, 30210 Ledenon,
tél. 04.66.37.40.99, fax 04.66.37.40.99,
e-mail aguilar.christophe@libertysurf.fr
☑ ⊺ du jeu. au sam. 9h-12h 14h-18h30
📮 Christophe Aguilar

DOM. DE PIERREFEU 2001★

| | 9 ha | 60 000 | | 3 à 5 € |

Syrah et grenache complétés par le carignan pour cette cuvée au nez plutôt intense et complexe de réglisse et de violette. Une bouche charnue, des tanins bien présents, de la finesse, une rétro-olfaction marquée par le Zan et une jolie finale pour un vin plaisir qu'il conviendra de déguster sans tarder. La cuvée **Prestige des Gibelins rouge 2001 (5 à 8 €)** obtient une étoile grâce à sa belle structure tannique ferme et soyeuse qui soutiendra la garde.
📮 Vignobles Gibelin, Les Amphores des Silex, Gallician, 30600 Vauvert,
tél. 04.66.73.33.00, fax 04.66.53.46.21,
e-mail olivier.gibelin@wanadoo.fr ⊺ r.-v.

CH. ROUBAUD
Cuvée Prestige 2000★★

| | 20 ha | 40 000 | 🔲♨ | 5 à 8 € |

Fournisseur de la cour d'Angleterre pendant vingt ans, ce domaine présente deux très belles cuvées. Un nez de marc de raisins, de la chair en bouche, des tanins fins, une rétro-olfaction épicée, une finale équilibrée pour ce beau costières. Du même propriétaire, la cuvée **Summum de Roubaud rouge 99**, vieillie en fût de chêne **(8 à 11 €)**, qui obtient la même note, est plus élaborée avec son nez de bourgeon de cassis et une finale épicée. Deux vins de plaisir.
📮 Famille Molinier, Ch. Roubaud, Gallician, 30600 Vauvert, tél. 04.66.73.30.64, fax 04.66.73.34.13,
e-mail contact@chateau-roubaud.fr
☑ ⊺ t.l.j. 9h-12h 14h-17h30; sam. dim. sur r.-v.

DOM. DE SAINT-ANTOINE
Cuvée des Oliviers 2000★★

| | 2 ha | 7 600 | 🕪 | 5 à 8 € |

Au Moyen Age, le domaine était la possession de l'ordre de Saint-Antoine. Il appartient aujourd'hui à Jean-Louis Emmanuel qui présente deux cuvées remarquées par le jury. La cuvée des Oliviers est parée d'une robe rouge foncé à reflets violets. Le nez, encore fermé, est riche et complexe, marqué par les fruits à l'eau-de-vie, le ciste, le pain grillé, la vanille et des notes de réglisse. Beaucoup de rondeur en bouche permet d'équilibrer une charge tannique très présente. Un vin de garde bien constitué et prometteur. Le **rosé 2001 (3 à 5 €)**, de type floral, obtient une étoile.
📮 Jean-Louis Emmanuel,
Dom. de Saint-Antoine, 30800 Saint-Gilles,
tél. 04.66.01.87.29, fax 04.66.01.87.29 ☑ ⊺ r.-v.

CH. SAINT-CYRGUES 2001★

| | 7 ha | 15 000 | 🔲♨ | 5 à 8 € |

A l'emplacement d'un prieuré détruit lors des guerres de religion, sur le versant sud des Costières, s'étendent les 35 ha du domaine. Un vin rouge des costières est bien dans la typicité de son appellation et très caractéristique de son millésime. Rouge profond, arômes de fruits confits, rondeur en bouche, tanins nobles, rétro-olfaction épicée, finale équilibrée pour une bouteille à consommer dès aujourd'hui. Le **blanc 2001**, une étoile, fait preuve d'un grand classicisme.

📞 SCEA de Mercurio, Ch. Saint-Cyrgues, rte de Montpellier, 30800 Saint-Gilles, tél. 04.66.87.31.72, fax 04.66.87.70.76 ☑ ⲧ r.-v.

CH. DE LA TUILERIE
Carte blanche 2001★

■	13 ha	45 000		5 à 8 €

Les vins de cette propriété ont toujours été très convoités : par les moines de l'abbaye de Saint-Gilles au Moyen Age, par les protestants à la Révolution. Aujourd'hui, la cuvée Carte blanche, fort classique, a séduit les dégustateurs du Guide. Les arômes de cette bouteille harmonieuse et équilibrée sont marqués par les fleurs blanches. Les amateurs seront satisfaits.

📞 Comte, Ch. de La Tuilerie, rte de Saint-Gilles, 30900 Nîmes, tél. 04.66.70.07.52, fax 04.66.70.04.36, e-mail vins@chateautuilerie.com ☑ ⲧ r.-v.

CH. DE VALCOMBE
Prestige 2001★

■	16 ha	20 000	▮⦀♨	5 à 8 €

Non loin de la petite bourgade de Générac, vous pourrez visiter la source Perrier et son usine d'embouteillage. Mais peut-être préfèrerez-vous goûter la production du château de Valcombe ? Sa cuvée Prestige, noir d'encre à reflets violines, se montre séduisante avec ses arômes flatteurs et agréables de framboise, de mûre et de violette et, en rétro-olfaction, de cassis. La bouche est pleine, construite sur des tanins puissants dont la jeunesse porte encore une légère amertume. Une bonne persistance aromatique assure à cette bouteille un bel avenir. Même note pour la cuvée **Garance rouge 2000 (11 à 15 €)**, véritable vin de garde.

📞 Dominique Ricome, Ch. de Valcombe, 30510 Générac, tél. 04.66.01.32.20, fax 04.66.01.92.24, e-mail valcombe@wanadoo.fr ☑ ⲧ r.-v.

DOM. DU VIEUX RELAIS
Cuvée Tradition 2000★

■	2 ha	8 000	▮♨	11 à 15 €

Comme le figure le dessin de l'étiquette, le domaine était autrefois un relais de poste. Aujourd'hui, il propose à ceux qui s'y arrêtent un costières de nîmes marqué par les fruits confits. Rond et simple, avec des tanins affinés, il est à boire dans l'année.

📞 Christiane Bardin, Dom. du Vieux-Relais, 30129 Redessan, tél. 04.66.20.07.69, fax 04.66.20.21.46 ☑ ⲧ t.l.j. sf dim. 8h-12h 14h-19h

📞 Pierre Bardin

Coteaux du languedoc

Cent soixante-huit communes, dont cinq dans l'Aude et dix-neuf dans le Gard, les autres étant dans l'Hérault, constituent un ensemble de terroirs disséminés dans le Langue-doc, dans la zone des coteaux et des garrigues s'étendant de Narbonne à Nîmes. Ces terroirs spécialisés plus particulièrement dans le vin rouge et rosé produisent des AOC coteaux du languedoc, appellation d'origine contrôlée depuis 1985, à laquelle peuvent être ajoutées onze dénominations particulières en rouge et rosé : la Clape et Quatourze dans l'Aude, Cabrières, Montpeyroux, Saint-Saturnin, Pic Saint-Loup, Saint-Georges-d'Orques, les coteaux de la Méjanelle, Saint-Drézéry, Saint-Christol et les coteaux de Vérargues dans l'Hérault ; ainsi que deux dénominations en blanc : la Clape et Picpoul-de-Pinet.

Toutes sont issues des vins renommés dans les siècles passés. Les coteaux du languedoc ont produit 64 656 hl de vin blanc et 483 212 hl de rouge et de rosé sur 9 900 ha en 2001.

ABBAYE DE VALMAGNE 2001★

	20 ha	18 000	▮♨	5 à 8 €

Une abbaye cistercienne où la tradition se perpétue depuis le XIIᵉs. Un lieu magique où règne la communion entre le visuel et l'olfactif : l'harmonie générale s'impose d'emblée tant le bâtiment, véritable cathédrale aux vastes proportions, témoigne du rôle de bâtisseurs des dominicains. Aujourd'hui, ce domaine viticole autorise la visite sur rendez-vous. Ce sera le moment de prendre le temps de la réflexion, mais aussi de se laisser aller à la dégustation de cette cuvée 2001. L'esprit du vin en est là ; les fragrances de fruits jaunes et de fleurs blanches, de peau d'agrumes et de miel seront à l'unisson. La **cuvée de Turenne blanc 2000 (8 à 11 €)**, élevée en fût, obtient une citation.

📞 D' Allaines, SCEA du Dom. de Valmagne, Abbaye de Valmagne, 34560 Villeveyrac, tél. 04.67.78.06.09, fax 04.67.78.02.50 ☑ ⲧ r.-v.

ABBOTTS
Eurus 2000★

	n.c.	16 500	▮⦀	8 à 11 €

Cette marque propose une cuvée très réussie dont la contre-étiquette vante avec raison la beauté des paysages viticoles languedociens. Des notes beurrées, mentholées, mêlées d'acacia et de miel composent un bouquet d'une grande finesse. La bouche surprend par son équilibre où l'élevage ne domine pas. A boire sur une cassolette de queues d'écrevisses.

📞 Abbott Sneyd Anderson, 5, rue de la Friperie, 34000 Montpellier, tél. 04.67.91.31.00, fax 04.67.91.31.07, e-mail abbotts@abbottswine.fr

📞 M. Sneyd

DOM. L'AIGUELIERE
Montpeyroux Côte dorée 2000★

■	4,5 ha	17 000	⦀	23 à 30 €

Habitué du Guide, ce domaine met en valeur la typicité du terroir de Montpeyroux. Robe pourpre, nez complexe de cerises confites, de vanille, de caramel et de notes de tabac blond. Attaque franche, développement harmonieux, longueur et saveur en bouche : tout est en place dans ce vin de caractère.

🍇 Commeyras, Dom. l'Aiguelière,
2, pl. du Square, 34150 Montpeyroux,
tél. 04.67.96.61.43, fax 04.67.44.49.67 ☑ ☂ r.-v.

CUVEE AMBRUSSUM
Saint-Christol Elevé en fût de chêne 2000★

■	1,5 ha	3 000	⅏	5 à 8 €

Quand les vignerons de Saint-Christol font parler leur célèbre terroir de collines villafranchiennes, déjà reconnu dès l'Empire romain, ils offrent cette cuvée aux senteurs fines et variées, de pain d'épice et de garrigue. L'attaque, fraîche et suave à la fois, laisse place à l'élégante expression du thym et des épices douces. Un vin complexe que l'on pourra aisément garder quelques années.
🍇 SCV de Saint-Christol,
51 bis, av. de la Cave, 34400 Saint-Christol,
tél. 04.67.86.01.11, fax 04.67.86.81.04
☑ ☂ t.l.j. sf dim. 8h-12h 14h-18h

DOM. ARNAL 2001★

■	2 ha	5 000	■	5 à 8 €

Au XIXᵉ s., les vins de Langlade étaient aussi réputés que les bordeaux et les bourgognes. Des archives le prouvent. Dans le noble but de retrouver cette notoriété, le domaine Arnal présente un 2001, jaune clair, au nez fin et délicat, avec du gras et de l'ampleur, mais encore un peu jeune. L'attendre un an ou deux.
🍇 Dom. Arnal, 251, chem. des Aires, 30980 Langlade,
tél. 04.66.81.31.37, fax 04.66.81.83.08 ☑ ☂ r.-v.

MAS DE LA BARBEN
Les Lauzières 2000★

■	6 ha	25 000	■ ⅏ ♦	8 à 11 €

Aux commandes du mas de la Barben depuis peu (1999), Marcel Hermann présente trois cuvées qui obtiennent chacune une étoile. Les Lauzières 2000, en robe claire, se montre très épicé, fruité et mûr, rond, souple et long au palais. Puis Les Sabines 2000 (11 à 15 €), rouge sombre, s'ouvrant sur des parfums de fruits et de garrigue, sont puissantes et bien structurées. Enfin, le rosé Véronique 2001 (5 à 8 €), pâle, est tout en fruits, équilibre et longueur.
🍇 Mas de la Barben, rte de Sauve, 30900 Nîmes,
tél. 04.66.81.15.88, fax 04.66.63.80.43,
e-mail marcel.hermann@wanadoo.fr
☑ ☂ t.l.j. sf dim. 10h-12h 14h-19h
🍇 Marcel Hermann

CH. DE BEAULIEU
Lion de Pourpre 2000★

■	3,5 ha	10 500	⅏	8 à 11 €

Le château de Beaulieu, datant du XIIᵉs., a des jardins dessinés par Le Nôtre et des carrières peintes par Jean Hugo. C'est aussi un lieu au long passé viticole. Doté d'une belle robe soutenue, aux légers reflets café, et d'un nez racé, fin et élégant, ce vin, raffiné et gourmand, offre des notes d'épices et de figue très mûre. Il est à déguster dès maintenant.
🍇 Georges de Ginestous, Baron de La Liquisse,
pl. de l'Eglise, 34160 Beaulieu,
tél. 04.67.86.45.45, fax 04.67.86.44.44,
e-mail contact@chateau-de-beaulieu.com ☑ ☂ r.-v.

DOM. BEAUSEJOUR SAINT ESPRIT
Terrasses de Béziers 2000★

■	1,7 ha	5 700	■ ⅏ ♦	5 à 8 €

Le château de Beauséjour appartenait à l'abbé Rozier, brillant agronome, créateur de la première école vétérinaire en 1762. La tradition reprend de la vigueur grâce à la cuvée Terrasses de Béziers 2000, rouge foncé aux reflets violets, marquée par le cacao et les épices, plutôt concentrée et ample, avec quelques tanins fins et une finale délicatement boisée.
🍇 SCEA Marc, Dom. Beauséjour, chem. rural 145,
34500 Béziers, tél. 04.67.28.33.07, fax 04.67.28.33.07
☑ 🏠 🏠 ☂ r.-v.

CH. BELLES EAUX
Elevé en fût de chêne 2000★

■	2,4 ha	10 000	■ ⅏	5 à 8 €

L'histoire ne dit pas ce que Toulouse-Lautrec, lors d'une visite au domaine, pensa de ses vins. Sans doute est-il loisible de l'imaginer débouchant ce Belles Eaux 2000, rouge soutenu. Griotte, garrigue, sous-bois et épices participent au plaisir du nez, puis se découvre une bouche friande, équilibrée sur des tanins, et un boisé qui s'affineront après deux ou trois années. La cuvée Tradition rouge 2001 (3 à 5 €), odorante et charmeuse en tous points, n'a pas, elle non plus, volé son étoile.
🍇 Ch. Belles Eaux, Dom. Belles Eaux,
34720 Caux, tél. 04.67.09.30.95, fax 04.67.09.30.96
☑ ☂ t.l.j. sf sam. dim. 10h-12h 15h-18h
🍇 Mir

CH. BOUISSET 2000★

■	4 ha	35 000	⅏	5 à 8 €

Près de l'embouchure de l'Aude, aux Cabanes de Fleury, Christophe Barbier élabore des cuvées charmeuses en diable, comme ce Château Bouisset 2000. La robe se teinte d'un grenat soutenu qui habille un nez intense de cassis, de résine et de réglisse. La bouche soyeuse permet au vin de se laisser boire avec fraîcheur, volume, élégance et longueur.
🍇 Christophe Barbier, EURL Constantine,
11560 Fleury-d'Aude,
tél. 04.68.33.60.13, fax 04.68.33.60.13 ☑ 🏠 ☂ r.-v.

MAS DES BROUSSES 2000★

■	2,5 ha	10 000	⅏	8 à 11 €

Géraldine Combes et Xavier Peyroud ont repris la propriété familiale en 1997 dans ce merveilleux village de Puéchabon. Charnu, équilibré, typique de l'AOC, ce vin offre de beaux parfums de garrigue, de fruits rouges et d'épices. La surprise vient de la bouche puissante, mais construite sur des tanins fondus et un très bon équilibre. Ce millésime peut attendre deux à trois ans. Si vous êtes végétarien, choisissez un ragoût de légumes. Et si vous n'êtes pas, ce conseil reste valable.
🍇 Géraldine Combes, Mas des Brousses,
2, chem. du Bois, 34150 Puéchabon,
tél. 04.67.57.33.75, fax 04.67.57.33.75 ☑ ☂ r.-v.

MAS BRUGUIERE
Pic Saint-Loup La Grenadière 2000★

■	4 ha	20 000	■	11 à 15 €

Le mas Bruguière et le Pic Saint-Loup font cause commune depuis longtemps. Le domaine est exemplaire en matière d'élevage, cherchant à produire un vin complet et complexe comme le sont la plupart de ses cuvées. Ainsi L'Arbouse 2000 rouge (5 à 8 €) a obtenu une étoile tout comme cette Grenadière 2000 parée d'une belle robe. Le nez est riche de notes de fruits rouges bien mûrs et de touches vanillées. La bouche, en revanche, n'a pas encore tout dit : l'harmonie commence à se rythmer et laisse actuellement une impression de grande fraîcheur. Ce sera un vin gourmand et typé à marier avec un lapin aux pruneaux.

🔦 Guilhem Bruguière, La Plaine, 34270 Valflaunès, tél. 04.67.55.20.97, fax 04.67.55.20.97 ☑ ⏀ r.-v.

MAS CAL DEMOURA
L'Infidèle 1999★

■	3,3 ha	11 000	☐ 23 à 30 €

Le terroir de cailloutis calcaires de Jonquières et le savoir-faire de Jean-Pierre Jullien, très attaché à sa région, se marient pour offrir à l'amateur cette cuvée marquée par ses origines. D'une robe de jolie couleur grenat profond et d'un nez d'épices tout en finesse, elle commence à s'épanouir : des tanins encore présents lui confèrent un bel avenir.

🔦 Jean-Pierre Jullien,
Mas Cal Demoura, 34725 Jonquières,
tél. 04.67.88.61.51, fax 04.67.88.61.51 ⏀ r.-v.

CH. DE CAPITOUL
La Clape Les Rocailles 2000★

▨	2 ha	8 000	⑪ 8 à 11 €

Au château de Capitoul, tout près de la Méditerranée, la cuvée Les Rocailles fut coup de cœur pour le 99 ; ce 2000 a besoin de mûrir plus longtemps pour atteindre la plénitude. Mais il a bien mérité son étoile, avec sa robe dorée et brillante, son joli nez brioché, de pêche et d'épices, encore boisé, et sa bouche ronde, charnue, suave et de bonne longueur.

🔦 Ch. de Capitoul, rte de Gruissan, 11100 Narbonne, tél. 04.68.49.23.30, fax 04.68.49.55.71,
e-mail chateau.capitoul@wanadoo.fr ☑ ⏀ t.l.j. 8h30-20h
🔦 Charles Mock

CH. DE CAZENEUVE 2001★★

▨	3 ha	n.c.	⑪ 15 à 23 €

Nonobstant la dureté du labeur, c'est toujours avec le sourire que vous accueille la famille Leenhardt. Cela explique peut-être la bouche ronde, longue et onctueuse du 2001, jaune vif, au nez expressif de fleur, d'amande et de fruits confits. Mais aussi la tendresse des **Calcaires 2001** **(11 à 15 €) en Pic Saint-Loup** d'un rouge profond et d'un nez charmeur de cerise à l'eau-de-vie, de café, d'épices avec une pointe de garrigue, annonçant plénitude, gras et volume enrobant des tanins finement serrés. Cette cuvée obtient une étoile.

🔦 André Leenhardt, Dom. de Cazeneuve,
34270 Lauret, tél. 04.67.59.07.49, fax 04.67.59.06.91
☑ 🏠 ⏀ r.-v.

DOM. CELINGUET
Les Noces de la Terre et du Soleil 1999★

■	1,5 ha	3 900	⑪ 11 à 15 €

Pierre et Myriam Rouquette, en choisissant le nom de leur cuvée, ont voulu témoigner de la forte symbolique de la vigne. Leur savoir-faire a fait le reste pour permettre à ce vin, d'un grenat profond, de marier harmonieusement les épices et le chocolat. En bouche, l'attaque ample et charnue se poursuit par une belle mâche qui sera à son aise sur des viandes rouges de caractère. On signalera également la **cuvée classique du Domaine Célinguet 2000** **(8 à 11 €)**, marquée par la garrigue et dotée de tanins fins et frais. Elle obtient une citation.

🔦 Pierre Rouquette, Dom. Celinguet, Le Pla,
34380 Argelliers, tél. 04.67.55.62.36, fax 04.67.55.52.11
☑ ⏀ r.-v.

MAS DES CHIMERES 2000★

■	n.c.	n.c.	⑪ 8 à 11 €

Après une visite au cirque de Mourèze et un plongeon dans le lac du Salajou, n'oubliez pas de vous rendre au mas des Chimères, conduit par Guilhem Dardé qui revendique l'état de paysan-vigneron. Son vin est tout aussi sympathique et élégant ; malgré son nez discret, on perçoit dans sa matière chaleureuse et épicée des tanins présents qui se fondront grâce à une garde de quatre ou cinq ans.

🔦 Guilhem Dardé, Mas des Chimères, 34800 Octon, tél. 04.67.96.22.70, fax 04.67.88.07.00,
e-mail mas.des.chimeres@free.fr ☑ ⏀ r.-v.

CLAMERY
Cuvée Prestige 2000★

■	n.c.	n.c.	☐ 3 à 5 €

Les vignerons de la coopérative de l'Occitane ont appris a travailler comme leurs homologues des caves particulières. La preuve ? Leur cuvée Prestige. D'un rouge profond agrémenté de violet, elle offre des senteurs très prononcées de cerise, de fraise, de fleurs séchées et de cacao vanillé. Elle s'ouvre sur une bouche charnue, concentrée, regorgeant de tanins encore serrés qui présagent un bel avenir. A boire à son cinquième anniversaire.

🔦 Vignerons de l'Occitane, 101, Grand-Rue,
BP 28, 34290 Servian,
tél. 04.67.39.07.39, fax 04.67.39.08.95,
e-mail info@vigneronsdeloccitane.com ☑

CLAUSADE MONTLONG
Elevé en fût de chêne 2000★

■	5 ha	3 500	⑪ 5 à 8 €

Sur les cailloutis calcaires en terrasses du Larzac, les vignerons de Saint-Félix-de-Lodez bichonnent quelques parcelles de cépages blancs qui, vinifiés en fût, composent la cuvée Clausade Montlong, d'un blanc soutenu et brillant, qui exprime joliment d'intenses notes de pamplemousse, de torréfaction, d'épices et de fumé. L'attaque est franche, le boisé fondu, la matière élégante et la finale balsamique.

🔦 SCA les vignerons de Saint-Félix,
21, av. Marcelin-Albert, 34725 Saint-Félix-de-Lodez, tél. 04.67.96.60.61, fax 04.67.88.61.77 ☑ ⏀ r.-v.

CLOS DE L'ABBAYE
Elevé en fût de chêne 2000

■	4 ha	14 000	⑪ 5 à 8 €

Un monastère qui préserve la tradition du vin et un lycée agricole qui la développe constituent l'entité du domaine Chartreuse de Mougères. Si vous souhaitez en avoir la confirmation, dégustez le Clos de l'Abbaye 2000, rouge soutenu et vif, au nez intense et racé fait de fruits confits, de fleurs, d'épices et de boisé fondu. La structure est belle et équilibrée : les tanins, encore jeunes, sont très prometteurs.

🔦 Sareh Bonne Terre, Dom. Chartreuse de Mougères, 34720 Caux, tél. 04.67.98.40.01, fax 04.67.98.46.39,
e-mail nicolas.lebecq@libertysurf.fr ☑ ⏀ r.-v.

LANGUEDOC

CLOS MARIE
Pic Saint-Loup Manon 2000★★★

	2 ha	6 500		11 à 15 €

En vieil habitué du Guide, Christophe Peyrus décroche cette année la plus haute distinction, grâce à ce Clos Marie. Parée d'une belle robe pâle aux reflets dorés, la bouteille présente d'abord un nez racé, remarquable par sa finesse : un véritable bouquet de fleurs blanches, un panier de fruits secs et confits, de pâte de coing. Puis elle séduit le palais par la puissance de sa matière, dense, longue et savoureuse d'une incroyable persistance.

🕿 Christophe Peyrus et Françoise Julien, Clos Marie, 34270 Lauret, tél. 04.67.59.06.96, fax 04.67.59.08.56 ✓ ⟟ r.-v.

CH. LA CLOTTE-FONTANE
Crémailh 2000★★

	3 ha	6 500		5 à 8 €

Une cave toute neuve sur le site d'une villa romaine et le désir de reconquérir le faste d'antan. Le château la Clotte-Fontane en donne l'exemple avec la cuvée Crémailh 2000, « nominée » pour le coup de cœur, d'un rubis brillant, développant un nez remarquable de compote de fruits rouges, de café, de réglisse et autres épices. Harmonieuse, la matière est dense mais tendre, les tanins bien marqués mais veloutés.

🕿 Maryline Pagès, Ch. la Clotte-Fontane, 30250 Salinelles, tél. 04.66.80.06.09, fax 04.66.80.42.60, e-mail clotte @ club-internet.fr ✓ ⟟ r.-v.

CONQUETES 2000

	5 ha	16 000		11 à 15 €

A la conquête du Languedoc, la famille Ellner fait son entrée dans le Guide en AOC, mais sa renommée est déjà grande dans les coteaux des terrasses du Larzac. Habillé d'une robe rouge soutenu, ce vin est très intense avec des parfums de résine, d'épices, de fruits confits et une pointe de cassis. Les tanins serrés demandent de l'attendre deux à trois ans.

🕿 Philippe Ellner, chem. des Conquêtes, 34150 Aniane, tél. 04.67.57.35.99, fax 04.67.57.35.99 ✓ ⟟ r.-v.

MAS COSTE SOULANE 2000★★

	8,5 ha	47 000		3 à 5 €

A 3 km de Saint-Guilhem-le-Désert, de la grotte de la Clamouse et des gorges de l'Hérault, la cave d'Aniane a su exploiter son merveilleux terroir des terrasses du Larzac. Le jury a été séduit par ce Mas Coste Soulane. D'un rouge pourpre, il laisse échapper des notes de fleurs (violette) et

de cassis. Les tanins sont bien enrobés et augurent un bel avenir. La cuvée Cellier de Guilhem rouge 2001 obtient la même note. Une cave à découvrir.

🕿 SCA les Treilles d'Aniane, 18, av. de la Gare, 34150 Aniane, tél. 04.67.57.70.06, fax 04.67.57.41.33 ✓ ⟟ t.l.j. sf dim. 10h-12h 14h30-18h30

DOM. COUR SAINT VINCENT 2000★

	2 ha	5 000		5 à 8 €

Viticulteur depuis 1970, devenu vigneron en 1999, Francis Bouys propose le deuxième millésime élaboré chez lui. En l'occurrence la Cour Saint Vincent 2000, à la belle robe jaune doré, au nez délicatement fleuri d'acacia et agréablement fruité, livrant des notes d'abricot sec. La bouche présente un bel équilibre entre l'acidité, le gras et l'ampleur et se prolonge sur une finale citronnée.

🕿 Francis Bouys, 1, pl. Saint-Vincent, 34730 Saint-Vincent-de-Barbeyrargues, tél. 04.67.59.60.74, fax 04.99.62.02.06 ✓ ⟟ r.-v.

CH. DES CRES RICARDS
Les Hauts de Milesi 2000

	1,24 ha	8 100		8 à 11 €

Colette et Gérard Foltran font leur entrée dans le Guide pour leur première vinification. Leurs vignes sont âgées de trente-cinq ans. Voici donc un vin expressif qui ne joue jamais sur la puissance tout en étant toujours présent. On perçoit des notes de garrigue, de genièvre et quelques autres épices. La robe est engageante.

🕿 Colette et Gérard Foltran, Dom. des Crès Ricards, 34800 Ceyras, tél. 04.67.44.67.63, fax 04.67.44.67.63, e-mail foltran @ cresricards.com ✓ ⟟ r.-v.

CH. CREYSSELS
Picpoul de Pinet 2001

	2,5 ha	7 500		3 à 5 €

Bastide du XVIᵉs., ce domaine, situé à proximité de l'étang de Thau et de la voie Domitienne, a fait ses premières mises en bouteilles en 1999. Ce vin – étiquette blanche à bordure verte – ne connaît pas le bois. Il a une robe jaune pâle et un nez d'agrumes qui reflète bien la typicité de l'AOC. Sans hésiter on peut l'associer aux huîtres de Bouzigues et à la tielle sétoise par rapport à sa vivacité et sa fraîcheur aromatique. L'étiquette, représentant la bastide sur fond noir et bord beige, est la carte d'identité de la cuvée élevée neuf mois en fût (5 à 8 €). Elle obtient la même note et devra attendre un an ou deux en cave.

🕿 J. et H. Benau, Dom. de Creyssels, 34140 Mèze, tél. 04.67.43.80.82, fax 04.67.18.82.06 ✓ ⟟ r.-v.

DOM. LA CROIX CHAPTAL
Cuvée Charles Elevé en fût de chêne 2000

	3 ha	16 000		8 à 11 €

Ancienne manse de l'abbaye de Gellone, complantée de vignes dès le Xᵉs., ce domaine est entre les mains d'un homme passionné par son très beau terroir de galets roulés. Si le nez de cette cuvée se fait un peu attendre, sa finesse laisse percevoir des odeurs de kirsch, d'épices et de confiture. En bouche, le terroir et la maturité s'imposent. Une gardianne de taureau de Camargue est conseillée, ou plus simplement un cassoulet.

🕿 Pacaud-Chaptal, Dom. de la Croix Chaptal, hameau de Cambous, 34725 Saint-André-de-Sangonis, tél. 06.82.16.77.82, fax 04.67.16.09.36, e-mail lacroixchaptal @ wanadoo.fr ⟟ r.-v.
🕿 Charles Pacaud

CH. LA CROIX DE RASCAS
Cuvée Edouard Vinifié en fût de chêne 2000

	0,8 ha	760	❚❙ 11 à 15 €

Ne cherchez pas le château car il n'est pas encore construit ! Mais allez déguster ce vin blanc très languedocien. Aucune exubérance et tout dans la finesse. Le rendement est faible ainsi que le nombre de bouteilles. Il faut un début à tout. Un nouveau venu à suivre de près.
☙ Benoît Touzan, 11, av. Paul-Vidal, 34410 Sauvian, tél. 04.67.39.17.85, fax 04.67.39.17.85 ☑ ⲧ r.-v.

DOM. CROIX MARO 2000★

■	11 ha	60 000	▮❙ 3 à 5 €

Créé en l'an II de la République par la famille Clarou, le domaine Croix Maro présente un 2000 à la robe rouge profond, au nez intense, mentholé et épicé, livrant des arômes de fruits à l'eau-de-vie, de cuir et de garrigue. Franc, puissant et volumineux, il affiche des tanins très présents, non dénués d'une certaine finesse. Encore deux à trois ans de patience.
☙ Alain Clarou, Dom. Croix Maro, 10-12, bd du Puits-Allier, 34720 Caux, tél. 04.67.98.44.81, fax 04.67.98.44.81 ☑ ⲧ r.-v.

CYRUS
Elevé en fût de chêne 1999

■	22,5 ha	53 300	❚❙ 8 à 11 €

Les vignes de la Carignano croissent sur des sols très divers. Parmi les schistes, ses vignerons prennent grand soin de la cuvée Cyrus dont le millésime 99, rouge intense légèrement tuilé, fleure bon la cerise, la cire d'abeille avec une pointe épicée et mentholée. Sa bouche est fraîche, ample, équilibrée, et dotée de quelques tanins veloutés.
☙ Cave coopérative la Carignano, 13, rte de Pouzolles, 34320 Gabian, tél. 04.67.24.65.64, fax 04.67.24.80.98 ☑ ⲧ t.l.j. sf sam. dim. 8h-12h 13h30-17h30

CH. DE LA DEVEZE
Cuvée Tradition 2001★

■	5,5 ha	26 000	▮❙ 5 à 8 €

Issu des terroirs typiques de Vérargues, de galets et grès – on prononce « gresse » –, ce vin d'un rubis profond, aux arômes de jeunesse marqués par les fruits rouges et le chocolat noir, est vinifié dans un château remontant au XVIIᵉs. C'est surtout la rondeur, la complexité et le soyeux des tanins qui donnent à la cuvée Tradition un côté gourmand et une bonne tenue. A boire ou à attendre, chacun fera son choix, mais avec la daube de *toro* – la Camargue n'est pas loin –, on réussira un excellent accord.
☙ SARL la Devèze, Ch. de la Devèze, 34400 Vérargues, tél. 04.67.86.00.47, fax 04.67.86.89.75 ☑ ⲧ t.l.j. sf dim. 9h-12h 14h-18h30
☙ Navarro

DOM. DEVOIS DU CLAUS
Pic Saint-Loup 2000★★

■	2 ha	n.c.	▮❚❙ 8 à 11 €

Ancien coopérateur, André Gély vinifie depuis 1998 dans sa propre cave. Rouge soutenu, brillant et séducteur, son 2000 respire à foison des notes de framboise, de groseille, d'amande, de cacao et d'épices. Quant à la bouche, loquace et gourmande, elle unit puissance et rondeur autour d'une matière dense articulée sur une multitude de tanins mûrs et soyeux.
☙ Dom. Devois du Claus, 38, imp. du Porche, 34270 Saint-Mathieu-de-Tréviers, tél. 04.67.55.29.37, fax 04.67.55.06.86 ☑ ⲧ r.-v.
☙ André Gely

DOM. DURAND-CAMILLO 2000★

■	3 ha	9 000	▮❙ 5 à 8 €

Quels que soient les millésimes, le plaisir est renouvelé au domaine Durand-Camillo. Laissez-vous séduire par le 2000 rouge sombre, aux notes complexes de fruits rouges confits, empyreumatiques, épicées et vanillées. Encore dominée par le boisé, la bouche révèle cependant de puissants tanins veloutés laissant présager un avenir radieux ; trois à quatre ans avant la plénitude...
☙ Armand Durand, 26, av. de Fontès, 34720 Caux, tél. 04.67.09.32.46, fax 04.67.09.32.46, e-mail durand.armand@wanadoo.fr ☑ ⲧ r.-v.

DOM. ELLUL-FERRIERES
Grande Cuvée 2000

■	0,8 ha	3 800	❚❙ 11 à 15 €

Depuis longtemps, Mme Ellul est spécialiste des vins de pays d'Oc. Vigneronne depuis 1997, elle élabore aussi, avec la complicité de maître Natoli, œnologue confirmé, de jolies AOC, comme le Domaine Ellul-Ferrières 2000, rouge très soutenu, au nez friand de petits fruits rouges avec des notes torréfiées et épicées. Son ampleur repose sur une belle charpente suavement tannique.
☙ Dom. Ellul-Ferrières, Fontmagne, RN 110, 34160 Castries, tél. 06.15.38.45.01, fax 04.67.16.04.49, e-mail ellulferrieres@aol.com ☑ ⲧ t.l.j. 17h-19h
☙ Gilles Ellul

CH. DE L'ENGARRAN
Saint-Georges d'Orques Cuvée Quetton Saint-Georges 2000★★

■	6 ha	25 000	❚❙ 11 à 15 €

On ne peut être que séduit par la cuvée Quetton Saint-Georges du Château de l'Engarran : chaque millésime de cette cuvée fait partie des incontournables de Saint-Georges d'Orques. Le 2000 perpétue avec brio la tradition : deux étoiles récompensent ce vin intense, complexe, riche, volumineux. Paré d'une belle robe rubis foncé, il attire par ses arômes chauds et épicés et achève l'entreprise de séduction par un régal de fruits et d'épices qui se fondent dans une matière bien enrobée et qui restent longtemps en bouche. A boire dès maintenant ou à attendre ; chacun y trouvera son compte.
☙ SCEA du Ch. de l'Engarran, 34880 Laverune, tél. 04.67.47.00.02, fax 04.67.27.87.89, e-mail lengarran@wanadoo.fr ☑ ⲧ t.l.j. 10h-19h
☙ Grill

ERMITAGE DU PIC SAINT-LOUP
Pic Saint-Loup Cuvée Sainte-Agnès 1999★

■	n.c.	20 000	❚❙ 5 à 8 €

En haut du pic Saint-Loup, il est un ancien ermitage dominant vignobles, bois et garrigues. Les vins du domaine honorent la mémoire du lointain ascète, notamment la cuvée Sainte-Agnès 99, rouge soutenu, au nez intense d'où jaillissent de belles notes de cassis, de griotte et de sous-bois, introduisant une bouche élégante et racée, pleine et charnue, sur un lit de tanins présents mais fondus.

LANGUEDOC

⌐ Jean-Marc Ravaille, GAEC Ermitage du Pic Saint-Loup, 34270 Saint-Mathieu-de-Tréviers, tél. 04.67.55.20.15, fax 04.67.55.23.49
☑ Ⱶ t.l.j. sf dim. 10h-12h 14h-18h

CH. D'EXINDRE
Amélius 2000★★

■	2 ha	9 500	⑪ 11 à 15 €

A deux pas de la mer et des étangs, tout près de la cathédrale de Maguelonne, sur ce qui fut le premier site de la ville de Montpellier, le domaine la Magdelaine d'Exindre présente cette cuvée Amélius. D'un rouge somptueux et profond, elle n'est que richesse et complexité avec des notes intenses de fruits mûrs, d'épices, de foin... Franc d'attaque, ce vin tapisse amplement le palais de gras et d'une matière aux tanins enrobés. On nous dit de choisir pour l'accompagner un lapereau aux olives noires.
⌐ Catherine Sicard-Géroudet,
La Magdelaine d'Exindre,
34750 Villeneuve-lès-Maguelonne,
tél. 04.67.69.49.77, fax 04.67.69.49.77 ☑ ⌂ Ⱶ r.-v.

DOM. FAURMARIE
Cuvée des Mathilles 2000★

■	4 ha	10 000	▮ 5 à 8 €

Belle étoile que voilà ! Pas beaucoup de vignes, peu de vin, mais c'est bon. En outre, c'est rouge dense, finement nuancé de violet ; ça fleure intensément le cassis, les fleurs de garrigue, la torréfaction, les épices et l'eucalyptus. Quant à la matière, elle vous saisit avec des tanins serrés et de la chair tendre : l'harmonie accomplie en puissance et en finesse...
⌐ Christian Faure, rue du Mistral, 34160 Galargues, tél. 04.67.86.87.26, fax 04.67.86.87.26,
e-mail domaine.faurmarie@free.fr ☑ Ⱶ r.-v.

DOM. FELINES JOURDAN
Picpoul de Pinet 2001★

■	30 ha	100 000	▮▮ 3 à 5 €

Sur un terroir de grès rouges qui regarde l'étang de Thau, la famille Jourdan élève chaque année un picpoul très typé. Jaune clair, il affiche une grande élégance grâce à ses parfums d'agrumes, de poire et de fleurs blanches. D'une belle vivacité au palais, il devrait s'épanouir et faire merveille avec les produits de la mer. Le **rosé coteaux du languedoc 2001** a également obtenu une étoile.
⌐ SCEA Félines Jourdan, 34140 Mèze,
tél. 04.67.43.69.29, fax 04.67.43.69.29,
e-mail felinesjourdan@free.fr ☑ Ⱶ r.-v.

DOM. FERRI ARNAUD
La Clape Cuvée Romain Elevé en fût de chêne 2000★

■	1,5 ha	6 000	⑪ 11 à 15 €

Richard Ferri est du cru, il succède à ses parents installés depuis 1963. Il a appliqué les bons usages comme le démontrent ces deux bouteilles sélectionnées. D'abord cette cuvée Romain, rouge limpide, au nez encore réservé de petites baies, de gibier et d'épices, à la concentration délicate qui révèle une bouche ample et onctueuse aux tanins mûrs. Puis la **cuvée principale rouge 2000** (8 à 11 €), une étoile, sombre, longue et volumineuse, accompagnée d'une touche de boisé.
⌐ EARL Ferri Arnaud,
av. de l'Hérault, 11560 Fleury-d'Aude,
tél. 04.68.33.62.43, fax 04.68.33.74.38
☑ Ⱶ t.l.j. 9h30-13h 15h-20h
⌐ Richard Ferri

CH. DE FLAUGERGUES
La Méjanelle Cuvée sommelière 2000

■	13 ha	80 000	⑪▮ 11 à 15 €

Bel exemple de propriété viticole familale, Flaugergues est aussi un ensemble architectural (XVIIᵉ et XVIIIᵉs.) fort intéressant. Titulaire il y a quelques années de la grappe d'or du Guide, Henri de Colbert propose une Cuvée sommelière qui est une belle expression du terroir si typique de la Méjanelle situé aux portes de Montpellier. D'un pourpre intense, ce vin exhale les senteurs méditerranéennes de griotte confite et d'épices douces. La puissance des tanins qui lui confèrent son aptitude à vieillir ne masque pas la rondeur et les fruits compotés qui s'allieront parfaitement aux volailles en sauce et à la daube de taureau.
⌐ Comte Henri de Colbert,
1744, av. Albert-Einstein, 34000 Montpellier,
tél. 04.99.52.66.37, fax 04.99.52.66.44,
e-mail colbert@flaugergues.com ☑ Ⱶ r.-v.

CH. FONDOUCE
Cuvée Victor B. 1999★

■	n.c.	n.c.	⑪ 11 à 15 €

Le château Fondouce est une très belle et grande demeure, érigée au XVIIIᵉs., sur les coteaux proches de Pézenas. Jean-Claude Magnien y a patiemment élevé vingt-quatre longs mois sa cuvée Victor B. 99, rouge frangé d'orangé, au nez riche et complexe de prune à l'eau-de-vie, de cuir, de brûlé, avec des notes balsamiques et épicées. Charnue, puissante et structurée, elle révèle encore des tanins assez serrés.
⌐ Jean-Claude Magnien, Ch. Fondouce,
rte de Roujan, 34120 Pézenas,
tél. 04.67.76.06.03, fax 04.67.76.46.39,
e-mail sicla@wanadoo.fr
☑ Ⱶ t.l.j. sf dim. 9h-12h 14h-19h

CH. FONT DES PRIEURS
Cuvée des Pères 2000★

■	5 ha	15 000	⑪ 11 à 15 €

Depuis 1999, le château Font des Prieurs cultive ses vignes en agrobiologie sur les schistes de Gabian, dans le terroir de Pézenas. Le millésime 2000 est rouge profond, presque noir. Son nez intense exprime des notes finement boisées mêlées à la mûre, à la réglisse, au pruneau cuit et à l'olive noire. Solidement charpenté, mais avec finesse et onctuosité, ce vin sera prêt dans trois, voire cinq ans.
⌐ Guy Rambier et Jacques Tournant,
Dom. Haut de Bel-Air, 34340 Marseillan,
tél. 04.67.77.59.17, fax 04.67.77.59.18,
e-mail vignobles@montfreuxdefage.com
☑ Ⱶ t.l.j. sf dim. 10h-18h

DOM. FONTEDICTO
Cuvée promise 2000

■	2,8 ha	6 660	▮⑪ 23 à 30 €

Conduit sereinement selon les méthodes de la biodynamie, le domaine Fontedicto, nouveau nom du domaine de Fontarèche avec ce millésime, met la nature en bouteilles. Si vous en doutez, dégustez la Cuvée promise, la bien nommée. Vêtue d'une belle robe rouge profond et dotée d'un nez subtil de cuir, de petits fruits rouges et d'épices, elle est ronde, pleine, avec une finale persistante, enrobée de tanins fins et fondus.

🍂 Cécile et Bernard Bellahsen,
Dom. Fontedicto, Fontarèche, 34720 Caux,
tél. 04.67.98.40.22, fax 04.67.98.40.22 ☑ ⍑ r.-v.

MAS FOULAQUIER
Pic Saint-Loup Le Rollier 2000★★★

| ■ | 3,4 ha | 17 000 | ▮↓ | 8 à 11 € |

Deux somptueux bijoux sont proposés par ce jeune
domaine dont les vignes ont été plantées en 1990. Un coup
de cœur pour Le Rollier 2000, à la belle robe rouge sombre
ourlée de violet, avec une cascade de fragrances. Cassis,
mûre, fleurs de garrigue, épices, réglisse jouent à l'unisson.
Fastueuse, volumineuse et dense, fraîche et soyeuse, la
bouche est construite sur un grain de tanins superbement
mûris. Les **Calades 2000**, deux étoiles, ne déméritent pas :
robe sombre de grand couturier, nez éclatant de richesse
élégante, palais mirifique digne des grands gourmets.
🍂 SCEA du dom. Foulaquier, Mas Foulaquier,
34270 Claret, tél. 04.67.59.96.94, fax 04.67.59.96.94,
e-mail mas.foulaquier@free.fr ☑ ⍑ r.-v.
🍂 Jéquier, Stolt, Fallot

DOM. GALTIER
Kermès 1999

| ■ | 1,4 ha | 9 000 | ⊞ | 5 à 8 € |

Mas typiquement languedocien, avec sa jolie tour
carrée, le domaine Galtier, entouré de pins, d'oliviers et de
garrigue, mûrit patiemment ses récoltes. La cuvée Kermès
99 en constitue un bel exemple. La robe est rouge sombre,
brillante. Séducteurs, les arômes de fruits mûrs et secs
jouent avec une pointe de résine, des épices et un boisé
fondu. Ronde en attaque, elle coule assez longuement en
bouche animée par quelques tanins délicatement enrobés.
🍂 Lise Carbonne, Dom. Galtier,
lieu-dit Mas-Maury, 34490 Murviel-lès-Béziers,
tél. 04.67.37.85.14, fax 04.67.37.97.43,
e-mail domaine.galtier@planetis.com
☑ ⍑ t.l.j. sf dim. 9h30-12h 15h-19h

GRAND DEVOIS 1999★

| ■ | 3 ha | 12 000 | ⊞ | 8 à 11 € |

Deux dames, initiées depuis peu à la culture de la
vigne, ont élaboré sur les Grès de Montpellier ce Grand
Devois 99. A la belle robe intense, aux riches parfums de
fruits rouges, de café, de thym et d'épices, celui-ci attaque
rondement et développe un grain fin de tanins veloutés. Le
**Devois des Agneaux d'Aumelas, mêmes couleur et
millésime (5 à 8 €)** est élégant au nez et harmonieux en
bouche. Il est cité, alors qu'un **blanc 2001 (5 à 8 €)** récolte
une étoile.
🍂 Elisabeth et Brigitte Jeanjean, 34230 Aumelas,
tél. 04.67.88.80.00, fax 04.67.96.65.67

MAS GRANIER
Les Grès 2000

| ■ | 2 ha | 5 000 | ⊞ | 8 à 11 € |

Le mas Granier, en terres de Sommières, propose
chaque année de jolies cuvées. Dans la présente édition, il
s'agit des Grès 2000, rouge profond et brillant, au nez de
fruits rouges, de garrigue, de laurier, relevé d'une pointe
d'épices. Après une attaque franche, la rondeur et la
fraîcheur s'harmonisent avec l'ampleur d'une structure
encore ferme.
🍂 EARL Granier, Cellier du Mas Montel,
30250 Aspères, tél. 04.66.80.01.21, fax 04.66.80.01.87,
e-mail montel@wanadoo.fr ☑ ⍑ t.l.j. sf dim. 9h-19h

DOM. DE GRANOUPIAC 2000

| ■ | 3 ha | 16 000 | ▮ | 5 à 8 € |

Les terrasses calcaires de Granoupiac ont donné
cette cuvée d'un rouge légèrement violacé, dont les arômes
de petits fruits rouges sont rehaussés de notes balsamiques.
La bouche est ferme avec du volume et une bonne
longueur ; ce vin se mariera avec les viandes blanches et les
fromages régionaux à personnalité comme le Laguiole. A
signaler également la cuvée **Les Creisses 2000 (8 à 11 €)**,
élevée douze mois en fût, qui, riche et complexe, marquée
par les épices et la garrigue, devrait trouver sa plénitude si
l'on a la patience de l'attendre trois à cinq ans.
🍂 Claude Flavard, Dom. de Granoupiac,
34725 Saint-André-de-Sangonis,
tél. 04.67.57.58.28, fax 04.67.57.95.83,
e-mail cflavard@infonie.fr ☑ ⍑ r.-v.

CH. GRES SAINT PAUL
Antonin 2000★★

| ■ | 13 ha | 43 000 | ▮⊞↓ | 11 à 15 € |

Les 2000 du château Grès Saint Paul sont de pures
merveilles. L'un, Antonin, décroche le coup de cœur dans
le groupe de tête. Rouge auburn profond, il explose sur un
bouquet de fleurs et de fruits confits, mêlés à des notes
torréfiées, épicées et bardées d'un peu de cuir. Puis il
enchante par sa bouche riche, ample, longue et divinement
structurée. L'autre, **Syrhus 2000 (23 à 30 €)**, fut pressenti
pour les mêmes honneurs grâce à sa densité, sa richesse
olfactive et sa bouche superbe.
🍂 Ch. Grès Saint-Paul, rte de Restinclières,
34400 Lunel, tél. 04.67.71.27.90, fax 04.67.71.73.76,
e-mail contact@gres-saint-paul.com
☑ ⍑ t.l.j. sf dim. 9h-12h 14h-19h
🍂 Servière

L'ESPRIT DU HAUT-LIROU
Pic Saint-Loup 2000★

| ■ | 4 ha | 10 500 | ⊞ | 23 à 30 € |

La restructuration de ce vieux domaine familial,
implanté sur les contreforts du Pic Saint-Loup, commence

à porter ses fruits que l'on retrouve dans les délicates bouteilles d'Esprit du Haut-Lirou 2000, rouge soutenu, aux arômes plaisants de pruneau, de sous-bois et d'aromates. Friand et chaleureux, ample et harmonieux, un vin de plaisir instantané.

🍷 Jean-Pierre Rambier et Fils, Dom. Haut-Lirou,
Le Triadou, 34270 Saint-Jean-de-Cuculles,
tél. 04.67.55.38.50, fax 04.67.55.38.49,
e-mail domaine.haut.lirou@mnet.fr
☑ ✗ t.l.j. sf dim. 9h-12h30 14h-18h30

DOM. HONORE AUDRAN
Cuvée Terroir 2000★

	1 ha	4 000	Ⅲ 8 à 11 €

La famille Biscarlet propose une cuvée de bonne facture où transparaissent la richesse et l'originalité de son terroir : une belle robe grenat de schistes, un nez fin et élégant où se marient subtilement les arômes de laurier, d'amande et de noyau de griotte. Racé, tout en rondeur et en volume, ce vin pourra dès maintenant contenter l'amateur sur des marinades mais il se bonifiera aussi dans le temps.

🍷 GAEC Biscarlet Père et Fils, 8, chem. du Moulin,
34700 Le Bosc, tél. 04.67.44.73.44, fax 04.67.44.73.44
☑ ✗ r.-v.

DOM. DE L'HORTUS
Pic Saint-Loup Grande Cuvée 1999★

	20 ha	90 000	Ⅲ 11 à 15 €

Un site naturel classé, entre le pic Saint-Loup et la falaise de l'Hortus, abrite le vignoble de Jean Orliac qui prend grand soin de ses vignes depuis 1978. Sa Grande Cuvée, née sur les éboulis calcaires, est très belle, tout simplement. D'un grenat soutenu, à peine orangé par la barrique, elle révèle de jolies notes de fruits confits, de grillé avec une pointe de garrigue et de vanille. Amples et concentrés, les tanins et le boisé nécessitent encore un peu de patience avant de satisfaire une bécasse.

🍷 Jean, Marie-Thérèse et François Orliac,
Dom. de L'Hortus, 34270 Valflaunès,
tél. 04.67.55.31.20, fax 04.67.55.38.03 ☑ ✗ r.-v.

CH. DES HOSPITALIERS 2001★

	1 ha	5 400	▮↓ 3 à 5 €

Sur les terres de Saint-Christol, le château des Hospitaliers s'est fait remarquer par son vin blanc et son rosé, tous deux nés en 2001. Le premier est jaune pâle, au nez de rose et de genêt et à la bouche équilibrée, ronde et vive, ample et longue. Le rosé, lui, arbore une robe soutenue, présente un nez sur le fruit et déroule une bouche ronde, vive, onctueuse et persistante.

🍷 Martin-Pierrat, rue des Chardonnerets,
34400 Saint-Christol,
tél. 04.67.86.01.15, fax 04.67.86.00.19,
e-mail martin-pierrat@worldonline.fr ☑ ✗ t.l.j. 8h-20h

HUGUES DE BEAUVIGNAC
Picpoul-de-Pinet 2001★

	n.c.	n.c.	▮↓ 3 à 5 €

La cuvée Hugues de Beauvignac est connue par tous les amateurs de Picpoul-de-Pinet. Déjà très expressif au nez, ce vin est dominé par des notes d'anis et d'agrumes. Après une belle attaque, il se montre à la fois complexe et équilibré. En un mot, harmonieux.

🍷 Cave les Costières de Pomérols, 34810 Pomérols,
tél. 04.67.77.01.59, fax 04.67.77.77.21,
e-mail info@cave-pomérols.com ☑ ✗ r.-v.

MAS JANINY 2000★

	0,69 ha	3 000	▮ Ⅲ 15 à 23 €

Thierry et Pascal Julien pratiquent l'agriculture biologique. Leur Mas Janiny a tout pour séduire : belle robe pourpre aux reflets noirs, nez riche et complexe, épicé, vanillé, aux accents de cuir, de garrigue et de cacao. Après une attaque charnue, le palais, construit sur une belle charpente, se révèle ample et persistant. L'avenir lui appartient.

🍷 Mas de Janiny, 21, pl. de la Pradette,
34230 Saint-Bauzille-de-la-Sylve,
tél. 04.67.57.96.70, fax 04.67.57.96.77 ☑ ✗ r.-v.
🍷 Julien Frères

DOM. LACROIX-VANEL
Clos Mélanie 2000★★

	4 ha	8 000	▮ 11 à 15 €

Ancien restaurateur passionné de vin, Jean-Pierre Vanel met « la main à la grappe » en 98 et atteint pratiquement les cimes de la qualité avec son Clos Mélanie 2000, d'un beau rouge sombre et violacé. Le nez exprime intensément les fruits rouges, une pointe de garrigue et des épices, avant que ne dominent la puissance et l'élégance, l'ampleur et le volume, la longueur et l'harmonie. Le Clos Fine-Amor 2000 (8 à 11 €), aussi foncé, riche en senteurs, peut-être un peu plus souple, récolte une citation.

🍷 Jean-Pierre Vanel, Dom. Lacroix-Vanel,
46, bd du Puits-Allier, 34720 Caux,
tél. 04.67.09.32.39, fax 04.67.09.32.39 ☑ ✗ r.-v.

CH. DE LANCYRE
Grande Cuvée 2000★★

	1,8 ha	6 000	Ⅲ 11 à 15 €

Lancyre prospère régulièrement. On le constate aisément au déboucher de la Grande Cuvée 2000, d'un jaune doré lumineux, au riche nez de fleurs d'acacia, de miel, de grillé, subtilement épicé, avec en bouche une matière ample, pleine, d'une longueur interminable. Citée, la cuvée Vieilles vignes 2000 (5 à 8 €), rouge intense, est fruitée, ronde et suave.

🍷 SCEA de Lancyre, Lancyre, 34270 Valflaunès,
tél. 04.67.55.22.28, fax 04.67.55.23.84 ☑ ✗ r.-v.
🍷 MM. Durand et Valentin

CH. LANGLADE
Prestige Elevé en fût de chêne 2000★

	2 ha	4 000	Ⅲ 5 à 8 €

Un toit de pare-feuilles fin XIXᵉ s., bellement voûté, unique en son genre, abrite la cuvée Prestige 2000 du château Langlade à la robe pourpre, au nez complexe de fruits confits rehaussés de cumin et de cannelle. Si le boisé reste dominant, la bouche n'en est pas moins ronde, avec du gras et de la matière. Les tanins ont, certes, encore tendance à mordre le palais, mais, dans trois à quatre ans, cette bouteille pourra accompagner une gardiane de taureau ou toute autre viande relevée.

🍷 Ch. Langlade, des Aires, 30980 Langlade,
tél. 04.66.81.30.22, fax 04.67.59.14.50,
e-mail chateau.langlade@freesbee.fr ☑ ✗ r.-v.
🍷 Cadène Frères

CH. LAQUIROU
La Clape Les Ausines 2001★★

| ■ | | n.c. | 17 000 | ❚❙❘ | 8 à 11 € |

Aussi passionnée de musique que de vin, Erika Hug-Harke, qui fabrique des instruments réputés en Suisse, enchantera le dégustateur avec Les Ausines 2001. Rouge sombre aux nuances violines, au nez dense, complexe et riche de griotte, de café, de grillé et d'épices, ce vin s'avère, en bouche, charnu et savoureux, puissant et fin, long et harmonieux. Une symphonie de plaisirs.

☛ Ch. Laquirou, rte de Saint-Pierre, 11560 Fleury-d'Aude, tél. 04.68.33.91.90, fax 04.68.33.84.12, e-mail laquirou@wanadoo.fr ☑ ⵉ r.-v.
☛ Erika Hug-Harke

CH. DE LASCAUX
Noble Pierre 2000★

| ■ | | 7,5 ha | 50 000 | ❚❙❘ | 11 à 15 € |

Chez Jean-Benoît Cavalier, parmi les Noble Pierre calcaires, s'épanouit la vendange qui donne la cuvée de même dénomination. Le 2000 présente une robe, d'un rouge sombre, irisée de violet. Cassis et mûre, caramel et réglisse se partagent les arômes de ce vin ample et harmonieux, de belle concentration et doté de tanins encore présents.

☛ Jean-Benoît Cavalier, Ch. de Lascaux, 34270 Vacquières, tél. 04.67.59.00.08, fax 04.67.59.06.06 ☑ ⵉ t.l.j. 10h-12h30 14h-19h

CH. LAUZET
Pic Saint-Loup 2000★

| ■ | | 19,5 ha | 25 000 | ❚❙❘ | 8 à 11 € |

Les vignerons des Coteaux du Pic gèrent 1 100 ha de vignes : dans leurs sélections, on retrouve le Château Lauzet 2000, grenat profond, au nez intense de cassis, de cerise et de grillé, agrémenté d'une note de violette. Gras, volume et tanins fondus composent une bouche gourmande et persistante. En complément, le **Grand Rosé 2001 (3 à 5 €)**, de couleur soutenue, aux parfums de fines fleurs complétés par un soupçon d'agrumes, possède de la fraîcheur. Il obtient aussi une étoile.

☛ SCA les Coteaux du Pic, 34270 Saint-Mathieu-de-Tréviers, tél. 04.67.55.81.19, fax 04.67.55.81.20, e-mail cave@coteaux-du-pic.com
☑ ⵉ t.l.j. sf dim. 8h30-12h 14h-18h

CH. LAVABRE
Pic Saint-Loup 2000★

| ■ | | 2,5 ha | 10 000 | ❚❙❘ | 15 à 23 € |

Un temps menacé d'abandon, le domaine de Lavabre est repris par Olivier Bridel en 1995. Depuis, ses cuvées délicieuses se distinguent, notamment le Château Lavabre 2000, rouge intense, aux arômes de petites baies, de grillé et de fleurs de garrigue, présentant une bouche harmonieuse aux tanins encore serrés. Belle citation du **Demoiselles de Lavabre 2000**, pour son nez torréfié, floral et épicé, et pour son équilibre.

☛ Dom. de Lavabre, Lavabre, 34270 Claret, tél. 04.67.59.02.25, fax 04.67.59.02.39, e-mail olivier.lavabre@wanadoo.fr ☑ ⵉ r.-v.
☛ Olivier Bridel

DOM. LEYRIS MAZIERE
Les Pouges 2001★★

| ■ | | 1,1 ha | 3 000 | ❚❙❘ | 11 à 15 € |

Après des années de gestion dans une coopérative, Gilles Leyris choisit de travailler seul. Les Pouges 2001 montre à quel point son inspiration fut géniale. Rouge bien foncé, agrémenté de parfums riches et puissants, torréfiés, avec des notes de cerise confite, de cuir et d'épices, il s'ouvre dès la première gorgée, puissant, ample et charnu. Remarquablement structuré sur des tanins très présents mais agréablement enrobés, ce vin d'un grand potentiel a du caractère.

☛ Yvon Leyris, chem. des Pouges, 30260 Cannes-et-Clairan, tél. 04.66.93.05.98, fax 04.66.93.05.98, e-mail gilles-leyris@libertysurf.fr ☑ ⵉ r.-v.
☛ Gilles Leyris

CH. MALAVIEILLE
Alliance 2000★★

| ■ | | 1,1 ha | 4 000 | ⬛❚❙❘ | 8 à 11 € |

Sur un terroir de basalte et d'argile primaire, Mireille Bertrand a élaboré un coteaux du languedoc blanc remarquable ; il s'exprime en notes de fleurs jaunes et de vanille avant d'emplir la bouche d'une matière au gras bien perceptible qui commence à prendre le dessus sur l'élevage. Un bel avenir s'annonce... Le **Rouge Permien 99 (5 à 8 €)** obtient une étoile.

☛ Mireille Bertrand, Malavieille, 34800 Mérifons, tél. 04.67.96.34.67, fax 04.67.96.32.21 ☑ ⵉ r.-v.

CH. DE MARMORIERES
La Clape Cuvée Marquis de Raymond Elevé en fût de chêne 2000★

| ■ | | 1 ha | 4 000 | ❚❙❘ | 8 à 11 € |

Les origines du château de Marmorières, comme en témoigne la chapelle romane, remontent au XIᵉs. Avec honneur, la famille de Woillemont y élabore du vin depuis 1860. Sa cuvée Marquis de Raymond 2000 est d'un rouge lumineux, annelé de cuivre, et offre un nez puissant de fruits mûrs, de réglisse et autres épices. Avec rondeur, volume et plénitude, la maîtrise du boisé arrondit les tanins jusqu'à la suavité.

☛ De Woillemont, SCEA Ch. de Marmorières, 11110 Vinassan, tél. 04.68.45.23.64, fax 04.68.45.59.39, e-mail marmorières@free.fr ☑ ⵉ r.-v.

MAS DE MARTIN 1999★

| ■ | | n.c. | 26 000 | ❚❙❘ | 8 à 11 € |

Dans l'arrière-pays en Grès de Montpellier, au domaine Mas de Martin entièrement restructuré depuis 1990, les Mocci cultivent leur nouvelle passion. Rouge soutenu, ce millésime offre de riches senteurs de cassis, de raisin à l'eau-de-vie, de fumé et de vanille, tandis que l'équilibre se révèle encore un peu serré sur de jolis tanins solidement structurés, plutôt rares en 99.

☛ Christian Mocci, Dom. Mas de Martin, rte de Carnas, 34160 Saint-Bauzille-de-Montmel, tél. 04.67.86.98.82, fax 04.67.86.98.82 ☑

VINUS DU CHATEAU PAUL MAS
Les Dons 2000

| ■ | | 8,1 ha | 7 500 | ❚❙❘ | 5 à 8 € |

Le domaine, familial depuis 1892, s'est construit petit à petit. Sa réputation aussi, qui croît de jour en jour. En

attestent le Vinus 2000, d'un pourpre profond, d'une palette aromatique étendue de fruits à l'eau-de-vie, d'eucalyptus, avec du volume, de la concentration puis une finale tannique et bien fondue ; et le **Château Paul Mas Clos des Mûres 2000 (8 à 11 €)**, au nez un peu réservé, à la bouche cœur de velours dans un gant de chêne. Pour le premier, choisissez un confit de canard aux pruneaux ; pour le second, un ragoût d'escoubilles, spécialité de Pézenas.
➤ Dom. Paul Mas, Ch. de Conas, 34210 Pézenas, tél. 04.67.90.16.10, fax 04.67.98.00.60, e-mail info@paulmas.com ☒ r.-v.

CH. MAZERS 2000★

		15 ha	17 000	⬛	5 à 8 €

Régularité et progression sont les atouts des vignerons de Fontès. Le Château Mazers est à nouveau récompensé. Rouge soutenu nuancé de violet, il embaume le cassis, la framboise, le cuir, le grillé et quelques notes de garrigue. Ample, généreux et concentré, il demandera un peu de temps pour fondre son boisé. Le **Prieuré Saint-Hippolyte rosé 2001 (3 à 5 €)** et le **rouge 2001 (3 à 5 €)** vous raviront par leur fruité, leur équilibre et leur finesse. Ils obtiennent chacun une citation.
➤ Cave coop. la Fontesole, bd Jules-Ferry, 34320 Fontès, tél. 04.67.25.14.25, fax 04.67.25.30.66, e-mail la.fontesole@libertysurf.fr
☒ ☒ t.l.j. sf dim. 8h-12h 14h-18h

CH. MIRE L'ETANG
La Clape Cuvée Corail 2001★★★

		4 ha	5 000	⬛	5 à 8 €

Mire l'Etang déploie ses trois couleurs : la **cuvée des Ducs de Fleury rouge 2000 (8 à 11 €)**, à la robe foncée, au fin nez de cassis, de réglisse et d'épices, aux tanins bien présents, mais enrobés d'une bouche tendre et persistante ; puis le **blanc 2001 (5 à 8 €)** très pâle, plein de fruits, de fleurs et d'épices, annonçant une bouche ample et ronde, fraîche et charnue d'une longueur honorable. Ces deux vins obtiennent chacun une étoile. Quant à ce rosé, il est intensément fruité et floral, rond, vif, gras et opulent, dans un palais à croquer.
➤ Ch. Mire L'Etang, 11560 Fleury-d'Aude, tél. 04.68.33.62.84, fax 04.68.33.99.30 ☒ ☒ r.-v.

LES CAVES MOLIERE
Cuvée du Prince 2000★

		6 ha	10 468	⬛	5 à 8 €

Le futur terroir de Pézenas pointe son joli bout de nez, en l'occurrence la cuvée du Prince millésimée 2000. La robe est rouge et brillante, l'odorat flatté par les cerises à l'eau-de-vie, les notes de grillé, un soupçon de menthol et de réglisse. Quant au palais, il enchante déjà par la rondeur et l'onctuosité des tanins affinés et une longue persistance.
➤ Les Vins Molière, Caux-Pézenas, 34120 Pézenas, tél. 04.67.98.10.05, fax 04.67.98.35.44 ☒ ☒ r.-v.

MORTIES
Pic Saint-Loup 2000★★

		5 ha	20 000	⬛	8 à 11 €

Relevé de ses ruines en 1993, Mortiès acquiert-il peu à peu une renommée immortelle, tel le Phénix ? Deux fois deux étoiles en ce millésime 2000. Le Mortiès, classé neuvième sur plus de six cents échantillons, est rouge profond. Très expressif, il chante le cassis, le cuir, et les épices. D'une puissance racée et pleine, les tanins présents sont bien enrobés. Quant au **Jamais content**

2000 en Pic Saint-Loup (11 à 15 €), pareillement noir, il exhale des senteurs de fruits rouges, de grillé et de garrigue, avec chair, volume et gourmandise en bouche.
➤ Mas de Mortiès, rte de Cazevieille, 34270 Saint-Jean-de-Cuculles, tél. 04.67.55.11.12, fax 04.67.55.11.12 ☒ ☒ r.-v.
➤ Duchemin-Jorcin

CH. MOUJAN
La Clape Cuvée La Vallière 2000★

		2,5 ha	8 000	⬛	5 à 8 €

Le château Moujan appartenait à une favorite de Louis XIV. Sa Majesté, selon la légende, y rendait quelques visites. La famille de Braquilanges, propriétaire actuelle du domaine, rend hommage à l'illustre maîtresse par une cuvée qui porte son nom : La Vallière. Le 2000 est rouge bleuté, parfumé de garrigue, de fumé et d'épices. Rond, gras, équilibré en bouche, il vous réserve quelques tanins fondus et veloutés.
➤ SCEA Ch. Moujan, rte des Plages, 11100 Narbonne, tél. 04.68.65.24.71, fax 04.68.65.83.31, e-mail contact@chateaumoujan.com ☒ ☒
➤ M. de Braquilanges

CH. MURVIEL LES MONTPELLIER
Saint-Georges d'Orques 2000★

		100 ha	n.c.	⬛	5 à 8 €

Ce vin de la Cave coopérative a une forte personnalité dans sa robe grenat brillant. La cannelle et des notes florales et mentholées accompagnent toute la dégustation. On peut apprécier ce millésime dès maintenant avec des tanins fermes ou l'attendre un an ou deux pour laisser sa complexité aromatique et sa rondeur s'amplifier.
➤ Les vignerons de Montarnaud-Murviel, 401, av. Saint-Paul, 34570 Montarnaud, tél. 04.67.55.59.45, fax 04.67.55.59.45, e-mail info@cepagesetterroirs.com ☒ ☒ r.-v.

LES MYRTHES 2001

		2,5 ha	10 000	⬛	15 à 23 €

Après une solide expérience dans la coopération, Eric Bouet vinifie sa récolte dans son propre chai depuis 1999. Avec Les Myrthes 2001, il est tout à son affaire : beau rouge soutenu, notes de garrigue et de cassis, accompagnées de pâte de coing. Après une attaque ronde et franche, la bouche savoureuse laisse la douceur atténuer le mordant des tanins.
➤ Eric et Solange Bouet, Mas Mouriès, 30260 Vic-le-Fesq, tél. 04.66.77.87.13, fax 04.66.77.87.13 ☒ ☒ r.-v.

CH. DE LA NEGLY
La Côte 2000★★

		18,37 ha	95 000	⬛	5 à 8 €

A deux pas du littoral, Jean Paux-Rosset a donné un nouvel essor au Château de la Négly, dans le but de produire de grands crus. La Côte 2000 tend à le prouver ostensiblement. Sa robe est pourpre violine, au nez fin et subtil est dominé par le cassis, la pâte de fruits et l'olive noire. Regorgeant de plaisirs par sa matière dense, son volume et son interminable longueur, le vin caresse le palais de ses tanins veloutés et soyeux. A noter également **Les Embruns rosé 2001** (une étoile), friand, gras et harmonieux.

➤ SCEA Ch. de la Négly, 11560 Fleury-d'Aude,
tél. 04.68.32.36.28, fax 04.68.32.10.69 ☑ ☏ r.-v.
➤ Jean Paux-Rosset

CH. NOTRE-DAME DU QUATOURZE
Quatourze Elevé en fût de chêne 2000★

◼	9 ha	40 000	◖◗	5 à 8 €

Quatourze, microvignoble aux portes de Narbonne,
l'un des tout premiers dans notre douce France. Ce vin
plaisant à la robe noire s'ouvre sur des fruits à l'eau-de-vie
et des notes de cacao. Il achève de vous conquérir par sa
rondeur, sa plénitude et sa suavité. L'élevage en fût est
remarquablement maîtrisé.
➤ SCEA des dom. Georges Ortola,
Ch. Notre-Dame-du-Quatourze, 11100 Narbonne,
tél. 04.68.41.58.92, fax 04.68.42.41.88
☑ ☏ t.l.j. 9h-12h 13h-19h

MAS DU NOVI
Prestigi 1999

◼	12,45 ha	32 000	◼◖◗◆	8 à 11 €

Jadis rattaché à l'abbaye de Valmagne toute proche,
Saint-Jean du Noviciat accueillait de jeunes moines entretenant le vignoble environnant. Le monastère n'est plus,
mais la tradition a survécu. On la redécouvre dans le Mas
du Novi 99. Rouge sombre légèrement bruni, il fleure bon
la fraise mûre, la garrigue, la truffe et le brûlé puis s'ouvre
sur une bouche ronde, ample, avec quelques tanins qui
mordent encore un peu.
➤ SA Saint-Jean du Noviciat,
Mas du Novi, 34530 Montagnac,
tél. 04.67.24.07.32, fax 04.67.24.07.32 ☑ ☏ t.l.j. 8h-19h

L'OR DE SANGONIS 2001

◼	25 ha	90 000	◼◆	46 à 76 €

La finale s'exprime ici de toutes ses senteurs dans une
robe légère. Quelques notes épicées viennent renforcer la
sensation gustative qui allie les tanins et le gras. Un 2001
à boire sur des plats légers et relevés.
➤ Vignerons de Sangonis, 56, av. de Montpellier,
RN 109, 34725 Saint-André-de-Sangonis,
tél. 04.67.57.80.44, fax 04.67.57.94.37,
e-mail vigneronsdesangonis@wanadoo.fr
☑ ☏ t.l.j. sf dim. 8h-12h 14h-18h

L'ORMARINE
Picpoul de Pinet Cuvée Prestige 2001★★

◼	8 ha	40 000	◼◆	3 à 5 €

La cave de l'Ormarine fut fondée en 1923. Quel
chemin parcouru depuis ! Trois cuvées ont été remarquées
cette année par les dégustateurs : Duc de Morny 2001 et
Carte noire 2001 obtiennent chacune une étoile, et cette
cuvée Prestige, deux étoiles. Celle-ci, très expressive,
arbore des notes exotiques de pêche et de mangue. En
bouche, elle a une belle harmonie avec du gras, de la
souplesse et une juste vivacité. Un vin d'apéritif, qui peut
aussi s'imposer, sur les huîtres de Bouzigues.
➤ Cave de l'Ormarine, 1, av. du Picpoul, 34850 Pinet,
tél. 04.67.77.03.10, fax 04.67.77.76.23,
e-mail ormarine@mnet.fr
☑ ☏ t.l.j. sf dim. 8h-12h 14h-18h; été 19h

DOM. DE PAILLOS 2000★

◼	6 ha	14 000	◼◖◗	8 à 11 €

Imaginez les coteaux abrupts de Berlou baignés du
soleil automnal. C'est le moment des vendanges que

rappelle ce vin d'une couleur jaune limpide, brillant. Il
évoque le raisin lentement mûri, délicat et complexe.
L'élevage est bien conduit : la fraîcheur et la longueur
accompagneront aisément un brochet au beurre blanc. Les
cuvées saint-chinian Calino 2000 et Vignes royales
2000 sont citées.
➤ Vins et terroirs Berloup, av. des Mimosas,
34360 Berloup, tél. 04.67.89.58.58, fax 04.67.89.59.21,
e-mail contact@berloup.com ☑ ☏ r.-v.

CH. PECH-CELEYRAN
La Clape 2000★

◼	10 ha	45 000	◼◖◗◆	5 à 8 €

Il existe deux belles façons de découvrir le château de
Pech-Céleyran : la peinture de Toulouse-Lautrec et ce
millésime 2000, à la robe dense aux reflets cuivrés, aux
délectables senteurs de fruits secs, de réglisse, de vanille et
de poivre. Quant au palais, il est impressionné par la
matière dense, ample et chaleureuse qui vous demandera
de patienter environ trois ou quatre années.
➤ Jacques de Saint-Exupéry,
Ch. Pech-Céleyran, 11110 Salles-d'Aude,
tél. 04.68.33.50.04, fax 04.68.33.36.12,
e-mail saint-exupéry@pech-celeyran.com
☑ ⌂ ⌂ ☏ t.l.j. sf dim. 9h-19h

CH. PECH REDON
La Clape L'Epervier 2000★

◼	10 ha	30 000	◖◗	8 à 11 €

En haut du coffre de Pech Redon, on domine mer et
étangs, combes et vallées. Les vignes s'y plaisent, dont les
fruits offrent deux jolies bouteilles : L'Epervier 2000 et la
Centaurée 99 (15 à 23 €). Elles arborent toutes deux une
robe rouge profond, au nez de cacao, de fruits noirs et de
grillé pour la première, de fruits confits vanillés pour la
seconde. Les deux bouches sont puissantes, amples et
persistantes, avec un boisé quelque peu prononcé pour la
Centaurée (une étoile).
➤ SCEA Bousquet,
Ch. Pech Redon, 11100 Narbonne,
tél. 04.68.90.41.22, fax 04.68.65.11.48,
e-mail bousquet@terre-net.fr
☑ ⌂ ☏ t.l.j. sf dim. 10h-12h 14h-19h

DOM. DE LA PERRIERE
Cuvée Clos de la Chapelle 2000

◼	5,5 ha	20 000	◖◗	11 à 15 €

Au domaine de La Perrière, il est toujours loisible de
déguster de sympathiques cuvées. On s'en convainc avec
celle-ci, rouge soutenu, aux accents de fumé et de vanille.
Cependant, le boisé marque encore la bouche. Il ne tiendra
qu'à vous d'attendre qu'il veuille bien s'estomper.
➤ Thierry Sauvaire, 975, rte de Saint-Vincent,
34820 Assas, tél. 04.67.59.61.75, fax 04.67.59.52.52
☑ ☏ t.l.j. sf dim. 17h-19h; sam. 9h-19h

MAS PLAN DE L'OM
Œillade 2001

◼	2 ha	6 000	◼ 5 à 8 €

Pharmacien, puis marin, et enfin vigneron en 1987,
Joël Foucou vinifie depuis deux ans sur ce terroir exceptionnel de Saint-Jean-de-la-Blaquière. L'Œillade est son
premier vin commercialisé. Sa robe pourpre a de beaux
reflets violets de jeunesse. Le nez, complexe, mêle les fruits
rouges aux notes de confiture et de grillé. Les tanins
présents et élégants laissent un palais agréable. Un vin de
grillade d'agneau.

♠ Joël Foucou, 141, rue du Château, 34790 Grabels,
tél. 04.67.10.91.25, fax 04.67.10.91.25,
e-mail plan-de-lom@wanadoo.fr ☑ ⅂ r.-v.

PLAN D'IZARD
La Clape 2000★

■	8,5 ha	25 000	■ ⅢⅡ☼	3 à 5 €

Sans doute aiguillonnés par le succès croissant des
caves particulières, les coopérateurs de Coursan-Armissan
soignent leurs bouteilles. Et cela donne de beaux vins
comme ce Plan d'Izard 2000, rouge soutenu. Framboise,
fleurs et fruits confits s'expriment sans ambages. Souple
dès l'attaque, la matière se révèle dense, harmonieuse et
persistante.
♠ SCV Coursan-Armissan, 37, rue de l'Espérance,
11110 Coursan, tél. 04.68.33.50.31, fax 04.68.33.40.94
☑ ⅂ t.l.j. sf dim. 9h-12h30 15h-19h

MAS DU POUNTIL 2000★

■	2 ha	7 800	■ Ⅲ☼	11 à 15 €

A trente ans, l'aventure commence. Certes leurs
ancêtres étaient viticulteurs, mais, la cave, c'est Brice et
Angela Bautou qui décident de la créer pour se lancer dans
la vinification. Une étoile pour ce premier millésime : nous
attendons la suite avec impatience car la robe est soutenue,
et le nez intense décline des notes de cerise, de groseille, de
pruneau sec, de garrigue. En bouche, le vin prend de la
rondeur autour de tanins très fondus. Il sera très intéressant d'ici deux à trois ans.
♠ Brice et Angela Bautou,
10 bis, rue du Foyer-Communal, 34725 Jonquières,
tél. 04.67.44.67.13, fax 04.67.44.67.13
☑ ⅂ t.l.j. sf dim. 17h-19h; sam. 14h-19h

PRIEURE DE SAINT-JEAN DE BEBIAN 2000★★

■	3,9 ha	10 000	Ⅲ	23 à 30 €

Les vins de ce prieuré du XII⁰s. fréquentent assidû-
ment la notoriété depuis les années 1980. Les nouveaux
propriétaires préparent de grands crus. Comme ce vin
blanc 2000, d'un bel or brillant, au nez toasté, miellé, avec
fruits confits et boisé délicat. Puissance, longueur, harmonie et noblesse dominent le palais. A noter aussi La
Chapelle de Bébian rouge 98 (8 à 11 €) restée très jeune,
citée pour ses notes de griotte et d'épices et sa structure
élégante aux tanins fondus.
♠ EARL Le Brun-Lecouty, Prieuré
Saint-Jean-de-Bébian, rte de Nizas, 34120 Pézenas,
tél. 04.67.98.13.60, fax 04.67.98.22.24 ☑ ⅂ r.-v.

PRIEURE SAINT-MARTIN DE CARCARES
Elevé en fût de chêne 2000★★

■	12 ha	8 000	Ⅲ	5 à 8 €

Une entrée en fanfare dans le Guide ! Issu de terroirs
argilo-calcaires de la commune de Gignac, le Prieuré
Saint-Martin de Carcarès met l'amateur, par sa robe
pourpre et profonde, en condition pour mieux apprécier
son bouquet intense, riche et épicé. On sera conquis par
l'élégance, le charme et la puissance de la bouche où se
complètent harmonieusement cannelle, vanille et des tanins très fins. A marier pendant les trois ou quatre
prochaines années à des viandes blanches ou rouges
cuisinées avec douceur.
♠ SCA Les Vignerons de Gignac,
10, rue Marcelin-Albert, 34150 Gignac,
tél. 04.67.57.51.94, fax 04.67.57.89.00 ☑

PRIEURE SAINT-MARTIN DES CROZES
Cabrières Elevé en fût de chêne 2000★

■	30 ha	60 000	Ⅲ	5 à 8 €

Jadis, le prieur des Crozes présenta avec succès les
vins de Cabrières à Louis XIV. Cette renommée, non
usurpée, se rencontre dans le Prieuré Saint-Martin 2000,
rouge profond encore jeune, au nez prononcé de cassis, de
grillé et de sous-bois. Attaquant avec puissance, il présente
une structure solide aux tanins et au boisé encore marqués.
Plus souple, le Fulcrand Cabanon rouge 2001, cité,
harmonise les fruits et la rondeur.
♠ SCA Les Vignerons de Cabrières, 34800 Cabrières,
tél. 04.67.88.91.60, fax 04.67.88.00.15,
e-mail sca.cabrieres@wanadoo.fr
☑ ⅂ t.l.j. 9h-12h 14h-18h

PRIEURE SAINT-MICHEL DE GRANDMONT
1998

■	0,28 ha	1 870	Ⅲ	11 à 15 €

Le prieuré Saint-Michel de Grandmont est un très
beau monument du XII⁰s. Les vignerons de Saint-Jean-
de-la-Blaquière ont su exploiter le terroir et ont présenté
cette cuvée qui forme un joli ensemble tout en discrétion.
Ce vin étonnant est doté d'une structure assez puissante au
goût épicé, légèrement vanillé, caractéristique d'un élevage
bien maîtrisé.
♠ Les vignerons de Saint-Jean-de-la-Blaquière,
1, rte de Lodève, 34700 Saint-Jean-de-la-Blaquière,
tél. 04.67.44.90.40, fax 04.67.44.90.42,
e-mail cave.sjb@wanadoo.fr ☑ ⅂ r.-v.

DOM. DE LA PROSE
Saint-Georges d'Orques Grande Cuvée 2000★★

■	2 ha	n.c.	Ⅲ	15 à 23 €

Issue de vignes en pleine force de l'âge (vingt ans),
cette cuvée, élevée avec délicatesse, est la parfaite expression de ses origines : la robe pourpre noir et les senteurs
mélangées d'épices, de garrigue et de fruits rouges confits
séduisent tout autant que le remarquable équilibre des
tanins, veloutés et soyeux.
♠ De Mortillet, Dom. de La Prose,
rte St-Georges-d'Orques, 34570 Pignan,
tél. 04.67.03.08.30, fax 04.67.03.48.70 ☑ ⅂ r.-v.

CH. PUECH-HAUT
Tête de cuvée 2001★

■	9 ha	40 000	Ⅲ	23 à 30 €

Les vins de château Puech-Haut demandent de la
patience et du temps pour atteindre leur apogée. Ce sera
le cas du 2001, jaune paille, au nez de fleurs et d'abricot
confit. Rond en bouche, d'un bel équilibre sur le gras, il
s'accordera avec un foie gras. A noter aussi la version rosé
de la même année (11 à 15 €), une étoile aussi, qui, elle,
vous ravira par sa robe pâle et son fruité à croquer.
♠ SCEA Ch. Puech-Haut,
2250, rte de Teyran, 34160 Saint-Drézéry,
tél. 04.67.86.93.70, fax 04.67.86.94.07 ☑ ⅂ r.-v.
♠ Gérard Bru

CH. RICARDELLE
La Clape Closablières 2000★

■	4 ha	21 000	Ⅲ	5 à 8 €

Le château Ricardelle appartenait au duc de Fleury,
proche parent du cardinal ministre de Louis XV. On
retrouve des traces de noblesse dans le Closablières 2000,

d'un joli rubis, au nez complexe de sous-bois, de fruits rouges, de brioche et d'épices, franc, riche et équilibré par des tanins légers et au boisé encore marqué. A noter également la **cuvée Blason, même année, rouge (11 à 15 €)**, torréfiée et épicée, sur une bouche boisée et un peu serrée. Elle obtient une citation.

🍷 Ch. Ricardelle, rte de Gruissan, 11100 Narbonne, tél. 04.68.65.21.00, fax 04.68.32.58.36, e-mail ricardelle@wanadoo.fr ☑ ⌂ 🍸 r.-v.

🍷 Pellegrini

CH. LA ROQUE
Pic Saint-Loup Cupa Numismae 2000★★

■	20 ha	56 000	🍷 11 à 15 €

Depuis que les bénédictins plantèrent de la vigne en 1269, il y a toujours eu du vin à La Roque. Jack Boutin reprend le flambeau en 1985. La Cupa Numismae 2000, pourpre très intense et bleuté, fleure bon les fruits rouges, le café, la garrigue et le poivre. Plénitude, rondeur et longueur imprègnent gracieusement le palais qui se montre équilibré autour de tanins bien prononcés mais agréablement veloutés.

🍷 Jack Boutin, Ch. La Roque, 34270 Fontanès, tél. 04.67.55.34.47, fax 04.67.55.10.18
☑ 🍸 t.l.j. sf dim. 10h-12h 14h-18h

SAINT DAUMARY
Pic Saint-Loup Sortilège 1999★★

■	n.c.	3 000	🍷 11 à 15 €

Le jeune Olivier Chapel, avec un peu d'ancienneté, transcende l'enseignement des « vieux ». Pour son premier millésime, Sortilège 99, il décroche deux étoiles. Cette cuvée offre un bouquet intense et violacé, fin et élégant, où dominent le pruneau, les fruits secs, la réglisse et les épices. Puissante et soyeuse, elle est aussi pleine et longue. Le **Saint Daumary Classique 2000 (8 à 11 €)**, remarquable, grenat orangé, aux notes de résine, de sous-bois et de fruits confits, offre volume, rondeur et tanins fondus en bouche.

🍷 Julien Chapel, Valflaunès, 34270 Saint-Mathieu-de-Tréviers, tél. 04.67.55.21.94, fax 04.67.55.21.94 ☑ 🍸 r.-v.

CLOS SAINTE CAMELLE 2000★

■	3,5 ha	17 000	🍷 3 à 5 €

De la constance dans la qualité. Pour la troisième année consécutive et pour son troisième millésime le Clos Sainte Camelle est récompensé par une étoile. C'est un joli vin rubis aux reflets grenat, doté d'une bonne complexité aromatique qui s'exprime à travers le poivre, la coriandre et les fruits compotés. Des tanins fondus complètent cette palette et lui confèrent une belle harmonie. On peut l'apprécier dès maintenant ou le garder deux à trois ans.

🍷 EARL dom. de Campaucels, rte de Saint-Pons-de-Mauchiens, 34530 Montagnac, tél. 04.67.24.19.16, fax 04.67.24.95.23, e-mail campaucels.domaine@mageos.com ☑ ⌂ 🍸 r.-v.

CLOS SAINTE PAULINE
Puech Redon 1999★★

■	1,4 ha	3 300	🍷 11 à 15 €

Alexandre Pagès n'a pas été long à faire ses preuves. En 1998, il prend la tête de l'exploitation familiale et quitte la coopérative. Le Clos Sainte Pauline 99, d'un rouge profond à reflets bruns, au nez puissant exhalant des arômes de fruits confits, de cacao, de cuir, avec quelques pointes d'épices et d'eucalyptus, est suave, charpenté par des tanins enrobés mais bien présents.

🍷 Alexandre Pagès, 1130, rte d'Usclas, 34230 Paulhan, tél. 04.67.25.29.42, fax 04.67.25.29.80 ☑ 🍸 r.-v.

SAINT-JEAN DES SOURCES
Picpoul de Pinet 2001★

	n.c.	15 000	3 à 5 €

Marqué par son terroir de cailloutis calcaire, ce Picpoul de Pinet est encore discret au nez mais il révèle une réelle ampleur en bouche et des notes de fruits mûrs, la finale se montrant vive à souhait. D'une grande élégance et d'une belle complexité, le vin rêvé sur les huîtres ou les poissons grillés.

🍷 Albert Morin, Dom. Morin-Langaran, 34140 Mèze, tél. 04.67.43.58.01, fax 04.67.43.33.60 ☑ 🍸 t.l.j. 10h-20h

CH. SAINT MARTIN DE LA GARRIGUE
Bronzinelle 2000★

■	17,71 ha	n.c.	🍷 8 à 11 €

Depuis le classement en AOC, le Château Saint Martin de la Garrigue est un habitué du Guide. Les grès rouges calcaires et un écrin de garrigue et de forêt de pins donnent typicité et authenticité à la cuvée Bronzinelle : sa robe est brillante et profonde, et son bouquet s'exprime à travers les petits fruits rouges et les épices douces. L'élevage en barrique ajoute à la complexité de la bouche et participe au bel équilibre et au velours de la matière. Il faut également mentionner le **blanc 2001**, aux senteurs d'agrumes et d'abricot, qui allie fraîcheur et longueur. Il a obtenu une étoile.

🍷 SCEA Saint Martin de la Garrigue, 34530 Montagnac, tél. 04.67.24.00.40, fax 04.67.24.16.15 ☑ 🍸 r.-v.

🍷 Guida

LES SANTAROCHS
Picpoul de Pinet 2001★★

	12 ha	50 000	■ 3 à 5 €

Les étoiles pour les vignerons de Castelnau-de-Guers. Deux pour ce Picpoul de Pinet et deux pour le **coteaux du languedoc AOC blanc 2001**. Cela couronne une sélection parfaite du cépage piquepoul, une vinification sérieuse, une équipe dynamique. Les arômes sont très concentrés (agrumes, fruits confits, poire) et la bouche montre un fort bel équilibre avec une puissance et une remarquable harmonie. Un vin de caractère à réserver à des poissons en sauce ou à des fromages.

🍷 Cave Guillaume de Guerse, 26, rte Florensac, 34120 Castelnau-de-Guers, tél. 04.67.98.13.55 ☑ 🍸 r.-v.

DOM. LA SAUVAGEONNE
Cuvée Prestige 2001★★

■	4 ha	15 000	🍷 5 à 8 €

Ce domaine d'une très grande réputation a été repris avant la vendange 2001. Voici donc la première vinification de la nouvelle équipe. Une robe rouge sombre annonce des parfums puissants et complexes de fruits confits, de griotte, de poivre et de réglisse. La bouche est, elle aussi, puissante, dotée de notes de cacao et de café. Ce vin de schiste s'accordera fort bien avec une daube ou un civet de lièvre. La cuvée **Puech de Glen 2001 (15 à 23 €)** est très concentrée et très boisée. Trop jeune, elle devra rester dans une bonne cave pendant quatre ou cinq ans. Elle obtient une étoile.

☛ Frederick Brown, SARL La Sauvageonne,
rte de Saint-Privat, 34700 Saint-Jean-de-la-Blaquière,
tél. 04.67.44.71.74, fax 04.67.44.71.02,
e-mail la-sauvageonne@wanadoo.fr
☑ ☨ t.l.j. 9h-12h 14h-18h

SEIGNEUR DES DEUX VIERGES
Saint-Saturnin Elevé en fût de chêne 2000★★★

■	14,8 ha	38 000	▮ ◫	5 à 8 €

Le grand jury s'est montré très enthousiaste pour ce vin de la coopérative de Saint-Saturnin située aux pieds du Larzac. La robe, rouge pourpre, laisse d'épaisses larmes sur les parois du verre. Le nez intense, élégant, exprime la garrigue, le cuir et les épices (réglisse) sur un fond de fruits rouges bien mûrs. La bouche confirme la belle maturité du millésime aux tanins serrés dans un joli volume. Très bonne persistance. Le **Lucian blanc 2001 (3 à 5 €)** et la **Cuvée du Cinquantenaire (8 à 11 €)** obtiennent une étoile.
☛ Les Vins de Saint-Saturnin, av. Noël-Calmel,
34725 Saint-Saturnin-de-Lucian,
tél. 04.67.96.61.52, fax 04.67.88.60.13 ☑ ☨ r.-v.

MAS DE LA SERANNE
Le Clos des Immortelles 2000

■	2 ha	9 000	◫	8 à 11 €

Isabelle et Jean-Pierre Venture, qui se sont convertis à la viticulture la quarantaine venue, ont fait construire une cave sur l'un des plus beaux terroirs des coteaux du languedoc. Vendange manuelle et vinification tradition-nelle ont donné ce vin à la robe grenat. Le nez puissant est marqué par les épices douces, le poivre et des notes de bois exotiques. La trame tannique se fait discrète mais savou-reuse jusqu'en finale. Une marinade de lapin conviendra.
☛ Isabelle et Jean-Pierre Venture, Mas de La Seranne,
34150 Aniane, tél. 04.67.57.37.99, fax 04.67.57.37.99,
e-mail mas.seranne@wanadoo.fr
☑ ☨ t.l.j. 17h15-20h; dim. sur r.-v.

DOM. DU SILENE DES PEYRALS 2000★

■	8 ha	30 000	◫	15 à 23 €

Mécènes en art contemporain, les Vins Skalli ont pignon sur rue dans le négoce international, mais sont aussi, depuis 2000, vignerons au domaine du Silène des Peyrals. Première étoile pour leur premier millésime qui se pare d'une robe rouge sombre. Le nez très intense exhale du cassis, de la pâte de fruit, des notes de grillé et de garrigue, puis la bouche déroule une matière dense, pleine et longue, aux tanins encore serrés mais assez enrobés.
☛ Les vins Skalli, 278, av. du Mal.-Juin,
BP 376, 34204 Sète Cedex, tél. 04.67.46.70.00,
fax 04.67.46.71.99, e-mail info@vinskalli.com
☑ ☨ r.-v.; t.l.j. sf sam. dim.10h-18h de juil. -août

DOM. SOUYRIS
Elevé en fût de chêne 2000★★

■	4 ha	8 100	◫	11 à 15 €

Découvert l'an dernier, ce jeune vigneron a élevé en fût de chêne cette cuvée qui méritait bien qu'on l'attende un peu ! Deux étoiles couronnent ce vin à la couleur sombre, dense, où le nez, d'abord discret, révèle un bouquet d'épices douces et de fruits mûrs ; pâte de coing, épices et pruneau se retrouvent également en bouche autour d'une matière bien enrobée. Déjà très bon, ce millésime s'épanouira encore si l'on a la patience de le garder trois à cinq ans.
☛ Guilhem Souyris, 301, chem. de la Roque,
34725 Saint-Félix-de-Lodez,
tél. 04.67.96.68.70, fax 04.67.96.68.70 ☑ ☨ r.-v.

DOM. DE TERRE MEGERE
La Galopine 2000★★

▨	0,5 ha	4 000	◫	8 à 11 €

La réputation de Terre Mégère est désormais bien ancrée dans les annales de la renommée. Avec La Galo-pine 2000, une page supplémentaire s'écrit. Le vin est jaune plutôt pâle avec un peu de dorure et respire intensément les fleurs blanches, les fruits exotiques, la poire, le miel, avec un soupçon de boisé. Quant à la bouche, souple en attaque, elle développe fraîcheur et gras, inten-sité et longueur, richesse et harmonie.
☛ Michel Moreau, Dom. de Terre Mégère,
Cœur de Village, 34660 Cournonsec,
tél. 04.67.85.42.85, fax 04.67.85.25.12,
e-mail terremegere@wanadoo.fr
☑ ☨ t.l.j. sf dim. 15h-18h30; sam. 9h30-12h30

CH. LE THOU
Georges et Clem 2001★

■	9,36 ha	50 000	◫	11 à 15 €

En 2001, le château Le Thou a changé de mains. Les nouveaux équipiers, fils de sportifs de haut niveau, ambi-tionnent de porter leurs cuvées aux faîtes de la renommée. Très beau départ avec ce Georges et Clem, rouge pro-fond, très expressif par ses arômes de fruits rouges mûrs, de cacao, d'épices (vanille). La bouche attaque comme un avant du XV irlandais (Clem), faisant preuve de puissance, volume et longueur, sur un jeu de tanins suaves et serrés.
☛ SCEA Ch. le Thou, 34410 Sauvian,
tél. 04.67.32.16.42, fax 04.67.32.16.42 ☑ ☨ r.-v.
☛ Damitio

CH. TIBERET
Cabrières 1999★

■	4 ha	13 000	◫	5 à 8 €

Les vins de Cabrières sont élaborés par une coopé-rative et une cave particulière. Cette dernière s'en tire avec honneur grâce au Château Tiberet 99, grenat légèrement tuilé, exhalant des notes de cuir, de pruneau cuit, de menthol, d'épices (réglisse). Volumineux et rond, ferme et suave, il s'ouvre sur des tanins présents mais enrobés, avec un boisé qui taquine quelque peu.
☛ SCEA Dom. du Temple, Les Crozes,
34800 Cabrières, tél. 04.67.96.07.64, fax 04.67.96.17.20
☑ ☨ t.l.j. 8h-12h 14h-18h
☛ Guy Mathieu

DOM. DE LA TOUR PENEDESSES
Les Volcans 2000★

	3,5 ha	15 000		8 à 11 €

Après avoir donné maints conseils dans l'art de la vinification, Alexandre Fouque, jeune œnologue, a décidé, en l'an 2000, de les appliquer avec bonheur sur son propre vignoble. La Tour Penedesses 2000, rouge foncé, au nez plaisant, fumé, grillé, agrémenté de cuir et d'épices, enchante harmonieusement le palais par sa rondeur, sa puissance et ses tanins suaves.

🔹 Dom. de La Tour Penedesses, rte de Fouzilhon, 34320 Gabian, tél. 04.67.24.14.41, fax 04.67.24.14.22, e-mail domainedelatourpenedesses@yahoo.fr ☑ ⟰ r.-v.

CH. DE VALFLAUNES
Pic Saint-Loup Hardiesse 2000★

	1,5 ha	5 400		11 à 15 €

Fabien Reboul suit pas à pas les bonnes marques de ses prédécesseurs en Pic Saint-Loup. Il pose ses propres jalons avec Hardiesse, ce vin d'un pourpre brillant. Si le nez, encore réservé, s'ouvre sur des notes de pruneau, de réglisse et de fruits confits, la bouche est bien présente, ronde, généreuse, épanouie, équilibrée sur des tanins fondus. Information : en vente uniquement chez les cavistes.

🔹 Ch. de Valflaunès, rue de l'Ancien-Cavoir, 34270 Valflaunès, tél. 04.67.55.76.30, fax 04.67.55.76.30
🔹 Fabien Reboul

RESERVE VERMEIL
Vermeil du Crès 2001★

	3,6 ha	23 700		5 à 8 €

A Sérignan, les coteaux orientent leur vignoble plein sud, à 3 km de la plage. Leurs vignerons présentent la Réserve Vermeil 2001 d'un rouge soutenu, au nez intense de mûre, de cerise, le tout réhaussé d'une pointe finement beurrée. Il attaque franchement avec des tanins un peu serrés. Si vous recherchez la souplesse et la rondeur, dégustez le **Rosé Marine du même millésime** à la belle nuance violine, tout en fruit et douceur, volume et longueur. Il obtient une citation.

🔹 SCAV les Vignerons de Sérignan, av. Roger-Audoux, 34410 Sérignan, tél. 04.67.32.23.26, fax 04.67.32.59.66
☑ ⟰ t.l.j. sf dim. 9h-12h 15h-18h

CH. LA VERNEDE
Tradition 2000

	10 ha	60 000		5 à 8 €

Sur les plateaux des terrasses de Béziers, le Château La Vernède se décline en **blanc 2000 (8 à 11 €)** pâle, finement boisé, aux senteurs d'abricot sec et de fleurs blanches, doté d'une bouche fraîche et gourmande. Puis en rouge (Tradition) intense, légèrement bruni, aux notes de fumé, d'épices et de vanille ; gras, d'une bonne longueur. Ses tanins demandent encore un peu de patience.

🔹 Jean-Marc Ribet, GFA de La Vernède, 34440 Nissan-lez-Enserune, tél. 04.67.37.00.30, fax 04.67.37.60.11, e-mail chateaulavernede@infonie.fr ☑ ⟰ t.l.j. 9h-18h

> Au restaurant ou chez soi, il est conseillé d'accorder les niveaux respectifs des mets et des vins.

DOM. DES VIGNES HAUTES
Pic Saint-Loup 2000★

	3,25 ha	15 000		8 à 11 €

Sur la route des Cévennes, au nord du terroir du Pic Saint-Loup, les vignerons de Corconne cisèlent de ravissantes cuvées, telles les Vignes Hautes 2000, ce vin rouge sombre aux reflets bleutés, parfumé de fruits rouges et pâte de coing, avec une pointe sauvage de sous-bois. Il attaque franchement puis expose une solide structure autour de laquelle s'équilibrent la puissance et la rondeur.

🔹 Cave la Gravette, 30260 Corconne, tél. 04.66.77.32.75, fax 04.66.77.13.56, e-mail cavelagravette@wanadoo.fr
☑ ⟰ t.l.j. 8h-12h 14h-19h

CH. DE VIRES
La Clape Carte Or Elevé en fût de chêne 2000

	1,5 ha	5 922		5 à 8 €

Dans une large combe cernée de falaises et de coteaux, le château de Vires domine la Grande Bleue. Sa Carte Or 2000 se pare d'un rouge plutôt léger au nez agréable de pruneau cuit, d'épices et de garrigue. La bouche, dont le boisé demande encore un peu de fondu, est équilibrée, vineuse et de bonne longueur.

🔹 GFA du Dom. de Vires, rte de Narbonne-Plage, 11100 Narbonne, tél. 04.68.45.30.80, fax 04.68.45.25.06, e-mail chateaudevires@aol.com
☑ ⟰ t.l.j. 9h-12h 14h-19h
🔹 Yves Lignères

Faugères

Les vins de Faugères sont des vins AOC depuis 1982, comme les saint-chinian leurs voisins. La région de production, qui comporte sept communes situées au nord de Pézenas et de Béziers et au sud de Bédarieux, a produit 81 192 hl en 2001 sur 1 866 ha de vin. Les vignobles sont plantés sur des coteaux à forte pente, d'altitude relativement élevée (250 m), dans les premiers contreforts schisteux peu fertiles des Cévennes. Le faugères est un vin bien coloré, pourpre, capiteux, aux arômes de garrigue et de fruits rouges.

DOM. DE L'ANCIENNE MERCERIE
Cuvée Couture 2000★★★

	5 ha	7 000		11 à 15 €

Une très belle entrée dans le Guide avec ce coup de cœur, qui a enthousiasmé le grand jury, pour Nathalie et François Caumette qui ont hérité de ce domaine en 2000. Un élevage bien maîtrisé laisse le fruit et le terroir s'exprimer pleinement. Riche, complexe et concentré, ce vin est d'une grande typicité (écorce de pin, épice d'Orient, notes grillées, fumées). Une bouteille noble au caractère d'un grand faugères.

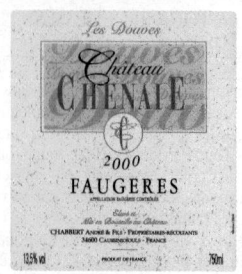

🍷 Nathalie et François Caumette, 6, rue de l'Egalité, 34480 Autignac, tél. 04.67.90.27.02, fax 04.67.90.27.02 ☑ ⟁ r.-v.

BARON ERMENGAUD 2001

| ■ | 5 ha | 15 000 | ■⟁ | 8 à 11 € |

Situé entre Béziers et Bédarieux, aux pieds des Cévennes, le caveau des Schistes sait faire apprécier les vins de la cave de Laurens. Cette cuvée séduit dès le premier coup d'œil. Son nez libère des notes épicées que l'on retrouve en bouche autour de tanins qui demandent à s'assouplir avec le temps. Vous pourrez sans hésiter lui consacrer une belle pièce de bœuf dans deux ou trois ans. La **Cuvée Valentin Duc 2001 (5 à 8 €)** obtient également une citation.

🍷 Les Maîtres vignerons du Faugerois, chem. de la Murelle, 34480 Laurens, tél. 04.67.90.28.23, fax 04.67.90.25.47, e-mail vigneronsdelaurens@free.fr ☑ ⟁ t.l.j. 9h-12h 14h-18h

MAS DES CAPITELLES 2000

| ■ | 5 ha | 26 600 | ■ | 3 à 5 € |

C'est un vin facile à boire, d'une grande simplicité, à dominante fruitée. Un vin gourmand qui est équilibré, élégant et à petit prix. Que demander de plus ?

🍷 Mas des Capitelles, rte de Pézenas, 34600 Faugères, tél. 04.67.23.10.20, fax 04.67.95.78.32 ☑ ⟁ t.l.j. 9h-19h

CUVEE CECILIA
Elevé en fût de chêne 1999★

| ■ | 20 ha | 30 000 | ■ ⓤ | 3 à 5 € |

Cette cuvée Cécilia est un hommage de Hugues et Bernard Jeanjean à leur mère. Ce vin a été élevé à Caussiniojouls, au cœur de l'appellation, dans des cuves tronconiques. Une robe pourpre soutenu annonce un nez très typé, empyreumatique, agrémenté de notes de fruits confits. L'équilibre est parfait avec des tanins soyeux. Le **Château de Sauvanes 99 (5 à 8 €)** a reçu une étoile.

🍷 Famille Jeanjean, BP 1, 34725 Saint-Félix-de-Lodez, tél. 04.67.88.80.00, fax 04.67.96.65.67

CH. CHENAIE
Les Douves 2000★★★

| ■ | 6 ha | 22 000 | ⓤ | 11 à 15 € |

Ce domaine familial rentre dans la sélection des grands faugères avec son millésime 2000. Coup de cœur pour sa robe sombre et profonde, cette cuvée puissante et complexe offre des notes de garrigue et de sous-bois. Après une attaque franche, la bouche affirme une structure tannique parfaite, témoignant d'une grande maîtrise de l'élevage. Sa longue persistance ajoute à son charme.

🍷 EARL André Chabbert et Fils, Ch. Chenaie, 34600 Caussiniojouls, tél. 04.67.95.48.10, fax 04.67.95.44.98 ☑ ⟁ r.-v.

CH. DES ESTANILLES
Cuvée Prestige 2000★★

| ■ | 9 ha | 50 000 | ■ ⓤ ⟁ | 8 à 11 € |

Deux étoiles pour le Prestige et une pour la **Grande Cuvée 2000 (11 à 15 €)**. Tout est grand dans la famille Louison, et cela depuis des années. Ce domaine fait partie des grands classiques de faugères et on ne compte plus ses coups de cœur. Le nez de son millésime est intense, déclinant des notes de sous-bois et de fruits rouges. La bouche révèle un équilibre parfait entre les tanins du vin et ceux du bois. Très prometteuse, mais aussi déjà si plaisante, pour les amateurs, cette bouteille est parfaitement à sa place sur une grande table.

🍷 EARL Michel Louison, Ch. des Estanilles, 34480 Cabrerolles, tél. 04.67.90.29.25, fax 04.67.90.10.99 ☑ ⟁ r.-v.

EXTREMUS 2001★★

| ■ | 12 ha | 80 000 | ■ ⟁ | 5 à 8 € |

Une cave où les extrêmes sont toujours exploités avec réflexion et assurance. Si vous avez la patience d'attendre deux à trois ans, vous serez surpris par ce vin bien structuré par des tanins encore jeunes. Des notes de fumé, d'épices et de réglisse laissent une bouche agréable, pleine de charme et d'une très belle harmonie.

🍷 Cave coop. Faugères, Mas Olivier, 34600 Faugères, tél. 04.67.95.08.80, fax 04.67.95.14.67 ☑ ⟁ r.-v.

DOM. DU FRAISSE
Fleur de cuvée 1999★

| ■ | n.c. | 12 000 | ■ | 11 à 15 € |

Le « fraisse », en occitan, désigne le « frêne » qui peuplait autrefois les coteaux aujourd'hui défrichés. Ce domaine de 45 ha, installé sur un beau terroir de schistes, a élaboré cette cuvée qui se distingue par son équilibre et sa rondeur. Les arômes de pierre à fusil sont accompagnés de notes de framboise et de griotte. Un vin plaisant, agréable et gourmand qui peut attendre deux à trois ans.

🍷 Jacques Pons, 1 bis, chem. de Ronde, 34480 Autignac, tél. 04.67.90.23.40, fax 04.67.90.10.20, e-mail jacques.pons6@wanadoo.fr ☑ ⟁ r.-v.

MAS GABINELE 2000

| ■ | 7,5 ha | 24 000 | ⓤ | 11 à 15 € |

Une « gabinèle », c'est un petit cabanon situé au cœur des vignes. Thierry Rodriguez s'est installé ici en 1997. Ce millésime, encore fermé, s'annonce plein de promesses en libérant des notes de torréfaction et de fruits macérés à l'alcool. Il apparaît encore jeune mais peut compter sur des tanins de qualité pour lui assurer une bonne longévité.

ⵌ Thierry Rodriguez, Hameau de Veyran, 34490 Causses-et-Veyran, tél. 04.67.89.71.72, fax 04.67.89.70.69, e-mail throdriguez@wanadoo.fr ☑ ⵜ r.-v.

CH. GREZAN
Les Schistes dorés 1999★

| ■ | 1,2 ha | 3 000 | ⑪ 15 à 23 € |

Commanderie des Templiers, Grézan fut remanié au cours des siècles mais conserve une entrée en trompe-l'œil du XIXᵉs. assez théâtrale. Château Grézan est aussi un restaurant où l'on peut découvrir la cuisine languedocienne. Tout est fait pour déguster dans de très bonnes conditions ce vin qui est bien typé par des notes puissantes de pruneau, de fruit confit et empyreumatiques. La bouche laisse deviner un élevage encore un peu marqué (boisé, grillé), mais celui qui sait attendre aura une belle surprise dans deux ou trois ans.
ⵌ Ch. Grézan, RD 909, 34480 Laurens, tél. 04.67.90.27.46, fax 04.67.90.29.01, e-mail chateau-grezan@wanadoo.fr ☑ ⵜ t.l.j. sf dim. 9h30-12h 14h-18h30

CH. HAUT LIGNIERES
Carmina Butis 2000

| ■ | 4,3 ha | 10 000 | ⑪ 11 à 15 € |

Un très vieux moulin, une vue grandiose, un terroir de schistes, un élevage en barrique rouge – pourquoi rouge ? –, un vin bien dans son appellation malgré des notes boisées très présentes. C'est l'équilibre qui a retenu l'attention du jury : la concentration et la puissance lui promettent un bel avenir, mais il faut l'attendre longtemps.
ⵌ Elke Kreutzfeldt, lieu-dit Bel-Air, 34600 Faugères, tél. 04.67.95.38.27, fax 04.67.95.78.51, e-mail chateau@haut-lignieres.com ☑ ⵜ t.l.j. sf dim. 10h-13h 15h-19h; groupes sur r.-v.; f. jan.-fév.

CH. DE LA LIQUIERE
Cistus 2000★★

| ■ | 7 ha | 25 000 | ⑪ 11 à 15 € |

Une affaire de famille où tout est fait dans un très bon esprit, celui de Faugères. La cuvée **Vieilles vignes 2000** (5 à 8 €) obtient une étoile. Mais la merveilleuse matière de Cistus l'emporte largement. Les dégustateurs ont eu un grand plaisir à découvrir ce vin au nez puissant et complexe (noyau de cerise, cuir, épice). Equilibre, structure, tanins mûrs, persistance aromatique lui assurent un beau potentiel. Une bouteille qui a beaucoup de charme.
ⵌ Ch. de la Liquière, 34480 Cabrerolles, tél. 04.67.90.29.20, fax 04.67.90.10.00, e-mail bvidal@terre-net.fr ☑ ⵜ r.-v.
ⵌ Vidal-Dumoulin

LE MOULIN COUDERC 2000★

| ■ | 4 ha | 10 000 | ⑪ 8 à 11 € |

Situé sur les hauteurs de Roquessels d'où l'on jouit d'un point de vue exceptionnel, ce domaine de 26 ha est dirigé par Vincent Fonteneau depuis 1990. Il propose un vin élevé avec passion et intelligence. La vanille domine encore un peu l'expression du terroir, mais l'élégance des tanins laisse penser que ce millésime pourra être servi dans deux ou trois ans sur de l'agneau des garrigues cuit sept heures au four.

ⵌ Vincent Fonteneau, chem. de l'Aire, 34320 Roquessels, tél. 04.67.90.23.25, fax 04.67.90.11.05 ☑ ⵜ r.-v.

MOULIN DE CIFFRE
Eole 2000★

| ■ | 3 ha | 10 000 | ⑪ 11 à 15 € |

Venus de Bordeaux (Pessac-Léognan) en 1998, les Lésineau ont constitué un joli domaine, le Moulin de Ciffre, où le visiteur a la surprise de se retrouver perdu au milieu de la garrigue à la rencontre de trois appellations. Ce faugères s'ouvre lentement vers des notes de fruits rouges, de cannelle, de vanille. Le plaisir vient aussi de la finesse de la bouche qui est longue, franche et équilibrée. Un vin de plaisir.
ⵌ Lésineau, SARL Ch. Moulin de Ciffre, 34480 Autignac, tél. 04.67.90.11.45, fax 04.67.90.12.05, e-mail info@moulindeciffre.com ☑ ⵜ r.-v.

DOM. OLLIER-TAILLEFER
Grande Réserve 2000★★

| ■ | 5 ha | 120 000 | ⵜ◆ 5 à 8 € |

L'accueil au domaine est remarquable : la convivialité a été érigée en règle de vie et la qualité des vins justifie votre visite. Complexe et complet, celui-ci devra attendre deux à trois ans avant de vous enchanter par ses parfums soutenus de notes de truffe, de fruits rouges et de fumé. La bouche présente de la finesse et de l'élégance. Une bouteille remarquable qui a participé au grand jury des coups de cœur.
ⵌ Dom. Ollier-Taillefer, rte de Gabian, 34320 Fos, tél. 04.67.90.24.59, fax 04.67.90.12.15 ☑ ⵜ r.-v.
ⵌ Alain Ollier

CH. DES PEYREGRANDES 2000★

| ■ | 7 ha | 19 000 | ⵜ◆ 5 à 8 € |

Plusieurs générations depuis la fin du siècle se sont succédé sur ce domaine. Marie Boudal confirme par ce vin que la succession est bien assurée. Une cuvée pimpante dans sa robe à reflets violets. Le nez, tout en fruit, est souligné de violette. Les tanins, déjà soyeux et agréables, lui confèrent une bonne harmonie générale.
ⵌ SCEA Dom. Bénézech et Fils, Tras du Castel, 34320 Roquessels, tél. 04.67.90.15.00, fax 04.67.90.15.60 ⵜ r.-v.
ⵌ Marie Boudal

DOM. DE LA REYNARDIERE
Cuvée Prestige 2000★★

| ■ | 8 ha | 6 000 | ⵜ◆ 5 à 8 € |

Appartenant à la même famille depuis le XIXᵉs., ce domaine propose de jolies cuvées chaque année. Celle-ci, d'un rouge sombre avec des reflets violets, est particulièrement réussie. Le nez est marqué par des fruits rouges et des notes grillées, fumées. Bien construit, rond, velouté et d'une belle fraîcheur, un vin prometteur. Le **rosé 2001** reçoit également deux étoiles.
ⵌ SCEA Dom. de la Reynardière, 7, cours Jean-Moulin, 34480 Saint-Geniès-de-Fontedit, tél. 04.67.36.25.75, fax 04.67.36.15.80 ☑ ⵜ t.l.j. sf dim. 10h-12h 14h-19h
ⵌ Mégé

DOM. RAYMOND ROQUE ET FILS
Cuvée Marc François 1999

| ■ | 5 ha | 10 000 | ■ | 5 à 8 € |

En 1800, « l'Aïeul », comme on l'appelle deux siècles plus tard sur ce domaine, pioche quatre arpents de vigne sur les coteaux ensoleillés de Cabrerolles. En 2000, Marc est devenu le maître de chai et a réalisé ce vin à la robe grenat et au nez de garrigue, de framboise et de cassis. Équilibré et chaleureux en finale, il demande à être servi légèrement frais.

🔻 Dom. Raymond Roque et Fils, quartier de l'Ancien-Château, 34480 Cabrerolles, tél. 04.67.90.24.74, fax 04.67.90.14.56 ☑ ⵢ r.-v.

Fitou

L'appellation fitou, la plus ancienne AOC rouge du Languedoc-Roussillon (1948), est située dans la zone méditerranéenne de l'aire des corbières ; elle s'étend sur neuf communes qui ont également le droit de produire les vins doux naturels rivesaltes et muscat de rivesaltes. La production a atteint 102 889 hl en 2001. C'est un vin d'une belle couleur rubis foncé qui compte au minimum 12° d'alcool et dont l'élevage dure au moins neuf mois.

DOM. BERTRAND BERGE
Cuvée Jean Sirven 2000★★★

| ■ | 2 ha | 3 500 | ⅢⅠ 23 à 30 € |

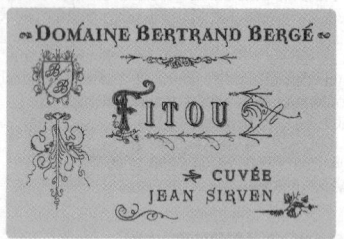

Elue coup de cœur pour la deuxième année consécutive, la cuvée Sirven fait preuve de constance. Est-ce la trilogie syrah carignan et grenache, le terroir, le savoir-faire du vigneron ou le coup de « patte » de C. Gros, l'œnologue ? Certainement un peu de tout cela. La robe grenat est très profonde. Le nez charmeur annonce l'équilibre entre le fruit mûr et le grillé du bois. Le plaisir est en bouche avec une sensation de plénitude. Le vin est ample, généreux, structuré et harmonieux. La chair parfaite équilibre le tanin sur une remarquable finale réglissée. Il faudra cependant l'attendre au moins trois ans.

🔻 Dom. Bertrand-Bergé, av. du Roussillon, 11350 Paziols, tél. 04.68.45.41.73, fax 04.68.45.41.73, e-mail bertrand-berge@wanadoo.fr
☑ ⵢ t.l.j. 8h-12h 13h30-19h

DOM. COMERADE 2000★★
| ■ | 20 ha | 120 000 | ■ ⵌ | 3 à 5 € |

Aller à Cascastel, c'est prendre le temps d'aller chercher derrière le rempart calcaire des Corbières la finesse des schistes et l'éclat de ce Comerade dominé par la cerise, l'épice et le sous-bois. Un vin gourmand dont le fruit se croque et qui est structuré autour d'une solide présence tannique augurant une belle garde ; mais il saura déjà bien se tenir sur une viande rouge. Remarqué également, un **Domaine de Begou 2000**.

🔻 Les Maîtres Vignerons de Cascastel, Grand-Rue, 11360 Cascastel, tél. 04.68.45.91.74, fax 04.68.45.82.70, e-mail info@cascastel.com ⵢ r.-v.

DOM. LEPAUMIER 2000
| ■ | n.c. | 9 000 | ■ | 3 à 5 € |

Tout en haut du village de Fitou, les vieilles pierres lourdes de la cave fraîche de Lepaumier abritent un vin de tradition aux senteurs de garrigue et de buis. Solide en bouche, le carignan apporte la structure que caresse le grenache. A réserver au gibier !

🔻 Fernand Lepaumier, 12, rue de l'Eglise, 11510 Fitou, tél. 04.68.45.73.41
☑ ⵢ t.l.j. 9h-12h30 14h-19h30

CH. LERYS 2000★
| ■ | 1,8 ha | 5 000 | ■ ⵌ | 11 à 15 € |

Petit à petit, Lerys fait son nid : ce domaine réhabilite de vieux bâtiments du village pour l'élevage des vins. Car, ici, le vin est indissociable du patrimoine. Il faut faire danser celui-ci dans le verre pour apprécier l'expression du fruit et sa touche d'épice. La bouche est en continuité, équilibrée, avec de beaux tanins qui annoncent la garde.

🔻 Dom. Lerys, av. des Hautes-Corbières, 11360 Villeneuve-les-Corbières, tél. 04.68.45.95.47, fax 04.68.45.86.11, e-mail domlerys@aol.com ☑ 🏠 ⵢ t.l.j. 10h-20h
🔻 Izard

DOM. MAYNADIER
Elevé en fût de chêne 2000

| ■ | 3,5 ha | 13 000 | ⅢⅠ 5 à 8 € |

La vigne, c'est une vieille histoire pour les Maynadier, une histoire de famille qui se poursuit aujourd'hui dans les vieilles pierres de l'ancien relais de diligence. Le fitou annonce la couleur : le rouge ! Et si la torréfaction au nez masque un peu le fruit, c'est ce dernier qui, en bouche, étoffe des tanins puissants. Un vin qu'il faudra attendre deux ou trois ans.

🔻 Maynadier, RN 9, 11510 Fitou, tél. 04.68.45.63.11, fax 04.68.45.60.94
☑ ⵢ t.l.j. 9h-12h 14h-18h; (été) 9h-20h

CH. DE NOUVELLES
Cuvée Gabrielle 2000

| ■ | 10 ha | 8 000 | ⅢⅠ 11 à 15 € |

Le pape Benoît XII fut propriétaire du domaine. Son nom de Novelli est resté attaché à cette propriété toujours en odeur de sainteté avec le jury. Ainsi cette cuvée Gabrielle, déjà mûre, offre des senteurs de pruneau, de grillé et de fruits à l'eau-de-vie. Le vin, déjà fondu sur le fruit confituré, à la finale vanillée, est prêt à boire.

🔻 SCEA R. Daurat-Fort, Ch. de Nouvelles, 11350 Tuchan, tél. 04.68.45.40.03, fax 04.68.45.49.21
☑ ⵢ r.-v.

PRIEURE DU CHATEAU DE SEGURE
Vieilles vignes Elevé en fût de chêne 2000★★

| ■ | 100 ha | 160 000 | ⅢⅠ | 5 à 8 € |

Depuis sa reconnaissance en AOC en 1954, le fitou a l'originalité d'être produit sur deux zones distinctes. Si Tuchan est sans conteste la capitale de la zone Hautes Corbières, c'est la force unie des deux entités qui fait le fitou. Ce superbe Prieuré se présente avec une robe profonde et des arômes de fruits mûrs sur un beau boisé fondu. La mûre et la cerise accompagnent des tanins élégants, racés. L'ensemble est harmonieux, prêt à boire. A noter également une cuvée spéciale Villeneuve 2000, à attendre un an ou deux.

🕿 Les Producteurs du Mont Tauch, 11350 Tuchan, tél. 04.68.45.41.08, fax 04.68.45.45.29, e-mail contact@mont-tauch.com
☑ Ⅰ t.l.j. sf dim. 9h-12h 14h-18h

DOM. DE LA ROCHELIERRE
Cuvée Privilège Elevé en fût de chêne 2000★★

| ■ | 3 ha | 13 000 | ⅢⅠ | 5 à 8 € |

Sérieux, appliqué, curieux de savoir, ce jeune vigneron a derrière lui trois générations de viticulteurs installés sur le terroir aride de Fitou. Le grillé, la torréfaction marquent ce millésime dès l'approche. Puis vient le vin, structuré, présent mais harmonieux. Le fruit y compose avec l'épice et la vanille ; tout cela annonce un réel plaisir dans deux ou trois ans.

🕿 Jean-Marie Fabre, 17, rue du Vigné, 11510 Fitou, tél. 04.68.45.70.52, fax 04.68.45.70.52 ☑ Ⅰ r.-v.

DOM. DU ROC NEGRE 2000★

| ■ | n.c. | n.c. | 🍴🍷 | 3 à 5 € |

Désormais dominé par de grandes éoliennes blanches qui tournent sous le ciel bleu, le village de Fitou témoigne bien qu'ici, c'est avec le soleil et le vent que la vigne doit composer. Pas étonnant de retrouver dans le Roc Nègre la forte présence des cépages traditionnels (carignan et grenache) aux accents de garrigue dans une robe rouge profond. C'est le fitou typique, solide, ample tout entier sur le fruit écrasé de soleil. Viande rouge ou gibier l'attendent. Cité également, un traditionnel Terre natale 2000.

🕿 Cave des Producteurs de Fitou, RN 9, Les Cabanes, 11510 Fitou, tél. 04.68.45.71.41, fax 04.68.45.60.32, e-mail cavedesvignerons.fitou@wanadoo.fr
☑ Ⅰ t.l.j. 9h-12h 14h-18h

SAINT-PANCRACE 2000

| ■ | 25 ha | 20 000 | ⅢⅠ | 5 à 8 € |

Le nom de La Palme proviendrait de la situation du village dans une géographie rappelant la paume de la main, abrité ainsi du vent qui fait la richesse des salines voisines. Le vin sait aussi être riche, certes, marqué par l'élévage sous bois, mais bien structuré ; il est arrondi par le fruit mûr, tout en promesses.

🕿 Les Vignerons de la Palme, av. de la Mer, 11480 La Palme, tél. 04.68.48.15.17, fax 04.68.48.56.85
☑ Ⅰ r.-v.

Pour tout savoir des vins sélectionnés, lisez les textes d'introduction des régions et appellations ; certaines informations leur sont communes et complètent les notices.

Minervois

L e minervois, vin AOC, est produit sur soixante et une communes, dont quarante-cinq dans l'Aude et seize dans l'Hérault. Cette région plutôt calcaire, aux collines douces et au revers exposé au sud, protégée des vents froids par la Montagne Noire, produit des vins blancs, rosés et rouges : ces derniers représentent 95 % ; en tout 226 033 hl en 2001 dans les trois couleurs sur 4 560 ha.

L e vignoble du Minervois est sillonné de routes séduisantes ; un itinéraire fléché constitue la route des Vins, bordée de nombreux caveaux de dégustation. Un site célèbre dans l'histoire du Languedoc (celui de l'antique cité de Minerve, où eut lieu un acte décisif de la tragédie cathare), de nombreuses petites chapelles romanes et les intéressantes églises de Rieux et de Caune sont les atouts touristiques de la région. La confrérie locale, les Compagnons du Minervois, a son siège à Olonzac.

L a commune de la Livinière s'inscrit désormais dans le cadre d'une appellation minervois la livinière regroupant cinq communes. Elle a produit 9 102 hl de vin rouge en 2001.

CH. AGNEL
Grande Réserve 2000

| ■ | 45 ha | 20 000 | ⅢⅠ | - de 3 € |

Depuis 1991, les frères Agnel exploitent un domaine situé à Peyriac-Minervois. Leurs efforts sont récompensés par ce vin rouge grenat, élégant et généreux. Sa matière soyeuse s'affiche sur des notes de fruits mûrs et secs. Equilibré, il termine son parcours en bouche par une pointe vanillée. Cette Grande Réserve commercialisée par la coopérative d'Arzens est prête à être servie sur un coq au vin.

🕿 UC Foncalieu, Dom. de Corneille, 11290 Arzens, tél. 04.68.76.21.68, fax 04.68.76.32.01, e-mail mkt@foncalieuvignobles.com

CH. ARTIX
Terres Brûlées 2000★

| ■ | 6,23 ha | 20 000 | ■ⅢⅠ🍷 | 23 à 30 € |

Sous les pinèdes proches du château apparaît une chapelle du VIIIᵉ s. dédiée à Sainte Madeleine. La sérénité du site est propice à la méditation mais aussi à l'élevage des vins. De grains entiers jaillit le sang de la terre marqué par la chaleur des épices poivrées et la douceur des fruits rouges. Concentré et chaleureux, marqué par un boisé à peine érodé, le vin rappelle sa provenance : une région gorgée de soleil. Il a le temps pour lui.

🕿 Jérôme Portal, Dom. d'Artix, 34210 Beaufort, tél. 04.68.91.28.28, fax 04.68.91.38.38 ☑ Ⅰ r.-v.

DOM. D'AZEOU 2000★

| ■ | 3,3 ha | 5 333 | ■🍷 | 3 à 5 € |

On vous parlera, lors de votre visite, d'un patrimoine local et notamment des capitelles, constructions en pierres

LANGUEDOC

sèches datant de plusieurs siècles. L'intensité caractérise ce vin rubis sombre où fruits mûrs, cannelle, cassis jouent en subtilité. La bouche rivalise entre puissance et onctuosité. Ses tanins veloutés révèlent sa belle maturité. Ce minervois corsé n'attend plus que vous.

🍷 Odile et Gilbert Carbonnel, Dom. d'Azéou, 25, av. Montagne-Noire, 11800 Laure-Minervois, tél. 04.68.78.23.27, fax 04.68.78.23.27, e-mail azeou@aol.com ☑ 🍴 r.-v.

CH. LE BOUCHAT-ALAUX
Cuvée Clos d'Espérou Elevé en Fût de Chêne 2000★

■	2,5 ha	5 000	⑪ 11 à 15 €

Ce n'est pas Laurent Jalabert, cycliste émérite, qui mettra en doute le caractère pentu de ce terroir de Salsigne au paysage minier. On extrait ici de haute lutte un filon qui vaut de l'or. S'il n'en a pas l'odeur, la richesse de sa couleur pourpre annonce sa valeur. Mûre, cassis, vanille grimpent en puissance au nez et prennent le relais dans une bouche douce mais solide. Harmonieux, il passe chaleureusement la ligne d'arrivée devant un parterre de fleurs.

🍷 Jean-Louis Alaux, Le Bouchat, 11600 Salsigne, tél. 04.68.77.50.52, fax 04.68.77.54.76 ☑ 🍴 r.-v.

CH. CABEZAC
Cuvée Arthur 2000

■	6 ha	17 000	⑪ 8 à 11 €

Un preux chevalier du Minervois qui se distingue par ses armoiries grenat à reflets violets ; sorti du bois, il dispense toutes les effluves conférées par l'élevage. Massif, de grande garde derrière des tanins bien présents, il doit être mis au secret de votre cave avant de le servir dans trois ans sur un gibier à poil.

🍷 Michel Fabre, Hameau de Cabezac, 11120 Bize-Minervois, tél. 04.68.46.23.05, fax 04.68.46.21.93, e-mail ch.cabezac@wanadoo.fr ☑ 🍴 t.l.j. 9h-12h 14h-19h
🍷 Dondain et Fabre

DOM. DE CANTAUSSEL
Cuvée Cantaussel 1999★

■	4 ha	11 500	⑪ 8 à 11 €

Née à trois cents mètres d'altitude, la cuvée Cantaussel, à dominante de vieux carignan vinifié en macération, met en évidence la beauté austère du cépage et privilégie les accents du terroir. Chaleureux et épicé, ce vin reflète bien les soins attentifs du vigneron. Ses accents vanillés et boisés, l'équilibre flatteur en témoignent. Les tanins tapissent une bouche soutenue et fruitée qui se bonifiera au fil des ans. A garder.

🍷 Claude et Jean-Luc Bohler, Dom. de Cantaussel, 34210 Siran, tél. 04.68.91.60.19, fax 04.68.91.60.19 ☑ 🍴 r.-v.

DOM. CHABBERT-FAUZAN 2000★

■	1 ha	2 600	⑪ 5 à 8 €

Tradition n'est pas un vain mot sur ce domaine situé aux confins du Minervois. Son blanc d'altitude, complet et complexe, se caractérise par un élevage soigné en fût ; les touches de cacao évoluent dans une corbeille de fruits mûrs assez primesautiers. Parfaitement équilibré, le vin reste idéalement rond et puissant. Chose rare pour un blanc, une impression tannique taquine la finale douce et plaisante.

🍷 Gérard Chabbert, Fauzan, 34210 Cesseras, tél. 04.68.91.23.64, fax 04.68.91.31.17 ☑ 🍴 r.-v.

CLOS DE L'AZEROLLE 2000★★

■	1 ha	5 000	🍾 5 à 8 €

Un trisaïeul de retour de Zanzibar mit au point ici un système de réception de la récolte à la brouette par gravité. Son descendant réussit aujourd'hui de splendides macérations en grains entiers ! Dense à reflets violets, ce vin décline des senteurs intenses de goudron, poivre et cassis. La bouche aux accents exotiques de réglisse et menthol est souple et volumineuse, alors que la finale chaleureuse offre des note de confiture. Complet et complexe.

🍷 Raymond Julien, Ch. Mirausse, 11800 Badens, tél. 04.68.79.12.30, fax 04.68.79.12.30 ☑ 🍴 r.-v.

CLOS DE MATHIEU
Elevé en fût de chêne 2000★

■	n.c.	4 000	⑪ 5 à 8 €

Voici un domaine typique du Minervois constitué de nombreuses parcelles gagnées sur la garrigue. De ce cadre somptueux, Yves Bru a tiré un vin soutenu aux accents de terroir, idéalement élevé douze mois en fût. Ses notes vanillées glissent sur une charpente ample. Les fruits mûrs et la cerise accompagnent toute la dégustation. Volumineuse et concentrée, cette bouteille sera le compagnon des grillades.

🍷 Yves Bru, Dom. Sainte-Luchaire, 34210 Aigne, tél. 04.68.91.34.93, fax 04.68.91.82.27 ☑ 🏨 🏠 🍴 r.-v.

DOM. CROS
Les Aspres 2000★★★

■	2 ha	5 000	⑪ 15 à 23 €

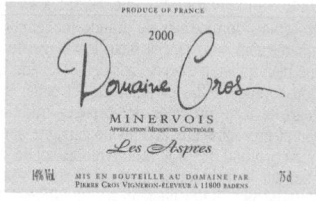

Voici la composition d'une équipe qui gagne son deuxième titre en trois ans : un terroir de feu, un vigneron de talent, des vignes parfaites. Le trio de choc entre en scène en tenue pourpre, attaque avec intensité, déployant force, fruits rouges, fruits mûrs, pêche et pruneau. L'ensemble se regroupe ensuite autour d'une charpente solide et puissante, appuyée par des tanins de cacao et grillés. Bien équilibré, ce millésime se révèle ample et généreux. Sa finale atteint l'apothéose sur un score flatteur en caudalies.

🍷 Pierre Cros, 20, rue du Minervois, 11800 Badens, tél. 04.68.79.21.82, fax 04.68.79.24.03 ☑ 🍴 r.-v.

CH. DU DONJON
Cuvée Prestige Elevé en fût de chêne 2000★★

■	8 ha	50 000	⑪ 5 à 8 €

Le donjon du château jaillit désormais au centre de la cave ! La richesse des lieux et de l'histoire se conjuguent avec la richesse de ce vin à la couleur burlat, puissant, bien élevé et harmonieux. Cacao et fruits mûrs évoluent en finesse tandis que la bouche affiche sa préférence pour les pruneaux cuits. Ample et chaud, il est complet et complexe et sera à son apogée dans trois ans.

☛ Jean Panis, Ch. du Donjon, 11600 Bagnoles, tél. 04.68.77.18.33, fax 04.68.72.21.17, e-mail jean.panis@wanadoo.fr ☑ ☒ r.-v.

CLOS L'ESQUIROL 2000★

| ■ | n.c. | 30 000 | 🍶 | 5 à 8 € |

C'est désormais une tradition, chaque année notre sympathique Esquirol (« l'écureuil » en occitan) sort du bois pour figurer en bonne place dans le Guide. Gourmand de cerise burlat et de fruits à noyau, il surprend par ses caractères volubiles au nez. La bouche est confiturée, volumineuse et dense. Complexe, il livre sur une finale ferme une subtile liqueur de mûres. A apprécier et à garder.

☛ Cave coopérative de Siran, La Siranaise, 34210 Siran, tél. 04.68.91.42.17, fax 04.68.91.58.41 ☑ ☒ r.-v.

DOM. PIERRE FIL
Cuvée Elisyces 1999

| ■ | 4 ha | 18 600 | ⏅ | 8 à 11 € |

Les Elisyces étaient le peuple vivant aux environs de Mailhac cinq siècles avant notre ère. Pierre Fil, féru d'archéologie, a baptisé cette cuvée éclatante en leur honneur. Fleurie, toute en élégance, emplie de vivacité et de fruits mûrs intenses, elle présente une belle maturité et est prête à boire.

☛ Vignerons de la Méditerranée, ZI Plaisance, 12, rue du Rec-de-Veyret, BP 414, 11104 Narbonne Cedex, tél. 04.68.42.75.00, fax 04.68.42.75.01, e-mail rhirtz@listel.fr ☒ r.-v.

CH. LA GRAVE
Expression 2001★★

| ▨ | n.c. | 20 000 | 🍶 | 5 à 8 € |

Cette superbe propriété familiale est passée maître dans l'art des vinifications délicates. Le rosé Expression 2001 issu de syrah et de grenache obtient une étoile alors que le vin blanc issu de macération pelliculaire a impressionné le jury. Ce vin imprime au verre une tenue scintillante à reflets verts. Complexe, il délivre des arômes de fleurs blanches et de bonbon anglais. Puissant et généreux, son fruit velouté enchante les papilles. D'un équilibre subtil où chaleur côtoie douceur, il s'adaptera à toutes les situations gastronomiques et festives.

☛ Jean-Pierre et Jean-François Orosquette, Ch. La Grave, 11800 Badens, tél. 04.68.79.16.00, fax 04.68.79.22.91, e-mail chateaulagrave@wanadoo.fr ☑ ☒ t.l.j. 9h-12h 14h-18h30; sam. dim. sur r.-v.

CH. GUERY
Elevé en fût de chêne 2000★★★

| ■ | 1,3 ha | 8 000 | ⏅ | 5 à 8 € |

Azille et son église du XIVe sont au cœur de la plaine viticole. Installée depuis le XVIIIes., la famille Guéry obtient cette année la consécration suprême ! La syrah est à l'honneur avec le soutien de 20 % de grenache pour donner ce vin pourpre profond aux senteurs de prune, de réglisse et d'épices à dominante poivrée. Crémeux en bouche, il est élégant et soyeux. On retrouve toute la palette aromatique nuancée d'une touche vanillée. Chaleureux et structuré, d'une longueur remarquable, c'est un bel ambassadeur du minervois.

☛ René-Henry Guéry, 4, av. du Minervois, 11700 Azille, tél. 04.68.91.44.34, fax 04.68.91.44.34, e-mail rhguery@club-internet.fr ☑ ☒ r.-v.

DOM. DES HOMS
Gravières de Sancastel 2000★

| ■ | 5 ha | 5 000 | ⏅❄ | 11 à 15 € |

A la croisée du vent marin et du cers, idéalement implantés sur des terrasses caillouteuses, syrah (90 %) et grenache s'expriment ici dans une robe rubis brillant. De ses onze mois d'élevage, ce millésime a gardé des tanins fondus et délicatement vanillés. Souple à souhait, harmonieux par ses fruits rouges, il accompagnera volontiers vos pièces de viande rouge.

☛ Jean-Marc de Crozals, Dom. des Homs, 11160 Rieux-Minervois, tél. 04.68.78.10.51, fax 04.68.78.10.51, e-mail jm.decrozals@free.fr ☑ ☒ r.-v.

CUVEE IMAGE 2000★★

| ■ | 1 ha | 6 600 | ⏅ | 5 à 8 € |

« Image » est le doux reflet d'une sélection de syrah et d'un élevage soigné de douze mois en fût, fruit du travail de Muriel Merlet. Voici un vin doux et complexe où toutes les familles aromatiques sont ici rassemblées : fruits noirs (myrtille, mûre) se tartinent sur des toasts grillés, le tout évoluant dans une ambiance teintée de violette et d'iris. Structurée, la bouche fond sur une pirouette épicée où safran et poivre s'enrobent avec longueur et langueur.

☛ Les Trois Blasons, Les Crus du Haut Minervois, 34210 Azillanet, tél. 04.68.91.22.61, fax 04.68.91.19.46 ☑ ☒ r.-v.

CH. LABADIE 2000

| ■ | 5,4 ha | 34 660 | | - de 3 € |

« Tradition » est le maître mot de Jean-Baptiste Labadie, militant actif du retour à la traction animale dans le vignoble ! Commercialisé par la coopérative d'Arzens, ce vin de Laure-Minervois, au goût authentique de fruits rouges, de gibier, patiné de cuir, se révèle bien équilibré et friand. Les tanins ne tirent pas « à hue et à dia » pour être élégants en finale.

☛ UC Foncalieu, Dom. de Corneille, 11290 Arzens, tél. 04.68.76.21.68, fax 04.68.76.32.01, e-mail mkt@foncalieuvignobles.com

CH. MALVES-BOUSQUET 2001★

| ■ | 2 ha | 5 000 | 🍶 | 5 à 8 € |

Les caves de ce château du XIIes. abritent des cuves massives. De leur fraîcheur naturelle, Christian Bousquet a tiré un rosé qui l'est tout autant, étourdissant d'arômes de fleurs au nez. La fraise pétillante et acidulée enchante le palais pour s'abandonner ensuite en finesse. Harmonieux et franc, ce vin sera le chevalier servant des viandes blanches.

◆┐ SCEA Bousquet, Ch. de Malves,
11600 Malves-Minervois,
tél. 04.68.72.25.32, fax 04.68.72.25.00 ☑ ⵏ r.-v.

CH. PIQUE-PERLOU
La Sellerie 1999★★

| | | 2 ha | 5 000 | ⵏ 15 à 23 € |

Demandez à un Languedocien où se trouve « Pique-Perlou » et il risque fort de vous envoyer dans les vignes aux confins du village ; car telle est la signification des deux termes. Ne vous égarez pas car il ne faut pas manquer ce vin chaleureux méditerranéen à la stature imposante et aux senteurs de garrigue. D'une tenue en bouche irréprochable, il offre des tanins confiturés doublés de cerise à l'eau-de-vie. Rond, crémeux, il s'abandonne avec délice entre ciste et romarin. Fermez les yeux, vous entendrez les cigales.

◆┐ Serge Serris, 12, av. des Ecoles, 11200 Roubia,
tél. 04.68.43.22.46, fax 04.68.43.22.46 ☑ ⵏ r.-v.

CH. PLO DU ROY
Le Balcon du Diable Elevé en Fût de Chêne 2000★

| | | 7 ha | 20 000 | ⵏ 5 à 8 € |

Elu coup de cœur l'an passé, revoici le sympathique farfadet en tenue écarlate venu tout droit de ses fûts. Ne reniant pas son élevage, il est enjôleur par ses notes de vanille et son caractère fruité baigné de cassis. Puissants et charpentés, ses tanins ne se font pas oublier. Il doit attendre deux ans au moins dans votre cave.

◆┐ Franck Benazeth, 8, chem. Balti,
Ch. Plo du Roy, 11160 Villeneuve-Minervois,
tél. 04.67.26.13.64, fax 04.67.26.13.64 ☑ ⵏ r.-v.

CH. REMAURY
Grande Réserve 2000

| | | 75 ha | 200 000 | ⵏ - de 3 € |

Symbole de l'apogée de la viticulture languedocienne du XIXᵉs., un splendide château règne au milieu de ses vignes. La propriété familiale est située sur la commune d'Azille. Séducteur par ses fruits confiturés et ses notes de cerise, de figue et de framboise, ample et gouleyant, ce vin est à maturité avec une bonne longueur légèrement acidulée. A boire dès à présent.

◆┐ UC Foncalieu, Dom. de Corneille, 11290 Arzens,
tél. 04.68.76.21.68, fax 04.68.76.32.01,
e-mail mkt@foncalieuvignobles.com
◆┐ Damien et Philippe Remaury

CH. DE RIEUX 2000★

| | | 1,2 ha | 6 600 | ⵏ 5 à 8 € |

Le château de Rieux, opulente bâtisse du Xᵉs., est propriété familiale depuis des générations. De ses vignes sur galets roulés, Emmanuel de Soos compose un vin intense parfumé de réglisse et de vanille. Equilibré, fondu et gouleyant, il repose sur des tanins doux. Elégant, il marie le talent du vigneron à la richesse du terroir. A découvrir absolument pour un plaisir immédiat.

◆┐ Emmanuel de Soos, Ch. de Rieux,
2, rue de la Jugie, 11610 Rieux-Minervois,
tél. 04.68.78.37.21 ⵏ r.-v.

DOM. DU ROC
Passion 2000★

| | | 2 ha | 10 000 | ⵏ 8 à 11 € |

Si le **rosé 2001 (5 à 8 €)** figure en bonne place, c'est par son vin rouge, solide comme un roc, que le domaine se distingue. Cannelle et notes grillées sont adossées à une charpente massive et équilibrée tandis que l'édifice empli de fruits rouges baigne dans une chaleur rassurante. Son apparente austérité est due à sa puissance ; à garder pour l'amener à plénitude.

◆┐ Alain Vies, 15, chem. de Rieux, 11700 Pépieux,
tél. 04.68.91.52.14, fax 04.68.91.66.26,
e-mail avies@club-internet.fr ☑ ⵏ r.-v.

CH. SAINT-LEON
Cuvée Amour Elevé en fût de chêne 2000

| | | 2,5 ha | 5 000 | ⵏ 5 à 8 € |

Et Cupidon fit une fois de plus bien les choses, avec la tendre complicité du vigneron, pour exprimer de nobles et doux sentiments délicatement parfumés par la griotte et les fruits rouges. Rond, ce vin est savoureux par son grillé vanillé : on ne se lasse pas de croquer ses fruits soutenus par des tanins élégants. Il est prêt à boire.

◆┐ Guy et Emmanuel Giva, Dom. de Sautes,
RN 113, 11000 Carcassonne,
tél. 04.68.78.77.98, fax 04.68.78.51.66,
e-mail domainedesautes@libertysurf.fr
☑ ⵏ t.l.j. sf dim. 10h-12h 14h-18h

DOM. SICARD
Cuvée La Cour de Jean 2000★★

| | | 3 ha | 6 600 | ⵏ 8 à 11 € |

C'est le lieu central du domaine où se répercutent toutes les activités, des vendanges à la mise en bouteilles, lieu qu'aimait Jean Sicard trop tôt disparu. Il aurait été fier de cette cuvée à l'éclat du rubis dont l'élégance parfumée de fruits rouges et d'épices n'a d'égale que la finesse et la douceur des tanins vanillés, polis par un élevage respectueux. Généreux, suave et persistant, ce vin est le produit de syrah, de grenache et de carignan vinifiés séparément en grains entiers.

◆┐ Vignerons de la Méditerranée, ZI Plaisance,
12, rue du Rec-de-Veyret, BP 414, 11104 Narbonne Cedex, tél. 04.68.42.75.00, fax 04.68.42.75.01,
e-mail rhirtz@listel.fr ⵏ r.-v.
◆┐ M. Sicard

CH. TOUR BOISEE
A Marie-Claude 2000★★

| | | 10 ha | 50 000 | ⵏ 8 à 11 € |

Avec cette cuvée dédiée à son épouse, Jean-Louis Poudou n'a pas fait les choses à moitié... Voici l'expression d'une union parfaite entre harmonie et équilibre. Le mariage des fruits et de la vanille évolue dans une complicité idéale. Tendre à cœur, chaleureux et concentré, ce vin est d'une remarquable longueur. Idéal à offrir à toutes les Marie-Claude !

◆┐ Jean-Louis Poudou,
Dom. la Tour Boisée, 11800 Laure-Minervois,
tél. 04.68.78.10.04, fax 04.68.78.10.98,
e-mail info@domainelatourboisee.com
☑ ⵏ t.l.j. sf sam. dim. 10h-12h 15h-18h;
r.-v. pour groupes

CH. TOURRIL 2001★★

| | | 1 ha | 6 600 | ▮ ⳩ 30 à 38 € |

Si l'ancien domaine s'accroche à ses coteaux argilo-calcaires, on s'appuie en cave sur les techniques modernes pour offrir un rosé de saignée délicatement saumoné, parfumé de fruits rouges. L'attaque est ferme et charnue.

De douces effluves de violette veloutée inondent le palais avec insistance. Chaleureuse et persistante, la griffe réunissant syrah et cinsault fait ici merveille.

☙ Ch. Tourril, Le Tourril, 11200 Roubia, tél. 04.68.91.36.89, fax 04.68.91.30.24, e-mail chateau.tourril@wanadoo.fr
☑ ⲧ t.l.j. 8h-12h 13h-19h
☙ Espeluque

CH. VILLERAMBERT-JULIEN 2000★

	18 ha	70 000	⪫ 11 à 15 €

Dans une salle de dégustation aménagée dans une chapelle du XVIᵉs., on vous fera goûter le **rosé 2001 (5 à 8 €)** empli de fruits, défendu par une belle vivacité, et surtout le fleuron du château, ce 2000 à la robe pourpre, aux arômes de fruits mûrs et de cannelle, doté d'une charpente généreuse. « Il est long comme le carême et fondant comme une hostie », remarque un dégustateur. Idéal sur un gigot d'agneau.

☙ Michel Julien, Ch. Villerambert-Julien, 11160 Caunes-Minervois, tél. 04.68.78.00.01, fax 04.68.78.05.34, e-mail mjulien@capmedia.fr
☑ ⲧ t.l.j. 9h-11h30 13h-18h30; sam. dim. sur r.-v.

CH. VILLERAMBERT-MOUREAU
Cuvée des Marbreries Hautes 2000★★★

	20 ha	7 000	⪫ 8 à 11 €

Issue de sols de schistes, cette cuvée est la parfaite expression d'un grand terroir en symbiose avec la syrah. D'emblée, sa tenue pourpre impose le respect. Sa pétulance aromatique (fruits confits, pierre à fusil, notes de garrigue) flatte les narines, tandis que la bouche ne se lasse pas de sa finesse. Puissance minérale et douceur vanillée naviguent en harmonie dans ce vin délicatement fondu et très long. A boire et à attendre.

☙ Marceau Moureau et Fils, Ch. de Villerambert, 11160 Caunes-Minervois, tél. 04.68.77.16.40, fax 04.68.77.08.14
☑ ⲧ t.l.j. sf dim. 14h-19h

Minervois la livinière

CH. ANGER
La Croix de Saint Benoît 2000★★

	10 ha	6 000	⪫ 8 à 11 €

Saint Benoît aurait pu en faire le vin de ses monastères et pas seulement pour la messe... En robe sombre et violine, ce millésime dispense généreusement ses bons

offices accompagnés de bouquets de fleurs et de plateaux de fruits noirs. Cassis, violette, café mettent les sens en éveil, tandis que, charnu, rond et enrobé, il ne prêche pas le carême. Les papilles redemandent réglisse et noisette alors que la douceur du chocolat révèle un élevage accompli.

☙ EARL Dom. Anger, 34210 La Livinière, tél. 04.68.91.42.68, fax 04.68.91.42.68 ☑ ⲧ r.-v.
☙ Laurent Anger

DOM. BORIE DE MAUREL
La Féline 2000★★★

	n.c.	29 300	⪫ 8 à 11 €

Avec cette corde supplémentaire à son arc, le président de l'appellation décoche une cuvée en plein dans le mille ! De la bonne parole dans les campagnes, on passe aux actes dans la cave avec un vin exemplaire aux senteurs intenses de réglisse, de cerise et de cassis. La bouche fait profusion de ces arômes dès l'attaque. Sa douce matière monte en volume pour atteindre un sommet d'équilibre. Finesse et élégance menatholée ajoutent leur touche à une trame tannique qui s'abandonne lentement et avec douceur. Assurément de grande classe.

☙ Michel Escande, Dom. Borie de Maurel, 34210 Félines-Minervois, tél. 04.68.91.68.58, fax 04.68.91.63.92, e-mail boriedemaurel@wanadoo.fr ☑ ⲧ r.-v.

DOM. DE CANTAUSSEL
Pic St. Martin 1999

	n.c.	8 000	⪫ 11 à 15 €

Un *oppidum* gallo-romain occupait autrefois le pic Saint-Martin. Après dix-huit mois de retranchement en fût, le vin attaque fortement sur des positions boisées et torréfiées. Toute en puissance, la bouche persévère vers le sous-bois pour atteindre en finale des tanins épicés. Idéal sur marcassin et petit gibier.

☙ Claude et Jean-Luc Bohler, Dom. de Cantaussel, 34210 Siran, tél. 04.68.91.60.19, fax 04.68.91.60.19
☑ ⲧ r.-v.

CLOS DE L'ESCANDIL 2000★

	5 ha	17 000	⪫ 15 à 23 €

Dans l'espace confiné de son clos, se cache une merveille issue de la trilogie syrah, grenache et mourvèdre. Vinifié en cuve bois et passé vingt-deux mois à l'épreuve du fût, le résultat est éloquent. D'un rouge profond, ce vin émeut par ses intenses notes fruitées doublées d'épices. Il affiche une matière aux accents de cacao en bouche et des tanins tout en élégance et en rondeur. Il s'abandonne langoureusement dans des effluves de réglisse et de tabac brun. A boire ou à garder.

⚓ Gilles Chabbert, chem. des Aires, 34210 Siran,
tél. 04.68.91.54.40, fax 04.68.91.54.40,
e-mail gilles.chabbert@wanadoo.fr ☑ ⵏ r.-v.

GRAND TERROIR
Elevé en fût de chêne 2000★

| ■ | 25 ha | 20 000 | ⏚ | 5 à 8 € |

Sélections rigoureuses, soins attentifs et orthodoxie font que les vignerons de la coopérative apparaissent depuis toujours parmi les « nominés » de l'appellation. Caractéristique du cru, cette cuvée a belle allure en robe pourpre à reflets violets. Originale et complexe au nez par ses cerises (bigarreaux) et ses cabosses de cacao, elle se révèle onctueuse et élégante dès l'attaque : la suavité des tanins s'enrobe de fruits des bois. Enfin, elle sait être ferme et insistante en finale sans la moindre lourdeur.

⚓ Cave coop. de la Livinière,
rte de Notre-Dame, 34210 La Livinière,
tél. 04.68.91.42.67, fax 04.68.91.51.77
☑ ⵏ t.l.j. sf dim. 8h-12h 14h-18h; sam. 8h-12h

CH. SAINTE-EULALIE
La Cantilène 2000★

| ■ | 14 ha | 20 000 | ⏚ | 11 à 15 € |

Tombé sous le charme de Sainte-Eulalie, ce couple de vignerons voue un culte particulier à sa cantilène. Ce vin, véritable poème, présente tour à tour des séquences fruitées et vanillées. Equilibrés comme des alexandrins, ses tanins chantent avec puissance, et si la matière est tendre, c'est pour finir en communion avec des fruits bien défendus. Friand, un vrai péché de gourmandise.

⚓ Isabelle Coustal, Ch. Sainte-Eulalie,
34210 La Livinière,
tél. 04.68.91.42.72, fax 04.68.91.66.09,
e-mail icoustal@club-internet.fr ☑ ⵏ ⵏ r.-v.

Saint-chinian

VDQS depuis 1945, le saint-chinian est devenu AOC en 1982 ; cette appellation couvre vingt communes sur 2 977 ha et produit 144 992 hl de vins rouges et rosés. Dans l'Hérault, au nord-ouest de Béziers, sur des coteaux s'élevant à 100 ou 200 m d'altitude, le vignoble est orienté vers la mer. Les sols sont constitués de schistes, surtout dans la partie nord, et de cailloutis calcaires, dans le sud. Le vin est réputé depuis très longtemps : on en parlait déjà en 1300. Une maison des Vins a été créée à Saint-Chinian même.

BORIE LA VITARELE
Les Schistes 2000

| ■ | 3 ha | 10 000 | ■⏚⬥ | 11 à 15 € |

Un repas dans la ferme-auberge de la Vitarèle est un instant de bonheur : autour de plats typiques et amoureusement mijotés, vous découvrirez cette cuvée issue de

schistes : robe profonde mais sans excès, arômes de garrigue, de sous-bois et de grillé, bouche ronde aux tanins de bonne facture. Un dégustateur précise : « Le boisé est bien maîtrisé. » Oubliez cette bouteille dans votre cave, elle ne peut que gagner des étoiles, tout comme la cuvée **Les Crès rouge 2000** (15 à 23 €), citée, elle aussi.

⚓ Jean-François Izarn et Cathy Planes,
lieu-dit La Combe, 34490 Causses-et-Veyran,
tél. 04.67.89.50.43, fax 04.67.89.70.79,
e-mail jf.izarn@libertysurf.fr ☑ ⵏ ⵏ r.-v.

CANET VALETTE
Le Vin Maghani 1999★

| ■ | 8 ha | 25 000 | ■ ⏚ | 15 à 23 € |

Durant les vendanges, il faut voir Marc Valette effectuer le pigeage au corps. Cela contribue, avec la durée particulièrement longue des macérations, à une forte extraction. Le nez de ce saint-chinian se distingue par sa complexité et sa concentration : fruits cuits, épices, garrigue. La bouche est chaleureuse et bien méditerranéenne ; elle affiche une belle structure de garde. Ne vous pressez pas.

⚓ Marc Valette, Dom. Canet-Valette,
rte de Causses-et-Veyran, 34460 Cessenon-sur-Orb,
tél. 04.67.89.51.83, fax 04.67.89.37.50,
e-mail earl-canet-valette@wanadoo.fr ☑ ⵏ r.-v.

CLOS BAGATELLE
La Gloire de mon Père 2000★★

| ■ | 3 ha | 13 000 | ⏚ | 15 à 23 € |

Quelle superbe cuvée ! Elle a frôlé le coup de cœur. On ne peut pas rester insensible à sa robe profonde, à ses arômes denses de fruits noirs, de garrigue, à son nez boisé, élégant, aux notes vanillées et toastées. La puissance en bouche est à la hauteur, avec des tanins serrés et mûrs et une longue persistance. Un vin racé, bien élevé, qui promet une grande garde. Quant à la **cuvée Camille 2001 de Val Donnadieu** (5 à 8 €) de Luc Simon, notée une étoile, elle est déjà fondue et harmonieuse malgré son jeune âge.

⚓ Henry Simon, Clos Bagatelle, 34360 Saint-Chinian,
tél. 04.67.93.61.63, fax 04.67.93.68.84,
e-mail closbagatelle@wanadoo.fr ☑ ⵏ r.-v.

LE CLOS GOUTINES
Cuvée Marie délice 2000★

| ■ | 10 ha | 11 000 | ■ ⬥ | 5 à 8 € |

Situé dans un cadre sauvage au milieu de la garrigue et des mimosas, ce domaine a été repris en 1997 par Christophe et Nathalie Goutines. Le résultat est très concluant : un vin à la robe grenat sombre, au nez complexe mariant les fruits rouges aux épices et à la garrigue. D'une attaque ample et franche, la bouche se déploie sur de la rondeur et des tanins au velouté remarquable. La finale, tout en douceur, persiste sur des notes réglissées.

⚓ Christophe Goutines,
5, rue Fontaine-Janaré, 34360 Saint-Chinian,
tél. 04.67.38.19.00, fax 04.67.38.19.00 ☑ ⵏ r.-v.

CH. DE COMBEBELLE
Prestige 1999★

| ■ | 5 ha | 20 000 | ⏚ | 11 à 15 € |

A Combebelle, le terroir est constitué d'argiles rouges, et les pratiques culturales répondent au cahier des charges de l'agriculture biologique. L'élevage en fût, bien maîtrisé, reste discret dans la dégustation de ce vin d'un beau rubis brillant. Les arômes s'apparentent à du chocolat, de la cerise à l'eau-de-vie, du cassis et du bois brûlé. La bouche, souple et harmonieuse à l'attaque, s'ouvre ensuite sur des tanins bien structurés. D'une persistance réglissée, un 99 déjà prêt mais qui pourra attendre deux à trois ans dans votre cave.

↰ EURL Combebelle,
Combebelle-le-Haut, 34360 Villespassans,
tél. 04.68.91.42.63, fax 04.68.91.62.15,
e-mail françois@comtecathare.com

DOM. COMPS 2000★★

■		4 ha	5 000	■ ❶ ↓	5 à 8 €

Très beau millésime 2000 pour ce vigneron qui se distingue avec sa **cuvée des Gleizettes**, notée une étoile, et son Domaine Comps, à l'étiquette jaune sur laquelle les chiffres zéro du millésime sont représentés par trois fûts. Arrivée en troisième position au grand jury des coups de cœur de Saint-Chinian, cette bouteille est remarquable. On aime sa robe grenat intense, son nez subtil au boisé discret s'ouvrant sur de la garrigue et des épices, sa bouche tannique et puissante. Un vin racé qui a du temps devant lui.

↰ SCEA Martin-Comps, 23, rue Paul-Riquet,
34620 Puisserguier, tél. 04.67.93.73.15 ✔ ⍑ r.-v.

CH. COUJAN
Cuvée Bois joli 2000★

■		2,5 ha	6 960	❶	11 à 15 €

À Coujan, le vignoble est implanté sur un îlot de corail fossilisé. Il a donné ce vin couleur grenat dont la complexité des arômes est à souligner : notes florales et minérales, cassis, sous-bois, vanille et pointe d'eucalyptus. Equilibre et rondeur signent la bouche. Une bouteille déjà prête, au boisé discret. Le **coteaux du Languedoc blanc 2000 (5 à 8 €)**, une étoile, affiche un profil aromatique séduisant (vanille, miel, cire).

↰ Florence Guy-Fraisse, SCEA Guy-Peyre,
Ch. Coujan, 34490 Murviel-lès-Béziers,
tél. 04.67.37.80.00, fax 04.67.37.86.23,
e-mail coujan@mnet.fr
✔ ⍑ t.l.j. 9h-12h 14h-18h; dim. sur r.-v.

DOM. LA CROIX SAINTE-EULALIE
Cuvée Armandélis 2000

■		2,6 ha	12 000	■ ↓	5 à 8 €

Une croix, au cœur des vignes, rappelle la chapelle du XVIᵉs. qui a donné son nom au domaine. Voici un saint-chinian très gourmand : sa robe est vive, ses arômes fins et fruités. Elégance, rondeur et harmonie signent la bouche. Un vin à déguster dès maintenant.

↰ Michel Gleizes, Combejean, av. de Saint-Chinian,
34360 Pierrerue, tél. 04.67.38.08.51, fax 04.67.38.08.51,
e-mail michel.gleizes@club-internet.fr ✔

DOM. DESLINES
Delphine 2000★

■		2,5 ha	5 000	❶	8 à 11 €

Line Cauquil a eu le plaisir d'élever cette cuvée en barrique. Le résultat est bon : derrière la robe violacée, des arômes boisés et épicés côtoient les notes de torréfaction bien typiques des schistes. Très structuré, voici un vin prometteur qui a cependant encore besoin de temps pour que ses tanins se fondent.

↰ Line Cauquil,
Dom. Deslines, 34360 Babeau-Bouldoux,
tél. 04.67.38.19.95, fax 04.67.38.19.95,
e-mail deslines@netcourrier.com
✔ ⍑ hiver sur r.-v.; été t.l.j. 8h-19h

CH. LA DOURNIE
Elise 2000★★

■		6 ha	8 000	■ ↓	8 à 11 €

De beaux lauriers cette année pour La Dournie : une citation pour le **Château Etienne la Dournie rouge 2000**, deux étoiles pour le **rosé 2001 (3 à 5 €)** toujours très subtil, et pour cette cuvée Elise bien typique du terroir de schistes. De ce vin pourpre profond se dégagent des effluves de garrigue, d'épices, de grillé et de pierre à fusil. La bouche, ronde et pleine, ne manque pas de matière et développe une très belle puissance aromatique en finale.

↰ EARL Ch. la Dournie,
rte de Saint-Pons, 34360 Saint-Chinian,
tél. 04.67.38.19.43, fax 04.67.38.00.37,
e-mail chateau.ladournie@libertysurf.fr ✔ ⍑ r.-v.
↰ Etienne

DOM. FONTAINE MARCOUSSE
Cuvée Vitorey 2000★

▨		0,6 ha	1 800	❶	8 à 11 €

Vinificateur depuis vingt ans dans un laboratoire d'œnologie, Luc Robert a eu envie d'aller au bout de ses convictions en s'installant lui-même vigneron. Ce 2000 – l'une de ses premières cuvées – est déjà prêt : une robe grenat brillant, un nez épanoui (fruits rouges mûrs, vanille, pointe florale), une bouche élégante et charmeuse. Il n'est pas nécessaire de l'attendre.

↰ Myriam et Luc Robert,
av. de la Gare, 34620 Puisserguier,
tél. 04.67.93.81.37, fax 04.67.62.24.51,
e-mail Robertmy@wanadoo.fr ✔ ⌂ ⍑ r.-v.

DOM. DE FONTCAUDE 2001★★

▨		22 ha	12 000	■ ↓	3 à 5 €

Quel plaisir de découvrir un rosé qui « terroite » : une robe vive et soutenue, des arômes intenses de fruits rouges et de réglisse, une bouche très présente tout en rondeur et en longueur. Pour une tourte aux poireaux de vigne. Le **Domaine de Tudery Les Capitelles rouge 99 (5 à 8 €)** a obtenu une étoile.

↰ Les Vignerons du pays d'Ensérune,
235, av. Jean-Jaurès, 34370 Maraussan,
tél. 04.67.90.09.80, fax 04.67.90.09.55,
e-mail vignerons.enserune@wanadoo.fr ✔ ⍑ r.-v.

DOM. DE GABELAS
Cuvée Juliette Elevé en fût de chêne 2000★

▨		2 ha	8 000	❶	8 à 11 €

Au côté de la **cuvée des Terres rouges 2000 (5 à 8 €)**, citée, le jury a mis l'accent sur cette cuvée qui prend, elle aussi, racine sur des grès argileux rouges. Des arômes de fruits rouges, d'épices et de pain grillé se dissimulent derrière les notes dominantes de vanille et de boisé. La bouche, encore un peu chahutée par l'élevage en fût de chêne, se caractérise par des tanins solides, presque sévères. Mais la persistance aromatique permet de prédire un bel épanouissement dans les mois à venir.

↰ Pierrette Cravero, Dom. de Gabelas, 34310 Cruzy,
tél. 04.67.93.84.29, fax 04.67.93.84.29 ✔ ⍑ r.-v.

LANGUEDOC

CH. GUIRAUD BOISSEZON
Cuvée Mélanie 2000

	8 ha	42 900		5 à 8 €

Un joli saint-chinian de schistes paré d'une robe rubis légère et riche d'arômes fruités (cassis, groseille) et légèrement grillés. C'est la rondeur qui s'impose en bouche au côté de tanins déjà bien enrobés. Ce vin, bien équilibré, est déjà prêt à boire.
🐦 Michel Guiraud,
Ch. Guiraud Boissezon, 34460 Roquebrun,
tél. 04.67.89.68.17, fax 04.67.89.68.17

JEAN DE ROUEYRE 2001★

	23,5 ha	120 000	3 à 5 €

A l'entrée des lieux, une éolienne Bollée datée de 1898 est classée monument historique. Vous dégusterez ce rosé après la visite de la cave ou assis à l'une des tables du restaurant aménagé ici. Sa robe pâle présente de légers reflets bleutés. Le nez de cerise et de framboise est explosif, d'une franche intensité. Le gras, le volume et sa longueur lui permettront d'accompagner des plats épicés. A découvrir aussi le **Château Delbourg-Fischer rouge 2001**, cité.
🐦 Les Vignerons de Roueïre, Dom. de Roueïre, 34310 Quarante, tél. 04.67.89.40.10, fax 04.67.89.32.20
☑ Ⲩ t.l.j. sf lun. 10h-12h 15h-18h

DOM. DES JOUGLA
Signature 2000★★

	3 ha	19 000	�|�003	5 à 8 €

Le terroir de schistes n'a plus de secret pour la famille Jougla installée ici depuis le XVIᵉs. Cette cuvée en est une très belle expression avec sa robe profonde et la puissance de ses arômes : grillé, café, garrigue se mêlent à un boisé délicat. Sa solide structure, son ampleur, son gras et sa persistance aromatique réglissée ont séduit le jury. Pas de doute : l'élevage en fût bien maîtrisé a respecté l'originalité du terroir. A signaler aussi le **Tradition 99**, cité, et déjà tout à fait mûr.
🐦 Alain Jougla, Le Village, 34360 Prades-sur-Vernazobre, tél. 04.67.38.06.02, fax 04.67.38.17.74 ☑ Ⲩ r.-v.

DOM. DU LANDEYRAN
Les Demoiselles 2001★

	0,4 ha	2 000		5 à 8 €

Au cœur des schistes, sur la route du Faugérois, Landeyran ne déçoit pas : la cuvée **Emilia rouge 2000** est citée pour la troisième fois après les millésimes 98 et 99. Mais c'est ce charmant rosé qui obtient une étoile pour sa robe brillante et vive, ses arômes de fraise et de cassis, sa bouche tout en fruit et en douceur. Un vin gras et enveloppé.
🐦 Dom. du Landeyran, rue de la Vernière, 34490 Saint-Nazaire-de-Ladarez, tél. 04.67.89.67.63, fax 04.67.89.67.63, e-mail domainedulandeyran @ free.fr ☑ Ⲩ r.-v.
🐦 P. et M. Soulier

DOM. LA LINQUIERE 2001★★

	3,8 ha	22 600		3 à 5 €

2001 : première vinification en cave particulière pour Robert Salvestre. Voici un vin déjà mûr et travaillé sur la finesse comme le montrent sa robe sombre bien limpide, son nez délicat et intense de fruits rouges mûrs et de moka, sa rondeur et ses tanins doux en bouche. Le Guide parie

sur ce vigneron, d'autant plus que sa **cuvée 2001 élevée en fût de chêne** (5 à 8 €), encore trop jeune bien évidemment, se prépare un très bel avenir.
🐦 Robert Salvestre,
Dom. La Linquière, 34360 Villespassans, tél. 04.67.38.04.57, fax 04.67.38.04.57 ☑ Ⲩ r.-v.

MARQUISE DES MURES
Les Sagnes 2000★★

	8 ha	15 000	�|ⲙ	8 à 11 €

Deux coups de cœur successifs pour la cuvée Les Sagnes. Quel talent ! Le jury a relevé dans ce vin, comme dans le 99, la grande élégance et les notes subtiles de rose et de violette. Mais c'est la puissance et l'étonnante intensité qui se sont imposées ici : la grande palette d'arômes (poivre, réglisse, fruits rouges, garrigue), les tanins solides et veloutés, la bouche charnue et généreuse, la longue persistance témoignent en sa faveur. Superbe et plein d'avenir. Du même domaine, le **Réserve des Marquises 2000** obtient une étoile.
🐦 Jean-Jacques Mailhac,
GAEC Dom. des Marquises, 34460 Roquebrun, tél. 04.67.89.55.63, fax 04.67.89.55.63 ☑ Ⲩ r.-v.

MAS CHAMPART
Causse du Bousquet 2000★

	4,5 ha	17 000		8 à 11 €

Isabelle Champart avait eu un coup de foudre pour le Saint-Chinianais en 1976. Heureux moment pour le lecteur qui la retrouve dans le Guide. Nous avons encore en mémoire la cuvée Causse du Bousquet 1998, coup de cœur de nos jurys. Dans sa lignée, ce 2000, encore jeune, affirme déjà son caractère : une robe profonde, un bouquet associant fruits et alcool, poivre et garrigue. Structure et finesse marquent la bouche. Viennent ensuite des notes boisées déjà fondues. C'est un vin qui saura attendre, tout comme le **Clos de la Simonette 2000** (15 à 23 €), sélectionné avec une étoile.
🐦 EARL Champart, Bramefan, rte de Villespassans, 34360 Saint-Chinian, tél. 04.67.38.20.09, fax 04.67.38.20.09, e-mail mas.champart @ libertysurf.fr ☑ Ⲩ r.-v.

MAS LADET 2001★

	2 ha	8 000		5 à 8 €

Le vignoble de Saint-Cels s'étend sur différents types de sols : une partie argilo-calcaire où sont implantés les cépages blancs (**Mas Ladet 2001**, noté une étoile), mais aussi des schistes, et c'est là qu'est né ce 2001. Equilibre et élégance sont au rendez-vous : une robe profonde et vive, des arômes expressifs (cacao, épices, fruits confits), une bouche souple et ronde. Un vin conseillé sur des grillades d'agneau aux herbes.

⊶ Vignobles de Saint-Cels,
lieu-dit Saint-Cels, 34360 Saint-Chinian,
tél. 04.67.38.13.32, fax 04.67.38.15.13,
e-mail etienne.rouanet@wanadoo.fr ☑ ⏐ r.-v.
⊶ Rouanet

DOM. LA MAURERIE
Vieilles vignes 2000

■	1,9 ha	10 704	⏐⏐	8 à 11 €

Michel Depaule est œnologue. Il conduit le domaine familial depuis 1995. Une robe grenat introduit ce vin. Le nez s'impose ensuite par ses notes de fruits, de grillé et de garrigue. Au palais, la rondeur se cache un peu derrière les tanins boisés, ce qui fait dire à un dégustateur : « Ce 99 demande un peu de temps pour se mettre en place. »
⊶ Michel Depaule, 34360 Prades-sur-Vernazobre,
tél. 04.67.38.22.09, fax 04.67.38.22.09
☑ ⌂ ⏐ t.l.j. 9h-18h

CH. MILHAU-LACUGUE 2001★

■	4,6 ha	30 000	■	3 à 5 €

Ce château occupe une ancienne métairie des hospitaliers de Saint-Jean-de-Jérusalem, à 3 km de l'abbaye de Fontcaude. Son rosé est très affable, paré d'une belle robe d'un rose soutenu et brillant. Le fruit est présent, tant au nez qu'au palais où l'équilibre associe rondeur et vivacité. Une petite touche réglissée se dessine en finale et contribue à la longue persistance aromatique. La cuvée **Réserve du Commandeur rouge 2000 (5 à 8 €)** obtient une citation.
⊶ Ch. Milhau-Lacugue, Dom. de Milhau,
rte de Cazedarnes, 34620 Puisserguier,
tél. 04.67.93.64.79, fax 04.67.93.51.93,
e-mail milhau-lacugue@wanadoo.fr
☑ ⏐ t.l.j. 9h30-12h 13h30-17h; sam. dim. sur r.-v.
⊶ Lacugue

DOM. G. MOULINIER
Les Terrasses grillées 1999★

■	7,5 ha	18 500	⏐⏐	23 à 30 €

Même si l'élevage en barrique durant une année a façonné et typé ce vin, il ne lui a pas ôté son caractère. La robe, encore jeune et profonde, laisse place à une belle palette d'arômes : du pain grillé, de l'olive noire, de la garrigue, de la vanille et du boisé. La bouche, généreuse et bien charpentée, confirme qu'il peut attendre tranquillement dans votre cave.
⊶ Guy Moulinier, 34360 Pierrerue,
tél. 04.67.38.23.18, fax 04.67.38.25.97,
e-mail moulinier@libertysurf.fr ☑ ⏐ r.-v.

CH. PECH-MENEL 1999★

■	14,58 ha	6 400	■	8 à 11 €

Situé sur un terroir argilo-calcaire au sud de Saint-Chinian, ce domaine occupe le territoire de l'ancienne bergerie de l'abbaye de Quarante. Il offre un millésime rubis intense, au nez mûr et expressif de cerise à l'alcool, de fourrure et de notes grillées. Riche et tendre, il affiche une belle persistance aromatique. Le vin gagnera encore si vous le décantez une heure avant de le servir.
⊶ M.F. et E. Poux, Dom. de Pech-Ménel,
34310 Quarante, tél. 04.67.89.41.42,
e-mail pech-menel@wanadoo.fr ☑ ⏐ r.-v.

CH. DU PRIEURE DES MOURGUES 2000★

■	14 ha	42 000	⏐⏐	5 à 8 €

Les deux cuvées du Prieuré des Mourgues ont été également retenues : la **Grande Réserve 99 (11 à 15 €)**

et ce 2000 à la robe bien brillante. Vous pourrez identifier au nez de fines touches fleuries et des notes de garrigue et d'épices. Puis vient la bouche bien structurée par des tanins encore un peu jeunes qui mériteront de passer quelques mois en bouteille pour s'assagir.
⊶ SARL Vignobles Jérôme Roger,
Ch. du Prieuré des Mourgues, 34360 Pierrerue,
tél. 04.67.38.18.19, fax 04.67.38.27.29,
e-mail prieure.des.mourgues@wanadoo.fr ☑ ⏐ r.-v.
⊶ Jérôme Roger

PRIEURE SAINT-ANDRE
Cuvée Andréus 2000★

■	1 ha	4 000	■ ⏐⏐	8 à 11 €

Vous serez reçu ici dans une charmante bergerie du XVIe s. Cette cuvée Andréus présente de multiples facettes : certains dégustateurs ont relevé un aspect boisé encore trop dominant ; d'autres ont été séduits par les notes de terroir bien évidentes (grillé, réglisse). D'un commun accord la bouche est reconnue soyeuse et riche, d'une belle longueur ; un vin qui pourra être gardé au moins trois ans.
⊶ Michel Claparède,
Prieuré Saint-André, 34460 Roquebrun,
tél. 04.67.89.70.82, fax 04.67.89.71.41 ☑ ⏐ t.l.j. 10h-19h

DOM. DU SACRE-CŒUR
Cuvée Kevin 2000★★

■	7 ha	25 000	■ ⏐⏐	5 à 8 €

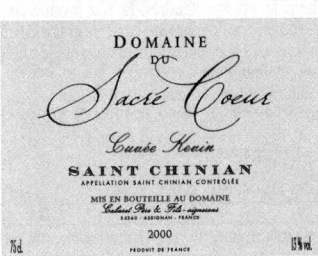

Changer de métier pour devenir vigneron est un vrai pari, réussi pour Marc Cabaret. Ce n'est pas le grand jury qui va dire le contraire puisqu'il a désigné cette cuvée Kevin comme sa favorite. La robe pourpre sombre aux reflets noirs annonce déjà la forte personnalité de ce vin. Des senteurs à la fois élégantes et intenses se succèdent : vanille, pain d'épices, torréfaction. Viennent ensuite une bouche ample et généreuse, des tanins solides, une finale boisée et grillée. Beau potentiel de garde.
⊶ Dom. du Sacré-Cœur, 34360 Assignan,
tél. 04.67.38.17.97, fax 04.67.38.24.52
☑ ⏐ t.l.j. 9h-12h 14h-19h
⊶ Cabaret Père et Fils

CUVEE SAINT-CHRISTOPHE 2001★★

■	7,7 ha	45 000	■ ⬥	3 à 5 €

Superbe palmarès pour le millésime 2001 de la cave de Puisserguier qui, avec la cuvée Saint-Christophe, affirme son talent dans les trois couleurs ; le **coteaux du languedoc blanc 2001** et le **saint-chinian rouge 2001** reçoivent une étoile. Quant au rosé, il a du charme. Sa teinte rose vif, son équilibre et ses arômes de fruits à la fois fins et puissants sont remarquables. Du gras, de la matière, une très belle longueur... un vrai plaisir.

☛ Les Vignerons de Puisserguier,
29, rue Georges-Pujol, 34620 Puisserguier,
tél. 04.67.93.74.03, fax 04.67.93.87.73,
e-mail vignerons.puisserguier@wanadoo.fr ☑ ⟐ r.-v.

SEIGNEUR D'AUPENAC 2001★★

■	20 ha	80 000	��� 11 à 15 €

Traversée par l'Orb et située dans le parc national du Haut-Languedoc, la commune de Roquebrun émerveille le visiteur, tout comme ses vins aussi. Le **coteaux du languedoc Seigneur d'Aupenac blanc 2000** et la **cuvée Roches noires rouge 2000 (8 à 11 €)** sont notés une étoile. Ce vin, très jeune encore, est tout en devenir. Sa robe profonde et violacée annonce la puissance du nez : garrigue et torréfaction sur un fond de fruits rouges. Puissant, structuré, charnu, il a un potentiel remarquable.
☛ Cave Les Vins de Roquebrun,
av. des Orangers, 34460 Roquebrun,
tél. 04.67.89.64.35, fax 04.67.89.57.93,
e-mail info@cave.roquebrun.fr ☑ ⟐ r.-v.

DOM. DU TABATAU
Cuvée Albin 2001★

■	1,05 ha	6 000	▮↓ 3 à 5 €

Passionné de théâtre et de vin, Bruno Gracia décide en 1997 de devenir vigneron avec son frère Jean-Paul. Vous vous souvenez du rosé Albin dont le millésime 99 avait déjà reçu une étoile ? Le 2001 entre ici en scène dans une robe pâle aux tons tendres. Le nez évoque un panier de fruits rouges. La bouche sait marier le gras à la fraîcheur et accompagnera merveilleusement une rouille à la sétoise.
☛ Bruno et Jean-Paul Gracia,
rue du Bal, 34360 Assignan,
tél. 04.67.38.19.60, fax 04.67.38.19.54 ☑ ⟐ r.-v.

CH. TENDON
Cuvée des Hirondelles 2000★

■	3 ha	13 000	▮↓ 5 à 8 €

Les cinq cépages de l'appellation plantés au cœur des garrigues sur un terroir argilo-calcaire composent cette cuvée à la robe violine et profonde. Le jury a aimé ses puissants arômes de fruits rouges derrière lesquels se profilent des notes épicées et florales. Rond, gras et charnu, ce vin affiche une belle structure soyeuse qui lui permettra d'évoluer sans soucis.
☛ Karine et Lionel Belot, Ch. Tendon,
rte Cazedarme, 34360 Pierrerue, tél. 04.67.38.08.96
☑ ⟐ t.l.j. 9h-12h 14h-19h30

DOM. DE TRIANON 2000★★

■	4 ha	21 000	▮↓ 5 à 8 €

Les millésimes se suivent et confirment que le Domaine de Trianon est une valeur sûre : trois étoiles en 98, deux étoiles en 99 et, de même pour ce 2000 à la robe, comme toujours, violine et sombre. Le jury s'est réjoui de trouver une telle richesse aromatique : les fruits rouges se mêlent à la garrigue, aux épices et aux notes empyreumatiques bien typiques du terroir de schistes. En bouche, ce vin fait aussi l'unanimité : belle matière, tanins de qualité, gras, et longue persistance réglissée. Déjà fondu, il a aussi les qualités qui lui permettent d'attendre.
☛ Cave des Vignerons de Saint-Chinian,
rte de Sorteilho, 34360 Saint-Chinian,
tél. 04.67.38.28.40, fax 04.67.38.28.43

CH. VILLESPASSANS
Elevé en fût de chêne 2001★

■	7 ha	32 000	⟐⟐ 5 à 8 €

Les vignes (syrah, grenache, carignan) qui ont donné naissance à ce saint-chinian prennent racine sur des coteaux argilo-calcaires. Voici un 2001 encore bien jeune comme en témoigne sa robe violine et profonde. Les arômes, un peu discrets au premiez nez, s'expriment bien en bouche : violette, fruits rouges, réglisse. C'est un vin rond et charnu mais les tanins, encore un peu fougueux, gagneront à attendre afin de s'assagir. Mise en vente en novembre 2002.
☛ Cave des vignerons de Cruzy-Montouliers-Cébazan, 34310 Cruzy, tél. 04.67.89.41.20, fax 04.67.89.35.01
☑ ⟐ r.-v.

CH. VIRANEL 2001★

■	5,5 ha	30 000	▮↓ 5 à 8 €

Dans ce rosé les vieilles vignes de grenache et de cinsault côtoient la syrah. La robe est vive tout comme l'attaque. C'est ensuite le gras et la rondeur qui ravissent le palais ainsi que les arômes fruités bien persistants. A noter aussi la **cuvée traditionnelle rouge 2000**, citée par le jury.
☛ GFA de Viranel, 34460 Cessenon,
tél. 04.90.55.85.82, fax 04.90.55.88.97 ☑ ⟐ r.-v.
☛ Bergasse-Milhé

Cabardès

Les vins des Côtes de Cabardès et de l'Orbiel proviennent de terroirs situés au nord de Carcassonne et à l'ouest du Minervois. Le vignoble s'étend sur 514 ha et dix-huit communes. Il a produit 29 432 hl de vins rouges et rosés en 2001, associant les cépages méditerranéens et atlantiques. Ces vins d'appellation sont assez différents des autres vins du Languedoc-Roussillon : produits dans la région la plus occidentale, ils subissent davantage l'influence océanique.

CH. DE BRAU 2001★

■	1,2 ha	7 000	▮↓ 5 à 8 €

Un couple vigneron très attaché à son terroir qui cultive depuis plusieurs années son vignoble en agriculture biologique. Ce vin porte une robe soutenue et intense. Son joli fruit fait penser à la framboise rehaussée de senteurs d'épices alors qu'une fraîcheur agréable accompagne la bouche où l'on trouve du gras et de la longueur.
☛ EARL Wenny et Gabriel Tari,
Ch. de Brau, 11620 Villemoustaussou,
tél. 04.68.72.31.92, fax 04.68.25.91.27,
e-mail chateaudebrau@wanadoo.fr ☑ ⟐ r.-v.

DOM. DE CABROL
Cuvée Vent d'Est 2000★★

■	10 ha	13 000	▮ 8 à 11 €

Claude Carayol est l'une des valeurs sûres de cette appellation. Son très joli vignoble d'altitude autorise une sont conduits en taille courte à deux yeux. Souvent, une partie de la vendange est vinifiée en macération carbonique, surtout à partir du carignan qui donne, avec cette méthode de vinification, d'excellents résultats. Les vins rosés sont vinifiés obligatoirement par saignée.

Les vins rosés sont fruités, corsés et nerveux ; les vins rouges sont fruités, épicés, d'une richesse alcoolique de 12º C environ. Les côtes du roussillon-villages sont plus corsés et chauds ; certains peuvent se boire jeunes, mais d'autres peuvent se garder plus longtemps et développer alors un bouquet intense et complexe. Leurs qualités organoleptiques diversifiées leur permettent de s'associer avec les mets les plus variés.

Grand roussillon

MOULIN DU BREUIL★

| | 1,51 ha | 6 000 | | | 11 à 15 € |

Depuis six générations, ce domaine implanté dans le superbe cadre des Albères, s'adonne à la viticulture. L'arrivée de Joseph de Massia, en 1997, a réveillé les terroirs et donné aux vins une place méritée et de qualité. Cet ambré acajou né de vieux grenache relève à la fois du pruneau cuit et des notes lactées de la noisette. Le palais est fondu et miellé ; l'orange en finale cède le pas aux fruits secs.

⌐ Joseph de Massia,
Moulin de Breuil, 66740 Montesquieu,
tél. 06.12.58.88.31, fax 04.68.89.67.68,
e-mail josephdemassia@moulindebreuil.com
t.l.j. sf dim. 9h-12h30 14h30-19h30

Côtes du roussillon

ALQUIER 2000★★

| | 1,5 ha | 4 000 | | | 3 à 5 € |

Terrasses acides et filtrantes du Tech confèrent au Albères, adossé à la chaîne des Pyrénées, une finesse rehaussée ici par un subtil mariage du vermentino. La robe est limpide, pâle, arôme frais, délicat, de fleurs blanches citron, est souple, fin, nerveux, avec une légère note de belle longueur.

⌐ier, Dom. Alquier,
n-Pla-de-Corts,
66, fax 04.68.83.55.45
dim. 9h-12h 15h-19h; f. fév.

DOM. CAZES 1998★★

| | 3,75 ha | 20 000 | | | 8 à 11 € |

Au milieu des 2000, le jury n'a pas hésité un instant à retenir ce 98 à la robe grenat profond, toujours très fraîche, aux notes de cerise, de garrigue estivale, d'épice réglissée. Velouté, soyeux, l'ensemble est ample, fondu, le fruit cuit encore charnu. Un vin sensuel. Encore un bijou de la famille Cazes qui dispose d'un vaste vignoble de 160 ha, fleuron du Roussillon et déjà célèbre hors de France.

⌐ Sté Cazes Frères, 4, rue Francisco-Ferrer, BP 61,
66602 Rivesaltes, tél. 04.68.64.08.26, fax 04.68.64.69.79,
e-mail info@cazes-rivesaltes.com
t.l.j. sf dim. 8h-12h 14h-18h

DOM. DES CHENES LIEGES 2000★

| | 15 ha | 30 000 | | | 3 à 5 € |

La coopérative de Pézilla draine les vignes des villages alentour et notamment de Villeneuve où, en mai, se tient le festival de photographie « Regard » où la viticulture a une place de choix. Le rouge est à la fois profond et frais. Le vin évolue doucement vers le sous-bois et le cuir et se révèle encore souple, fondu, aux tanins fins ; tout prêt pour une grillade ou un civet de lapin.

⌐ SCV Pézilla, 1, av. du Canigou,
66370 Pézilla-la-Rivière,
tél. 04.68.92.00.09, fax 04.68.92.49.91
t.l.j. 8h30-12h30 14h-18h30

DOM. LE CLOS DES ANGES
Cuvée Domination 2000

| | 1 ha | 2 000 | | | 5 à 8 € |

Après l'achat d'un petit vignoble sur Tresserre en 2000, Jean-Dominique Dupau a investi en cave et apporte le fruit de son premier travail de vigneron. C'est un vin à la robe tendre, tout en fruit et fraîcheur, souple, gouleyant, agréable dès à présent. A conseiller sur des charcuteries.

⌐ Jean-Dominique Dupau, 6, Carré Grand,
66300 Passa, tél. 04.68.38.81.96, fax 04.68.38.81.96
r.-v.

CH. DE CORNEILLA
Cuvée Prestige Elevée en fût de chêne 2000

| | 2 ha | 10 000 | | | 8 à 11 € |

Le village de Corneilla se blottit contre la masse rassurante du château qui a su résister au temps et aux hommes depuis le XIIᵉs. Souple, ample, le tanin glissant, l'arôme fruité, la finale épicée, ce vin à la robe accueillante saura s'épanouir dès à présent sur des viandes grillées ou des charcuteries catalanes.

⌐ EARL Jonqueres d'Oriola,
Ch. de Corneilla, 66200 Corneilla-del-Vercol,
tél. 04.68.22.73.22, fax 04.68.22.43.99,
e-mail chateaudecorneilla@hotmail.com r.-v.
⌐ Philippe Jonqueres d'Oriola

CH. DE L'ESPARROU
Elevé en fût de chêne 2000★★

| | 8,07 ha | 20 000 | | | 5 à 8 € |

L'Esparrou est une île entre étang et mer, une bordure verte face à l'envahissante Canet-plage. Et, pour garder tout cela, le caractère trempé et attachant de Marie-Pascale. Ce vin sent la garrigue, le midi, mais il sait, en bouche, se faire accueillant, fondu, velouté. Le fruit devient suave sur une finale légèrement grillée.

---

maturation brute des raisins garantissant des vins de grande concentration. Soutenu et encore très jeune, celui-ci se montre original par son nez aux notes épicées ; puissant, il est très élégant.

⌐ Claude Carayol, Dom. de Cabrol, D 118,
11600 Aragon, tél. 04.68.77.19.00, fax 04.68.77.54.90
t.l.j. sf dim. 11h-12h 17h-19h

CH. DE CAUNETTES 2000★

| | 2 ha | 12 000 | | | 8 à 11 € |

Ce très joli vignoble en limite du causse calcaire est fréquemment retenu pour ses vins rosés. Il se signale aujourd'hui par une cuvée rouge de très belle facture d'une couleur de cerise noire. Le nez complexe, fruité et épicé annonce une dégustation intéressante, ce que confirment la belle attaque fondue et le bon équilibre général autour d'un boisé bien conduit.

⌐ SCEA Ch. de Pennautier, BP 4, 11610 Pennautier,
tél. 04.68.72.65.29, fax 04.68.72.65.84 r.-v.

CH. JOUCLARY 2001★

| | 0,8 ha | n.c. | | | 15 à 23 € |

Un domaine très ancien qui remonte à l'histoire des consuls de Carcassonne. La relève est assurée avec l'arrivée du fils de R. Gianesini qui montre dans ce vin tout son talent de vinificateur. Son rosé d'une très jolie couleur saumonée se révèle fruité au nez avec des notes d'agrumes et de fruits mûrs. Gras dès l'attaque, il offre une fort belle longueur.

⌐ EARL Gianesini, Ch. Jouclary,
11600 Conques-sur-Orbiel,
tél. 04.68.77.10.02, fax 04.68.77.00.21
t.l.j. 17h-19h; sam. 11h-19h

CH. DE PENNAUTIER
L'Esprit de Pennautier 1999★★★

| | 4 ha | 26 000 | | | 15 à 23 € |

1999
CHÂTEAU DE PENNAUTIER
CABARDÈS
APPELLATION CABARDÈS CONTROLÉE

Déjà élu plusieurs fois coup de cœur, ce domaine incite à remonter les plus grands moments de l'histoire du Languedoc, où, parmi ses hôtes illustres, figure Molière. Le 99, paré d'une robe soutenue et profonde, s'entoure de parfums très jeunes et puissants, accompagnés d'un boisé vanillé prometteur. Sa belle matière, concentrée, et sa grande longueur confirment la qualité d'un joli vin à savoir attendre.

⌐ SCEA Ch. de Pennautier, BP 4, 11610 Pennautier,
tél. 04.68.72.65.29, fax 04.68.72.65.84 r.-v.

CH. SESQUIERES 2000★

| | 1,23 ha | 8 000 | | | 5 à 8 € |

Reconnu récemment en AOC, le château des Sesquières, situé sur la commune d'Alzonne, rentre pour la

---

première fois dans le Guide grâce à un vin très réussi, construit dans l'élégance avec un joli fondu et des arômes de petits fruits. Il est prêt.

⌐ EARL Sesquières, rte de Montolieu,
11170 Alzonne, tél. 04.68.76.00.12, fax 04.68.76.92.77,
e-mail gerard.lagoutte@wanadoo.fr r.-v.
⌐ Gérard Lagoutte

CH. VENTENAC
Les Pujols Elevé en fût de chêne 2000★★

| | 5 ha | 15 000 | | | 5 à 8 € |

Une régularité confirmée : Alain Maurel est présent chaque année dans le Guide. Il convient donc de visiter ses nouvelles installations qui allient modernité et vieilles pierres. Cette cuvée parée d'une robe soutenue, presque sombre, se montre riche et complexe au nez avec des fruits très mûrs. Concentrée, la bouche offre des notes de réglisse mariées à un fin boisé. Un joli vin à savoir conserver.

⌐ SARL Vignobles Alain Maurel,
1, pl. du Château, 11610 Ventenac-Cabardès,
tél. 04.68.24.93.42, fax 04.68.24.81.16
t.l.j. sf sam. dim. 8h-12h 14h-18h

Côtes de la malepère AOVDQS

On a produit 35 407 hl de cette AOVDQS en 2001 sur trente et une communes de l'Aude comptant 644 ha déclarés, dans un terroir soumis à l'influence océanique et situé au nord-ouest des Hauts-de-Corbières qui le protègent de l'influence méditerranéenne. Ces vins rouges ou rosés, corsés et fruités, comprennent non pas du carignan, mais, en plus du grenache et du cot, les cépages bordelais cabernet-sauvignon, cabernet franc et merlot dominants.

CH. DE COINTES 2001★

| | 10,3 ha | 10 000 | | | 8 à 11 € |

André et Jean Cointes, premiers consuls de Carcassonne au XVIIᵉs., ont donné leur nom à ce domaine qui, comme en 2000, s'affirme par l'élégance de son vin rosé à la robe intense nuance cerise. Vineux au nez, épicé en bouche avec des notes de groseille, il se montre plein et affiche beaucoup de présence.

⌐ Anne Gorostis, Ch. de Cointes, 11290 Roullens,
tél. 04.68.26.81.05, fax 04.68.26.84.37,
e-mail gorostis@châteaudecointes.com r.-v.

DOM. LE FORT
Elevé en fût de chêne 2000★★

| | 4 ha | 20 500 | | | 8 à 11 € |

Le travail de Marc Pagès se retrouve dans ce vin. Son dernier investissement dans un chai d'élevage thermorégulé hisse cette propriété parmi les leaders de l'appellation.

Ce millésime, paré d'une robe grenat soutenu, exhale des arômes intenses de vanille et de pain grillé mariés à des fruits à noyau. Après une attaque ample et ronde, le grain de tanins fondus et un bon boisé en finale confirment que le vin est prometteur.

👄 Marc Pagès, Dom. Le Fort,
11290 Montréal-de-l'Aude, tél. 04.68.76.20.11,
fax 04.68.76.20.11, e-mail info@domainelefort.com
☑ ☒ r.-v.

CH. HERAIL DE ROBERT
Fleur de Girofle 1999★★★

	n.c.	13 000	◫	8 à 11 €

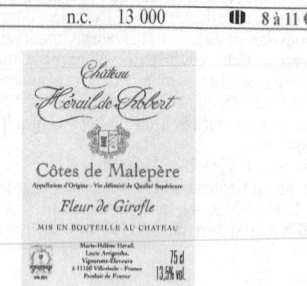

Le château de Robert, situé à l'ouest de l'appellation sur une terrasse graveleuse, tire profit de conditions de maturation lente. Une grande rigueur est apportée au vignoble avec une vendange en vert qui confère au vin une grande concentration. A la fois puissante et élégante avec des tanins fondus et des notes de fruits mûrs et d'épices, cette cuvée d'une très bonne longueur reçoit un coup de cœur enthousiaste.

👄 Marie-Hélène Herail-Artigouha,
EARL Ch. de Robert, 11150 Villesiscle,
tél. 04.68.76.11.86, fax 04.68.76.58.62
☑ ☒ r.-v.; été 9h-12h 14h-19h

CH. MONTCLAR 2000★★★

	20 ha	40 000	◫	5 à 8 €

Cédé à un compagnon de Simon de Montfort après la tragédie cathare, ce château appartient à la famille Guiraud depuis le milieu du XIXᵉ s. La propriété est une habituée du Guide. Une fois de plus son vin est harmonieux ; paré d'une belle robe rubis aux nuances grenat, il affiche un excellent boisé fondu agrémenté d'une pointe de cannelle que l'on retrouve jusque dans une belle finale. Une confirmation pour l'appellation.

👄 Cave du Razès, 11240 Routier, tél. 04.68.69.02.71,
fax 04.68.69.00.49, e-mail cavedurazes@wanadoo.fr
☑ ☒ t.l.j. sf sam. dim. 8h-12h 14h-18h

DOM. DE MONTLAUR 2000★

	n.c.	16 200	◫	3 à 5 €

La cave de la Malepère à Arzens développe depuis plusieurs années un plan de sélection au terroir qui lui permet de se joindre aux meilleurs de l'appellation. Très équilibré, construit sur des tanins encore présents, ce millésime décline des notes de poivron et de fruits mûrs. D'une bonne longueur, voici un joli vin prêt à boire. Pourquoi pas un cassoulet ?

👄 Cave la Malepère,
av. des Vignerons, 11290 Arzens,
tél. 04.68.76.71.71, fax 04.68.76.71.72,
e-mail œno@cavelamalepere.com
☑ ☒ t.l.j. sf dim. 8h-12h 14h-18h

Le Roussillon

L'implantation de la vigne en Roussillon, sous l'impulsion des marins grecs attirés par les richesses minières de la côte catalane, date du VIIᵉ s. avant notre ère. Elle se développa au Moyen Age, et les vins doux de la région connurent de bonne heure une solide réputation. Après l'invasion phylloxérique, la vigne a été replantée en abondance sur les coteaux du plus méridional des vignobles de France.

Amphithéâtre tourné vers la Méditerranée, le vignoble du Roussillon est bordé par trois massifs : les Corbières au nord, le Canigou à l'ouest, les Albères au sud, qui font la frontière avec l'Espagne. La Têt, le Tech et l'Agly sont des fleuves qui ont modelé un relief de terrasses dont les sols caillouteux et lessivés sont propices aux vins de qualité, et particulièrement aux vins doux naturels (voir ce chapitre). On rencontre également des sols d'origine différente avec des schistes noirs et bruns, des arènes granitiques, des argilo-calcaires ainsi que des collines détritiques du Pliocène.

Le vignoble du Roussillon bénéficie d'un climat particulièrement ensoleillé, avec des températures clémentes en hiver, chaudes en été. La pluviométrie (350 à 600 mm) est mal répartie, et les pluies d'orages ne profitent guère à la vigne. Il s'ensuit une période estivale sèche, dont les effets sont souvent accentués par la tramontane qui favorise la maturation des raisins.

La vigne est conduite en gobelet, avec une densité de 4 000 pieds. La culture reste traditionnelle, souvent peu mécanisée. L'équipement des caves se modernise avec la diversification des cépages et des techniques de vinification. Après de rigoureux contrôles de maturité, la vendange est transportée en comportes ou petites bennes sans être écrasée ; une partie des raisins est traitée par macération carbonique. Les températures au cours de la vinification sont de mieux en mieux maîtrisées, afin de protéger la finesse des arômes : tradition et technicité se côtoient.

Côtes du roussillon et côtes du roussillon-villages

Ces appellations sont issues des meilleurs terroirs de la région. Le vignoble, de 8 800 ha environ, a produit 390 000 hl dans l'ensemble des appellations. Les côtes du roussillon-villages sont localisés dans la partie septentrionale du département des Pyrénées-Orientales ; quatre communes bénéficient de l'appellation avec le nom du village : Caramany, Lesquerde, Latour-de-France et Tautavel. Terrasses de galets, arènes granitiques, schistes confèrent aux vins une richesse et une diversité qualitatives que les vignerons ont bien su mettre en valeur.

Les vins blancs sont produits principalement à partir des cépages macabeu, malvoisie du Roussillon et grenache blanc, mais également avec la marsanne, la roussanne et le rolle, vinifiés par pressurage direct. Ils sont méditerranéens, avec un arôme fin, floral (fleur de vigne). Ce sont des compagnons de choix pour les fruits de mer, les poissons et les crustacés.

Les vins rosés et les vins rouges sont obtenus à partir de plusieurs cépages : le carignan noir (60 % maximum), le grenache noir, le lladonner pelut, le cinsault, comme cépages principaux, et la syrah, le mourvèdre et le macabeu (20 % maximum dans les vins rouges) comme cépages complémentaires ; il faut obligatoirement deux cépages principaux et un cépage complémentaire. Tous ces cépages (sauf la syrah)

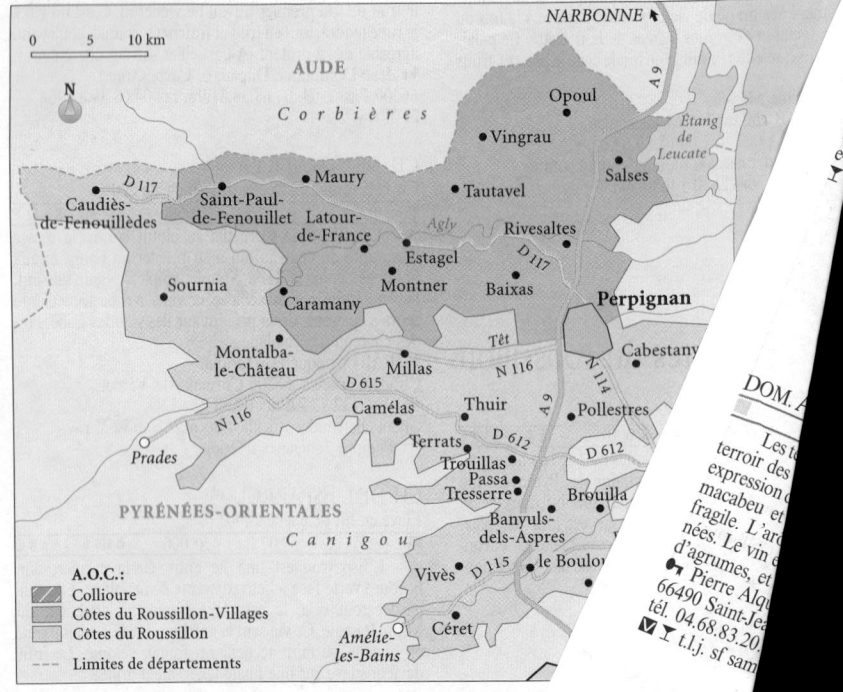

Le Roussillon

A.O.C. :
▨ Collioure
▪ Côtes du Roussillon-Villages
▫ Côtes du Roussillon
--- Limites de départements

🖙 J.-L. et M.-P. Rendu, Ch. L'Esparrou,
66140 Canet-en-Roussillon,
tél. 04.68.73.30.93, fax 04.68.73.58.65
☑ ⏱ t.l.j. 9h-12h 14h-18h; f. dim. en hiver

DOM. FERRER RIBIERE
Cana 2000★★★

■	4,8 ha	15 000	ⅷ 15 à 23 €

Quel choix délicat entre la **cuvée principale du Domaine 2000**, fraîche, sur le fruit, très épicée, prête à boire, classée deux étoiles, et cette superbe bouteille en devenir dont l'étiquette parle d'amitié, d'humanité et de... noces de Cana. Le rouge est profond ; le vin est encore proche de la vendange, tout en fruits rouges et noirs, légèrement poivré. Velouté, gras, ample à l'attaque, il est structuré autour de tanins soyeux. Finement boisé, marqué par la cerise charnue, il saura attendre.
🖙 Dom. Denis et Bruno Ferrer Ribière,
20, rue du Colombier, 66300 Terrats,
tél. 04.68.53.24.45, fax 04.68.53.10.79 ☑ ⏱ r.-v.

FORCA 1999★★

■	n.c.	80 000	ⅷ 3 à 5 €

Au pied de la chapelle de Força Réal, plein sud, protégé du vent, avec une des plus belles vues du Roussillon, le domaine continue de faire parler ce superbe terroir. Le rouge est soutenu, proche de la cerise noire qui perce sous les notes boisées. Très velouté, le fruité est souple, le tanin agréable et fondu avant une finale épicée. Très bel équilibre pour ce vin prêt à boire.
🖙 SA J.-P. Henriquès,
rue Pierre-Pascal-Fauvelles, 66000 Perpignan,
tél. 04.68.85.06.07, fax 04.68.85.49.00,
e-mail henriques@forcareal.com ⏱ r.-v.

HELENAE 2000

■	7 ha	13 250	ⅰ⅃ 5 à 8 €

La déclinaison d'Elne aboutit à cet Helenae produit par la cave coopérative et commercialisé par Méditerroirs. La syrah apporte une robe profonde et des parfums de cueillette en sous-bois avec fraise, myrtille, et un soupçon de cassis. Puis le fruit frais s'impose, souple. Le vin est gouleyant, franc, des plus agréables sur une viande grillée.
🖙 Méditerroirs, 264, chem. du Pas-de-la-Paille,
BP 52114, 66012 Perpignan Cedex,
tél. 04.68.55.88.40, fax 04.68.55.87.67,
e-mail mediterroirs@caramail.com

JEAN D'ESTAVEL
Prestige 2000

■	n.c.	12 600	ⅰ⅃ 3 à 5 €

Les négociants sont malheureusement trop rares en Roussillon. Pourtant avec cette diversité remarquable de terroirs, ces cépages adaptés et le savoir-faire vigneron, il y a de quoi bien faire, comme nous le prouve G. Baissas. Le vin dominé par la fraîcheur porte une robe jaune très pâle. Les senteurs florales s'accompagnent d'une touche de garrigue et la bouche vive, aromatique est soutenue par une finale douce.
🖙 SA Destavel,
7 bis, av. du Canigou, 66000 Perpignan,
tél. 04.68.68.36.00, fax 04.68.54.03.54 ☑
🖙 M. G. Baissas

DOM. JOLIETTE
Cuvée Montpins L'Extrait 2000★★

■	2,5 ha	6 000	ⅰ ⅷ ⅃ 15 à 23 €

Lorsque l'on connaît le site, on ne peut qu'aspirer à le respecter et à vivre en harmonie avec vigne, pins et oliviers. C'est la ligne de conduite, sur ce vignoble. Epices, tourbe, genévrier entourent la réglisse dans cette cuvée pourpre profond. Surprise, l'ensemble s'avère ample mais fondu et fin, le fruit étant charnu et vanillé. Un vin en devenir.
🖙 A. et Ph. Mercier, Dom. Joliette,
66600 Espira-de-l'Agly,
tél. 04.68.64.50.60, fax 04.68.64.18.82
☑ ⏱ t.l.j. sf sam. dim. 7h30-12h 14h-19h30

DOM. LAPORTE
Domitia 1999

■	10 ha	30 000	ⅰ ⅃ 11 à 15 €

Si les cailloux de la terrasse de la Têt ont plutôt roulé, il arrive que certains, plus importants et plus carrés, vous rappellent qu'ici passait la voie domitienne. La robe de cette cuvée est franche et de bonne intensité. Cerise, épices et violette présentent un vin à l'abord velouté, bien épaulé par les tanins avec une finale fraîche et encore nerveuse.
🖙 Dom. Laporte, Ch. Roussillon, 66000 Perpignan,
tél. 04.68.50.06.53, fax 04.68.66.77.52,
e-mail domaine-laporte@wanadoo.fr ☑ ⏱ r.-v.

DOM. MARCEVOL
Le Prestige 2000★★

■	2,5 ha	6 900	ⅷ 11 à 15 €

Vous n'irez pas à Marcevol par hasard ! Mais le voyage dans les hauts cantons vaut le détour : paysages sauvages, prieuré, et même... golf ! A ne pas oublier, ce premier vin de Guy Prédal, très soutenu en couleur, aux notes de fruits confiturés, de cuir et de tabac. Beaucoup d'extrait, de présence, adoucis par la vanille et de beaux tanins.
🖙 EARL Prédal Verhaeghe, Marcevol,
66320 Arboussols, tél. 04.68.05.74.34 ☑ ⏱ r.-v.

DOM. DU MAS BECHA 2001★

■	2 ha	10 000	ⅰ ⅃ 5 à 8 €

Nyls hésite entre hameau et commune, avec de fortes racines catalanes. Pour le reste, c'est la vigne qui dessine le paysage sur fond de Canigou. L'approche de ce vin blanc surprend par cette touche rose grisée, puis le nez s'impose, complexe, mêlant fleurs blanches et pêche citronnée. Ample, gras à l'attaque, il devient floral, fin, mais épaulé par une touche vanillée très agréable. Huîtres, ou rouget nature l'attendent.
🖙 Dom. Mas Bécha,
1, av. de Pollestres, 66300 Nyls-Ponteilla,
tél. 04.68.54.52.80, fax 04.68.55.31.89 ☑ ⏱ r.-v.
🖙 Perez

DOM. DU MAS ROUS
Sélection Elevé en fût de chêne 1999★

| ■ | 3 ha | 11 500 | ❚❚❚ | 5 à 8 € |

Sans bruit, avec application et régularité, José Pujol est à l'unisson avec ce superbe terroir des Albères. La robe est profonde. La syrah s'exprime sur des notes de sous-bois, de violette, accompagnées d'un début de venaison. Puis le terroir s'impose, conférant souplesse et velours aux tanins. Le fruit confit réglissé en finale annonce que le vin vous attend.
🠒 José Pujol, Dom. du Mas Rous,
BP 4, 66740 Montesquieu-des-Albères,
tél. 04.68.89.64.91, fax 04.68.89.80.88,
e-mail masrous@mas-rous.com ☑ ☊ r.-v.

CH. MIRAFLORS
Elevé en fût de chêne 2000★

| ■ | 7 ha | 5 000 | ❚❚❚ | 3 à 5 € |

Entre ville et mer, le vignoble s'étire sur les dernières terrasses de la Têt jouant au feu follet avec la tramontane avant de s'assagir sous les caresses humides du marin. De la robe grenat s'échappent des senteurs de sous-bois, de mûre finement épicée. La bouche est souple, gourmande : le fruit se fond dans un tanin soyeux. Un vin plaisir, prêt à boire.
🠒 SA Cibaud-Ch. Miraflors et Belloch,
rte de Canet, 66000 Perpignan,
tél. 04.68.50.24.92, fax 04.68.67.20.02,
e-mail vinscibaud@wanadoo.fr
☑ ☊ t.l.j. 9h-12h 15h-19h

CH. MONTNER 2001★★

| ■ | 2,5 ha | 16 000 | ❚❚ | 3 à 5 € |

Montner adossé à son terroir de schistes regarde désormais vers Estagel où bat le cœur des côtes du roussillon-villages pour une meilleure synergie d'avenir. La syrah majoritaire impose son style, son fruité, sa maturité sur la fraise très légèrement amylique, alliant avec bonheur fraîcheur et présence.
🠒 Les Vignerons des Côtes d'Agly, Cave coopérative,
66310 Estagel, tél. 04.68.29.00.45, fax 04.68.29.19.80,
e-mail estagel.cave@free.fr
☑ ☊ t.l.j. sf dim. 9h-12h 14h-18h

CH. MOSSE
Coume d'Abeille 2000★★

| ■ | 5 ha | 10 000 | ❚❚❚ | 5 à 8 € |

Vigneron, montagnard, amateur de cigare, cet homme a en plus « la pêche » ! Les truites du lac d'Estagnol en parlent encore. La couleur de ce millésime est en harmonie avec les parfums évoquant la myrtille, le cassis et le raisin noir qui s'entourent de senteurs de garrigue. Structuré, solide, le fruit charnu accompagne l'épice et la fraîcheur du genièvre. Un vin long, au boisé fin, en devenir.
🠒 Jacques Mossé, Ch. Mossé, BP 8,
66301 Ste-Colombe-de-la-Commanderie,
tél. 04.68.53.08.89, fax 04.68.53.35.13,
e-mail chateau.mosse@worldonline.fr ☑ ☊ r.-v.

MOULIN DE BREUIL 2000★★★

| ■ | 15,3 ha | 55 000 | ❚❚ | 3 à 5 € |

Au pied des Albères, le canal du XVIᵉs. continue sa route vers l'ancien moulin. Au-dessus, la vigne : c'est le paysage quotidien et heureux des de Massia ! La robe est fraîche, brillante, autour de fruits mûrs évoluant vers le sous-bois, le pruneau et la truffe. En bouche, la finesse du terroir transparaît ; le tanin est velouté, l'ensemble fondu, et la myrtille souple et finement poivrée.
🠒 Joseph de Massia, Moulin de Breuil,
66740 Montesquieu,
tél. 06.12.58.88.31, fax 04.68.89.67.68,
e-mail josephdemassia@moulindebreuil.com
☑ ☊ t.l.j. sf dim. 9h-12h30 14h30-19h30

DOM. DE NIDOLERES
La Raphaelle 2000

| ■ | n.c. | n.c. | ❚❚ | 8 à 11 € |

Ici, on peut également se restaurer avec des plats catalans avant d'aller découvrir la trop méconnue vallée du Tech, et remonter jusqu'au pays de l'ours. Le mourvèdre domine cette cuvée et apporte sa note de sous-bois et de cuir, ce côté grillé et cette touche tannique qui lui assurent de belles années.
🠒 Pierre Escudié, Dom. de Nidolères,
66300 Tresserre, tél. 04.68.83.15.14, fax 04.68.83.31.26
☑ ☊ r.-v.

DOM. DE LA PERDRIX 2000★★

| ■ | 2 ha | 9 470 | ❚❚ | 8 à 11 € |

La Perdrix est un clin d'œil de A. Gil à son grand-père, peintre de renom et amoureux de cet animal récurrent dans ses œuvres. Pour un premier millésime, la barre est placée haut, à la fois en couleur et en senteurs mêlant cassis, sous-bois, mûre et touche de cuir. Ample, gras, puissant, le fruit est charnu. La charpente est solide et la finale des plus agréables.
🠒 Dom. de la Perdrix, 7, rue des Platanes,
66300 Trouillas, tél. 04.68.53.12.74, fax 04.68.53.52.73,
e-mail domaineperdrix@libertysurf.fr ☑ ☊ r.-v.
🠒 Gil et Coudon

DOM. PIQUEMAL
Elevé en fût de chêne 2000★

| ■ | 13 ha | 40 000 | ❚❚❚ | 8 à 11 € |

L'Agly possède de superbes terroirs prêts à s'exprimer seuls. Le succès de Piquemal c'est de savoir les comprendre au point de les apprivoiser autour du bois. La robe est profonde et le vin hésite entre cassis et chèvrefeuille. Fin, complexe, le bouquet laisse la violette dominer en attaque avant que s'expriment l'épice et une touche de poivron grillé. Un vin qui saura attendre.
🠒 Dom. Pierre et Franck Piquemal,
1, rue Pierre-Lefranc, 66600 Espira-de-l'Agly,
tél. 04.68.64.09.14, fax 04.68.38.52.94,
e-mail contact@domaine-piquemal.com ☑ ☊ r.-v.

CH. PLANERES
La Romanie 2000★★★

| ▨ | 3 ha | 8 000 | ❚❚❚ | 11 à 15 € |

La Romanie se décline avec bonheur aussi bien en blanc qu'en rouge. Il faut dire que depuis trente ans le raisin est roi ici et le vignoble désormais conduit en protection raisonnée. Outre le **Château Phanères rouge 2000**, le jury a été conquis par le blanc à la robe or pâle, attirant par l'odeur douce du miel rehaussée de verveine. En bouche, c'est un vin ample, riche, aux notes de raisin passerillé de châtaigne, qui se trouve relevé par une surprenante fraîcheur de vanille. Un grand vin sur poisson en sauce.

● Vignobles Jaubert-Noury,
Ch. Planères, 66300 Saint-Jean-Lasseille,
tél. 04.68.21.74.50, fax 04.68.37.51.95,
e-mail contact@chateauplaneres.com
☑ ⊤ t.l.j. 8h30-12h 14h-17h45; sam. sur r.-v.

CH. PONTEILLA 1998★

■	40 ha	10 000	▮❶ 8 à 11 €

Comme il existe deux clochers pour une seule église, il y a aussi deux caves coopératives mais désormais regroupées, l'une pour l'élevage, l'autre pour la vinification. Ce vin a été remarqué pour la finesse du boisé qui accompagne le fruit confit. Le tanin est souple, la finale réglissée. Il est prêt pour accompagner un civet.
● SCV Les Vignerons de Ponteilla, av. de la Gare, 66300 Ponteilla, tél. 04.68.53.47.64, fax 04.68.53.54.90
☑ ⊤ r.-v.

PRIMO PALATUM 1999

■	4,5 ha	2 400	❶ 15 à 23 €

Spécialisé dans les vins du Sud, de Bordeaux à Perpignan, ce négociant recherche la complicité avec les vignerons locaux pour produire des vins de haute expression. La recherche d'extraction se traduit ici par un rouge profond. Ensuite, grillé et vanille viennent habiller un vin au fruit charnu, aux tanins encore dominateurs, qui s'exprimera sur viande grillée et fromages.
● Primo Palatum, 1, Cirette, 33190 Morizès, tél. 05.56.71.39.39, fax 05.56.71.39.40, e-mail xavier-copel@primo-palatum.com ☑ ⊤ r.-v.
● Xavier Copel

PUJOL
Misteri 2000★

■	9 ha	1 500	❶ 23 à 30 €

Depuis qu'il est revenu à temps complet sur le domaine, Jean-Luc Pujol prend du plaisir et cela se voit. A l'écouter parler au milieu de ses vignes, cela deviendrait presque contagieux. Misteri porte bien son nom : le noir de la robe, puis ce nez masqué par la barrique qui retient avec peine poivron et senteurs de garrigue ensoleillée. Enfin, une bouche généreuse, aux tanins puissants, qui devra patienter encore pour s'exprimer pleinement.
● Jean-Luc Pujol, EARL La Rourède, Dom. La Rourède, 66300 Fourques, tél. 04.68.38.84.44, fax 04.68.38.88.86, e-mail vins.pujol@wanadoo.fr
☑ ⊤ t.l.j. sf dim. 9h-12h 15h-18h30

DOM. RIERE CADENE
Cuvée Jean Rière 2000★

■	2,76 ha	5 000	❶ 8 à 11 €

Sur la commune de Perpignan, au nord de la Têt, J.-F. Rière a fait le pari il y a quinze ans de reprendre le vieux vignoble familial, luttant contre friches et urbanisation. Il offre ici un millésime jeune, frais, gouleyant, souple, prêt à boire, aux senteurs de violette et chèvrefeuille, et dont le boisé très fin sait mettre le vin en avant.
● Dom. Rière Cadène, Mas Bel-Air, chem. Saint-Génis-de-Tanyères, 66000 Perpignan, tél. 04.68.63.87.29, fax 04.68.63.87.29, e-mail riere@club-internet.fr
☑ ⌂ ⊤ t.l.j. sf sam. dim. 9h-19h

DOM. ROSSIGNOL
Elevé en fût de chêne 2000

■	1 ha	2 885	❶ 8 à 11 €

Petit à petit, l'oiseau fait son nid : première vinification en 1995, chai structuré en 2000, chai souterrain en 2002... En attendant d'atteindre la plus haute branche. L'approche est solide, le regard noir. Cassis, épices, violette sont à l'accueil. C'est ensuite une histoire d'amour entre le vin-fruit et le bois-vanille. Le couple est encore joueur même si le bois domine. Un vin à suivre.
● Pascal Rossignol, rte de Villemolaque, 66300 Passa, tél. 04.68.38.83.17, fax 04.68.38.83.17
☑ ⊤ t.l.j. sf dim. 11h-12h30 16h30-19h30

DOM. SAINTE-BARBE
Elevé en fût de chêne 1999

■	3 ha	9 000	❶ 3 à 5 €

Avec Robert Tricoire, le mot paysan prend toute sa richesse, celle de l'écoute de la terre, de l'humilité face au terroir avec en plus un talent de conteur salué par un expert, Claude Nougaro. Le tabac, la truffe et le fruit confit émanent de ce vin rouge profond. Ensuite l'attaque souple s'agrémente de la note nerveuse du fruit. L'ensemble reste très méditerranéen avec un tanin épicé qui appelle la grillade.
● Vignerons et Passions, BP 1, 34725 Saint-Félix-de-Lodez, tél. 04.67.88.45.75, fax 04.67.88.45.79 ☑ ⊤ r.-v.
● R. Tricoire

DOM. SAINTE-MARGUERITE
Elevé en fût de chêne 1998★

■	8 ha	29 000	❶ 5 à 8 €

Thuir est une cité exemplaire en Roussillon, alliant activité économique, tourisme et agriculture avec succès. En outre, c'est un point de départ idéal pour la découverte des Aspres. Ce 98 garde encore une approche jeune, mais tabac brun, cuir et sous-bois soulignent une belle évolution. Généreux, sur le fruit confit, le tanin est patiné, l'ensemble assoupli par le temps avec une finale épicée et fraîche.
● Méditerroirs, 264, chem. du Pas-de-la-Paille, BP 52114, 66012 Perpignan Cedex, tél. 04.68.55.88.40, fax 04.68.55.87.67, e-mail mediterroirs@caramail.com

DOM. SALVAT
Taïchac 2001★

▬	12 ha	15 000	▮◆ 8 à 11 €

C'est sûr, si vous restez coincé l'été sur la plage, vous ne comprendrez jamais pourquoi le terroir des Fenouillèdes permet d'élaborer des vins aussi frais que le Taïchac. La curiosité vaut pourtant le détour. La rose étale ses pétales, le parfum est doux, le fruit mûr. La bouche surprend par sa fraîcheur. Le fruit joue avec l'eau de rose et s'impose longuement en finale. A noter également un **Salvat rouge 2000** gouleyant et prêt à boire.

ROUSSILLON

➵ Dom. Salvat, 8, av. Jean-Moulin,
66220 Saint-Paul-de-Fenouillet,
tél. 04.68.59.29.00, fax 04.68.59.20.44,
e-mail salvat.jp@wanadoo.fr ☑ ✚ t.l.j. 9h-12h 14h-18h

DOM. SARDA-MALET
Terroir Mailloles 2000★★

	5 ha	8 000	⠷ 15 à 23 €

Les contours dodelinants du Serrat d'en Vaquer offrent à deux pas de la ville une oasis viticole où se blottit le mas Saint-Michel et ses vins réputés. Ainsi un **Domaine Saint-Michel 2000** très épicé et sur le fruit, et ce remarquable Terroir Mailloles, habitué du Guide, haut en couleur, au nez profond de vendange. Le fruit charnu et les épices se déclinent ensuite sur le fruit mûr. Ample, puissant, le tanin velouté, jeune et déjà plein, il est superbe d'équilibre.
➵ Dom. Sarda-Malet, Mas Saint-Michel,
chem. de Sainte-Barbe, 66000 Perpignan,
tél. 04.68.56.72.38, fax 04.68.56.47.60 ☑ ✚ r.-v.
➵ Jérôme Malet

CH. DE SAU
Cuvée Béatrice 2000

	4 ha	20 000	⬛♦ 5 à 8 €

Avec la complicité de H. Parayre, Hervé Passama joue sur la trilogie recommandée, syrah, grenache, carignan, pour rechercher finesse, étoffe et typicité. Ce vin limpide au rouge soutenu, très frais, encore sur le fruit de la vendange, s'exprime avec souplesse, marqué par l'épice. La finale agréable révèle un tanin qui appelle la grillade entre amis.
➵ Hervé Passama, Ch. de Sau, 66300 Thuir,
tél. 04.68.53.21.74, fax 04.68.53.29.07,
e-mail chateaudesau@aol.com ☑ ✚ r.-v.

DOM. SOL-PAYRE
Elevé en fût de chêne 1999★★

	6 ha	15 000	⠷ 8 à 11 €

La vieille cité d'Elne, dominée par son superbe cloître, offre au promeneur un dédale de vieilles ruelles et la fraîcheur de la cave Sol-Payré. Un rubis brillant entoure la senteur douce des fruits rouges et le grillé du bois. Fondu, agréable, le tanin glisse sur le fruit. L'ensemble est finement épicé, à la fois harmonieux et présent. Déjà prêt pour des viandes cuisinées.
➵ Jean-Claude Sol, rue de Paris, 66200 Elne,
tél. 04.68.22.17.97, fax 04.68.22.50.42 ☑ ✚ t.l.j. sf dim. 9h-12h 15h30-19h; jan. fév. mars le matin

TERRASSOUS 2000★

	4 ha	20 000	⬛⠷♦ 3 à 5 €

La légende veut que Mirmande, la cité des fées, dorme sous le terroir de Terrats. Mais c'est plus le travail des hommes qui a fait le succès de cuvées comme le **Pierres plates rouge 98**, un rosé 2000 de plaisir, et ce 2000 or tendre, de fleurs miellées sur touche de châtaigne grillée. Un vin qui se poursuit sur le fruit, la pêche, avant une finale légèrement grillée.
➵ SCV Les Vignerons de Terrats,
BP 32, 66302 Terrats Cedex,
tél. 04.68.53.02.50, fax 04.68.53.23.06,
e-mail scv-terrats@wanadoo.fr
☑ ✚ t.l.j. sf dim. 8h-12h 14h-18h

CH. VALFON
Mirabet 2000★★

	1 ha	5 000	⠷ 8 à 11 €

Entrée remarquée dans le Guide pour D. Velette : il a repris en 1999 le vignoble Marty qui était déjà une belle adresse dans les Aspres du Roussillon. Les parfums de cerise noire sont en harmonie avec la robe profonde. Elle se retrouve dans une bouche charnue, solide et riche, autour de l'épice. Le bois a patiné le tanin et apporte à la finale une touche grillée des plus agréables.
➵ GAEC Dom. Valfon, 11, rue des Rosiers,
66300 Ponteilla, tél. 04.68.53.61.66, fax 04.68.53.61.66
☑ ✚ t.l.j. 10h-12h30 16h-19h30

DOM. DU VIEUX CHENE
Haut Valoir 2000★★

	1 ha	1 500	⠷ 11 à 15 €

Vous rêvez d'un superbe mas isolé mais à dix minutes de la ville, de vieilles vignes sur des terroirs variés de schistes, argiles et sables, d'un bijou de chai, d'une vue imprenable sur mer et Canigou ? Vous y êtes ! L'or pâle est brillant, le nez discrètement grillé et mentholé. La suite est à l'avenant, pour un vin vif, adouci et accompagné par le grillé de bois.
➵ Dom. du Vieux Chêne, Mas Kilo, rte de Vingrau,
66600 Espira-de-l'Agly,
tél. 04.68.38.92.01, fax 04.68.38.95.79
☑ ✚ t.l.j. sf dim. 8h-18h
➵ Denis Sarda

CH. VILLARGEIL
Via Euphoria 2000★

	5 ha	5 000	⠷ 5 à 8 €

Mimosa, cerisier, vigne, chêne liège, la vallée du Tech est réputée pour sa douceur et pour les peintres qui ont laissé leur empreinte à Céret. Dès l'approche, le vin est friand, vif, marqué par un fruité de cerise. Puis la douceur du bois l'enveloppe avant qu'il ne poursuive sa dégustation entre vanille et fraîcheur de la verveine.
➵ Laurent Viguier, Ch. Villargeil,
66490 Saint-Jean-Pla-de-Corts,
tél. 04.68.83.20.62, fax 04.68.83.51.31 ☑ ✚ r.-v.

Côtes du roussillon-villages

ARNAUD DE VILLENEUVE
Elevé en barrique de chêne 1999

	n.c.	25 000	⠷ 5 à 8 €

Arnaud de Villeneuve s'est illustré au XIIIᵉs. en mettant au point le mariage du suc de la vigne et de l'esprit du vin, principe moderne du mutage des vins doux naturels. Son nom est aujourd'hui associé à la marque de prestige des vins des Vignobles du Rivesaltais. Le millésime 99 évoque les fruits murs et le grillé dans un écrin aux reflets grenat. L'harmonie gustative repose sur une charpente à la fois solide et généreuse.
➵ Les Vignobles du Rivesaltais,
1, rue de la Roussillonnaise, 66602 Rivesaltes-Salses,
tél. 04.68.64.06.63, fax 04.68.64.64.69,
e-mail vignobles.rivesaltais@wanadoo.fr ☑ ✚ r.-v.

CH. AYMERICH
Général Joseph Aymerich Elevé en fût de chêne
2000★★★

	5 ha	7 000		11 à 15 €

Un bel exemple de réussite d'élevage sous bois qui a permis au vin de mûrir tout en gardant sa personnalité liée au terroir. Une robe profonde à reflets grenat annonce les senteurs de cassis. La charpente, à la fois solide et drapée de velours, s'accompagne d'une symphonie d'arômes. La **cuvée classique 2000** se distingue également par sa rondeur et son élégance.
🍇 Ch. Aymerich, 52, av. Dr-Torreilles, 66310 Estagel, tél. 04.68.29.45.45, fax 04.68.29.10.35,
e-mail aymerich-grau-vins@wanadoo.fr ☑ ▼ r.-v.
🍇 J.-P. et C. Grau-Aymerich

DOM. BOUDAU 1999★★

	4 ha	7 000		8 à 11 €

Le vignoble est situé sur les terrasses caillouteuses de Rivesaltes, un terroir localement appelé « crests ». Cette cuvée s'exprime entièrement sur le fruit, évoquant tour à tour la griotte, le cassis et la mûre. La charpente tannique est bien enveloppée par une matière onctueuse. Beaucoup d'élégance.
🍇 Dom. Véronique et Pierre Boudau, 6, rue Marceau, 66603 Rivesaltes, tél. 04.68.64.45.37, fax 04.68.64.46.26
☑ ▼ t.l.j. sf dim. 10h-12h 15h-19h; f. oct. à mai

CH. DE CALADROY
Cuvée La Tour carrée 2000★★★

	3,6 ha	7 000		8 à 11 €

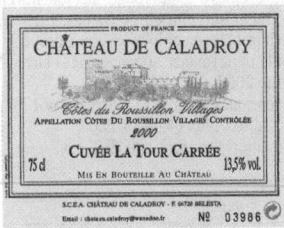

Une superbe réussite à la fois sur plusieurs millésimes et avec des cuvées aussi prestigieuses les unes que les autres. Dans le millésime 2000, les dégustateurs ont mis en avant celle de La Tour carrée où le mourvèdre se fait complice de la syrah, tout en appréciant les autres cuvées du domaine. Dans sa belle robe d'un rubis aux reflets cerise, celle-ci livre des notes de baies rouges sauvages bien mûres. La puissance de la chair respecte l'impression d'harmonie et d'élégance persistante de l'ensemble.
🍇 SCEA Ch. de Caladroy, 66720 Bélesta, tél. 04.68.57.10.25, fax 04.68.57.27.76,
e-mail chateau.caladroy@wanadoo.fr
☑ ▼ t.l.j. sf sam. dim. 8h-12h 13h30-17h30

MAS CAMPS 2000

	10 ha	5 000		5 à 8 €

Au cœur de la vallée de l'Agly, le Mas Camps vous offre la possibilité de séjourner au milieu des vignes pour découvrir les nombreux terroirs de l'appellation. Vous y goûterez sans doute cette cuvée aux arômes de griotte, savoureusement épicée en bouche. Très souple, elle doit être bue assez fraîche pour en apprécier le côté gouleyant.
🍇 François Susplugas, 24, bd Jean-Jaurès, 66310 Estagel, tél. 04.68.29.04.74, fax 04.68.29.47.04
☑ 🏠 🏡 ▼ r.-v.

LES VIGNERONS DE CARAMANY
Caramany Cuvée du Presbytère 2000★

	60 ha	80 000		5 à 8 €

C'est la traditionnelle macération carbonique du carignan qui a fait connaître ce vin depuis plusieurs décennies. Fidèle à ses expressions, celui-ci offre des arômes de baies rouges sauvages fortement épicées, aux accents de poivre en bouche. Une robe rubis enveloppe une matière harmonieuse, la finesse des tanins permettant à la rondeur de se manifester pleinement.
🍇 SCV de Caramany, 66720 Caramany, tél. 04.68.84.51.80, fax 04.68.84.50.84 ☑ ▼ r.-v.

DOM. DE CASTELL
Vieilli en fût de chêne 2000★

	4,58 ha	4 700		3 à 5 €

Tous les cépages de l'appellation ont contribué à l'élaboration de ce vin dans la tradition de la viticulture méditerranéenne. La maîtrise de l'élevage sous bois a permis aux raisins de s'exprimer dans un ensemble harmonieux et rond, chaque cépage apportant discrètement sa typicité.
🍇 SCV Cellier Cassell Réal, 152, rte Nationale, 66550 Corneilla-la-Rivière, tél. 04.68.57.38.93, fax 04.68.57.23.36,
e-mail cassell-real-com@wanadoo.fr
☑ ▼ t.l.j. sf sam. dim. 9h30-12h 14h30-18h

VIGNERONS CATALANS
Haute Coutume Schistes de Trémoine 1999★

	3 ha	13 300		11 à 15 €

Avec Haute Coutume, les Vignerons Catalans signent une série de cuvées issues des différents terroirs d'expression du Roussillon. Celle-ci provenant de vignobles plantés sur le schiste de Rasiguères offre une belle robe d'un rubis cerise. Petits fruits rouges, épices, notes de vanille sont au rendez-vous dans le verre. Les tanins sont déjà fondus et harmonieux.
🍇 Vignerons Catalans, 1870, av. Julien-Panchot, 66011 Perpignan Cedex, tél. 04.68.85.04.51, fax 04.68.55.25.62,
e-mail contact@vigneronscatalans.com ▼ r.-v.

DOM. CAZES
Ego 1996

	4,3 ha	20 000		8 à 11 €

Ce vignoble, en phase de conversion en biodynamie, est établi sur le crest de Rivesaltes. Il commercialise depuis trois générations toute sa production en bouteilles. Voici un millésime déjà évolué dans sa robe aux reflets tuilés et dans son bouquet de fruits grillés, d'épices et de musc. Les tanins ont fondu et laissent peu à peu la place à l'expression d'une matière généreuse.
🍇 Sté Cazes Frères, 4, rue Francisco-Ferrer, BP 61, 66602 Rivesaltes, tél. 04.68.64.08.26, fax 04.68.64.69.79,
e-mail info@cazes-rivesaltes.com
☑ ▼ t.l.j. sf dim. 8h-12h 14h-18h
🍇 André et Bernard Cazes

DOM. DES CHENES
Tautavel La Carissa 1999★

■	1 ha	2 700	⦿ 15 à 23 €

Professeur d'œnologie et vigneron, Alain Razungles se passionne pour ce terroir de Vingrau dont certains vignobles se rattachent à l'appellation côtes du roussillon-villages. Tel est le cas des vignes qui ont donné cette cuvée encore empreinte de son passage en fût : des tanins fortement réglissés dominent l'harmonie gustative. Cependant, des notes d'olive noire, de fruits rouges et de bois fumé se dégagent peu à peu à l'agitation du verre.
☛ SCEA Dom. des Chênes, 7, rue du Mal-Joffre, 66600 Vingrau, tél. 04.68.29.40.21, fax 04.68.29.10.91
☑ ⊻ r.-v.

CH. CUCHOUS 1999★★

■	8,5 ha	40 000	■↧ 5 à 8 €

Au pied du château, ce vignoble se situe sur des terroirs de schistes et de granits. La macération carbonique du carignan est certainement à l'origine de la complexité des arômes qui évoquent les baies rouges des garrigues rehaussées d'épices. Quelques notes de fruits confits en bouche sur un fond de tanins délicats font de cette bouteille un vin de gourmandise.
☛ Vignerons Catalans,
1870, av. Julien-Panchot, 66011 Perpignan Cedex, tél. 04.68.85.04.51, fax 04.68.55.25.62,
e-mail contact @ vigneronscatalans.com ⊻ r.-v.

DOM BRIAL
Elevé en fût de chêne 1999★★

■	8 ha	47 000	⦿ 5 à 8 €

Dom Brial est l'une des marques des Vignerons de Baixas. Ce vin déjà mûr offre des arômes grillés et fumés accompagnés de notes épicées. Les tanins sont doux, en parfaite harmonie avec les flaveurs et la longueur en bouche. Quelques perdreaux sauront faire la cour à cette élégante bouteille.
☛ Cave Les Vignerons de Baixas,
14, av. du Mal-Joffre, 66390 Baixas,
tél. 04.68.64.22.37, fax 04.68.64.26.70,
e-mail contact @ dom-brial.com ☑ ⊻ r.-v.

CH. DONA BAISSAS 1999★

■	n.c.	31 200	■↧ 3 à 5 €

Un millésime 99 encore en pleine phase de jeunesse dans sa robe rubis à reflets violines. Fruits rouges au nez, épices en bouche où rondeur et élégance se conjuguent harmonieusement. Un beau travail de ce négociant dont l'art repose sur une excellente connaissance des terroirs.
☛ SA Destavel,
7 bis, av. du Canigou, 66000 Perpignan,
tél. 04.68.68.36.00, fax 04.68.54.03.54 ☑
☛ G. Baissas

JEAN D'ESTAVEL 1999★

■	n.c.	2 400	⦿ 15 à 23 €

D'une robe rubis à reflets cerise émanent des arômes de fruits mûrs, d'épices accompagnés de notes boisées, bien fondues. En bouche, la rondeur domine autour d'une trame tannique de bonne qualité.
☛ SA Destavel,
7 bis, av. du Canigou, 66000 Perpignan,
tél. 04.68.68.36.00, fax 04.68.54.03.54 ☑

DOM. FONTANEL
Tautavel Prieuré Vieilli en fût de chêne 2000★★★

■	3 ha	9 500	⦿ 11 à 15 €

Quelle belle régularité pour cette cuvée depuis de nombreux millésimes comme pour celle des **Cistes** également fort appréciée. Aux arômes de griotte, de cassis et de fleur de garrigue s'ajoutent les notes réglissées héritées d'une maturation de dix-huit mois en fût. La robe d'un rubis brillant et profond habille un corps aux formes parfaites, à la fois puissant et séduisant.
☛ Dom. Fontanel, 25, av. Jean-Jaurès, 66720 Tautavel, tél. 04.68.29.04.71, fax 04.68.29.19.44
☑ ⊻ t.l.j. 10h-12h30 14h-19h
☛ Fontaneil

DOM. FORCA REAL 2000★★★

■	n.c.	20 000	■↧ 5 à 8 €

Le vignoble s'accroche sur les pentes schisteuses et arides de la colline mythique de Força Réal. Tout le fruit du grenache s'exprime sur ce terroir. Dans l'écrin rubis accueille les arômes de baies rouges aux touches épicées et poivrées. Onctuosité, finesse des tanins, persistance des arômes séduiront les œnophiles les plus exigeants. A noter également la performance appréciée de la cuvée **Mas de la Garrigue 2000**.
☛ J.-P. Henriquès, Mas de la Garrigue, 66170 Millas, tél. 04.68.85.06.07, fax 04.68.85.49.00,
e-mail domaine @ forcareal.com ☑ ⊻ r.-v.

CH. DE JAU
Talon rouge 2000★★

■	2,8 ha	13 300	15 à 23 €

La cave d'exception du château de Jau, fort connu des amateurs de vins, séduit autant par sa parure que par ses qualités gustatives – les reflets grenat donnent du brillant à la robe, les notes de cassis et de griotte se conjuguent harmonieusement, et la chair est savoureuse. Un vin de plaisir raffiné.
☛ Ch. de Jau, Vignobles Jean et Bernard Dauré,
66600 Cases-de-Pène, tél. 04.68.38.90.10,
fax 04.68.38.91.33, e-mail daure @ wanadoo.fr ☑ ⊻ r.-v.

DOM. JOLIETTE
Cuvée Romain Mercier Elevé en barrique 2000

■	2,5 ha	13 000	⦿ 8 à 11 €

Né sur des terres rouges et noires, ce vin sombre à reflets grenat livre des arômes de mûre au nez puis des tanins encore solides aux accents vanillés apportés par l'élevage en fût. A attendre.
☛ Mercier, Dom. Joliette,
rte de Vingrau, 66600 Espira-de-l'Agly,
tél. 04.68.64.50.60, fax 04.68.64.18.82
☑ ⊻ t.l.j. sf sam. dim. 7h30-12h 14h-19h30

STE VINICOLE DE LESQUERDE
Lesquerde Cuvée Georges Pous 1998★

■	25 ha	45 000	■ ♦	5 à 8 €

Les vins de Lesquerde sont réputés pour leur caractère gouleyant dû à la finesse des tanins. Le millésime 98 se singularise cependant par la concentration de la vendange et, en conséquence, par des cuvées plus charpentées. Ainsi de ce vin déjà en phase de maturation avec sa robe aux reflets légèrement tuilés, ses notes de fruits grillés et confits... et toujours des tanins en dentelles.
🕿 SCV Lesquerde, rue du Grand-Capitoul,
66220 Lesquerde, tél. 04.68.59.02.62, fax 04.68.59.08.17
☑ ⵟ t.l.j. sf dim. 8h-12h 14h-18h

DOM. LHERITIER
Romani 2000★

■	3 ha	7 000	■ ♦	15 à 23 €

Crest et Romani sont les deux cuvées mythiques de ce domaine de 40 ha. La seconde, dont le nom catalan signifie « romarin », a été légèrement préférée par les dégustateurs. La robe rubis enveloppe le fruité du grenache, dont on apprécie aussi la délicatesse des tanins et l'onctuosité en bouche.
🕿 Dom. Lhéritier, av. Gambetta, 66600 Rivesaltes,
tél. 04.68.38.56.53, fax 04.68.38.56.52,
e-mail domaine.lheritier@wanadoo.fr
☑ ⵟ t.l.j. 9h-12h30 14h-19h

DOM. MAS AMIEL
Carerades 2000★★

■	20 ha	30 000	⬗	11 à 15 €

Fort connu pour ses maury, le Mas Amiel signe avec les Carerades une superbe cuvée en côtes du roussillon-villages. C'est un vin de longue garde à la charpente tannique, puissante et délicate à la fois, empreinte de toute l'onctuosité du grenache récolté sur schistes. Une robe à reflets grenat entoure des arômes de mûre qui se nuancent d'épices en bouche.
🕿 Dom. Mas Amiel, 66460 Maury,
tél. 04.68.29.01.02, fax 04.68.29.17.82
☑ ⵟ t.l.j. sf dim. 9h-12h30 13h30-17h30
🕿 O. Decelle

CH. MILLAS 2000★★

■	15,76 ha	8 800	⬗	3 à 5 €

La commune de Millas, connue pour son moulin à huile, peut aussi s'enorgueillir de ses productions viticoles issues des terroirs de schistes de la colline de Força Réal. Ce vin rubis aux arômes de fruits rouges, d'épices et de notes grillées en apporte la confirmation. Finesse des tanins, onctuosité de la matière et harmonie des saveurs sont au rendez-vous. A apprécier sur des grives flambées.
🕿 SCV Les Vignerons de Força Réal,
rue Léo-Lagrange, 66170 Millas,
tél. 04.68.57.35.02, fax 04.68.57.28.09 ☑ ⵟ r.-v.

CH. MONTNER
Grande Réserve 2000

■	12,5 ha	70 000	■ ♦	3 à 5 €

Planté sur des coteaux schisteux, ce vignoble a produit un vin rubis évoquant les baies rouges associées à quelques notes grillées en bouche. L'impression tannique domine, heureusement enveloppée par l'ampleur du vin.

🕿 Vignerons Catalans,
1870, av. Julien-Panchot, 66011 Perpignan Cedex,
tél. 04.68.85.04.51, fax 04.68.55.25.62,
e-mail contact@vigneronscatalans.com ⵟ r.-v.

DOM. MOUNIE
Tautavel 1999★★★

■	3 ha	11 000	■ ♦	5 à 8 €

Deux cuvées du domaine Mounié ont retenu les suffrages de nos dégustateurs : la cuvée Symphonie et ce vin pourpre aux arômes de baies rouges sauvages. Une charpente tannique exceptionnelle allie si bien sa puissance à l'onctuosité de la matière que le dégustateur reste sur une impression de charnu. A servir sur des plats de caractère comme le lièvre de Tautavel.
🕿 Dom. Mounié, 1, av. du Verdouble, 66720 Tautavel,
tél. 04.68.29.12.31, fax 04.68.29.05.59 ☑ ⵟ r.-v.
🕿 Claude Rigaill

DOM. PIQUEMAL
Elevé en fût de chêne 2000★★

■	3 ha	18 000	⬗	8 à 11 €

Le mourvèdre confère à ce vin une charpente solide, bien patinée par l'élevage en fût. Paré d'une belle robe grenat, il dévoile peu à peu des notes de garrigue et de baies sauvages qui viennent se mêler harmonieusement aux arômes grillés. Un superbe vin de garde, mais que l'on peut apprécier dès maintenant.
🕿 Dom. Pierre et Franck Piquemal,
1, rue Pierre-Lefranc, 66600 Espira-de-l'Agly,
tél. 04.68.64.09.14, fax 04.68.38.52.94,
e-mail contact@domaine-piquemal.com ☑ ⵟ r.-v.

LES VIGNERONS DE PLANEZES-RASIGUERES
Cuvée Moura Lympany Elevé en fût de chêne 1999★★

■	10 ha	18 000	⬗	5 à 8 €

De vieux carignan récolté sur schistes, puis vinifié en macération carbonique, un élevage sous bois bien maîtrisé, tels sont les secrets de l'élaboration de ce vin complexe, dont les notes délicates de vanille et de grillé viennent se fondre en bouche aux touches épicées. Une robe rubis à reflets grenat l'habille harmonieusement comme pour annoncer l'agréable impression laissée par des tanins au grain moelleux. Un aloyau grillé aux sarments donne à cette bouteille une savoureuse réplique.
🕿 Les Vignerons de Planèzes-Rasiguères,
5, rte de Caramany, 66720 Rasiguères,
tél. 04.68.29.11.82, fax 04.68.29.16.45,
e-mail rasigueres@wanadoo.fr
☑ ⵟ t.l.j. sf dim. 8h-12h 14h-18h

LES CHAIS DE SAINTE ESTELLE
Terres noires 1998★

■	32 ha	8 000	■	5 à 8 €

Le nom des Terres noires se rapporte à ce terroir de schistes noirs, finement délités, qui donnent au vignoble une image paysagère bien particulière. D'un rubis profond à reflets grenat, ce vin décèle des arômes de noyau et d'épices. Douceur des tanins, onctuosité et persistance des arômes assurent une belle harmonie gustative.
🕿 Les Chais de Sainte Estelle,
39, rue Thiers, 66600 Espira-de-l'Agly,
tél. 04.68.64.17.54, fax 04.68.64.10.76,
e-mail leschaisdesteestelle@wanadoo.fr ☑ ⵟ r.-v.

ROUSSILLON

CH. SAINT-ROCH
Les Hauts 2000★★

	5 ha	8 000		11 à 15 €

Datant de l'époque des Templiers, les bâtiments de ce domaine de 38 ha ont été remaniés au début du XIX°s. Le vignoble est installé sur les schistes réputés de l'appellation maury. Rubis à reflets grenat, ce 2000 offre des arômes de fruits rouges grillés et quelques notes de musc. Puissant et charnu en bouche, il peut compter sur des tanins concentrés et élégants pour évoluer favorablement dans le temps.
➦ SA Ch. Saint-Roch, Mas Cayrol, 66460 Maury, tél. 04.68.29.07.20, fax 04.68.29.19.15 Ⴅ r.-v.

DOM. DES SCHISTES
Tradition 2000★★

	10 ha	30 000		5 à 8 €

Une belle régularité dans la qualité de cette cuvée, toujours aussi appréciée au fil des millésimes. Celle-ci bénéficie à la fois du terroir de marnes schisteuses, d'un encépagement judicieux et du savoir-faire du vigneron. Sa robe d'un rubis profond entoure des arômes de noyau qui se développent plus encore en bouche, accompagnant une charpente de grande qualité.
➦ Jacques Sire, Dom. des Schistes, 1, av. Jean-Lurçat, 66310 Estagel, tél. 04.68.29.11.25, fax 04.68.29.47.17
☑ ⌂ Ⴅ r.-v.

LES MAITRES VIGNERONS DE TAUTAVEL
Tautavel Vieilli en fût de chêne 2000★★

	61 ha	24 000		5 à 8 €

Cette cuvée séduit dès le premier coup de nez par ses arômes de baies rouges et d'épices nuancés de quelques notes de garrigue. En bouche, le fruit paraît encore plus mûr, délicatement rehaussé par les accents de vanille hérités de l'élevage sous bois. Un vin ample et charnu, à l'élégante finale.
➦ Les Maîtres Vignerons de Tautavel, 24, av. Jean-Badia, 66720 Tautavel, tél. 04.68.29.12.03, fax 04.68.29.41.81, e-mail vignerons.tautavel@wanadoo.fr ☑ Ⴅ r.-v.

LES VIGNERONS DE VINGRAU
Tautavel 20 marches 1999

	22 ha	5 324		5 à 8 €

La beauté naturelle du cirque de Vingrau ne saurait laisser indifférent. Dans ce cadre a été produit un vin aux arômes de grillé et de fumé mêlés d'accents de garrigue. Quelques reflets orangés de la robe annoncent un stade de pleine maturité, mais la charpente tannique dominante tend à prouver que le temps jouera encore en faveur de ce 99.
➦ SCV de Vingrau, 3, rue du Mal-Joffre, 66600 Vingrau, tél. 04.68.29.40.41, fax 04.68.29.42.87
☑ ⌂ Ⴅ r.-v.

Collioure

C'est une toute petite appellation : actuellement, 430 ha produisent quelque 14 000 hl. Le terroir est le même que celui de l'appellation banyuls : les quatre communes de Collioure, Port-Vendres, Banyuls-sur-Mer et Cerbère.

L'encépagement est à base de grenache noir, carignan et mourvèdre, avec la syrah et le cinsault comme cépages accessoires. Ce sont uniquement des vins rouges et rosés, qui sont élaborés en début de vendanges, avant la récolte des raisins pour le banyuls. La faiblesse des rendements est à l'origine de vins bien colorés, assez chauds, corsés, aux arômes de fruits rouges bien mûrs. Les rosés sont aromatiques, riches et néanmoins nerveux.

CH. DES ABELLES 2000★★

	19 ha	112 000		11 à 15 €

Une cuvée aux arômes complexes grâce à un assemblage alliant la puissance du grenache bien mûr, la robustesse du vieux carignan et la somptuosité des arômes de la syrah. D'un rubis aux reflets cerise, la robe entoure des tanins doux et charnus donnant une impression de gourmandise. Les fragrances de fruits rouges persistent longtemps...
➦ Cellier des Templiers, rte du Mas-Reig, 66652 Banyuls-sur-Mer, tél. 04.68.98.36.70, fax 04.68.98.36.91
☑ Ⴅ t.l.j. 10h30-13h 14h30-18h30; avr.-oct 10h-19h30

DOM. DE BAILLAURY 2000★★★

	n.c.	35 778		8 à 11 €

Baillaury signifie « vallée d'or » en catalan... peut-être à cause de certains trésors comme cette cuvée du millésime 2000 aux arômes de fruits rouges sauvages où la subtilité accompagne l'intensité qui apparaît dès le premier coup de nez. Générosité et onctuosité viennent enrober des tanins très doux avec une superbe persistance des fragrances. Pour acheter ce coup de cœur, adressez-vous à votre caviste.
➦ La Cave de l'Abbé Rous, 56, av. Charles-de-Gaulle, 66650 Banyuls-sur-Mer, tél. 04.68.88.72.72, fax 04.68.88.30.57, e-mail contact@banyuls.com

DOM. CAMPI 2000★★

	8 ha	39 500		11 à 15 €

Un collioure typé avec un pourcentage de syrah élevé, ce qui est sûrement à l'origine d'une robe d'un rubis profond. Des notes de mûre, de cassis entourent une structure charnue où se conjuguent saveurs et arômes dans un concerto séduisant.

◆┐ Cellier des Templiers, rte du Mas-Reig,
66652 Banyuls-sur-Mer,
tél. 04.68.98.36.70, fax 04.68.98.36.91
☑ ⊥ t.l.j. 10h30-13h 14h30-18h30; avr.-oct 10h-19h30

DOM. DE LA CASA BLANCA 2000★★

| ■ | 2 ha | 7 000 | ▮◐↓ | 8 à 11 € |

Une vieille cave située sur les hauteurs du village de Banyuls-sur-Mer. Une robe profonde d'un rubis aux reflets grenat et des arômes de cerise bien mûre. Les notes de noyau se retrouvent en bouche dans une harmonie à la fois ronde et chaleureuse.

◆┐ Dom. de la Casa Blanca, 16, av. de la Gare,
rte des Mas, 66650 Banyuls-sur-Mer,
tél. 04.68.88.12.85, fax 04.68.88.04.08 ☑ ⊥ r.-v.
◆┐ A. Soufflet et L. Escapa

CASTELL DES HOSPICES 1998

| ■ | 1,25 ha | 9 996 | ▮▮ | 15 à 23 € |

Un millésime de garde qui commence à peine à évoluer. Les notes finement boisées allant du pain grillé aux touches de vanille accompagnent les arômes de cerise confite. En bouche, la charpente tannique commence à peine à s'attendrir. Savoir l'attendre avant de choisir cette bouteille pour un pot-au-feu.

◆┐ La Cave de l'Abbé Rous,
56, av. Charles-de-Gaulle, 66650 Banyuls-sur-Mer,
tél. 04.68.88.72.72, fax 04.68.88.30.57,
e-mail contact@banyuls.com

LES DOMINICAINS
Cuvée de la Colline Matisse 2000

| ■ | 50 ha | 44 500 | ▮ | 8 à 11 € |

Au pied du château Royal, cet ancien couvent des Dominicains présente une cuvée au nom évocateur de la colline Matisse. Elle offre une corbeille de fruits rouges dans un écrin rubis aux reflets cerise, véritable déclinaison chromatique autour du rouge. Rondeur, ampleur, sans excès de chaleur... L'harmonie des saveurs rejoint celle des couleurs.

◆┐ Cave Le Dominicain, pl. Orfila, 66190 Collioure,
tél. 04.68.82.05.63, fax 04.68.82.43.06,
e-mail le.dominicain@wanadoo.fr ☑ ⊥ r.-v.

L'ÉTOILE
Vieilli en montagne 2000

| ■ | 11,72 ha | 15 000 | ▮↓ | 8 à 11 € |

Une étiquette élégante pour ce vin de la coopérative fondée en 1921 et vinifiant 139 ha de vigne. La robe est rubis à reflets vermeil. Les arômes de fruits confits sont accompagnés par quelques notes de cuir et de sous-bois. Cette évolution aromatique annonce certainement un attendrissement de la charpente tannique encore bien présente en finale. A savoir attendre pour accompagner des mets de venaison.

◆┐ Sté coopérative l'Etoile,
26, av. du Puig-del-Mas, 66650 Banyuls-sur-Mer,
tél. 04.68.88.00.10, fax 04.68.88.15.10
☑ ⊥ t.l.j. sf sam. dim. 8h-12h 14h-18h

MAS CORNET 2000★★

| ■ | 7,5 ha | 13 302 | ▮↓ | 8 à 11 € |

Les caves de l'Abbé Rous sont réservées aux restaurateurs et aux cavistes. C'est là que vous les découvrirez. Ce millésime est encore en pleine jeunesse avec ses reflets violines, ses notes de fruits rouges épicées. La charpente tannique, encore dominante, séduit par son élégance et assure à ce vin un bel avenir. Sous cette même étiquette, le **rosé 2001** obtient une étoile.

◆┐ La Cave de l'Abbé Rous,
56, av. Charles-de-Gaulle, 66650 Banyuls-sur-Mer,
tél. 04.68.88.72.72, fax 04.68.88.30.57,
e-mail contact@banyuls.com

LES CLOS DE PAULILLES 1999

| ■ | 12 ha | 48 000 | | 11 à 15 € |

Le vaste domaine de 90 ha, bien connu des lecteurs, propose un collioure à base de mourvèdre, d'un beau rubis cerise. Les arômes de fruits mûrs associés aux notes de pruneau traduisent une bonne maturité. Après une attaque charnue, la charpente s'impose, tannique, encore ferme, et domine en finale. Le faire patienter. Le **rosé 2001 (5 à 8 €)** obtient la même note. La syrah et le grenache s'expriment côte à côte.

◆┐ Jean et Bernard Dauré, Les Clos de Paulilles,
Baie de Paulilles, 66660 Port-Vendres,
tél. 04.68.38.90.10, fax 04.68.38.91.33,
e-mail daure@wanadoo.fr
☑ ⊥ t.l.j. 11h-23h; f. 1er oct.-31 mai

CH. REIG 1998★★

| ■ | 12 ha | 75 000 | ▮▮ | 15 à 23 € |

Un bel exemple d'une évolution bien maîtrisée par l'élevage dans le bois de cette cuvée qui porte une robe aux reflets vermeil particulièrement brillants. Des notes épicées, légèrement vanillées et toastées accompagnent une structure bien charpentée où les touches boisées se fondent parfaitement avec le corps du vin pour laisser le champ libre à la complexité du bouquet.

◆┐ Cellier des Templiers, rte du Mas-Reig,
66652 Banyuls-sur-Mer,
tél. 04.68.98.36.70, fax 04.68.98.36.91
☑ ⊥ t.l.j. 10h30-13h 14h30-18h30; avr.-oct 10h-19h30

DOM. DU ROUMANI 2000★

| ■ | 28 ha | 190 000 | ▮↓ | 8 à 11 € |

« Roumari » signifie « romarin » en catalan ; ce dernier est l'une des plantes les plus caractéristiques des garrigues méditerranéennes. C'est peut-être les notes dominantes de mûre sauvage qui évoquent la garrigue dans cette cuvée. La souplesse prend le pas sur la charpente dans une harmonie de rondeur savoureuse.

◆┐ Cellier des Templiers, rte du Mas-Reig,
66652 Banyuls-sur-Mer,
tél. 04.68.98.36.70, fax 04.68.98.36.91
☑ ⊥ t.l.j. 10h30-13h 14h30-18h30; avr.-oct 10h-19h30

CUVEE DE LA SALETTE 2001★

| ■ | n.c. | 190 000 | | 8 à 11 € |

Une étiquette élégante qui rappellera la beauté de l'église de Collioure au seuil de la Méditerranée. Une robe d'un rose très pâle entoure des notes à la fois fruitées et amyliques. Onctueux et persistant, ce vin accompagnera quelques poissons de roche.

◆┐ Cellier des Templiers, rte du Mas-Reig,
66652 Banyuls-sur-Mer,
tél. 04.68.98.36.70, fax 04.68.98.36.91
☑ ⊥ t.l.j. 10h30-13h 14h30-18h30; avr.-oct 10h-19h30

ROUSSILLON

DOM. LA TOUR VIEILLE
Puig Oriol 2000★★★

	3 ha	8 200		11 à 15 €

Encore un millésime superbement réussi par Vincent et Christine Cantie dans la lignée des coups de cœur des années précédentes. Une belle robe rubis aux reflets grenat dévoile rapidement tout le fruit du grenache bien mûr. La bouche aux tanins délicats et charnus est harmonieuse. Un partenaire parfait pour un civet de langoustes au banyuls.
☛ Dom. la Tour Vieille, 12, rte de Madeloc,
66190 Collioure, tél. 04.68.82.44.82, fax 04.68.82.38.42
☑ ⊥ t.l.j. 10h30-12h30 16h30-19h30; hiver sur r.-v.

DOM. LA TOUR VIEILLE
Rosé des roches 2001★★

	n.c.	n.c.		8 à 11 €

Une belle robe pivoine, des arômes où le fruité du grenache clame ici ses plus belles expressions avec une onctuosité presque charnelle en bouche. Douceur et caractère se conjuguent dans le verre pour faire chanter les assiettes.
☛ Dom. la Tour Vieille, 12, rte de Madeloc,
66190 Collioure, tél. 04.68.82.44.82, fax 04.68.82.38.42
☑ ⊥ t.l.j. 10h30-12h30 16h30-19h30; hiver sur r.-v.

DOM. DU TRAGINER
Cuvée d'Octobre 1999

	5 ha	6 000		15 à 23 €

Le Traginer, aujourd'hui cultivé en « bio », avec labours reste fidèle à ce millésime, mais avec une autre cuvée d'où émanent des arômes de fruits mûrs et de fruits confits, rehaussés de notes épicées. La bouche est particulièrement savoureuse.
☛ Dom. du Traginer, 56, av. du Puig-del-Mas,
66650 Banyuls-sur-Mer, tél. 04.68.88.15.11,
fax 04.68.88.31.48 ☑ ⊥ r.-v.
☛ J.-F. Deu

LA PROVENCE ET LA CORSE

La Provence

La Provence, pour tout un chacun, c'est un pays de vacances, où « il fait toujours soleil » et où les gens, à l'accent chantant, prennent le temps de vivre... Pour les vignerons, c'est aussi un pays de soleil, qui brille trois mille heures par an. Les pluies y sont rares mais violentes, les vents fougueux et le relief tourmenté. Les Phocéens, débarqués à Marseille vers 600 av. J.-C., ne se sont pas étonnés d'y voir de la vigne, comme chez eux, et ont participé à sa diffusion. Plus tard, les Romains puis les moines et les nobles, et jusqu'au roi-vigneron René d'Anjou, comte de Provence, les ont imités.

Éléonore de Provence, épouse d'Henri III, roi d'Angleterre, sut donner aux vins de Provence un grand renom, tout comme Aliénor d'Aquitaine, l'avait fait pour les vins d'Aquitaine. Ils furent par la suite un peu oubliés du commerce international, faute de se trouver sur les grands axes de circulation. Ces dernières décennies, le développement du tourisme les a remis à l'honneur, et spécialement les vins rosés, vins joyeux s'il en est, symboles de vacances estivales et dignes accompagnements des plats provençaux.

La structure du vignoble est souvent morcelée, ce qui explique que près de la moitié de la production soit élaborée en caves coopératives : il n'y en a pas moins de cent dans le département du Var. Mais les domaines, pour la plupart embouteilleurs, ont toujours leur importance, et leur présence active sur le marché et dans la promotion s'avère précieuse pour toute la région. La production annuelle atteint deux à trois millions d'hectolitres, dont environ un million dans les huit appellations d'origine.

Comme dans les autres vignobles méridionaux, les cépages sont très variés : l'appellation côtes de provence en admet treize. Encore que les muscats, qui firent la gloire de bien des terroirs provençaux avant la crise phylloxérique, aient aujourd'hui disparu. Le vignoble est le plus souvent conduit en gobelet bas ; cependant, les formes palissées se font de plus en plus fréquentes. Vins rosés et vins blancs (ceux-ci plus rares, mais souvent surprenants) sont généralement bus jeunes ; et peut-être pourrait-on revoir cette habitude si l'on trouvait des conditions de maturation en bouteilles moins sévères que celles de notre climat. Il en est de même pour beaucoup de vins rouges, lorsqu'ils sont légers. Mais les plus corsés, dans toutes les appellations, vieillissent fort bien.

Tout petit, le vignoble de Palette, aux portes d'Aix, englobe l'ancien clos du bon roi René. On signalera ici ses blancs, rosés et rouges.

Et puisqu'on parle encore provençal dans quelques domaines, sachez qu'un « avis » est un sarment, qu'une « tine » est une cuve et qu'une « crotte » est une cave ! Peut-être vous dira-t-on aussi qu'un des cépages porte le nom de « pecoui-touar » (queue tordue) ou encore « ginou d'agasso » (genou de pie), à cause de la forme particulière du pédoncule de sa grappe...

Côtes de provence

Cette appellation dont la production est considérable (915 982 hl en 2001) occupe un bon tiers du département du Var, avec des prolongements dans les Bouches-du-Rhône, jusqu'aux abords de Marseille, et une enclave dans les Alpes-Maritimes sur une superficie de plus de 19 000 ha. Trois terroirs la caractérisent : le massif siliceux des Maures, au sud-est, bordé au nord par une bande de grès rouge allant de Toulon à Saint-Raphaël et, au-delà, l'importante masse de collines et de plateaux calcaires qui annonce les Alpes. On conçoit que les vins issus de nombreux cépages différents, en proportions variables, sur des sols et des expositions tout aussi divers, présentent, à côté d'une parenté due au soleil, des variantes qui font précisément leur charme... Un charme que le Phocéen Protis goûtait sans doute déjà, 600 ans avant notre ère, lorsque Gyptis, fille du roi, lui offrait une coupe en aveu de son amour...

Sur les blancs tendres, mais sans mollesse, du littoral, les nourritures maritimes et très fraîches seront tout à fait à leur place, tandis que ceux qui sont un peu plus « pointus », un peu plus au nord, apaiseront mieux les irritations des écrevisses à l'américaine et des fromages piquants. Les rosés, tendres ou nerveux, selon l'humeur et le goût, seront les meilleurs compagnons des fragrances puissantes de la soupe au pistou, de l'anchoïade, de l'aïoli, de la bouillabaisse, et aussi des poissons et des fruits de mer aux arômes iodés : rougets, oursins, violets. Enfin, dans les rouges, ceux qui sont tendres (à boire frais) conviennent aux gigots, aux rôtis, mais aussi aux pot-au-feu, et en particulier au pot-au-feu froid en salade ; quelques rouges corsés, puissants, généreux, conviendront aux civets, aux daubes, aux bécasses. Et pour ceux qui ne sont pas ennemis d'harmonies insolites, rosé frais et champignons, rouge et crustacés en civet, blanc avec daube d'agneau (au vin blanc) procurent de bonnes surprises.

DOM. DE L'AMAURIGUE
Cuvée spéciale 2001

■ 11 ha 60 000 ■ 🌡 5 à 8 €

Le Luc (du latin *lucus*, « bois sacré »), ancienne forteresse bâtie au Xe s. au pied d'*oppida* celto-ligures, mérite une visite pour sa vieille ville médiévale aux rues tortueuses. La vigne partage le paysage alentour avec l'olivier. Vous y découvrirez le domaine de l'Amaurigue qui propose un rosé plein et rond, aux arômes de fruits mûrs un peu compotés. L'impression de légèreté est donnée par la robe très pâle à reflets saumon, semblable à un voile.

🔑 SARL Dom. de l' Amaurigue, rte de Cabasse, 83340 Le Luc, tél. 04.94.50.17.20, fax 04.94.50.17.21, e-mail domaine-lamaurigue@wanadoo.fr ☑ 🍷 r.-v.

🔑 De Croot

CH. DES ANGLADES 2001

■ 3 ha 10 000 ■ 🌡 5 à 8 €

Implantée sur la commune de Hyères, cette propriété a été achetée en 2000 par la famille Gautier qui s'est attachée à la rénover. Les palmiers qui la bordent à l'entrée semblent indiquer la route pour découvrir ce vin équilibré, typique de l'appellation, que soulignent des arômes de fleurs blanches.

🔑 SCEA Ch. des Anglades, quartier Couture, 83400 Hyères, tél. 04.94.65.22.21, fax 04.94.65.22.21 ☑

🔑 Gautier

DOM. DE L'ANGUEIROUN 2001★★

■ 3 ha 20 000 ■ 🌡 5 à 8 €

Autour du domaine, ancienne réserve de chasse, le paysage de coteaux invite à la promenade. Ce rosé, de teinte franche et vive, convie le dégustateur à une découverte de senteurs de fruits mûrs et d'amande grillée. La matière ronde fait preuve d'une parfaite harmonie. Contemplatif, on reste sous le charme.

🔑 Eric Dumon, 1077, chem. de l'Angueiroun, 83230 Bormes-les-Mimosas, tél. 04.94.71.11.39, fax 04.94.71.75.51 ☑ 🍷 t.l.j. 8h-12h 14h-18h

DOM. DE L'ANTICAILLE 2001★★

■ 2,3 ha 15 000 ■ 🌡 5 à 8 €

Coup de cœur dans l'édition précédente du Guide pour le millésime 2000, le rosé de ce domaine familial conserve une place de choix. De couleur pâle mais franche, il s'exprime sur un fond d'agrumes et de fruits blancs (pamplemousse, pêche) bien frais, puis enveloppe le palais d'une matière souple et fine avec persistance. Un vin attachant. Le **2000 rouge** mérite d'être cité pour son caractère tout simplement plaisant.

🔑 Martine Paillet, Dom. de l'Anticaille, 13530 Trets, tél. 04.42.29.22.64, fax 04.42.29.41.64 ☑ 🍷 r.-v.

🔑 Feraud-Paillet

CH. L'ARNAUDE 2001★

■ 10 ha 30 000 ■ 🌡 5 à 8 €

Les expositions Art et Vin organisées chaque été, de même que les concerts de musique classique donnés dans le parc du château invitent à visiter cette propriété. Autre motif d'un détour par l'Arnaude, ce rosé bien dans le ton, élégant et agréablement rond, qui accompagnera les soirées d'un été indien.

🔑 Ch. l'Arnaude, rte de Vidauban, 83510 Lorgues, tél. 04.94.73.70.67, fax 04.94.67.61.69, e-mail chateau.arnaude@terre-net.fr ☑ 🍷 t.l.j. hiver 9h30-12h 14h-18h; été 9h30-12h30 15h-19h; dim. 10h-12h

🔑 H.-J. Knapp

DOM. DES ASPRAS
Cuvée Réserve 2001★

■ 1 ha 4 000 ⓘ 8 à 11 €

Correns pourrait être qualifié de « premier village bio de France » puisque l'ensemble des viticulteurs a opté pour la culture biologique. Vinifiée en fût de chêne, cette cuvée aux arômes finement boisés se révèle « péchue », c'est-à-dire qu'elle ne manque pas de vivacité. Une ligne fraîche

se conjugue en effet à la vanille pour flatter les papilles. Déjà plaisant, ce 2001 devrait se bonifier encore au cours des deux prochaines années. La **Cuvée traditionnelle rosé 2001 (5 à 8 €)**, également très réussi, apparaît élégante et souple sous son étole pétale de rose.
🕊 Lisa Latz, SCEA Dom. des Aspras, 83570 Correns, tél. 04.94.59.59.70, fax 04.94.59.53.92, e-mail mlatz@aspras.com ☑ 🏠 ⅄ t.l.j. sf dim. 10h-12h 15h-19h
🕊 Michael Latz

CH. D'ASTROS
Cuvée spéciale 2001★★

	3 ha	5 300	📶↓	5 à 8 €

Ah ! le joli rosé que l'on boit sous la tonnelle, devant le château... Cela aurait pu être une séquence du *Château de ma mère*, film qu'Yves Robert tourna sur la propriété. Rose pâle, aux notes de fruits frais (grenade, litchi), ce vin laisse une impression de suavité et de concentration. La **Cuvée spéciale blanc 2001** est citée pour ses flaveurs originales de beurre.
🕊 SCEA du Ch. d'Astros, rte de Lorgues, 83550 Vidauban, tél. 04.94.99.73.00, fax 04.94.73.00.18 ☑ ⅄ t.l.j. sf dim. 8h30-12h 14h-18h
🕊 Maurel

CH. DE L'AUMERADE
Cuvée Sully 2001★

Cru clas.	7 ha	40 000	📶↓	5 à 8 €

Les vins du domaine étaient fort appréciés à la cour d'Henri IV comme en témoignent les dires du duc de Sully : « Par le Roy j'en jure, oncque ne vit vin plus délectable. » Vous vous délecterez aussi de ce vin très pâle nuancé de vert. Riche en arômes variés (buis, chèvrefeuille, menthe, fruits exotiques), il évolue en finesse grâce à une vivacité équilibrée. La finale tendre s'étire sur la poire et les épices. Une bouteille à servir sur un fromage de chèvre frais. Du même producteur, le **Château la Clapière rosé 2001** brille d'une étoile. Plutôt « agrumes », il s'accommode d'une pointe de fraîcheur et laisse une agréable sensation.
🕊 SCEA des Domaines Fabre, Ch. de l'Aumerade, 83390 Pierrefeu-du-Var, tél. 04.94.28.20.31, fax 04.94.48.23.09 ☑ ⅄ r.-v.

CH. BARBANAU 2001★

	2 ha	9 000	📶↓	5 à 8 €

Situé au sud-ouest de l'appellation, le château Barbanau produit également un cassis connu sous l'étiquette Clos Val Bruyère. Cette année, les côtes de provence blanc de Sophie Cerciello est un vin subtil et élégant, développant des arômes floraux. Si la finale est capiteuse, il garde finesse et fraîcheur. A boire dès l'automne.

🕊 SCEA Ch. Barbanau, Hameau de Roquefort, 13830 Roquefort-la-Bédoule, tél. 04.42.73.14.60, fax 04.42.73.17.85, e-mail barbanau@aol.com ☑ ⅄ t.l.j. sf dim. 10h-12h 15h-18h
🕊 Cerciello

CH. BARON GEORGES
Réserve du baron Elevé en fût de chêne 1999★

■	1 ha	900	ⅲ	11 à 15 €

Antony Gassier a acquis en 1981 ce domaine idéalement situé au pied de la montagne Sainte-Victoire. Après de patients travaux de plantation et de rénovation de la cave, il vinifie le fruit d'un vignoble de 40 ha. Son 99, grenat soutenu, a séjourné neuf mois en fût. Il a retenu de ce passage un caractère boisé qui s'allie à sa puissance et à son volume. Une petite garde lui permettra de parvenir à la plénitude.
🕊 Baron Georges Antony Gassier, Ch. Baron Georges, 13114 Puyloubier, tél. 04.42.66.31.38, fax 04.42.66.31.38, e-mail baron.georges@worldonline.fr ☑ ⅄ r.-v.

DOM. DE LA BASTIDE NEUVE
Perle des anges 2001★★

■	13,23 ha	46 000	📶↓	8 à 11 €

En 2001, 10 ha de vignes ont été acquis, portant la superficie viticole du domaine à quelque 28 ha. A l'image du millésime, ce vin pâle à nuances rose orangé est tout en bouche. Discrètement minéral, il possède l'équilibre et la persistance d'un rosé remarquablement élégant. La **cuvée d'Antan rouge 2000** obtient une étoile pour son joli fruité de griotte et sa souplesse.
🕊 Dom. de la Bastide Neuve, 83340 Le Cannet-des-Maures, tél. 04.94.50.09.80, fax 04.94.50.09.99, e-mail dnebastideneuve@compuserve.com ☑ ⅄ t.l.j. sf sam. dim. 8h-12h 13h-17h
🕊 Hugo Wiestner

CH. BAUVAIS 2001

■	30 ha	13 000	📶↓	3 à 5 €

En remontant les rues du vieux village de Pierrefeu, vous parviendrez au monument érigé à la mémoire des cinquante marins disparus à bord du ballon dirigeable le *Dixmude*, en 1923. La cave coopérative propose un vin de teinte pivoine soutenu, évocateur de banane et de confiture de fraises. La structure tannique bien présente permettra à ce rosé d'accompagner des plats épicés, tels que pizzas et couscous.
🕊 Les vignerons de la cave de Pierrefeu, RD 12, 83390 Pierrefeu-du-Var, tél. 04.94.28.20.09, fax 04.94.28.21.94 ☑ ⅄ r.-v.

DOM. LUDOVIC DE BEAUSEJOUR
Cuvée Bacarras 2000★★

■	6 ha	13 000	ⅲ	11 à 15 €

Installée à Draguignan, jolie ville qui a conservé un caractère médiéval dans ses anciennes ruelles et portes, cette propriété familiale cultive 29 ha de vignes. Elle se distingue par cette cuvée élevée quatorze mois en fût. Le boisé occupe la place qui convient, sans alourdir la structure souple et enveloppée d'une matière ronde. De bonne facture, les tanins sont fondus. On perçoit une belle maturité sous cette robe profonde à nuances rubis. Un joli vin à ouvrir sur une spécialité du terroir, comme un pâté

de sanglier. La **cuvée Prestige Vieilles vignes rosé 2001** (8 à 11 €) obtient une étoile : aérien dans son expression aromatique, elle est sincère et agréable.

🍴 Dom. Ludovic de Beauséjour, La Basse-Maure, rte de Salernes, 83510 Lorgues,
tél. 04.94.50.91.91, fax 04.94.68.46.53 ☑ ☉ r.-v.
🍴 Ph. Maunier

BELOUVE 2001★★★

	2 ha	13 000	▮ ⦿ 🍴	5 à 8 €

S'il était déjà beau en 2000, le raisin du Bélouvé, il fut exceptionnel en 2001. En témoigne ce vin de couleur sombre à frange violacée qui exprime avec finesse les épices sur fond de violette. Il ne tarde pas à monter en puissance grâce à une charpente ample qui soutient bien les notes finales de réglisse. Une bouteille riche et complexe qui attendra entre deux et quatre ans en cave.
🍴 Domaines Bunan, Moulin des Costes, 83740 La Cadière-d'Azur, tél. 04.94.98.58.98, fax 04.94.98.60.05, e-mail bunan@bunan.com ☑ ☉ r.-v.

DOM. LE BERCAIL
Confidence 2000★

	2 ha	11 000	⦿	5 à 8 €

Importante étape sur la voie Aurélienne des Romains, Puget-sur-Argens s'est encore développé au Moyen Age et a conservé de cette époque les ruelles étroites et pentues. Après une visite de la ville, rendez-vous au domaine le Bercail pour découvrir ce vin qui vous fera des confidences derrière sa robe très sombre : un bouquet complexe de sous-bois, de fumée et d'épices, une attaque fraîche, un développement tout en puissance sur des tanins bien marqués, issus des cépages syrah et cabernet, une longue finale sur le fruit qui s'accompagne d'une nuance chaleureuse. Cette bouteille de caractère mérite d'attendre deux ou trois ans pour s'arrondir.
🍴 Dom. le Bercail, 864, chem. de la Plaine, 83480 Puget-sur-Argens, tél. 04.94.19.54.09, fax 04.94.19.54.09 ☑ ☉ t.l.j. sf sam. dim. 8h-16h30

CH. DE BERNE
Cuvée spéciale 2001

	25 ha	30 000	▮ 🍴	8 à 11 €

Si vous cheminez du côté de Lorgues, arrêtez-vous au château de Berne pour y déguster le rosé maison. Bonbon acidulé, fraise et notes grillées y font bon ménage et invitent à une dégustation immédiate.
🍴 Ch. de Berne, 83510 Lorgues, tél. 04.94.60.43.60, fax 04.94.60.43.58, e-mail vins@chateauberne.com ☑ ☉ t.l.j. 10h-18h

MAS DES BORRELS 2001★

	4 ha	21 000	▮ 🍴	5 à 8 €

La vallée des Borrels, au microclimat particulier par sa situation en retrait du front de mer, est réputée pour ses vergers (pêchers, notamment). On y produit aussi d'excellents rosés à l'image de celui-ci, pâle et lumineux, légèrement gris. Tout en fleurs et en fruits exotiques, il monte en puissance jusqu'en fin de bouche. Le **blanc 2001**, jaune pâle, à la fraîcheur mentholée et fruitée (amande), est cité.
🍴 GAEC Garnier, Mas Borrels, Dom. du Cazal, 3ᵉ Borrels, 83400 Hyères, tél. 04.94.65.68.20, fax 04.94.12.76.51 ☑ ☉ t.l.j. 9h-12h 15h-19h
🍴 GFA Garnier

DOM. DE LA BOUISSE
Jean-Joseph Bouis Elevé en fût de chêne 2000★★

	2 ha	8 000	▮ 🍴	5 à 8 €

Un moulin à huile constituait le cœur de l'activité de ce domaine aux XVIIIᵉ et XIXᵉs., puis la vigne gagna chaque hectare jusqu'à couvrir les 25 ha actuels. Une nouvelle unité de vinification est aujourd'hui en construction et devrait accueillir la vendange 2002. En attendant, Mathilde et Bruno Merle présentent un grand vin du Sud, équilibré et riche. Aux arômes d'épices, de cuir et de fruits noirs répond une bouche grasse, ample et persistante dans ses évocations de sous-bois et de vanille. Si ce 2000 possède assez de structure pour vieillir deux ans, il peut déjà être apprécié sur un gibier ou une daube. Le **Le Clos du Paradis rouge 2000** est cité pour son caractère friand.
🍴 Mathilde et Bruno Merle, Dom. de la Bouisse, la Moutonne, 83260 La Crau, tél. 04.94.57.94.93, fax 04.94.38.51.88, e-mail bruno.merle@wanadoo.fr ☑ ☉ r.-v.

DOM. DE LA BOUVERIE 2001★

	3 ha	10 000	⦿	5 à 8 €

Entre vergers et cultures florales, la vigne trouve sa place dans le paysage qui se déploie autour des rochers de Roquebrune. Elaboré et élevé en fût, ce vin, de présentation soignée dans sa robe pâle nuancée de vert, parle d'agrumes avec des accents boisés. Harmonieux et constant, il persiste longuement. Le **rouge 99** est cité pour ses arômes de fruits noirs et son bon volume, ainsi que le **rosé 2001** pour sa rondeur et son fruité de pamplemousse.
🍴 Jean Laponche, Dom. viticole de la Bouverie, 83520 Roquebrune-sur-Argens, tél. 04.94.44.00.81, fax 04.94.44.04.73 ☑ ☉ r.-v.

CH. DE BREGANCON
Cuvée Prestige 2001★

Cru clas.	3 ha	8 000	▮ 🍴	8 à 11 €

Le temps où l'on élevait les vers à soie et élaborait de l'huile d'olive est révolu au domaine de Brégançon, mais on y produit toujours de jolis vins, tel ce 2001 constitué en

majorité de rolle. De couleur pâle nuancée de jaune, il s'ouvre généreusement sur des notes florales. Le miel d'acacia enrichit la gamme dans une bouche ample et chaleureuse, dont l'équilibre est relevé par une légère perle. La **cuvée Prestige rouge 2000 (11 à 15 €)** est citée : elle devra attendre un ou deux ans pour que sa jeunesse se passe.
🖘 Jean-François Tézenas, Ch. de Brégançon, 639, rte de Léoube, 83230 Bormes-les-Mimosas, tél. 04.94.64.80.73, fax 04.94.64.73.47, e-mail chbregancon@terre-net.fr
☑ ☂ t.l.j. 9h-12h 14h-18h

MAS DE CADENET 2001★

	4 ha	15 000	▮♦	5 à 8 €

Situé au pied de la Sainte-Victoire, le mas de Cadenet représente la Provence traditionnelle. Il appartient à la famille Négrel depuis 1813. Original et harmonieux, ce vin, issu à 100 % de rolle, laisse un sillage de fleurs printanières et d'agrumes, puis développe une bouche ronde et équilibrée. Un bon compagnon de la gastronomie provençale. Le **rosé 2001**, également très réussi, joue dans le même registre aromatique, avec plus de vivacité. Sa longueur est fort honorable.
🖘 Guy Négrel, Mas de Cadenet, 13530 Trets, tél. 04.42.29.21.59, fax 04.42.61.32.09, e-mail mas-de-cadenet@wanadoo.fr
☑ ☂ t.l.j. sf dim. 9h-12h 14h-19h

CH. CAMP LONG
Cuvée Truchette 2001★★

	17,82 ha	80 000	▮♦	3 à 5 €

A l'entrée du massif des Maures, dont les collines boisées se prêtent à la randonnée, ce domaine de près de 75 ha a investi dans la construction de nouveaux chais de vinification. Le 2001 en a bénéficié. Agréable par sa teinte rose clair brillant, il séduit par son élégance aromatique, débutant dans le registre floral avant de poursuivre sur un fruité exotique persistant. Une belle expression qui s'associe à la rondeur. En **blanc, la cuvée Truchette 2001**, issue exclusivement de rolle, est tout aussi remarquable. De couleur pâle, elle se distingue par ses arômes bien fondus (des notes de noisette apparaissent), sa générosité et sa longueur.
🖘 Patrick Gualtieri, Ch. Pas du Cerf, rte de Collobrières, 83250 La Londe-les-Maures, tél. 04.94.00.48.80, fax 04.94.00.48.81, e-mail info@pasducerf.com ☑ ☂ t.l.j. 8h-12h 14h-18h

CAPE D'OR 2001

	20 ha	50 000	▮	3 à 5 €

Grimaud recèle des trésors accumulés depuis l'époque des Templiers jusqu'à aujourd'hui. Port-Grimaud, cité lacustre bâtie en 1968 par l'architecte François Spoerry, fait partie du patrimoine contemporain de ce village. Après l'avoir découvert, vous aurez plaisir à goûter le rosé de la cave coopérative. Franc, friand et élégant, ce vin s'inscrit dans le type classique : robe saumonée, nez d'agrumes, bouche ronde, capiteuse en finale.
🖘 Les Vignerons de Grimaud, 36, av. des Oliviers, 83310 Grimaud, tél. 04.94.43.20.14, fax 04.94.43.30.00
☑ ☂ t.l.j. sf dim. 8h30-12h15 14h-18h

CH. CARPE DIEM
Plus 2001★★

	n.c.	3 500	▮♦	5 à 8 €

Respectez la devise du domaine et « cueillez le jour » en dégustant ce vin, de couleur vive à reflets verts, qui sent les fruits exotiques, comme la mangue et la papaye. La bouche généreuse et ample semble presque épicée. Un vin plaisir, un vin d'épicurien, en somme... Le **Major 99 rouge (8 à 11 €)**, élevé treize mois en fût, obtient une étoile : sa structure est prometteuse.
🖘 Francis Adam, Ch. Carpe Diem, R.D. 13, rte de Carces, 83570 Cotignac, tél. 04.94.04.76.65, fax 04.94.04.77.50
☑ ☖ ☗ ☂ t.l.j. 9h30-12h30 14h30-19h

DOM. DE CASENEUVE 2001★

▦	22 ha	130 000	▮♦	3 à 5 €

Ce vin est commercialisé par le Cellier de Saint-Louis, important groupement de producteurs du centre du Var. Le choix est judicieux. Un nez de mandarine se précise sous une teinte claire, puis la gamme des agrumes se décline dans une bouche bien ronde et persistante. A boire dans l'année sur des tagliatelles aux trois poivrons et au basilic.
🖘 Le Cellier de Saint-Louis, Les Consacs, 83170 Brignoles, tél. 04.94.37.21.00, fax 04.94.59.14.84, e-mail cellier-saintlouis@wanadoo.fr ☑

CH. DE CHAUSSE 1999★

▬	7 ha	20 900	❘❙	8 à 11 €

La Croix-Valmer bénéficiait au XIXᵉs. d'une réputation en tant que station hivernale et proposait aux touristes des cures de raisin. Créé il y a douze ans, ce domaine de 15 ha de vignes encore jeunes propose un vin à reflets rubis qui exhale des parfums enivrants de café évoluant vers une saveur poivrée. Puissant, ce 99 aux tanins soyeux se réserve pour une dégustation dans deux ou trois ans. Le **rosé 2001 (5 à 8 €)**, sur le fruit en toute simplicité, est cité : il laisse une impression très chaleureuse.
🖘 Ch. de Chausse, 83420 La Croix-Valmer, tél. 04.94.79.60.57, fax 04.94.79.59.19 ☑ ☂ r.-v.
🖘 Yves et Roseline Schelcher

CLOS CIBONNE
Cuvée spéciale de l'Oratoire 1998★

Cru clas.	2 ha	10 000	❘❙	8 à 11 €

Ce domaine de 13 ha doit son nom au comte de Cibon qui en fut propriétaire au XVIIIᵉs. Depuis plus de soixante-dix ans, le domaine a toujours valorisé le tibouren, cépage régional qui entre pour 20 % dans l'assemblage de ce vin. Un rien tuilé, celui-ci exhale des notes d'épices et de réglisse. Les tanins fondants s'inscrivent dans une bouche pleine et moelleuse. Une bouteille de bonne tenue, à ouvrir sur une volaille dès à présent et dans les deux ans à venir.
🖘 Jacqueline Roux-Mourchou, Clos Cibonne, chem. des Vignes, 83220 Le Pradet, tél. 04.94.21.70.55, fax 04.94.08.13.44 ☑ ☂ t.l.j. sf dim. 9h-12h 14h-18h

DOM. DU CLOS D'ALARI 2000★★

▬	3 ha	6 500	▮♦	5 à 8 €

Sur ce petit domaine de 6,37 ha, la vigne est une affaire de femmes. La mère et la fille vinifient elles-mêmes leur raisin depuis 1999, et sont fières de présenter aujourd'hui un 2000 carmin violacé, étonnant de complexité aromatique : violette, sous-bois, framboise. Souple, rond et harmonieux, ce vin enchante les papilles. Canard, viandes rouges en sauce, veau marengo formeront avec lui autant d'accords gourmands.
🖘 Vancoillie, Dom. du Clos d'Alari, 83510 Saint-Antonin-du-Var, tél. 04.94.72.90.49, fax 04.94.72.90.51, e-mail leclosdalari@neos.fr ☑ ☂ r.-v.

LA CAVE DES VIGNERONS DE COGOLIN
Grande Réserve 2001★

| | 10 ha | 25 000 | | 3 à 5 € |

Bourg agricole et commerçant, Cogolin est célèbre pour la fabrication de pipes de bruyère. Sa cave coopérative, créée en 1912, témoigne aussi de sa vocation viticole. Voilà un rosé à contre-courant, original, presque sauvage. De teinte soutenue, il libère certes des arômes de grenade, de cassis et de framboise, mais aussi des notes chocolatées, puis déploie une matière solide et structurée, sur le fruit. Egalement très réussi, la **cuvée Amiral Jacques de Cuers rosé 2001 (5 à 8 €)** qui rend hommage au chef d'escadre de la Marine royale de Louis XIV, est un vin expressif (pêche, fruits des bois) et très rond.

Cave des Vignerons de Cogolin, rue Marceau, 83310 Cogolin, tél. 04.94.54.40.54, fax 04.94.54.08.75, e-mail vin-1 @wanadoo.fr ☑ ☖ r.-v.

COSTE BRULADE
Réserve 3ᵉ millénaire 2001★

| | 15 ha | 60 000 | | 5 à 8 € |

Fort de 1 080 ha de vignes, dont 900 ha en côtes de provence, le Cellier Saint-Sidoine sait mettre en valeur les terroirs de l'appellation. C'est un joli rosé de couleur pâle

La Provence

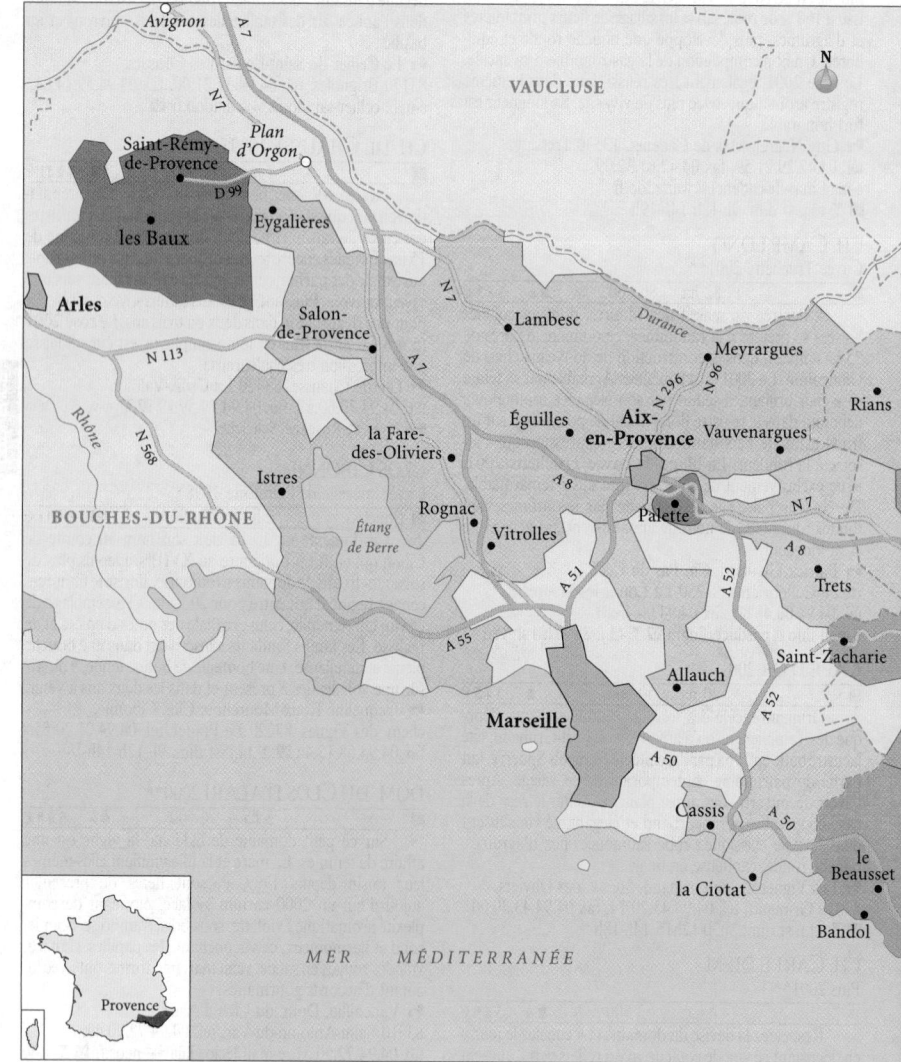

qui le distingue cette année, riche de notes de fruits rouges, de framboise et de bonbon acidulé. Gras, intense et long, il fait preuve d'une indéniable harmonie et de typicité. La **cuvée Réserve 3ᵉ Millénaire 2000 rouge** est citée pour sa bonne constitution.

SCA Cellier Saint-Sidoine, rue de la Libération, 83390 Puget-Ville, tél. 04.98.01.80.50, fax 04.98.01.80.59, e-mail courrier@provence-sidoine.com ☑ ⍟ r.-v.

DOM. DE LA CRESSONNIERE
Cuvée Monestel 2000

■	6 ha	32 000	■ ⌖	5 à 8 €

Connaissez-vous Jules Gérard, dont la statue se dresse sur la place des Ecoles à Pignans ? Non ? Relisez

Tartarin de Tarascon d'Alphonse Daudet, et vous trouverez dans ses lignes l'évocation de ce « tueur de lions », ancien spahi en Algérie. Face au massif des Maures et sur ses terroirs argilo-calcaires, ce domaine, créé en 1639, propose un vin rubis violacé – moins véhément... –, qui s'inscrit dans les gammes florale (violette), épicée (poivre) et fruitée (cassis, mûre). Bien construit, ce 2000 pourra être apprécié sur une daube.

Dom. de la Cressonnière, RN 97, 83790 Pignans, tél. 04.94.48.81.22, fax 04.94.48.81.25, e-mail cressonniere@wanadoo.fr
☑ ⍟ t.l.j. sf dim. 10h-12h 15h-18h
Depeursinge

La Provence associe vignes et oliviers depuis 2600 ans.

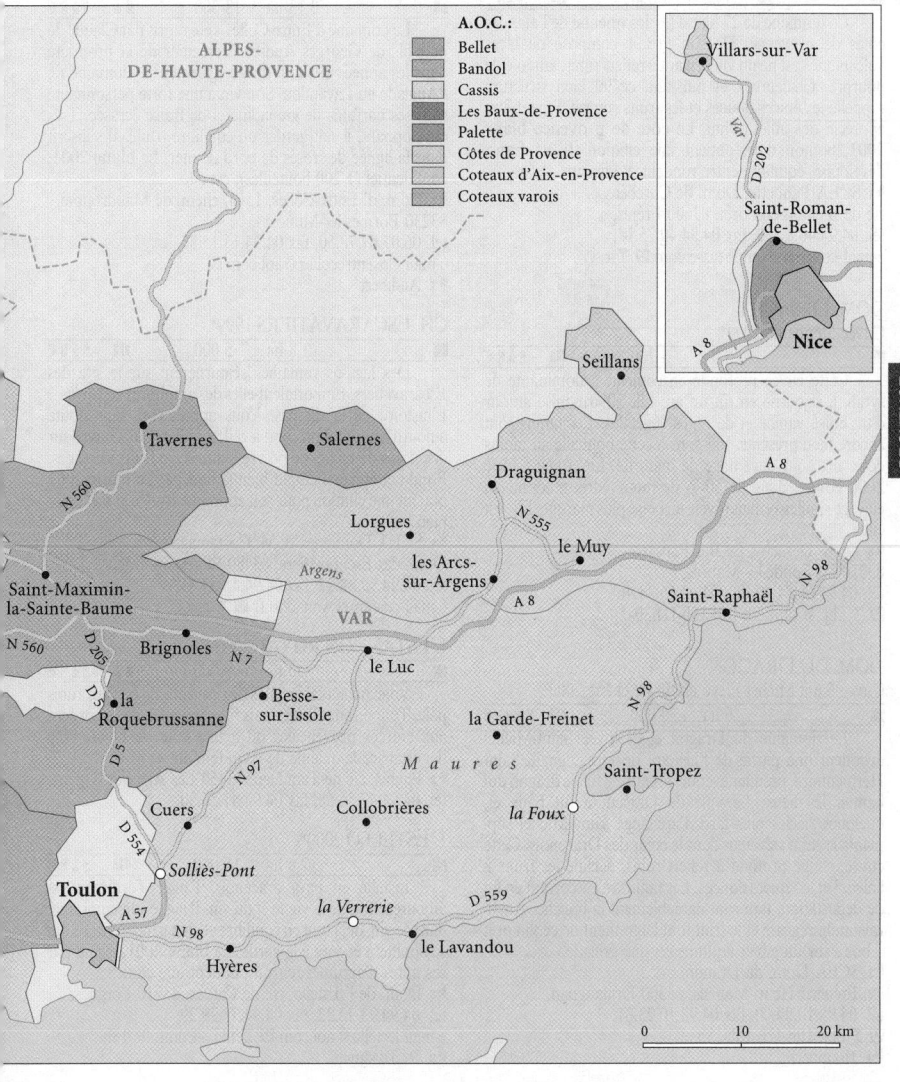

CH. LES CROSTES 2000★

■　　　　　5 ha　　18 000　　❶❶　5 à 8 €

Oléicole au XVIIᵉs., ce domaine est aujourd'hui voué à la vigne. Il a produit un vin sombre, exprimant avec complexité le cassis, les épices et le graphite. Celui-ci fait preuve de présence au palais par sa puissance et sa longueur. Une bouteille d'avenir qui formera un accord gourmand avec un faisan aux cerises. Le **rosé 2001**, vif et à l'évolution agréable, obtient lui aussi une étoile.

✇ H.L. Ch. les Crostes, chem. de Saint-Louis, BP 55, 83510 Lorgues, tél. 04.94.73.98.40, fax 04.94.73.97.93, e-mail chateau.les.crostes@wanadoo.fr ☑ ⟐ t.l.j. sf dim. 10h-18h; juin-juil.-août 9h-20h

DOM. DE CUREBEASSE 1999★

■　　　　　3 ha　　7 000　　❶❶　5 à 8 €

Ce domaine de 27 ha est le plus oriental de l'aire des côtes de provence. De son terroir composé de laves volcaniques est né un vin brillant à reflets rubis, auréolé de pourpre. Chaleureux et puissant, ce 99 bien structuré rappelle les épices douces et les fruits rouges. Il peut être apprécié dès aujourd'hui. Le **côte de provence blanc 2001**, bouton d'or, obtient une citation. Il est franc, développé, équilibré entre rondeur et vivacité.

✇ SCEA Paquette, Dom. de Curebéasse, rte de Bagnols-en-Forêt, 83600 Fréjus, tél. 04.94.40.87.90, fax 04.94.40.75.18, e-mail courrier@curebeasse.com ☑ ⟐ r.-v.

DOM. DESACHY
Cuvée Stéphanie 2000★

■　　　　　0,6 ha　　3 200　　❶❶　5 à 8 €

Cette cuvée profonde en couleur, à dominante de syrah, a séjourné en fût un an. Elle s'harmonise autour d'un boisé vanillé et de notes végétales. Les tanins sont encore bien présents. Laissons à cette bouteille au moins deux ans pour davantage de maturité. La **cuvée Chloé 2000 rouge**, issue de 50 % de mourvèdre, a connu un élevage similaire, mais révèle un boisé plus marqué. Elle est citée.

✇ Dom. Desachy, Le Bas Pansard, 83250 La Londe-les-Maures, tél. 04.94.66.84.46, fax 04.94.66.84.46 ☑ ⟐ t.l.j. sf dim. 9h-12h 15h-18h30

DOM. DU DRAGON
Cuvée Saint-Michel Elevé en fût de chêne 2000★

■　　　　　6 ha　　30 000　　❶❶　8 à 11 €

Le domaine du Dragon et la cuvée Saint-Michel évoquent une partie de l'histoire de Draguignan. Saint Hermentaire, premier évêque d'Antibes, tua le dragon qui hantait les lieux. La ville de Dracenum fut bâtie et, quelques siècles plus tard, l'archange saint Michel supplanta le saint salvateur dans le cœur des Dracénois. Cette cuvée, rouge profond à reflets rubis, décline les fruits à l'alcool et les épices douces. Les tanins se perçoivent en fin de dégustation, tapissant agréablement la bouche. Auparavant, la réglisse et le fruit font l'agrément de ce vin prêt à boire sur un gibier à plume ou une grillade.

✇ SCEA Dom. du Dragon, av. Frédéric-Henri-Manhes, 83300 Draguignan, tél. 04.98.10.23.00, fax 04.98.10.23.01 ☑ ⟐ t.l.j. 10h-12h 16h-18h

✇ Houppertz

DUPERE BARRERA
En Caractère Cuvée spéciale 2000★

■　　　　　3 ha　　2 400　　❶❶　5 à 8 €

Maison de négoce de création récente sur Toulon, Dupéré Barrera se distingue par un côtes de provence d'une belle complexité aromatique : une palette de fruits rouges légèrement compotés, nuancés d'épices douces (coriandre) et de boisé (vanille). Si le vin attaque avec discrétion, il gagne ensuite en volume et s'étire longuement. Certes déjà plaisant, il gagnera cependant à attendre au moins un an.

✇ Dupéré Barrera, 122, rue Dakar, 83100 Toulon, tél. 04.94.31.10.48, fax 04.94.31.10.48, e-mail vinsduperebarrera@hotmail.com ☑ ⟐ r.-v.

DOM. D'ENTRE-COLLES 2001★

■　　　　　3,13 ha　　13 300　　❖↓　5 à 8 €

Le domaine d'Entre-Colles a été repris par Claude, le petit-fils de Georges Audibert, créateur de la propriété dans les années 1930 ; il dirige également le domaine de l'Anglade au Lavandou. Son vin a une forte personnalité sous ses parfums de grenadine et de fraise écrasée. Très enveloppant, il sait garder un équilibre fruité. Il s'inscrit dans la lignée des rosés de bord de mer. Le **blanc 2001**, confidentiel (1 200 bouteilles), est cité.

✇ Dom. d' Entre-Colles, 1564, chem. de Maudroume, 83230 Bormes-les-Mimosas, tél. 06.07.67.78.50, fax 04.94.15.15.88, e-mail closentrecolles@aol.com ☑

✇ Audibert

CH. ESCARAVATIERS 1999★

■　　　　　1,8 ha　　5 000　　❶❶　5 à 8 €

Des légions romaines séjournèrent sur le site des Escaravatiers. Emportaient-elles des amphores de la *villa* ? L'histoire ne le dit pas. Vous apprécierez sans doute aujourd'hui ce 99 profond à reflets violets qui s'ouvre sur des notes de tabac, de poivre blanc et de fruits sauvages. Fondu et épicé, il emplit bien la bouche. Le **blanc 2001** obtient une citation pour son approche fruitée et son boisé bien intégré.

✇ SCEA Domaines B.-M. Costamagna, Dom. des Escaravatiers, 83480 Puget-sur-Argens, tél. 04.94.19.88.22, fax 04.94.45.59.83, e-mail costam@wanadoo.fr ☑ ⟐ r.-v.

L'ESTANDON ROYAL 2000

■　　　　　30 ha　　200 000　　❖↓　3 à 5 €

Voici un agréable côtes de provence de couleur rubis pâle. Tout en simplicité, mais bien travaillé, il s'accordera aux entrées provençales ou à une côte de bœuf. Une dégustatrice le qualifie de « vin féminin ».

✇ Bagnis, rte de Taradeau, 83460 Les Arcs-sur-Argens, tél. 04.94.47.56.58, fax 04.94.47.56.50

L'ESTELLO 2000★

■　　　　　2,8 ha　　15 000　　❶❶　5 à 8 €

Installé en pays dracénois, Roger Tordjman est amoureux fou de la vigne et du vin. Il laisse son empreinte dans ce vin, déjà tout en équilibre et en harmonie, mais qui se bonifiera encore à la garde. Le **blanc 2001**, friand par ses notes d'agrumes (citron), obtient une étoile.

✇ Dom. de l' Estello, rte de Carces, 83510 Lorgues, tél. 04.94.73.22.22, fax 04.94.73.29.29, e-mail lestello@aol.com ☑ ⟐ t.l.j. sf dim. 9h-18h

✇ R. Tordjman

CH. DES FERRAGES 2000

| | 1,5 ha | 8 000 | | 8 à 11 € |

Aux environs de Saint-Maximin, Pourcieux est un petit village situé sur la voie Aurélienne. Depuis vingt-deux ans, José Garcia y dirige ce domaine qui compte aujourd'hui 40 ha. Son vin rubis bien net, aux accents de thym et de garrigue, enveloppe le palais et laisse sur une finale vanillée. Egalement cité, le **rosé 2001**, d'une pâleur extrême, évoque les fruits secs.

🔾 José Garcia, RN 7, 83470 Pourcieux,
tél. 04.94.59.45.53, fax 04.94.59.72.49
☑ ☍ t.l.j. sf dim. 8h-12h 13h30-18h

CH. FERRY LACOMBE
Cuvée Lou Cascat 2001★★

| | 25 ha | n.c. | | 5 à 8 € |

Cette ancienne bastide de maîtres verriers commande de nos jours 55 ha de vignes. Son rosé, convié au grand jury, témoigne de la qualité des côtes de provence. Il offre ses senteurs de fruits mûrs, de fraise et de framboise, puis sa matière se montre fraîche sous une couleur corail soutenu à reflets roses. Structuré, complet, il a tout pour lui.

🔾 Ch. Ferry-Lacombe, 13530 Trets, tél. 04.42.29.40.04,
fax 04.42.61.46.65 ☑ ☍ t.l.j. sf dim. 8h-12h 14h-18h
🔾 M. Pinot

DOM. LA FLEUR PASSION 2001★★

| | 0,3 ha | 2 500 | | 3 à 5 € |

C'est la passion qui anime cet œnologue alsacien installé depuis 1995 dans l'aire d'appellation. Saluons de deux étoiles sa première diffusion en bouteilles. Le jury s'est enthousiasmé pour ce 2001, dont le nez et la bouche sont en parfait accord. Rondeur et persistance aromatique en font un vin harmonieux. Très réussi, le **rosé 2001**, de couleur pâle, s'ouvre avec vivacité, puis évolue fort agréablement sur des notes d'agrumes.

🔾 Fridolin Walter, Dom. de la Fleur Passion,
chem. la Sauveuse, 83390 Puget-Ville,
tél. 04.94.48.55.84, fax 04.94.48.55.84 ☑ ☍ r.-v.

FLORALIES 2001★

| | 300 ha | 1 500 000 | | 3 à 5 € |

Il vous faudra préparer une ratatouille ou une anchoïade pour profiter pleinement de ce rosé délicieux, à la parure corail clair. Les fruits rouges frais s'harmonisent avec une bouche ample et vive qui invite à une dégustation immédiate.

🔾 SCA Mont Sainte-Victoire, 13114 Puyloubier,
tél. 04.42.66.32.21, fax 04.42.66.34.20

DOM. DES FOUQUES
Cuvée de l'Aubigue 2001

| | 4 ha | 18 000 | | 8 à 11 € |

De 1874 à 1980, la vigne côtoyait les arbres fruitiers et une pépinière de palmiers. Aujourd'hui, le vignoble, conduit en biodynamie, couvre 15 ha sur un terroir argilo-schisteux. Elevée six mois en fût, cette cuvée au nez de fruits rouges et de vanille révélera son originalité sur une pintade rôtie aux pêches de la vallée des Borrels.

🔾 Christelle Gros, Dom. les Fourques,
les Premiers-Borrels, 83400 Hyères,
tél. 04.94.65.68.19, fax 04.94.35.25.30,
e-mail fouques.bio@wanadoo.fr ☑ ☖ ☍ r.-v.

DOM. DE LA FOUQUETTE
Cuvée Bonne Chère Elevé en fût de chêne 2000★

| | 3 ha | 10 000 | | 5 à 8 € |

L'étiquette est révélatrice de l'esprit convivial de la maison. Dégustez donc ce vin qui, dès l'agitation, évoque les petits fruits noirs, les épices (cannelle) et le boisé. Déjà agréable, il est aussi promis à un bel avenir. Le **rosé 2001**, délicatement fruité et bien savoureux, est cité. Pour la bonne chère..., servez le premier sur une côte de bœuf, le second sur la traditionnelle bouillabaisse.

🔾 Yves Aquadro, Dom. de la Fouquette,
83340 Les Mayons,
tél. 04.94.60.00.69, fax 04.94.60.02.91 ☑ ☖ ☍ r.-v.

CH. DE LA GALINIERE
Grande Cuvée Charles Losma 2000★

| | 2 ha | 10 000 | | 11 à 15 € |

La cave est à peine construite que déjà la vendange 2000 y est vinifiée. Quelques mois plus tard, après un passage en barrique, cette cuvée fait son apparition, permettant au Château de la Galinière d'effectuer son entrée dans le Guide. Remarqué pour son fruité accompagné d'une nuance réglissée et pour sa matière souple et équilibrée, ce vin nous semblera flatteur dès aujourd'hui.

🔾 Amédée-Laurent Musso, Ch. de la Galinière,
13790 Châteauneuf-le-Rouge, tél. 04.42.29.09.84,
fax 04.42.29.09.82 ☑ ☍ t.l.j. 9h-19h

CH. DU GALOUPET 2001

| Cru clas. | 8 ha | 45 000 | | 5 à 8 € |

Ce domaine, qui figurait déjà sur la carte viticole de la France que le roi Louis XIV fit dresser, a conservé son ancienne cave voûtée. Il ne ménage pas ses efforts pour accueillir les visiteurs à l'occasion de journées portes ouvertes, des manifestations estivales Art et Vin, et de pièces de théâtre jouées dans les vignes. Son vin pâle à reflets verts, riche de senteurs de fleurs blanches et de saveurs de fruits frais (poire), sera le bienvenu aux côtés d'un rouget grondin au coulis d'oseille.

🔾 Ch. du Galoupet, Saint-Nicolas,
83250 La Londe-les-Maures,
tél. 04.94.66.40.07, fax 04.94.66.42.40,
e-mail galoupet@galoupet.com ☑ ☍ r.-v.
🔾 S. Shivdasani

CH. DES GARCINIERES
Cuvée traditionnelle 2001★

| | 1 ha | 4 000 | | 8 à 11 € |

Sur la route qui conduit à Saint-Tropez, impossible de passer sans remarquer la grande allée de platanes qui marque l'entrée du château des Garcinières. Cette cuvée, traditionnelle par son assemblage de rolle, d'ugni et de clairette, se montre juvénile dans sa couleur pâle à reflets verts et dans sa palette à la fois minérale et fruitée (agrumes). Ronde à l'attaque, elle évolue sur une ligne vive, rehaussée d'un fruit menthollé. Une belle richesse générale.

🔾 Famille Valentin, Ch. les Garcinières,
83310 Cogolin, tél. 04.94.56.02.85, fax 04.94.56.07.42,
e-mail info@chateau-garcinières.com ☑ ☍ r.-v.

CH. GASQUI 1999★★

| | 8 ha | 15 000 | | 8 à 11 € |

Au pied des Maures, Gonfaron a connu son heure de gloire au XIXᵉ s. grâce au développement de l'industrie bouchonnière. Il peut être le point de départ d'une

PROVENCE

promenade dans les forêts de châtaigniers et de chênes environnantes, comme d'une visite au château Gasqui. Une récolte manuelle, un assemblage judicieux de grenache et de syrah, un élevage en foudre font de ce 99 un vin remarquable. Il suffit pour s'en convaincre d'observer sa couleur soutenue, de humer ses arômes d'épices, de réglisse et de cuir, puis de savourer le fruité d'une bouche grasse, aux tanins denses et fondus. Cette bouteille déjà plaisante pourra également patienter deux ans en cave.
🕿 SCEA Ch. Gasqui, rte de Flassans,
83590 Gonfaron, tél. 04.94.78.23.14, fax 04.94.78.27.16
☑ ⵏ r.-v.
🕿 G. Fiat

DOM. DE GAVAISSON 2001★

	4 ha	18 000		▮⬥ 11 à 15 €

Une présentation parfaite – pâle à reflets verts – et des senteurs de fruits blancs titillent déjà les papilles. Et la bouche de confirmer, ronde, avec une dominante de citron vert et une finale persistante. Un équilibre fort agréable. Tentez un accord avec un fromage de chèvre frais ou des coquilles Saint-Jacques.
🕿 SARL Dom. de Gavaisson,
4033, rte de Saint-Antonin, 83510 Lorgues,
tél. 04.94.04.47.96, fax 04.94.72.91.39 ⵏ r.-v.
🕿 Gerda Than

DOM. GAVOTY
Cuvée Clarendon 2001★

	3,5 ha	22 000		▮⬥ 5 à 8 €

Si Cabasse, bourg de la vallée de l'Issole, est connu pour ses nombreux mégalithes, ses vestiges gallo-romains ou encore ses habitations troglodytiques, il l'est aussi grâce au domaine Gavoty. Les amateurs de côtes de provence connaissent bien l'étiquette de la cuvée Clarendon, emblématique de l'histoire familiale. Cette année, le rosé leur servira de guide, avec ses fragrances de fruits frais (cerise et framboise) qui font la farandole. Pétale de rose à reflets violines, il est harmonieux et complet, prêt à être dégusté sur un loup au basilic ou un poisson cru mariné dans l'huile d'olive relevée d'un trait de citron et d'une pointe de coriandre.
🕿 Roselyne et Pierre Gavoty, Le Grand Campdumy,
83340 Cabasse, tél. 04.94.69.72.39, fax 04.94.59.64.04,
e-mail domaine.gavoty@wanadoo.fr
☑ 🏠 🏠 ⵏ t.l.j. sf dim. 8h-12h 14h-18h

MAS DE LA GÉRADE
Cuvée bleue 2001★

	1,8 ha	2 500		▮⬥ 5 à 8 €

De teinte pâle à reflets verts, voici un vin entreprenant dans son expression minérale et citronnée. S'il n'est pas d'une extrême longueur, il sait se montrer séducteur

par ses arômes comme par sa vivacité friande. Cité, la **Cuvée bleue rosé 2001** est tout aussi fruitée, mais plus grasse.
🕿 EARL de la Gérade, 1300, chem. des Tourraches,
83260 La Crau, tél. 04.94.66.13.88, fax 04.94.66.73.52,
e-mail lagerade@wanadoo.fr ☑ ⵏ t.l.j. sf dim. 9h-12h
🕿 Henry

DOM. DE LA GISCLE
Le Moulin de l'Isle 2001★★

	3 ha	12 000	⦀	5 à 8 €

La vigne, cultivée depuis le XVIᵉs., couvre aujourd'hui 22 ha sur ce domaine, dont l'activité était autrefois liée à un moulin à farine et à l'élevage des vers à soie. Des arômes de beurre frais légèrement vanillés émanent de ce vin ample et harmonieux, d'une belle présence en bouche. Un juste boisé témoigne d'une vinification et d'un élevage soignés. Un fromage de chèvre accompagnera joliment cette bouteille. Le **rosé 2001**, pâle dans le verre, obtient une étoile. Il est franc, fin et fruité.
🕿 EARL Dom. de la Giscle, hameau de l'Amirauté,
rte de Collobrières, 83310 Cogolin, tél. 04.94.43.21.26,
fax 04.94.43.37.53, e-mail dom.giscle@wanadoo.fr
☑ ⵏ t.l.j. 9h-12h30 14h-19h; dim. 9h-12h30
🕿 Audemard

CH. LA GORDONNE
Les Gravières 2001

	12 ha	80 000		▮⬥ 3 à 5 €

Le domaine de la Gordonne doit son nom au conseiller de Gourdon qui en fit l'acquisition en 1650. Depuis 1941, les Domaines Listel en sont propriétaires. Ce Gravières, de teinte corail foncé, offre de discrets arômes de banane et de fleurs ; équilibré, il est à boire sans plus attendre sur les spécialités méditerranéennes. Le **rosé 2001** classique du domaine est également cité ; avec sa couleur saumon, il se distingue du précédent par son caractère minéral et fumé.
🕿 Domaines Listel, Ch. La Gordonne,
83390 Pierrefeu-du-Var, tél. 04.94.28.20.35,
fax 04.94.28.20.35, e-mail njulian@listel.fr
☑ ⵏ t.l.j. 8h-12h 13h-18h; sam. dim. sur r.-v.

DOM. LA GOUJONNE 2001

	6,68 ha	30 000		▮⬥ 8 à 11 €

Si cette propriété familiale de plus de 37 ha se situe à Cabasse, la cave se trouve à Tourves. Très pâle, évocateur de fleurs et de fruits exotiques, son rosé attaque avec franchise et trouve un bon équilibre grâce à sa rondeur comme à ses arômes de pêche et d'abricot. Il laisse une agréable impression de fraîcheur parfumée. Le **blanc 2001** est également cité par le jury qui a retenu de sa dégustation l'intensité des arômes de poire, de pêche et de citron vert.
🕿 GAEC Kraus et Fils, quartier Vicary,
83170 Tourves, tél. 04.94.78.72.61, fax 04.94.78.84.10
☑ ⵏ t.l.j. 9h-12h 14h-19h

CH. GRAND'BOISE 2001★★★

	5,82 ha	27 000		▮⬥ 5 à 8 €

L'étiquette reprend la devise de ce domaine : *Nihil nisi optimum mihi*, « Rien si ce n'est le meilleur pour moi ». Du goût des dégustateurs, ce rosé apparaît bien comme l'un des meilleurs. Comme les marchés de Provence, il propose un mélange extraordinaire de senteurs :

fruits exotiques, framboise, fraise, fruits frais. Vêtu d'une robe légère éclatante, il développe une matière soyeuse et délicate. Un mot de plus ? Ensorceleur...

☙ SCEA la Grenobloise, rte de Grisole, 13530 Trets, tél. 04.42.29.22.95, fax 04.42.61.38.71, e-mail contact@grandboise.com
☑ ⲧ t.l.j. 9h-12h 14h-18h
☙ Nielsen

DOM. DU GRAND CROS
Esprit de Provence 2001★

	0,5 ha	2 200	🍷↓	5 à 8 €

D'une robe vive à reflets vert pâle, c'est un esprit printanier qui se révèle avec finesse et élégance. La rondeur complète cet ensemble plaisant, à apprécier dès aujourd'hui. Grâce à sa puissance tannique et à son équilibre, l'**Esprit de Provence rouge 2000** pourra patienter en cave jusqu'à ce que son expression aromatique ait gagné en complexité et soit prête à s'ouvrir à vos sens. Il mérite lui aussi une étoile.

☙ Dom. du Grand Cros, 83660 Carnoules, tél. 04.98.01.80.08, fax 04.98.01.80.09, e-mail info@grandcros.fr ☑ ⲧ r.-v.
☙ Julian Faulkner

DOM. DE GRANDPRE
Clos des Ferrières 2001★

	8 ha	11 500	🍷↓	5 à 8 €

Ce domaine de 23 ha, dont les vignes sont cultivées sur un sol argilo-schisteux, propose le couple grenache-cinsault marié dans une robe saumonée aux nuances vives. Volumineux et riche, ce rosé expressif rappelle la framboise et la mandarine, tout en laissant une impression chaleureuse. Cette même sensation se perçoit dans le **Clos des Ferrières blanc 2001**, que le jury a cité.

☙ Emmanuel Plauchut, Dom. de Grandpré, 83390 Puget-Ville, tél. 04.94.48.32.16, fax 04.94.33.53.49 ☑ ⲧ t.l.j. 9h-12h 13h30-19h

CH. HERMITAGE SAINT-MARTIN 2000★

	3 ha	10 000	🍷↓	8 à 11 €

La création de ce domaine remonte au Moyen Age, sous l'impulsion des moines de Saint-Victor. Depuis 1999, Guillaume Fayard conduit son vignoble selon les principes de l'agriculture biologique. Son vin de mourvèdre et de cabernet-sauvignon est d'une belle teinte rubis. La puissance des tanins se révèle après une attaque souple et ronde, invitant les amateurs à patienter au moins deux ans.

☙ Guillaume Fayard, Ch. Hermitage Saint-Martin, BP 1, 83250 La Londe-les-Maures, tél. 04.94.00.44.45, fax 04.94.00.44.45 ☑ ⲧ t.l.j. sf dim. 9h30-12h30 14h-18h; sam. ouvert l'été

DOM. DE JACOURETTE
Cuvée Geneviève Elevé en fût de chêne 1999★★

	0,35 ha	2 400	🍶	8 à 11 €

Hélène Dragon n'avait que vingt-quatre ans quand elle reprit le domaine familial en 1997. Un an plus tard, elle créait une nouvelle cave et, en 1999, élaborait ce remarquable vin qui s'attend aujourd'hui que la compagnie d'un carré de sanglier au romarin. Rubis violacé, cette cuvée offre une intensité et une complexité aromatiques qui n'ont d'égales que la suavité et la densité de la bouche.

☙ Dom. de Jacourette, rte de Trets, 83910 Pourrières, tél. 04.94.78.54.60, fax 04.94.78.54.90, e-mail jacourette@club-internet.fr
☑ ⲧ t.l.j. sf dim. lun. 15h30-18h30
☙ Hélène Dragon

DOM. DE JALE
La Nible 1999★

	1,2 ha	4 200	🍶	15 à 23 €

Ce domaine, dont les origines remontent au milieu du XVIIIᵉs., confiait il y a quelques années encore sa récolte à la coopérative. Racheté en 1999, il propose au Guide sa première cuvée élaborée dans ses propres chais. Celle-ci révèle des arômes complexes de fruits noirs aux légères nuances animales. Sa robe foncée à reflets violets annonce bien la charpente tannique encore imposante, mais qui laisse apparaître du charnu et l'évolution des flaveurs de cassis vers la vanille. A suivre dans les années à venir. La **cuvée La Garde blanc 2001 (8 à 11 €)**, issu exclusivement d'ugni blanc, séduit par ses multiples facettes. Florale, tendre et vive à la fois, elle obtient elle aussi une étoile.

☙ SCEA Dom. de Jale, chem. des Fenouils, rte de Saint-Tropez, 83550 Vidauban, tél. 04.94.73.51.50, fax 04.94.73.51.50 ☑ 🏠 ⲧ t.l.j. sf dim. 9h30-12h30 14h-19h
☙ François Seminel

CH. DE JASSON
Cuvée Eléonore 2001

	10,1 ha	65 000	🍷↓	8 à 11 €

La Londe-les-Maures offre aux vacanciers ses plages sauvages bordées de pinèdes. Ce rosé est en harmonie avec ce cadre. Brillant et clair, il propose une palette délicate, florale (jasmin) et fruitée (pêche blanche). C'est une invitation à la gaieté.

☙ Benjamin de Fresne, Ch. de Jasson, quartier les Jassons, RD 88, 83250 La Londe-les-Maures, tél. 04.94.66.81.52, fax 04.94.05.24.84, e-mail chateau.de.jasson@wanadoo.fr
☑ ⲧ t.l.j. 9h30-12h30 14h30-19h

DOM. DE LA JEANNETTE
Le Bouquet 2000★

	0,65 ha	4 800	🍶	8 à 11 €

Adossé à la vallée des Borrels, dont il est en quelque sorte la porte d'entrée, le domaine cultive la vigne sur un terroir argilo-calcaire. Son vin rubis profond exprime des arômes de fruits et de vanille. Le boisé frais et élégant s'unit au volume d'une matière bien fondue. Le **rosé 2001** obtient également une étoile. C'est un vin de repas, aux senteurs de fruits très mûrs.

☙ SCIR Dom. de la Jeannette, 566, rte des Borrels, 83400 Hyères-les-Palmiers, tél. 04.94.65.68.30, fax 04.94.12.76.07 ☑ ⲧ r.-v.
☙ Limon

DOM. DE LA LAUZADE 2001★★

	12 ha	60 000	🍷↓	3 à 5 €

La *villa* Lauza, qui fut le camp de base des légions romaines pendant la construction de la voie Aurélienne, reçut la visite de Jules César. Le jury a apprécié ce vin délicieux, parfaitement limpide et ourlé de reflets verts. Les arômes de fruits frais, de citron, de litchi et de pamplemousse s'harmonisent avec une bouche complexe, mentholée et fruitée. Le **rosé 2001**, floral et délicat, ainsi que le **rouge 2001**, fruité et épicé, complètent le palmarès. Le premier obtient une étoile, tandis que le second est cité.

↳ SARL Dom. de la Lauzade, Kinu-Ito, 3423, rte de Toulon, 83340 Le Luc, tél. 04.94.60.72.51, fax 04.94.60.96.26, e-mail contact@lauzade.com ☑ ⟟ r.-v.

LOU BASSAQUET
Rascailles 2001★

■	3,74 ha	18 000	⬛♦ 3 à 5 €

Trets mérite une visite pour son caractère médiéval resté intact dans ses ruelles, ses maisons romanes et les portes ouvertes dans les tours carrées de son enceinte. A 500 m de l'église, la cave coopérative vous proposera un rosé délicat et lumineux, au bouquet de fleurs intenses. Bien net, avec une attaque assez vive et beaucoup d'arômes, ce vin sera apprécié non seulement à l'apéritif, mais aussi sur les crustacés grâce à sa fraîcheur.

↳ Cellier Lou Bassaquet, chem. du Loup, 13530 Trets, tél. 04.42.29.20.20, fax 04.42.29.32.03 ☑ ⟟ t.l.j. sf dim. 9h-12h 14h-18h

MANON 2001★★

■	15 ha	100 000	⬛♦ 5 à 8 €

Du haut de son promontoire, le vieux village de Lauris domine la Durance. Le soleil provençal fait briller la pierre blonde de ses maisons. Cette cuvée reflète bien l'atmosphère qui y règne, offrant un panier méditerranéen de melon, de fraise, de fruits exotiques et d'anis. Elégamment vêtue d'une robe à reflets violines, elle conserve tout au long de la dégustation sa fraîcheur et son éclat. Un rosé remarquable d'équilibre et d'expression.

↳ Cellier Val de Durance, Le Grand Jardin, 84360 Lauris, tél. 04.90.08.26.36, fax 04.90.08.28.27

CH. DE MARAVENNE
Collection privée 2001★★

■	3 ha	18 000	⬛♦ 5 à 8 €

Un jardin d'oiseaux exotiques se trouve à quelques pas de ce domaine de 72 ha. Oiseau rare, ce rosé ? De teinte saumon, il est surtout remarquable d'élégance, tant par son harmonie aromatique que par son caractère à la fois souple et acidulé. Un vrai plaisir pour la table. Même s'il n'a pas son intensité, le **blanc Collection privée 2001**, léger et floral, mérite d'être cité.

↳ EARL Gourjon, Ch. de Maravenne, rte de Valcros, 83250 La Londe-les-Maures, tél. 04.94.66.80.20, fax 04.94.66.97.79 ☑ 🏠 🏠 ⟟ t.l.j. sf sam. dim. 8h-12h 13h30-18h

DOM. DE MARCHANDISE 2000

■	n.c.	40 000	⬛♦ 5 à 8 €

L'étiquette de la bouteille à l'élégance d'une carte de visite. D'une nature profonde, ce vin exprime, après décantation, un bouquet de fruits rouges, de cuir et de violette mêlés. Sa bonne longueur en bouche vous permettra de profiter d'une palette d'épices dominée par la cannelle et le poivre. A ouvrir dans les deux ans sur un gibier ou une viande grillée. La structure tannique, austère à ce jour, se sera alors assouplie.

↳ GAEC Chauvier Frères, Dom. de Marchandise, 83520 Roquebrune-sur-Argens, tél. 04.94.45.42.91, fax 04.94.81.62.82 ☑ ⟟ t.l.j. 9h-12h 14h-19h

CH. MAROUINE 2000★

■	2,8 ha	170 000	⬛ 5 à 8 €

L'ancien village de Puget accroché à un rocher conserve une chapelle romane et de jolis mas. Sur cette charmante commune, Marie-Odile Marty s'est installée en 1998. Son vin de teinte foncée, aux nuances rubis flatteuses, joue la rondeur grâce à des tanins fondus. De subtiles notes vanillées et épicées complètent son caractère gourmand. Un plaisir immédiat sur une grillade aux herbes.

↳ Marie-Odile Marty, Ch. Marouïne, 83390 Puget-Ville, tél. 04.94.48.35.74, fax 04.94.48.37.61 ☑ ⟟ t.l.j. sf dim. 9h-19h

CH. LA MARTINETTE 2000★

■	2,15 ha	10 000	⬛ 8 à 11 €

Le millésime 2000 ne déroge pas à la règle qualitative des vins rouges de ce domaine. En effet, épices, confiture de fraises et vanille laissent augurer une bouche ample et équilibrée, soulignée d'une pointe mentholée. Le boisé, hérité d'un élevage de neuf mois, ainsi que les tanins sont encore perceptibles, mais promettent de se fondre dans les deux ans.

↳ Ch. la Martinette, 4005, chem. de la Martinette, 83510 Lorgues, tél. 04.94.73.84.93, fax 04.94.73.88.34 ☑ ⟟ r.-v.
↳ Tarby-Liegeon

DOM. DE MATOURNE
Cuvée Prestige 1999★

■	0,5 ha	2 650	⬛⬛ 8 à 11 €

Loin du tumulte et de l'agitation côtière, prenez le temps de flâner dans le village de Flayosc, de vous arrêter sur la pittoresque place de la Reinesse où, à l'ombre des platanes, vous profiterez de la fraîcheur de la jolie fontaine. Après ce moment de repos, vous partirez à la découverte de ce vin rubis clair, au nez subtil, voire discret, puis à la bouche souple et longue, dans laquelle les tanins se fondent harmonieusement.

↳ GFA Dom. de Matourne, 235, chem. des Plaines-de-Matourne, 83780 Flayosc, tél. 04.94.70.43.74, fax 04.94.70.40.76, e-mail jurgen.spaeth@wanadoo.fr ☑ 🏠 ⟟ t.l.j. 9h-12h 14h-19h
↳ Jürgen Spaethe

CH. DE MAUPAGUE 2000★

■	9 ha	40 000	⬛ 5 à 8 €

Situé au pied de la montagne Sainte-Victoire, le château de Maupague domine la plaine de Trets. Son nom, qui signifie « Donne peu », fait référence aux faibles rendements des vignes. D'abord discret, ce vin rouge vif décline les fruits rouges avant qu'une aération incite sa palette vers les épices et le boisé, héritage d'un élevage en foudre d'un an. Si les tanins marquent des points, l'équilibre reste parfait. A conserver deux ou trois ans. La **Réserve de la Famille rouge 2000 (3 à 5 €)** des **Domaines Elie Sumeire**, avec sa jolie étiquette illustrée du tableau de la Sainte-Victoire, peint par Cézanne, est citée.

🦐 Famille Elie Sumeire,
Ch. de Maupague, 13114 Puyloubier,
tél. 04.42.61.20.00, fax 04.42.61.20.01,
e-mail sumeire@chateau-elie-sumeire.fr ☑ ⵏ r.-v.

DOM. DE MAUVAN 2001

	1,47 ha	8 800	🍴🍷	5 à 8 €

Or blanc, ce vin subtil s'ouvre sur des parfums de fruits frais (poire, banane, ananas), puis laisse une sensation de fraîcheur citronnée. Voilà une bouteille agréable qui accompagnera une bourride de lotte. Le **rosé 2001** obtient lui aussi une citation pour son grain et son équilibre.
🦐 Gaëlle Maclou, Dom. de Mauvan,
RN 7, 13114 Puyloubier,
tél. 04.42.29.38.33, fax 04.42.29.38.33 ☑ ⵏ r.-v.

CH. DE MAUVANNE 2001

Cru clas.	5 ha	26 000	🍴🍷	5 à 8 €

Un rosé franc et brillant apparaît dans le verre. Il s'harmonise autour d'une bonne attaque, puis d'une structure pleine. S'il a besoin d'être aéré pour mieux épanouir son nez, il offre en finale des accents tout autant amyliques que framboisés.
🦐 Ch. de Mauvanne, Les Salins-d'Hyères,
83400 Hyères, tél. 04.94.66.40.25, fax 04.94.66.46.29
🦐 Yves Morard

CH. MINUTY
Prestige 2000

Cru clas.	6 ha	10 000	🍷	11 à 15 €

Si Gassin était originellement bâti dans la plaine, le village fut déplacé sur les hauteurs et fortifié à l'époque des incursions des pirates barbaresques afin de remplir le rôle de vigie. La vigne y joue aujourd'hui un rôle clé, représentée par des domaines aussi célèbres que le château Minuty, grand vignoble de la presqu'île de Saint-Tropez. Marqué par les fruits mûrs et un élevage de douze mois, ce vin rouge sombre mérite d'être conservé deux ou trois ans avant de rejoindre la table. La **cuvée de l'Oratoire blanc 2001 (8 à 11 €)**, printanière et agréable à l'apéritif, est également citée, de même que la **cuvée Prestige rosé 2001**, aux flaveurs d'agrumes et de buis.
🦐 Matton-Farnet, Ch. Minuty, 83580 Gassin,
tél. 04.94.56.12.09, fax 04.94.56.18.38
☑ ⵏ t.l.j. sf sam. dim. 9h-12h 14h-18h
🦐 Matton

CH. MIRAVAL 2001★★

	5 ha	15 000	🍴🍷	8 à 11 €

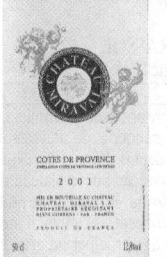

Salué d'un coup de cœur dans le Guide 2002 pour son coteaux varois blanc 2000, le château Miraval s'inscrit aussi remarquablement dans l'appellation côtes de pro-

vence. Ce rosé de teinte pâle et flatteuse offre ses parfums avec générosité. Il allie fraîcheur et longueur avec une même finesse aromatique. Il enchante le palais. Le **rouge 2000**, très réussi, témoigne d'un élevage en fût maîtrisé : il associe un bouquet complexe à une matière ronde et structurée qui lui permettra d'attendre deux ou trois ans.
🦐 SA Ch. Miraval, 83143 Le Val, tél. 04.94.86.39.33, fax 04.94.86.46.79 ☑ ⵏ r.-v.

DOM. DE MONT REDON
Cuvée Louis Joseph 2001

	1,8 ha	9 000	🍴🍷	5 à 8 €

Le domaine poursuit sa restructuration ; ainsi un nouveau chai et un caveau de vente ont-ils vu le jour en 2001. Vous y découvrirez ce vin grenat, dont la jeunesse s'exprime dès l'agitation du verre à travers un caractère fruité de cassis et de fraise. Structuré par des tanins encore très présents, ce 2001 saura attendre deux ans en cave. La **cuvée Louis Joseph rosé 2001**, également citée, évoque la pêche et les fleurs blanches jusque dans sa bouche toute douce. Servez-le sur des petits légumes niçois.
🦐 Michel Torné, SCEA Dom. Mont Redon,
2496, rte de Pierrefeu, 83260 La Crau,
tél. 06.09.53.37.53, fax 04.94.57.82.12,
e-mail mont.redon@libertysurf.fr
☑ ⵏ t.l.j. sf dim. 9h-12h 14h-18h

CH. MOURESSE
Grande Cuvée 1999★

	1,5 ha	5 000	🍷	8 à 11 €

Sur la commune de Vidauban, deux chapelles retiennent l'intérêt du visiteur. Du haut d'un piton, la chapelle Sainte-Brigitte ménage une belle vue sur les Maures, tandis que, dans les gorges de l'Argens, la chapelle Saint-Michel, taillée dans le tuf, semble témoigner de l'époque paléochrétienne. De passage au château Mouresse, ne boudez pas votre plaisir devant ce 99 à apprécier dans l'année. Rond sans emphase, avec des tanins fondants, il possède du fruité, souligné de notes de garrigue.
🦐 Sophie et Patrick Horst, 3353, chem. de Pied-de-Banc, 83550 Vidauban, tél. 04.94.73.12.38, fax 04.94.73.57.04, e-mail info@chateau-mouresse.com
☑ ⵏ t.l.j. sf mer. dim. 9h30-12h30 14h-18h
🦐 Michael Horst

CH. LA MOUTETE
Vieilles vignes 2001★★

	1,5 ha	6 400	🍴	5 à 8 €

Le château La Moutète, situé à Cuers, produit des côtes de provence, tandis qu'au Beausset, au domaine de l'Hermitage, Gérard Duffort élabore du bandol. Ce vin, issu de vieux ceps de mourvèdre et de carignan, s'habille d'une robe pourpre et livre des senteurs de fruits rouges. Souple et rond, il emplit bien la bouche jusqu'à une finale ample et goûteuse. A boire dès aujourd'hui pour profiter de ses atouts. Le **rosé 2001**, séduisant par sa teinte claire, révèle une juste vivacité, ainsi qu'un caractère fruité et minéral. Il obtient lui aussi deux étoiles.
🦐 SAS Gérard Duffort, Ch. la Moutète,
chem. des Vignes, 83390 Cuers,
tél. 04.94.98.71.31, fax 04.94.60.44.87
☑ ⵏ t.l.j. sf dim. 9h-12h 14h-18h

CH. LA MOUTTE 2001★★

	4 ha	6 600	🍴🍷	5 à 8 €

Le château La Moutte, qui fut bâti par Emile Olivier, ministre sous le Second Empire, appartient aujourd'hui à

M. et Mme Troisier. Le fruit de son vignoble est confié à la cave coopérative de Saint-Tropez. D'un rose pâle et brillant s'échappent des arômes de fleurs blanches nuancés de fruits exotiques. Avec sa bouche ronde et fruitée, ce vin laisse une impression de fraîcheur et d'élégance qui égaiera apéritifs aussi bien que repas entre amis.
🍷 La Cave de Saint-Tropez, SCAV Est, av. Paul-Roussel, 83990 Saint-Tropez, tél. 04.94.97.01.60, fax 04.94.97.70.24, e-mail lacavedesttropez@aol.com ☑ ⵝ r.-v.

DOM. DE LA NAVARRE
Cuvée réservée 2001

	4 ha	25 000	▰	5 à 8 €

Le domaine est dirigé par des religieux de l'ordre de Saint-Jean Bosco, fondateur de la congrégation des Salésiens. Ce vin, né d'un assemblage de rolle et de sémillon à parts égales, se présente avec franchise dans sa robe claire à reflets verts. Toujours dans la mesure, même dans son expression finale légèrement chaleureuse, il possède une bonne harmonie générale.
🍷 Fondation la Navarre, 3451, chem. de la Navarre, 83260 La Crau, tél. 04.94.66.04.08, fax 04.94.35.10.66 ☑ ⵝ r.-v.
🍷 Enger

CLOS LA NEUVE
Prestige 2001★

	5 ha	5 000	▰	5 à 8 €

Détruite par les dernières intempéries hivernales, la cave, entièrement reconstruite, a pris une allure provençale. Ce rosé de teinte pastel y est né. Une légère aération révélera au mieux son expression aromatique – le fruité de la pêche et de l'abricot sec, la rose du matin –, sa rondeur et son équilibre. Un bel automne en perspective.
🍷 Fabienne Joly, Dom. de La Neuve, Clos la Neuve, 83910 Pourrières, tél. 04.94.78.17.02, fax 04.94.59.86.03 ☑ ⵝ t.l.j. 9h-12h 14h-19h; dim. 9h-12h

DOM. DES NIBAS 2001★

	2,75 ha	5 790	▰	5 à 8 €

Un pont romain figure sur l'étiquette, rappelant que les vignes des Nibas sont implantées sur une terre déjà cultivée par les Romains, au pied du massif des Maures. Des rosés de repas, il en existe. En voici un, orange clair, qui se présente sûr de lui et de sa structure. Essences de garrigues, abricot mûr et olive noire apportent du relief à une dégustation harmonieuse. Une moussaka ne lui fera pas peur.
🍷 Nicolas Hentz, Dom. des Nibas, 9130, RD 48, 83550 Vidauban, tél. 04.94.73.67.46, fax 04.94.73.67.46, e-mail alhentz@aol.com ☑ ⵝ r.-v.

CH. DE PAMPELONNE 2001★

	22 ha	100 000	▰	5 à 8 €

Ramatuelle évoque bien le charme des villages provençaux. Occupé pendant soixante ans par les Sarrasins, il devint en 1056 propriété de l'abbaye de Saint-Victor, puis celle de prestigieuses familles provençales. Ce rosé évoque avec succès ce cadre harmonieux : il se concentre sur des arômes d'agrumes et de fleurs, avant de dévoiler une vivacité justement équilibrée par la rondeur. L'ensemble est élégant et friand. Cité, le **rouge 2000**, élevé en fût de chêne, a de la mâche, mais son expression ouvertement boisée traduit sa jeunesse et invite à une garde de trois ans.

🍷 Ch. de Pampelonne, 83350 Ramatuelle, tél. 04.94.56.32.04, fax 04.94.43.42.57 ⵝ r.-v.
🍷 Pascaud

DOM. DE PARIS 2001★

	3 ha	40 000		5 à 8 €

D'une robe rubis émanent des senteurs de garrigue, d'anis et de fenouil. Ample, le vin affiche ses tanins en finale. Il faudra patienter un an avant de le déboucher.
🍷 Sté GFA Brun, 5, pl. Gambetta, 83590 Gonfaron, tél. 04.94.60.76.04, e-mail brun2004@wanadoo.fr

CH. PAS DU CERF 2001★★

	0,91 ha	6 600	▰	5 à 8 €

Domaine familial dès 1847, le château Pas du Cerf le reste bel et bien : les deux filles appuient leurs parents au quotidien, l'une à la vinification, l'autre à la commercialisation. Les 80 ha de vignes implantés à flanc des coteaux schisteux s'inscrivent dans un cadre naturel encore sauvage au cœur du massif des Maures. Ce côtes de provence traduit bien sa terre d'origine. Doré à reflets verts, il développe des arômes minéraux (silex), des notes d'agrumes et de fleurs blanches, qu'accompagne une fraîcheur persistante au palais. Tout aussi remarquable, le **rosé Rocher des Croix 2001** se montre puissant et fin à la fois. Le **Château Pas du Cerf rouge 2001**, élevé en fût, obtient une étoile : les nuances vanillées agrémentent la palette de fruits rouges, puis une bouche ample et structurée prolonge l'harmonie.
🍷 Patrick Gualtieri, Ch. Pas du Cerf, rte de Collobrières, 83250 La Londe-les-Maures, tél. 04.94.00.48.80, fax 04.94.00.48.81, e-mail info@pasducerf.com ☑ ⵝ t.l.j. 8h-12h 14h-18h

DOM. DES PEIRECEDES 2001★★★

	n.c.	n.c.	▰	3 à 5 €

Alain Baccino propose un rosé consistant qui ne manque pas de caractère. Riche, ce vin exprime intensément les fruits mûrs (agrumes et melon), puis le caractère chaleureux du millésime en finale. A déguster sur un gigot de baudroie au fenouil accompagné de pommes de terre. Le jury attribue également deux étoiles à la **cuvée Règue des Botes 99 rouge (8 à 11 €)**, élevée huit mois en fût et marquée par la syrah. Ses tanins ronds et veloutés, sa matière expressive lui permettent d'être appréciée dès aujourd'hui ou conservée deux ans. Elle se mariera remarquablement à une daube ou à un gibier.
🍷 Alain Baccino, Dom. des Peirecèdes, 83390 Pierrefeu-du-Var, tél. 04.94.48.67.15, fax 04.94.48.52.30, e-mail alainbaccino@wanadoo.fr ☑ ⛫ ⵝ r.-v.

CH. DE PEYRASSOL
Cuvée Marie-Estelle 1999★★

	3 ha	13 600	◆	11 à 15 €

Ancienne propriété des Templiers, puis de l'ordre de Malte, la Commanderie de Peyrassol appartient à la famille Rigord depuis 1789. Elle exploite son vignoble depuis plus d'un siècle. Sur le plateau triasique du centre varois est née cette cuvée habillée de pourpre. Café, moka, tanins denses et concentrés : autant d'atouts qui ont permis à cette bouteille de participer au grand jury.
🍷 Françoise Rigord, Commanderie de Peyrassol, 83340 Flassans-sur-Issole, tél. 04.94.69.71.02, fax 04.94.59.69.23, e-mail francoise.rigord@wanadoo.fr ☑ ⵝ t.l.j. 8h-12h 14h-18h; sam. dim. sur r.-v.

DOM. PINCHINAT 1999

■	n.c.	21 000	5 à 8 €

Depuis 1990, Alain de Welle conduit ses 26 ha de vignes en agriculture biologique. Terroir argilo-calcaire, syrah majoritaire, voilà un vin bien constitué. Des arômes de confiture de coings et de réglisse se libèrent de son étoffe rouge soutenu, tandis que les tanins encore austères invitent à conserver cette bouteille au moins deux ans. Le **blanc 2001** est également cité pour sa finesse et ses évocations de fruits blancs.

↙ Alain de Welle, Dom. Pinchinat, 83910 Pourrières, tél. 04.42.29.29.92, fax 04.42.29.29.92 ☑ ⏑ r.-v.

DOM. DE PIQUEROQUE 2000

■	2 ha	10 000	▮◫◗	3 à 5 €

Nouvellement installé, Max Hubbard signe sa première vinification : un vin dont la parure soutenue, à reflets violacés, indique son potentiel de garde. Poivron, fruits et épices douces complètent ce côtes de provence en devenir.

↙ Dom. de Piqueroque, SARL Isis, rte de Cabasse, 83340 Flassans-sur-Issole, tél. 04.94.37.30.71, fax 04.94.37.30.71, e-mail piqueroque.isis@wanadoo.fr
☑ ⏑ t.l.j. sf dim. 9h-12h 14h-19h

LES MAITRES VIGNERONS DE LA PRESQU'ILE DE SAINT-TROPEZ
Carte noire 2001★

■	40 ha	150 000	▮◗	5 à 8 €

La cave des Maîtres vignerons constitue une étape vinicole incontournable lorsque l'on passe près du joli village provençal de Gassin. On y découvrira ce rosé de teinte pâle, à la mode, qui décline en finesse des nuances fruitées et florales. Les flaveurs de pêche blanche prennent le relais dans une bouche structurée et persistante. Le **Carte noire rouge 2000** est également très réussi, car ses tanins mûrs laissent parler un bon fruité qui siéra à un agneau grillé.

↙ Les Maîtres vignerons de la Presqu'île de Saint-Tropez, 83580 Gassin, tél. 04.94.56.32.04, fax 04.94.43.42.57
☑ ⏑ t.l.j. sf dim. 9h-12h 15h-19h

CH. DU PUGET
Cuvée de Chavette 2000★

■	2,5 ha	3 300	▮◫◗	5 à 8 €

Le village de Puget réserve de belles surprises, comme les vestiges d'un château du XIIIᵉs. Ce domaine de 31 ha saura aussi vous surprendre agréablement grâce à son vin aux nuances violacées. D'un abord un peu sauvage, celui-ci dévoile à l'agitation des arômes de cassis et de confiture. Bien structuré par des tanins fins, il tapisse la bouche de sa matière ronde, légèrement poivrée. Les dégustateurs imaginent un accord très réussi sur une côte de bœuf grillée.

↙ SCEA Ch. du Puget, rue Mas-de-Clappier, 83390 Puget-Ville, tél. 04.94.48.31.15, fax 04.94.33.58.55
☑ ⏑ t.l.j. sf dim. 9h-12h 15h-17h
↙ Grimaud

CH. REAL MARTIN 2001★

■	4 ha	n.c.	▮◗	11 à 15 €

La propriété vient d'être rachetée par Jean-Marie Paul qui a entrepris d'importants travaux et met en place une nouvelle équipe dont l'objectif de qualité trouve une illustration dans ce vin jaune pâle, à l'expression fruitée de citron vert et de pamplemousse. Fraîcheur, rondeur et équilibre en font une bouteille de choix pour la cuisine exotique.

↙ Jean-Marie Paul, Ch. Réal Martin, 83143 Le Val, tél. 04.94.86.40.90, fax 04.94.86.32.23, e-mail chateau-real-martin@groupe.score.com
☑ ⏑ t.l.j. sf sam. dim. 8h30-12h 13h30-17h

CH. REQUIER
Cuvée spéciale 2001★

■	10 ha	20 000	▮◗	11 à 15 €

Les préhistoriens se sont intéressés à la commune de Cabasse, où se trouvent trois dolmens, un menhir et des grottes creusées dans la falaise appelées la Maison des fées. Les fées se sont-elles penchées sur ce rosé ? Couleur saumon à reflets ocre, ce 2001 flatte les sens de ses senteurs de pêche de vigne, de citron, de banane et de fraise. Il se développe avec finesse et élégance jusqu'à une finale de bonne persistance. La **Cuvée spéciale rouge 99**, élevée en fût, obtient également une étoile, car elle offre un fruité frais.

↙ Ch. Réquier, La Plaine, 83340 Cabasse, tél. 04.94.80.25.72, fax 04.94.80.22.01
☑ ⏑ t.l.j. 8h30-17h; sam. dim. sur r.-v.

DOM. DU REVAOU 2001★

■	8 ha	20 000	▮◗	5 à 8 €

Bernard Scarone, vigneron de la vallée des Borrels, continue de structurer son domaine d'une trentaine d'hectares. Son rosé de teinte pâle et brillante présente des notes minérales, voire fumées, avant de poursuivre en finesse sur des flaveurs fruitées. Cité, le **rouge 2000**, puissant et structuré, évoque la violette. Il mérite d'être redécouvert dans deux ou trois ans.

↙ Bernard Scarone, 3ᵉ Borrels, 83250 La Londe-les-Maures, tél. 04.94.65.68.44, fax 04.94.35.88.54 ☑

DOM. RICHEAUME
Cuvée Tradition 2000★

■	8 ha	25 000	◫◗	11 à 15 €

Une *villa* romaine précéda ce mas aux murs ocre du XVIIᵉs., qu'Henning Hoesch s'attacha à restaurer. On apprécie aujourd'hui un nouveau millésime très réussi, fidèle à son terroir. Complexe et consistant, ce 2000 développe des arômes chaleureux de fruits mûrs et de mousse. S'il paraît encore jeune, il n'en dévoile pas moins un bel équilibre, de la concentration et une longue finale vive mais aromatique sur la réglisse et le cacao. Un vin en devenir, à attendre un ou deux ans. Rappelons que la cuvée Tradition avait été saluée d'un coup de cœur dans le Guide 2002.

↙ Sylvain Hoesch, Dom. Richeaume, 13114 Puyloubier, tél. 04.42.66.31.27, fax 04.42.66.30.59 ☑ ⏑ r.-v.

RIMAURESQ 2001★★★

▨ Cru clas.	4 ha	20 000	▮◗	8 à 11 €

Après une promenade au sommet de Notre-Dame-des-Anges, où la vue s'étend des Alpes au golfe de Saint-Tropez, prenez, sur la route du retour, la direction du domaine Rimauresq. Un groupe familial écossais dirige la destinée de ces 36 ha de vigne depuis treize ans. Ce côtes de provence d'exception vous apportera du réconfort par son bouquet suave, puissant et fin à la fois. La bouche parfaitement équilibrée se prolonge sur des flaveurs exotiques et florales. Un vin blanc joyeux destiné à l'apéritif ou au dessert. Le **rosé 2001** aux arômes d'agrumes frais affiche lui aussi un tempérament de séducteur, ce qui lui vaut deux étoiles.

🐦 Dom. de Rimauresq, rte de Notre-Dame-des-Anges, 83790 Pignans, tél. 04.94.48.80.45, fax 04.94.33.22.31, e-mail pierreduffort@wanadoo.fr
☑ 🍷 t.l.j. sf dim. 8h-12h 13h30-17h30
🐦 Wemyss

LES VIGNERONS DE ROQUEFORT LA BÉDOULE
Sur un Air de Mistral 2001★

	2 ha	10 000		3 à 5 €

Roquefort-la-Bédoule domine Cassis, ses calanques et son vignoble. J.-M. Boulle, qui a pris la direction de cette cave coopérative – la plus jeune du département – a créé cette cuvée à son arrivée, en 2000. Un millésime plus tard est né un joli vin très pâle, aux effluves de fruits exotiques et de fleurs d'acacia, qui fait preuve d'une indéniable harmonie.

🐦 Les vignerons de Roquefort-la-Bédoule, 1, bd Frédéric-Mistral, 13830 Roquefort-la-Bédoule, tél. 04.42.73.22.80, fax 04.42.73.01.37
☑ 🍷 t.l.j. sf dim. 8h30-12h 14h-19h

DOM. DE LA ROSE TREMIERE 2000★

	2 ha	5 000		5 à 8 €

Par les ruelles anciennes de Lorgues, que bordent de jolies maisons, vous rejoindrez le cours planté de platanes qui conduit à l'impressionnante collégiale Saint-Martin, bâtie au XVIIIᵉˢ. Une visite des plus intéressantes qui ne devrait pas vous détourner de votre périple viticole, car le domaine de la Rose trémière vous propose un joli vin dominé par la syrah (75 %). Celui-ci s'exprime avec délicatesse sur des notes florales évocatrices d'œillet. D'un style aérien grâce à ses tanins fins et à sa rondeur, il retient l'attention par son harmonie originale que l'on appréciera aujourd'hui comme demain. Un mariage avec des cailles aux raisins devrait le mettre en valeur.

🐦 Pierre Maunier, Dom. La Rose trémière, quartier Saint-Jaume, 83510 Lorgues, tél. 04.94.73.26.93, fax 04.94.73.26.93
☑ 🍷 t.l.j. sf dim. 9h-12h30 15h-18h

CH. DU ROUET
Cuvée Belle Poule Elevé en fût de chêne 2000★

	8 ha	48 000		5 à 8 €

La *Belle Poule* est le nom de la frégate qui rapporta de l'île Sainte-Hélène les cendres de Napoléon. Lucien Savatier, l'ancêtre fondateur du vignoble, en conserva deux portes qui ornent encore la chapelle du château. Un grand soin a été porté à l'élevage de cet assemblage constitué majoritairement de grenache et de syrah. Si les reflets brillants semblent déjà plaisants, le dégustateur se laisse plus encore séduire par la rondeur et la structure qu'agrémentent des flaveurs de pain d'épice et de vanille. Ce vin pourra supporter une petite garde d'un à deux ans. Equilibré et tout en finesse sous une robe corail clair, le **rosé 2001** dispense généreusement ses arômes de pêche, d'ananas et de pamplemousse. Il obtient également une étoile.

🐦 Ch. du Rouët, 83490 Le Muy, tél. 04.94.99.21.10, fax 04.94.99.20.42, e-mail chateau-du-rouet@wanadoo.fr
☑ 🏠 🏠 🍷 t.l.j. sf dim. matin 8h-12h 14h-18h
🐦 Savatier

DOM. DE LA ROUILLERE
Grande Réserve 1999★

	2 ha	5 000		11 à 15 €

Le Grande Réserve du domaine a retenu l'attention du jury. Par sa présentation rubis soutenu, son caractère boisé intense et son nez délicat de pain d'épice. Par son volume et sa générosité aussi, qui sont le gage d'un vieillissement favorable.

🐦 Dom. de la Rouillère, rte de Ramatuelle, 83580 Gassin, tél. 04.94.55.72.60, fax 04.94.55.72.61, e-mail contact@domainedelarouillère.com
☑ 🍷 t.l.j. sf sam. dim. 8h30-18h
🐦 Letartre

CAVE DE ROUSSET
Nutrition Méditerranée 2001★

	n.c.	10 000		3 à 5 €

Cette cave coopérative située près de la montagne Sainte-Victoire élabore non seulement des côtes de provence, mais aussi des palette. Ce rosé s'inscrit dans le registre floral par ses arômes de rose et de jasmin légèrement framboisés qui s'accordent bien avec sa robe pivoine. En bouche, il donne la faveur au fruité et prend des accents chaleureux. Typé du millésime, il a du répondant.

🐦 Cave de Rousset, quartier Saint-Joseph, 13790 Rousset, tél. 04.42.29.00.09, fax 04.42.29.08.63, e-mail cavrousset@aol.com
☑ 🍷 t.l.j. sf dim. 8h30-12h 14h-18h

DOM. SAINT-ANDRE DE FIGUIERE
Grande Cuvée Vieilles vignes 2001★★

	2 ha	13 000		8 à 11 €

Face aux îles d'Or de Porquerolles, ce domaine de 17 ha est mené de main de maître par Alain Combard depuis dix ans. Des vignes de trente-cinq ans d'âge ont donné naissance à un rosé fort élégant, pâle à reflets saumonés, qui a participé au grand jury. Aux notes d'agrumes et de banane, généreusement épanouies, succèdent un remarquable équilibre et une longue finale.

🐦 Dom. Saint-André de Figuière, BP 47, 83250 La Londe-les-Maures, tél. 04.94.00.44.70, fax 04.94.35.04.46, e-mail figuiere@figuiere-provence.com
☑ 🍷 t.l.j. sf dim. 9h-12h 14h-18h
🐦 Alain Combard

DOM. SAINT-ELOI
Cuvée Blues 2001★★

	2,5 ha	5 000		5 à 8 €

Un propriétaire passionné de jazz, une cave dans le village à proximité du lac, de l'abbaye du Thoronet et du château d'Entrecasteaux. Que demander de plus, si ce n'est ce vin de teinte claire, légèrement saumonée, élégant et complexe ? Bien marqué par les fleurs et les fruits rouges, il a séduit le jury grâce à son équilibre, à sa rondeur, à son fruité et à sa longueur. Vous l'apprécierez à l'apéritif comme sur des grillades et des spécialités provençales.

🐦 Maurice Ambard, 47, av. Ferrandin, 83570 Carcès, tél. 04.94.04.52.88, fax 04.94.04.52.88 ☑ 🍷 r.-v.

CH. SAINTE MARGUERITE
Cuvée Symphonie pourpre 2000★

Cru clas.	8,74 ha	6 600		15 à 23 €

Cultivé depuis l'Antiquité, le terroir argilo-siliceux de Sainte-Marguerite, situé à la Londe-les-Maures, a retrouvé vie en 1977, lorsque Brigitte et Jean-Pierre Fayard ont racheté le domaine à la Fondation de France. C'est un vin chaleureux, issu de syrah (60 %) et de cabernet-sauvignon, qui le distingue cette année. De l'expression aromatique, de la structure, un boisé sans agressivité et une finale goûteuse font de sa dégustation un plaisir immédiat.

🕯 Jean-Pierre Fayard, Ch. Sainte-Marguerite, BP 1, 83250 La Londe-les-Maures, tél. 04.94.00.44.44, fax 04.94.00.44.45, e-mail jp.fayard@wanadoo.fr
☑ ☥ t.l.j. sf sam. dim. 9h30-12h30 14h-18h

DOM. DE SAINTE MARIE
Grande Cuvée 2000★★

■		2 ha	10 000	▮▲	8 à 11 €

Sur les hauts du domaine, un oratoire avec une petite statue de bronze veille encore en hommage à la Sainte Vierge qui, en 1884, stoppa l'épidémie de choléra. Ce vin rouge chaleureux lui doit son nom, lui qui, sous une robe profonde, dévoile de riches arômes et cet accent réglissé qui semble être la signature de la syrah. Les tanins encore bien présents s'associent aux flaveurs de fruits rouges dans une bouche suffisamment ample et complexe pour assurer à cette bouteille une destinée heureuse. Un dégustateur propose de l'ouvrir d'ici trois ans sur un magret de canard au poivre rose.

🕯 SA Dom. de Sainte-Marie, rte du Dom, RN 98, Vallée de La Môle, 83230 Bormes-les-Mimosas, tél. 04.94.49.57.15, fax 04.94.49.58.57
☑ ☥ t.l.j. sf dim. 9h-13h 14h-19h

CH. SAINTE-ROSELINE
Cuvée Prieuré 2000★★

■ Cru clas.	5 ha	30 000	▯▯ 11 à 15 €

Le vignoble de cette ancienne propriété des évêques de Fréjus date du XIVᵉs. Il couvre aujourd'hui 90 ha de sols argilo-calcaires, bénéfiques à la syrah qui constitue 90 % de cette cuvée, à peine étayée par 10 % de mourvèdre. Longuement macérée, elle a donné naissance à un vin dense, animé de reflets violacés. Les arômes puissants de mûre et de fruits confits, légèrement épicés, s'accordent aux tanins ronds et soyeux. Le boisé hérité d'un élevage de douze mois se cache sous le raisin. Voilà un digne représentant des côtes de provence. Le **Lampe de Méduse rosé 2001 (8 à 11 €)**, caractéristique du millésime par son caractère floral délicat, obtient une étoile. Egalement très réussi, le **Lampe de Méduse blanc 2001 (8 à 11 €)**, équilibré, soulignera les saveurs d'un turbot ou d'un fromage de chèvre au cours des deux prochaines années.

🕯 Ch. Sainte-Roseline, 83460 Les Arcs, tél. 04.94.99.50.30, fax 04.94.47.53.06, e-mail chateau-sainte-roseline@wanadoo.fr ☑ ☥ r.-v.

DOM. DU SAINT-ESPRIT
Grande Cuvée 2001★

▨	1 ha	4 000	▯▯ 5 à 8 €

Ce domaine a produit deux vins cités par le jury : le **Château Clarette Grande cuvée rosé 2001** et le **Domaine du Saint-Esprit Grande cuvée rosé 2001**. Mais c'est au blanc que reviennent les honneurs. Issu de sémillon et de rolle à parts égales, il témoigne d'un mariage heureux entre le boisé et la matière. Des notes vanillées et grillées se manifestent avec mesure dans ce vin élégant et long. Une bouteille de caractère et d'avenir, à servir sur une lotte.

🕯 Crocé Spinelli, rte des Nouradons, BP 31, 83460 Les Arcs-sur-Argens, tél. 04.94.47.45.05, fax 04.94.73.30.73
☑ ☥ t.l.j. sf dim. 10h-12h30 14h-19h30

SAINT JEAN DE VILLECROZE 2000★

■	n.c.	10 000	▮▲ 8 à 11 €

Aux confins du Haut-Var, le domaine Saint-Jean a été créé en 1973 par un couple franco-américain. Vingt ans plus tard, c'est une famille de vignerons italiens qui le reprit et porta la qualité des vins rouges au niveau de ce 2000 grenat profond. Celui-ci exhale des senteurs de venaison et de violette ; sa texture serrée et sa riche matière lui permettront d'attendre deux ou trois ans avant de rejoindre un gibier.

🕯 SA Dom. Saint-Jean, 83690 Villecroze, tél. 04.94.70.63.07, fax 04.94.70.67.41, e-mail stjean@club-internet.fr ☑ ☥ t.l.j. 9h-12h 14h-18h
🕯 F. Caruso

CH. DE SAINT-JULIEN D'AILLE
Triumvir des Rimbauds 1999★★

■	3 ha	10 000	▯▯ 11 à 15 €

Après une longue macération, cette cuvée de syrah a été élevée sous bois pendant douze mois. Profondément colorée, elle livre un nez déjà intense et complexe : cire, réglisse, cuir et fruits très mûrs. Riche, elle se développe avec plénitude jusqu'à une savoureuse finale fruitée-vanillée. La **cuvée Imperator blanc 2001 (5 à 8 €)**, élégamment aromatique (poire, fruits exotiques, sauge, tilleul) et structurée, obtient une étoile.

🕯 Ch. de Saint-Julien d'Aille, 5480, D 48, 83550 Vidauban, tél. 04.94.73.02.89, fax 04.94.73.61.31
☑ ☥ r.-v.
🕯 M.-L. B. Fleury

CH. DE SAINT-MARC
Grande Réserve Domini 2000

■	1,5 ha	6 000	▯▯ 8 à 11 €

Ce vignoble de 7 ha, créé dans les années 1970, a été racheté il y a deux ans. De nouvelles plantations ont été réalisées et un caveau de dégustation construit. Là, vous goûterez ce vin grenat soutenu, plutôt timide à l'abord, mais qui s'ouvre à l'agitation sur la bergamote, la vanille et les fruits rouges cuits. La structure boisée témoigne de la jeunesse d'un millésime qui devrait bien évoluer. Egalement citée, la **cuvée Epicure rouge 2000**, élevée trois mois en fût, est prête à boire.

🕯 Ch. Saint-Marc, chem. de Saint-Marc, quartier Leï Crottes, 83310 Cogolin, tél. 04.94.54.69.92, fax 04.94.54.01.41 ☑ ☥ r.-v.

DOM. SAINT-MARTIN 2000★

■ Cru clas.	10 ha	13 300	▯▯ 5 à 8 €

La cave coopérative du Luc propose un assemblage de syrah et de cabernet alliés à une pointe de grenache. Le vin ne cache rien : robe rouge profond, beau bouquet expressif marqué aux épices douces (cannelle), la cerise confite, une note végétale fraîche et un arôme sensuel de cuir. Marqué par son élevage sous bois, il gagnera en élégance après une garde de deux à quatre ans et pourra accompagner un gibier à poil. Le **côtes de provence rosé Château Saint-Jean 2001 (3 à 5 €)** mérite également une étoile. Il révèle une palette aromatique méditerranéenne (garrigue) et une fraîcheur mentholée.

PROVENCE

⚲ CCV Les Vignerons du Luc, rue de l'Ormeau, 83340 Le Luc-en-Provence, tél. 04.94.60.70.25, fax 04.94.60.81.03 ☑ ⟂ t.l.j. 9h-12h 14h-18h

CH. SAINT-PIERRE
Cuvée du Prieuré 2001★

	2 ha	10 000	⦀	5 à 8 €

Originale cuvée que ce rosé pâle à reflets orangés, élevé en fût pendant deux mois. Il n'a rien perdu de ses notes d'agrumes (mandarine), tout en s'ouvrant sur une bouche boisée, légèrement fumée. La **cuvée Tradition blanc 2001 (3 à 5 €)**, élevée en cuve, obtient elle aussi une étoile pour son caractère aromatique persistant.
⚲ Jean-Philippe Victor, Ch. Saint-Pierre, Les Quatre-Chemins, 83460 Les Arcs, tél. 04.94.47.41.47, fax 04.94.73.34.73 ☑ ⟂ r.-v.

DOM. DE SAINT-QUINIS 2001★★

	9 ha	46 000	🍾♦	3 à 5 €

La légende rapporte que les ânes s'envolaient de la chapelle de Saint-Quinis, que l'on retrouve joliment dessinée sur l'étiquette de ce vin aérien dans son expression aromatique. Pêche, citron et fleurs coupées forment une harmonie festive. **La Rouvède cuvée Prestige rouge 2000 (5 à 8 €)**, un rien cacaoté et tout velours, obtient une étoile, de même que la **cuvée Jules César blanc 2001**, ronde et mêlant fleurs blanches, pêche et abricot.
⚲ Les Maîtres Vignerons de Gonfaron, Cave coopérative, 83590 Gonfaron, tél. 04.94.78.30.02, fax 04.94.78.27.33
☑ ⟂ t.l.j. 8h-12h 14h-18h

CH. SALINS 2001★

	5,5 ha	20 000	🍾♦	5 à 8 €

Le château Salins, dont la création remonte à 1710, se trouve à 5 km de Hyères, cité médiévale doublée d'une importante station balnéaire développée dès le début du XIX[e]s. Il propose un assemblage de cinsault et de grenache dominé par un fruité intense et frais. Agréable et équilibré, ce rosé de teinte saumon pâle exprime toute la chaleur du millésime 2001.
⚲ Armand Mathieu-Resuge, Dom. de la Ferme, 83400 Les Salins-d'Hyères, tél. 04.94.66.40.15, fax 04.94.66.49.30, e-mail mra@club-internet.fr
☑ 🏠 🏠 ⟂ t.l.j. sf dim. 8h-12h 14h-18h30

DOM. DE LA SANGLIERE
Cuvée Prestige 2001★

	2,8 ha	10 660	🍾♦	8 à 11 €

La route menant au fort de Brégançon est jalonnée de domaines. Celui de la Sanglière, créé en 1989, est le plus récent. Tous appartiennent à un site classé où la nature est préservée. Franc d'aspect et de goût, ce vin possède un fruité intense et une agréable fraîcheur qui relève l'harmonie générale. La cuisine exotique lui ira bien. Egalement très réussi, le **blanc 2001 (5 à 8 €)**, brillant de reflets verts, est tout aussi fruité (agrumes). Frais et fin, il persiste sur une note de noisette.
⚲ Dom. de la Sanglière, 83230 Bormes-les-Mimosas, tél. 04.94.00.42.58, fax 04.94.00.43.77, e-mail remy@domaine-sangliere.com ☑ 🏠 ⟂ r.-v.

DOM. DE SANT JANET
Cuvée Prestige 2000

	1 ha	2 400	🍾	5 à 8 €

Au pied d'une falaise de tuf aux multiples grottes, Cotignac est un beau village repérable par les deux tours

carrées d'un ancien château médiéval. Au détour de ses ruelles, on découvre ici des maisons des XIe, XVIIe et XVIII[e]s., là de jolis portails. Sur cette commune, Patrick Delmas cultive 12 ha de vignes ; il s'est reconverti en culture biologique depuis l'an 2000. Il vous faudra attendre au moins deux ans avant de découvrir ce vin rubis, dont le nez discret révèle des notes de cassis. Les tanins de qualité, enrobés, accompagnent le long développement en bouche et laissent espérer une évolution favorable.
⚲ Patrick Delmas, Dom. de Sant Janet, 83570 Cotignac, tél. 04.94.04.77.69, fax 04.94.04.76.31, e-mail domaine.st.janet@wanadoo.fr ☑ ⟂ t.l.j. 8h-20h

DOM. DE LA SAUVEUSE 2001

	3,8 ha	6 000		5 à 8 €

Voici un vin tout en bouche, si puissant et volumineux derrière sa couleur pâle à reflets verts que le nez semble en retrait. Le boisé domine jusqu'en finale, mais pourra se fondre à la faveur d'un à deux ans de garde.
⚲ Dom. de la Sauveuse, Grand-Chemin-Vieux, 83390 Puget-Ville, tél. 04.94.28.59.60, fax 04.94.28.52.48, e-mail sauveuse@wanadoo.fr
⟂ t.l.j. sf sam. dim. 9h-12h 14h-18h
⚲ Salinas

DOM. SIOUVETTE
Cuvée Marcel Galfard 2001★

	6 ha	45 000	🍾♦	5 à 8 €

Cette ancienne ferme de la chartreuse de la Verne est entrée dans le giron de la famille après la Révolution, en 1836. Son rosé de bonne intensité évoque les agrumes et les fleurs, puis attaque franchement sur l'amande. Assez vif, il bénéficie d'une bonne persistance. Il ne vous reste plus qu'à cuisiner une daurade à la provençale. Citée, la **cuvée Marcel Galfard rouge 2000 (8 à 11 €)**, encore marquée par son élevage sous bois, n'en possède pas moins de la typicité.
⚲ Sylvaine Sauron, Dom. Siouvette, 83310 La Môle, tél. 04.94.49.57.13, fax 04.94.49.59.12, e-mail sylvaine.sauron@wanadoo.fr
☑ ⟂ t.l.j. 8h-12h30 14h-20h

CH. TESTAVIN 2000★

	2 ha	10 000	🍾⦀♦	8 à 11 €

Magnanerie du XVIII[e]s., le domaine du Thouar possède une ancienne tradition agricole et rurale. Aujourd'hui, ce sont les fruits de la vigne qui en font le prestige. Son vin très sombre, mariant syrah et mourvèdre, délivre des notes chocolatées et réglissées, avant d'emplir la bouche de sa matière charpentée qui s'étire longuement sur les fruits rouges épicés.
⚲ Dom. du Thouar, 2349, rte d'Aix, 83490 Le Muy, tél. 04.94.45.10.35, fax 04.94.45.15.44, e-mail info@domaine-du-thouar.com ☑ ⟂ t.l.j. 9h-12h 14h-19h; hiver sf sam. dim. jusqu'à 17h
⚲ GFA Testavin

DOM. DES THERMES 2001★

	3,13 ha	23 000	🍾♦	3 à 5 €

Implanté sur un site d'occupation romaine, ce domaine a bénéficié du travail de Michel Robert depuis 1998. Le millésime 2001 trouve un digne représentant dans ce rosé éclatant et brillant. S'il demande à être aéré pour affirmer ses notes fruitées et florales, il possède une matière de bon aloi. Une viande blanche nappée d'une sauce légère lui conviendra.

➤ EARL Michel Robert, Dom. des Thermes, RN 7, 83340 Le Cannet-des-Maures, tél. 04.94.60.73.15, fax 04.94.60.73.15 ☑ Ⴈ t.l.j. 8h-19h30

DOM. LA TOUR DES VIDAUX
Cuvée Farnoux 2001★

	10 ha	7 500		5 à 8 €

Au milieu du massif des Maures, sous les restanques de schistes, poussent les cépages provençaux – cinsault, syrah et grenache – qui ont donné naissance à ce rosé saumoné. Avec discrétion, celui-ci révèle ses arômes de fruits et ses notes amyliques bien fraîches, puis se fait rond et souple. Citée, la **cuvée Farnoux rouge Elevé en fût de chêne 2000** (8 à 11 €) se distingue par une mâche puissante qui invite à une garde de deux ans.
➤ Volker-Paul Weindel, Dom. La Tour-des-Vidaux, quartier Les Vidaux, 83390 Pierrefeu-du-Var, tél. 04.94.48.24.01, fax 04.94.48.24.02, e-mail tourdesvidaux @ wanadoo.fr
☑ 🏠 Ⴈ t.l.j. sf dim. 8h30-12h 14h30-18h30

DOM. LA TOURRAQUE
Elevé en barrique 1999

	1,5 ha	6 500		8 à 11 €

La presqu'île de Saint-Tropez bénéficie de l'action du conservatoire du littoral, créé en 1975. Des sentiers permettent aux naturalistes de découvrir les forêts de chênes verts, de chênes-lièges et d'arbousiers du cap Camarat, par exemple. Le domaine cultive 45 ha dans cet environnement préservé. Vous apprécierez dès aujourd'hui son vin harmonieusement structuré, qui garde de son passage sous bois de quelques mois des notes réglissées et épicées. Il s'accordera à une viande rouge grillée. Le blanc 2001 (5 à 8 €), bien dans le type de l'appellation, est également cité.
➤ GAEC Brun-Craveris, Dom. La Tourraque, 83350 Ramatuelle, tél. 04.94.79.25.95, fax 04.94.79.16.08
☑ Ⴈ t.l.j. sf sam. dim. 8h30-12h 14h-18h

CH. TOUR SAINT HONORE
Cuvée Olivier 2001

	1 ha	5 000		8 à 11 €

A base de rolle et de sémillon vendangés dès le 16 août, ce vin s'ouvre sans agressivité sur des arômes de fruits blancs, puis s'achève sur une vivacité plus marquée. Egalement cité par le jury, la **cuvée Olivier rosé 2001** s'harmonise autour d'une même gamme fruitée de pêche, nuancée d'orange douce.
➤ Serge Portal, RD 559, 83250 La Londe-les-Maures, tél. 04.94.66.98.22, fax 04.94.66.52.12
☑ Ⴈ t.l.j. sf dim. 9h-12h 15h-18h30; sam. 9h-12h

DOM. TROPEZ BERAUD 2001★

	18 ha	60 000		5 à 8 €

Tropez Béraud fut une figure de la viticulture et du négoce varois. Son petit-fils perpétue la tradition en offrant ce joli vin saumoné parfumé de lilas et de jasmin. Le coing et la réglisse se manifestent dès la mise en bouche, puis se fondent dans un ensemble équilibré et rond. Laissez libre cours à votre imagination pour composer des alliances gourmandes.
➤ Grégoire Chaix, Campagne Virgile, 83580 Gassin, tél. 04.94.56.27.27, fax 04.94.56.11.81, e-mail tropezdistrib.@ wanadoo.fr
☑ Ⴈ t.l.j. sf dim. 9h-12h30 15h-18h30

DOM. TURENNE
Cuvée des Gravoches 1999★

	2 ha	8 000		8 à 11 €

Le vieux Cuers a conservé les vestiges des remparts qui l'entouraient au Moyen Age, ainsi que d'anciennes maisons et fontaines. Ce domaine de 19 ha a récolté mourvèdre et carignan sur un sol argilo-calcaire, appelé « gravoche ». Elevé en demi-muids (barriques de 600 l) pendant dix-huit mois, ni collé ni filtré, le vin a la fougue de Turenne... Aux arômes empyreumatiques répondent des tanins et un boisé encore marqués, que des saveurs de fruits rouges apaisent après aération. Le potentiel est là. Il suffit d'oublier cette bouteille trois ou quatre ans en cave pour l'apprécier pleinement. La **cuvée Antoine blanc 2001** (5 à 8 €) présente une fraîcheur citronnée. Harmonieuse, elle obtient une étoile.
➤ Philippe Benezet, Dom. Turenne, 83390 Cuers, tél. 04.94.48.68.77, fax 04.94.28.57.13, e-mail pbenezet @ waika9.com
☑ 🏠 Ⴈ t.l.j. sf dim. 9h-12h 14h-17h

DOM. DU VAL DE GILLY
Cuvée Alexandre Castellan Elevé en fût de chêne 2000

	2 ha	8 000		5 à 8 €

Non loin de Grimaud, village dont les ruelles en lacis et les places ont conservé un charme intact, Nadine et Daniel Castellan partagent la même passion. Leur côtes de provence rouge comme leur **cuvée Alexandre Castellan rosé 2001** (3 à 5 €) sont cités par le jury. Si la puissance n'est pas dans leur caractère, ils apparaissent francs, équilibrés et bien fruités. A découvrir dès aujourd'hui.
➤ SARL Dom. du Val de Gilly, 83310 Grimaud, tél. 04.94.43.21.25, fax 04.94.43.26.27
☑ Ⴈ t.l.j. sf dim. 9h-12h 14h-19h
➤ Castellan

VAL D'IRIS 2001★★

	1 ha	5 000		8 à 11 €

A peine 4 km séparent Seillans, l'un des plus beaux villages de France, de ce domaine dont le nom rappelle que la vigne partage le terroir avec les plantations d'iris destinées à la parfumerie. Le mois de mai réserve le spectacle magnifique de la floraison. Dans ce vin pourpre profond, point de fleurs, mais une corbeille de fruits rouges bien mûrs, presque confiturés. Les tanins fondus respectent ces arômes persistants, tout en participant au caractère puissant et enveloppant d'un côtes de provence qui n'attend que votre bon plaisir.
➤ Anne Dor, Val d'Iris, chem. de la Combe, 83440 Seillans, tél. 04.94.76.97.66, fax 04.94.76.89.83, e-mail valdiris @ wanadoo.fr ☑ Ⴈ r.-v.

CH. LES VALENTINES 2000★

	3,5 ha	20 000		8 à 11 €

En 1997, Gilles Pons et Pascale Massenot ont quitté la coopérative pour vinifier eux-mêmes leurs vendanges. Le nom de leur domaine est un clin d'œil à leurs enfants, Valentin et Clémentine, nés aux prémices de leur projet. Leur vin de teinte soutenue, à dominante épicée et animale, présente équilibre et rondeur grâce à des tanins fondus. Il peut déjà se marier à une daube provençale ou à un agneau aux olives. Le **rosé 2001**, cristallin, est un concentré de fruits qui n'attend que l'apéritif ou un plat exotique. Il obtient une étoile.

PROVENCE

⚫ SCEA Pons-Massenot, Ch. Les Valentines
Lieu-dit Les Jassons, 83250 La Londe-les-Maures,
tél. 04.94.15.95.50, fax 04.94.15.95.55,
e-mail gilles@lesvalentines.com
☑ ⵏ t.l.j. sf dim. 9h-19h
⚫ Gilles Pons

CH. VANNIERES 2000★

⬛	5 ha	20 000	⬙ 15 à 23 €

La création de ce vignoble, dont la plus grande partie de la production relève de l'appellation bandol, remonte au XVIᵉs. Si la vinification de ce 2000 est gardée secrète, on sait que l'élevage en fût a duré dix-huit mois. Ce vin possède beaucoup de matière, du gras et fait preuve de longueur, mais les tanins puissants et concentrés ne permettent pas encore au fruit de s'exprimer. L'élégance naîtra d'une garde de trois ou quatre ans.
⚫ Ch. Vannières, 83740 La Cadière-d'Azur,
tél. 04.94.90.08.08, fax 04.94.90.15.98,
e-mail info@chateauvannieres.com
☑ ⵏ t.l.j. sf dim. 8h-12h 14h-18h
⚫ Eric Boisseaux

CH. VEREZ 2001★

⬛	20 ha	20 000	5 à 8 €

Séduit par la région, Nadine et Serge Rosinoer sont venus s'installer sur ce terroir en 1994 pour cultiver les 32 ha de vignes. Dans la continuité des millésimes précédents, leur rosé 2000 délivre des notes de fruits frais (cerise, pêche). Son caractère rond et suave vous rappellera les vacances.
⚫ Ch. Vérez, 5192, chem. de la Verrerie-Neuve, 83550 Vidauban, tél. 04.94.73.69.90, fax 04.94.73.55.84, e-mail verez@wanadoo.fr ☑ ⵏ r.-v.
⚫ Rosinoer

CH. VERT
Cuvée spéciale 1999★

⬛	2 ha	7 000	⬙ 5 à 8 €

De ce domaine de 35 ha, la syrah et une petite part de cabernet-sauvignon ont été retenues pour élaborer un 99 de belle allure. Ce vin rubis, encore jeune, souligne sa matière dense et charnue de flaveurs de tabac, de cuir et de café torréfié. Il témoigne d'un élevage sous bois bien maîtrisé. Le rosé 2001, riche de petits fruits rouges, est cité.
⚫ SCEA Dom. du Ch. Vert, av. Georges-Clemenceau, 83250 La Londe-les-Maures, tél. 04.94.66.80.59, fax 04.94.66.80.59 ☑ ⵏ r.-v.

LA VIDAUBANAISE
Vitis Alba Vieilli en fût de chêne 2000★★

⬛	3 ha	6 000	⬙ 5 à 8 €

Créée en 1912, la cave coopérative de Vidauban propose un assemblage de grenache, de cabernet et de mourvèdre. Intensément coloré et puissant dans son expression aromatique, son vin s'appuie sur une solide charpente enrobée d'une matière ronde. Une telle structure assure la continuité harmonieuse des saveurs épicées et vanillées. Tout invite à conserver cette cuvée pour la retrouver plus savoureuse encore.
⚫ La Vidaubanaise, 89, chem. Sainte-Anne, BP 24, 83550 Vidauban, tél. 04.94.73.00.12, fax 04.94.73.54.67, e-mail vidaubanaise@aol.com ☑ ⵏ r.-v.

VIEUX CHATEAU D'ASTROS
Cuvée du Commandeur 2001★

	1 ha	3 300	ⵏ⬥ 5 à 8 €

Au XIIᵉs., le commandeur des Templiers édifia ce château qui fut ensuite occupé par les chevaliers de Malte. Christian Maurel propose aujourd'hui un vin de teinte juvénile, pâle à reflets verts, qui offre sans retenue ses parfums de fruits légèrement mentholés. L'équilibre demeure jusqu'à la finale persistante sur les agrumes. Citée, la **cuvée du Commandeur rouge 2000** a séjourné un an en fût. De bonne constitution, elle s'apprécie dès aujourd'hui, sur ses arômes de fruits rouges et d'épices.
⚫ Christian Maurel, Vieux Château d'Astros, rte de Lorgues, 83550 Vidauban, tél. 04.94.99.73.00, fax 04.94.73.00.18
☑ ⵏ t.l.j. sf dim. 9h-12h30 14h-18h30

DOM. DES VINGTINIERES 2001★

	6,5 ha	20 000	ⵏ⬥ 5 à 8 €

Ce domaine, plus ou moins abandonné, a été repris en 1996 par Patrice Moreux, dont le travail commence à porter ses fruits. Saumoné très pâle à nuance sable, son vin possède un nez intense et complexe, mélange de fruits exotiques, de fraise des bois et de bonbon anglais. Il offre aussi beaucoup de fruit en attaque avant de poursuivre sur une structure légère.
⚫ Patrice Moreux, Dom. des Vingtinières, rte de Saint-Tropez, 83340 Le Cannet-des-Maures, tél. 04.94.99.81.12, fax 04.94.99.81.12 ☑ ⵏ r.-v.

Cassis

Un creux de rochers, auquel on n'accède que par des cols relativement hauts depuis Marseille ou Toulon, abrite, au pied des plus hautes falaises de France, des calanques, des anchois et une certaine fontaine qui, selon les Cassidens, rendait leur ville plus remarquable que Paris... Mais aussi un vignoble que se disputaient déjà, au XIᵉ s., les puissantes abbayes, en demandant l'arbitrage du pape. Le vignoble occupe aujourd'hui environ 177 ha, dont 129 en cépages blancs pour un volume total de 6 641 hl en 2001. Les vins sont rouges et rosés, mais surtout blancs. Mistral disait de ces derniers qu'ils sentaient le romarin, la bruyère et le myrte. Ne cherchez pas les grandes cuvées : elles sont bues au fur et à mesure, avec les bouillabaisses, les poissons grillés et les coquillages.

DOM. DU BAGNOL
Marquis de Fesques 2001★★

	3,5 ha	22 500	ⵏ⬥ 5 à 8 €

Un cassis d'excellente qualité et aux multiples atouts. Sous une robe lumineuse de prime jeunesse apparaît un nez complexe, mentholé, anisé et floral qui invite à la dégustation. Le vin se montre si ample et généreux jusqu'à

sa longue finale qu'il en devient gourmand. Le **Marquis de Fresques rosé 2001**, également remarquable, apportera du plaisir tout au long d'un repas (et plus encore sur une bouillabaisse...). Un fruité concentré complète sa bouche savoureuse et corsée.

☛ Génovési, Dom. du Bagnol, 12, av. de Provence, 13260 Cassis, tél. 04.42.01.78.05, fax 04.42.01.11.22, e-mail jeanlouisgeno@aol.com ☑ ⓣ r.-v.

MAS DE BOUDARD 2001★

	1 ha	5 000	ⓘ↓ 8 à 11 €

Ne cherchez pas la sophistication... Le rosé du domaine, à la délicate couleur saumon pâle, affiche tout simplement son équilibre et sa bonne constitution dans une tonalité exotique. Cité, le **blanc 2001**, fruité et frais, s'appréciera sur un fromage de chèvre.

☛ EARL Mas de Boudard, 7, rte Pierre-Imbert, 13260 Cassis, tél. 04.42.01.72.66, fax 04.42.01.85.49 ☑ ⓣ t.l.j. sf dim. 9h-12h 14h-18h

DOM. CAILLOL 2001★

	5 ha	20 000	ⓘ↓ 5 à 8 €

A l'image de son producteur, ce vin offre toute sa générosité. Il monte en volume jusqu'à une finale capiteuse. Les arômes qui émanent de sa robe pâle à reflets jaunes mêlent les fruits exotiques mûrs, la pêche et le végétal. Un parfait compagnon pour la fête à l'oursin qui se déroule à Cassis le 1er février.

☛ Dom. Caillol, 11, Chemin-du-Bérard, 13260 Cassis, tél. 04.42.01.05.35, fax 04.42.01.06.19 ☑ ⓣ r.-v.

DOM. LA FERME BLANCHE
Excellence 2000★

	2 ha	5 000	ⓙ 8 à 11 €

Remontant à 1714, le domaine possède des caves voûtées du XVIIIᵉs. équipées des outils de vinification à la pointe de la technologie. Cette cuvée, qui a séjourné sous bois dix mois, a certes gagné en structure et en volume, mais a su préserver sa typicité de cassis. Complexe dans ses douces évocations de pêche et d'eucalyptus, elle se présente comme une valeur sûre de l'appellation.

☛ Dom. de la Ferme Blanche, RD 559, 13260 Cassis, tél. 04.42.01.00.74, fax 04.42.01.73.94 ⓣ t.l.j. 9h-19h
☛ F. Paret

CH. DE FONTCREUSE
Cuvée «F» 2001★★

	17 ha	85 000	ⓘ↓ 5 à 8 €

Lorsque le château fut édifié en 1687, une fontaine fut creusée pour l'alimenter en eau. C'est ainsi que le domaine fut baptisé Fontcreuse. Cette année encore, la cuvée F a participé au grand jury. Car c'est un vin complet et savoureux, structuré et bien porté par son expression

aromatique. Délicat, il devrait accompagner agréablement une bouillabaisse. La **cuvée F rosé 2001** obtient une étoile : riche de notes d'agrumes, elle apportera son élégance à l'apéritif.

☛ SA J.-F. Brando, Ch. de Fontcreuse, 13, rte Pierre-Imbert, 13260 Cassis, tél. 04.42.01.71.09, fax 04.42.01.32.64, e-mail fontcreuse@wanadoo.fr ☑ ⓣ t.l.j. sf dim. 8h30-12h 14h-18h

CLOS SAINTE-MAGDELEINE 2000

	11 ha	40 000	ⓘ↓ 8 à 11 €

A la fin du XIXᵉs. déjà, Frédéric Mistral dégustait ce vin réputé, produit alors par un certain Joseph Savon, riche négociant de Marseille. Aujourd'hui, c'est un doux présent qu'offrent la marsanne, la clairette et l'ugni blanc. Jouant dans la gamme des fruits mûrs, de la pâte de coings et de l'amande grillée, le 2000 est marqué par la rondeur, à peine relevée d'une pointe vive. Un vin blanc de terroir.

☛ Sack-Zafiropulo, Clos Sainte-Magdeleine, av. du Revestel, 13260 Cassis, tél. 04.42.01.70.28, fax 04.42.01.15.51 ☑ ⓣ r.-v.

CLOS VAL BRUYERE 2000

	7,5 ha	35 000	ⓘ↓ 8 à 11 €

Coup de cœur dans le Guide 2002, ce nouveau millésime de Sophie Cerciello sent bon les fleurs blanches et les fruits à noyau (pêche). Franc à l'attaque, il accentue ensuite sa fraîcheur puis s'équilibre sur une finale noisetée. D'une harmonie simple sous sa teinte pâle à reflets verts, il se mariera avec les poissons méditerranéens.

☛ SCEA Ch. Barbanau, Hameau de Roquefort, 13830 Roquefort-la-Bédoule, tél. 04.42.73.14.60, fax 04.42.73.17.85, e-mail barbanau@aol.com ☑ ⓣ t.l.j. sf dim. 10h-12h 15h-18h
☛ Cerciello

Bellet

De rares privilégiés connaissent ce minuscule vignoble (44 ha) situé sur les hauteurs de Nice, dont la production est réduite (1 054 hl en 2001) et presque introuvable ailleurs qu'à Nice. Elle est faite de blancs originaux et aromatiques, grâce au rolle, cépage de grande classe, et au chardonnay (qui se plaît à cette latitude quand il est exposé au nord et suffisamment haut) ; de rosés soyeux et frais ; de rouges somptueux, auxquels deux cépages locaux, la fuella et le braquet, donnent une originalité certaine. Ils seront à leur juste place avec la riche cuisine niçoise si originale, la tourte de blettes, le tian de légumes, l'estocaficada, les tripes, sans oublier la socca, la pissaladière ou la poutine.

COLLET DE BOVIS 2001★

	0,3 ha	1 600	ⓘ↓ 8 à 11 €

En lisière d'une ancienne voie romaine, le domaine du Fogolar domine la vallée du Var et la mer. Ce site exceptionnel accueille chaque année des expositions dans le cadre du festival Arts et Vins. Son rosé pâle à nuances orangées est franc et expressif, bien porté par son tempérament chaleureux. Sa palette s'étend de la gamme amylique aux notes fraîches d'agrumes. Le **blanc 2001**, élevé huit mois en fût, mérite également une étoile. Chatoyant de reflets or, il évoque la vanille, le caramel et la noisette, puis dévoile ampleur et générosité. Attendez-le deux ou trois ans.

⌐¬ Jean Spizzo, Dom. du Fogolar, 370, chem. de Crémat, 06200 Nice, tél. 04.93.37.82.52, fax 04.93.37.82.52, e-mail fogolar@vin-de-bellet.com ☑ ⵑ t.l.j. sf dim. 8h-12h 14h-19h

COLLET DE ROUSTAN 2000

	0,7 ha	2 000	▮ 11 à 15 €

Artisan du bâtiment, René Blanc-Gonnet est venu prendre sa retraite en 1990 dans ce havre qu'est Bellet. Son vin est aussi complexe que puissant dans son expression minérale et florale, complétée de fruits rouges. De bonne matière, il s'achève sur une finale aiguisée qui demande à se fondre. A boire bien frais sur des petits farcis ou des gnocchis à la sauce niçoise.

⌐¬ René Blanc-Gonnet, 30, chem. de la Pouncia, 06200 Nice, tél. 04.93.37.89.84, fax 04.93.37.89.84 ☑ ⵑ r.-v.

LES COTEAUX DE BELLET 2001★

	3 ha	14 000	⬛ 11 à 15 €

Hélène Calviera, Yvonne Fassi et Marcel Raeser décidèrent en 1992 de mettre en commun leurs vignobles. Cette année encore, leur bellet blanc a retenu l'attention, car il offre une harmonie florale douce, un agréable équilibre et une finale bien aromatique. Le **rosé 2001**, mariant braquet et cinsault, est cité pour sa fraîcheur.

⌐¬ SCEA les Coteaux de Bellet, 325, chem. de Saquier, 06200 Nice, tél. 04.93.29.92.99, fax 04.93.18.10.99 ☑ ⵑ r.-v.

⌐¬ Hélène Calviera

CH. DE CREMAT 2000

	5 ha	13 000	▮ ⬛ 15 à 23 €

On ne présente plus ce domaine qui fait partie de l'histoire des vins de bellet, construit il y a un siècle par Antoine Mari, propriétaire fortuné d'oliveraies. La silhouette de son donjon domine le terroir silico-calcaire planté de 11 ha de vignes qu'un couple franco-hollandais vient d'acquérir en 2001. Un coup de cœur avait récompensé le 99 rouge ; l'élégance caractérise ce 2001 qui procure un plaisir immédiat. Pas trop de concentration, mais une expression franche et agréable.

⌐¬ Ch. de Crémat, 442, chem. de Crémat, 06200 Nice, tél. 04.92.15.12.15, fax 04.92.15.12.13, e-mail kcremat@aol.com ☑ ⵑ t.l.j. sf dim. 14h-18h

⌐¬ Cornelis Kamerbeek

MAX GILLI 2001

	0,25 ha	1000	▮ ↓ 8 à 11 €

Cent cinquante ans durant, le fruit de cet ancien vignoble n'était destiné qu'à la consommation familiale. Ce n'est qu'en 1997, à l'arrivée de Max Gilli, ancien pâtissier, que son vin sortit de l'anonymat. Bien équilibré, ce rosé pâle met à profit sa fraîcheur pour souligner ses arômes friands de fruits rouges.

⌐¬ Max Gilli, chem. de Saint-Roman, 06200 Saint-Roman-de-Bellet, tél. 04.93.37.82.71, fax 04.93.37.82.71 ☑ ⵑ r.-v.

CLOS SAINT-VINCENT
Cuvée du Clos 2000★★

	3 ha	4 000	⬛ 15 à 23 €

Rouge intense, ce 2000 offre un bouquet complexe dans lequel le boisé expressif s'adoucit au contact d'effluves floraux et minéraux. La bouche pleine de jeunesse et de soleil s'appuie sur une structure solide pour se prolonger sur des notes empyreumatiques comme le cacao. Une décantation en carafe ne sera que favorable à cette bouteille apte à une garde de deux ans et qui affirmera alors son caractère. Le **blanc 2001**, issu de rolle, s'inscrit dans une ligne exotique, vive et friande. Très réussi, il aiguise l'appétit.

⌐¬ Joseph Sergi et Roland Sicardi, Collet des Fourniers, Saint-Roman-de-Bellet, 06200 Nice, tél. 04.92.15.12.69, fax 04.92.15.12.69, e-mail clos.st.vincent@wanadoo.fr ☑ ⵑ r.-v.

DOM. DE TOASC 2001★★

	0,9 ha	4 100	▮ ↓ 11 à 15 €

Ce domaine de 5 ha, créé en 1995, présente pour la première fois ses vins. Le résultat prometteur appelle les encouragements du jury. Issu de jeunes vignes de six ans, ce rosé pâle séduisant se distingue par son expression aromatique. Après les notes minérales et les arômes d'agrumes bien mûrs apparaît une pointe de girofle qui se retrouve avec finesse dans une bouche élégante et bien construite. L'ensemble s'achemine vers une finale d'épices douces (curry) savamment dosées.

⌐¬ Dom. de Toasc, 213, chem. de Crémat, 06200 Nice, tél. 04.92.15.14.14, fax 04.92.15.14.00 ☑ ⵑ r.-v.

⌐¬ Nicoletti

Bandol

Noble vin, qui n'est d'ailleurs pas produit à Bandol même, mais sur les terrasses brûlées de soleil des villages alentour recouvrant une superficie de 1 440 ha, le bandol (47 474 hl en 2001) est blanc, rosé ou rouge. Ce dernier est corsé et tannique grâce au mourvèdre, cépage qui le compose pour plus de la moitié. Vin généreux, compagnon idéal des venaisons et des viandes rouges, il apporte ses subtilités aromatiques faites de poivre, de cannelle, de vanille et de cerise noire. Il supporte fort bien une longue garde.

DOM. BARTHES 2001★★

■	12,9 ha	65 333	▮▮ ◗ 8 à 11 €

La beauté de sa robe saumon à reflets gris n'a d'égal que sa fraîcheur aromatique. Attaque soyeuse et vivacité soulignée par les agrumes caractérisent un palais bien équilibré et long. Le jury a salué ce vin rosé à déguster sur un saumon fumé mariné, des croustades ou des petits farcis. Le **blanc 2001** complexe, parfaitement structuré et riche d'arômes, obtient lui aussi deux étoiles.
➤ Monique Barthès, chem. du Val-d'Arenc, 83330 Le Beausset, tél. 04.94.98.60.06, fax 04.94.98.65.31 ☑ ⏐ r.-v.

LA BASTIDE BLANCHE 2000★★

■	12 ha	55 000	▥ 11 à 15 €

Régulière en qualité, La Bastide Blanche signe un vin bien construit, salué par le jury. De sa robe grenat à reflets noirs s'échappe un bouquet complexe, fait de cerise confite, de vanille, de cannelle et de boisé léger. Ronde, charnue et dense, la matière s'exprime amplement sur des notes confiturées et épicées savoureuses. Une personnalité charmeuse qui bénéficie d'un bon potentiel de garde. Le **rosé 2001 (8 à 11 €)**, vif et harmonieux dans le type agrumes, profitera d'une table méditerranéenne pour briller de son étoile.
➤ EARL Bronzo, 367, rte des Oratoires, 83330 Sainte-Anne-du-Castellet, tél. 04.94.32.63.20, fax 04.94.32.74.34, e-mail bastide.blanche@libertysurf.fr
☑ ⏐ r.-v.

CH. DES BAUMELLES 2001★★

■	5 ha	15 000	▮▮ ◗ 8 à 11 €

Sur la route de Bandol à Saint-Cyr, se dresse le château des Baumelles du XVᵉs. dont la réputation est internationale. Ce rosé gagnera ses galons à table après une légère aération. Ses arômes complexes s'exprimeront alors sans retenue, abricotés, biscuités (« la madeleine », dit un dégustateur...) et épicés. Enveloppant, gras et volumineux, le vin étire longuement sa finale chaleureuse. Un bandol typique, né d'une matière de qualité.
➤ EARL Bronzo, 367, rte des Oratoires, 83330 Sainte-Anne-du-Castellet, tél. 04.94.32.63.20, fax 04.94.32.74.34, e-mail bastide.blanche@libertysurf.fr
☑ ⏐ r.-v.
➤ GFA des Baumelles

DOM. DE LA BÉGUDE 2001★★

■	5,8 ha	20 000	▮▮ ◗ 11 à 15 €

À l'emplacement des chais de vieillissement se trouvent les vestiges d'une ancienne chapelle mérovingienne du VIIᵉs. Là n'est pas la seule particularité de ce domaine, dont les vignes plantées à 400 m d'altitude sont les plus élevées de l'aire d'appellation. Son vin rose pâle à reflets orangés dévoile une belle typicité : la gamme complexe de fleurs, d'amande fraîche et d'abricot sec accompagne la montée en puissance de la bouche ronde, longue et goûteuse. Un rosé de matière à ouvrir sur les entrées comme sur un poisson ou une viande blanche. Le **blanc 2001**, quasi confidentiel avec ses 1 800 bouteilles, possède un caractère gouleyant grâce à un boisé bien maîtrisé. Très réussi, il pourra patienter tout l'hiver.
➤ Guillaume Tari, SCEA du Dom. de La Bégude, 83330 Le Camp-du-Castellet, tél. 04.42.08.92.34, fax 04.42.08.27.02, e-mail domaines.tari@wanadoo.fr
☑ ⏐ r.-v.

DOM. DU CAGUELOUP 2000★

■	3 ha	10 000	▥ 11 à 15 €

Le dernier coup de cœur de ce domaine remonte à l'édition 2001, pour le rosé 99. Il décroche aujourd'hui une étoile grâce à ce vin grenat intense à reflets violacés, qui s'harmonise rapidement autour de tanins de belle facture. La concentration est là, et une garde de cinq ans devrait permettre à l'ensemble de s'ouvrir sur une expression plus généreuse. Une étoile encore pour le **blanc 2001 (8 à 11 €)**, expressif, qui allie fraîcheur et rondeur. Servez-le dès aujourd'hui sur des filets de rougets à la tapenade d'aubergine.
➤ SCEA Dom. de Cagueloup, quartier Cagueloup, 83270 Saint-Cyr-sur-Mer, tél. 04.94.26.15.70, fax 04.94.26.54.09 ☑ ⏐ t.l.j. sf dim. 8h-12h30 15h-19h
➤ R. Prebost

DOM. CASTELL-REYNOARD 2000

■	1 ha	5 000	▥ 5 à 8 €

Dès la fin du XIXᵉs., les vins du domaine étaient livrés à Toulon, à cheval, dans des barils de 25 l. De nos jours, une élégante étiquette figurant le mas habille ce vin sombre aux reflets intenses. Puissant, celui-ci marie le sous-bois et les fruits noirs, puis impose sa matière concentrée. Les tanins encore jeunes invitent à patienter entre trois et cinq ans pour apprécier un bandol à maturité.
➤ Dom. Castell-Reynoard Castell, Dom. Castell-Reynoard, quartier Thouron, 83740 La Cadière-d'Azur, tél. 04.94.90.10.16, fax 04.94.90.10.16 ☑ ⏐ r.-v.

CH. DE CASTILLON 2000★

■ 1,3 ha 5 000 ⫼ 5 à 8 €

Les premières vignes ont été plantées au XIXᵉs. sur cette propriété familiale qui doit son nom aux seigneurs du Castillet qui la créèrent cinq cents ans auparavant. Mourvèdre et grenache se sont unis pour composer un vin rouge franc à reflets pourpres. L'élevage de dix-huit mois en fût se traduit par des notes de réglisse et de café grillé. Déjà, on perçoit le potentiel de cette bouteille, et une garde de deux ans ne pourra qu'être favorable au fondu des tanins.

🔑 René de Saqui de Sannes, Dom. de Castillon, 408, rte des Oratoires, 83330 Sainte-Anne-du-Castellet, tél. 04.94.32.66.74, fax 04.94.32.67.36 ☑ 🍷 t.l.j. sf lun. dim. 10h-12h 14h-18h

DUPERE BARRERA
Jade 1999★

■ 1 ha 2 400 ⫼ 11 à 15 €

Cette maison de négoce créée en 2000 propose une cuvée presque confidentielle. Encore fraîche sous ses atours pourpres, celle-ci mêle des arômes de fruits mûrs, de cannelle et de cuir à un boisé agréable. Après une attaque solide, les tanins gagnent du terrain et laissent une impression encore austère. Au moins deux ans de patience seront nécessaires pour se faire réellement plaisir, en accompagnement d'un gibier.

🔑 Dupéré Barrera, 122, rue Dakar, 83100 Toulon, tél. 04.94.31.10.48, fax 04.94.31.10.48, e-mail vinsduperebarrera@hotmail.com ☑ 🍷 r.-v.

DOM. DE FONT-VIVE 2001★

■ 0,3 ha 1 600 ▮🌡 8 à 11 €

Philippe Dray s'est installé en 1991 sur ce domaine de plus de 7 ha. Ses vins figurent régulièrement dans le Guide. Derrière une robe très pâle, ce 2001 est riche de notes savoureuses et parfumées : pamplemousse, ananas, citron. Tout l'exotisme dans un verre. L'ensemble, frais, persiste longuement. Dommage que le nombre de bouteilles soit si faible.

🔑 Philippe Dray, Dom. de Font-Vive, chem. du Val d'Arenc, 83330 Le Beausset, tél. 04.94.98.60.06, fax 04.94.98.65.31 ☑ 🍷 r.-v.

DOM. DE FREGATE 2001★★

■ 3 ha 13 000 ▮🌡 5 à 8 €

Après un parcours sur le golf de Frégate, la cave, à deux pas du *green*, vous accueillera avec ce vin rosé de teinte vive et flatteuse. Discret par ses nuances fruitées et végétales, celui-ci évolue favorablement vers des notes fraîches de thé vert. La juste vivacité trouve son égal dans la rondeur. Laissez le charme agir, puisqu'il ne manque ni typicité ni équilibre.

🔑 Dom. de Frégate, rte de Bandol, 83270 Saint-Cyr-sur-Mer, tél. 04.94.32.57.57, fax 04.94.32.24.22, e-mail domainedefregate@wanadoo.fr ☑ 🍷 t.l.j. 9h-12h 14h-18h

DOM. LE GALANTIN 2001★★

■ 1,5 ha 4 000 ▮🌡 8 à 11 €

La relève se nomme Cécile et Jérôme Pascal. Toute une famille présente ainsi son vin de clairette et d'ugni blanc ouvert sur des parfums exotiques nuancés d'amande fraîche. Vif à l'abord, ce 2001 laisse libre cours à son expression complexe et équilibrée sous une teinte pâle à reflets verts. Il contribuera au plaisir de l'apéritif. Le **rosé 2001**, plus capiteux, sera plus à son aise sur un repas. Il est cité.

🔑 Famille Pascal, Dom. Le Galantin, 690, chem. Le Galantin, 83330 Le Plan-du-Castellet, tél. 04.94.98.75.94, fax 04.94.90.29.55, e-mail domaine-le-galantin@wanadoo.fr ☑ 🏠 🍷 r.-v.

CH. JEAN-PIERRE GAUSSEN 2000★★

■ 4 ha 17 000 ⫼ 15 à 23 €

Dans cette cuvée, le mourvèdre tient le premier rôle, et Jean-Pierre Gaussen a joué une extraction maximale de son raisin. Regardez la robe si noire : l'œil se perd dans ses profondeurs. Humez la palette de fruits mûrs, de chocolat, que relève une pointe iodée. Parfaitement équilibré, ce vin développe une concentration impressionnante, étayée par des tanins qui commencent à s'enrober. Encore sur la défensive, il a besoin de quatre ou cinq ans pour conquérir votre palais. A marier avec une daube.

🔑 Jean-Pierre Gaussen, La Noblesse, 1585, chem. de l'Argile, B.P. 23, 83740 La Cadière-d'Azur, tél. 04.94.98.75.54, fax 04.94.98.65.34 ☑ 🍷 r.-v.

DOM. DU GROS NORE 2000

■ n.c. 50 000 ⫼ 11 à 15 €

A 2 km de la Cadière-d'Azur, village tout en hauteur qui ménage une belle vue sur le massif de la Saint-Beaume, le domaine a assemblé mourvèdre, grenache, cinsault et carignan pour élaborer ce vin grenat. Encore sous l'emprise de son élevage de dix-huit mois, celui-ci a pourtant du répondant avec ses tanins épais. Oubliez-le entre deux et cinq ans dans votre cave.

🔑 Pascal Alain, 675, chem. de l'Argile, 83740 La Cadière-d'Azur, tél. 04.94.90.08.50, fax 04.94.98.20.65 ☑ 🍷 t.l.j. 10h-19h30

DOM. DE L'HERMITAGE 2001★

■ 2 ha 10 000 ▮🌡 8 à 11 €

Depuis 1975, Gérard Dufort veille à tout sur son domaine. Vin de clairette et d'ugni blanc à parts égales, ce 2001 se livre sans ambages, joliment teinté de jaune doré, tout en fraîcheur par ses arômes d'agrumes. Il trouvera une place naturelle au début du repas, tant il est élégant et équilibré.

🔑 SAS Gérard Duffort, Le Rouve, BP 41, 83330 Le Beausset, tél. 04.94.98.71.31, fax 04.94.90.44.87 ☑ 🍷 t.l.j. sf dim. 9h-12h 14h-18h

DOM. LAFRAN-VEYROLLES 2000★★

■ 3 ha 12 500 ⫼ 11 à 15 €

Coup de cœur pour la cuvée Longue garde 97 dans le guide 2000, un nouveau millésime confirme la valeur de ce domaine de 10 ha, dont l'histoire remonte au XVIIᵉs. La robe violacé profond annonce élégamment les fruits noirs surmûris, les épices, le cuir. Puis la charpente de tanins fins, bien enrobée, apporte un sentiment de plénitude. Ce vin est le reflet d'une parfaite maîtrise de la matière et d'un mourvèdre bien mûr. L'expression du terroir s'affirmera dans les cinq prochaines années.

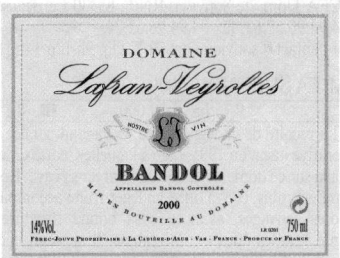

🔻 Mme Jouve-Férec, Dom. Lafran-Veyrolles,
2115, rte de l'Argile,
83740 La Cadière-d'Azur,
tél. 04.94.90.13.37, fax 04.94.90.11.18 ☑ ⲧ r.-v.

DOM. DE LA LAIDIERE 2001★★

	2,9 ha	13 000		⬛⬥ 8 à 11 €

Le village d'Evenos se tient comme un nid d'aigle en dessous d'un château du XII[e]s. bâti sur une coulée basaltique. C'est sur son territoire que le domaine de la Laidière se lança dans l'aventure viticole en 1941. Déjà récompensé l'an dernier pour son rosé 2000, il obtient à nouveau le coup de cœur grâce à ce vin blanc attractif, composé de senteurs florales et fruitées. Tout en finesse en attaque, celui-ci révèle un bel équilibre entre le gras et la vivacité, une agréable sensation de fraîcheur persistant en finale. Une bouteille à ouvrir entre amis sur des poissons grillés ou des plats épicés.
🔻 Estienne, Dom. de la Laidière,
426, chem. de Font-Vive, 83330 Evenos,
tél. 04.94.90.35.29, fax 04.94.90.38.05,
e-mail info@laidiere.com
☑ ⲧ t.l.j. 9h-12h 14h-18h; dim. sur r.-v.

DOM. LES LUQUETTES 2000★

	2 ha	7 800		⬛⬥ 11 à 15 €

Grenat violacé, ce vin se distingue par l'héritage très présent de son élevage. Sa structure corsée annonce un potentiel de garde estimable, et demande à s'arrondir. Sa palette aromatique est à ce jour grillée, boisée, avec quelques notes brûlées. De l'élégance sur votre table. Le **rosé 2001 (8 à 11 €)** répondra à votre attente par sa finesse. Il obtient lui aussi une étoile.
🔻 SCEA le Lys, 20, chem. des Luquettes,
83740 La Cadière-d'Azur,
tél. 04.94.90.02.59, fax 04.94.98.31.95,
e-mail les-luquettes@libertysurf.fr ⲧ t.l.j. 9h-20h
🔻 E. Lafourcade

CH. DE LA NOBLESSE 1999★

	2,5 ha	n.c.		⬛⬥ 8 à 11 €

Bâti en 1780, le château de La Noblesse commande un vignoble de 15 ha. Le mourvèdre associé à une faible part de grenace (5 %) a transmis sa noblesse à ce 99 aux flaveurs chaleureuses d'épices et de résine. Les tanins présents ne gênent pas la dégustation, mais structurent l'ensemble. Un beau bandol que vous aurez plaisir à déguster d'ici trois ou quatre ans.
🔻 Henri et Agnès Gaussen, GAEC Ch. la Noblesse,
1685, chem. de l'Argile, 83740 La Cadière-d'Azur,
tél. 04.94.98.72.07, fax 04.94.98.40.41
☑ ⲧ t.l.j. sf dim. 10h-12h 14h-18h30

DOM. DE L'OLIVETTE 2000★

	14 ha	70 000		⬛⬥ 11 à 15 €

Si en 1972 les Dumoutier débutèrent leur aventure vinicole avec 3 ha de vignes sur ce domaine bicentenaire, ils en cultivent aujourd'hui 55 ha exclusivement dans l'aire de bandol. Intense à reflets violines, leur vin privilégie l'expression d'une matière tendre et soyeuse. Juvénile en finale, il promet une évolution favorable dans les trois à cinq prochaines années. Cité, le **rosé 2001 (8 à 11 €)** est vif et de bonne présence en bouche.
🔻 SCEA Dumoutier, Dom. de L'Olivette,
83330 Le Castellet,
tél. 04.94.98.58.85, fax 04.94.32.68.43,
e-mail info@domaine-olivette.com
☑ ⲧ t.l.j. sf sam. dim. 8h-12h 14h-18h

DOM. DU PEY-NEUF 2001★

	1 ha	5 000		⬛⬥ 8 à 11 €

Guy Arnaud œuvre depuis 1983 sur ce domaine de près de 33 ha, dont l'origine remonte au milieu du XIX[e]s. Son bandol possède un bon équilibre entre vivacité et chaleur, accompagné de flaveurs élégantes, à la fois exotiques et florales. Agréable en finale, il a suffisamment d'étoffe pour s'allier avec un plat en sauce, telle une bourride. Egalement très réussi, le **rosé 2001**, pâle, souple et goûteux, laisse en finale une sensation épicée.
🔻 Guy Arnaud, Dom. du Pey-Neuf,
367, rte de Sainte-Anne, 83740 La Cadière-d'Azur,
tél. 04.94.90.14.55, fax 04.94.26.13.89 ☑ 🏠 🏠 ⲧ r.-v.

CH. DE PIBARNON 2001★

	17 ha	45 000		⬛⬥ 11 à 15 €

Le vignoble de Pibarnon est constitué de restanques sculptées à flanc de vallon, dans des formations argilo-calcaires du trias et des marnes bleues du santonien. Ce rosé de couleur vive, légèrement orangé, a retenu l'attention par son équilibre qui s'impose d'emblée, comme par ses promesses. Le bouquet ne dévoile pas encore tous ses secrets, mais la bouche ample et enveloppante évoque longuement les épices douces. Parfaitement structurée, cette bouteille saura s'exprimer cet automne et au fil des saisons suivantes.
🔻 Comte de Saint-Victor, 410, chem. de la
Croix-des-Signaux, 83740 La Cadière-d'Azur,
tél. 04.94.90.12.73, fax 04.94.90.12.98,
e-mail pibarnon@wanadoo.fr ☑ ⲧ r.-v.
🔻 Henri et Eric de Saint-Victor

CH. ROMASSAN-DOMAINES OTT 2000★

	10 ha	45 000		⬛ 15 à 23 €

Acquis par la famille Ott en 1956, le château Romassan est dirigé par Jean-Daniel Ott. Ici, les crus sont bien

PROVENCE

typés par le mourvèdre. Voyez ce vin complexe, à la fois dans le registre des fruits rouges mûrs (griotte) et déjà dans l'empyreumatique (grillé). Souples et agréables, les tanins se développent lentement, laissant la finale épicée s'exprimer. Dégustez cette bouteille harmonieuse dès l'hiver.

🐿 SA Dom. Ott, Ch. Romassan,
601, rte des Mourvèdres, 83330 Le Castellet,
tél. 04.94.98.71.91, fax 04.94.98.65.44,
e-mail chateauromassan@domaines-ott.com ☑ ⏚ r.-v.

MAS DE LA ROUVIERE 2000★

▪	9,65 ha	40 000	🍷 11 à 15 €

Les Domaines Bunan ne sont plus à présenter. N'ont-ils pas obtenu plusieurs coups de cœur dans les éditions précédentes ? Le 2000 du Mas de La Rouvière se distingue par un nez flatteur de petits fruits à l'alcool soulignés de notes grillées. Élégant et suave, il garde une bonne tenue jusqu'en finale. S'il est déjà intéressant aujourd'hui, il devrait confirmer ses atouts dans les années à venir. Le rosé du Moulin des Costes 2001 (8 à 11 €) vif et riche, mérite d'être savouré dès l'automne. Lui aussi obtient une étoile.

🐿 Domaines Bunan, Moulin des Costes,
83740 La Cadière-d'Azur, tél. 04.94.98.58.98,
fax 04.94.98.60.05, e-mail bunan@bunan.com ☑ ⏚ r.-v.

CH. SALETTES 2001★

	0,9 ha	4 400	▪⏚ 11 à 15 €

Situé au pied de La Cadière, en plein cœur de l'aire d'appellation, ce domaine familial fut créé en 1604. Jean-Pierre Boyer œuvre depuis bientôt quarante ans à sa pérennité. Il obtient un joli succès avec ce vin brillant et expressif dans la bonne mesure. On y perçoit la poire et l'ananas avec une douceur amylique. La bouche souple et savoureuse retrouve ce fruité qui apporte de la fraîcheur à la longue finale. L'ensemble est élégant. Une dégustatrice propose de le marier à un soufflé d'écrevisses. À suivre...

🐿 Jean-Pierre Boyer, Ch. Salettes,
83740 La Cadière-d'Azur,
tél. 04.94.90.06.06, fax 04.94.90.04.29,
e-mail salettes@salettes.com ☑ ⏚ r.-v.
🐿 GFA Ch. Salettes

DOM. SORIN 2001

▪	0,6 ha	2 600	▪⏚ 8 à 11 €

Luc Sorin, ancien vigneron bourguignon, est installé depuis 1996 sur ce domaine de 14 ha. Partisan du respect de l'environnement, il conduit sa vigne selon les principes de la culture raisonnée. Son rosé de teinte pâle joue sur des nuances exotiques. Plus expressif en bouche, il possède rondeur et souplesse, que soulignent des flaveurs poivrées. Ce que les dégustateurs à l'aveugle n'ont pu voir, c'est l'ancienne bouteille provençale cachetée de cire qui le loge. L'esprit terroir, sans doute...

🐿 Dom. Luc Sorin, 1617, rte de La Cadière-d'Azur,
83270 Saint-Cyr-sur-Mer, tél. 04.94.26.62.28,
fax 04.94.26.40.06, e-mail luc.sorin@wanadoo.fr
☑ 🏠 ⏚ r.-v.

DOM. DE SOUVIOU 2001★

▪	10 ha	35 000	▪ 8 à 11 €

La terre de Souviou figure au cadastre de 1588. Elle doit son nom au mot provençal sauvi, « sauge ». Non seulement elle produit de beaux vins, mais aussi d'excellentes huiles d'olive. Ce 2001 possède gras et longueur sur des notes de pêche et de fruits exotiques. Le perlant qui apparaît sous ses nuances orangé pâle lui donne de la fraîcheur.

🐿 SCEA Dom. de Souviou, RN 8, 83330 Le Beausset,
tél. 04.94.90.57.63, fax 04.94.96.62.74,
e-mail contact@souviou.com ☑ ⏚ t.l.j. 9h-12h 14h-18h

DOM. LA SUFFRENE 2000

▪	9,75 ha	50 000	🍷 8 à 11 €

La récolte de ce vignoble de 45 ha était confiée à la coopérative jusqu'en 1995, date à laquelle Cédric Gravier s'installa sur ce domaine et décida de créer sa cave. Rouge vif à reflets rubis, ce vin offre un léger fruité accompagné de notes sauvages, avant que sa bonne structure ne l'oriente vers les épices et la réglisse. Il apparaît encore timide, mais une garde de deux ans devrait lui permettre de s'ouvrir. Le blanc 2001 et le rosé 2001 sont également cités. Plus chaleureux, ils restent bien dans le style de l'appellation.

🐿 Cédric Gravier, Dom. La Suffrene,
1066, chem. de Cuges, 83740 La Cadière-d'Azur,
tél. 04.94.90.09.23, fax 04.94.90.02.21,
e-mail suffrene@wanadoo.fr
☑ ⏚ t.l.j. sf dim. 9h-12h 14h-18h

DOM. DE VAL D'ARENC 1999★★

▪	20 ha	n.c.	🍷 5 à 8 €

Des bénévoles ont restauré la chapelle Notre-Dame-du-Beausset-Vieux, dont la construction, au XIIᵉ s., se fit à l'emplacement d'un oppidum celto-ligure. Si les amoureux du patrimoine apprécieront ce travail patient, les amateurs de bandol se réjouiront de déguster ce vin parfaitement typé. Rouge profond à reflets grenat, celui-ci évoque avec complexité les fruits mûrs, le cuir, le sous-bois et les épices. Les tanins élégants tapissent le palais en participant à la bonne structure. Dès lors, les épices reviennent en force, longtemps portées par la matière.

🐿 Dom. de Val d'Arenc, quartier du Val-d'Arenc,
83330 Le Beausset, tél. 04.94.98.71.89,
fax 04.94.98.74.10

DOM. DE LA VIVONNE 2001

▪	4 ha	27 000	▪ 8 à 11 €

Vignes et oliviers en terrasses annoncent le village fortifié du Castellet qui se tient sur son piton rocheux. Celui-ci, restauré à partir des années 1950, offre aux visiteurs ses ruelles charmantes, son château, son église romane. Aux alentours, Walter Gilpin cultive 25 ha ; mourvèdre et grenache lui ont permis d'élaborer ce rosé corpulent et capiteux en finale, qui trouve de la gaieté dans des accents de fruits exotiques.

🐿 Walter Gilpin, Dom. de La Vivonne,
3345, montée du Château, 83330 Le Castellet,
tél. 04.94.98.70.09, fax 04.94.90.59.98,
e-mail infos@vivonne.com ☑ ⏚ r.-v.

Palette

Tout petit vignoble, aux portes d'Aix, qui englobe l'ancien clos du bon roi René. Blancs, rosés et rouges sont produits régulièrement sur environ 40 ha et ont donné 1 101 hl de vin en 2001. Le plus souvent, et après une bonne maturation (car le rouge est de longue garde), on y retrouve une odeur de violette et de bois de pin.

CH. CREMADE
Cuvée Les Charmes 2001★★

■	1,02 ha	6 000	ⓘ	11 à 15 €

Né sur le calcaire de Langesse, une palette, dont la robe à reflets verts est si pâle qu'elle paraît frêle. Il n'en est rien. Intenses et frais, les arômes déclinent des tonalités de fleurs blanches, de tilleul, de citron vert, accompagnées d'un soupçon boisé. La matière généreuse enrobe des notes amyliques et florales qui rendent suave la finale capiteuse.

SCEA Ch. Crémade, rte de Langesse,
13100 Le Tholonet,
tél. 04.42.66.76.80, fax 04.42.66.76.81 Y r.-v.

DOM. DU GRAND COTE
Elevé en foudre 1999

■	10,45 ha	50 000	ⓘ	8 à 11 €

Le fruit du domaine du Grand Côté, dont le vignoble planté sur sol calcaire se situe à quelques kilomètres des contreforts de la montagne Sainte-Victoire, est vinifié par la cave de Rousset. Ce 99, de teinte peu soutenue, livre des arômes fruités, marqués par les fruits rouges (cerise, cassis), ainsi qu'une nuance plus végétale de sauge et de basilic. La matière est souple, sans ostentation.

Cave de Rousset, quartier Saint-Joseph,
13790 Rousset, tél. 04.42.29.00.09, fax 04.42.29.08.63,
e-mail cavrousset@aol.com Y t.l.j. sf dim. 8h30-12h 14h-18h

Coteaux d'aix-en-provence

Sise entre la Durance au nord et la Méditerranée au sud, entre les plaines rhodaniennes à l'ouest et la Provence triasique et cristalline à l'est, l'AOC coteaux d'aix-en-provence appartient à la partie occidentale de la Provence calcaire. Le relief est façonné par une succession de chaînons, parallèles au rivage marin, et couverts naturellement de taillis, de garrigue ou de résineux : chaînon de la Nerthe près de l'étang de Berre, chaînon des Costes prolongé par les Alpilles, au nord.

Entre ces reliefs s'étendent des bassins sédimentaires d'importance inégale (bassin de l'Arc, de la Touloubre, de la basse Durance) où se localise l'activité viticole, soit sur des formations marno-calcaires donnant des sols caillouteux à matrice argilo-limoneuse, soit sur des formations de molasses et de grès avec des sols très sableux ou sablo-limoneux caillouteux. 4 010 ha produisent 174 752 hl en 2001 en moyenne dont 8 258 en blanc. La production de vins rosés s'est développée récemment. Grenache et cinsault forment encore la base de l'encépagement, avec une prédominance du grenache ; syrah et cabernet-sauvignon sont en progression et remplacent progressivement le carignan.

Les vins rosés sont légers, fruités et agréables ; ils ont largement profité des améliorations des techniques de vinification. Ils doivent être bus jeunes avec des plats provençaux : ratatouille, artichauts barigoule, poissons grillés au fenouil, aïoli...

Les vins rouges sont des vins équilibrés, quelquefois rustiques. Ils bénéficient d'un contexte pédologique et climatique favorable. Jeunes et fruités, avec des tanins souples, ils peuvent accompagner viandes grillées et gratins. Ils atteignent leur plénitude après deux ou trois ans d'élevage et peuvent accompagner alors viandes en sauce et gibier. Ils méritent que l'on parte à leur (re)découverte.

La production de vins blancs est limitée. La partie nord de l'aire de production est plus favorable à leur élaboration qui mêle la rondeur du grenache blanc à la finesse de la clairette, du rolle et du bourboulenc.

CH. BARBEBELLE
Cuvée Madeleine 2001★

■	12 ha	50 000	▮🌡	3 à 5 €

Le mausolée de la famille Domitii, dont l'un des membres fut gouverneur de la Provence à l'époque romaine, se trouve sur ce domaine de 380 ha d'un seul tenant. Les 37 ha de vignes couvrent les coteaux argilo-calcaires du haut de la Trévaresse. Le grenache, à peine aidé de 10 % de syrah, est à l'origine d'un rosé pastel, obtenu par saignée. Ce vin tutoie la finesse et la fraîcheur, tout en ayant du gras. Le **Réserve 2000 rouge (5 à 8 €)** et la **cuvée Madeleine 2001 blanc** obtiennent une citation.

Brice Herbeau, Ch. Barbebelle, RD 543,
13840 Rognes, tél. 04.42.50.22.12, fax 04.42.50.10.20,
e-mail barberelle@aol.com Y t.l.j. 9h-12h 14h-18h

CH. BAS
Pierres du Sud 2001★★

■	5 ha	30 000	▮🌡	5 à 8 €

Si le château date en grande partie du XVII[e]s., le site qu'il occupe était déjà connu vers 150 av. J.-C., puisque les vestiges d'un temple romain y furent découverts. Fort de 80 ha, le domaine livre aujourd'hui les secrets de ses Pierres du Sud. Ce vin porte la marque du sauvignon dans ses nuances d'agrumes et de citron. Il laisse une impression à la fois ronde, fraîche et aromatique qui témoigne de la qualité du travail de Philippe Pouchin.

EARL Georges de Blanquet, Ch. Bas,
13116 Vernègues, tél. 04.90.59.13.16,
fax 04.90.59.44.35, e-mail chateaubas@wanadoo.fr
Y r.-v.

CH. BEAUFERAN
Prestige Elevé en fût de chêne 1999

■	15 ha	10 000	ⓘ	8 à 11 €

Une majorité de syrah (71 %) complétée par le cabernet-sauvignon s'exprime dans ce vin grenat intense, qui a séjourné un an en barrique. Animal et cuir à l'olfaction, celui-ci développe des arômes de fruits secs

PROVENCE

grillés et des notes balsamiques dans une bouche structurée. On sent beaucoup de sérieux dans ce coteaux d'aix né d'une belle matière et bien élevé.

🕊 Ch. Beauferan, 870, chem. de la Degaye,
13880 Velaux, tél. 04.42.74.73.94, fax 04.42.87.42.96,
e-mail chateaubeauferan@freesurf.fr ☑ ⟂ t.l.j. sf dim.
9h-12h 14h-18h; sam. 9h-12h30
🕊 Sauvage-Veysset

CH. DE BEAULIEU
Grande Cuvée 2001★

■	12 ha	70 000	■⌄	3 à 5 €

Une *villa* gallo-romaine précéda, sur les coteaux de la Trévaresse, ce château « forteresse » avec ses quatre tours d'angle, bâti au XVᵉs., puis reconstruit deux siècles plus tard. Le caractère imposant de son architecture n'a d'égal que l'impressionnante superficie du vignoble : 245 ha. Le château de Beaulieu exporte aujourd'hui 50 % de sa production et cette cuvée trouvera sans aucun doute sa place. Agrumes pressés et cassis sont les deux notes dominantes de la dégustation. Une composition en grenache (70 %) et en syrah (30 %) font de ce vin couleur groseille, vif et rafraîchissant, un exemple parfait des rosés de Provence.

🕊 GFA du Ch. de Beaulieu, 13840 Rognes,
tél. 04.42.50.13.72, fax 04.42.50.19.53
☑ ⟂ t.l.j. sf dim. 9h-12h 14h-18h
🕊 M. Guénant

CH. DE BEAUPRE 2001

■	4 ha	24 000	■⌄	15 à 23 €

Entourée d'arbres fiers et devancée par les quatre dauphins de sa fontaine, la grande bastide de Beaupré se dresse avec élégance. On peut lire la date de 1739 sur le cadran solaire de son fronton, signalant son antériorité. Le vignoble, aujourd'hui fort de 40 ha, remonte au début du XXᵉs. ; il fut planté par Emile Double après la crise phylloxérique. Obtenu moitié par saignée, moitié par pressurage direct du grenache (60 %), du cinsault (30 %) et de la syrah, ce rosé reste sur la réserve, mais dévoile une bouche ample et équilibrée.

🕊 Christian Double, Ch. de Beaupré,
13760 Saint-Cannat,
tél. 04.42.57.33.59, fax 04.42.57.27.90,
e-mail chbeaupre1@aol.com ☑ ⟂ t.l.j. 9h-12h 14h-18h

CH. LA BOUGERELLE 2001

■	3 ha	10 000	■⌄	5 à 8 €

L'archevêque de Vintimille fit construire au XVIIIᵉs. cette maison de maître qui commande de nos jours 25 ha de vignes. Le rosé présenté témoigne par sa teinte légère et la vivacité des notes d'ananas d'une quête d'élégance lors de la vinification. Vous le dégusterez bien frais sur des hors-d'œuvre.

🕊 EARL Ch. la Bougerelle, 1360, rte de Berre,
Les Granettes, 13090 Aix-en-Provence,
tél. 04.42.20.18.95, fax 04.42.20.18.95
☑ ⟂ t.l.j. sf dim. 9h-19h
🕊 Granier

CH. DE CALAVON 2000★★

■	5 ha	2 000	■	5 à 8 €

Aux XVIIᵉ et XVIIIᵉs., l'assemblée générale des Communautés de Provence siégeait à Lambesc, ce qui fit de cette ville la seconde capitale de la région. Sept producteurs sont installés aujourd'hui sur la commune, parmi lesquels la famille Audibert qui dirige depuis cent ans le château de Calavon, dont le terroir était déjà exploité par les princes d'Orange. Ce vin caractérisé par une belle matière concentrée a été jugé puissant, volumineux, structuré. Son nez intense et complexe offre abondance d'épices et de fruits rouges cuits.

🕊 Michel Audibert, Ch. de Calavon, BP 4,
13410 Lambesc, tél. 04.42.57.15.37, fax 04.42.57.15.37,
e-mail michel@audibert.fsnet.co.uk
☑ ⟂ t.l.j. sf dim. 9h-12h 15h30-18h30

CH. CALISSANNE
Cuvée Prestige 2001★★

■	n.c.	n.c.	■	5 à 8 €

A la fin du XIXᵉs., on cultivait encore le blé, l'olivier et l'amandier à Calissanne. Autour du château à tourelles, construit au XVIIᵉs. par un parlementaire de la cour d'Aix-en-Provence, s'étendent 1 000 ha d'un seul tenant. Plus loin dans l'histoire, on retrouve trace d'un village celto-ligure du IVᵉs. av. J.-C., ainsi que le souvenir de l'ordre de Malte qui fit du domaine sa commanderie de 1206 à 1499. Calissanne réalise cette année un tour de force : tous les vins présentés ont été retenus par les jurys. Ce blanc arrive en tête parmi les cuvées Prestige. La clairette (55 %, contre 45 % de sémillon) n'est pas étrangère à l'impression de finesse qui s'en dégage. Le gras et la longueur se manifestent également, comme des promesses de bon vieillissement. La **cuvée Prestige rouge 2000** obtient une étoile et la **cuvée Prestige rosé 2001** une citation. A noter enfin les **cuvées du Château blanc 2001** et **rouge 2000** : la première, très réussie, la seconde, citée.

🕊 Ch. Calissanne, RD 10, 13680 Lançon-de-Provence,
tél. 04.90.42.63.03, fax 04.90.42.40.00,
e-mail calissan@club-internet.fr
☑ ⟂ t.l.j. 8h-12h 14h-18h
🕊 CIPM International

DOM. CAMAISSETTE 2001★

■	3 ha	16 000	■⌄	3 à 5 €

Le château du XVIIᵉs. se trouve en bordure de la voie Aurélienne, à 2,5 km d'Eguilles, joli village qui domine la vallée de l'Arc. C'est un vin de caractère, bien travaillé par le vinificateur : le jury a apprécié la dégustation de ce rosé franc, net et brillant. Un mélange de fleurs et de fruits mûrs apporte un caractère expressif à un ensemble friand. Le **blanc 2001** est cité.

🕊 Michelle Nasles, Dom. de la Camaïssette,
13510 Eguilles, tél. 04.42.92.57.55, fax 04.42.28.21.26,
e-mail michelle.nasles@wanadoo.fr
☑ ⟂ t.l.j. sf dim. 9h30-12h 14h30-18h30

CLOS VICTOIRE 2001★★

■	n.c.	n.c.	■	8 à 11 €

Jean Bonnet peut être fier du travail accompli de la vigne à la cave. Son rosé puissant et gras, très complet, est considéré par les dégustateurs comme un vin typiquement provençal, issu de vendanges bien mûres. Dominé par la syrah (85 %), il livre des arômes intenses de cassis, tandis que le grenache lui apporte la chaleur méditerranéenne. Le **Clos Victoire rouge 2000** et le **blanc 2001** (tous deux de 11 à 15 €) obtiennent une étoile.

🕊 Ch. Calissanne, RD 10, 13680 Lançon-de-Provence,
tél. 04.90.42.63.03, fax 04.90.42.40.00,
e-mail calissan@club-internet.fr
☑ ⟂ t.l.j. 8h-12h 14h-18h
🕊 CIPM International

DOM. DE COSTEBONNE 2001

	15 ha	35 000	▮▮	3 à 5 €

Pas moins de cinq cépages entrent dans ce rosé issu de vignes menées en agriculture biologique et obtenu par saignée : grenache à 45 %, cinsault à 30 %, puis mourvèdre et carignan à 10 % chacun et syrah à 5 %. Une bouteille franche, en toute simplicité.

☞ SCIEV Cave de Longchamp, Quartier de la gare, 13940 Mollégès, tél. 04.90.95.19.06, fax 04.90.95.42.00
☑ ⵏ r.-v.

DAME DES OULLIERES 1999★★

	3 ha	2 500	▮▮▮	15 à 23 €

Au creux d'un vallon parsemé de bois et de vignes, Lambesc possède un riche héritage architectural, tant par ses hôtels particuliers construits entre les XVIe et XVIIIe s. que par son beffroi avec jacquemart. Ce domaine, créé il y a douze ans, propose un vin déjà flatteur, mais prometteur. Avec sa belle charpente de tanins veloutés, ce 99 grenat soutenu, à reflets sombres, persiste longuement sur des notes de fruits rouges confits.

☞ Les Treilles de Cézanne, RN 7, 13410 Lambesc, tél. 04.42.92.83.39, fax 04.42.92.70.83, e-mail contact@oullieres.com ☑ ⵏ r.-v.
☞ Mireille Collomb

DOM. D'EOLE 2001★

	5 ha	20 000	▮▮	5 à 8 €

Bâti sur un éperon rocheux, Eygalières ménage une belle vue sur les Alpilles. Depuis 1996, le domaine d'Eole conduit son vignoble de 26 ha en culture biologique. Très pétale de rose, son rosé s'inscrit bien dans le style provençal. Il offre un plaisir immédiat par sa finesse aromatique. La **cuvée Léa rouge 2000 (15 à 23 €)**, bien représentative de l'appellation, obtient une citation, à l'instar de la **Réserve des Gardians rouge 99**.

☞ EARL Dom. d' Eole, rte de Mouries, D 24, 13810 Eygalières, tél. 04.90.95.93.70, fax 04.90.95.99.85, e-mail domaine@domainedeole.com ☑ ⵏ t.l.j. sf dim. 9h-12h30 13h30-17h30
☞ C. Raimont

CH. DE FONSCOLOMBE
Cuvée spéciale 2000★

	35 ha	60 000	▮	3 à 5 €

L'élégant château appartient à la famille Saporta, d'origine aragonaise, depuis 1810, date à laquelle Adolphe de Saporta épousa mademoiselle de Fonscolombe, fille d'un conseiller au parlement d'Aix. Le vignoble fut développé à partir de 1963 pour atteindre aujourd'hui 145 ha sur les sols argilo-calcaires des coteaux méridionaux de la Durance. La cuvée spéciale a été retenue dans les trois couleurs, mais c'est le rouge qui fait la différence. Rubis, celui-ci éclate de notes de cassis, de fumé et de garrigue. Sa matière franche traduit le beau travail du chef de cave. Le **blanc** et le **rosé 2001** sont aussi cités.

☞ SCA Fonscolombe, 13610 Le Puy-Sainte-Réparade, tél. 04.42.61.70.00, fax 04.42.61.70.01, e-mail mail@fonscolombe.com
☑ ⵏ t.l.j. sf dim. 9h-12h 14h-18h
☞ De Saporta

CH. DE LA GAUDE
Grande Réserve 1999

	n.c.	4 000	▮▮	11 à 15 €

Si ce château du XVe s. possède des jardins classés monuments historiques, la vigne occupe une même

place de choix sur 17 ha. Grenache, cabernet-sauvignon et carignan ont donné naissance à un vin de teinte soutenue qui livre sans exubérance des arômes de griotte confite. Sa chair ronde et séveuse s'achève sur une note plus austère qui appelle une garde de quatre ans.

☞ Michel Audibert, Ch. de La Gaude, rte des Pinchinats, 13100 Aix-en-Provence, tél. 04.42.21.64.19, fax 04.42.21.56.84, e-mail michel@audibert.fsnet.co.uk
☑ ⵏ t.l.j. sf dim. 9h30-12h30 15h-19h

CH. DES GAVELLES 2001★

	11 ha	25 000	▮▮	3 à 5 €

« Faire Lou Gaven » c'est, selon Frédéric Mistral, se livrer à une danse joyeuse et campagnarde. Dansait-on dans cette ferme du XVIIe s., lorsqu'on portait la vendange dans les caves voûtées ? Vous vous réjouirez aujourd'hui à la dégustation de ce rosé soutenu qui livre des notes de fruits frais soulignées d'une touche florale. Vin de plaisir, il possède une bouche aérienne, aux flaveurs de framboise. La recherche du fruit a commandé le travail de vinification par saignée de ce rosé à base de grenache (70 %) et de syrah.

☞ Ch. des Gavelles, 165, chem. de Maliverny, 13540 Puyricard, tél. 04.42.92.06.83, fax 04.42.92.24.12, e-mail mail@chateaudesgavelles.com ☑ ⵏ t.l.j. 9h30-12h30 15h-19h; dim. 9h30-12h30
☞ De Roany

DOM. DES GLAUGES
Pétales de Glauges 2000★

	n.c.	5 000	▮▮	5 à 8 €

Le domaine des Glauges se niche dans un vallon à la beauté naturelle préservée. Qu'ils soient rouge, rosé ou blanc, ces « pétales » ont retenu l'attention du jury. Ce 2000 chaleureux dans ses évocations de fruits à l'alcool impressionne par sa structure et sa persistance. Il accompagnera des tournedos grillés aux herbes de provence. Les **Pétales de Gauges rosé 2001** et **blanc 2001** obtiennent une citation.

☞ SAS Glauges des Alpilles, voie d'Aureille, BP 17, 13430 Eyguières, tél. 04.90.59.81.45, fax 04.90.57.83.19, e-mail glauges@wanadoo.fr ☑ ⵏ r.-v.

CUVEE JULES REYNAUD
Elevé en fût de chêne 2000

	10 ha	9 000	▮▮▮	8 à 11 €

Première coopérative des Bouches-du-Rhône en volume, cette cave a été créée en 1922. Elle a élaboré ce vin de grenache, de syrah et de cabernet à parts équivalentes. Pourpre brillant, ce 2000 exprime encore bien les fruits mûrs, presque écrasés. L'élevage de neuf mois sous bois est perceptible, mais bien dosé : des notes de vanille apparaissent, sans excès, relayées par une finale poivrée. Le **rosé 2001 (5 à 8 €)**, tout en simplicité, est cité.

☞ Les Vignerons du Roy René, RN 7, 13410 Lambesc, tél. 04.42.57.00.20, fax 04.42.92.91.52, e-mail lesvigneronsduroyrene@wanadoo.fr
☑ ⵏ t.l.j. sf dim. 8h30-12h 14h-18h

DOM. DU MAS BLEU 2001

	2 ha	10 000	▮▮	3 à 5 €

Aux portes de la Méditerranée, le Mas Bleu produit non seulement des coteaux d'aix, mais aussi de l'eau-de-vie de marc et un vin cuit. Ce rosé se distingue par sa fraîcheur que soulignent des nuances florales et fruitées. De style traditionnel, il accompagnera charcuteries et poissons grillés. Autre vin à boire entre amis, le **blanc 2001** est cité pour sa vivacité.

🐦 EARL du Mas Bleu, 6, av. de la Côte Bleue, 13180 Gignac-la-Nerthe, tél. 04.42.30.41.40, fax 04.42.30.32.53 ☑ 🍷 t.l.j. sf dim. lun. 9h-12h 14h30-18h30
🐦 Marie-Claire Rougon

DOM. DE L'OPPIDUM DES CAUVINS 2001★

	8 ha	22 000	🍷🍃	5 à 8 €

Construit à l'emplacement d'un oppidum, le domaine inscrit ses 64 ha dans le massif de la Trévaresse, sur la commune de Rognes dont les carrières de pierre ocre servent ici à la restauration des anciens édifices d'Aix-en-Provence. Si le grenache et le vermentino participent à l'assemblage de ce vin, c'est le sauvignon, majoritaire (50 %), qui apparaît d'emblée à l'olfaction. La macération pelliculaire qui a duré dix-huit heures n'y est certainement pas étrangère. La bouche, plus ciselée et très aérienne, invite à boire cette bouteille à l'apéritif ou sur des fruits de mer.

🐦 Rémy Ravaute, Dom. l'Oppidum des Cauvins, 13840 Rognes, tél. 04.42.50.13.85, fax 04.42.50.29.40 ☑ 🍷 t.l.j. 9h-12h 14h-19h

CH. PIGOUDET
La Chapelle 2001★

	2 ha	10 000	🍷🍃	5 à 8 €

A 400 m d'altitude et au nord de l'aire de l'appellation, le château Pigoudet récolte souvent le dernier ses 41 ha de vignes. Une situation qui lui réussit à en juger le **blanc 2001**, noté une étoile, et cette cuvée très expressive dans ses arômes de fruits persistants et de bonbon anglais. Equilibré et rond, voici un rosé de plaisir. La **cuvée La Chapelle rouge 2000 (8 à 11 €)** est citée.

🐦 SCA Ch. Pigoudet, rte de Jouques, 83560 Rians, tél. 04.94.80.31.78, fax 04.94.80.54.25, e-mail chateaupigoudet@wanadoo.fr
☑ 🍷 r.-v.
🐦 Schmidt-Rabe

CELLIER DES QUATRE TOURS
Cuvée Prestige 2001★

	1 ha	6 500	🍷🍃	5 à 8 €

Les caves de Puy-Sainte-Réparade et de Venelles se sont réunies pour constituer ce Cellier dont les chais se trouvent à Venelles. Les Quatre Tours se distinguent sans conteste par leurs cuvées Prestige, dont ce rosé typique, frais et complexe, qui ne manque pas de style. A marier à une viande blanche, à des grillades ou à des charcuteries. La **cuvée Prestige blanc 2001** obtient la même note : ses arômes d'abricot s'allient harmonieusement à son caractère à la fois suave et vif.

🐦 Cellier des Quatre Tours, RN 96, 13770 Venelles, tél. 04.42.54.71.11, fax 04.42.54.11.22 ☑ 🍷 r.-v.

DOM. DE LA RÉALTIERE
Cuvée Maéva 2000★

	n.c.	n.c.	🍷	8 à 11 €

Jean-Louis Michelland nous a quitté tragiquement au bord de ses vignes qu'il chérissait tant. Il laisse en mémoire sa dernière vinification qui brille comme une étoile. Il y a de la Provence dans ce vin avec son côté poivré, épicé, et ses sensations de garrigue. Des tanins puissants et fermes lui donnent un air de jeunesse et invitent à l'attendre entre trois et cinq ans.

🐦 Jean-Louis Michelland, Dom. de La Réaltière, rte de Jouques, 83560 Rians, tél. 04.94.80.32.56, fax 04.94.80.55.70 ☑ 🏠 🍷 r.-v.

LE GRAND ROUGE DE REVELETTE 2000★

	4,5 ha	n.c.	🍷	11 à 15 €

Peter Fischer est arrivé en 1985 sur ce domaine situé au nord de l'AOC et dont l'histoire remonte au XVIIe s. Il conduit ses 29 ha de vignes en agriculture biologique. Si le **Château de Revelette rouge (5 à 8 €)** obtient la même note, le Grand Rouge a plus encore séduit le jury ; une cuvaison de quarante jours à 25 °C, puis un séjour en barrique lui ont donné de la puissance. Complexe et de bonne structure tannique, il s'achemine vers une finale épicée, vanillée et confiturée qui traduit un élevage bien maîtrisé. Une garde de trois à cinq ans lui sera favorable.

🐦 Ch. Revelette, 13490 Jouques, tél. 04.42.63.75.43, fax 04.42.67.62.04, e-mail chatrev@aol.com
☑ 🍷 r.-v.
🐦 Peter Fischer

CUVÉE ROQUEMENOURGUE
Vieilli en barrique de chêne 2000

	n.c.	10 000	🍷	5 à 8 €

Rognes était originellement implanté sur le plateau de Foussa, mais le tremblement de terre de 1909 força les habitants à déplacer le village. La coopérative, dont la cave de vinification est en cours de rénovation, vinifie le fruit de 320 ha de vignes. Avec sa robe brillante, cerise burlat, et ses arômes de fruits mûrs, son coteaux d'aix est un vin d'approche facile, mais bien fait. Le voilà prêt à se marier à des viandes rouges dès l'automne.

🐦 Cave Coop. Vinicole de Rognes, 1, pl. de la Coopérative, 13840 Rognes, tél. 04.42.50.26.79, fax 04.42.50.15.12 ☑ 🍷 r.-v.

LA ROSEE DE BAGATELLE 2001

	n.c.	9 000	🍷🍃	5 à 8 €

Une chapelle du XIIe s. jouxte la demeure qui devint au XVIIIe s. un relais de poste. Ce n'est qu'au XXe s. que l'activité agricole se développa, et il fallut attendre 1993 pour qu'un vignoble de 5 ha soit planté. 80 % de grenache et 20 % de syrah composent ce rosé simple, frais et fruité. Le grenache apporte les arômes agréables de fruits rouges. Un rosé de Provence comme on les aime.

🐦 Van Themsche, Ch. Pontet-Bagatelle, rte de Pélissanne, 13410 Lambesc, tél. 04.42.92.70.50, fax 04.42.92.90.85 ☑ 🍷 r.-v.

DOM. DE SAINT JULIEN LES VIGNES
Cuvée du Château 2001

	12 ha	32 000	🍷🍃	3 à 5 €

Créé au XVIIe s., ce domaine familial commande 150 ha de vignes. Une robe foncée, brillante et franche habille son rosé qui attaque sur les fruits rouges bien mûrs. L'expression est simple mais le terme « agréable » sied bien à cette bouteille.

🐦 Famille Reggio, SCEA Ch. Saint-Julien, 2495 rte du Seuil, 13540 Puyricard, tél. 04.42.92.10.02, fax 04.42.92.10.74 ☑ 🍷 r.-v.

LES SANTONS 2001

	40 ha	150 000	🍷🍃	5 à 8 €

Ainsi que son nom l'indique, cette cuvée est classique de Provence. Elaborée à partir de 80 % de grenache et de

CH. DU SEUIL 2001

	18 ha	80 000	▮⬦ 8 à 11 €

Le château du Seuil, dont la partie principale date du XIIIᵉs., se trouve au cœur d'un bois. Résidence de campagne d'une famille de parlementaires d'Aix dès la fin du XVᵉs., il commandait des cultures de vignes, d'oliviers et d'amandiers. Mis en valeur à partir des années 1970, le vignoble couvre 50 ha aujourd'hui. Ce rosé saumoné est issu d'une macération de douze heures pour un tiers et d'un pressurage direct pour deux tiers. La fermentation menée entre 16 et 18 °C a été suivie d'un élevage sur lies de quatre à six mois. C'est un vin agréable, souple et riche en arômes d'abricot et de cerise.
🕿 Carreau-Gaschereau, Le Seuil, 13540 Puyricard, tél. 04.42.92.15.99, fax 04.42.28.05.00
☑ ⵙ t.l.j. 9h-12h 14h-19h (18h en hiver)

CH. DE SULAUZE
Allée des chênes 2001★

	1,5 ha	7 300	▮ 5 à 8 €

Le domaine s'étend sur 650 ha dont 45 de vignes, et propose des salles de réception. Au cours de l'une d'elles, il vous sera possible de déguster ce rosé très pâle, que l'on peut confondre avec un blanc ou un gris de gris. Vous percevrez beaucoup de finesse dans ses fragrances de cerise et de fleurs. L'ensemble est vif, fin et élégant.
🕿 SCA Dom. de Sulauze, RN 569, 13140 Miramas, tél. 04.90.58.02.02, fax 04.90.58.04.37 ☑ ⵙ r.-v.
🕿 Fano

TERRA D'OR 1999★★

	4 ha	1 040	⬛⬛ 38 à 46 €

La maison Chapoutier qui a acquis ce domaine propose un vin grenat sombre, puissant, dont les tanins encore jeunes promettent de bien évoluer. La riche matière garde la marque du bois, mais ne se laisse pas dominer. Cette bouteille gagnera en complexité au cours de trois ou quatre ans de garde. Le **Domaine de Saint-Estève rouge 2000 (5 à 8 €)** est cité.
🕿 Dom. des Béates, rte de Caireval, 13410 Lambesc, tél. 04.42.57.07.58, fax 04.42.57.19.70, e-mail chapoutier@chapoutier.com ☑ ⵙ r.-v.
🕿 Chapoutier et Terrat

DOM. TERRES BLANCHES
Blanc de blancs 2001

	6,97 ha	24 000	▮ 5 à 8 €

Au pied des Alpilles, le domaine Terres Blanches se dessine parmi les cyprès et déroule son vignoble sur plus de 39 ha. Son joli teint doré est marqué par les agrumes, comme le pamplemousse. La présence importante d'ugni blanc semble être à l'origine de ces sensations.
🕿 SCEA Dom. Terres Blanches, 13210 Saint-Rémy-de-Provence, tél. 04.90.95.91.66, fax 04.90.95.99.04, e-mail terres.blanches@wanadoo.fr
☑ ⵙ t.l.j. 9h-13h 14h30-18h30; groupes sur r.-v.
🕿 GFA Les Tessonnières

DOM. LES TOULONS 2001★★

	4 ha	20 000	▮⬦ 30 à 38 €

Cette ferme fut construite en 1767, non loin du site où se tenait, à l'époque romaine, une vaste *villa* viticole. Le domaine propose aujourd'hui un rosé très franc, assez expressif sur le fruit mûr (cerise). Son vin déroule pendant toute la dégustation son joli fruité persistant et son caractère friand. « Un joli vin de soleil », dit un juré. La **cuvée du Pressoir romain 99 rouge**, élevée un an en fût, est citée pour sa bonne structure.
🕿 Denis Alibert, Dom. Les Toulons, 83560 Rians, tél. 04.94.80.37.88, fax 04.94.80.57.57
☑ ⵙ t.l.j. 8h-12h 14h-19h

DOM. DE LA VALLONGUE 2001

	3 ha	7 000	▮⬦ 5 à 8 €

Magnifiquement niché dans un paysage des Alpilles, ce domaine est particulièrement élégant, à l'image de cette bouteille. Une couleur bouton d'or, brillante, s'associe à un côté floral de sureau. Voici un vin rond et flatteur, dont la particularité vient de son assemblage à parts égales de grenache, de clairette, de rolle et de sémillon.
🕿 Ph. Paul-Cavallier, Dom. de La Vallongue, BP 4, 13810 Eygalières, tél. 04.90.95.91.70, fax 04.90.95.97.76, e-mail vallongue@wanadoo.fr
☑ ⵙ t.l.j. sf dim. 9h30-12h 14h30-18h; groupes sur r.-v.

CH. DE VAUCLAIRE 2001

	5 ha	26 000	▮ 3 à 5 €

Depuis 1774, le château de Vauclaire est la propriété de la famille Sallier. Ce domaine de 30 ha offre aujourd'hui un **blanc 2001** et un rosé 2001 difficiles à départager. L'originalité du blanc provient de l'unique présence du rolle dans sa constitution. Il faut reconnaître au rosé (grenache 80 %, cinsault 20 %) le côté bien fait.
🕿 Uldaric Sallier, Ch. de Vauclaire, 13650 Meyrargues, tél. 04.42.57.50.14, fax 04.42.67.43.16, e-mail chateau-de-vauclaire@libertysurf.fr
☑ ⵙ t.l.j. sf dim. 9h-12h 14h-18h

CH. VIGNELAURE 1999

	16 ha	69 000	⬛⬛ 11 à 15 €

En 1995, David O'Brien a repris ce domaine créé dans les années 1960-1970 par Georges Brunet. Outre ses vins, vous pourrez apprécier lors d'une visite de la cave une galerie d'art moderne. Si la présence du chêne s'impose à ce jour dans ce vin, une garde de cinq ans devrait changer la donne, car la matière est charnue et riche.
🕿 Ch. Vignelaure, rte de Jouques, 83560 Rians, tél. 04.94.37.21.10, fax 04.94.80.53.39, e-mail david.obrien@wanadoo.fr
☑ ⵙ t.l.j. 9h30-13h 14h-18h
🕿 SA Vignelaure

Les baux-de-provence

Les Alpilles, chaînon le plus occidental des anticlinaux provençaux, est un massif érodé, au relief pittoresque taillé en biseau, fait de calcaires et calcaires marneux du crétacé. C'est le

PROVENCE

(Column 1, top)

20 % de cinsault, elle offre les notes de fruits rouges attendues, avec un côté pamplemousse en plus. C'est un Provençal actuel.
🕿 Les vins Bréban, av. de La Burlière, BP 47, 83170 Brignoles, tél. 04.94.69.37.55, fax 04.94.69.03.37, e-mail vins_breban@hotmail.com

paradis de l'olivier. Le vignoble trouve également dans ce secteur un milieu favorable, sur les dépôts caillouteux très caractéristiques de cette région. Les grèzes litées sont peu épaisses et la fraction fine, dont dépend la réserve hydrique du sol, est importante. Au sein de l'AOC coteaux d'aix-en-provence, ce secteur se distingue par une nuance climatique qui en fait une zone précoce, peu gélive, chaude et plus arrosée (650 mm).

Des règles de production plus affinées (rendement plus bas, densité plus élevée, taille plus restrictive, élevage d'au moins douze mois pour les vins rouges, minimum de 50 % de saignée pour les vins rosés), un encépagement mieux défini reposant sur le couple grenache-syrah, accompagné quelquefois du mourvèdre, sont à la base de la reconnaissance de cette appellation sous-régionale en 1995. Elle est réservée aux vins rouges (80 %) et rosés, et met en valeur un terroir original autour de la citadelle des Baux-de-Provence sur une superficie de 300 ha dont 263 ont été revendiqués pour un volume de 8 969 hl en 2001.

HOSPICE D'AUGE 2001★

	4 ha	15 000	🍴🍷	5 à 8 €

Dans cet hospice du XVᵉs., les 13 ha de vignes côtoient une pépinière oléicole. Le film *L'Arlésienne*, d'après l'œuvre d'Alphonse Daudet, dont le souvenir marque Fontvieille, a été tourné ici. Les dégustateurs conseillent ce rosé servi un gigot d'agneau, c'est dire sa structure... Jugé un peu atypique, le vin est ample et vineux. La concentration est évidente dès l'olfaction : caramel, pâte de fruits, confiture de fruits très mûrs. A noter que ce domaine produit une excellente huile d'olive, de la Vallée des Baux, bien sûr.
🔴 Dom. Olivier d'Auge, 13990 Fontvieille,
tél. 04.90.54.62.95, fax 04.90.54.63.69,
e-mail olivierdauge@wanadoo.fr ☑ ☨ r.-v.

CH. ROMANIN 2000★★

	31 ha	50 000	🍴⬛🍷	15 à 23 €

En 1989, Jean-Pierre Peyraud décide d'unir ses efforts à ceux de Jean-André Charial, chef du restaurant gastronomique l'Oustau de Baumanière. Tous deux conduisent leur vignoble de 57 ha en biodynamie. Minéral et concentré, leur vin possède puissance et longueur. Des tanins soyeux lui assurent une belle élégance. Beaucoup de générosité dans cette bouteille à boire sur des petits gibiers. La **cuvée Cœur Secundus 99 (30 à 38 €)** a été citée pour son caractère friand.
🔴 SCEA Ch. Romanin,
13210 Saint-Rémy-de-Provence,
tél. 04.90.92.45.87, fax 04.90.92.24.36,
e-mail contact@romanin.fr ☑ ☨ r.-v.

MAS SAINTE BERTHE
Cuvée Louis David 2000★

	6 ha	26 000	🍴⬛🍷	8 à 11 €

L'histoire du mas Sainte-Berthe remonte à 1539, lorsqu'une ferme fut construite auprès d'une chapelle dédiée à la patronne des fiévreux. Fort aujourd'hui de 38 ha de vignes dont le fruit est vinifié sous la houlette de Christian Nief, le domaine a proposé une large gamme de vins. Le **Tradition rouge 2000 (5 à 8 €)**, élevé en cuve, est cité, tandis que cette cuvée brille de son étoile. Constituée d'un tiers de grenache, d'un tiers de syrah et d'un tiers de cabernet-sauvignon, élevée pour un tiers en fût de chêne neuf, d'un an et de deux ans, elle offre des tanins soyeux qu'accompagnent des sensations animales, des notes de café et de fruits mûrs (mûres). Une bouteille en devenir, à redécouvrir dans trois ou cinq ans. Le **rosé Passe-Rose 2001 (5 à 8 €)** obtient lui aussi une étoile. Pas moins de cinq cépages entrent dans ce vin aromatique (fruits rouges, fumée, minéral) et délicat.
🔴 GFA Mas Sainte Berthe,
13520 Les-Baux-de-Provence,
tél. 04.90.54.39.01, fax 04.90.54.46.17
☑ ☨ t.l.j. 9h-12h 14h-18h
🔴 Rolland

Coteaux varois

Les coteaux varois sont produits au centre du département, autour de Brignoles. Les vins, à boire jeunes, sont friands, gais et tendres, à l'image de cette jolie petite ville provençale qui fut résidence d'été des comtes de Provence. Ils ont été reconnus en AOC par décret du 26 mars 1993 et recouvrent 1 740 ha ; rosés, rouges et blancs se partagent les 86 433 hl de l'AOC déclarés en 2001.

DOM. DES ANNIBALS 2001★

	8,94 ha	38 000	🍴🍷	5 à 8 €

Ce domaine de 18 ha, dont les origines remontent à 1772, doit sans doute son nom au célèbre Hannibal de Carthagène. Il est aujourd'hui conduit en agriculture biologique. Son rosé lumineux, d'une candide couleur rose pâle, apparaît fringant et élégant sous des arômes de fruits blancs (brugnon). Charnu à l'attaque, il est ample et rafraîchissant grâce à ses flaveurs fruitées qui persistent bien. Un plaisir pour le palais.
🔴 Nathalie Coquelle, SCEA Dom. des Annibals,
rte de Bras, 83170 Brignoles,
tél. 04.94.69.30.36, fax 04.94.69.50.70,
e-mail dom.annibals@wanadoo.fr
☑ ☨ t.l.j. 9h-12h 14h-19h

DOM. LA BASTIDE DES OLIVIERS 2001

	3 ha	10 000	🍴🍷	5 à 8 €

Patrick Mourlan, installé depuis 2000 sur ce domaine familial de 3 ha, a choisi de travailler ses vignes comme autrefois, sans désherbant ni pesticide ni engrais classique. Son 2001 est encore sur la défensive, mais il offre déjà un bouquet complexe de sous-bois, de truffe, de réglisse et de violette. La structure, austère à ce jour, devra évoluer dans le temps. Faites preuve de patience.

⌐ Patrick Mourlan, 1011, chem. Louis-Blériot, 83136 Garéoult, tél. 04.94.04.03.11, fax 04.94.04.03.11 ☑ ⏁ r.-v.

CH. DE LA BESSONNE
Les Cabrians Vieilles vignes Elevé en fût de chêne 2000

■	1 ha	4 000	⓫ 3 à 5 €

Encore dominé par son passage en fût de dix-huit mois, ce vin se montre cependant complexe dans ses évocations de fruits noirs, d'épices et de pruneau. Souple et rond à l'attaque, il évolue sur un boisé marqué et cherche son équilibre. Trois ans de garde lui permettront de rejoindre sur la table une pièce de bœuf grillée aux sarments, accompagnée de pommes rissolées parsemées d'une persillade.
⌐ Vignobles de la Cloche, Dom. de La Cloche, 83670 Châteauvert, tél. 04.94.04.10.70, fax 04.94.04.10.72, e-mail lacloche@online.fr ☑ ⏁ r.-v.
⌐ Christoph

CH. LA CALISSE 2001★★

■	0,5 ha	4 600	⬛⬇ 8 à 11 €

Cette ancienne magnanerie du début du XIXᵉs. se consacre non seulement à la production de coteaux varois, mais aussi à la culture du lavandin. Aucune note de lavande dans ce rosé, mais l'expression intense d'une vendange mûre dans une palette où le fruité et le floral font jeu égal. En bouche, le gras soutient les touches fruitées, puis une finale chaleureuse renforce le plaisir. La **cuvée Etoile rouge 2001 (15 à 23 €)**, très réussie par son fruité gai, répondra à vos attentes dès à présent sur un thon grillé.
⌐ Patricia Ortelli, Ch. La Calisse, 83670 Pontevès, tél. 04.93.99.11.01, fax 04.93.99.06.10, e-mail info@chateau-la-calisse.fr ☑ ⏁ t.l.j. 9h-20h

CH. DES CHABERTS
Cuvée Prestige 2001★★

■	n.c.	6 600	⬛⬇ 5 à 8 €

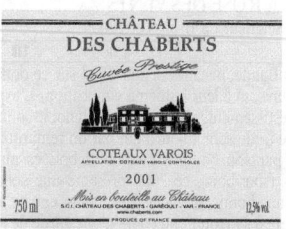

Le domaine des Chaberts, fort de 30 ha, est installé à Garéoult, ancienne colonie agricole romaine de la vallée de l'Issole. Il signe une remarquable cuvée, de couleur pâle et lumineuse, à reflets verts. C'est un feu d'artifice à la fois floral (acacia, garrigue) et fruité, égayé d'éclats mentholés. Puissant, le vin présente des saveurs d'une réelle concentration jusqu'à une longue et douce finale. Un coteaux varois harmonieux et volumineux qui a gagné le cœur du jury. La **cuvée Prestige 2001 rosé**, cristalline et joliment nuancée de violine, séduit par sa fraîcheur. Elle obtient une étoile.
⌐ SCI Ch. des Chaberts, 83136 Garéoult, tél. 04.94.04.92.05, fax 04.94.04.00.97, e-mail chaberts@wanadoo.fr
☑ ⏁ t.l.j. 9h-12h 14h-18h; dim. sur r.-v.

DOM. COULOMB 2001★

■	1 ha	n.c.	⬛⬇ 3 à 5 €

Créé à la fin des années 1970, ce domaine se situe sur Seillons-Source-d'Argens. Voilà un pittoresque village perché sur une crête d'où vous découvrirez le château des Grimaldi, bâti au XVIIIᵉs. Vous apprécierez aussi ce vin jaune-vert qui sent bon les fleurs blanches, la sauge et l'eucalyptus, avec une note poivrée. Tout en finesse et aromatique, la bouche laisse une impression de légèreté grâce à une pointe de perlant en finale.
⌐ Patrick Apkarian, Les Plaines de L'aire, 83470 Seillons-Source-d'Argens, tél. 04.94.72.16.18, fax 04.94.72.12.01, e-mail coralieapkarianelfs@voila.fr ☑ ⏁ r.-v.

DOM. DU DEFFENDS
Clos de la Truffière 2000★

■	6 ha	30 000	⬛⓫⬇ 8 à 11 €

La voie Aurélienne traverse ce domaine de 14 ha, dont les vendanges de syrah et de cabernet-sauvignon ont produit cette cuvée de belle couleur. Les arômes intenses montent progressivement dans le registre des fruits noirs, puis trouvent un écrin dans une bouche étoffée et fondue. Déjà parvenue à maturité, cette bouteille pourra aussi attendre deux ou trois ans pour parfaire son bel équilibre.
⌐ J.-S. de Lanversin, Dom. du Deffends, 83470 Saint-Maximin, tél. 04.94.78.03.91, fax 04.94.59.42.69, e-mail domaine@deffends.com ☑ ⏁ t.l.j. 9h-12h 15h-18h; groupes sur r.-v.

DOM. DE L'ESCARELLE
Les Belles Bastilles 2001★

■	2 ha	12 000	⬛⬇ 5 à 8 €

Belle prestation pour cette cuvée qui revêt à la dégustation une tenue de scène impeccable, brillante et claire. La voici toute parfumée de senteurs printanières qui fait son tour de piste, fraîche et perlante. Avez-vous préparé la bouillabaisse ?
⌐ SA Escarelle, 83170 La Celle, tél. 04.94.69.09.98, fax 04.94.69.55.06, e-mail lescarelle@free.fr ☑ ⏁ r.-v.

DOM. DE FONTLADE
Cuvée Saint Quinis 2001

■	5 ha	5 000	⬛⬇ 5 à 8 €

Au Moyen Age, les moines de Saint-Victor étaient propriétaires de ce terroir, dont ils avaient fait un poste de péage où les bêtes pouvaient boire avant de continuer leur route. Depuis 1942, madame de Montrémy veille à sa destinée. En 2000, une complète rénovation a été engagée, et le domaine s'est lancé dans la commercialisation directe. Ce rosé de teinte soutenue à reflets fuchsia a des accents de fruits mûrs. La finale vive apporte de la fraîcheur. La **cuvée Saint Quinis blanc 2001** possède aussi cette fantaisie acidulée, mais dans un registre plutôt floral. Elle est citée.
⌐ SCEA Baronne Philippe de Montrémy, Dom. de Fontlade, 83170 Brignoles, tél. 04.94.59.24.34, fax 04.94.72.02.88, e-mail fontlade@aol.com ☑ ⏁ r.-v.

DOM. DE GARBELLE
Les Barriques de Garbelle 2000★

■	2 ha	2 600	⓫ 5 à 8 €

Aucun doute, le nom de cette cuvée traduit bien son caractère. Bien construite autour du boisé et de forte charpente, elle parle de sa garrigue d'origine. Les fruits

PROVENCE

noirs, les épices, puis la finale évocatrice de grain de café égayent ce vin solide qui ne manque pas de répondant. Les trois prochaines années ne seront pas de trop pour amadouer une bouteille qui tiendra tête à des mets puissants, telle une daube de sanglier.

🍷 Mathieu Gambini, Dom. de Garbelle,
Vieux chemin de Brignoles, 83136 Garéoult,
tél. 04.94.04.86.30, fax 04.94.04.86.30 ☑ ℐ r.-v.

CH. LAFOUX 2001★

	2 ha	5 000		🍶	5 à 8 €

Voici un 2001 harmonieux et délicat dans ses arômes floraux nuancés de notes de pâtisserie. Long, il bénéficie d'un bel équilibre. Cité, le **rouge 2000**, floral et fruité, ne possède pas une structure de garde, mais il mérite d'être découvert comme un vin de fête, pour un plaisir immédiat.

🍷 SCEA Genevois, Ch. Lafoux, RN 7, 83170 Tourves,
tél. 04.94.59.12.40, fax 04.94.59.16.11 ☑ ℐ r.-v.
🍷 Y. Boisdron

CH. LA LIEUE

Cuvée Batilde Philomène Vieilli en fût de chêne 2000

	2 ha	8 000		🍷	5 à 8 €

En bordure de la voie Aurélienne, le domaine s'étend sur 330 ha. Si la plus grande partie est constituée d'une forêt typiquement provençale et d'oliveraies, 78 ha de vignes sont cultivés selon les principes de l'agriculture biologique. Cette cuvée s'habille d'une robe peu intense aux légers reflets cuivrés. Le boisé s'exprime, tout en s'entourant de fruits rouges (mûre, cassis) et de fruits secs (figue). La bouche d'abord souple et équilibrée évolue vers des tanins un peu austères, mais conserve un bon fruit. Une bouteille qui demande à s'ouvrir davantage pour accompagner des entrées provençales et des légumes farcis. A attendre deux ans.

🍷 Jean-Louis Vial, Ch. La Lieue, rte de Cabasse,
83170 Brignoles, tél. 04.94.69.00.12, fax 04.94.69.47.68,
e-mail chateau.la.lieue@wanadoo.fr ☑ ℐ t.l.j.
8h30-12h30 14h-19h

DOM. DU LOOU

Rosée de Printemps 2001

	10 ha	30 000		🍶	5 à 8 €

Une *villa* gallo-romaine a été découverte à proximité de ce domaine riche en histoire. La Rosée de Printemps vous laissera de belle humeur, ses nuances framboise à l'œil annonçant la fraîcheur et la douceur des arômes de friandises. Au palais, les accents fruités accompagnent une grande vivacité. A boire au cours d'un repas.

🍷 SCEA Di Placido, Dom. du Loou,
83136 La Roquebrussanne,
tél. 04.94.86.94.97, fax 04.94.86.80.11 ☑ ℐ r.-v.

CH. MARGILLIERE 2001

	5 ha	20 000		🍶	5 à 8 €

Sur la route de Brignoles à Cabasse, vous ne pourrez manquer ce domaine de 50 ha que Patrick Caternet a restauré à partir de 1996. Son rosé aux accents anisés s'exprime avec délicatesse sur des saveurs de griotte fraîche. Sa bonne vivacité en finale invite à le déguster à l'apéritif. Quant au **rouge 2000**, goûtez-le dans sa jeunesse, en toute simplicité. Le jury l'a cité.

🍷 SCEA Ch. Margilliere, rte de Cabasse,
83170 Brignoles, tél. 04.94.69.05.34, fax 04.94.72.00.98
☑ ℐ t.l.j. sf dim. 10h-12h30 15h-18h
🍷 P. Caternet

CH. MIRAVAL 2001★★

	4,5 ha	20 000		🍶	8 à 11 €

Le coteaux varois blanc 2000 a porté fièrement le coup de cœur... Ce nouveau millésime n'a rien à lui envier car, de la personnalité, il en a. D'une remarquable teinte jaune-vert pâle, il apparaît généreux, volumineux et si aromatique par ses délicates notes de fleurs et de pâtisserie. Structure et complet, c'est un beau vin blanc de repas.

🍷 Ch. Miraval, 83570 Correns, tél. 04.94.86.39.33,
fax 04.94.86.46.79, e-mail miraval@club-internet.fr
☑ ℐ r.-v.

DOM. DE RAMATUELLE 2001★

	2,5 ha	15 000		🍶	5 à 8 €

Fraise et pêche sur fond citronné s'expriment avec finesse et complexité dans ce 2001 rose pâle. La bouche intensément fruitée se prolonge durablement, et la fraîcheur donne à l'ensemble de la tenue. Le **rouge 2000**, cité, est un vin agréable par son fruit de qualité. Il pourra être apprécié sur une côte d'agneau grillée aux tomates provençales.

🍷 Bruno Latil, Dom. de Ramatuelle, Les Gaëtans,
83170 Brignoles, tél. 04.94.69.10.61, fax 04.94.69.51.41
☑ ℐ r.-v.

CH. REAL MARTIN

L'Adrech 1999★

	2 ha	9 000		🍶	5 à 8 €

Un nouveau dirigeant est à la tête de ce domaine de 35 ha environ, depuis l'automne 2001. Mais ce 99 a été vinifié sous la direction de Jacques Clotilde. S'il n'a pas l'étoffe pour une longue garde, il pourra honorer votre table pendant un ou deux ans. Rond et souple, il dévoile des notes d'épices douces, de grillé et de pruneau. L'accord avec une côte de bœuf sera très réussi.

🍷 SCEA Ch. Réal Martin, rte de Barsols,
83143 Le Val, tél. 04.94.86.40.90, fax 04.94.86.32.23,
e-mail chateau-real-martin@groupescore.com ☑ ℐ r.-v.
🍷 J.-M. Paul

DOM. LA ROSE DES VENTS

Réserve Seigneur de Broussan 2000★★

	1,5 ha	4 000		🍷	8 à 11 €

Les Baude, installés depuis 1994 sur ce domaine de 24,5 ha, en sont à leur huitième vinification. L'expérience et les investissements réalisés dans le vignoble comme dans la cave se traduisent aujourd'hui par un remarquable vin. Plaisant par son bouquet aux notes boisées mais aussi végétales (sous-bois), ce 2000 présente une solide charpente et une bonne longueur. Les tanins, encore austères, demandent à s'arrondir au cours d'une garde de trois ans. L'ensemble gagnera ainsi en élégance et en harmonie.

🍷 Dom. la Rose des Vents, rte de Toulon,
83136 La Roquebrussanne, tél. 04.94.86.99.28,
fax 04.94.86.91.75, e-mail rose.des.vents@infonie.fr
☑ ℐ t.l.j. sf dim. lun. 9h-12h 14h-18h
🍷 Baude

CH. ROUTAS

Rouvière 2001

	9,5 ha	65 000		🍶	3 à 5 €

Quatre-vingt pour cent de la production de ce domaine est exportée, notamment vers les Etats-Unis. N'attendez pas pour déguster ce vin. Elégant par sa tonalité rosé brillant, celui-ci se montre discret au nez, comme pour mieux révéler sa bouche fruitée, grasse et fraîche. Un bon représentant de l'appellation.

➤ SARL Rouvière-Plane, Châteauvert, 83149 Bras, tél. 04.98.05.25.80, fax 04.98.05.25.81, e-mail rouviere.plane@wanadoo.fr ☑ ⍂ r.-v.
➤ Ph. Bieler

CH. SAINT-BAILLON
Clos Barbaroux 1998

■	1 ha	4 996	⬛ 15 à 23 €

Le domaine a pris le nom de Saint-Baillon en référence au martyr chrétien dévoré par les lions dans les arènes de Nîmes au III⁰s. de notre ère. Il propose un vin élevé dix-huit mois en barrique, assemblage de syrah (80 %) et de grenache. Harmonieux et complexe, ce 98 est ouvert sur les fruits noirs et confits nuancés d'épices. Des tanins fondus portent l'ensemble vers une finale longue et agréable. A boire dès à présent sur un magret de canard.
➤ Hervé Goudard, Dom. de Saint-Baillon, 83340 Flassans, tél. 04.94.69.74.60, fax 04.94.69.80.29 ☑ ⍂ r.-v.

DOM. SAINT JEAN DE VILLECROZE 2001★★

■	6 ha	20 000	▮◆ 5 à 8 €

En 1993, une famille de vignerons italiens a repris ce domaine de 43 ha, qu'elle n'a cessé de rénover depuis afin de produire des vins aussi remarquables que ce rosé, séduisant dès le premier regard sur sa robe cristalline et délicate. Le fruité d'agrumes nuancé de fraise des bois laisse une impression de fraîcheur agréable et persistante jusqu'au palais, sans aucune agressivité. Un plaisir pour l'apéritif comme pour les grillades. Le **coteaux varois blanc 2001**, tout aussi éclatant, trouve une harmonie autour de douces notes biscuitées et d'arômes sauvages de sauge. Il obtient deux étoiles.
➤ SA Dom. Saint-Jean, 83690 Villecroze, tél. 04.94.70.63.07, fax 04.94.70.67.41, e-mail stjean@club-internet.fr ☑ ⍂ r.-v.
➤ F. Caruso

DOM. DE SAINT-JEAN-LE-VIEUX 2001

■	1,5 ha	6 500	▮◆ 3 à 5 €

Chaque été, Pierre Boyer accueille une exposition dans son caveau dans le cadre des manifestations Arts et Vins. Votre visite sera donc tout autant culturelle que gastronomique. Typique, ce coteaux varois blanc, de couleur pâle, est marqué par la chaleur du millésime, mais il dévoile aussi une agréable expression florale.
➤ GAEC Dom. Saint-Jean-le-Vieux, rte de Bras, 83470 Saint-Maximin, tél. 04.94.59.77.59, fax 04.94.59.73.35, e-mail saint-jean-le-vieux@wanadoo.fr ☑ ⍂ r.-v.
➤ Boyer

CH. SAINT-JULIEN
Elevé en fût de chêne 2000★★

■	2 ha	12 300	⬛ 5 à 8 €

L'abbaye de La Celle se trouve à 4 km seulement de ce domaine de 28 ha, dont 90 % du vignoble ont été restructurés et dont la cave comme le caveau de vente ont été entièrement restaurés. Le jury a été ravi par ce vin sombre mais chatoyant, auquel les tanins enrobés confèrent un volume soyeux. Un bouquet des plus élégants (épices, fruits mûrs, nuances florales) complète sa personnalité. Si elle peut être appréciée dès aujourd'hui, cette bouteille possède un potentiel de vieillissement de cinq ans. Très réussi, le **blanc 2001**, riche de senteurs et de saveurs, mérite d'être découvert pour son originalité.

➤ EARL Dom. Saint-Julien, rte de Tourves, 83170 La Celle, tél. 04.94.59.26.10, fax 04.94.59.26.10 ☑ ⍂ t.l.j. sf dim. lun. 14h-18h
➤ M. Garrassin

CH. THUERRY 2001★

■	4,12 ha	24 000	▮◆ 5 à 8 €

Ce domaine de plus de 40 ha trouve ses origines au XII⁰s., à l'époque des Templiers. La vigne ne prit son essor qu'au début du XX⁰s. et plus encore en 1970, lorsque les derniers vergers furent remplacés par les ceps. Sous sa timide pâleur, le rosé exprime bien sa richesse aromatique. Frais, il bénéficie d'une structure et d'un équilibre très réussis qui lui permettront d'être apprécié cet automne sur la cuisine méditerranéenne. Le **blanc 2001**, pâle à reflets verts, est à la fois minéral et floral. Plein d'allant et « gaillard », il obtient également une étoile.
➤ Ch. Thuerry, 83690 Villecroze, tél. 04.94.70.63.02, fax 04.94.70.67.03 ☑ ⍂ t.l.j. sf dim. 8h30-18h30
➤ Croquet

CH. TRIANS 1999★

■	5 ha	20 000	⬛ 8 à 11 €

Situé plein nord au pied de la montagne Saint-Clément, ce vignoble est souvent vendangé tardivement. Ainsi, la syrah et le grenache, entrant à parts égales dans cette cuvée, ont-ils été récoltés en surmaturité. Après vingt-quatre mois d'élevage en foudre de 40 hl, le vin apparaît dans une robe soutenue, livrant de chaleureux arômes d'épices et de cuir, puis des notes plus animales. Franc à l'attaque, il révèle une rondeur attractive, des tanins amples et doux, ainsi qu'une finale goûteuse. Un coteaux varois bouqueté, à boire avec un gibier ou un civet de marcassin.
➤ Dom. de Trians, Chem. des Rudelles, 83136 Néoules, tél. 04.94.04.08.22, fax 04.94.04.84.39, e-mail trians@compuserve.com ☑ ⍂ t.l.j. 8h-12h 13h-18h
➤ J. L. Masurel

DOM. DE VALCOLOMBE 2001

■	1 ha	7 598	▮◆ 5 à 8 €

Situé dans le Haut-Var, le vignoble de 7 ha se dresse au pied des collines de Tourtour. Souvent reconnu pour ses coteaux varois, ce domaine se distingue cette année par son blanc et par son **rosé 2001**. Tous deux ont été cités par le jury pour leur bonne expression du terroir. Structurés, ils apparaissent vifs, soulignés d'arômes floraux pour le blanc, de flaveurs plus fruitées pour le rosé.
➤ Dom. de Valcolombe, chem. des Espèces, 83690 Villecroze, tél. 04.94.67.57.16, fax 04.94.67.57.16 ☑ ⍂ t.l.j. sf dim. 10h-12h30 15h-18h30
➤ Léonetti

PROVENCE

La Corse

Une montagne dans la mer : la définition traditionnelle de la Corse est aussi pertinente en matière de vins que pour mettre en évidence ses attraits touristiques. La topographie est en effet très tourmentée dans toute l'île, et même l'étendue que l'on appelle la côte orientale – et qui, sur le continent, prendrait sans doute le nom de costière – est loin d'être dénuée de relief. Cette multiplication des pentes et des coteaux, inondés le plus souvent de soleil mais maintenus dans une relative humidité par l'influence maritime, les précipitations et le couvert végétal, explique et que la vigne soit présente à peu près partout. Seule l'altitude en limite l'implantation.

Le relief et les modulations climatiques qu'il entraîne s'associent à trois grands types de sols pour caractériser la production vinicole, dont la majeure partie est constituée de vins de pays et de vins de table. Le plus répandu des sols est d'origine granitique ; c'est celui de la quasi-totalité du sud et de l'ouest de l'île. Au nord-est se rencontrent des sols de schistes, et, entre ces deux zones, existe un petit secteur de sols calcaires.

Associés à des cépages importés, on trouve en Corse des cépages spécifiques d'une originalité certaine, en particulier le niellucciu, au caractère tannique dominant et qui excelle sur le calcaire. Le sciacarellu, lui, présente plus de fruité et donne des vins que l'on apprécie davantage dans leur jeunesse. En blanc, le malvasia (vermentinu ou malvoisie) est, semble-t-il, apte à produire les meilleurs vins des rivages méditerranéens. En 2001, la Corse a produit en AOC, 13 086 hl de vin blanc sec et 90 497 hl de vin rouge.

En règle générale, on consommera plutôt jeunes les blancs et surtout les rosés ; ils iront très bien sur tous les produits de la mer et avec les excellents fromages de chèvre du pays, ainsi qu'avec le brocciu. Les vins rouges, eux, conviendront, selon leur âge et la vigueur de leurs tanins, aux différentes préparations de viande et, bien sûr, à tous les fromages de brebis.

Vins de corse

Les vignobles de l'appellation vins de corse couvrent une superficie de 1 954 ha. Selon les régions et les domaines, les proportions respectives des différents cépages ajoutées aux variétés des sols apportent des tonalités diverses qui, dans la plupart des cas, justifient une indication spécifique de la sous-région dont le nom peut être associé à l'appellation (Coteaux du Cap Corse, Calvi, Figari, Porto-Vecchio, Sartène). Ces vins peuvent en effet être produits partout, excepté dans l'aire de Patrimonio. La majeure partie des 80 852 hl vinifiés est issue de la côte orientale, où les coopératives sont nombreuses.

Les cépages niellucciu et sciacarellu pour les vins rouges et rosés, vermentinu pour les vins blancs et muscat à petits grains pour les VDN sont les principales variétés des AOC Corses.

DOM. D'ALZIPRATU
Calvi Cuvée Fiume Seccu Gris 2001★

	4 ha	15 000		5 à 8 €

Non loin de Calvi, dans l'ancienne Toscane corse qu'est la Balagne, il est recommandé d'admirer les magnifiques couchers de soleil en dégustant ce vin d'un rose clair à reflets orangés. Les arômes expressifs de fruits forment le leitmotiv de la dégustation jusqu'à une finale de bonne longueur. Ce 2001 harmonieux, rond et frais, est à boire sans attendre.
Pierre Acquaviva, Dom. d'Alzipratu,
20214 Zilia, tél. 04.95.62.75.47, fax 04.95.60.32.16
t.l.j. 8h-12h 14h-18h

DOM. CASABIANCA
Coteaux de Santa Maria-Bravone 2000★★

	9 ha	58 000		3 à 5 €

Le vignoble de la famille Casabianca est l'un des plus grands de Corse ; il permet de produire des vins de terroirs différents. Le coup de cœur va à ce 2000 rouge brillant à reflets pourpres, qui allie la délicatesse de ses arômes à la puissance de son corps. Ample, équilibré, le vin repose sur des tanins discrètement boisés. Le **rouge Hommage au**

Centenaire du Fondateur 2000 obtient également deux étoiles : puissant et complexe dans sa robe profonde, il demande un vieillissement d'un ou deux ans. La cuvée **Hommage au Centenaire du Fondateur blanc 2001** est citée.

➦ SCEA Dom. Casabianca, 20230 Bravone, tél. 04.95.38.96.08, fax 04.95.38.81.91

CASONE 2001

■	40 ha	150 000	3 à 5 €

Dans la tradition des bons vins produits par la cave Saint-Antoine (Ghisonaccia), ce rosé a retenu l'attention du jury par son équilibre. Brillant et limpide, il est agréablement vif et aromatique en finale. Un vin idéal pour un début d'automne.

➦ Cave de Saint-Antoine, 20240 Ghisonaccia, tél. 04.95.56.61.00, fax 04.95.56.61.60 ☑ ⍦ r.-v.

CLOS CULOMBU
Calvi Prestige 2000★★

■	10 ha	40 000	■⌀	5 à 8 €

Finaliste au grand jury, cette cuvée à la robe bordeaux sombre attire d'emblée. Il s'en dégage d'intenses arômes de fruits rouges mûrs et de pain grillé. L'attaque est ronde, la structure, souple et équilibrée. Néanmoins, ce 2000 mérite d'attendre deux ou trois ans ; vous apprécierez alors toute la richesse de ses nuances qui s'exprimeront d'autant mieux sur un gibier tel que le sanglier. Les **Calvi blanc** et **rosé 2001** décrochent chacun une étoile. Le premier, très brillant et jaune pâle, est un vin équilibré aux notes légèrement vanillées. Le second charme par ses arômes intenses et son caractère rafraîchissant. Ces deux bouteilles accompagneront agréablement vos plats de poissons.

➦ Etienne Suzzoni, Clos Culombu, chem. San-Petru, 20260 Lumio, tél. 04.95.60.70.68, fax 04.95.60.63.46, e-mail culombu.suzzoni@wanadoo.fr
☑ ⍦ t.l.j. 9h-12h30 15h-19h

DOM. DE LA FIGARELLA
Calvi 1998★★

■	5,5 ha	n.c.	■⌀	5 à 8 €

En course parmi les finalistes au grand jury, ce vin grenat, issu du terroir de Calenzana, non loin de Calvi, ravira les amateurs de crus typiques de l'appellation vin de corse Calvi. Il évoque intensément le sous-bois, la fraise, la framboise, les fleurs sauvages et le cuir jusqu'en finale. Rond, complexe, de bonne longueur, construit sur des tanins bien présents, il sera le compagnon idéal d'un sauté de veau corse aux olives et d'une *punlendina*.

➦ Achille Acquaviva, dom. La Figarella, rte de l'Aéroport, 20214 Calenzana, tél. 04.95.65.07.24, fax 04.95.65.41.58
☑ ⍦ mer. sam. 15h-18h

DOM. FILIPPI 2000

■	30 ha	40 000	■⌀	5 à 8 €

Habitué du Guide, le domaine propose un vin à dominante de niellucciu, complété par la syrah et le mourvèdre. La couleur cerise noire est en parfaite harmonie avec les évocations de fruits rouges et de cuir. D'un bon équilibre, ce 2000 se révèle agréable et facile à boire.

➦ Toussaint Filippi, La Ruche Foncière, Arena, 20215 Vescovato, tél. 04.95.58.40.80, fax 04.95.36.40.55, e-mail la-ruche-fonciere@wanadoo.fr
☑ ⍦ r.-v.

DOM. FIUMICICOLI
Sartène 2000★

■	20 ha	30 000	■⌀	5 à 8 €

Située sur l'aire de Sartène, la propriété de Simon et Félix Andreani se distingue cette année grâce à un vin typique du cépage sciacarellu, particulièrement au nez. Ce 2000 déploie toute son élégance : rond, fin, aromatique avec des notes de fruits rouges en attaque et des accents balsamiques en finale, il possède un caractère méridional

La Corse

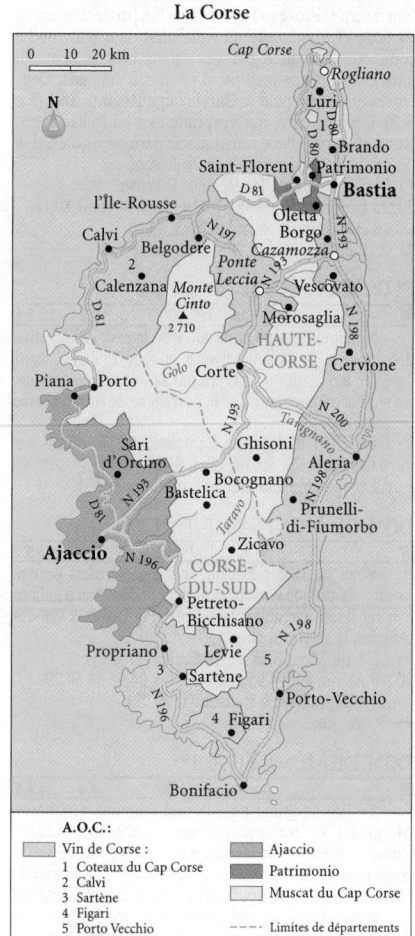

A.O.C. :
- Vin de Corse :
  - 1 Coteaux du Cap Corse
  - 2 Calvi
  - 3 Sartène
  - 4 Figari
  - 5 Porto Vecchio
- Ajaccio
- Patrimonio
- Muscat du Cap Corse
- ---- Limites de départements

CORSE

qui séduira les amoureux de la Corse. Cité, le **Sartène blanc 2001 (8 à 11 €)**, mêle fruits exotiques et agrumes. C'est une bouteille équilibrée.

☛ EARL Andréani, rte de Levie, 20100 Sartène, tél. 04.95.76.14.08, fax 04.95.76.24.24 ☑ ⏺ r.-v.

DOM. DE GRANAJOLO 2000★

| ■ | 15,86 ha | 96 000 | ■ ↓ | 5 à 8 € |

A proximité du site préhistorique d'Araghju, près de Porto-Vecchio, Monika Boucher cultive ses 23,50 ha de vignes en agriculture biologique depuis 1974. Son vin de couleur sombre, souple et puissant, livre de fins arômes. Il dévoile aujourd'hui suffisamment de maturité pour être dégusté sur des fromages de brebis doux.

☛ Monika Boucher, Sainte-Lucie de Porto-Vecchio, 20144 Zonza, tél. 04.95.71.40.34, fax 04.95.71.57.36, e-mail mbou699633@aol.com ☑

DOM. MAESTRACCI

Calvi E Prove 1999★★

| ■ | 7 ha | 40 000 | ■ ⦿ ↓ | 8 à 11 € |

Cette année encore, le charme a opéré à la dégustation du cru E Prove rouge. Elevé en fût, pendant un an, ce 99 boisé et toasté offre un fruité mûr dans une bouche complexe, structurée par des tanins bien présents. Il atteindra sa pleine maturité d'ici trois à cinq ans. Deux étoiles également pour le **Calvi rouge Régínu 2001 (5 à 8 €)**, élevé en cuve, qui s'exprime tout en fruits rouges. Rond et ample, d'une remarquable harmonie générale, il devrait lui aussi s'épanouir en vieillissant.

☛ Michel Raoust, Clos Régínu, E Prove, 20225 Feliceto, tél. 04.95.61.72.11, fax 04.95.61.80.16, e-mail clos.reginu@wanadoo.fr

☑ ⏏ ⏺ été t.l.j. sf dim. 9h-12h30 14h-19h30

CLOS MILLELI 2001

| ■ | 60 ha | 370 000 | ■ ↓ | 3 à 5 € |

Non loin d'Aléria et de son fort, la cave coopérative d'Aghione a produit un rosé à la robe brillante, aussi agréable à regarder qu'à boire par sa finesse aromatique. Ce vin s'accordera avec une belle tranche de jambon corse (*prizzutu*).

☛ Cave coop. d' Aghione, Samuletto, 20270 Aléria, tél. 04.95.56.60.20, fax 04.95.56.61.27, e-mail coop.aghionesamuletto@wanadoo.fr ⏺ r.-v.

DOM. DU MONT SAINT-JEAN 2001

| ■ | 30 ha | 150 000 | ■ | 3 à 5 € |

Voici un rosé très clair, aux légers reflets orangé brillant. D'attaque vive en préambule et d'un bon équilibre général, il sera agréable cet automne. Perdreaux et viandes blanches le serviront alors.

☛ SCA du Mont Saint-Jean, Campo Quercio, 20270 Aléria, tél. 04.95.38.59.96, fax 04.95.38.50.29, e-mail roger-pouyau@wanadoo.fr ☑ ⏺ r.-v.

☛ R. Pouyau

DOM. DE MUSOLEU 2001★★

| ■ | 2,5 ha | 13 000 | ■ ↓ | 5 à 8 € |

En lice au grand jury, le rosé saumoné de Charles Morazzani se distingue par une vivacité marquée. Il s'ouvre sur un nez fruité intense, dont les promesses se confirment dans une matière de bonne tenue, soulignée de notes poivrées. Le **rouge 2000**, ample et équilibré, obtient une étoile. Il exhale des parfums de fruits rouges en harmonie avec sa robe cerise bigarreau, puis révèle des tanins souples qui se fondent dans une longue finale savoureuse. Une citation pour le **blanc 2001**, typique de l'appellation.

☛ Charles Morazzani, Dom. de Musoleu, 20213 Folelli, tél. 04.95.36.80.12, fax 04.95.36.90.16, e-mail charles.morazzani@wanadoo.fr ☑ ⏺ r.-v.

CLOS D'ORLEA 2000★

| ■ | 30 ha | 50 000 | ■ ↓ | 3 à 5 € |

François Orsucci vous fait partager son attachement au terroir corse. On retrouve de la passion dans ce vin rouge typique, au nez animal de cuir. Equilibré, rond et souple, il est agrémenté de notes légèrement épicées. Il est prêt à être servi sur une viande rouge grillée.

☛ François Orsucci, SCEA Le Clos Léa, 20270 Aléria, tél. 04.95.57.13.60, fax 04.95.57.09.64, e-mail françois.orsucci@wanadoo.fr

☑ ⏏ ⏺ t.l.j. sf dim. 9h-12h 14h30-20h

DOM. COMTE PERALDI 2001

| ■ | n.c. | 20 000 | ■ ↓ | 5 à 8 € |

Particularité de cette propriété : bien que son vignoble soit implanté sur l'aire d'appellation ajaccio, quelques hectares sont destinés à l'AOC vin de corse. Légèrement doré, ce vin fruité, aux expressions de beurre et de noisette, possède un bel équilibre. Il s'épanouira sur une langouste grillée.

☛ Guy Tyrel de Poix, Dom. Peraldi, chem. du Stiletto, 20167 Mezzavia, tél. 04.95.22.37.30, fax 04.95.20.92.91 ☑ ⏺ r.-v.

DOM. DE PETRA BIANCA

Figari Vinti Legna 1998★

| ■ | 4 ha | 9 000 | ⦿ | 11 à 15 € |

La proximité d'une église du XIIIᵉ s. aurait-elle influencé le choix des viticulteurs Joël Rossi et Jean Curallucci d'élever Vindi Legna en fût ? Quoi qu'il en soit, la méthode a porté ses fruits. Un nez finement boisé, avec des expressions de vanille et de fruits rouges mûrs, une attaque franche, puis une très bonne structure qui garde le souvenir de l'élevage : il faudra attendre quelques mois pour laisser s'accomplir le mariage réussi du vin et du bois. Cette bouteille sera alors conseillée sur une entrecôte grillée ou un *figatellu*. Le **Figari rosé 2001 (5 à 8 €)**, aux agréables notes de châtaigne, obtient une citation.

☛ Dom. de Petra Bianca, 20114 Figari, tél. 04.95.71.01.62, fax 04.95.71.01.62, e-mail joël.rossi@worldonline.fr ☑ ⏺ r.-v.

CLOS PETRA ROSSA

Calvi 2000

| ■ | n.c. | n.c. | ■ ⦿ | 3 à 5 € |

Cette propriété située dans la Vallée du Reginu, sur l'un des terroirs de Calvi, propose deux jolis vins prêts à boire. Le premier, bien structuré, exprime intensément les épices et les fruits rouges, avant de se développer sur des tanins de qualité qu'accompagnent des notes boisées et fruitées. Le **Calvi blanc 2001**, légèrement doré et brillant, fait preuve d'une bonne harmonie générale. Servi très frais, il accompagnera volontiers un filet de saint-pierre grillé, parfumé à l'aneth.

☛ François Francisci, Clos Petra Rossa, rue Général-Gnaziani, 20220 Ile-Rousse, tél. 04.95.61.53.92, fax 04.95.61.53.62

⏺ t.l.j. sf dim. 8h30-12h 15h30-19h

DOM. DE PIANA 2000★

	15 ha	n.c.		5 à 8 €

La propriété de la famille Poli réalise cette année encore une jolie performance dans les trois couleurs et confirme ainsi sa régularité. Le 2000, rouge sombre et profond, invite à la découverte de sa belle structure et de son équilibre. Quelques mois de garde ne peuvent que l'embellir. Le **blanc 2001**, clair et limpide, brillant de reflets verts, délivre de subtils arômes d'agrumes, typiques du vermentinu. Expression que l'on retrouve dans une bouche équilibrée, s'abandonnant sur des notes de noisette. Le **rosé 2001** est cité pour sa couleur franche et sa vivacité de ton. A boire très frais sur les crustacés.
➥ Ange Poli, Linguizzetta, 20230 San-Nicolao, tél. 04.95.38.86.38, fax 04.95.38.94.71 ☑ ⊤ r.-v.

CH. DE PIANICCIA
Carte Noire 2000★

	12 ha	60 000		3 à 5 €

D'un vignoble entièrement restructuré en une dizaine d'années est né ce vin élégant, grenat intense. Généreux et tannique, il accompagnera des cannellonis au brocciu ou une tarte aux herbes. Le **rosé 2000**, à la teinte légèrement violacée, obtient une citation, notamment pour ses nuances originales d'amande amère.
➥ SCEA Ch. de Pianiccia, Tallone, 20270 Aléria, tél. 04.95.57.01.78, fax 04.95.57.12.91 ☑

DOM. PIERETTI
Coteaux du cap Corse 2000★

	1,25 ha	n.c.		8 à 11 €

Lina Venturi, coup de cœur dans le Guide 2002, propose ce 2000 issu des vieux cépages de niellucciu et d'elegante (grenache) cultivés dans sa propriété du cap Corse. Le rouge profond de la robe convie d'emblée à la dégustation. Des notes de cuir s'égrènent sur un fond de fruits rouges mûrs, tandis que la bouche, souple en attaque, s'épanouit *crescendo* en puissance grâce à la présence de beaux tanins. Cette bouteille mérite d'attendre un ou deux ans pour atteindre sa plénitude. Le **Coteaux du cap Corse blanc 2001 (5 à 8 €)**, très tonique et légèrement perlé, sera apprécié des amateurs de vins vifs.
➥ Lina Venturi, Santa-Severa, 20228 Luri, tél. 04.95.35.01.03, fax 04.95.35.01.03 ☑ ⊤ r.-v.

CLOS POGGIALE 2000★★

	18,52 ha	21 000		8 à 11 €

Créée en 2001 par le domaine Terra Vecchia, la marque se distingue dès sa première parution dans le Guide grâce à ce vin d'un rouge brillant et profond, issu à parts égales de niellucciu et de syrah. Elevé en fût, il exprime d'élégantes notes boisées que l'on retrouve fondues dans un bel équilibre général. Il peut être apprécié dès aujourd'hui ou attendu, et fera un bon mariage avec une daube de sanglier.
➥ SICA Coteaux de Diana, Terra Vecchia, 20270 Tallone, tél. 04.95.57.20.30, fax 04.95.57.08.98 ☑ ⊤ r.-v.

DOM. RENUCCI
Calvi 2001★

	n.c.	n.c.		5 à 8 €

Ce rosé séduit par son élégance. De sa robe rose franc se libèrent des arômes de fruits exotiques comme la mangue et la goyave. D'excellente attaque, ce vin se déploie tout en finesse et en saveurs fruitées, en manifes-

tant la typicité du sciaccarellu. Deux autres Calvi ont été cités par le jury : le **blanc 2000 du domaine** et la **cuvée Vignola 2001 (8 à 11 €)**, deux vins équilibrés qui seront appréciés avec du poisson.
➥ Bernard Renucci, 20225 Feliceto, tél. 04.95.61.71.08, fax 04.95.61.71.08
☑ ⊤ t.l.j. 10h-12h 16h-19h; f. automne-hiver

RESERVE DU PRESIDENT 2001★★

	70 ha	450 000		3 à 5 €

Ce rosé cristallin est un bel hommage à l'homme qui fonda en 1958 la cave coopérative d'Aléria. Ses arômes délicatement fruités se retrouvent sous des accents de fraise des bois dans une bouche ronde et pleine. Ce vin d'une remarquable harmonie se boira bien frais au cours d'un repas de fête. Si vous optez pour des viandes grillées, préférez le **Réserve du Président rouge 2000**, au nez de pruneau et de fruits rouges ; une étoile a été décernée à ce millésime parvenu à maturité. Le **Réserve du Président blanc 2001**, au caractère citronné typique du vermentinu, obtient une citation.
➥ Union de Vignerons de l'Ile de Beauté, Cave coop. d'Aléria, 20270 Aléria, tél. 04.95.57.02.48, fax 04.95.56.15.86 ☑ ⊤ r.-v.

DOM. SAN'ARMETTO
Sartène 2001★★

	5 ha	32 000		5 à 8 €

Dans le sud-ouest de l'île, sur les coteaux dominant le golfe de Propriano, le vignoble de Paul Séroin et de son fils Gilles couvre 25 ha. Le rosé étonne d'emblée par son expression aromatique typée et puissante, qui trouve un écho dans les évocations de fruits rouges frais de la bouche. Celle-ci, d'une grande finesse après une attaque assez vive, s'achève sur une longue finale. Les deux autres vins retenus ont été jugés très réussis : le **Sartène rouge 2000**, élégant et léger, aux reflets orangés et à l'agréable expression, ainsi que le **Sartène blanc 2001**, floral, volubile, typique du vermentinu.
➥ EARL San'Armetto, Les Cannes, 20113 Olmeto, tél. 04.95.76.05.18, fax 04.95.76.24.47 ☑ ⌂ ⊤ r.-v.
➥ Seroin

DOM. SANTA MARIA 2000★

	9 ha	58 000		3 à 5 €

Complexe, ce vin révèle une grande puissance tannique et aromatique, avec des notes animales et des flaveurs de fruits rouges mûrs. D'un réel potentiel, il demandera une garde d'au moins deux ans. Le **rosé 2001**, aux reflets orangés et à l'agréable expression, ainsi que le **blanc 2001**, dont le nez original est légèrement fumé et floral, obtiennent une citation.
➥ Dom. de Santa Maria, 20230 Bravone, tél. 04.95.38.96.08, fax 04.95.38.81.91

SANT'ANTONE 2001★

	50 ha	200 000		3 à 5 €

La cave coopérative a été créée au milieu des années 1970 afin de réunir les vignerons des coteaux de Saint-Antoine. Rond et gras en bouche, son vin fait preuve d'équilibre, tout en livrant quelques notes de poivron bien intégrées. Charcuteries et fromages corses seront de parfaits compagnons. Chatoyant de reflets violines, le **rosé 2001**, à la fois suave et frais, dévoile suffisamment d'ampleur pour s'achever sur une belle finale aromatique, laissant un souvenir fort agréable. Il obtient lui aussi une étoile.

CORSE

771 LA CORSE

🍷 Cave de Saint-Antoine, 20240 Ghisonaccia,
tél. 04.95.56.61.00, fax 04.95.56.61.60 ☑ ⵏ r.-v.

DOM. SAPARALE
Sartène 2001★

	5 ha	20 000		3 à 5 €

Fondé en 1885 par Philippe De Rocca Serra à son
retour d'Egypte, ce domaine allie tradition et modernité
avec réussite. Le rosé s'ouvre sur un nez fin et épicé, dont
on retrouve les arômes autour d'une belle rondeur. Un
millésime tout en nuances à déguster sans attendre.
Laissez-vous également tenter par le **Sartène rouge 2000**,
très aromatique (épices, vanille, grillé) et le **Sartène blanc
2001**, aux expressions marquées de noisette et de beurre.
Tous deux sont cités.
🍷 Philippe Farinelli, 5, cours Bonaparte,
20100 Sartène, tél. 04.95.77.15.13, fax 04.95.73.43.08
ⵏ r.-v.

DOM. DE TANELLA
Figari Cuvée Alexandra 2001★

	10 ha	20 000		5 à 8 €

A dix kilomètres de Bonifacio, les coteaux ensoleillés
et venteux de la Corse méridionale accueillent cette
propriété de 57 ha. La cuvée Alexandra a été créée à la
naissance de la fille du propriétaire. Aujourd'hui, c'est un
rosé assez soutenu qui fait honneur à Alexandra, par ses
arômes intenses de framboise comme par son élégante
rondeur et sa finale agréable. Il sera parfait en accompagnement d'une volaille rôtie ou en préambule d'un repas
copieux.
🍷 Jean-Baptiste de Peretti della Rocca,
Dom. de Tanella, 20114 Figari, tél. 04.95.70.46.23,
fax 04.95.70.54.40, e-mail tanella@wanadoo.fr ☑ ⵏ r.-v.

TERRA NOSTRA
Cuvée Corsica 2000★★

	20 ha	130 000		5 à 8 €

La coopérative de la Marana élabore régulièrement
de belles cuvées. Le Corsica rouge, enveloppé de sa robe
profonde à reflets cuivrés, était cette année en course pour
le coup de cœur. Ses arômes puissants de bois et de fruits
rouges séduisent, tout comme son ampleur et sa souplesse.
Les tanins semblent en effet fins et fondus, et la finale de
qualité. A servir avec un sanglier en sauce, par exemple. Le
Terra Nostra rouge classique 2000 (3 à 5 €), issu du
niellucciu, a des accents de cerise qui laissent imaginer un
bon accord avec un agneau en broche. Il obtient une étoile.
Le **Terra Nostra rosé classique 2001 (3 à 5 €)** est cité.
🍷 Uval, Rasignani, 20290 Borgo, tél. 04.95.58.44.00,
fax 04.95.38.38.10, e-mail uval.sica@wanadoo.fr
☑ ⵏ t.l.j. 9h-12h 15h-19h

DOM. DE TORRACCIA
Porto-Vechio 2001★★

	9 ha	40 000		8 à 11 €

Les vignobles de Christian Imbert se situent sur un
terroir proche de la mer, non loin de Porto-Vecchio, qui
exprime tout son potentiel dans ce vin. Le nez soutenu, aux
senteurs complexes de fruits secs et de cacao, éveille
l'attention. Puis l'on découvre des notes de fruits à chair
blanche (pêche) et de fruit de la Passion dans une matière
équilibrée. C'est un festival d'arômes auquel vous invite ce
millésime. La palette de pain grillé, l'ampleur et la souplesse du **Porto-Vecchio rouge Oriu Réserve 2000 (11
à 15 €)**, à la robe rubis profond, lui valent une citation.

🍷 Christian Imbert, Dom. de Torraccia, 20137 Lecci,
tél. 04.95.71.43.50, fax 04.95.71.50.03
☑ ⵏ t.l.j. sf dim. 8h-12h 14h-18h

DOM. VICO 2000★★

	35 ha	150 000		3 à 5 €

Seule unité viticole présente au cœur de l'île, ce
vignoble est en grande partie implanté en coteaux dans
cette microrégion difficile en raison d'une importante
amplitude thermique. Mais ce 2000 rassure : le vin produit
n'en pâtit pas. Distingué, il s'exprime en notes végétales
agréables, puis en vivacité et rondeur jusqu'à une finale
nuancée de beurre et de fruits. Le **rosé 2001**, parfumé de
groseille, souple et frais, est cité.
🍷 Dom. Vico, 20218 Ponte-Leccia, tél. 04.95.47.61.35,
fax 04.95.36.50.26 ☑ ⵏ t.l.j. 9h30-12h 14h30-17h30

Ajaccio

Les vignes de l'appellation ajaccio
couvrent 200 ha sur les collines dans un rayon de
quelques dizaines de kilomètres autour du chef-
lieu de la Corse du Sud et de son illustre golfe, sur
des terrains en général granitiques, avec une
dominante du cépage sciacarellu. Les rouges, que
l'on peut laisser vieillir, sont majoritaires
(60,5 %), au sein d'une production moyenne
d'environ 7 442 hl déclarés en 2001.

DOM. COMTE ABBATUCCI
Cuvée Antoine Abbatucci 2000★

	10 ha	15 000		5 à 8 €

Pour sa deuxième année sous le signe de l'agriculture
biologique et de la biodynamie, le domaine de Jean-
Charles Abbatucci fait preuve de régularité dans la qualité
comme en témoigne cet ajaccio typique, au nez animal,
recommandé sur des plats épicés ou du gibier. La **cuvée
Antoine Abbatucci blanc 2001**, citée par le jury, se
distingue par des notes d'acacia et un bel équilibre.
🍷 Dom. Comte J.-C. Abbatucci, Lieu-dit Chiesale,
20140 Casalabriva, tél. 04.95.74.04.55.

CLOS D'ALZETO 2001★★

	4 ha	13 000		5 à 8 €

Domaine familial de père en fils depuis 1820, le Clos
d'Alzeto possède le vignoble le plus haut de Corse (500 m

d'altitude). Deux de ses vins ont été sélectionnés pour le grand jury : ce blanc sec très floral et d'une fort bonne harmonie générale, et le **rosé d'Alzeto 2001** aux fragrances de framboise persistantes, équilibré et frais. Poissons et crustacés s'accommoderont au mieux de ces deux bouteilles.

↬ Pascal Albertini, Clos d'Alzeto, 20151 Sari d'Orcino, tél. 04.95.52.24.67, fax 04.95.52.27.27
☑ ☂ t.l.j. sf dim. 8h-12h 14h-18h (20h en été)

CLOS CAPITORO 2001

| | 7 ha | 25 000 | ▮♦ | 5 à 8 € |

Le domaine créé en 1856 par Louis Bianchetti possède un vignoble de 50 ha à quelques kilomètres du golfe d'Ajaccio. Cristallin, son vin fait briller ses reflets gris. Odorant autour de fruits à chair jaune, très pêche au sirop, il est chaleureux, marqué par une attaque vive, au fruité acidulé.

↬ Jacques Bianchetti, Clos Capitoro, Pisciatella, 20166 Porticcio, tél. 04.95.25.19.61, fax 04.95.25.19.33, e-mail info@clos-capitoro.com ☑ ☂ r.-v.

CLOS ORNASCA 2001★

| | n.c. | 5 350 | ▮♦ | 5 à 8 € |

Une teinte claire et brillante, un nez ouvert sur des notes exotiques et des accents légèrement beurrés : l'ajaccio blanc de Laetitia Tola séduit. Pour son bel équilibre et son intensité aromatique, le jury lui décerne une étoile. Un conseil de spécialiste : mariez-le avec toutes sortes de plats de mer (poissons et crustacés) ou bien avec des desserts au cacao... Une citation pour le **rouge 2000**, expressif et typique de l'appellation.

↬ Laetitia Tola, Clos Ornasca, Eccica Suarella, 20117 Cauro, tél. 04.95.25.09.07, fax 04.95.25.96.05
☑ ☂ r.-v.

DOM. COMTE PERALDI 2000★★

| | n.c. | 140 000 | | 5 à 8 € |

Le domaine de Guy Tyrel de Poix remporte tous les suffrages auprès du grand jury, qui lui décerne un coup de cœur pour son vin rubis légèrement tuilé. La bouche très structurée, aux tanins fins et ronds, évolue sur un excellent équilibre qui persiste bien ; elle confirme les notes épicées et animales décelées au nez, typiques du cépage sciacarellu. Ce 2000 sera à l'honneur aux côtés d'un gibier ou de charcuteries corses, mais il sera aussi le bienvenu dans votre cave pour quelques années de vieillissement. Le **rosé 2001**, aux légers reflets orangés, est cité ; vous l'apprécierez très frais à l'apéritif.

↬ Guy Tyrel de Poix, Dom. Peraldi, chem. du Stiletto, 20167 Mezzavia, tél. 04.95.22.37.30, fax 04.95.20.92.91
☑ ☂ r.-v.

DOM. DE PIETRELLA 2000★

| | n.c. | n.c. | ▮♦ | 5 à 8 € |

Pour sa deuxième apparition dans le Guide, le domaine de Pietrella s'affirme dans cette édition. Caractérisé par une « animalité » marquée, son 2000 rouge, typique de l'appellation, est à consommer dès à présent sur une charcuterie corse légèrement fumée. Le **blanc 2001**, de couleur paille, exhale des senteurs intenses rappelant la pêche blanche mûre ; agréable et équilibré, il s'achève sur une légère amertume typique du cépage vermentinu ; il reçoit également une étoile. Le **rosé 2001**, au teint pâle, subtilement orangé, est cité.

↬ Tirroloni, Dom. de Pietrella, 20117 Cauro, tél. 06.11.36.41.20 ☑ ☂ t.l.j. 8h-12h 13h-19h

DOM. DE PRATAVONE 2001★

| | 2,77 ha | 15 000 | ▮♦ | 5 à 8 € |

De ce rosé, à la typicité sciacarellu évidente, s'échappent des accents poivrés intenses, qui le prédisposent à un mariage avec des mets épicés ou avec la cuisine asiatique. Le **rouge 98**, charpenté et aux notes boisées, décroche également une étoile. Le **blanc 2001** obtient une citation pour sa fraîcheur et sa légèreté ; il est conseillé à l'apéritif.

↬ Jean et Isabelle Courrèges, Dom. de Pratavone, Pila-Canale, 20123 Cognocoli-Monticchi, tél. 04.95.24.34.11, fax 04.95.24.37.74, e-mail domainepratavone@wanadoo.fr ☑ ☂ t.l.j. sf dim. 8h30-12h 15h30-19h30, hors saison sur r.-v.

DOM. DE VACCELLI 2000★

| | 4,4 ha | 6 533 | ▮♦ | 5 à 8 € |

À proximité du site préhistorique de Filitosa se niche le domaine de Vaccelli. Son propriétaire, Alain Courrèges, vous fera découvrir un vin très coloré, intense et minéral. La puissance de cet ajaccio original s'affirme par des tanins francs et fins. Vous pouvez conserver cette bouteille quelque temps en cave ou la boire dès cet automne sur un civet de lièvre ou de lapin.

↬ Alain Courrèges, A Cantina, 20123 Cognocoli, tél. 04.95.24.35.54, fax 04.95.24.38.07 ☑ ☂ r.-v.

CORSE

Patrimonio

La petite enclave (389 ha en 2000) de terrains calcaires, qui, depuis le golfe de Saint-Florent, se développe vers l'est et surtout vers le sud, présente vraiment les caractères d'un cru bien homogène dans lequel l'encépagement, s'il est bien adapté, permet d'obtenir des vins de très haut niveau. Ce sont le niellucciu en rouge et le malvasia en blanc qui devraient encore, à brève échéance, les cépages uniques ; ils donnent déjà ici des produits très typés et d'excellente qualité, notamment des rouges somptueux et de bonne garde. La production atteint 15 289 hl dont 2 727 hl de blancs.

DOM. ALISO-ROSSI
Fleurs d'Amandiers 2001★

| | 2 ha | 2 000 | ∎♦ 11 à 15 € |

Le domaine de 22 ha, situé sur la commune de Santo Pietro di Tenda, est conduit par Dominique Rossi et sa femme, œnologue. D'une teinte appétissante, jaune clair brillant, son vin déploie une palette d'arômes fins et agréables, puis retient l'intérêt par la structure de sa jolie matière ample et longue. La technique de l'œnologue est ici au service du cépage. Une citation pour la **cuvée Excellence rouge 2000**. A boire dès à présent.
⌐ Dom. Aliso-Rossi, 20246 Santo-Pietro-di-Tenda, tél. 04.95.37.03.03, fax 04.95.37.71.80
☑ ⊺ r.-v.
⌐ Dominique Rossi

CLOS DE BERNARDI 2000★

| ∎ | 4,5 ha | 20 000 | ∎ 5 à 8 € |

Jean-Laurent de Bernardi a hérité de l'enthousiasme de son père pour les vignobles de Patrimonio. Il est vrai que le visiteur est séduit par les paysages viticoles de la Corse. Ce 2000 rouge foncé et profond, teinté de nuances violacées est équilibré et révèle une bonne structure, des tanins mûrs et de la matière. Des arômes complexes de fruits confits se mêlent au caractère animal du niellucciu, unique cépage vinifié. Un patrimonio typique, à attendre au moins deux ans.
⌐ Jean-Laurent de Bernardi, 20253 Patrimonio, tél. 04.95.37.01.09, fax 04.95.32.07.66 ☑ ⊺ t.l.j. 9h-12h

DOM. DE CATARELLI 2000

| ∎ | 3 ha | 10 000 | ∎ 5 à 8 € |

Coup de cœur l'an dernier pour son 99, Laurent Le Stunff fait partie des stars de la Corse viticole. Des senteurs de sous-bois alliées à un agréable côté animal, des notes d'amandes grillées, un équilibre harmonieux invitent à boire ce vin légèrement frais dès aujourd'hui. Egalement cité, le **rosé 2001**, de couleur pâle, possède un nez discret d'une grande finesse : sympathique...
⌐ EARL Dom. de Catarelli, marine de Farinole, rte de Nonza, 20253 Patrimonio, tél. 04.95.37.02.84, fax 04.95.37.18.72
☑ ⊺ t.l.j. sf dim. 9h-12h 15h-18h; f. hiver
⌐ Laurent Le Stunff

DOM. GENTILE 2001

| ∎ | 4,5 ha | n.c. | ∎♦ 8 à 11 € |

Jean-Paul Gentile, œnologue, suit les travaux de la cave du domaine, tandis que son père Dominique cultive les 26 ha d'vignes avec talent. Tous deux proposent un joli vin issu d'un vignoble conduit selon la tradition. Les reflets verts brillants annoncent la vivacité de la bouche. Un accord avec des coquillages sera parfait.
⌐ Dom. Gentile, Olzo, 20217 Saint-Florent, tél. 04.95.37.01.54, fax 04.95.37.16.69, e-mail domaine.gentile@wanadoo.fr
☑ ⊺ t.l.j. sf dim. 8h30-12h 14h30-18h30; r.-v. hors saison

DOM. GIACOMETTI
Cru des Agriates 2000★★

| ∎ | n.c. | 20 000 | 3 à 5 € |

Pour sa deuxième présentation au Guide, le domaine Giacometti, situé à l'entrée du désert des Agriates, remporte un vif succès. Son 2000 pourpre intense associe avec complexité senteurs de fruits rouges, accents floraux et notes vanillées. Sa structure équilibrée soutient une belle expression aromatique. Prévoyez quelques bouteilles de plus à laisser vieillir : elles vous surprendront. Le **rosé Cru des Agriates 2001**, très réussi, possède d'indéniables atouts : une robe rose vif, aérienne, des arômes d'agrumes et de fleurs sauvages mêlés, et une grande ampleur.
⌐ Christian Giacometti, Casta, 20217 Saint-Florent, tél. 04.95.37.00.72, fax 04.95.37.19.49 ☑ ⊺ r.-v.

DOM. GIUDICELLI 2000★

| ∎ | 4,77 ha | 13 000 | ∎♦ 8 à 11 € |

Ce domaine récent, créé en 1997, s'affirme au sein de l'appellation. Son 2000 pourpre profond, épicé, révèle un bon équilibre : les tanins sont certes bien présents, mais leur évolution sera favorable. Un vin intéressant à laisser se bonifier un ou deux ans. Très belle réussite également pour le **rosé 2001 (5 à 8 €)**, de couleur rose bonbon, aux notes d'agrumes épicés et d'une agréable fraîcheur. Il vous fera oublier la tristesse des premiers frimas, en accompagnant des châtaignes grillées. Le **blanc 2001** est cité.
⌐ Muriel Giudicelli, Paese Novu, 20213 Penta di Casinca, tél. 04.95.36.45.10, fax 04.95.36.45.10, e-mail muriel.giudicelli@wanadoo.fr ☑ ⊺ r.-v.

DOM. LAZZARINI 2001

| | n.c. | n.c. | 3 à 5 € |

Les frères Lazzarini cultivent 35 ha de vignes sur un terroir argilo-calcaire. Cristallin à reflets jaune clair, leur vin se distingue par des nuances de pomme verte, puis se développe sans agressivité, tout en longueur et en équilibre. Le **rosé 2000** (cité) traduit une bonne vinification du niellucciu, cépage de caractère, à travers ses arômes d'agrumes et de fruits rouges.
⌐ GAEC Lazzarini, rte de la Cathédrale, 20217 Saint-Florent, tél. 04.95.37.18.61, fax 04.95.37.13.17
☑ ⊺ t.l.j. 8h-19h; f. nov. à mars

DOM. LECCIA 2001★★

| ∎ | 3 ha | 15 000 | ∎♦ 8 à 11 € |

Le domaine Leccia, valeur sûre de l'appellation, est toujours présent dans le Guide. Souvenez-vous de son millésime 2000, coup de cœur l'an dernier. Cette année, le blanc dévoile un profil remarquablement typique de patrimonio. Brillant et cristallin, il libère une palette complexe de fleurs blanches et de fruits soulignée de nuances minérales, puis se montre équilibré, intense et persistant. Une harmonie générale excellente. Ce type de vin est fait pour vieillir ; sachez l'attendre jusqu'à la célébration d'heureux événements. Le **rosé 2001**, très traditionnel, obtient une étoile. De teinte foncée, il évoque les fruits exotiques (mangue), puis s'exprime avec élégance en bouche. Il accompagnera aussi bien des charcuteries corses qu'un fromage de brebis frais ou légèrement affiné. Le **rouge 2000** est cité pour sa bonne structure et ses senteurs végétales agréables.
⌐ Dom. Leccia, 20232 Poggio-d'Oletta, tél. 04.95.37.11.35, fax 04.95.37.17.03 ☑ ⊺ r.-v.

CLOS MARFISI 2001★

| ∎ | 1,6 ha | 10 000 | ∎♦ 8 à 11 € |

Prenez la route qui file en direction de Nonza, à l'ouest du cap Corse. De ce terroir en coteaux, témoin des plus beaux couchers de soleil sur la mer dont il s'imprègne des couleurs, est né un vin brillant d'un joli rose pâle.

Légèrement acidulé, mêlant fruits rouges et noisette, il laisse une impression gourmande. Accompagnez-le d'une araignée de mer et vous serez comblé.

🛋 Toussaint Marfisi, Clos Marfisi, av. Jules-Ventre, 20253 Patrimonio, tél. 04.95.37.07.49, fax 04.95.37.06.37 ☑ 🍷 t.l.j. 9h-13h 16h-20h; f. jan.-fév.

CLOS MONTEMAGNI
Cuvée Prestige du menhir 2000★★

■	2 ha	13 000	■♦ 8 à 11 €

Les statues-menhirs sont nombreuses en Corse et l'une d'entre elles, découverte près de Patrimonio, a inspiré le domaine Montemagni. Cette cuvée d'un beau grenat foncé a fait l'unanimité. Fine et complexe, elle mêle des arômes de fruits rouges, d'amande et de confiture que l'on retrouve mis en valeur par une belle structure tannique et une puissance notable. Ce vin saura accompagner dignement une côte de bœuf braisé. Il est à garder, même si le plaisir est déjà au rendez-vous.

🛋 SCEA Montemagni, 20253 Patrimonio, tél. 04.95.37.14.46, fax 04.95.37.17.15 ☑ 🍷 t.l.j. 8h-12h 14h-18h

CLOS MONTEMAGNI 2000★★

■	15 ha	100 000	■♦ 5 à 8 €

PRODUCE OF CORSICA FRANCE
MAISON FONDÉE EN 1850
Clos Montemagni
PATRIMONIO
APPELLATION PATRIMONIO CONTRÔLÉE
2000
13% vol. 75 cl
Mise en bouteille au Domaine par la
S.C.E.A. MONTEMAGNI - 20253 PATRIMONIO

Pluie d'étoiles cette année pour le domaine Montemagni. Son patrimonio rouge a séduit le grand jury qui lui décerne un coup de cœur. Il ravit d'abord par sa couleur franche : un grenat profond dans lequel on a envie de se perdre. C'est ensuite au tour de l'odorat et du goût d'être mis en éveil. Le nez chaleureux, discret, libère des notes de confiture de mûres, tandis que les fruits rouges accompagnent les tanins soyeux et enrobés. Le vin se dévoilera petit à petit pour ne cesser de vous surprendre. Gardez quelques bouteilles dans votre cave.

🛋 SCEA Montemagni, 20253 Patrimonio, tél. 04.95.37.14.46, fax 04.95.37.17.15 ☑ 🍷 t.l.j. 8h-12h 14h-18h

DOM. LOUIS MONTEMAGNI 2001★

■	10 ha	60 000	■♦ 5 à 8 €

Ce rosé explose d'arômes fruités, de la banane jusqu'à la fraise de bois. Sa rondeur en fait un vin féminin à déguster tel quel à l'apéritif, puis à proposer sur une tarte aux herbes ou une quiche. Le **rouge 2000** obtient lui aussi une étoile grâce à sa belle robe brillant d'intenses reflets cuivrés et à ses notes puissantes de fruité mûr. Un vin parfait pour les viandes rouges et les gibiers.

🛋 SCEA Montemagni, 20253 Patrimonio, tél. 04.95.37.14.46, fax 04.95.37.17.15 ☑ 🍷 t.l.j. 8h-12h 14h-18h

DOM. ORENGA DE GAFFORY 2000★

■	28 ha	150 000	■♦ 8 à 11 €

Dans le hall de la cave, Henri de Gaffory organise des expositions d'art contemporain chaque été, permettant ainsi à de jeunes talents de se révéler au public. Artiste, il l'est aussi lorsqu'il élabore ses vins, tel ce 2000 rouge foncé qui dispense des arômes de cuir et de confiture de fruits rouges. D'une belle harmonie gustative, ce patrimonio peut déjà être bu, mais si vous patientez, vous ne serez pas déçus. Egalement très réussi, le **blanc 2001**, de teinte pâle à reflets verts, évoque le printemps par ses nuances de fleurs blanches (acacia) et sa rondeur fruitée persistante. Il est apte au vieillissement. Le **rosé 2001** est cité pour ses arômes marqués de fruits noirs, de type myrtille et cassis.

🛋 GFA Orenga de Gaffory, Lieu-dit Morta-Majo, 20253 Patrimonio, tél. 04.95.37.45.00, fax 04.95.37.14.25, e-mail orenga.de.gaffory@wanadoo.fr ☑ 🍷 t.l.j. sf sam. dim. 9h-12h 13h30-18h; groupes sur r.-v.

DOM. PASTRICCIOLA 2001

■	3,2 ha	n.c.	■♦ 5 à 8 €

Les trois amis du domaine Pastricciola conservent intacte leur passion pour le renouveau de ce domaine acquis en 1989. Ils apportent cette année un rosé tout en nuances. Une robe claire, saumonée, un nez discret compensé par une bonne expression en bouche sur des notes de fruits à chair jaune : voici un patrimonio sympathique, à déguster très frais.

🛋 Dom. Pastricciola, rte de Saint-Florent, 20253 Patrimonio, tél. 04.95.37.18.31, fax 04.95.37.08.83 ☑ 🍷 t.l.j. 9h-19h; f. nov.

DOM. SAN QUILICO 2001★

■	6 ha	n.c.	■♦ 5 à 8 €

Ce vin limpide offre une riche palette de fruits confits et de fleurs blanches, puis une bouche ronde et ample qui invite à un accord avec un loup grillé. Le **rouge 2000**, assez sombre et intensément parfumé de fruits rouges, est cité pour son bon équilibre. Il peut être bu dès à présent. Le **rosé 2001**, cité, dévoile des tonalités d'abricot, tant dans sa robe que dans son expression aromatique. Appréciez-le très frais sur un repas champêtre.

🛋 EARL Dom. San Quilico, Lieu-dit Morta Majo, 20253 Patrimonio, tél. 04.95.37.45.00, fax 04.95.37.14.25, e-mail orenga.de.gaffory@wanadoo.fr ☑ 🍷 t.l.j. sf sam. dim. 9h-12h 13h30-18h; groupes sur r.-v.

CLOS TEDDI 2001

■	2 ha	6 500	■♦ 5 à 8 €

Installée en 1996 dans le désert des Agriates, Marie-Brigitte Poli-Juillard a élaboré un vin intensément aromatique, oscillant entre des senteurs végétales sauvages et le bonbon acidulé, sera un parfait compagnon des fruits de mer ou des poissons grillés grâce à sa légèreté.

🛋 Marie-Brigitte Poli-Juillard, Hameau de Casta, sentier des Agriates, 20217 Saint-Florent, tél. 06.10.84.11.73, fax 04.95.37.24.07 ☑ 🍷 r.-v.

CORSE

LE SUD-OUEST

_____ Groupant sous la même bannière des appellations aussi éloignées qu'irouléguy, bergerac ou gaillac, la région viticole du Sud-Ouest rassemble ce que les Bordelais appelaient « les vins du Haut-Pays » et le vignoble de l'Adour. Jusqu'à l'apparition du rail, le premier groupe, qui correspond aux vignobles de la Garonne et de la Dordogne, a vécu sous l'autorité bordelaise. Fort de sa position géographique et des privilèges royaux, le port de la Lune dictait sa loi aux vins de Duras, Buzet, Fronton, Cahors, Gaillac et Bergerac. Tous devaient attendre que la récolte bordelaise soit entièrement vendue aux amateurs d'outre-Manche et aux négociants hollandais avant d'être embarqués, quand ils n'étaient pas utilisés comme vin « médecin » pour remonter certains clarets. De leur côté, les vins du piémont pyrénéen ne dépendaient pas de Bordeaux, mais étaient soumis à une navigation hasardeuse sur l'Adour avant d'atteindre Bayonne. On peut comprendre que, dans ces conditions, leur renommée ait rarement dépassé le voisinage immédiat.

_____ Et pourtant, ces vignobles, parmi les plus anciens de France, sont le véritable musée ampélographique des cépages d'autrefois. Nulle part ailleurs on ne trouve une telle diversité de variétés. De tout temps, les Gascons ont voulu avoir leur vin et, quand on connaît leur individualisme forcené et leur goût du particularisme, on ne s'étonne pas de la découverte de ces terroirs épars et de leur forte personnalité. Les cépages manseng, tannat, négrette, duras, len-de-l'el (loin-de-l'œil), mauzac, fer-servadou, arrufiac et baroque ainsi que le raffiat de Moncade et le camaralet de Lasseube au nom charmant sont sortis de la nuit des temps viticoles et donnent à ces vins des accents d'authenticité, de sincérité et de typicité inimitables. Loin de renier le qualificatif de vin « paysan », toutes ces appellations le revendiquent avec fierté en donnant à ce terme toute sa noblesse. La viticulture n'a pas exclu les autres activités agricoles, et les vins côtoient sur le marché les produits fermiers avec lesquels ils se marient tout naturellement. Les cuisines locales trouvent dans les vins de « leur » pays une confraternité qui fait de ce Sud-Ouest l'une des régions privilégiées de la gastronomie de tradition.

_____ Tous ces vignobles sont aujourd'hui en plein renouveau sous l'impulsion de la coopération ou de propriétaires passionnés. Un grand effort d'amélioration de la qualité, tant par les méthodes culturales ou la recherche de clones mieux adaptés que par les techniques de vinification, conduit peu à peu ces vins vers l'un des meilleurs rapports qualité/prix de l'Hexagone.

Cahors

D'origine gallo-romaine, le vignoble de Cahors (4 377 ha pour 252 050 hl en 2001) est l'un des plus anciens de France. Jean XXII, pape d'Avignon, fit venir des vignerons quercinois pour cultiver le châteauneuf-du-pape, et François Ier planta à Fontainebleau un cépage cadurcien ; l'Église orthodoxe l'adopta comme vin de messe et la cour des tsars comme vin d'apparat... Pourtant, le vignoble de Cahors revient de loin ! Totalement anéanti par les gelées de 1956, il était retombé à 1 % de sa surface antérieure. Reconstitué dans les méandres de la vallée du Lot avec des cépages nobles traditionnels, le principal étant l'auxerrois qui porte aussi les noms de cot ou malbec représentant 70 % de l'encépagement, complété par le tannat (moins de 2 %) ou le merlot (environ 20 %), le terroir de Cahors a retrouvé la place qu'il mérite parmi les terres productrices de vins de qualité. On assiste d'ailleurs à des tentatives courageuses de reconstitution sur les causses, comme dans les temps anciens.

Les cahors sont puissants, robustes, hauts en couleur (le *black wine* des Anglais) ; ce sont incontestablement des vins de garde. Un cahors peut toutefois être bu jeune : il est alors charnu et aromatique avec un bon fruité, et doit être consommé légèrement rafraîchi, sur des grillades par exemple. Après deux ou trois années où il devient fermé et austère, le cahors se reprend, pour donner toute son harmonie au bout d'un délai égal, avec des arômes de sous-bois et d'épices. Sa rondeur, son ampleur en bouche en font le compagnon idéal des truffes sous la cendre, des cèpes et des gibiers. Les différences de terroir et d'encépagement donneront des vins plus ou moins aptes à la garde, la tendance actuelle étant de produire des vins plus légers et rapidement consommables.

CH. ARMANDIERE
Diamant rouge Vieilli en fût de chêne 2000★

■	3 ha	16 000	▥ 11 à 15 €

Habillé d'une robe cerise burlat, ce vin livre un nez assez intense, généreusement boisé mais aussi balsamique et riche en petits fruits rouges. La bouche, plus délicate, offre un bon équilibre et du gras, puis une finale persistante et savoureuse. Un cahors un peu espiègle.
🕯 Bernard Bouyssou, Port de l'Angle, 46140 Parnac, tél. 05.65.36.75.97, fax 05.65.36.02.23, e-mail armandiere@aol.com ☑ 🏠 ♈ r.-v.

CH. BEAUVILLAIN-MONPEZAT
Elevé en fût de chêne 2000★★

■	15 ha	70 000	▥ 8 à 11 €

Si le **Château Les Bouysses 99** et le **Château Cayrou d'Albas 2000 (5 à 8 €)**, tous deux élevés en fût de chêne, obtiennent une étoile, le jury a été plus séduit encore par cette cuvée presque noire. Le nez profond et déjà expressif développe non seulement des arômes empyreumatiques, mais aussi de jolies notes de fruits rouges et noirs. La bouche trouve un bel équilibre entre ses saveurs fruitées-boisées et un corps volumineux, étayé par des tanins séveux. Un vin de bonne extraction, que l'on peut encore attendre.
🕯 Côtes d'Olt, 46140 Parnac, tél. 05.65.30.71.86, fax 05.65.30.35.28 ☑ ♈ r.-v.

DOM. LA BORIE 2000★

■	5 ha	25 000	▮◆ 3 à 5 €

Couleur rubis intense à reflets vifs, nez complexe bien enlevé, aux arômes de fleurs et de fruits noirs soulignés d'épices. La dégustation se poursuit tout aussi agréablement tant l'attaque est douce et suave, puis la matière déjà bien apprivoisée, ronde et grasse, aux tanins fondus. Une bouteille prête à boire.
🕯 Froment et Fils, EARL des Coteaux, Dom. La Borie, 46220 Prayssac, tél. 05.65.22.42.90, fax 05.65.30.64.70 ☑ ♈ t.l.j. 9h-20h

Le Sud-Ouest

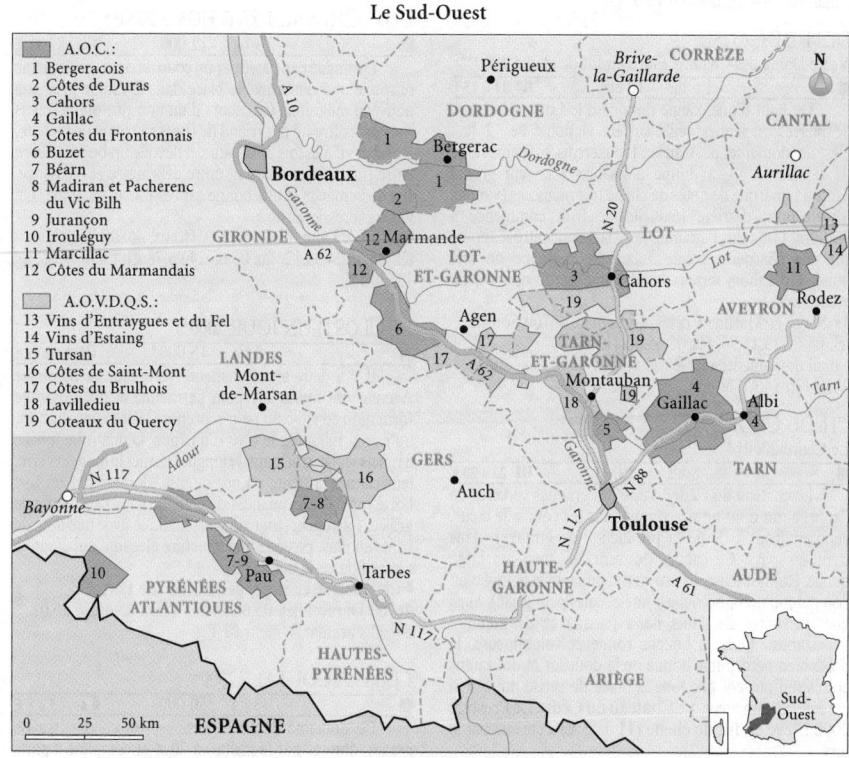

CH. LA CAMINADE
Esprit 2000★★

| ■ | 0,57 ha | 3 300 | ⊞ 23 à 30 € |

Coup de cœur dans le Guide 2002, la cuvée **La Commandery** (8 à 11 €) obtient une étoile dans son millésime 2000. La relève est assurée par une nouvelle venue dénommée Esprit. Impressionnante dans sa robe noire, celle-ci livre un nez généreux et corsé de confiture de fruits noirs, d'essence florale, nuancé de vanille et de grillé. D'attaque presque moelleuse, la bouche fait preuve d'une grande maturité par son gras et ses tanins fondus, parfaitement enrobés. L'expression aromatique, riche, se prolonge durablement en rétro-olfaction. Une bouteille très bien élevée.
�'🕻 Resses et Fils, SCEA Ch. La Caminade, 46140 Parnac, tél. 05.65.30.73.05, fax 05.65.20.17.04, e-mail resses@wanadoo.fr ☑ 🍸 r.-v.

DOM. DE CAUSE
Notre-Dame-des-Champs Elevé en fût de chêne 2000★

| ■ | 1,6 ha | 10 500 | ⊞ 11 à 15 € |

Du haut d'une colline dominant le Lot, un hameau de pierres anciennes veille sur un vignoble de 12 ha : c'est le domaine de Cause. L'auxerrois, à peine aidé de tannat (4 %), a donné naissance à ce vin grenat profond, marqué de notes de chêne très nuancées (vanille, torréfaction) derrière lesquelles le fruit commence à poindre. Gras dès l'attaque, le palais concentré s'appuie sur une charpente solide à laquelle participe un fort boisé. Un cahors sérieux, apte à une garde de trois ou quatre ans.
�'🕻 Serge et Martine Costes, Cavagnac, 46700 Soturac, tél. 05.65.36.41.96, fax 05.65.36.41.95, e-mail domainedecause@wanadoo.fr ☑ 🍸 t.l.j. 9h30-12h 14h-18h; dim. sur r.-v.

CH. DU CEDRE
Le Cèdre 2000★★

| ■ | 8 ha | 41 000 | ⊞ 23 à 30 € |

Le château du Cèdre, l'une des grandes vedettes de l'appellation dont on ne compte plus les coups de cœur, vend environ 70 % sa production à l'étranger, dans trente-six pays. Ce cahors trouvera, lui aussi, un large public. Rubis intense, il livre un nez puissant et complet où l'on perçoit un boisé riche (vanille, café, pain grillé), ainsi que des notes de fruits noirs (cassis) et de menthol persistantes. Dans la bouche ronde et volumineuse, le boisé bien perceptible donne de la douceur et des tanins épicés qui portent une longue finale de cerise noire. Un ensemble prometteur. Le **Château du Cèdre Le Prestige 2000 Elevé en fût de chêne** (11 à 15 €) a été cité par le jury.

�'🕻 Pascal et Jean-Marc Verhaeghe, Bru, 46700 Vire-sur-Lot, tél. 05.65.36.53.87, fax 05.65.24.64.36, e-mail chateauducedre@wanadoo.fr ☑ 🍸 t.l.j. sf dim. 9h-12h 14h-18h

CH. DE CENAC
Eulalie Elevé en fût de chêne 1999★

| ■ | 1 ha | 4 800 | ■ ⊞ 15 à 23 € |

Eulalie était l'épouse de l'ancien propriétaire du château. Après la mort de son mari et jusqu'aux années 1970, elle mena le domaine. Cette cuvée lui rend hommage. Rouge foncé aux nuances acajou, elle laisse le souvenir d'un bois neuf de qualité. Souple, elle se prolonge en bouche, svelte et animée par une certaine fraîcheur. Le boisé charmeur soutient l'équilibre et enveloppe la finale.
➢'🕻 GAEC de Circofoul-Pelvillain, Circofoul, 46140 Albas, tél. 05.65.20.13.13, fax 05.65.30.75.67 ☑ 🍸 r.-v.

CH. CERINNE 2000★

| ■ | 2 ha | 9 000 | ■ 3 à 5 € |

Sombre à nuances rouges et violettes, ce cahors s'ouvre sur une kyrielle de fruits rouges et noirs, épicés. Puissant, gras et doux, il possède une structure imposante, étayée par des tanins enrobés. Ce vin déjà sérieux sera bientôt prêt à boire.
➢'🕻 Jean Delsériès, Sarlat, 46700 Puy-l'Evêque, tél. 05.65.30.80.68, fax 05.65.30.80.69 ☑ 🍸 t.l.j. sf dim. jeu. 10h-12h 15h-18h

DOM. CHEVALIERS D'HOMS 2000★★

| ■ | 2,3 ha | 12 000 | ■⬩ 8 à 11 € |

Distingué l'an passé par un coup de cœur, ce domaine retrouve une remarquable place dans le Guide avec son nouveau millésime. Ce cahors d'un noir profond à reflets pourpres offre un nez friand de fruits rouges et de violette. Rond et vif à la fois en attaque, il dévoile un bon équilibre entre fraîcheur et douceur, entre délicatesse et puissance. Il a de la mâche et une bonne expression aromatique. Un vin « expressionniste ».
➢'🕻 SCEA Dom. d'Homs, Les Homs, 46800 Saux, tél. 05.65.24.93.12, fax 05.65.24.96.78 ☑ 🍸 t.l.j. 9h-12h 13h30-19h

LE CLOS D'UN JOUR 2000★

| ■ | 3 ha | 15 000 | ⊞ 11 à 15 € |

Il y a deux ans seulement, Véronique et Stéphane Azemar ont quitté la région parisienne et ont suivi une formation en viti-œno pour reprendre le domaine du Port, qu'ils ont rebaptisé le Clos d'un Jour. D'une robe foncée à reflets violacés laissant de longues larmes le long du verre, leur cahors présente un nez intense, dominé par un fort boisé torréfié aux nuances de café, de cacao et d'amande grillée. La bouche, tout aussi aromatique avec une note de fruits en plus, possède une structure élégante qui ajoute à l'attrait de cette bouteille.
➢'🕻 Véronique et Stéphane Azemar, Le Port, 46700 Duravel, tél. 05.65.36.56.01, fax 05.65.36.56.01, e-mail s.azemar@free.fr ☑ 🍸 r.-v.

CLOS LA COUTALE 2000★

| ■ | 45 ha | 350 000 | ■⬩ 5 à 8 € |

Ce domaine de 50 ha propose un cahors issu de graves, dominé par le malbec à 70 % et complété à parts égales de merlot et de tannat. D'un noir d'encre à reflets violets, le vin offre de discrets parfums de petits fruits noirs et de griotte à l'eau-de-vie. Plaisante par son équilibre et bénéficiant de tanins ronds, cette bouteille a de la personnalité.

🕊 Bernède - Clos la Coutale, 46700 Vire-sur-Lot, tél. 05.65.36.51.47, fax 05.65.24.63.73 ☑ ⟆ r.-v.

CH. LES CROISILLE
Noble Cuvée 2000★

■	0,5 ha	3 000	⦀	8 à 11 €

Les Croisille, installés depuis 1978, cultivent aujourd'hui un vignoble de 12 ha sur sols argilo-calcaires rouges. Leur cahors, issu de cot exclusivement, s'habille d'une robe foncée à reflets violets. Il dévoile d'intenses arômes rappellant ceux d'un petit-déjeuner : toasts beurrés et gelée de fruits rouges. La bouche ronde et souple possède une structure légère, mais de bon maintien ; elle renoue avec toutes les notes perçues à l'olfaction dans une jolie finale.

🕊 Ch. les Croisille, Fages, 46140 Luzech, tél. 05.65.30.70.33, fax 05.65.30.70.33, e-mail contact @ chateaulescroisille.fr.st ☑ ⟆ t.l.j. 9h-20h

CROIX DU MAYNE 2000★

■	6,5 ha	53 000	⦀	5 à 8 €

A la tête de 13 ha de vignes, François Pelissié propose deux cahors de belle facture : le **Château d'Albon 2000 (3 à 5 €)** et ce vin noir profond qui dévoile un nez boisé puissant, évocateur de torréfaction. Imposant, il a de la mâche, une matière concentrée, soutenue par des tanins serrés. Le boisé persiste, signant la finale. Il a du coffre.

🕊 SCEV François Pelissié, 46140 Anglars-Juillac, tél. 05.65.21.45.37, fax 05.65.21.45.38 ☑ ⟆ r.-v.

CH. CROZE DE PYS
Prestige Elevé en fût de chêne 2000★

■	6 ha	40 000	⦀	5 à 8 €

L'histoire viticole de la famille Roche remonte à 1896, mais ce château ne fut acquis qu'en 1966. Récoltés sur un sol silico-argileux, malbec (85 %) et merlot ont donné naissance à un vin sombre, nuancé de noir et de pourpre suffisamment complexe dans ses évocations de violette, de fruits rouges et noirs confits, de vanille et de torréfaction. Il témoigne d'une certaine maturité par sa richesse et ses tanins assez fondus. Le boisé reste présent.

🕊 SCEA des Dom. Roche, Ch. Croze de Pys, 46700 Vire-sur-Lot, tél. 05.65.21.30.13, fax 05.65.30.83.76, e-mail chateau-croze-de-pys @ wanadoo.fr ☑ ⟆ t.l.j. sf dim. 9h-12h 14h-19h

🕊 Jean Roche

CH. EUGENIE
Cuvée réservée de l'Aïeul Vieilli en fût de chêne 2000★★

■	8 ha	40 000	⦀	8 à 11 €

Deux étoiles en 1999, deux étoiles en 2000 : la cuvée réservée de l'Aïeul garde son rang. Rubis à reflets cerise noire, elle mêle harmonieusement des arômes intenses de fruits noirs (mûre confite), de cacao et de pain grillé. Douce à l'attaque, elle offre une matière concentrée, pleine de fruits mûrs, qui enrobe parfaitement la structure. Les tanins semblent plus fermes en finale, accompagnés d'un boisé bien aromatique. Un vin bien habillé.

🕊 Ch. Eugénie, Rivière-Haute, 46140 Albas, tél. 05.65.30.73.51, fax 05.65.20.19.81 ☑ ⟆ t.l.j. 8h30-12h30 13h30-19h; dim. et groupes sur r.-v.

🕊 Couture

Cahors

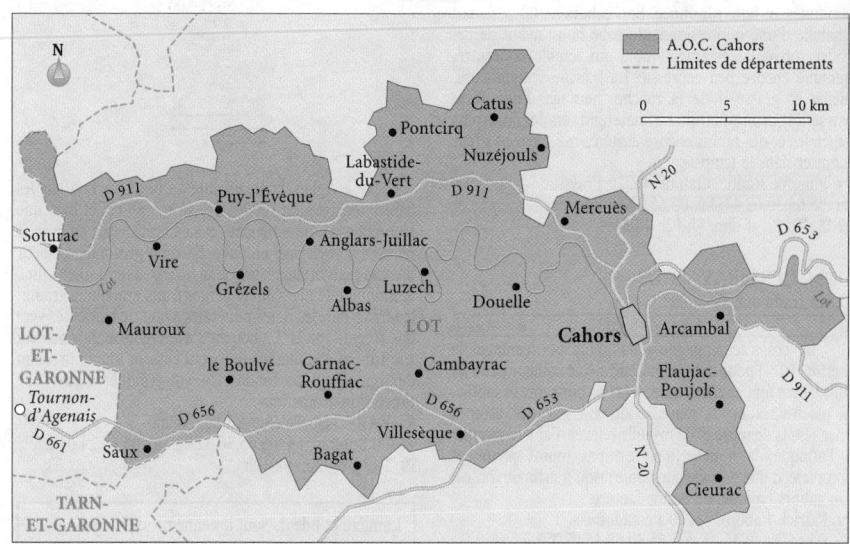

CLOS DE GAMOT 2000★

| ◼ | 12 ha | 53 000 | ⅢⅠ 8 à 11 € |

Propriété de la famille Jouffreau depuis plus de cent ans, le Clos de Gamot cultive aujourd'hui un vignoble de 12 ha sur un terroir de galets et de silex. Leur cahors, issu à 100 % d'auxerrois, se livre sous une teinte pivoine à reflets pourpres. Ouvert sur des nuances fruitées et florales, souligné d'un boisé discrètement grillé et d'une note de réglisse, il affiche un bon équilibre général et bénéficie d'une charpente plutôt élégante qui conduit vers une finale chaleureuse.

➜ Famille Jouffreau, Clos de Gamot, 46220 Prayssac, tél. 05.65.22.40.26, fax 05.65.22.45.44,
e-mail info@maison-jouffreau.com ☑ ⵋ t.l.j. 9h-12h30 14h-19h; sam. 9h-12h; dim. sur r.-v.

CH. DE GAUDOU
Renaissance 2000★

| ◼ | 3,52 ha | 20 666 | ⅢⅠ 11 à 15 € |

C'est en 1700 que la famille Durou, dont les ancêtres étaient aussi bien artisans de la pierre que tonneliers et vignerons, s'installa au lieu-dit Gaudou. René Durou apporta sa pierre à l'édifice dans les années 1970 en agrandissant le vignoble familial pour le porter à 35 ha. Si sa cuvée **Grande Lignée 2000 (8 à 11 €)**, élevée en fût de chêne, obtient aussi une étoile, cette Renaissance a particulièrement séduit le jury par sa robe dense d'un grenat prononcé. Le nez bien affiné déploie des arômes de petits fruits mûrs, délicatement rehaussés de nuances boisées. Amples, les tanins doux et veloutés laissent une flaveur de cachou en finale. Une bouteille au charme certain.

➜ Durou et Fils, Ch. de Gaudou, 46700 Vire-sur-Lot, tél. 05.65.36.52.93, fax 05.65.36.53.60 ☑ ⵋ r.-v.

CH. LES GRAUZILS
Duc d'Istrie Elevé en fût de chêne 2000★

| ◼ | 3 ha | 10 000 | ⅢⅠ 8 à 11 € |

Depuis 1982, Philippe Pontié cultive 20 ha de vignes conduites en lutte raisonnée. Son cahors à 100 % de cot s'habille d'une impressionnante robe noire avant de dévoiler son nez légèrement fumé qui semble concentré, quoique encore peu expressif. La bouche volumineuse, pleine et grasse a de la mâche, héritage d'une forte extraction, et un bon fruit. La finale tend vers des notes plus végétales et des tanins encore austères qui devront s'harmoniser dans le temps.

➜ Philippe Pontié, Gamot, 46220 Prayssac, tél. 05.65.30.62.44, fax 05.65.22.46.09
☑ ⌂ ⵋ t.l.j. sf dim. 9h-12h 14h-19h

DOM. DES GRAVALOUS
Cuvée traditionnelle 2000★★

| ◼ | 1,5 ha | 8 000 | ◼ 3 à 5 € |

Le cot s'accompagne d'un faible pourcentage de merlot (10 %) pour composer cette cuvée couleur peau de raisin, bien foncée et brillante. A la fois puissante et subtile, la palette traduit la jeunesse du vin par des arômes engageants de mûre et de myrtille relevés d'épices. Souple à l'attaque, la bouche n'en est pas moins pleine et complète, d'une parfaite harmonie jusqu'à sa finale fruitée. Un cahors typique, de bonne facture.

➜ Patrick Fabbro, 46220 Pescadoires, tél. 05.65.22.40.46, fax 05.65.30.68.15 ☑ ⵋ r.-v.

CH. DE HAUTERIVE 2000★

| ◼ | 8 ha | 50 000 | ◼ⵋ 5 à 8 € |

Le château est son vignoble de plus de 18 ha se situent sur les hauts de Vire-sur-Lot, d'où l'anagramme de Hauterive. Ce 2000 noir nuancé de violet s'ouvre sur un nez surtout fruité et épicé, avant de livrer une matière puissante dès l'attaque, très vineuse, évocatrice de fruits à l'eau-de-vie. L'extraction forte se traduit par des tanins fermes. Ce vin rustique a du caractère et demande à être conservé en cave. Egalement très réussie, la cuvée **Prestige 2000 élevée en fût de chêne (8 à 11 €)** est une nouvelle-née au château.

➜ Filhol et Fils, Le Bourg, 46700 Vire-sur-Lot, tél. 05.65.36.52.84, fax 05.65.24.64.93
☑ ⵋ t.l.j. sf dim. 8h-19h

CH. DE HAUTE-SERRE
Cuvée Prestige Géron Dadine de Haute-Serre 2000★

| ◼ | 3,2 ha | 20 000 | ⅢⅠ 15 à 23 € |

A l'instar du **Château de Mercuès cuvée Prestige 2000**, jugé très réussi, le Château de Haute-Serre est l'un des fleurons des célèbres domaines Vigouroux. D'un beau rubis au disque brillant, ce vin élégant décline les fruits rouges et noirs, la cannelle, la vanille et la réglisse. Tout aussi agréable et équilibrée, la bouche dévoile du volume, des tanins déjà fondus et un fruit aux accents évolués. Un vin prêt mais qui saura aussi vieillir.

➜ GFA Georges Vigouroux, Ch. de Haute-Serre, 46230 Cieurac, tél. 05.65.20.80.80, fax 05.65.20.80.81, e-mail vigouroux@g-vigouroux.fr ☑ ⵋ r.-v.

CH. LES HAUTS D'AGLAN
A 2000★★

| ◼ | 3 ha | 13 000 | ◼ⵋ 15 à 23 € |

Né à Aglan, hameau situé au bord du Lot, sur les hautes terrasses de l'AOC, ce vin mérite bel et bien une récompense pour sa qualité et sa sincérité due en grande partie à son élevage en cuve. Sa robe profonde, couleur d'encre mais brillante, introduit la dégustation. Bien affiné et montant, le nez s'ouvre sur les fruits mûrs, puis traduit le terroir par des notes minérales avant de s'orienter vers des accents épicés. La bouche s'avère gourmande grâce à son fruit et à ses tanins mûrs qui laissent une impression de rondeur et de fondu. Un vin typique, d'une belle expression aromatique.

➜ EARL Isabelle Rey-Auriat, Aglan, 46700 Soturac, tél. 05.65.36.52.02, fax 05.65.24.64.27
☑ ⵋ t.l.j. sf dim. 9h-19h

> Lumière et odeurs sont les ennemis du vin.

CH. LACAPELLE CABANAC
Cuvée Tradition 2000★

■	11 ha	29 400	∎ᵭ	5 à 8 €

Thierry Simon et Philippe Vérax ont repris cette propriété de près de 13 ha en août 2001. Ils ont proposé à la dégustation un 2000 couleur cerise, d'intensité moyenne mais limpide. Très expressif, il évoque la violette, la mûre, le poivre moulu et la réglisse. D'attaque franche, la bouche ronde et grasse n'en reste pas moins fraîche. Les tanins fins et souples font de ce cahors un vin gouleyant.
⌖ SCEA Ch. de Lacapelle, Thierry Simon et Philippe Vérax, 46700 Lacapelle-Cabanac, tél. 05.65.36.51.92, fax 05.65.36.52.62, e-mail contact@lacapelle-cabanac.com ☑ Ⲗ r.-v.

CH. LAMARTINE
Cuvée particulière 2000★

■	10 ha	60 000	⑪	8 à 11 €

La Cuvée particulière, créée en 1988, reste une valeur sûre du château Lamartine. Issue d'une majorité de cot alliée à 10 % de tannat complantés sur un sol argilo-calcaire, elle libère sous une teinte pivoine un parfum discret, mais profond, animé par un boisé tout en nuances et par quelques notes d'humus. De trame encore serrée et construit sur une charpente solide étoffée par des tanins fermes, ce vin semble posséder la matière suffisante pour bien les intégrer et un fruit en sommeil qui devrait se révéler après quelques années de garde. La cuvée **Expression 1999 (11 à 15 €)**, élevée en fût, est citée.
⌖ SCEA Ch. Lamartine, 46700 Soturac, tél. 05.65.36.54.14, fax 05.65.24.65.31, e-mail chateau-lamartine @wanadoo.fr
☑ Ⲗ t.l.j. 9h30-12h15 14h-19h; dim. sur r.-v.
⌖ Alain Gayraud

CH. LERET MONPEZAT 2000★

■	32 ha	130 000	⑪	8 à 11 €

Depuis 1991, Jean-Baptiste de Monpezat vinifie dans ses propres chais la production de ses vignes. Il propose un cahors rubis sombre aux éclats noirs, dont le nez chaleureux et corsé évoque d'abord une note de cuir, puis des arômes de fruits mûrs mêlés à des notes grillées accompagnées d'une bonne pincée de poivre. Un bon volume, de la générosité, l'appui de tanins fins et mûrs, un boisé bien dosé et une finale aromatique bien équilibrée, voilà le portrait impressionniste d'une bouteille de qualité.
⌖ SCEA Jean-Baptiste de Monpezat, Ch. Leret-Monpezat, 46140 Albas, tél. 05.65.20.80.80, fax 05.65.20.80.81, e-mail vigouroux@g-vigouroux.fr
☑ Ⲗ r.-v.

MICHEL MARATUECH
Cuvée Génésis 2000★

■	0,85 ha	4 500		8 à 11 €

Ce domaine, converti à l'agriculture biologique en 1984, fait figure de pionnier en la matière dans le Sud-Ouest. Sombre, à reflets encore violets, ce vin offre pour l'heure un nez sur la retenue, mais qui laisse percevoir quelques notes de petits fruits à l'eau-de-vie et d'épices. Franc et vif, il semble souple et léger, tout en se singularisant par une jolie finale de fruits mûrs.
⌖ Michel Maratuech, La Grèze, 46220 Prayssac, tél. 05.65.30.60.86, fax 05.65.22.46.10 ☑ Ⲗ r.-v.

METAIRIE GRANDE DU THERON 2000★

■	14 ha	106 600	∎ᵭ	5 à 8 €

Intense et brillant, ce cahors s'ouvre avec discrétion sur le fruit avant d'emplir le palais d'une matière souple dès l'attaque, simple, d'extraction modérée mais bien équilibrée. Plutôt friand, il offre une jolie finale sur le fruit et une pointe d'épices. Un ensemble agréable et facile d'abord.
⌖ Barat Sigaud, Métairie Grande du Théron, 46220 Prayssac, tél. 05.65.22.41.80, fax 05.65.30.67.32
☑ Ⲗ r.-v.
⌖ Mme Sigaud

CH. NOZIERES 2000★

■	23 ha	100 000	∎ᵭ	3 à 5 €

Un des meilleurs rapports qualité-prix de cette sélection. Habillé d'une robe de grande intensité, animée de reflets violets, ce vin possède un nez assez puissant, ouvert sur la cerise à l'eau-de-vie et sur de nombreuses autres nuances de petits fruits noirs accompagnés d'épices et de réglisse. La bouche franche et chaleureuse retrouve ces mêmes arômes tout en s'appuyant sur une forte mâche et des tanins fermes, un peu austères en finale.
⌖ Maradenne-Guitard, EARL de Nozières, Bru, 46700 Vire-sur-Lot, tél. 05.65.36.52.73, fax 05.65.36.50.62
☑ Ⲗ t.l.j. 8h-12h 14h-19h; dim. sur r.-v.

LE PIGEONNIER 1999★★

■	2,7 ha	6 800	⑪	46 à 76 €

Parmi les grands de cette dégustation, les vins d'Alain-Dominique Perrin (Cartier) ont fait forte impression : le **Château Lagrézette 2000 (11 à 15 €)**, le **Cardinal de Grezette 1999 (8 à 11 €)** et cette cuvée le Pigeonnier ont remporté deux étoiles. Ce dernier est une cuvée spéciale dont l'étiquette représente le pigeonnier du domaine, monument classé. Distingué, d'abord pour sa robe grenat foncé renforcée de nuances pourprées, puis pour son nez intense et subtil, ce millésime est une remarquable composition de petits fruits rouges, de cerise noire et de boisé aux accents de moka. La bouche savoureuse, à la fois fraîche et généreuse, est soutenue par des tanins serrés qui offrent une longue et solide trame au développement d'arômes boisés agrémentés d'une touche de violette.
⌖ Alain-Dominique Perrin, SCEV Lagrézette, 46140 Caillac, tél. 05.65.20.07.42, fax 05.65.20.06.95
☑ Ⲗ t.l.j. 9h-18h

CH. DU PLAT FAISANT
Cuvée de l'Ancêtre Elevé en fût de chêne 2000★★

■	2 ha	13 000	⑪	8 à 11 €

D'un rubis profond, ce cahors, né exclusivement de cot, mêle des senteurs intenses de violette, de mûre, de cassis, d'épices et de grillé. Il a du relief, de la fraîcheur et du gras et se développe remarquablement jusqu'à une finale persistante, soutenue par une structure harmonieuse de tanins fins et enrobés. La **cuvée de l'Ancêtre 1999** obtient une étoile.
⌖ SCEA Dumond-Bessières, Les Roques, 46140 Saint-Vincent-Rive-d'Olt, tél. 05.65.30.76.38, fax 05.65.30.76.10, e-mail chateauplatfaisan@wanadoo.fr ☑ Ⲗ r.-v.

CLOS RESSEGUIER 2000★

■	13,54 ha	20 000	∎ᵭ	3 à 5 €

Une maison de style napoléonien commande plus de 13 ha de vignes. Le cot associé à 25 % de merlot a donné naissance à un vin grenat intense, aux nuances aubergine, qui offre un nez montant, d'abord évocateur de friandises aux fruits rouges ou noirs, puis d'épices. Assez charnu et bien équilibré, ce millésime agréablement fruité repose sur une trame de tanins fermes. Un cahors de belle présentation.

⌐ EARL Morel-Rességuier, Clos Rességuier, 46140 Sauzet, tél. 05.65.36.90.03, fax 05.65.36.90.03 ☑ ⊺ r.-v.

⌐ J.-C. Rességuier

REVELATION
Cuvée Prestige 2000★

■	1 ha	3 000	ⅡⅠ 11 à 15 €

La robe très foncée, noire et pourpre, annonce un nez puissant, assez complexe, où se mêlent les arômes de chêne et de fruit dans une belle harmonie. La bouche bien équilibrée, douce et grasse, révèle toujours plus de fruit et une finale d'épices. Un vin bien mûr, prêt à être servi.

⌐ Gérard Delbru, rte du Collège, 46220 Prayssac, tél. 05.65.22.42.40, fax 05.65.30.67.41 ☑ ⊺ t.l.j. sf dim. 8h30-19h30

CH. LA REYNE
L'Excellence 2000★★

■	0,8 ha	4 200	ⅡⅠ 15 à 23 €

Ce château cultive 20 ha sur les troisièmes terrasses du Lot et un cône d'éboulis calcaires. Né exclusivement de cot, ce cahors s'habille d'une robe grenat d'une grande profondeur, aux reflets violets. Le nez intense marie parfaitement les nuances d'un boisé élégant à celles de fruits et de sous-bois. Généreuse, chaleureuse et harmonieuse, la bouche est étayée par une belle structure tannique, finement épicée et réglissée, provenant autant de la barrique que du vin.

⌐ Ch. la Reyne, Leygues, 46700 Puy-l'Evêque, tél. 05.65.30.82.53, fax 05.65.21.39.83 ☑ ⊺ t.l.j. sf dim. 9h-12h 14h-18h

⌐ Jean-Claude et Johan Vidal

CH. LES RIGALETS
La Quintessence 2000★★

■	3 ha	14 500	ⅡⅠ 15 à 23 €

Cot et tannat se marient sur un sol argilo-siliceux pour donner ce vin intensément noir et vineux, complexe dans ses doux arômes de beurre, de vanille, de framboise et autres fruits rouges. Une impression de plénitude se développe progressivement grâce à une matière riche, grasse et aromatique. L'ensemble est soutenu par des tanins fermes, adoucis par la sucrosité d'un boisé de qualité.

⌐ Bouloumié et Fils, Les Cambous, 46220 Prayssac, tél. 05.65.30.61.69, fax 05.65.30.60.46 ☑ ⊺ t.l.j. 8h-19h; dim. sur r.-v.

CH. SAINT-DIDIER-PARNAC 2000★★

■	70 ha	300 000	ⅡⅠ 5 à 8 €

Franck et David Rigal voient cette année leur production auréolée d'étoiles. Deux cuvées ont été jugées très réussies : le **Château Perry Cuvée Prestige 2000 (3 à 5 €)** et **Le Prieuré de Cénac 2000**, élevé dix-huit mois en fût ; deux autres remportent deux étoiles : le **Château de Grézels Prestige 2000** élevé en fût de chêne et ce cahors que le jury a distingué d'un coup de cœur. Il séduit d'emblée par sa robe purpurine, puis par son nez complet qui exprime un beau boisé sur fond de fruits confits. La

bouche équilibrée bénéficie d'une large charpente et se prolonge en finale sur une sensation épicée. Un vin de belle composition.

⌐ SCEA Ch. Saint-Didier-Parnac, 46140 Parnac, tél. 05.65.30.70.10, fax 05.65.20.16.24, e-mail rigal@ordi.fr ☑ ⊺ t.l.j. sf dim. 9h-12h 14h-18h; 19h l'été

CH. SAINT-SERNIN 2000★

■	16 ha	95 000	ⅡⅠ 5 à 8 €

La robe intense, moirée de violet, invite à découvrir les parfums complexes et agréables, mêlant les fruits noirs, la vanille, la réglisse à des notes toastées. La bouche ronde et chaleureuse trouve un réel équilibre entre saveurs et arômes ; le boisé fait bon ménage avec le vin, et les tanins fondus préservent l'harmonie.

⌐ SCEA Cavalie, Les Landes, 46140 Parnac, tél. 05.65.20.13.26, fax 05.65.30.79.88 ☑ ⊺ t.l.j. sf dim. 9h30-19h

DOM. DU THERON 2000★

■	6,5 ha	47 800	▪↓ 8 à 11 €

Fort d'un vignoble de 12 ha, ce domaine a produit deux vins très réussis : **Le Théron 2000 (11 à 15 €)**, issu à 100 % de malbec et élevé douze mois sous bois, et ce cahors assemblant le malbec à un très faible pourcentage de merlot. Rubis assez intense animé de quelques reflets violets, il s'ouvre sur le fruit et sur de petites notes épicées. Après une attaque nette, la bouche toute ronde et grasse, évocatrice de fruits mûrs, repose sur une trame légère de tanins fins. Un vin séduisant.

⌐ SCEA Dom. du Théron, Le Théron, 46220 Prayssac, tél. 05.65.30.64.51, fax 05.65.30.69.20, e-mail domaine.theron@libertysurf.fr ☑ ⊺ r.-v.

⌐ Vic Pauwels

CLOS TRIGUEDINA
Prince Probus 2000★★

■	10 ha	60 000	ⅡⅠ 15 à 23 €

Les premières vignes du Clos furent plantées en 1830 par Etienne Baldès. Les générations se sont succédé et le vignoble s'est agrandi pour atteindre aujourd'hui 60 ha sur les deuxième et troisième terrasses du Lot. Cette cuvée porte le nom de l'empereur romain qui, en l'an 280, autorisa la culture de la vigne dans le Quercy. Elle s'habille de velours noir, aux nuances pourpres, avant de livrer des notes boisées et fruitées, soulignées d'une pointe de réglisse. Au cœur de sa bouche puissante, volumineuse et pleine, le fruit s'affirme jusqu'à une longue finale de réglisse et de cacao, avec une pointe d'amertume. Une bouteille de garde bien dans le type de l'appellation.

❧ Baldès et Fils, Clos Triguedina, 46700 Puy-l'Evêque, tél. 05.65.21.30.81, fax 05.65.21.39.28, e-mail triguedina@ordi.fr ☑ ☖ t.l.j. sf dim. 9h-12h 14h-18h; groupes sur r.-v.
❧ Jean-Luc Baldès

CH. VINCENS
Prestige Elevé en fût de chêne 2000★

| ■ | 7,5 ha | 60 000 | ▥ | 5 à 8 € |

Alors que le vignoble de 30 ha recouvre les coteaux argilo-calcaires, un chai de dégustation vient de voir le jour dans la vallée. Vous y découvrirez ce cahors presque noir, à reflets grenat, offrant un nez intense aux accents toastés et beurrés qu'accompagnent de jolis arômes de fruits noirs. La bouche riche et bien garnie évolue sur une solide trame de tanins puissants et fermes en finale. Un bon vin.
❧ Michel Vincens, Foussal, 46140 Luzech, tél. 05.65.30.51.55, fax 05.65.30.15.83 ☑ ☖ ☖ t.l.j. 9h-12h30 13h30-19h30; sam. dim. sur r.-v.

Coteaux du Quercy
AOVDQS

Située entre Cahors et Gaillac, la région viticole du Quercy s'est reconstituée assez récemment. Mais, comme dans toute l'Occitanie, la vigne y était cultivée dès avant notre ère. La vigne connut cependant plusieurs périodes de reflux : au Ier s., à la suite de l'édit de Domitien interdisant toute nouvelle plantation hors d'Italie, au XVe s., en raison de la prépondérance de Bordeaux, puis au début du XXe s., à cause du poids du Languedoc-Roussillon. La recherche de la qualité, qui s'est mise en place à partir de 1965, avec le remplacement des hybrides, a conduit à la définition d'un vin de pays en 1976.

Peu à peu, les producteurs ont isolé les meilleurs cépages et les meilleurs sols. Ces progrès qualitatifs ont débouché sur l'accession à l'AOVDQS le 28 décembre 1999. Le territoire délimité s'étend sur trente-trois communes des départements du Lot et du Tarn-et-Garonne.

L'appellation est réservée aux vins rouges et aux vins rosés. Les vins rouges, d'une couleur pourpre soutenu, sont charnus et généreux, avec une complexité aromatique apportée par l'assemblage de cabernet franc, cépage principal pouvant atteindre 60 %, et de tannat, cot, gamay noir ou merlot (chacune de ces variétés à hauteur de 20 % maximum). Les vins rosés, fruités et vifs, sont issus du même encépagement.

La production, environ 23 000 hl, issue de près de 500 ha, est assurée par une trentaine de producteurs, dont trois caves coopératives.

DOM. DE CAUQUELLE 2000★

| ■ | 12 ha | 20 000 | ▦▯ | 3 à 5 € |

Juché sur un promontoire calcaire, le village de Flaugnac a gardé un cachet médiéval. C'est là qu'est établi ce domaine de 12 ha, dont le vin, assemblage de cabernet franc, merlot et cot, a été bien accueilli. Brillante et limpide, la robe montre des reflets violets. Le nez s'ouvre sur des senteurs de fruits rouges et noirs bien mûrs. Après une attaque plutôt moelleuse, la bouche se révèle assez concentrée et chaleureuse. L'étoffe est solide. Un ensemble franc de goût.
❧ GAEC de Cauquelle, Cauquelle, 46170 Flaugnac, tél. 05.65.21.95.29, fax 05.65.21.83.30
☑ ☖ t.l.j. 8h-12h 14h-19h

DOM. DE LA GARDE
Tradition 2000★★

| ■ | 7,85 ha | 25 000 | ▦▯ | 3 à 5 € |

Installé en 1985, Jean-Jacques Bousquet exploite environ 13 ha de vignes. Il a contribué à la notoriété des vins des coteaux du Quercy, avant même leur promotion en appellation. Cette année, il réalise un joli tiercé, avec un **rosé 2001**, cité, un **rouge 2000 élevé en fût (5 à 8 €)** (une étoile), et cette remarquable cuvée Tradition, qui marie quatre cépages. D'un rouge intense, il livre des fragrances de fruits rouges bien mûrs. La bouche, à la charpente arrondie et aux tanins fondus, révèle des arômes de belle maturité. Elle offre un bon équilibre entre moelleux, chaleur et acidité. Un vin des plus harmonieux.
❧ Jean-Jacques Bousquet, Le Mazut, 46090 Labastide-Marnhac, tél. 05.65.21.06.59, fax 05.65.21.06.59 ☑ ☖ t.l.j. 9h-19h

DOM. DE GUILLAU 2000★

| ■ | 3 ha | 14 000 | ▦▯ | 3 à 5 € |

Montalzat est l'une des nombreuses bastides du Sud-Ouest, bâtie au XIIIe s. dans un paysage de collines. Il s'y déroule un festival « Jazz Théâtre » en août, et ce domaine organise à la fin du même mois une journée de visite et de dégustation animée par un orchestre de jazz de la Nouvelle-Orléans. Le vin y est bon, à en juger par le **rosé 2001**, cité par le jury, à base son fruit, et surtout par ce rouge, habillé d'une robe brillante qui commence à montrer des signes d'évolution. Le nez délivre des senteurs de fruits très mûrs et macérés, une note de fougère apportant une touche de fraîcheur. Après une belle attaque, on découvre une bouche fruitée, équilibrée, tout en souplesse, légèrement soutenue par des tanins fins. A consommer dans les deux ans.
❧ Jean-Claude Lartigue, Saint-Julien, 82270 Montalzat, tél. 05.63.93.17.24, fax 05.63.93.28.06, e-mail jc.lartigue@worldonline.fr ☑ ☖ r.-v.

JACQUES DE BRION 2000★

| ■ | n.c. | 50 000 | ▦ | 3 à 5 € |

La cave de Lavilledieu-du-Temple produit aussi des coteaux du quercy. Cette cuvée marie les cinq cépages de l'appellation. La robe légère, d'un rouge tendre, donne le ton de ce vin frais, floral, fruité, un rien mentholé. A une attaque souple fait suite une bouche gouleyante, ronde, fraîche, pleine de petits fruits rouges. Agréable, d'une belle harmonie.
❧ Cave de Lavilledieu-du-Temple, Le Bourg, 82290 Lavilledieu-du-Temple, tél. 05.63.31.60.05, fax 05.63.31.69.11, e-mail cave.lavilledieu@wanadoo.fr
☑ ☖ t.l.j. sf sam. dim. lun. 9h-12h 14h-18h

DOM. DE PECH BELY
Cuvée Col Noir 2000

■	1 ha	6 600	▮	5 à 8 €

Le vignoble (7 ha) a été replanté depuis 1982 sur les terres en voie d'abandon d'un hameau quercinois. Cot, merlot et cabernet franc ont donné une cuvée en robe légère, aux nuances grenat et aux parfums de fruits rouges à l'eau-de-vie accompagnés d'une discrète note animale. L'attaque est douce, la bouche, grasse et suffisamment structurée, révèle des arômes plus marqués qu'à l'olfaction. Des tanins assez fondus marquent la finale qui persiste sur des notes de chocolat et de cerise à l'eau-de-vie.
↬ Richard et Jooris, Pech Bely, 82150 Montaigu-de-Quercy, tél. 05.63.94.47.28, fax 05.63.95.31.79 ☑ ☍ sam.10h-19h; mer. 10h-19h en juil.-août

PEYRE FARINIERE
Elevé en fût de chêne 2000★★

■	n.c.	12 000	ⅢⅠ	5 à 8 €

A Montpezat-du-Quercy, on peut visiter une puissante collégiale du XIVᵉs. recelant d'intéressantes sculptures et des tapisseries du XVIᵉs. C'est dans cette ville-marché qu'est établie la coopérative. Cette cuvée fort remarquée, assemblage de quatre cépages de l'AOC (le gamay est seul absent), mêle les fruits rouges et noirs bien mûrs, les fruits séchés et les épices à un soupçon de vanille. Ample, chaleureuse et moelleuse, la bouche révèle une longue structure tannique qui s'affermit dans une finale où l'on retrouve les épices. Un vin de très bonne facture.
↬ Vignerons du Quercy, RN 20, 82270 Montpezat-du-Quercy, tél. 05.63.02.03.50, fax 05.63.02.00.60 ☑ ☍ r.-v.

Gaillac

Comme l'attestent les vestiges d'amphores fabriquées à Montels, les origines du vignoble gaillacois remontent à l'occupation romaine. Au XIIIᵉs., Raymond VII, comte de Toulouse, prit à son endroit un des premiers décrets d'appellation contrôlée, et le poète occitan Auger Gaillard célébrait déjà le vin pétillant de Gaillac bien avant l'invention du champagne. Le vignoble (3 500 ha) se divise entre les premières côtes, les hauts coteaux de la rive droite du Tarn, la plaine, la zone de Cunac et le pays cordais pour une production de 149 921 hl de vins rouges et 48 242 hl de vins blancs en 2001.

Les coteaux calcaires se prêtent admirablement à la culture des cépages blancs traditionnels comme le mauzac, le len-de-l'el (loin-de-l'œil), l'ondenc, le sauvignon et la muscadelle. Les zones de graves sont réservées aux cépages rouges, duras, braucol ou fer-servadou, syrah, gamay, négrette, cabernet, merlot. La variété des cépages explique la palette des vins gaillacois.

Pour les blancs, on trouvera les vins secs et perlés, frais et aromatiques, et les vins moelleux des premières côtes, riches et suaves. Ce sont ces vins, très marqués par le mauzac, qui ont fait la renommée du gaillac. Le gaillac mousseux peut être élaboré soit par une méthode artisanale à partir du sucre naturel du raisin, soit par la méthode champenoise, que la législation européenne appelle désormais méthode traditionnelle ; la première donne des vins plus fruités, avec du caractère. Les rosés de saignée sont légers et faciles à boire, les vins rouges dits de garde, typés et bouquetés.

CH. L'AMANDIER
Tradition 2000★

■	4 ha	15 000	▮↓	5 à 8 €

Dans le circuit des bastides albigeoises, Campagnac accueille ce domaine de 41 ha qui a produit un vin rubis vif soutenu, franc, assez intense, est porté par le fruit, accompagné de notes d'eau-de-vie. Rond et léger, il se développe tout en fruit dans un bon équilibre. Un gaillac de plaisir, prêt à boire sur une côte de bœuf ou d'agneau.
↬ Manoir L'Emmeillé, 81140 Campagnac, tél. 05.63.33.12.80, fax 05.63.33.20.11, e-mail emmeillé@wanadoo.fr ☑ ☍ t.l.j. sf dim. 9h-12h 14h-18h; groupe sur r.-v.
↬ Ch. Poussou

CH. D'ARLUS
Brut 2000★

◕	2 ha	17 000	▮	5 à 8 €

Ce gaillac mousseux est issu des cépages locaux mauzac (75 %) et loin-de-l'œil (25 %). Il libère dans le verre des bulles de taille moyenne qui forment un joli cordon sur fond doré, puis un nez intense de pêche, d'agrumes et de fruits exotiques. L'effervescence est particulièrement perceptible, mais laisse s'exprimer des saveurs agréables et équilibrées, avec juste ce qu'il faut de fraîcheur. Un ensemble bien rond et plaisant dès aujourd'hui.
↬ Ch. d'Arlus, Les Homps, 81140 Montels, tél. 05.63.33.15.06, fax 05.63.33.15.06 ☑ ☍ r.-v.
↬ Schmitt

DOM. DE BALAGES 2000★★

■	5 ha	5 000	▮↓	5 à 8 €

Si le **gaillac rouge Rêveline 2000** a été jugé très réussi pour son caractère fruité, celui-ci, assemblant 70 % de syrah, 15 % de braucol et 15 % de merlot, a séduit d'emblée le jury par sa couleur cassis intense. Le nez affiné offre une ribambelle de fruits rouges et noirs mûrs, soulignés d'épices et de notes toastées. Après une attaque fraîche, la bouche harmonieuse révèle une matière expressive, riche et bien soutenue. Sa mâche s'enveloppe d'une légère sucrosité qui rend l'ensemble agréable.
↬ Claude Candia, Dom. de Balagès, 81150 Lagrave, tél. 05.63.41.74.48, fax 05.63.81.52.12 ☑ ☍ r.-v.

DOM. BARREAU
Doux Caprice d'Automne 2000★

	2,9 ha	13 600	▮	8 à 11 €

Un sorbet aux fruits accompagnerait bien ce vin jaune d'or qui laisse de fines larmes sur le verre. Le nez typé rappelle en effet un dessert aux coings et aux poires, nappé de miel et décoré de quelques feuilles de menthe. La bouche franche, portée par la vivacité, laisse apparaître des flaveurs de fruits confits et d'aromates, puis une pointe de fraîcheur en finale. Une jolie bouteille à servir dès aujourd'hui ou à attendre quatre ans.

Jean-Claude Barreau, Boissel, 81600 Gaillac, tél. 05.63.57.57.51, fax 05.63.57.66.37 ☑ ☒ r.-v.

CH. BOURGUET
Sec 2001★

	0,09 ha	800	☒☒	3 à 5 €

Le village médiéval de Cordes-sur-Ciel n'est qu'à 6 km de ce vignoble de plus de 21 ha. Le mauzac et le loin-de-l'œil (40 % chacun) s'associent à 20 % de sauvignon pour composer ce vin jaune paille à reflets or vert. Il marie des arômes de type fermentaire (banane, agrumes) à d'autres, plus affinés, de rose et de pain d'épice. Fruitée dès l'attaque, la bouche ample possède du gras et de la complexité. L'ensemble, équilibré, a du caractère et de la typicité.

Jean et Jérôme Borderies, Les Bourguets, 81170 Vindrac-Alayrac, tél. 05.63.56.15.23, fax 05.63.56.15.23, e-mail jean.borderies@libertysurf.fr ☑ ☒ t.l.j. 9h-12h 14h-19h; dim. et groupes sur r.-v.

DOM. DES BOUSCAILLOUS
Sec 2001★

	12 ha	7 500	☒☒	3 à 5 €

En 1904, à la création de ce domaine, le propriétaire commercialisait déjà ses vins à Paris. Aujourd'hui, le château Bouscaillous, fort de 36 ha de vignes, allie tradition et modernité pour produire un gaillac jaune pâle, cristallin,

à reflets verts, dont le nez frais et intense évoque surtout les agrumes (citron, pamplemousse) et les fruits exotiques. Perlante, la bouche évolue entre douceur et vivacité dans un bon équilibre. Les arômes restent présents en finale. Le **Château Bouscaillous gaillac rouge 2000 élevé en barrique (5 à 8 €)** mérite d'être cité pour son fruité agréable.

EARL A. et P. Caussé, Ch. Bouscaillous, Le Village, 81170 Noailles, tél. 05.63.56.85.34, fax 05.63.56.85.56, e-mail chateau.bouscaillous@wanadoo.fr ☑ ☒ t.l.j. 8h-18h; groupes sur r.-v.

CH. CLEMENT TERMES
Sec Fraîcheur perlée 2001★★

	14 ha	70 000	☒☒	3 à 5 €

Non content d'exporter sa production vers les Etats-Unis, le Royaume-Uni, l'Allemagne et le Japon, ce domaine de 120 ha a séduit les amateurs de vins de Taïwan. Rien d'étonnant à cela quand on goûte ce perlé joliment or pâle, expressif dans ses arômes floraux et fruités. Plein et rond, il laisse une impression d'agréable fraîcheur et se développe tout en fruits acidulés.

David, Ch. Clément-Termes, Les Fortis, 81310 Lisle-sur-Tarn, tél. 05.63.40.47.80, fax 05.63.40.45.08, e-mail clement-termes@wanadoo.fr ☑ ☒ ☒ r.-v.

CH. D'ESCABES 2000★

	7 ha	70 000	☒☒	5 à 8 €

Ce château, géré par la cave de Rabastens depuis 1993, propose un vin rubis assez intense, dont le nez

Gaillac

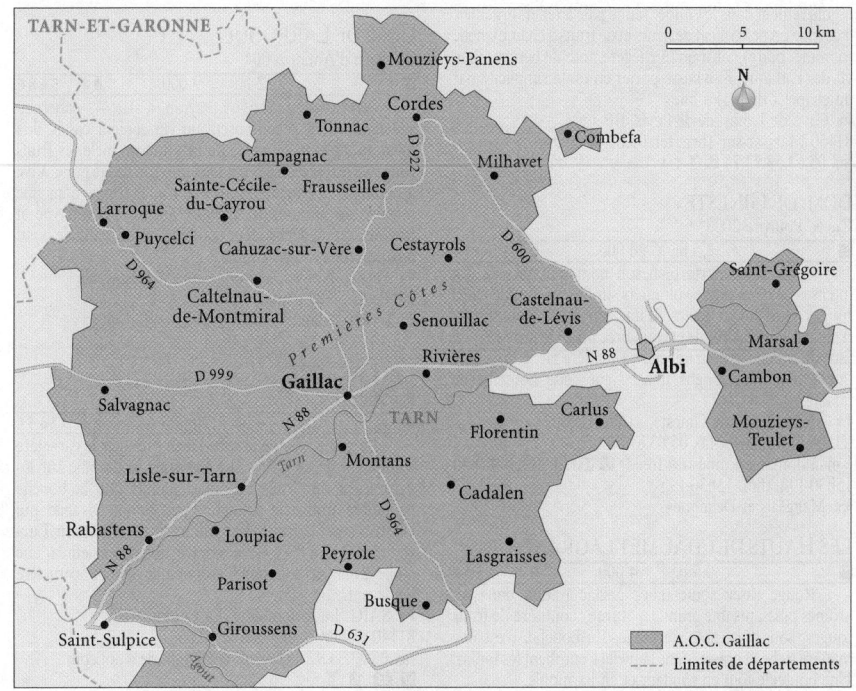

puissant est soutenu par un boisé vanillé, associé à des notes animales. Franche et grasse dès l'attaque, la bouche ample s'appuie sur des tanins fermes pour se prolonger dans une finale chaleureuse, à son tour marquée par l'empreinte légèrement épicée du bois. Une bouteille à conserver deux ou trois ans.

☛ SCEA Ch. d'Escabes, 33, rte d'Albi, 81800 Rabastens, tél. 05.63.33.73.80, fax 05.63.33.85.82

DOM. D'ESCAUSSES
La Vigne mythique 2000★★

■	0,75 ha	4 000	⦿	8 à 11 €

« L'histoire des paysans est simple et sans relief ! », dit modestement Denis Balaran quand on lui demande de retracer l'histoire de sa propriété de 34 ha. Son vin, lui, est en tout cas remarquable. Tant le **gaillac doux Les Vendanges dorées 2000** et cette cuvée issue à 100 % de fer-servadou. Celle-ci se distingue par une robe grenat foncé, presque noire, et par un nez profond, marqué de notes empyreumatiques, d'arômes de fruits noirs et d'épices. La bouche ample et grasse laisse une légère impression de suavité tant les tanins sont enrobés dans une chair expressive : tabac, cacao et toujours épices dans une longue finale. Un mythe ?

☛ EARL Denis Balaran, Dom. d'Escausses, 81150 Sainte-Croix, tél. 05.63.56.80.52, fax 05.63.56.87.62, e-mail balaran@escausses.com ☑ ⵀ t.l.j. 9h-19h; dim. sur r.-v.

GABERLE
Sec Le Perlé 2001★

■	300 ha	60 000	⯐	3 à 5 €

Un vin typique du Gaillacois que l'on retrouve régulièrement dans le Guide. Jaune pâle à reflets argentés, il dévoile un nez délicat de fleurs et de fruits à chair blanche (pomme, poire), ainsi qu'une légère note de beurre. Bien vif dès l'attaque, il se laisse porter en toute simplicité par un chapelet de perles fines.

☛ Cave de Labastide-de-Lévis, BP 12, 81150 Marssac-sur-Tarn, tél. 05.63.53.73.73, fax 05.63.53.73.74 ☑ ⵀ r.-v.

DOM. DE GINESTE
Cuvée Pourpre 2000★★

■	3,5 ha	20 000	⯐	3 à 5 €

Cette cuvée porte bien son nom tant sa robe est intense. Le nez s'ouvre volontiers sur des arômes de fruits rouges et d'épices mêlés, d'une singulière complexité. Ample, la bouche ronde et équilibrée possède juste ce qu'il faut de fraîcheur pour révéler sa matière riche, tissée de tanins fins. Une longue finale signe cette bouteille de qualité.

☛ EARL Dom. de Gineste, 81600 Técou, tél. 05.63.33.03.18, fax 05.63.81.52.65, e-mail domainedegineste@free.fr ☑ ⵀ t.l.j. 10h30-13h30 15h30-19h; dim. 15h30-19h
☛ Mangeais et Delmotte

LES HAUTS DE CHAUMET LAGRANGE 2000★

■	0,5 ha	4 000	⯐	3 à 5 €

Rouge assez soutenu, ce gaillac traduit dans ses arômes puissants une grande maturité : confiture de fruits rouges, sous-bois, note de tabac. En bouche, c'est une matière riche et grasse, dans laquelle s'enrobent les tanins. Une bouteille tout en rondeur et en harmonie.

☛ Eric Chaumet-Lagrange, Les Fediès, 81600 Gaillac, tél. 05.63.57.07.12, fax 05.63.57.64.12, e-mail chateau.ch.lagrange@wanadoo.fr ☑ ⵀ r.-v.

DOM. DE LABARTHE
Cuvée Guillaume 2000★★

■	9 ha	47 000	⦿	8 à 11 €

Deux vins de ce domaine réputé vous permettront d'accompagner tout un repas : le **gaillac doux Les Grains d'Or loin-de-l'œil 2000**, très réussi, ouvrira les agapes puis se mariera au foie gras, avant que la cuvée Guillaume ne souligne une viande rouge. Sombre à reflets violets, elle développe un nez où se mêlent les fruits rouges épicés, un boisé grillé et de légères notes animales. Douce en attaque, la bouche enveloppe sa structure de gras et d'un fruité persistant.

☛ EARL Albert et Fils, Dom. de Labarthe, 81150 Castanet, tél. 05.63.56.80.14, fax 05.63.56.84.81, e-mail labarthe@labarthe.com ☑ ⵀ r.-v.

CH. DE LACROUX
Sec Vigne du Baronnet 2001★

▨	8 ha	64 000	⯐	3 à 5 €

Brillant tirant sur le jaune paille, ce gaillac livre un nez délicat, mélange de fleurs et de fruits sous une caresse de miel. L'attaque douce introduit une matière souple, grasse et fruitée, presque moelleuse. Laissant une bonne impression d'ensemble, un vin finalement très câlin.

☛ Pierre Derrieux et Fils, Lacroux de Lincarque, 81150 Cestayrols, tél. 05.63.56.88.88, fax 05.63.56.86.18 ☑ 🏠 ⵀ r.-v.

DOM. DE LARROQUE
Privilège d'Antan 2000★

■	2 ha	9 000	⯐	5 à 8 €

Fer-servadou à 65 %, syrah à 10 %, cabernet-sauvignon à 25 % composent un vin couleur cassis, aux nuances violines, limpide. Le nez intense mêle les fruits rouges et les épices à des notes de poivron rouge grillé. Vive à l'attaque, la bouche inscrit les arômes fruités dans une matière savoureuse, de structure légère. Un vin typé et tonique, qu'un dégustateur conseille sur un sauté de bœuf aux poivrons rouges confits.

☛ Patrick Nouvel, Larroque, 81150 Cestayrols, tél. 05.63.56.87.63, fax 05.63.56.87.40 ☑ ⵀ t.l.j. sf dim. 9h-12h 14h-19h

CH. LARROZE
Sec 2001★

■	4 ha	20 000	⯐	3 à 5 €

Le jaune pâle de la robe laisse présager le caractère « coquin » de ce gaillac. Le nez frais se déroule sur les agrumes et les fruits exotiques, tandis que la bouche équilibrée trouve le soutien d'une bonne vivacité qui valorise aussi le fruit. Le **gaillac rouge Château Larroze 2000 (5 à 8 €)**, élevé en cuve, obtient également une étoile pour sa continuité aromatique et son caractère gouleyant.

☛ SARL La Colombarié, La Colombarié, 81140 Cahuzac-sur-Vère, tél. 05.63.33.92.62, fax 05.63.33.92.49, e-mail lacolombarie@aol.com ☑ 🏠 🏠 ⵀ r.-v.

DOM. DE LONG PECH
Cuvée Jean-Gabriel Vieilli en fût de chêne 1999★

■	1 ha	6 000	⏁	8 à 11 €

Situé aux portes de la forêt de Sivers, ce domaine de 15 ha s'élève sur une colline argilo-calcaire et graveleuse. Grenat, son vin s'ouvre timidement au nez, mais laisse déjà une impression d'élégance par ses arômes de petits fruits rouges soulignés d'un boisé épicé. La bouche révèle du volume, du gras et de la structure, puis une agréable complexité aromatique. Un gaillac franc de goût, qui devrait encore s'harmoniser. Retenez aussi le **gaillac rouge cuvée Millénaire 2000 (5 à 8 €)**, élevé un an en cuve, que le jury a cité.

☛ GAEC Bastide Père et Fils, Lapeyrière, 81310 Lisle-sur-Tarn, tél. 05.63.33.37.22, fax 05.63.40.42.06, e-mail contact@domaine-de-long-pech.com ☑ Ⴤ t.l.j. 9h-12h 13h30-19h; dim. sur r.-v.

CH. DE MAYRAGUES
Doux Len-de-l'el 2000★

▨	2,76 ha	2 400	⏁	8 à 11 €

Le château de Mayragues, au joli pigeonnier à colonnes, ouvre ses portes chaque mois de septembre lors des journées du patrimoine, ainsi qu'à l'occasion de concerts de musique baroque. Son vignoble de 18,60 ha, conduit en biodynamie, réserve une bonne place au len-de-l'el qui a donné naissance à ce vin. Jaune doré assez soutenu, celui-ci libère des parfums délicats, plutôt fruités : litchi, agrumes enrobés d'un boisé aux accents fumés. La bouche volumineuse est bâtie sur l'axe de la sucrosité, avec une amertume sous-jacente typique d'un gaillac traditionnel. Le boisé reste présent.

☛ Alan et Laurence Geddes, Ch. de Mayragues, 81140 Castelnau-de-Montmiral, tél. 05.63.33.94.08, fax 05.63.33.98.10, e-mail geddes@chateau-de-mayragues.com ☑ Ⴤ t.l.j. 8h30-12h30 13h30-19h30

CH. LES MERITZ
Cuvée Prestige 2000★★

■	8 ha	50 000	▤⭣	3 à 5 €

Sérieux palmarès pour les domaines Philippe Gayrel qui ont présenté un **gaillac doux cuvée Prestige 2001 (5 à 8 €)** très réussi et ce vin rouge pivoine aux nuances violettes des plus attrayantes. Le nez élégant s'ouvre sur un concentré de fruits rouges et noirs accompagnés d'une note florale et d'épices douces. La bouche a tout autant de classe, parfaitement équilibrée et d'un bon maintien. Elle se caractérise par son ampleur, sa douceur, la finesse de ses tanins et la persistance de ses arômes.

☛ Les Dom. Philippe Gayrel, 81140 Cahuzac-sur-Vère, tél. 05.63.33.91.16, fax 05.63.33.95.76

CH. MIRAMOND
Cuvée Antoine Elevé en fût de chêne 2000★★

■	1,5 ha	5 000	⏁	5 à 8 €

Tout attire dans cette cuvée qui rend hommage à Antoine Penne, bâtisseur du château. La magnifique robe pourpre sombre à reflets brillants introduit un nez élégant qui s'ouvre progressivement sur des senteurs de fruits rouges (griotte, cassis), un bouquet d'épices et un boisé bien dosé. Rond et plein, parfaitement structuré par une trame soyeuse, le vin monte en puissance jusqu'à une finale longue. La cuvée traditionnelle **Château Mira-**

mond 2000 (3 à 5 €), élevée en cuve, obtient une étoile pour sa concentration et son fruité.

☛ Pascal Trouche, Mas de Graves, 81600 Gaillac, tél. 05.63.57.14.86, fax 05.63.57.63.44, e-mail chateau.miramond@wanadoo.fr ☑ Ⴤ t.l.j. sf dim. 10h-12h 16h-18h

DOM. DE MOHUNE
Sec Blanc Estival 1999★

▨	4 ha	3 600	▤⭣	5 à 8 €

Ce domaine est encore peu connu, car il ne fut créé qu'en 1999 par deux Britanniques, Alistair Moor et Jane Ready. Le vignoble de près de 18 ha s'étend sur les premières côtes de Gaillac autour d'un château fortifié du XIVᵉs. Le jury a remarqué deux cuvées très réussies : le **gaillac rouge Le Chevalier de Mohune 2000**, élevé douze mois en fût, et ce blanc 99 qui a conservé sa robe dorée. Le nez intense et ouvert traduit une bonne maturité dans ses évocations de fruits confiturés et de fruits secs, de fleurs séchées et de miel d'acacia. La bouche laisse percevoir une matière en pleine évolution, dont les arômes gagnent en complexité. Une bouteille à apprécier sur un poisson cuisiné au beurre avec des amandes.

☛ Dom. de Mohune, Ch. de Saint-Martial, 81600 Senouillac, tél. 05.63.41.53.92, fax 05.63.41.53.90, e-mail demohunefr@cs.com ☑ Ⴤ r.-v.

☛ Moor et Ready

CH. MONTELS
Sec Les Trois Chênes Elevé en fût de chêne 2000★★

■	n.c.	4 000	⏁	5 à 8 €

Ce gaillac composé de 80 % de sauvignon et de 20 % de loin-de-l'œil affiche un jaune paille soutenu, à reflets dorés. Le nez intense retient l'attention par sa complexité : fruits exotiques, fruits secs (noisette), miel toutes fleurs aux accents de garrigue, ainsi qu'une nuance mentholée. La bouche d'un beau volume, ronde, laisse une impression de douceur équilibrée par une fraîcheur fruitée suffisante. Un boisé subtilement vanillé se manifeste en rétro-olfaction. Une bouteille expressive.

☛ Bruno Montels, Burgal, 81170 Souel, tél. 05.63.56.01.28, fax 05.63.56.15.46 ☑ Ⴤ r.-v.

DOM. DU MOULIN
Sec Vieilles vignes 2001★

▨	4 ha	9 000	⏁	8 à 11 €

Ce vaste vignoble de 46 ha a produit un gaillac issu à 100 % de sauvignon, qui s'habille d'une robe paille fraîche. Le nez expressif de fleurs blanches, de miel et de

SUD-OUEST

fruits bien mûrs s'agrémente encore de notes boisées aux accents de vanille et de beurre de noisette. Rond et gras, c'est un vin bien équilibré, à la vivacité juste, qui est doté d'une matière savoureuse et aromatique.

🍷 Nicolas et Jean-Paul Hirissou, chem. de Bastié, 81600 Gaillac, tél. 05.63.57.20.52, fax 05.63.57.66.67, e-mail domainedumoulin@libertysurf.fr ☑ ⅄ t.l.j. 9h30-12h 14h-19h

CH. MOUSSENS 2000★

	n.c.	n.c.	🍴	5 à 8 €

Ce château propose une gamme très réussie de gaillac dans tous les types et styles, et toujours élevés en cuve : le **blanc sec 2001**, le **doux 2000** et ce vin rouge composé à 40 % de syrah, à 30 % de fer-servadou, ou braucol, et à 30 % de merlot. De teinte cerise intense, nette et brillante, il livre un nez marqué par les fruits rouges macérés dans l'eau-de-vie et par les épices. Franche dès l'attaque, la bouche pleine et ronde reste sur les arômes de fruits jusque dans une longue finale. Une bouteille bien typée, au caractère agréable.

🍷 Alain Monestié, Moussens, 81150 Cestayrols, tél. 05.63.56.86.60, fax 05.63.56.86.60, e-mail a.monestie@free.fr ☑ 🏠 ⅄ t.l.j. 9h-12h30 14h-20h; dim. sur r.-v.

LES SECRETS DU CHATEAU PALVIE
Doux 2000★★★

	1,5 ha	3 200	🍾	11 à 15 €

Les Secrets du Château Palvié

Gaillac

Doux

Il arrive en tête... Le meilleur de tous les moelleux, selon le grand jury, le plus fin et le plus élégant. Déjà sa robe apparaît ciselée d'or brillant. Le nez subtil livre de multiples nuances, parmi lesquelles l'abricot, l'aubépine, l'écorce d'agrume, le miel. D'un grand volume, la matière se montre concentrée et généreuse, grasse et très longue dans son retour aromatique sur les fruits confits.

🍷 Jérôme Bézios, Ch. Palvié, 81140 Cahuzac-sur-Vère, tél. 05.63.57.19.71, fax 05.63.57.48.56

DOM. DES PARISES
Doux Loin-de-l'œil 2000★

	1,5 ha	5 000	🍴	5 à 8 €

Ce domaine, fort de 21 ha, met ses vins en bouteilles depuis 1995. Il propose un pur len-de-l'el récolté sur un terroir fortement graveleux. Vieil ou à nuances orangées, ce vin présente de longues jambes sur le verre. Son nez, en parfaite cohérence, rappelle les fruits surmûris (nèfle, coing) et les épices, tandis que la bouche concentrée, presque monolithique, révèle une intense liqueur à peine relevée d'une pointe de vivacité.

🍷 SCEV Arnaud, 25, rue de la Mairie, 81150 Lagrave, tél. 05.63.41.78.63, fax 05.63.41.78.63 ☑ 🏠 ⅄ r.-v.

PASSION
Elevé en fût de chêne 2000★

	n.c.	180 000	🍷	5 à 8 €

Si le **gaillac blanc sec Fascination 2001 (3 à 5 €)**, élevé en cuve, a décroché une étoile, un même plaisir a été éprouvé à la dégustation de ce gaillac rouge pourpre à nuances rubis. Le premier nez, frais et fruité, laisse place à des arômes épicés (vanille notamment) et grillés. La bouche souple et très ronde prolonge la ligne fruitée perçue à l'olfaction, soutenue par des tanins soyeux et enveloppants qui l'accompagnent jusqu'à une finale assez persistante. Un vin déjà harmonieux.

🍷 Cave de Técou, 81600 Técou, tél. 05.63.33.00.80, fax 05.63.33.06.69, e-mail passion@cavedetecou.fr ☑ ⅄ r.-v.

LE PAYSSEL 2001★

	2 ha	4 000	🍴	8 à 11 €

Une belle présentation pour ce rosé issu de 60 % de duras et de 40 % de syrah. Couleur saumon, il dévoile sa jeunesse par des arômes mêlant fruits et fleurs. Aussi ronde que vive, la bouche développe ses flaveurs avec un caractère à peine acidulé et légèrement perlant. Une bouteille équilibrée.

🍷 EARL Louis Brun et Fils, Vignoble Le Payssel, 81170 Frausseilles, tél. 05.63.56.00.47, fax 05.63.56.09.16, e-mail lepayssel@free.fr ☑ ⅄ t.l.j. 9h-12h 14h-18h; dim. sur r.-v.

DOM. DE PIALENTOU
Les Gentilles Pierres Elevé en fût de chêne 2000★

	6,08 ha	8 400	🍴	5 à 8 €

Les « gentilles pierres » sont celles de ce terroir riche en galets sur lequel se développe un vignoble de plus de 12 ha. Sous des nuances violines animant un fond grenat intense, ce vin offre un nez franc et chaleureux, évocateur de fruits rouges et d'épices, avec des accents à peine boisés. La bouche ronde et assez ample bénéficie de tanins soyeux, peu marqués. Une bouteille séduisante et prête à boire. La cuvée **Les Gentilles Pierres doux 2000 Elevé en fût de chêne** obtient également une étoile.

🍷 SCEA du Pialentou, Dom. de Pialentou, 81600 Brens, tél. 05.63.57.17.99, fax 05.63.57.20.51, e-mail domaine.pialentou@wanadoo.fr ☑ ⅄ t.l.j. sf sam. dim. 9h-12h 13h30-18h
🍷 J. et K. Gervais

VIN D'AUTAN DE ROBERT PLAGEOLES ET FILS
Doux Ondenc 2000★★

	3 ha	2 000	🍷	30 à 38 €

Ce vin d'Autan produit par les Plageoles est la quintessence du cépage ondenc, variété originale du Sud-Ouest. Une robe paille doré s'offre au regard, puis des arômes de poire confite, de pâte de coing, de miel et d'épices safranées se livrent. Ample et harmonieuse, c'est une bouche liquoreuse et parfumée qui se révèle dans toute sa pureté. Un très beau vin que l'on pourrait servir avec un feuilleté de moules au safran.

🍷 EARL Robert Plageoles et Fils, Dom. des Très-Cantous, 81140 Cahuzac-sur-Vère, tél. 05.63.33.90.40, fax 05.63.33.95.64 ☑ ⅄ r.-v.

RAIMBAULT DES VIGNES
Légende du Vieux Terroir 2000★

	50 ha	250 000		3 à 5 €

La cave de Rabastens décline la gamme Raimbault des vignes en deux cuvées très réussies : le **blanc sec 2001 (moins de 3 €)** et ce gaillac rouge composé de braucol, de duras et de syrah à parts égales. De teinte pivoine limpide, à nuances rosées, celui-ci offre un nez de framboise et de giroflée assez intense. Franche dès l'attaque, la bouche ronde et bien équilibrée possède un caractère gouleyant et aromatique. Une bouteille plaisante dès aujourd'hui. Le jury a retenu sans étoile la cuvée **Perle d'Autan 2001 (moins de 3 €)**, un gaillac blanc sec légèrement perlant.
🕬 Cave de Rabastens, 33, rte d'Albi, 81800 Rabastens, tél. 05.63.33.73.80, fax 05.63.33.85.82 ☑ ⵂ r.-v.

DOM. RENE RIEUX
Doux Concerto Elevé en fût de chêne 2000★★★

	n.c.	2 000		11 à 15 €

Le domaine René Rieux pourrait être sacré meilleur vigneron de Gaillac, car il cumule trois propositions de coups de cœur : le **gaillac rouge Harmonie 2000 (3 à 5 €)** et le **gaillac Méthode gaillacoise doux Mauzac 99 (5 à 8 €)** jugés remarquables, ainsi que le Concerto. Elu par le grand jury, ce dernier, soutenu, s'ouvre sur des notes de confiture d'abricots, de coing, de fruits secs et de marron glacé. L'attaque grasse introduit une bouche suave, liquoreuse à souhait et tellement harmonieuse. Une sensation acidulée relève l'ensemble et soutient une longue finale sur la gelée royale et le coing. Une excellente partition.
🕬 Dom. René Rieux - CAT Boissel, Hameau de Boissel, 81600 Gaillac, tél. 05.63.57.29.29, fax 05.63.57.51.71
☑ ⵂ t.l.j. sf sam. dim. 8h-12h 14h-17h; groupes sur r.-v.
🕬 Adapei du Tarn

DOM. ROTIER
Doux Renaissance 2000★★★

	3,3 ha	15 300		11 à 15 €

Alain Rotier donne le « la » dans l'élaboration des gaillac doux. Coup de cœur dans le Guide 2002, sa cuvée se maintient dans le peloton de tête des meilleurs liquoreux de l'appellation. Une robe dorée, intense, annonce un nez à la fois puissant et élégant, véritable bouquet de fleurs jaunes et blanches, souligné de notes de raisins rôtis et d'un boisé fin. Un vin ample, riche et concentré, qui se prolonge sur des flaveurs de gelée de coing. Remarquable aussi, le **gaillac rouge Les Gravels 2000 (5 à 8 €)**, élevé en cuve, est tendre, souple et long, avec des arômes de fruits cuits.

🕬 Dom. Rotier, Petit Nareye, 81600 Cadalen, tél. 05.63.41.75.14, fax 05.63.41.54.56, e-mail rotier@terre-net.fr
☑ ⵂ ⵂ t.l.j. sf dim. 8h-12h 14h-19h
🕬 Alain Rotier et Francis Marre

CH. DE SALETTES
Doux 2000★★

	2 ha	n.c.		5 à 8 €

Si le **gaillac blanc sec 2000 Elevé en fût du Château de Salettes** obtient une étoile pour son fruité et sa rondeur, ce moelleux, or pâle à reflets verts, a conquis le jury par son nez intense et élégant, alliant agrumes, fleurs blanches et vanille en toute fraîcheur. Il émane de ce vin beaucoup de finesse, car le fruit est pur et la douceur bien dosée.
🕬 SCEV Ch. de Salettes, 81140 Cahuzac-sur-Vère, tél. 05.63.33.60.63, fax 05.63.33.60.61 ☑ ⵂ r.-v.
🕬 R. P. Le Net

DOM. DE SALMES
Doux Douceur d'automne 2000★★

	1,5 ha	4 000		8 à 11 €

Ciselé d'or, ce gaillac doux livre un nez subtil de fruits à chair blanche, de fruits confits, d'abricot sec et de notes de garrigue. Suave, la bouche se révèle puissante et laisse une impression de douceur que soulignent les flaveurs persistantes de fruits mûrs. Un vrai liquoreux. Retenez aussi le **gaillac méthode traditionnelle 2000 du Domaine de Salmes (5 à 8 €)**, un brut jugé très réussi.
🕬 EARL Jean-Paul Pezet, Salmes, 81150 Bernac, tél. 05.63.55.42.53, fax 05.63.53.10.26 ☑ ⵂ t.l.j. 9h-19h; sam. dim. sur r.-v.

CH. DE SAURS 2000★★

	3 ha	21 000		5 à 8 €

Ce gaillac rouge élevé en cuve a séduit le jury par sa franchise. Habillé d'une robe rouge profond, il évoque avec puissance les petits fruits rouges et noirs, soulignés de notes poivrées. De bonne tenue, il emplit la bouche d'une matière élégante, aux tanins soyeux. La finale toute réglissée est un atout supplémentaire.
🕬 Marie-Paule Burrus, Ch. de Saurs, 81310 Lisle-sur-Tarn, tél. 05.63.57.09.79, fax 05.63.57.10.71 ☑ ⵂ r.-v.

CH. DE TAUZIES
Sec 2001★

	n.c.	n.c.		3 à 5 €

Pâle et brillant, ce vin s'ouvre sur un nez assez complexe de fleurs et de fruits à chair blanche bien mûrs. Il laisse une impression de rondeur et de gras, tout en déclinant des arômes intenses et complexes. L'ensemble ne manque pas de charme.
🕬 Pierre et Olivier Mouly, Ch. de Tauzies, rte de Cordes, 81600 Gaillac, tél. 05.63.57.06.06, fax 05.63.41.01.92, e-mail chateau.tauzies@wanadoo.fr
☑ ⵂ r.-v.

DOM. DES TERRISSES
Doux Saint-Laurent 2000★★

	1 ha	1 800		8 à 11 €

Il faudra un peu patienter pour apprécier le **gaillac rouge cuvée Saint-Laurent 2000**, très réussi mais encore dominé par le bois de son élevage. En revanche, ce vin doux invite d'emblée à la dégustation par sa teinte dorée et ses belles larmes, par son nez frais et franc de pomme, de poire et de coing sous une caresse de miel. La bouche suave reste fraîche et fruitée, d'une charmante complexité aromatique.

🖐 Brigitte et Alain Cazottes, Dom. des Terrisses, 81600 Gaillac, tél. 05.63.57.16.80, fax 05.63.41.05.87 ☑ 🍷 r.-v.

DOM. DE VAL ANDRE
Cuvée Sébastien 2000★

■	0,6 ha	2 800	🍴↓	3 à 5 €

Un gaillac issu à 95 % de duras, complété d'un soupçon de syrah. Couleur grenadine, il livre un nez frais de fraise et de framboise, puis une bouche svelte, souple et pourtant chaleureuse, persistant sur des arômes de fruits des bois à l'alcool. Un vin gouleyant, bien fruité, que l'on pourra déguster dès aujourd'hui. Le **gaillac rouge Château de Val André 2000 Elevé en fût de chêne (5 à 8 €)** mérite une citation.

🖐 EARL Métayer et Fils, Dom. de Val-André, Durantou, 81140 Cahuzac-sur-Vère, tél. 05.63.33.90.12, fax 05.63.33.95.81, e-mail m.metayer@aol.com ☑ 🍷 t.l.j. sf dim. 10h-12h30 14h30-18h30

DOM. DE VAYSSETTE 2000★

■	3,5 ha	18 000	🍴↓	5 à 8 €

Souvent retenu pour ses gaillac doux, le domaine de Vayssette se distingue par ses vins rouges dans le millésime 2000. Outre la très réussie **cuvée Léa 2000 Vieillie en fût de chêne (46 à 76 €)**, le jury a donné une étoile à ce vin entre pourpre et grenat à l'œil. Le nez, encore légèrement tenu mais complexe, mêle des arômes de crème de cassis aux épices et à la violette. La bouche apparaît puissante, ample et longuement structurée. Elle est l'expression de la parfaite maturité d'un fruit vendangé manuellement. Une bouteille de qualité qui pourra accompagner un carré d'agneau sauce au vin rouge.

🖐 Dom. de Vayssette, Laborie, 81600 Gaillac, tél. 05.63.57.31.95, fax 05.63.81.56.84 ☑ 🍷 t.l.j. 10h-12h 15h-18h; groupes sur r.-v.

CH. VIGNE-LOURAC
Vieilles vignes 2000★

■	5 ha	30 000	🍴↓	3 à 5 €

Grenat profond, ce vin livre un nez intense et net de fruits rouges. La bouche, tonique à l'attaque, se développe en rondeur sur des tanins déjà fondus qui associent leurs nuances épicées au caractère fruité persistant. Une bouteille expressive, à marier à des aiguillettes de canard au cassis. Retenez aussi le **gaillac doux Vieilles vignes 2000 (5 à 8 €)**, cité pour son équilibre et son agréable caractère floral.

🖐 Vignobles Philippe Gayrel, BP 4, 81600 Gaillac, tél. 05.63.81.21.05, fax 05.63.81.21.09

Buzet

Connu depuis le Moyen Age comme partie intégrante du haut-pays bordelais, le vignoble de Buzet s'étageait entre Agen et Marmande. D'origine monastique, il a été déve-loppé par les bourgeois d'Agen. Réduit à l'état de souvenir après la crise phylloxérique, il est devenu à partir de 1956 le symbole de la renaissance du vignoble du haut-pays. Deux hommes, Jean Mermillod et Jean Combabessouse, ont présidé à ce renouveau, qui a dû aussi beaucoup à la Cave coopérative des Producteurs réunis, laquelle élève une grande partie de sa production en barriques régulièrement renouvelées. Ce vignoble s'étend aujourd'hui entre Damazan et Sainte-Colombe, sur les premiers coteaux de la Garonne ; il irrigue les villes touristiques de Nérac et Barbaste.

L'alternance de boulbènes, de sols graveleux et argilo-calcaires permet d'obtenir des vins à la fois variés et typés. Les rouges, puissants, profonds, charnus et soyeux, rivalisent avec certains de leurs voisins girondins. Ils s'ac-cordent à merveille avec la gastronomie locale : magret, confit et lapin aux pruneaux. S'étendant sur 1 919 ha, buzet a donné 123 342 hl en 2001 dont 5 035 hl en blanc, car, si le buzet est rouge par tradition, blancs et rosés complètent une palette consacrée aux harmonies pourpres, gre-nat et vermillon.

BARON D'ALBRET 1999★★

■	200 ha	376 960	🍴🍷↓	5 à 8 €

Issue principalement d'une sélection de terroirs de graves, cette importante cuvée, pour partie élevée en fût, est l'un des fers de lance des Vignerons de Buzet. Le nez trahit le bois avec ses notes de vanille, de cèdre et d'épices, qui laissent la place à des arômes de fruits mûrs. Concen-tration et puissance définissent la structure tannique. Une puissance qui se conjugue avec de l'ampleur et de la rondeur. On attendra cette bouteille deux à trois ans.

🖐 Les Vignerons de Buzet, BP 17, 47160 Buzet-sur-Baïse, tél. 05.53.84.74.30, fax 05.53.84.74.24, e-mail buzet@vignerons-buzet.fr 🍷 t.l.j. sf dim. 9h-12h 14h-18h

LES VIGNERONS DE BUZET
L'Excellence 2001★

▨	68 ha	n.c.	🍴↓	5 à 8 €

L'Excellence des Vignerons de Buzet obtient une étoile, tant en blanc qu'en **rosé**. Le blanc conjugue un nez puissance, élégance et fraîcheur. C'est un vin charmeur et léger, fait pour un plaisir immédiat. Quant au rosé, il surprend par sa structure presque tannique. Il révèle beaucoup de fruit (mûre, framboise) et une fraîcheur bien agréable.

🖐 Les Vignerons de Buzet, BP 17, 47160 Buzet-sur-Baïse, tél. 05.53.84.74.30, fax 05.53.84.74.24, e-mail buzet@vignerons-buzet.fr 🍷 t.l.j. sf dim. 9h-12h 14h-18h

LES VIGNERONS DE BUZET
Cuvée Jean-Marie Hébrard 1999★

■	20 ha	n.c.	🍴🍷↓	11 à 15 €

Cette cuvée qui a passé neuf mois en fût a été créée en hommage à l'ancien directeur de la cave qui fut l'un des moteurs de son développement. L'élevage sous bois se révèle au nez qui mêle notes boisées et pain d'épice aux fruits cuits. Les tanins se caractérisent par leur rondeur, leur longueur et une certaine fraîcheur. Le chêne rend ce vin un peu austère. S'il affiche déjà sa maturité, son réel potentiel se révélera davantage avec les années. Plus souple, plus fruité, tout en restant classique d'un buzet dans son expression, le **Marquis de Grez 99 (5 à 8 €), vieilli en fût de chêne** pendant quatre mois, permet de découvrir le millésime 99 dans sa jeunesse.

➤ Les Vignerons de Buzet, BP 17,
47160 Buzet-sur-Baïse, tél. 05.53.84.74.30,
fax 05.53.84.74.24, e-mail buzet @ vignerons-buzet.fr
Ⓣ t.l.j. sf dim. 9h-12h 14h-18h

DOM. DE LA CROIX
Vieilles vignes 1999★

■	20 ha	59 720	■ ⅷ ↓	5 à 8 €

Ce 99 a passé quatre mois en fût ; il présente au nez des arômes de pain d'épice. La bouche est ronde, avec beaucoup de gras, marquée par un boisé puissant qui laisse une impression d'austérité. L'ensemble sera cependant satisfaisant après quelques mois de garde.

➤ Les Vignerons de Buzet, BP 17,
47160 Buzet-sur-Baïse, tél. 05.53.84.74.30,
fax 05.53.84.74.24, e-mail buzet @ vignerons-buzet.fr
Ⓣ t.l.j. sf dim. 9h-12h 14h-18h
➤ M. Pozzoli

CH. DU FRANDAT 2000★

■	10 ha	72 000	■ ↓	5 à 8 €

A la tête de la propriété depuis 1980, Patrice Sterlin propose une cuvée au nez peu expansif, mais très agréable avec ses notes de mûre et de cassis. La bouche laisse une première impression fort plaisante de souplesse et d'ampleur. Les arômes fruités évoluent vers des nuances vanillées. Très bien équilibré, ce vin est déjà mûr, mais il sera à son apogée d'ici deux à trois ans.

➤ Patrice Sterlin, Ch. du Frandat, 47600 Nérac,
tél. 05.53.65.23.83, fax 05.53.97.05.77,
e-mail chateaudufrandat @ terre-net.fr Ⓥ Ⓣ t.l.j. sf dim.
10h-12h 15h-18h; f. jan.

CH. DE GUEYZE 1999★★

■	78 ha	107 000	■ ⅷ ↓	8 à 11 €

Habitué du Guide, le Château de Gueyze a passé six mois en barrique. Le boisé domine au nez, malgré quelques notes de fruits mûrs. Même impression en bouche : la complexité aromatique est pour l'heure quelque peu gommée par le chêne, mais les tanins encore frais et vifs révèlent un réel potentiel. L'élevage, bien mené, devrait donner une bouteille remarquable lorsque les tanins du bois se seront fondus. Très réussi, le second vin, **Domaine de la Tuque 99 (5 à 8 €)**, n'a pas connu le bois. Il est plus marqué par des notes chaudes, des nuances confites et des arômes d'agrumes. Les tanins gras et ronds permettront un épanouissement plus rapide.

➤ Les Vignerons de Buzet, BP 17,
47160 Buzet-sur-Baïse, tél. 05.53.84.74.30,
fax 05.53.84.74.24, e-mail buzet @ vignerons-buzet.fr
Ⓣ t.l.j. sf dim. 9h-12h 14h-18h
➤ SEAVA Gueyze

CH. DE SALLES 2000★

■	4,5 ha	27 500	■ ↓	8 à 11 €

D'Artagnan s'appelait Charles de Batz ; Henry de Batz de Trenquelleon est l'un de ses descendants. A la tête du château (XVIIIᵉ s.) et d'un vignoble qu'il a fait replanter à partir de 1989, il a élaboré un vin issu d'un beau terroir argilo-graveleux. Le nez, à la fois fruité et floral, montre une certaine fraîcheur. L'attaque est aromatique, marquée par des notes de cassis avec une pointe épicée, tout comme la finale, où l'on retrouve le fruit. Les tanins sont bien présents mais souples, dénués d'agressivité. Une bouteille au tempérament bien différent de celui du bouillant Gascon.

➤ Henry de Batz de Trenquelleon, Ch. de Salles,
47230 Feugarolles, tél. 05.53.95.27.49,
fax 05.53.95.27.49 Ⓥ Ⓣ r.-v.

CH. SAUVAGNERES 2000★★

■	10 ha	58 000	■	5 à 8 €

Un terroir argilo-calcaire et graveleux, un encépagement équilibré (40 % de merlot, 60 % des deux cabernets à parts égales), une vinification à la bordelaise : rien de plus classique. Et pourtant, ce vin sort du lot. Le nez mêle les fruits mûrs à des notes florales et à un soupçon de bourgeon de cassis. L'attaque est marquée par une douceur et des arômes de fruits exotiques très agréables. Les tanins sont droits, un peu serrés mais savoureux. Une belle fraîcheur prolonge la finale fruitée. Cette bouteille sera parfaite dans deux ans, servie sur des « demoiselles de canard ».

➤ Bernard Thérasse, Sauvagnères,
47310 Sainte-Colombe-en-Bruilhois, tél. 05.53.67.20.23,
fax 05.53.67.20.86, e-mail bernardtherasse @ wanadoo.fr
Ⓥ Ⓣ r.-v.
➤ Jacques Thérasse

CH. TOURNEMINE 1999★

■	30 ha	83 000	■ ↓	5 à 8 €

Le nez, un peu fermé, laisse percer des notes animales évoquant le cuir. La matière tannique, un peu austère, n'est cependant pas dénuée d'ampleur. Elle incite à attendre ce vin deux à trois ans.

➤ Les Vignerons de Buzet, BP 17,
47160 Buzet-sur-Baïse, tél. 05.53.84.74.30,
fax 05.53.84.74.24, e-mail buzet @ vignerons-buzet.fr
Ⓣ t.l.j. sf dim. 9h-12h 14h-18h
➤ Beaussier

Côtes du frontonnais

Vin des Toulousains, le côtes du frontonnais provient d'un très ancien vignoble, autrefois propriété des chevaliers de l'ordre de Saint-Jean-de-Jérusalem. Lors du siège de Montauban, Louis XIII et Richelieu se livrèrent à force dégustations comparatives... Reconstitué grâce à la création des coopératives de Fronton et de Villaudric, le vignoble a conservé un encépagement original avec la négrette, cépage local que l'on retrouve à Gaillac ; lui sont associés le cot, le cabernet franc et le cabernet-sauvignon, la syrah, le gamay, et le mauzac.

L e terroir occupe sur près de 2 000 ha (2 105 ha en 2001) les trois terrasses du Tarn, avec des sols de boulbènes, graves ou rougets. Les vins rouges, à forte proportion de cabernet, gamay ou syrah, sont légers, fruités et aromatiques. Les vins les plus riches en négrette sont plus puissants, tanniques, dotés d'un fort parfum de terroir. Les vins rosés sont francs, vifs, avec un agréable fruité. La production a atteint 120 545 hl en 2001.

CH. BAUDARE
Tradition 2000

	10 ha	80 000		3 à 5 €

Claude Vigouroux, qui a développé l'exploitation familiale et l'a spécialisée dans la vigne, a été rejoint par son fils David qui a vinifié ce millésime 2000. Issue de 70 % de négrette et de 30 % de syrah, sa cuvée Tradition affiche une belle robe aux nuances pourpres. Le nez est bien ouvert, à la fois fruité et épicé, avec une note de violette. Rond et chaleureux, agréablement aromatique, un vin de bonne tenue, à boire dans les deux ans.

⚭ Claude et David Vigouroux, Ch. Baudare, 82370 Labastide-Saint-Pierre, tél. 05.63.30.51.33, fax 05.63.64.07.24, e-mail vigouroux@aol.com ☑ ⵑ r.-v.

CH. BELLEVUE LA FORET
Ce Vin 2000★

	2,5 ha	13 000		3 à 5 €

Un domaine fondé sous de bons auspices, puisque l'année de sa création, 1974, a pratiquement coïncidé avec celle de la reconnaissance en AOC des côtes du frontonnais. Pour l'édition 2003, outre le rosé 2001 (300 000 bouteilles), cette cuvée de rouge a été jugée très réussie. Issue de pure négrette, elle se pare d'une robe sombre et profonde à reflets noirs. Le nez, de bonne intensité, associe notes amyliques, framboise, kirsch, violette, épices que l'on retrouve au palais. Dès l'attaque, celui-ci se montre souple. D'un bon équilibre entre vivacité et moelleux, il offre une structure soyeuse. Un vin harmonieux et bien fait.

⚭ Ch. Bellevue la Forêt, 4500, av. de Grisolles, 31620 Fronton, tél. 05.34.27.91.91, fax 05.61.82.39.70, e-mail contact@chateaubellevuelaforet.com ☑ ⵑ r.-v.
⚭ Patrick Germain

CH. BONNEVAL 2001★

	1,39 ha	10 000		3 à 5 €

La négrette (50 %) associée à la syrah (30 %) et au cabernet franc a donné un joli rosé à la robe très colorée, intense, brillante et limpide. Fin et nuancé, le nez décline la gamme des fruits rouges. L'attaque fraîche se prolonge dans une bouche légèrement perlante, équilibrée, savoureuse, aromatique et longue. Un ensemble fort agréable.

⚭ Ch. Bonneval, 45, rte d'Auch, 82370 Campsas, tél. 05.63.30.03.31, fax 05.63.30.08.59 ☑ ⵑ r.-v.
⚭ Jean-Luc Bel

CH. BOUISSEL
Cuvée Sélection Vieilli en fût de chêne 2000★

	0,5 ha	3 000		8 à 11 €

Fidèle au rendez-vous du Guide, ce domaine propose avec cette cuvée Sélection un assemblage de 55 % de négrette, 25 % de syrah et 20 % de cot. De belle présentation, ce vin s'habille d'une robe profonde, cerise burlat. Le nez, s'il reste retenu, ne manque pas de fond, laissant percevoir des nuances de fruits noirs, de réglisse et d'épices. Ferme à l'attaque comme en finale, la bouche est bien structurée, assez concentrée mais encore austère. Un réel potentiel pour une bouteille à attendre au moins deux ans.

⚭ EARL Pierre Selle, Ch. Bouissel, 82370 Campsas, tél. 05.63.30.10.49, fax 05.63.64.01.22 ☑ ⵑ t.l.j. sf dim. 9h-12h 14h-19h; mer 14h-19h; groupes sur r.-v.

CH. CAHUZAC
Fleuron de Guillaume Elevé en fût de chêne 2000★★

	5 ha	210 000		5 à 8 €

Le château Cahuzac s'est brillamment distingué cette année, puisque son rosé L'Authentique 2001 (3 à 5 €) a obtenu deux étoiles et que ce Fleuron en rouge mérite pleinement son nom en décrochant le coup de cœur. La robe est profonde et intense, couleur cerise burlat ; le nez expressif, riche et complexe mêle la violette, les fruits noirs macérés, les épices à une note grillée. Après une attaque pleine et généreuse, on découvre une bouche assez grasse, ample et très aromatique, qui persiste longuement sur une trame de tanins lisses et soyeux. Une remarquable harmonie.

⚭ EARL de Cahuzac, Les Peyronnets, 82170 Fabas, tél. 05.63.64.10.18, fax 05.63.67.36.97 ☑ ⵑ r.-v.
⚭ Ferran Père et Fils

CH. CAZE
Villaudric 2001★

	11 ha	8 000		5 à 8 €

Sept générations se sont succédé sur ce domaine fondé en 1776. C'est dans un chai du XVIIIe s. qu'a été élaboré ce rosé « moderne », d'un rose intense, presque « fluo », à reflets orangés. Le nez associe le bonbon anglais et les fruits rouges. Une attaque franche introduit une bouche vive, bien équilibrée, au fruité frais. Un vin facile à boire, à déguster dans l'année.

⚭ Martine Hérail, Ch. Caze, 45, rue de la Négrette, 31620 Villaudric, tél. 05.61.82.92.70, fax 05.61.82.09.95, e-mail chateau.caze@libertysurf.fr
☑ ⵑ t.l.j. sf dim. lun. 9h-12h 15h-19h

CH. CLAMENS
Vieilli en fût de chêne 2000★

■	1,2 ha	3 400	◫	5 à 8 €

Jean-Michel Bégué n'élabore ses vins que depuis 1998. On retrouve son côtes du frontonnais élevé sous bois, qui gagne une étoile par rapport au millésime précédent. Il est toujours dominé par le cabernet-sauvignon (80 %), complété par de la syrah et un soupçon de négrette. La robe est brillante, de couleur pourpre assez soutenue ; le nez intense persiste sur des senteurs boisées aux accents épicés et mentholés. Ronde et pleine, la bouche offre des arômes de fruits cuits qui se fondent dans le grillé, avant de se resserrer en finale sur des tanins encore austères. L'ensemble n'en laisse pas moins une très bonne impression.

⌐ Jean-Michel Bégué, 720, chem. du Tapas, 31620 Fronton, tél. 05.61.82.45.32, fax 05.62.79.21.73, e-mail begue.clamens@free.fr ☑ ⌶ t.l.j. 9h-12h 14h-20h

CH. CLOS MIGNON
Villaudric Tradition Elevé en fût de chêne 2000

■	1,25 ha	10 000	◫	5 à 8 €

Le cabernet-sauvignon (50 %) et la syrah (40 %) se taillent la part du lion dans l'assemblage de cette cuvée élevée sous bois. La robe pourpre est très intense, tout comme le nez, où se mêlent des notes animales, des épices et de la réglisse. L'attaque franche introduit une bouche concentrée, fortement charpentée, tannique, qui demande quelques mois de garde.

⌐ EARL du Ch. Clos Mignon, 31620 Villeneuve-les-Bouloc, tél. 05.61.82.10.89, fax 05.61.82.99.14, e-mail omuzart@aol.com ☑ ⌶ t.l.j. sf lun. 9h-12h 15h-19h
⌐ Olivier Muzart

CH. LA COLOMBIERE
Baron de D. Gris 2001★★

■	3,5 ha	17 067		3 à 5 €

L'église de la Daurade est située au bord de la Garonne à Toulouse. C'était à l'origine une abbaye bénédictine, qui possédait ici un domaine viticole. C'est dire si la vigne est de tradition sur ces terres. Celles-ci ont été rachetées en 1984 par le baron François de Driésen. Le propriétaire est très attaché à la négrette, cépage qui entre pour moitié dans ce vin gris, assemblé au gamay. La robe est rose pâle, brillante et légèrement perlée. Le nez frais libère de jolis parfums floraux et surtout fruités (mûre et groseille). On retrouve la même présence aromatique dans une bouche vive, tonique et équilibrée. Bien enlevé, un rosé plein de gaieté.

⌐ Baron François de Driésen, Ch. la Colombière, 31620 Villaudric, tél. 05.61.82.44.05, fax 05.61.82.57.56, e-mail françois@chateaulacolombiere.com ☑ ⌶ r.-v.

COMTE DE NEGRET
Cuvée Excellence Elevé en fût de chêne 2000★★

■	n.c.	200 000	◫	3 à 5 €

Elaborée à partir des meilleures sélections de négrette (60 %) et de cabernet franc (40 %), la cuvée Excellence du Comte de Négret a été très complimentée dans le millésime 2000. Elle affiche une belle robe sombre à reflets pourprés. Intenses et persistants, les fruits noirs bien mûrs accompagnent un joli boisé réglissé et vanillé. L'attaque, « capuccino », a des accents de café. La bouche agréablement équilibrée, ronde et grasse, révèle des tanins fondus et finit sur des évocations de fruits cuits et d'épices.

⌐ Cave de Fronton, 31620 Fronton, tél. 05.62.79.97.79, fax 05.62.79.97.70 ☑ ⌶ r.-v.

CH. LA COUTELLIERE
Vieilli en fût de chêne 2000★

■	n.c.	22 000	◫	3 à 5 €

La négrette (60 %), complétée par la syrah et le cabernet à parts égales, a donné ce vin à la robe claire, nuancée de violine. Le nez chaleureux associe la violette et les fruits rouges à une légère évocation du fût. Un ensemble simple mais de bonne facture, rond, bien équilibré, agréablement fruité, un rien boisé. La finale est fondue.

⌐ Denis Bocquier, Entourettes, 31340 Villemur-sur-Tarn, tél. 05.62.22.97.40, fax 05.62.22.97.49, e-mail contact@claude-nicolas.fr ☑ ⌶ r.-v.

CH. FONVIEILLE 2000

■	11,5 ha	92 000	▮◦	3 à 5 €

La négrette (70 %) domine l'assemblage de cette cuvée, complétée à parts égales par le cabernet-sauvignon et la syrah. La robe intense, aux reflets rubis, est d'une limpidité parfaite. Le nez s'ouvre sur des fruits bien mûrs (cassis, mûre), accompagnés de quelques épices. L'attaque est franche, la bouche souple, ronde, avec des tanins doux. Si le style est léger, le vin est équilibré et plaisant, avec des arômes caractéristiques de la négrette.

⌐ SARL ABA, 149, av. Charles-de-Gaulle, 82000 Montauban, tél. 05.63.20.23.15, fax 05.63.03.06.64

CH. JOLIET
Symphonie de Joliet Elevé en fût de chêne 2000★

■	1 ha	5 000	◫	8 à 11 €

Les amateurs de vins ronds et fruités aimeront la **cuvée classique 2000 du Château Joliet (5 à 8 €)** (30 000 bouteilles), un fronton typique assemblant 50 % de négrette à la syrah et aux cabernets. Elle a obtenu une étoile. Les amateurs de vins élevés en fût préféreront celle-ci, tout aussi réussie, où la négrette est moins présente (33 %). La robe est rubis, un rien tuilée. Assez expressif, le nez mêle des senteurs florales et fruitées à un boisé de forte chauffe. La bouche pleine, plutôt souple, est soutenue par des tanins fondus ; elle est marquée elle aussi par un fort boisé aux accents un peu amers de café torréfié qui engage à un long séjour en cave.

⌐ François Daubert, Ch. Joliet, 345, chem. de Caillol, 31620 Fronton, tél. 05.61.82.46.02, fax 05.61.82.34.56, e-mail chateau.joliet@wanadoo.fr ☑ ⌶ r.-v.

CH. MARGUERITE 2001★

■	13,35 ha	105 000	▮◦	3 à 5 €

Comme l'an dernier, ce domaine est retenu pour son rosé, un assemblage de négrette, de syrah et de cinsault. Mais le 2001, à la différence de son aîné, est marqué par la vivacité. La robe, rose à reflets violets, met en appétit. Le nez, assez intense, séduit par ses arômes de fruits rouges (fraise et framboise). Un caractère aromatique que l'on retrouve dans une bouche fraîche, légèrement perlante. Un « bon petit rosé ».

⌐ SCEA Ch. Marguerite, 82370 Campsas, tél. 05.63.64.08.21, fax 05.63.64.08.21

SUD-OUEST

CH. MONTAURIOL
Mons Aureolus 2000

| | 10 ha | 60 000 | | 5 à 8 € |

Issue de négrette (50 %) assemblée au cabernet-sauvignon (30 %) et à la syrah, cette cuvée élevée un an sous bois présente une robe profonde et délivre un fruité discret, dominé pour l'heure par des notes animales. L'attaque souple est suivie d'une bouche assez volumineuse, soutenue par des tanins savoureux. Des arômes de fruits mûrs marquent la finale. Un vin à suivre.

🖐 Nicolas Gélis, Ch. Montauriol, 31340 Villematier, tél. 05.61.35.30.58, fax 05.61.35.30.59 ☑ 🍷 r.-v.

CH. PLAISANCE
Tot Cò Que Cal 2000★

| | 1 ha | 3 600 | | 11 à 15 € |

Valeur sûre du Guide, ce château a été cité pour sa cuvée **Thibaut de Plaisance 2000 (5 à 8 €)**, qui a plus d'une fois fait ses preuves. Le jury a toutefois préféré cette autre cuvée également élevée dans le bois, mais pendant dix-huit mois, et dont le nom signifie en occitan « tout ce qu'il faut ». De fait, elle ne manque ni de couleur (une robe profonde, cerise noire, aux nuances pourpres), ni de puissance au nez, ni... de bois. Le fût domine le bouquet complexe, aux senteurs épicées et mentholées. Il marque aussi la bouche, ronde en attaque et concentrée, mais surtout très tannique. Il devra se fondre pour une meilleure harmonie : une bouteille à attendre deux ou trois ans.

🖐 EARL de Plaisance, pl. de la Mairie, 31340 Vacquiers, tél. 05.61.84.97.41, fax 05.61.84.11.26, e-mail chateau-plaisance @wanadoo.fr ☑ 🍷 r.-v.

🖐 Penavayre

LE ROC
Cuvée Don Quichotte 2000★

| | 3 ha | 15 000 | | 5 à 8 € |

La négrette s'accompagne de 40 % de syrah pour produire cette bouteille à l'étiquette poétique : un dessin au pastel de Don Quichotte et de l'âne de Sancho Pança. Attirant par sa forte intensité et ses nuances pourpres, ce vin l'est aussi par son nez profond, encore retenu, mais déjà évocateur d'épices, de réglisse et d'un boisé discret. Après une attaque franche, il dévoile davantage ses arômes en accompagnement d'une longue structure de tanins serrés qui méritent de s'assagir. Ce côtes du frontonnais devrait encore s'épanouir d'ici quelques mois.

🖐 Ribes, Le Roc, 31620 Fronton, tél. 05.61.82.93.90, fax 05.61.82.72.38 ☑ 🍷 r.-v.

DOM. DE SAINT-GUILHEM
Cuvée Renaissance 2000★★

| | 1,5 ha | 9 600 | | 5 à 8 € |

Très remarquée du grand jury, cette cuvée assemble 50 % de négrette au cabernet-sauvignon et à la syrah. Elle s'habille de pourpre très sombre. Le nez, à dominante grillée et épicée, exprime également les fruits bien mûrs avec une touche animale. Tout aussi aromatique, volumineuse et riche, sa structure est soutenue par une trame de tanins serrés et bien enrobés qui portent loin la finale. Un vin de belle extraction, au potentiel intéressant. On l'attendra deux à quatre ans.

🖐 Philippe Laduguie, Dom. de Saint-Guilhem, 31620 Castelnau-d'Estretefonds, tél. 05.61.82.12.09, fax 05.61.82.65.59 ☑ 🏠 🍷 t.l.j. sf dim. 9h30-12h30 14h30-18h30

CH. SAINT-LOUIS
L'Esprit Elevé en fût de chêne 2000★

| | 1 ha | 8 000 | | 5 à 8 € |

Les vignobles Arbeau ont été retenus avec une étoile pour un rouge 2000 et un **Villerose rosé 2001 (moins de 3 €)**. Le premier provient de la propriété d'Alain Mahmoudi. Assemblage de négrette (60 %) et de cabernet (40 %), il s'habille d'un rubis soutenu aux nuances pourpres et délivre d'agréables notes de fruits rouges enrobées de vanille. Franche, la bouche ronde, équilibrée et bien constituée est dominée en finale par des tanins réglissés encore un peu austères.

🖐 Alain Mahmoudi, Ch. Saint-Louis, 82370 Labastide-Saint-Pierre, tél. 05.63.30.13.13, fax 05.63.30.11.42, e-mail saintlouis @wanadoo.fr ☑ 🍷 r.-v.

Lavilledieu AOVDQS

Au nord du Frontonnais, sur les terrasses du Tarn et de la Garonne, le petit vignoble de Lavilledieu couvre environ 150 ha et produit des vins rouges et rosés. La production, classée en AOVDQS, est encore très confidentielle (3 785 hl en 2001 sur 72 ha). La négrette (30 %), le cabernet franc, le gamay, la syrah et le tannat sont les cépages autorisés.

DOM. DU GAZANIA 2000★

| | 8 ha | 40 000 | | 3 à 5 € |

La cave de Lavilledieu est l'ambassadrice de cette appellation située à une douzaine de kilomètres de Moissac et de Montauban. Entre une visite du cloître roman et une révérence à Ingres, on pourra découvrir ce joli vin qui assemble les cinq cépages autorisés de l'AOVDQS. Sa robe est belle, profonde et brillante. Le nez, d'une présence agréable, laisse une impression de fraîcheur par ses accents de fruits rouges. Equilibrée, ronde et gouleyante, la structure s'accompagne d'un bon fruité. Un ensemble homogène et plaisant. Dans le même style léger et fruité, on retiendra la **cuvée Chevalier du Temple du Christ 2000 (moins de 3 €)**, citée par le jury.

🖐 Cave de Lavilledieu-du-Temple, Le Bourg, 82290 Lavilledieu-du-Temple, tél. 05.63.31.60.05, fax 05.63.31.69.11, e-mail cave.lavilledieu @wanadoo.fr ☑ 🍷 t.l.j. sf sam. dim. lun. 9h-12h 14h-18h

Côtes du brulhois AOVDQS

Passés de la catégorie des vins de pays à celle des AOVDQS en novembre 1984, ces vins sont produits de part et d'autre de la Garonne, autour de la petite ville de Layrac, dans les départements du Gers, du Lot-et-Garonne et du Tarn-et-Garonne sur une superficie de 219 ha. Essentiellement rouges, ils sont issus des cépages bordelais et des cépages locaux, tannat et cot, et ont représenté 13 627 hl en 2001. La majeure partie de la production est assurée par deux caves coopératives.

CH. GRAND CHENE
Prestige Elevé en fût de chêne 2000★

| ■ | 25 ha | 30 000 | 🍶 | 8 à 11 € |

La cave de Donzac a proposé trois cuvées très réussies : la cuvée **Château Grand Chêne Sélection 2001 rosé (5 à 8 €)**, plein de fruit et de punch, pour les repas ensoleillés ; un **rouge 2000 (11 à 15 €)**, vin de garde à attendre ; et cette cuvée Prestige, élevée douze mois en fût, qui offre un très bon compromis entre vin et bois. La robe est d'un grenat intense. Le nez, tout en nuance, apparaît discrètement grillé, doucement fruité, un rien épicé. La bouche assez volumineuse, plutôt onctueuse, révèle une solide structure et fait preuve d'une belle présence aromatique en finale.

🍇 Cave de Donzac, Chaline, 82340 Donzac, tél. 05.63.39.91.92, fax 05.63.39.82.83 ☑ 🍷 r.-v.

Côtes du marmandais

Non loin des Graves de l'Entre-Deux-Mers, des vins de Duras et de Buzet, les côtes du marmandais sont produits en majorité par les coopératives de Beaupuy et de Cocumont, sur les deux rives de la Garonne. Les vins blancs, à base de sémillon, de sauvignon, de muscadelle et d'ugni blanc, sont secs, vifs et fruités. Les vins rouges, à base de cépages bordelais et d'abouriou, syrah, cot et gamay, sont bouquetés et d'une bonne souplesse. Le vignoble occupe environ 1 700 ha qui ont produit 2 762 hl de vins blancs et 100 175 hl de rouges et de rosés en 2001.

BARON COPESTAING
Elevé en fût de chêne 2000★★

| ■ | 2 ha | 12 000 | 🍶 | 5 à 8 € |

Un vin qui plaît : un coup de cœur pour le 98, deux étoiles dans l'édition précédente, et de nouveau un coup de cœur cette année. Il ne peut nier son long élevage en fût (dix-huit mois), mais sa riche matière, marquée par les cabernets bien mûrs (50 %) de l'assemblage, a permis de digérer l'apport du chêne. Le nez, très riche, révèle une forte présence de notes grillées, boisées et épicées à côté de quelques nuances de pruneau. La structure est impressionnante, avec des tanins serrés mais soyeux. Le bois, omniprésent, laisse cependant se développer des arômes de fruits confits, de cuit, de surmaturation. Déjà plaisant, ce millésime sera à son apogée dans cinq ou six ans. La cuvée Baron Copestaing blanc 2001 (3 à 5 €) a obtenu une étoile. Ce vin boisé évoquant une vendange surmûrie trouvera ses amateurs.

🍇 Cave de Cocumont, La Vieille Eglise, 47250 Cocumont, tél. 05.53.94.50.21, fax 05.53.94.52.84, e-mail accueil@cave-cocumont.fr ☑ 🍷 r.-v.

CH. LA BASTIDE 2001★★

| ■ | 2 ha | 13 000 | 🍶 | 3 à 5 € |

Les amateurs de vins blancs boisés accueilleront avec enthousiasme celui-ci vinifié en barrique et élevé sur lies, en admirant la qualité du travail ; ceux qui recherchent un côtes du marmandais typique pourront en revanche être désorientés. Le nez vanillé et grillé livre aussi des notes de rôti et de confit qui surprennent dans un vin blanc sec. Le palais, agréable, gras et fondu, révèle des notes de fruits mûrs rehaussées des mêmes nuances vanillées et grillées. Le vin **rouge 2000** du domaine, non boisé, obtient une étoile pour ses arômes de fruits du verger et ses tanins souples et fondus. Fruité, il est très plaisant et facile d'accès.

🍇 Cave de Cocumont, La Vieille Eglise, 47250 Cocumont, tél. 05.53.94.50.21, fax 05.53.94.52.84, e-mail accueil@cave-cocumont.fr ☑ 🍷 r.-v.

PRESTIGE DE BEAUPUY
Elevé et vieilli en fût de chêne 2000★★

| ■ | 12 ha | 60 000 | 🍶 | 5 à 8 € |

Il a fini second au grand jury, frôlant le coup de cœur. Sa caractéristique principale ? La sensation d'équilibre qu'il procure. La maturité optimale se traduit par des arômes de fruits noirs, qui se mêlent agréablement au chocolat et au grillé de la barrique. Le boisé est très présent en bouche, mais en douceur ; il laisse la place à un fruit très mûr puis on retrouve des notes torréfiées. De la matière, du gras, de la rondeur. Une bouteille à attendre au moins trois ans.

🍇 Les Vignerons de Beaupuy, 47200 Marmande, tél. 05.53.76.05.10, fax 05.53.64.63.90, e-mail contact@cavedebeaupuy.com ☑ 🍷 t.l.j. sf dim. 8h30-12h 14h-18h30

CASEMAJOU
Murets 2000★

| ■ | 5 ha | 40 000 | 🍶 | 3 à 5 € |

Un assemblage original (peu de merlot et deux tiers des deux cabernets) pour cette cuvée au nez agréable de fruits mûrs, assortis de quelques notes animales. Après une attaque souple et harmonieuse, aux arômes de framboise, c'est une charpente riche et bien équilibrée que l'on apprécie au palais. Un vin harmonieux, à boire dans les deux ans à venir.

☛ Cave de Cocumont, La Vieille Eglise,
47250 Cocumont, tél. 05.53.94.50.21,
fax 05.53.94.52.84, e-mail accueil@cave-cocumont.fr
Ⓨ r.-v.

CAVE DE COCUMONT
Tradition 2000★

■	200 ha 1 600 000	▮↓	3 à 5 €

Amateurs de vins sympathiques, réjouissez-vous :
cette cuvée Tradition n'est pas près d'être épuisée. Au nez,
c'est du cassis sous toutes ses formes : liqueur, bourgeon,
confiture ; en bouche, après une attaque plutôt légère sur
des tanins fondus, vous y trouverez des épices et de la
réglisse. Un ensemble flatteur - « commercial », diront
certains - mais typique de l'appellation. Vin de propriété
élaboré par la cave, le **Château Segas Terre Sauve 2000**
présente des caractères assez proches ; souple, plaisant et
élégant, il est apte à une garde de quelques années.
☛ Cave de Cocumont, La Vieille Eglise,
47250 Cocumont, tél. 05.53.94.50.21,
fax 05.53.94.52.84, e-mail accueil@cave-cocumont.fr
☑ Ⓨ r.-v.

CH. DE LA COURONNE 2000★★

■	n.c.	n.c.	▮↓	3 à 5 €

Deux vins de propriétés vinifiés par la cave de
Cocumont, et qui démontrent que point n'est besoin de
passer par la barrique pour faire du bon. Cassis, fraise,
framboise s'allient avec finesse et élégance, composant un
nez des plus réussis. L'attaque est souple et moelleuse. Les
fruits rouges s'expriment à nouveau en bouche jusqu'à la
longue finale, contribuant à l'harmonie d'ensemble. Un
moment de plaisir. Dans le même registre, le jury a
apprécié (une étoile) le **Château Baron Canthy 2000**, lui
aussi bien marqué par le fruit. Dotée d'une structure
franche et puissante, cette bouteille peut être attendue deux
à trois ans, contrairement à la précédente que l'on boira
jeune.
☛ Cave de Cocumont, La Vieille Eglise,
47250 Cocumont, tél. 05.53.94.50.21,
fax 05.53.94.52.84, e-mail accueil@cave-cocumont.fr
☑ Ⓨ r.-v.

GRAIN DE BONHEUR 2001★

■	2 ha	16 000	▮↓	3 à 5 €

La robe est brillante et vive, d'un rose pimpant aux
nuances violettes. Plutôt discret, mais fin et complexe, le
nez livre de plaisantes notes fruitées. On apprécie ensuite
l'attaque, toujours sur le fruit, puis une légère présence
tannique, qui donne du volume, et enfin une agréable
fraîcheur en finale. Un rosé fruité et nerveux pour égayer
le début du repas.
☛ Cave de Cocumont, La Vieille Eglise,
47250 Cocumont, tél. 05.53.94.50.21,
fax 05.53.94.52.84, e-mail accueil@cave-cocumont.fr
☑ Ⓨ r.-v.

MEZ VINEA 2001★

■	3 ha	20 000	▮↓	3 à 5 €

Une étoile dans les deux couleurs pour cette cuvée qui
se décline en rosé et en rouge. Le rosé présente une robe
brillante, d'un rose assez soutenu. Le nez fin et élégant
évoque la framboise. En bouche, on apprécie la fraîcheur
et le fruit. Un ensemble agréable et harmonieux. Le **rouge**

2000 se caractérise par un fruité intense. Les tanins sont
présents mais bien enrobés. Un vin souple et flatteur, à
consommer assez jeune (d'ici un à deux ans).
☛ Cave de Cocumont, La Vieille Eglise,
47250 Cocumont, tél. 05.53.94.50.21,
fax 05.53.94.52.84, e-mail accueil@cave-cocumont.fr
☑ Ⓨ r.-v.

RICHARD 1er
Elevé en fût de chêne 2000★

■	30 ha	120 000	ⅲ	8 à 11 €

Le nez est plaisant, avec des notes de cuir et des
nuances grillées, épicées et vanillées. L'attaque révèle une
belle charpente ronde, mais des tanins un peu austères
soulignent la finale. Un vin pour l'heure très marqué par
le bois (ce qui lui a coûté sa deuxième étoile), mais dont il
sera intéressant de suivre l'évolution.
☛ Les Vignerons de Beaupuy, 47200 Marmande,
tél. 05.53.76.05.10, fax 05.53.64.63.90,
e-mail contact@cavedebeaupuy.com ☑ Ⓨ t.l.j. sf dim.
8h30-12h 14h-18h30

TAP D'E PERBOS
Vieilli en fût de chêne 2000★

■	5 ha	40 000	ⅲ	5 à 8 €

Remarquable l'an dernier, un classique que l'on
retrouve avec plaisir. Le nez, particulièrement complexe,
associe des parfums fruités et floraux, fondus dans un boisé
discret, arômes qui imprègnent aussi la bouche. L'attaque
est franche, puissante, grasse et moelleuse, la finale marquée par un boisé léger qui n'assèche pas les tanins. Une
étoile encore pour un vin de propriété vinifié par la
coopérative, le **Château Jacquet 2000** (3 à 5 €). Si sa
structure tannique est plus légère que celle du précédent, on
apprécie ses arômes de fruits rouges (groseille, framboise)
présents tout au long de la dégustation.
☛ Cave de Cocumont, La Vieille Eglise,
47250 Cocumont, tél. 05.53.94.50.21,
fax 05.53.94.52.84, e-mail accueil@cave-cocumont.fr
☑ Ⓨ r.-v.

LA TOUR D'ASPE
Vieilli en fût de chêne 2000★

■	30 ha	120 000	ⅲ	8 à 11 €

Difficile d'échapper au boisé dans cette cuvée Tour
d'Aspe. Le nez est très marqué par les fruits rouges (cerise,
framboise), mais une pointe de vanille se développe à
l'agitation. La bouche, dotée de tanins savoureux et bien
enrobés, procure à la fois une sensation de moelleux et de
fraîcheur, tandis qu'une certaine vivacité se manifeste en
finale. Un vin sérieux, bien fait. Très réussi également, le
Château de la Côte de France 2000 (5 à 8 €), un vin de
propriété vinifié par la coopérative, n'a pas connu le bois.
Ses arômes de fruits mûrs sont plaisants mais ses tanins
gagneront à s'assouplir.
☛ Les Vignerons de Beaupuy, 47200 Marmande,
tél. 05.53.76.05.10, fax 05.53.64.63.90,
e-mail contact@cavedebeaupuy.com ☑ Ⓨ t.l.j. sf dim.
8h30-12h 14h-18h30

Ne jamais user en cuisine de vins ordinaires ou de vins
trop légers : leur réduction ne concentre alors que leur
manque de présence.

Vins d'estaing AOVDQS

Entouré par les causses de l'Aubrac, les monts du Cantal et le plateau du Lévezou, le vignoble de l'Aveyron serait plutôt à classer parmi ceux du Massif central. Ces petites appellations sont très anciennes ; leur fondation par les moines de Conques remonte au IXᵉs.

Les vins d'estaing (14 ha) se partagent entre rouges frais et parfumés (cassis, framboise), à base de fer-servadou et de gamay (422 hl), et blancs très originaux, assemblages de chenin, de mauzac et de rousselou (19 hl). Ils sont vifs et rocailleux, avec des parfums de terroir.

LES VIGNERONS D'OLT
Cuvée Prestige 2001

■	3 ha	13 500	▮	3 à 5 €

Les deux cabernets, à 45 % chacun, complétés par le fer-servadou, sont à l'origine de cette cuvée à la robe framboise nuancée de violet. Le nez évoque un sous-bois printanier. La bouche simple, équilibrée, révèle une structure légère. On retrouve en finale le côté végétal, accompagné d'une pointe d'amertume et d'un discret fruité.

⌐ Les Vignerons d'Olt, Z.A. La Fage, 12190 Estaing, tél. 05.65.44.04.42, fax 05.65.44.04.42, e-mail cave.vigneronsdolt@wanadoo.fr ☑ ⟨ r.-v.

Vins d'entraygues et du fel AOVDQS

Les vins blancs d'entraygues (8 ha), cultivés sur d'étroites banquettes à flanc de coteaux abrupts, sont également issus de chenin et de mauzac, sur des sols schisteux ; ils sont frais et fruités à la fois. Ils font merveille sur les truites sauvages et le fromage de cantal doux. Les vins rouges du fel (18 hl), solides et terriens, seront bus sur l'agneau des causses et la potée auvergnate.

JEAN-MARC VIGUIER 2000

▨	2 ha	8 000	▮	5 à 8 €

Une fois de plus, c'est un vin blanc de chenin qui a été retenu dans l'appellation. La couleur est jolie, paille fraîche aux nuances vert tendre. Le nez délicat associe les fleurs blanches, les agrumes et des nuances exotiques. La bouche, assez volumineuse, vive à l'attaque, reste marquée par une fraîcheur tonique jusqu'à la finale acidulée.

⌐ Jean-Marc Viguier, Les Buis, 12140 Entraygues, tél. 05.65.44.50.45, fax 05.65.48.62.72 ☑ ⟨ t.l.j. 9h-12h30 13h30-19h

Marcillac

Dans une cuvette naturelle, le « vallon », au microclimat favorable, le mansoi (fer-servadou) donne aux vins rouges de marcillac une grande originalité empreinte d'une rusticité tannique et d'arômes de framboise. En 1990, cette démarche de typicité, cette volonté d'originalité ont été reconnues par l'accession à l'AOC. L'aire d'appellation recouvre aujourd'hui 160 ha et a produit, en 2001, 5 106 hl d'un vin reconnaissable entre tous.

DOM. DU CROS
Lo Sang del Païs 2000★

■	16 ha	100 000	▮ ▥ ⬩	3 à 5 €

Régulièrement retenu, le domaine du Cros est incontournable dans l'appellation. Cette année, deux de ses cuvées bien connues des lecteurs du Guide sont sélectionnées : la **cuvée Vieilles vignes 2000 (5 à 8 €)**, élevée sous bois, qui devrait mieux s'exprimer dans quelques mois ; et celle-ci, d'un beau grenat aux reflets violets, au nez ouvert et agréable, mêlant le cassis, les épices, le cacao et le cuir. Après une attaque franche, la bouche reste expressive et se montre bien équilibrée. Les tanins fondus rendent la persistance agréable. Un vin typé et très réussi.

⌐ Philippe Teulier, Dom. du Cros, 12390 Goutrens, tél. 05.65.72.71.77, fax 05.65.72.68.80, e-mail pteulier@domaine-du-cros.com ☑ ⟨ r.-v.

DOM. DE LADRECHT 2000★

■	2 ha	12 500	▮ ⬩	3 à 5 €

Deux cuvées très réussies ont droit de cité dans le Guide : la **cuvée réservée 2000**, déjà harmonieuse et typique, et ce domaine de Ladrecht, d'un rouge sombre attirant, aux reflets violacés. Assez intenses, les parfums expriment le bourgeon de cassis et les fruits rouges que l'on retrouve dans une bouche d'une belle présence, bien équilibrée par des tanins savoureux. Un ensemble sincère et bien fait.

⌐ Les Vignerons du Vallon, RN 140, 12330 Valady, tél. 05.65.72.70.21, fax 05.65.72.68.39 ☑ ⟨ r.-v.

DOM. LAURENS 2000★

■	15 ha	105 000	▮	5 à 8 €

Cette propriété, qui comptait seulement 1,5 ha en 1970, dispose aujourd'hui de 20 ha de vignes. Le fer-servadou domine bien entendu l'encépagement (95 %). Le domaine élabore lui-même son vin depuis 1997. Celui-ci est d'un rouge intense aux nuances violines. Le nez, encore un peu retenu, laisse percer quelques nuances de fruits rouges et paraît chaleureux. La bouche est en effet assez corsée, mais aussi vive, avec des tanins bien présents. Les arômes s'y expriment généreusement. L'ensemble révèle un bel équilibre. Elevée douze mois en fût, la cuvée du **Château de Flars 2000** recueille également une étoile pour sa belle matière, encore dominée par un fort boisé.

⌐ Famille Laurens, 12330 Clairvaux, tél. 05.65.72.69.37, fax 05.65.72.76.74 ☑ ⟨ r.-v.

SUD-OUEST

JEAN-LUC MATHA
Cuvée Pèirafi 2000★

■	3 ha	12 000	◫	5 à 8 €

Habitué du Guide et coup de cœur pour un 97, Jean-Luc Martha propose cette cuvée Pèirafi, issue de pur fer-servadou cultivé sur le rougier et vendangé manuellement. D'une belle couleur sombre, presque noire, aux nuances violines, il est assez puissant, riche de fruits rouges et noirs bien mûrs. La bouche, parfaitement équilibrée, apparaît suffisamment moelleuse pour enrober une forte structure aux tanins fermes. La matière est de qualité et très aromatique. Un marcillac fort et beau.

🍷 Jean-Luc Matha, Bruejouls, 12330 Clairvaux, tél. 05.65.72.63.29, fax 05.65.72.70.43 ☑ ⵏ r.-v.

Côtes de millau AOVDQS

L'appellation AOVDQS côtes de millau a été reconnue le 12 avril 1994. La production atteint environ 1 500 hl. Les vins sont composés de syrah et de gamay noir et, dans une moindre proportion, de cabernet-sauvignon, de fer-servadou et de duras.

DOM. DE BOURJAC
Vieilles vignes 2000★

■	1 ha	4 000	▮◆	8 à 11 €

En 1997, Olivier Toulouse a succédé à son grand-père sur ce domaine de 8,5 ha. Ce millésime 2000, de couleur pourpre violine, offre un nez assez intense de violette. Plutôt rond à l'attaque, raffermi par des tanins végétaux et une rétro-olfaction complexe, à base de fruits rouges, c'est un beau côtes de millau qu'il conviendra de déboucher deux heures avant de le consommer... sur un aligot par exemple.

🍷 Olivier Toulouse, Le Bourg, 12480 Broquiès, tél. 05.65.99.48.17, fax 05.65.99.47.31, e-mail bourjac@wanadoo.fr ☑ ⵏ r.-v.

MAITRE DES SAMPETTES
Elevé en fût de chêne 1999★★

■	n.c.	20 000	◫	5 à 8 €

Créée en 1972, cette cave coopérative regroupe vingt-deux vignerons travaillant 56 ha de vignes. Tous ont joué un rôle important dans la reconnaissance par l'INAO de leur vignoble dont l'ancienneté n'est plus à prouver. D'une robe pourpre s'exhale un nez sauvage composé de notes végétales, vanillées et poivrées. Rond mais structuré, ce vin garde un caractère fougueux où interfèrent terroir et rusticité. A consommer sur de la viande grillée ou du gibier.

🍷 SCV Vignerons des Gorges du Tarn, rue du Colombier, 12520 Aguessac, tél. 05.65.59.84.11, fax 05.65.59.17.90 ☑ ⵏ r.-v.

SEIGNEURS DE PEYREVIEL
Sélection 2000★

■	n.c.	4 500	▮◆	5 à 8 €

Ce joli vin à la robe grenat présente des arômes légèrement évolués de cassis et de fruits à l'eau-de-vie. Ses tanins plutôt fondus laissent place à une rétro-olfaction évoquant nettement le poivron vert. A consommer sans trop tarder.

🍷 SCV Vignerons des Gorges du Tarn, rue du Colombier, 12520 Aguessac, tél. 05.65.59.84.11, fax 05.65.59.17.90 ☑ ⵏ r.-v.

DOM. DU VIEUX NOYER 2001★

■	1,29 ha	5 500	▮◆	3 à 5 €

Les grands-parents de Carmen et Bernard Portalier étaient déjà vignerons à Rivière-sur-Tarn. Adhérent de la cave coopérative depuis 1979, Bernard a choisi de créer sa cave de vinification en 1994, année de la reconnaissance de l'appellation. Belle robe pétale de rose pour ce rosé 2001 aux arômes de bonbons aux fraises. Vif, acidulé en bouche, il présente un caractère fougueux qui ressemble à celui du Tarn. A consommer sur de la charcuterie aveyronnaise.

🍷 Dom. du Vieux Noyer, Boyne, 12640 Rivière-sur-Tarn, tél. 05.65.62.64.57, fax 05.65.62.64.57 ☑ 🏠 ⵏ r.-v.

🍷 Carmen et Bernard Portalier

Béarn

Les vins du Béarn peuvent être produits sur trois aires séparées. Les deux premières coïncident avec celles du jurançon et du madiran. La zone purement béarnaise comprend les communes qui entourent Orthez et Salies-de-Béarn. C'est le béarn de Bellocq. Cette AOC couvre environ 206 ha. 10 659 hl ont été produits en 2001 en rouge et 78 hl en blanc.

Reconstitué après la crise phylloxérique, le vignoble occupe les collines prépyrénéennes et les graves de la vallée du Gave. Les cépages rouges sont constitués par le tannat, les cabernet-sauvignon et cabernet franc (bouchy), les anciens manseng noir, courbu rouge et fer-servadou. Les vins sont corsés et généreux, et accompagnent garbure (soupe régionale) et palombe grillée. Les rosés de Béarn, les meilleurs produits de l'appellation, sont vifs et délicats, avec des arômes fins de cabernet et une bonne structure en bouche.

DOM. LAPEYRE
Vieilli en fût de chêne 2000

■	3 ha	15 000	◫	5 à 8 €

Si l'eau et le sel ont fait la prospérité de Salies-de-Béarn, une des nombreuses petites villes thermales du piémont pyrénéen, le vin contribue aussi à son renom, grâce à des vignerons comme Pascal Lapeyre, régulièrement sélectionné dans le Guide. Comme l'an dernier, c'est un vin rouge, élevé douze mois dans le bois, qui a été retenu. La robe est jolie, cerise burlat intense. Tout aussi soutenu, le nez libère des senteurs de cassis et de mûre dominées par un fort boisé. Le chêne, bien présent, apporte du moelleux, des arômes et de la charpente à une matière heureusement ample et concentrée. Une belle construction encore sous l'emprise du bois et à laisser vieillir.

➥ EARL Pascal Lapeyre, 52, av. des Pyrénées, 64270 Salies-de-Béarn, tél. 05.59.38.10.02, fax 05.59.38.03.98 ☑ ⵣ t.l.j. 8h30-12h30 14h30-19h30; dim. 8h30-12h30

DOM. LARRIBERE 2001★

■	14 ha	40 000	▮⌀	3 à 5 €

Aux portes de Pau, la coopérative de Gan, en plein essor, vinifie 150 ha de vignes et propose toute une gamme d'appellations béarnaises. Cette cuvée se distingue par sa belle robe d'un rouge rubis profond et brillant. Le nez présent, plutôt corsé, évoque les fruits noirs et les fruits secs sous les accents grillés. Après une attaque souple, la bouche impose rapidement sa puissance et sa structure, puis finit sur une sensation chaleureuse et des tanins bien fondus. La cave reçoit aussi une étoile pour la cuvée **Beauvallon 2001 (moins de 3 €)** : un bon rapport qualité-prix pour ces 200 000 bouteilles.

➥ Cave des producteurs de Jurançon, 51-53, av. Henri-IV, 64290 Gan, tél. 05.59.21.57.03, fax 05.59.21.72.06, e-mail cave.gan@adour-bureau.fr ☑ ⵣ t.l.j. sf dim. 8h-12h 13h30-19h

Irouléguy

Dernier vestige d'un grand vignoble basque dont on trouve la trace dès le XIe s., l'irouléguy (le chacoli, côté espagnol) témoigne de la volonté des vignerons de perpétuer l'antique tradition des moines de Roncevaux. Le vignoble s'étage sur le piémont, dans les communes de Saint-Etienne-de-Baïgorry, d'Irouléguy et d'Anhaux sur quelque 200 ha. En 2001, il a produit 7 727 hl dont 750 en blanc.

Les cépages d'autrefois ont à peu près disparu pour laisser place au cabernet-sauvignon, au cabernet franc et au tannat pour les vins rouges, au courbu et aux gros et petit manseng pour les blancs. La presque totalité de la production est vinifiée par la coopérative d'Irouléguy, mais de nouveaux vignobles sont en train de voir le jour. Le vin rosé est vif, bouqueté et léger, avec une couleur cerise ; il accompagnera la piperade et la charcuterie. L'irouléguy rouge est un vin parfumé, parfois assez tannique, qui conviendra aux confits.

DOM. ABOTIA

Elevé en fût de chêne 2000★

■	6,26 ha	26 000	⫟	5 à 8 €

Le village d'Ispoure jouxte la pittoresque cité fortifiée de Saint-Jean-Pied-de-Port, au pied des monts de l'Arra-

doy. La famille Errecart y exploite environ 8,5 ha de vignes. On retrouve son vin rouge élevé sous bois. Le 2000 s'habille d'une robe assez intense, d'un rouge rubis. Le nez frais mêle des senteurs fruitées et végétales à un boisé grillé. L'attaque est ronde et souple ; la structure n'est pas des plus concentrées et la bouche équilibrée a du volume. Savoureux et aromatique, l'ensemble est fort plaisant.

➥ Jean-Claude et Peïo Errecart, Dom. Abotia, 64220 Ispoure, tél. 05.59.37.03.99, fax 05.59.37.23.57 ☑ ⵣ r.-v.

DOM. ARRETXEA

Cuvée Haïtza 2000★

■	1,2 ha	5 500	⫟	11 à 15 €

On suit toujours avec attention la production de ce couple de vignerons passionnés, installés en zone de montagne, et qui conduisent leur vignoble en terrasse en agriculture biologique. Leur cuvée Haïtza revêt une robe noir d'encre aux nuances grenat. Le nez, encore retenu, mais semble-t-il profond, laisse percer des arômes de fruits noirs très mûrs, de réglisse et d'épices. Grasse et charnue, la bouche révèle une matière concentrée, aux tanins à la fois denses et soyeux. Reflet d'une noble extraction, ce vin est déjà agréable, tout en étant plein de promesses. Le 96 avait obtenu un coup de cœur.

➥ Thérèse et Michel Riouspeyrous, Dom. Arretxea, 64220 Irouléguy, tél. 05.59.37.33.67, fax 05.59.37.33.67, e-mail domaine.arretxea@free.fr ☑ ⵣ r.-v.

OMENALDI

Elevé en fût de chêne 2000★★★

■	4,5 ha	18 000	▮⫟⌀	8 à 11 €

Nichée dans la vallée de la Nive d'Urepel, encaissée entre des montagnes verdoyantes aux crêtes de grès rose, Saint-Etienne-de-Baïgorry offre un site de choix aux amateurs de randonnées et d'habitat basque authentique. C'est là que les Vignerons du Pays Basque ont établi le siège de leur coopérative, qui a largement contribué au renom viticole de la région. Rénovée en 2000, la cave a beaucoup investi dans la qualité. Des efforts couronnés de succès, à en juger par cette superbe cuvée. Profonde est la robe, presque noire à nuances violines, complexe le nez, qui exprime la maturité du fruit enveloppé d'épices, de vanille et de cacao, avec de jolies notes grillées. L'attaque est riche et grasse, la bouche conjugue puissance et élégance. La finale s'étire sur des tanins soyeux et bien fondus. Très harmonieux, laissant une impression de plénitude, ce vin traduit une parfaite maîtrise.

➥ Les Vignerons du Pays Basque, CD 15, 64430 Saint-Etienne-de-Baïgorry, tél. 05.59.37.41.33, fax 05.59.37.47.76, e-mail irouleguy@hotmail.com ☑ ⵣ r.-v.

XURI D'ANSA 2001★★

| | 4 ha | 20 000 | **◫** | 5 à 8 € |

La cave de Saint-Etienne-de-Baïgorry réalise aussi des prouesses en blanc. Voyez cette cuvée, issue de gros (60 %) et de petit (40 %) mansengs, à la robe paille de belle intensité. Expressif, ample et corsé, le nez libère des senteurs d'agrumes, de poire et de kiwi mêlées à un boisé frais, aux accents de cacao et de vanille. La bouche, tout en rondeur, s'équilibre entre douceur et acidité, et développe une large palette aromatique. Une superbe bouteille pour accompagner poisson d'eau douce (la civelle locale par exemple) ou volaille à la crème.

↞ Les Vignerons du Pays Basque, CD 15, 64430 Saint-Etienne-de-Baïgorry, tél. 05.59.37.41.33, fax 05.59.37.47.76, e-mail irouleguy@hotmail.com

☑ ⊤ r.-v.

et saumons du Gave. Les jurançon moelleux ont une belle couleur dorée, des arômes complexes de fruits exotiques (ananas et goyave) et d'épices, comme la muscade et la cannelle. Leur équilibre acide-liqueur en fait des faire-valoir tout indiqués du foie gras. Ces vins peuvent vieillir très longtemps et donner de grandes bouteilles qui accompagneront un repas, de l'apéritif au dessert en passant par les poissons en sauce et le fromage pur brebis de la vallée d'Ossau. Meilleurs millésimes : 1970, 1971, 1975, 1981, 1982, 1983, 1987, 1989, 1990, 1995. La production a atteint en 2001, 45 399 hl.

Jurançon et jurançon sec

« **J**e fis, adolescente, la rencontre d'un prince enflammé, impérieux, traître comme tous les grands séducteurs : le jurançon », écrit Colette. Célèbre depuis qu'il servit au baptême d'Henri IV, le jurançon est devenu le vin des cérémonies de la maison de France. On trouve ici les premières notions d'appellation protégée - car il était interdit d'importer des vins étrangers - et même des notions de cru et de classement, puisque toutes les parcelles étaient répertoriées suivant leur valeur par le parlement de Navarre. Comme les vins de Béarn, le jurançon, alors rouge ou blanc, était expédié jusqu'à Bayonne, au prix de navigations parfois hasardeuses sur les eaux du Gave. Très prisé des Hollandais et des Américains, le jurançon parvint à un vedettariat qui ne prit fin qu'avec le phylloxéra. La reconstitution du vignoble (1 013 ha aujourd'hui dont 976 ha revendiqués en 2001) fut effectuée avec les méthodes et les cépages anciens, sous l'impulsion de la cave de Gan et de quelques propriétaires fidèles.

Ici plus qu'ailleurs, le millésime revêt une importance primordiale, surtout pour les jurançon moelleux qui demandent une surmaturation tardive par passerillage sur pied. Les cépages traditionnels, uniquement blancs, sont le gros et le petit manseng, et le courbu. Les vignes sont cultivées en hautains pour échapper aux gelées. Il n'est pas rare que les vendanges se prolongent jusqu'aux premières neiges.

Le jurançon sec, 75 % de la production, est un blanc de blancs d'une belle couleur claire à reflets verdâtres, très aromatique, avec des nuances miellées. Il accompagne truites

Jurançon

DOM. BELLEGARDE
Sélection DB 2000★

| | 4 ha | 4 000 | **◫** | 46 à 76 € |

Pascal Labasse a donné le nom de son fils à l'une de ses cuvées, coup de cœur dans le millésime 1999. Dans cette nouvelle sélection, la **cuvée Thibault 2000** (11 à 15 €) obtient une étoile, à l'instar de cette Sélection DB brillant d'or et d'ambre intenses. Profondément aromatique, celle-ci s'ouvre sur des notes de fruits mûrs, presque confits, et d'épices, puis se nuance de touches boisées et beurrées. Elle est ample, volumineuse et pleine d'une liqueur fruitée-vanillée qui procure un plaisir gourmand.

↞ Pascal Labasse, quartier Coos, 64360 Monein, tél. 05.59.21.33.17, fax 05.59.21.44.40, e-mail domaine.bellegarde@wanadoo.fr ☑ ⊤ t.l.j. sf sam. dim. 10h-12h 14h-18h30

CLOS BELLEVUE
Cuvée spéciale 2000★

| | 2,3 ha | 4 000 | **▮↡** | 8 à 11 € |

Le Clos Bellevue, dont l'origine remonte à la Révolution, est dirigé de main de maître par Jean Muchada depuis trente ans. Ce jurançon d'un jaune à peine doré, animé de reflets vert brillant, révèle un nez assez intense et fin de fleurs blanches, de vanille et de miel soulignés de fruits mûrs. A l'attaque vive répond une bouche pleine, qui ne manque pas de gras mais qui garde un caractère acidulé et des arômes frais. Un vin encore jeune et gai.

↞ Jean Muchada, Clos Bellevue, chem. des Vignes, 64360 Cuqueron, tél. 05.59.21.34.82, fax 05.59.21.34.82 ☑ ⊤ t.l.j. sf dim. 8h-12h 14h-18h

DOM. BORDENAVE
Cuvée des Dames 2000★★

| | 5 ha | 10 000 | **▮↡** | 8 à 11 € |

Voilà dix ans que Gisèle Bordenave s'est installée sur ce domaine de 10 ha, dont la création remonte à 1676. Ses vins apparaissent régulièrement au plus haut niveau, tel ce 2000 tout d'or vêtu, égayé de reflets verts presque fluo. Intense et bien net, le nez évoque les fruits exotiques (mangue) nappés de miel toutes fleurs. A l'attaque fraîche succède une bouche grasse et moelleuse qui donne la sensation de croquer dans la grappe de raisin. Puis, les arômes se développent sur les fruits secs et, surtout, les agrumes qui renforcent le caractère rafraîchissant de ce vin.

☙ Gisèle Bordenave, quartier Ucha, 64360 Monein, tél. 05.59.21.34.83, fax 05.59.21.37.32 ☑ ☥ t.l.j. 9h-18h

BORDENAVE-COUSTARRET
Le Barou 2000★★

	1 ha	2 500	⫶ 11 à 15 €

Le village de Lasseube, typique par son église et ses maisons gothiques, se trouve dans la vallée de l'Escou, ruisseau bordé de collines boisées (le mot « seübe » signifie bois). Ce domaine, créé à l'aube du XIXᵉ s., comprend 4 ha de vignes. Son jurançon or pâle séduit par ses évocations de mangue sur toast beurré. Le bois, hérité d'un élevage de douze mois en fût, s'exprime en de jolies touches poivrées. La bouche confirme le bel équilibre entre liqueur et fraîcheur comme entre fruit et boisé, avant de se prolonger dans une finale acidulée aux arômes de vanille et de zeste d'orange. Un vin franc de goût.

☙ Bordenave-Coustarret, quartier Baouch, 64290 Lasseube, tél. 05.59.21.72.66, fax 05.59.21.72.66 ☑ ☥ t.l.j. 10h-18h; dim. sur r.-v.

DOM. BRU-BACHE
L'Eminence 2000★★

	n.c.	n.c.	⫶ 38 à 46 €

Georges Bru-Baché savait qu'il n'avait aucun souci à se faire pour la pérennité de son domaine lorsqu'il le confia à son neveu Claude Loustalot. Depuis dix-huit ans, c'est l'un des rares propriétés à aligner un nombre d'étoiles impressionnant. L'or de ces vin semble se cristalliser dans les nombreuses larmes qui coulent le long du verre. Alors que la palette se dévoile, d'abord boisée, avec des nuances de café torréfié, puis plus complexe dans ses notes de fruits à l'eau-de-vie soulignées d'une pointe d'anis. Une matière grasse, mûre et aromatique emplit la bouche, étayée par une vraie structure et rafraîchie par une saveur acidulée qui prend des accents d'agrumes en finale.

☙ Henri Bru-Baché, rue Barada, 64360 Monein, tél. 05.59.21.36.34, fax 05.59.21.32.67 ☑ ☥ r.-v.
☙ Claude Loustalot

CANCAILLAU
Gourmandise 2000★★

	2 ha	4 200	⫶ 11 à 15 €

« Gourmandise »... Le ton de la dégustation est donné. Une robe jaune doré intense, aux larmes abondantes. Un nez puissant et flatteur par ses senteurs boisées (vanille, café) mêlées aux fruits confits et aux épices. Une bouche ample, puissante et fruitée, équilibrée par une belle structure. Et la finale de laisser le dégustateur sur une impression de fraîcheur, avec un goût de sucre d'orge acidulé. Quel autre nom aurait-on pu donner à ce vin ?

☙ EARL Barrère, 64150 Lahourcade, tél. 05.59.60.08.15, fax 05.59.60.07.38 ☑ ☥ t.l.j. sf dim. 8h-19h; f. 8 oct.-15 nov.

DOM. CAPDEVIELLE
Noblesse d'Automne 2000★

	4,5 ha	14 000	◫ 8 à 11 €

Si ce domaine créé en 1847 s'est longtemps partagé entre l'élevage, la vigne et d'autres cultures, il s'est résolument tourné vers la viticulture en 1990, sur 10 ha.

Deux vins très réussis ont retenu l'attention : le **jurançon sec Brise océane 2001 (5 à 8 €)**, ainsi que ce moelleux issu de pur petit manseng et élevé en cuve sur lies fines. Or brillant, celui-ci semble encore discret dans son expression aromatique, mais bien typé grâce à des senteurs de pâte de fruits, de coing et d'agrumes. Son caractère moelleux et gras, comme sa puissance, sont équilibrés par une juste vivacité qui soutient en outre un fruité pur, aux accents d'agrumes confits en finale.

☙ Didier Capdevielle, quartier Coos, 64360 Monein, tél. 05.59.21.30.25, fax 05.59.21.30.25, e-mail domaine.capdevielle@wanadoo.fr ☑ ☥ t.l.j. 8h30-12h 13h-19h; dim. sur r.-v.

DOM. CAUHAPE
Noblesse du temps 2000★★

	10 ha	20 000	⫶ 23 à 30 €

Un palmarès impressionnant pour ce producteur, ténor de l'appellation, qui a produit trois vins remarquables : le **jurançon sec Noblesse 2000 (15 à 23 €)**, le **jurançon liquoreux Quintessence du petit-manseng 2000 (plus de 76 €)** et cette Noblesse du temps, intemporelle... Doré intense aux nuances paille, elle livre un nez frais et complexe d'épices, de fleurs, de fruits confits, de miel et de nèfle. Bien concentrée, elle est riche d'une liqueur aromatique persistante tout en gardant un parfait équilibre. Subtilité et saveur... Du grand art.

☙ Henri Ramonteu, Dom. Cauhapé, quartier Castet, 64360 Monein, tél. 05.59.21.33.02, fax 05.59.21.41.82, e-mail domainecauhape@wanadoo.fr ☑ ☥ r.-v.

CLOS GASSIOT
Elégance 2000★★

	1,5 ha	4 500	◫◬ 8 à 11 €

De mémoire de vigneron, la vigne a toujours existé sur ce site où s'installèrent les ancêtres d'Antoine Tavernier en 1553. Dans ce millésime, trois vins aux jolis noms sont mis à l'honneur : le **juranson sec Embrun 2000 (5 à 8 €)**, le **jurançon moelleux Mémoire 2000 (11 à 15 €)**, tous deux très réussis, et cette cuvée à son avantage dans sa robe d'or pur. Au nez intense et parfaitement fondu de miel, de fruits confits (abricot, coing) et d'épices répond une bouche ronde, grasse et moelleuse, dont la richesse en alcool porte loin sa finale fruitée.

☙ Antoine Tavernier, rte de Pau, 64360 Abos, tél. 05.59.60.10.22, fax 05.59.71.58.92 ☑ ☥ r.-v.

CLOS GUIROUILH 2000★★

	4 ha	14 000	⫶ 8 à 11 €

Le **jurançon sec 2001 (5 à 8 €)**, jugé très réussi, laisse la vedette à ce vin moelleux jaune orangé bien soutenu.

Celui-ci livre un nez intense et complexe de fruits confits et d'épices, nuancé d'originales notes d'hydrocarbure. En bouche, c'est la révélation d'une forte concentration, d'une grande richesse et d'une gracieuse plénitude. La finale insiste sur les fruits mûrs et le miel. Un nectar.

☙ Jean Guirouilh, rte de Belair, 64290 Lasseube, tél. 05.59.04.21.45, fax 05.59.04.22.73 ☑ ⏲ r.-v.

CH. JOLYS
Cuvée Jean 2000★

	6 ha	30 000	◫ 8 à 11 €

« Terrae escencia », peut-on lire sur l'étiquette du vin. S'il est typique de son terroir d'origine, ce jurançon aux reflets d'or, assez intense et brillant, traduit aussi une bonne maîtrise de l'élevage en fût. Son nez original et complexe mêle les fruits à la vanille, au pain brioché, au grillé, au chocolat blanc et au caramel. Ample et bien équilibrée, sa bouche conclut le mariage du bois et du fruit par de jolies notes aromatiques. Un jurançon déjà agréable.

☙ Sté des Domaines Latrille, Ch. Jolys, 64290 Gan, tél. 05.59.21.72.79, fax 05.59.21.55.61, e-mail chateau.jolys@wanadoo.fr ☑ ⏲ t.l.j. sf sam. dim. 8h30-12h 13h30-17h

CH. LAFITTE
Cuvée Lison 2000★

	1 ha	6 000	◫ 11 à 15 €

3 ha de vignes loués et 3 ha achetés ont permis à Jacques Balent de constituer son domaine à l'aube du XXIᵉˢ. et de proposer deux cuvées très réussies : le **jurançon sec cuvée Marine 2000** et ce moelleux jaune paille à reflets or qui exprime avec complexité les fruits mûrs et des épices variées. Franc et vif à l'attaque, il se prolonge agréablement sur des arômes de fruits à chair blanche, toujours soutenu par la fraîcheur.

☙ Jacques Balent, château Lafitte, 64360 Monein, tél. 05.59.21.49.44, fax 05.59.21.43.01, e-mail j.balent@wanadoo.fr ☑ ⏲ r.-v.

CLOS LAPEYRE
Sélection 2000★★

	4 ha	12 000	◫ 11 à 15 €

Deux jurançon secs très réussis, la **cuvée Vitatge Vielh 2000 (8 à 10 €)** et le **Clos Lapeyre 2001 (5 à 8 €)** font une haie d'honneur à ce vin moelleux brillant de reflets dorés prononcés. Le nez décline d'intenses notes de torréfaction accompagnées de fruits exotiques confits, tandis que la matière, à la fois fraîche et généreuse, se savoure comme une gourmandise, livrant des flaveurs complexes qui commencent à s'affiner. Une belle bouteille prête à affronter la garde.

☙ Jean-Bernard Larrieu, La Chapelle-de-Rousse, 64110 Jurançon, tél. 05.59.21.50.80, fax 05.59.21.51.83, e-mail jean-bernard.larrieu@wanadoo.fr ☑ ⏲ t.l.j. sf dim. 9h-12h 14h-18h

DOM. LARROUDE
Un Jour d'Automne 2000★★★

	0,5 ha	1 500	◫ 15 à 23 €

Si le jurançon sec **cuvée Vieilles vignes 2001 (5 à 8 €)** a été jugé très réussi, ce Jour d'Automne a séduit plus encore le jury par sa magnifique robe d'ambre aux nuances orangées intenses et ses nombreuses larmes. Soutenu et complexe, le nez offre des senteurs de miel, de cire d'abeille et de fruits mûrs, voire confits (nèfle, figue). La bouche puissante et opulente, d'une extrême concentration, évoque

la confiture et la pâte de fruits, nuancées de fruits secs et d'épices. Un véritable sucre d'orge... Du concentré de raisin.

☙ Julien et Christiane Estoueigt, EARL du Dom. Larroudé, 64360 Lucq-de-Béarn, tél. 05.59.34.35.92, fax 05.59.34.35.92 ☑ ⏲ t.l.j. sf dim. 9h-12h 14h-18h

DOM. LATAPY
Passion 2000★★

	n.c.	n.c.	11 à 15 €

Irène Guilhendou a repris en 1996 ce domaine familial en orientant ses activités vers la vinification. Bien lui en a pris, à en juger par ce vin nuancé d'ambre et d'or, dont le nez mêle les fruits confits, les fleurs jaunes, le miel, le caramel et une note citronnée. Du gras et surtout un bel équilibre entre fraîcheur, douceur et générosité en alcool laissent une impression de complétude. La finale persistante, soulignée par une pointe d'amertume, signe l'ensemble.

☙ Irène Guilhendou, chem. Berdoulou, 64290 Gan, tél. 05.59.21.71.64, fax 05.59.21.71.61 ♛ ⏲ t.l.j.

DOM. MONTAUT
Cuvée Prestige 2000★★

	4,3 ha	22 000	▮⬇ 8 à 11 €

Fernand Montaut a abandonné le système coopératif pour vinifier lui-même le fruit de son vignoble de 4,5 ha. 2000, son premier millésime, devrait l'encourager à poursuivre dans cette nouvelle voie. Car c'est un jurançon typé et bien fait que le jury a apprécié. Jaune doré assez soutenu, il possède un nez déjà suave, garni de miel et de fruits confits (nèfle et marron glacé). La bouche grasse offre une matière concentrée, ainsi que du fruit. Un vin équilibré, suffisamment complexe et généreux.

☙ Montaut, quartier Haut Ucha, 64360 Monein, tél. 05.59.21.38.17, fax 05.59.21.38.17 ☑ ⏲ t.l.j. 9h-19h

DOM. DE MONTESQUIOU
Grappe d'or 2000★★

	2 ha	5 700	▮⬇ 8 à 11 €

Grappe d'or, telle est encore la couleur de ce jurançon. Au premier nez de raisin succèdent des effluves intenses d'épices variées (cannelle, gingembre), puis des notes d'agrumes. Souple et douce à l'attaque, la bouche se déploie, chaleureuse, pleine de fruits en liqueur ou à l'eau-de-vie. Encore une poignée de bonbons anglais en finale, et le dégustateur de conclure son appréciation sur la mention d'un vin tout en fruit.

☙ Gérard Bordenave-Montesquiou, Quartier Haut-Ucha, 64360 Monein, tél. 05.59.21.43.49, fax 05.59.21.43.49, e-mail info@domaine-de-montesquiou.com ☑ ⏲ t.l.j. 8h-12h 14h-19h

Jurançon sec

CH. DE NAVAILLES 2000★

	7,44 ha	40 000	🍶⑪🏷	8 à 11 €

Ils se partagent les étoiles, les jurançon de la cave coopérative, tous très réussis : le **jurançon sec Domaine Loustalé 2001** (3 à 5 €), aromatique et rafraîchissant, le **moelleux Prestige d'Automne 2000** et celui-ci, élevé douze mois en fût, dont la robe jaune citron bien soutenu a pris des nuances dorées. De la pêche à l'abricot au sirop, le vin évolue vers des notes florales puis miellées, accompagnées d'un léger boisé. Franc et déjà très fruité dès l'attaque, il développe ces mêmes arômes dans une bouche fraîche, à la liqueur légère, qui laisse un goût de fruits exotiques et de mandarine.

🔽 Cave des producteurs de Jurançon,
51-53, av. Henri-IV, 64290 Gan,
tél. 05.59.21.57.03, fax 05.59.21.72.06,
e-mail cave.gan@adour-bureau.fr
☑ ⵏ t.l.j. sf dim. 8h-12h 13h30-19h
🔽 Francis Paul

DOM. PEYRETTE 2000★

	2 ha	6 000	🍶🏷	5 à 8 €

Paille à reflets vert fluo, ce vin intense et bien net est marqué par les arômes du cépage, rappelant les fruits exotiques comme l'ananas et le litchi. Il enveloppe le palais de son gras et de son fruit encore plein de fraîcheur en finale. Un jurançon bien élevé.

🔽 Patrick Peyrette, Dom. Peyrette, chem. des Vignes, 64360 Cuqueron, tél. 05.59.21.31.10, fax 05.59.21.31.10
☑ ⵏ r.-v.

CH. DE ROUSSE 2000★★

	4 ha	12 000	⑪	8 à 11 €

Regardez bien l'étiquette de ces vins. Blanche et or, elle habille le **jurançon 2000** (5 à 8 €) élevé en cuve et en fût, auquel le jury a attribué une étoile. Noire et or, elle distingue ce vin brillant qui a séjourné seize mois sous bois. Il exprime les fruits jaunes mûrs comme l'abricot et les fruits exotiques, avant de livrer sa matière volumineuse, douce et fraîche à la fois. S'il possède beaucoup de liqueur, il conserve une ligne vive et un fruit bien présent qui lui assurent une bonne tenue.

🔽 Marc Labat, Ch. de Rousse, La Chapelle-de-Rousse, 64110 Jurançon, tél. 05.59.21.75.08, fax 05.59.21.76.54, e-mail mlabat@nomade.fr ☑ ⵏ r.-v.

CLOS THOU
Suprême de Thou 2000★★

	2,6 ha	8 000	⑪	11 à 15 €

Non content d'être proche de Pau et de son célèbre château qui vit naître Henri IV en 1553, Henri Lapouble-Laplace a balisé avec deux autres vignerons un sentier pédestre sur le thème de la vigne : la Jurançonnade. Des découvertes non seulement culturelles et naturelles, mais aussi gustatives vous sont ainsi réservées. Ce vin jaune ambré évoque avec complexité la pâtisserie : millefeuille, pain d'épice, tarte aux fruits et moka. Ample et chaleureux, il est plein d'un fruit mûr et concentré, soutenu par une bonne structure. Si la finale est encore sur la réserve, la belle liqueur est prometteuse.

🔽 Henri Lapouble-Laplace, chem. Larredya, 64110 Jurançon, tél. 05.59.06.08.60, fax 05.59.06.08.60, e-mail clos.thou@wanadoo.fr
☑ ⵏ t.l.j. sf dim. 9h-12h 14h-18h30

DOM. DE CABARROUY 2001★★

	1 ha	7 000	🍶🏷	5 à 8 €

Vêtu d'une robe nuancée d'or et de reflets verts, ce vin offre un nez d'emblée puissant, dominé de purs senteurs florales capiteuses. Dès l'attaque il est porté par la vivacité, tant et si bien qu'il laisse une impression rafraîchissante tout au long de la dégustation. Un jurançon sec très enjoué. Egalement remarquable, le **jurançon cuvée Sainte-Catherine 2000** (11 à 15 €), vin moelleux élevé en fût, bénéficie d'une bonne structure et gagnera à vieillir.

🔽 Dom. de Cabarrouy, 64290 Lasseube, tél. 05.59.04.23.08, fax 05.59.04.21.85
☑ ⵏ t.l.j. 9h-12h30 14h-19h; dim. sur r.-v.
🔽 P. Limousin et F. Skoda

DOM. CASTERA 2001★★

	1,4 ha	12 600	🍶🏷	5 à 8 €

Monein avait été surnommée par Henri IV le « Paris du Béarn », tant cette ville revêtait d'importance dans l'économie de la région. Aujourd'hui, on la parcourt avec plaisir pour découvrir non seulement son église gothique mais aussi ses fermes béarnaises des XVIIᵉ et XVIIIᵉs., parmi lesquelles le domaine de Castera. Celui-ci a produit un **jurançon moelleux cuvée Privilège 2000** (11 à 15 €) très réussi, ainsi que ce jurançon sec de pur gros manseng, qui attire l'œil par sa teinte doré clair, d'une parfaite brillance. Le nez intense, d'abord marqué par les fruits exotiques, s'enrichit de notes florales de rose et végétales de buis, tandis que l'attaque à la fois douce et fraîche introduit une matière ronde et sapide, longuement aromatique. La finale évoque le pamplemousse et l'ananas. Une typicité éclatante.

🔽 Christian Lihour, quartier Ucha, 64360 Monein, tél. 05.59.21.34.98, fax 05.59.21.46.32, e-mail christian-lihour@wanadoo.fr
☑ ⵏ t.l.j. sf dim. 9h-12h 14h-19h

DOM. DU CINQUAU 2001★★★

	1 ha	8 000	🍶🏷	5 à 8 €

Pierre Saubot est à la tête de ce vignoble de 9 ha depuis 1992. Il propose deux vins d'excellent niveau : le **jurançon 2000** (11 à 15 €), un vin moelleux élégant et de belle structure, et ce jurançon sec qui obtient un coup de cœur. De teinte franche, il s'ouvre sur le registre floral, puis s'affine et gagne en complexité en mêlant les fruits exotiques et les fruits à chair blanche. Dès l'attaque, l'harmonie se distingue dans sa bouche ronde, grasse et ample. Cette impression se prolonge agréablement sur le fruit et la fraîcheur.

🔻 Pierre Saubot, Dom. du Cinquau,
64230 Artiguelouve, tél. 05.59.83.10.41,
fax 05.59.83.12.93, e-mail p.saubot@jurancon.com
☑ Ⲩ r.-v.

CHARLES HOURS
Cuvée Marie 2000★★★

	2 ha	n.c.	⬤ 8 à 11 €

D'un superbe éclat, cette cuvée a conquis les dégustateurs dès le premier regard, avant de les enchanter par ses arômes puissants de fruits frais (pêche, abricot, agrumes) et de fleurs blanches, mêlés à un fin boisé. Elle offre un beau volume, de la rondeur, du gras et juste ce qu'il faut de vivacité pour laisser une impression élégante jusqu'à une finale toute fruitée. Un vin ravissant.
🔻 Charles Hours, quartier Trouilh, 64360 Monein,
tél. 05.59.21.46.19, fax 05.59.21.46.90 ☑ Ⲩ r.-v.

DOM. NIGRI 2001★★

	3,5 ha	23 000	🡇 5 à 8 €

Ce domaine fort aujourd'hui de 10 ha de vignes fut créé en 1685. Il est dirigé depuis 1993 par Jean-Louis Lacoste, œnologue qui fit ses armes à Bordeaux et à l'étranger. La recherche de la qualité se traduit par de beaux résultats en jurançon sec : si la **cuvée Réserve 2000** de pur gros manseng est déjà très réussie, ce 2001 se distingue par son originalité puisqu'il résulte de l'assemblage de 80 % de gros manseng à 10 % de lauzet et à 10 % de camaralet. De teinte ou pâle éclatante, il livre un nez intense mais subtil, mêlant des parfums de buis, de pamplemousse et d'autres fruits exotiques. Frais dès l'attaque, il possède une mâche douce, du gras et du volume, ainsi qu'une vivacité bien nuancée qui se prolonge jusqu'à la finale à peine citronnée.
🔻 Jean-Louis Lacoste, Dom. Nigri, Candeloup,
64360 Monein, tél. 05.59.21.42.01, fax 05.59.21.42.59
☑ Ⲩ r.-v.

PRIMO PALATUM
Classica 2000★★

	n.c.	1 200	⬤ 15 à 23 €

Primo Palatum produit deux gammes de vin : la gamme Mythologia, dont les vins demandent davantage de temps pour s'épanouir, à l'image du **Mythologia 2000** (30 à 38 €), cité par le jury, et la gamme Classica dont est issu ce jurançon sec, dans un style très pur. Jaune paille, il propose un subtil mélange de fruits exotiques frais, de fruits confits, de fruits secs et grillés, alliés à une pointe de cannelle. L'attaque douce, presque moelleuse, annonce une bouche savoureuse, grasse et volumineuse, d'une extrême richesse aromatique. La finale longue s'appuie sur un boisé sérieux qui se fondra à la garde. Un bel ouvrage.
🔻 Primo Palatum, 1, Cirette, 33190 Morizès,
tél. 05.56.71.39.39, fax 05.56.71.39.40,
e-mail xavier-copel@primo-palatum.com ☑ Ⲩ r.-v.

Madiran

D'origine gallo-romaine, le madiran fut pendant longtemps le vin des pèlerins de Saint-Jacques-de-Compostelle. La gastronomie du Gers et ses ambassadeurs dans la capitale représentent ce vin pyrénéen. Sur les 1 317 ha de l'appellation déclarés en 2001, le cépage roi est le tannat, qui donne un vin âpre dans sa jeunesse, très coloré, avec des arômes primaires de framboise ; il s'exprime après un long vieillissement. Lui sont associés cabernet-sauvignon et cabernet franc (ou bouchy), fer-servadou (ou pinenc). Les vignes sont conduites en demi-hautain. La production a atteint 71 723 hl en 2001.

Le vin de Madiran est le vin viril par excellence. Quand sa vinification est adaptée, il peut être bu jeune, ce qui permet de profiter de son fruité et de sa souplesse. Il accompagne les confits d'oie et les magrets saignants de canard. Les madiran traditionnels, à forte proportion de tannat, supportent très bien le passage sous bois et doivent attendre quelques années. Les vieux madiran sont sensuels, charnus et charpentés, avec des arômes de pain grillé, et s'allient avec le gibier et les fromages de brebis des hautes vallées.

CH. D'AYDIE 2000★

	16 ha	80 000	⬤ 11 à 15 €

Les Vignobles Laplace récoltent comme toujours les étoiles en madiran. **Odé d'Aydie 2000** (8 à 11 €) et la cuvée **Mansus Irani 2000** (5 à 8 €), élevée en cuve et en fût pendant douze mois, obtiennent chacune une étoile. Il en va de même de ce vin rubis profond à nuances violines, dont le nez intense et complexe exprime à la fois le fruit, le menthol et le boisé grillé. Les saveurs offrent un même équilibre, le fruité bien présent trouvant d'élégantes compagnes dans les notes grillées et vanillées. La finale savoureuse repose sur une trame de tanins fins.
🔻 GAEC Vignobles Laplace, 64330 Aydie,
tél. 05.59.04.08.00, fax 05.59.04.08.08,
e-mail pierre.laplace@wanadoo.fr ☑ Ⲩ t.l.j. 9h-12h30
14h-19h30

CH. BARREJAT
Tradition 2000★

	12 ha	80 000	🡇⬤ 3 à 5 €

Voilà un vin de belle présentation dans sa robe sombre aux nuances pourpres. Intense, il garde encore la marque de son passage sous bois à travers les arômes de vanille et de pain grillé. Après une attaque souple et moelleuse, il livre une matière concentrée qui évolue sur des tanins fermes mais enrobés. La finale assez longue confirme la bonne tenue de ce madiran à attendre trois ou quatre ans.
🔻 Denis Capmartin, Ch. Barréjat, 32400 Maumusson,
tél. 05.62.69.74.92, fax 05.62.69.77.54 ☑ Ⲩ t.l.j. sf dim.
8h30-12h30 14h-19h

DOM. BERNET
Tradition 2000★★

	1 ha	8 000	🡇 3 à 5 €

Des reflets brillants animent la robe rouge foncé de ce madiran expressif, parlant de fruits noirs et d'épices. Bien structuré, celui-ci laisse une agréable impression de complétude et d'équilibre entre ses saveurs, ses tanins de bonne composition, sous fruit et ses épices.
🔻 Yves Doussau, Dom. Bernet, 32400 Viella,
tél. 05.62.69.71.99, fax 05.62.69.75.08 ☑ 🏠 Ⲩ r.-v.

DOM. BERTHOUMIEU
Haute Tradition 2000★★

| ■ | 12 ha | 80 000 | ■↓ | 8 à 11 € |

Certes la cuvée Charles de Batz 1998 fut coup de cœur dans le guide 2002, celle de 95 dans le Guide 1999, mais cette Haute Tradition n'a rien à leur envier. Tout aussi remarquable dans son habit presque noir, elle livre un nez intense et complexe, alliant fruits noirs (myrtille) et fruits à noyau (cerise, prune) à une touche de réglisse. A l'attaque souple et douce succède une matière ample, dont le gras enrobe la charpente. Une tradition bien renouvelée. Pour le dessert, tournez-vous vers le **pacherenc-du-vic-bilh moelleux Symphonie d'automne 2000 (11 à 15 €)**, jugé très réussi.

☛ EARL Didier Barré, 32400 Viella,
tél. 05.62.69.74.05, fax 05.62.69.80.64,
e-mail barre.didier@wanadoo.fr ☑ ⚲ t.l.j. sf dim.
8h-12h 14h-19h

DOM. BRANA
Fût de Chêne 1999★

| ■ | 1 ha | 5 000 | ⬛ | 5 à 8 € |

Violine intense et lumineux, ce madiran, un peu sur la retenue, dévoile quelques fruits rouges et un léger accent de cerise. Souple, il offre une charpente de tanins fondus ; il a des arômes francs de fruits compotés qui invitent à un accord avec une blanquette de veau, selon l'un des dégustateurs.

☛ Delle-Védove, Dom. Brana, 32400 Maumusson,
tél. 05.62.69.77.70, fax 05.62.69.85.52,
e-mail dellevedove@libertysurf.fr ☑ ⚲ t.l.j. 8h30-13h
14h-20h

CHAPELLE LENCLOS 2000★★★

| ■ | 6 ha | 40 000 | ■⬛↓ | 8 à 11 € |

Ce vigneron talentueux et novateur adopte une démarche intelligente en matière de vinification. Une belle robe cerise noire, moirée de reflets brillants, habille ce vin expressif et complexe, mêlant dans un parfait équilibre les fruits rouges et noirs (cassis, mûre) aux épices douces et à quelques subtiles notes boisées. Après une bonne attaque, la bouche se développe avec tout autant d'harmonie. Elle ne manque ni de puissance ni de relief. Cette superbe composition ne doit pas faire oublier le **Domaine Mouréou 2000 (5 à 8 €)** qui obtient une étoile.

☛ Patrick Ducournau, Dom. Mouréou,
chapelle lenclos, 32400 Maumusson-Laguian,
tél. 05.62.69.78.11, fax 05.62.69.75.87
☑ ⚲ t.l.j. sf dim. 9h-12h 14h-18h

LA CHENAIE DU TILH 1999★★★

| ■ | 100 ha | 80 000 | ⬛ | 5 à 8 € |

Avez-vous vu vin aussi sombre que ce madiran, presque noir à nuances violettes ? Intense, soutenu par un riche boisé aux accents torréfiés, vanillés et épicés, il n'en laisse pas moins s'exprimer les fruits mûrs et une pointe de réglisse. Il offre aussi un bel équilibre des saveurs et des arômes dans une bouche ronde qui s'appuie sur une puissante trame de tanins déjà bien fondus et finit, généreuse, sur des notes douces de fruits cuits. S'il semble déjà prêt à se présenter à table, il pourra affronter une garde de deux à sept ans. Il faudra en revanche être patient pour apprécier pleinement le **Château Laroche Viella 99 (8 à 11 €)**, élevé quatorze mois en fût, remarquable par son équilibre, sa longueur et son fruité intense.

☛ Vignoble de Gascogne, 32400 Riscle,
tél. 05.62.69.62.87, fax 05.62.69.66.71 ☑ ⚲ r.-v.

DOM. DU CRAMPILH
Vieilles vignes 2000★★

| ■ | 6 ha | 32 000 | ■⬛ | 8 à 11 € |

Cerise burlat intense, ce madiran dévoile un nez certes encore retenu, mais profond dans ses évocations de fruits noirs et de poivre. La bouche puissante, soutenue par une solide charpente, possède une forte mâche, aux légers arômes de vanille et de fruits noirs. Le **pacherenc-du-vic-bilh moelleux 2000** du même domaine obtient une étoile.

☛ Bruno Oulié, 64350 Aurions-Idernes,
tél. 05.59.04.00.63, fax 05.59.04.04.97,
e-mail madirancrampilh@aol.com ☑ ⌂ ⚲ t.l.j. sf dim.
10h-12h 14h-19h

CH. DE CROUSEILLES
Elevé en fût de chêne 1999★

| ■ | n.c. | n.c. | ⬛ | 11 à 15 € |

Vingt-quatre mois en fût ont donné ce vin grenat profond, presque noir, dont le nez intense et complexe mêle harmonieusement des notes fumées et épicées. Souple dès l'attaque, la bouche ronde et aromatique laisse une impression de fondu tant par sa structure enveloppée que par sa matière soyeuse. Voilà un madiran élégant et charmeur. Egalement très réussis, le **Carte d'Or 2000 (3 à 5 €)** et la **cuvée Premium 1999 élevée en fût de chêne** complètent le trio gagnant de la cave de Crouseilles.

☛ SA Ch. de Crouseilles, 64350 Crouseilles,
tél. 05.59.68.10.93, fax 05.59.68.14.33,
e-mail celine.tillement@free.fr ☑ ⚲ r.-v.

DOM. DE GRABIEOU 2000★

| ■ | 6 ha | 40 000 | ■↓ | 5 à 8 € |

Un caractère vineux de fruits rouges et d'épices apparaît à l'olfaction de ce vin grenat intense mais, équilibré, il annonce une bouche chaleureuse et épicée qui monte en puissance. Les tanins plaisants, sans agressivité, accompagnent les saveurs jusqu'à une finale de fruits à l'eau-de-vie.

☛ GAEC du Dom. de Grabiéou,
32400 Maumusson-Laguian, tél. 05.62.69.74.62,
fax 05.62.69.73.08, e-mail dessans@wanadoo.fr
☑ ⚲ r.-v.
☛ Frédéric Dessans

SUD-OUEST

DOM. LABRANCHE LAFFONT
Vieilles vignes 2000★

■	3,5 ha	20 100	❙❙❙ 8 à 11 €

Œnologue diplômée de l'université de Toulouse, Christine Dupuy mène le domaine familial avec succès. Bien fait, conclut en effet le jury après la dégustation de ce vin rouge intense à reflets violets. Ce verdict se fonde sur l'appréciation d'un nez corsé, aux senteurs de fruits noirs, de vanille et de menthol, soulignées de nuances empyreumatiques, puis sur celle d'une bouche chaleureuse, fortement structurée et généreusement concentrée. Un élevage de qualité a légué des tanins fins, au caractère réglissé.
↬ EARL Christine Dupuy, 32400 Maumusson, tél. 05.62.69.74.90, fax 05.62.69.76.03 ☑ ⍾ t.l.j. 9h-12h30 14h-19h; dim. sur r.v.

CH. LAFFITTE-TESTON
Vieilles vignes Vieilli en fût de chêne 2000★

■	10 ha	50 000	❙❙❙ 8 à 11 €

C'est dans un superbe chai contenant huit cents barriques qu'a été élevé ce vin. Une robe rouge intense à reflets violets enveloppe un boisé de qualité qui domine encore les fruits rouges à l'eau-de-vie. A l'attaque souple répond une mâche plus puissante et plus fruitée, étayée par une charpente imposante en finale. Une bouteille à attendre cinq ans avant de la servir sur des viandes rouges relevées, des gibiers ou des confits de canard.
↬ Jean-Marc Laffitte, 32400 Maumusson, tél. 05.62.69.74.58, fax 05.62.69.76.87 ☑ ⍾ t.l.j. sf dim. 8h-12h30 14h-19h

DOM. LAFFONT
Erigone 1999★★

■	2 ha	13 600	❙❙❙ 8 à 11 €

Deux productions originales du domaine Laffont ont la vedette dans ce guide. La cuvée Hécate 2000 (15 à 23 €), de pur tannat, élevée vingt mois en fût, obtient une étoile pour son potentiel : elle devrait progresser avec les années. Cependant, la bienveillante déesse nourricière et magicienne est devancée par Erigone dans son drapé intensément coloré, à nuances violettes. Ouverte sur les fruits rouges à l'eau-de-vie, les épices variées, les aromates et ainsi aux accents fumés, elle se révèle plus généreusement encore au palais, ample, volumineuse et charpentée. Le vin et le bois se fondent sous des tanins enrobés et des arômes bien mariés.
↬ Dom. Laffont, 32400 Maumusson, tél. 05.62.69.75.23, fax 05.62.69.80.27 ☑ ⍾ r.-v.
↬ Pierre Speyer

DOM. LAOUGUE
Tradition 2000★★

■	3 ha	14 000	■❙❙❙ 5 à 8 €

Et un... et deux... et trois vins remarquables élaborés par Pierre Dabadie : la cuvée haut de gamme Domaine 2000 (11 à 15 €), élevée en fût neuf, le pacherenc du vic-bilh moelleux 2000 (5 à 8 €), et ce madiran cerise burlat qui conjugue avec élégance les fruits et le boisé. Une attaque franche, un bon équilibre et du volume caractérisent une bouche également douce et aromatique. Un beau mariage du bois et du vin.
↬ Pierre Dabadie, rte de Madiran, 32400 Viella, tél. 05.62.69.90.05, fax 05.62.69.71.41
☑ ⍾ t.l.j. 8h-12h 14h-18h

CH. MONTUS
La Tyre 2000★★

■	3,57 ha	18 133	❙❙❙ 46 à 76 €

Tous les vins d'Alain Brumont présentés à la dégustation trouvent une distinction dans ce guide. Le Château Bouscassé 2000 (8 à 11 €), le Château Bouscassé Vieilles vignes 2000 (15 à 23 €), et le Château Montus 2000 (11 à 15 €) obtiennent chacun une étoile, mais c'est cette cuvée élevée vingt mois en fût qui remporte la palme. Noir profond à reflets violets, elle livre un nez riche et complexe, garni de fruits noirs, de menthe et de réglisse, de café torréfié. Puissante dès l'attaque, la bouche volumineuse, corsée même, n'en est pas moins généreuse et douce. La structure développée soutient le vin jusqu'à une longue finale de fruits et de chocolat.
↬ Alain Brumont, Ch. Bouscassé, 32400 Maumusson-Laguian, tél. 05.62.69.74.67, fax 05.62.69.70.46, e-mail brumontalain@wanadoo.fr
☑ ⍾ r.-v.

DOM. DU MOULIE
Tradition 2000★

■	3 ha	20 000	■ 3 à 5 €

Classée ferme du patrimoine, la maison du Moulié commande un vignoble de 13,5 ha. Son madiran de couleur sombre à reflets violets, décline les fruits rouges à volonté, soulignés d'une note de réglisse à la violette. Franc et assez ample, il bénéficie d'une structure de tanins fermes mais enrobés qui respectent la rondeur de l'ensemble. Une bouteille harmonieuse, à conserver deux ans en cave.
↬ EARL Chiffre-Charrier, Dom. du Moulié, 32400 Cannet, tél. 05.62.69.77.73, fax 05.62.69.83.66
☑ ⍾ t.l.j. 9h-12h 14h-19h
↬ Charrier

PLÉNITUDE 1999★★

■	n.c.	20 000	❙❙❙ 15 à 23 €

La cave de Plaimont propose trois beaux madiran, dont deux très réussis - Arte Benedicte 2000 (11 à 15 €) et la Mothe Peyran 1999 (5 à 8 €) - et celui-ci remarquable... Couleur d'encre à reflets pourpres, cette cuvée reste jeune dans son expression. Le nez, tout en nuances, à peine retenu, s'ouvre sur les notes animales, puis évolue sur des senteurs de fruits, de mousse et de réglisse. L'attaque bien ronde annonce une bouche pleine, à la charpente solide. Les tanins certes encore austères, renforcés par un généreux boisé, laissent toutefois revenir le fruit en finale. Prometteur.
↬ Producteurs Plaimont, 32400 Saint-Mont, tél. 05.62.69.62.87, fax 05.62.69.61.68 ☑ ⍾ r.-v.

PRIMO PALATUM 1999★★

■	n.c.	2 400	❙❙❙ 15 à 23 €

Ce madiran vient couronner une gamme luxueuse de vins du Sud-Ouest, créée par Xavier Copel : il ne propose que de très petits volumes qui appartiennent à la famille à la mode des vins de garage. Comme la rose pourpre, sa robe profonde attire le regard. Le nez riche, harmonieux et subtil mêle les senteurs de multiples fruits rouges et noirs bien mûrs à celles d'un boisé élégant, vanillé et toasté. La bouche, soutenue par ce boisé sérieux, offre une matière concentrée et savoureuse, dont on apprécie la longueur.

🐦 Primo Palatum, 1, Cirette, 33190 Morizès,
tél. 05.56.71.39.39, fax 05.56.71.39.40,
e-mail xavier-copel@primo-palatum.com ☑ ♈ r.-v.

CH. DE VIELLA
Prestige Vieilli en fût de chêne 1999★★★

5 ha	15 000	⑪ 11 à 15 €

Une superbe robe rubis brillant annonce un vin déjà
expressif, agréable et bien équilibré entre les arômes de
fruits compotés, les senteurs torréfiées et le bouquet
d'épices. Savoureux et charnu, gras et étoffé, ce madiran
a une mâche riche, fondante et fruitée, tant le boisé semble
bien dosé. Avec sa finale soyeuse et persistante, il ne lui
manque décidément rien, et l'avenir lui appartient. Retenez également la cuvée **Tradition 2000 (5 à 8 €)**, très
réussie, franche et typée.
🐦 Alain Bortolussi, Ch. de Viella, rte de Maumusson,
32400 Viella, tél. 05.62.69.75.81, fax 05.62.69.79.18
☑ ♈ t.l.j. sf dim. 8h-12h30 14h-19h

Pacherenc du vic-bilh

Sur la même aire que le madiran,
ce vin blanc est issu de cépages locaux (arrufiac,
manseng, courbu) et bordelais (sauvignon, sémillon) ; cet ensemble apporte une palette aromatique d'une extrême richesse. Suivant les
conditions climatiques du millésime, les vins
(8 857 hl en 2001) seront secs et parfumés ou
moelleux et vifs. Leur finesse est alors remarquable ; ils sont gras et puissants avec des
arômes mariant l'amande, la noisette et les fruits
exotiques. Ils feront d'excellents vins d'apéritif et, moelleux, seront parfaits sur le foie gras
en terrine.

CH. D'ARRICAU-BORDES
Moelleux 2000★★

n.c.	n.c.	⑪ 11 à 15 €

Les **madiran Tradition 2000 (5 à 8 €)** et **Grand vin
2000 (11 à 15 €)** du domaine sont certes très réussis, mais
le pacherenc du vic-bilh leur vole la vedette dans sa jolie
robe d'or lumineux, à reflets cuivrés. Le nez montant et
complexe mêle les fleurs et les fruits à chair blanche, le litchi,

le miel et quelques fruits secs. Richement liquoreuse et
aromatique, la matière est assez dense pour intégrer un
boisé bien dosé. Un vin équilibré et flatteur.
🐦 SA Ch. d'Arricau-Bordes, 64350 Arricau-Bordes,
tél. 05.59.68.13.97, fax 05.59.68.14.33,
e-mail celine.tillement@free.fr ☑ ♈ r.-v.

BRUMAIRE
Moelleux 2000★★

8,66 ha	31 200	⑪ 11 à 15 €

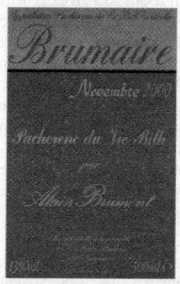

Commercialisées en bouteilles de 50 cl, les cuvées de
vendanges tardives **Vendémiaire 2000 (8 à 11 €)** et
Brumaire ont séduit le jury. Si la première obtient une
étoile, la seconde surpasse tous les moelleux présentés dans
l'appellation en remportant le coup de cœur. Superbe dans
sa robe paille d'or limpide, elle livre un nez intense et
séveux, témoignant de la surmaturité du raisin par des
arômes de miel et de fruits confits qui accompagnent des
notes florales et tendrement vanillées. Parfaitement moelleuse dès l'attaque, la bouche puissante, charnue, capiteuse
bénéficie d'un juste soutien acidulé qui lui assure un
remarquable équilibre. Le mariage du bois et du vin se
concrétise dans une finale aromatique originale.
🐦 Alain Brumont, Ch. Bouscassé,
32400 Maumusson-Laguian, tél. 05.62.69.74.67,
fax 05.62.69.70.46, e-mail brumontalain@wanadoo.fr
☑ ♈ r.-v.

DOM. CAPMARTIN
Moelleux Cuvée du Couvent Elevé en fût de chêne neuf
2000★★

1,2 ha	5 000	⑪ 8 à 11 €

Reflets d'or et d'argent sur fond jaune paille... Nez
puissant et persistant, typé par des notes de fruits exotiques
confits et enveloppés de senteurs boisées... Attaque moelleuse... Volume et fondu d'une riche matière... Equilibre
harmonieux des saveurs jusqu'à une longue finale d'orange
amère. Un pacherenc idéal pour un accord avec un foie
gras ou avec un fromage de brebis des Pyrénées.
🐦 Guy Capmartin, Le Couvent, 32400 Maumusson,
tél. 05.62.69.87.88, fax 05.62.69.83.07 ☑ ♈ t.l.j. sf dim.
9h-12h30 14h-19h

CH. DE DIUSSE
Sec 2001★★

1 ha	2 610	🍾♦ 3 à 5 €

Centre d'Aide par le Travail, ce domaine fait aussi
œuvre utile pour l'amateur tant ses vins sont réputés. Des
nuances or animent la robe paille or et invitent à découvrir
l'expression de fruits à chair blanche bien mûrs, enrobés de
miel. Ronde, bien équilibrée, la bouche témoigne aussi de

la maturité du fruit par ses arômes d'une bonne longueur. Une typicité bien préservée. A retenir aussi, le **madiran Tradition 2000 (5 à 8€)**, cité.

☙ Dom. de Diusse, 64330 Diusse, tél. 05.59.04.00.52, fax 05.59.04.05.77 ☑ ⵏ r.-v.

GRAINS DE ROY
Sec 2001★★

	n.c.	n.c.	▐▌	5 à 8 €

Une toute petite production pour un moelleux très réussi, **l'Hivernal 2000 (30 à 38 €)**, et deux pacherenc secs remarquables : **Folie de Roi 2001 élevé en fût de chêne** et ces quelques Grains... qui donnent à ce vin une teinte paille à reflets dorés, un nez intense dominé par les fruits (notamment à chair blanche) et les agrumes nuancés de miel. Equilibré, le palais possède juste ce qu'il faut de vivacité pour maintenir la jolie expression fruitée tout au long de la dégustation.

☙ Cave de Crouseilles, 64350 Crouseilles, tél. 05.59.68.10.93, fax 05.59.68.14.33, e-mail celine.tillement@free.fr ☑ ⵏ r.-v.

SAINT-MARTIN
Moelleux Vendanges Tardives de Novembre 2000★★

	10 ha	10 000	▐▌	8 à 11 €

Or pâle parcouru de nombreux reflets, ce pacherenc d'une bonne intensité semble d'abord marqué par la vanille et le toasté, puis c'est le miel, la résine et les fruits qui s'expriment. Déjà gras et bien fruité en attaque, il offre une matière dense, riche et moelleuse qui tapisse largement le palais et laisse une longue sensation de miel et de fruits surmûris. La cuvée **Saint-Albert 2000 (11 à 15 €)**, issue de raisin vendangé le 15 novembre, a été jugée très réussie.

☙ Vignoble de Gascogne, 32400 Riscle, tél. 05.62.69.62.87, fax 05.62.69.66.71 ☑ ⵏ r.-v.

DOM. SERGENT
Moelleux Elevé en fût de chêne neuf 2000

	1,5 ha	8 100	▐▌	8 à 11 €

Couleur bouton d'or, limpide et brillant, ce vin tout en retenue dans son expression de fruits très mûrs (coing) et de torréfaction gagne en ampleur en bouche. Au moelleux de l'attaque répond un joli jeu entre vivacité et douceur qui se poursuit jusqu'à la fin de la dégustation. En finale, le boisé reprend le pas sur le fruit.

☙ EARL Dousseau, Dom. Sergent, 32400 Maumusson, tél. 05.62.69.74.93, fax 05.62.69.75.85 ☑ ⌂ ⵏ t.l.j. sf dim. 8h-12h30 14h-19h

DOM. TAILLEURGUET
Sec 2001★

	0,5 ha	2 500	▐▌	3 à 5 €

Deux vins de ce domaine de plus de 8 ha méritent de figurer dans le Guide : le **madiran 1999 élevé en fût de chêne (5 à 8 €)** et ce pacherenc qui a eu la préférence du jury pour sa jolie robe bien limpide à reflets verts et dorés, comme pour ses arômes longuement fruités et à peine miellés. La bouche n'est pas en reste, grâce à une vivacité qui maintient un fruit généreux et à l'authenticité de sa constitution. Un vin assez tonique.

☙ EARL Tailleurguet, 32400 Maumusson, tél. 05.62.69.73.92, fax 05.62.69.83.69
☑ ⵏ t.l.j. sf dim. 9h-12h30 14h-19h
☙ Bouby

Tursan AOVDQS

Autrefois vignoble d'Aliénor d'Aquitaine, le terroir de Tursan représente aujourd'hui 280 ha pour une production de 15 338 hl en 2001. Il produit des vins rouges, rosés et blancs. Les plus intéressants sont les blancs, issus d'un cépage original, le baroque. Sec et nerveux, au parfum inimitable, le tursan blanc accompagne alose, pibale et poisson grillé.

CH. DE BACHEN 2000★★

	5,66 ha	34 000	▐▌▌	8 à 11 €

Fondé en 1235 par un courtisan de Gaston Phoebus, ce château traversa l'histoire, subissant incendies, reconstructions, rénovations... Acquis par le grand cuisinier Michel Guérard, il est devenu l'un des hauts lieux de la gastronomie et produit également d'excellents vins blancs. Celui-ci, paré d'une superbe robe d'un jaune bouton d'or aux nuances de paille fraîche, se révèle très intense par ses notes résolument boisées auxquelles se mêlent le beurre et les agrumes confits. La bouche offre un beau volume très harmonieux, parfaitement équilibré entre fraîcheur et moelleux. Flatteur par son boisé aromatique et élégant, ce vin bien qu'atypique est somptueux. La cuvée **Baron de Bachen 2000 (11 à 15 €)** obtient, elle aussi, deux étoiles.

☙ Michel Guérard, Cie hôtelière et fermière d'Eugénie-les-Bains, 40800 Duhort-Bachen, tél. 05.58.71.76.76, fax 05.58.71.77.77, e-mail michelguerard@wanadoo.fr ☑ ⵏ r.-v.

CH. BOURDA
Elevé en fût de chêne 2000★

	15 ha	50 000	▐▌▌	5 à 8 €

De la cave des Vignerons de Tursan, le jury a retenu avec une citation la cuvée **Haute Carte 2001 (moins de 3 €)**, élevée en cuve, mais il a surtout apprécié ce Château Bourda habillé d'une robe cerise burlat. Au premier nez légèrement animal succèdent des arômes de fruits rouges et d'épices, ainsi qu'une note végétale ; un doux toasté enrobe l'ensemble. L'attaque souple et fruitée annonce une bouche oblongue et suffisamment structurée, qui se révèle progressivement. Les tanins restent présents sur fond boisé jusqu'à la finale relevée de poivre.

☙ Les Vignerons Landais, 40320 Geaune, tél. 05.58.44.51.25, fax 05.58.44.40.22, e-mail tursan.vin@wanadoo.fr ☑ ⵏ r.-v.

CH. DE PERCHADE 2001★

	1,2 ha	9 000	▐▌	5 à 8 €

Difficile de départager ces deux cuvées très réussies, l'une en blanc, composée de baroque, de sauvignon et de gros manseng ; l'autre en rouge, assemblage de cabernets et de tannat. Typique de l'appellation, le blanc sec présente une robe vert tendre à reflets paille. Le nez délicat exprime les fleurs blanches et les agrumes. L'attaque franche introduit une matière à la fois vive et assez grasse, aromatique et savoureuse, qui persiste agréablement sur des notes florales. Un équilibre très réussi. Le **rouge 2001** est un ensemble assez tannique mais plutôt rond, aux arômes discrets de fruits noirs.

🏠 EARL Dulucq, Château de Perchade, 40320 Payros-Cazautets, tél. 05.58.44.50.68, fax 05.58.44.57.75 ☑ ⍭ t.l.j. sf dim. 8h-13h 14h30-19h

Côtes de saint-mont AOVDQS

Prolongement du vignoble de Madiran, les côtes de saint-mont sont la dernière-née des appellations pyrénéennes en vins de qualité supérieure (1981). Le vignoble couvre environ 1 014 ha, produisant 69 674 hl en 2001. Le cépage rouge principal est encore ici le tannat, les cépages blancs se partageant entre la clairette, l'arrufiac, le courbu et les mansengs. L'essentiel de la production est assuré par l'union dynamique des caves coopératives Plaimont. Les vins rouges sont colorés et corsés, et deviennent vite ronds et plaisants. Ils seront bus avec des grillades et de la garbure gasconne. Les rosés sont fins et estimables pour leurs arômes fruités. Les blancs ont des parfums de terroir et sont secs et nerveux.

DOM. DE MAOURIES 2001★

■	1,48 ha	13 333	🍶	3 à 5 €

Ce domaine indépendant d'une vingtaine d'hectares associe les Dufau père et fils, qui y ont développé la viticulture. On retrouve leur rosé, issu de saignée. Le millésime 2001 affiche une superbe robe fuschia aux reflets rubis, brillante et limpide. Le nez très ouvert a des accents fermentaires : bonbon anglais et *tutti frutti*. A l'attaque vive, légèrement perlante font suite des impressions plus rondes en milieu de bouche. L'ensemble reste très tonique, toujours aromatique et friand à souhait.

🏠 GAEC Dufau Père et Fils, Dom. de Maouriès, 32400 Labarthète, tél. 05.62.69.63.84, fax 05.62.69.65.49, e-mail domaine.maouries@wanadoo.fr ☑ ⍭ r.-v.

LE PASSE AUTHENTIQUE 2001★

■	30 ha	200 000	⍭	5 à 8 €

Issu de petit courbu, d'arrufiac, et des deux mansengs, ce vin blanc a été élevé sur lies fines avec bâtonnages réguliers. Paré d'une robe pâle à reflets verts, il présente un nez intense mariant des parfums de fleurs blanches et d'ananas, enrobés d'un léger boisé. L'attaque est franche, légèrement perlante, la bouche équilibrée, plutôt vive et très aromatique. Un ensemble de bonne facture.

🏠 Vignoble de Gascogne, 32400 Riscle, tél. 05.62.69.62.87, fax 05.62.69.66.71 ☑ ⍭ r.-v.

CH. DE LA ROQUE 2000★

■	12 ha	50 000	⍭	8 à 11 €

Il s'impose d'entrée avec une robe d'un rouge sombre aux nuances violettes. Au nez, les impressions chaleureuses

l'emportent avec des notes de fruits à l'eau-de-vie. Au palais, on découvre un vin assez plein, qui suggère une matière première bien mûre. La charpente est puissante, tannique, le boisé bien intégré. C'est un ensemble très intéressant.

🏠 Producteurs Plaimont, 32400 Saint-Mont, tél. 05.62.69.62.87, fax 05.62.69.61.68 ☑ ⍭ r.-v.

THIBAULT DE BRETHOUS

Cuvée sélectionnée Vieilles vignes Elevé en fût de chêne 2000★★

■	n.c.	300 000	⍭	5 à 8 €

« Cuvée sélectionnée », lit-on sur l'étiquette. On n'en déduira pas qu'il s'agit d'une production restreinte, et c'est heureux, car ce vin a été jugé digne du coup de cœur. D'un grenat intense et brillant, ce 2000 offre un nez expressif et harmonieux alliant un joli boisé doucement vanillé à des notes de fruits et d'épices. Tout en rondeur, la bouche se caractérise par une mâche savoureuse et une finale prometteuse. Un bel exercice de style. Souvent présent en bonne place dans le Guide, le **Château Saint-Go 2000 (8 à 11 €)** est élevé lui aussi sous bois et il porte la marque du fût. Il a obtenu une étoile.

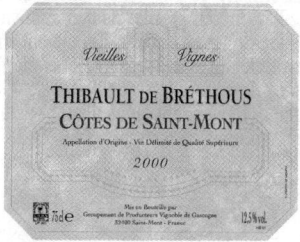

🏠 Vignoble de Gascogne, 32400 Riscle, tél. 05.62.69.62.87, fax 05.62.69.66.71 ☑ ⍭ r.-v.

Les vins de la Dordogne

Suite naturelle du vignoble libournais, celui de Dordogne n'en est séparé que par une frontière administrative. Avec des cépages classiques girondins, le vignoble périgourdin est caractérisé par une production très diversifiée et un grand nombre d'appellations. Il s'épanouit en coteaux sur les deux rives de la Dordogne.

L'appellation régionale bergerac comprend des blancs, des rosés et des rouges. Les côtes de bergerac sont des vins blancs moelleux, au bouquet délicat, et des rouges charpentés et ronds, à boire avec des volailles et des viandes en sauce. L'appellation saussignac désigne d'excellents vins moelleux qui possèdent un équilibre idéal entre vivacité et sucre, vins d'apéritif intermédiaires entre le bergerac et le monbazillac.

Montravel, proche de Castillon, est le vignoble de Montaigne ; la production s'y divise en montravel blanc sec, très typé par le sauvignon, et en côtes de montravel et haut-montravel, moelleux, élégants et racés, excellents vins de dessert. Le pécharmant est un vin rouge récolté sur les coteaux du Bergeracois, où des sols riches en fer lui donnent un goût de terroir très typé ; vin de garde, au bouquet fin et subtil, il accompagnera les classiques de la cuisine périgourdine. Le rosette est un blanc moelleux issu des mêmes cépages que les bordeaux et récolté dans une petite zone de la rive droite de la Dordogne autour de Bergerac.

Connu depuis le XIVᵉs., le monbazillac est l'un des vins « liquoreux » les plus célèbres. Son vignoble est exposé au nord sur les terrains argilo-calcaires. Le microclimat qui y règne est particulièrement favorable au développement d'une forme particulière du botrytis : la pourriture noble. D'une belle couleur dorée, les monbazillac ont des arômes de fleurs sauvages et de miel. Très longs en bouche, ils peuvent être bus à l'apéritif, dégustés avec du foie gras, du roquefort et des desserts à base de chocolat. Gras et puissants, ils deviennent en vieillissant de grands liquoreux au goût de « rôti ».

Bergerac

Les vins peuvent être produits dans 90 communes de l'arrondissement de Bergerac ; le vignoble représente 6 447 ha en rouge et rosé et 3 334 ha en blanc. Le rosé, frais et fruité, est souvent issu de cabernet ; le rouge, aromatique et souple, est un assemblage de cépages traditionnels. Leur production a atteint 198 225 hl en blanc et 386 503 hl en rouge et rosé en 2001.

DOM. DE L'ANCIENNE CURE
Cuvée Abbaye 2000★★

■	8 ha	20 000	❚❚❚ 8 à 11 €

Un ancien presbytère environné de vignes a donné son nom à ce domaine qui a fort bien tiré parti de l'année 2000. Cette cuvée a ainsi frôlé le coup de cœur. Que lui a-t-il manqué pour obtenir cette distinction ? Un peu de puissance aromatique. L'ensemble n'en est pas moins charmeur. Le nez est dominé par des arômes de café accompagnés d'une pointe de réglisse. Longue et ample, la bouche séduit par son boisé bien fondu. Un vin agréable et doté d'un joli potentiel de garde. En **pécharmant 2000**, la **cuvée P (5 à 8 €)** de l'exploitation mérite d'être citée : son fruité et sa présence tannique donnent entièrement satisfaction.

EURL Ancienne Cure, 24560 Colombier, tél. 05.53.58.27.90, fax 05.53.24.83.95, e-mail ancienne-cure@wanadoo.fr
☑ ⓨ t.l.j. sf dim. 9h-18h

DOM. DE L'ANCIENNE CURE
L'Extase 2000★★

■	2 ha	10 000	❚❚❚ 15 à 23 €

Christian Roche s'est également distingué avec cette cuvée haut de gamme dont le millésime précédent révélait déjà un fort potentiel. Tout a été fait pour atteindre une concentration maximale : tri sur table, macération par pigeage, longue postfermentation et microbullage. Le nez est grillé, torréfié, avec de belles notes de fruits mûrs. Les tanins, malgré leur grande densité, font preuve d'une réelle élégance pendant toute la dégustation. La finale est marquée par un joli retour du fruit et des notes chocolatées. Un vin très agréable, que les impatients pourront déjà déguster mais qui gagnera à vieillir.

EURL Ancienne Cure, 24560 Colombier, tél. 05.53.58.27.90, fax 05.53.24.83.95, e-mail ancienne-cure@wanadoo.fr
☑ ⓨ t.l.j. sf dim. 9h-18h
Christian Roche

CH. BELINGARD 2001★★

■	23 ha	110 000	❚⭡ 3 à 5 €

Le vignoble a été créé par des moines au XIᵉs., sur un ancien lieu de culte druidique. Les ceps du domaine actuel n'ont pas moins de cinquante ans d'âge. Ils ont donné ce 2001 qui a fait l'unanimité par sa concentration et sa rondeur tout au long de la dégustation. Le nez évoque les fruits noirs, le pruneau et la réglisse. Des tanins arrondis et bien mûrs accompagnent une superbe attaque. Le joli fruit noir perçu au nez (cassis, mûre) se développe en bouche. La finale ? Encore de la rondeur et de l'ampleur. Un vin très bien fait, souple et élégant. Déjà fort agréable, il pourra vieillir quelques années.

SCEA Comte de Bosredon, Belingard, 24240 Pomport, tél. 05.53.58.28.03, fax 05.53.58.38.39, e-mail laurent.debosredon@wanadoo.fr ☑ ⓨ r.-v.

CH. LES BRANDEAUX
Cuvée réservée Elevé en fût de chêne 2000★★

■	4 ha	6 500	❚❚❚ 8 à 11 €

Arrivé premier ex-æquo au grand jury, voici un vin qui devrait faire l'unanimité des amateurs. Le nez, très intense, associe les fruits rouges ou noirs (cassis, fraise), la violette, le tabac à un fin boisé. Après une belle attaque, la bouche évolue sur du gras, soutenue par une trame tannique bien marquée. Le boisé s'affirme progressivement, sans agressivité. Ce millésime laisse une impression de grande jeunesse. Quelques années de garde ne pourront que le bonifier.

☛ GAEC Piazzetta, Les Brandeaux,
24240 Puyguilhem, tél. 05.53.58.41.50,
fax 05.53.58.41.50 ☑ ⚊ r.-v.

CH. LA BRIE
Cuvée Prestige Elevée en fût de chêne 2000★

| ■ | 9,7 ha | 9 000 | ⊞ | 5 à 8 € |

Lorsque l'élevage en fût est mené subtilement et avec discernement, on obtient un vin plaisant, élégant, dominé par le fruité, comme ce bergerac rouge élaboré par le lycée viticole de Monbazillac. La gamme aromatique, variée, mêle la myrtille, la griotte et la mûre à des notes vanillées et à des nuances de tabac blond. Agréable, ample et ronde, la bouche possède juste ce qu'il faut de tanins et ne montre aucune agressivité. Un ensemble équilibré et harmonieux, à attendre trois ou quatre ans.

☛ Ch. la Brie, Lycée viticole, Dom. de la Brie,
24240 Monbazillac, tél. 05.53.74.42.42,
fax 05.53.58.24.08, e-mail lpa.bergerac@educagri.fr
☑ ⚊ t.l.j. sf dim. 10h-12h 13h30-19h; f. jan.

CH. BUISSON DE FLOGNY
Carpe Diem 2000

| ■ | 0,75 ha | 4 000 | ⊞ | 8 à 11 € |

Au nez, le cassis perce à peine sous les notes de chêne et de grillé. Les tanins sont encore très fermes et marqués par une légère amertume en finale. Le fruit reste bien caché. *Carpe diem ?* Surtout ne vous fiez pas au nom de cette cuvée : elle n'est pas à « cueillir » aujourd'hui, mais

à garder en réserve pendant deux à trois ans. Elle devrait alors gagner en aménité, sa présente austérité étant due à un boisé pour l'heure omniprésent.

☛ SCEA Ch. Saint-Méard, Le Buisson,
24610 Saint-Méard-de-Gurçon, tél. 05.53.81.00.87,
fax 05.53.80.61.39, e-mail flogny@aol.com
☑ ⛉ ⌂ ⚊ r.-v.

CH. CAILLAVEL 2000

| ■ | 10 ha | 20 000 | ■↓ | 3 à 5 € |

Richesse et concentration définissent assez bien ce bergerac. Le nez, puissant, évoque la crème de cassis avant de s'ouvrir sur des notes fumées. Tout aussi intense, l'attaque laisse une agréable impression de douceur, puis des tanins denses, un peu austères, font sentir leur présence. L'ensemble paraît prometteur. Une bouteille à ouvrir d'ici trois à quatre ans sur un fromage de brebis ou à pâte persillée.

☛ GAEC Ch. Caillavel, 24240 Pomport,
tél. 05.53.58.43.30, fax 05.53.58.20.31
☑ ⚊ t.l.j. sf dim. 9h-12h 14h-18h

CH. DE LA COLLINE 2000★

| ■ | 6,58 ha | 43 901 | ⊞ | 5 à 8 € |

On retrouve avec plaisir, en rouge cette fois, un domaine dont les deux cuvées nous ont offert il y a quelques années de superbes millésimes. Ce 2000 présente un nez d'une savante complexité, où la violette, la myrtille et la mûre se mêlent au pain grillé et à la vanille. Si l'attaque, ample et ferme, révèle un boisé bien présent, les tanins sont soyeux et ne montrent aucune dureté en finale. Un vin bien fait, fin et riche, qui demande quelques années

Le Bergeracois

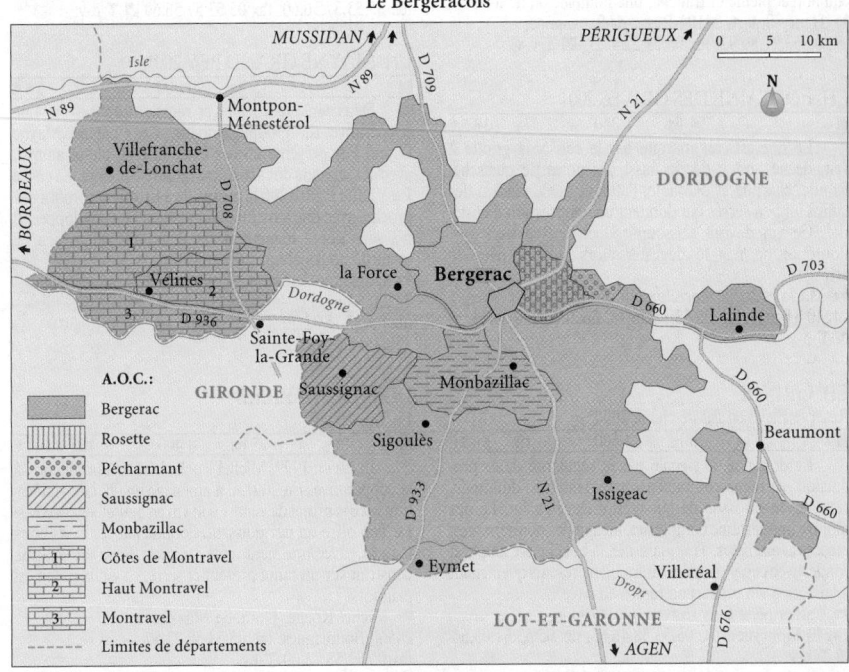

de patience. Quant à la **cuvée Carminée (15 à 23 €)**, citée par le jury, elle est de même facture, mais se montre beaucoup plus marquée par le bois.

☞ Charles Martin, Ch. de la Colline, 24240 Thénac, tél. 05.53.61.87.87, fax 05.53.61.71.09, e-mail la.colline.office@wanadoo.fr ☑ ✕ r.-v.

CH. DAUZAN LA VERGNE 2000★★

■	5 ha	35 000	⦀ 8 à 11 €

Un vaste domaine (74 ha) aux confins du Bergeracois et du Libournais, voué à la vigne et à l'élevage de vaches limousines. Depuis dix ans, d'importants travaux ont été entrepris, tant à la vigne qu'au chai, reconstruit l'année dernière. Un investissement bénéfique, puisque ce vin frôle le coup de cœur. Le nez mêle intimement le bois et le fruit, les notes grillées, torréfiées, vanillées et la mûre, le pruneau, le cassis, voire les agrumes. Souple, tout en rondeur, le palais révèle beaucoup de matière. Les tanins soyeux laissent une impression de moelleux. Une bouteille aimable, élégante, pleine de charme.

☞ Ch. Pique-Sègue, Ponchapt, 33220 Port-Sainte-Foy, tél. 05.53.58.52.52, fax 05.53.63.44.97, e-mail marianne.mallard@wanadoo.fr ☑ ✕ r.-v.

☞ Philip et Marianne Mallard

CH. FONGRENIER-STUART
Elevé en fût de chêne 2000★

■	6,3 ha	26 400	⦀ 11 à 15 €

Henry Stuart est à la tête d'un domaine de quelque 6 ha depuis 1985. Il propose une cuvée très réussie encore dominée par la barrique comme le révèlent ses arômes de vanille et de grillé, tant au nez qu'en bouche. Bien équilibrée, pleine et franche, une bouteille à attendre.

☞ Henry Stuart, 24104 Razac-de-Saussignac, tél. 05.53.27.80.97, fax 05.53.22.47.33 ☑ ✕ r.-v.

CH. FONTAINE DES GRIVES 2001

■	2,4 ha	1 340	3 à 5 €

Le nez est très marqué par la cerise, la griotte à l'eau-de-vie ; on y décèle aussi des notes de quetsche. Ronde, charnue et plaisante, l'attaque laisse place à des tanins un peu serrés qui donnent une impression d'austérité. Ce vin devrait s'assouplir d'ici deux à trois ans. Pourquoi ne pas le déguster alors sur un pâté de grive ?

☞ Mario et Joëlle Zorzetto, Ch. Fontaine des Grives, 24240 Thénac, tél. 05.53.58.46.73, fax 05.53.58.46.73 ☑ ✕ r.-v.

CH. GRINOU
Réserve Elevé en fût de chêne 2000★

■	6 ha	27 500	⦀ 5 à 8 €

Le domaine se signale par la régularité de sa production, en blanc comme en rouge. Habituée du Guide, cette cuvée est issue de pur merlot élevé en fût. Le nez montre une certaine complexité, mêlant des notes fruitées, boisées et animales. Très plaisante, la bouche est souple et ronde, avec cependant des tanins bien présents qui incitent à laisser ce vin un certain temps en cave.

☞ Catherine et Guy Cuisset, Ch. Grinou, 24240 Monestier, tél. 05.53.58.46.63, fax 05.53.61.05.66 ☑ ✕ r.-v.

CH. LAULERIE
Vieilli en fût de chêne 2000★★

■	20 ha	100 000	⦀ 5 à 8 €

À la tête d'un vaste domaine (80 ha), les Dubard portent loin le renom des vins du Bergeracois puisqu'ils exportent 70 % de leur production. Régulièrement saluée par le jury, cette cuvée vieillie en fût ne fera pas pâlir leur réputation, puisqu'elle est jugée tout aussi remarquable que dans le millésime précédent. Autre atout : elle n'a rien de confidentiel. Au nez, les fruits rouges se mêlent aux arômes du bois, des notes grillées et torréfiées accompagnées de nuances de résine de pin. La bouche attaque sur le fruit, puis les tanins très puissants prennent le relais. Ce vin accompagnera le gibier lorsqu'il aura gagné en fondu.

☞ Vignobles Dubard, Le Gouyat, 24610 Saint-Méard-de-Gurçon, tél. 05.53.82.48.31, fax 05.53.82.47.64, e-mail vignobles-dubard@wanadoo.fr ☑ 🏠 ✕ t.l.j. 8h-12h 14h-18h

☞ Dubard-Peytureau

CH. LES MAILLERIES 2001★★

■	1,5 ha	10 000	3 à 5 €

Patrice Tévenin s'est installé en 2001 sur ce domaine de 8,5 ha dont il a rénové la cave. Ses débuts sont prometteurs, à en juger par ce remarquable vin structuré et harmonieux, dominé par des parfums de fruits très mûrs typiques du merlot (70 % de l'assemblage). Bien présents, moelleux, les tanins laissent persister des arômes fruités en finale. Quant au **bergerac sec 2001 (5 à 8 €)**, cité par le jury, il est dominé par une vivacité que le temps devra atténuer.

☞ Patrice Tévenin, Le Cauffour, 24240 Thénac, tél. 05.53.57.56.60, fax 05.53.57.56.60 ☑ ✕ r.-v.

CH. MAYNE GRAND PEY 2001

■	15 ha	90 000	3 à 5 €

Deux vins abordables et réussis proposés par une coopérative du groupe Univitis. Ce Château Mayne Grand Pey présente un nez assez discret, plutôt animal, avec des senteurs de cassis, et se montre équilibré. La cuvée **La Vieille Eglise 2001 (moins de 3 €)** offre un profil assez proche, avec une structure tannique un peu développée. Il n'a sans doute manqué à ces deux vins qu'un peu de maturité pour obtenir une étoile.

☞ Domainie de Sansac, Les Lèves-et-Thoumeyragues, 33220 Sainte-Foy-la-Grande, tél. 05.57.56.02.02, fax 05.57.56.02.22 ✕ t.l.j. sf dim. lun. 9h30-12h30 15h30-18h

DOM. DE MAZIERE
Le Top 2001★

■	5 ha	8 400	⦀ 8 à 11 €

Jusqu'en 1999, Michel Roche livrait sa production à la coopérative. En 2001, il a aménagé un chai de vinification avec le projet de vendre son vin en bouteilles. Sa cuvée Le Top offre un nez puissant, dominé par les fruits noirs (cassis), avec un petit côté animal. Plein et charnu, construit sur un tanin présent et serré, ce vin bien fait est plaisant.

☞ Michel Roche, Dom. de Mazière, 24560 Bouniagues, tél. 05.53.58.23.57, fax 05.53.58.73.00 ✕ r.-v.

CH. LES MERLES 2001★

■	30 ha	100 000	⬛⬗	5 à 8 €

Ce vaste domaine (70 ha) est comme l'an dernier retenu pour son bergerac rouge. Au nez, les arômes de fruits rouges bien mûrs du merlot (60 % de l'assemblage) se mêlent aux notes un peu plus végétales du cabernet-sauvignon. Après une attaque nettement marquée par le fruit, on perçoit des tanins puissants mais fondus qui confèrent à la bouche beaucoup de rondeur. Fruité, bien équilibré, typique, ce vin offre tout ce que l'on peut attendre de l'appellation.

🍷 J. et A. Lajonie, Les Merles, 24520 Mouleydier, tél. 05.53.63.43.70, fax 05.53.58.06.46 ☑ ⛛ r.-v.

L'INSPIRATION DES MIAUDOUX 2000★★

■	3,4 ha	20 000	⬛⬛	5 à 8 €

Une nouvelle consécration pour ce domaine qu'il faut absolument découvrir grâce à une cuvée qui fait l'unanimité dans l'excellent millésime 2000. Un vin dominé par le cassis, tant au nez qu'en bouche, même si le fruit est accompagné par les arômes grillés et toastés de la barrique. Le palais est remarquable par son attaque onctueuse, presque moelleuse, par sa matière tannique particulièrement dense mais dénuée d'agressivité, et par sa longueur. Une bouteille marquée par la concentration et qui sera parfaite dans deux ou trois ans, lorsque le boisé sera bien fondu.

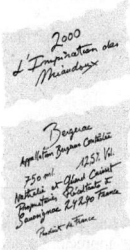

🍷 Gérard Cuisset, Les Miaudoux, 24240 Saussignac, tél. 05.53.27.92.31, fax 05.53.27.96.60, e-mail gerard.cuisset@terre-net.fr ☑ ⛛ r.-v.

MIRAGE DU JONCAL 2000

■	3,5 ha	7 000	⬛⬛⬗	11 à 15 €

Ce 2000 paré d'une robe intense et profonde apparaît plutôt évolué au nez, avec des arômes qui tirent sur le chocolat. Les tanins du bois occupent encore toute la dégustation et demandent à se fondre avec deux à trois ans de garde. Une citation encore pour le **bergerac sec 2000 Alpha du Joncal (15 à 23 €)**, élevé en barrique. Le nez est simple, beurré, finement boisé. Ample et équilibrée, la bouche surprend par sa vivacité en finale.

🍷 Roland et Joëlle Tatard, Clos Le Joncal, 24500 Saint-Julien-d'Eymet, tél. 05.53.61.84.73, fax 05.53.61.84.73, e-mail roland.tatard@infonie.fr ☑ ⛛ r.-v.

CH. MONDESIR 2001

■	11,77 ha	90 000	⬛⬗	3 à 5 €

Élaboré par la Closerie d'Estiac, coopérative girondine, ce bergerac rouge offre un nez classique, puissant,

vineux, aux parfums de fruits rouges bien marqués. On retrouve les fruits rouges, associés au cassis, dans une attaque souple et ronde. Une belle présence tannique se développe en bouche, marquée par une finale un peu nerveuse. L'ensemble reste cependant plein d'harmonie.

🍷 Closerie d'Estiac, Les Lèves-et-Thoumeyragues, 33320 Sainte-Foy-la-Grande, tél. 05.57.56.02.02, fax 05.57.56.02.22 ☑ ⛛ t.l.j. sf dim. lun. 9h30-12h30 15h30-18h

CH. MONTDOYEN
Cuvée La Part des Anges 2000★

■	1 ha	5 600	⬛⬛	11 à 15 €

Le site est remarquable : une croupe calcaire, orientée au sud. Dominant le vignoble, la maison est ancienne, mais les installations sont modernes. Un magnifique pigeonnier se dresse à l'entrée de la propriété. Sa cuvée La Part des Anges a séjourné dix-huit mois en barrique. Le nez est assez fermé mais très fin. En bouche, on apprécie un joli fruité de raisins mûrs soutenu par une belle présence tannique. Le bois n'est pas encore fondu ; ce vin, pour l'heure un peu ferme, devrait être plaisant dans deux ou trois ans. Il trouvera alors sa place sur un magret de canard.

🍷 Jean-Paul Hembise, Montdoyen, 24240 Monbazillac, tél. 05.53.58.85.85, fax 05.53.61.67.78, e-mail châteaumontdoyen@wanadoo.fr ☑ ⛛ t.l.j. 8h-12h 14h-18h; sam. dim. sur r.-v.

CH. MOULIN CARESSE
Élevé en fût de chêne 2000★★

■	4 ha	25 000	⬛⬛	5 à 8 €

La grappe de bronze de notre dernière édition, grâce à un coup de cœur obtenu par le millésime précédent ; le 98 obtint la même distinction : un bergerac rouge à suivre, et qui préfigure ce que seront les futurs montravel rouges (une AOC pour l'heure réservée aux vins blancs). Le 2000 reste dans la même lignée. Le nez de fruits est plaisant, de bonne maturité. La bouche est dotée de tanins fins et élégants qui font de ce vin un modèle d'équilibre et d'harmonie. Déjà agréable, cette bouteille pourra vieillir trois ou quatre ans.

🍷 Sylvie et Jean-François Deffarge-Danger, Couin, 24230 Saint-Antoine-de-Breuilh, tél. 05.53.27.55.58, fax 05.53.27.07.39, e-mail moulin-caresse@wanadoo.fr ☑ ⛺ ⛛ t.l.j. 9h-12h 15h-19h; sam. dim. sur r.-v.

CH. LE PAYRAL 2000★★

■	1,25 ha	4 000	⬛⬛	8 à 11 €

Installé depuis dix ans sur un domaine d'une quinzaine d'hectares, Thierry Daulhiac signe un remarquable bergerac. Rien qu'à l'œil on reconnaît sa grande concentration. Les fruits rouges sont très présents au nez avec un boisé bien intégré. Le palais apparaît très ample, gras à souhait, tannique mais friand. Un vin harmonieux et plein de promesses. Le **saussignac 2000** a obtenu une citation. Le boisé vanillé est assez vite dominé par le raisin concentré. C'est un vin gras mais qui ne donne pas une sensation de sucrosité importante. Un joli vin succès dans un millésime difficile.

🍷 Thierry Daulhiac, Le Bourg, 24240 Razac-de-Saussignac, tél. 05.53.22.38.07, fax 05.53.27.99.81, e-mail daulhiac@club-internet.fr ☑ ⛺ ⛛ t.l.j. 9h-19h

SUD-OUEST

CLOS DU PECH BESSOU
Le Merrain du Pech bessou 2000

■	0,5 ha	3 600	❿	8 à 11 €

Un frère et une sœur sont à la tête de ce domaine ; ils n'élaborent leur vin que depuis quelques années. Après une cuvée classique retenue dans la précédente édition, voici un vin issu d'une sélection de parcelles et vieilli en fût de chêne de l'Allier. Le nez mêle au boisé des notes animales. Rondeur et souplesse caractérisent la bouche, même si les tanins du merrain font sentir leur présence en finale. Un ensemble bien fait et d'abord facile, qui devrait être à son optimum dans un an.
➥ GAEC Thomassin, La Ferrière, 24560 Plaisance, tél. 05.53.24.53.00, fax 05.53.24.53.00 ☑ ☨ t.l.j. sf dim. 9h-12h 13h30-18h

CH. ROQUE-PEYRE
Cuvée Ulysse Vallette 2000★★

■	6 ha	30 000	❿	5 à 8 €

A l'origine, en 1888, un vignoble de 6 ha pris en métayage par l'arrière-grand-père des exploitants actuels. Aujourd'hui, Christian et Jean-Marie Vallette sont à la tête d'un coquet domaine de 46 ha, agrandi au fil des générations. Ils signent une cuvée en hommage à leur père : la cuvée haut de gamme, vieillie en fût, du château Roque-Peyre. Le nez, remarquable par sa complexité, mêle un boisé très fondu, de la vanille, de la réglisse ainsi que des notes de fruits rouges et de prune confite. La bouche, particulièrement ronde et bien équilibrée, est dotée d'une structure tannique à la fois puissante et tout en finesse. Mariage élégant du raisin et de la barrique, ce vin sera parfait dans deux à trois ans.
➥ Vallette Frères, GAEC de Roque-Peyre, 33220 Fougueyrolles, tél. 05.53.24.77.98, fax 05.53.61.36.87, e-mail vignobles.vallette@wanadoo.fr ☑ 🏠 🏠 ☨ r.-v.

SEIGNEURS DE BERGERAC 2000★

■	n.c.	400 000	▮❖	3 à 5 €

Cette cuvée du négoce célèbre la Félibrée, fête instituée en 1903 dans le sillage du mouvement félibrige, et organisée chaque premier dimanche de juillet par une ville du Périgord en l'honneur de la langue et de la culture d'oc. Le nez, d'une belle intensité aromatique, mêle le cassis et la myrtille. En bouche, les tanins sont bien présents et arrondis. Un agréable retour du fruit marque la finale. Un joli vin, légèrement rustique à l'image de son terroir.
➥ SA Yvon Mau, BP 1, 33193 Gironde-sur-Dropt Cedex, tél. 05.56.61.54.54, fax 05.56.61.54.61

LES VIGNERONS DE SIGOULES
Chêne Peyraille 2000

■	50 ha	300 000	▮❿	3 à 5 €

Deux bergerac rouges élaborés par la coopérative de Sigoulès ont été cités par le jury. Deux cuvées très différentes. Importante en volume, cette cuvée Chêne Peyraille est élevée seulement pour partie dans le bois. Elle offre une belle intensité aromatique avec des notes épicées et fruitées. L'attaque est souple, d'ampleur moyenne, et les tanins sont bien fondus. La finale apparaît un peu vive. Un vin léger, agréable à boire jeune. En revanche, la cuvée Légende 2000 (15 à 23 €) est confidentielle. Elle a séjourné quatorze mois en fût et se montre actuellement dominée par des impressions boisées qui la rendent austère. Elle devrait s'épanouir d'ici deux à trois ans.

➥ Cave de Sigoulès, BP 2, 24240 Sigoulès, tél. 05.53.61.55.00, fax 05.53.61.55.10 ☨ t.l.j. sf dim. 8h30-12h 14h-17h30

TERRES NOIRES 2000★

■	20 ha	8 000	❿	5 à 8 €

Il a séjourné dix mois en fût, et apparaît très marqué par le bois neuf. Le premier nez libère des notes toastées et épicées, tandis que les fruits mûrs s'expriment à l'agitation. La bouche séduit par son côté moelleux et par ses tanins puissants mais dénués d'agressivité. Une certaine fraîcheur, accompagnée d'un retour des fruits mûrs, vient rehausser la finale. Ce vin plaira beaucoup. Il est conseillé de l'attendre.
➥ Union de viticulteurs de Port-Sainte-Foy, 78, rte de Bordeaux, 33220 Port-Sainte-Foy, tél. 05.53.27.40.70, fax 05.53.27.40.71, e-mail cavevitipsf@wanadoo.fr ☑

CH. LA TILLERAIE 2001★

■	4 ha	20 000	▮❖	5 à 8 €

Ce domaine de 14 ha est connu pour son pécharmant mais élabore aussi des bergerac de qualité, comme ce vin rouge qui offre un nez puissant, aux parfums de cassis et de myrtille. La bouche, sur le fruit, avec des tanins fondus et ronds. Une bien jolie bouteille. Quant au bergerac rosé 2001, cité par le jury, il se montre lui aussi souple et fruité. Des tanins un peu prononcés lui confèrent une certaine amertume en finale et en font un rosé de repas, à la limite du clairet.
➥ SARL Ch. la Tilleraie, Pécharmant, 24100 Bergerac, tél. 05.53.57.86.42, fax 05.53.57.86.42 ☑ ☨ r.-v.
➥ B. Fauconnier

CH. LE TOURON
Cuvée Prestige 2000★

■	6,94 ha	15 000	❿	5 à 8 €

Deux bergerac rouges de la coopérative de Monbazillac ont été retenus, tous deux vieillis en fût. Ce Château le Touron est le plus apprécié. Le nez est boisé avec des notes de fruits (du pruneau à l'agrume). Après une attaque souple, le boisé reste discret, permettant un beau retour de fruits en finale. Il faudra cependant attendre que le merrain se fonde davantage. Cité sans étoile, le Château Pion (8 à 11 €) est aujourd'hui complètement dominé par le bois : à réserver aux amateurs.
➥ Cave coopérative de Monbazillac, rte de Mont-de-Marsan, 24240 Monbazillac, tél. 05.53.63.65.00, fax 05.53.63.65.09 ☑ ☨ t.l.j. sf dim. 10h-12h30 14h-18h

CH. TUQUET MONCEAU
Elevé en fût de chêne 2000

■	1 ha	3 918	▮❿❖	5 à 8 €

Eric Goubault de Brugière a constitué ce vignoble en 1989. Jusqu'aux vendanges 2000, il apportait son raisin à la coopérative. Ce vin est donc son premier millésime, élaboré dans un chai tout neuf. Au nez, très particulier, libère des notes de fruits cuits, de prune confite, de confiture. La bouche, souple et légère, offre des tanins soyeux. Le type même du « vin plaisir ».
➥ EARL E. et C. Goubault de Brugière, Le Tuquet, 24230 Saint-Vivien, tél. 05.53.22.79.49, fax 05.53.22.79.49, e-mail cecile.goubault@m6net.fr ☑ ☨ r.-v.

CH. VEYRINES
Cuvée Tradition 2001★★

■	3 ha	20 000	■	3 à 5 €

La famille Lascombes a repris ce domaine d'environ 7,5 ha en 1996. Sa cuvée Tradition, qui avait intéressé les dégustateurs dans le millésime précédent, emporte l'adhésion du jury cette année. Le nez, fruité et complexe, décline des notes de groseille, de myrtille et de cassis. Une attaque souple, une réelle ampleur, une structure ronde et fondue rendent la bouche particulièrement plaisante. La présence tannique monte en puissance sans durcir la finale, marquée par un beau retour du fruit. Un ensemble remarquable.
🍇 Lascombes, Veyrines, 24240 Ribagnac, tél. 05.53.73.01.34, fax 05.53.73.01.34, e-mail eric.lascombes@wanadoo.fr ☑ ⏁ r.-v.

CH. DES VIGIERS 2001★★

■	n.c.	10 000	■↓	3 à 5 €

Un hôtel quatre étoiles aménagé dans un gros manoir du XVIᵉ s., un golf et un vignoble de près de 25 ha, voilà le château des Vigiers. Cette année, le chai s'illustre grâce à un vin élevé en cuve, ce qui montre que la qualité n'implique pas un séjour en barrique. Le fruité exceptionnel et la puissante structure tannique de ce bergerac ont enthousiasmé le jury. Cassis, framboise et notes poivrées se partagent un nez assez intense. On retrouve les arômes fruités dans une attaque souple et ronde, puis les tanins montent en puissance. Une bouteille qui laisse une impression de gouleyance tout en étant solidement construite. Le **bergerac sec 2001** du domaine mérite d'être cité. C'est un vin charnu qui privilégie la rondeur aux dépens de la vivacité.

🍇 SCEA La Font du Roc, Ch. des Vigiers, 24240 Monestier, tél. 05.53.61.50.30, fax 05.53.61.50.31, e-mail réservevigiers@calva.net ☑ ⏁ r.-v.
🍇 Petersson

Bergerac rosé

DOM. DU BOIS DE POURQUIE 2001★

■	1,5 ha	10 600	■↓	5 à 8 €

Ce domaine donne souvent des rosés fort plaisants, comme en témoignent les dernières éditions du Guide. Le 2001 est explosif au nez, fait de fruits rouges (groseille). La bouche fait preuve d'une belle ampleur et montre un bon retour du fruit. L'acidité est enrobée d'un joli gras. Un vin plaisir, à boire sous la tonnelle.

🍇 Marlène et Alain Mayet, Le Bois de Pourquié, 24560 Conne-de-Labarde, tél. 05.53.58.25.58, fax 05.53.61.34.59 ☑ ⏁ r.-v.

LA GRAPPE DE GURSON
Prestige 2001

■	5 ha	30 000	■↓	3 à 5 €

Une bouteille signée par une coopérative fondée en 1939, et qui vinifie aujourd'hui quelque 400 ha à l'ouest de l'appellation. La couleur est soutenue pour un rosé, avec des reflets violacés. Le nez révèle la présence des cabernets (70 % de l'assemblage) par ses parfums de buis et de cassis. Plutôt vive à l'attaque, la bouche évolue agréablement sur le fruit jusque dans une finale assez gouleyante.
🍇 La Grappe de Gurson, BP 5, 24610 Carsac-de-Gurson, tél. 05.53.82.81.50, fax 05.53.82.81.60, e-mail grappe.gurson@wanadoo.fr ☑ ⏁ r.-v.

DOM. DU HAUT MONTLONG
Vin d'une Nuit 2001★★

■	2,5 ha	15 000	■↓	3 à 5 €

On trouve des vignerons du nom de Sergenton dès le XVIᵉs. Le domaine du Haut-Montlong était connu pour ses monbazillac. Il faudra désormais compter aussi avec ses rosés. Dans ce « Vin d'une nuit », la fraîcheur et l'intensité du fruit sont impressionnantes au nez. On y trouve pêle-mêle cassis, framboise, cerise, fraise et fruits confits. De la bouche, on retiendra la sensation de volume, le caractère dense et charnu. D'une belle longueur, la finale est marquée par un retour du fruit, accompagné d'une légère vivacité. Un rosé structuré qui peut accompagner tout le repas.

🍇 A. et J. Sergenton et leurs enfants, Dom. du Haut-Montlong, 24240 Pomport, tél. 05.53.58.81.60, fax 05.53.58.09.42, e-mail sergenton-haut-montlong@wanadoo.fr ☑ 🏨 🏠 ⏁ t.l.j. 9h-12h 14h-19h30; sam. dim. sur r.-v.

LES JARDINS DE CYRANO
Larmandie 2001★

■	1,66 ha	10 000	■↓	3 à 5 €

Ce vin fut coup de cœur dans le millésime précédent. Cette année, il se différencie des autres rosés par des notes aromatiques plus florales que fruitées qui s'accompagnent de nuances d'agrumes, présentes au nez comme en bouche. Une finale légèrement douce vient donner à l'ensemble un petit côté tendre. Proposé par le même négociant, le **bergerac sec Les Quatre Vents 2001** a été cité pour ses arômes floraux et son équilibre.

⌐ SARL Pascal Bonnac, 509, rte de Toulouse, 33140 Villenave-d'Ornon, tél. 05.53.07.10.31, fax 05.53.07.16.41 ☑ ⌐ t.l.j. sf lun. 9h30-12h30 15h-19h45

CH. JONC-BLANC
Cuvée Isabelle 2001★

	2 ha	12 000	▮♦	3 à 5 €

Aux arômes de fruits mûrs viennent s'ajouter des notes fermentaires amyliques (bonbon anglais). L'attaque fruitée est suave, presque moelleuse, et la finale un peu nerveuse vient revigorer l'ensemble. Un rosé classique et gouleyant qu'il faudra consommer rapidement.
⌐ SCEA I. Carles et F. Pascal, Le Jonc Blanc, 24230 Vélines, tél. 05.53.74.18.97, fax 05.53.74.18.97, e-mail joncblanc@hotmail.com ☑ ⌐ r.-v.

JULIEN DE SAVIGNAC 2001★

	2,83 ha	17 000	▮♦	5 à 8 €

La couleur rose soutenu annonce une belle matière. Le nez n'est pas des plus puissants, mais apparaît bien marqué par les fruits rouges. On retrouve cette saveur fruitée en bouche avec une certaine vivacité en finale. Une nette présence tannique destine ce vin au repas plutôt qu'à l'apéritif.
⌐ Julien de Savignac, av. de la Libération, 24260 Le Bugue, tél. 05.53.07.10.31, fax 05.53.07.16.41, e-mail julien.de.savignac@wanadoo.fr ☑ ⌐ t.l.j. 8h45-12h15 14h45-19h15

CH. DU PRIORAT 2001★★

	6,06 ha	40 000	▮♦	3 à 5 €

Ce rosé contient 50 % de merlot. Une proportion qui lui confère une certaine finesse, mais moins d'exubérance que n'en montrent d'autres vins plus typés par les cabernets. Le nez est ainsi assez discret, dominé par des notes florales. L'attaque présente un côté tendre, presque moelleux, avant de laisser les arômes se développer. La finale est plutôt souple, sans la moindre agressivité. D'une très belle harmonie, cette bouteille appréciera un magret de canard grillé.
⌐ GAEC du Priorat, Le Priorat, 24610 Saint-Martin-de-Gurson, tél. 05.53.80.76.06, fax 05.53.81.21.83 ☑ ⌐ t.l.j. sf dim. 8h-12h 14h-19h
⌐ Maury

Bergerac sec

La diversité des sols (calcaire, graves, argile, boulbènes) donne des expressions aromatiques variées. Jeunes, les vins sont fruités et élégants, avec une pointe de nervosité. S'ils sont vinifiés dans le bois, il faudra patienter un an ou deux pour discerner l'expression du terroir.

CH. BEAUCHAMP 2001

	6,44 ha	51 000	▮♦	- de 3 €

Ce vin est commercialisé par Prodiffu, SICA de commercialisation d'un groupe coopératif de la Gironde.

Plutôt discret mais frais, son nez libère des notes d'ananas et de citron, accompagnées de quelques fragances florales. La vivacité de l'attaque est soulignée par des bulles de gaz carbonique. Des notes fruitées (on retrouve le citron) s'expriment assez intensément en bouche. D'une bonne longueur, la finale est marquée par une nervosité qui suggère d'attendre ce vin quelque temps pour lui permettre de se fondre.
⌐ Prodiffu, 17-19, rte des Vignerons, 33790 Landerrouat, tél. 05.56.61.33.73, fax 05.56.61.40.57, e-mail prodiffu@prodiffu.com

CH. BELINGARD 2001★

	2 ha	10 000	▮♦	3 à 5 €

Situé au cœur des paysages somptueux de Pomport, ce château a charme des vieilles demeures familiales. Ce vin a séduit. Le nez, réservé, libère des parfums de fruits presque confits à l'agitation. La bouche est plaisante, avec beaucoup de rondeur et de gras jusque dans la finale persistante. Cette bouteille devrait être à son optimum dans deux ans.
⌐ SCEA Comte de Bosredon, Belingard, 24240 Pomport, tél. 05.53.58.28.03, fax 05.53.58.38.39, e-mail laurent.debosredon@wanadoo.fr ☑ ⌐ r.-v.

DOM. DU CANTONNET
Tête de Cuvée 2001★

	4 ha	20 000	▮♦	5 à 8 €

Ce domaine de 30 ha qui produit aussi du bordeaux propose un bergerac sec fort apprécié. Le nez, très expressif, associe la rose, les fleurs blanches (acacia) à une pointe de litchi, arôme que l'on retrouve en bouche. L'attaque est souple, le palais bien équilibré, gras et d'une belle longueur. Un vin plaisant, rond, sans agressivité et tout en finesse. De la même exploitation, le jury a cité le **bergerac rouge 2000 Ruine de Belair Cuvée Prestige (11 à 15 €)**, élevé en fût. Un vin doux, rond, élégant et harmonieux.
⌐ EARL Vignobles Rigal, Dom. du Cantonnet, 24240 Razac-de-Saussignac, tél. 05.53.27.88.63, fax 05.53.23.77.11 ☑ 🏠 ⌐ r.-v.

DOM. DE LA COMBE 2001

	3,05 ha	6 600	▮♦	3 à 5 €

Le sauvignon (75 % de l'assemblage) s'exprime au nez par des arômes typiques de buis. En revanche, la bouche est marquée par des notes fruitées d'agrumes. Elle privilégie la fraîcheur aux dépens du gras. Un vin vif et agréable, à consommer rapidement.
⌐ Sylvie et Claude Sergenton, Dom. de la Combe, 24240 Razac-de-Saussignac, tél. 05.53.27.86.51, fax 05.53.27.99.87 ☑ ⌐ r.-v.

CH. HAUT BERNASSE 2001★

	1,4 ha	8 000	▮♦	5 à 8 €

Depuis 1977, Jacques Blais est à la tête d'un domaine de 27 ha sis au sommet des coteaux de Monbazillac. Son bergerac sec a été élevé sur lies fines pendant quatre mois, ce qui lui a donné une certaine structure. Le nez est vif et frais, avec des notes florales et des nuances d'infusion (tilleul, verveine). L'attaque, agréable et fruitée, est marquée par la présence de gaz carbonique. Le palais, gras et d'une bonne persistance aromatique, se montre nerveux et frais en finale.
⌐ Jacques Blais, Ch. Haut Bernasse, 24240 Monbazillac, tél. 05.53.58.36.22, fax 05.53.61.26.40 ☑ ⌐ r.-v.

CH. HAUT-FONGRIVE 2001★

5,49 ha	40 000	▮↓	3 à 5 €

En 1998, séduits par le point de vue qu'offre le domaine, Sylvie et Werner Wichelhaus ont acheté les 16 ha de Haut-Fongrive à un couple d'Anglais. Leur bergerac sec était déjà très réussi dans le millésime précédent. Celui-ci offre un nez fort expressif avec ses parfums de fruits blancs et de fleurs blanches (aubépine). L'attaque vive, concentrée, révèle des notes d'agrumes et de mangue. La finale est assez persistante. Un vin bien fait qui allie concentration et fraîcheur.

☛ Sylvie et Werner Wichelhaus,
Château Haut-Fongrive, 24240 Thénac,
tél. 05.53.58.56.29, fax 05.53.24.17.75,
e-mail hautfongrive@worldonline.fr ☑ ☘ r.-v.

CH. HAUT-MALVEYREIN 2001

6 ha	13 000	▮	3 à 5 €

Géré par un frère et une sœur, le château Haut-Malveyrein appartient à la même famille depuis quatre générations. Son bergerac sec présente un nez ouvert, assez expressif et typique du sauvignon avec ses notes florales, ses parfums d'agrumes et de buis. L'attaque est très vive, toujours sur des nuances florales, le palais assez gras, harmonieux et d'une bonne longueur. Un vin puissant et frais.

☛ GAEC Durand, Le Malveyrein, 24240 Pomport,
tél. 05.53.58.39.45, fax 05.53.58.39.48 ☑ ☘ r.-v.

CH. DE LA JAUBERTIE
Mirabelle 2000★

3 ha	12 000	◫	11 à 15 €

Ce bergerac sec est né sur un domaine qui appartient à Gabrielle d'Estrées (XVIes.). Il en a tous les charmes et présente un nez fruité, dominé par la pêche blanche, et légèrement boisé. La bouche monte en puissance, révélant un joli volume et un bon équilibre. Cette cuvée **Mirabelle en bergerac rouge 2000** a été citée par le jury. Elle est dotée d'une belle matière, aujourd'hui complètement dominée par le bois. A réserver aux amateurs de ce style de vins ou à attendre quelques années.

☛ SA Ryman, Ch. de la Jaubertie, 24560 Colombier,
tél. 05.53.58.32.11, fax 05.53.57.46.22,
e-mail jaubertie@wanadoo.fr ☑ ☘ t.l.j. sf sam. dim.
10h30-18h

CLOS DE MONESTIER 2001★

9 ha	51 600	▮↓	3 à 5 €

Vif et intense, le nez développe des notes fruitées d'agrumes et des nuances d'acacia. On retrouve les agrumes dans un palais d'abord rond, puis très vif en finale. Cette bouteille conviendra pour l'apéritif.

☛ SCEA Monestier La Tour, 24240 Monestier,
tél. 05.53.24.18.43, fax 05.53.24.18.14,
e-mail contact@chateaumonestierlatour.com ☑ ☘ r.-v.

CH. MONTDOYEN 2001★★

5 ha	40 000	▮↓	3 à 5 €

L'un des meilleurs blancs secs de la sélection, auquel il n'a manqué sans doute qu'un peu de gras et d'ampleur pour obtenir un coup de cœur. Le nez, très aromatique et complexe, libère des notes florales et fruitées dans lesquelles on retrouve l'apport du sauvignon. L'attaque est assez fraîche, la bouche longue et marquée en finale par des nuances persistantes de fruits exotiques et de citron. Un très joli vin sur le fruit.

☛ Jean-Paul Hembise, Montdoyen, 24240 Monbazillac,
tél. 05.53.58.85.85, fax 05.53.61.67.78,
e-mail châteaumontdoyen@wanadoo.fr ☑ ☘ t.l.j.
8h-12h 14h-18h; sam. dim. sur r.-v.

CH.DE PANISSEAU
Cuvée Alcea 2001

20,26 ha	86 000	▮↓	5 à 8 €

Il est assez rare de trouver des bergerac secs comprenant 80 % de sémillon et cela mérite d'être souligné (quant à la muscadelle, elle entre pour 10 % dans l'assemblage). Le nez puissant exprime des notes de fruits mûrs et des parfums typiques du sauvignon. L'attaque se montre très grasse. Le retour du fruit en finale est apprécié. Une bonne maîtrise technique au service d'un bel équilibre.

☛ Panisseau SA, Ch. de Panisseau, 24240 Thénac,
tél. 05.53.58.40.03, fax 05.53.58.94.46,
e-mail panisseau@ifrance.com ☑ ☘ r.-v.

DOM. DE PECOULA 2001★

2,5 ha	18 000	▮↓	3 à 5 €

Coup de cœur l'an dernier en monbazillac, ce domaine présente un joli bergerac sec. Le nez, expressif, mêle des notes florales (genêt) et fruitées (agrumes). L'attaque est très souple, puissamment fruitée. La bouche révèle une belle concentration. L'élevage sur lies lui a conféré beaucoup de gras : cette bouteille conviendra à du poisson cuisiné plutôt qu'à des fruits de mer.

☛ GAEC de Pécoula, 24240 Pomport,
tél. 05.53.58.46.48, fax 05.53.58.82.02 ☑ ☘ r.-v.
☛ GFA Labaye

DOM. DU PETIT PARIS
Cuvée Tradition 2001★

6 ha	40 000	▮↓	3 à 5 €

Depuis 1892, quatre générations de Geneste ont agrandi peu à peu le domaine familial tout en aménageant les caves. Aujourd'hui, Patrick Geneste est à la tête de 24 ha de vignes et vient de transformer les chais. Sa cuvée Tradition présente un nez expressif et complexe où se mêlent les agrumes et le buis. Tout aussi aromatique et fruitée, la bouche se montre très vive en finale. Un vin bien sec, à réserver aux fruits de mer.

☛ EARL Dom. du Petit Paris, RN 21,
24240 Monbazillac, tél. 05.53.58.30.41,
fax 05.53.58.30.27, e-mail petit-paris@wanadoo.fr
☑ ☘ t.l.j. 8h-20h

CH. DU PRIORAT 2001★★

n.c.	20 000	▮↓	3 à 5 €

Cette exploitation familiale vient de rénover sa cave de vinification. Son bergerac sec se distingue par un nez particulièrement fruité, où se mêlent la mangue, la banane, l'ananas et le pamplemousse. Après une attaque assez nerveuse, la bouche évolue sur du gras, de l'onctuosité, avec des arômes de citron bien nets. On retrouve la vivacité en finale. Un grand classique.

☛ GAEC du Priorat, Le Priorat,
24610 Saint-Martin-de-Gurson, tél. 05.53.80.76.06,
fax 05.53.81.21.83 ☑ ☘ t.l.j. sf dim. 8h-12h 14h-19h
☛ Maury

CH. LA RAYRE
Premier Vin 2000★

0,5 ha	2 800	◫	8 à 11 €

Une propriété de 18,5 ha, située sur les coteaux du sud de Monbazillac, et acquise en 1999 par Vincent

SUD-OUEST

Vesselle venu de Champagne. Ce Premier Vin est la cuvée haut de gamme du domaine. D'une belle intensité, assez complexe, finement boisé, le nez décline des notes de beurre, de vanille et de fruits secs. La bouche révèle un parfait équilibre entre le boisé et le fruité. Harmonieux, riche, gras et d'une bonne longueur, ce vin sort de l'ordinaire.

🕊 EARL Ch. la Rayre, La Rayre, 24560 Colombier, tél. 05.53.58.32.17, fax 05.53.24.55.58, e-mail vincent.vesselle@wanadoo.fr ☑ ⵏ r.-v.

🕊 Vesselle

LES VIGNERONS DE SIGOULES
Cuvée Haute Tradition élevé en fût de chêne 2001

	1 ha	5 500	⦀	5 à 8 €

Cette cuvée a été vinifiée et élevée en fût de chêne, ce qu'elle a du mal à dissimuler. Ainsi, au nez, les arômes de litchi et de citron s'accompagnent d'un boisé intense, voire dominateur. Vive et franche, la bouche est également très marquée par la barrique. Le jury pense que la structure du vin sera suffisante pour lui permettre, d'ici quelque temps, de reprendre le dessus sur le merrain.

🕊 Cave de Sigoulès, BP 2, 24240 Sigoulès, tél. 05.53.61.55.00, fax 05.53.61.55.10 ☑ ⵏ t.l.j. sf dim. 8h30-12h 14h-17h30

CH. LES TOURS DES VERDOTS
Le Vin selon David Fourtout 2000★

	1,35 ha	3 340	⦀	30 à 38 €

Les lecteurs du Guide connaissent bien ce domaine en rouge. Il signe ici un bergerac sec de très bonne facture. Intense et complexe, le nez décline des notes de fruits exotiques : litchi, fruit de la Passion, pomelo. Le gras est présent dès l'attaque, le palais se montre équilibré, ample et d'une bonne longueur. Un ensemble harmonieux et rond.

🕊 EARL David Fourtout, Les Verdots, 24560 Conne-de-Labarde, tél. 05.53.58.34.31, fax 05.53.57.82.00, e-mail fourtout@terre-net.fr
☑ 🏠 ⵏ t.l.j. sf dim. 9h30-12h30 14h-19h

Côtes de bergerac

Cette dénomination ne définit pas un terroir mais des conditions de récolte plus restrictives qui doivent permettre d'obtenir des vins riches et charpentés. Ils sont recherchés pour leur concentration et leur durée de conservation plus longue.

REVELATION DU BOIS DE POURQUIE
Elevé en fût de chêne 2000★★

	1 ha	3 000	⦀	15 à 23 €

Un domaine que le Guide mentionne régulièrement dans l'une ou l'autre des appellations du Bergeracois, et qui a déjà montré ses talents en rouge (voir dans cette même AOC l'édition 2000). Cette cuvée, élevée douze mois en fût, n'est élaborée que depuis deux ans, et « elle a de

l'avenir », nous dit son auteur. Le jury lui donne raison. C'est une... révélation. Si le boisé est bien marqué, les nuances de framboise et de fraise apportent de la complexité. L'attaque est dense, mais tout en rondeur, et les tanins, un peu marqués par le merrain, se distinguent par leur puissance. Un grand vin de garde, à oublier dix ans au fond de la cave.

🕊 Marlène et Alain Mayet, Le Bois de Pourquié, 24560 Conne-de-Labarde, tél. 05.53.58.25.58, fax 05.53.61.34.59 ☑ ⵏ r.-v.

CH. BONIERES
Cœur de Vendanges 2000

	3 ha	19 000	⦀	8 à 11 €

André Bodin s'est installé sur les plateaux de Sainte-Foy. Son vignoble est surtout constitué de vieilles vignes plantées à haute densité, ce qui garantit une belle concentration des raisins. Cependant, après un élevage de seize mois en fût, le bois a tendance à dominer le vin. Au nez, les arômes de pain grillé sont très puissants. L'attaque apparaît souple, sur des tanins fins ; ceux-ci se font plus austères en finale et demandent une petite garde en cave. Une bouteille agréable, qui gagnera à être ouverte quelques heures avant d'être dégustée.

🕊 SCEA Vignobles André Bodin, Ch. Bonières, 33220 Fougueyrolles, tél. 05.53.24.15.16, fax 05.53.22.81.84, e-mail stevalentin@free.fr ☑ ⵏ r.-v.

CH. BRIAND
Elevé en fût de chêne 2000★

	7,5 ha	3 000	⦀	8 à 11 €

Les bâtiments du domaine, dépendance du château Bridoire, datent de la guerre de Cent Ans. On dit même qu'Aliénor d'Aquitaine et Richard Cœur de Lion ont hanté les lieux... Quant aux terroirs argilo-calcaires de Ribagnac, ils sont depuis longtemps réputés. Ils ont donné un vin au nez très intense, mêlant des notes de torréfaction et de café - léguées par un élevage de quinze mois en fût - à des nuances de fruits mûrs. Concentré et gras, le palais dévoile une imposante structure tannique dominée par le bois, qui marque d'austérité la finale. Ce vin devrait être remarquable lorsque le chêne se sera fondu.

🕊 Gilbert et Kathy Rondonnier, Les Nicots, 24240 Ribagnac, tél. 06.72.91.20.28, fax 05.53.24.94.63
☑ ⵏ t.l.j. sf dim. 10h-19h30; f. oct.

CH. LE CHABRIER
Gros Caillou Elevé en fût de chêne 2000★

	12,85 ha	10 000	🍶⦀⬇	5 à 8 €

Le château a été construit sur les ruines d'une forteresse démantelée pendant la guerre de Cent Ans. Pierre Carle est à la tête du domaine (35 ha dont 20 plantés en vignes) depuis 1991. Son vignoble est en cours de reconversion à l'agriculture biologique. La cuvée Gros Caillou est dominée par des notes vanillées, épicées et torréfiées, héritées d'un élevage en bois, tandis qu'un joli fruité de mûre et de cassis se manifeste à l'attaque. Présents et élégants, les tanins contribuent à la bonne harmonie générale de ce vin, malgré une certaine austérité en finale. A attendre.

↬ Pierre Carle, Ch. Le Chabrier, 24240 Razac-de-Saussignac, tél. 05.53.27.92.73, fax 05.53.23.39.03, e-mail chateau.le.chabrier@libertysurf.fr ☑ ☖ r.-v.

CLOS DALMAIN 2000★

| ■ | 0,5 ha | 2 000 | ⅏ | 5 à 8 € |

En 1999, après une expérience de huit ans dans des chais du Bergeracois, Tim Richardson a pris en fermage ce petit clos (moins de 2 ha) planté de vieilles vignes, afin de monter une « micro-winery ». Le résultat obtenu par ce 2000, vieilli quatorze mois en fût, est très prometteur. Le nez, plutôt discret, laisse percer des notes de vanille et de boisé bien marquées, accompagnées de parfums de fruits rouges. La bouche, concentrée, tannique, révèle un vin de caractère, à oublier en cave trois à cinq ans.

↬ Tim Richardson, Le Bourg, 24500 Saint-Julien-d'Eymet, tél. 06.07.83.47.55, fax 05.53.58.09.72, e-mail tim.richardson@wanadoo.fr ☑ ☖ r.-v.

CH. LE FAGE
Cuvée Prestige Elevé en fût de chêne 2000★

| ■ | 2 ha | 8 500 | ⅏ | 8 à 11 € |

Plus connu pour ses monbazillac, ce domaine n'en produit pas moins des vins rouges de bonne tenue. Celui-ci présente un nez discret mais complexe, associant du fruit noir à des notes toastées et épicées. La structure tannique n'impressionne pas par sa puissance mais séduit par sa rondeur. Un vin fondu et équilibré, élégant et charnu.

↬ François Gérardin, Ch. Le Fagé, 24240 Pomport, tél. 05.53.58.32.55, fax 05.53.24.57.19 ☑ ☖ t.l.j. 9h-12h30 13h30-18h; sam. dim. lun. sur r.-v.

CH. LA GRANDE BORIE
Cuvée CL Elevé en fût de chêne 2000

| ■ | 2 ha | 6 000 | ⅏ | 8 à 11 € |

Déjà citée l'an dernier, cette cuvée s'annonce par un boisé marqué, mais un joli fruité de framboise et de cassis se développe à l'agitation. Après une attaque souple, la bouche évolue sur des tanins qui demandent à se fondre. Un vin prometteur, à laisser vieillir deux ou trois ans pour lui permettre de gagner en amabilité.

↬ EARL des Vignobles Lafon-Lafaye, La Grande Borie, 24520 Saint-Nexans, tél. 05.53.24.33.21, fax 05.53.24.97.74, e-mail cllafaye@wanadoo.fr ☑ ☖ r.-v.

↬ Claude Lafaye

DOM. DE GRIMARDY
Elevé en fût de chêne 2000

| ■ | 1,2 ha | 8 200 | ⅏ | 5 à 8 € |

Il y a un siècle, on fabriquait des tonneaux de châtaignier sur ce domaine. Le chêne semble mieux convenir aujourd'hui à cette cuvée. Le nez évoque la framboise et le cassis. Les tanins sont souples et bien fondus, dénués de toute agressivité. Un vin bien fait, équilibré, d'une simplicité de bon aloi, et destiné à une consommation rapide.

↬ Marcel et Marielle Establet, Dom. de Grimardy, 24230 Montazeau, tél. 05.53.57.96.78, fax 05.53.61.97.16, e-mail m.establet@libertysurf.fr ☑ ☖ r.-v.

CH. HAUT BERNASSE 2000★

| ■ | n.c. | 13 000 | ⅏ | 8 à 11 € |

Malgré un élevage en fût de quatorze mois, le fruité est bien présent dans ce vin, et c'est ce qui fait tout son charme. Au nez, la mûre s'accompagne de quelques notes de cerise à l'eau-de-vie. Les tanins conjuguent concentration et rondeur. Les fruits rouges se retrouvent en finale pour notre plus grand plaisir. Une bouteille équilibrée et harmonieuse, déjà agréable à boire.

↬ Jacques Blais, Ch. Haut Bernasse, 24240 Monbazillac, tél. 05.53.58.36.22, fax 05.53.61.26.40 ☑ ☖ r.-v.

CH. LES HAUTS DE CAILLEVEL
Elevé en fût de chêne 2000

| ■ | 2 ha | 8 000 | ⅏ | 5 à 8 € |

Sylvie Chevallier a acheté en 1999 cette belle propriété de plus de 21 ha d'un seul tenant, constituée au XIX^{e}s. Son côtes de bergerac rouge a été élevé un an en barrique, ce qui lui a légué des parfums boisés, assez fondus avec un fruité agréable. Après une attaque un peu nerveuse, la bouche évolue sur des tanins souples et ronds, encore un peu austères en finale. Un vin bien fait et facile à boire en 2003.

↬ Sylvie Chevallier, Les Hauts de Caillevel, 24240 Pomport, tél. 05.53.73.92.72, fax 05.53.73.92.72, e-mail caillevel@wanadoo.fr ☑ ☖ t.l.j. sf dim. 9h-12h 14h-18h; f. dim.

CH. LADESVIGNES
Le Pétrocore 2000★★

| ■ | 3 ha | 10 000 | ⅏ | 8 à 11 € |

Cette cuvée emprunte son nom à la tribu gauloise qui vivait dans la région à l'époque des conquêtes de Jules César. Son nez puissant associe les fruits mûrs et confits à des notes vanillées. La bouche donne une sensation de rondeur et d'ampleur. Le boisé y est très présent, mais le vin garde son fruit et sa fraîcheur. Une excellente bouteille de garde, à réserver à du gibier (du sanglier ?) ou... à un coq (gaulois) au vin. Quant au **bergerac rosé 2001 Château Ladesvignes** (5 à 8 €), il offre un nez aromatique fait de framboise et de cassis et une bouche légèrement tannique, plutôt moelleuse et équilibrée. Un rosé de repas qui a obtenu une étoile.

↬ Ch. Ladesvignes, 24240 Pomport, tél. 05.53.58.30.67, fax 05.53.58.22.64, e-mail chateau.ladesvignes@wanadoo.fr ☑ ☖ r.-v.

MALLEVIEILLE
Elevé en fût de chêne 2000

| ■ | 3 ha | 12 000 | ⅏ | 8 à 11 € |

Mallevieille : un nom peut-être lié à la destination primitive des bâtiments, jadis relais de poste. Le domaine, devenu viticole au début du XX^{e}s., est conduit depuis 1983 par M. Biau, vigneron passionné par sa région. Ce vin attire l'attention par son nez expressif, où boisé et fruité sont en harmonie. On apprécie la rondeur de son attaque et la belle matière qui se développe ensuite. Des tanins austères se manifestent en finale et demandent quelques mois pour se fondre. Un vin bien fait, honorable représentant de son appellation.

SUD-OUEST

⌐ Vignobles Biau, La Mallevieille, 24130 Monfaucon, tél. 05.53.24.64.66, fax 05.53.58.69.91, e-mail chateaudelamallevieille@wanadoo.fr ☑ Ⲧ t.l.j. 9h-12h 14h-19h

CH. LES MARNIERES
Cuvée La Côte Fleurie 2000★

■	1,55 ha	5 600	⦿⦿ 11 à 15 €

Fondé en 1925, ce domaine était alors voué aux liquoreux. Il a montré ces dernières années son savoir-faire en rouge, avec cette cuvée de qualité régulière (le 97 a même décroché un coup de cœur). Au nez, le 2000 mêle le cassis à la vanille et au pain d'épice. Quelques notes de cacao apparaissent à l'agitation. La bouche débute par une attaque chaleureuse et soyeuse, se prolonge sur des tanins bien enrobés et finit sur une légère pointe d'amertume. Un vin élégant, qui gagnera à patienter quelques années en cave. Quant au **côtes de bergerac moelleux 2001** (3 à 5 €), ses arômes de bonbon anglais et sa belle vivacité en bouche lui ont valu une citation.
⌐ Alain et Christophe Geneste, GAEC des Brandines, 24520 Saint-Nexans, tél. 05.53.58.31.65, fax 05.53.73.20.34, e-mail christophe.geneste2@wanadoo.fr ☑ Ⲧ t.l.j. 9h-12h30 14h-20h; sam. dim. sur r.-v.

CH. MAROT
Elevé en fût de chêne 2000

■	2 ha	7 000	⦿⦿ 5 à 8 €

Jean-Yves Reynou est établi dans un hameau, près du château où Montaigne naquit, mourut et écrivit *Les Essais*. Elevé douze mois en fût, son côtes de bergerac présente un nez discret mais agréable, mêlant fruits rouges et notes boisées que l'on retrouve en bouche. La structure repose sur des tanins fins. La finale est marquée par une belle rondeur.
⌐ Jean-Yves Reynou, 24230 Saint-Michel-de-Montaigne, tél. 05.53.58.67.31, fax 05.53.73.07.68, e-mail jean-yves.reynou@wanadoo.fr ☑ ⌂ Ⲧ r.-v.

CH. LA MAURIGNE
Cuvée La Maurigne 2000

■	1,5 ha	5 000	⦿⦿ 5 à 8 €

Un petit domaine (5,5 ha) racheté par les Gérardin en 1997. Issue de vignes de cinquante ans, sa cuvée La Maurigne se distingue par un fruité particulièrement puissant, aux notes de cassis et de fraise. Les tanins, très présents, austères en finale, ont besoin de s'assouplir : à attendre deux ou trois ans.
⌐ Chantal et Patrick Gérardin, La Maurigne, 24240 Razac-de-Saussignac, tél. 05.53.27.25.45, fax 05.53.27.25.45, e-mail contact@chateaulamaurigne.com ☑ Ⲧ t.l.j. 9h-19h

CH. LE MAYNE
Cuvée réservée Elevé en fût de chêne 2000★

■	15 ha	30 000	⦿⦿ 8 à 11 €

La quatrième génération de Martrenchard est aux commandes de ce vaste domaine créé à la fin du XIXᵉs. Elle signe un côtes de bergerac que l'on peut décrire en un seul mot : puissance. Puissance du nez où les fruits rouges et les notes boisées sont bien marqués. Puissance en bouche, grâce à une structure ronde et longue, puissance en finale. Un vin plein de caractère, à garder deux à trois ans puis à servir sur une viande rouge.

⌐ Les Vignobles du Mayne, Le Mayne, 24240 Sigoulès, tél. 05.53.58.40.01, fax 05.53.24.67.76 ☑ Ⲧ t.l.j. sf sam. dim. 8h-12h 14h-18h
⌐ Martrenchard

CH. LE MOULIN
Cuvée Haut-Terroir Elevé en fût de chêne 2000★★

■	1,74 ha	4 800	⦿⦿ 5 à 8 €

Un premier millésime des plus prometteurs pour Pascal Mahieu qui a repris ce domaine quelques jours avant les vendanges du millésime 2000. Sa cuvée Haut-Terroir offre des parfums intenses et de qualité, dominés par le raisin très mûr. En bouche, on trouve une belle rondeur et du gras. Le bois sait se montrer discret et laisse parler le fruit, qui s'impose. Une jolie bouteille de garde, qui sera à son apogée dans trois ou quatre ans.
⌐ Mahieu, Ch. Le Moulin, 24610 Villefranche-de-Lonchat, tél. 05.53.80.69.86 ☑ Ⲧ r.-v.

CH. MOULIN CARESSE
Cuvée Prestige 2000★

■	10 ha	54 000	⦿⦿ 11 à 15 €

Sylvie et Jean-François Deffarge ont proposé d'excellents bergerac ces dernières années. Les voici en côtes de bergerac, avec une cuvée Prestige élevée en fût de chêne neuf. Un long séjour a laissé une forte empreinte sur le vin. Des parfums de cerise et de cassis accompagnent cependant les notes vanillées de la barrique. On apprécie l'attaque, ronde et douce, et les tanins bien fondus, encore austères en finale. Une bouteille de garde à attendre quelques années. Le merrain marque également le **montravel 2000 élevé en fût de chêne** (5 à 8 €) du domaine, cité par le jury pour son volume et pour son gras, ainsi que pour sa belle vivacité en fin de bouche.
⌐ Sylvie et Jean-François Deffarge-Danger, Couin, 24230 Saint-Antoine-de-Breuilh, tél. 05.53.27.55.58, fax 05.53.27.07.39, e-mail moulin-caresse@wanadoo.fr ☑ ⌂ Ⲧ t.l.j. 9h-12h 15h-19h; sam. dim. sur r.-v.

DOM. DU PETIT PARIS
Cuvée Prestige Elevé en fût de chêne 2000★

■	3 ha	13 000	⦿⦿ 8 à 11 €

Un domaine familial fondé sous le Second Empire, et régulièrement mentionné dans l'une ou l'autre des appellations du Bergeracois. Elevé un an en fût de chêne, ce côtes de bergerac est pour l'heure sous l'emprise du merrain. Le nez évoque le sous-bois, les feuilles mortes, senteurs associées au toasté et au grillé de la barrique. En bouche, c'est encore un boisé puissant, mais très fin, qui l'emporte au sein de saveurs intenses et multiples. Un vin de garde, à ouvrir dans trois ou quatre ans.
⌐ EARL Dom. du Petit Paris, RN 21, 24240 Monbazillac, tél. 05.53.58.30.41, fax 05.53.58.30.27, e-mail petit-paris@wanadoo.fr ☑ Ⲧ t.l.j. 8h-20h

SONGE DE PUY-SERVAIN 2000★★

■	2 ha	9 000	⦿⦿ 15 à 23 €

Jusqu'ici réservée à des blancs liquoreux, l'appellation haut-montravel sera, dès le millésime 2001, élargie aux rouges. Tel est le « songe » de Daniel Hecquet, qui signe ici un vin remarquable par son équilibre entre un raisin mûr et un bois bien présent. Le nez laisse s'exprimer intensément, à côté de notes toastées et vanillées, des senteurs de violette, de pruneau et de mûre. Après une attaque ronde et grasse, on découvre des tanins encore jeunes mais déjà enrobés. Cette bouteille peut être bue jeune, mais elle gagnera à vieillir, ce qui permettra aux tanins de se fondre davantage.

🍷 SCEA Puy-Servain, Calabre, 33220 Port-Sainte-Foy, tél. 05.53.24.77.27, fax 05.53.58.37.43, e-mail puyservain@wanadoo.fr ☑ ⊺ t.l.j. sf sam. dim. 8h-12h 14h-18h

CH. LA ROBERTIE
La Robertie Haute 2000

■	0,65 ha	3 200	⑪ 8 à 11 €

Rouffignac-de-Sigoulès est un village plein de charme avec sa petite église romane. Les Soulier y ont repris un vignoble qui remonte au XVIIIᵉs. On retrouve leur Robertie Haute, une cuvée haut de gamme élevée quatorze mois en fût. Deux mots la définissent : rondeur et moelleux. Un peu discret, le nez laisse percer des senteurs de fruits rouges (fraise) accompagnées d'un boisé fondu. Les tanins sont présents, mais sans excès, tout en souplesse. Le retour de fruit en finale est très agréable. Un vin qui peut s'apprécier dans sa jeunesse.

🍷 SARL Ch. la Robertie, La Robertie, 24240 Rouffignac-de-Sigoulès, tél. 05.53.61.35.44, fax 05.53.61.35.44, e-mail chateau.larobertie@wanadoo.fr ☑ ⊺ t.l.j. 9h-19h30
🍷 J.-P. et B. Soulier

CH. LE TAP
Cuvée du Grand Chêne 1999

■	8 ha	n.c.	⑪ 5 à 8 €

Vieillie un an en barrique, cette cuvée révèle des arômes fondus témoignant d'un élevage bien mené. Les arômes subtils de vanille se mêlent à des notes de fruits mûrs. On découvre ensuite une bonne structure en harmonie avec le bois. Marquée par des tanins encore un peu austères, la finale fait preuve d'une belle longueur. Un vin qui gagnera à vieillir.

🍷 Olivier Roches, Ch. Le Tap, 24240 Saussignac, tél. 05.53.27.53.41, fax 05.53.22.07.55 ☑ ⊺ r.-v.

CH. THEULET
Elevé en fût de chêne 2000★★

■	1,7 ha	7 000	⑪ 11 à 15 €

C'est en blanc que ce domaine a brillé ces trois dernières années, mais il avait montré auparavant tout son savoir-faire en rouge (voir par exemple, dans cette AOC, le coup de cœur dans l'édition 1999 du Guide). Ce 2000 a séduit car il présente beaucoup de chair et de saveur. Au nez, les fruits rouges et le grillé du bois s'imposent fortement. Souple et charnue, la structure de tanins très fins est soutenue par un joli boisé que l'on retrouve en finale. Bien équilibré, ce vin possède un potentiel de garde intéressant (trois à cinq ans). Il se plaira avec du gibier ou une viande en sauce.

🍷 SCEA Alard, Le Theulet, 24240 Monbazillac, tél. 05.53.57.30.43, fax 05.53.58.88.28, e-mail alardetfils@wanadoo.fr ☑ ⊺ r.-v.

CH. TOUR DES GENDRES
La Gloire de mon Père 2000★★

■	10 ha	50 000	⑪ 8 à 11 €

On n'a pas oublié le très beau 95 et surtout le 96, coup de cœur dans l'édition 1999. La Tour des Gendres fait un

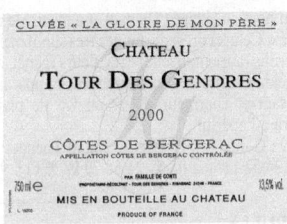

retour remarqué en renouvelant cet exploit avec la même cuvée. Le millésime 2000 libère de captivants parfums de fruits des bois, harmonieusement mariés avec des nuances de boisé et de pain grillé bien fondues qui ne masquent pas le fruit, malgré un long élevage en barrique. Après une attaque franche et soyeuse, la dégustation évolue sur des tanins concentrés qui témoignent d'une belle extraction. Le tout laisse une impression de volume et de moelleux. Une bouteille pleine de promesses, qui gagnera en souplesse si l'on attend deux ou trois ans. On la servira alors sur de la viande rouge, du gibier ou du vieux comté. Du même domaine, le **bergerac rouge Moulin des Dames 2001 (23 à 30 €)** mérite d'être cité, mais il est encore dominé par le bois. Il devra attendre, lui aussi.

🍷 SCEA De Conti, Les Gendres, 24240 Ribagnac, tél. 05.53.57.12.43, fax 05.53.58.89.49 ☑ ⊺ r.-v.

L'EXCELLENCE DU CHATEAU LES TOURS DES VERDOTS
Les Verdots selon David Fourtout 2000★★

■	n.c.	13 500	⑪ 15 à 23 €

David Fourtout est très souvent mentionné dans le Guide, en particulier à travers cette cuvée qui a obtenu une étoile dans les deux millésimes précédents. Le 2000 s'annonce par un nez d'une belle complexité, fait de framboise et de cassis bien mûrs accompagnés de notes toastées et torréfiées. On retrouve ces nuances torréfiées, évoquant le café, dans une attaque très ronde. Des tanins bien fondus laissent une sensation de douceur remarquable. Ce vin devrait être parfait d'ici deux à trois ans.

🍷 EARL David Fourtout, Les Verdots, 24560 Conne-de-Labarde, tél. 05.53.58.34.31, fax 05.53.57.82.00, e-mail fourtout@terre-net.fr ☑ 🏠 ⊺ t.l.j. sf dim. 9h30-12h30 14h-19h

Côtes de bergerac moelleux

Les mêmes cépages que les vins blancs secs, mais récoltés à surmaturité, permettent d'élaborer ces vins moelleux recherchés pour leurs arômes de fruits confits et leur souplesse.

CH. BELLES FILLES
Théna 2000

■	7 ha	8 000	■🍷 5 à 8 €

La propriété est établie sur l'emplacement d'une *villa* gallo-romaine puis d'un temple dédié à Athéna, qui aurait donné son nom au village (Thénac) et a inspiré le nom de ce moelleux. Celui-ci présente un nez très subtil mêlant des notes de fruits (abricot, pêche) et de fleurs (genêt, acacia). Frais et acidulé, rond et gras sans excès, il apparaît léger, rafraîchissant et charmeur. C'est un vin de plaisir qui conviendra à l'apéritif.

☞ Earl De Conti, Les Eymaries, 24240 Thénac, tél. 05.53.24.52.11, fax 05.53.24.56.29 ✓ ☖ t.l.j. 9h-12h 14h-18h

CH. CAPULLE
Cuvée du Centenaire Elevé en fût de chêne 2000

	0,5 ha	2 400	⏻	5 à 8 €

Pourquoi la Cuvée du Centenaire ? Parce que la propriété a été fondée en 1900. Dirigée par la quatrième génération, elle s'est engagée à respecter à la vigne comme au chai, la plus pure tradition. Ce côtes de bergerac moelleux séduit au nez par ses arômes de fruits mûrs, d'abricot, de pêche, avec quelques notes de surmaturation. La bouche est fraîche, équilibrée, alliant finesse et subtilité, mais a besoin de vieillir quelque temps pour s'exprimer pleinement.

☞ Jean-Paul Migot, Ch. Capulle, 24240 Thénac, tél. 05.53.58.42.67, fax 05.53.58.39.50 ✓ ☖ r.-v.

DOM. DU CASTELLAT 2001★

	3,2 ha	19 600	☖⏾	3 à 5 €

Un vin qui prouve qu'un moelleux bien fait peut être un grand vin. Le nez mêle des notes de fruits (agrumes) à des notes florales rappelant l'aubépine et le chèvrefeuille. Le palais est gras et frais, mais sans aucune surmaturation. Le fruit monte gentiment en puissance, avant une finale pleine et persistante. Un vin parfaitement équilibré sur le fruit. Quant au **bergerac rouge 2000** du domaine, au nez de groseille et de cassis, il séduit par ses tanins mûrs qui lui confèrent une belle harmonie, et reçoit une citation.

☞ Jean-Luc Lescure, Le Castellat, 24240 Razac-de-Saussignac, tél. 05.53.27.08.83, fax 05.53.27.08.83 ✓ ⌂ ☖ t.l.j. sf dim. 9h-19h

CH. DE LA COLLINE
Confit 1999★★

	0,35 ha	1 949	⏻	8 à 11 €

« Confit » : le nom de cette cuvée est évocateur ; les dégustateurs, à l'aveugle, ne se sont pas trompés : il s'agit d'un vin liquoreux, plutôt que d'un moelleux. Le nez subtil révèle des notes de miel et de cire. A l'agitation, un fruité agréable s'exprime, aux nuances d'abricot, de confiture, accompagné par des notes grillées et toastées. En bouche, tout est plaisant : le gras et l'onctuosité, les arômes d'orange confite et le délicat boisé, la finale longue et légèrement acidulée. Un vin riche, bien construit, qu'il faut attendre au moins cinq ans.

☞ Charles Martin, Ch. de la Colline, 24240 Thénac, tél. 05.53.61.87.87, fax 05.53.61.71.09, e-mail la.colline.office@wanadoo.fr ✓ ☖ r.-v.

Monbazillac

S'étendant sur 2 500 ha, le vignoble de monbazillac produit des vins riches, issus de raisins botrytisés. Le sol argilo-calcaire apporte des arômes intenses ainsi qu'une structure complexe et puissante. En 2001, 45 543 hl ont été déclarés.

DE L'ANCIENNE CURE
Cuvée Abbaye 1999★

	10 ha	10 000	⏻	15 à 23 €

Christian Roche est établi dans l'ancien presbytère du village de Colombier. Sa cuvée Abbaye séduit par la belle complexité de ses parfums où se mêlent les fruits confits (abricot, mirabelle), le miel et un léger boisé. L'ensemble, riche et long, très prometteur, gagnera en harmonie si on laisse au bois le temps de se fondre.

☞ Christian Roche, L'Ancienne Cure, 24560 Colombier, tél. 05.53.58.27.90, fax 05.53.24.83.95, e-mail ancienne-cure@wanadoo.fr ✓ ☖ t.l.j. sf dim. 9h-18h

CH. LA BRIE
Cuvée Prestige Elevé en fût de chêne 2000★

	27,8 ha	13 000	⏻	15 à 23 €

Le vin du lycée viticole est équipé d'un chai depuis 1994. L'apport de la muscadelle (10 % de l'assemblage) se traduit par des parfums muscatés qui se mêlent à des notes de fruits en surmaturation. Fort élégante, jouant sur le fruit confit, la bouche n'en est pas moins fraîche ; la muscadelle est encore très présente, et à son avantage. Un monbazillac aérien, *new wave*, vif et léger, distingué et d'une belle harmonie.

☞ Ch. la Brie, Lycée viticole, Dom. de la Brie, 24240 Monbazillac, tél. 05.53.74.42.42, fax 05.53.58.24.08, e-mail lpa.bergerac@educagri.fr ✓ ☖ t.l.j. sf dim. 10h-12h 13h30-19h ; f. jan.

CLOS L'ENVEGE
Cuvée Henri IV 1999★

	4,6 ha	1 500	⏻	38 à 46 €

La maison de négoce Julien de Savignac possède aussi des domaines en propre, comme ce Clos l'Envège acheté en 1998 à Jacques Blais (Château Haut Bernasse). Sa cuvée Henri IV présente un nez très classique, où les notes de miel se fondent avec les nuances de pain d'épice et de croûte de pain apportées par le bois ; un bois d'ailleurs très présent en attaque, dominé par des notes torréfiées et brûlées. La finale est nerveuse. Ce vin devra être attendu plusieurs années pour révéler toute la finesse qu'il recèle.

☞ Clos l'Envège, rte de Marmande, 24240 Monbazillac, tél. 05.53.07.10.31, fax 05.53.07.16.41, e-mail julien.de.savignac@wanadoo.fr ✓ ☖ t.l.j. sf dim. lun. 9h-13h 14h30-18h ; f. jan.-mars

☞ Julien de Savignac

CH. COMBET 2000★

	18 ha	52 000	☖⏻⏾	5 à 8 €

Ce 2000 est issu du plateau de Monbazillac, un terroir qui donne en général des vins fruités et nerveux. Au nez, il révèle des notes d'agrumes ainsi qu'un léger apport boisé. Après une attaque moelleuse, la bouche se développe sur des arômes de fruits confits. La finale est très longue et soutenue par une belle acidité. Quant au **bergerac rouge 2001 du domaine (3 à 5 €)**, élevé en cuve, il a obtenu une citation pour son nez très fruité, fait de cerise et de myrtille, sa structure gouleyante aux tanins fondus.

☛ EARL de Combet, 24240 Monbazillac,
tél. 06.85.33.50.57, fax 05.53.58.33.47,
e-mail combet@oreka.com
☑ ⵏ t.l.j. sf sam. dim. 9h30-12h 14h-18h; f. jan.

GRANDE MAISON
Cuvée du Château 2000★

	4 ha	5 000		15 à 23 €

Thierry Després exploite 20 ha de vignes en agriculture biologique. Il peut être plutôt satisfait de son 2000, car la précocité de son terroir a permis de récolter les raisins suffisamment tôt pour éviter les pluies qui ont souvent marqué la fin de la vendange dans le Bergeracois. Le jury est heureux (même si cette cuvée n'atteint pas les sommets du 97, qui fut coup de cœur). Pâte de fruits et fruits confits dominent au nez, assortis d'une pointe de grillé qui trahit la présence de la barrique. Ces sensations se prolongent en bouche, qui donne l'impression de croquer dans l'abricot confit et la figue sèche. En finale, la douceur l'emporte sur la vivacité. Un joli monbazillac « à l'ancienne ».
☛ Després, Grande Maison, 24240 Monbazillac,
tél. 05.53.58.26.17, fax 05.53.24.97.36,
e-mail thierry.despres@free.fr ☑ ⵏ r.-v.

DOM. DU HAUT-MONTLONG
Elevé en fût de chêne 2000★★

	2 ha	5 400		11 à 15 €

Un des domaines auxquels l'année 2000 a souri : ce millésime a été jugé bien supérieur au précédent, cité sans étoile. On a même pensé à lui pour un coup de cœur, distinction qu'il a manquée de peu en raison d'un merrain pour l'heure un peu trop envahissant. Le nez révèle un boisé intense, avec accents toastés. Une douceur très importante s'accompagne de notes de fruits confits et de miel. La finale, un peu fermée elle aussi, fait preuve d'une belle acidité. Autant d'indices d'un excellent potentiel : une bouteille à oublier en cave pour laisser au vin le temps de sortir de sa gangue de chêne.
☛ A. et J. Sergenton et leurs enfants,
Dom. du Haut-Montlong, 24240 Pomport,
tél. 05.53.58.81.60, fax 05.53.58.09.42,
e-mail sergenton-haut-montlong@wanadoo.fr
☑ 🏠 🏠 ⵏ t.l.j. 9h-12h 14h-19h30; sam. dim. sur r.-v.

CH. LADESVIGNES
Automne Elevé en fût de chêne 2000★

	5 ha	5 000		15 à 23 €

Une tour ronde et massive, coiffée d'un toit pointu couvert de tuiles rousses, donne un cachet médiéval aux bâtiments du domaine. On retrouve sa cuvée Automne, tout aussi réussie que dans le millésime précédent. Elle est née de vignes de soixante ans. Au nez comme en bouche, les notes torréfiées et toastées du fût cachent encore les parfums de fruits très mûrs. On apprécie l'onctuosité de l'attaque. L'acidité, présente en finale, vient équilibrer la douceur. Un ensemble d'une très belle concentration, à ouvrir dans deux à trois ans lorsque le boisé se sera fondu.
☛ Ch. Ladesvignes, 24240 Pomport,
tél. 05.53.58.30.67, fax 05.53.58.22.64,
e-mail chateau.ladesvignes@wanadoo.fr ☑ ⵏ r.-v.
☛ Monbouché

Sémillon, sauvignon et muscadelles sont les cépages de l'AOC.

CH. MONTDOYEN
Cuvée La Part des Anges 2000★

	2 ha	2 600		15 à 23 €

Depuis 1996, Jean-Paul Hembise est à la tête d'un domaine de 38 ha dont il a fait une valeur sûre du Bergeracois. On retrouve sa cuvée La Part des Anges, encore de bonne tenue cette année. Très élégante, elle mêle les fruits confits, les agrumes et la mirabelle. Le boisé, fort discret, reste à sa place, avec quelques nuances réglissées. Une bouteille réussie, qui devra patienter en cave pour atteindre à l'excellence.
☛ Jean-Paul Hembise, Montdoyen, 24240 Monbazillac,
tél. 05.53.58.85.85, fax 05.53.61.67.78,
e-mail châteaumontdoyen@wanadoo.fr ☑ ⵏ t.l.j.
8h-12h 14h-18h; sam. dim. sur r.-v.

DOM. DE PECOULA
Cuvée Prestige 2000★★

	17 ha	8 500		11 à 15 €

Les deux millésimes précédents ont été coups de cœur. Le 2000 ne peut prétendre à la même distinction, car son boisé n'est pas encore totalement fondu. Il n'en est pas moins superbe. Le nez, magnifique, libère des notes grillées et mentholées, puis, à l'agitation, des nuances de fruits confits, de figue et de datte. L'attaque est impressionnante. Bien que les notes toastées de la barrique fassent sentir leur présence, la puissance des fruits explose en bouche. La finale est tout en légèreté et en finesse. On se régale déjà à présent, ce qui laisse espérer un grand moment de dégustation dans quelques années. (Bouteilles de 50 cl.)
☛ GAEC de Pécoula, 24240 Pomport,
tél. 05.53.58.46.48, fax 05.53.58.82.02 ☑ ⵏ r.-v.
☛ GFA Labaye

DOM. DU PETIT MARSALET
Cuvée Tradition Elevé en fût de chêne 2000

	2,5 ha	1 800		11 à 15 €

Cette cuvée Tradition libère des notes de cire et de fruits confits. L'attaque est très ronde, grasse et moelleuse à souhait ; les fruits confits dominent au palais, de façon encore un peu monolithique. Ce monbazillac plaira aux amateurs de vins sucrés, car il présente une belle concentration et apparaît dominé tout au long de la dégustation par des impressions de douceur. (Bouteilles de 50 cl.)
☛ Marie-Thérèse Cathal, Le Marsalet,
Saint-Laurent-des-Vignes, 24100 Bergerac,
tél. 05.57.57.53.36, fax 05.57.57.53.36 ☑ ⵏ t.l.j. 8h-12h 14h-19h

CH. THEULET 1999★

	9 ha	13 000		8 à 11 €

Un domaine très souvent mentionné dans cette appellation. Dans ce 99, fermentation et élevage en barrique ont été bien maîtrisés afin de garder la personnalité du vin. Le nez mêle subtilement le miel et les fruits confits à la réglisse et à la vanille. Le palais se distingue par son volume et son gras. On y trouve encore du miel, associé à l'abricot, le tout dominant un léger boisé. Un vin de caractère, très harmonieux en bouche.
☛ SCEA Alard, Le Theulet, 24240 Monbazillac,
tél. 05.53.57.30.43, fax 05.53.58.88.28,
e-mail alardetfils@wanadoo.fr ☑ ⵏ r.-v.

SUD-OUEST

CH. TIRECUL LA GRAVIERE
Cuvée Madame 1999★★★

	9,16 ha	9 000	⏀ + de 76 €

On ne présente plus le domaine conduit par Claudie et Bruno Bilancini depuis 1992. Les vignes couvrant les versants pentus de Monbazillac, exposés au nord et à l'est (une orientation favorable au développement du botrytis), le travail des vignerons, tourné vers l'élaboration de vrais liquoreux (vendanges par tries, fermentation et long élevage en fût), ont certainement contribué à la renaissance du monbazillac (six coups de cœur !). Cette cuvée Madame parvient pour la troisième fois au sommet. Le nez traduit un mariage réussi entre le bois et les arômes du vin, fruits confits, coing, figue et miel. Impressionnante par son volume et son moelleux, la bouche ne tombe pas pour autant dans la lourdeur. L'acidité et l'alcool contribuent à la longue persistance de la finale, marquée par de subtiles notes d'infusion. Un vin d'une concentration exceptionnelle, que l'on ne pourra aborder qu'après quelques années. (Bouteilles de 50 cl.)

☛ Claudie et Bruno Bilancini, Ch. Tirecul la Gravière, 24240 Monbazillac, tél. 05.53.57.44.75, fax 05.53.24.85.01, e-mail bruno.bilancini@free.fr
☑ ϒ r.-v.

CH. TIRECUL LA GRAVIERE 1999★★

	9,16 ha	4 000	⏀ 23 à 30 €

Une autre particularité de Tirecul la Gravière, c'est l'importance de la muscadelle dans l'encépagement (50 %, à côté du sémillon et du sauvignon). Le monbazillac « classique » du château offre un nez fort agréable, mêlant l'abricot sec, la vanille et la réglisse. Une attaque très ronde et pleine, des arômes de fruits confits et de cire d'abeille, une structure soyeuse, parfaitement équilibrée entre sucre, alcool et acidité, une très longue finale, composent un vin de caractère au potentiel étonnant. (Bouteilles de 50 cl.)
☛ Claudie et Bruno Bilancini, Ch. Tirecul la Gravière, 24240 Monbazillac, tél. 05.53.57.44.75, fax 05.53.24.85.01, e-mail bruno.bilancini@free.fr
☑ ϒ r.-v.

Montravel

Sur les coteaux, de Port-Sainte-Foy et Ponchapt jusqu'à Saint-Michel-de-Montaigne, le terroir de Montravel produit, sur 378 ha, des vins blancs secs et moelleux toujours remarqués pour leur élégance. En 2001, le mon-travel a atteint 14 184 hl, le haut-montravel 2 239 hl tandis que le côtes de montravel a donné 3 301 hl.

CHEVALIER DE SAINT-AVIT 2001★

	n.c.	5 500	🍴 5 à 8 €

Un vin élaboré par une coopérative fondée en 1935. La macération pelliculaire a duré trente-six heures et s'est faite sous neige carbonique. Le nez rappelle le sauvignon avec ses notes florales typiques, mais on y trouve aussi des nuances fruitées de poire et de banane. L'attaque est très aromatique, citronnée et la bouche d'une belle longueur. On apprécie sa finesse et son équilibre, car l'acidité est présente mais sans excès. Un vin flatteur et d'une simplicité de bon aloi.
☛ Les Viticulteurs réunis de Saint-Vivien-et-Bonneville, 24230 Saint-Vivien, tél. 05.53.27.52.22, fax 05.53.22.61.12 ☑ ϒ t.l.j. sf dim. 9h-12h 14h-18h

CH. LAULERIE 2001★★

	40 ha	200 000	🍴 3 à 5 €

Ce domaine est une valeur sûre du Bergeracois. Un simple élevage sur lies semble être la recette de ce montravel auquel le jury a unanimement accordé un coup de cœur. Le nez, très intense, marie des parfums de fruits (citron vert) et une petite note minérale. La vivacité domine tout au long de la dégustation. La bouche bien ronde est marquée par les agrumes. Un vin d'une grande finesse, alliant le fruit et la structure.
☛ Vignobles Dubard, Le Gouyat, 24610 Saint-Méard-de-Gurçon, tél. 05.53.82.48.31, fax 05.53.82.47.64, e-mail vignobles-dubard@wanadoo.fr ☑ 🏠 ϒ t.l.j. 8h-12h 14h-18h
☛ Dubard-Peytureau

CH. MASBUREL 2000★

	8,25 ha	27 000	⏀ 8 à 11 €

Cette propriété fondée au milieu du XVIIIes. a été rachetée en 1997 par Neil et Olivia Donnan qui ont réalisé d'importants investissements, tant à la vigne qu'au chai. Des plantations ont été effectuées à forte densité. Elevé en barrique, ce montravel présente un nez agréable, boisé et vanillé, encore un peu discret. En bouche, on apprécie le gras et le volume. Les tanins du bois sont souples et la finale marquée par une certaine chaleur. Un joli travail de vinification qui respecte le vin. Du même domaine, le **côtes de bergerac rouge 2000** (15 à 23 €) est cité. La matière première est superbement concentrée mais pour l'heure un peu masquée par le bois. A attendre deux ou trois ans.

➥ SARL Ch. Masburel, Fougueyrolles,
33220 Sainte-Foy-la-Grande, tél. 05.53.24.77.73,
fax 05.53.24.27.30,
e-mail chateau-masburel@wanadoo.fr ☑ ⏄ r.-v.
➥ Olivia Donnan

CH. LE RAZ
Cuvée Grand Chêne 2000

	1,8 ha	5 700	⏄	5 à 8 €

Cette cuvée se distingue du montravel classique par
une fermentation en fût, un élevage sur lies avec bâtonnage et une mise en bouteilles après dix mois d'élevage.
Ses arômes toastés, évocateurs de pain grillé, sont très
agréables au nez. En bouche, on découvre un joli fruité. Ce
vin demande cependant à s'ouvrir. Il sera plus agréable
dans un an.
➥ Vignobles Barde, Le Raz,
24610 Saint-Méard-de-Gurçon, tél. 05.53.82.48.41,
fax 05.53.80.07.47 ☑ ⏄ r.-v.

Côtes de montravel

CH. DU BLOY 2000

	2,5 ha	5 500	⏄	5 à 8 €

Le nez, d'intensité moyenne, évoque le coing, les fruits
secs et l'amande. L'attaque est plutôt moelleuse et grasse.
On apprécie l'équilibre élégant entre le fruit et la douceur
ainsi que la finale qui se montre vive. Un vin léger mais bien
équilibré. On le boira sur son fruit, dans sa jeunesse.
➥ SCEA Lambert-Lepoittevin-Dubost, Le Blois,
24230 Bonneville, tél. 05.53.22.47.87,
fax 05.53.27.56.34, e-mail chateau.du.bloy@wanadoo.fr
☑ ⏄ r.-v.

CH. LES GRIMARD 2000

	1,5 ha	8 000	⏄	3 à 5 €

Agrumes et fleurs blanches dominent au nez. L'attaque, souple et fruitée, cède la place à un agréable
développement toujours fruité. La finale laisse une impression de vivacité. Un vin frais pour la fin du repas.
➥ J. et P. Joyeux, GAEC des Grimard,
24230 Montazeau, tél. 05.53.63.09.83,
fax 05.53.24.90.14, e-mail ch.lesgrimard@wanadoo.fr
☑ ⏄ r.-v.

Haut-montravel

DUC DE MEZIERE 2000*

	3 ha	5 000	⏄	5 à 8 €

Proposé par la coopérative de Port-Sainte-Foy, ce vin
est marqué au nez par les fruits secs et la cire. Pleine et
harmonieuse, assez légère, jouant sur les fruits secs, la
bouche finit par une pointe d'amertume et une grande
fraîcheur. Très caractéristique de ce millésime, cette bouteille devrait se marier agréablement avec le chocolat.

➥ Union de viticulteurs de Port-Sainte-Foy, 78, rte de
Bordeaux, 33220 Port-Sainte-Foy, tél. 05.53.27.40.70,
fax 05.53.27.40.71, e-mail cavevitipsf@wanadoo.fr ☑

CH. PUY-SERVAIN
Terrement 2000★★

	3 ha	6 990	⏄	15 à 23 €

Ce haut-montravel est très souvent distingué par le
jury. D'une concentration remarquable, ce 2000 a nécessité une récolte manuelle particulièrement soignée, avec
trois tries successives. Au nez, les fruits confits révèlent
l'action de la pourriture noble ; on trouve aussi des arômes
de coing, de litchi et d'abricot. L'attaque, superbe, est
marquée par une explosion de fruits confits. Après un
milieu de bouche plus lourd, la finale conclut fort agréablement la dégustation par un retour de fruits et une belle
vivacité. Un vrai liquoreux, à essayer sur un fromage à pâte
persillée.
➥ SCEA Puy-Servain, Calabre, 33220 Port-Sainte-Foy,
tél. 05.53.24.77.27, fax 05.53.58.37.43,
e-mail œnovit.puyservain@wanadoo.fr ☑ ⏄ t.l.j. sf sam.
dim. 8h-12h 14h-18h
➥ Hecquet

Pécharmant

Au nord-est de Bergerac, ce
« Pech », colline couverte de 400 ha de vignes,
donne un vin exclusivement rouge, très riche,
apte à la garde. Le millésime 2001 a produit
20 727 hl.

DOM. DES BERTRANOUX
Cuvée Sélection 2000*

	1,5 ha	5 000	⏄	11 à 15 €

Depuis 1992, l'exploitation est dirigée par Jocelyne
Pécou qui a succédé à son père sur la propriété familiale.
Les deux cuvées du domaine ont obtenu chacune une
étoile. Cette Sélection présente un nez plutôt discret, mais
plaisant par ses notes vanillées et ses parfums de cassis et
de mûre. La bouche révèle une belle matière, avec du gras
et une pointe de fruit fort agréable. Les tanins, encore
austères en finale, ne demandent qu'un peu de temps pour
s'arrondir. La cuvée classique 2000 (5 à 8 €) est moins
marquée par le bois. Fruitée et épicée au nez, elle révèle des
tanins plus ronds et plus aimables qui imposent pourtant un
certain vieillissement.
➥ Jocelyne Pécou, Dom. des Bertranoux,
24100 Creysse, tél. 05.53.57.28.62, fax 05.53.61.69.64,
e-mail guypecou@wanadoo.fr ☑ ⏄ t.l.j. sf dim. 9h-12h
14h-19h
➥ Guy Pécou

CH. DE BIRAN 2000★★

	10,5 ha	n.c.	⏄	5 à 8 €

Ce pécharmant séduit d'emblée par l'intensité et la
complexité de sa palette aromatique, où se rencontrent
avec bonheur fruits des bois, épices, vanille, cuir, tabac et

notes animales. Le fruit est encore bien présent en bouche, avant que ne se manifeste une structure tannique équilibrée et prometteuse, qui, elle aussi, malgré une pointe d'amertume en finale, emporte l'adhésion. Une belle bouteille de garde.

🕿 EARL Vignobles de Biran, Biran, 24520 Saint-Sauveur-de-Bergerac, tél. 05.53.22.46.29, fax 05.53.27.54.31 ☑ ⍩ t.l.j. 9h-12h 14h-19h

CH. CHAMPAREL 2000★★

■	6,62 ha	30 000	⬙	5 à 8 €

Le millésime 2000 a souri au château Champarel. Faisant suite aux effluves boisés et vanillés signant un élevage en barrique bien maîtrisé, des notes puissantes de bigarreau se répandent. En harmonie avec le nez, la bouche décline des fruits rouges, des fruits confits et des notes vanillées. Les tanins fins, encore un peu austères, constituent une charpente imposante. Un vin de grande garde qui devrait s'affiner avec le temps.

🕿 Françoise Bouché, Pécharmant, 24100 Bergerac, tél. 05.53.57.34.76, fax 05.53.73.24.18 ☑ ⍩ r.-v.

CH. CORBIAC 2000★★

■	18 ha	85 000	⬙⬙⬙	11 à 15 €

Le vignoble est situé au sommet de la croupe argilo-graveleuse, sur laquelle on retrouve les meilleurs crus de l'appellation. Il a donné un 2000 au nez puissant et profond, évoquant la cerise, la griotte et le kirsch. L'attaque, souple et très ronde, imprégnée de fruits rouges bien mûrs, fait place à des impressions vanillées et à des tanins fins, denses et concentrés. Un vin racé et élégant, encore dans la fougue de sa jeunesse, et qui gagnera à s'assagir quelques années dans la fraîcheur d'une cave.

🕿 Bruno de Corbiac, Ch. de Corbiac, 24100 Bergerac, tél. 05.53.57.20.75, fax 05.53.57.89.98, e-mail corbiac@corbiac.com ☑ ⍩ r.-v.

DOM. DES COSTES
Cuvée Grande Réserve 2000★

■	2 ha	6 000	⬙	15 à 23 €

Les deux cuvées du domaine des Costes ont été jugées très réussies. Cette Grande Réserve, à dominante de merlot (60 % de l'assemblage), présente un nez intense marqué par les fruits rouges, associés à quelques notes vanillées. Après une attaque fraîche, souple et ronde, des tanins fins et soyeux se manifestent, qui s'achèvent sur une finale agréable et persistante. La **cuvée classique 2000** (8 à 11 €), également élevée en fût, comporte une majorité de cabernet-sauvignon (70 %). Le fruit s'exprime ici par

des nuances de cassis et de mûre, toujours accompagnées de notes vanillées. Les tanins, plus austères que dans le vin précédent, ont besoin de s'affiner. Deux pécharmant typiques et prometteurs, à attendre quatre ou cinq ans.

🕿 Nicole Dournel, Les Costes, 24100 Bergerac, tél. 05.53.57.64.49, fax 05.53.61.69.08 ☑ ⍩ r.-v.

DOM. LES GRANGETTES
Selon Gaston 2000★★

■	5,81 ha	5 600	⬙⬙⬙	8 à 11 €

Ce vaste domaine, commandé par une bâtisse du XVIᵉs., était une dépendance du château de Monbazillac. Il est régi depuis les années 1920 par les Borderie qui l'ont racheté en 1977 à des négociants bordelais. Outre 86 ha de vignes, la famille exploite 6 ha de pruniers d'ente. Elle a remarquablement réussi ce 2000 qui n'est pas loin du coup de cœur. Le jury a salué la belle intensité de ses parfums de fruits rouges (cerise), accompagnés de notes grillées et vanillées, qui se prolongent dans un palais évoquant une corbeille de fruits. La vanille de la barrique reste à sa place. Des tanins fins et soyeux, une belle persistance rendent ce vin très attachant. Un superbe équilibre (entre le fruit et le tanin) et un réel potentiel de garde.

🕿 Bernard et Francis Borderie, GFA Poulvère, 24240 Monbazillac, tél. 05.53.58.30.25, fax 05.53.58.35.87, e-mail vinchateaupoulvere@wanadoo.fr ☑ ⍩ t.l.j. sf dim. 8h-12h30 14h-19h

DOM. DU HAUT PECHARMANT
Prestige 2000★

■	5 ha	30 000	⬙	8 à 11 €

Michel Roches est un habitué de la sélection du Guide, que l'on retrouve avec plaisir. Le jury a sélectionné deux vins assez différents. Cette cuvée Prestige du domaine du Haut Pécharmant l'emporte d'une courte tête. Son nez intense exprime le grillé et le vanillé du bois. Des notes de mûre, de framboise et de prune viennent relever l'ensemble. Encore quelque peu austère, la bouche apparaît très marquée par le chêne où ce vin a séjourné dix-huit mois. Les tanins n'en sont pas moins riches et de qualité. Avec une garde d'au moins trois ans, ils devraient se fondre. Elevé en cuve, le **Clos Peyrelevade 99 (5 à 8 €)** laisse parler le fruit rouge et révèle une belle charpente tannique qui ne demande qu'à s'épanouir. Il est cité.

🕿 Michel et Didier Roches, Dom. du Haut Pécharmant, 24100 Bergerac, tél. 05.53.57.29.50, fax 05.53.24.28.05 ☑ ⍩ t.l.j. sf dim. 8h-12h 14h-19h

CH. HUGON
Elevé en fût de chêne 1999★

■	1,18 ha	3 000	⬙	5 à 8 €

Un assemblage marqué par une proportion assez importante de cabernet-sauvignon (55 %) pour un vin de concentration et de structure. Le nez, complexe et riche, délivre des parfums de fruits noirs et rouges. Le boisé sait rester discret. Le palais, volumineux et rond, consacre un mariage réussi entre les fruits mûrs et le chêne. Alliant finesse et subtilité, cette bouteille offre un potentiel de garde très intéressant.

🕿 Bernard Cousy, Haut Pécharmant, 24100 Bergerac, tél. 05.53.63.28.44 ☑ ⍩ t.l.j. 9h-12h 14h-18h

CH. METAIRIE-HAUTE
Elevé en fût de chêne 2000★

■	5,88 ha	10 000	◫	5 à 8 €

L'Union vinicole Bergerac-Le Fleix produit une gamme intéressante de pécharmant. On pourra en juger par ces trois vins de propriété du millésime 2000, élaborés par la coopérative. Ce Château Métairie-Haute, avec une étoile, est une valeur sûre. Ses senteurs vanillées et grillées laissent percer des notes de fruits (fraise, figue, prune). La bouche apparaît bien équilibrée malgré des tanins boisés fort présents. Une légère acidité permettra à cette bouteille de bien vieillir. Le **Domaine du Vieux Sapin**, cité, est aujourd'hui dominé par le bois. On l'appréciera mieux dans trois ans. Quant au **Domaine Brisseau-Belloc** (même note), il présente des arômes plutôt discrets, et son bel équilibre lui vaut d'être retenu
↬ Union vinicole Bergerac-Le Fleix, Le Vignoble, 24130 Le Fleix, tél. 05.53.24.64.32, fax 05.53.24.65.46
☑ ⴵ r.-v.

DOM. DE LA RENAUDIE
Clos des Douze 2000

■	4 ha	12 000	▮⬙	5 à 8 €

Le Clos des Douze est une marque produite par le château de la Renaudie. Ce pécharmant s'annonce par des fragrances subtiles et complexes de petits fruits. Les fruits marquent encore l'attaque de ce vin de moyenne structure, aux tanins encore un peu anguleux. Une bouteille à boire plutôt jeune.
↬ SCEA Dom. de la Renaudie, Ch. La Renaudie, 24100 Lembras, tél. 05.53.27.05.75, fax 05.53.73.37.10
☑ ⴵ t.l.j. 9h-19h30
↬ Allamagny

CH. DU ROOY 2000★★

■	1,5 ha	8 000	◫	5 à 8 €

Gilles Gérault s'est installé en 1998 sur cette propriété qu'il a entrepris de restaurer de fond en comble, de la vigne au chai. Il replante ainsi à des densités plus élevées. Une restructuration qui devrait prendre quinze à vingt ans. Ce résultat l'encouragera : son pécharmant, discret au nez, laisse deviner de beaux arômes de fruits et un boisé fondu. Pleine et puissante, la bouche révèle des tanins très présents mais dénués d'agressivité. Le jury salue un vin d'excellente facture, qui devrait révéler son potentiel avec éclat dans deux à trois ans.
↬ Gilles Gérault, Rosette, 24100 Bergerac, tél. 05.53.24.13.68, fax 05.53.73.87.65 ☑ ⴵ r.-v.

CH. LA TILLERAIE
Vieilli en fût de chêne 2000★

■	10 ha	60 000	◫	8 à 11 €

Le millésime précédent obtint un coup de cœur. Le 2000 délivre des senteurs de fruits noirs associées à des notes boisées et grillées qui s'imposent au palais après une attaque fraîche et vive. Un vin prometteur, à attendre quelques années.
↬ SARL Ch. la Tilleraie, Pécharmant, 24100 Bergerac, tél. 05.53.57.86.42, fax 05.53.57.86.42 ☑ ⴵ r.-v.
↬ B. Fauconnier

CH. DE TIREGAND
Grand millésime 2000★

■	3 ha	12 400	▮◫⬙	15 à 23 €

Un véritable château, dont l'origine remonte au XIIIᵉs., mais qui doit son apparence actuelle à des embellissements effectués au début du XIXᵉs. Sa cuvée Grand Millésime est à l'origine de la reconversion du vignoble en vigne étroite à haute densité. Au nez, ce 2000 n'est pas encore ouvert, et seul le boisé s'exprime avec une certaine fraîcheur. Après une attaque riche et douce à souhait, les tanins du chêne se manifestent. Un pécharmant de caractère, que le temps bonifiera. La **cuvée classique 2000** (8 à 11 €) a été citée. Moins structurée que la précédente, elle est plus plaisante aujourd'hui et sera à consommer avant. Enfin, du même domaine, le **bergerac sec 2001** (3 à 5 €) obtient la même note pour sa fraîcheur et sa finesse aromatique.
↬ Comtesse F. de Saint-Exupéry, Ch. de Tiregand, 24100 Creysse, tél. 05.53.23.21.08, fax 05.53.22.58.49, e-mail chateautiregand@club-internet.fr ☑ ⴵ r.-v.

Rosette

Dans un amphithéâtre de collines dominant au nord la ville de Bergerac et sur un terroir argilo-graveleux, rosette est l'appellation la plus méconnue et la plus confidentielle de la région avec 939 hl produits en 2001.

DOM. DE COUTANCIE 2001★

■	3 ha	12 000	▮⬙	5 à 8 €

Un domaine qui a toujours défendu l'appellation rosette et qui produit des vins à la limite du moelleux, si typiques de ce terroir particulier. Le nez de ce millésime est puissant et fruité. On retrouve ce fruité en bouche avec des notes acidulées et un gras assez discret. Un ensemble élégant, simple et franc, à boire à l'apéritif un soir d'été.
↬ Odile Brichèse, Coutancie, 24130 Prigonrieux, tél. 05.53.58.01.85, fax 05.53.58.52.76, e-mail coutancie@wanadoo.fr ☑ ⴵ r.-v.

Saussignac

Loué au XVIᵉ s. par le Pantagruel de François Rabelais, inscrit au cœur d'un superbe paysage de plateaux et de coteaux, ce terroir donne naissance à de grands vins moelleux et liquoreux. La production a atteint 2 141 hl en 2001.

CH. GRINOU
Vinifié en fût de chêne 2000★

▨	2 ha	3 000	◫	15 à 23 €

Ce fut le coup de cœur de notre dernière édition, dans le millésime 98. Cette étoile obtenue avec un 2000 témoigne d'une belle constance dans la qualité. Certes, le boisé est très présent au nez comme en bouche, mais il est élégant, et le fruit est là aussi, avec des arômes d'une complexité naissante. La bouche est grasse, chaleureuse en finale. Un très bon liquoreux, qui se bonifiera si on l'oublie en cave (au moins cinq ans).

⚲ Catherine et Guy Cuisset, Ch. Grinou, 24240 Monestier, tél. 05.53.58.46.63, fax 05.53.61.05.66
☑ ⏁ r.-v.

CH. LESTEVENIE
Elevé en fût de chêne 2000★★

	0,5 ha		400		⦀ 15 à 23 €

Un premier millésime, et déjà la consécration, pour Jolaine et Dominique Audoux, des citadins qui se sont faits vignerons en dehors de toute attache familiale. Issu de plants de sémillon âgés de cinquante-cinq ans, ce 2000 offre un nez très puissant, typique d'un saussignac : fruits confits, abricot, coing, acacia. L'attaque est franche, avec beaucoup de gras. En bouche, les arômes de fruits confits persistent longuement dans une finale chaleureuse. Ce vin superbe, équilibré entre nervosité et gras, suscite nombre de suggestions gastronomiques de la part des membres du jury : apéritif, foie gras, melon frais, poulet à la crème, « un dessert à lui tout seul ». En fait, il pourrait presque accompagner tout un repas. Une citation encore pour le **bergerac sec 2001 (3 à 5 €)** du domaine. Tout en rondeur, il est si fruité qu'on a l'impression de croquer le raisin.

⚲ Jolaine et Dominique Audoux, Le Gadon, 24240 Gageac-Rouillac, tél. 05.53.74.24.48, fax 05.53.74.24.49, e-mail d.audoux@wanadoo.fr
☑ ⏁ r.-v.

CH. RICHARD
Coup de cœur 2000★★

	3,5 ha		4 000		⦀ 15 à 23 €

Un vin issu de vignes conduites en agriculture biologique et d'une fermentation traditionnelle en fût de chêne. Le nez, un peu marqué par l'alcool, s'épanouit sur des notes de rôti et de surmaturation. La bouche n'est pas engoncée dans le bois : superbe de naturel et de finesse, elle donne l'impression que l'on ouvre un pot de confiture d'abricots. Très harmonieuse, elle s'étire longuement sur le gras et le fruit. Un liquoreux remarquable, que l'on a déjà envie de boire mais qui pourra vieillir longtemps.

⚲ Richard Doughty, La Croix Blanche, 24240 Monestier, tél. 05.53.58.49.13, fax 05.53.58.49.30, e-mail richato@club-internet.fr
☑ ⏁ r.-v.

CH. TOURMENTINE
Chemin Neuf 2000

	2 ha		1 600		⦀ 11 à 15 €

Habitué du Guide, ce domaine a tiré son épingle du jeu dans un millésime peu propice aux liquoreux. Discret mais agréable, le nez suggère une corbeille de fruits, avec de légères évocations de cire d'abeille. C'est le fût qui l'emporte actuellement en bouche. La finale conjugue vivacité et chaleur. Un joli vin à attendre. Quant au **bergerac sec 2001 (3 à 5 €)**, cité également, on apprécie son nez de sauvignon, sa bouche souple et fruitée, relevée en finale par une pointe de fraîcheur.

⚲ Jean-Marie Huré, Ch. Tourmentine, 24240 Monestier, tél. 05.53.58.41.41, fax 05.53.63.40.52, e-mail actjmhure@wanadoo.fr
☑ ⏁ ⏁ t.l.j. sf dim. 9h-12h 14h-18h

CLOS D'YVIGNE
Vendanges tardives 2000★

	3 ha		2 600		⦀ 23 à 30 €

Patricia Atkinson s'est installée en 1990 non loin du château médiéval de Gageac-Rouillac. Son domaine s'est imposé rapidement grâce à de remarquables saussignac. Avec ce 2000, millésime délicat, il est plutôt en deçà de ses performances habituelles. Il ne faut pas se précipiter pour le consommer, car le fût est encore très présent : un séjour d'au moins cinq ans en cave lui sera bénéfique. Le nez allie à des senteurs de bois quelques notes d'abricot confit et de café. En bouche, le merrain domine mais en douceur ; la vanille devrait s'équilibrer avec les arômes complexes issus du fruit. Un vrai liquoreux à la structure imposante.

⚲ Patricia Atkinson, SCEA Clos d'Yvigne, Le Bourg, 24240 Gageac-Rouillac, tél. 05.53.22.94.40, fax 05.53.23.47.67, e-mail patricia.atkinson@wanadoo.fr
☑ ⏁ ⏁ t.l.j. sf dim. 9h-12h 14h-18h

Côtes de duras

Les côtes de duras sont issus d'un vignoble de près de 1 900 ha qui est le prolongement naturel du plateau de l'Entre-Deux-Mers. On raconte qu'après la révocation de l'édit de Nantes, les exilés huguenots gascons faisaient venir le vin de Duras jusqu'à leur retraite hollandaise et marquaient d'une tulipe les rangs de vigne qu'ils se réservaient.

Sur des coteaux découpés par la Dourdèze et ses affluents, avec des sols argilo-calcaires et des boulbènes, les côtes de duras ont accueilli tout naturellement les cépages bordelais. En blanc, sémillon, sauvignon et muscadelle ; en rouge, cabernet franc, cabernet-sauvignon, merlot et malbec. On trouve également le chenin, l'ondenc et l'ugni blanc. La gloire de Duras, c'est bien le vin blanc avec 49 600 hl en 2001 : des moelleux suaves, mais surtout des blancs secs à base de sauvignon, qui sont de réelles réussites. Racés, nerveux, au bouquet spécifique, ils accompagnent à merveille fruits de mer et poissons de l'Océan. Les vins rouges (72 311 hl), souvent vinifiés en cépages séparés, sont charnus, ronds et d'une belle couleur. La région a également produit 2 789 hl de vins rosés fruités et gouleyants.

DOM. DES ALLEGRETS
Vieilli en fût de chêne 2000★★

	3 ha	13 000	🍾	5 à 8 €

Un domaine champion en vins liquoreux. Dans un millésime peu propice à la pourriture noble, il montre son savoir-faire en rouge. La cuvée en fût de chêne est la plus appréciée. Elle devrait atteindre son apogée d'ici deux à trois ans, mais le nez concentré de fruits rouges est déjà fort plaisant. La structure tannique est tout aussi concentrée, et bien équilibrée. Une bouteille à ouvrir sur du gibier, un lièvre à la royale, par exemple. Notée une étoile, la **cuvée classique 2000** (3 à 5 €) exprime elle aussi très nettement des arômes de fruits rouges. Les tanins sont encore un peu austères, mais ce vin conviendra parfaitement à une viande rouge. Quant au **vin blanc sec** (3 à 5 €), très typique d'un sauvignon de Duras, il surprend par sa vivacité et son mordant en finale. Il obtient une étoile.
🍷 SCEA Francis et Monique Blanchard, Dom. des Allégrets, 47120 Villeneuve-de-Duras, tél. 05.53.94.74.56, fax 05.53.94.74.56
☑ 🍸 t.l.j. 9h-12h 14h-19h

DOM. AMBLARD
Moelleux 2000★

	7,3 ha	45 660	🍷	3 à 5 €

Les conditions météorologiques du mois d'octobre 2000 n'ont pas permis d'élaborer les grands liquoreux qui contribuent à la renommée de l'appellation. En revanche, pour peu que les raisins aient été récoltés avant les pluies, les moelleux sont intéressants. Celui du domaine Amblard présente un nez de fruit très flatteur. La bouche est tout aussi fraîche, sa fraîcheur rehaussée par un léger perlant, laisse une impression finale bien agréable. Un vrai moelleux, idéal à l'apéritif.
🍷 Guy Pauvert et Fils, Dom. Amblard, 47120 Saint-Sernin-de-Duras, tél. 05.53.94.77.92, fax 05.53.94.27.12, e-mail domaine.amblard@wanadoo.fr ☑ 🍸 r.-v.

BERTICOT
Cuvée première 2001★★

	n.c.	200 000	🍷	3 à 5 €

Depuis 1998, la coopérative de Duras forme une puissante structure avec sa voisine de Landerrouat en Gironde : ne fournit-elle pas près de la moitié de la production de l'appellation ? En 2000, elle a réalisé des investissements dans les caves, et, en 2002, recueille un nombre impressionnant de distinctions. Cette Cuvée première mérite bien son nom, car elle accède au sommet. Il s'agit d'un vin élevé sur lies, et c'est vraisemblablement ce qui l'a distingué des quatre autres concurrents pour le coup de cœur. Le sauvignon s'exprime au nez par des arômes très plaisants de fruits exotiques (mangue) et de fruits blancs. Mais c'est surtout en bouche que cette bouteille s'impose par son volume et sa longueur. La finale laisse une fraîcheur persistante au palais. La cuvée de **sauvignon**

Berticot Vieilles vignes 2001 (5 à 8 €) est aussi d'excellente tenue, même si ses arômes de fruits mûrs sont moins puissants. Elle a obtenu une étoile.
🍷 SCA Vignerons de Landerrouat-Duras, Berticot, 47120 Duras, tél. 05.53.83.71.12, fax 05.53.83.82.40
☑ 🍸 t.l.j. sf dim. 8h-12h 14h-18h (ouvert dim. juil. août)

BERTICOT
Sélection 2000★★★

	6 ha	45 000	🍾🍷	5 à 8 €

Les Vignerons de Landerrouat-Duras brillent aussi en rouge. On apprécie dans cette cuvée un boisé qui sait se montrer discret, permettant au vin de s'exprimer pleinement. Le nez de fruits mûrs laisse deviner des notes de cassis fort plaisantes. La bouche est particulièrement harmonieuse, avec des tanins équilibrés et élégants, bien fondus dans le bois. Un vin à attendre quelques années. La **Grande Réserve 2000** est également passée en barrique. Très prometteuse, elle aussi, elle est cependant pour l'heure dominée par le boisé. Notée une étoile, elle réservera de bonnes surprises dans quelques années.
🍷 SCA Vignerons de Landerrouat-Duras, Berticot, 47120 Duras, tél. 05.53.83.71.12, fax 05.53.83.82.40
☑ 🍸 t.l.j. sf dim. 8h-12h 14h-18h (ouvert dim. juil. août)

DUC DE BERTICOT
Elevé en fût de chêne 2000★★★

	12 ha	50 000	🍾🍷	5 à 8 €

Encore des lauriers pour les Vignerons de Landerrouat-Duras, avec le Duc de Berticot élevé douze mois dans le fût. Son nez puissant mêle les fruits mûrs et des notes d'amande grillée. Des arômes fruités explosent en bouche sur un équilibre tannique particulièrement riche et harmonieux. Toujours en rouge, la cuvée **Les Hauts de Berticot 2000** (3 à 5 €) se différencie de la précédente par son boisé moins marqué et une structure tannique moins puissante. Dans les deux cas, un vieillissement de deux à quatre ans s'impose.
🍷 SCA Vignerons de Landerrouat-Duras, Berticot, 47120 Duras, tél. 05.53.83.71.12, fax 05.53.83.82.40
☑ 🍸 t.l.j. sf dim. 8h-12h 14h-18h (ouvert dim. juil. août)

DOM. DES COURS 2001★

	1 ha	3 000	🍷	3 à 5 €

Sainte-Colombe-de-Duras, où est installée cette propriété de 19 ha, mérite un détour pour son église romane. On y trouve aussi du bon vin, notamment dans ce domaine souvent mentionné pour ses blancs secs. Cette année, c'est un rosé issu de cabernet franc qui a intéressé le jury. Les dégustateurs ont apprécié le nez de fruits rouges d'une grande finesse et d'une belle maturité. Quant à la bouche, elle allie rondeur et fraîcheur, ce qui garantit un bel équilibre pour un rosé. Un vin sympathique pour un début de repas.

↰ EARL Lusoli, Dom. des Cours,
47120 Sainte-Colombe-de-Duras, tél. 05.53.83.74.35,
fax 05.53.83.63.18 ☑ ⵑ r.-v.

DAGUET DE BERTICOT 2001★★

| | n.c. | 200 000 | ⓘ | - de 3 € |

Prodiffu commercialise les vins de la coopérative de Landerrouat-Duras. Celle-ci propose deux blancs secs de qualité, issus du cépage sauvignon : ce Daguet de Berticot, un vin au nez floral particulièrement puissant, d'un parfait équilibre en bouche et d'une belle persistance ; et la cuvée **Jean de Navarre Vieilles vignes 2001 (3 à 5 €)**, qui obtient une étoile. Plus marquée par le fruit en bouche, plus souple et plus ronde que la précédente, elle conviendra mieux à du poisson cuisiné.

↰ Prodiffu, 17-19, rte des Vignerons,
33790 Landerrouat, tél. 05.56.61.33.73,
fax 05.56.61.40.57, e-mail prodiffu@prodiffu.com

DOM. LA FOND DU LOUP 2001★

| | 2,5 ha | 20 000 | ⓘ | 3 à 5 € |

Installé en 1984, Jean-Luc Prévot représente la troisième génération sur l'exploitation familiale. Dire de son rosé qu'il est fruité constitue une banalité. Ce vin est une corbeille de fruits : au nez, on trouve non seulement de la fraise et de la framboise, mais encore de la banane et de la pêche. La bouche est bien réussie, avec une attaque sur le fruit et une fraîcheur agréable en finale. Pour un vin de cabernet, cela révèle une belle maturité et un travail particulièrement soigné au chai.

↰ Jean-Luc Prévot, Fond du Loup,
47120 Saint-Jean-de-Duras, tél. 05.58.89.02.59,
fax 05.53.89.02.59 ☑ ⵑ t.l.j. 9h-12h 14h-19h

DOM. DU GRAND MAYNE 2000★★

| | 3,5 ha | 30 000 | ⓘ | 5 à 8 € |

De nouveau une excellente sélection pour ce domaine qui obtint l'an dernier un coup de cœur pour son blanc sec vieilli en barrique. Un **sauvignon 2001**, qui a séjourné six mois en fût, est jugé remarquable : souple et fruité, il révèle un boisé qui demande toutefois à se fondre. Tout aussi bien noté, ce vin rouge marque au nez son élevage en barrique par de jolis arômes boisés et vanillés qui se mêlent à des notes de cerise et de mûre. Dotée de tanins très fondus, la bouche se montre tout à la fois concentrée, ronde et charnue. Une étoile enfin pour la **cuvée rouge 2000 classique (3 à 5 €)**, qui n'a pas connu le bois ; ce vin séduit par ses arômes de cassis bien marqués. L'équilibre est harmonieux grâce à des tanins souples et veloutés.

↰ SARL Andrew Gordon, Le Grand Mayne,
47120 Villeneuve-de-Duras, tél. 05.53.94.74.17,
fax 05.53.94.77.02, e-mail agordon@terre-net.fr
☑ ⵑ t.l.j. sf sam. dim. 9h-17h

CH. LA GRAVE BECHADE
Cuvée Alexandra 2000★

| | 10 ha | 18 000 | ⓘ | 8 à 11 € |

Situé à 3 km du château de Duras, ce domaine compte 65 ha et a rénové en 2000 sa cave de vinification. Sa cuvée Alexandra ne cache pas son long élevage en barrique. Au premier nez, on perçoit un boisé-vanillé intense. Ce n'est qu'à l'agitation que se développent des arômes de fruits rouges et de fleurs. En bouche, le vin est particulièrement charnu ; les tanins soyeux du vin s'harmonisent bien avec ceux du bois. Cette bouteille devra vieillir deux ou trois ans avant d'être pleinement appréciée. On la servira avec viandes rouges, rognons ou boudin.

↰ Ch. la Grave Béchade, 47120 Baleyssagues,
tél. 05.53.83.70.06, fax 05.53.83.82.14,
e-mail lagravebechade@wanadoo.fr ☑ ⵑ t.l.j. 8h-18h

DOM. LAS BRUGUES-MAU MICHAU 2000★

| | 7 ha | 55 000 | ⓘ | 3 à 5 € |

Voici un duras typique, bien fait, et qui satisfera les amateurs de vins fruités et gouleyants. Le nez est agréable, net, avec des parfums vineux. La bouche révèle des tanins mûrs, présents mais sans excès, et de plaisants arômes de fruits. Un vin facile à boire et sans fioritures.

↰ Prévot, Mau Michau, 47120 Monteton,
tél. 05.53.20.24.51, fax 05.53.20.80.57,
e-mail mprevot@wanadoo.fr ☑ ⵑ r.-v.

DOM. DE LAULAN
Cuvée Emile Chariot Vieilli en fût de chêne 2000★

| | 0,4 ha | 2 765 | ⓘ | 5 à 8 € |

Ce domaine de 25 ha figure régulièrement dans le Guide. Représenté dans la dernière édition par le blanc sec classique, il a été sélectionné cette année pour sa cuvée vinifiée et élevée en fût. Celle-ci présente un nez très intense, avec un fruit bien présent et un boisé plutôt discret qui apparaît fondu au palais et sait encore garder la mesure. La bouche est pleine et ronde. Un équilibre subtil qui révèle une réelle maîtrise de la vinification.

↰ EARL Geoffroy, Dom. de Laulan, 47120 Duras,
tél. 05.53.83.73.69, fax 05.53.83.81.54,
e-mail domaine.laulan@wanadoo.fr ☑ ⵑ t.l.j. sf dim.
8h-12h 14h-18h

CH. MOLHIERE
Sauvignon Cru du Moulin 2001★★

| | 6 ha | 40 000 | ⓘ | 3 à 5 € |

A la tête de 35 ha de vignes, les frères Blancheton proposent un vin blanc au nez fin et puissant où s'expriment des notes de fruits secs. A la fois souple et vive, la bouche fait preuve d'une notable persistance. Tout aussi bien noté, le **rosé 2001 cru du Moulin** offre un nez de fruits rouges et de banane ; il surprend par son volume en bouche et sa belle fraîcheur en finale. Plus tannique qu'un rosé traditionnel, il s'accordera parfaitement avec les grillades.

↰ Blancheton Frères, La Moulière, 47120 Duras,
tél. 05.53.83.70.19, fax 05.53.83.07.30,
e-mail patrick.blancheton@wanadoo.fr ☑ ⵑ r.-v.

CH. LA MOULIERE
Pierrot 2000★★

| | 1,3 ha | 6 000 | ⓘ | 11 à 15 € |

Cette autre cuvée des frères Blancheton leur permet d'établir un beau doublé avec deux autres vins remarquables. Déclinée tant en blanc qu'en rouge, la cuvée Pierrot se classe dans les hauts de gamme. De fait, elle a obtenu deux étoiles dans l'une et l'autre couleur. Le rouge a fait l'objet d'un élevage en fût de quinze mois, ce qui ne l'empêche pas d'être dominé par des arômes de fruits. Il laisse une impression d'équilibre et d'harmonie. Apte à la garde, il peut aussi se boire jeune, sur une entrecôte. Assemblant deux tiers de sémillon à un tiers de sauvignon, le **Pierrot blanc 2000 (8 à 11 €)** a aussi séjourné en barrique. Il est encore marqué par le bois, mais séduit en bouche par un volume remarquable.

◄┐ Blancheton Frères, La Moulière, 47120 Duras,
tél. 05.53.83.70.19, fax 05.53.83.07.30,
e-mail patrick.blancheton@wanadoo.fr ☑ Ⴅ r.-v.

CH. LA PETITE BERTRANDE
Vieilli en fût de chêne 2000★★

■	10 ha	20 000	◫	5 à 8 €

Installé en 1991, Jean-François Thierry exploite 29 ha
de vignes. Ses deux duras rouges sont de nouveau très bien
notés, mais cette année, c'est la cuvée classique qui a la
préférence du jury. Elle a été élevée en barrique et le jury
l'a distinguée pour sa belle harmonie entre le boisé et le
fruité. Au nez se mêlent des arômes de fruits rouges et de
café. La bouche, équilibrée, révèle un boisé fin qui ne
masque pas le fruit. Un assemblage et un élevage bien
maîtrisés pour un vin de garde, à attendre quatre ou cinq
ans. La **Grande Cuvée 2000 (11 à 15 €)**, plus concentrée
que la précédente, se déguste moins bien car elle est encore
trop dominée par le bois. Sa structure tannique demande à
s'assouplir. Aussi devra-t-elle patienter en cave avant d'être
servie avec faisan, pintade ou viandes rouges. Elle obtient
une étoile.
◄┐ Jean-François Thierry, Vignoble Les Guignards,
47120 Saint-Astier-de-Duras, tél. 05.53.94.74.03,
fax 05.53.94.75.27, e-mail vguignards@aol.com
☑ Ⴅ t.l.j. sf dim. 10h-12h 17h-20h
◄┐ Alain Tingaud

DOM. DU PETIT MALROME
Sauvignon 2001★★

	1,1 ha	6 000	▮▯	3 à 5 €

L'un des rares domaines de l'appellation dont le
vignoble est conduit en agriculture biologique. On notera
aussi que les vendanges se font ici à la main. Le sauvignon
classique de l'exploitation offre une belle intensité aromatique. La bouche révèle des arômes bien présents de fruits
blancs et d'agrumes. La finale est persistante, avec un léger
mordant. Le **sauvignon 2001, élevé en fût de chêne**
(5 à 8 €), marqué par le bois, a aussi été très bien
accueilli. Deux à trois ans lui seront nécessaires pour
afficher sa personnalité, mais son potentiel lui vaut deux
étoiles.

◄┐ EARL Geneviève et Alain Lescaut,
47120 Saint-Jean-de-Duras, tél. 05.53.89.01.44,
fax 05.53.89.01.44, e-mail petit-malrome@oreka.com
☑ Ⴅ r.-v.

DOM. DU PETIT MALROME
Cuvée Sarah Elevé en fût de chêne 2000★★

■	2 ha	8 500	◫	8 à 11 €

Il a été finaliste au grand jury, avant de manquer de
peu le coup de cœur. Né d'une macération longue et d'un
élevage en fût, ce vin est très jeune. Le nez, très complexe,
mêle des notes de sous-bois et d'eucalyptus. Riche et
savoureuse, la structure révèle un boisé encore présent.
Dans quatre à cinq ans, cette bouteille sera parfaite sur du
gros gibier, tel le sanglier. En attendant, on pourra
déboucher la **cuvée Tradition 2000 (5 à 8 €)**, élevée en
cuve (une étoile). Avec son nez de fruits rouges et d'épices
et ses tanins plus souples, elle accompagnera parfaitement
les viandes rouges.
◄┐ EARL Geneviève et Alain Lescaut,
47120 Saint-Jean-de-Duras, tél. 05.53.89.01.44,
fax 05.53.89.01.44, e-mail petit-malrome@oreka.com
☑ Ⴅ r.-v.

DOM. DU VIEUX BOURG
Sauvignon 2001★

	4 ha	30 000	▮▯	3 à 5 €

En passant à Pardaillan, les admirateurs de l'œuvre
de Marguerite Duras auront une pensée pour la roman-
cière : son père vécut près de ce village, et ses racines
duraquoises lui inspirèrent son pseudonyme. S'ils aiment
aussi le vin, ils rendront visite à Bernard Bireaud, dont les
cuvées, rouges ou blanches, sont régulièrement sélectionnées dans le Guide. On retrouve cette année son sauvignon. Un terroir argileux de qualité et une bonne maîtrise
des températures de vinification permettent au cépage de
s'exprimer pleinement. Des arômes de fruits très présents
et une certaine rondeur en bouche en font un vin très
agréable pour un début de repas.
◄┐ Bernard Bireaud, Dom. du Vieux Bourg,
47120 Pardaillan, tél. 05.53.83.02.18, fax 05.53.83.02.37
☑ Ⴅ t.l.j. 9h-12h 14h-18h

SUD-OUEST

LA VALLÉE DE LA LOIRE ET LE CENTRE

        Unis par un fleuve que l'on a dit royal, et qui justifierait le qualificatif par sa seule majesté si les rois en effet n'avaient aimé résider sur ses rives, les divers pays de la vallée de la Loire sont baignés par une lumière unique, mariage subtil du ciel et de l'eau qui fait éclore ici le « jardin de la France ». Et dans ce jardin, bien sûr, la vigne est présente ; des confins du Massif central jusqu'à l'estuaire, les vignobles ponctuent le paysage au long du fleuve et d'une dizaine de ses affluents, dans un vaste ensemble que l'on désignera sous le nom de « vallée de la Loire et Centre », plus étendu que ne l'est le Val de Loire au sens strict, sa partie centrale. C'est dire combien le tourisme est ici varié, culturel, gastronomique ou œnologique ; et les routes qui suivent le fleuve sur les « levées », ou celles, un peu en retrait, qui traversent vignobles et forêts sont les axes d'inoubliables découvertes.

        Jardin de la France, résidence royale, terre des Arts et des Lettres, berceau de la Renaissance, la région est vouée à l'équilibre, à l'harmonie, à l'élégance. Tantôt étroite et sinueuse, rapide et bruyante, tantôt imposante et majestueuse, calme d'apparence, la Loire en est bien le facteur d'unité ; mais il convient cependant d'être attentif aux différences, surtout lorsqu'il s'agit des vins.

        Depuis Roanne ou Saint-Pourçain jusqu'à Nantes ou Saint-Nazaire, la vigne occupe les coteaux de bordure, bravant la nature des sols, les différences de climat et les traditions humaines. Sur près de 1 000 km, plus de 70 000 ha couverts de vignes donnent, avec de grandes variations, entre 9,50 et 10 % de la production française dont en AOC de vins blancs 1 415 678 hl et en AOC de vins rouges et rosés 1 140 322 hl. Les vins de cette vaste région ont pour points communs la fraîcheur et la délicatesse de leurs arômes, essentiellement dues à la situation septentrionale de la plupart des vignobles.

La Vallée de la Loire

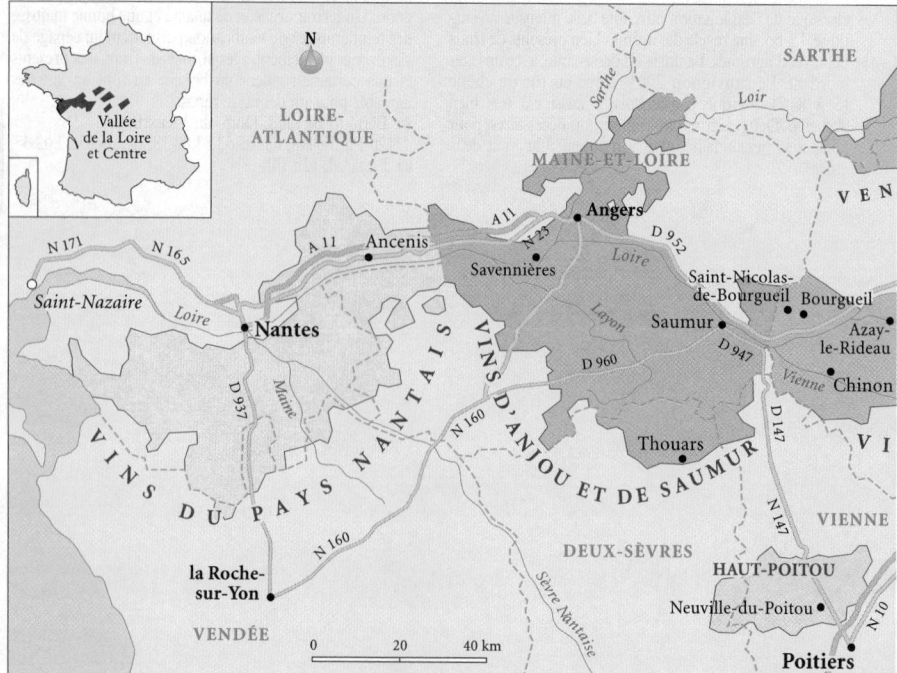

—————————— **V**ouloir désigner toutes ces productions sous le même vocable est un peu audacieux malgré tout, car, bien qu'identifiés comme septentrionaux, certains vignobles sont situés à une latitude qui, dans la vallée du Rhône, subit l'influence climatique méditerranéenne... Mâcon est à la même latitude que Saint-Pourçain et Roanne que Villefranche-sur-Saône. C'est donc le relief qui influe ici sur le climat ; le courant d'air atlantique s'engouffre d'ouest en est dans le couloir tracé par la Loire, puis s'estompe peu à peu au fur et à mesure qu'il rencontre les collines du Saumurois et de la Touraine.

—————————— **L**es vignobles formant de véritables entités sont donc ceux de la région nantaise, de l'Anjou et de la Touraine. Mais on y a joint ceux du haut Poitou, du Berry, des côtes d'Auvergne et roannaises ; il faut bien les associer à une grande région, et celle-ci est la plus proche, aussi bien géographiquement que par les types de vins produits. Il paraît donc nécessaire, sur un plan général, de définir quatre grands ensembles, les trois premiers cités, plus le Centre.

—————————— **D**ans la basse vallée de la Loire, l'aire du muscadet et une partie de l'Anjou reposent sur le Massif armoricain, constitué de schistes, de gneiss et d'autres roches sédimentaires ou éruptives de l'ère primaire. Les sols évolués sur ces formations sont très propices à la culture de la vigne, et les vins qui y sont produits sont d'excellente qualité. Encore appelée région nantaise, cette première entité, la plus à l'ouest du Val de Loire, présente un relief peu accentué, les roches dures du Massif armoricain étant entaillées à l'abrupt par de petites rivières. Les vallées escarpées ne permettent pas la formation de coteaux cultivables, et la vigne occupe les mamelons de plateau. Le climat est océanique, assez uniforme toute l'année, l'influence maritime atténuant les variations saisonnières. Les hivers sont peu rigoureux et les étés chauds et souvent humides ; l'ensoleillement est bon. Les gelées printanières viennent cependant parfois perturber la production.

—————————— **L**'Anjou, pays de transition entre la région nantaise et la Touraine, englobe historiquement le Saumurois ; cette région viticole s'inscrit presque entièrement dans le département

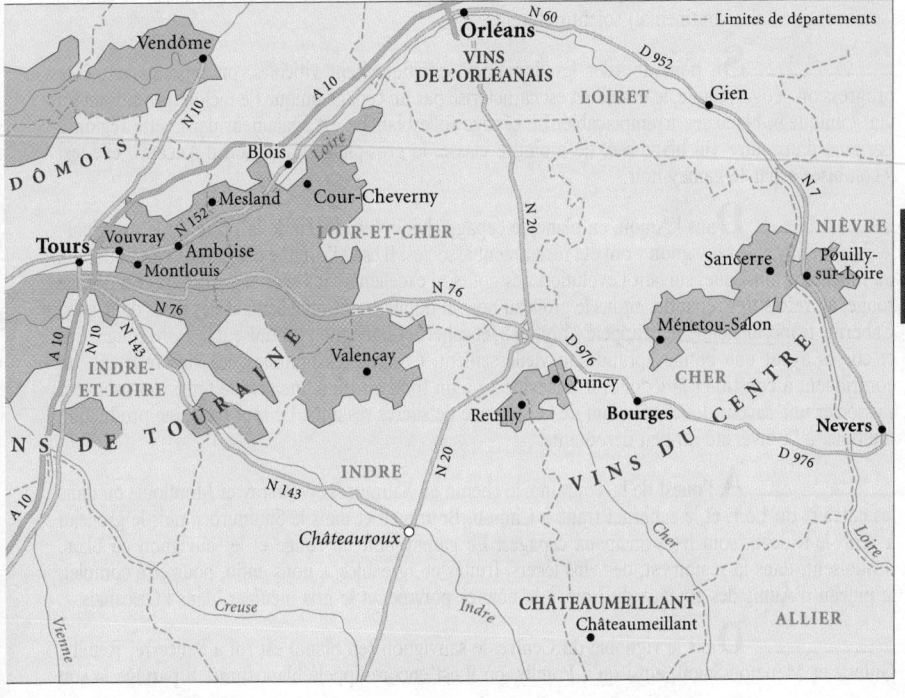

du Maine-et-Loire, mais géographiquement le Saumurois devrait plutôt être rattaché à la Touraine occidentale avec laquelle il présente davantage de similitudes, tant au point de vue des sols que du climat. Les formations sédimentaires du Bassin parisien viennent d'ailleurs recouvrir en transgression des formations primaires du Massif armoricain, de Brissac-Quincé à Doué-la-Fontaine. L'Anjou se divise en plusieurs sous-régions : les coteaux de la Loire (prolongement de la région nantaise), en pente douce d'exposition nord, où la vigne occupe la bordure du plateau ; les coteaux du Layon, schisteux et pentus, les coteaux de l'Aubance ; et la zone de transition entre l'Anjou et la Touraine, dans laquelle s'est développé le vignoble des rosés.

_____ Le Saumurois se caractérise essentiellement par la craie tuffeau sur laquelle poussent les vignes ; au-dessous, les bouteilles rivalisent avec les champignons de Paris pour occuper galeries et caves facilement creusées. Les collines un peu plus élevées arrêtent les vents d'ouest et favorisent l'installation d'un climat qui devient semi-océanique et semi-continental. En face du Saumurois, on trouve sur la rive droite de la Loire les vignobles de Saint-Nicolas-de-Bourgueil, sur le coteau turonien. Plus à l'est, après Tours, et sur le même coteau, le vignoble de Vouvray se partage avec Chinon — prolongement du Saumurois sur les coteaux de la Vienne — la réputation des vins de Touraine. Azay-le-Rideau, Montlouis, Amboise, Mesland et les coteaux du Cher complètent la panoplie de noms à retenir dans ce riche « Jardin de la France », où l'on ne sait plus si l'on doit se déplacer pour les vins, les châteaux ou les fromages de chèvre (Sainte-Maure, Selles-sur-Cher, Valençay) ; mais pourquoi pas pour tout à la fois ? Les petits vignobles des coteaux du Loir, de l'Orléanais, de Cheverny, de Valençay et des coteaux du Giennois peuvent être rattachés à la troisième entité naturelle que forme la Touraine.

_____ Les vignobles du Berry (ou du Centre) constituent une quatrième région, indépendante et différente des trois autres tant par les sols, essentiellement jurassiques, voisins du Chablisien pour Sancerre et Pouilly-sur-Loire, que par le climat semi-continental, aux hivers froids et aux étés chauds. Pour la commodité de la présentation, nous rattachons Saint-Pourçain, les côtes roannaises et le Forez à cette quatrième unité, bien que sols (Massif central primaire) et climats (semi-continental à continental) soient différents.

_____ Si, pour aborder les domaines spécifiquement viticoles, on reprend la même progression géographique, le muscadet est caractérisé par un cépage unique (le melon) produisant un vin « unique », blanc sec irremplaçable. Le cépage folle blanche est également dans cette région à l'origine d'un autre vin blanc sec, de moindre classe, le gros-plant. La région d'Ancenis, elle, est « colonisée » par le gamay noir.

_____ Dans l'Anjou, en blanc, le cépage chenin ou pineau de la Loire est le principal ; le chardonnay et le sauvignon y ont été récemment associés. Il est à l'origine des grands vins liquoreux ou moelleux, ainsi que, suivant l'évolution des goûts, d'excellents vins secs et mousseux. En cépage rouge, autrefois très répandu, citons le grolleau noir. Il donne traditionnellement des rosés demi-secs. Cabernet franc, anciennement appelé « breton », et cabernet-sauvignon produisent des vins rouges fins et corsés ayant une bonne aptitude au vieillissement. Comme les hommes, les vins reflètent, ou contribuent à constituer la « douceur angevine » : à un fond vif dû à une acidité forte vient souvent s'associer une saveur douce résultant de la présence de sucres restants. Le tout dans une production multiple, à la diversité un peu déroutante.

_____ A l'ouest de la Touraine, le chenin en Saumurois, Vouvray et Montlouis ou dans les coteaux du Loir, et le cabernet franc à Chinon, Bourgueil et dans le Saumurois, puis le grolleau à Azay-le-Rideau, sont les principaux cépages. Le gamay noir en rouge et le sauvignon en blanc produisent, dans la région est, des vins légers, fruités et agréables. Citons enfin, pour être complet, le pineau d'Aunis des coteaux du Loir, à la nuance poivrée, et le gris meunier, dans l'Orléanais.

_____ Dans le vignoble du Centre, le sauvignon (en blanc) est roi à Sancerre, Reuilly, Quincy et Menetou-Salon, ainsi qu'à Pouilly, où il est encore appelé blanc-fumé. Il partage là son territoire avec quelques vignobles vestiges de chasselas, donnant des blancs secs et nerveux. En rouge, on perçoit le voisinage de la Bourgogne, puisqu'à Sancerre et Menetou-Salon les vins sont produits à partir de pinot noir.

_____ **P**our être exhaustif, il convient d'ajouter quelques mots sur le vignoble du haut Poitou, réputé en blanc pour son sauvignon aux vins vifs et fruités, son chardonnay aux vins corsés, et, en rouge, pour ses vins légers et robustes issus des cépages gamay, pinot noir et cabernet. Sous un climat semi-océanique, le haut Poitou assure la transition entre le Val de Loire et le Bordelais. Entre Anjou et Poitou, la production du vignoble du Thouarsais (AOVDQS) est confidentielle. Quant au vignoble des Fiefs vendéens, terroir AOVDQS anciennement dénommé vin des Fiefs du Cardinal et implanté le long du littoral atlantique, ses vins les plus connus sont les vins rosés de Mareuil, issus de gamay noir et de pinot noir ; la curiosité de la région étant constituée par le vin de « ragoûtant », issu du cépage négrette et difficile à trouver.

La Vallée de la Loire

Val de Loire

Rosé de loire

Il s'agit de vins d'appellation régionale, AOC depuis 1974, qui peuvent être produits dans les limites des AOC régionales d'anjou, saumur et touraine. Cabernet franc, cabernet-sauvignon, gamay noir à jus blanc, pineau d'Aunis et grolleau se retrouvent dans ces vins rosés secs qui représentent un volume moyen de 42 220 hl en 2001.

VIGNOBLE DE L'ARCISON 2001★

	2 ha	6 000		3 à 5 €

D'abord agricole, cette exploitation s'est spécialisée dans la vigne et a aménagé son chai dans une ancienne grange dont la forme arrondie est typique des bâtiments d'élevage du Choletais. Ce vin issu de cabernet franc et de grolleau laisse une indéniable sensation de fraîcheur. D'une teinte rose orangé brillant, il dévoile de délicats arômes fruités de fraise et d'agrumes, puis évolue avec légèreté jusqu'à une finale vive. Un rosé agréable, bien représentatif de son appellation, destiné aux hors-d'œuvre et aux charcuteries.

⌐ Damien Reulier, Le Mesnil, 49380 Thouarcé, tél. 02.41.54.16.81, fax 02.41.54.31.12, e-mail damien.reulier@wanadoo.fr ☑ ☥ r.-v.

DOM. DU CLOS DES GOHARDS 2001★

	5 ha	2 000		- de 3 €

En 1924, le domaine ne comptait que 2 ha de vignes ; le temps a passé et le vignoble s'est agrandi jusqu'à ses 34 ha actuels. Si ses vins liquoreux figurent régulièrement dans le Guide, ses rosés ne doivent pas être oubliés. Les grillades apprécieront la compagnie de cette bouteille rose pâle à reflets orangés, qui séduit par la délicatesse de ses notes de fruits rouges, de fleurs et de banane. Franche, elle possède un bon équilibre entre fraîcheur et tendreté.

⌐ EARL Michel et Mickaël Joselon, Les Oisonnières, 49380 Chavagnes-les-Eaux, tél. 02.41.54.13.98, fax 02.41.54.13.98 ☑ ☥ r.-v.

LE CLOS DES MOTELES 2001★

	2 ha	5 000		- de 3 €

Sainte-Verge est une petite commune aux portes de Thouars et à quelques kilomètres de Saumur. Ce terroir graveleux se trouve au sud de l'appellation anjou ; le grolleau majoritaire, associé à 30 % de cabernet franc, a produit un vin typé, dont les arômes résultent à la fois d'une vinification réussie (notes amyliques liées à une fermentation à basse température, nuances de beurre nées d'une fermentation malolactique) et d'une vendange bien mûre (fruits, agrumes et fleurs). Le voici tendre et frais, équilibré, ne demandant qu'à être savouré entre amis.

⌐ GAEC Le Clos des Motèles Basset-Baron, 42, rue de la Garde, 79100 Sainte-Verge, tél. 05.49.66.05.37, fax 05.49.66.37.14 ☑ ☥ t.l.j. sf dim. 8h-12h 14h-18h30

DOM. DE FLINES 2001★

	1,4 ha	12 000		3 à 5 €

Martigné-Briand se présente comme la capitale des vins rosés de l'Anjou. Ce domaine, qui possède 45 ha sur sol argilo-calcaire, défend bien la réputation de cette commune en proposant un rosé tout en délicatesse et en complexité aromatique : notes de fruits rouges, de groseille, de noisette, ainsi que des parfums de pâtisserie rappelant le beurre et la brioche. La même sensation d'élégance émane du bel équilibre des saveurs. Si vous souhaitez découvrir l'appellation, choisissez ce vin.

⌐ C. Motheron, Dom. de Flines, 102, rue d'Anjou, 49540 Martigné-Briand, tél. 02.41.59.42.78, fax 02.41.59.45.60 ☑ ☥ r.-v.

DOM. DE LA GRETONNELLE 2001★

■   0,2 ha   600   ▮▸ 3 à 5 €

Implanté dans la partie méridionale du vignoble angevin, sur la commune de Bouillé-Loretz, ce domaine a récolté sur son terroir argilo-schisteux le cabernet franc, le grolleau noir et le gamay pour élaborer un vin très pâle rappelant les vins gris. Tout en légèreté, celui-ci évoque les épices (poivre), les fruits frais et les fleurs blanches. Il se fait tendre et harmonieux comme pour mieux accompagner vos repas.

➴ EARL Charruault-Schmale,
Les Landes, 79290 Bouillé-Loretz,
tél. 05.49.67.04.49, fax 05.49.67.12.52 ☑ ☎ r.-v.

DOM. DES HAUTES OUCHES 2001★

■   2 ha   10 000   ▮▸ 3 à 5 €

De belles performances dans l'élaboration de tous les styles de vin ont été réalisées par ce domaine qui a obtenu un coup de cœur pour son rosé d'anjou 2001. On reconnaît la « patte » du vinificateur dans son rosé de loire aux arômes frais d'agrumes. La teinte rose saumoné intense laisse imaginer une vendange parfaitement mûre, dont l'autre signe à la dégustation est une longue finale sur les fruits frais.

➴ EARL Joël et Jean-Louis Lhumeau,
9, rue Saint-Vincent, Linières, 49700 Brigné-sur-Layon,
tél. 02.41.59.30.51, fax 02.41.59.31.75 ☑ ☎ r.-v.

LE LOGIS DU PRIEURE 2001★

■   5 ha   25 000   ▮▸ 3 à 5 €

Le millésime 2000 avait été salué par le jury de la récompense suprême l'an passé. A nouvelle année, nouveau vin et nouveau profil. C'est un rosé séduisant que l'on découvre, léger, fruité, tendre, mais aussi complexe dans des notes de fruits frais, d'agrumes (citron) et de fleurs. D'un bel équilibre, il se déguste comme une friandise.

➴ SCEA Jousset et Fils, Le Logis du Prieuré,
49700 Concourson-sur-Layon,
tél. 02.41.59.11.22, fax 02.41.59.38.18,
e-mail logis-prieure @groupesirius.com ☑ ☎ r.-v.

DOM. DES MATINES 2001★

■   2 ha   12 000   ▮▸ 3 à 5 €

Cette exploitation familiale doit sa notoriété à son « patriarche » qui a notamment lancé la production de vins rouges dans le Saumurois. Le goûter sera un bon moment pour apprécier ce rosé pâle à reflets orangés. On le savoure comme un fruit frais que l'on croque tant il est riche d'arômes de petits fruits rouges, équilibré et persistant sur un léger fruité mûr.

➴ Dom. des Matines, 31, rue de la Mairie,
49700 Brossay, tél. 02.41.52.25.36, fax 02.41.52.25.50,
e-mail domainedesmatines @wanadoo.fr ☑ ☎ r.-v.
➴ Etchegaray, Mallard

DOM. DES NOELS 2001

■   3 ha   12 500   ▮▸ 3 à 5 €

J.-M. Garnier, qui fut six ans durant le président du syndicat des coteaux de la Loire, a repris ce domaine de 16,50 ha en 1994. Son trio de grolleau noir, cabernet-sauvignon et pineau d'Aunis compose un vin d'abord timide sous sa robe rose orangé brillant, mais qui révèle à l'aération des arômes de brioche, de fleurs et de fruits exotiques. Tendre et harmonieux, il demande à être débouché quelques heures avant le service pour mieux s'exprimer.

➴ SCEA Dom. des Noëls,
Les Noëls, 49380 Faye-d'Anjou,
tél. 02.41.54.18.01, fax 02.41.54.30.76
☑ ☎ t.l.j. 8h-12h30 14h-18h; f. 15-30 août
➴ J.-M. Garnier

CH. DE PASSAVANT 2001★

■   4 ha   27 000   ▮▸ 5 à 8 €

Passavant, château fort du Xᵉs., fait sa petite révolution en convertissant son vignoble à l'agriculture biologique depuis 1998. Son rosé donne une impression de fraîcheur par ses arômes d'agrumes comme par sa légère vivacité. Sa jolie couleur saumonée limpide rappelle l'été, à l'instar de la finale de fruits frais. Installez-vous sur votre terrasse pour profiter des derniers jours de soleil.

➴ SCEA David-Lecomte, Ch. de Passavant, rte de Tancoigne, 49560 Passavant-sur-Layon,
tél. 02.41.59.53.96, fax 02.41.59.57.91,
e-mail passavant @wanadoo.fr ☑ ☎ r.-v.

DOM. SAINT-ARNOUL 2001★★

■   2 ha   4 000   ▮▸ 3 à 5 €

Georges Poupard, fondateur de ce domaine, a pris sa retraite en l'an 2000. L'exploitation de 25 ha est maintenant dirigée par son fils, Alain Poupard, qui l'avait rejoint dès 1986, et par Xavier Maury, œnologue. Classique de l'appellation, ce rosé l'est tout autant par sa robe pâle à reflets orangés, brillante, par ses arômes délicats de fruits, de brioche, que par sa bouche à la fois tendre et fraîche.

➴ GAEC Poupard et Maury, Dom. Saint-Arnoul,
Sousigné, 49540 Martigné-Briand,
tél. 02.41.59.43.62, fax 02.41.59.69.23,
e-mail saint-arnoul @wanadoo.fr ☑ ☎ ☎ r.-v.

DOM. DES TROTTIERES 2001

■   24,29 ha   182 000   ▮▸ 3 à 5 €

En face du célèbre cru de Bonnezeaux, ce domaine a été créé en 1905 (110 ha d'un seul tenant) sur les collines graveleuses de la rive gauche du Layon. Il s'est principalement tourné vers la production de vins rosés qui lui valent de nombreuses apparitions dans le Guide. Son 2001 rose intense aux reflets rouge cerise mêle avec légèreté les fruits rouges (fraise) et les fleurs, avant de proposer beaucoup de fraîcheur. A boire tout au long d'un repas.

➴ Dom. des Trottières, Les Trottières,
49380 Thouarcé, tél. 02.41.54.14.10, fax 02.41.54.09.00,
e-mail lestrottieres @worldonline.fr ☑ ☎ r.-v.
➴ Lamotte

CH. DE LA VIAUDIERE 2001★

■   1 ha   7 000   ▮▸ 3 à 5 €

Dans cet endroit où l'on cultive la vigne depuis 1650, une réplique d'une statue de 3 m de haut, dont l'original se trouve sur le fronton de la cathédrale d'Angers du XVIᵉs., accueille le visiteur. Son dessin figure en outre sur l'étiquette de ce rosé presque aérien, qui dispense de subtils arômes de genêt, de fleurs blanches, de fruits exotiques et d'agrumes. L'impression de fraîcheur vient non seulement des flaveurs de fruits frais, mais aussi d'un léger perlant qui aiguise les papilles.

➴ EARL Vignoble Gélineau, la Viaudière,
49380 Champ-sur-Layon, tél. 02.41.78.86.27,
fax 02.41.78.60.45, e-mail gelineau @wanadoo.fr
☑ ☎ t.l.j. sf dim. 9h-12h30 14h-18h

DOM. DE LA VILLAINE 2001

■	2 ha	3 000	⬛↓	3 à 5 €

Plusieurs propriétés ont été réunies en 1970 pour créer ce domaine, repris en 1997, par P. Batail et J.-P. Carré. Tous deux proposent aujourd'hui un vin léger, sentant les fleurs et les agrumes, avec une petite vivacité finale.

☛ GAEC des Villains, La Villaine, 49540 Martigné-Briand, tél. 02.41.59.75.21, fax 02.41.59.75.21 ☑ ⵏ r.-v.

Crémant de loire

Ici encore, l'appellation régionale peut s'appliquer à des vins effervescents produits dans les limites des appellations anjou, saumur, touraine et cheverny. La méthode traditionnelle fait ici merveille ; la production de ces vins de fête atteint 31 947 hl en 2001. Les cépages sont nombreux : chenin ou pineau de Loire, cabernet-sauvignon et cabernet franc, pinot noir, chardonnay, etc. Si la plus grande part de la production est constituée de vins blancs, on trouve aussi quelques rosés.

BARONNIE D'AIGNAN 1998*

	3 ha	20 500		5 à 8 €

La plus orientale des caves coopératives de Touraine offre, dans une robe jaune, au nez finement citronné et aux arômes briochés, un vin très charmeur. Une belle réussite où l'on devine l'apport de pinot noir qui sied bien à cette région. La finale d'amande grillée lui donne un air de fête. Profitez-en sans attendre.

☛ Confrérie des Vignerons de Oisly-Thésée, 41700 Oisly, tél. 02.54.79.75.20, fax 02.54.79.75.29 ☑ ⵏ t.l.j. 9h-12h30 14h-18h

DOM. DE LA BESNERIE**

	0,6 ha	3 950	⬛↓	8 à 11 €

L'œil est attiré par la robe or pâle qui laisse deviner que ce vin n'a rien à cacher. Des bulles fines et persistantes. Un belle fraîcheur en bouche où la poire se dispute avec les fruits secs et le pruneau. Voici un vin droit et fier qui n'a pas peur d'affirmer sa provenance : la Loire.

☛ François Pironneau, Dom. de la Besnerie, 41, rte de Mesland, 41150 Monteaux, tél. 02.54.70.23.75, fax 02.54.70.21.89 ☑ ⵏ r.-v.

PAUL BUISSE

	n.c.	10 000		5 à 8 €

Paul Buisse est un ardent défenseur des vins de Loire. Ce crémant de loire à la robe jaune paille lui ressemble. Restez muet, vous dira tout. Un nez de fruits surmûris, beaucoup de rondeur, bien équilibré, c'est un vin de caractère. Le servir avec des toasts chauds aux pruneaux ou à la rillette de Tours.

☛ SA Paul Buisse, 69, rte de Vierzon, BP 112, 41402 Montrichard Cedex, tél. 02.54.32.00.01, fax 02.54.32.09.78, e-mail contact@paul-buisse.com ☑ ⵏ t.l.j. sf sam. dim. 8h30-12h 14h-18h; ven. 8h-12h 14h-17h

CHESNEAU ET FILS 2000*

	0,75 ha	6 700		5 à 8 €

Issu à 100 % de chardonnay, ce crémant jaune d'or offre une mousse fine et des senteurs printanières agréables. Sans vivacité excessive, il présente une réelle harmonie. Une bouteille de caractère.

☛ EARL Chesneau et Fils, 26, rue Sainte-Néomoise, 41120 Sambin, tél. 02.54.20.20.15, fax 02.54.33.21.91, e-mail contact@chesneauetfils.fr ☑ ⵏ r.-v.

DOM. DE LA COUCHETIERE**

	1 ha	3 900	⬛↓	5 à 8 €

Si la création du domaine remonte à quatre générations, le vignoble s'est développé dans les années 1990 seulement ; il couvre aujourd'hui une vingtaine d'hectares. Son vin de couleur pâle, parcouru de bulles vives, possède le charme des vins du Val de Loire : légèreté et finesse. Il pourra accompagner tout un repas, depuis l'apéritif jusqu'au dessert.

☛ GAEC Brault, Dom. de La Couchetière, 49380 Notre-Dame-d'Allençon, tél. 02.41.54.30.26, fax 02.41.54.40.98 ☑ ⵏ t.l.j. sf dim. 8h30-12h30 14h-19h

COURTIOUX 1999*

	1 ha	2 400		5 à 8 €

Pinot noir et pineau d'Aunis sont à l'origine d'un crémant à la mousse fine et persistante. De teinte saumon, celui-ci libère des arômes briochés et délicats, avant de laisser une sensation de souplesse et d'harmonie. Un régal. Cité, le **crémant de loire blanc** pourra être servi à l'apéritif.

☛ Jean-Michel Courtioux, Juchepie, 41120 Chitenay, tél. 02.54.70.42.18 ☑ ⵏ r.-v.

DOM. FARDEAU 1998***

	1 ha	4 000	⬛	5 à 8 €

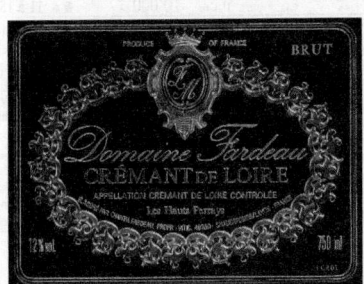

Situé au pied de la corniche angevine, tout près du point de confluence du Layon et de la Loire, ce domaine se distingue par un crémant d'une très belle expression, mêlant les notes empyreumatiques (pain grillé, bois brûlé), la pâtisserie, les fleurs d'aubépine et de tilleul. La même richesse émane de la bouche, délicate et complexe. A servir en toute occasion.

LOIRE

➤ Dom. Chantal Fardeau, Les Hauts Perrays,
49290 Chaudefonds-sur-Layon,
tél. 02.41.78.67.57, fax 02.41.78.68.78 ☑ ⌂ ⵟ r.-v.

XAVIER FRISSANT★

| | n.c. | 5 000 | 8 à 11 € |

L'approche terroir est bien présente dans ce crémant où la Loire apparaît nettement au nez par ses arômes de fruits secs et de pain brioché persistants. La bulle est abondante, fine, et l'on retrouve en finale les nuances du nez.
➤ Xavier Frissant, 1, chem. Neuf, 37530 Mosnes,
tél. 02.47.57.23.18, fax 02.47.57.23.25,
e-mail xavierfrissant@wanadoo.fr
☑ ⵟ t.l.j. sf dim. 8h-12h30 14h-19h

GRATIEN ET MEYER

| | n.c. | 261 976 | ❚↓ 8 à 11 € |

Un crémant de loire qui laisse une impression aérienne tant il est léger et discret. De sa robe jaune pâle se libèrent des notes florales et des nuances végétales, reprises en finale dans le registre des fleurs blanches. La fraîcheur contribue à l'agrément de ce vin.
➤ Gratien et Meyer, rte de Montsoreau,
BP 22, 49401 Saumur Cedex, tél. 02.41.83.13.30,
fax 02.41.83.13.49, e-mail contact@gratienmeyer.com
☑ ⵟ t.l.j. 10h-12h 14h-18h

MLLE LADUBAY

| | n.c. | 139 000 | ❚↓ 5 à 8 € |

Une demoiselle joliment vêtue d'une robe jaune pâle pailletée de vert qui porte comme un bijou ses perles délicates. Gourmande, elle parle de pâtisserie (brioche, pain d'épice) et de miel, et offre un caractère moelleux avenant.
➤ Bouvet-Ladubay, 1, rue de l'Abbaye,
49400 Saint-Hilaire-Saint-Florent, tél. 02.41.83.83.83,
fax 02.41.50.24.32, e-mail bouvet-ladubay@saumur.net
☑ ⵟ t.l.j. 9h-12h 14h-17h30

LANGLOIS-CHATEAU
Quadrille 1995★★

| | n.c. | 10 000 | ❚↓ 11 à 15 € |

Cette Quadrille qui a été élevée cinq ans sur lattes réussit une belle performance. Des bulles fines et persistantes participent au carrousel, ainsi que des arômes de fleurs blanches (aubépine, acacia) et de fruits mûrs. Moelleux et rafraîchissant à la fois, c'est un vin étonnant d'équilibre.
➤ Langlois-Château, 3, rue Léopold-Palustre,
49400 Saint-Hilaire-Saint-Florent, tél. 02.41.40.21.40,
fax 02.41.40.21.49, e-mail contact@langlois.chateau.fr
☑ ⵟ t.l.j. 10h-12h30 14h-18h; f. jan.

LEON LEROI★

| | n.c. | 80 000 | ❚↓ 5 à 8 € |

La maison Lacheteau mérite bien sa réputation de spécialiste des vins effervescents. Elle propose un vin aux bulles délicates, en harmonie avec les reflets dorés et argentés de la robe. Les arômes légers évoquent non seulement les fruits secs mais aussi les fruits mûrs. Ample, gras et persistant, ce crémant trouvera sa place auprès d'un poisson.

➤ SA Lacheteau, ZI La Saulaie,
49700 Doué-la-Fontaine,
tél. 02.41.59.26.26, fax 02.41.59.01.94

LOUIS DE GRENELLE★★

| | n.c. | n.c. | 5 à 8 € |

Fondée en 1859, la maison de Grenelle a assemblé chenin, chardonnay et cabernet pour élaborer un crémant harmonieux qui pourrait paraître discret, mais qui présente un agréable caractère. La légèreté de sa bouche séduit, à l'image de ses notes florales et de ses arômes de pâtisserie.
➤ Caves de Grenelle, 20, rue Marceau, BP 206,
49415 Saumur, tél. 02.41.50.17.63, fax 02.41.50.83.65
☑ ⵟ t.l.j. 9h-12h 13h30-17h30

JOSE MARTEAU 2000★★

| | 2,8 ha | 16 000 | 5 à 8 € |

Le soin apporté à la vendange et la longue conservation sur lattes avant commercialisation ne sont pas étrangers à la qualité de cette bouteille. Discrètement citronné et brioché, le nez est annonciateur de plaisir. L'effervescence est légère, et la finale délicatement beurrée est une bonne surprise. Un vin de réception par excellence.
➤ José Marteau, La Rouerie, 41400 Thenay,
tél. 02.54.32.50.51, fax 02.54.32.18.52
☑ ⵟ t.l.j. 8h-12h 13h30-19h

DOM. MICHAUD★★★

| | 1,8 ha | 12 000 | ❚↓ 5 à 8 € |

Thierry Michaud commence à être un habitué du Guide, et sa recherche du terroir en est sûrement l'une des causes. Son crémant de loire a été jugé comme un modèle pour l'appellation. Dans le verre, la fine collerette et la beauté des bulles cherchant à s'évader sont un régal pour les yeux. Une présence forte de fruits mûrs subtilement mêlés invite à en savoir plus. Là, beaucoup de fraîcheur persistante sur une corbeille de fruits pour terminer sur de la figue fraîche. Une réussite indiscutable. Appréciez-le nature à l'apéritif.
➤ EARL Thierry et Dorothée Michaud,
Les Martinières, 41140 Noyers-sur-Cher,
tél. 02.54.32.47.23, fax 02.54.75.39.19 ☑ ⵟ r.-v.

DOM. DE NERLEUX★★

| | n.c. | n.c. | ❚↓ 5 à 8 € |

Issu d'une propriété seigneuriale du XVIe s., ce vin offre un profil aérien. La finesse de sa robe saumonée et cristalline, ses arômes délicats de rose et de fruits mûrs : chaque caractère participe à une impression d'équilibre et de fraîcheur.

🍷 Régis Neau, Dom. de Nerleux,
4, rue de la Paleine, 49260 Saint-Cyr-en-Bourg,
tél. 02.41.51.61.04, fax 02.41.51.65.34,
e-mail contact@domaine-de-nerleux.fr
☑ ⵏ t.l.j. sf dim. 8h-12h30 13h30-18h; sam. 8h-12h30

CH. DE PASSAVANT 1999★

	4 ha	22 000	🍴🍷	5 à 8 €

Le château fort de Passavant, bâtisse du X°s. construite par Foulque Nerra, domine la vallée du Layon qui prend sa source à quelques kilomètres, juste à la limite des départements des Deux-Sèvres et du Maine-et-Loire. Les dégustateurs ont perçu beaucoup d'équilibre et d'élégance dans ce crémant jaune pâle à reflets verts. Les bulles fines et persistantes ajoutent à l'harmonie d'un vin fait pour plaire. A boire dans les deux ans à venir.
🍷 SCEA David Lecomte, Ch. de Passavant,
49560 Passavant-sur-Layon,
tél. 02.41.59.53.96, fax 02.41.59.57.91,
e-mail passavant@wanadoo.fr ☑ ⵏ r.-v.

PRESTIGE DE LA PREVOTE 1999★

	3 ha	10 000		5 à 8 €

Que demande-t-on à un crémant de loire ? Du plaisir, et celui de Serge et Pascal Bonnigal vous en apportera sans restriction. Fines bulles persistantes, belle fraîcheur sur des arômes de poire et d'abricot. La finale est sur des nuances briochées. Que demander de plus ?
🍷 Dom. de la Prévôté, GAEC Bonnigal,
17, rue d'Enfer, 37530 Limeray, tél. 02.47.30.11.02,
fax 02.47.30.11.09 ☑ ⵏ t.l.j. sf dim. 9h-12h 14h-19h

DOM. DE SAINTE ANNE

	2 ha	10 000	🍴	5 à 8 €

Le château de Brissac-Quincé se trouve à quelques kilomètres du domaine situé sur l'une des croupes argilograveleuses les plus élevées de Saint-Saturnin-sur-Loire. Cette commune est réputée pour ses gisements de grès à sabales renfermant de nombreux fossiles. C'est un crémant simple, presque discret que l'on découvre. Les arômes agréablement fruités évoquent la pêche et l'abricot, nuancés de notes fraîches de citronnelle et de touches végétales.
🍷 EARL Brault, Dom. de Sainte Anne,
49320 Brissac-Quincé, tél. 02.41.91.24.58,
fax 02.41.91.25.87, e-mail eva.brault@terre-net.fr
☑ ⵏ t.l.j. sf dim. 9h-12h 14h-19h; sam. 9h-12h 14h-18h

MICHEL SUIRE 1999★

	0,5 ha	4 700	🍴🍷	5 à 8 €

Les côtes calcaires du département de la Vienne constituent le sud du vignoble saumurois. Chenin et chardonnay y ont donné un vin harmonieux, bien représentatif de l'appellation. Jaune pâle à reflets verts, celui-ci laisse s'épanouir de fines bulles en de longs chapelets qui semblent porter les arômes légers de fruits mûrs et de coing. Il possède une vivacité bienvenue, avec une discrète sensation d'amertume en finale.
🍷 Michel Suire, 12, rue des Perrières, Pouant,
86120 Berrie, tél. 05.49.22.92.61, fax 05.49.22.57.56
☑ ⵏ r.-v.

VEUVE AMIOT★★

	n.c.	158 000		5 à 8 €

Remarquée par un saumur très réussi dans cette sélection, la société Veuve Amiot persiste et signe dans la tradition des vins effervescents de qualité avec ce crémant classique de l'appellation. Une effervescence soutenue anime la robe jaune pâle à reflets argentés, tandis que des arômes de brioche, d'agrumes et de fruits secs s'évasent avec subtilité. Un léger moelleux apparaît, dû à un long élevage sur lattes. Un mariage avec un poisson serait heureux.
🍷 Veuve Amiot, BP 67, 49426 Saumur,
tél. 02.41.83.14.14, fax 02.41.50.17.66
☑ ⵏ t.l.j. 9h-17h30; f. oct.-mars

La région nantaise

Ce sont des légions romaines qui apportèrent la vigne il y a deux mille ans en pays nantais, carrefour de la Bretagne, de la Vendée, de la Loire et de l'Océan. Après un hiver terrible en 1709 où la mer gela le long des côtes, le vignoble fut complètement détruit, puis reconstitué principalement par des plants du cépage melon venu de Bourgogne.

L'aire de production des vins de la région nantaise occupe aujourd'hui 16 000 ha et s'étend géographiquement au sud et à l'est de Nantes, débordant légèrement des limites de la Loire-Atlantique vers la Vendée et le Maine-et-Loire. Les vignes sont plantées sur des coteaux ensoleillés exposés aux influences océaniques. Les sols plutôt légers et caillouteux se composent de terrains anciens entremêlés de roches éruptives. Le vignoble produit bon an, mal an, 968 000 hl dans les quatre appellations d'origine contrôlée : muscadet, muscadet des coteaux de la loire, muscadet sèvre-et-maine, et muscadet côtes de grand-lieu, ainsi que les AOVDQS gros-plant du pays nantais, coteaux d'ancenis et fiefs vendéens.

Les AOC du Muscadet et le gros-plant du pays nantais

Le muscadet est un vin blanc sec qui bénéficie de l'appellation d'origine contrôlée depuis 1936. Il est issu d'un cépage unique : le melon. La superficie du vignoble est de 12 908 ha. Quatre appellations d'origine contrôlée sont distinguées suivant la situation géographique et ont produit 640 968 hl de vin en 2001 : le muscadet sèvre-et-maine, qui représente à lui seul 10 137 ha et 492 112 hl, le muscadet côtes de grand-lieu (333 ha et 16 603 hl), le muscadet des coteaux de la loire (317 ha, 16 171 hl) et le muscadet (2 121 ha, 116 082 hl).

Le gros-plant du pays nantais, classé AOVDQS en 1954, est également un vin blanc sec. Issu d'un cépage différent, la folle blanche, il est produit sur 2 116 ha en 2001 pour un volume de 151 821 hl.

La mise en bouteilles sur lie est une technique traditionnelle de la région nantaise, qui fait l'objet d'une réglementation précise, renforcée en 1994. Pour bénéficier de cette mention, les vins doivent n'avoir passé qu'un hiver en cuve ou en fût, et se trouver encore sur leur lie et dans leur chai de vinification au moment de la mise en bouteilles ; celle-ci ne peut intervenir qu'à des périodes définies et en aucun cas avant le 1er mars, la commercialisation étant autorisée seulement à partir du troisième jeudi de mars. Ce procédé permet d'accentuer la fraîcheur, la finesse et le bouquet des vins. Par nature, le muscadet est un vin blanc sec, mais sans verdeur, au bouquet épanoui. C'est le vin de toutes les heures. Il accompagne parfaitement les poissons, les coquillages et les fruits de mer, et constitue également un excellent apéritif. Il doit être servi frais, mais non glacé (8-9 °C). Quant au gros-plant, c'est par excellence le vin d'accompagnement des huîtres.

Muscadet

LE MOULIN DE LA TOUCHE
Sur lie 2001

0,8 ha	4 800	🍷	3 à 5 €

Le plus occidental des muscadets du Guide est produit dans la seule partie de l'aire d'appellation qui touche la côte Atlantique. Elégant avec ses reflets verts et son nez expressif de fleurs blanches, il s'affirme dès son attaque franche et se montre bien équilibré.
🍷 Joël Hérissé, Le Moulin de la Touche, 44580 Bourgneuf-en-Retz, tél. 02.40.21.47.89, fax 02.40.21.47.89 ☑ 🍴 r.-v.

DOM. DE LA NOE 2001★★

15 ha	100 000	🍷	- de 3 €

Issu de sols granitiques hors limites de l'aire du sèvre-et-maine, un vin doré qui développe un nez intense et élégant, aux notes de citron, de fleurs et de pomme verte. Non moins puissant en bouche, il montre du gras et de la persistance. Il fera une belle bouteille de garde. Ce grand domaine a produit aussi un **gros-plant du pays nantais 2001** très réussi, souple et marqué en finale par une pointe vive.
🍷 Dom. de la Noë, La Noë, 44690 Château-Thébaud, tél. 02.40.06.50.57, fax 02.40.06.50.57
☑ 🍴 t.l.j. sf dim. 8h-12h30 14h-18h
🍷 Drouard Frères

LA PERRIERE 2001★

2 ha	10 000	🍷	- de 3 €

Les muscadets de propriété, non mis en bouteilles, sur lie de surcroît, ne sont pas si fréquents au beau milieu

de l'aire du sèvre-et-maine. Pourtant, celui-ci est recommandable pour son élégance. Il le sera plus encore après que quelques mois de cave auront atténué sa vivacité. A recommander aussi, le **muscadet sèvre-et-maine sur lie Château la Perrière 2001 (3 à 5 €)**, au nez intense de fruits mûrs souligné de minéral, ample et sec en bouche après une attaque souple. Ce vin est cité.
🍷 Vincent Loiret, Ch. La Perrière, 44330 Le Pallet, tél. 02.40.80.43.24, fax 02.40.80.46.99, e-mail viloiret@wanadoo.fr
☑ 🍴 t.l.j. sf dim. 8h-12h30 14h-19h; f. 10-20 août

DOM. DE LA ROCHE BLANCHE
Sur lie 2001★★

4,25 ha	11 000	🍷	3 à 5 €

Cette importante exploitation de type traditionnel est située dans l'aire du sèvre-et-maine... sauf pour les quelques hectares qui ont produit un vin remarquable au nez comme en bouche. Riche et équilibré, celui-ci développe des arômes minéraux et des notes de pomme verte d'une belle persistance. Bien frais, il possède un net caractère de terroir. Un compagnon pour des poissons en sauce. Le **muscadet sèvre-et-maine sur lie 2001** a été jugé très réussi.
🍷 EARL Lechat et Fils, 12, av. des Roses, 44330 Vallet, tél. 02.40.33.94.77, fax 02.40.36.44.31
☑ 🍴 r.-v.

Muscadet coteaux de la loire sur lie

DOM. DU CHAMP CHAPRON 2001★

30 ha	100 000	🍷	3 à 5 €

Sous la houlette de Carmen Suteau, ce grand domaine de 45 ha, situé à la limite de la Loire-Atlantique, propose un vin bien équilibré et assez vif. Les notes de pain grillé et de pêche de vigne et, plus encore, la pointe minérale finale typique des coteaux de la loire, lui donnent un caractère de terroir. On étoile aussi pour le **gros-plant du pays nantais sur lie 2001**, joyeux et primesautier, souple et fin, qui s'achève sur une même touche minérale.
🍷 EARL Suteau-Ollivier, Dom. du Champ Chapron, 44450 Barbechat, tél. 02.40.03.65.27, fax 02.40.33.34.43, e-mail suteau.ollivier@wanadoo.fr ☑ 🍴 r.-v.

DOM. GUINDON
Sur lie 2001

	3 ha	18 000		5 à 8 €

Aux portes d'Ancenis, sur la rive droite de la Loire, cette propriété propose une gamme de vins étendue. Celui-ci est représentatif de son appellation, moins par son nez d'agrumes et de fruits confits que par sa note caractéristique de pierre à fusil relevée d'une pointe de vivacité au palais.

🏠 Dom. Guindon, La Couleuverdière, 44150 Saint-Géréon, tél. 02.40.83.18.96, fax 02.40.83.29.51 ☑ ⵏ t.l.j. sf dim. 9h-12h 14h-18h

DOM. DU HAUT FRESNE 2001*

	12 ha	40 000		3 à 5 €

Sur les coteaux de la Loire angevine, cette exploitation a produit un vin de terroir très minéral, à l'attaque franche et aux arômes d'abricot et de pêche bien soutenus par la fraîcheur. Retenez aussi le **gamay coteaux d'ancenis rouge 2001** dont la bouche puissante de framboise s'achève sur une note épicée. Ce vin aux tanins fondus obtient une citation.

🏠 GAEC Renou Frères, Dom. du Haut Fresne, 49530 Drain, tél. 02.40.98.26.79, fax 02.40.98.26.79 ☑ ⵏ t.l.j. sf dim. 9h-12h 14h-19h

DOM. DU MOULIN GIRON 2001***

	3,7 ha	6 000		- de 3 €

Produit au pays de Joachim du Bellay, voici un beau vin au nez fin d'agrumes et de fruits à chair blanche. Plutôt souple et friand, avec de la matière et de l'élégance, il développe des arômes à dominante de pêche de vigne. A

servir, comme il se doit, sur un brochet ou un sandre au beurre blanc. Du même domaine, le **gamay coteaux d'ancenis rouge 2001** (3 à 5 €) est cité pour sa bonne expression de fruits rouges.

🏠 EARL Dom. du Moulin Giron, Le Bois Prieur, 49530 Liré, tél. 02.40.09.03.15, fax 02.40.09.07.39 ☑ ⵏ r.-v.
🏠 Allard

DOM. SAIN-MEEN 2001**

	5 ha	30 000		3 à 5 €

Si Pierre Luneau-Papin est installé au Landreau, ce vignoble-ci se trouve au nord de la Loire, sur la commune du Cellier. De ses coteaux pentus au sous-sol de gneiss anatectique à biotite est né un vin très fin, au nez de citron, de pamplemousse et de fruits exotiques. Expressif et vif, ce 2001 est parfaitement typique des coteaux de la loire. Du même producteur, le **muscadet sèvre-et-maine sur lie Clos des Allées 2001** est cité. D'une grande intensité aromatique, il évoque les fruits mûrs et le terroir.

Le Pays nantais

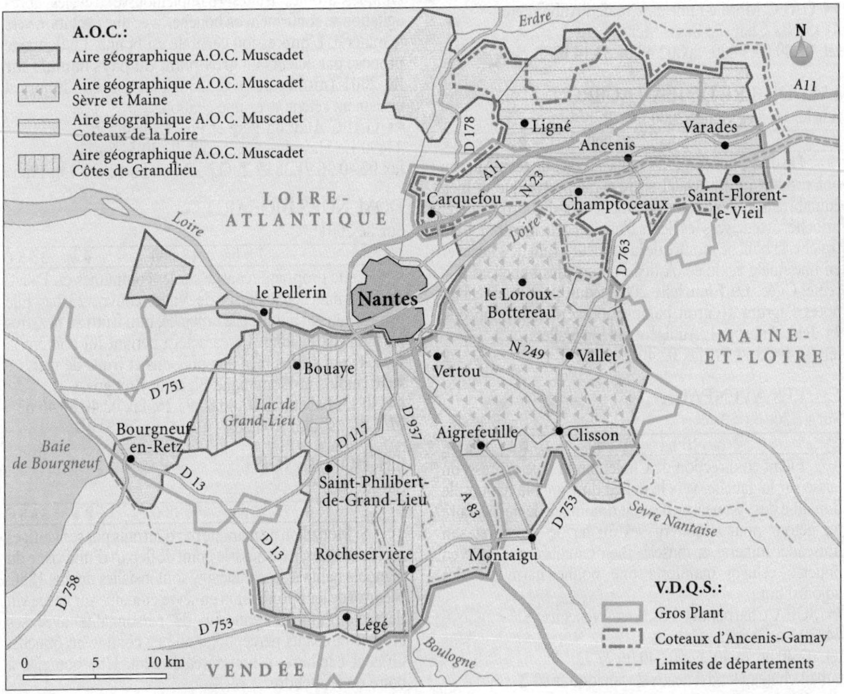

A.O.C. :
- Aire géographique A.O.C. Muscadet
- Aire géographique A.O.C. Muscadet Sèvre et Maine
- Aire géographique A.O.C. Muscadet Coteaux de la Loire
- Aire géographique A.O.C. Muscadet Côtes de Grandlieu

Erdre

N

A11

D 178 • Ligné   Varades

Ancenis

LOIRE-ATLANTIQUE   Carquefou N 23   Champtoceaux   Saint-Florent-le-Vieil

D 763

le Pellerin   **Nantes**   le Loroux-Bottereau

MAINE-ET-LOIRE

• Bouaye   Vertou   N 249 • Vallet

D 751   Lac de Grand-Lieu

Baie de Bourgneuf   Bourgneuf-en-Retz   D 117   D 937   Aigrefeuille   • Clisson

D 13   Saint-Philibert-de-Grand-Lieu

A 83   D 753   Sèvre Nantaise

D 13   Rocheservière   Montaigu

D 758   • Légé   D 753   Boulogne

0   5   10 km   VENDÉE

V.D.Q.S. :
- Gros Plant
- Coteaux d'Ancenis-Gamay
- ---- Limites de départements

LOIRE

🍇 Pierre Luneau-Papin,
Dom. Pierre de La Grange, 44430 Le Landreau,
tél. 02.40.06.45.27, fax 02.40.06.46.62 ☑ ⬥ r.-v.

DOM. DE LA VALLEE 2001

1,15 ha	8 100	⬛⬥	- de 3 €

De passage à Liré, vous visiterez dans une ancienne maison du XVIᵉˢ. le musée consacré au poète Joachim du Bellay. Proche du pont d'Ancenis, le domaine a préféré faire figurer sur son étiquette ce trait d'union entre la Bretagne et l'Anjou. Fruité, son muscadet explose d'arômes en attaque. Il ne manque ni de présence ni de volume.
🍇 EARL Allard-Redureau, La Tranchaie, 49530 Liré, tél. 02.40.09.06.88, fax 02.40.09.03.04
☑ ⬥ t.l.j. sf dim. mar. 8h-20h

Muscadet sèvre-et-maine

CH. DE L'AUBERDIERE
Sur lie 2001★

n.c.	n.c.	⬛⬥	- de 3 €

Le confluent de la Loire et de la Divatte marque la pointe nord du Sèvre-et-Maine. C'est là que l'Auberdière a produit un vin perlant et très aromatique, qui évoque le fruit mûr, les agrumes, les fleurs, avec une pointe minérale. De style classique, ce 2001 pourra patienter en cave.
🍇 GAEC Morille-Luneau, Ch. de l'Auberdière, 44450 La Chapelle-Basse-Mer, tél. 02.40.06.34.09, fax 02.40.06.33.14 ☑ ⬥ r.-v.

L'AUDIGERE DE JEAN AUBRON
Sur lie Vieilles vignes 2000

6 ha	40 000	⬛⬥	5 à 8 €

De trente ans d'âge, les vieilles vignes de Jean Aubron ont produit un muscadet sèvre-et-maine typique et bien équilibré. Son nez d'intensité moyenne, d'abord fruité et brioché, évolue vers les fleurs blanches et le menthol. Bien fraîche, la bouche montre de la rondeur avant de s'achever en une finale acidulée. A déguster sur des bouchées à la reine. Citée, **La Fleurielle 2001** séduit par ses agréables notes d'agrumes (citron, pamplemousse) bien prononcées.
🍇 Jean Aubron, L'Audigère, 44330 Vallet, tél. 02.40.33.91.91, fax 02.40.33.91.31 ⬥ r.-v.

CH. LES AVENEAUX
Sur lie 2001

10 ha	70 000	⬛⬥	3 à 5 €

Filant en direction de Cholet par la voie express, on laisse sur la gauche, vers le milieu du vignoble nantais, le domaine des Aveneaux. Il serait dommage de ne pas faire un détour pour découvrir ses 30 ha de vignes et son muscadet minéral et musclé. Bien équilibré et ample en bouche, celui-ci manifeste une bonne harmonie dès aujourd'hui.
🍇 SCEA Charpentier Fils, Les Aveneaux, 44330 La Chapelle-Heulin, tél. 02.40.06.74.40, fax 02.40.06.77.72, e-mail chateau-les-aveneaux@wanadoo.fr ☑ ⬥ r.-v.

CLOS DES BARILLIERES
Sur lie 2001

4,5 ha	8 000	⬛	3 à 5 €

Le domaine de Pierre-Henri Grégoire (21 ha) s'étend sur trois communes le long des rives de la Sanguèze. Le clos des Barillières se trouve un peu en amont de Mouzillon. Il a produit un vin à la couleur jaune pâle, discret dans son expression aromatique mais agréable. La bouche bien typée, souple et grasse, bénéficie d'une bonne longueur.
🍇 Pierre-Henri et Patricia Grégoire, Les coteaux de la Sanguèze, Beauregard, 44330 Mouzillon, tél. 02.40.36.45.64, fax 02.40.36.45.63 ☑ ⬥ r.-v.

DOM. DE BEAU-LIEU
Sur lie 2001

7,5 ha	53 000	⬛⬥	3 à 5 €

Nez intéressant que celui de ce vin : intense et suave, il évoque les fleurs blanches (jacinthe, aubépine) avant d'évoluer vers un caractère minéral. La bouche fraîche et ample confirme une bonne impression, malgré une légère vivacité non encore fondue en finale. Il faudra patienter quelques mois pour découvrir un 2001 au meilleur de son potentiel.
🍇 GAEC Travers Fils, dom. de Beau-lieu, La Fosse, 44330 Vallet, tél. 02.40.33.91.58, fax 02.40.33.91.58 ☑ ⬥ r.-v.

DOM. BEL-AIR
Sur lie 2001

23 ha	124 000	⬛⬥	3 à 5 €

Au nord de La Haye-Fouassière, ce domaine a produit un vin intense à l'œil, au nez et en bouche. Les typiques arômes fruités (pamplemousse) révélés après agitation se confirment en bouche, avec une évolution vers le minéral. L'impression générale est bonne. Le domaine propose par ailleurs un **gros-plant du pays nantais sur lie 2001 (moins de 3 €)**, souple et fin, que le jury a également retenu avec une citation.
🍇 GAEC Audrain Père et Fils, Caillaudière, 44690 La Haye-Fouassière, tél. 02.40.54.84.11, fax 02.40.36.91.36 ☑ ⬥ t.l.j. sf dim. 8h-12h30 14h-19h

DOM. NOES BIGEARD
Sur lie 2001★★

2,8 ha	13 000	⬛⬥	3 à 5 €

Cette propriété répartie sur les communes du Pallet, de La Chapelle-Heulin et de Vallet couvre 23 ha. Elle propose un vin d'une belle brillance, tutti frutti au nez, très harmonieux et long. Le caractère perlant lui confère la vivacité qui sied si bien aux poissons et fruits de mer.
🍇 Claudine et Dominique Bigeard, Brétigné, 44330 Le Pallet, tél. 02.40.80.95.26, fax 02.40.80.46.62 ☑ ⬥ t.l.j. sf dim. 10h-20h

CH. BOIS BENOIST
Sur lie 2001★★

n.c.	12 000	⬛⬥	5 à 8 €

Si Mouzillon ne manque pas d'attraits par ses vestiges préhistoriques, il est aussi le point de départ d'une visite du vignoble nantais. Les Luneau y sont installés depuis 1886. Fleuron de leur production en sèvre-et-maine sur lie, ce vin de terroir affiche beaucoup de personnalité avec ses arômes puissants perceptibles au nez comme en bouche. Gras et équilibré, il finit agréablement. Une bouteille à boire ou à attendre.

Christian et Pascale Luneau,
Le Bois-Braud, Mouzillon, 44330 Vallet,
tél. 02.40.33.93.76, fax 02.40.33.64.19 ☑ ⌶ r.-v.

DOM. BONNETEAU-GUESSELIN
Sur lie 2001

2,7 ha	6 000	▮▮	3 à 5 €

Ce domaine qui compte aujourd'hui 21 ha avait été offert en cadeau de mariage aux trisaïeuls d'Olivier Bonneteau-Guesselin. Typé muscadet, avec un léger caractère de terroir, son vin, issu d'un sol d'orthogneiss, développe un nez franc de fruits blancs soulignés d'un accent minéral. Bien équilibré avec de la matière et du gras, il accompagnera joliment des langoustines.

EARL Bonneteau-Guesselin,
La Juiverie, 44690 La Haye-Fouassière,
tél. 02.40.54.80.38, fax 02.40.36.91.17 ☑ ⌶ r.-v.

CH. DE LA BOTINIERE
Sur lie★

47 ha	260 000	▮▮	- de 3 €

Cette vaste propriété valletaise de 51 ha propose un vin au nez complexe de fruits mûrs, un peu minéral. Bien charpenté, celui-ci révèle de la rondeur, rafraîchie par des arômes d'agrumes avant une finale longue et acidulée. Il devrait bien vieillir, car il a de la matière.

Ch. de la Botinière, 44330 Vallet,
tél. 02.40.06.73.83, fax 02.40.06.76.49 ☑ ⌶ r.-v.

Jean Beauquin

CH. BRAIRON
Sur lie 2001

1,4 ha	9 000	▮▮	3 à 5 €

Jadis vaste domaine prestigieux, le château Brairon avait été ruiné par le phylloxéra. Il reprend vie depuis une dizaine d'années, et a produit ce vin bien fait et typique, à l'attaque percutante, qui évolue dans la plénitude. Soutenu par une belle structure, il présente en outre une vivacité suffisante. La propriété compte une dépendance sur la commune du Bignon, le Fief de l'Ancruère. Le **muscadet Fief de l'Ancruère 2000, élevé en fût de châtaignier**, est typique et bien acidulé ; le bois, d'abord très discret, ne s'impose qu'en fin de bouche. Une citation lui est accordée.

Serge et Brigitte Méchineau,
Le Châtelier, 44690 Château-Thébaud,
tél. 02.40.06.51.21, fax 02.40.06.57.76,
e-mail serge.mechineau@free.fr ☑ ⌶ r.-v.

DOM. DE LA BRETONNIERE
Sur lie Vieilli en fût de chêne 2000

0,2 ha	1 000	▯▮	3 à 5 €

Ce vin rare célèbre un bon mariage entre le bois (dix mois d'élevage) et le fruit : à un premier nez boisé et vanillé succèdent bientôt des notes de fleurs blanches. Vif en attaque, acidulé en finale, il gagnera à patienter quelques mois, le temps de laisser se fondre les tanins de la barrique qui accentuent aujourd'hui son côté sec. Il accompagnera alors des crustacés en sauce.

GAEC Joël et Bertrand Cormerais,
La Bretonnière, 44690 Maisdon-sur-Sèvre,
tél. 02.40.54.83.91, fax 02.40.36.73.45
☑ ⌶ t.l.j. sf dim. 8h-20h

CH. DE BRIACE
Sur lie 2001★★

9,7 ha	60 000	▮▮	5 à 8 €

Les lecteurs du Guide connaissent la remarquable régularité des vins produits par le grand lycée viticole privé de Briacé. Ses pratiques de lutte intégrée et de vendanges manuelles, qui lui ont valu l'agrément Terra Vitis, sont aujourd'hui récompensées par un vin d'une grande harmonie. Parfaitement typique du muscadet, celui-ci affiche des reflets verts et un nez minéral annonciateurs d'une bouche vive et longue. Du même domaine, le **gros-plant du pays nantais sur lie 2001 (3 à 5 €)** est cité pour son caractère floral et son équilibre typique.

AFG Ch. de Briacé, Lycée de Briacé,
44430 Le Landreau, tél. 02.40.06.49.16,
fax 02.40.06.46.15 ☑ ⌶ r.-v.

Province France

CH. LA CARIZIERE
Sur lie Clos du Château de la Carizière 2000★

4,25 ha	12 000	▮▮	5 à 8 €

Ce vin charpenté, présenté en bouteille de verre lourd, provient de vignes sexagénaires. Ses arômes de poire bien marqués au premier nez évoluent ensuite vers les fruits confits et l'abricot sec puis, en bouche, vers le miel et la cire. Surmaturité ? Peut-être, mais sa fraîcheur reste intacte.

Dom. Joseph Landron, Les Brandières,
44690 La Haye-Fouassière,
tél. 02.40.54.83.27, fax 02.40.54.89.82 ☑ ⌶ r.-v.

VIGNOBLE DU CHATEAU DES ROIS
Sur lie 1997★

6 ha	30 000	▮▮	3 à 5 €

Ce domaine familial a délibérément choisi la fidélité aux méthodes ancestrales ; en particulier, il renonce au levurage pour préserver l'expression du terroir. Successeur du 96 salué d'un coup de cœur dans le Guide 2002, son 97 (très bonne année pour les muscadets de Mouzillon) s'ouvre sur une matière harmonieuse, assez ronde, relevée par un léger perlant, et développe des notes fruitées. Assez long, il dévoile une pointe de vivacité en finale. Du même producteur, le **Domaine du Haut Coudray 2001** est cité : encore un peu timide, ce vin de terroir, très pomme verte, paraît prometteur.

EARL Gilbert Ganichaud et Fils,
9, rte d'Ancenis, 44330 Mouzillon,
tél. 02.40.33.93.40, fax 02.40.36.38.79,
e-mail ganichaud@wanadoo.fr
☑ ⌶ t.l.j. 8h-12h30 14h-19h

DOM. DES CHATELIERES
Sur lie 2001★★

2,9 ha	17 500	▮▮	3 à 5 €

Dans l'ancien village du Loroux-Botterau, où l'on peut encore voir une partie du donjon d'un château, et admirer les fresques du XII[e]s. de l'église, Louis et Denis Luneau sont les héritiers d'un vignoble créé en 1648. Leur vin, issu d'un sol de gneiss et de micaschistes, ne se signale pas tant par son nez, léger, minéral et floral que par sa bouche longue, riche et structurée. Le dégustateur y perçoit du volume et de la matière. Ce 2001 mérite d'attendre un peu pour exprimer pleinement le caractère de son terroir.

LOIRE

DOMAINE DES CHATÉLIÈRES
MUSCADET SÈVRE & MAINE
2001 SUR LIE 2001

↩ Louis et Denis Luneau, La Bécassière,
44430 Le Loroux-Bottereau,
tél. 02.40.03.79.81, fax 02.40.03.76.73 ☑ ♈ r.-v.

CH. CHESNAIE MORINIERE
Sur lie 2001★

15,5 ha	33 500		3 à 5 €

Produit d'un sol d'amphibolite et de serpentine, ce vin à la robe brillante présente un original caractère aromatique de fruits exotiques, peut-être accentué par une légère macération pelliculaire. Assez riche, souple et gai, voilà un muscadet sèvre-et-maine bien fait, flatteur et facile à boire dès l'apéritif.
↩ Olivier et Catherine Morinière, 48, La Chesnaie,
44450 Saint-Julien-de-Concelles, tél. 02.40.54.13.13
☑ ♈ r.-v.

CH. LA CHEVALERIE
Sur lie 2001★★

14 ha	69 066		3 à 5 €

Voisine du célèbre château de la Noë Bel Air et du non moins célèbre terroir du Grand Ferré, la Chevalerie a produit un vin printanier, aux arômes de pomme et de poire. Flatteur et bien fait, celui-ci séduira les amateurs de sensations exotiques légères.
↩ Marcelle Rousseau, La Chevalerie, 44430 Vallet,
tél. 02.41.72.89.52, fax 02.41.72.77.13 ☑ ♈ r.-v.

CH. DU CLERAY
Sur lie 2001★★

3 ha	20 000		3 à 5 €

Propriété d'une famille de négociants, le château du Cléray est un grand nom de la frange est du vignoble nantais. Son vin révèle un caractère flatteur, avec ses jolis reflets, son délicat nez fruité et gai, sa bouche à la belle expression de fruits (poire) et de fleurs blanches. On peut, par ailleurs, revenir au **millésime 95 (5 à 8 €)** cité, dont le nez fin et la bouche ronde, fraîche et même encore nerveuse, témoignent d'une grande jeunesse.
↩ SA Sauvion et Fils, Le Cléray, 44330 Vallet,
tél. 02.40.36.22.55, fax 02.40.36.34.62,
e-mail sauvion@sauvion.fr ☑ ♈ r.-v.

DOM. DE LA COGNARDIERE
Sur lie 2001★

17 ha	90 000		3 à 5 €

Beaucoup plus traditionnel que son habillage original créé par la maîtresse de maison, ce muscadet sèvre-et-maine, bien vif en attaque et de bonne longueur, développe des arômes prononcés, classiques. Cousin du précédent et habillé d'une étiquette tout aussi originale, le **Château du**

Hallay 2001, à l'agréable nez de fleurs blanches discrètes, s'annonce bien équilibré et plein de finesse. Il est jugé très réussi.
↩ SCEA Dominique Richard, La Cognardière,
44330 Le Pallet, tél. 02.40.80.42.30, fax 02.40.80.44.37
☑ ♈ r.-v.

COLLECTION MARINE
Sur lie 2001★★

17,36 ha	125 000		3 à 5 €

Généreux, ce muscadet l'est assurément, avec sa robe brillante et perlante, son nez intense et sa bouche ample. Equilibré et harmonieux, il illustre bien le savoir-faire de la maison Sautejeau. Cousin germain du précédent, le remarquable muscadet sèvre-et-maine sur lie **Château de l'Hyvernière 2001 (moins de 3 €)**, deux étoiles, développe une grande puissance et beaucoup de fraîcheur, voire de la vivacité. Autre cousin, destiné à une plus grande diffusion, **Les Caractères 2001** (une étoile) est... comme son nom l'indique : expressif et musclé, dans le genre agréable.
↩ SA Marcel Sautejeau, Dom. de L'Hyvernière,
44330 Le Pallet, tél. 02.40.06.73.83, fax 02.40.06.76.49

BRUNO CORMERAIS
Cuvée des Chefs Haute Expression Granit 1995★

1 ha	3 500		11 à 15 €

Intéressant exercice de style que ce 95 Haute Expression Granit (il vient d'un sous-sol de granite de Clisson), au nez effectivement minéral. Souple et gras en bouche, ce vieux millésime accompagnera bien une viande blanche en sauce. La cuvée **Vieilles vignes 99 (5 à 8 €)** mérite une citation : ronde, assez longue, elle décline des nuances d'acacia.
↩ EARL Bruno et Marie-Françoise Cormerais,
La Chambaudière, 44190 Saint-Lumine-de-Clisson,
tél. 02.40.03.85.84, fax 02.40.06.68.74 ☑ ♈ r.-v.

DOM. DES CORMIERS
Sur lie 2000

4 ha	20 000		3 à 5 €

Peu éloigné du confluent de la Sèvre et de la Maine, ce domaine de 28 ha, créé en 1890, propose un vin au nez expressif de fruits confits et exotiques, soulignés d'une fine minéralité. Ample en attaque et souple, celui-ci évolue vers un caractère acidulé avant de s'achever sur une finale longue d'une vivacité affirmée.
↩ Brigitte et Michel Loiret,
47, rte de La Haie-Fouassière, La Bouteillerie,
44120 Vertou, tél. 02.40.34.28.13, fax 02.40.34.28.13,
e-mail earl.loiret@wanadoo.fr ☑ ♈ r.-v.

HAUTE-COUR DE LA DEBAUDIERE
Sur lie 2001★

12 ha	80 000		3 à 5 €

Sur un coteau découpé au sud par la Sanguèze, propriété de 20 ha tire d'un sol de gabbros semi-précoce, un muscadet sèvre-et-maine très classique, dont le nez complexe révèle d'intéressantes notes minérales. Fruitée et ronde en bouche, cette bouteille convient bien à l'apéritif grâce à sa finale fraîche. A citer, le **gros-plant du pays nantais sur lie 2001** puissant et perlant, au caractère de terroir.
↩ Chantal et Yves Goislot, la Débaudière,
44330 Vallet, tél. 02.40.36.30.73, fax 02.40.36.20.23,
e-mail ycgoislot@aol.fr ☑ ♈ r.-v.

DONATIEN-BAHUAUD
Cuvée des Aigles 2001★

| | n.c. | 130 000 | ▮ | 3 à 5 € |

Sous cette marque très « premier Empire » d'un grand négociant, vous découvrirez un muscadet sèvre-et-maine plutôt charmeur et typique. Au nez élégant de pamplemousse répond une bouche bien équilibrée, tendre et florale. Servez cette bouteille aujourd'hui comme demain en accompagnement d'un poisson grillé.

☛ Donatien-Bahuaud, La Loge, BP 1,
44330 La Chapelle-Heulin,
tél. 02.40.06.70.05, fax 02.40.36.77.11,
e-mail dbahuaud@donatien-bahuaud.fr ☑

DOM. DES DORICES
Sur lie 2001★

| | 8 ha | 50 000 | ▮♨ | 5 à 8 € |

Typique des muscadets d'aujourd'hui, ce vin équilibré, issu d'un sol argilo-schisteux plutôt tardif, développe des arômes intenses de poire, d'ananas et de pamplemousse. Le terroir est bien marqué en fin de bouche. Toujours dans la famille Boullault (mais chez Boullault et Fils, cette fois), le **Château la Touche Cuvée choisie 2001** (3 à 5 €), droit et typé avec son perlant et ses arômes de pierre à fusil, fera un bon muscadet sèvre-et-maine de garde. Il est cité.

☛ Boullault Frères, rte du Puiset-Doré, 44330 Vallet,
tél. 02.40.33.95.30, fax 02.40.36.28.85 ☑ ☒ r.-v.
☛ L. Boullault

CH. ELGET
Sur lie Elevé en fût de chêne 2000★

| | 1 ha | 2 500 | ◫ | 5 à 8 € |

Elget : un nom de fantaisie formé des initiales du propriétaire de ce domaine de 22 ha. Après douze mois d'élevage en fût de chêne de l'Allier et du Centre, ce vin de teinte or dévoile de puissants arômes boisés accompagnés de notes d'agrumes. Bien structuré, ample et gras, il se prolonge sur une agréable finale vive et fumée. Cette bouteille devrait beaucoup gagner dans les mois à venir, une fois que ses tanins se seront bien fondus.

☛ Gilles Luneau, Ch. Elget, Les Forges,
44190 Gorges, tél. 02.40.54.05.09, fax 02.40.54.05.67,
e-mail chateau.elget@wanadoo.fr
☑ ☒ t.l.j. 8h-12h30 14h-19h; sam. dim. sur r.-v.

DOM. DES ENCLOSES
Sur lie 2001★

| | 19,72 ha | 143 589 | ▮♨ | 3 à 5 € |

Le domaine des Encloses (22 ha) est situé sur la rive gauche de la Sèvre (la Minière est l'un des nombreux hameaux de Monnières). Son vin est incontestablement bien fait. Plutôt discret au nez, plus fruité en bouche, frais et perlant, il possède suffisamment de souplesse. Une bonne harmonie générale.

☛ SCEA Dom. des Encloses,
La Minière, 44690 Monnières,
tél. 02.40.54.65.28, fax 02.40.54.65.28 ☑ ▥ ⌂ ☒ r.-v.
☛ Luc Terrien

DOM. DE L'EPINAY
Sur lie 2001★★

| | 1 ha | 6 000 | ▮♨ | 3 à 5 € |

Située au nord-est de Clisson, cette propriété aurait appartenu au XVIᵉ s. à des négociants espagnols. Témoin d'une parfaite maîtrise technique, son vin offre aussi une remarquable typicité. Un agréable perlant est perceptible dans sa robe or pâle à reflets verts, puis un nez fin et léger se découvre, alliant fleurs et fruits. Après une attaque franche, la bouche trouve un bon équilibre entre rondeur et fraîcheur, tout en se prolongeant sur une dominante florale et minérale. Un muscadet dont on ne se fatigue pas, à boire ou à attendre. **L'Espinose 99, vinifié en fût de chêne** (5 à 8 €), est cité pour la coexistence harmonieuse d'un caractère très accentué et d'une fraîcheur acidulée.

☛ EARL Paquereau, l'Epinay, 20, rte de la Sablette,
44190 Clisson, tél. 02.40.36.13.57, fax 02.40.36.13.57,
e-mail paquereau-cyrille@wanadoo.fr
☑ ☒ t.l.j. sf dim. 8h30-18h30

DOM. DE L'ERRIERE
Sur lie Cuvée Prestige 2001★

| | 21,8 ha | 20 000 | ▮♨ | - de 3 € |

Lutte raisonnée et vendanges manuelles : ce domaine proche des marais de Goulaine est attaché à la qualité. En témoigne son muscadet subtil, au nez complexe de fleurs et d'agrumes, dont la bouche citronnée s'achève sur une finale acidulée. Une étoile aussi pour le **gros-plant du pays nantais sur lie Domaine de la Taraudière 2001**, limpide, au nez flatteur et à la bouche équilibrée, qui accompagnera bien les coquillages.

☛ GAEC Madeleineau Père et Fils,
Dom. de L'Errière, 44430 Le Landreau,
tél. 02.40.06.43.94, fax 02.40.06.48.82 ☑ ☒ r.-v.
☛ Jean-Paul et Hervé Madeleineau

DOM. DE L'ESPERANCE
Prestige de l'Espérance Sur lie 2001

| | 2 ha | 6 000 | ▮♨ | 3 à 5 € |

Plus qu'une espérance pour ce vin expressif au caractère de terroir assez net. Ample et puissante, sa bouche révèle des arômes de fruits blancs (pêche), qui répondent harmonieusement aux notes de fruits exotiques perçues à l'olfaction, avant de s'achever sur une touche d'amertume qui devrait s'estomper avec le temps.

☛ GAEC Patrice et Danielle Chesné, L'Espérance,
49230 Tillières, tél. 02.41.70.46.09, fax 02.41.70.46.09
☑ ☒ r.-v.

CH. DE LA FAUBRETIERE
Sur lie 2001★

| | 10 ha | 48 000 | ▮♨ | 3 à 5 € |

Cette propriété de 29 ha située entre La Haye-Fouassière et Vertou n'est qu'à 5 km du château de Goulaine, remarquable à plusieurs titres et notamment pour appartenir à la même famille depuis mille ans. Elle propose un vin aux reflets vifs animé d'un léger perlant. Encore timide, ce 2001 révèle néanmoins des notes de fruits blancs, de buis en fleur et de feuille de genêt. La bouche, vive et fraîche, confirme cette palette en y ajoutant une minéralité harmonieuse.

☛ Patrick Suteau, La Cornillère,
2, rue des Iris, 44690 La Haye-Fouassière,
tél. 02.40.54.81.53, fax 02.40.54.81.53
☑ ☒ t.l.j. sf dim. 8h30-12h30 14h-20h

CH. DE LA FERTE
Sur lie 2001★

| | 3,3 ha | 21 300 | ▮♨ | 3 à 5 € |

Vallet est bien la capitale du muscadet et le village de Bourguignon voisin rappelle l'introduction du cépage melon dans la région nantaise au Moyen Age, après que ce plant eut été banni de Bourgogne et de Franche-Comté. Les Sécher ont élaboré un vin de bonne typicité avec ses arômes de citron et son caractère acidulé accentué en fin de bouche par un léger perlant. Frais et rond à la fois, ce 2001 ne manque pas d'agrément.

☛ Jérôme et Rémy Sécher, La Ferté, 44330 Vallet, tél. 02.40.33.95.54, fax 02.40.33.95.54 ☑ ⵂ r.-v.

DOM. DES FEVRIES
Sur lie 2001★

	2 ha	10 000	☷☖	3 à 5 €

La Févrie est le balcon sur Sèvre de la commune de Maisdon, le bourg lui-même se trouvant côté Maine. Ce domaine de plus de 13 ha propose un vin aux arômes de fleurs blanches intenses, avec une bouche équilibrée, où la légèreté et le fruité sont en harmonie.

☛ Guy Branger, 18, la Févrie, 44690 Maisdon-sur-Sèvre, tél. 02.40.36.90.41, fax 02.40.36.90.41 ☑ ⵂ r.-v.

DOM. DU FIEF DE LA GRAVELLE
Sur lie 2001★

	0,8 ha	6 500	☷☖	5 à 8 €

Malgré son étiquette rétro – des fûts alignés dans un caveau – ce vin est parfaitement contemporain. Après un nez intense à caractère fruité, il séduit par sa franchise dès l'attaque. Bien marqué par le terroir, équilibré, il est animé en finale par une pointe de vivacité. Un dégustateur conseille un accord avec un poisson relevé d'anis.

☛ Jean-François Baron, Le Village-Boucher, 44690 Monnières, tél. 02.40.54.65.34, fax 02.40.54.65.34 ☑ ⵂ r.-v.

FLEURON DES ROCHETTES
Sur lie 2001★

	4 ha	20 000	☷☖	3 à 5 €

Ce vin de prestige d'une exploitation située tout à l'ouest du Landreau dévoile sous une robe d'un jaune pâle brillant un nez de citron vert souligné d'une ligne minérale. Après une belle attaque, la bouche se montre ample et longue, avec une note de terroir. La propriété a produit aussi un **gros-plant du pays nantais sur lie Domaine des Rochettes 2001**, typique par sa couleur pâle et ses fins arômes de fruits blancs. Ce vin est cité.

☛ EARL Jean-Pierre et Eric Florance, Bas-Briacé, 44430 Le Landreau, tél. 02.40.06.43.84, fax 02.40.06.45.66 ☑ ⵂ r.-v.

DOM. DE LA FOLIETTE
Sur lie Tradition Vinifié en fût de chêne 2000★

	2 ha	8 000	⑪	5 à 8 €

Le domaine de la Foliette, créé au XIVᵉs., était autrefois un lieu de festivité, d'où son nom. Fort aujourd'hui de plus de 34 ha, il a élevé pendant neuf mois en fût cet intéressant vin doré qui révèle bien davantage le bois en bouche qu'au nez. Ample et puissant, celui-ci développe des notes de café grillé avant de revenir sur le fruit (plutôt agrumes) en finale.

☛ Dom. de la Foliette, 35, rue de la Fontaine, 44690 La Haye-Fouassière, tél. 02.40.36.92.28, fax 02.40.36.98.16, e-mail domaine.de.la.foliette@wanadoo.fr ☑ ⵂ r.-v.

JOEL FORGEAU
Sur lie Le Coin des Evêques 2001★

	15 ha	50 000	☷☖	5 à 8 €

Au hameau de La Rouaudière, près de Mouzillon, se dresse une croix en souvenir des évêques qui furent massacrés à cet endroit, appelé aujourd'hui « Coin des Evêques », par les révolutionnaires pendant les guerres de Vendée. Cette cuvée rend hommage dans sa robe aux nuances paille. Au nez floral, élégant et fin répond une bouche bien équilibrée, grasse et sans aucune agressivité, une bouteille à boire dès à présent.

☛ Florence et Joël Forgeau, La Rouaudière, 44330 Mouzillon, tél. 02.40.33.95.37, fax 02.40.36.47.33 ☑ ⵂ r.-v.

DOM. DE LA FRUITIERE
Sur lie 2000

	25 ha	50 000	☷☖	3 à 5 €

S'il n'égale pas le 99 qui obtint un coup de cœur du Guide voilà deux ans, ce millésime n'en est pas moins réussi par son nez expressif de fleurs blanches et d'agrumes confits puis par sa bouche ample et suave au caractère de terroir. Voilà un vin harmonieux qui s'accordera bien avec un pain de poisson.

☛ Jean Douillard, Dom. de La Fruitière, 44690 Château-Thébaud, tél. 02.40.06.53.05, fax 02.40.06.54.55 ☑ ⵂ t.l.j. sf sam. 8h-12h30 14h-18h30; sam. 8h-12h30

CH. DE LA GALISSONNIERE
Sur lie Prestige 2001

	15 ha	90 000	☷☖	5 à 8 €

Ce beau domaine a aussi été l'un des premiers jardins botaniques de France au XVIIIᵉs. quand l'amiral Barrin de La Galissonnière, gouverneur du Canada pendant deux ans, y planta toutes sortes de graines recueillies outre-mer. Il se distingue aujourd'hui par un vin élégant aux arômes de fruits frais et de genêt soulignés d'une pointe minérale. Après une attaque acidulée, celui-ci gagne en rondeur. A boire dès à présent.

☛ EARL Vignobles Lusseaud, Ch. de la Galissonnière, 44330 Le Pallet, tél. 02.40.80.42.03, fax 02.40.80.90.27 ☑ ⵂ r.-v.

CLOS DU GAUFFRIAUD
Sur lie 2001★

	0,8 ha	5 000	☷	3 à 5 €

Ce petit clos dont la vendange est vinifiée à part, appartenait autrefois au château de Beauchêne. Son vin, à la fois fruité et floral, rond et puissant, se montre très friand en bouche. Bien soutenu par un côté perlant, il séduit par sa finale équilibrée.

☛ Jean-Luc Viaud, La Renouère, 44430 Le Landreau, tél. 02.40.06.40.65, fax 02.40.06.45.43 ☑ ⵂ t.l.j. sf dim. 9h-12h30 15h30-19h; f. 15-31 août

CH. DES GAUTRONNIERES
Sur lie 2001★

	8,6 ha	59 563	☷☖	- de 3 €

Produit entre La Chapelle-Heulin et Monnières, ce vin présente un nez assez intense où se mêlent les agrumes et les fruits secs (amande). Souple et très rond en bouche, assez riche, il séduit par ses arômes de fruits frais.

☛ Claude Fleurance, Ch. des Gautronnières, 44330 La Chapelle-Heulin, tél. 02.40.06.74.06 ☑ ⵂ r.-v.

DOM. DE LA GRANGE
Sur lie 2001★

	20 ha	40 000	▮▮	5 à 8 €

Au-dessus des méandres de la Sanguèze, la Grange possède un vignoble de 32 ha. Grâce à une technique bien maîtrisée, le domaine a produit un vin au nez floral bien développé. Une bonne matière est perceptible en bouche, relevée d'une note minérale de terroir. Quelques mois de cave effaceront la petite amertume encore présente.
↝ Dominique Hardy, La Grange, 44330 Mouzillon, tél. 02.40.33.93.60, fax 02.40.36.29.79
☑ ☗ ⟁ t.l.j. sf dim. 8h-12h 14h-18h

MANOIR DE LA GRELIERE
Sur lie Vieilles vignes Réserve 2001

	39 ha	200 000	▮▮	5 à 8 €

Ancienne terre noble du domaine royal des ducs de Bretagne, la Grelière déroule ses vignes sur les coteaux de la Sèvre et de la Maine à Vertou. Des vignes de quarante-cinq ans ont produit un vin gai et très vif avec, au nez comme en bouche, des arômes fruités de pêche jaune et d'ananas.
↝ Branger et Fils, Manoir de la Grelière, 44120 Vertou, tél. 02.40.05.71.55, fax 02.40.31.29.39, e-mail branger.vertou@wanadoo.fr ☑ ⟁ r.-v.

FLORENCE ET BENOIT GRENETIER
Sur lie Sélection 2000★★

	1 ha	6 000	▮	3 à 5 €

Les sols de gabbro — une roche éruptive répandue dans la région nantaise — conviennent bien au muscadet. Ce vin, d'une belle limpidité, développe un nez complexe aux notes de pierre à fusil, de fruits mûrs et de viennoiserie. Grasse et ronde, la bouche dominée par le fruit s'achève sur une longue finale. Une bouteille typique de son terroir déjà appréciable, mais qui saura attendre.
↝ Florence et Benoît Grenetier, La Ménardière, 44330 Vallet, tél. 02.40.33.93.30 ☑ ⟁ r.-v.

DOM. DE LA HAIE TROIS-SOLS
Sur lie Sélection Vieilles vignes 2000

	4 ha	5 000	▮▮	5 à 8 €

Jusqu'en 1970, ce domaine entre Maisdon et Saint-Fiacre était voué à la polyculture, avec 7 ha de vignes. Il en compte aujourd'hui 14 ha, mais seuls les ceps sexagénaires sont à l'origine de ce vin au nez typique de citron vert et de fruits secs. Encore très vive, la bouche se montre puissante, tant et si bien que cette bouteille pourra accompagner des viandes blanches en sauce.
↝ Pierrick et Pierre Lebas, La Haie Trois-sols, 44690 Maisdon-sur-Sèvre, tél. 02.40.54.81.04, fax 02.51.71.60.15 ☑ ⟁ r.-v.

DOM. LA HAUTE FEVRIE
Sur lie Excellence Vieilles vignes 2000★

	6,5 ha	25 000	▮▮	5 à 8 €

La Haute Févrie ne badine pas avec l'excellence : ses vieilles vignes de soixante ans sont conduites en lutte intégrée et vendangées à la main. Elles ont donné un vin de terroir, intense, au nez de miel, de fleurs jaunes et de pierre à fusil. Sa grande fraîcheur en bouche est soutenue par une bonne matière et des arômes originaux — le miel déjà perçu à l'olfaction, mais aussi une note de sous-bois.

↝ Claude Branger, Dom. la Haute Févrie, 44690 Maisdon-sur-Sèvre, tél. 02.40.36.94.08, fax 02.40.36.96.69, e-mail haute-fevrie@netcourrier.com ☑ ⟁ r.-v.

DOM. DES HAUTES NOELLES
Sur lie Vieilles vignes 2000★★

	10 ha	38 000	▮▮	3 à 5 €

L'étiquette du vin est décorée d'un voilier de haut bord qui surprend en un lieu bien éloigné de l'Océan. Ce muscadet sèvre-et-maine est néanmoins bien typé, avec ses arômes d'abricot sec, de pêche de vigne complétés d'une note minérale. Ample et puissant en bouche après une attaque élégante, il est loin d'avoir dit son dernier mot et peut encore attendre quelque temps.
↝ Pierre Bertin, Dom. des Hautes Noëlles, 44430 Le Landreau, tél. 06.86.92.29.15, fax 02.40.06.47.90 ☑ ⟁ r.-v.

DOM. DES HAUTS PEMIONS
Sur lie Cuvée Sélection 2001

	3 ha	15 000	▮▮	5 à 8 €

Ce domaine des coteaux de la Sèvre s'étend au pied des moulins de la Bidière et de la Gustais. Il a produit un vin au nez développé de fruits mûrs. Bien fait mais encore en devenir, ce 2001 possède une attaque franche, de la matière et des arômes citronnés de bonne longueur. A découvrir tout au long de l'année 2003.
↝ SCEA Joseph et Christophe Drouard, La Hallopière, 44690 Monnières, tél. 02.40.54.61.26, fax 02.40.54.65.32 ☑ ⟁ r.-v.

DOM. DE L'HERMINE
Sur lie 2001★★★

	8,3 ha	57 466	▮▮	3 à 5 €

Une exploitation de 18 ha qui se trouve à équidistance de la Sèvre et de la Maine. Vous la découvrirez aisément après une visite de Monnières et de son église du XIIᵉs. dont les vitraux évoquent la vigne. Son vin jaune paille brillant charme par son bon équilibre. Rond et léger, plutôt souple mais riche, il emplit bien la bouche de ses arômes d'agrumes frais et d'amande.
↝ SCEA Dom. de l'Hermine, Coursay, 44690 Monnières, tél. 02.40.54.65.28, fax 02.40.06.70.87 ☑ ⟐ ☗ ⟁ r.-v.
↝ Luc Terrien

DOM. LES JARDINS DE LA MENARDIERE
Sur lie 2001★★

	2 ha	10 000	▮	3 à 5 €

Cette propriété est née du regroupement de parcelles exploitées par des vignerons retraités. Son sous-sol de gabbro a donné naissance à un vin limpide, bien présent au nez comme en bouche, qui révèle à la fois un caractère de terroir et une bonne maîtrise technique. Perlant, plutôt floral avec une touche minérale, ce 2001 a du gras, de la vivacité et de la longueur.
↝ Florence et Benoît Grenetier, La Ménardière, 44330 Vallet, tél. 02.40.33.93.30 ☑ ⟁ r.-v.

JAUFFRINEAU-BOULANGER
Sur lie Sélection du Champ Coteau 2001★★

	1,5 ha	5 000	▮▮	3 à 5 €

La Sélection du Champ Coteau ne représente qu'une petite partie de la production du domaine des Bégaudières,

LOIRE

importante exploitation de l'ouest de Vallet, dont le vignoble couvre 39 ha. De teinte dorée, elle développe un nez frais de citron et d'agrumes. Typique et harmonieuse, longue en bouche, elle présente un caractère de maturité, et cette richesse lui permettra d'accepter une garde de deux ans pour mieux accompagner des fromages.

🍷 GAEC Jauffrineau-Boulanger, Bonnefontaine, 44330 Vallet, tél. 02.40.36.22.79, fax 02.40.36.34.90
☑ ⵏ r.-v.

CH. DE LA JOUSSELINIERE
Sur lie 2001★★

	12 ha	70 000	🗐🍷	3 à 5 €

Entre la Loire et les marais de Goulaine, ce château, reconstruit au XIXes. à côté d'une chapelle du XVIIes., préside un vignoble de 20 ha. Il offre dans ce millésime 2001 un vin aux beaux reflets verts et au nez complexe de citron et d'aubépine. Très fruité en attaque (abricot, ananas, mangue), il se prolonge dans une rondeur de bon aloi. Retenez aussi le **gros-plant du pays nantais sur lie 2001** (moins de 3 €), noté une étoile, qui dévoile des arômes de foin et de fruits à chair blanche, du gras et une pointe vive agréable.

🍷 GAEC de la Jousselinière, La Jousselinière, 44450 Saint-Julien-de-Concelles, tél. 02.40.54.11.08, fax 02.40.54.19.90, e-mail muscadetchon@aol.com
☑ ⵏ t.l.j. sf dim. 10h-12h 14h-18h

DOM. DE LA LANDELLE
Sur lie Les Treilles Vieilles vignes 2001★

	1,3 ha	8 000	🗐🍷	3 à 5 €

Les Treilles désigne une parcelle d'un seul tenant plantée de vignes trentenaires sur un terrain schisteux parmi les plus élevés du vignoble nantais. Son vin minéral et fin se montre déjà ample et équilibré ; il est prêt à accompagner des fruits de mer cuisinés.

🍷 Michel Libeau, La Landelle, 44430 Le Loroux-Bottereau, tél. 02.40.33.81.15, fax 02.40.33.85.37, e-mail domainelandelle@libertysurf.fr ☑ ⵏ r.-v.

CH. MAILLON
Sur lie 2001

	4,5 ha	30 000	🗐🍷	- de 3 €

Il est rare de trouver une statue de Louis XVI dans l'Hexagone. Le Loroux-Bottereau a dédié celle qui devance l'église aux 4 500 Lourousains tués pendant les guerres de Vendée. C'est en des temps plus pacifiques qu'à été créé ce domaine en 1860. Fort aujourd'hui de 50 ha, il propose un vin, dont le nez fruité est à la fois intense et complexe, à dominante fruitée (abricot, pêche de vigne). Plutôt rond en bouche, ce 2001 trouve de la fraîcheur dans ses nuances citronnées.

🍷 SARL Albert Poilane, Le Maillon, 44430 Le Loroux-Bottereau, tél. 02.40.33.80.63
☑ ⵏ r.-v.

LES MAITRES VIGNERONS NANTAIS
Sur lie Prestige 2001★

	15 ha	90 000	🗐🍷	3 à 5 €

Le Guide a déjà signalé le travail de qualité accompli par la petite coopérative des Maîtres vignerons nantais. Ce vin jaune pâle limpide livre un nez légèrement floral qui s'accorde harmonieusement avec la bouche équilibrée, riche et longue, à laquelle une note acidulée donne du relief. Un autre **muscadet sèvre-et-maine sur lie, le Sélection Terroir La Chapelle-Heulin 2001** est cité pour son intéressant nez d'aubépine et d'agrumes, ponctué d'une note empyreumatique, et pour son équilibre.

🍷 SC Les Maîtres Vignerons nantais, L'Echasserie, 44330 Vallet, tél. 02.40.80.95.64, fax 02.40.80.99.81

DOM. MARTIN-LUNEAU 2001★★

	1 ha	7 000	🗐🍷	3 à 5 €

Ce domaine de 30 ha se répartit sur les communes de Gorges, de Clisson (jolie cité médiévale à l'architecture italienne) et de Mouzillon. De teinte pâle, son vin, issu d'un terroir au sous-sol de gabbro, typique de la région, se montre élégant par ses parfums légèrement citronnés. Il présente en outre un bon équilibre entre gras et vivacité, tout en gardant une ligne aromatique bien présente. A savourer à l'apéritif ou en accompagnement d'un poisson au beurre blanc. La **cuvée Tradition 2001** est, quant à elle, citée.

🍷 Martin-Luneau, Le Magasin, 44190 Gorges, tél. 02.40.54.38.44, fax 02.40.54.07.23
☑ ⵏ t.l.j. sf dim. 8h-12h30 14h-19h

DOM. DE MONTIFAULT
Sur lie Elevé en fût de chêne neuf 1998★★

	0,5 ha	2 000	🍶	5 à 8 €

Ce vin est une curiosité, ne serait-ce que par le nombre de bouteilles disponibles. Le passage en fût de chêne lui a légué une intense robe dorée et des arômes complexes, évoluant sans cesse, parmi lesquels l'on devine la violette, la vanille et le miel. Enveloppant, il montre beaucoup de puissance en fin de bouche. A vin original, accord original : essayez-le sur un plat épicé... et même sur un foie gras.

🍷 Caroline Barré, Montifault, 44330 Le Pallet, tél. 02.40.80.40.62, fax 02.40.80.43.17, e-mail montifault@wanadoo.fr ☑ ⵏ r.-v.

DOM. DU MOULIN CAMUS 2001

	9,16 ha	30 000	🗐🍷	3 à 5 €

Sur des sols de gabbro et de micaschistes, ce domaine a produit un vin au nez ouvert sur la pomme verte. Puissant, son 2001 montre un agréable caractère minéral. A sa bonne attaque répond une longueur suffisante.

🍷 EARL Huteau-Hallereau, 41, rue Saint-Vincent, 44330 Vallet, tél. 02.40.33.93.05, fax 02.40.36.29.26
☑ ⵏ r.-v.

DOM. DES MOULINS D'ASTREE
Sur lie 2001★

	3 ha	12 000	🗐🍷	3 à 5 €

Un vin au nom bucolique qui est bien fait et flatteur. Jaune pâle à reflets verts, il laisse percevoir de fines perles dans le verre. Frais et acidulé, il manifeste une bonne ampleur en bouche en développant des nuances de poire et d'amande. Une bouteille pour l'apéritif.

➤ Jean-Daniel Bretaudeau,
28, rue de la Poste, 44690 Monnières,
tél. 02.40.54.60.04, fax 02.40.54.66.38 ☑ ☥ r.-v.

DOM. DE LA MOUTONNIERE
Sur lie 2001★★

	7 ha	30 000	▇♨	3 à 5 €

Ce domaine personnel de l'un des grands négociants
du vignoble nantais propose un vin de bonne typicité, au
nez de terroir et de fleurs blanches. Bien équilibré, relevé
d'une perle qui accentue sa fraîcheur, celui-ci pourra
patienter en cave quelques mois. Le **Soleil nantais 2001**,
marque de la maison Guilbaud Frères, dans sa bouteille
spéciale nantaise, est cité pour son caratère floral et sa
richesse en bouche.
➤ Guilbaud Frères, Les Lilas, 44330 Mouzillon,
tél. 02.40.36.30.55, fax 02.40.36.36.35,
e-mail guilbaud-muscadet@wanadoo.fr ☑ ☥ r.-v.

DOM. DES NOES
Sur lie 2001

	7 ha	38 000	▇♨	3 à 5 €

Le Pallet – dont le nom vient de *palatium*, palais –
possède un riche musée du Vignoble nantais qui évoque
également la philosophie de Pierre Abélard, natif de cette
ville. Le domaine des Noës, fort de 20 ha, y est installé.
Minéral, son vin, issu d'un sous-sol de silice et de granite,
se développe avec souplesse dès l'attaque, puis prend plus
d'ampleur comme pour mieux se prolonger en finale.
➤ EARL Dom. des Noës, Bretigné, 44330 Le Pallet,
tél. 02.40.80.98.90, fax 02.40.80.48.11 ☑ ☥ r.-v.
➤ Agoulon

EXCELLENCE NOUET
Sur lie 2001

	2,65 ha	14 000	▇♨	3 à 5 €

Une cuvée à l'étiquette Arts Déco qui est le haut de
gamme d'un domaine situé au centre du triangle formé par
Le Pallet, La Haye-Fouassière et La Chapelle-Heulin. A
dominante citronnée, avec un soupçon de bonbon anglais,
elle développe des arômes puissants confirmés en bouche.
L'équilibre général est très satisfaisant.
➤ Jean-Claude et Pierre-Yves Nouet,
1, imp. des Pressoirs, La Cognardière, 44330 Le Pallet,
tél. 02.40.80.41.72, fax 02.40.80.41.72,
e-mail nouetjc@aol.com ☑ ☥ r.-v.

CH. L'OISELINIERE DE LA RAMEE
Sur lie 2001

	10 ha	50 000	▇	5 à 8 €

Cette Oiselinière-ci est fort bien située au-dessus de la
dernière boucle de la Sèvre, avant son confluent avec la
Maine. Le château, ancienne maison bourgeoise, était
autrefois un lieu de villégiature. Son vin riche, à l'attaque
souple, peu vif, développe des arômes d'ananas et de
banane. A boire sur des crustacés.
➤ Bernard Chéreau, 2, imp. Port-de-la-Ramée,
Ch. de L'Oiselinière, 44120 Vertou, tél. 02.40.54.81.15,
fax 02.40.03.19.32, e-mail bernard.chereau@wanadoo.fr
☑ ☥ t.l.j. sf dim. 9h-18h

DOM. DES ORMIERES
Sur lie 2001★

	1,7 ha	11 800	▇♨	3 à 5 €

Sise au nord-ouest du bourg de Maisdon, cette
propriété a produit un vin dont le nez floral, intense et

flatteur, invite à poursuivre la dégustation. Une juste
pointe de perlant assure une bonne attaque en bouche,
prélude à une expression aromatique bien équilibrée et
persistante.
➤ EARL Didier Branger, Le Gast,
44690 Maisdon-sur-Sèvre,
tél. 02.40.03.82.14, fax 02.40.03.82.14 ☑ ☥ r.-v.

DOM. DU PARADIS
Sur lie 2001

	20 ha	102 000	▇	3 à 5 €

Quand on habite un village appelé Paradis, il est bien
naturel d'en donner le nom à son vin. Ce dernier, jaune
pâle à reflets verts, retient l'attention par son nez complexe
de terroir et de fleur d'aubépine, puis par sa finale
citronnée tirant vers le bonbon anglais.
➤ EARL Claude Vicet, Le Paradis,
44690 La Haye-Fouassière, tél. 02.40.36.95.71
☑ ☥ r.-v.

DOM. DES PELERINS
Sur lie Souverain 2001★

	5,5 ha	110 000	▇♨	3 à 5 €

Belle stabilité pour des « Pèlerins », puisque le domaine est exploité par la famille Guérin depuis 1795. Cette
cuvée se signale par un nez intense, minéral, ponctué d'une
note de genêt. La bouche évolue vers les fruits secs
(abricot, raisin) ; un fort perlant lui confère de la vivacité.
Vivacité toujours pour la cuvée **Souverain 2000**, citée
pour l'ampleur et la richesse qu'elle dévoile sous une robe
dorée.
➤ Philippe Guérin, Dom. des Pèlerins, 44330 Vallet,
tél. 02.40.36.37.34, fax 02.40.36.40.73,
e-mail contact@domaine-pelerins.com ☑ ☥ r.-v.

DOM. DES PERRIERES
Sur lie 2001

	4,3 ha	30 000	▇♨	- de 3 €

Proche du moulin du Pé, l'un des meilleurs points de
vue sur le vignoble nantais, ce domaine a produit un vin à
la belle couleur dorée, légèrement ouvert sur le fruit. Très
aromatique en bouche, celui-ci s'anime d'une légère pointe
de vivacité en milieu de bouche.
➤ Daniel Pineau, La Martelière,
44430 Le Loroux-Bottereau,
tél. 02.40.33.81.82, fax 02.51.71.96.87 ☑ ☥ r.-v.

CH. DE LA PINGOSSIERE
Sur lie Tête de cuvée 2001★

	12 ha	40 000	▇⏍♨	5 à 8 €

« Ni vanité ni foiblesse » : telle est la devise de La
Pingossière. Comprenons : ni vanité pour le coup de cœur
de l'an dernier, ni « foiblesse » pour ce 2001 harmonieux,
à la robe pâle, dont la bouche donne bien la réplique au nez
dans une tonalité minérale.
➤ Guilbaud-Moulin, 1, rue de la Planche,
44330 Mouzillon, tél. 02.40.36.30.55, fax 02.40.36.36.35
☑

CH. PLESSIS-BREZOT
Sur lie Elevé en fût de chêne 2000★

	25 ha	30 000	⏍	3 à 5 €

Un bon exemple de muscadet élevé en fût avec ce
2000 proposé par un domaine qui domine la vallée de la
Sèvre : le boisé laisse toute sa place au vin. Après un nez

complexe de grillé et de brioche, soutenu par une note de silex et une fraîcheur citronnée, la bouche apparaît souple. Si elle est marquée par les arômes de chêne à l'attaque, sa structure et sa concentration laissent bientôt un sentiment de plénitude.

☛ Ch. Plessis-Brézot, 44690 Monnières, tél. 02.40.54.63.24, fax 02.40.54.66.07, e-mail a.calonne@online.fr
☑ 🏠 🏠 ⲓ t.l.j. 8h-12h 14h-20h

LES PRINTANIERES
Sur lie 2001

		n.c.	110 000	🖩♦	3 à 5 €

Elevé par la maison Barré plus que centenaire, ce 2001 brillant et perlant développe un nez expressif à dominante de fleurs blanches. Bien équilibré, il dévoile, après une bonne attaque, du gras et du volume. Egalement cité, l'intéressant **muscadet sèvre-et-maine sur lie Célébration 2000 (8 à 11 €)**, élevé en fût, est bien typé malgré la dominance du bois ; quelques mois d'attente devraient permettre au vin de reprendre le pas sur les tanins.

☛ GMBS Barré Frères, Beau-Soleil, BP 10, 44190 Gorges, tél. 02.40.06.90.70, fax 02.40.06.96.52
☑ ⲓ t.l.j. sf sam. dim. 8h-12h30 14h-18h
☛ Guilbaud

DOM. DE LA PROUTIERE
Sur lie Cuvée royale 2001★★

	4 ha	12 000		🖩♦	3 à 5 €

Entre Gorges et Mouzillon, c'est-à-dire sur la rive droite de la Sèvre, ce domaine de près de 26 ha propose une cuvée d'abord timide mais qui s'ouvre progressivement pour révéler une grande richesse. Sa puissance se confirme en bouche avec une belle attaque et une finale qui séduit les papilles. Il y a juste ce qu'il faut de perlant pour soutenir le fruité. Un vin de terroir, minéral, qui patientera volontiers quelques mois.

☛ GAEC Claude Blanchard et Fils, 4, Le Quarteron, 44190 Gorges, tél. 02.40.54.07.82, fax 02.40.36.01.76
☑ ⲓ r.-v.

DOM. DU RAFOU
Sur lie Clos de Béjarry 2000★

	1 ha	5 000		🖩♦	5 à 8 €

Issu d'une parcelle au sous-sol de gabbro, ce vin développe un nez ample de fruits blancs enjolivé d'une note florale. Franc en attaque, il évolue avec tendresse, étayé par une bonne structure, vers une finale fruitée. Le clos de Béjarry propose aussi un **gros-plant du pays nantais sur lie 2001 (3 à 5 €)**, typique et joyeux, sans excès de vivacité. Il est cité.

☛ EARL Marc et Jean Luneau, Dom. du Rafou de Béjarry, 49230 Tillières, tél. 02.41.70.68.78, fax 02.41.70.68.78, e-mail micheline.luneau@wanadoo.fr ☑ ⲓ r.-v.

DOM. DE LA RENOUERE
Sur lie 2001★★

	5 ha	30 000		🖩♦	3 à 5 €

Une vendange manuelle a contribué sans nul doute à la qualité de ce vin jaune pâle limpide, harmonieux, qui se signale notamment par un nez de terroir tout en finesse. Riche et rond en bouche, il s'achève sur une excellente finale acidulée.

☛ Vincent Viaud, La Renouère, 44430 Le Landreau, tél. 02.40.06.43.05, fax 02.40.06.46.01, e-mail viaudv@club-internet.fr ☑ ⲓ r.-v.

DOM. DE LA RINIERE
Sur lie Sélection Vieilles vignes 2001★

	3 ha	30 000		🖩♦	5 à 8 €

Les vignes quinquagénaires de cette sélection ont été vendangées sur les coteaux argilo-schisteux. Elles ont donné naissance à un vin bien typé, dévoilant un nez de terroir tout en finesse, une bonne attaque, une certaine rondeur et une longue finale grâce à un perlant persistant.

☛ GAEC Didier Pasquereau, Dom. de la Rinière, 44430 Le Landreau, tél. 02.40.06.44.23, fax 02.40.06.48.56 ☑ ⲓ r.-v.

DOM. DE LA ROCHERIE
Sur lie Elevé en fût de chêne 2000★

	0,5 ha	1 500		🍶	5 à 8 €

Une année de fût de chêne a donné à ce vin un nez intense d'abricot sec, de vanille et de boisé. Gras, rond et suave en bouche, avec des arômes évoluant vers un caractère beurré, le 2000 sort des sentiers battus. Inutile de le laisser attendre davantage.

☛ Daniel Gratas, La Rocherie, 44430 Le Landreau, tél. 02.40.06.41.55, fax 02.40.06.48.92
☑ ⲓ t.l.j. 8h-20h; dim. sur r.-v.

CH. SALMONIERE
Sur lie 2001★★

	10 ha	50 000		🖩♦	3 à 5 €

Partiellement détruit pendant les guerres de Vendée, ce château des bords de Sèvre, à Vertou, conserve quelques parties du XVᵉs. Parfaitement équilibré et riche, son muscadet sèvre-et-maine aux reflets jaune paille développe d'intenses arômes d'agrumes, aussitôt confirmés par une bouche ample, longue et structurée. A citer chez le même négociant : le **muscadet sèvre-et-maine sur lie Domaine de la Cour du Château de la Pommeraie 2001** pour ses arômes complexes d'agrumes et de pêche blanche, sa matière, sa minéralité et sa pointe iodée.

☛ SARL Gilbert Chon et Fils, Le Bois Malinge, 44450 Saint-Julien-de-Concelles, tél. 02.40.54.11.08, fax 02.40.54.19.90, e-mail muscadetchon@aol.com ☑
☛ GFA du Parc

LA SANCIVE
Sur lie 2001★

		n.c.	144 000	🖩♦	3 à 5 €

Cette cuvée est produite par le très moderne centre de vinification de Drouet Frères. De belle présentation dans sa robe limpide au disque agrémenté de légères bulles, elle se montre complexe en bouche, avec une belle vivacité et une excellente harmonie générale. Le **muscadet sèvre-et-maine Cuvée de l'Etoile d'Or 2001**, bien fruité et perlant, riche et gras, présente un bon potentiel d'évolution. Il est cité.

☛ SA Les vins Drouet Frères, 8, bd du Luxembourg, 44330 Vallet, tél. 02.40.36.65.20, fax 02.40.33.99.78, e-mail drouetsa@club-internet.fr ☑ ⲓ r.-v.

DOM. DE LA SAULZAIE
Sur lie 2001

	1,5 ha	10 000			3 à 5 €

Si le nez de ce vin n'est pas encore très ouvert, il révèle déjà des notes minérales typiques. Cette jeunesse se confirme en bouche, mais derrière une impression de fraîcheur et de gras se perçoivent une bonne structure et de la matière, présages d'une bonne évolution.

☛ EARL Luc Pétard, 60, rte de la Loire, 44450 La Chapelle-Basse-Mer, tél. 02.40.33.30.92, fax 02.40.33.30.92 ☑ ⊺ r.-v.

CH. DU SAUT DU LOUP
Sur lie 2001★

	2 ha	14 400	▮♨	- de 3 €

Du château détruit par un incendie voilà une centaine d'années reste essentiellement le portail qui orne l'étiquette. Au regard de la robe légèrement effervescente, on devine un caractère perlant. Ce vin y gagne une attaque franche très agréable. Suffisamment long, il s'achève sur une vivacité de bon aloi. Pour accompagner un saumon en papillote.

☛ Dominique Bouchaud, Le Patis Vinet, 44120 Vertou, tél. 02.40.06.15.37, fax 02.40.06.15.37, e-mail ibouchaud@wanadoo.fr ☑ ⊺ r.-v.

DOM. YVES SAUVETRE
Sur lie Vieilles vignes 2001★★

	7 ha	40 000	▮♨	3 à 5 €

Issu des sols schisteux du Loroux-Bottereau, ce vin se présente dans une robe très pâle et limpide. Fin et aromatique, il développe un nez d'abord discret qui s'ouvre ensuite sur des arômes de pêche et de fruits exotiques relevés d'une touche minérale. Bien structuré en bouche, avec en attaque une vivacité prononcée, il révèle la minéralité accompagnée de fruits blancs et même de noix de coco. Il gagnera en ampleur à la faveur d'une petite garde. Une idée d'accord : des coquilles Saint-Jacques aux poireaux.

☛ Yves Sauvêtre et Fils, La Landelle, 90, rue de la Durandière, 44430 Le Loroux-Bottereau, tél. 02.40.33.81.48, fax 02.40.33.87.67 ☑ ⊺ r.-v.

ANTOINE SUBILEAU
Sur lie Marie-Louise 2001★

	n.c.	807 473	▮♨	- de 3 €

Plus de 800 000 bouteilles : ce vin de négociant est, pour la région, un « mastodonte », mais cela lui réussit fort bien. Citronné au nez comme en bouche, fin et rond, il est en somme très agréable.

☛ SA Antoine Subileau, 6, rue Saint-Vincent, 44330 Vallet, tél. 02.40.36.69.70, fax 02.40.36.63.99, e-mail antoine-subileau@wanadoo.fr

CH. LA TARCIERE
Sur lie Prestige 2001

	8 ha	25 000	▮♨	3 à 5 €

Cette cuvée provient d'un des plus anciens clos de la commune planté de vignes depuis deux siècles environ. Son agréable nez intense, fruité et légèrement minéral, annonce une bouche franche à l'attaque, puis ronde. Le terroir tend à s'affirmer davantage en finale.

☛ Bonnet-Huteau, La Levraudière, 44330 La Chapelle-Heulin, tél. 02.40.06.73.87, fax 02.40.06.77.56, e-mail bonnet.huteau@free.fr ☑ ⊺ t.l.j. sf dim. 8h-12h 14h-19h

☛ Rémi et Jean-Jacques Bonnet

DOM. DE LA THEBAUDIERE
Sur lie 2001

	2,65 ha	10 000	▮♨	3 à 5 €

Les vieilles vignes de ce domaine à l'ouest du Loroux-Bottereau plongent leurs racines dans un sol de sables et

de roches volcaniques. Elles ont donné naissance à un vin au nez fin mais complexe, où l'on discerne des notes d'agrumes, de pêche, de poire williams et une pointe anisée. Franc en attaque, un peu ferme en fin de bouche, ce 2001 possède une bonne structure.

☛ EARL Philippe Pétard, La Thébaudière, 44430 Le Loroux-Bottereau, tél. 02.40.33.81.81, fax 02.40.33.81.81 ☑ ⊺ r.-v.

CAVE DE VAL ET MONT
Sur lie 2001

	n.c.	300 000	▮♨	- de 3 €

De caractère et de bonne structure, ce vin s'ouvre sur un puissant perlant et des arômes citronnés puis évolue en rondeur, avec une légère vivacité bien en rapport. La finale, assez longue, est marquée par un retour du fruit.

☛ Les Vendangeoirs du Val de Loire, Rolandeau, La Frémonderie, 49230 Tillières, tél. 02.41.70.45.93, fax 02.41.70.43.74

DOM. DU VIEUX FRENE
Sur lie 2000★

	4 ha	8 000	▮♨	5 à 8 €

Le domaine de l'est de Mouzillon représente bien l'évolution de la profession depuis une génération, avec l'abandon de la polyculture au profit de la vigne. Son muscadet sèvre-et-maine est, lui aussi, très représentatif tant par sa couleur jaune pâle à reflets verts que par son nez de fruits blancs et d'agrumes. Bien franc en attaque, il évolue en fraîcheur vers une finale fruitée de bonne longueur.

☛ EARL Baudrit, La Récivière, 44330 Mouzillon, tél. 02.40.36.47.70, fax 02.40.36.47.70 ⊺ r.-v.

LES VIGNES SAINT-VINCENT
Sur lie 2001★

	4 ha	20 000	▮♨	3 à 5 €

Ce muscadet sèvre-et-maine provient de l'un des hameaux vignerons qui parsèment la commune de Monnières. Limpide, il présente un nez qui rappelle le terroir, puis se montre vif en attaque grâce à un perlant bien présent. Il se développe harmonieusement en laissant une impression de gras. A boire ou à attendre.

☛ Michel Delhommeau, La Huperie, 44690 Monnières, tél. 02.40.54.60.37, fax 02.40.54.64.51 ☑ ⊺ r.-v.

CH. DE LA VRILLERE
Sur lie 2000★★★

	2,2 ha	16 000	▮♨	3 à 5 €

Le manoir du XVIe s. possède un colombier à mille cases considéré comme l'un des plus importants de

LOIRE

France. Il compte aussi un vignoble de 38 ha, planté dans les années 1920, qui lui permet de présenter ce vin charmeur. Celui-ci révèle au nez une évolution flatteuse, avec des notes de pierre à fusil, d'anis, de menthol et de fruits secs. Puissant et riche, fort d'une belle matière, il fait montre d'une excellente harmonie.

☙ EARL Michel et Pascal Anneau,
Le Chêne, 44450 La Chapelle-Basse-Mer,
tél. 02.40.06.33.33, fax 02.40.03.68.53 ☑ ㅜ r.-v.

DOM. DE LA VRILLONNIERE
Sur lie Elevé en fût de chêne 2000★★

	0,3 ha	2 000	⦿	5 à 8 €

Beau mariage du vin et du bois dans cette cuvée produite en faible quantité par un domaine situé un peu en contrebas du château de Briacé. Sous une robe dorée, celle-ci mêle le grillé, les agrumes, la cannelle et la réglisse au nez. Après une attaque franche, sa bouche évolue en fraîcheur avant d'exprimer en finale des notes fumées et épicées. On pourra, certes, boire cette bouteille aujourd'hui, mais aussi l'attendre deux ou trois ans.

☙ Dom. de la Vrillonnière, L'Armaisse,
44430 Le Landreau,
tél. 02.40.06.42.00, fax 02.40.06.45.75,
e-mail lavrillionniere@netcourrier.com ☑ ㅜ r.-v.

Muscadet côtes de grand lieu

GERARD CHEVALIER
Sur lie 2001★

	5,1 ha	5 000	∎♦	3 à 5 €

Saint-Philbert-de-Grand-Lieu est la plus importante commune autour du lac. Son abbatiale construite à l'époque carolingienne mérite une visite. Vous vous rendrez ensuite chez Gérard Chevalier. Son vin issu d'un sous-sol d'éclogite (roche métamorphique évoluée du gabbro) possède un caractère assez vif et grandement épicé qui soutient bien le fruit. Voilà un muscadet de tradition qui pourra attendre un an ou deux avant d'être dégusté.

☙ SCEA Gérard Chevalier, L'Aujardière,
44310 Saint-Philbert-de-Grand-Lieu, tél. 02.40.78.71.92,
fax 02.40.78.71.92 ☑ ㅜ t.l.j. 10h-19h; dim. sur r.-v.

DOM. DE LA COCHE
Sur lie 2001★

	5 ha	5 000	∎♦	3 à 5 €

A l'ouest de Grand-Lieu, ce domaine se situe dans la partie la plus occidentale du vignoble nantais. Son muscadet côtes de grand lieu est une excellente introduction à cette appellation, avec son caractère de terroir, sa bonne tenue aromatique (agrumes, pomme, banane) et sa fraîcheur caractéristique.

☙ Emmanuel Guitteny,
Dom. de la Coche, 44680 Sainte-Pazanne,
tél. 02.40.02.44.43, fax 02.40.02.43.55,
e-mail eguitteny@aol.com ☑ ㅜ t.l.j. sf dim. 9h-19h

CH. LA FORCHETIERE
Sur lie 2001★

	8 ha	40 000	∎♦	3 à 5 €

Ce vaste domaine de Corcoué-sur-Logne propose un muscadet élégant, bien typé grand lieu. Sa bouche équili-

brée, aux notes de fruits mûrs, laisse une impression de fraîcheur liée à la présence de gaz carbonique. La Forchetière a produit un **gros-plant du pays nantais sur lie 2001**, également très réussi, peu nerveux mais bien équilibré et long en bouche. Présenté par Vinival comme les vins précédents, le **muscadet sèvre-et-maine sur lie Château du Maillon 2001** obtient une citation.

☙ SCEA Champteloup, 49700 Brigné-sur-Layon,
tél. 02.40.36.66.00, fax 02.40.33.95.81

DOM. LES HAUTES NOELLES
Sur lie 2001★

	13 ha	n.c.	∎♦	3 à 5 €

Le domaine est implanté au-dessus des rives de l'Acheneau qui coule vers le sud ou vers le nord selon que le niveau de la Loire est plus élevé que celui du lac de Grand-Lieu ou inversement. Son muscadet, au nez de pomme verte, bien équilibré, laisse une sympathique impression de terroir. Sa vivacité typique le destine plutôt au consommateur averti.

☙ Serge Batard, La Haute Galerie,
44710 Saint-Léger-les-Vignes,
tél. 02.40.31.53.49, fax 02.40.04.87.80 ☑ ㅜ r.-v.

DOM. DE LA HAUTE-VRIGNAIS
Sur lie 2001★★

	5,86 ha	40 530	∎♦	3 à 5 €

Bien connue en sèvre-et-maine, l'abbaye de Sainte-Radegonde prospère aussi en côtes de grand lieu. Ce vin pour connaisseurs développe un nez expressif de fruits blancs et dévoile un caractère perlant notable. Gras, il fera bonne impression dès l'apéritif et se mariera ensuite à des poissons grillés.

☙ SCEA Abbaye de Sainte-Radegonde,
44430 Le Loroux-Bottereau,
tél. 02.40.03.74.78, fax 02.40.03.79.91
☑ ㅜ t.l.j. 9h-12h 14h-18h; sam. dim. sur r.-v.

DOM. DE LA REVELLERIE
Sur lie 2001★★★

	15,96 ha	59 580	∎♦	- de 3 €

Entre Saint-Philbert et la forêt de Machecoul, ce domaine a produit un vin légèrement doré et très perlant, dont les arômes fruités, légèrement citronnés, laissent une impression d'élégance. Parfaitement équilibré, d'une bonne tenue, celui-ci développe aujourd'hui pleinement son expression et mérite d'être bu dans l'année, à l'apéritif ou sur un poisson.

☙ Jean-Michel Mercier, La Révellerie,
44310 Saint-Philbert-de-Grand-Lieu, tél. 02.40.78.73.70
☑ ㅜ r.-v.

CLOS DE LA SENAIGERIE
Sur lie 2001★

	6,5 ha	40 000	∎♦	3 à 5 €

Les sols sablonneux à galets de ce célèbre terroir des rives nord du lac de Grand-Lieu ont donné naissance à un vin doré très pâle, dont le nez citronné est d'une grande finesse. Grâce à son bon équilibre entre arômes et vivacité, celui-ci sera agréable sur des fruits de mer. Un peu plus loin, les Choblet ont produit un **muscadet côtes de grand lieu sur lie Domaine du Fief Guérin 2001**, riche en fruits et très perlant, que le jury a cité.

☙ Luc et Jérôme Choblet, Dom. des Herbauges,
44830 Bouaye, tél. 02.40.65.44.92, fax 02.40.65.58.02,
e-mail choblet@domaine-des-herbauges.com ☑ ㅜ r.-v.

Gros-plant AOVDQS

Le gros-plant du pays nantais est un vin blanc sec, AOVDQS depuis 1954. Il est issu d'un cépage unique : la folle blanche, d'origine charentaise, appelée ici gros-plant. Comme le muscadet, le gros-plant peut être mis en bouteilles sur lie. Vin blanc sec, il convient parfaitement aux fruits de mer en général et aux coquillages en particulier ; il doit être servi, lui aussi, frais, mais non glacé (8 - 9 ° C).

DOM. DE L'AUBINERIE
Sur lie 2001

	1,25 ha	5 700	🔳🍷	3 à 5 €

Sur la rive gauche de la Sanguèze, peu avant le pont gallo-romain de Mouzillon, ce domaine a produit un vin au nez expressif de fruits à chair blanche (pêche). Après une belle attaque, celui-ci se montre équilibré, souple et bien aromatique. Le **muscadet sèvre-et-maine sur lie 2001 (5 à 8 €)** est également cité pour ses parfums de fruits blancs bien marqués et pour son harmonie.
🍷 Jean-Marc Guérin, La Barillère, 44330 Mouzillon, tél. 02.40.36.37.06, fax 02.40.36.37.06 🔳 🍷 r.-v.

DOM. DE BEAUREPAIRE
Sur lie 2001

	2,72 ha	12 000	🔳🍷	3 à 5 €

Le vignoble, situé sur les communes de Mouzillon et de Clisson, couvre 18 ha autour de l'exploitation, dont les bâtiments de brique rouge cherchent à rappeler le style italien de la cité médiévale. Sur un terroir tardif (les vendanges n'ont eu lieu qu'en octobre 2001) est né un gros-plant à la robe vive et limpide. Très typé, acidulé et non dénué d'un certain volume, il est à servir bien frais.
🍷 Jean-Paul Bouin-Boumard, 5, La Recivière, 44330 Mouzillon, tél. 02.40.36.35.97, fax 02.40.36.35.97 🔳 🍷 t.l.j. 9h-19h; dim. sur r.-v.

DOM. DE LA BLANCHETIERE
Sur lie 2001★★★

	2 ha	5 000	🔳🍷	- de 3 €

Issu d'un sol de micaschistes sur lequel des Luneau cultivaient déjà de la vigne au XVᵉs., ce vin cristallin « a de la pêche » : cet arôme intense de fruit à chair blanche s'accompagne de genêt et de fruits exotiques, voire d'un soupçon de bonbon anglais. Souple et aromatique, le palais s'achève sur une excellente finale.
🍷 Christophe Luneau,
Dom. de La Blanchetière, 44430 Le Loroux-Bottereau, tél. 02.40.06.43.18, fax 02.40.06.43.18 🔳 🍷 r.-v.

DOM. DE LA BRETONNIERE
Sur lie 2001

	4,13 ha	19 000	🔳🍷	3 à 5 €

Voisin du château de Briacé qui abrite un centre de recherche viticole, ce domaine de 33 ha propose un vin bien perlant, au nez discret d'abricot mûr. Très traditionnel, souple et long, ce 2001 s'achève sur une finale acidulée.
🍷 GAEC Charpentier-Fleurance,
La Bretonnière, 44430 Le Landreau,
tél. 02.40.06.43.39, fax 02.40.06.44.05 🔳 🍷 r.-v.

DOM. DU BROCHET
Sur lie 2001★★

	1,05 ha	5 000	🔳🍷	- de 3 €

Ce vin très pâle à reflets verts développe de subtils arômes de citron vert et de fleurs blanches, caractéristiques du gros-plant. Fraîche et vive en attaque, sa bouche, aux nuances de fruits exotiques, s'achève sur une finale plus ronde. A signaler aussi, avec une étoile, le **muscadet sèvre-et-maine sur lie 2001 (3 à 5 €)**, souple et riche, d'une bonne harmonie aromatique.
🍷 Charles Fleurance-Hallereau, Le Brochet, 44330 Vallet, tél. 02.40.33.97.19 🔳 🍷 r.-v.

DOM. DU BUISSON
Sur lie 2001★

	4 ha	18 533	🔳🍷	3 à 5 €

A un petit kilomètre du domaine se trouve le joli moulin de l'Epinay qui offre un point de vue sur les Mauges. Sous une belle robe limpide à reflets verts, ce gros-plant du Maine-et-Loire pointe un nez délicat et vif, dominé par des notes fleuries de seringat. Une bonne tenue et une appréciable persistance aromatique complètent le portrait d'un vin accrocheur.
🍷 EARL Dom. du Buisson, Le Buisson,
49410 La Chapelle-Saint-Florent,
tél. 02.41.72.89.52, fax 02.41.72.77.13 🔳 🍷 r.-v.

LA CHATELIERE
Sur lie 2001

	47 ha	450 000	🔳🍷	- de 3 €

Très classique à l'œil, ce gros-plant s'avère plus original au nez par ses intéressantes notes végétales. Assez souple, il manifeste un caractère légèrement minéral et une acidité soutenue qui en fait un compagnon fidèle des huîtres.
🍷 Les Vendangeoirs du Val de Loire, Rolandeau, La Frémonderie, 49230 Tillières,
tél. 02.41.70.45.93, fax 02.41.70.43.74

DOM. LES COINS
Sur lie 2001★★

	4 ha	15 000	🔳🍷	3 à 5 €

Dans la gamme de vins des Coins, domaine très représentatif de la partie sud-ouest du vignoble nantais, le jury a retenu ce gros-plant bien typé. Parfaitement équilibrée, sa bouche plutôt longue révèle un vin bien fait.
🍷 Jean-Claude Malidain, 25 bis, rue du Stade, 44650 Corcoué-sur-Logne,
tél. 02.40.05.95.95, fax 02.40.05.80.99,
e-mail jeanclaude.malidain@free.fr 🔳 🍷 r.-v.

DOM. DU COLOMBIER
Sur lie 2001★

	4,6 ha	21 000		3 à 5 €

Le Guide a souvent signalé les vins de ce domaine situé en Maine-et-Loire, à la limite est de l'aire d'appellation. Ce gros-plant, agréable par son caractère floral et son équilibre, témoigne d'une technique bien maîtrisée. Retenez aussi le **muscadet sèvre-et-maine sur lie Cuvée des Deux Colombes 2001**, de teinte jaune, plutôt minéral au nez comme en bouche. Rond et gras, celui-ci s'achève sur de sympathiques notes de poire. Il obtient à son tour une étoile.
🍷 Jean-Yves Brétaudeau, Le Colombier, 49230 Tillières, tél. 02.41.70.45.96, fax 02.41.70.36.17, e-mail contact@lecolombier.com 🔳 🍷 r.-v.

LOIRE

LES CORBEILLERES
Sur lie 2001

3,2 ha	16 000	🍶👤	3 à 5 €

Un gros-plant, issu d'un sol de gabbro. De teinte jaune pâle lumineux, il présente des arômes discrets avant de s'exprimer plus intensément dans une bouche souple et de bonne persistance. Au-delà des fruits de mer, il accompagnera aisément des poissons.

☙ EARL Dominique Guérin, Les Corbeillères, 44330 Vallet, tél. 02.40.36.27.37, fax 02.40.36.27.16
☑ ⵝ t.l.j. sf dim. 8h-20h

DOM. DENIS
Sur lie 2001

n.c.	41 260	🍶👤	- de 3 €

Les terroirs du lac de Grand-Lieu sont réputés propices au gros-plant. Ce vin, souple et bien équilibré, au nez discret de fruits blancs, se montre typique.

☙ Denis Gabriel, 5, Le Petit Poirier, 44310 La Limouzinière, tél. 02.40.05.83.69, fax 02.40.05.83.69 ☑

DOM. DE L'ECU
Sur lie 2001

2,5 ha	11 000	🍶👤	3 à 5 €

Ce domaine, passé à l'agriculture biologique dès 1972 et à la vendange à la main utilise uniquement des levures indigènes. Son gros-plant, légèrement perlant, arbore des reflets brillants et un nez franc dans le registre végétal. Assez ferme, il se montre complet, riche et persistant.

☙ Guy Bossard, La Bretonnière, 44430 Le Landreau, tél. 02.40.06.40.91, fax 02.40.06.46.79 ☑ ⵝ r.-v.

CH. DE FROMENTEAU
Sur lie 2001★★

1 ha	2 000	🍶👤	- de 3 €

Les dégustateurs ont plébiscité le gros-plant de Fromenteau cette année, même s'il s'agit d'une production marginale pour ce domaine qui fait revivre l'un des plus grands noms du muscadet. De teinte claire, perlant, riche et complexe, son vin est à réserver aux connaisseurs. Avec 2 000 bouteilles, d'ailleurs, il n'y en aura pas pour tout le monde. Les autres se consoleront avec le **muscadet sèvre-et-maine sur lie 2001 (3 à 5 €)**, légèrement floral, d'une excellente harmonie générale, qui obtient une étoile.

☙ EARL Anne et Christian Braud, Fromenteau, 44330 Vallet, tél. 02.40.36.23.75, fax 02.40.36.23.75
☑ ⵝ r.-v.

CH. DE LA GRANGE
Sur lie 2001★★

18 ha	n.c.	🍶👤	- de 3 €

Du château acquis par les Goulaine en 1777 ne restent guère que les intéressants communs du XVᵉs., en partie remaniés selon le style italien au début du XIXᵉs. Ce gros-plant typé, de teinte pâle et brillante, développe des arômes de fleurs et de fruits blancs évoluant vers une note briochée. Elégante et persistante, très fraîche et même acidulée, la bouche confirme le nez.

☙ Comte Baudouin de Goulaine, Ch. de la Grange, 44650 Corcoué-sur-Logne, tél. 02.40.26.68.66, fax 02.40.26.66.73 ⵝ r.-v.

DOM. DE LA HOUSSAIS
Sur lie 2001★★

1,3 ha	3 000	🍶👤	3 à 5 €

Tout en bas des coteaux du Landreau, Bernard Gratas a produit un gros-plant de terroir typique, de couleur cristalline, exprimant la pêche, des notes minérales et légèrement beurrées. Très plaisant en bouche (« vin aérien », conclut un dégustateur), celui-ci montre du volume et un équilibre incontestable entre puissance et fruit. Du même domaine, un rare et puissant **muscadet sèvre-et-maine sur lie 1999 élevé en fût de chêne (5 à 8 €)** remporte une étoile. Il possède non seulement des arômes de miel et de cire, mais aussi des tanins bien fondus qui laissent s'exprimer le caractère riche et alcooleux du vin.

☙ Bernard Gratas, Dom. de La Houssais, 44430 Le Landreau, tél. 02.40.06.46.27, fax 02.40.06.47.25
☑ ⵝ t.l.j. sf dim. 9h30-12h 14h-19h; f. 10-15 août

MOULIN DE LA MINIERE
Sur lie 2000★★

2 ha	4 000	🍶👤	- de 3 €

Ce moulin au toit pointu signale, au beau milieu du vignoble nantais, un vaste domaine plus connu pour son muscadet sèvre-et-maine. Pourtant, ce gros-plant lui vaut les honneurs dans le Guide. Il se révèle d'une intensité surprenante à l'olfaction comme en finale. La bouche souple et équilibrée laisse en effet se développer les arômes avec puissance. Et le muscadet, demandez-vous ? Eh bien, le **muscadet sèvre-et-maine 2001** est assurément très réussi grâce à sa palette de fleurs blanches et à sa longue et élégante expression de pomme verte, nuancée d'une note de terroir.

☙ SC Ménard-Gaborit, La Minière, 44690 Monnières, tél. 02.40.54.61.06, fax 02.40.54.66.12, e-mail philippe.menard7@wanadoo.fr
☑ ⵝ t.l.j. sf dim. 8h45-12h 14h-18h30

DOM. DE LA PIERRE BLANCHE 2001★

2,5 ha	12 000	🍶👤	- de 3 €

Une dizaine de kilomètres seulement séparent les deux Saint-Philbert, celui de Grand-Lieu et celui de Bouaine ; ce dernier se trouve pourtant en Vendée. Le gros-plant de Gérard Epiard n'en est pas moins typique. Bien équilibré, gras et long avec juste ce qu'il faut de vivacité, il fait bonne bouche. Cité, le **muscadet côtes de grand lieu sur lie 2001** plaira au connaisseur par sa vivacité marquée, mais pourra surprendre le néophyte.

☙ Gérard Epiard, La Pierre Blanche, 85660 Saint-Philbert-de-Bouaine, tél. 02.51.41.93.42, fax 02.51.41.91.71 ☑ ⵝ r.-v.

DOM. LA ROCHE RENARD
Sur lie 2001★

n.c.	3 000	🍶👤	- de 3 €

Ce domaine doit son nom à une roche ferrugineuse, l'alios. Il a produit (en petite quantité, hélas) un vin aux beaux reflets verts et au nez très expressif. Livrant une pointe perlante typique du « sur lie », ce gros-plant est destiné aux connaisseurs qui apprécieront sa vivacité maîtrisée, son fruité caractéristique et sa fin de bouche de qualité.

☙ Isabelle et Philippe Denis, Les Laures, 44330 Vallet, tél. 02.40.36.63.65, fax 02.40.36.23.96 ☑ ⵝ r.-v.

CLOS SAINT-VINCENT DES RONGERES
Sur lie 2001★

	2,7 ha	9 000	🍶🍷	3 à 5 €

Les terroirs de l'ouest du Landreau sont fortement représentés dans cette édition du Guide. En voici un nouvel exemple. Ce vin d'un blanc-vert brillant affirme sa franchise d'un bout à l'autre de la dégustation. Ses parfums légèrement citronnés sur fond de fleurs et sa touche de vivacité sont typiques à la fois du gros-plant et du « sur lie ».

➤ EARL Yves Provost et Fils,
Le Pigeon Blanc, 44430 Le Landreau,
tél. 02.40.06.43.54 ☑ ⲩ r.-v.

DOM. SAUPIN 2001★★

	n.c.	n.c.	🍶🍷	3 à 5 €

Connue de longue date pour son importante pépinière viticole, la famille Saupin a étendu ses activités à la viticulture il y a une vingtaine d'années. Avec succès, comme en témoigne ce vin expressif et bien typé, au nez discret de fleurs blanches qui révèle de la richesse et un excellent équilibre. Le domaine a produit par ailleurs un **muscadet sur lie Domaine Saupin 2001**, cité pour ses arômes de pomme verte et son élégant accent minéral.
➤ Dom. Serge Saupin, Le Norestier,
44450 La Chapelle-Basse-Mer,
tél. 02.40.06.31.31, fax 02.40.03.60.67,
e-mail saupin-vigne-vin@wanadoo.fr ☑ ⲩ r.-v.

Fiefs vendéens AOVDQS

Anciens fiefs du Cardinal : cette dénomination évoque le passé de ces vins, appréciés par Richelieu après avoir connu un renouveau au Moyen Age, ici, comme bien souvent, à l'instigation des moines. La dénomination AOVDQS fut accordée en 1984, confirmant les efforts qualitatifs qui ne se relâchent pas sur les 460 ha complantés pour une production de 21 312 hl de vins rouges et rosés et de 3 444 hl de vins blancs en 2001.

À partir de gamay, de cabernet et de pinot noir, la région de Mareuil produit des rosés et des rouges fins, bouquetés et fruités ; les blancs sont encore confidentiels. Non loin de la mer, le vignoble de Brem, lui, donne des blancs secs à base de chenin et de grolleau gris, mais aussi du rosé et du rouge. Aux environs de Fontenay-le-Comte, blancs secs (chenin, colombard, melon, sauvignon), rosés et rouges (gamay et cabernet) proviennent des régions de Pissotte et Vix. On boira ces vins jeunes, selon les alliances classiques des mets et des vins.

DOM. DE LA CHAIGNEE
Vix 2001★★

	8 ha	20 000	🍶🍷	5 à 8 €

Ce vin issu du plus méridional des vignobles des fiefs vendéens est un assemblage complexe de cabernet franc, de sauvignon, de pinot noir, de gamay et de négrette. De couleur rubis, il développe une bouche harmonieuse, vive et typique, avec un certain caractère minéral.
➤ Les Vignobles Mercier, La Chaignée, 85770 Vix,
tél. 02.51.00.60.87, fax 02.51.00.67.60,
e-mail info@mercier-groupe.com ☑ ⲩ r.-v.

LE CLOS DES CHAUMES
Mareuil 2001★

	10 ha	10 000	🍶🍷	3 à 5 €

Produit des sols de schistes entre le Lay et l'Yon, ce vin, qui allie gamay noir et cabernet-sauvignon, ne manque pas de charme avec son caractère légèrement minéral et ses arômes de fruits mûrs et de cuir. A servir avec des viandes rouges ou des plats épicés.
➤ GAEC Murail, 3, rue La Tudelière,
85320 La Couture, tél. 02.51.30.58.56,
fax 02.51.30.58.56 ⲩ r.-v.

XAVIER COIRIER
Pissotte Sélection 2001★★★

	10 ha	60 000	🍶🍷	5 à 8 €

Ce rosé aux nuances saumonées marie le gamay, le pinot noir et le cabernet franc, qui ont subi une courte macération. Bien structuré, riche et complet, il développe des arômes de fruits rouges très mûrs. Il accompagnera bien des grillades légères (poissons notamment).
➤ GAEC Coirier, 15, rue des Gélinières,
85200 Pissotte, tél. 02.51.69.40.98, fax 02.51.69.74.15
☑ ⲩ r.-v.

DOM. DES DAMES
Mareuil Les Pierres blanches 2001★

	1,3 ha	5 000	🍶🍷	3 à 5 €

Depuis six générations, ce domaine qui compte aujourd'hui plus de 18 ha, se transmet par les femmes. Son vin étonne grâce à un nez intense de fleurs blanches et d'aubépine, légèrement fumé. Vif et acidulé en attaque, il s'épanouit ensuite avec brio.
➤ GAEC Vignoble Daniel Gentreau, Follet,
85320 Rosnay, tél. 02.51.30.55.39, fax 02.51.28.22.36,
e-mail domaine.des.dames@oreka.com ☑ ⲩ r.-v.

DOM. DU LUX EN ROC
Brem 2001★★★

	1,1 ha	3 000	🍶🍷	3 à 5 €

A un jet de pierre de l'Océan, le domaine a produit un vin blanc de qualité, qui marie à parts égales le chenin et le chardonnay. Fin et expressif, celui-ci évoque les fleurs

blanches, avec une évolution vers les fruits exotiques. Encore timide en attaque, il montre un caractère un peu rustique avant d'évoluer en puissance et en longueur. Ce vin de terroir accompagnera bien les crustacés ou les poissons grillés.
➻ Jean-Pierre Richard, 5, imp. Richelieu, 85470 Brem-sur-Mer, tél. 02.51.90.56.84 ☑ ⵏ r.-v.

CH. MARIE DU FOU
Mareuil 2001★

■	27,92 ha	230 817	■ ♦	3 à 5 €

Dédié à une baronne de Mareuil qui vivait ici au début du XVIᵉs., ce vin pinot noir, moitié cabernet-sauvignon, moitié cabernet franc, arbore une robe d'un rouge profond, intense, tirant sur le pourpre. Une nature généreuse mais aussi une vinification soigneuse lui ont donné un nez chaleureux et une bouche ample et ronde.
➻ Jean et Jérémie Mourat, 5, rue de la Trémoille, 85320 Mareuil-sur-Lay, tél. 02.51.97.20.10, fax 02.51.97.21.58, e-mail chateau.marie.du.fou@wanadoo.fr
☑ ⵏ t.l.j. sf lun. dim. 9h-12h30 14h30-19h

CH. DE ROSNAY
Mareuil Vieilles vignes 2001★★

■	10 ha	65 000	■ ♦	3 à 5 €

Ce vin à dominante de pinot noir affiche une belle couleur rose tendre qui annonce parfaitement ses arômes persistants de petits fruits rouges. Frais et équilibré, il accompagnera bien les salades. Le château a produit aussi un **Mareuil Elégance blanc sec 2001**, étonnamment aromatique, et un **Mareuil Prestige rouge 2001**, de couleur rubis, auxquels le jury accorde une citation.
➻ Christian Jard, Ch. de Rosnay, 85320 Rosnay, tél. 02.51.30.59.06, fax 02.51.28.21.01
☑ ⵏ t.l.j. sf dim. 9h-12h 14h-18h

DOM. DE LA VIEILLE RIBOULERIE
Mareuil Cuvée des Moulins brûlés 2001★

■	2 ha	8 000	■	3 à 5 €

Sous une robe violette assez marquée, ce vin est équilibré et rond, plus vif en finale. Vous le destinerez à des grillades. Le domaine propose aussi un **Mareuil Cuvée des Rêves de l'Yon rosé 2001**, dans lequel 5 % de négrette viennent « pimenter » 35 % de gamay et 60 % de pinot noir. Fin et bien structuré, celui-ci pourra accompagner des fruits de mer. Il obtient une étoile.
➻ Hubert Macquigneau, Le Plessis, 85320 Rosnay, tél. 02.51.30.59.54, fax 02.51.28.21.80 ☑ ⵏ r.-v.

Coteaux d'ancenis
AOVDQS

Les coteaux d'ancenis sont classés AOVDQS depuis 1954. On en produit quatre types, à partir de cépages purs : gamay (80 % de la production), cabernet, chenin et malvoisie. La superficie du vignoble de 130 ha et la production a été de 15 041 hl en 2001, dont environ 389 hl en blanc.

DOM. DES GALLOIRES
Gamay 2001★

■	1 ha	10 000	■ ♦	- de 3 €

Ce rosé de gamay illustre bien le savoir-faire des Galloires, même s'il n'est pas le plus représentatif de la gamme du domaine. Il semble fort agréable tant par ses arômes de genêt et de bonbon anglais que par son équilibre, sa fraîcheur et sa bonne longueur. Le **coteaux d'ancenis gamay rouge 2001 (3 à 5 €)** est cité pour son fruité et sa souplesse. Si vous souhaitez revenir à la production majeure des Galloires, goûtez le **muscadet coteaux de la loire Cuvée Sélection (3 à 5 €)**. Perlant et vif, il possède un caractère minéral bien perceptible qui lui vaut une citation.
➻ GAEC des Galloires, Dom. des Galloires, 49530 Drain, tél. 02.40.98.20.10, fax 02.40.98.22.06, e-mail domaine.des.galloires@libertysurf.fr
☑ ⵏ t.l.j. sf dim. 8h-12h 14h-19h; sam. f. à 17h

DOM. DES GENAUDIERES
Cabernet 2001★

■	3 ha	20 000	⫿⫿⫿	3 à 5 €

Les Génaudières : l'une des plus belles adresses de la région, non seulement pour sa situation exceptionnelle au-dessus de la rive droite de la Loire, mais aussi pour sa vaste gamme de vins. Ce coteaux d'ancenis aux reflets rubis soutenu développe un nez flatteur de fruits rouges (fraise, cassis, cerise). Il fait preuve d'une bonne puissance, puis s'achève sur une intéressante finale réglissée. Une curiosité à découvrir : le **moelleux coteaux d'ancenis 2001 (5 à 8 €)**, où la malvoisie, aux arômes de poire, est cité.
➻ EARL Athimon et ses Enfants, Dom. des Génaudières, 44850 Le Cellier, tél. 02.40.25.40.27, fax 02.40.25.35.61 ☑ ⵏ t.l.j. sf dim. 9h-12h 14h30-19h

LE LOGIS DU GOUVERNEUR
Gamay 2001★★

■	8,58 ha	80 000	■ ♦	3 à 5 €

Les Vignerons de la Noëlle sont toujours présents dans le Guide. S'ils figurent cette année à l'appellation coteaux d'ancenis, c'est parce que les dégustateurs ont particulièrement apprécié ce rosé aux tons cerise qui dévoile des arômes de fraise et de fleurs blanches, puis une agréable fraîcheur fruitée. Il n'en faut pas pour autant omettre le **muscadet coteaux de la loire sur lie L'Oiselière 2001** et le **muscadet sèvre-et-maine sur lie Domaine des Hautes Noëlles 2001**, cités par le jury. Le premier, très souple, évoque la banane et les fruits exotiques, tandis que le second allie le fruit à une surprenante note de sous-bois, tout en présentant une bonne harmonie générale.
➻ Les Vignerons des Terroirs de Noëlle, BP 155, 44150 Ancenis, tél. 02.40.98.92.72, fax 02.40.98.96.70, e-mail vignerons-noelle@cana.fr ☑ ⵏ r.-v.

Anjou-Saumur

A la limite septentrionale des zones de culture de la vigne, sous un climat atlantique, avec un relief peu accentué et de nombreux cours d'eau, les vignobles d'Anjou et de Saumur s'étendent dans le département du Maine-et-Loire, débordant un peu sur le nord de la Vienne et des Deux-Sèvres.

Les vignes ont depuis fort long-temps été cultivées sur les coteaux de la Loire, du Layon, de l'Aubance, du Loir, du Thouet... C'est à la fin du XIXe s. que les surfaces plantées sont les plus vastes. Le Dr Guyot, dans un rapport au ministre de l'Agriculture, cite alors 31 000 ha en Maine-et-Loire. Le phylloxéra anéantira le vignoble, comme partout. Les replantations s'effectueront au début du XXe s. et se développeront un peu dans les années 1950-1960, pour régresser ensuite. Aujourd'hui, ce vignoble couvre environ 14 500 ha, qui produisent de 800 000 à un million d'hectolitres selon les années.

Les sols, bien sûr, complètent très largement le climat pour façonner la typicité des vins de la région. C'est ainsi qu'il faut faire une nette différence entre ceux qui sont produits sur « l'Anjou noir », constitué de schistes et autres roches primaires du Massif armoricain, et ceux qui sont produits sur « l'Anjou blanc », ou Saumurois, terrains sédimentaires du Bassin parisien dans lesquels domine la craie tuffeau. Les cours d'eau ont également joué un rôle important pour le commerce : ne trouve-t-on pas encore trace aujourd'hui de petits ports d'embarquement sur le Layon ? Les plantations sont de 4 500-5 000 pieds par hectare ; la taille, qui était plus particulièrement en gobelet et en éventail, a évolué en guyot.

La réputation de l'Anjou est due aux vins blancs moelleux, dont les coteaux du layon sont les plus renommés. L'évolution conduit cependant désormais aux types demi-sec et sec, et à la production de vins rouges. Dans le Saumurois, ces derniers sont les plus estimés, avec les vins mousseux qui ont connu une forte croissance, notamment les AOC saumur-mousseux et crémant de loire.

Anjou

Constituée d'un ensemble de près de 200 communes, l'aire géographique de cette appellation régionale englobe toutes les autres. On y trouve des vins blancs (61 393 hl en 2001) et des vins rouges (255 401 hl). Pour beaucoup, le vin d'anjou est, avec raison, synonyme de vin blanc doux ou moelleux. Le cépage est le chenin, ou pineau de la Loire, mais l'évolution de la consommation vers des secs a conduit les producteurs à y associer chardonnay ou sauvignon, dans la limite maximale de 20 %. La production

de vins rouges est en train de modifier l'image de la région ; ce sont les cépages cabernet franc et cabernet-sauvignon qui sont alors mis en œuvre.

DOM. D'AMBINOS 2001

| ■ | 4 ha | 5 000 | ⓘ⌀ | 3 à 5 € |

Un vin au bel éclat rubis, légèrement teinté d'orangé. Net et puissant dans ses arômes, il présente des tanins encore fermes en attaque, mais qui se fondent bientôt dans une matière souple et aromatique.
➤ Jean-Pierre Chéné, 3, imp. des Jardins,
49750 Beaulieu-sur-Layon,
tél. 02.41.78.48.09, fax 02.41.78.61.72,
e-mail domainelambinos@libertysurf.fr ☑ ⌅ r.-v.

CHARLES BEDUNEAU 2001

| ■ | 2 ha | 6 000 | ⓘ⌀ | 3 à 5 € |

Le cabernet franc récolté sur un sol argilo-schisteux est à l'origine de cet anjou sombre, encore discret, mais dont les arômes de fruits noirs bien mûrs se révèlent à l'aération. Soyeux et harmonieux, il ne demande qu'à être dégusté sur une viande rouge ou des fromages.
➤ Dom. Charles Béduneau, 18, rue Rabelais,
49750 Saint-Lambert-du-Lattay,
tél. 02.41.78.30.86, fax 02.41.74.01.46 ☑ ⌅ r.-v.

DOM. DE LA BELLE ANGEVINE 2001★

| ■ | 1 ha | 5 500 | ⓘ⌀ | 3 à 5 € |

La légende de la Belle Angevine s'apparente à l'histoire de Roméo et Juliette, mais le temps du récit est celui d'Henri IV. Elle a donné son nom aux deux propriétés reprises en 1993 par une pharmacienne et un agronome, et situées l'une à Beaulieu, l'autre à Saint-Lambert. C'est un millésime prometteur que le jury a dégusté. Les fruits rouges s'expriment puissamment et sans discontinuer, comme le leitmotiv de ce vin rouge sombre, souple et franc.
➤ Florence Dufour, Dom. de la Belle Angevine,
La Motte, 49750 Beaulieu-sur-Layon,
tél. 02.41.78.34.86, fax 02.41.72.81.58,
e-mail fldufour@club-internet.fr ☑ 🏠 ⌅ r.-v.

DOM. DU BELVEDERE
Les Vinzelles 2001★

| ■ | 2 ha | 9 000 | ⓘ | 3 à 5 € |

Depuis qu'il a repris le domaine familial, Olivier Chartrain n'a pas ménagé sa peine pour le restaurer : il a renouvelé l'équipement de la cave dès le début des années 1990 et s'est attaché à planter les cépages blancs en coteaux. Le cabernet franc lui est aussi favorable. Son vin, issu exclusivement de raisins récoltés sur les graviers du Thonet, arbore une robe soutenue et limpide, presque noire. D'une belle complexité aromatique, marquée par les fruits noirs comme le cassis, il développe une chair ample et volumineuse qui persiste longuement. A boire ou à attendre.
➤ Olivier Chartrain, Dom. du Belvédère,
79290 Saint-Martin-de-Sanzay,
tél. 05.49.67.72.80, fax 05.49.67.83.23 ☑ ⌅ r.-v.

DOM. DE LA BERGERIE
Les Pierres Girard 2000★

| ▨ | 1,5 ha | 9 000 | ⑪ | 5 à 8 € |

Un terroir silico-argileux sur schistes accueille les 35 ha de vignes d'un domaine réputé, en particulier, pour

LOIRE

ses vins liquoreux, mais dont les anjou blancs secs méritent également attention. Ce 2000 jaune brillant décline les fleurs blanches fraîches avec une délicatesse qui se prolonge dans une bouche pleine et souple. A attendre un an ou deux pour mieux le servir. L'élégante étiquette verte au G enluminé fera bel effet sur votre table.

☞ Yves Guégniard, Dom. de la Bergerie, 49380 Champ-sur-Layon, tél. 02.41.78.85.43, fax 02.41.78.60.13, e-mail domainede.la.bergerie@wanadoo.fr ☑ ⟁ r.-v.

DOM. DES BLEUCES
Cuvée Privilège 2000★

■	0,25 ha	2 500		⦿ 5 à 8 €

Un ancien moulin à vent, dont le site fut le théâtre de combats lors des guerres de Vendée, veille sur le chai de Benoît Proffit. Installé sur un vignoble de 50 ha depuis 1994, le vigneron propose aujourd'hui le fruit d'un chenin bien mûr : belle couleur jaune doré limpide, notes de fruits surmûris enveloppées d'un boisé agréable, bouche ample et pleine... S'il est encore sur la réserve, ce 2000 se révélera sous son meilleur jour dans deux ou trois ans, en compagnie d'un poisson en sauce.

☞ EARL Proffit-Longuet, Dom. des Bleuces, 49700 Concourson-sur-Layon, tél. 02.41.59.11.74, fax 02.41.59.97.64, e-mail domainedesbleuces@coteaux-layon.com ⟁ t.l.j. sf sam. dim. 9h-12h 14h-17h
☞ Benoît Proffit

CH. DE BOIS-BRINÇON
La Seigneurie 2001★

■	4,6 ha	12 000		▮ 5 à 8 €

Blaison a conservé de son histoire des demeures, une église du XIIe s. et un château du XVe s. Des seigneurs, ce village en a connu de célèbres, tel le trouvère Thibault IV sous le règne de Saint-Louis, époque à laquelle fut fondé ce domaine. Mais revenez au XXIe s. pour découvrir un vin rubis brillant, aromatique, qui se prolonge avec ampleur et souplesse. A boire dès aujourd'hui.

☞ Xavier Cailleau, Le Bois-Brinçon, 49320 Blaison-Gohier, tél. 02.41.57.19.62, fax 02.41.57.10.46 ☑ ⛫ ⟁ r.-v.

DOM. DE BRIZE 2001★★

■	3 ha	13 000		▮ 3 à 5 €

Ce domaine de 38 ha, dont l'histoire remonte au milieu du XVIIIe s., propose un vin à l'élégante robe rubis profond. Avec intensité, celui-ci livre des notes de poivron typiques du cabernet, que l'on retrouve en accompagnement d'une trame soyeuse, faite de tanins bien ronds. A déguster sur des viandes rouges, un fromage de cantal jeune et peut-être même sur des poissons.

☞ SCEA Marc et Luc Delhumeau, Dom. de Brizé, 49540 Martigné-Briand, tél. 02.41.59.43.35, fax 02.41.59.66.90, e-mail delhumeau.scea@free.fr ☑ ⟁ r.-v.
☞ Luc et Line Delhumeau

DOM. CADY 2001★

■	2 ha	5 000	▮⦿ 3 à 5 €

Dans le charmant village vigneron de Saint-Aubin-de-Luigné, en bordure du Layon, un circuit pédestre a été balisé, permettant aux visiteurs d'admirer les anciennes maisons, les logis et l'élégant presbytère du XVIe s. Etabli dans la commune depuis 1978, le domaine Cady est devenu une valeur sûre. Son 2001 dévoile sa subtilité à travers des reflets brillants, des notes de fleurs blanches et une vivacité fruitée caractéristique d'un chenin mûr. Les fruits de mer lui iront bien.

☞ Dom. Philippe Cady, Valette, 49190 Saint-Aubin-de-Luigné, tél. 02.41.78.33.69, fax 02.41.78.67.79, e-mail cadyph@wanadoo.fr ☑ ⟁ r.-v.

CH. DE CHAMBOUREAU
Cuvée d'avant 2000★★

■	4 ha	15 000		▥ 5 à 8 €

Sur la rive droite de la Loire, à Savennières, les 25 ha que commande le château du XVe s. bénéficient d'un microclimat moins sec que le vignoble des coteaux du Layon. Ils produisent essentiellement des vins blancs secs, mais aussi des moelleux et des rouges aussi remarquables que ce 2000 au bel éclat pourpre, presque noir. Le bouquet caractéristique, évocateur de fruits rouges et noirs légèrement boisés, trouve un écho dans une bouche franche qui ne demande qu'un peu de temps pour fondre les tanins hérités d'un élevage de huit mois.

☞ EARL Pierre Soulez, Ch. de Chamboureau, 49170 Savennières, tél. 02.41.77.20.04, fax 02.41.77.27.78 ☑ ⟁ r.-v.

DOM. DE LA CHARMERESSE 2000★★

■	0,4 ha	517		▥ 11 à 15 €

Le vignoble, fortement dispersé, est conduit en agriculture biologique ; son terroir de schistes gréseux est soumis à des labours profonds. Jaune d'or éclatant, ce vin semble encore discret mais révèle à l'aération beaucoup de délicatesse. Son caractère souple et rond, enrichi d'un boisé judicieux, en fait une bouteille désirable, à boire ou à attendre.

☞ Dom. de la Charmeresse, Bas Mont, 49380 Faye-d'Anjou, tél. 02.41.78.41.14, fax 02.41.78.41.14, e-mail olivier.vanettinger@free.fr ☑ ⟁ r.-v.
☞ Van Ettinger

DOM. DES CHESNAIES
Le Bretault 2001

■	1,2 ha	6 600		▮ 5 à 8 €

Olivier de Cenival, ancien informaticien, s'est installé en 1998 sur ce vignoble de 17 ha. Son nouvel objectif est de créer des chambres d'hôtes qui vous permettront de séjourner dans la région angevine. Vous découvrirez aussi la production du domaine, dont le 2001 de teinte profonde, expressif dans ses évocations de fruits rouges bien mûrs qui persistent jusque dans la bouche franche et structurée.

➥ Olivier de Cenival, La Noue, 49190 Denée,
tél. 02.41.78.79.80, fax 02.41.68.05.61,
e-mail odecenival@free.fr ☑ 🏠 ⓣ r.-v.

DOM. DE LA COUCHETIERE
Cuvée Le Marcadeau 2001★

| ■ | 3 ha | 16 000 | ■ ♦ | 3 à 5 € |

Depuis les années 1980, le vignoble a pris de l'importance sur ce terroir sableux, tant et si bien qu'il couvre aujourd'hui 21 ha. La vente aux particuliers s'est développée au cours des dix dernières années, ce qui permet aux visiteurs des environs de Brissac de goûter un vin tout en fruits des bois et en épices. Cerise brillant, ce 2001 procure déjà un vrai plaisir par sa souplesse, son soyeux et sa persistance, mais il se bonifiera encore à la faveur d'une année de garde.

➥ GAEC Brault Père et Fils, Dom. de la Couchetière, 49380 Notre-Dame-d'Allençon,
tél. 02.41.54.30.26, fax 02.41.54.40.98
☑ ⓣ t.l.j. sf dim. 8h30-12h30 14h-19h

NOEL COURANT 2001★

| ■ | 1,85 ha | 3 000 | ■ | 3 à 5 € |

Un paysage bucolique de vignes s'étendant à l'horizon jusqu'à un moulin à vent illustre l'étiquette. Une douceur angevine ? Il suffira d'un an de garde pour que ce vin d'un grenat éclatant fonde ses tanins encore austères en finale dans sa matière souple et ronde. Si le premier nez est discret, des notes de pruneau apparaissent à l'aération, invitant à des accords avec des viandes rouges relevées d'herbes aromatiques.

➥ EARL Noël Courant, 15, rue Centrale du Martreau, 49190 Rochefort-sur-Loire,
tél. 02.41.78.88.89, fax 02.41.78.88.89
☑ ⓣ t.l.j. 9h-12h 15h-18h30; f. du 1er au 15 sept.

DOM. PHILIPPE DELESVAUX 2001★

| ■ | 3 ha | 12 000 | ■ ♦ | 5 à 8 € |

Symbole de la génération « sans sucre, sans soufre » et militant des petits rendements, Philippe Delesvaux est un passionné ; il lui arrive même de dormir à côté de ses

Anjou et Saumur

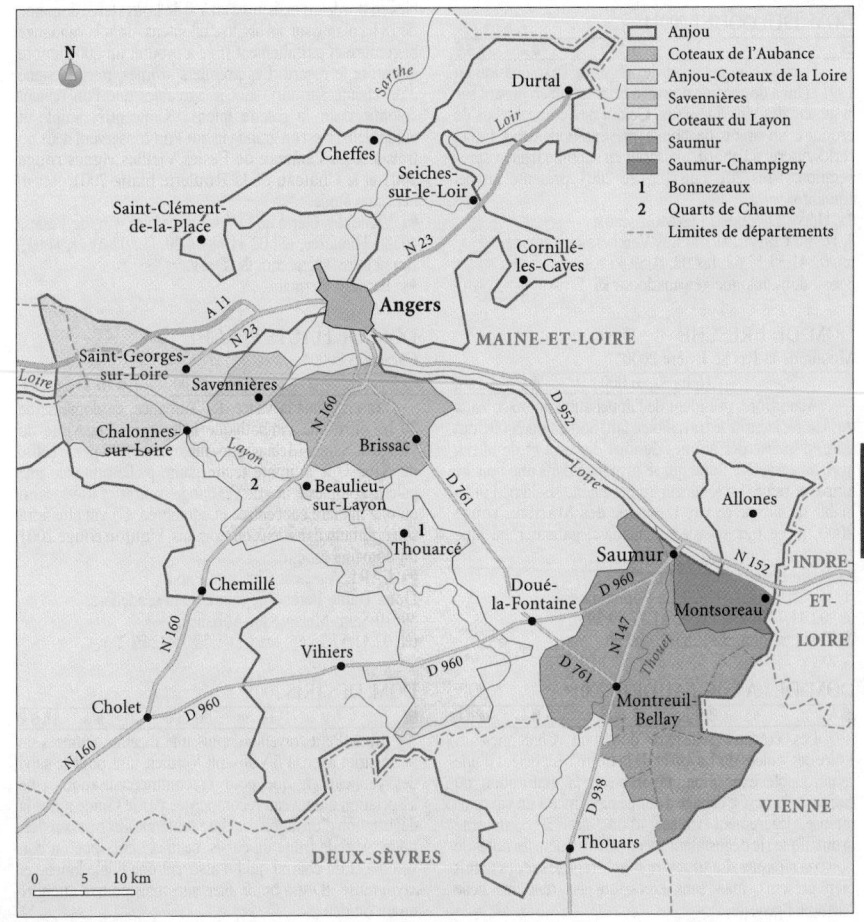

cuves ! C'est un beau vin limpide à reflets brillants qui a attiré le regard du dégustateur. Comme une gourmandise, il laisse une sensation fruitée, bien en accord avec sa souplesse et ses tanins harmonieux.

☛ Philippe Delesvaux, Les Essards,
La Haie-Longue, 49190 Saint-Aubin-de-Luigné,
tél. 02.41.78.18.71, fax 02.41.78.68.06,
e-mail dom.delesvaux.philippe@wanadoo.fr ☑ Ⅱ r.-v.

DOM. DE LA DUCQUERIE 2001★

■	8 ha	48 000	■⚜ 3 à 5 €

Après une visite du musée de la Vigne et du Vin d'Anjou, à Saint-Lambert-du-Lattay, rendez-vous au domaine de la Ducquerie pour deux travaux pratiques : découverte d'un vignoble de 47 ha et dégustation d'un anjou harmonieux. Les notes de cassis participent à une palette complexe, tandis que les tanins, justement présents, se mêlent à une rondeur fruitée.

☛ EARL de la Ducquerie, 2, chem. du Grand-Clos,
49750 Saint-Lambert-du-Lattay,
tél. 02.41.78.42.00, fax 02.41.78.48.17 ☑ Ⅱ r.-v.

☛ GFA Cailleau

DOM. DULOQUET 2001★

■	2 ha	8 500	■⚜ 3 à 5 €

Hervé Duloquet a pris les rênes de l'exploitation en 1991 et lui a donné une nouvelle orientation en misant sur la qualité des vins liquoreux. Ce qui ne l'empêche pas de produire un anjou de bonne présentation, rubis franc, certes discret à l'abord, mais tout en subtilité fruitée après aération. Sans être puissant, ce 2001 présente un bel équilibre.

☛ Hervé Duloquet, Les Mousseaux,
4, rte du Coteau, 49700 Les Verchers-sur-Layon,
tél. 02.41.59.17.62, fax 02.41.59.37.53,
e-mail dom.duloquet@wanadoo.fr ☑ Ⅱ r.-v.

DOM. DU FRESCHE
Moulin de la Roche Evière 2000★★

■	1,16 ha	6 000	■⚜ 5 à 8 €

Alain Boré, président de l'appellation anjou-coteaux de la loire, incarne le travail bien fait. Son anjou 2000, tout doré, dispense des arômes de miel d'acacia et de tilleul, avec un caractère floral qui se prolonge dans une bouche ample et riche. La longueur remarquable souligne l'indéniable qualité de ce vin. La **cuvée des Mazières rouge 2000**, jugée très réussie, demande à patienter quelque temps pour s'arrondir.

☛ Alain Boré, Dom. du Fresche,
rte de Chalonnes, 49620 La Pommeraye,
tél. 02.41.77.74.63, fax 02.41.77.79.39
☑ Ⅱ t.l.j. sf dim. 9h-12h30 14h-19h

DOM. DE LA GERFAUDRIE 2001★

■	2,9 ha	7 000	■⚜ 3 à 5 €

Les coteaux schisteux dominant Chalonnes-sur-Loire, les vallées du Layon et de la Loire bénéficient d'une remarquable exposition, favorable à la maturation du cabernet franc. Ce cépage a donné naissance à un vin rubis intense, légèrement violacé, d'une grande complexité aromatique : le dégustateur reconnaît aisément les notes de poivron typiques. La structure souple repose sur des tanins bien présents, mais sans excès, qui assurent une belle harmonie générale.

☛ SCEV J.-P. et P. Bourreau,
25, rue de l'Onglée, 49290 Chalonnes-sur-Loire,
tél. 02.41.78.02.28, fax 02.41.78.02.27 ☑ Ⅱ r.-v.

DOM. LES GRANDES VIGNES
Varenne du Poirier 2000★

■	1,65 ha	18 500	■❶⚜ 5 à 8 €

Les baies de chenin ont été récoltées par trie, une fois bien dorées par le soleil angevin, à la limite de la botrytisation. C'est ainsi que ce vin jaune franc livre une matière riche et fine, encore relevée par la vivacité du cépage. Discret dans son expression aromatique, il libère à l'aération un boisé nuancé témoignant d'un élevage bien maîtrisé. Une bouteille à attendre deux ans pour plus de plaisir.

☛ GFA Vaillant, Dom. Les Grandes Vignes,
La Roche-Aubry, 49380 Thouarcé,
tél. 02.41.54.05.06, fax 02.41.54.08.21,
e-mail vaillant@domainelesgrandesvignes.com ☑ Ⅱ r.-v.

CH. DE LA GUIMONIERE 2001★★★

■	4,5 ha	20 000	❶ 5 à 8 €

Bernard Germain possède non seulement des vignobles en Bordelais mais aussi en Val de Loire, tel ce domaine de 18 ha planté sur sol argilo-caillouteux, dont la vendange bien mûre et parfaitement triée a produit un 2001 ambré qui attire le regard. Les premiers arômes, miellés, signe d'un chenin surmûri, sont si agréables que l'on revient volontiers sur la palette intense. Concentré, ample et voluptueux, c'est un grand vin que l'on conservera deux ou trois ans. Le **Château de Fesles Vieilles vignes rouge 2001** et le **Château de la Roulerie blanc 2001** obtiennent une étoile.

☛ Vignobles Germain et Associés Loire, Ch. de Fesles,
49380 Thouarcé, tél. 02.41.68.94.00, fax 02.41.68.94.01,
e-mail loire@vgas.com ☑ Ⅱ r.-v.

☛ Bernard Germain

DOM. DE HAUTE PERCHE
Caractère 2000★

■	1 ha	7 000	■❶⚜ 5 à 8 €

Inscrit dans la vallée de l'Aubance, ce domaine de 30 ha offre une sympathique halte après une visite du village de Sainte-Melaine-sur-Aubance et de sa petite église du XIᵉs. Une attirante teinte jaune paille annonce une palette complexe, née de vendanges mûres et triées, ainsi qu'une matière concentrée et équilibrée. Ce vin atteindra son optimum dans deux ou trois ans. L'**anjou rouge 2001** du domaine est cité.

☛ EARL Agnès et Christian Papin,
Dom. Haute Perche, 7, chem. de la Godelière,
49610 Saint-Melaine-sur-Aubance,
tél. 02.41.57.75.65, fax 02.41.57.75.42 ☑ Ⅱ r.-v.

DOM. DES IRIS 2001★

■	11 ha	80 000	■⚜ 3 à 5 €

Jack Petit travaille depuis une dizaine d'années en partenariat avec la SA Joseph Verdier, tant pour le suivi des vinifications que pour la commercialisation. Une association à nouveau récompensée par le Guide après la dégustation d'un anjou de teinte soutenue aux beaux reflets noirs. Avec le fruité du cassis, celui-ci développe un bon volume et du charnu qui lui assurent une finale longue et savoureuse. Il est à boire, bien sûr, mais pourra attendre un an ou deux.

🖙 Jack Petit, La Roche Coutand, 49540 Tigné,
tél. 02.41.40.22.50, fax 02.41.40.22.60,
e-mail j.verdier@wanadoo.fr
🖙 Joseph Verdier

DOM. JOLIVET 2001

| ■ | 1 ha | 5 000 | 🍷♦ | 3 à 5 € |

Grenat intense, voici un anjou au fruité net et élégant, dont la souplesse séduit d'emblée. Des tanins arrondis l'étayent et lui assurent une bonne persistance. Une bouteille à boire dans l'année.
🖙 Dom. Jolivet, 38 bis, rue Rabelais,
49750 Saint-Lambert-du-Lattay,
tél. 02.41.78.30.35, fax 02.41.78.45.34 ☑ ⵎ r.-v.

DOM. DE JUCHEPIE

J Le Sec de Juchepie 2000★

| ■ | 0,5 ha | 2 000 | ⵎ | 5 à 8 € |

Ces anciens quincailliers belges, reconvertis dans la viticulture avec succès, exploitent aujourd'hui 6 ha en agriculture biologique et exportent une large part de leur production vers la Belgique. Une couleur or soutenu rend ce vin attrayant, de même que ses arômes de fruits secs suivis de notes d'abricot confit. Le boisé apparaît en attaque, mais la matière dense l'emporte très vite et l'équilibre gustatif est atteint. Il ne reste plus à cet anjou qu'à fondre l'empreinte de son élevage au cours de la garde.
🖙 Eddy Oosterlinck-Bracke,
Dom. de Juchepie, 49380 Faye-d'Anjou,
tél. 02.41.54.33.47, fax 02.41.54.13.49 ☑ ⵎ r.-v.

DOM. DU LANDREAU

Cuvée Charles Morin 2001★

| ■ | 4 ha | 26 000 | 🍷♦ | 5 à 8 € |

Cette exploitation s'est régulièrement développée après avoir parié sur la vente aux particuliers ; elle compte aujourd'hui 50 ha. Son anjou, bien intense, sent bon les fruits rouges ; il associe cette expression fruitée à des tanins légers qui forment une trame souple. Un vin équilibré destiné aux viandes et aux fromages.
🖙 Raymond Morin, Dom. du Landreau,
49750 Saint-Lambert-du-Lattay,
tél. 02.41.78.30.41, fax 02.41.78.45.11,
e-mail rmorin@domaine-du-landreau.com ☑ ⵎ r.-v.

DOM. LEDUC-FROUIN

La Seigneurie 2001★

| ■ | 5 ha | 12 000 | 🍷♦ | 3 à 5 € |

La famille Leduc-Frouin exploitait depuis 1873 ce domaine, lorsqu'en 1933 elle en devint propriétaire, succédant ainsi au marquis de Becdelièvre. Le cabernet-sauvignon (10 %) vient épauler le cabernet franc pour créer un ensemble riche, plein et aromatique. Sous une robe rubis brillant, le dégustateur perçoit bien des notes fines de fruits rouges et de cassis qui persistent agréablement.
🖙 SCEA Dom. Antoine et Nathalie Leduc-Frouin,
Sousigné, 49540 Martigné-Briand,
tél. 02.41.59.42.83, fax 02.41.59.47.90,
e-mail domaine-leduc-frouin@wanadoo.fr ☑ ⵎ r.-v.
🖙 Nathalie et Antoine Leduc

DOM. MATIGNON 2001★

| ■ | 2 ha | 15 000 | 🍷♦ | 3 à 5 € |

Le château de Martigné, bâti au début du XVIe s., est tout proche du domaine, et l'on peut voir depuis les vignes alentour ses ruines imposantes. Imposant, cet anjou profond à reflets rubis ? Gourmand, plutôt, avec ses tanins soyeux qui tapissent le palais, ses fruits rouges embaumant jusqu'à la finale, tout juste nuancés de notes végétales à l'olfaction.
🖙 EARL Yves Matignon, 21, av. du Château,
49540 Martigné-Briand,
tél. 02.41.59.43.71, fax 02.41.59.92.34,
e-mail domaine.matignon@wanadoo.fr ☑ 🏠 ⵎ r.-v.

DOM. DE MIHOUDY

Les Tréjeots 2001★

| ■ | 2 ha | 7 000 | 🍷♦ | 5 à 8 € |

Aubigné-sur-Layon présente bien des attraits : une église des XIe-XIIe s. dont on admire les fresques en trompe-l'œil réalisées au XVIIIe s., d'anciens logis, et un domaine viticole réputé qui propose aujourd'hui son vin pourpre intense, riche en arômes de fruits rouges légèrement épicés. Volumineux et franc, ce 2001 prometteur tirera profit d'une garde de deux ans pour amadouer ses tanins.
🖙 Cochard et Fils, Dom. de Mihoudy,
49540 Aubigné-sur-Layon, tél. 02.41.59.46.52,
fax 02.41.59.68.77 ☑ ⵎ r.-v.

CH. MONTBENAULT 2001★

| ■ | 2 ha | 11 000 | 🍷♦ | 5 à 8 € |

Cette exploitation traditionnelle de l'Anjou reste fidèle aux méthodes de vinification anciennes, ce qui se traduit par un vin d'un beau rubis, encore discret au nez, mais qui révèle des notes de fruits noirs bien mûrs à l'aération. La structure souple et ronde autorise une dégustation immédiate.
🖙 Yves et Marie-Paule Leduc,
Ch. Montbenault, 49380 Faye-d'Anjou,
tél. 02.41.78.31.14, fax 02.41.78.60.29
☑ ⵎ t.l.j. 9h-12h 14h-19h

DOM. DE LA MOTTE 2001★★

| ■ | 3 ha | 20 000 | 🍷 | 3 à 5 € |

Gilles Sorin, à la tête de cette exploitation de 20 ha depuis 1993, offre une belle palette de vins d'Anjou et exporte 35 % de sa production. Remarquable exemple de son savoir-faire, ce 2001 puissant et harmonieux ne demande qu'un peu de temps pour atteindre son apogée. D'une robe grenat intense à liséré violacé se libèrent des arômes de fruits confits d'un grand agrément, tandis que la concentration et la charpente témoignent d'une vendange mûre à souhait.
🖙 Gilles Sorin, Dom. de la Motte,
35, av. d'Angers, 49190 Rochefort-sur-Loire,
tél. 02.41.78.72.96, fax 02.41.78.75.49 ☑ ⵎ r.-v.

GILLES MUSSET ET SERGE ROULLIER 2001★

| ■ | 2,5 ha | 15 000 | 🍷♦ | 3 à 5 € |

Les domaines Rouillier et Musset se sont associés en 1994 ; leur vignoble couvre aujourd'hui une trentaine d'hectares le long de la Loire, sur des terroirs très différenciés. Rouge profond, le 2001 rappelle la fleur de cassis, soulignée de légères notes iodées, puis se développe avec suavité sur des tanins bien enrobés qui laissent une sensation immédiatement plaisante. L'anjou blanc 2001 est cité pour sa fraîcheur et sa palette de fleurs et d'agrumes.

☙ Vignoble Musset-Roullier, Le Pélican,
49620 La Pommeraye,
tél. 02.41.39.05.71, fax 02.41.77.75.76,
e-mail musset.roullier@wanadoo.fr ☑ ⵝ r.-v.

CH. DES NOYERS 2001★

■	1 ha	5 000	◑	3 à 5 €

Les Noyers sont l'un de ces petits villages vignerons autour de Martigné-Briand qui réservent quelques surprises : ici, les vestiges d'un château... Et puis ce vin rubis profond qui enveloppe les sens de ses arômes de fruits noirs soulignés de notes animales. Rond et plein, il peut compter sur des tanins bien présents, mais fondus, pour persister longuement.
☙ Ch. des Noyers, Les Noyers,
49540 Martigné-Briand,
tél. 02.41.54.03.71, fax 02.41.54.27.63,
e-mail webmaster@chateaudesnoyers.fr ☑ ⵝ r.-v.
☙ J.-P. Besnard

DOM. OGEREAU
Cuvée Prestige 2000★★★

■	2 ha	8 000	■◑	8 à 11 €

Vincent Ogereau a dû batailler pour récolter lors d'une saison pluvieuse un raisin parfaitement mûr. Mais sa grande expérience et le soin porté à la vigne lui ont permis d'élaborer un vin exceptionnel, paille à reflets bronze. Les arômes puissants et suaves à la fois marient les fruits confits (abricot) et le grillé. Après une attaque ample, onctueuse, apparaissent bientôt des notes d'agrumes qui contribuent à l'harmonie d'un ensemble persistant.
☙ Vincent Ogereau, 44, rue de la Belle-Angevine,
49750 Saint-Lambert-du-Lattay,
tél. 02.41.78.30.53, fax 02.41.78.43.55 ☑ ⵝ r.-v.

DOM. DU PETIT CLOCHER 2001

■	30 ha	50 000	■◑	5 à 8 €

L'église de Cléré-sur-Layon réserve au visiteur deux intéressantes absidioles du XIIe. Sur la commune, la famille Denis cultive 55 ha de vignes ; elle a produit un anjou rubis brillant qui dévoile sa complexité aromatique dans une bouche souple et délicate, aux tanins arrondis.
☙ A. et J.-N. Denis, GAEC du Petit Clocher,
3, rue du Layon, 49560 Cléré-sur-Layon,
tél. 02.41.59.54.51, fax 02.41.59.59.70,
e-mail j.denis5@libertysurf.fr ☑ ⵝ r.-v.

DOM. DES PETITES GROUAS 2001★

■	2 ha	10 000	■◑	3 à 5 €

De passage aux Grouas, allez découvrir, au milieu d'un champ, le menhir de 2,90 m que l'on appelle « Palet de Gargantua ». Philippe Léger saura vous indiquer le chemin après vous avoir présenté les atouts de son vin soyeux, habillé de rubis à reflets grenat. S'il se distingue de prime abord par des senteurs de poivron très mûr, ce 2001 fait parler le cassis en milieu de bouche et jusqu'en finale.
☙ EARL Philippe Léger, Cornu,
Les Grouas, 49540 Martigné-Briand,
tél. 02.41.59.67.22, fax 02.41.59.69.32 ☑ ⵝ r.-v.

DOM. DU PETIT VAL 2001★

■	1 ha	7 000	■◔	3 à 5 €

Des 4 ha de vignes qu'il comptait dans les années 1950, à sa création, le domaine s'est progressivement étendu à 35 ha, dont plus de la moitié est consacrée au chenin. Denis Goizil réussit aussi ses vins rouges, tel ce 2001 rubis profond qui mêle avec complexité les notes de poivron et les nuances légèrement animales. La chair fruitée et ample devrait tirer profit d'une garde de trois ans pour arrondir ses tanins. Un mariage avec une viande en sauce sera des plus opportun.
☙ EARL Denis Goizil,
Dom. du Petit Val, 49380 Chavagnes,
tél. 02.41.54.31.14, fax 02.41.54.03.48 ☑ ⵝ r.-v.

CH. DE PLAISANCE 2001★★

■	3 ha	15 000	■◑◔	5 à 8 €

Ce n'est pas un hasard si l'on surnomme ce terroir argilo-calcaire de Chaume le « coteau des dieux ». Il suffit, pour le comprendre, de regarder la robe grenat intense, embellie de reflets violets, puis de humer le fruité élégant, nuancé d'anis, qui témoigne d'une vendange mûre. Ce vin ample et volumineux persiste durablement, mettant en valeur l'extraction des constituants nobles de la baie.
☙ Guy Rochais, Ch. de Plaisance,
Chaume, 49190 Rochefort-sur-Loire,
tél. 02.41.78.33.01, fax 02.41.78.67.52,
e-mail rochais.guy@free.fr ☑ ⌂ ⵝ r.-v.

CH. DE PUTILLE 2001★★

■	4,5 ha	32 000	■◔	3 à 5 €

Pascal Delaunay a créé ce domaine en 1985 ; il n'a pas cessé depuis de le développer et de travailler à la qualité de ses vins. Coup de cœur dans le Guide 2000 pour le millésime 98, il se distingue cette année grâce à ce vin intensément aromatique et complexe, tout en notes de fruits cuits. La matière ample s'associe à des tanins souples pour donner une impression d'élégance remarquable, que l'on pouvait pressentir en admirant la robe rouge cerise nuancée de grenat.
☙ Pascal Delaunay, EARL Ch. de Putille,
49620 La Pommeraye, tél. 02.41.39.02.91,
fax 02.41.39.03.45 ☑ ⵝ t.l.j. sf dim. 8h-12h30 14h-19h

DOM. RICHOU
Les Quatre Chemins 2001★

■	n.c.	16 000	■	5 à 8 €

Maurice Richou, médecin ordinaire du roi, fut au milieu du XVIe. le premier d'une longue lignée de vignerons angevins, dont l'autre grande figure, Henri Richou, contribua à la reconnaissance des appellations anjou-villages-brissac. Cette cuvée révèle sous sa robe rubis profond des arômes complexes rappelant les fruits rouges et le cassis. Les tanins bien présents étayent sa bouche pleine et souple, mais se fondent pour laisser une impression de soyeux. La cuvée Les Rogeries 2000 (8 à 11 €), élevée en fût, obtient également une étoile, mais elle devra attendre quelques années pour se révéler pleinement.

↬ Dom. Richou, Chauvigné, 49610 Mozé-sur-Louet, tél. 02.41.78.72.13, fax 02.41.78.76.05 ☑ ⬥ r.-v.

DOM. ROBINEAU CHRISLOU 2001

■	4,61 ha	4 000	▮⬥	3 à 5 €

Dix ans après leur installation, Louis et Christine Robineau cultivent 19 ha de vignes en lutte raisonnée. Leur vin laisse le souvenir de fruits surmûris, de griotte et de fruits macérés dans l'eau-de-vie sous sa robe foncée à reflets violacés. Un fruité que l'on retrouve dans une matière ronde et longue. A boire ou a attendre.
↬ Louis Robineau, 14, rue Rabelais, 49750 Saint-Lambert-du-Lattay, tél. 02.41.78.42.65, fax 02.41.78.42.65 ☑ ⬥ r.-v.

DOM. DES ROCHETTES
Vieilles vignes 2001

■	20 ha	100 000		3 à 5 €

Enveloppé d'une robe sombre et brillante, ce vin flatte par son fruité qui trouve un bel écho dans une bouche volumineuse. Les tanins sont certes encore présents, mais bien accompagnés par les arômes.
↬ Chauvin Frères, Dom. des Rochettes, 49610 Mozé-sur-Louet, tél. 02.41.45.32.33, fax 02.41.45.75.76 ☑ ⬥ r.-v.

DOM. DE SALVERT 2001★

■	4 ha	n.c.	▮⬥	3 à 5 €

Est-ce une coccinelle porte-bonheur qui figure sur l'étiquette ? Depuis 1997, elle sert d'emblème à ce domaine qui utilise des traitements doux dans le respect de cette alliée de la lutte intégrée. Le chardonnay (20 %) complète le chenin pour donner un vin de couleur pâle, animé de reflets verts, qui livre toute sa fraîcheur dans des notes végétales et florales, puis dans son expression légère, pleine de gaieté.
↬ Dom. de Salvert, Hameau de l'Etang, 49540 Martigné-Briand, tél. 02.41.59.48.25, fax 02.41.59.75.31, e-mail salvert@domaine-de-salvert.fr ☑ ⬥ r.-v.
↬ Georges Bureau

CH. LA TOMAZE 2000★

■	0,62 ha	3 000	⬢	5 à 8 €

Il y a deux cents ans, les vignes couvraient 20 ha à Rablay-sur-Layon et à Faye-d'Anjou, partagées entre les deux rives de la rivière. Au début du XXᵉs., l'arrière-grand-père de Vincent Lecointre fit bâtir un château à Champ-sur-Layon, qui fut le point de départ de l'extension du vignoble jusqu'à ses 40 ha actuels. Des reflets d'or pur rendent ce vin attrayant, tout autant que son expression de fruits secs et confits soulignés d'une légère ligne boisée. Son caractère ample et harmonieux traduit une vendange parfaitement mûre.
↬ EARL Vignoble Lecointre, Ch. La Tomaze, 6, rue du Pineau, 49380 Champ-sur-Layon, tél. 02.41.78.86.34, fax 02.41.78.61.60 ☑ ⬢ ⬥ r.-v.

DOM. DES TROIS MONTS 2001★

■	6,2 ha	8 000	▮⬢⬥	3 à 5 €

Intéressante, cette palette de fruits rouges bien mûrs associés à des notes légèrement grillées... Un même fruité complexe – framboise et fraise – contribue à l'harmonie d'une chair ronde et légère. Un vin gouleyant pour un repas entre amis.

↬ SCEA Hubert Guéneau et Fils, 1, rue Saint-Fiacre, 49310 Trémont, tél. 02.41.59.45.21, fax 02.41.59.69.90 ☑ ⬥ r.-v.

DOM. VERDIER 2001★

■	1 ha	5 000	▮⬥	3 à 5 €

Voilà trente-deux ans que les Verdier mettent en valeur ce terroir argilo-schisteux des coteaux du Layon à travers plusieurs appellations de l'Anjou. Leur vin limpide et frais, évocateur de fruits bien mûrs, garde une même ligne aromatique : le fruit de la Passion se révèle en bouche, relayé en finale par une note de rose persistante qui apporte de la douceur.
↬ EARL Verdier Père et Fils, 7, rue des Varennes, 49750 Saint-Lambert-du-Lattay, tél. 02.41.78.35.67, fax 02.41.78.35.67 ☑ ⬥ r.-v.

LA VIGNE NOIRE 2000★★

■	4,71 ha	7 500	▮	3 à 5 €

Des schistes bleus pour cette Vigne Noire qui revêt une robe grenat intense et brillant. Au caractère fruité et floral du nez succède un remarquable développement sur des flaveurs plus intenses de cassis et de réglisse. Un anjou équilibré, à boire avec des viandes rouges et, pourquoi pas, un coq au vin. Les sols sont profonds.
↬ Nathalie et Guillaume Cauty, La Vigne Noire, 79290 Bouillé-Saint-Paul, tél. 05.49.96.83.19, fax 05.49.96.83.19 ☑ ⬥ t.l.j. sf dim. 9h-19h30

Anjou-villages

Le terroir de l'AOC anjou-villages correspond à une sélection de terrains dans l'AOC anjou : seuls les sols sains, précoces et bénéficiant d'une bonne exposition ont été retenus. Ce sont essentiellement des sols développés sur schistes, altérés ou non. Les dix communes constituant l'aire géographique de l'AOC anjou-village-brissac, reconnue en 1998, sont situées sur un plateau en pente douce vers la Loire, limité au nord par ce fleuve, et au sud par les coteaux abrupts du Layon. Les sols sont profonds. La proximité de la Loire, qui limite les températures extrêmes, explique également la particularité du terroir. La vendange 2001 a produit 13 921 hl en anjou-villages et 5 744 hl en brissac.

DOM. DE BRIZE
Clos Médecin 2000★★

■	1,5 ha	10 000	▮	5 à 8 €

Cette propriété familiale a acquis une solide réputation pour ses vins rouges, témoin le coup de cœur obtenu l'an dernier pour un anjou, et ce Clos Médecin, longtemps une référence en Anjou, et qui s'illustre de nouveau avec le 2000. Un vin structuré, qui n'oublie pas la délicatesse et

LOIRE

l'élégance, puissant et friand à la fois. Ses arômes subtils de fruits rouges et noirs, son équilibre et sa fraîcheur lui confèrent une remarquable harmonie.
� SCEA Marc et Luc Delhumeau, Dom. de Brizé, 49540 Martigné-Briand, tél. 02.41.59.43.35, fax 02.41.59.66.90, e-mail delhumeau.scea@free.fr ☑ ☂ r.-v.
↪ Luc et Line Delhumeau

DOM. DE LA CROIX DES LOGES
Les Grenuces 2000

| ■ | 1 ha | 4 500 | ■ ⑪ ♦ | 5 à 8 € |

La nouvelle génération vient de s'installer sur ce domaine familial, avec Jean-Christian Bonnin et son épouse Sophie, tous deux œnologues. Leur cuvée Les Grenuces révèle un bon potentiel au travers d'une solide structure. Sa très belle robe rubis foncé, ses arômes caractéristiques de l'appellation évoquant les fruits frais bien mûrs plaident également en sa faveur. Reste l'impression d'austérité laissée par des tanins qui demandent à se fondre : cette bouteille gagnera à attendre quelques mois.
↪ SCEA Bonnin et Fils, Dom. de la Croix des Loges, 49540 Martigné-Briand, tél. 02.41.59.43.58, fax 02.41.59.41.11, e-mail bonninlesloges@aol.com ☑ ☂ r.-v.

DOM. FARDEAU 2000★

| ■ | 1,75 ha | 11 000 | ■ | 5 à 8 € |

Etablie au pied de la corniche angevine, près de la confluence du Layon et de la Loire, Chantal Fardeau élabore toute la gamme des vins d'Anjou. Avec sa robe rubis intense, ses arômes tout aussi intenses de fruits mûrs et d'épices, sa bouche ronde aux tanins fondus, cet anjou-villages se montre très agréable et bien représentatif de l'appellation. On apprécie sa persistance. Son caractère soyeux le rend plaisant dès maintenant, mais on pourra le garder cinq ans.
↪ Dom. Chantal Fardeau, Les Hauts Perrays, 49290 Chaudefonds-sur-Layon, tél. 02.41.78.67.57, fax 02.41.78.68.78 ☑ ☗ ☂ r.-v.

CH. GAILLARD 2000★

| ■ | 1 ha | 5 000 | ■ ♦ | 3 à 5 € |

Ce domaine, en pleine évolution, a été repris en 1980 par deux frères, Yannick et Noël Cailleau, qui l'ont agrandi, portant sa superficie à 47 ha. Typique, leur anjou-villages a tous les caractères d'un vin prometteur : le rouge profond de sa robe à reflets pourpres, ses fins arômes de fruits rouges nuancés de fruits secs et sa belle structure. Une certaine austérité en finale incite à l'oublier au moins un an en cave pour que ses tanins gagnent en amabilité.
↪ EARL de la Ducquerie, 2, chem. du Grand-Clos, 49750 Saint-Lambert-du-Lattay, tél. 02.41.78.42.00, fax 02.41.78.48.17 ☑ ☂ r.-v.
↪ Cailleau GFA

DOM. DE GATINES 2000★

| ■ | 1,8 ha | 12 000 | ■ ♦ | 5 à 8 € |

Si cette exploitation (comme la commune où elle est établie) a bâti sa notoriété sur le rosé, elle a plus tard montré son savoir-faire en rouge, puisqu'elle a déjà obtenu un coup de cœur dans l'AOC anjou-villages (pour un 95). D'un rouge intense, le 2000 mêle des arômes délicats de fruits rouges et de mûre. Ample et bien structuré, très équilibré, il possède ce que l'on recherche dans cette appellation. On pourra l'attendre cinq ans.

↪ EARL Vignoble Dessèvre, Dom. de Gatines, 12, rue de la Boulaie, 49540 Tigné, tél. 02.41.59.41.48, fax 02.41.59.94.44 ☑ ☂ t.l.j. sf dim. 8h-12h 14h-18h

DOM. LES GRANDES VIGNES
L'Ancrie 2000★★

| ■ | 7,5 ha | 45 000 | ■ ⑪ ♦ | 5 à 8 € |

Jean-François, Dominique et Laurence Vaillant, frères et sœur, gèrent ce coquet domaine familial de 50 ha, auquel ils ont su donner en peu de temps une forte notoriété, tant en vins rouges qu'en liquoreux. Cet anjou-villages, d'un pourpre intense, ne fera pas pâlir leur renommée. Elaboré à partir de vendanges bien mûres, il a été judicieusement vinifié et vieilli pour partie en barrique pendant neuf mois. Un élevage bien mené qui lui a légué des notes boisées, légères et harmonieuses, qui laissent parler le fruit. Après aération s'épanouissent en effet des notes de petits fruits rouges sauvages, mêlées des nuances vanillées et fumées liées au séjour dans le chêne. Le palais délicat et long laisse le souvenir d'un ensemble remarquable, représentatif du millésime.
↪ GFA Vaillant, Dom. Les Grandes Vignes, La Roche-Aubry, 49380 Thouarcé, tél. 02.41.54.05.06, fax 02.41.54.08.21, e-mail vaillant@domainelesgrandesvignes.com ☑ ☂ r.-v.

DOM. LES GRANDES VIGNES
Les Cocainelles 2000★★

| ■ | 1,3 ha | 6 000 | ■ ⑪ ♦ | 8 à 11 € |

Cette cuvée se distingue de la précédente par un séjour un peu plus long dans le bois. On ne s'étonnera donc pas d'une présence plus sensible du merrain, à travers des arômes de torréfaction et de fruits secs, qui s'associent à des notes intenses de fruits rouges. Tout dans ce vin traduit la puissance et l'intensité, de sa robe rouge profond aux reflets sombres à sa structure tannique très serrée. Une bouteille prometteuse qu'il ne faut pas déboucher avant un an.
↪ GFA Vaillant, Dom. Les Grandes Vignes, La Roche-Aubry, 49380 Thouarcé, tél. 02.41.54.05.06, fax 02.41.54.08.21, e-mail vaillant@domainelesgrandesvignes.com ☑ ☂ r.-v.

DOM. DES HAUTES OUCHES 2000

| ■ | 3 ha | 10 000 | ■ ⑪ ♦ | 5 à 8 € |

Ce domaine de 43 ha propose régulièrement des vins rouges et rosés de fort bonne tenue dans les diverses appellations angevines. Si dans cette édition, son coup d'éclat concerne un rosé, cet anjou-villages ne démérite pas. Sa robe rouge intense à reflets noirs fait bonne impression, tout comme ses parfums puissants où se mêlent les fruits noirs et des notes épicées et vanillées héritées d'un élevage partiel en barrique. Une légère astringence en finale rend la conclusion plus austère : un vin à attendre au moins deux ans.
↪ EARL Joël et Jean-Louis Lhumeau, 9, rue Saint-Vincent, Linières, 49700 Brigné-sur-Layon, tél. 02.41.59.30.51, fax 02.41.59.31.75 ☑ ☂ r.-v.

DOM. LEDUC-FROUIN
La Seigneurie 2000★

| ■ | 1 ha | 6 000 | ■ ⑪ ♦ | 5 à 8 € |

Nathalie et Antoine Leduc sont depuis quelques années aux commandes de La Seigneurie, de ses 30 ha de vignes et de ses caves creusées dans le falun : un domaine exploité par leur famille depuis 1873. Rubis intense à reflets pourpres, leur anjou-villages, d'abord discret au nez, s'ouvre à l'agitation sur des notes de fruits rouges rappelant la fraise et la framboise. Ce fruité domine toute la dégustation et persiste en finale.

↬ SCEA Dom. Antoine et Nathalie Leduc-Frouin, Sousigné, 49540 Martigné-Briand,
tél. 02.41.59.42.83, fax 02.41.59.47.90,
e-mail domaine-leduc-frouin@wanadoo.fr ☑ ☖ r.-v.

GILLES MUSSET-SERGE ROULLIER 2000★★

■	3 ha	18 000	■ ⌴	5 à 8 €

Issue de la réunion de deux exploitations, cette propriété régulièrement sélectionnée s'est distinguée en rouge comme en blanc : n'a-t-elle pas obtenu en trois ans deux coups de cœur dans ces deux couleurs ? Ses résultats en anjou-villages conforteront sa réputation. Ce 2000, qui s'habille d'une très belle livrée rubis intense, se distingue par sa délicatesse à toutes les étapes de la dégustation. Son bouquet de fruits mûrs ou macérés laisse une impression de finesse et de légèreté qui se confirme au palais, où l'on croirait croquer des fruits rouges. Un ensemble des plus harmonieux.

↬ Vignoble Musset-Roullier, Le Pélican, 49620 La Pommeraye,
tél. 02.41.39.05.71, fax 02.41.77.75.76,
e-mail musset.roullier@wanadoo.fr ☑ ☖ r.-v.

GILLES MUSSET-SERGE ROULLIER
Petit Clos 2000★★

■	2 ha	12 000	■ ⌴	5 à 8 €

Fierté du domaine, cette sélection Petit Clos est née d'un assemblage de trois parcelles. Les vendanges ont macéré pendant plus de quarante jours. Le résultat ? Un vin qui pourrait d'abord passer pour léger et qui exprime toute sa complexité à l'aération. Il emplit le palais d'impressions tendres et moelleuses et de flaveurs de fruits rouges à l'alcool (griotte). Un voyage aromatique plein de charme.

↬ Vignoble Musset-Roullier, Le Pélican, 49620 La Pommeraye,
tél. 02.41.39.05.71, fax 02.41.77.75.76,
e-mail musset.roullier@wanadoo.fr ☑ ☖ r.-v.

DOM. OGEREAU
Côte de la Houssaye 2000★★

■	1 ha	3 500	⬗	11 à 15 €

Ce domaine familial de 22 ha, né à la fin du XIXᵉs., est devenu une référence en Anjou, tant Vincent Ogereau nous a habitués à atteindre le meilleur, de millésime en millésime. Sa cuvée Côte de la Houssaye, drapée de pourpre moiré de noir et de violet, se montre à la hauteur de ce que l'on attend désormais de la propriété. Sa puissance et sa complexité sont étonnantes. Un élevage de quinze mois en barrique a enrichi sa palette de vanille et de notes empyreumatiques qui se marient à des parfums de fruits noirs compotés. On retrouve ces arômes boisés au sein d'une structure ample et charnue. Un ensemble superbe à faire vieillir tranquillement.

↬ Vincent Ogereau, 44, rue de la Belle-Angevine, 49750 Saint-Lambert-du-Lattay,
tél. 02.41.78.30.53, fax 02.41.78.43.55 ☑ ☖ r.-v.

DOM. DE PAIMPARE 2000★★

■	1 ha	2 500	■ ⬗ ⌴	3 à 5 €

Michel Tessier est établi à Saint-Lambert-du-Lattay, dans l'aire des coteaux du layon, et ses liquoreux ont régulièrement été retenus ces dernières années. Avec ce

millésime, qui marque le dixième anniversaire de son installation, il montre un réel savoir-faire en rouge. D'un rubis intense, cet anjou-villages libère des parfums puissants de framboise et laisse une impression de fruits mûrs. Rond, ample et bien structuré, c'est un vin harmonieux qui peut être bu dès à présent ou conservé quelques années.

↬ SCEA Michel Tessier, 32, rue Rabelais, 49750 Saint-Lambert-du-Lattay,
tél. 02.41.78.43.18, fax 02.41.78.41.73 ☑ ☖ r.-v.

CH. DE PASSAVANT
Foulque Nerra 1999

■	1,8 ha	6 000	⬗	11 à 15 €

A la fin du Xᵉs. et au début du siècle suivant, Foulque Nerra imposa son pouvoir en Anjou. Infatigable bâtisseur de forteresses, il fut à l'origine du château de Passavant, même si les vestiges que l'on voit aujourd'hui sont postérieurs. L'édifice domine la vallée du Layon, rivière qui prend sa source à quelques kilomètres, aux confins des Deux-Sèvres et du Maine-et-Loire. D'un rouge cerise éclatant, cette cuvée dédiée au grand guerrier est encore dans son armure de chêne. Marquée par son élevage en barrique, elle s'environne d'arômes épicés et boisés qui tiennent le fruité en respect. Un vin qui aura une tout autre allure dans quelques mois et qui surprendra.

↬ SCEA David-Lecomte, Ch. de Passavant, rte de Tancoigne, 49560 Passavant-sur-Layon,
tél. 02.41.59.53.96, fax 02.41.59.57.91,
e-mail passavant@wanadoo.fr ☑ ☖ r.-v.

CH. DE PLAISANCE
Clos de l'Etang 2000★★

■	3 ha	15 000	■ ⬗ ⌴	5 à 8 €

Château de Plaisance
ANJOU - VILLAGES
APPELLATION ANJOU-VILLAGES CONTRÔLÉE
Clos de l'étang
12 % vol.　Mis en bouteille au Château　750 ml
E.A.R.L. ROCHAIS Fils, Viticulteur ROCHEFORT / LOIRE 49190 - FRANCE
Produce of France

Etabli à Chaume, haut lieu des liquoreux d'Anjou, le château de Plaisance s'illustre brillamment dans ce type de vin, comme l'attestent de nombreuses mentions dans le Guide. Avec son anjou-villages, il montre aussi un réel talent en rouge. Rubis intense à reflets noirs, le 2000 libère des arômes de fruits noirs, d'épices et de maroquinerie. Ronde, puissante, dotée d'une belle structure tannique, la bouche laisse une sensation de fruits mûrs. Une remarquable harmonie.

↬ Guy Rochais, Ch. de Plaisance, Chaume, 49190 Rochefort-sur-Loire,
tél. 02.41.78.33.01, fax 02.41.78.67.52,
e-mail rochais.guy@free.fr ☑ ⛊ ☖ r.-v.

CH. DE PUTILLE
Cuvée Prestige 2000★

■	5 ha	12 000	■ ⌴	5 à 8 €

Pascal Delaunay s'est installé en 1985 et exploite 40 ha de vignes, dont il tire le meilleur : n'a-t-il pas obtenu un coup de cœur dans les trois dernières éditions du Guide, en anjou, anjou-villages et anjou-coteaux de la loire ? Sa cuvée Prestige mérite bien son nom. La robe rouge grenat à reflets noirs invite à poursuivre la dégustation. Le reste ne déçoit pas, puisque le jury trouve à ce vin du charme, de la puissance et un potentiel étonnant pour le millésime. Une bouteille à attendre quelque temps.

🕿 Delaunay, EARL Ch. de Putille,
49620 La Pommeraye, tél. 02.41.39.02.92,
fax 02.41.39.03.45, e-mail chateau.putille@wanadoo.fr
☑ ☖ t.l.j. sf dim. 8h-12h30 14h-19h

DOM. JEAN-LOUIS ROBIN-DIOT
Le Haut du Cochet 2000★★

■	2 ha	6 000	ⅢⅠ	8 à 11 €

Cette cuvée Le Haut du Cochet avait déjà été jugée remarquable dans le millésime précédent. Pourpre intense, le 2000 mêle aux arômes typiques de fruits rouges et noirs des notes empyreumatiques et vanillées dues à un élevage d'un an en fût. La structure souple et ronde laisse une sensation charnue. Du classicisme et de l'agrément.

🕿 Dom. Jean-Louis Robin-Diot, Les Hauts-Perrays,
49290 Chaudefonds-sur-Layon, tél. 02.41.78.68.29,
fax 02.41.78.67.62 ☑ ☖ r.-v.

SAUVEROY
Cuvée antique 2000

■	4 ha	23 300	▮▮	5 à 8 €

Lorsqu'il fut repris par Francis Cailleau en 1947, ce domaine ne comptait plus que d'un hectare de vignes. En 1985, Pascal, benjamin de huit enfants, a pris à l'âge de dix-neuf ans les rênes de la propriété qui compte aujourd'hui 26 ha. Sa Cuvée antique s'habille d'une robe rouge intense aux reflets noirs et dégage des arômes puissants d'épices et de fruits compotés. Elle révèle une belle matière, mais ses tanins donnent au palais un côté austère et suggèrent d'attendre cette bouteille quelque temps.

🕿 EARL Pascal Cailleau, Dom. Sauveroy,
49750 Saint-Lambert-du-Lattay,
tél. 02.41.78.30.59, fax 02.41.78.46.43,
e-mail domainesauveroy@terre-net.fr ☑ ☖ r.-v.

CH. LA TOMAZE 2000

■	2 ha	12 000	▮▮	5 à 8 €

Ce domaine viticole, constitué vers 1900, vient d'inaugurer de nouveaux bâtiments pour la réception des clients, le stockage et l'expédition des bouteilles. Son anjou-villages affiche une très belle robe rouge sombre à reflets rubis. Caractéristiques de l'appellation, des notes de fruits mûrs (cerise noire) sont présentes au nez comme au palais. Un peu austère en finale, le vin n'en présente pas moins une belle harmonie.

🕿 EARL Vignoble Lecointre, Ch. La Tomaze,
6, rue du Pineau, 49380 Champ-sur-Layon,
tél. 02.41.78.86.34, fax 02.41.78.61.60 ☑ ☗ ☖ r.-v.

Anjou-villages-brissac

LES ANDEGAVES 2000★

■	28 ha	112 000	▮▮	5 à 8 €

Créées en 1951, les Caves de la Loire vinifiaient principalement des rosés. Depuis quelques années, la coopérative – dont le siège est situé au cœur de la récente AOC anjou-villages-brissac – s'est également tournée vers la production de vins rouges ; elle a entrepris d'identifier les terroirs et de contrôler les vignes. Une action fructueuse à en juger par ce vin grenat intense, aux parfums à la fois puissants et délicats de fruits rouges (fraise des bois, framboise). Harmonieuse au palais, avec des notes de cerise noire en finale, voilà une bouteille plaisante qui peut être savourée dès à présent.

🕿 Les Caves de la Loire, rte de Vauchrétien,
49320 Brissac-Quincé, tél. 02.41.91.22.71,
fax 02.41.54.20.36, e-mail loire-wines@vapl.fr ☑ ☖ r.-v.

DOM. DES BONNES GAGNES 2000★

■	1,5 ha	10 000	▮▮	5 à 8 €

Ce domaine était déjà viticole au XIᵉ s. Quelque dix siècles plus tard, il est très souvent mentionné dans le Guide, notamment pour ses vins rouges. Son 2000 a attiré l'attention des dégustateurs par ses effluves surprenants : à côté des parfums habituels de fruits rouges, ils décèlent des notes de feuilles macérées, de feuilles de vigne et d'épire (plante locale entrant dans la composition d'un apéritif). Le vin offre une harmonie légère, faite de rondeur, et une plaisante finale. A boire dans les deux ans.

🕿 Jean-Marc Héry, Orgigné,
49320 Saint-Saturnin-sur-Loire,
tél. 02.41.91.22.76, fax 02.41.91.21.58
☑ ☖ t.l.j. 9h-12h30 14h-20h; dim. sur r.-v.

CH. DE BRISSAC 2000

■	n.c.	n.c.	ⅢⅠ	5 à 8 €

Le château de Brissac est l'emblème de cette jeune appellation reconnue en 1998. La cuvée 2000 est pour l'instant marquée par son élevage. Conservée le plus longtemps possible avec très peu de soufre, elle présente à ce jour des notes rappelant le noyau et les fruits compotés. Il faudra plusieurs mois de vieillissement en bouteilles pour que ce vin puisse donner sa pleine mesure.

🕿 SCEA Daviau, Dom. de Bablut,
49320 Brissac-Quincé, tél. 02.41.91.22.59,
fax 02.41.91.24.77, e-mail daviau@refsa.fr
▥ ☖ t.l.j. sf dim. 9h-12h 14h-18h30
🕿 Duc de Brissac

DOM. DE GAGNEBERT
Clos de Grésillon 2000★

■	3 ha	15 000	ⅢⅠ	5 à 8 €

Dès le Moyen Age, les schistes, extraits dans des carrières, ont été une ressource importante de Juigné-sur-Loire. Les maisons anciennes du village, tout comme le caveau de dégustation des Moron, sont bâties dans ce matériau. Aujourd'hui, cette roche reste une richesse pour la commune, car elle constitue un terroir de choix pour les vins. Voyez celui-ci, déjà très réussi dans le millésime précédent. D'un rouge intense, il livre des arômes végétaux qui s'ouvrent à l'aération sur des notes fruitées nuancées de réglisse. De l'attaque franche à la finale, la structure donne toute satisfaction, même si les tanins ne sont pas encore fondus. Une jolie bouteille représentative de son appellation et du millésime.

🕿 GAEC Moron, Dom. de Gagnebert,
2, chem. de la Naurivet, 49610 Juigné-sur-Loire,
tél. 02.41.91.92.86, fax 02.41.91.95.50,
e-mail moron@domaine-de-gagnebert.com
☑ ☖ t.l.j. sf dim. 9h-12h 15h-19h

DOM. DE HAUTE-PERCHE 2000★

| ■ | 12 ha | 13 000 | ▮◗ | 5 à 8 € |

Christian Papin a repris en 1982 ce domaine fondé en 1966. Le vignoble, planté à l'origine en cépages ordinaires qui donnaient des vins de table, a été restructuré : priorité a été accordée au chenin et au cabernet, pour élaborer des vins d'appellation. Une orientation conforme à celle de nombreuses exploitations angevines. Dans cette AOC, un 97 du domaine avait atteint les sommets. Que dire du 2000 ? Sa robe grenat à reflets noirs et ses arômes puissants de cassis, presque tourbés, laissent présager une très bonne matière pour le millésime. La structure, massive, assez austère, confirme cette impression. Le jury espère que ce vin aura gagné en amabilité à la fin de l'année 2002.
➦ EARL Agnès et Christian Papin,
Dom. Haute Perche, 7, chem. de la Godelière,
49610 Saint-Melaine-sur-Aubance,
tél. 02.41.57.75.65, fax 02.41.57.75.42 ☑ ▼ r.-v.

MANOIR DE VERSILLE
Vieilles Vignes 2000★★

| ■ | 1,3 ha | 7 500 | ▮◗ | 5 à 8 € |

Versillé est un hameau de Saint-Jean-des-Mauvrets situé sur un petit coteau dominant l'Aubance. Le manoir est une bâtisse austère du XVIe., constituée de deux corps de logis en équerre reliés par une tour carrée. Quant au vignoble, il a donné une bouteille digne de son terroir. Rubis profond, cette cuvée offre une palette aromatique intense, faite de fruits compotés, d'épices, de noyau de cerise. Elle se montre tout aussi complexe au palais, où elle conjugue bonne structure et élégance, laissant une impression de puissance remarquable pour le millésime.
➦ EARL du Manoir de Versillé,
Versillé, 49320 Saint-Jean-des-Mauvrets,
tél. 02.41.45.22.00, fax 02.41.45.22.00 ☑ ▼ r.-v.
➦ Francine Desmet

DOM. RICHOU
Les Vieilles vignes 2000★

| ■ | 3 ha | 10 000 | ◕ | 8 à 11 € |

Valeur sûre du Guide, avec des vins toujours bien accueillis, plus d'une fois coups de cœur, le domaine Richou a marqué le vignoble angevin en développant la production des vins rouges à partir des années 1970 (ce qui ne l'empêche pas d'élaborer d'excellents vins blancs). En anjou-villages-brissac, ses vieilles vignes ont de nouveau donné une bouteille très réussie. Le 2000 est issu d'une longue macération (vingt-huit jours) et d'un élevage en barrique sur lie de plus d'un an. Le chêne lui a légué une note boisée pour l'heure trop présente, mais la bouche ronde et soyeuse, qui finit sur des notes de fruits mûrs persistants, laisse une impression des plus favorables. A attendre un an.
➦ Dom. Richou, Chauvigné, 49610 Mozé-sur-Louet,
tél. 02.41.78.72.13, fax 02.41.78.76.05 ☑ ▼ r.-v.

DOM. DES ROCHELLES
La Croix de Mission 2000★★★

| ■ | n.c. | 20 000 | ▮◗ | 8 à 11 € |

Un domaine incontournable dans cette appellation : le 99 n'a-t-il pas, lui aussi, obtenu un coup de cœur ? Le 2000, né dans un millésime peu ensoleillé, fait pourtant le plein des voix. Le jury le qualifie, éloge rare, d'exceptionnel, tout en saluant son côté plaisant, presque « facile ». D'un rubis intense, ce vin subjugue par la complexité de sa

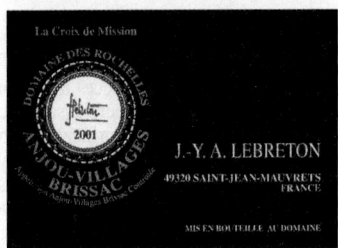

palette aromatique où se côtoient pruneau, cerise noire, griotte, épices et humus. Tout aussi présent au palais, il procure une sensation constante de finesse et d'élégance. Quant à la **cuvée classique 2000**, elle enchante par sa robe rouge intense aux reflets pourpre sombre, et intéresse par son nez évoluant de notes un peu végétales, évoquant la terre mouillée et la tourbe, vers des senteurs de fruits noirs compotés. Au palais, elle laisse une impression moelleuse, rare dans le millésime. Toutes ces qualités valent bien deux étoiles.
➦ J.-Y. A. Lebreton, Dom. des Rochelles,
49320 Saint-Jean-des-Mauvrets,
tél. 02.41.91.92.07, fax 02.41.54.62.63,
e-mail jy.a.lebreton@wanadoo.fr ☑ ▼ r.-v.

DOM. DE SAINTE ANNE 2000★

| ■ | 3 ha | 10 000 | ▮◗ | 5 à 8 € |

Saint-Saturnin-sur-Loire représente le deuxième point en altitude du Maine-et-Loire. Les Brault y exploitent depuis six générations un coquet domaine (55 ha) établi sur l'une des croupes argilo-calcaires les plus élevées du village. Aussi bien noté que le 99, leur anjou-villages-brissac reflète par sa structure légère le millésime 2000, qui s'est caractérisé par une arrière-saison douce et humide. Ses arômes évoquent les fruits rouges et noirs, soulignés d'une nuance végétale. Un vin bien fait, agréable, et que l'on peut apprécier dès maintenant.
➦ Dom. de Sainte-Anne, EARL Brault,
49320 Brissac-Quincé, tél. 02.41.91.24.58,
fax 02.41.91.25.87, e-mail eva.brault@terre-net
☑ ▼ t.l.j. sf dim. 9h-12h 14h-19h; sam. 18h

CH. LA VARIERE 2000

| ■ | 8 ha | 50 000 | ▮◗ | 5 à 8 € |

Un vrai château, remontant en partie au XIIIe., et un vaste domaine (95 ha) conduit par la même famille depuis 1850. La visite de ministres européens, américains et japonais, venus en France pour des négociations commerciales, a consacré sa renommée. La propriété produit des vins rouges et des liquoreux régulièrement mentionnés dans le Guide, parfois aux meilleures places. Ce 2000 libère des arômes de fruits noirs compotés (cassis), de gibier et de tourbe, et donne une impression de puissance et de rondeur. La finesse et l'élégance viendront après quelques mois de garde. Autres cuvées sélectionnées : la **Grande Chevalerie** et **Jacques Beaujeau Premium 2000**, élevées dix-huit mois en barrique, montrent un potentiel impressionnant mais devront s'affiner : deux vins à attendre.
➦ Jacques Beaujeau, Ch. la Varière, 49320 Brissac,
tél. 02.41.91.22.64, fax 02.41.91.23.44,
e-mail chateau.la.varière@wanadoo.fr ☑ ▼ r.-v.

Rosé d'anjou

Après un fort succès à l'exportation, ce vin demi-sec se commercialise difficilement aujourd'hui. Le grolleau, principal cépage, autrefois conduit en gobelet, produisait des vins rosés, légers, appelés « rougets ». Il est de plus en plus vinifié en vin rouge léger, de table ou de pays.

FLANERIE DE LOIRE 2001

| | n.c. | 400 000 | 🍷🍷 | - de 3 € |

Une invitation à la flânerie sur les bords de Loire ? Ce rosé est un sympathique compagnon des repas pris en toute simplicité. Des notes de fruits rouges, de pêche et de mangue conversent à loisir dans un ensemble plein de fraîcheur. Il a toutes les caractéristiques d'un rosé d'Anjou.
🍷 SA Lacheteau, ZI La Saulaie,
49700 Doué-la-Fontaine,
tél. 02.41.59.26.26, fax 02.41.59.01.94

DOM. DES HAUTES OUCHES 2001★★

| | 7 ha | 20 000 | 🍷🍷 | 3 à 5 € |

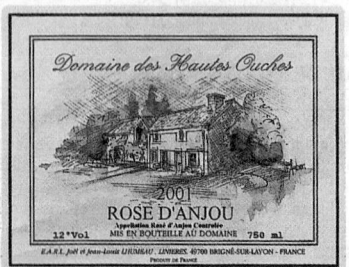

Joël et Jean-Louis Lhumeau sont sur leur terrain de prédilection : les rosés... Déguste-t-on un vin ou savoure-t-on à tour les fruits frais et mûrs d'une large corbeille ? Ce rosé ressemble à une friandise toute fruitée, tendre, riche et fine. Le jury a aimé, à l'unanimité.
🍷 EARL Joël et Jean-Louis Lhumeau,
9, rue Saint-Vincent, Linières, 49700 Brigné-sur-Layon,
tél. 02.41.59.30.51, fax 02.41.59.31.75 ✅ 🍷 r.-v.

CH. DE MONTGUERET 2001

| | 8,71 ha | 79 000 | 🍷🍷 | 3 à 5 € |

Depuis son achat en 1987, la propriété n'a cessé de s'agrandir et compte aujourd'hui 125 ha de vignes. Son rosé, de couleur grenadine, rappelle les fruits blancs, les fleurs et le bonbon anglais, relayés en bouche par la fraise et les fruits frais. Un vin agréable à boire comme une petite gourmandise.
🍷 SCEA Ch. de Montguéret, 49560 Nueil-sur-Layon,
tél. 02.41.59.26.26, fax 02.41.59.59.02 ✅ 🍷 r.-v.
🍷 A. et D. Lacheteau

CH. DES NOYERS 2001★

| | 3,7 ha | 3 000 | 🍷🍷 | 3 à 5 € |

Le château des Noyers, construit au XVIᵉs., se trouve sur une boucle du Layon qui, canalisée au XVIIIᵉs. par Monsieur frère du roi Louis XIV, était utilisée pour le transport des vins et des marchandises. Souhaitez-vous un vin convivial, à servir frais durant tout un repas, sur des hors-d'œuvre, des charcuteries, des viandes blanches et des crustacés ? Celui-ci vous livrera son caractère gouleyant et tendre, avec les arômes printaniers des fruits rouges et des fruits frais.
🍷 Ch. des Noyers, Les Noyers,
49540 Martigné-Briand,
tél. 02.41.54.03.71, fax 02.41.54.27.63,
e-mail webmaster@chateaudesnoyers.fr ✅ 🍷 r.-v.
🍷 J.-P. Besnard

DOM. DE LA PETITE CROIX 2001

| | 7 ha | 10 000 | 🍷🍷 | 3 à 5 € |

Face aux coteaux réputés de Bonnezeaux, ce domaine s'étend sur la rive gauche du Layon et exploite quelques parcelles de ce fameux cru des coteaux du Layon. Son rosé fait bonne impression dès l'abord grâce à une couleur saumon intense et à une expression fruitée délicate. La bouche reste dans la même veine, vive et tendre. C'est ce que l'on attend des vins de cette appellation.
🍷 A. Denéchère et F. Geffard,
Dom. de la Petite Croix, 49380 Thouarcé,
tél. 02.41.54.06.99, fax 02.41.54.30.05,
e-mail scea@lapetitecroix.com ✅ 🍷 r.-v.

DOM. DES TROTTIERES 2001★★

| | 15,14 ha | 117 000 | 🍷🍷 | 3 à 5 € |

C'est au pied du cru bonnezeaux que ce domaine, créé en 1905 sur une superficie de 110 ha d'un seul tenant, exploite aujourd'hui 80 ha. Le terroir caillouteux des collines graveleuses est favorable à la production de vins rosés, lesquels sont d'ailleurs le fer de lance des Trottières. Rose clair à reflets violacés, ce 2001 s'ouvre sur des arômes amyliques de bonbon anglais et sur des notes de fruits blancs. Il se poursuit avec équilibre, tout en nuances de fruits mûrs.
🍷 Dom. des Trottières, Les Trottières,
49380 Thouarcé, tél. 02.41.54.14.10, fax 02.41.54.09.00,
e-mail lestrottieres@worldonline.fr ✅ 🍷 r.-v.
🍷 Lapotte

Cabernet d'anjou

On trouve dans cette appellation d'excellents vins rosés demi-secs, issus des cépages cabernet franc et cabernet-sauvignon. A table, on les associe assez facilement, lorsqu'ils sont parfumés et servis frais, au melon en hors-d'œuvre, ou à certains desserts pas trop sucrés. En vieillissant, ils prennent une nuance tuilée et peuvent être bus à l'apéritif. La production a atteint 178 747 hl en 2001. C'est sur les faluns de la région de Tigné et dans le Layon que ces vins sont les plus réputés.

L'AME DU TERROIR 2001★

| | n.c. | 47 000 | 🍷🍷 | - de 3 € |

La société de négoce Vinival exploite un vignoble de 35 ha sur la commune de Brigné. Le raisin a en partie

macéré et a fermenté à basse température pour donner naissance à un vin tout en arômes d'agrumes, à la fois moelleux et frais. Les notes de pêche blanche et de mûre dominent en finale. Un agréable apéritif en perspective.
↱ Vinival, La Sablette, 44330 Mouzillon,
tél. 02.40.36.66.00, fax 02.40.36.26.83

DOM. DES BLEUCES 2001★

| | 5,5 ha | 30 000 | ▌ | 3 à 5 € |

Et une nouvelle étoile pour Benoît Proffit dans cette sélection, après sa belle réussite en anjou blanc. Dégustez tranquillement, un soir d'automne, ce vin rose pâle, aux délicats arômes de fruits rouges légèrement confits. Par sa fraîcheur, il procure une sensation semblable à celle que l'on éprouve en croquant un fruit frais.
↱ EARL Proffit-Longuet,
Dom. des Bleuces, 49700 Concourson-sur-Layon,
tél. 02.41.59.11.74, fax 02.41.59.97.64,
e-mail domainedesbleuces@coteaux-layon.com
☑ ⵏ t.l.j. sf sam. dim. 9h-12h 14h-17h
↱ Benoît Proffit

DOM. DE CLAYOU 2001★★

| | 5 ha | 40 000 | ▌⌄ | 3 à 5 € |

Cette propriété familiale de 21 ha se situe à Saint-Lambert-du-Lattay, l'une des communes les plus viticoles d'Anjou. Issu d'une macération pelliculaire de douze heures, son vin a été vinifié à basse température, ce qui se traduit par une teinte rose saumoné intense comme par des notes florales et fruitées (agrumes, fruits blancs). Equilibré, il bénéficie d'une pointe perlante qui lui apporte une certaine vivacité. Les charcuteries lui iront bien.
↱ SCEA Jean-Bernard Chauvin,
18 bis, rue du Pont-Barré,
49750 Saint-Lambert-du-Lattay, tél. 02.41.78.44.44,
fax 02.41.78.48.52 ☑ ⵏ t.l.j. sf dim. 9h-12h30
13h30-18h30; f. 15 août-1er sept.

LE CLOS DES MOTELES 2001★★

| | 1 ha | 4 000 | ▌ | - de 3 € |

Les vignes de Sainte-Verge sont implantées sur des terrasses graveleuses, à proximité de Thouars et à une trentaine de kilomètres de Saumur. Elles correspondent à la limite sud du vignoble de l'Anjou, à la frontière du Poitou. Tout, dans ce cabernet d'anjou, évoque la légèreté et la délicatesse des vins septentrionaux : robe rose à nuances violacées, arômes discrets de petits fruits rouges, bouche rafraîchissante, égayée de quelques perles, finale harmonieuse de fruits frais.
↱ GAEC Le Clos des Motèles Basset-Baron,
42, rue de la Garde, 79100 Sainte-Verge,
tél. 05.49.66.05.37, fax 05.49.66.37.14
☑ ⵏ t.l.j. sf dim. 8h-12h 14h-18h30

DOM. DES CLOSSERONS 2001★

| | 4,63 ha | 10 000 | ▌⌄ | 3 à 5 € |

Faye-d'Anjou propose un circuit pédestre de découverte du vignoble qui vous conduira sans doute vers cette propriété créée en 1956 par Yvette et Jean-Claude Leblanc, et reprise avec passion par leurs fils Yannick et Dominique. Cette famille ne manque pas de panache, tout comme son vin, presque discret au nez, mais puissant en bouche. Les arômes qui apparaissent alors rappellent les confitures de fraises et de framboises. Un cabernet d'anjou qui, par son volume, accompagnera parfaitement les charcuteries et les entrées chaudes.

↱ EARL Jean-Claude Leblanc et Fils,
Dom. des Closserons, 49380 Faye-d'Anjou,
tél. 02.41.54.30.78, fax 02.41.54.12.02 ☑ ⵏ r.-v.

DOM. DES DEUX ARCS 2001★★

| | 8 ha | 10 000 | ▌⌄ | 3 à 5 € |

Le domaine de Michel Gazeau représente bien l'évolution du vignoble angevin : initialement orienté vers les vins rosés, dont Martigné-Briand était la capitale, il a étendu sa production aux vins rouges de caractère. Ses coteaux du layon méritent en outre attention. Cette diversification ne doit pas faire oublier son cabernet d'anjou rose saumoné, typique de l'appellation. Ses arômes intenses de pamplemousse et de fruits frais sont soulignés de notes végétales subtiles, tandis qu'en bouche la fraîcheur et le moelleux s'associent. A déguster entre amis.
↱ Dom. des Deux Arcs,
11, rue du 8-Mai-1945, 49540 Martigné-Briand,
tél. 02.41.59.47.37 ☑ ⵏ r.-v.
↱ Michel Gazeau

ELYSIS 2001★

| | n.c. | 130 000 | ▌⌄ | 3 à 5 € |

La coopérative, fondée en 1951, produit essentiellement des vins rosés. En collaboration avec l'INRA d'Angers, elle a réalisé un important travail d'identification des terroirs qui lui permet de maîtriser un grand nombre de parcelles très diverses. Les dégustateurs ont perçu beaucoup d'élégance et de délicatesse dans ce vin qui mêle les notes aromatiques issues de la vinification (bonbon anglais, fraise) à celles nées de vendanges bien mûres (fruits rouges, fruits blancs). Un bel ensemble pour l'apéritif.
↱ Les Caves de la Loire, rte de Vauchrétien,
49320 Brissac-Quincé, tél. 02.41.91.22.71,
fax 02.41.54.20.36, e-mail loire-wines@vapl.fr ☑ ⵏ r.-v.

DOM. DES EPINAUDIERES 2001

| | 5 ha | 10 000 | ▌⌄ | 3 à 5 € |

Roger Fardeau a constitué ce vignoble à partir de 1966 ; son fils l'a rejoint en janvier 1997 et poursuit l'œuvre paternelle avec la même exigence. Voilà un rosé saumoné intense, à nuances cerise, comme le domaine aime à en élaborer. Encore timide, il a besoin d'aération pour révéler ses notes de fruits mûrs. Cette discrétion aromatique laisse place à une sensation de rondeur et de moelleux. A servir en carafe.
↱ SCEA Fardeau, Sainte-Foy,
49750 Saint-Lambert-du-Lattay,
tél. 02.41.78.35.68, fax 02.41.78.35.50,
e-mail fardeau.paul@club-internet.fr ☑ ⵏ r.-v.

DOM. GAUDARD 2001★★

| | 2,55 ha | 15 000 | ▌⌄ | 5 à 8 € |

Pierre Aguilas est une personnalité du monde viticole. Du caractère, il en a... De l'affection, aussi, pour cette appellation qu'il considère comme l'une des plus originales de France. C'est pourquoi il a porté tant de soins à la vinification d'un cabernet très mûr dans le millésime 2001, récolté à plus de 13 % vol. Une grande délicatesse émane de la teinte rose orangé comme des senteurs de fruits mûrs, rouges et noirs, et de mandarine. La même élégance et la même complexité aromatique caractérisent la bouche. Ce vin servi bien frais à l'apéritif étonnera tous les connaisseurs.

➥ Pierre Aguilas, Dom. Gaudard, rte de Saint-Aubin, 49290 Chaudefonds-sur-Layon, tél. 02.41.78.10.68, fax 02.41.78.67.72 ☑ ⟁ t.l.j. 9h-12h 14h-18h; dim. sur r.-v.

DOM. DES GAUMONTS 2001★

■	4 ha	6 000	■ ♦ 3 à 5 €

A trente ans, Sébastien Rahard exploite ce domaine de 20 ha, qu'il a repris de ses parents en 1999. Son vin représente bien l'appellation, tant par sa teinte intense, par ses arômes délicats de fruits rouges et de violette, que par sa fraîcheur équilibrée. Il possède la finesse propre aux vins du Val de Loire.

➥ GAEC Rahard, Les Gaumonts, 49380 Thouarcé, tél. 02.41.54.32.31, fax 02.41.54.41.14 ☑ ⟁ r.-v.

LE LOGIS DU PRIEURE 2001★★

■	5 ha	25 000	■ ♦ 3 à 5 €

Le Layon, canalisé sous Louis XVI, servait autrefois au transport du charbon et du vin ; Concourson-sur-Layon était le port le plus en amont. Elu coup de cœur l'an passé pour son rosé de loire 2000, ce domaine propose aujourd'hui un remarquable cabernet d'anjou, rose pâle à reflets violacés. Les arômes de fruits frais et de fleurs évoquent le printemps, à l'instar de son goût frais, délicatement nuancé de framboise et de mûre.

➥ SCEA Jousset et Fils, Le Logis du Prieuré, 49700 Concourson-sur-Layon, tél. 02.41.59.11.22, fax 02.41.59.38.18, e-mail logis-prieure@groupesirius.com ☑ ⟁ r.-v.

DOM. DE LA MONTCELLIERE 2001★

■	7 ha	25 000	■ ♦ - de 3 €

Le créateur du vignoble, greffeur, exploitait quelques hectares de vignes seulement. Aujourd'hui, le domaine en couvre une trentaine sur un terroir schisteux. Bien dans le type de l'appellation, son vin ravira les amateurs. Rose pâle, il décline les petits fruits rouges, les fleurs et le poivre, puis donne la primeur à des flaveurs de fraise intenses dans un ensemble gouleyant. Tel est le fruit d'une vendange mûre et joliment vinifiée.

➥ SCEA Louis Guéneau et Fils, Dom. de la Montcellière, 49310 Trémont, tél. 02.41.59.60.72, fax 02.41.59.66.15 ☑ ⟁ t.l.j. sf dim. 9h-12h 14h-19h

DOM. DES NOELS 2001★★

■	2 ha	5 000	■ ♦ 3 à 5 €

Les vignes des Noëls se trouvent à mi-pente sur le coteau de Faye-d'Anjou. Le domaine a été repris par J.-M. Garnier, œnologue, qui a travaillé jusqu'en 1994 dans une grande maison saumuroise de vins effervescents. Sous une teinte rose orangé apparaissent des flaveurs de fruits rouges et noirs (cassis) qui se développent tout au long de la dégustation et laissent une agréable sensation d'harmonie. Pour l'apéritif ou les plats orientaux.

➥ SCEA Dom. des Noëls, Les Noëls, 49380 Faye-d'Anjou, tél. 02.41.54.18.01, fax 02.41.54.30.76 ☑ ⟁ t.l.j. 8h-12h30 14h-18h; f. 15-30 août
➥ M. Garnier

DOM. OGEREAU 2001★★

■	2 ha	10 000	■ ♦ 5 à 8 €

Le nom d'Ogereau évoque l'excellence depuis de nombreuses années déjà. Ce cabernet d'anjou ne fait que confirmer une telle réputation. Le voici, intensément rose à reflets cerise, qui exprime ses arômes puissants de fruits rouges. Associant fraîcheur et moelleux jusqu'à une longue finale de cassis, il charmera dès l'apéritif, puis accompagnera des mets sucrés-salés comme le boudin aux pommes.

➥ Vincent Ogereau, 44, rue de la Belle-Angevine, 49750 Saint-Lambert-du-Lattay, tél. 02.41.78.30.53, fax 02.41.78.43.55 ☑ ⟁ r.-v.

PARFUMS DE LOIRE 2001★

■	n.c.	500 000	■ ♦ - de 3 €

Spécialisée dans la production de vins effervescents et de vins rosés, cette maison de négoce propose un vin simple et agréable, tout en nuances de petits fruits rouges et de fleurs blanches. Sa teinte rose intense annonce une fraîcheur harmonieuse et désaltérante que vous apprécierez dans les derniers jours de l'été.

➥ SA Lacheteau, ZI La Saulaie, 49700 Doué-la-Fontaine, tél. 02.41.59.26.26, fax 02.41.59.01.94

DOM. DES PETITES GROUAS 2001★

■	2 ha	5 000	■ ♦ 3 à 5 €

Le nom du domaine évoque une formation calcaire, les faluns, dépôts riches en débris coquillier, et dans lesquels des habitations troglodytiques ont été creusées. Le vin de Philippe Léger présente toutes les caractéristiques attendues de l'appellation : couleur rose tendre, arômes intenses de fruits frais et de fruits noirs, équilibre réussi entre fraîcheur et moelleux. Un cabernet d'anjou de plaisir, à servir bien frais tout au long du repas.

➥ EARL Philippe Léger, Cornu, Les Grouas, 49540 Martigné-Briand, tél. 02.41.59.67.22, fax 02.41.59.69.32 ☑ ⟁ r.-v.

DOM. DES QUATRE ROUTES 2001★

■	0,35 ha	3 000	■ ♦ 3 à 5 €

Le village d'Aubigné-sur-Layon a été aménagé par les vignerons de la commune ; le long des vieux murs ont été plantées des vignes du cépage roi de l'Anjou, le chenin. Quand un vin donne la sensation que l'on croque des fruits frais, on ne peut douter de sa qualité. Celui-ci le fait à toutes les étapes de la dégustation. Une friandise à savourer dès maintenant.

➥ Poupard et Fils, Dom. des Quatre Routes, 49540 Aubigné-sur-Layon, tél. 02.41.59.44.44, fax 02.41.59.49.70, e-mail domainedes4routes@wanadoo.fr ☑ ⟁ t.l.j. 9h-19h; sam. dim. sur r.-v.

DOM. SAINT ARNOUL 2001★

■	5,5 ha	8 000	■ ♦ 3 à 5 €

Le domaine de Saint-Arnoul se situe sur les sables calcaires – les faluns – de Martigné-Briand, terroir favorable aux cabernets qui y trouvent des conditions de maturation comparables à celles des terrains crayeux du Saumurois. Ces qualités se distinguent à la dégustation de son 2001, qui évoque délicatement la groseille et la fraise. Une sensation de fraîcheur et d'équilibre reste dans le souvenir du dégustateur, comme la marque de l'appellation.

➥ GAEC Poupard et Maury, Dom. Saint-Arnoul, Sousigné, 49540 Martigné-Briand, tél. 02.41.59.43.62, fax 02.41.59.69.23, e-mail saint-arnoul@wanadoo.fr ☑ 🏠 ⟁ r.-v.

SAUVEROY 2001

	2,27 ha	17 860		3 à 5 €

Créé au XVIIIᵉˢ., ce vignoble est entré dans la famille Cailleau en 1947. Depuis 1985, Pascal Cailleau et sa femme Véronique en tiennent les rênes. D'un joli rose intense, ce vin dévoile charnu, tendreté et richesse. Des caractéristiques qui ne trompent pas... Il vous suffira de le servir en carafe pour l'apprécier à sa juste valeur.
↬ EARL Pascal Cailleau, Dom. Sauveroy,
49750 Saint-Lambert-du-Lattay,
tél. 02.41.78.30.59, fax 02.41.78.46.43,
e-mail domainesauveroy@terre-net.fr ☑ ☖ r.-v.

DOM. DE TERREBRUNE 2001★★★

	8 ha	70 000		3 à 5 €

Ce domaine est situé sur les formations sablo-graveleuses déposées sur les parties hautes des coteaux de Thouarcé. Un terroir particulièrement favorable à l'élaboration de vins rosés, qui représentent justement l'essentiel de la production de Terrebrune. Ce cabernet d'anjou laisse à tout instant une agréable sensation de fruits frais. Outre les qualificatifs habituels réservés à ce type de vin — tendre et frais —, les dégustateurs le caractérisent comme délicat et élégant. Un vin étonnant, à servir sur des plats exotiques et des salades de fruits.
↬ SCA Dom. de Terrebrune, La Motte,
49380 Notre-Dame-d'Allençon,
tél. 02.41.54.01.99, fax 02.41.54.09.06,
e-mail domaine-de-terrebrune@wanadoo.fr ☑ ☖ r.-v.

DOM. DES TROIS MONTS 2001★★

	10 ha	50 000		3 à 5 €

Les Trois Monts correspondent à trois coteaux importants de la commune de Trémont, en partie plantés de chenin et producteurs de vins réputés en AOC coteaux du layon. Le cabernet d'anjou mérite également attention, tel ce 2001 rose pâle, délicatement fruité, floral et épicé, qui prend de l'ampleur en bouche. Sa fraîcheur persiste jusqu'à une finale de petits fruits rouges et incite à le marier avec un melon.
↬ SCEA Hubert Guéneau et Fils, 1, rue Saint-Fiacre,
49310 Trémont, tél. 02.41.59.45.21, fax 02.41.59.69.90
☑ ☖ r.-v.

DOM. DES TROTTIERES 2001★

	24,21 ha	196 000		3 à 5 €

Les collines graveleuses sont propices à la production de vins rosés tel ce cabernet d'anjou léger, fruité, tout en équilibre. De sa robe saumonée émanent les arômes typiques de fruits rouges, qui s'harmonisent bien avec des sensations moelleuses et vives à la fois.

↬ Dom. des Trottières, Les Trottières,
49380 Thouarcé, tél. 02.41.54.14.10, fax 02.41.54.09.00,
e-mail lestrottieres@worldonline.fr ☑ ☖ r.-v.
↬ Lamotte

DOM. DU VIGNEAU 2001

	2 ha	5 000		3 à 5 €

La commune de Passavant se trouve dans le haut Layon, là où le cabernet franc, implanté sur un sol argilo-siliceux, a donné naissance à ce vin rose pâle limpide, riche en arômes de fruits rouges mûrs. Une même ligne fruitée accompagne une fraîcheur appétissante.
↬ Patrick Robichon, pl. de l'Eglise,
49560 Passavant-sur-Layon,
tél. 02.41.59.51.04, fax 02.41.59.51.04 ☑ ☖ r.-v.

Coteaux de l'aubance

La petite rivière Aubance est bordée de coteaux de schistes portant de vieilles vignes de chenin, dont on tire un vin blanc moelleux qui s'améliore en vieillissant. La production a atteint 5 634 hl en 2001. Cette appellation a choisi de limiter strictement ses rendements.

DOM. DE BABLUT
Sélection 2000★

	11 ha	20 000		15 à 23 €

Domaine familial depuis 1546, les 80 ha de vignes de Bablut sont aujourd'hui entre les mains de Chistophe Daviau, œnologue, qui compte au nombre de ceux qui firent la promotion du vignoble des coteaux de l'Aubance, méconnu il y a encore quelques années. La cuvée Grand-pierre 2000 et cette Sélection obtiennent la même note, car toutes deux dévoilent un beau potentiel de départ qui se traduit dans une bouche complexe, mais aussi des notes d'évolution surprenantes. Elles ne laisseront sûrement pas indifférent et trouveront des partisans.
↬ SCEA Daviau, Dom. de Bablut,
49320 Brissac-Quincé, tél. 02.41.91.22.59,
fax 02.41.91.24.77, e-mail daviau@refsa.fr
☑ 🏠 ☖ t.l.j. sf dim. 9h-12h 14h-18h30

DOM. DES DEUX MOULINS
Cuvée Exception 2000★★

	4 ha	4 000		8 à 11 €

Daniel Macault a obtenu l'an passé la même récompense pour la cuvée Exception 99. Un travail de fond qui porte ses fruits, et c'est tant mieux... Le jury a particulièrement apprécié l'équilibre de ce vin qui associe la richesse (gras, moelleux) et la fraîcheur, avec la vivacité typique de l'appellation. La palette complexe et délicate décline tour à tour les fruits blancs très mûrs, les fleurs blanches (acacia, aubépine), les épices, les fruits secs et le miel. A boire ou à attendre.

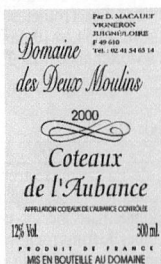

Par D. MACAULT
VIGNERON
JUIGNÉ/LOIRE
P 49 610
Tél. 02 41 54 65 14

Domaine
des Deux Moulins

2000

Coteaux
de l'Aubance

APPELLATION COTEAUX DE L'AUBANCE CONTRÔLÉE

12% Vol.   500 mL.

PRODUIT DE FRANCE
MIS EN BOUTEILLE AU DOMAINE

☛ Daniel Macault, Dom. des Deux Moulins,
20, rte de Martigneau, 49610 Juigné-sur-Loire,
tél. 02.41.54.65.14, fax 02.41.54.67.94,
e-mail domaine2moulins@free.fr ☑ ⵏ r.-v.

DOM. DE HAUTE PERCHE
Les Fontenelles 2000★★

	4 ha	12 000	▮ 8 à 11 €

Installé en 1964, Christian Papin, produisait autrefois
toute une gamme de vins modestes, comme bon nombre
de vignerons angevins d'alors. Il a suivi l'évolution de la
région et produit aujourd'hui deux appellations prestigieuses : l'anjou-villages-brissac et le coteaux de l'aubance. Il
n'est que de déguster ce liquoreux élaboré dans un
millésime difficile pour juger du travail de qualité de son
producteur. Jaune d'or à reflets verts, il évoque avec
complexité les fruits secs, les fruits mûrs, le miel et le raisin
de Corinthe. La fraîcheur et le moelleux s'équilibrent pour
créer un ensemble harmonieux, digne d'un grand vin.
☛ EARL Agnès et Christian Papin, Dom. Haute
Perche, 7, chem. de la Godelière,
49610 Saint-Melaine-sur-Aubance,
tél. 02.41.57.75.65, fax 02.41.57.75.42 ☑ ⵏ r.-v.

MANOIR DE VERSILLE
Château Rousset 2000★

	1,8 ha	2 600	▮ ▥ ⵜ 11 à 15 €

Il n'en fallait pas plus plus pour attirer Francine
Desmet sur ce terroir en 1998 : un manoir construit autour
d'une cour carrée du XVIᵉs. et le vignoble des coteaux de
l'Aubance, en pleine évolution. Les premiers millésimes
n'avaient pas été des plus faciles, mais les résultats avaient
été probants, à l'image de ce 2000 qui laisse une sensation
de fruits mûrs persistante. D'autres nuances l'accompagnent, comme les fruits secs et les fleurs blanches (acacia)
qui parachèvent une belle réussite.
☛ EARL du Manoir de Versillé, Versillé,
49320 Saint-Jean-des-Mauvrets,
tél. 02.41.45.22.00, fax 02.41.45.22.00 ☑ ⵏ r.-v.
☛ Francine Desmet

DOM. DU PRIEURE
Promesses 2000

	0,76 ha	1 960	▥ 8 à 11 €

Après une thèse de doctorat sur les terroirs viticoles,
Franck Brossaud s'est installé en septembre 2000 sur cette
propriété de 13 ha. Une entrée en matière délicate, dans
un millésime difficile, mais un départ réussi. Car ce coteaux
de l'aubance a de l'allure dans sa robe jaune à reflets verts,
parfumée de pain d'épice et d'agrumes. Il joue son va-tout
sur le moelleux afin de laisser une agréable sensation.

☛ Franck Brossaud, 1 bis, pl. du Prieuré,
49610 Mozé-sur-Louet,
tél. 02.41.45.30.74, fax 02.41.45.30.74 ☑ ⵏ r.-v.

DOM. RICHOU
Le Pavillon 2000★★

	2,3 ha	3 000	▥ 11 à 15 €

Le domaine Richou est une valeur sûre de ce
vignoble. Plusieurs coups de cœur ont autrefois récompensé sa cuvée la plus concentrée, Les Trois Demoiselles ;
de nombreux compliments ont été faits sur la sélection du
Pavillon qui, par sa légèreté et sa grâce, donne une bonne
image des vins de la région. Eloge du 2000 aujourd'hui,
pour ses arômes subtils de noix, de raisins surmûris et de
fruits secs, pour sa fraîcheur aussi, celle qui apporte de la
vie et un côté aérien aux vins liquoreux de l'appellation.
☛ Dom. Richou, Chauvigné, 49610 Mozé-sur-Louet,
tél. 02.41.78.72.13, fax 02.41.78.76.05 ☑ ⵏ r.-v.

DOM. DE ROCHAMBEAU
Harmonie 2000★

	8 ha	3 000	▥ 5 à 8 €

Le paysage des coteaux de l'Aubance se dessine
essentiellement autour de collines aux pentes douces,
parfois relayées par des coteaux escarpés tels ceux de
Soulaines-sur-Aubance. L'une des caractéristiques du vignoble est de produire des vins légers en comparaison de
ceux, plus puissants, du vignoble voisin des coteaux du
Layon. Le Rochambeau est bien représentatif de ce style :
délicat, harmonieux avec ses notes de fruits mûrs, il reste
frais et désaltérant.
☛ EARL Forest, Dom. de Rochambeau,
49610 Soulaines-sur-Aubance,
tél. 02.41.57.82.26, fax 02.41.57.82.26,
e-mail rochambeau@wanadoo.fr ⵏ r.-v.

TERRES D'ALLAUME
Clos des Noëlles 2000★★

	1,12 ha	n.c.	▮ⵜ 8 à 11 €

La réunion de plusieurs petites exploitations situées
sur la rive gauche de la Loire, de Mozé-sur-Louet à
Rochefort-sur-Loire, est à l'origine de ce domaine de 24 ha
sur sols schisteux et gréseux. Bon représentant de l'appellation, son vin jaune doré limpide affiche des arômes de
pain grillé, de fruits mûrs et de fruits secs, tout en révélant
un caractère moelleux équilibré, jamais trop puissant.
Cette finesse est bien le trait caractéristique des coteaux de
l'aubance.
☛ Eric Blanchard, Le Perray-Chaud,
49610 Mozé-sur-Louet,
tél. 02.41.45.76.15, fax 02.41.45.37.79 ☑ ⵏ r.-v.

Anjou-coteaux de la loire

L'appellation est réservée aux
vins blancs issus du pinot de la Loire. Les volumes
sont confidentiels (1 095 hl en 2001) par rapport
à l'aire de production (une douzaine de communes), située uniquement sur les schistes et les

calcaires de Montjean. Lorsqu'ils sont triés et qu'ils atteignent la surmaturité, ces vins se distinguent des coteaux du layon par une couleur plus verte. Ils sont généralement de type demi-sec. Dans cette région aussi, la reconversion du vignoble se fait peu à peu vers la production de vins rouges.

COTEAU SAINT-VINCENT
Grains sélectionnés 2001★

	2 ha	2 000	🍴❄ 8 à 11 €

Le chai de ce domaine de 19 ha qui domine la vallée de la Loire a pour plus proche voisin le belvédère de Chalonnes. Père et fils mettent en valeur un terroir de schistes briovériens à travers des vins pareils à ce 2001. Au premier nez floral de genêt et de tilleul succèdent, après agitation du verre, des notes de miel. La bouche est puissante, avec une légère austérité finale qui invite à une garde de deux ans. Servez cette bouteille en carafe ou accordez-lui une légère aération.
🕯 EARL Michel et Olivier Voisine, Le Coteau Saint-Vincent, 49290 Chalonnes-sur-Loire, tél. 02.41.78.18.26, fax 02.41.78.18.26 ☑ ⵏ r.-v.

DOM. DU FRESCHE
Clos du chalet 2000★★

	0,3 ha	1 200	🍴❄ 11 à 15 €

Bien représentatif du vignoble des coteaux de la Loire, le domaine s'étend à l'ouest de l'Anjou, entre les aires d'appellation coteaux du layon et muscadet coteaux de la loire. Son vin est aussi un classique de l'appellation par sa finesse. Jaune pâle or léger, il décline tilleul, acacia, miel et raisin surmûri avant de s'installer, ample et frais, en bouche. La pointe vive, typique, réveille agréablement les papilles.
🕯 Alain Boré, Dom. du Fresche, rte de Chalonnes, 49620 La Pommeraye, tél. 02.41.77.74.63, fax 02.41.77.79.39 ☑ ⵏ t.l.j. sf dim. 9h-12h30 14h-19h

CH. DE PUTILLE
Cuvée Pierre Carrée 2000★★

	5 ha	4 000	🍴❄ 8 à 11 €

Pascal Delaunay est l'un des artisans du renouveau du vignoble des coteaux de la Loire. Cette sélection en est une incontestable preuve. Elle fait montre d'une délicatesse remarquable que l'on ressent dans sa palette complexe de fruits mûrs, de fruits blancs, de fruits exotiques et de fleurs blanches (acacia, aubépine). Sa fraîcheur vous envahit comme lorsque vous croquez un fruit frais. Le **Clos du Pirouet 2001 (5 à 8 €)** obtient une étoile ; il a été élaboré à partir de plusieurs tries, chacune ayant une richesse naturelle d'au moins 17 % vol. Son potentiel se révèlera au cours des deux prochaines années.
🕯 EARL Ch. de Putille, 49620 La Pommeraye, tél. 02.41.39.02.91, fax 02.41.39.03.45
☑ ⵏ t.l.j. sf dim. 8h-12h30 14h-19h
🕯 Pascal Delaunay

Savennières

Ce sont des vins blancs de type sec, produits à partir du chenin, essentiellement sur la commune de Savennières. Les schistes et grès pourpres leur confèrent un caractère particulier, ce qui les a fait définir longtemps comme crus des coteaux de la Loire ; mais ils méritent d'occuper une place à part entière. Cette appellation devrait s'affirmer et se développer. Pleins de sève, un peu nerveux, ses vins vont à merveille sur les poissons cuisinés. La production du savennières et de ses crus coulée-de-serrant et roche-aux-moines atteint 4 585 hl en 2001.

DOM. DES BARRES
Les Bastes 2001★

	1,1 ha	3 200	🍶 5 à 8 €

Voilà dix ans que Patrice Achard conduit le domaine familial situé sur l'un des fiefs des coteaux du Layon. Grâce à son savoir-faire, il obtient également de très bons résultats sur l'autre rive de la Loire. Il aura fallu deux passages dans la vigne pour récolter le chenin qui compose ce savennières vinifié en fût de chêne. Jaune à reflets or, celui-ci évoque avec discrétion les fruits mûrs et les fleurs blanches. Il est frais, équilibré, étonnant par ses notes citronnées. Un vin encore jeune, comme en témoigne la légère amertume finale, mais qui ne tardera pas à s'épanouir.
🕯 Patrice Achard, Dom. des Barres, 49190 Saint-Aubin-de-Luigné, tél. 02.41.78.98.24, fax 02.41.78.68.37 ☑ ⵏ r.-v.

DOM. DES BAUMARD
Trie spéciale 2000★

	3 ha	18 500	🍴❄ 15 à 23 €

Le domaine des Baumard fut le premier producteur des coteaux du Layon à franchir la Loire pour exploiter des vignes en savennières. Un exemple suivi, depuis, par de nombreuses exploitations. Son vin laisse une impression d'ensemble de légèreté et de délicatesse. Est-ce l'effet de sa robe jaune pâle brillant, de ses arômes de miel, d'agrumes, de fleurs blanches, ou bien de sa fraîcheur et de sa générosité que soulignent l'acacia, l'ananas, la mangue et le grillé ?
🕯 Florent Baumard, SCEA Dom. des Baumard, 8, rue de l'Abbaye, 49190 Rochefort-sur-Loire, tél. 02.41.78.70.03, fax 02.41.78.83.82, e-mail contact@baumard.fr ☑ ⵏ r.-v.

DOM. EMILE BENON
Clos du Grand Hamé 2000★★

	5,5 ha	5 500	▮↓	5 à 8 €

Situé sur le plateau d'Epiré, au sol schisto-gréseux, ce domaine figure régulièrement dans le Guide aux meilleures places (il obtient un coup de cœur pour le millésime 98). On le retrouve remarquablement défendu par un 2000 à reflets or vert qui libère la palette caractéristique de l'appellation : minéral, fleurs blanches, genêt, fruits mûrs. Ce vin paraît désaltérant par sa délicate fraîcheur qui s'associera avec des coquilles Saint-Jacques et des truffes.
☙ Dom. Emile Benon, rte de la Lande, Epiré, 49170 Savennières, tél. 02.41.77.10.76, fax 02.41.77.10.07, e-mail earl.benon@wanadoo.fr
☑ ♈ t.l.j. sf dim. 8h-12h 14h30-19h; f. 15-31 août

CH. DE LA BIZOLIERE 2000★★

	3,6 ha	24 000	▮	8 à 11 €

Pierre Soulez est l'une des figures du vignoble de Savennières et les vins qu'il élabore – Château La Bizolière, Château de Chamboureau – sont des références de l'appellation. Ce 2000 exprime pleinement le potentiel d'un grand terroir angevin producteur de vins blancs secs. Les premiers arômes minéraux, quelque peu austères, cèdent place à des notes chaleureuses de fruits mûrs, de fleurs blanches, de miel et d'agrumes. La même délicatesse est perceptible dans une bouche complexe. En tout point remarquable, cette bouteille vous ravira aux côtés d'un sandre au beurre blanc.
☙ EARL Pierre Soulez, Ch. de Chamboureau, 49170 Savennières, tél. 02.41.77.20.04, fax 02.41.77.27.78 ☑ ♈ r.-v.

DOM. DU CLOSEL
Les Caillardières 2001★★

	5 ha	12 000	▮↓	11 à 15 €

Les archives du domaine témoignent de l'existence du fief de Vaults vers 1450. A l'origine cultivé par des moines, le vignoble fut repris par les Walsh, comtes de Serrant, puis par le marquis de Las Cases et ses descendants. Ce vin puissant, apte à la garde, s'exprime ouvertement sur le pamplemousse, les fruits mûrs et les fleurs blanches. Sa belle matière donne une sensation d'opulence qui invite à un mariage avec des poissons en sauce ou des coquilles Saint-Jacques. La cuvée Les Vaults 2001, très réussie, dévoile de prime abord un caractère minéral, puis évolue avec richesse sur les fruits mûrs et le raisin rôti.
☙ EARL Dom. du Closel, Ch. des Vaults, 49170 Savennières, tél. 02.41.72.81.00, fax 02.41.72.86.00, e-mail closel@savennieres-closel.com
☑ ♈ t.l.j. 9h-12h30 14h-19h

CLOS DE COULAINE 2000★

	4,3 ha	22 000	▮⦿	8 à 11 €

Le Clos de Coulaine est une très ancienne propriété de Savennières reprise en 1974 par Claude Papin, le « monsieur terroir » des coteaux du Layon. Le sol du vignoble est constitué des sables éoliens quaternaires qui se sont déposés sur le coteau schisteux. Ce savennières étonne par sa richesse aromatique : les fleurs (acacia, tilleul) côtoient les fruits mûrs, l'abricot, le raisin de Corinthe et le pruneau. Léger, déclinant flaveurs de caramel au lait et de pamplemousse, il est bien représentatif de son millésime.

☙ Claude Papin, Ch. Pierre-Bise, 49750 Beaulieu-sur-Layon, tél. 02.41.78.31.44, fax 02.41.78.41.24 ☑ ♈ r.-v.
☙ F. Roussier

DOM. DES FORGES 2000★

	1,5 ha	2 700	⦿	8 à 11 €

Les 37 ha du vignoble Branchereau se répartissent sur les deux rives de la Loire, dans les coteaux du Layon et en Savennières. Le savoir-faire de son propriétaire s'exporte plutôt bien : les vendanges ont été rigoureusement triées et vinifiées en tonnes de 400 l. Voici un savennières de bonne facture, léger et désaltérant, qui pourra accompagner tout un repas. De délicats arômes de fleurs et de fruits frais émanent de sa robe jaune limpide, associés aux notes épicées, vanillées, héritées de l'élevage sous bois. Appréciez-le dès aujourd'hui et pendant encore deux ans.
☙ Vignoble Branchereau, Dom. des Forges, rte de la Haie-Longue, 49190 Saint-Aubin-de-Luigné, tél. 02.41.78.33.56, fax 02.41.78.67.51, e-mail vitiforg@wanadoo.fr
☑ ♈ t.l.j. sf dim. 9h-12h 14h-19h

CH. LA FRANCHAIE 2000★

	2 ha	8 000	▮↓	8 à 11 €

Le château de La Franchaie se situe sur le plateau mamelonné de La Possonière, à quelques kilomètres de la Loire. Il est nécessaire d'aérer légèrement son vin pour en percevoir la finesse. Les arômes de fruits blancs, de miel, de violette et de réglisse apparaissent alors. Fraîche, mais également racée et bien représentative du terroir, cette bouteille fera bel effet sur une truite au bleu.
☙ SCEA Ch. la Franchaie, Dom. de la Franchaie, 49170 La Possonnière, tél. 02.41.39.18.16, fax 02.41.39.18.17 ☑ ♈ r.-v.
☙ Chaillou

NICOLAS JOLY 2000★★

	n.c.	n.c.	⦿	11 à 15 €

Vigneron engagé, Nicolas Joly plaide partout dans le monde pour le respect de l'authenticité des vins élaborés selon les principes de la biodynamie. Le savennières 2000 restitue une part de la magie du paysage de coteaux arides qui l'a vu naître : d'abord austère avec ses arômes minéraux et son amertume en bouche rappelant celle de la sauge, il donne à l'aération une impression chaleureuse de fruits mûrs et de fruits secs, comme lorsque la luminosité douce des bords de la Loire enveloppe les sols sombres du vieux socle armoricain.
☙ EARL Nicolas Joly, Ch. de la Roche-aux-Moines, 49170 Savennières, tél. 02.41.72.22.32, fax 02.41.72.28.68, e-mail coulee-de-serrant@wanadoo.fr
☑ ♈ t.l.j. sf dim. 8h30-12h 14h-17h45

DOM. LAUREAU
Cuvée des Genêts 2000★★

	5,57 ha	14 000	▮	8 à 11 €

Le domaine Laureau exploite depuis le début du siècle le vignoble du Clos Frémur, appelé au Moyen Age « vignoble de la Quinte » car situé à 5 km du centre d'Angers. Les vignes de Savennières, reprises il y a deux ans, offrent aujourd'hui un vin à tout instant élégant : légères notes minérales, arômes d'amande grillée, de pamplemousse et de miel, bouche délicate, presque mystérieuse. Un savennières harmonieux, remarquablement typé, qui semble avoir capté la lumière si particulière des bords de la Loire.

🍴 Dom. Laureau du Clos Frémur, La Bénétrie-Butte de Frémur, 49000 Angers,
tél. 02.41.72.25.54, fax 02.41.72.87.39,
e-mail laureau.fremur@waika9.com ☑ ☥ r.-v.

🍴 Damien Laureau

DOM. DE LA MONNAIE 2000★

	2 ha	10 000	⏸ 8 à 11 €

Le nom du domaine rappelle l'ancienne fonction d'octroi de cette demeure des bords de Loire. Il ne vous faudra pas trop bourse délier pour apprécier ce joli vin. L'élevage en fût – qui est la règle chez Eric Morgat – le marque encore de son empreinte : les arômes boisés et vanillés dominent les notes minérales, les flaveurs d'amande grillée et de fruits mûrs typiques de l'appellation. Les promesses d'avenir résident dans la bonne fraîcheur qui se poursuit jusqu'à une finale complexe rappelant le miel et la pêche. Après deux à cinq ans de garde, cette bouteille pourra rejoindre une viande blanche accompagnée de légumes anciens.

🍴 Eric Morgat,
Dom. de la Monnaie, 49170 Savennières,
tél. 02.41.72.22.51, fax 02.41.78.30.03 ☑ ☥ r.-v.

CH. DE PLAISANCE
Le Clos 2000★

	2 ha	10 000	🍶⏸🍷 11 à 15 €

Le château de Plaisance domine le hameau de Chaume et son célèbre vignoble de quarts de chaume. Traverser la Loire pour produire un grand vin blanc sec ressemble à une aventure pour Guy Rochais, une aventure au dénouement heureux... Son vin jaune pâle, délicatement parfumé de fleurs blanches et de fruits mûrs (pêche) évolue avec légèreté comme pour mieux rafraîchir le dégustateur. A boire sur des crustacés ou des poissons grillés.

🍴 Guy Rochais, Ch. de Plaisance,
Chaume, 49190 Rochefort-sur-Loire,
tél. 02.41.78.33.01, fax 02.41.78.67.52,
e-mail rochais.guy@free.fr ☑ 🏠 ☥ r.-v.

CH. DE VARENNES 2000★

	7 ha	45 000	⏸ 11 à 15 €

Bernard Germain a lancé en Anjou l'opération Loire Renaissance, dont l'objectif est de promouvoir des vins blancs secs de haut niveau élaborés à partir de tries et vinifiés en barrique. Ce savennières est encore dominé par des notes boisées, mais il séduit déjà par sa bouche ample, moelleuse et équilibrée qui reflète bien la grande maturité du raisin. La finale rappelle la poire, l'abricot et les fruits secs. Une garde de deux ans sera favorable à cette bouteille.

🍴 Vignobles Germain et Associés Loire,
Ch. de Fesles, 49380 Thouarcé,
tél. 02.41.68.94.00, fax 02.41.68.94.01,
e-mail loire@vgas.com ☑ ☥ r.-v.

🍴 Bernard Germain

> Les vins issus de chenin, ou pineau de la Loire, se bonifient longuement en cave même s'ils semblent déjà prêts après un ou deux ans de garde.

Savennières roche-aux-moines, savennières coulée-de-serrant

Il est difficile de séparer ces deux crus qui ont pourtant reçu une codification particulière, tant ils sont proches en caractères et en qualité. La coulée-de-serrant, plus restreinte en surface (7 ha), est située de part et d'autre de la vallée du petit Serrant. La plus grande partie est en pente forte, d'exposition sud-ouest. Propriété en monopole de la famille Joly, cette appellation a atteint, tant par sa qualité que par son prix, la notoriété des grands crus de France. C'est après cinq ou dix ans que ses qualités s'épanouissent pleinement. La roche-aux-moines appartient à plusieurs propriétaires et couvre une surface de 19 ha déclarés (qui n'est pas totalement plantée) pour une production moyenne de 600 hl. Si elle est moins homogène que son homologue, on y trouve des cuvées qui n'ont cependant rien à lui envier.

Savennières roche-aux-moines

CH. DE CHAMBOUREAU
Cuvée d'Avant 2000

	1 ha	1 200	⏸ 15 à 23 €

La cuvée d'Avant – l'un des rares vins liquoreux de l'appellation – est née de plusieurs tries et d'un élevage de dix-huit mois en barrique. Sa palette puissante de poire, de fruits surmûris, soulignée de notes iodées, a surpris le jury. Sa bouche semble plus classique par sa rondeur et par la légère amertume finale, caractéristique du millésime et qui s'estompera au cours du vieillissement. Un savennières original qui ne manque cependant pas de charme.

🍴 EARL Pierre Soulez,
Ch. de Chamboureau, 49170 Savennières,
tél. 02.41.77.20.04, fax 02.41.77.27.78 ☑ ☥ r.-v.

CLOS DE LA BERGERIE 2001★★★

	n.c.	8 000	⏸ 15 à 23 €

L'éperon rocheux du coteau de la Roche-aux-Moines est un site chargé d'histoire. Dominant en un point stratégique la Loire, il fut tout naturellement utilisé par les hommes pour contrôler les transports sur le fleuve royal. La sélection du Clos de la Bergerie a quelque chose d'envoûtant avec ses arômes de fruits macérés à l'alcool (prune, abricot) et de fruits mûrs. La bouche donne la sensation de croquer des raisins rôtis sous l'action de la pourriture noble et du soleil. Superbe !

LOIRE

➹ EARL Nicolas Joly,
Ch. de la Roche-aux-Moines, 49170 Savennières,
tél. 02.41.72.22.32, fax 02.41.72.28.68,
e-mail coulee-de-serrant@wanadoo.fr
☑ ☂ t.l.j. sf dim. 8h30-12h 14h-17h45

Savennières coulée-de-serrant

NICOLAS JOLY 2000★★

	7 ha	15 000	⏹ 38 à 46 €

Planté depuis neuf siècles et continuellement en vigne depuis, le lieu-dit La Coulée de Serrant constitue à lui seul une aire d'appellation de 7 ha — Louis XI, Louis XIV et l'impératrice Joséphine, qui appréciaient son vin, s'y rendirent. La première impression aromatique indique un grand terroir : les arômes de fruits mûrs et de fruits exotiques se déclinent avec légèreté, délicatesse et complexité. A l'aération apparaissent également des notes de fruits secs (abricot), de bois d'ébénisterie et d'épices. La bouche franche, moelleuse et légère laisse en finale une sensation délicate de fruits macérés à l'alcool. Un coulée-de-serrant harmonieux, aux senteurs chaleureuses de fin d'été.

➹ EARL Nicolas Joly,
Ch. de la Roche-aux-Moines, 49170 Savennières,
tél. 02.41.72.22.32, fax 02.41.72.28.68,
e-mail coulee-de-serrant@wanadoo.fr
☑ ☂ t.l.j. sf dim. 8h30-12h 14h-17h45

Coteaux du layon

Sur les coteaux des vingt-cinq communes qui bordent le Layon, de Nueil à Chalonnes, on a produit, en 2001, 58 311 hl de vins demi-secs, moelleux ou liquoreux. Le chenin est le seul cépage. Plusieurs villages sont réputés : le plus connu est celui de Chaume (78 ha). Six autres noms peuvent être ajoutés à l'appellation : Rochefort-sur-Loire, Saint-Aubin-de-Luigné, Saint-Lambert-du-Lattay, Beaulieu-sur-Layon, Rablay-sur-Layon, Faye-d'Anjou. Vins subtils, or vert à Concourson, plus jaunes et plus puissants en aval, ils présentent des arômes de miel et d'acacia acquis lors de la surmaturation. Leur capacité de vieillissement est étonnante.

DOM. DE L'ANGELIERE 2000★

	1 ha	3 000	⏹ 5 à 8 €

Le domaine familial compte aujourd'hui 40 ha de vignes, dont cette parcelle implantée en hauteur sur le coteau graveleux depuis lequel on aperçoit pas moins de neuf clochers. D'une vinification en barrique bien maîtrisée sont nées de délicates notes boisées qui laissent place à des arômes de fleurs blanches, de pâte de fruits et de coing. Gourmand, le vin s'achève avec légèreté et fruité, comme pour mieux souligner la belle harmonie d'ensemble.

➹ GAEC Boret, Dom. de L'Angelière,
49380 Champ-sur-Layon,
tél. 02.41.78.85.09, fax 02.41.78.67.10 ☑ ☂ r.-v.

DOM. DES BARRES
Saint-Aubin Les Paradis 2001★★

	3 ha	3 200	🍶 8 à 11 €

Un travail de plus de dix ans mené par Patrice Achard depuis son installation trouve sa récompense dans cette cuvée justement appelée Les Paradis. Des arômes puissants de fruits mûrs — coing, abricot cuit, goyave, ananas — s'accompagnent de notes florales, fraîches, de citronnelle et de tilleul, tandis que la bouche, généreuse et capiteuse, laisse la sensation d'un merveilleux équilibre entre douceur et fraîcheur. La finale s'étire sur des nuances de pâte de coings et d'épices, comme la cannelle. A savourer sur des tranches d'ananas flambées au rhum. Le **coteaux du layon Chaume 2001 (5 à 8 €)** est cité.

➹ Patrice Achard, Dom. des Barres,
49190 Saint-Aubin-de-Luigné,
tél. 02.41.78.98.24, fax 02.41.78.68.37 ☑ ☂ r.-v.

DOM. MICHEL BLOUIN 2001★

	n.c.	10 000	🍶 5 à 8 €

La commune de Saint-Aubin-de-Luigné est surnommé la « perle des coteaux du Layon ». Une dénomination non usurpée à en juger par ce vin jaune doré qui décline d'emblée des notes de fleurs blanches, des nuances minérales, puis des arômes de fruits noirs. Equilibré, celui-ci trouve un bel équilibre entre fraîcheur et douceur. Une légère note austère est perceptible en finale, mais disparaîtra au vieillissement.

➹ Dom. Michel Blouin, 53, rue du Canal-de-Monsieur,
49190 Saint-Aubin-de-Luigné,
tél. 02.41.78.33.53, fax 02.41.78.67.61 ☑ ☂ r.-v.

CH. DE BOIS-BRINÇON
Faye 2000

	5,5 ha	2 800	⏹ 8 à 11 €

Le château du Bois-Brinçon est une ancienne propriété médiévale orientée dès sa création vers la production de vin. L'élevage sous bois domine encore son 2000, mais apparaissent des notes de fleurs et de fruits mûrs à l'aération. Agréable, léger et équilibré, ce vin tirera profit d'une garde d'au moins un an.

⌐ Xavier Cailleau, Le Bois-Brinçon,
49320 Blaison-Gohier,
tél. 02.41.57.19.62, fax 02.41.57.10.46 ☑ ⛩ ⛻ r.-v.

CH. DU BREUIL
Beaulieu Vieilles vignes 2000

	8 ha	2 500	⪢ 11 à 15 €

Bâtisse du XVIIIᵉˢ., le château du Breuil domine les coteaux du Layon. Son propriétaire, Marc Morgat, est aussi le président d'Interloire, groupement interprofessionnel des vignobles d'Anjou et de Touraine. Ce vin délicat, peu puissant, est représentatif d'un millésime difficile. Les arômes de fleurs blanches et de fruits secs, caractéristiques de l'appellation, annoncent l'harmonie fraîche et légère d'une bouteille qui pourra accompagner tout un repas.

⌐ Ch. du Breuil, 49750 Beaulieu-sur-Layon,
tél. 02.41.78.32.54, fax 02.41.78.30.03,
e-mail ch.breuil@wanadoo.fr ☑ ⛻ r.-v.
⌐ Marc Morgat

DOM. DE BRIZE 2000★

	2 ha	1 400	▮ 8 à 11 €

Le domaine de Brizé est une exploitation familiale transmise de père en fils ; Marc et Luc Delhumeau en sont aujourd'hui les brillants défenseurs, comme en témoigne le coup de cœur attribué à l'anjou rouge 2001 dans cette sélection. Le savoir-faire de Luc Delhumeau a fait la différence sur ce difficile millésime 2000 ; les vendanges ont été scrupuleusement sélectionnées et l'élevage a duré neuf mois. Le vin s'ouvre sur de délicats arômes d'agrumes (pamplemousse), de fruits secs (abricot) et de miel, puis associe la fraîcheur et la richesse avec succès. Un bon porte-drapeau de l'appellation.

⌐ SCEA Marc et Luc Delhumeau,
Dom. de Brizé, 49540 Martigné-Briand,
tél. 02.41.59.43.35, fax 02.41.59.66.90,
e-mail delhumeau.scea@free.fr ☑ ⛻ r.-v.
⌐ Luc et Line Delhumeau

DOM. CADY
Saint-Aubin Les Varennes 2001★

	2,5 ha	8 000	▮⚬ 11 à 15 €

Le vignoble, créé en 1930, a été baptisé en 1983 « Les Varennes », du nom des sols caillouteux et superficiels qui apparaissent sur le vieux socle armoricain. Un terroir où le chenin exprime son potentiel dans des vins comme ce 2001 explosif, associant le miel, les fruits exotiques (litchi, goyave), les fruits compotés et les épices (vanille). Élégant, finement aromatique sur des flaveurs d'ananas et de vieux rhum, c'est une gourmandise à savourer entre connaisseurs.

⌐ Dom. Philippe Cady, Valette,
49190 Saint-Aubin-de-Luigné,
tél. 02.41.78.33.69, fax 02.41.78.67.79,
e-mail cadyph@wanadoo.fr ☑ ⛻ r.-v.

DOM. DE CLAYOU 2001

	8 ha	15 000	▮⚬ 5 à 8 €

Cette exploitation familiale s'est peu à peu agrandie jusqu'aux 21 ha actuels, dont 8 sont orientés vers la production de vins liquoreux d'Anjou. Ce 2001 peut paraître simple au premier abord dans son expression de fleurs blanches, de genêt et de fruits mûrs, comme dans son équilibre entre fraîcheur et douceur. Cependant, il laisse

bientôt apparaître des arômes caractéristiques de raisins surmûris (abricot sec, fruits confits) qui lui apportent une autre dimension.

⌐ SCEA Jean-Bernard Chauvin,
18 *bis*, rue du Pont-Barré,
49750 Saint-Lambert-du-Lattay, tél. 02.41.78.44.44,
fax 02.41.78.48.52 ☑ ⛻ t.l.j. sf dim. 9h-12h30
13h30-18h30; f. 15 août-1ᵉʳ sept.

LE CLOS DE L'ANE 2000★

	12 ha	n.c.	▮⪢ 8 à 11 €

Le domaine, situé sur les hauteurs de Rochefort-sur-Loire, fait face au vignoble de savennières. Les pins plantés aux abords du château donnent un aspect méridional à un site voué à la vigne. La délicatesse de ce coteaux du layon est, elle, toute angevine : nuances harmonieuses de fruits compotés ou surmûris, fleurs et épices (vanille). Une sensation d'élégance, de fraîcheur et de minéralité ressort de la dégustation d'un digne représentant des vins liquoreux d'Anjou. Le **coteaux du layon 2001 (5 à 8 €)** est encore jeune, mais ne tardera pas à dévoiler tout son potentiel. Le jury lui a donné une étoile.

⌐ Ch. Pieguë, 49190 Rochefort-sur-Loire,
tél. 02.41.78.71.26, fax 02.41.78.75.03,
e-mail antoine-van-der-hecht@wanadoo.fr
☑ ⛩ ⛻ t.l.j. sf dim. 9h-12h 14h-18h
⌐ Antoine Van Der Hecht

DOM. DES CLOSSERONS
Faye Cuvée La Placette 2001★

	2,7 ha	4 000	▮⚬ 11 à 15 €

La Placette correspond à un coteau dont la pente présente une déclivité de 35 % et qui a été remis en état il y a une dizaine d'années. Les arômes de fleurs blanches et de fruits mûrs délicats qui émanent de ce vin sont ceux d'un grand terroir. La bouche puissante et opulente devra certes se civiliser au cours du vieillissement, mais le potentiel est là. Le **coteaux du layon Faye élevé en fût de chêne 2000 (15 à 23 €)** est également très réussi ; une garde de trois à cinq ans lui sera favorable.

⌐ EARL Jean-Claude Leblanc et Fils,
Dom. des Closserons, 49380 Faye-d'Anjou,
tél. 02.41.54.30.78, fax 02.41.54.12.02 ☑ ⛻ r.-v.

PHILIPPE DELESVAUX
Sélection de grains nobles 2000★★

	10 ha	2 800	⪢ 15 à 23 €

Philippe Delesvaux fait partie du groupe de vignerons qui souhaitent codifier et réserver la mention « sélection de grains nobles » à des vins non enrichis, élaborés à partir de vendanges d'un degré potentiel supérieur à 17,5 % obtenues sous l'action de la pourriture noble. Ce qui, bien entendu, définit un style de vin liquoreux haut en couleur. Or intense, celui-ci décline des arômes profonds de fruits compotés, de fruits secs (abricot) et de miel ; sa bouche puissante et longue sur les raisins surmûris en fait un vin remarquable, fruit d'un travail rigoureux du vigneron.

⌐ Philippe Delesvaux, Les Essards,
La Haie-Longue, 49190 Saint-Aubin-de-Luigné,
tél. 02.41.78.18.71, fax 02.41.78.68.06,
e-mail dom.delesvaux.philippe@wanadoo.fr ☑ ⛻ r.-v.

LA DUCQUERIE 2001

	8 ha	10 000	▮ 3 à 5 €

Y. Cailleau est le président du syndicat des vins rouges d'Anjou. Il exploite avec son frère un vignoble de

LOIRE

47 ha, dont 8 ha sont destinés à la production des vins liquoreux des coteaux du layon. Ce 2001 simple, bien vinifié, possède toutes les caractéristiques de l'appellation : arômes floraux au premier nez (acacia, jasmin), notes d'agrumes, de fruits secs et nuances de grillé à l'aération, fraîcheur et douceur. Une bouteille agréable.

🖙 EARL de la Ducquerie, 2, chem. du Grand-Clos, 49750 Saint-Lambert-du-Lattay, tél. 02.41.78.42.00, fax 02.41.78.48.17 ☑ Ⲧ r.-v.

DOM. FARDEAU
Vieilles vignes 2001★★

	1,8 ha	8 000		▮ 8 à 11 €

Au pied de la corniche angevine, au-dessus des vallées de la Loire et du Layon, le domaine Fardeau a vendangé de vieilles vignes, dont il a soigneusement trié les raisins. Ce travail en amont se perçoit à tout instant lors de la dégustation de ce coteaux du layon : intensité de la teinte jaune paille, richesse des arômes de fleurs (chèvrefeuille, acacia), de fruits mûrs et confits, opulence d'une bouche terminant sur des notes de raisins surmûris.

🖙 Dom. Chantal Fardeau, Les Hauts Perrays, 49290 Chaudefonds-sur-Layon, tél. 02.41.78.67.57, fax 02.41.78.68.78 ☑ 🏠 Ⲧ r.-v.

DOM. DES FORGES
Saint-Aubin 2001★★

	2 ha	3 000		▮▯▮ ↓ 8 à 11 €

Les vignes de Saint-Aubin-de-Luigné sont implantées sur des terroirs sablo-graveleux provenant de l'altération de poudingues (roche constituée de l'agglomération de petits cailloux et de galets). Vinifié en fût neuf de 400 l, ce vin offre une remarquable expression aromatique, caractéristique de vendanges surmûries sous l'action de la pourriture noble : des notes grillées et fumées, des touches de coing, d'abricot sec et de fruits compotés. Riche et suave, il s'achemine vers une finale persistante de fruits mûrs et de fruits cuits. Une bouteille complexe qui s'exprimera pleinement dans deux ou trois ans. Le **coteaux du layon Chaume Les Onnis 2000 (11 à 15 €)** obtient une étoile pour sa générosité et ses arômes intenses d'abricot sec, de poire macérée à l'alcool, de vanille.

🖙 Vignoble Branchereau, Dom. des Forges, rte de la Haie-Longue, 49190 Saint-Aubin-de-Luigné, tél. 02.41.78.33.56, fax 02.41.78.67.51, e-mail vitiforg@wanadoo.fr
☑ Ⲧ t.l.j. sf dim. 9h-12h 14h-19h

DOM. DE LA GERFAUDRIE
Les Hauts de la Gerfaudrie 2001

	2,5 ha	11 000		▮ ↓ 5 à 8 €

Le domaine de La Gerfaudrie, situé sur la corniche angevine, domine la vallée de la Loire et celle du Layon qui, à quelques kilomètres de sa confluence, s'étend majestueusement. Voilà un bon représentant de l'appellation dans sa robe jaune légèrement doré : les arômes floraux de chèvrefeuille et d'acacia évoluent vers des notes de fruits mûrs, de fruits secs (amande, abricot) et de miel. Ce vin, à la fois doux et frais, pourra être conservé au moins cinq ans.

🖙 SCEV J.-P. et P. Bourreau, 25, rue de l'Onglée, 49290 Chalonnes-sur-Loire, tél. 02.41.78.02.28, fax 02.41.78.02.27 ☑ Ⲧ r.-v.

DOM. DE LA GRANDE BROSSE 2000★

	4 ha	2 500		▮ ↓ 8 à 11 €

Le domaine a été constitué en 1991 par deux jeunes salariés qui se sont associés et qui exploitent aujourd'hui 18 ha de vignes. Ce coteaux du layon séduit par sa délicatesse. Les arômes déjà évolués rappellent le miel, les fruits confits et le pain d'épice, tandis que la bouche équilibrée laisse une sensation de fraîcheur particulièrement agréable. Un vin qui peut être bu dès à présent ou conservé cinq ans.

🖙 Dom. de la Grande Brosse, 49190 Saint-Aubin-de-Luigné, tél. 06.08.54.81.55, fax 02.41.78.32.46 ☑ Ⲧ r.-v.

DOM. GROSSET
Chaume 2001★

	n.c.	4 000		▯▮ 8 à 11 €

Cette exploitation traditionnelle, fidèle au labour du vignoble et à la vinification en barrique, propose un vin de repas, prêt à s'associer aux poissons, aux crustacés et aux coquillages servis avec une sauce à base de crème et de coteaux du layon. Celui-ci possède en effet une belle présence et de l'ampleur en accompagnement de sa ligne aromatique sur l'abricot, la pêche de vigne et les fruits exotiques généreux (goyave, litchi).

🖙 Dom. Serge Grosset, 60, rue René-Gasnier, 49190 Rochefort-sur-Loire, tél. 02.41.78.78.67, fax 02.41.78.79.79, e-mail serge.grosset@libertysurf.fr
☑ Ⲧ t.l.j. sf dim. 9h-12h 14h-18h

CH. DE LA GUIMONIERE
Chaume 2000★

	10 ha	9 000		▮ ▯▮ 23 à 30 €

Le château de La Guimonière domine le coteau de Chaume, dont il semble être le gardien ; les vignes de l'exploitation occupent la première pente de ce grand vignoble. Son coteaux du layon Chaume étonne par sa richesse et sa complexité aromatique : notes délicates d'orange confite, de vanille, de pâtisserie, de caramel au lait, de grillé. Même surprise en bouche où se décline avec légèreté toute une gamme d'arômes. Un vin à servir à l'apéritif pour un voyage dans le monde des senteurs.

🖙 Vignobles Germain et Associés Loire, Ch. de Fesles, 49380 Thouarcé, tél. 02.41.68.94.00, fax 02.41.68.94.01, e-mail loire@vgas.com ☑ Ⲧ r.-v.

DOM. DES HAUTES OUCHES 2000

	1 ha	2 000		▯▮ 5 à 8 €

Le domaine des Hautes Ouches figure régulièrement dans le Guide et obtient pour son rosé d'anjou 2001 un coup de cœur. Le coteaux du layon présente une belle harmonie d'ensemble. Bien vinifié, simple et frais, il est le fruit d'une matière peu concentrée dans ce millésime, mais dispensatrice d'arômes d'agrumes et de fruits mûrs caractéristiques de l'appellation.

🖙 EARL Joël et Jean-Louis Lhumeau, 9, rue Saint-Vincent, Linières, 49700 Brigné-sur-Layon, tél. 02.41.59.30.51, fax 02.41.59.31.75 ☑ Ⲧ r.-v.

DOM. DE JUCHEPIE
Faye La Quintessence 1999★★

	2 ha	3 000		▯▮ 23 à 30 €

Ce petit domaine de 6 ha est exploité par des Belges passionnés de vin. Issu de vendanges scrupuleusement sélectionnées et d'un élevage en barrique de plus de dix-huit mois, leur coteaux du layon est l'expression d'un chenin de grande concentration : teinte jaune à reflets cuivrés, arômes de fruits concentrés, d'agrumes et d'abricot sec ; intensité et fraîcheur d'une matière empreinte de flaveurs de fruits mûrs. Il étonne par son caractère déjà évolué et fringant à la fois.

◆┓ Oosterlinck-Bracke,
Dom. de Juchepie, 49380 Faye-d'Anjou,
tél. 02.41.54.33.47, fax 02.41.54.13.49 ☑ ⵏ r.-v.

DOM. LEDUC-FROUIN
La Seigneurie Grande Cuvée 2001★★

	1 ha	2 000	⑪ 8 à 11 €

Sousigné est un village troglodytique creusé dans le falun ; Nathalie et Antoine Leduc possèdent, eux aussi, leur cave dans cette formation qui a abrité leur coteaux du layon élaboré à partir de vendanges sélectionnées. Ce 2001 présente déjà bien des atouts : une grande puissance, de l'opulence et une palette complexe constituée de fruits compotés, de fruits mûrs et de miel. Il mérite de vieillir pour exprimer pleinement son potentiel.
◆┓ SCEA Dom. Antoine et Nathalie Leduc-Frouin, Sousigné, 49540 Martigné-Briand,
tél. 02.41.59.42.83, fax 02.41.59.47.90,
e-mail domaine-leduc-frouin@wanadoo.fr ☑ ⵏ r.-v.

LE LOGIS DU PRIEURE
Le Clos des Aunis 2001★

	2 ha	6 000	⑪ 8 à 11 €

Vincent Jousset, arrivé sur le domaine en 1982, a su marquer de son empreinte une exploitation déjà bien établie en Anjou depuis 1850. Le vignoble est situé sur les coteaux en amont du cours du Layon, à une dizaine de kilomètres de sa source. Une très belle expression aromatique caractéristique de vendanges récoltées bien mûres se dévoile : notes de fruits frais (pêche), de fruits confits, d'épices et de fruits secs. La bouche est agréable, offrant un bel équilibre entre douceur et vivacité. A boire dans cinq ans.
◆┓ SCEA Jousset et Fils,
Le Logis du Prieuré, 49700 Concourson-sur-Layon,
tél. 02.41.59.11.22, fax 02.41.59.38.18,
e-mail logis-prieure@groupesirius.com ☑ ⵏ r.-v.

LUC ET FABRICE MARTIN
Sélection de grains nobles 2000★★★

	1,5 ha	1 300	⑪ 11 à 15 €

Associés en 1997, les deux frères ont fait parler d'eux dès leur premier millésime. Un coup de cœur récompense cette exploitation de 23 ha située à Chaudefonds-sur-Layon, à quelques kilomètres de la confluence du Layon avec la Loire. Cette Sélection de grains nobles livre des arômes proches de ceux d'un vieux rhum et étonne par son évolution. D'une robe or paille à reflets orangés se libèrent des notes d'orange confite, de miel, relayées en finale d'une bouche pleine et opulente par des flaveurs intenses de mandarine confite et d'épices. Un vin original, à déguster pendant toute une soirée à petites gorgées. (Bouteilles de 50 cl.)

◆┓ GAEC Luc et Fabrice Martin, 2 bis, rue du Stade, 49290 Chaudefonds-sur-Layon, tél. 02.41.78.19.91, fax 02.41.78.98.25 ☑ ⵏ t.l.j. sf dim. 8h-12h 14h-20h

VIGNOBLE DU MARTINET 2001

	3 ha	3 000	▮ 5 à 8 €

Le vignoble du Martinet, situé à Beaulieu-sur-Layon, en plein cœur des coteaux du Layon, a été créé en 1945 par deux frères et leurs épouses. Simple ce 2001 ? Peut-être, mais aussi original. Assez léger, il semble facile à boire tout en présentant une belle personnalité, du fruité et un équilibre chaleureux jusqu'à une finale de miel d'acacia. A servir sur des plats épicés ou sur des desserts.
◆┓ GAEC Bertrand, 1, rue du Martinet,
49750 Beaulieu-sur-Layon, tél. 02.41.78.47.33,
fax 02.41.78.69.34 ☑ ⵏ t.l.j. 8h-12h 14h-18h

LES VIGNERONS DES TERROIRS DE NOELLE
Les Pastourelles 2001

	6,17 ha	29 000	▮ᵭ 5 à 8 €

La cave des Vignerons de La Noëlle se trouve au carrefour du vignoble de l'Anjou et du Muscadet. Sa cuvée pourra être appréciée jeune, sur son fruit, car elle possède un équilibre vif et doux, et suffisamment de fruité pour accompagner des plats épicés. Notez en finale les délicates nuances de fruits secs, notamment de noisette.
◆┓ Les Vignerons des Terroirs de Noëlle, BP 155,
44150 Ancenis, tél. 02.40.98.92.72, fax 02.40.98.96.70,
e-mail vignerons-noelle@cana.fr ☑ ⵏ r.-v.

DOM. OGEREAU
Saint-Lambert Cuvée Prestige 2000★★

	6 ha	8 000	▮⑪ᵭ 11 à 15 €

Le millésime 99 du domaine a obtenu un coup de cœur pour un coteaux du layon Saint-Lambert et ce, après de nombreuses autres récompenses. Régulier au plus haut niveau, il compte parmi les grands noms de l'Anjou. Sa cuvée Prestige est un classique de l'appellation : brillant d'or ou pâle, elle livre de fines notes de fruits confits, de fruits frais et de fruits exotiques, puis offre un remarquable équilibre entre douceur et fraîcheur. La finale élégante décline une multitude d'arômes fruités et épicés. Cité, le **coteaux du layon Saint-Lambert cuvée Décembre 2000 (15 à 23 €)**, élaboré à partir des vendanges de ce mois, a surpris le jury par ses notes évoluées de vieux rhum et de fruits compotés. Pour le curieux...
◆┓ Vincent Ogereau, 44, rue de la Belle-Angevine,
49750 Saint-Lambert-du-Lattay,
tél. 02.41.78.30.53, fax 02.41.78.43.55 ⵏ r.-v.

DOM. DU PETIT METRIS
Chaume 2001★

	2 ha	4 800	⑪ 8 à 11 €

Les vins de chenin du domaine du Petit Métris apparaissent régulièrement dans le Guide, et ce coteaux du layon en exprime avec succès l'une des facettes. Le tabac blond, les fruits cuits ou confits, les épices (vanille, cannelle) se déclinent avec une même intensité tout au long de la dégustation, jusqu'à une finale dominée par les fruits cuits, grillés ou secs. Tel est le fruit du grand cépage ligérien lorsque ses baies ont été rôties sous l'action de la pourriture noble.
◆┓ GAEC Joseph Renou et Fils,
Le Grand Beauvais, 49190 Saint-Aubin-de-Luigné,
tél. 02.41.78.33.33, fax 02.41.78.67.77,
e-mail domaine.petit.metris@wanadoo.fr ☑ ⵏ r.-v.

DOM. DU PETIT VAL
Cuvée Simon 2001★

	1,3 ha	4 800	▮▵	8 à 11 €

L'exploitation, créée en 1950 par Vincent Goizil, comptait 4 ha de vignes ; reprise par le fils en 1988, elle s'est agrandie à 35 ha, dont 19 ha de chenin. Son 2001 offre un premier nez discret, puis s'ouvre à l'aération sur des accents fruités de pêche et d'abricot, de fruits confits, de cire et de résine. La même impression marque la bouche à la finale fruitée et à l'agréable fraîcheur. Ce vin exprimera tout son potentiel en fin d'année.
➦ EARL Denis Goizil,
Dom. du Petit Val, 49380 Chavagnes,
tél. 02.41.54.31.14, fax 02.41.54.03.48 ☑ ⍴ r.-v.

DOM. PIED FLOND 2000

	5 ha	6 500	▮▥▵	5 à 8 €

Le domaine correspond à une ancienne seigneurie achetée par la famille Gourdon en 1864. A vingt-sept ans, Franck Gourdon en est aujourd'hui le propriétaire. Son coteaux du layon agrée les papilles par sa fraîcheur tout autant liée aux notes d'agrumes et de citron vert, qu'à sa vivacité finale. Il sera apprécié servi bien frais à l'apéritif.
➦ Franck Gourdon,
Dom. Pied Flond, 49540 Martigné-Briand,
tél. 02.41.59.92.36, fax 02.41.59.92.36 ☑ ⍴ t.l.j. 8h-20h

CH. PIERRE-BISE
Beaulieu Les Rouannières 2001★★★

	4 ha	10 000	▮	11 à 15 €

La sélection Les Rouannières provient de vignes plantées sur une roche volcanique basique, la spilite. Elle est l'enfant chéri d'un homme passionné de terroirs, Claude Papin. Et en effet, elle enchante par sa richesse et sa finesse. La structure impressionnante, due à la pourriture noble, ne masque pas l'élégance étonnante de ce vin aux flaveurs de fruits secs, de pâte de fruits et de fruits confits. On perçoit le goût de raisin rôti. Un monument du vignoble des coteaux du layon.
➦ Claude Papin,
Ch. Pierre-Bise, 49750 Beaulieu-sur-Layon,
tél. 02.41.78.31.44, fax 02.41.78.41.24 ☑ ⍴ r.-v.

CH. PIERRE-BISE
Rochefort Les Rayelles 2001★★

	5,5 ha	11 000	▮	11 à 15 €

La cuvée des Rayelles provient d'un terroir de schistes gréseux qui fait face au vignoble de savennières, sur l'autre rive de la Loire. Elle a séduit le jury par sa remarquable délicatesse perceptible dans son expression de noix, de fruits compotés (mirabelle, poire) et de fruits secs, comme dans sa finale tout en nuances de fruits confits et de fruits mûrs. Ce sera le parfait compagnon d'un foie gras poêlé.

➦ Claude Papin,
Ch. Pierre-Bise, 49750 Beaulieu-sur-Layon,
tél. 02.41.78.31.44, fax 02.41.78.41.24 ☑ ⍴ r.-v.

CH. DE PLAISANCE
Chaume 2000

	20 ha	30 000	▮	8 à 11 €

Acheté en 1959, le vignoble a été progressivement remis en état, car s'il était surnommé « le coteau des dieux », il se trouvait alors en friche. Son visage a bien changé et les vins qu'il produit méritent attention. Celui-ci, jaune d'or à reflets légèrement gris, laisse s'exprimer à l'aération des notes d'épices et de fruits blancs mûrs. Agréable, assez léger, il possède un bel équilibre, avec une pointe d'austérité en finale qui disparaîtra au cours du vieillissement.
➦ Guy Rochais,
Ch. de Plaisance, Chaume, 49190 Rochefort-sur-Loire,
tél. 02.41.78.33.01, fax 02.41.78.67.52,
e-mail rochais.guy@free.fr ☑ ⍾ ⍴ r.-v.

DOM. DE LA POTERIE
Cuvée Vieilles vignes 2000★

	4 ha	3 000	▮▵	5 à 8 €

Lorsqu'un homme du Nord s'associe à des vignerons réputés de l'Anjou, on obtient un joli vin or pâle, riche d'arômes de coing, d'épices et de miel typiques de vendanges récoltées à bonne maturité. Une impression confirmée par un équilibre réussi entre le fruit, la vivacité et la douceur. A découvrir à l'apéritif.
➦ Guillaume Mordacq, La Chevalerie,
16, av. des Trois-Ponts, 49380 Thouarcé,
tél. 02.41.54.12.29 ☑ ⍴ r.-v.

DOM. JEAN-LOUIS ROBIN-DIOT
Rochefort Clos du Cochet 2000★

	3 ha	2 500	▥	11 à 15 €

Installé il y a plus de trente ans, Jean-Louis Robin a été pendant des années le président des coteaux du layon ; il figure au nombre des vignerons qui ont participé au renouveau de l'appellation. Cette cuvée vinifiée et élevée douze mois en barrique affiche, sous une teinte jaune doré, une palette fine de fleurs (tilleul, acacia), de fruits secs (noisette) et de coing. Fraîche et riche à la fois, bien caractéristique des raisins surmûris qui lui ont donné naissance, elle peut être bue dès à présent.
➦ Dom. Jean-Louis Robin-Diot,
Les Hauts-Perrays, 49290 Chaudefonds-sur-Layon,
tél. 02.41.78.68.29, fax 02.41.78.67.62 ☑ ⍴ r.-v.

CH. DES ROCHETTES
Sélection Vieilles vignes 2001★

	4 ha	10 000	▥	8 à 11 €

Acheté au XVIIIᵉˢ. par les ancêtres de Jean Douet, les Rochettes disposent de 25 ha. Cette cuvée de Vieilles vignes est de la race des seigneurs. Jaune légèrement doré, elle égrène ses notes d'agrumes, de truffe et de fruits confits, puis emplit le palais d'une matière opulente et fraîche à la fois, marquée par les fruits du jardin des Hespérides et par le tilleul. Une pointe d'amertume en fin de bouche ? Elle disparaîtra avec le temps.
➦ Jean Douet, Ch. des Rochettes,
49700 Concourson-sur-Layon,
tél. 02.41.59.11.51, fax 02.41.59.37.73 ☑ ⍴ r.-v.

CH. DE LA ROULERIE
Chaume Les Aunis 2000★

	7 ha	4 000	📖 ◑ 23 à 30 €

Le château se trouve au pied des coteaux du Layon, tout près du village de Saint-Aubin-de-Luigné. Il propose un vin or sombre aux nuances cuivrées qui évoque les alcools de fruits, comme la mirabelle, et le vieux rhum, les épices, le caramel et le miel. Velouté et chaleureux dans ses flaveurs, il accompagnera idéalement les fromages persillés ou les desserts à base de prunes, de coings ou d'abricots.

🍴 Vignobles Germain et Associés Loire, Ch. de Fesles, 49380 Thouarcé, tél. 02.41.68.94.00, fax 02.41.68.94.01, e-mail loire@vgas.com ☑ ⵝ r.-v.

🍴 Bernard Germain

DOM. DU ROY RENE
Saint-Lambert Cuvée Prestige 2000★

	1 ha	2 400	◑ 8 à 11 €

Voici le premier vin d'un domaine né en 2000, avec le siècle. Sous une teinte jaune clair limpide apparaissent des arômes frais d'agrumes, des notes d'épices, de fruits compotés. Puissante, la bouche trouve un bel équilibre sur des flaveurs de fruits mûrs et confits. Un coteaux du layon Saint-Lambert bien représentatif de son appellation.

🍴 Dom. du Roy René, Le Bon René, 49750 Chanzeaux, tél. 02.41.78.32.32, fax 02.41.78.38.34, e-mail domaine.roy.rene@wanadoo.fr ☑ ⵝ r.-v.

DOM. DES SABLONNETTES
La Bohème 1999★★

	1 ha	2 000	◑ 15 à 23 €

Le domaine des Sablonnettes a été créé par le père, tonnelier. Joël Ménard, électromécanicien, s'est installé en 1982 et a tout appris sur le tas. Un autodidacte talentueux à en juger par ce vin élevé dix mois en barrique qui associe les nuances boisées aux fruits mûrs et aux raisins confits. Intensité, complexité et fraîcheur définissent un ensemble remarquablement équilibré.

🍴 Joël et Christine Ménard, Lieu-dit l'Espérance, 49750 Rablay-sur-Layon, tél. 02.41.78.40.49, fax 02.41.78.61.15, e-mail domainedessablonnettes@wanadoo.fr ☑ ⵝ r.-v.

DOM. DES SABLONNETTES
Rablay Les Erables 1999★

	n.c.	n.c.	◑ 15 à 23 €

Le terroir de Rablay-sur-Layon est constitué d'une épaisse couche de sables et de graviers recouvrant le substrat schisteux. Il est à l'origine du nom du domaine des Sablonnettes et du caractère particulier des vins de cette commune : la richesse s'exprime toujours avec légèreté. Des arômes subtils de noisette, de noix, de fruits secs (raisin), de miel et des notes empyreumatiques (grillé, fumé) se développent dans ce coteaux du layon. Complexe, facile d'accès et déjà prêt à boire.

🍴 Joël et Christine Ménard, Lieu-dit l'Espérance, 49750 Rablay-sur-Layon, tél. 02.41.78.40.49, fax 02.41.78.61.15, e-mail domainedessablonnettes@wanadoo.fr ☑ ⵝ r.-v.

DOM. DES SAULAIES
Faye Vieilles vignes 2001★★

	0,5 ha	1 666	📖 ◑ 11 à 15 €

Ce domaine traditionnel du vignoble des coteaux du layon appartient à une famille vigneronne établie en Anjou

depuis 1662. Les ancêtres auraient pu être fiers de ce 2001 haut en couleur. La fermentation s'est faite lentement en barrique et a permis à tout un ensemble d'arômes de s'épanouir : notes habituelles de fleurs blanches, de fruits mûrs, mais aussi de fruits secs et de fruits concentrés. Un vin tonique qui a su capter toute la luminosité des coteaux du Layon.

🍴 EARL Philippe et Pascal Leblanc, Dom. des Saulaies, 49380 Faye-d'Anjou, tél. 02.41.54.30.66, fax 02.41.54.17.21 ☑ ⵝ r.-v.

SAUVEROY
Saint-Lambert-du-Lattay Cuvée Nectar 2000★★

	1 ha	4 900	◑ 11 à 15 €

Les vendanges à l'origine de la cuvée Nectar étaient à 100 % atteintes par la pourriture noble. La vinification et l'élevage ont été conduits en barrique pendant plus d'un an. Le résultat est étonnant de puissance et de délicatesse : robe or pâle, arômes de fruits confits, de miel, de fleurs fraîches et d'épices. Bouche suave, puissante, qui laisse pourtant une sensation de légèreté. La finale présente des notes légèrement boisées, mais celles-ci disparaîtront en vieillissant. A déguster lentement pour mieux la savourer. (Bouteilles de 50 cl.) La **cuvée Vieilles vignes 2001 (5 à 8 €)** obtient une étoile. Un jury a noté que « le chenin s'exprime totalement dans ce vin en faisant ressortir la pierre du sol ».

🍴 EARL Pascal Cailleau, Dom. Sauveroy, 49750 Saint-Lambert-du-Lattay, tél. 02.41.78.30.59, fax 02.41.78.46.43, e-mail domainesauveroy@terre-net.fr ☑ ⵝ r.-v.

CH. SOUCHERIE
Chaume 2000★

	4 ha	10 000	📖 ◔ 5 à 8 €

Le château Soucherie, situé à mi-coteau, offre un remarquable point de vue sur les coteaux du Layon et de Chaume. Son vin se distingue par une belle expression aromatique de citron, de citronnelle, de fougère et de fruits exotiques frais. Velouté, il garde un parfait équilibre jusqu'aux faveurs finales d'épices (vanille), de fruits secs et de pâte d'amandes. Goûtez-le sur une viande blanche nappée d'une sauce onctueuse.

🍴 Pierre-Yves Tijou et Fils, Ch. Soucherie, 49750 Beaulieu-sur-Layon, tél. 02.41.78.31.18, fax 02.41.78.48.29 ☑ ⵝ r.-v.

Bonnezeaux

C'est l'inimitable vin de dessert, disait le Dr Maisonneuve en 1925. A cette époque, les grands vins liquoreux étaient essentiellement consommés à ce moment du repas ou dans l'après-midi, entre amis. De nos jours, on apprécie plutôt ce grand cru à l'apéritif. Très parfumé, plein de sève, le bonnezeaux doit toutes ses qualités au terroir exceptionnel qu'il occupe : plein sud, sur trois petits coteaux de schistes abrupts au-dessus du village de Thouarcé (La Montagne, Beauregard et Fesles).

Le volume de production a atteint, en 2001, 2 398 hl. L'aire de production comprend 130 ha plantables. C'est un vin de grande garde, une valeur sûre.

DOM. DES CLOSSERONS
Elevé en fût de chêne 2000

	1,69 ha	1 300		**U** 15 à 23 €

Avec ses plantations sur des coteaux escarpés, le domaine de Closserons reflète bien l'évolution du vignoble des coteaux du Layon. Son bonnezeaux possède une matière étonnante pour le millésime 2000. Sous une teinte jaune d'or intense apparaissent de puissants arômes de cire, d'épices, de boisé, ainsi qu'un gras très enveloppant.
🕯 EARL Jean-Claude Leblanc et Fils, Dom. des Closserons, 49380 Faye-d'Anjou, tél. 02.41.54.30.78, fax 02.41.54.12.02 ☑ Ⴤ r.-v.

DOM. DE LA PETITE CROIX
Cuvée Prestige 2001

	3,5 ha	3 000		**I** 15 à 23 €

Une croupe graveleuse de la commune de Thouarcé accueille ce vignoble, à quelques kilomètres du coteau schisteux de Bonnezeaux. Difficile de juger un bonnezeaux encore si jeune. Toutefois, la cuvée Prestige évoque déjà agréablement les fruits mûrs et les fleurs blanches avant d'emplir la bouche d'une matière pleine, grasse, dotée de la pointe vive nécessaire à son équilibre. La note d'orange confite en finale s'accompagne d'une légère amertume qui disparaîtra au cours de la garde.
🕯 A. Denéchère et F. Geffard, Dom. de la Petite Croix, 49380 Thouarcé, tél. 02.41.54.06.99, fax 02.41.54.30.05, e-mail scea@lapetitecroix.com ☑ ⛪ Ⴤ r.-v.

DOM. DES PETITS QUARTS 2001★★

	3 ha	5 000		**I U** ♨ 11 à 15 €

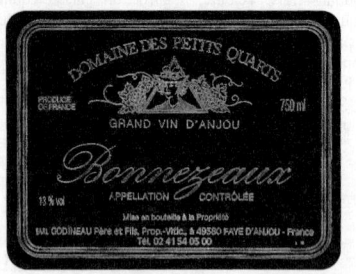

Le domaine des Petits Quarts est une nouvelle fois au rendez-vous du Guide : quatre vins présentés, quatre vins retenus, dont deux jugés remarquables, et un coup de cœur, une récompense désormais habituelle pour l'exploitation. Cette cuvée élaborée à partir de vignes cinquantenaires exprime pleinement le potentiel du grand terroir de bonnezeaux. Elle se développe avec une remarquable opulence tout en dévoilant la petite vivacité finale caractéristique de l'appellation.
🕯 Godineau Père et Fils, Dom. des Petits Quarts, 49380 Faye-d'Anjou, tél. 02.41.54.03.00, fax 02.41.54.25.36 ☑ Ⴤ t.l.j. sf dim. 8h-12h 14h-18h

DOM. DES PETITS QUARTS
Le Malabé 2001★★

	3 ha	3 500		**I U** ♨ 11 à 15 €

Tout aussi remarquable que le vin précédent, Le Malabé 2001 apparaît intensément aromatique dans ses évocations de fleurs, de miel, de fruits concentrés et de raisins secs. Riche et complexe, il fait la queue de paon sur la poire williams, le coing et les fruits confits. Dans sa robe jaune à reflets or, il séduira à l'apéritif les grands amateurs de vins liquoreux. La cuvée **Belligné 2001 (15 à 23 €)** a été jugée très réussie, tandis que **Les Melleresses 2001 (8 à 11 €)** obtient une citation.
🕯 Godineau Père et Fils, Dom. des Petits Quarts, 49380 Faye-d'Anjou, tél. 02.41.54.03.00, fax 02.41.54.25.36 ☑ Ⴤ t.l.j. sf dim. 8h-12h 14h-18h

DOM. RENE RENOU
Cuvée Zénith 2000

	8,36 ha	4 000		**I U** 38 à 46 €

René Renou, après un brillant parcours syndical, est le président de l'INAO. Une tâche de dimension nationale avec des idées qui ont été soumises à l'épreuve du terrain sur ce vignoble de bonnezeaux, comme le contrôle des conditions de production à la parcelle. La cuvée Zénith est dans la droite ligne des précédentes. Une matière de départ exceptionnelle et cette sensation de fruits concentrés, de raisin de Corinthe en bouche. Son expression aromatique n'est cependant pas encore aboutie et rend nécessaire une aération avant le service. (Bouteilles de 50 cl.)
🕯 Dom. René Renou, pl. du Champ-de-Foire, 49380 Thouarcé, tél. 02.41.54.11.33, fax 02.41.54.11.34, e-mail domaine.rene.renou@wanadoo.fr ☑ Ⴤ r.-v.

DOM. DE TERREBRUNE
Prestige 2000

	2,3 ha	n.c.		**U** 11 à 15 €

Le domaine de Terrebrune exploite l'essentiel de ses vignes sur des terres graveleuses, favorables à la production de vins rosés. Un coup de cœur vient saluer son cabernet d'anjou dans cette sélection, mais il ne faudrait surtout pas oublier ses bonnezeaux. Celui-ci est bien dans l'esprit du millésime : léger, frais, harmonieux. Les arômes de fleurs, de fruits blancs, de fruits frais et de miel sont en outre caractéristiques de l'appellation. A servir sur des fromages à pâte persillée ou des desserts. (Bouteilles de 50 cl.)
🕯 SCA Dom. de Terrebrune, La Motte, 49380 Notre-Dame-d'Allençon, tél. 02.41.54.01.99, fax 02.41.54.09.06, e-mail domaine-de-terrebrune@wanadoo.fr ☑ Ⴤ r.-v.

CH. LA VARIERE
Les Melleresses 2000

	2,3 ha	6 000		**U** 23 à 30 €

Jacques Beaujeau est devenu un grand homme dans la production des vins liquoreux ; il a notamment obtenu un trophée mondial du Botrytis à Londres en 2001 pour le millésime 97 des Melleresses. Le 2000 a surpris le jury par ses notes évoluées de miel et de vieux rhum, comme par sa robe jaune d'or ambré. Grâce à sa bonne matière aux flaveurs de fruits compotés, de résine et d'épices, ce vin inhabituel trouvera de fervents adeptes. (Bouteilles de 50 cl.)
🕯 Jacques Beaujeau, Ch. la Varière, 49320 Brissac, tél. 02.41.91.22.64, fax 02.41.91.23.44, e-mail chateau.la.variere@wanadoo.fr ☑ Ⴤ r.-v.

Quarts de chaume

Le seigneur se réservait le quart de la production : il gardait le meilleur, c'est-à-dire le vin produit sur le meilleur terroir. L'appellation, qui couvre une quarantaine d'hectares pour un volume de 589 hl en 2001, est située sur le mamelon d'une colline, plein sud, autour de Chaume, à Rochefort-sur-Loire.

Les vignes sont vieilles, en général. La conjonction de l'âge des ceps, de l'exposition et des aptitudes du chenin conduit à des productions souvent faibles et de grande qualité. La récolte se fait par tries. Les vins sont du type moelleux, séveux et nerveux, et ont une bonne aptitude au vieillissement.

CH. BELLERIVE 1999

	11 ha	20 000	▐ ▥ ♨ 15 à 23 €

Avec ses plantes et essences à affinité méditerranéenne, le château de Bellerive donne un petit air méridional au coteau de Quarts de Chaume, au pied duquel il se situe. Son vin surprend par les notes évoluées qui apparaissent sous sa robe jaune citron à reflets or : ses arômes rappellent le cuir et l'hydromel. Chaleureux, équilibré, il laisse le dégustateur sur des nuances de pâtisserie et de brioche en finale. A boire dès à présent.
↬ SARL Ch. Bellerive, Chaume,
49190 Rochefort-sur-Loire,
tél. 02.41.78.33.66, fax 02.41.78.68.47,
e-mail chateau.bellerive@wanadoo.fr ▥ ⵑ r.-v.
↬ Serge Malinge

DOM. DE LA BERGERIE 2000★★

	1,2 ha	3 000	▥ 23 à 30 €

Yves Guégniard reprit le vignoble familial en 1999 et lui donna en quelques années une notoriété, que justifie ce 2000. Sa robe jaune d'or intense annonce une matière d'une grande richesse. Le fort potentiel s'affirme tout au long de la dégustation et trouve son point d'orgue dans une sensation d'opulence, à laquelle contribuent les arômes de fruits compotés, de confiture et d'épices. Un vin remarquable que vous pourrez apprécier dès à présent, mais qui se conservera au moins cinq ans. (Bouteilles de 50 cl.)
↬ Yves Guégniard, Dom. de la Bergerie,
49380 Champ-sur-Layon,
tél. 02.41.78.85.43, fax 02.41.78.60.13,
e-mail domainede.la.bergerie@wanadoo.fr ▥ ⵑ r.-v.

DOM. DES FORGES 2000★★

	n.c.	1 900	▥ 23 à 30 €

Le vignoble Branchereau est devenu une référence des coteaux du Layon ; ce coup de cœur dans la plus prestigieuse appellation de vins liquoreux récompense un engagement de tous les instants depuis plus de quinze ans. Car ce quarts de chaume est bien à la hauteur d'un terroir remarquable : il associe sensation de légèreté, de délicatesse à celle de richesse, de concentration. A la fois opulent et frais, moelleux et vif, il désaltère tout en éveillant des souvenirs de fruits mûrs, de fruits exotiques et de fleurs. Un vin de grande classe à servir à des connaisseurs.

↬ Vignoble Branchereau, Dom. des Forges,
rte de la Haie-Longue, 49190 Saint-Aubin-de-Luigné,
tél. 02.41.78.33.56, fax 02.41.78.67.51,
e-mail vitiforg@wanadoo.fr
▥ ⵑ t.l.j. sf dim. 9h-12h 14h-19h

DOM. DE LA POTERIE 2000

	0,88 ha	1000	▥ 30 à 38 €

Originaire du nord de la France, Guillaume Mordacq conduit son vignoble avec l'aide de vignerons réputés en Anjou. Les raisins à l'origine de ce quarts de chaume ont été vendangés entièrement botrytisés, puis vinifiés en barrique. Après un élevage de douze mois sous bois, le vin apparaît jaune brillant à reflets or, dominé de prime abord par des notes vanillées, épicées et empyreumatiques. L'aération met en valeur des arômes de fruits compotés et de raisin de Corinthe, tandis que le boisé, très présent en bouche, laisse progressivement la place à un fruité délicat.
↬ Guillaume Mordacq, La Chevalerie,
16, av. des Trois-Ponts, 49380 Thouarcé,
tél. 02.41.54.12.29 ▥ ⵑ r.-v.

DOM. DE LA ROCHE MOREAU 2000

	n.c.	n.c.	▥ 15 à 23 €

Implanté sur la corniche angevine, le caveau de dégustation du domaine domine les coteaux du Layon et la vallée de la Loire ; en contrebas se trouve le chai dans une demeure classée du XVIIᵉs. bâtie à l'entrée d'une ancienne mine de charbon. Ce vin exprime pleinement son terroir. Tout en lui évoque finesse et harmonie. Les arômes légers rappellent les fruits secs (amande), le miel et le raisin de Corinthe ; la bouche fraîche, aux nuances fruitées, est élégante. A servir sur des fromages ou des desserts.
↬ André Davy, Dom. de La Roche Moreau,
La Haie-Longue, 49190 Saint-Aubin-de-Luigné,
tél. 02.41.78.34.55, fax 02.41.78.17.70,
e-mail davy.larochemoreau@wanadoo.fr ▥ ⵑ r.-v.

Saumur

L'aire de production (2 735 ha) s'étend sur trente-six communes. On y a produit en 2001 157 197 hl de vins rouges et blancs secs et nerveux dont 68 560 hl de vins mousseux avec les mêmes cépages que dans les AOC anjou. Leur aptitude au vieillissement est bonne.

Les vignobles s'étalent sur les coteaux de la Loire et du Thouet. Les vins blancs de

LOIRE

Turquant et Brézé étaient autrefois les plus réputés ; les vins rouges du Puy-Notre-Dame, de Montreuil-Bellay et de Tourtenay, entre autres, ont acquis une bonne notoriété. Mais l'appellation est beaucoup plus connue par les vins mousseux dont l'évolution qualitative mérite d'être soulignée. Les élaborateurs, tous installés à Saumur, possèdent des caves creusées dans le tuffeau, qu'il faut visiter.

CH. DE BEAUREGARD 2001★

	5 ha	13 000	⬛↓	5 à 8 €

Propriété achetée par l'arrière-grand-père d'Alain Gourdon à la fin du XIXᵉs., le château garde trace de ses différentes époques de construction, tel un porche pigeonnier du XIIIᵉs. qui faisait partie de l'ancienne enceinte fortifiée. Ses caves ont accueilli ce vin jaune paille, fin dans ses expressions de fruits secs puis d'agrumes. D'attaque souple, légèrement beurrée, celui-ci évolue en rondeur jusqu'en finale, son gras procurant une sensation de charnu agréable. A boire dès à présent.
⬥ SCEA Alain Gourdon, Ch. de Beauregard, 4, rue Saint-Julien, 49260 Le Puy-Notre-Dame, tél. 02.41.52.25.33, fax 02.41.52.29.62, e-mail christinegourdon@wanadoo.fr ☑ ⵟ r.-v.

DOM. BENASTRE 2001★

	2,66 ha	21 300	⬛↓	3 à 5 €

Montreuil-Bellay est certes riche de son agriculture et de ses vignes, mais elle l'est aussi par son patrimoine architectural puisqu'elle a conservé d'une longue histoire son enceinte médiévale, son château remanié au XVᵉs., sa collégiale et ses anciennes maisons au charme intact. Bruno Roux, qui cultive plus de 41 ha, propose un vin gourmand sous des atours rubis profond. Encore timide, ce 2001 laisse percevoir à l'aération des notes de cerise caractéristiques que l'on retrouve, élégantes, dans une bouche ronde à souhait.
⬥ EARL Bruno Roux, 33, imp. Painlevé, 49260 Montreuil-Bellay, tél. 02.41.52.43.47, fax 02.41.52.42.91 ☑ ⵟ r.-v.

DOM. DU BOIS MIGNON
La Belle Cave 2001★

	17 ha	20 000	⬛⓵↓	3 à 5 €

Ce vignoble créé au début du XXᵉs. est en passe d'être repris par un jeune vigneron. La vendange 2001 a donné naissance à un vin frais, tant dans sa teinte vive que dans ses arômes de fruits rouges nés d'un raisin de cabernet bien mûr. Veloutée dès l'attaque, la bouche possède du gras ; elle laisse apparaître en finale des tanins fermes et élégants, signe d'un potentiel de vieillissement intéressant.
⬥ SCEA Charier Barillot, Dom. du Bois Mignon, 86120 Saix, tél. 05.49.22.94.59, fax 05.49.22.94.51 ☑ ⵟ r.-v.

DOM. LA BONNELIERE 2001★★

	1 ha	n.c.	⬛↓	3 à 5 €

Le domaine, rebaptisé en 1995, doit son nom à André Bonneau et à son épouse qui le créèrent en 1972, à partir de quelques hectares de vieilles vignes. Aujourd'hui, le couple s'appuie sur leurs deux fils pour cultiver un vignoble de 20 ha. Un travail familial remarquable à en juger par ce vin rubis intense qui attire l'œil. Aérez-le et vous sentirez

ses arômes essentiellement fruités. C'est un saumur riche qui tapisse le palais, grâce à ses tanins ronds. Laissez cette bouteille en cave ; elle atteindra alors son optimum. Le **saumur-champigny Les Poyeux Prestige du domaine 2001** (5 à 8 €) est cité.
⬥ EARL Bonneau et Fils, Dom. la Bonnelière, 45, rue du Bourg-Neuf, 49400 Varrains, tél. 02.41.52.92.38, fax 02.41.52.92.38 ☑ ⵟ r.-v.

BOUVET LADUBAY
Trésor 2000★

	n.c.	90 000	⬛⓵↓	11 à 15 €

Depuis six ans, cette maison de négoce établie à Saint-Hilaire est le théâtre de la Journée nationale du Livre et du Vin. La cuvée Trésor ne vous est pas inconnue ? Sans doute, puisqu'elle a obtenu un coup de cœur pour le 99 dans l'édition précédente du Guide. Vous retrouverez une même délicatesse aromatique dans ce millésime (fruits secs, pâtisserie et vanille), avec une effervescence fine et régulière. La bouche souple en attaque évolue sur une pointe vive qui soutient bien la finale. Le saumur mousseux **Mlle Ladubay Eclat Jeunes Bois 99** (5 à 8 €) élevé en barrique — ce qui est la marque de fabrique de cette entreprise —, ainsi que le **Mlle Ladubay brut** (3 à 5 €) ont également été jugés très réussis.
⬥ Bouvet-Ladubay, 1, rue de l'Abbaye, 49400 Saint-Hilaire-Saint-Florent, tél. 02.41.83.83.83, fax 02.41.50.24.32, e-mail bouvet-ladubay@saumur.net ☑ ⵟ t.l.j. 9h-12h 14h-17h30

CH. DE BREZE 2001

	7,47 ha	26 000	⬛↓	5 à 8 €

Un joli château, d'époque Renaissance pour sa plus grande partie, préside à la destinée des 27 ha de vignes. Sa silhouette majestueuse apparaît sur l'étiquette d'un vin tout en délicatesse. Le fruit se manifeste sous une teinte rubis à reflets pourpres, et se poursuit dans une bouche pleine et nette. La vivacité apporte de l'élégance à cet anjou issu de raisins bien mûrs.
⬥ Comte Bernard de Colbert, Ch. de Brézé, BP 3, 49260 Brézé, tél. 02.41.51.62.06, fax 02.41.51.63.92 ☑ ⵟ t.l.j. 10h-17h

CLOS DE L'ABBAYE 2001★★

	1,4 ha	10 000	⬛↓	5 à 8 €

Le domaine a été acheté en 1964 par Henri Aupy, rapatrié d'Algérie. En société depuis 1988, il est aujourd'hui géré par Jean-François Aupy qui cultive 40 ha de vignes plantées sur un terroir sableux au sous-sol de tuffeau. Des éclats dorés brillants embellissent la robe de ce vin tout en arômes de fruits blancs et de beurre. La richesse de la matière ample et structurée apparaît d'emblée, tandis que la finale laisse un long souvenir. Une bouteille attrayante, à servir sur des viandes blanches à la crème. Le **saumur rouge 2001** (3 à 5 €) est cité.
⬥ Jean-François Aupy, Clos de l'Abbaye, 49260 Puy-Notre-Dame, tél. 02.41.52.26.71, fax 02.41.52.26.71, e-mail saumur-aupy@wanadoo.fr ☑ ⵟ r.-v.

DOM. DUBOIS 2001★

	1,3 ha	10 000	⬛	5 à 8 €

Sous le plateau de Saint-Cyr s'enfoncent des carrières de tuffeau particulièrement vastes. Cette seule commune compte environ 180 km de galeries qui servent souvent de caves. Michel et Jean-Claude Dubois proposent un vin rubis intense et attrayant, dont le nez offre une concentration de fruits noirs compotés. D'attaque souple, ce saumur dévoile l'opulence de sa matière et une belle persistance aromatique.

🕭 EARL Dubois, 8, rue de Chacé,
49260 Saint-Cyr-en-Bourg,
tél. 02.41.51.61.32, fax 02.41.51.95.29 ☑ ⊥ r.-v.

CH. DE LA DURANDIERE 2000★

	2,76 ha	25 200	∎↓	5 à 8 €

Le château de La Durandière fait face aux remparts de la cité médiévale de Montreuil-Bellay. Bâtisse seigneuriale du XVIIᵉs., il fut acheté en 1986 par Hubert Bodet qui eut simplement à traverser la rue où sa famille résidait depuis plusieurs générations. Ce saumur laisse une impression d'harmonie dans sa belle robe saumonée traversée de longs chapelets de bulles qui semblent porter les arômes délicats de fruits rouges. Rond et souple, il s'oriente vers une finale friande de fruits frais. Le **Vieilles vignes rouge 2001** obtient, lui aussi, une étoile pour son fruité bien mûr et son gras qui en font un vin de plaisir immédiat.

🕭 SCEA Antoine Bodet,
Ch. de La Durandière, 49260 Montreuil-Bellay,
tél. 02.41.40.35.30, fax 02.41.40.35.31,
e-mail durandière.chateau@libertysurf.fr
☑ ⊥ t.l.j. 8h-19h
🕭 Hubert et Antoine Bodet

ETERNES 2001★★

	1,5 ha	11 000	∎↓	5 à 8 €

Le terroir d'Eternes, ancienne propriété de l'abbaye royale de Fontevrault, produisait non seulement des vins rouges, mais aussi des vins blancs réputés. Aujourd'hui tourné vers le saumur rouge, le domaine ne devrait pas tarder à renouer avec la tradition des vins blancs dans cette appellation. En attendant, dégustez ce 2001 rubis intense, dont les notes fruitées, allant jusqu'au fruit noir compoté, s'évadent à l'aération. Le charnu apparaît dès l'attaque, puis emplit le palais avec opulence, comme le signe d'un raisin récolté surmûri. Un très beau potentiel. Cité, le **Château d'Eternes rouge 99 (11 à 15 €)**, élevé dix-huit mois en barrique, est un vin de caractère qui devrait bien évoluer.

🕭 SCEV Ch. d'Eternes, 86120 Saix,
tél. 05.49.22.34.77, fax 05.49.22.34.77,
e-mail lea.sherina@libertysurf.fr ☑ 🏠 ⊥ r.-v.
🕭 Marteling

DOM. FILLIATREAU
Château Fouquet 2001

	6,05 ha	20 000	∎↓	5 à 8 €

Le château Fouquet est un petit vignoble de 6,5 ha planté en 1987 sur la commune de Brézé et conduit en agriculture biologique. Le vin qui y est né s'habille d'une robe limpide, de couleur gaie, annonçant un fruité net et intense de fraise. S'il est léger, il fait preuve d'élégance dans sa structure et donnera satisfaction, servi bien frais.

🕭 Paul Filliatreau, Chaintres,
49400 Dampierre-sur-Loire,
tél. 02.41.52.90.84, fax 02.41.52.49.92
☑ ⊥ t.l.j. 8h-12h 13h30-17h30; sam. dim. sur r.-v.

CH. DE FOSSE-SECHE 2001

	12 ha	38 000	∎↓	5 à 8 €

Ancienne dépendance du prieuré de Montreuil-Bellay, le vignoble couvre plus de 19 ha sur un terroir siliceux du jurassique. Rouge vif attirant, son vin semble d'abord timide, mais s'ouvre à l'aération sur des notes complexes et des arômes de raisin très présents jusqu'en bouche. Une petite austérité finale invite à l'attendre un peu.

🕭 EARL Keller, Ch. de Fosse-Sèche, 49700 Brossay,
tél. 02.41.52.22.22, fax 02.41.67.02.52,
e-mail fosseseche@aol.com ☑ ⊥ t.l.j. 9h-20h

DOM. DU FUT D'OR 2001★

	12 ha	72 000	∎	3 à 5 €

Le premier week-end de décembre, Philippe Elliau vous ouvre les portes de ses 3000 m² de galeries voûtées en tuffeau où se trouve le premier pressoir horizontal du XIXᵉs. Ces caves, qui ont été aménagées dans les prisons de Thouars des XVᵉ et XVIᵉs., ont accueilli un 2001 grenat brillant, à la fois fruité et épicé, dont la matière généreuse et structurée jusqu'à la finale onctueuse appelle une garde de quelques années. Car c'est un vin en devenir...

🕭 Philippe Elliau, 527, rue du Château, Sanziers,
49260 Vaudelnay, tél. 02.41.52.29.75, fax 02.41.38.87.31
☑ ⊥ r.-v.

DOM. DE LA GIRARDRIE
Instinct 2001★

	n.c.	n.c.	∎↓	3 à 5 €

10 % de cabernet-sauvignon accompagnent le cabernet franc pour composer un vin plaisant, marqué par les fruits rouges. Sous une teinte rubis intense, ce 2001 apparaît gourmand, plein et rond, ses tanins souples apportant en finale beaucoup de subtilité.

🕭 SCEA Fallous et Fils, Dom. de la Girardrie,
1, rue Fontaine-de-Cix, 49260 Le Puy-Notre-Dame,
tél. 02.41.52.25.10, fax 02.41.38.83.77 ☑ 🏠 ⊥ r.-v.

LA GIRAUDIERE
Vieilles vignes 2001★

	0,7 ha	4 000	∎	5 à 8 €

Fabrice Esnault conduit depuis 1999 ce domaine familial de 12,30 ha, plantés sur sols argilo-calcaires, que vous découvrirez aisément après une visite du château de Brézé. Son vin rubis profond semble sur la réserve de prime abord, mais dévoile à l'aération d'intéressantes notes florales. Une matière riche tapisse le palais et persiste dans une belle harmonie. A boire ou à attendre. Le **saumur rouge 2001** classique du domaine est cité.

🕭 EARL de la Giraudière, rue Saint-Vincent,
49260 Brézé, tél. 02.41.51.63.84 ☑ ⊥ r.-v.
🕭 F. Esnault

GRATIEN ET MEYER
Cuvée Flamme

	n.c.	48 069	∎↓	8 à 11 €

En 1964, Alfred Gratien fonda sa maison de vins à Saumur, alors qu'il n'avait que vingt-trois ans. A sa mort, Albert Meyer reprit l'entreprise qu'il rebaptisa Gratien et Meyer. Aujourd'hui, c'est un vin d'un rose léger qui retient l'attention par ses arômes de fleurs printanières. Les bulles généreuses, voire impétueuses, dominent encore la dégustation, mais devraient apaiser leur fougue dans une bonne année.

🕭 Gratien et Meyer, rte de Montsoreau, BP 22,
49401 Saumur Cedex, tél. 02.41.83.13.30,
fax 02.41.83.13.49, e-mail contact@gratienmeyer.com
☑ ⊥ t.l.j. 10h-12h 14h-18h

LOIRE

DOM. GUIBERTEAU 2001★

	1,5 ha	6 000		5 à 8 €

Après son installation en 1996, Romain Guiberteau a agrandi son domaine de 12 à 20 ha. Il vient en outre de s'associer à un ami anglais, Stephen Eggerton, qui l'épaule dans son travail quotidien. Des réussites, ce producteur en obtient... Son vin grenat soutenu, intensément aromatique, développe une structure bien enrobée. Il vous faudra attendre cette bouteille pour que l'élevage de neuf mois en fût se fonde. Il en est de même de la **cuvée Les Motelles rouge 2001 (8 à 11 €)**, signée des deux amis et jugée très réussie, qui offre la puissance d'une matière concentrée.
↬ Dom. Guiberteau Eggerton,
3, imp. du Cabernet, 49260 Saint-Just-sur-Dive,
tél. 02.41.38.78.94, fax 02.41.38.56.46,
e-mail domaine.guiberteau@wanadoo.fr ☑ ⊤ r.-v.

DOM. DES GUYONS
Clos de l'Ardil 2001★

	0,92 ha	7 000		3 à 5 €

Frank Bimont, jeune vigneron, a repris ce domaine de 10,79 ha en 1995 et cherche depuis à mettre en valeur ses terroirs. Ce Clos de l'Ardil annonce des fruits blancs bien mûrs sous ses reflets verts. Rond et équilibré, doté de notes réglissées, il procure un vrai plaisir. Un chèvre chaud soulignera ses qualités. La **cuvée Murmure rouge 2001**, vin de caractère, est également très réussie, tandis que la **cuvée Vent du Nord blanc 2001** est citée.
↬ Franck Bimont, 6, rue du Moulin,
49260 Le Puy-Notre-Dame,
tél. 02.41.52.21.15, fax 02.41.52.21.15 ☑ ⊤ r.-v.

DOM. DES HAUTES VIGNES
Cuvée du Fief aux Moines 2001★★

	3 ha	20 000		5 à 8 €

Le terroir de ce domaine de 41 ha, constitué en 1961 à partir d'un demi-hectare seulement, correspond à la côte turonienne, calcaire. Des vignes âgées de quarante-cinq ans ont donné naissance à ce 2001, remarquable d'harmonie. Un liseré violet borde sa robe intense d'où se libèrent des arômes de fruits noirs élégants. Gras et puissant, le vin évolue sur des tanins en passe de s'arrondir, et persiste longuement. A déguster sur des viandes rouges ou des gibiers.
↬ SCA Fourrier et Fils, 22, rue de la Chapelle,
49400 Distré, tél. 02.41.50.21.96, fax 02.41.50.12.83,
e-mail a.fourrier@free.fr ☑ ⊤ r.-v.

DOM. LANGLOIS-CHATEAU
Vieilles vignes 2001★★

	4,5 ha	26 000		11 à 15 €

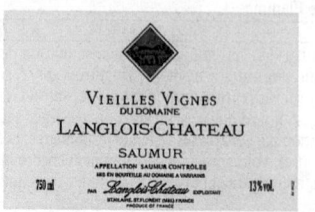

VIEILLES VIGNES
DU DOMAINE
LANGLOIS-CHATEAU
SAUMUR
APPELLATION SAUMUR CONTRÔLÉE
750 ml   13% vol.

La maison Langlois-Château, fondée en 1885, est vouée à la production de vins mousseux depuis son origine mais elle a étendu sa gamme aux vins tranquilles. De vieilles vignes de chenin de trente-cinq ans, plantées sur des sols sablo-limoneux et calcaires, ont donné naissance à ce vin limpide, or très pur, qui met en évidence ses arômes de fruits blancs compotés. La bouche ample et volumineuse traduit des vendanges très attendues. Un sandre au beurre blanc sera un digne compagnon de table. Cité, le **saumur rouge 2001 du domaine (5 à 8 €)**, tout en fruits noirs, demande à s'arrondir à la faveur d'une garde de trois ans.
↬ Langlois-Château, 3, rue Léopold-Palustre,
49400 Saint-Hilaire-Saint-Florent, tél. 02.41.40.21.40,
fax 02.41.40.21.49, e-mail contact@langlois.chateau.fr
☑ ⊤ t.l.j. 10h-12h30 14h-18h; f. jan.

LOUIS DE GRENELLE
Grande Cuvée★

	n.c.	20 000		8 à 11 €

Cette maison traditionnellement productrice de vins effervescents a été fondée en 1859. Sa Grande Cuvée, issue de 80 % de chenin et de 20 % de chardonnay, a été élevée trois ans sur lattes. Le résultat est à la mesure : finesse, complexité et équilibre sont les maîtres mots d'une dégustation marquée par des arômes de fruits secs, de brioche et de vanille. Un bon représentant de l'appellation.
↬ Caves de Grenelle, 20, rue Marceau, BP 206,
49415 Saumur, tél. 02.41.50.17.63, fax 02.41.50.83.65
☑ ⊤ t.l.j. 9h-12h 13h30-17h30

MANOIR DE LA TETE ROUGE
Bagatelle 2001★

	1,2 ha	10 000		3 à 5 €

En 1999, Guillaume Reynouard s'est tourné vers l'agriculture biologique sur son vignoble de 15 ha, alors que depuis 1996, il s'était attaché à restaurer le manoir dont la construction remonte à 1649. Son vin rubis à reflets étincelants livre ses senteurs fruitées et florales avec générosité. Ample, il se poursuit longuement tout en arômes. L'avenir est devant lui. Il vous suffira de le carafer pour mieux le goûter.
↬ Guillaume Reynouard, 3, pl. Jules-Raimbault,
49260 Le Puy-Notre-Dame,
tél. 02.41.38.76.43, fax 02.41.38.29.54,
e-mail guillaume-reynouard@free.fr ☑ ⊤ r.-v.

DOMINIQUE MARTIN 2001★

	1 ha	6 000		5 à 8 €

Les habitations et les châteaux de la Loire ont été construits en tuffeau, dont certaines craies ont été extraites de la cave profonde qui accueille aujourd'hui les vins de Dominique Martin. Ce saumur rubis à reflets brillants décline des fruits rouges (fraise et framboise) tout au long de la dégustation. De qualité, son expression gustative en fait un vin typique de l'appellation ; à boire sur des grillades.
↬ Dominique Martin, 20, rue du Puits-Aubert,
49260 Brézé, tél. 02.41.51.60.28, fax 02.41.51.60.28,
e-mail martin-chantreau@wanadoo.fr ☑ ⊤ r.-v.

DOM. DES MATINES
Cuvée Vieilles vignes 2001★★

	3 ha	20 000		5 à 8 €

Tous les millésimes vinifiés depuis 1950 l'ont été dans cette cave creusée dans le roc. Le 2001 ne fait pas exception. Issu d'un terroir de calcaires lacustres, il se distingue dans sa robe soutenue, grenat à reflets violacés, comme par ses arômes intenses de fruits noirs et de sous-bois. Le fruité s'installe au palais pour apporter beaucoup de plaisir, tandis que les tanins arrondis soulignent le caractère de ce vin d'avenir.

⌐ Dom. des Matines, 31, rue de la Mairie,
49700 Brossay, tél. 02.41.52.25.36, fax 02.41.52.25.50,
e-mail domainedesmatines@wanadoo.fr ☑ Ⅰ r.-v.

⌐ Etchegaray Mallard

CH. DE MONTGUERET 2001★

	11,09 ha	80 000	■↓	3 à 5 €

Depuis 1987, André et Dominique Lacheteau n'ont cessé d'agrandir leur domaine qui compte aujourd'hui 125 ha de vignes conduites en lutte raisonnée. Le château, de style Napoléon III, souligne l'élégance de l'ensemble. Une même distinction transparaît dans ce vin jaune pâle qu'éclairent encore de subtils reflets gris. Très aromatique, celui-ci parle d'agrumes et de fruits exotiques (banane, kiwi) avant d'offrir sa matière ronde et souple dès l'attaque, accompagnée d'une légère sensation acidulée qui apporte de la fraîcheur. A déguster sur des avocats aux crevettes et au crabe soulignés d'une sauce mousseline.

⌐ SCEA Ch. de Montguéret, 49560 Nueil-sur-Layon,
tél. 02.41.59.26.26, fax 02.41.59.59.02 ☑ Ⅰ r.-v.

⌐ A. et D. Lacheteau

LYCEE VITICOLE DE MONTREUIL-BELLAY
Cuvée des Hauts de Caterne 2001★★

■		3 ha	24 000	■↓	5 à 8 €

Aucun doute, cet établissement public d'enseignement agricole forme bien les futurs acteurs de la filière vin. Voyez cette robe étincelante d'un grenat soutenu. Le nez intense est une symphonie de fruits rouges bien mûrs. D'une grande ampleur, le vin dévoile une structure de tanins soyeux qui lui assure une longue persistance. Le **saumur rouge 2001** brille d'une étoile, car il est souple et richement fruité. Voilà deux vins qui vous offriront un plaisir immédiat.

⌐ Lycée prof. agricole de Montreuil-Bellay,
rte de Méron, 49260 Montreuil-Bellay,
tél. 02.41.40.19.20, fax 02.41.40.19.27
☑ Ⅰ t.l.j. sf sam. dim. 9h-12h 14h-17h;
sur r.-v. pour groupes

CH. MONTREUIL-BELLAY 2001★

■		4 ha	20 000	■↓	5 à 8 €

Les caves gothiques du château des XVᵉ et XVIᵉs. abritent aujourd'hui encore les vins du domaine, fruits des 10 ha de vignes plantées sur sables et graviers. Ce 2001 riche laisse s'évader des notes concentrées de fruits rouges surmûris, tout en finesse, sous une robe grenat. D'un abord charnu, il ne tarde pas à dévoiler sa structure autour de tanins encore un peu austères, mais qui s'affineront au cours d'une garde de deux ans.

⌐ Xavier de Thuy,
Ch. de Montreuil-Bellay, 49260 Montreuil-Bellay,
tél. 02.41.52.33.06, fax 02.41.52.37.70,
e-mail chateaudemontreuilbellay@wanadoo.fr
☑ Ⅰ t.l.j. sf mar. 10h-12h 14h-17h30

DOM. DU MOULIN 2001★

	1 ha	6 000	■	3 à 5 €

Edifié au XIVᵉs., le moulin – la proie des révolutionnaires – fut heureusement reconstruit au XIXᵉs., puis restauré en 1985. C'est dans ce lieu pittoresque que vous dégusterez un vin jaune pâle à reflets verts, dont les arômes minéraux s'harmonisent dans une bouche fraîche et ample.

⌐ SCEA Marcel Biguet, 5, pl. de la Paleine,
49260 Le Puy-Notre-Dame,
tél. 02.41.52.26.68, fax 02.41.38.85.64,
e-mail sbiguet@terre-net.fr ☑ ⊞ Ⅰ r.-v.

DOM. DU MOULIN DE L'HORIZON
Cuvée Vieilles vignes 2000★

	1,5 ha	9 600	⦿	5 à 8 €

La butte argilo-calcaire du Puy-Notre-Dame (118 m) est le plus haut point du Val de Loire. Les 30 ha de vignes du domaine y jouissent d'une exposition favorable ; leur emblème, un ancien moulin à vent, fut détruit lors de la tempête de décembre 1999, mais sa silhouette apparaît encore sur les étiquettes des vins. D'un rouge profond nuancé de violet, ce millésime aux arômes de fruits rouges bien mûrs se présente avec souplesse. Sa bouche, tout en légèreté, n'en est pas moins équilibrée, avec en rappel quelques tanins qui soutiennent sa longueur. Le **saumur mousseux blanc 2000** est cité : il allie fleurs et agrumes dans un ensemble frais.

⌐ Jacky Clée, 1, rue du Lys, Sanziers,
49260 Le Puy-Notre-Dame,
tél. 02.41.52.24.96, fax 02.41.52.48.39 ☑ Ⅰ r.-v.

DOM. DE LA PALEINE 2001★

■		5 ha	22 000	■↓	5 à 8 €

Régulièrement retenus dans le Guide, les vins de Joël Lévi naissent des vignes (32 ha) cultivées sur la butte turonienne du Puy-Notre-Dame. Si le millésime 2001 ne s'ouvre pas immédiatement sous ses atours rubis intense, il ne demande qu'un peu d'aération pour laisser apparaître un fruité de griotte. Sa matière concentrée témoigne d'un indéniable potentiel que les plus patients d'entre vous verront se concrétiser.

⌐ Joël Lévi, Dom. de La Paleine, 9, rue de la Paleine,
49260 Le Puy-Notre-Dame,
tél. 02.41.52.21.24, fax 02.41.52.21.66 ☑ Ⅰ r.-v.

DOM. DU PAS SAINT MARTIN
La Pierre Frite 2001★

	1,5 ha	8 000	■↓	5 à 8 €

Un jeune vigneron a repris en 1994 le domaine de ses grands-parents. Aujourd'hui à la tête de 16 ha sur sols siliceux-calcaires, conduits en agriculture biologique, il propose un vin joliment présenté, jaune pâle à reflets verts, expressif. Sa fraîcheur équilibrée se prolonge sur le caractère minéral déjà perçu à l'olfaction, annonciateur d'un avenir favorable.

⌐ GAEC Charrier-Massoteau,
5, rue Victor-Journeau, 49700 Doué-la-Fontaine,
tél. 02.41.59.14.35, fax 02.41.59.14.35,
e-mail pas.saint.martin@wanadoo.fr ☑ Ⅰ r.-v.

LOIRE

DOM. DE LA PIECE AUX MOINES 1998★

	3,3 ha	26 000	▮▮	5 à 8 €

Henri Aupy joua un rôle important de leader syndical et apporta la maîtrise de la vinification en rouge saumurois. Son saumur mousseux, issu exclusivement de chenin, élevé pendant dix-huit mois et vieilli sur lattes deux ans durant, fait à présent montre de son caractère. Tout en nuances, il décline longuement noisette, fruits confits et fruits mûrs et conserve son élégance d'un bout à l'autre de la dégustation.

☛ Jean-François Aupy,
Clos de l'Abbaye, 49260 Puy-Notre-Dame,
tél. 02.41.52.26.71, fax 02.41.52.26.71,
e-mail saumur-aupy@wanadoo.fr ☑ ⏻ r.-v.

DOM. DES RAYNIERES 2001★★

■	3,7 ha	25 000	▮▮	5 à 8 €

Jean-Pierre Rebeilleau dispose non seulement de belles cuveries dans lesquelles naissent des saumur aux arômes de cassis, de framboise et d'autres fruits rouges, mais aussi des fûts pour élaborer des vins au bouquet de fruits confits et de pruneau. Ce 2001 rubis soutenu surprend, tant ses notes de fruits rouges mûrs sont intenses, puis il charme par sa matière veloutée et réglissée. Une harmonie accomplie pour les viandes rouges ou blanches, et des fromages.

☛ Jean-Pierre Rebeilleau, SCEA Dom. des Raynières,
33, rue du Ruau, 49400 Varrains,
tél. 02.41.52.95.17, fax 02.41.52.48.40 ☑ ⏻ r.-v.

DOM. DE SAINT-JUST
La Coulée de Saint-Cyr 2000★★

	3 ha	10 000	▮▮▮▮	8 à 11 €

Un financier peut être bon vigneron. Yves Lambert, qui a repris avec succès la propriété de ses beaux-parents en 1983, propose ce vin remarquable dans sa robe aux reflets dorés étincelants. Une vendange parfaitement mûre et triée se traduit non seulement par de jolis arômes de figue et d'abricot secs, mais aussi par une richesse enveloppante. La légère pointe d'amertume en finale confirme que le raisin a été récolté surmûri. L'élevage en fût ne fait qu'amplifier ces caractères. Le **saumur-champigny Clos Moleton 99 (15 à 23 €)**, délicatement boisé et rond, obtient une étoile, tandis que le **saumur-champigny Montée des Rochers 2000** est cité.

☛ Dom. de Saint-Just,
12, rue de la Prée, 49260 Saint-Just-sur-Dive,
tél. 02.41.51.62.01, fax 02.41.67.94.51 ☑ ⏻ r.-v.
☛ Yves Lambert

DOM. SAINT VINCENT 2001★★

	1,5 ha	10 000	▮▮▮▮	5 à 8 €

Il aura fallu deux tries successives pour récolter le meilleur du chenin sur ce terroir argilo-calcaire que Patrick Vadé connaît bien depuis 1984. Il en résulte un vin tout doré qui fait ressortir les arômes d'un raisin bien mûr, soulignés d'un léger boisé. Dans la rondeur s'inscrivent des flaveurs de fruits blancs compotés d'une persistance remarquable. Un très beau millésime pour des poissons en sauce. Les **saumur-champigny Les Trézéllières 2001** et **Les Adrialys 2001 (8 à 11 €)** sont cités.

☛ Patrick Vadé, Dom. Saint-Vincent, 49400 Saumur,
tél. 02.41.67.43.19, fax 02.41.50.23.28,
e-mail pvade@st-vincent.com ☑ ⏻ r.-v.

DOM. DES SANZAY
Vieilles vignes 2001★

	0,5 ha	2 600	▮▮▮	5 à 8 €

Didier Sanzay a repris les rênes de ce domaine de 27 ha en 1991. Sa maison avec porche, figurée sur l'étiquette des vins, représente bien l'architecture du village viticole de Varrains. Si le boisé l'emporte actuellement sur le fruit du raisin perceptible en finale, ce 2001 or paille saura évoluer bénéficiant à la faveur d'une garde d'un an ou deux. En attendant, le **saumur mousseux du domaine** vous apportera la fraîcheur attendue de ce type de vin.

☛ Didier Sanzay, Dom. des Sanzay, 93, Grand-Rue,
49400 Varrains, tél. 02.41.52.91.30, fax 02.41.52.45.93,
e-mail didier-sanzay@domaine-sanzay.com ☑ ⏻ r.-v.

LA SEIGNERE
Clos du Vau 2000★★

	2,2 ha	5 000	▮▮	5 à 8 €

Sur ces coteaux argilo-calcaires, 7,60 ha d'un seul tenant offrent de petits rendements propices à l'élaboration d'un vin de qualité. Déjà, la couleur jaune doré attire le dégustateur. Les arômes fruités et floraux font le reste, harmonieusement mariés dans une bouche riche et longue, digne d'une vendange attendue. Le **saumur-champigny Clos de La Seignère 2000** obtient une étoile. C'est un vin intensément fruité, nuancé de sous-bois, et structuré pour être gardé.

☛ EARL Yves Drouineau,
3, rue Morains, 49400 Dampierre-sur-Loire,
tél. 02.41.51.14.02, fax 02.41.50.32.00,
e-mail yves.drouineau@wanadoo.fr ☑ ⏻ r.-v.

DOM. DE LA SEIGNEURIE DES TOURELLES
2001★

	n.c.	n.c.	▮▮	3 à 5 €

Ce domaine, dont l'histoire remonte au XVIIᵉˢ., a souvent été récompensé d'une étoile : pour son saumur rouge 99 ou son blanc 98, par exemple. Il retrouve son rang avec ce vin doré à reflets verts qui annonce d'emblée sa fraîcheur. Une vivacité perceptible dans le nez intense comme dans la bouche bien structurée, qu'une ligne minérale souligne. Le **saumur rouge 2001** obtient la même note pour ses arômes de griotte, nuancés de fumé, et pour sa souplesse.

☛ SCEA Dubé et Fils, Messemé, 49260 Le Vaudelnay,
tél. 02.41.40.22.50, fax 02.41.40.22.60,
e-mail j.verdier@wanadoo.fr
☛ Joseph Verdier

BLANC DE TARGE 2000★★

	2 ha	4 790	▮▮▮	11 à 15 €

Le vignoble du château de Targé est remarquablement situé sur le coteau qui domine la Loire : les trois quarts des 25 ha de vignes se déroulent d'un seul tenant. Le cabernet franc produit des vins rouges élégants, aux tanins soyeux ; le chenin, des vins de grande noblesse, tel ce 2000 doré aux beaux reflets qui livre sans retenue ses arômes de fruits surmûris (coing) nuancés de miel et de vanille. La complexité de la palette n'a d'égale que celle d'une matière franche, ronde et longue dans le registre des fruits compotés. Proposez un carpaccio de saumon pour accompagner cette bouteille si soigneusement élevée. A retenir, le **saumur-champigny Cuvée Ferry 99** qui obtient une étoile pour sa subtilité et sa jolie palette fruitée et florale.

m SCEA Edouard Pisani-Ferry, Ch. de Targé,
49730 Parnay, tél. 02.41.38.11.50, fax 02.41.38.16.19,
e-mail edouard@chateaudetarge.fr ☑ ☏ t.l.j. sf dim.
8h-12h30 14h-18h15; sam. matin sur r.-v.

VEUVE AMIOT
L'Esprit★

	n.c.	123 000	5 à 8 €

Incontournable dans la production de saumur mousseux depuis sa création en 1884, la maison Veuve Amiot
a su garder l'« Esprit » de sa fondatrice. Sa cuvée, élevée
trois ans sur lattes, exprime les fruits mûrs et la brioche,
avant de rafraîchir le palais de ses notes d'agrumes.
Harmonieuse et délicate, elle offre en outre la joliesse
d'une robe dorée brodée de fines bulles régulières.
m Veuve Amiot, BP 67, 49426 Saumur,
tél. 02.41.83.14.14, fax 02.41.50.17.66
☑ ☏ t.l.j. 9h-17h30; f. oct.-mars

DOM. DU VIEUX BOURG 2001★

	1 ha	n.c.	☏ ❶ ♦	5 à 8 €

Jean-Marie et Noël Girard sont installés sur la
Grand-Rue, à Varrains, là où les visiteurs ne manquent pas
d'admirer la fuie carrée au toit pyramidal en tuffeau. De
leurs 17,50 ha de vignes implantées sur sols argilo-sableux,
ils élaborent des vins délicats à l'image de ce millésime.
Noisette, brioche et fleurs blanches se libèrent pêle-mêle de
la robe or clair, comme pour annoncer la complexité
aromatique d'une bouche ample et grasse qui a conservé
de son élevage un caractère vanillé. Également retenu avec
une étoile, le **saumur-champigny 2001** est un vin fruité,
aux tanins déjà mûrs, mais qui tirera profit d'un an de
garde.
m Dom. du Vieux Bourg, 30, Grand-Rue,
49400 Varrains, tél. 02.41.52.91.89, fax 02.41.52.42.43
☑ ☏ r.-v.

DOM. DU VIEUX PRESSOIR 2001★

	2 ha	12 000	☏ ♦	3 à 5 €

Ce domaine de 24 ha est l'un des plus représentatifs
du Saumurois. Il le prouve dans cette sélection qui
distingue les trois types de vins produits dans l'appellation.
Le blanc, à l'élégante couleur dorée à reflets verts, ne
demande qu'à être aéré pour révéler ses notes de fruits
blancs caractéristiques. Riche et rond, il est le fruit d'un
chenin récolté à parfaite maturité. Le **saumur rouge 2001**
et la **cuvée Céline Vieilles vignes rouge 2001** sont cités :
le premier peut être bu dès aujourd'hui, tandis que le
second mérite d'être attendu. Le **saumur brut 2000**, qui
possède le caractère rafraîchissant d'apéritif, obtient également une citation.
m EARL B. et J. Albert,
235, rue du Château-d'Oiré, 49260 Vaudelnay,
tél. 02.41.52.21.78, fax 02.41.38.85.83,
e-mail vieuxpressoir@wanadoo.fr ☑ ☏ r.-v.

CH. DE VILLENEUVE
Les Cormiers 2000★

	2 ha	8 000	❶	11 à 15 €

Le chenin cultivé sur un plateau de calcaire turonien
que préside le château du XIXᵉs. a été récolté à parfaite
maturité, avec un degré naturel de 14 % vol. Telle est la
condition pour produire cette cuvée d'un bel or paille. La
voilà, déjà complexe dans son expression de fruits
blancs compotés, qui passe le relais en finale à des nuances
épicées et beurrées délicates. Sa matière ample met en

valeur les fruits bien mûrs, avec une ligne boisée prête à se
fondre au cours de trois ans de garde. Pourquoi ne pas
tenter alors un accord avec des pointes d'asperges aux
morilles ? Le **saumur blanc 2001 (5 à 8 €)**, de teinte
limpide à reflets verts, dévoile un équilibre très réussi.
m SCA Chevallier, Ch. de Villeneuve, 3, rue Jean
Brevet, 49400 Souzay-Champigny, tél. 02.41.51.14.04,
fax 02.41.50.58.24 ☑ ☏ t.l.j. sf dim. 9h-12h 14h-18h

Cabernet de saumur

Bien qu'elle ne représente que de
faibles volumes (5 913 hl en 2001), l'appellation
cabernet de saumur tient bien sa place par la
finesse de ce cépage, élaboré en rosé et cultivé sur
des terrains calcaires.

BOURDIN 2001★

	2 ha	3 000	☏ ♦	3 à 5 €

Cette petite exploitation familiale couvre 13 ha sur la
côte turonienne qui s'étend de Saumur à Montsoreau. Son
rosé léger, fruité, bien représentatif des sols calcaires du
Saumurois, offre toute la tendresse annoncée dans sa teinte
rose pâle. Vous le savourerez avec simplicité, au cours du
repas.
m EARL Bourdin, 27, rue des Martyrs,
49730 Turquant, tél. 02.41.38.11.83, fax 02.41.51.47.71,
e-mail earlbourdin@aol.com ☑ ☏ t.l.j. 9h-12h 14h-18h

MARTIN-CHANTREAU
Demi-sec 2001★

	0,2 ha	1 400	☏ ♦	3 à 5 €

Une cave profonde creusée dans la craie tuffeau fait
de ce domaine un incontournable but de visite de l'amateur
des vins d'Anjou. Celui-ci y découvrira aussi son rosé
intensément coloré qui témoigne de la belle matière de
départ par ses arômes de petits fruits rouges comme par
sa bouche pleine et tendre.
m EARL Martin-Chantreau, 20, rue du Puits-Aubert,
49260 Brézé, tél. 02.41.51.60.28, fax 02.41.51.60.28,
e-mail martin-chantreau@wanadoo.fr ☑ ☏ r.-v.

DOM. DE NERLEUX 2001★

	0,5 ha	2 000	☏ ♦	5 à 8 €

Et le domaine de Nerleux de poursuivre sa jolie
moisson d'étoiles dans le Guide avec un vin gourmand,
rose soutenu, évocateur de petits fruits rouges. Il rafraîchit
sans jamais se départir de sa tendresse.
m Régis Neau, Dom. de Nerleux,
4, rue de la Paleine, 49260 Saint-Cyr-en-Bourg,
tél. 02.41.51.61.04, fax 02.41.51.65.34,
e-mail contact@domaine-de-nerleux.fr
☑ ☏ t.l.j. sf dim. 8h-12h30 13h30-18h; sam. 8h-12h30

DOM. DES SANZAY 2001

	0,5 ha	3 000	☏ ♦	3 à 5 €

Le domaine de Sanzay figure régulièrement au chapitre des cabernet de saumur du Guide. Mais les choses

importantes se passent en AOC saumur-champigny...
Néanmoins, ne tournez pas la page sans avoir découvert
ce rosé aérien, aux arômes subtils de petits fruits rouges.
Il est agréable, avec une petite vivacité qui aiguise les
papilles. Voilà, il est temps de goûter les vins rouges de
Didier Sanzay.

🔹 Didier Sanzay, Dom. des Sanzay, 93, Grand-Rue,
49400 Varrains, tél. 02.41.52.91.30, fax 02.41.52.45.93,
e-mail didier-sanzay@domaine-sanzay.com ☑ ⟙ r.-v.

intense, légèrement boisé par un séjour de douze mois en
fût. Des arômes de miel, de fruits et de tilleul se manifestent
également, annonçant une bouche puissante et fraîche,
équilibrée. Une belle réussite qui fait honneur aux communes de Vaudelnay et de Puy-Notre-Dame, nouvellement inscrites au sein de l'appellation. (Bouteilles de 50 cl.)
🔹 EARL B. et J. Albert,
235, rue du Château-d'Oiré, 49260 Vaudelnay,
tél. 02.41.52.21.78, fax 02.41.38.85.83,
e-mail vieuxpressoir@wanadoo.fr ☑ ⟙ r.-v.

Coteaux de saumur

Ils ont acquis autrefois leurs lettres
de noblesse. Les coteaux de saumur, équivalents
en Saumurois des coteaux du layon en Anjou,
sont élaborés à partir du chenin pur planté sur la
craie tuffeau. La production n'a atteint que 402 hl
en 2001.

DOM. DES CHAMPS FLEURIS 2001★★

	5 ha	n.c.	🍶 15 à 23 €

Les 33 ha du domaine se partagent entre la côte turonienne se
partagent entre 28 ha de cabernet franc et 5 ha de chenin,
cépage ligérien par excellence qui donne ici la pleine
mesure de son potentiel. S'il est encore bien jeune, ce 2001
a toutes les armes pour grandir au cours de trois ou quatre
ans de garde. Il révèle déjà d'intéressantes notes de pomme
cuite, de fruits confits, et une grande richesse de matière.
(Bouteilles de 50 cl.)
🔹 EARL Rétiveau-Rétif, 50-54, rue des Martyrs,
49730 Turquant, tél. 02.41.38.10.92, fax 02.41.51.75.33
☑ ⟙ r.-v.
🔹 Famille Rétiveau

YVES DROUINEAU
L'Orméole 2000

	2 ha	2 000	🍶 15 à 23 €

Une demeure bâtie en 1722 commande le vignoble de
21 ha planté sur sols argilo-calcaires. Yves Drouineau a
réservé un élevage de seize mois en fût à son coteaux de
saumur issu d'une belle vendange. Celui-ci ne manque pas
de présence, mais laisse percevoir une légère évolution que
signe la note de pomme. Un vin particulier qui aura ses
amateurs.
🔹 EARL Yves Drouineau, 3, rue Morains,
49400 Dampierre-sur-Loire,
tél. 02.41.51.14.02, fax 02.41.50.32.00,
e-mail yves.drouineau@wanadoo.fr ☑ ⟙ r.-v.

DOM. DU VIEUX PRESSOIR
Cuvée Emilie 2000★

	0,5 ha	2 000	🍶 5 à 8 €

L'aire des coteaux de saumur a été étendue à
l'ensemble des formations calcaires turoniennes du Saumurois. B. Albert, nouveau producteur, a su maîtriser ce
difficile millésime 2000, comme en témoigne son vin or

Saumur-champigny

En circulant dans les villages aux
rues étroites du Saumurois, vous accéderez au
paradis dans les caves de tuffeau qui abritent de
nombreuses vieilles bouteilles. Si l'expansion de
ce vignoble (1 463 ha) est récente, les vins rouges
de Champigny sont connus depuis plusieurs
siècles. Produits sur neuf communes, à partir du
cabernet franc (ou breton), ils sont légers, fruités,
gouleyants. La production a été de 84 712 hl en
2001. La cave des vignerons de Saint-Cyr-en-
Bourg n'a pas été étrangère au développement du
vignoble.

DOM. DU BOIS MOZE PASQUIER
Vieilles vignes 2001★★

	0,5 ha	4 000	🍾 5 à 8 €

Les parents de Patrick Pasquier créèrent en 1955 ce
domaine de 6 ha sur sols argilo-calcaires. Un cabernet
franc presque cinquantenaire est à l'origine d'un vin
limpide, dont la couleur cassis profond sied bien aux
parfums discrets de framboise. Son bel équilibre repose sur
une agréable fraîcheur et une structure de tanins fins qui
pourront encore se fondre dans le temps.
🔹 Patrick Pasquier, 9, rue du Bois-Mozé,
49400 Chacé, tél. 02.41.52.59.73, fax 02.41.52.59.73
☑ ⟙ t.l.j. 9h-12h 14h-19h

CH. DE CHAINTRES 2001★

	17,38 ha	112 000	🍾🍶⬇ 5 à 8 €

Avec son château du XVIIᵉ s., le domaine ne peut que
séduire les amoureux des paysages saumurois et des
maisons de tuffeau qui s'y inscrivent. Et s'ils sont également amateurs de vins, ces visiteurs apprécieront un vin
complexe, tout en fruits rouges mûrs et en nuances de
torréfaction. Car, sous un rubis attirant, ce 2001, puissant
et frais à la fois, dévoile bien son ampleur jusqu'à une finale
fruitée intense.
🔹 SA Dom. vinicole de Chaintres,
49400 Dampierre-sur-Loire, tél. 02.41.52.90.54,
fax 02.41.52.99.92, e-mail chaintres@wanadoo.fr
☑ ⟙ t.l.j. 9h-12h 14h-17h30; sam. dim. sur r.-v.
🔹 B. de Tigny

DOM. DES CHAMPS FLEURIS
Les Tufolies 2001★

■	28 ha	60 000	▮▰	5 à 8 €

Sur les 32 ha de vignes, 28 ha sont consacrés au cabernet franc ; les vins rouges sont ainsi particulièrement chéris dans ce domaine conduit par Denis Rétiveau, sa sœur Catherine et son beau-frère Patrice Rétif. Grenat étincelant, le 2001 révèle des notes intenses de fruits bien mûrs qui se poursuivent jusqu'en finale, enveloppant des tanins encore très présents. Tous les éléments s'associeront au cours de la garde pour composer un ensemble plaisant. La **cuvée Vieilles vignes 2000**, élevée en fût, et le **saumur blanc Les Damoiselles 2000** obtiennent également une étoile.

➛ EARL Rétiveau-Rétif, 50-54, rue des Martyrs, 49730 Turquant, tél. 02.41.38.10.92, fax 02.41.51.75.33 ✓ ❢ r.-v.

CLOS DES CORDELIERS 2001★

■	13,65 ha	85 000	▮▰	5 à 8 €

Le plateau crayeux de Champigny avait retenu l'attention d'André Jullien, célèbre auteur d'une *Topographie de tous les vignobles connus* au début du XIXes. Le Clos des Cordeliers, dont le vignoble date de 1630, jouissait déjà d'une bonne réputation. Y goûtait-on un vin rubis printanier comme celui-ci, à l'expression fruitée d'un cabernet franc mûr ? Rond, ample, le millésime de notre temps représente bien l'appellation par son harmonie et l'agréable sensation finale de fruits rouges compotés. Attendez-le, il n'en sera que meilleur. Partiellement élevée en fût – ce qui lui donne un caractère empyreumatique et une grande charpente –, la **cuvée Prestige 2000 (8 à 11 €)** brille, elle aussi, d'une étoile.

➛ Bernard et Michel Ratron , Clos des Cordeliers, 49400 Champigny, tél. 02.41.52.95.48, fax 02.41.52.99.50, e-mail ratron@closdescordeliers.com ✓ ❢ t.l.j. 8h-12h 14h-18h

DOM. DE LA CUNE
Charl'Anne 2001★

■	2 ha	14 000	▮▰	5 à 8 €

Le château de Chaintres possédait des dépendances et une ferme, devenues un domaine viticole à part entière – La Cune –, fort de 16 ha de vignes. Un millésime d'intensité moyenne. Peut-être, mais avez-vous observé ses nuances rubis étincelant ? Encore un peu réservé. Ne sentez-vous pas ses notes de fruits rouges agréablement complexes ? Et puis, la première impression est si flatteuse lorsque l'on goûte ce vin puissant et harmonieux, aux tanins bien fondus.

➛ Jean-Luc et Jean-Albert Mary, EARL Dom. de la Cune, Chaintres, 49400 Dampierre-sur-Loire, tél. 02.41.52.91.37, fax 02.41.52.44.13 ✓ ❢ r.-v.

DOM. DUBOIS
Cuvée d'automne 2001★

■	1,5 ha	10 000	▮	5 à 8 €

La lutte raisonnée, les Dubois la pratiquent depuis quinze ans. Ils n'ont pas attendu pour laisser l'herbe pousser entre les rangs de vignes et rendre à la nature la place qui lui échoit. Ce souci de la juste mesure se perçoit également dans leur vin riche, dont les flaveurs de fruits

noirs confits accompagnent des tanins à peine perceptibles qui contribueront à forger un caractère plein et soyeux. Une bouteille à découvrir à la fin de l'année.

➛ EARL Dubois, 8, rue de Chacé, 49260 Saint-Cyr-en-Bourg, tél. 02.41.51.61.32, fax 02.41.51.95.29 ✓ ❢ r.-v.

DOM. FILLIATREAU
Vieilles vignes 2001★

■	9 ha	50 000	▮▰	8 à 11 €

Au sud-est de Saumur, Paul Filliatreau cultive des vignes cinquantenaires de cabernet franc qui tirent profit d'un terroir argilo-calcaire, exposé nord-sud. D'abord réservée, cette cuvée n'en laisse pas moins surgir des notes de fruits noirs mûrs que l'on retrouve dans une matière ronde et fraîche. Vin de garde, elle s'appuie sur des tanins agréables. Le **saumur-champigny Léna Filliatreau 2001 (5 à 8 €)**, marque de négoce créée en 1982, remporte également une étoile.

➛ Paul Filliatreau, Chaintres, 49400 Dampierre-sur-Loire, tél. 02.41.52.90.84, fax 02.41.52.49.92 ✓ ❢ t.l.j. 8h-12h 13h30-17h30; sam. dim. sur r.-v.

CH. DU HUREAU
Cuvée Lisagathe 2001★★

■	2 ha	10 000	▮▰	11 à 15 €

Philippe Vatan conduit de main de maître son terroir turonien de 20 ha qui lui a offert nombre de vins coups de cœur. Ce nouveau millésime a la couleur sombre de la cerise cueillie très mûre sur l'arbre, brillant élégamment de reflets violets. Les évocations de compote de cassis introduisent une matière riche et ample, à la trame serrée : les tanins soyeux, associés au caractère de griotte et de réglisse prolongent le charme en finale. C'est un vin bien né qui s'étoffera encore et encore. Le **saumur blanc 2000 (8 à 11 €)** manifeste tous les signes d'un chenin surmûri et d'un élevage sous bois bien mené. Son étoile lui sied bien.

➛ Philippe Vatan, Ch. du Hureau, 49400 Dampierre-sur-Loire, tél. 02.41.67.60.40, fax 02.41.50.43.35, e-mail philippe.vatan@wanadoo.fr ✓ ❢ t.l.j. sf sam. dim. 9h-12h 14h-17h; f. 1er-15 août

DOM. JOULIN 2001★

■	3 ha	8 000	▮▰	5 à 8 €

S'il est installé à Chacé, au sein même de l'aire du saumur-champigny, le domaine s'est d'abord fait connaître par ses saumur blancs. Il est temps d'apprécier la production en rouge, dont ce 2001 prometteur avec sa matière pleine et son fruité mûr, évocateur de cerise confite. Les tanins encore austères en finale pourront s'assouplir à la faveur d'un an de garde.

☛ Philippe Joulin, 58, rue Emile-Landais,
49400 Chacé, tél. 02.41.52.41.84, fax 02.41.52.41.84
☑ ⵝ r.-v.

DOM. LAVIGNE
Les Aïeules 2001★

■	6 ha	40 000	■↓	5 à 8 €

Une étoile dans le Guide 2000, une autre dans l'édition 2001, puis deux étoiles l'an passé... Décidément, le Domaine Lavigne est un incontournable de l'appellation. Le voilà revêtu d'une robe grenat, étincelante de reflets, qui s'ouvre sur les fruits rouges et le sous-bois. Tout velouté, sans une once d'agressivité, il offre un vrai plaisir gourmand. Que diriez-vous d'un perdreau aux raisins, suivi de poires à l'angevine ?
☛ Dom. Lavigne, 15, rue des Rogelins,
49400 Varrains, tél. 02.41.52.92.57, fax 02.41.52.40.87
☑ ⵝ r.-v.

DOM. DE NERLEUX
Cuvée des Nerleux 2001★★

■	12 ha	100 000	■↓	5 à 8 €

En 2001, Régis Neau a entrepris de rénover les bâtiments du XVIIᵉs. de cette ancienne propriété seigneuriale, constituée un siècle plus tôt. Des efforts et des soins qui embelliront encore un ensemble charmant que l'on devine à l'aquarelle reproduite sur l'étiquette de ce vin. Les notes réglissées du cabernet franc surgissent comme le signe d'une maturité parfaite et d'une extraction bien menée que l'on pouvait presque pressentir au regard de la couleur grenat profond. Des tanins ronds participent à la structure équilibrée et à la persistance d'un millésime remarquable, apte à la garde.
☛ Régis Neau, Dom. de Nerleux,
4, rue de la Paleine, 49260 Saint-Cyr-en-Bourg,
tél. 02.41.51.61.04, fax 02.41.51.65.34,
e-mail contact @ domaine-de-nerleux.fr
☑ ⵝ t.l.j. sf dim. 8h-12h30 13h30-18h; sam. 8h-12h30

DOM. DE LA PERRUCHE
Clos de Chaumont 2001★★

■	5 ha	15 000	■ⵘ↓	5 à 8 €

Le domaine s'attache à vendanger son raisin à une date tardive, tel ce cabernet franc récolté à la mi-novembre et qui laisse le souvenir d'une promenade dans les bois. Prenez votre panier pour cueillir myrtilles et fraises des bois, avec quelques touches de sous-bois ; puis, goûtez la matière généreuse et ample. Un petit côté austère vous apparaît au terme de votre flânerie ? Quelques tanins seulement, gage d'avenir.
☛ SCEV Dom. de la Perruche,
29, rue de la Maumenière, 49730 Montsoreau,
tél. 02.41.51.73.36, fax 02.41.38.18.70,
e-mail domainedelaperruche @ terre-net.fr
☑ ⵝ t.l.j. sf dim. 9h30-12h30 13h30-18h30

DOM. DE LA PETITE CHAPELLE 2000

■	7 ha	35 000	■↓	5 à 8 €

L'abbaye royale de Fontevraud n'est qu'à 8 km du domaine, mais à Souzay même le visiteur peut apprécier une église du XVᵉs. à voûtes flamboyantes de toute beauté, ainsi qu'un manoir du XVIᵉs., dont une partie est troglodytique. Laurent Dézé tire, lui aussi, profit de la fraîcheur du tuffeau pour élever ses vins, dont un 2000 grenat aux flaveurs printanières de cerise. Bien structuré, celui-ci témoigne d'une extraction réussie.

☛ Laurent Dézé, 4, rue des Vignerons, Champigny,
49400 Souzay-Champigny,
tél. 02.41.52.41.11, fax 02.41.52.93.48 ☑ ⵝ r.-v.

DOM. DE ROCFONTAINE
Vieilles vignes 2001★

■	2,5 ha	13 000	■↓	5 à 8 €

L'automne sera la bonne saison pour observer sur l'îlot de Parnay sternes, mouettes rieuses et autres oiseaux migrateurs qui trouvent un habitat provisoire sur ce banc de sable surélevé. Ce sera aussi le moment opportun pour découvrir ce vin rubis, largement ouvert sur les fruits rouges et harmonieux. A peine perçoit-on quelques tanins pointus qui ne tarderont pas à se fondre.
☛ Philippe Bougreau, Dom. de Rocfontaine,
7, ruelle des Bideaux, 49730 Parnay,
tél. 02.41.51.46.89, fax 02.41.38.18.61 ☑ ⵝ ⵝ r.-v.

DOM. DES ROCHES NEUVES
Cuvée Domaine 2001★★

■	14 ha	80 000	■↓	5 à 8 €

Le domaine de 22 ha, repris en 1992 par Thierry Germain et conduit en agriculture biologique, exporte 40 % de sa production. Son vin pimpant, pourpre violacé, est quelque peu timide à l'abord, mais il ne tarde pas à offrir un fruité suave qui lui confère de la délicatesse. Il se poursuit en légèreté, avec une fraîcheur aromatique bien représentative de l'appellation. Voilà un 2001 au joli potentiel qui mérite d'être attendu. Egalement très réussi, le **saumur blanc Insolite 2000 (11 à 15 €)** allie avec fraîcheur les fruits et la vanille. Sa rondeur procure déjà du plaisir, même si le boisé d'un élevage de douze mois mérite de se fondre.
☛ Thierry Germain, 56, bd Saint-Vincent,
49400 Varrains, tél. 02.41.52.94.02, fax 02.41.52.49.30,
e-mail thierry-germain @ wanadoo.fr ☑ ⵝ r.-v.

LES VIGNERONS DE SAUMUR
Réserve des vignerons 2001

■	230 ha	1 800 000	■↓	5 à 8 €

La cave coopérative de Saumur, fondée en 1957, produit plus de 100 000 hl dans ses caves en partie creusées dans d'anciennes carrières de tuffeau. Le jury a retenu deux de ses vins : la cuvée **Les Poyeux 2001** qui développe des arômes de fruits rouges bien mûrs et une charpente solide invitant à la garde, et cette Réserve des vignerons d'un rouge grenat. Celle-ci flatte par son fruité discret, légèrement nuancé de menthol au palais, comme par sa souplesse.
☛ Cave des Vignerons de Saumur,
rte de Saumoussay, 49260 Saint-Cyr-en-Bourg,
tél. 02.41.53.06.06, fax 02.41.53.06.10,
e-mail infos @ vignerons-de-saumur.com
☑ ⵝ t.l.j. sf dim. 9h-12h 14h-18h

DOM. DU VAL BRUN
Vieilles vignes Les Folies 2001★

■	3 ha	10 000	8 à 11 €

On retrouve avec plaisir cette cuvée d'Eric Charruau, déjà remarquée dans les deux dernières éditions du Guide. Des reflets violacés animant un rouge soutenu invitent à découvrir une palette délicate de fruits rouges et une matière suave. La bonne structure laisse apparaître des tanins soyeux qui soutiennent une finale agréable.
☛ Eric Charruau, 74, rue Valbrun, 49730 Parnay,
tél. 02.41.38.11.85, fax 02.41.38.16.22 ☑ ⵝ ⵝ r.-v.

CH. DE VILLENEUVE
Vieilles vignes 2000★★

| ■ | 3 ha | 10 000 | ◨ | 8 à 11 € |

Depuis 1985, J.-P. Chevallier apporte ses soins à ce vignoble de 25 ha, dont les origines remontent au XVᵉs. Il en vinifie le fruit dans les caves restaurées du manoir de tuffeau bâti au XVIIIᵉs. De son vin grenat, on retient l'expression de fruits noirs bien mûrs qui s'associe parfois à la réglisse, ainsi que la matière, ample et opulente, qui laisse une impression sensuelle de velouté persistant. Cette bouteille plaît... et plaira. Le **saumur-champigny 2001** (5 à 8 €) obtient une étoile, car il a la complexité d'un raisin bien mûr avec des tanins bien ronds.

↬ SCA Chevallier, Ch. de Villeneuve,
3, rue Jean Brevet, 49400 Souzay-Champigny,
tél. 02.41.51.14.04, fax 02.41.50.58.24

Ⴤ t.l.j. sf dim. 9h-12h 14h-18h

La Touraine

Les intéressantes collections du musée des Vins de Touraine à Tours témoignent du passé de la civilisation de la vigne et du vin dans la région ; et il n'est pas indifférent que les récits légendaires de la vie de saint Martin, évêque de Tours vers 380, émaillent la *Légende dorée* d'allusions viticoles ou vineuses... A Bourgueil, l'abbaye et son célèbre clos abritaient le « breton », ou cabernet franc, dès les environs de l'an mil, et, si l'on voulait poursuivre, la figure de Rabelais arriverait bientôt pour marquer de faconde et de bien-vivre une histoire prestigieuse. Une histoire qui revit au long des itinéraires touristiques, de Mesland à Bourgueil sur la rive droite (par Vouvray, Tours, Luynes, Langeais), de Chaumont à Chinon sur la rive gauche (par Amboise et Chenonceaux, la vallée du Cher, Saché, Azay-le-Rideau, la forêt de Chinon).

Célèbre il y a donc fort longtemps, le vignoble tourangeau atteignit sa plus grande extension à la fin du XIXᵉ s. Sa superficie (environ 13 000 ha) demeure actuellement inférieure à celle d'avant la crise phylloxérique ; il se répartit essentiellement sur les départements de l'Indre-et-Loire et du Loir-et-Cher, empiétant au nord sur la Sarthe. Des dégustations de vins anciens, des années 1921, 1893, 1874 ou même 1858, par exemple, à Vouvray, Bourgueil ou Chinon, laissent apparaître des caractères assez proches de ceux des vins actuels. Cela montre que, malgré l'évolution des pratiques culturales et œnologiques, le « style » des vins de la Touraine reste le même ; sans doute parce que chacune des appellations n'est élaborée qu'à partir d'un seul cépage. Le climat joue aussi son rôle : le jeu des influences atlantique et continentale ressort dans l'expression des vins, les coteaux formant écran aux vents du nord. En outre, la succession de vallées orientées est-ouest, vallée du Loir, de la Loire, du Cher, de l'Indre, de la Vienne, multiplie les coteaux de tuffeau favorables à la vigne, sous un climat tout en nuances, et en entretenant une saine humidité. Ce tuffeau, pierre tendre, est creusé d'innombrables caves. Dans les sols des vallées, l'argile se mêle au calcaire et au sable, avec parfois des silex ; au bord de la Loire et de la Vienne, des graviers s'y ajoutent.

Ces différents caractères se retrouvent donc dans les vins. A chaque vallée correspond une appellation, dont les vins s'individualisent chaque année grâce aux variations climatiques ; et l'association du millésime aux données du cru est indispensable.

Le classement des millésimes est à moduler, bien sûr, entre les rouges tanniques de Chinon ou de Bourgueil (plus souples quand ils proviennent des graviers, plus charpentés quand ils sont issus des coteaux) et ceux plus légers, et parfois diffusés en primeur, de l'appellation touraine ; entre les rosés plus ou moins secs selon l'ensoleillement, tout comme les blancs d'Azay-le-Rideau ou d'Amboise, et ceux de Vouvray et de Montlouis dont la production va des secs aux moelleux en passant par les vins effervescents. Les techniques d'élaboration des vins ont leur importance. Si les caves de tuffeau permettent un excellent vieillissement à une température constante d'environ 12 °C, les vinifications en blanc se font à température contrôlée, les fermentations durent quelquefois plusieurs semaines, voire plusieurs mois pour les vins moelleux. Les rouges légers, de type touraine, sont issus de cuvaisons au contraire assez courtes ; en revanche, à Bourgueil et à Chinon, les cuvaisons sont longues : deux à quatre semaines. Si les rouges font leur fermentation malolactique, les blancs et les rosés doivent au contraire leur fraîcheur à la présence de l'acide malique. Globalement, la production, qui, durant les bonnes années, approche en moyenne les 700 000 hl, est commercialisée à 55 % par le négoce. Les ventes directes représentent 30 % et les coopératives 15 %.

LOIRE

Touraine

S'étendant des portes de Montsoreau, à l'ouest, jusqu'à Blois et Selles-sur-Cher à l'est, l'appellation régionale touraine recouvre 5 250 ha. Elle est principalement localisée de part et d'autre des vallées de la Loire, de l'Indre et du Cher. Le tuffeau affleure rarement ; les sols surmontent le plus souvent l'argile à silex. Ils sont plantés surtout de gamay noir pour les vins rouges, accompagné selon les terrains de cépages plus tanniques, comme le cabernet franc et le cot. La majorité des vins rouges, dont les vins primeurs, légers et fruités, sont issus de ce gamay noir uniquement. A base de deux ou trois cépages, ils ont une bonne tenue en bouteille. Nés du cépage sauvignon qui depuis quarante ans a détrôné les autres, les blancs sont secs. Une partie de la production des blancs et des rosés est élaborée en mousseux selon la méthode traditionnelle. Enfin, les rosés toujours secs, friands et fruités, sont élaborés à partir des cépages rouges.

Au sud de Tours, il faut noter le renouveau d'un vignoble historique donnant des rosés secs, d'appellation touraine, mais anciennement et à nouveau dénommé « noble joué ». Les cépages sont les trois pinots : pinot gris (dominant), pinot meunier et pinot noir.

DANIELLE DE L'ANSEE
Sauvignon 2001★

	n.c.	n.c.	🔲⬇	3 à 5 €

Cette maison de négoce exporte 70 % de sa production vers des pays aussi lointains que Taïwan. Limpide et brillant, son touraine offre des nuances de fruits exotiques et de fruits à chair blanche. Bien équilibré, il exprime bien le sauvignon, sans agressivité. A boire dès à présent.
↳ SARL Danielle de l'Ansée, Les Martinières, 15, rue des Vignes, 41140 Noyers-sur-Cher, tél. 02.54.71.09.95, fax 02.54.75.29.79, e-mail danielle-de-lansee@wanadoo.fr ☑
↳ Pascal Gibault

DOM. JACKY AUGIS
Cot 2000★★

	1,5 ha	10 000	🔲	3 à 5 €

Appartenant à la même famille depuis un siècle, le domaine Augis a su garder un savoir-faire ancestral et l'amour du travail bien fait, tout en alliant la modernité au vignoble comme à la cave. Elaboré avec maîtrise à partir de vignes de cot, cépage que l'on redécouvre en Touraine, ce 2000 trapu et riche a enchanté le jury par ses arômes de fruits rouges associés à une pointe de gibier. Des flaveurs de sous-bois se révèlent dans la finale soyeuse. L'édifice tiendra longtemps et se peaufinera avec les années.

↳ Dom. Jacky Augis, Le Musa, 1465, rue des Vignes, 41130 Meusnes, tél. 02.54.71.01.89, fax 02.54.71.74.15, e-mail paugis@net-up.com
☑ ⴹ t.l.j. sf dim. 8h-12h 14h-19h30; f. 15-30 août

J.-M. BEAUFRETON
Méthode traditionnelle brut 1999★

	0,76 ha	5 000	🔲⬇	5 à 8 €

Luynes possède un étonnant aqueduc, classé depuis 1862, et un imposant château du XIIᵉs., remanié au fil du temps. Après une visite de la ville, vous aurez plaisir à découvrir ce domaine et à déguster son vin jaune pâle, à la mousse persistante et fine. Un nez intense d'abricot et de pêche, une agréable fraîcheur en finale feront de ce touraine un excellent compagnon de vos apéritifs.
↳ Jean-Maurice Beaufreton, 12, Le Grand-Verger, 37230 Luynes, tél. 02.47.55.64.13 ☑ ⴹ r.-v.

CELLIER DU BEAUJARDIN
Cot 2000

	20 ha	20 000	🔲⬇	- de 3 €

Bléré ne manque certes pas d'attraits avec ses belles maisons bourgeoises des XVᵉ et XVIᵉs., mais la nature environnante ravit tout autant par ses coteaux viticoles ou les rives du Cher, affectionnées des pêcheurs. Attrayant également par le bon rapport qualité-prix de ce cot à la robe rubis et aux sympathiques arômes de fruits noirs, relevés d'une note épicée. Equilibré, rond, c'est un vin de soif à déguster sur une grillade.
↳ Cellier du Beaujardin, 32, av. du 11-Novembre, 37150 Bléré, tél. 02.47.30.33.44, fax 02.47.23.51.27, e-mail cellier.beaujardin@wanadoo.fr
☑ ⴹ t.l.j. sf dim. 8h30-12h 14h-18h30

DOM. BEAUSEJOUR
L'Authentique 2000★★

	n.c.	8 000	🔲🏛⬇	5 à 8 €

Des vestiges gallo-romains ont été découverts sur le site de Noyers-sur-Cher, ainsi qu'un menhir, celui de la Pierrefrite, dans la forêt de Gros Bois. Votre goût pour les curiosités ne doit pourtant pas vous détourner de la route de Beauséjour. Présenté dans une robe grenat, ce vin offre un nez intense de cassis avec une note vanillée. Puissant, il possède beaucoup de personnalité et animera merveilleusement vos repas. Il évoluera au cours d'un an ou deux de garde pour être au meilleur de sa forme. Le **sauvignon 2001** (3 à 5 €) est cité pour son harmonie et sa palette d'agrumes (pamplemousse).
↳ GAEC Trotignon et Fils, Dom. Beauséjour, 10, rue des Bruyères, 41140 Noyers-sur-Cher, tél. 02.54.71.34.17, fax 02.54.71.77.61 ☑ 🏛 ⴹ r.-v.

LES CAVES DE BEAUVAL
Cot 2000

■	0,48 ha	2 300	▮	3 à 5 €

Il ne vous faudra que quelques minutes pour rejoindre la cave de Dominique Simonnet après un parcours dans le parc zoologique de Beauval avec ses cours d'eau peuplés d'oiseaux venus d'ailleurs et son vaste aquaterrarium. Ce vin n'a pas l'exotisme des tigres blancs du zoo, mais il plaira par ses arômes fruités et épicés comme par son caractère gouleyant. Il ne sera pas nécessaire de l'attendre.

↰ Dominique Simonnet, Beauval,
41110 Saint-Aignan-sur-Cher, tél. 02.54.75.14.46,
fax 02.54.75.14.46 ☑ ⏇ r.-v.

DOM. BELLEVUE
Sauvignon 2001★

	10 ha	80 000	▮▯	3 à 5 €

Depuis la cour du domaine, une jolie vue s'étend sur la vallée du Cher et le château de Saint-Aignan. Le raisin de ses vignes, implantées sur des sables et des silex, a été cueilli parfaitement mûr, d'où la couleur or soutenu de ce vin intense et élégant. Le palais met en valeur les arômes complexes issus d'une vendange de qualité.

↰ EARL Vauvy, Les Martinières,
41140 Noyers-sur-Cher,
tél. 02.54.75.38.71, fax 02.54.75.21.89,
e-mail domainebellevue@terre-net.fr ☑ ⏇ r.-v.

DOM. DE LA BERGERIE
Sauvignon 2001

	6,5 ha	30 000	▮▯	3 à 5 €

Un beau reflet du millésime sur les rives du Cher. Une impression d'élégance émane de ce vin or pâle brillant qui mêle des arômes d'acacia et de genêt. Les notes minérales typiques des sols de perruches en font un touraine bien frais, facile à boire.

↰ François Cartier, La Tesnière,
13, rue de la Bergerie, 41110 Pouillé,
tél. 02.54.71.51.54, fax 02.54.71.74.09
☑ ⏇ t.l.j. sf dim. 8h-12h 14h-19h

La Touraine

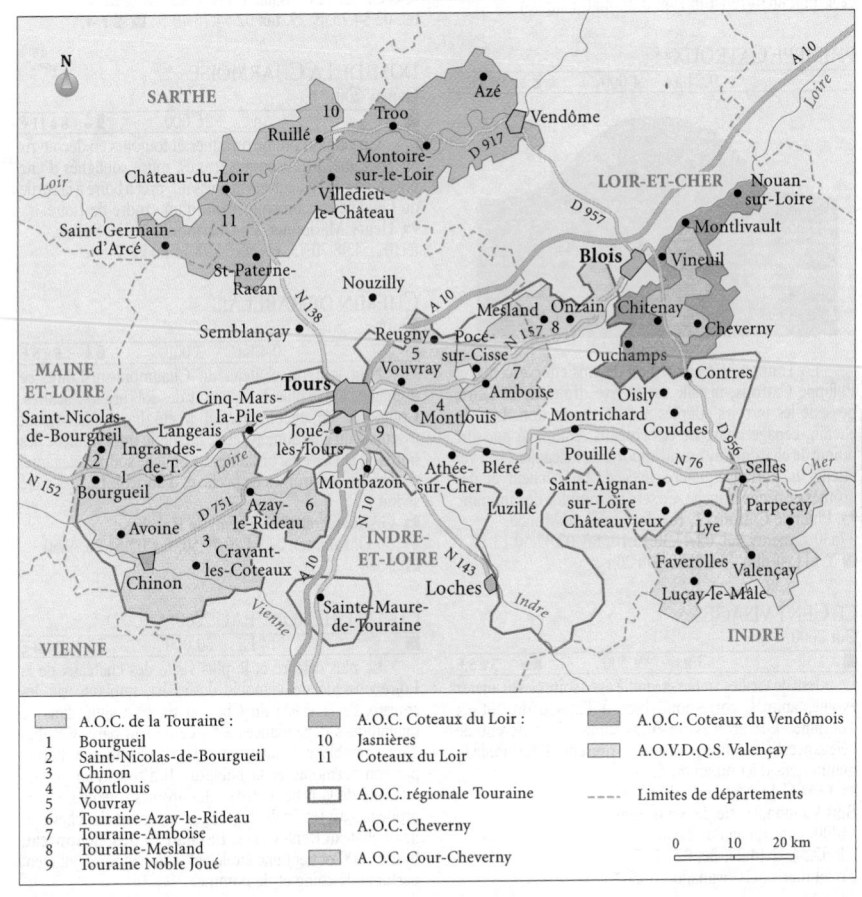

A.O.C. de la Touraine :
1   Bourgueil
2   Saint-Nicolas-de-Bourgueil
3   Chinon
4   Montlouis
5   Vouvray
6   Touraine-Azay-le-Rideau
7   Touraine-Amboise
8   Touraine-Mesland
9   Touraine Noble Joué

A.O.C. Coteaux du Loir :
10   Jasnières
11   Coteaux du Loir

A.O.C. régionale Touraine

A.O.C. Cheverny

A.O.C. Cour-Cheverny

A.O.C. Coteaux du Vendômois

A.O.V.D.Q.S. Valençay

– – – – Limites de départements

0   10   20 km

DOM. DES CAILLOTS
Tradition 2000★★

	3 ha	20 000		3 à 5 €

La vallée du Cher est décidément une région de Touraine riche de talents. Dominique Girault, membre du réseau Farre dont l'objectif est le respect du terroir, propose une touraine de plaisir comme on souhaiterait en rencontrer plus souvent. Dans sa robe profonde, son vin exprime de belles notes fruitées, avec un équilibre et une puissance maîtrisés. C'est un 2000 déjà mûr qui trouvera sa place à table à l'occasion des fêtes de fin d'année.

⌐ EARL Dominique Girault,
Le Grand Mont, 41140 Noyers-sur-Cher,
tél. 02.54.32.27.07, fax 02.54.75.27.87
☑ Ⲧ t.l.j. 8h30-12h 14h-19h; dim. matin sur r.-v.

PHILIPPE CATROUX★★

	0,5 ha	4 000		5 à 8 €

La Touraine est une région de vins effervescents, et Philippe Catroux, installé sur la rive droite de la Loire, possède les terroirs adaptés à cette production. Issu du chenin, cépage phare de ces coteaux, complété par une pointe de chardonnay qui lui apporte de l'élégance, son vin atteint un parfait équilibre, avec de la fraîcheur et des arômes de pêche blanche. Ce sera un touraine de l'intimité.

⌐ Philippe Catroux, 1, rue des Caves-de-Moncé,
37530 Limeray, tél. 02.47.30.13.10, fax 02.47.30.13.10
☑ Ⲧ t.l.j. sf dim. 9h-12h30 14h-20h

LE CENT VISAGES
Cot 2000

	3 ha	9 500		3 à 5 €

Issu de vieilles vignes et vinifié avec soin, ce vin au nez évolué, animal, correspond bien à l'image du cot en Touraine. Les arômes de fruits cuits lui confèrent de l'élégance. Si les tanins sont encore présents, l'harmonie se manifestera d'ici un an ou deux.

⌐ GAEC Jean-François Mérieau, Vignobles
Bois-Vaudon,38, rte de Saint-Aignan,
41400 Saint-Julien-de-Chédon,
tél. 02.54.32.14.23, fax 02.54.32.84.03,
e-mail merieau2@wanadoo.fr ☑ Ⲧ r.-v.

DOM. DU CHAPITRE
Cabernet 2000

	5 ha	8 000		3 à 5 €

Robe pourpre pour ce classique aux senteurs de fruits rouges et de sous-bois. La bouche est souple, avec un bel équilibre d'ensemble sur des notes de cerise. Un touraine à conserver quelque temps en bouteille. Le cot 2000, également cité, devra attendre un an ou deux pour fondre ses tanins dans une matière fruitée et légèrement épicée.

⌐ GAEC Desloges, Le Bourg,
41140 Saint-Romain-sur-Cher,
tél. 02.54.71.71.22, fax 02.54.71.08.21 ☑ Ⲧ t.l.j. 9h-19h

DOM. CHARBONNIER
Sauvignon 2001

	5,5 ha	10 000		3 à 5 €

Stéphane Charbonnier vient de rejoindre Daniel et Michel sur ce vignoble de 17 ha. Leur 2001 à la robe or pâle dévoile des notes de fruits exotiques. L'attaque fait penser à un élevage sur lie réussi, tandis que la finale persistante laisse une impression de grande douceur qui donne à l'ensemble une certaine personnalité.

⌐ GAEC Charbonnier,
4, chem. de la Cossaie, 41110 Châteauvieux,
tél. 02.54.75.49.29, fax 02.54.75.40.74 ☑ Ⲧ r.-v.

DOM. DE LA CHARMOISE
Gamay 2001★★

	n.c.	26 000		8 à 11 €

Un gamay comme on aimerait toujours en découvrir en Touraine. Fruits confits, cassis, mûre soulignés d'une note réglissée égaient ce vin puissant, prêt à boire à la sortie du Guide en accompagnement d'un sandre de Loire.

⌐ Henry Marionnet, La Charmoise, 41230 Soings,
tél. 02.54.98.70.73, fax 02.54.98.75.66 ☑ Ⲧ r.-v.

CHEMIN DE RABELAIS
Brut★

	0,4 ha	3 000		5 à 8 €

Non loin du château de Chaumont-sur-Loire, ce domaine cultive plus de 21 ha sur des sols argilo-calcaires. Composée de chenin auquel a été harmonieusement assemblé du chardonnay, cette méthode traditionnelle des bords de la Loire est brillante. La bouche souple, élégante, développe des arômes de pêche et d'abricot. Le jury a été séduit.

⌐ GAEC Chollet, 23, chem. de Rabelais,
41150 Onzain, tél. 02.54.20.79.50, fax 02.54.20.79.50
☑ Ⲧ r.-v.

CH. DE CHENONCEAU 2000★★

	14 ha	80 000		5 à 8 €

Le plus célèbre et le plus visité des châteaux de la Loire possède un vignoble de 35 ha, implanté sur les coteaux de la vallée du Cher, et un chai situé dans de magnifiques dépendances à l'orée de son parc. Résultat d'un assemblage de cabernet et de cot, ce touraine charme par son harmonie et sa noblesse. Il a tout d'un grand : intensité de la robe, richesse des arômes (pivoine, tabac, pruneau, café) et finale très longue en font un fier chevalier de ce château Renaissance. Le château de Chenonceau blanc 2000 obtient une étoile : c'est un vin rond, joliment parfumé de coing et de pomme.

🔑 SA Chenonceau-Expansion,
Ch. de Chenonceau, 37150 Chenonceaux,
tél. 02.47.23.44.07, fax 02.47.23.89.91,
e-mail chateau.de.chenonceau@wanadoo.fr
[V] 🍷 t.l.j. 11h-17h

DOM. DES CHEZELLES
Cot 2000★

■ 0,8 ha 6 000 ▮🌡 5 à 8 €

Ce vin représente brillamment la Touraine où le cépage cot est réimplanté. Il se distingue par une belle robe rouge profond à reflets violacés. Le nez livre des arômes de sous-bois et de réglisse, tandis que la bouche ample et souple finit sur une note de fruits cuits. Un vin à marier avec des gibiers.

🔑 EARL Alain Marcadet,
Le Grand Mont, 41140 Noyers-sur-Cher,
tél. 02.54.75.13.94, fax 02.54.75.44.09,
e-mail alain.marcadet@wanadoo.fr [V] 🏠 🍷 r.-v.

DOM. DU CLOS ROUSSELY
Anthologie du Clos 2000

■ 3,5 ha 8 766 ▮🛢🌡 5 à 8 €

Vincent Roussely revient des antipodes : il a travaillé pendant deux ans en Australie et en Afrique avant de reprendre en 2000 les vignes de son grand-père. Son touraine de couleur soutenue offre des arômes intenses de cassis complétés d'une note de café. Structuré, souple, il possède des tanins bien présents, mais sans agressivité, qui lui donnent un bel équilibre d'ensemble.

🔑 Vincent Roussely, Dom. du Clos Roussely,
La Chauverie, 41400 Saint-Georges-sur-Cher,
tél. 02.54.32.86.46, fax 02.54.32.86.46,
e-mail clos_roussely@yahoo.fr [V] 🏠 🍷 r.-v.

DOM. DES CORBILLIERES 2000

■ 5 ha n.c. ▮🌡 5 à 8 €

Voici un vin bien élégant, à l'expression discrète de pinot noir. Après une attaque subtile, quelques tanins se manifestent, qui masquent encore le fruit, mais cette bouteille sera bientôt appréciable.

🔑 EARL Barbou, Dom. des Corbillières, 41700 Oisly,
tél. 02.54.79.52.75, fax 02.54.79.64.89 [V] 🍷 r.-v.

CH. DES COULDRAIES
Quartz 1999

● 0,4 ha 1 200 ▮🌡 5 à 8 €

L'étiquette aux cristaux de quartz scintillants convient parfaitement à cette cuvée à l'effervescence persistante. La bouche vive, mais longue et riche, présente beaucoup d'élégance jusqu'à une finale ronde et harmonieuse.

🔑 SCEA des Couldraies,
Ch. des Couldraies, 41400 Saint-Georges-sur-Cher,
tél. 02.54.32.27.42, fax 02.54.32.40.03,
e-mail courrier@couldraies.com [V] 🍷 r.-v.

DANIEL DELAUNAY
Sauvignon 2001★

□ 5 ha 10 000 ▮🌡 3 à 5 €

A l'époque gallo-romaine, un village de potiers était implanté sur le site de Pouillé. Aujourd'hui, des vignerons y ont élu domicile, tel Daniel Delaunay. Issu des sols de perruche, très répandus en Touraine, son sauvignon au nez discret reflète bien le millésime 2001. Le fruité des agrumes, présent jusqu'à la finale, est un régal. Le **cabernet 2000** a été cité par le jury pour son expressivité et sa bonne longueur.

🔑 Daniel Delaunay, La Tesnière, 2, rue de la Bergerie,
41110 Pouillé, tél. 02.54.71.46.93, fax 02.54.71.77.34
[V] 🍷 r.-v.

DOM. DESROCHES
Sauvignon 2001

□ 2 ha 8 000 ▮🌡 3 à 5 €

D'une attrayante couleur or vert pâle, ce vin allie des nuances florales aux arômes d'agrumes, puis laisse une agréable sensation que l'on souhaiterait percevoir plus longtemps. Un classique dans le millésime. La **cuvée Tradition rouge 2000**, prête à boire, est citée.

🔑 Jean-Michel Desroches, Les Raimbaudières,
41400 Saint-Georges-sur-Cher,
tél. 02.54.32.33.13, fax 02.54.32.56.31 [V] 🍷 r.-v.

DOM. DES DEUX PIERRES
Sauvignon 2001

□ 7 ha 10 000 ▮🌡 3 à 5 €

Couleur intense pour ce 2001 aux arômes de cassis bien présents. En bouche, on note du gras, mais également une légère vivacité. A boire sur des poissons et des fruits de mer.

🔑 Jean-Marc Villemaine, La Ramée, 41140 Thésée,
tél. 02.54.71.52.69, fax 02.54.71.52.69 [V] 🍷 r.-v.

LES DEVANTS DE LA BONNELIERE
Cabernet franc 2001

▩ 2 ha 8 000 ▮🌡 3 à 5 €

En 1999, un an après son arrivée sur le domaine, Marc Plouzeau s'est lancé dans l'agriculture biologique. Son rosé issu de cabernet franc a belle allure. Après des arômes légèrement poivrés, il développe en bouche des petits fruits rouges. Un vin facile à boire dès cet automne.

🔑 Caves Plouzeau, 54, fg Saint-Jacques, 37500 Chinon,
tél. 02.47.93.16.34, fax 02.47.98.48.23,
e-mail marc@plouzeau.com [V] 🍷 t.l.j. sf lun. dim.
11h-13h 15h-19h; f. 1er oct.-1er avr.

GUY DURAND
La Haie Bachelier 2000

■ 1 ha 4 000 ▮ 3 à 5 €

Un rouge classique de couleur sombre qui dévoile des arômes de poivron frais, en première approche, puis de cassis. Tout en légèreté, il devra être apprécié dès la sortie du Guide.

🔑 Guy Durand, 11, Chemin-Neuf, 37530 Mosnes,
tél. 02.47.30.43.14, fax 02.47.30.43.14
[V] 🍷 t.l.j. 9h-19h30

DOM. DES ECHARDIERES
Tradition 2000

■ 1,5 ha 10 000 5 à 8 €

Ce 2000 libère généreusement ses arômes de sous-bois, avant de poursuivre avec souplesse et équilibre. La finale est un peu austère, mais n'ôte rien au caractère sympathique d'un vin à boire dès aujourd'hui.

🔑 Poullain, La Brosse, 41110 Pouillé,
tél. 02.54.71.46.66, fax 02.54.71.46.66 [V] 🍷 r.-v.

LOIRE

DOM. DE LA GARENNE
Cuvée ancestrale Vieilli en fût de Chêne 2000★

| ■ | 0,5 ha | 3 000 | ⅢⅠ | 5 à 8 € |

Rien n'est plus agréable que de se promener dans les rues de Montrichard, bordées de logis à pans de bois des XVᵉ et XVIᵉs., qui vous conduiront jusqu'au château. De là, vous partirez à la découverte des paysages de la basse vallée du Cher et de ses vins. Cette cuvée rubis intense livre des notes de fruits rouges, relayées dans une bouche équilibrée et souple par des accents de grillé. La finale n'appelle que des éloges. Un vin apte à une garde de quelques années.
☛ Jacky Charbonnier, 11, rte de la Vallée, 41400 Angé, tél. 02.54.32.10.06, fax 02.54.32.60.84
☑ ⌂ ⅄ r.-v.

DOM. DE LA GARENNE
Sauvignon 2001★★

| ▨ | 7 ha | 10 000 | ⅰ↓ | 3 à 5 € |

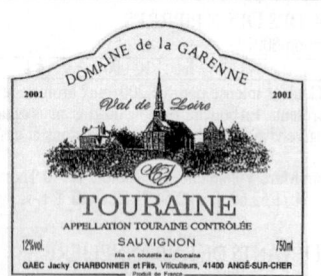

Engagé dans la mouvance de la culture respectueuse de l'environnement, Jacky Charbonnier a séduit le jury avec son touraine joliment doré. Cette cuvée vous emporte dans une féerie de raisin mûr nuancé de miel. Très riche, très suave, complexe, elle révèle à tout moment la puissance du terroir des coteaux du Cher. Vraiment remarquable.
☛ Jacky Charbonnier, 11, rte de la Vallée, 41400 Angé, tél. 02.54.32.10.06, fax 02.54.32.60.84
☑ ⌂ ⅄ r.-v.

DOM. DE LA GARRELIERE
Sauvignon Cendrillon 2001★

| ▨ | 2 ha | 8 000 | ⅰ↓ | 5 à 8 € |

Beaucoup de finesse dans cette cuvée Cendrillon où chacun pourra penser que son verre est un escarpin dans lequel il pourra trouver sa belle ! Les arômes sont aériens ; le pamplemousse et l'ananas tapissent le palais tout en fraîcheur. Un joli soulier.
☛ François Plouzeau, Dom. de la Garrelière, Razines, 37120 Richelieu, tél. 02.47.95.62.84, fax 02.47.95.67.17
☑ ⅄ r.-v.

CHANTAL ET PATRICK GIBAULT 2001★

| ■ | 2 ha | 10 000 | ⅰ↓ | 3 à 5 € |

On note un regain d'intérêt de la part des consommateurs pour les vins rosés. Celui-ci aura sans nul doute leurs faveurs. D'une jolie couleur brillante, il embaume la fraise et la violette. C'est un rosé de haute tenue et de grande classe. Le cot 2000, cité, possède une bonne matière qui lui permettra d'attendre deux ou trois ans.

EARL Chantal et Patrick Gibault,
183, rue Gambetta, 41130 Meusnes, tél. 02.54.71.01.63, fax 02.54.71.58.92, e-mail gibault.earl@wanadoo.fr
☑ ⅄ t.l.j. sf dim. 8h-12h 14h-19h

DOM. GIBAULT
Cabernet 2000

| ■ | n.c. | 20 000 | ⅰ↓ | 3 à 5 € |

Ce domaine de 22 ha sur sols argilo-calcaires s'étend sur la commune de Noyers-sur-Cher, remarquable par son église du XIIIᵉs., de style angevin. Il propose un cabernet à la jolie robe violacée et au nez puissant, qui se développe avec souplesse. Harmonieux, il laisse le souvenir de notes poivrées en finale. Un vin aimable.
☛ Dom. Gibault, Les Martinières, 41140 Noyers-sur-Cher, tél. 02.54.75.36.52, fax 02.54.75.29.79 ☑ ⅄ r.-v.

DOM. DE LA GIRARDIERE
Sauvignon 2001

| ▨ | 5 ha | 10 000 | ⅰ↓ | - de 3 € |

Un touraine très marqué par son cépage sous une teinte or pâle limpide. Il « sauvignonne » dans son expression aromatique, puis dévoile toute sa vivacité. A réserver aux amateurs qui, comme Proust, aiment retrouver les vins d'hier.
☛ Patrick Léger, La Girardière, 41110 Saint-Aignan, tél. 02.54.75.42.44, fax 02.54.75.21.14 ☑ ⅄ r.-v.

HAUTE CLEMENCERIE
Sauvignon 2001

| ▨ | 11 ha | 7 000 | ⅰ↓ | 3 à 5 € |

Voici un vin riche et bien constitué qui dispense à loisir ses arômes intenses de fleurs blanches tout au long de la dégustation. Equilibré, il s'achemine avec une pointe de vivacité vers une finale persistante. Un classique du vignoble.
☛ EARL Haute Clémencerie, 7, rte Haute-Clémencerie, 41400 Paverolles-sur-Cher, tél. 02.52.32.49.38 ☑ ⅄ r.-v.
☛ Mahoudeau

DOM. DU HAUT-PERRON
Le Cerf Joli 2001

| ▨ | 3 ha | 20 000 | ⅰ↓ | 3 à 5 € |

Guy Allion présente le premier millésime vinifié dans son chai flambant neuf. Celui-ci laisse une impression d'harmonie dans sa robe or pâle à reflets verts. Si les arômes semblent discrets, le caractère s'affirme au palais, comme pour indiquer que ce vin ne demande qu'à s'ouvrir.
☛ Guy Allion, 15, rue du Haut-Perron, 41140 Thésée, tél. 02.54.71.48.01, fax 02.54.71.48.51, e-mail contact@guyallion.com ☑ ⌂ ⅄ r.-v.

LAME-DELISLE-BOUCARD
Cuvée René Boucard 2000

| ■ | 1 ha | 7 200 | ⅢⅠ | 5 à 8 € |

Une curiosité dans le paysage viticole tourangeau, un rouge issu à 100 % de cabernet-sauvignon, cépage qui, ici a beaucoup de difficulté à atteindre sa pleine maturité. Celui-ci, au goût boisé très présent, sera réservé aux amateurs de ce style de vin. Il faudra être patient pour l'apprécier pleinement.

➦ Lamé-Delisle-Boucard, 21, rue de la Galottière,
Les Chesnaies, 37140 Ingrandes-de-Touraine,
tél. 02.47.96.98.54, fax 02.47.96.92.31,
e-mail lame.delisle.boucard@wanadoo.fr ☑ ℐ r.-v.

JACQUELINE LOUET
Cuvée Prestige 2000

	1,5 ha	5 000		3 à 5 €

Cette cuvée Prestige est très printanière avec ses
discrets arômes de cerise. Sa belle matière se prolonge sur
des nuances de cuir et de café. Un vin à faire évoluer.
➦ Jacqueline Louet, Cave Pierre Louet, Le Marchais,
41120 Monthou-sur-Bièvre,
tél. 02.54.44.01.56, fax 02.54.44.01.18 ☑ ℐ r.-v.

JEAN-CHRISTOPHE MANDARD
Sauvignon 2001

	3,5 ha	25 000		3 à 5 €

La commune de Mareuil-sur-Cher est connue pour
ses sols argilo-siliceux qui confèrent aux vins une originalité
marquée. Ce 2001 aux arômes intenses de buis se caractérise par une pétulance de jeune homme. Il a besoin d'un
peu de temps pour dévoiler tout son charme.
➦ Jean-Christophe Mandard,
Le Haut-Bagneux, 41110 Mareuil-sur-Cher,
tél. 02.54.75.19.73, fax 02.54.75.16.70,
e-mail mandard.jc@wanadoo.fr ☑ ℐ r.-v.

DOM. JACKY MARTEAU
Sauvignon 2001

	9 ha	60 000		3 à 5 €

Voici un vin aimable, à la robe translucide. Les
arômes du cépage dominent, accompagnant une bouche
franche et vive. Un touraine typé, dont il faut profiter dès
à présent. La cuvée Harmonie rouge 2000 et le gamay
2001 sont également cités. La première joue dans le
registre animal, le second sur le fruité de la cerise bigarreau. Tous deux sont déjà veloutés.
➦ Jacky Marteau, 36, rue de La Tesnière,
41110 Pouillé, tél. 02.54.71.50.00, fax 02.54.71.75.83
☑ ℐ r.-v.

DOM. DES MENIGOTTES
Sauvignon 2001

	6 ha	20 000		3 à 5 €

Les frères Plou et leurs fils vous feront visiter les caves
troglodytiques avant de vous proposer une dégustation de
ce sauvignon au nez discret de fleurs blanches, mais à
l'attaque franche et sympathique. La structure fine et
délicate s'achève sur une finale un peu vive qui invite à des
accords avec les fruits de mer.
➦ EARL Plou et Fils, 26, rue du Gal-de-Gaulle,
37530 Chargé, tél. 02.47.30.55.17, fax 02.47.23.17.02,
e-mail rplou@terre-net.fr ☑ ℐ t.l.j. 9h-13h 15h-19h30

DOM. MICHAUD
Cuvée Ad Vitam Vieilles vignes 2000★★

	1,8 ha	13 500		5 à 8 €

Thierry Michaud est un perfectionniste et un garant
des traditions viticoles de cette vallée du Cher qu'il
souhaiterait voir reconnaître comme un cru par l'INAO.
Les sages ne manqueront pas de saluer ce vin à l'expression
de fruits rouges nuancés d'une note de café. Généreux,
complexe, il surprend par la souplesse de ses tanins et par
le panache de sa finale. Une étoile pour le sauvignon 2001
(3 à 5 €), typique du terroir des sables à silex, plein de
minéralité et d'agrumes.

➦ EARL Thierry et Dorothée Michaud,
Les Martinières, 41140 Noyers-sur-Cher,
tél. 02.54.32.47.23, fax 02.54.75.39.19 ☑ ℐ r.-v.

DOM. DES MOREAUX
Sauvignon 2001★

	0,8 ha	5 000		3 à 5 €

Installé à Lye, au cœur du vignoble de Valençay,
Francis Jourdain récolte également dans la Touraine toute
proche. Son 2001 est particulièrement réussi avec des
arômes floraux très persistants. En bouche, on note un
ensemble harmonieux finissant sur une minéralité fort
rafraîchissante. Le cot 2000, cité, est un vin pourpre,
exprimant le gibier, la framboise et la griotte. Il a la rondeur
souhaitée pour une dégustation immédiate.
➦ Francis Jourdain, Les Moreaux, 36600 Lye,
tél. 02.54.41.01.45, fax 02.54.41.07.56 ☑ ℐ r.-v.

DOM. OCTAVIE
Sauvignon 2001

	10,37 ha	50 000		5 à 8 €

Isabelle et Noë Roublallay accueillent les visiteurs
dans un caveau de dégustation aménagé au sein d'un
bâtiment du XVIIIᵉs. dont ils ont conservé le style et le
mobilier. Vous y goûterez ce vin aux arômes typiques de
sauvignon. L'attaque est vive, mais vous retiendrez l'équilibre et la longueur de la bouche. Une bouteille à proposer
sur des asperges à la solognote ou à l'apéritif, entre amis.
Le Fragrance rouge 2000, rond et délicatement fruité,
obtient également une citation.
➦ Noë Roublallay, Dom. Octavie, Marcé, 41700 Oisly,
tél. 02.54.79.54.57, fax 02.54.79.65.20,
e-mail octavie@netcourrier.com
☑ ℐ t.l.j. 9h-12h30 14h-18h30; dim. sur r.-v.

JAMES PAGET
Cuvée Tradition 2000

	1,5 ha	10 000		3 à 5 €

Un touraine rouge finement ciselé comme les jardins
du château de Villandry. Une robe cerise, un nez légèrement sauvage, des tanins soyeux en font une bouteille à
apprécier, et plus encore avec une poire tapée de Rivarennes, spécialité que vous découvrirez au musée local.
➦ EARL James et Nicolas Paget,
13, rue d'Armentières, 37190 Rivarennes,
tél. 02.47.95.54.02, fax 02.47.95.45.90
☑ ℐ t.l.j. sf dim. 9h-12h30 14h30-19h

CAVES DU PERE AUGUSTE
Gamay 2001★

	7,3 ha	20 000		3 à 5 €

Les Caves du Père Auguste, c'est avant tout un
chaleureux accueil tourangeau, à l'image de leur gamay

LOIRE

rubis intense. Tout en fruits rouges, nuancés de poivre, souple, équilibré, ce vin harmonieux animera vos repas de fêtes.

🍴 Robert Godeau, Caves du Père Auguste, 14, rue des Caves, 37150 Civray-de-Touraine, tél. 02.47.23.93.04, fax 02.47.23.99.58
☑ 🏠 ⟙ t.l.j. 8h50-12h 14h-19h; dim. 10h-12h

PIERRE DE BERIGNEUL
Cabernet 2000★

■	105 ha	10 300	■↓	3 à 5 €

Créée en 1925, la coopérative de Francueil vinifie le fruit de 500 ha de vignes. Pierre de Bérigneul est l'une de ses dix marques ; elle se distingue en 2000 avec un vin plaisant, aux arômes expressifs de fruits rouges. On retrouve en bouche ces notes de mûre et de griotte associées à une structure tannique soyeuse. Voilà un touraine droit, franc, à prix doux de surcroît.

🍴 Les Maîtres Vignerons de la Gourmandière, 14, rue de Chenonceaux, 37150 Francueil, tél. 02.47.23.91.22, fax 02.47.23.82.50, e-mail info@vignerons-gourmandiere.com ☑ ⟙ r.-v.

DOM. DU PRE BARON
Sauvignon 2001★★

■	12 ha	50 000	■↓	3 à 5 €

Produit sur les sols sableux d'Oisly, ce vin a enchanté le jury par sa droiture et sa verve. Un nez très intense (buis et bourgeon de cassis), puis une vivacité sans excès jusqu'à une excellente finale tout en rondeur, en feront un bon compagnon de table. A déguster également, **L'Elégante blanc 2001 (5 à 8 €)** aux arômes très mûrs d'agrumes, qui obtient une étoile. La **cuvée Prestige des Grands Barons rouge 2000 (5 à 8 €)** ne démérite pas. Ses arômes de fruits noirs et de pruneau, ainsi que sa structure fine mais droite, lui valent une citation.

🍴 Guy et Jean-Luc Mardon, Dom. du Pré Baron, 41700 Oisly, tél. 02.54.79.52.87, fax 02.54.79.00.45, e-mail mardon@wanadoo.fr
☑ ⟙ t.l.j. sf dim. 9h-12h 14h-19h

CH. DE LA PRESLE
Sauvignon 2001★

■	15,9 ha	120 000	■	3 à 5 €

Ah, enfin du beau, du complexe, de la personnalité ! Dès l'olfaction, il vous emporte vers l'exotisme avec ses arômes de mangue et d'ananas. Il vous charme par sa structure équilibrée et ses notes d'agrumes très mûrs. La finale légèrement mentholée est un délice. Passez commande de suite ! N'oubliez pas la **cuvée Jean-Baptiste rouge 2000 (5 à 8 €)**, également très réussie : fruitée, dotée de tanins enore bien présents, elle est généreuse et équilibrée.

🍴 Dom. Jean-Marie Penet, Ch. de la Presle, 41700 Oisly, tél. 02.54.79.52.65, fax 02.54.79.08.50, e-mail domaine.jean-marie.penet@wanadoo.fr
☑ ⟙ t.l.j. sf dim. 9h-12h 14h-19h; groupes sur r.-v.
🍴 F. et A.-S. Meurgey-Penet

CH. DE QUINCAY
Côt 2000★

■	4 ha	14 000	■	3 à 5 €

Encore jeune mais prometteur, ce vin rouge sombre réserve d'agréables surprises. Ce sont à ce jour des arômes de cuir et de sous-bois, ainsi qu'une belle matière aux tanins soyeux. Il se bonifiera encore à la faveur de deux ou trois

ans de garde. Le **Château de Quinçay rouge 2000 (5 à 8 €)**, assemblage de cot, de cabernet et de pinot noir, est cité.

🍴 GAEC Ch. de Quinçay, 41130 Meusnes, tél. 02.54.71.00.11, fax 02.54.71.77.72
☑ 🏠 ⟙ t.l.j. sf dim. 9h-12h 14h-19h

DOM. DE LA RENAUDIE
Sauvignon 2001★

■	8 ha	70 000	■↓	3 à 5 €

Produit à partir de vignes âgées de trente-cinq ans sur les sables argileux de la rive gauche du Cher, ce vin mérite le détour. Richement aromatique, il s'ouvre sur les agrumes et les fleurs blanches, puis enveloppe les sens d'une impression de gras et de rondeur. Voilà un touraine classique, harmonieux, bien équilibré, à savourer pendant les fêtes. Le **cot 2000**, cité, mérite de vieillir un peu pour mieux vous charmer par ses arômes de violette et de cassis, et par sa matière ample.

🍴 Patricia et Bruno Denis, Dom. de La Renaudie, 115, rte de Saint-Aignan, 41110 Mareuil-sur-Cher, tél. 02.54.75.18.72, fax 02.54.75.27.65, e-mail domaine.renaudie@wanadoo.fr ☑ ⟙ r.-v.

JEAN-FRANCOIS ROY
Cot 2000

■	1,2 ha	5 000	■	3 à 5 €

On peut dire de lui qu'il est rustique, mais dans le bon sens du terme, car il restitue le goût d'autrefois. Une jolie robe sombre, un nez où les fruits cuits côtoient le chocolat et une belle persistance aromatique : de l'avis du jury, il aura du succès quand sa légère austérité se sera fondue.

🍴 Jean-François Roy, 3, rue des Acacias, 36600 Lye, tél. 02.54.41.00.39, fax 02.54.41.06.89 ☑ ⟙ r.-v.

MICHEL ROY 2000

■	2 ha	4 000	■	5 à 8 €

Une jolie étiquette fleurie, rose et bleue, habille ce vin tout en légèreté, qui a conservé sa jeunesse. Discret, il donnera honnêtement satisfaction.

🍴 Michel Roy, 3, rue Franche, 41400 Pontlevoy, tél. 02.54.32.51.07, fax 02.54.32.51.07 ⟙ r.-v.

DOM. DES SOUTERRAINS
Sauvignon 2001★

■	6,55 ha	20 000	■↓	3 à 5 €

Un poisson grillé souligné d'un trait de citron ou des poissons crus marinés à l'aneth iront bien avec ce vin de sauvignon récolté à pleine maturité. Les senteurs intenses et la bouche souple donnent d'emblée une impression de bien-être. C'est un touraine généreux, qui procurera beaucoup de plaisir à ses acquéreurs. A découvrir également, le **rosé de cabernet 2001**, rafraîchissant, idéal pour la fin de l'été. Le jury lui accorde une citation.

🍴 Jacky Goumin, La Haie Jallet, 37, rue des Souterrains, 41130 Châtillon-sur-Cher, tél. 02.54.71.02.94, fax 02.54.71.76.26
☑ ⟙ t.l.j. sf dim. 8h30-12h 14h-19h

CAVES DE LA TOURANGELLE
Sauvignon 2001★

■	n.c.	143 000	■↓	- de 3 €

Négociant à Saint-Georges-sur-Cher, Noël Bougrier propose un touraine très typique de son cépage. Genêt et buis dominent la dégustation en accord avec une ligne vive, bien équilibrée. Pour les amateurs de vins blancs rustiques.

Les Caves de la Tourangelle, 26, rue de la Liberté, 41400 Saint-Georges-sur-Cher, tél. 02.54.32.31.36, fax 02.54.71.09.61 r.-v.

CH. DE VALLAGON
Sauvignon 2001

12 ha 110 000 5 à 8 €

La coopérative d'Oisly, créée en 1961, se trouve à une quinzaine de kilomètres du château de Cheverny. Ce ne sera donc pas un grand détour que d'aller la visiter. Elle propose un sauvignon tout en nuances de fruits exotiques et de pamplemousse, dont vous apprécierez la fraîcheur.

Confrérie des Vignerons de Oisly et Thésée, Le Bourg, 41700 Oisly, tél. 02.54.79.75.20, fax 02.54.79.75.29 t.l.j. 9h-12h30 14h-18h

DOM. MICHEL VAUVY
Sauvignon 2001

5,28 ha 10 000 3 à 5 €

Une belle expression du millésime 2001. Droit, fier, le nez discret, ce sauvignon laisse s'installer les arômes d'agrumes jusqu'à une finale fraîche. La **méthode traditionnelle 2000**, également citée, possède cette même vivacité agréablement nuancée d'arômes de pêche.

Michel Vauvy, 81, rue Nationale, 41140 Noyers-sur-Cher, tél. 02.54.75.26.57, fax 02.54.75.26.57 t.l.j. sf dim. lun. 9h30-12h 14h-19h30; f. 15-31 août

DOM. DU VIEUX PRESSOIR
Cuvée des Sourdes 2000

5 ha 8 000 5 à 8 €

Un pressoir datant du début du XX^e^s. est exposé à l'entrée de cette propriété, forte de 25 ha de vignes sur un sol d'argile à silex, et située entre Ambroise et Chaumont. Joël Lecoffre propose un touraine de cabernet et de cot, habillé d'une robe sombre du plus bel effet. Un nez de petits fruits rouges, des tanins puissants sur une note vanillée côtoient un caractère boisé très marqué. Un vin rustique, qu'il convient d'attendre. Le **sauvignon 2001 (3 à 5 €)** est également cité : il révèle des arômes typiques de bourgeon de cassis et d'acacia.

Joël Lecoffre, 27, rte de Vallières, 41150 Rilly-sur-Loire, tél. 02.54.20.90.84, fax 02.54.20.99.66, e-mail joel.lecoffre@wanadoo.fr r.-v.

Touraine noble-joué

Présent à la cour du roi Louis XI, le noble-joué est au sommet de sa renommée au XIXes. Grignoté par l'urbanisation de la ville de Tours, le vignoble, qui faillit disparaître, renaît sous l'impulsion de vignerons qui le reconstituent. Ce vin gris, issu des pinot meunier, pinot gris et pinot noir, a aujourd'hui repris sa place historique par sa consécration en AOC. Le millésime 2001 a produit 1 162 hl sur 21 ha.

BERNARD BLONDEAU 2001*

1,6 ha 2 000 3 à 5 €

Dernier représentant du monde viticole dans la commune de Saint-Avertin, où l'urbanisation grignote les terroirs, Bernard Blondeau propose un joli vin, dont la finesse vous étonnera. Après une évolution fruitée, ce 2001 se montre généreux et fort bien équilibré.

Bernard Blondeau, 42, rue de la Castellerie, 37550 Saint-Avertin, tél. 02.47.27.88.29, fax 02.47.27.88.29 r.-v.

CLOS DE LA DOREE 2001

1,5 ha 1 200 3 à 5 €

Voici un vin de découverte de cette jeune appellation. De la robe très pâle émanent des arômes expressifs de pomme verte. La bouche fruitée s'achemine vers une finale un peu vive.

GAEC Clos de la Dorée, La Guérinière, 37320 Esvres-sur-Indre, tél. 02.47.26.50.65, fax 02.47.26.46.46 r.-v.

REMI COSSON 2001

2 ha 6 000 3 à 5 €

En 1998, Rémi Cosson, alors âgé de vingt-huit ans, reprenait l'exploitation familiale. Ce jeune vigneron s'applique à démontrer que vin rosé et terroir font bon ménage. Vous serez agréablement surpris par la fraîcheur de ce millésime aux reflets orangés brillants et par l'onctuosité de sa finale.

Rémi Cosson, La Hardellière, 37320 Esvres-sur-Indre, tél. 02.47.65.70.63, fax 02.47.65.70.63 r.-v.

ANTOINE DUPUY 2001

5 ha 15 000 3 à 5 €

La famille Dupuy transmet depuis plusieurs générations un savoir-faire que vous découvrirez dans ce vin à la robe œil-de-perdrix, à la bouche vive mais charnue. Une bouteille qui se plaira en compagnie d'une tartine de rillettes de Tours.

EARL Antoine Dupuy, Le Vau, 37320 Esvres-sur-Indre, tél. 02.47.26.44.46, fax 02.47.65.78.86 t.l.j. sf dim. 9h-12h 14h-19h

ROUSSEAU FRERES 2001*

13 ha 60 000 3 à 5 €

Vins rosés et terroirs sont mis en valeur dans la famille Rousseau. Les sols d'argile à silex apportent la fraîcheur, les sols siliceux, la rondeur et le fruité. Ce millésime traduit bien les terroirs tourangeaux. Equilibré, aux notes fruitées de fraise, il révèle une attaque fraîche, suivie d'une grande générosité.

Rousseau Frères, Le Vau, 37320 Esvres-sur-Indre, tél. 02.47.26.44.45, fax 02.47.26.53.12 t.l.j. sf dim. 9h-12h 14h-19h

JEAN-JACQUES SARD 2001

3,6 ha 15 000 3 à 5 €

Ce « gris » est typique du renouveau de cette appellation qui met en valeur les cépages ancestraux que sont les pinot meunier, noir et gris. Equilibré, fleurant bon la poire, ample, il se conclut sur une finale fruitée rafraîchissante.

Jean-Jacques Sard, La Chambrière, 37320 Esvres-sur-Indre, tél. 02.47.26.42.89, fax 02.47.26.42.89 r.-v.

Touraine-amboise

De part et d'autre de la Loire sur laquelle veille le château des XVe et XVI^{e}s., non loin du manoir du Clos-Lucé où vécut et mourut Léonard de Vinci, le vignoble de l'appellation touraine-amboise (161 ha) produit surtout des vins rouges (9 550 hl en 2001) à partir du gamay, du cot et du cabernet franc. Ce sont des vins pleins, aux tanins légers ; lorsque cot et cabernet dominent, les vins ont une certaine aptitude au vieillissement. Les mêmes cépages donnent des rosés secs et tendres, fruités et bien typés. Secs à demi-secs selon les années, et pouvant également être gardés en cave, les blancs ont représenté 1 387 hl en 2001.

DOM. DES BESSONS
Cuvée François Ier 2000

■	1,8 ha	13 000	■ ⑪ ↓	3 à 5 €

Limeray est un joli village avec son église devenu musée de sculpture des XVe et XVI^{e}s., et son pont sur la Cisse. Propriétaire de 8,50 ha sur cette commune, François Péquin présente une cuvée dont le fruité est encore un peu masqué par l'élevage en fût, alors que l'élégance est déjà perceptible. Un vin qui animera vos réunions amicales.
➦ François Péquin, Dom. des Bessons, 113, rue de Blois, 37530 Limeray, tél. 02.47.30.09.10, fax 02.47.30.02.25 ☑ ☨ t.l.j. sf dim. 9h-19h

PHILIPPE CATROUX
Cuvée François Ier 2000

■	1,5 ha	10 000	■ ↓	5 à 8 €

Philippe Catroux propose un millésime 2000 qui s'affirme dès qu'on le hume. Les arômes de sous-bois et de cuir donnent le ton. D'une excellente concentration, ce vin demandera à vieillir quelque peu avant de livrer le meilleur de lui-même.
➦ Philippe Catroux, 1, rue des Caves-de-Moncé, 37530 Limeray, tél. 02.47.30.13.10, fax 02.47.30.13.10 ☑ ☨ t.l.j. sf dim. 9h-12h30 14h-20h

GUY DURAND
Les Scilles du Pin 2000

▨	1,2 ha	3 000	■ ↓	3 à 5 €

D'une couleur dorée à reflets verts, ce vin exprime le coing et la pomme. Après une première impression de rondeur, il étonne par une certaine vivacité finale. Il n'en reste pas moins équilibré et fera un excellent compagnon d'un poisson de Loire.
➦ Guy Durand, 11, Chemin-Neuf, 37530 Mosnes, tél. 02.47.30.43.14, fax 02.47.30.43.14 ☑ ☨ t.l.j. 9h-19h30

DOM. DUTERTRE
Cuvée Prestige 2000★

■	4 ha	9 000	⑪	3 à 5 €

La fille et la femme du roi du Cambodge n'ont pas hésité à s'arrêter à la maison Dutertre ; il vous est conseillé d'en faire de même pour déguster ce 2000. Voici un touraine-amboise au nez timide, mais qui révèle une très belle attaque et une certaine mâche. Le boisé encore présent vous convie à patienter un peu pour mieux apprécier cette bouteille.
➦ Dom. Dutertre, 20-21, rue d'Enfer, 37530 Limeray, tél. 02.47.30.10.69, fax 02.47.30.06.92, e-mail dutertre@netcourrier.com
☑ ☨ t.l.j. 8h30-12h30 14h-18h; dim. sur r.-v.

DOM. DE LA GABILLIERE
Cuvée François Ier 2000

■	5 ha	21 000	■ ↓	3 à 5 €

La cuvée François Ier du lycée viticole d'Amboise reflète bien l'esprit du touraine-amboise. Sa robe grenat profond ressemble à celle des grands dignitaires de la cour ; ses arômes sont très marqués par les fruits rouges et son soyeux laisse une impression de plénitude. Une petite garde ne pourra que servir cette bouteille. Cité également, l' **Expression blanc sec 2000**, de belle facture, atteindra son apogée d'ici deux à trois ans.
➦ Dom. de la Gabillière, Lycée viticole, 46, av. Emile-Gounin, 37400 Amboise, tél. 02.47.23.35.51, fax 02.47.57.01.76, e-mail expl-lpa-amboise@educagri.fr
☑ ☨ t.l.j. sf sam. dim. 8h-12h 13h-17h30

DOM. DE LA GRANDE FOUCAUDIERE
Clos du Vau 2000

■	1 ha	2 100	⑪	5 à 8 €

Prenez le train conduit par cet ancien cheminot de la région parisienne et voyagez en première classe avec ce rouge rubis au nez intense de cerise et de fruits cuits. Souplesse, équilibre, maturité à toutes les étapes, que lui demander de plus ? Peut-être un an ou deux de garde dans la cave pour en tirer sa quintessence.
➦ Lionel Truet, La Grande Foucaudière, 37530 Saint-Ouen-les-Vignes, tél. 02.47.30.04.82, fax 02.47.30.03.55, e-mail lioneltruet@aol.com ☑ ⛫ ☨ t.l.j. 8h-20h

DOM. LA GRANGE TIPHAINE 2000★★

■	0,6 ha	2 000	■ ↓	3 à 5 €

On redécouvre avec ce millésime l'essence même de l'appellation. Sa robe est d'une belle couleur cristalline ; ses arômes invitent d'emblée à découvrir un 2000 de grande race. Notes d'agrumes et de miel au nez, abricot confit en bouche caractérisent une vendange récoltée à son optimum. La richesse de son architecture ne nuit en rien à sa délicatesse et à sa fraîcheur. Cité, le **rouge 2000**, aux nuances de pivoine et de fruits rouges, allie complexité et légèreté jusqu'à une longue finale.
➦ Jackie Delecheneau, 1353, rue du Clos-Chauffour, 37400 Amboise, tél. 02.47.57.64.17, fax 02.47.57.39.49, e-mail jackiedel@ifrance.com ☑ ☨ r.-v.

DOM. MESLIAND
La Besaudière Cuvée François Ier 2000★

■	0,6 ha	4 000	⑪	5 à 8 €

Le jury a apprécié ce vin à la couleur rubis foncé, qui évolue vers les fruits cuits et le pruneau soulignés d'une note de torréfaction. La bouche est droite sur une longueur fruitée et une rondeur que le léger boisé n'altère pas. Une agréable bouteille pour découvrir les terroirs d'Amboise. La **cuvée Prestige 2000** sera appréciée des amateurs de vins de garde, élevés en fût. Elle est citée.

↜ Dom. Mesliand, 15 *bis*, rue d'Enfer, 37530 Limeray,
tél. 02.47.30.11.15, fax 02.47.30.02.89
☑ ⌂ ⵃ t.l.j. 8h-21h; groupes sur r.-v.

L'OREE DES FRESNES 2000

■	n.c.	n.c.	∎⊕	5 à 8 €

Encore très marqué par le bois, ce 2000 surprend par
sa couleur grenat profond à reflets violacés. Sa palette
assez intense mêle chocolat et café. En bouche, l'équilibre
et le gras dominent malgré une certaine austérité qui
pourra disparaître après un an de garde.
↜ Xavier Frissant, 1, chem. Neuf, 37530 Mosnes,
tél. 02.47.57.23.18, fax 02.47.57.23.25,
e-mail xavierfrissant@wanadoo.fr
☑ ⵃ t.l.j. sf dim. 8h-12h30 14h-19h

DOM. DE LA PERDRIELLE 2000

■	2 ha	10 000	∎⌄	5 à 8 €

Une jolie expression du chenin sur les terroirs argilo-
siliceux dans ce vin or pâle à reflets verts. Un nez intense
de pomme verte très agréable, une bouche qui laisse
d'emblée une impression franche et qui se prolonge par
une fine fraîcheur d'été. Il faut en profiter maintenant.
↜ EARL Jacques Gandon, Dom. de La Perdrielle, 24,
Vallon de Vauriflé, 37530 Nazelles-Négron,
tél. 02.47.57.31.19, fax 02.47.57.77.28,
e-mail vgandon@club-internet.fr
☑ ⵃ t.l.j. 9h-12h30 14h-19h; dim. sur r.-v.

ROLAND PLOU ET SES FILS
Cuvée Prestige 2000

■	2 ha	10 000	∎⌄	3 à 5 €

Ce vin plaît par sa présentation cerise burlat intense
et ses arômes d'épices douces (cannelle) et de petits fruits
rouges. Il faudra encore l'attendre un peu, pour que les
tanins se fondent davantage.
↜ EARL Plou et Fils, 26, rue du Gal-de-Gaulle,
37530 Chargé, tél. 02.47.30.55.17, fax 02.47.23.17.02,
e-mail rplou@terre-net.fr ☑ ⵃ t.l.j. 9h-13h 15h-19h30

DOM. DE LA PREVOTE
Cuvée de la Prévôté 2000

■	n.c.	18 000	⊕	5 à 8 €

Sous sa robe grenat à reflets violacés, ce 2000
présente un nez discrètement chocolaté. Ses tanins assez
présents, apportés par le bois, invitent à l'attendre encore
un peu, mais l'ampleur et le retour de chocolat ont été
appréciés par le jury.
↜ Dom. de la Prévôté, GAEC Bonnigal,
17, rue d'Enfer, 37530 Limeray, tél. 02.47.30.11.02,
fax 02.47.30.11.09 ☑ ⵃ t.l.j. sf dim. 9h-12h 14h-19h

CH. DE LA ROCHE 2000

■	6 ha	n.c.	∎⊕⌄	3 à 5 €

Pierre Chainier aime mettre en valeur les vins du Val
de Loire et les vins d'Amboise au travers de sa dynamique
maison de négoce. Son épouse Anne gère le château de La
Roche d'où est issu ce 2000 rubis aux notes de pruneau sur
une légère pointe animale. Equilibré et fin, le vin possède
du gras et une rondeur accentuée par un retour de fruits
cuits. Le léger boisé en fait un trotteur de fond à découvrir.
↜ Ets Pierre Chainier, La Boitardière, 37400 Amboise,
tél. 02.47.30.73.07, fax 02.47.30.73.09 ⵃ r.-v.

Touraine-azay-le-rideau

Produits sur 150 ha, répartis sur
les deux rives de l'Indre, les vins ont ici l'élégance
du château qui se reflète dans la rivière et dont ils
ont pris le nom. La moitié sont des blancs (803 hl
en 2001) ; secs à tendres, particulièrement fins,
vieillissant bien, ils sont issus du cépage chenin
blanc (ou pineau de la Loire). Les cépages
grolleau (60 % minimum de l'assemblage), gamay, cot (avec au maximum 10 % de cabernets)
donnent des rosés secs et très friands (1 715 hl).
Les vins rouges ont l'appellation touraine.

LA CAVE DES VALLEES 2001

■	3,1 ha	6 000	∎⌄	3 à 5 €

D'une jolie couleur brillante, ce rosé enchantera par
sa finesse et ses arômes floraux. Encore fermé lors de la
dégustation, il se dévoilera sans pudeur cet automne où
l'on appréciera sa finale légèrement poivrée.
↜ Marc Badiller, 29, Le Bourg, 37190 Cheillé,
tél. 02.47.45.24.37, fax 02.47.45.29.36
☑ ⵃ t.l.j. sf sam. dim. 8h30-12h 15h-17h

JAMES ET NICOLAS PAGET 2001★

■	2 ha	12 000	∎⌄	5 à 8 €

James Paget est l'un des piliers de cette appellation et
ses vins rosés sont toujours admirables. Le 2001 est d'une
grande maturité et rejoint sans peine les plus grands de
France. Franc et de belle structure, il est agréable et facile.
Ne pas s'en priver ! Quant au **blanc sec 2000**, d'une jolie
floralité et d'une grande finesse, il obtient également une
étoile.
↜ EARL James et Nicolas Paget,
13, rue d'Armentières, 37190 Rivarennes,
tél. 02.47.95.54.02, fax 02.47.95.45.90
☑ ⵃ t.l.j. sf dim. 9h-12h30 14h30-19h

PASCAL PIBALEAU 2000★★

■	4,5 ha	n.c.	⊕	3 à 5 €

Pascal Pibaleau obtient un coup de cœur pour ce
magnifique touraine-azay-le-rideau blanc à la robe or pâle
aux reflets verts. Les dégustateurs ont apprécié l'élégance
miellée du nez associée à quelques senteurs d'acacia. La
bouche ample traduit bien l'aptitude du chenin à produire
de grands vins blancs sur ce terroir tourangeau. Sa finale
puissante en fait une bouteille de garde qui est déjà fort
agréable.

LOIRE

🏨 EARL Pascal Pibaleau, 68, rte de Langeais,
37190 Azay-le-Rideau, tél. 02.47.45.27.58,
fax 02.47.45.26.18, e-mail pascal.pibaleau@wanadoo.fr
☑ ▼ t.l.j. sf dim. 8h-12h30 13h30-19h; r.-v. pour groupes

FRANCIS ROLLAND 2000

	0,3 ha	500	3 à 5 €

Sous sa robe jaune pâle, ce vin est particulièrement
élégant. Il reflète bien ce millésime 2000 par sa fermeté et
sa finale vive. A découvrir.
🏨 Francis Rolland, 30, rue de Villandry,
37130 Lignières-de-Touraine,
tél. 02.47.96.83.55, fax 02.47.96.69.08,
e-mail francis.rolland3@wanadoo.fr ☑ ▼ r.-v.

Touraine-mesland

Sur la rive droite de la Loire, au
nord de Chaumont et en aval de Blois, le vignoble
d'appellation couvre 200 ha. 5 382 hl ont été
produits en 2001 dont 641 en blanc ; les sols sont
perrucheux (argile à silex à couverture localement
sableuse – miocène – ou limono-sableuse). La
production de vins rouges est abondante ; issus du
gamay assemblé avec du cabernet et du cot, ceux-ci
sont bien structurés et typés. Comme les rosés, les
blancs (issus surtout du chenin) sont secs.

DOM. DE LA BESNERIE 2001★

	0,6 ha	3 000	🔹	3 à 5 €

Depuis 1964, Jacqueline et François Pironneau n'ont
cessé d'apporter des améliorations à cette propriété laissée
à l'abandon au début du XXᵉs. Leur touraine-mesland
possède tous les atouts pour séduire. Sa robe or pâle aux
reflets argentés est éclatante. Ses arômes fins de poire, son
palais puissant et élégant en font un vin à découvrir dès
aujourd'hui.
🏨 François Pironneau, Dom. de la Besnerie,
41, rte de Mesland, 41150 Monteaux,
tél. 02.54.70.23.75, fax 02.54.70.21.89 ☑ ▼ r.-v.

CLOS DE LA BRIDERIE
Vieilles vignes 2001

	1 ha	10 000	🔹	5 à 8 €

Voici un rosé au nez fruité expressif. Vif et rond à la
fois, il possède un bon équilibre et de la structure. La finale
désaltérante sera appréciée sur les charcuteries.
🏨 SCEA Clos de la Briderie,
70, rue de la Briderie, 41150 Monteaux,
tél. 02.54.70.28.89, fax 02.54.70.28.70,
e-mail biovidis@libertysurf.fr ☑ 🏠 ▼ r.-v.

DOM. DE LUSQUENEAU 2001

	n.c.	80 000	🔹	3 à 5 €

Un vin qu'il vous faudra encore attendre en raison de
sa structure tannique. Expressif dans ses évocations de
pruneau, il possède une attaque souple avant d'évoluer sur
des notes de fruits rouges jusqu'à une finale puissante et
chaleureuse.

🏨 Dom. de Lusqueneau, rue du Foyer, 41150 Mesland,
tél. 02.54.32.31.36, fax 02.54.71.09.61 ☑

DOM. DU PARADIS 2001

■	8 ha	15 000	🔹	3 à 5 €

Habillé de rouge grenat sombre, ce 2001 flatte déjà
le regard. Aux notes animales succède une bouche solide
et structurée. Les tanins sont présents mais bien fondus.
Un vin à attendre deux ou trois ans... Vous atteindrez
peut-être le paradis.
🏨 EARL Philippe Souciou, 39, rue d'Asnières,
41150 Onzain, tél. 02.54.20.81.86, fax 02.54.33.72.35
☑ ▼ r.-v.

DOM. DE RABELAIS 2001

	0,8 ha	8 000	3 à 5 €

Le jury a salué l'homogénéité de la production de
cette exploitation puisqu'il a retenu trois vins à citer dans
le Guide : ce blanc aux arômes de pomme et de coing, à
la finale minérale ; un **rosé 2001** assez original dans une
appellation aux vins traditionnellement secs, puisque sa
finale est douce, et un **rouge 2001** structuré, gouleyant, à
la fin de bouche acidulée.
🏨 GAEC Chollet, 23, chem. de Rabelais,
41150 Onzain, tél. 02.54.20.79.50, fax 02.54.20.79.50
☑ ▼ r.-v.

DOM. DES TERRES NOIRES 2001

■	0,5 ha	3 000	🔹	3 à 5 €

Ce vin blanc au nez discret de fruits de la Passion, à
la bouche ronde et fruitée sera une sympathique introduction à l'appellation touraine-mesland. Le **rosé 2001**, pelure
d'oignon, est également cité pour son nez expressif et sa
finale tendre.
🏨 GAEC des Terres Noires, 81, rue de Meuves,
41150 Onzain, tél. 02.54.20.72.87, fax 02.54.20.85.12
☑ ▼ t.l.j. 9h-12h 14h-18h
🏨 Rediguère

LES VAUCORNEILLES
Vieux Terroir 2001

■	2 ha	13 600	🔹	5 à 8 €

Installé sur la commune faisant face au château de
Chaumont-sur-Loire, le domaine des Vaucorneilles propose un rouge et un rosé de bonne facture, cités par le jury.
Le premier, de belle intensité, possède une structure
affirmée et une finale encore austère. Une petite garde lui
sera profitable. Le **rosé 2001**, aux arômes d'agrumes, est
vif et enchantera les repas de début d'automne.
🏨 GAEC les Vaucorneilles, 10, rue de l'Egalité,
41150 Onzain, tél. 02.54.20.72.91, fax 02.54.20.74.26,
e-mail les.vaucorneilles@wanadoo.fr ☑ ▼ r.-v.

Bourgueil

A partir du cépage cabernet-franc
(breton), 69 300 hl de vins rouges ont été produits
en 2001 sur les 1 250 ha du vignoble d'appellation
contrôlée bourgueil, à l'ouest de la Touraine et
aux frontières de l'Anjou, sur la rive droite de la
Loire. Racés, dotés de tanins élégants, ils ont une

très bonne aptitude au vieillissement, après une cuvaison longue, s'ils proviennent des sols sur tuffeau jaune des coteaux. Leur évolution en cave peut alors durer plusieurs dizaines d'années pour les meilleurs millésimes (1976, 1989, 1990 par exemple). Ils sont plus gouleyants et fruités s'ils proviennent des terrasses aux sols graveleux à sableux. Quelques centaines d'hectolitres sont vinifiés en rosés secs. Il est à noter que les viticulteurs membres de la coopérative de Restigné (un quart du bourgueil) reprennent leurs vins et les élèvent souvent dans leur propre cave.

HUBERT AUDEBERT
Vieilles vignes 2000★

■	2 ha	10 000	■↓	5 à 8 €

On est assez traditionnel chez les Audebert qui mènent un vignoble de près de 10 ha. Une tradition qui donne de beaux résultats. Le nez libère de puissants arômes de fruits rouges nuancés d'épices. La bouche, assez ronde, possède une bonne matière empreinte de flaveurs de cerise et de framboise. La présence tannique encore sensible indique que ce vin de caractère devra s'assagir à la faveur de quelques années de garde. La **cuvée Jolinet 2000** (3 à 5 €) obtient une étoile, mais cache encore son jeu. Attendez-la deux petites années.
↳ Hubert Audebert, 5, rue Croix-des-Pierres, 37140 Restigné, tél. 02.47.97.42.10, fax 02.47.97.77.53 ☑ ⏚ r.-v.

DOM. AUDEBERT ET FILS
Les Marquises 2000★

■	1,5 ha	10 000	■⑪↓	5 à 8 €

François Audebert a repris en 1996 la majeure partie des vignes (20 ha) de la maison du même nom. Sa cuvée se pare d'une belle couleur rouge, dense. Le nez offre des arômes puissants de cabernet, mariés à des notes d'épices et de réglisse. La bouche assez souple à l'attaque s'amplifie sur des tanins de chêne pour finir en douceur par des évocations d'épices. C'est un vin de garde, incontestablement.
↳ Dom. Audebert et Fils, av. Jean-Causeret, 37140 Bourgueil, tél. 02.47.97.70.06, fax 02.47.97.72.07 ☑ ⏚ t.l.j. 8h30-12h 14h-18h; sam. dim. sur r.-v.

VIGNOBLE AUGER 2000★★

■	10 ha	10 000	⑪	3 à 5 €

Laurence et Christophe invitent chaleureusement les lecteurs du Guide à venir partager l'amour du vin avec eux. Une invitation bien tentante à goûter cette cuvée du domaine. La robe très colorée, d'un rouge profond, annonce un caractère fruité intense, perceptible au nez et en bouche. Rien n'accroche. L'équilibre d'ensemble est remarquable, et la finale longue. Un vin à découvrir aujourd'hui comme demain.
↳ Vignoble Auger, 58, rte de Bourgueil, 37140 Restigné, tél. 02.47.97.41.37, fax 02.47.97.49.78 ☑ ⏚ t.l.j. sf dim. 9h-12h 14h-19h

DOM. DU BEL AIR
Les Vingt Lieux-dits 2000★★

■	10 ha	40 000	⑪	5 à 8 €

Pierre Gauthier, déjà très orienté vers les méthodes naturelles, vient de passer en agriculture biologique. C'est une autre façon d'envisager la production de vins authentiques. La matière est pleine et les tanins très doux. Les arômes du nez comme ceux de la bouche évoquent les fruits rouges et un boisé délicat (hérité d'un élevage « conduit intelligemment », selon un membre du jury). Cette cuvée des Vingt Lieux-dits est superbe et fera encore parler d'elle dans cinq ans. La **cuvée Les Marsaules 2000** (15 à 23 €), élevée en fût, est citée.
↳ EARL Pierre et Catherine Gauthier, 12, La Motte, 37140 Benais, tél. 02.47.97.41.06, fax 02.47.97.47.07 ☑ ⏚ r.-v.

BRUNO ET ROSELYNE BRETON
Cuvée du Chasseur Elevé en fût de bois 2000

■	2,5 ha	10 000	⑪	5 à 8 €

De teinte moyennement intense, cette cuvée libère des arômes de fruits mûrs. Au palais, les tanins assouplis reposent sur une belle matière, ample et ronde. Un retour du fruit agrémente la finale délicate. Un vin très convivial.
↳ Roselyne et Bruno Breton, EARL du Carroi, 45, rue Basse, 37140 Restigné, tél. 02.47.97.31.35, fax 02.47.97.49.00 ☑ ⏚ r.-v.

CHRISTOPHE CHASLE
Tuffeau 2000★

■	2,5 ha	18 000	■	5 à 8 €

« Vigneron indépendant », Christophe Chasle en respecte la charte à la lettre, notamment quand il s'agit du terroir. Les raisins de ses parcelles sont regroupés au moment de la vinification, par type de sol. Sa cuvée Tuffeau, issue de terres argilo-calcaires, est l'expression parfaite du cabernet franc : une robe rubis foncé, limpide, un nez de violette, de tubéreuse et de réglisse, puis une bouche qui allie une matière ample, savoureuse, à des tanins élégants et fondus. C'est le résultat d'une vendange mûre. Un vin qui peut aller loin. La **cuvée Rochecot 2000** (8 à 11 €) est citée pour son bel équilibre entre fruits et tanins.
↳ Christophe Chasle, 28, rue Dorothée-de-Dino, 37130 Saint-Patrice, tél. 02.47.96.95.95, fax 02.47.96.99.23, e-mail christophe.chasle@wanadoo.fr ☑ ⏚ r.-v.

DOM. DU CHENE ARRAULT
Cuvée Vieilles vignes 2000★★★

■	1,33 ha	8 000	■↓	5 à 8 €

Ce sont huit générations de vignerons qui se sont succédé sur cette ancienne ferme dont les bâtiments datent du XVIIIᵉs. Christophe Deschamps s'est engagé à la développer et à la moderniser. Des caves immenses dans le tuffeau assurent une grande capacité de stockage, et cette cuvée a su profiter de leur fraîcheur pour évoluer avantageusement. Elle donne d'emblée une impression d'équilibre entre les tanins, la matière et un fruité marqué par les fruits rouges. La finale est longue et élégante. Un beau vin à boire maintenant ou à savourer dans quelques années. La **cuvée du Chêne Arrault 2000**, citée, est à mettre en cave pour cinq ans.
↳ Christophe Deschamps, 4, Le Chêne-Arrault, 37140 Benais, tél. 02.47.97.46.71, fax 02.47.97.82.90, e-mail domaine.du.chene.arrault@wanadoo.fr ☑ ⏚ r.-v.

DOM. DES CHESNAIES
Cuvée Prestige 2000★★

■	10 ha	70 000	⑪	5 à 8 €

Philippe et Stéphanie Boucard, le frère et la sœur, qui ont fait des études supérieures, prennent le relais sur cette

LOIRE

exploitation de 35 ha créée et développée par les trois générations précédentes. C'est Lucien Lamé avec son gendre qui ont fait la renommée du domaine. Ce vin rouge profond brillant développe les arômes de fruits à tous les stades de la dégustation. La bouche est élégante et longue. On sent une disposition pour la garde. Une belle bouteille à découvrir dans quelque temps.

➤ Lamé-Delisle-Boucard, 21, rue de la Galottière, Les Chesnaies, 37140 Ingrandes-de-Touraine, tél. 02.47.96.98.54, fax 02.47.96.92.31, e-mail lame.delisle.boucard@wanadoo.fr ☑ ⊻ r.-v.
➤ Boucard

DOM. DE LA CHEVALERIE
Cuvée des Galichets 2000★★

| ■ | 4,2 ha | 20 000 | ■Ⅲ♨ | 5 à 8 € |

Une lignée de vignerons de père en fils depuis 1640, qui, cette année, change de génération. Le fils de Pierre Caslot va reprendre le flambeau. Souhaitons qu'il marche sur les traces d'un père qui a produit tant de beaux vins, telle cette cuvée rubis intense qui a du mal à retenir son bouquet de fraise et de framboise. Au palais l'attaque un peu ferme laisse bientôt place à des tanins déjà évolués, lisses. La finale s'étire sur des fruits très mûrs. Une bouteille de garde bien faite.

➤ Pierre Caslot, Dom. de La Chevalerie, 37140 Restigné, tél. 02.47.97.37.18, fax 02.47.97.45.87, e-mail pierrecaslot@domaine-de-la-chevalerie.com ☑ ⊻ t.l.j. 8h-12h30 14h-19h30; dim. sur r.-v.

DOM. DE LA CLOSERIE 2000

| ■ | 5 ha | 13 000 | ■Ⅲ♨ | 5 à 8 € |

Une installation qui date déjà de vingt ans, des vignes toutes d'âge respectable : c'est une affaire bien rodée dont les résultats sont sans surprise. La cuvée du domaine est souple, de bonne longueur, modérément tannique, et une multitude d'arômes s'y entremêlent (fruits, épices, réglisse, tabac). Elégante et sympathique, elle plaira dès aujourd'hui.

➤ Jean-François Mabileau, 28, rte de Bourgueil, 37140 Restigné, tél. 02.47.97.36.29, fax 02.47.97.48.33 ☑ ⊻ r.-v.

LE COUDRAY LA LANDE
Vieilles vignes 2000

| ■ | 2,5 ha | 15 300 | ■Ⅲ♨ | 5 à 8 € |

Jean-Paul Morin est un fidèle de l'ouvrage et, dans la présente édition, la belle cuvée du domaine trouve sa place. Celle-ci attire par son nez expressif de griotte soulignée d'une légère nuance animale. Sa bouche ne manque pas d'attrait : souple, élégante, tout en fruits rouges avec une même évocation animale. Une bouteille légère à servir lors de multiples occasions.

➤ Jean-Paul Morin, 30, rue de la Lande, 37140 Bourgueil, tél. 02.47.97.76.92, fax 02.47.97.98.20 ☑ ⊻ r.-v.

DOM. DE LA CROIX-MORTE 2000

| ■ | 1 ha | 2 000 | ■Ⅲ | 5 à 8 € |

Un flot d'arômes intéressants qui vont de la mûre au grillé, en passant par l'amande et la prune, voilà ce que l'on découvre à la dégustation de cette cuvée. Les tanins sont bien fondus, l'ensemble est léger, friand. Il faut en profiter.

➤ Fabrice Samson, La Croix-Morte, 37140 Restigné, tél. 02.47.97.49.48, fax 02.47.97.49.48 ☑ ⊻ r.-v.

SERGE DUBOIS
Cuvée Prestige Elevé en fût de chêne 2000

| ■ | 2 ha | 11 000 | Ⅲ | 5 à 8 € |

Serge Dubois, à la tête d'un vignoble de 14 ha, a renforcé son équipe en constituant un groupement agricole d'exploitation en commun (GAEC) avec son fils et son gendre. Cette cuvée est encore à son actif. Au nez flatteur, légèrement évolué, nuancé d'une touche de boisé, succède une impression de souplesse et de légèreté, bien que la finale semble un peu plus accrocheuse. Un vin courtois qui acceptera de nombreuses propositions culinaires.

➤ Dom. Serge Dubois, 49, rue de Lossay, 37140 Restigné, tél. 02.47.97.31.60, fax 02.47.97.43.33, e-mail domaine.sergedubois9@wanadoo.fr ☑ ⌂ ⊻ r.-v.

DOM. BRUNO DUFEU 2000

| ■ | 1,5 ha | 8 000 | ■Ⅲ♨ | 3 à 5 € |

Cette exploitation est passée en près de cinq ans de 4 à 10 ha, en bénéficiant de cessions de parcelles par des retraités. Elle a produit un vin bien pourvu en matière et en tanins, mais qui a besoin d'évoluer. Il lui faut du temps pour le modeler. Laissons-le tranquille ; il surprendra bientôt.

➤ Bruno Dufeu, Les Neusaies, 37140 Benais, tél. 02.47.97.76.53, fax 02.47.97.76.53 ☑ ⌂ ⊻ r.-v.

LAURENT FAUVY
Vieilles vignes 2000

| ■ | 2,5 ha | 5 000 | ■ | 3 à 5 € |

La bouche fait preuve d'équilibre entre tanins et matière ; la finale est plaisante et la framboise se glisse un peu partout. Difficile de demander mieux, d'autant que l'harmonie s'affirme nettement. Ne tardez pas à déguster cette bouteille légère. La cuvée classique 2000, considérée comme vin de plaisir, mérite, elle aussi, d'être citée.

➤ Laurent Fauvy, Le Machet, 37140 Benais, tél. 02.47.97.46.67, fax 02.47.97.95.45 ☑ ⊻ r.-v.

DOM. DE LA GAUCHERIE 2000

| ■ | 5 ha | 10 000 | ■♨ | 5 à 8 € |

Avec ses bâtiments impressionnants renfermant un équipement complet, le domaine de la Gaucherie ne passe pas inaperçu quand on pénètre sur la terrasse de Bourgueil, venant de Tours. On peut y voir encore des poteaux de vigne en ardoise, autrefois traditionnels dans le pays. La tradition c'est un peu ce qui guide Régis Mureau. Son vin rubis offre une diversité de senteurs fruitées que l'on retrouve en bouche. Celle-ci, très souple, soyeuse même, s'avère ample et d'une longueur honorable. Une bouteille à servir aux amis en toute simplicité.

➤ Régis Mureau, La Gaucherie, 37140 Ingrandes-de-Touraine, tél. 02.47.96.97.60, fax 02.47.96.93.43 ☑ ⊻ t.l.j. sf dim. 8h-12h 14h-18h; f. jan.

DOM. DES GELERIES 2000

| ■ | 2 ha | 8 000 | ■♨ | 5 à 8 € |

Jean-Marie et Françoise Rouzier pilotent aujourd'hui ce domaine de 17 ha resté longtemps entre les mains de leur mère, Jeannine. Ils proposent un vin très réglissé au nez. En bouche, les composants s'équilibrent avec succès. Cette bouteille est à boire rapidement pour profiter de son fruit.

➤ Jean-Marie Rouzier, Les Géléries, 37140 Bourgueil, tél. 02.47.97.74.83, fax 02.47.97.48.73, e-mail jean-marie.rouzier@wanadoo.fr
☑ ⟨ t.l.j. sf dim. 9h-12h30 14h30-19h

DOM. GEORGET 2000

■	3 ha	8 000	🍾	5 à 8 €

En culture biologique sous contrôle depuis plus de vingt ans, ce domaine s'est largement équipé en cuves bois pour soigner ses vins à l'ancienne. Ce 2000 affiche un nez un peu animal comme beaucoup de vins de ce millésime. Le mettre en carafe avant de le servir est un conseil judicieux. La bouche ample dévoile une certaine élégance. Déjà les tanins soyeux ont en partie évolué. Une bouteille prête à célébrer des retrouvailles amicales.
➤ EARL M.-C. Georget, 41, rte de Gizeux, 37140 Bourgueil, tél. 02.47.97.83.29, fax 02.47.97.49.41
☑ ⟨ r.-v.

DOM. DES GESLETS
Cuvée de Garde 2000

■	1,27 ha	90 000	⊞	5 à 8 €

Foudres de bois de 50 hl, barriques de 220 l et 400 l de un ou deux vins : Vincent Grégoire souhaite produire des vins de garde. Il y parvient avec cette cuvée qui mêle au nez des notes de fruits et de boisé léger. Ronde, souple mais puissante en bouche, elle possède des arrières solides avec ses tanins bien présents qui marquent encore la finale. Son avenir est prometteur, il suffit de l'envisager.
➤ EARL Vincent Grégoire, Dom. des Geslets, 37140 Bourgueil, tél. 02.47.97.97.06, fax 02.47.97.73.95, e-mail domainedesgeslets@oreka.com
☑ ⟨ t.l.j. 9h30-18h30

GERARD ET JEROME GODEFROY
Les Champs Colesses 2000

■	1 ha	6 000	🍾⊞♦	3 à 5 €

Ce vignoble de 8 ha est situé sur l'une de ces anciennes îles de la Loire, appelées « montilles ». Au quaternaire, quand le fleuve divaguait, changeant plusieurs fois de lit, il a laissé des témoins constitués de graves et de sable, favorables à la culture de la vigne. Voilà trente ans que Gérard Godefroy travaille sur ce terroir. Son fils l'a rejoint pour élaborer cette cuvée. C'est un vin que l'on sent puissant, long, plein de qualités, mais dont le potentiel est encore caché sous le boisé dominant. A redécouvrir dans cinq ans : vous ne serez pas déçu.
➤ GAEC Gérard et Jérôme Godefroy, 37, rue de la Taille, 37140 Saint-Nicolas-de-Bourgueil, tél. 02.47.97.77.43, fax 02.47.97.48.23 ☑ ⟨ r.-v.

DOM. DU GRAND CLOS 2000

■	7,3 ha	48 000	🍾⊞♦	5 à 8 €

La maison Audebert, à la fois négociant et viticulteur, jouit d'une solide réputation de sérieux à Bourgueil. Ses vins de qualité constante sont ainsi bien distribués dans la restauration. Cette cuvée d'intensité moyenne livre des senteurs de fruits mûrs puis une bouche tendre et fruitée. Elle ne demande pas à vieillir pour séduire. La maison Audebert est aussi récompensée pour son rosé 2001, rond et vif à la fois, d'une bonne typicité.
➤ Maison Audebert et Fils, av. Jean-Causeret, 37140 Bourgueil, tél. 02.47.97.70.06, fax 02.47.97.72.07, e-mail maison-audebert@wanadoo.fr
☑ ⟨ t.l.j. 8h30-12h 14h-18h; sam. dim. sur r.-v.

VIGNOBLE DE LA GRIOCHE
Cuvée Prestige 2000★★

■	0,7 ha	2 500	⊞	5 à 8 €

Jean-Marc Breton et son épouse ont mis en valeur cette entreprise familiale de 13 ha environ. Mais, depuis 1999, leur fils Stéphane apporte ses connaissances et son enthousiasme. Pour compléter leur activité, ils ont ouvert un gîte qui accueille des visiteurs amateurs de vin. Ceux-ci apprécieront cette cuvée rubis foncé qui dévoile un nez complet de fruits. La bouche pleine bénéficie de tanins longs, mêlés de flaveurs diverses de fruits et de cuir. Ce millésime est appelé à évoluer pendant de longues années. Un coup de cœur qui récompense le travail accompli par cette famille et qui encourage le jeune talent de Stéphane. La cuvée Santenay 2000, élevée en cuve, obtient une étoile pour sa structure harmonieuse.
➤ Jean-Marc Breton, 19, rue Les Marais, 37140 Restigné, tél. 02.47.97.31.64, fax 02.47.97.92.39
☑ 🏠 ⟨ r.-v.

DOM. GUION
Cuvée du Domaine 2000★

■	3,5 ha	18 000	🍾♦	5 à 8 €

Stéphane Guion a repris l'exploitation paternelle il y a douze ans. S'il a procédé à quelques adaptations techniques, il a conservé la conduite en culture biologique sous contrôle initiée trente-cinq ans plus tôt. Son bourgueil semble encore un peu fermé au nez, mais laisse percer des odeurs de fruits cuits. Il capte davantage l'attention par son harmonie en bouche. La petite fraîcheur d'entrée, suivie d'une matière abondante qui enrobe des tanins solides, est heureuse, de même que les arômes de cassis qui prolongent agréablement la finale. Une légère évocation animale ne gêne pas la dégustation. La cuvée Prestige 2000 mérite d'être citée, mais devra prendre un peu d'âge.
➤ Stéphane Guion, 3, rte de Saint-Gilles, 37140 Benais, tél. 02.47.97.30.75, fax 02.47.97.83.17, e-mail stephane.guion@terre-net.fr ☑ ⟨ r.-v.

ALAIN ET ARNAUD HOUX
Cuvée de la Chopinière 2000

■	2 ha	5 500	🍾⊞	5 à 8 €

Depuis 1977, Alain Houx pilote un vignoble de 16 ha au Clos Barbin. Son fils Arnaud vient de le rejoindre et réalise ses premières vinifications. Il présente cette cuvée de sa création, rubis foncé, limpide et brillante, qui exprime au nez la mûre et le pruneau. La bouche allie rondeur et tanins dans un équilibre juste. Ce vin manque encore un peu d'évolution, mais promet de révéler d'autres qualités au fil du temps.

LOIRE

☙ Alain et Arnaud Houx, 21, le Clos Barbin,
37140 Restigné, tél. 02.47.97.30.95, fax 02.47.97.30.95
☑ ⵑ t.l.j. sf dim. 9h-12h30 14h30-19h

DOM. HUBERT 2000

■	3 ha	20 000	■ ⑪ ♿ 3 à 5 €

Le domaine Hubert, propriété familiale depuis 1730,
couvre maintenant près de 23 ha. Il propose un bourgueil
fruité, souple, bien structuré tout en restant léger, même si
l'on perçoit une certaine présence tannique en finale. Il
pourra bientôt rejoindre la table et saura plaire.
☙ EARL Franck Caslot, La Huroloie, 37140 Benais,
tél. 02.47.97.30.59, fax 02.47.97.45.46,
e-mail caslot.bourgueil.domaine-hubert @ wanadoo.fr.
☑ ⵑ r.-v.

DOM. DE LA LANDE
Cuvée Prestige 2000

■	3 ha	15 000	■ ⑪ ♿ 8 à 11 €

Une évolution est perceptible dans les modes d'élevage des vins de ce domaine. Par exemple, l'utilisation de
bois neuf. Cette cuvée grenat, aux reflets violacés, s'ouvre
sur des arômes de mûre. Une bonne attaque, du volume
et du gras en bouche, tout cela est bien fait mais le temps
n'a pas achevé son œuvre : le boisé est encore un peu
dominant et les tanins fermes. Ce bourgueil typé fera
certainement carrière.
☙ EARL Delaunay Père et Fils, Dom. de La Lande,
20, rte du Vignoble, 37140 Bourgueil,
tél. 02.47.97.80.73, fax 02.47.97.95.65
☑ ⵑ t.l.j. sf dim. 8h-12h 14h-18h

MICHEL ET JOELLE LORIEUX
Chevrette 2000

■	2 ha	5 000	■ ⑪ ♿ 5 à 8 €

En réunissant les vignes de leur grand-père et de leurs
parents, Michel et Joëlle Lorieux ont développé un vignoble de 10 ha. Si leur cuvée est encore bien fermée, elle ne
manque pas d'atouts : matière, tanins, harmonie. Il ne faut
pas la prendre de court, mais lui donner du temps. Ce sera
un joli vin.
☙ Michel et Joëlle Lorieux, Chevrette,
26, rte du Vignoble, 37140 Bourgueil,
tél. 02.47.97.85.86, fax 02.47.97.85.86 ☑ ⵑ r.-v.

DOM. LAURENT MABILEAU 2000★

■	3,5 ha	25 000	■ ♿ 5 à 8 €

C'est un très beau domaine de 20,50 ha parfaitement
équipé, y compris d'un système de protection contre la
gelée par aspersion, chose rare à Bourgueil. Une composition aromatique de fraise et de framboise explose aussi
bien au nez qu'en bouche. Celle-ci, ronde et souple, est
légèrement structurée par des tanins élégants. Un vin
typique à boire sans trop tarder pour profiter de ce fruit si
agréable.
☙ Dom. Laurent Mabileau, La Croix du Moulin-Neuf,
37140 Saint-Nicolas-de-Bourgueil,
tél. 02.47.97.74.75, fax 02.47.97.99.81,
e-mail domaine @ mabileau.fr ☑ ⵑ r.-v.

DOM. DES MAILLOCHES
Cuvée Samuel 2000

■	1 ha	3 500	⑪ 5 à 8 €

Samuel Demont qui reprend cette année les Maillo-
ches, représente la huitième génération de cette famille de

vignerons. Il signe cette cuvée dont le léger boisé se traduit
par une petite touche de vanille. La bouche ronde, élégante,
exprime le fruit – notamment la fraise – et la réglisse, avant
de conclure sur une finale un peu plus austère. Un vin
agréable, à servir en de nombreuses circonstances.
☙ Jean-François Demont, 40, rue de Lossay,
37140 Restigné, tél. 02.47.97.33.10, fax 02.47.97.43.43,
e-mail demont-j.f @ wanadoo.fr ☑ ⛪ ⵑ r.-v.

HERVE MENARD
Cuvée Vieilles vignes 2000★

■	1 ha	6 000	■ 8 à 11 €

Une succession relativement récente d'un grand-père
vigneron installé sur une toute petite exploitation qu'Hervé
Ménard a portée à plus de 7 ha. Sa cuvée pourpre brillant
offre un nez puissant, épicé, qui annonce une belle matière.
Cette dernière, en effet bien présente en bouche, donne
souplesse et rondeur. Un vin à boire maintenant, mais
qu'une petite structure tannique peut mener un peu plus
loin.
☙ Hervé Ménard, 5, rue de l'Echelle, 37140 Bourgueil,
tél. 02.47.97.72.65, fax 02.47.97.72.65 ☑ ⵑ r.-v.

CH. DE MINIERE 2000★★

■	7 ha	40 000	■ ♿ 3 à 5 €

Trois personnes se sont groupées pour mettre en
valeur ce vignoble de 7 ha sis sur la commune d'Ingrandes.
Mais c'est Jean-Yves Billet, viticulteur non loin de là, qui
est l'artisan de cette réussite. Il a pris en main la culture et
la vinification, la maison Couly assurant la commercialisation. Cette cuvée est née de la totalité de la récolte. Son
nez rappelle la réglisse, les fruits mûrs, avec un léger accent
de grillé. La bouche a du répondant grâce à des tanins
ronds, à une matière riche et suave, et à une finale tout en
longueur sur les arômes perçus à l'olfaction. Un des
membres du jury, poète sans doute, a parlé d'âge d'or et
de caractère bucolique... Allez comprendre... Le cœur a ses
raisons...
☙ SCEV Ch. de Minière,
37140 Ingrandes-de-Touraine,
tél. 02.47.97.32.87, fax 02.47.97.46.47,
e-mail j.y.billet @ wanadoo.fr ☑ ⵑ r.-v.
☙ B. de Mascarel.

NAU FRERES
Vieilles vignes 2000★★

■	5 ha	20 000	■ ♿ 5 à 8 €

Elles ne sont plus tellement nombreuses les caves à
Bourgueil où l'on pratique encore le pigeage aux pieds.
L'opération consiste, lors de la fermentation, à enfoncer
deux fois par jour le chapeau constitué des pellicules de
raisins afin d'obtenir une extraction maximum de la
couleur et des arômes. Faite aux pieds, elle est complète,
alors que mécaniquement le rendement est moins bon. En

revanche, elle est fatigante et pas sans danger. Chez les frères Nau c'est une condition pour l'obtention de vins de qualité. Leur cuvée Vieilles vignes, destinée à la garde, surprend une fois de plus. La robe est très dense, presque violette. Le nez un peu timide au début s'affirme sur une belle envolée de fruits rouges. La bouche se présente d'emblée comme pleine et puissante. L'équilibre se perçoit ensuite. Un vin d'avenir.

🍷 Nau Frères, 52, rue de Touraine, 37140 Ingrandes-de-Touraine, tél. 02.47.96.98.57, fax 02.47.96.90.34 ☑ 🍷 r.-v.

DOM. DE LA NOIRAIE
Cuvée Prestige 2000

■	4,5 ha	30 000	■ 🍷	5 à 8 €

Deux frères ont pris en main cette ancienne métairie que l'arrière-grand-père avait achetée en 1921 et qui comprenait 2,50 ha de vignes. Aujourd'hui le vignoble couvre 22 ha sur les coteaux argilo-calcaires de Benais. Cette cuvée d'un rouge soutenu offre des arômes de fruits que l'on perçoit à nouveau en bouche. Un bon équilibre se forme entre des tanins discrets et une petite fraîcheur plaisante. Difficile de savoir s'il faut boire cette bouteille maintenant ou l'attendre un peu.

🍷 GAEC Delanoue Frères, 19, rue du Fort-Hudeau, 37140 Benais, tél. 02.47.97.30.40, fax 02.47.97.46.95 ☑ 🍷 t.l.j. 8h30-12h30 14h-19h30; dim. 8h30-12h30; f. 15-25 août

BERNARD OMASSON 2000

■	2 ha	2 000	■ ⓪ 🍷	5 à 8 €

D'une robe rubis s'échappent des senteurs de fruits mûrs. L'impression gustative est harmonieuse, équilibrée. Pas d'astringence, mais un sentiment de fruits très mûrs, comme si les vendanges avaient été faites au dernier moment. Ce bourgueil peut se boire aujourd'hui ou se garder.

🍷 Bernard Omasson, La Perrée, 54, rue de Touraine, 37140 Ingrandes-de-Touraine, tél. 02.47.96.98.20 ☑ 🍷 r.-v.

DOM. DES OUCHES
Sélection vieilles vignes 2000★

■	3 ha	12 000	⓪	5 à 8 €

Thomas Gambier, le fils de Paul, s'investit de plus en plus dans la conduite de ce domaine de 14 ha, situé sur les coteaux qui dominent Ingrandes. Prolixe, il saura vous commenter la visite des belles caves et le caractère des vins. Un caractère très fort pour cette cuvée dont la matière est impressionnante d'ampleur avec des tanins omniprésents. En arrière-plan, se perçoit un boisé qui n'est pas encore assimilé. Aujourd'hui, on pourrait juger ce vin un peu rustique, mais, en fait, c'est un beau bourgueil d'avenir qu'il faut prendre comme tel.

🍷 Paul Gambier et Fils, 3, rue des Ouches, 37140 Ingrandes-de-Touraine, tél. 02.47.96.98.77, fax 02.47.96.93.08, e-mail domaine.des.ouches@wanadoo.fr ☑ 🍷 r.-v.

ANNICK PENET 2000

■	0,5 ha	2 000	■ ⓪	3 à 5 €

Un tout petit domaine familial si bien bichonné qu'une des parcelles est âgée de cent ans et se porte encore gaillardement. Brillant et dense, ce vin possède un nez puissant, évocateur de boisé et de tabac. Une pointe vive taquine le palais, accompagnée de nuances de bois et de notes fumées. Ce bourgueil s'affinera avec le temps.

🍷 Annick Penet, 29, rue Basse, 37140 Restigné, tél. 02.47.97.33.68, fax 02.47.97.88.47 ☑ 🍷 r.-v.

DOM. DES PERRIERES 2000

■	6 ha	20 000	■	5 à 8 €

Le vin du domaine a été dégusté sur le toit du monde au Tibet. Il a certainement réchauffé le corps et le cœur de ceux qui l'ont bu. Guy Delanoue vous en contera les circonstances. Pour l'heure, il est tout à sa cuvée du domaine, d'un bel équilibre en bouche, encore un peu vive, mais porteuse de tanins ronds et d'un beau fruité de fraise et de framboise.

🍷 Guy Delanoue, 10, rte du Vignoble, 37140 Bourgueil, tél. 02.47.97.82.29, fax 02.47.97.48.20 ☑ 🍷 t.l.j. sf dim. 8h-19h

CH. DE LA PHILBERDIERE 2000★

■	5 ha	33 000	■ 🍷	5 à 8 €

Le château date du XVᵉs., mais a été remanié au XVIIᵉs. Il possédait 2 ha de vignes lors de l'installation de la famille Aubry en 1976 ; aujourd'hui, il en couvre 6,50 ha. La gestion est assurée par Olivier Aubry, tandis que l'entretien du vignoble et la vinification sont confiés à Michel Delanoue. Ce duo remporte un succès avec cette cuvée qui est un modèle d'équilibre. Les tanins fins et lisses respectent l'expression de beaux arômes de fruits rouges et d'épices. La finale ne manque pas de longueur.

🍷 SCV Aubry et Fils, La Philberdière, 37140 Restigné, tél. 01.42.83.70.62, fax 01.48.85.91.14 ☑ 🍷 r.-v.

PHILIPPE DE VALOIS 2000

■	100 ha	130 000	■ 🍷	5 à 8 €

Cette coopérative a été créée il y a soixante-dix ans maintenant, bien avant la reconnaissance de l'appellation, par un groupe de vignerons dynamiques. Elle propose un vin rouge profond, au joli bouquet de framboise et de fraise. La bouche légère, fringante et souple, dévoile des tanins assez vigoureux, mais elle en fait son affaire et l'ensemble s'équilibre bien. Laissez à cette bouteille le temps de parfaire son harmonie.

🍷 Cave des Grands Vins de Bourgueil, 16, rue Les Chevaliers, 37140 Restigné, tél. 02.47.97.32.01, fax 02.47.97.46.29 ☑ 🍷 r.-v.

DOM. LES PINS
Vieilles vignes 2000★

■	2 ha	12 000	■ 🍷	8 à 11 €

Une jolie bâtisse du XVIᵉs. symbolise ce domaine de 18 ha. Sa représentation figure sur l'étiquette de ce vin pourpre aux arômes de pruneau et de poivron. La bouche pleine et ronde s'appuie sur une charpente tannique solide, qui permet à une finale agréable de se prolonger. La cuvée Clos Les Pins 2000 (5 à 8 €), citée, est très animale.

🍷 Pitault-Landry et Fils, Dom. les Pins, 8, rte du Vignoble, 37140 Bourgueil, tél. 02.47.97.47.91, fax 02.47.97.98.69 ☑ 🍷 r.-v.

DOM. PONTONNIER
Cuvée Vieilles vignes 2000

■	1,5 ha	11 000	■ ⓪ 🍷	5 à 8 €

Bien calé contre le coteau, ce domaine de 14 ha bénéficie d'un ensoleillement incomparable. Il a donné naissance à cette cuvée au nez fruité développé, souligné d'une touche animale. Légère, souple et ronde, la bouche offre une bonne matière. C'est un joli profil de vin léger, équilibré, qui a sa place à table dès maintenant.

➤ Dom. Pontonnier-Caslot, 4, chem. de L'Epaisse,
37140 Saint-Nicolas-de-Bourgueil,
tél. 02.47.97.84.69, fax 02.47.97.48.55 ☑ ☥ r.-v.

DOM. DU PRESSOIR FLANIERE
Vieilles vignes 2000★★

■	2 ha	10 000	■ ᴸ	3 à 5 €

Ce domaine de près de 16 ha s'étend sur les coteaux
d'Ingrandes, dominant la Loire. Les terres sont argilo-
calcaires sur le haut, et riches en graviers vers le bas. Elles
ont donné naissance à un beau vin de Loire que l'on peut
commencer à boire « doucement », selon l'expression d'un
dégustateur. Celui-ci est souple, plein de fruits et puissant
en tanins, lesquels se sont déjà fondus en partie. Il est ainsi
avenant aujourd'hui, mais possède des réserves telles qu'il
est capable d'atteindre des sommets dans quatre ans.
➤ GAEC Gilles Galteau, 44-48, rue de Touraine,
37140 Ingrandes-de-Touraine,
tél. 02.47.96.98.95, fax 02.47.96.90.91 ☑ 🏠 ☥ r.-v.

DOM. DES RAGUENIERES
Les Haies 2000

■	1,4 ha	7 000	■ ▥ ᴸ	5 à 8 €

Cette belle propriété de 18 ha est conduite par deux
vignerons talentueux. Des coteaux à forte proportion
d'argile naissent des vins charpentés, telle cette cuvée
dominée par les fruits rouges et les tanins. Il faut remettre
de l'ordre dans tout cela si la faveur d'une pause de deux
ou trois ans. Le succès sera alors garanti. La cuvée Clos
de la Cure 2000, du même style, mérite aussi une citation.
➤ SCEA Dom. des Raguenières, 11, rue du Machet,
37140 Benais, tél. 02.47.97.30.16, fax 02.47.97.46.78
☑ ☥ r.-v.

VIGNOBLE DES ROBINIERES 2000

■	3,06 ha	8 000	■ ᴸ	3 à 5 €

Deux frères Marchesseau ont repris en association
l'exploitation de leur père : 15 ha qui s'étendent sur trois
appellations, chinon, saint-nicolas-de-bourgueil et bourgueil. Ils ont à cœur d'élaborer leurs cuvées en fonction des
terroirs et de l'âge des vignes. Ce bourgueil offre une
palette de fruits rouges du jardin. Il se montre, en bouche,
souple et rond avec une structure tannique légère qui peut
l'amener un peu plus loin. Un classique.
➤ EARL Marchesseau Fils, 16, rue de l'Humelaye,
37140 Bourgueil, tél. 02.47.97.47.72, fax 02.47.97.46.36,
e-mail earl.marchesseau@libertysurf.fr
☑ ☥ t.l.j. 9h-12h30 14h-19h; dim. 9h-12h30

VIGNOBLE DE LA ROSERAIE 2000

■	4,5 ha	10 000	■ ▥ ᴸ	5 à 8 €

En 1999, le père et les deux fils ont constitué une
Société agricole dans laquelle chacun a ses responsabilités.
C'est une façon intelligente de mettre sur les rails deux
jeunes gens pleins d'enthousiasme. Le vignoble de 17 ha a
de quoi occuper tout le monde. A qui doit-on cette cuvée
florale, puissante, riche en matière ? Il faut la faire évoluer
afin qu'elle se mette à la portée de tous les palais. Une
garde de deux ou trois ans est tout indiquée.
➤ Vignoble de la Roseraie, rue Basse, 37140 Restigné,
tél. 02.47.97.32.97, fax 02.47.97.44.24 ☥ r.-v.
➤ Vallée

CLOS SENECHAL 2000★★

■	n.c.	40 000	▥	11 à 15 €

Un élevage de seize mois en fût pour ce pur breton
issu de terres argilo-calcaires : il n'en fallait pas moins pour

domestiquer des tanins prêts à ruer des quatre fers... Voilà
donc un joli vin bien équilibré, élégant, qui a gardé une
évocation du boisé. On peut à loisir s'en régaler maintenant, mais aussi lui laisser poursuivre sa maturation, ce qui
ne serait pas plus mal.
➤ Pierre et Catherine Breton,
8, rue du Peu-Muleau, Les Galichets, 37140 Restigné,
tél. 02.47.97.30.41, fax 02.47.97.46.49,
e-mail catherineetpierre.breton@libertysurf.fr ☑ ☥ r.-v.

DOM. THOUET-BOSSEAU 2000★

■	4 ha	10 000	■	3 à 5 €

Cette petite exploitation familiale de 7 ha se répartit
sur plusieurs communes. C'est donc un assemblage de
mini-terroirs qui a donné un résultat heureux. La robe est
légère, le nez fruité, et la bouche libère un bouquet de fruits
rouges que ne perturbent pas des tanins encore omniprésents. Ces mêmes tanins vont garantir un bel avenir à ce
bourgueil. La cuvée Vieilles vignes 2000 (5 à 8 €), déjà
avenante, est citée pour le plaisir simple qu'elle propose.
➤ Sylvie et Jean-Baptiste Thouet-Bosseau, L'Humelaye,
13, rue de Santenay, 37140 Bourgueil,
tél. 02.47.97.73.51, fax 02.47.97.44.65,
e-mail domainethouetbosseau@wanadoo.fr ☑ ☥ r.-v.

DOM. DES VALLETTES
Vieilles vignes 2000

■	1,5 ha	11 000	■ ▥ ᴸ	5 à 8 €

Egalement présent en saint-nicolas-de-bourgueil,
Francis Jamet propose un vin rouge brillant qui s'ouvre sur
des arômes floraux. On perçoit beaucoup de souplesse en
bouche et un boisé subtil. Les tanins sont présents mais
n'interviennent guère. Cette bouteille peut bénéficier d'une
petite garde, mais autant en profiter maintenant.
➤ Francis Jamet, Les Vallettes,
37140 Saint-Nicolas-de-Bourgueil,
tél. 02.41.52.05.99, fax 02.41.52.87.52,
e-mail francis.jamet@les-vallettes.com ☑ ☥ r.-v.

DOM. DE LA VERNELLERIE
Lys Vieilles vignes 2000★★

■	2 ha	4 000	■ ▥ ᴸ	3 à 5 €

Partie de quelques rangs de vigne, cette exploitation
atteint maintenant 15 ha. Le vignoble de Benais, adossé au
coteau, bénéficie des terres emportées par érosion, riches
en éléments fins et reposant sur le tuffeau calcaire. C'est là
une situation très particulière qui diffère des graves de la
terrasse. Les vins possèdent une solide trame tannique. Tel
est le cas de celui-ci, puissant, long, avec une structure
serrée. Ce vin de garde ne demande qu'à s'ouvrir avec le
temps, mais possède déjà un beau fruité.
➤ Camille et Marie-Thérèse Petit,
EARL Dom. de La Vernellerie, 37140 Benais,
tél. 02.47.97.31.18, fax 02.47.97.31.18 ☑ ☥ r.-v.

DOM. DES VIENAIS
Vieilles vignes Elevé en fût de chêne 2000★

■	0,5 ha	3 000	▥	5 à 8 €

Le nez révèle un élevage de douze mois en fût par ses
notes légèrement boisées. Toutefois, rien à voir avec du
bois neuf : tout est délicat et mêlé à des fruits (framboise
et fraise) que l'on retrouve, insistants, tout au long de la
dégustation. L'attaque est vive et les tanins font leur
apparition, mais on les sent déjà fondus. Un vin très
agréable, qui attendra encore bien volontiers.

⌂ Gérard Poupineau, 3, rue des Lavandières, 37140 Benais, tél. 02.47.97.35.19, fax 02.47.97.46.91, e-mail domaine.desvienais@wanadoo.fr ☑ ⍦ r.-v.

Saint-nicolas-de-bourgueil

Si les vignobles ont les mêmes caractéristiques que ceux de l'aire contiguë de Bourgueil, la commune de Saint-Nicolas-de-Bourgueil (simple paroisse détachée de Bourgueil au XVIIIᵉs.) possède son appellation particulière.

Son vignoble croît, pour les deux tiers, sur les sols sablo-graveleux des terrasses de Loire. Au-dessus, le coteau est protégé des vents du nord par la forêt ; le tuffeau y est surmonté d'une couverture sableuse. Bien que ce ne soit pas le cas des vins provenant exclusivement du coteau, les saint-nicolas-de-bourgueil, souvent issus d'assemblages, ont la réputation d'être plus légers que les bourgueil. Ils ont produit 58 907 hl en 2001.

YANNICK AMIRAULT
Les Graviers Vieilles vignes 2000★★

■	2 ha	13 200	⑪	5 à 8 €

Yannick Amirault est à cheval sur les deux appellations bourgueil et saint-nicolas de bourgueil. Il est toujours présent dans le Guide avec l'un ou l'autre de ces vins. Cette année, c'est un saint-nicolas qui remporte la palme, et de belle manière. La vinification a été conduite de la façon la plus naturelle du monde : sans levurage, ni filtration ni collage, de sorte que les arômes ont été préservés. On trouve ainsi des notes fraîches d'anis et de café, alors qu'un léger boisé témoigne du passage de dix mois en fût. La bouche est riche, avec une petite fraîcheur puis une finale douce et « langoureuse », selon un membre du jury, sous le charme de cette cuvée. Elle n'atteindra son optimum que dans un an.

⌂ Yannick Amirault, 5, Pavillon du Grand-Clos, 37140 Bourgueil, tél. 02.47.97.94.78, fax 02.47.97.94.78 ☑ ⍦ r.-v.

DOM. AUDEBERT ET FILS 2000★

■	3,85 ha	20 000	▮⑪	5 à 8 €

François Audebert est à la tête de ce domaine de 21 ha depuis 1996, seul, après avoir bénéficié des conseils de son père Jean-Claude. Aujourd'hui, il nous fait la surprise d'une cuvée très agréable : le nez s'ouvre à l'agitation sur des notes de cuir et de cassis. La bouche joue la légèreté et le fruité, avant de finir sur une petite vivacité et quelques aspérités tanniques. Le bois apparaît avec discrétion. Un vin bien représentatif de son appellation.

⌂ Dom. Audebert et Fils, av. Jean-Causeret, 37140 Bourgueil, tél. 02.47.97.70.06, fax 02.47.97.72.07 ☑ ⍦ t.l.j. 8h30-12h 14h-18h; sam. dim. sur r.-v.

BEAU PUY
Vieilles vignes 2000

■	2 ha	9 300	▮⑪	5 à 8 €

C'est un petit domaine sur Saint-Nicolas, rattaché au Coudray la Lande de Bourgueil. Créé et développé par les femmes de la famille Morin, Beau Puy a acquis une juste notoriété que défend cette cuvée, vive, légère, bien équilibrée, aux accents floraux. Ce 2000 peut se mettre sur table dès à présent.

⌂ Jean-Paul Morin, 30, rue de la Lande, 37140 Bourgueil, tél. 02.47.97.76.92, fax 02.47.97.98.20 ☑ ⍦ r.-v.

DOM. DES BERGEONNIERES
Cuvée Domaine 2000

■	12 ha	40 000	▮	5 à 8 €

Sur les 12 ha du domaine, qui en comprend 16 au total, André Delagouttière a réussi une cuvée homogène, très parfumée, « bretonnante » même, avec de la richesse, mais des tanins qui n'ont pas encore terminé leur évolution. Ce vin mérite d'attendre un peu, mais trouvera bientôt sa voie.

⌂ André Delagouttière, Les Bergeonnières, 37140 Saint-Nicolas-de-Bourgueil, tél. 02.47.97.75.87, fax 02.47.97.48.47 ☑ ⍦ t.l.j. sf dim. 8h-12h 14h-18h

DOM. DU BOURG
Cuvée Prestige 2000★

■	n.c.	11 000	▮⑪	5 à 8 €

La cuvée Prestige trouve son origine dans des vignes âgées de quarante ans et plus récoltées sur graviers. Les notes de vanille du nez annoncent une bouche boisée. Les tanins sont bien présents, et la matière consistante témoigne d'une vendange mûre. Un vin original qu'il faut absolument laisser évoluer. La **cuvée Les Graviers 2000** est citée pour son caractère friand.

⌂ EARL Jean-Paul Mabileau, 6, rue du Pressoir, 37140 Saint-Nicolas-de-Bourgueil, tél. 02.47.97.82.02, fax 02.47.97.70.92 ☑ ⍦ t.l.j. sf dim. 9h30-12h30 14h-19h

CAVE BRUNEAU DUPUY
Vieilles vignes 2000★

■	5 ha	30 000	⑪	5 à 8 €

Le dépliant qu'a réalisé Bruneau-Dupuy sur son domaine montre en photo une vendange d'autrefois, quand on égrappait le breton dans la vigne... Que de progrès réalisés depuis, mais ce sont toujours les mêmes fermentations longues et l'élevage en fût dans la cave en tuffeau qui sont de mise et qui donnent ces vins typés du terroir. Celui-ci revêt une robe rubis vif, d'où fusent des arômes de fruits rouges et de confiture. Une jolie matière coule dans une expression de saint-nicolas classique, où le fruit se mêle à une structure fine et élégante. C'est un vin de plaisir à ne pas laisser passer.

⌂ EARL Bruneau-Dupuy, La Martellière, 37140 Saint-Nicolas-de-Bourgueil, tél. 02.47.97.75.81, fax 02.47.97.43.25, e-mail cave-bruneau.dupuy@netcourrier.com ☑ ⍦ r.-v.

DOM. DU CLOS DE L'EPAISSE
Cuvée des Clos Vieilles vignes 2000

■	2,3 ha	15 000	▮	5 à 8 €

Le Clos de l'Epaisse est adossé à un coteau ; l'érosion a entraîné l'argile, élément fin, qui se mêle aux graves de

LOIRE

la terrasse. Ce terroir produit des vins généralement structurés, aptes à la garde. Celui-ci possède une belle matière, une bouche assez ample et un côté friand. Cependant, les tanins restent fermes. A laisser évoluer.

↟ Yvan Bruneau, 50, av. Saint-Vincent,
37140 Saint-Nicolas-de-Bourgueil,
tél. 02.47.97.90.67, fax 02.47.97.49.45 ☑ ☏ r.-v.

DOM. DE LA CLOSERIE 2000★

	3 ha	13 000	▮❶⧀	5 à 8 €

Cette cuvée ne reçoit que des compliments : robe pourpre à reflets violacés, nez puissant de fruits mûrs et cuits, au boisé discret, bouche ronde d'une belle ampleur, tanins effacés qui ne trouvent leur expression qu'en finale. Le bois est bien fondu, mais une évolution de quelques années serait bénéfique à ce vin.

↟ Jean-François Mabileau, 28, rte de Bourgueil,
37140 Restigné, tél. 02.47.97.36.29, fax 02.47.97.48.33
☑ ☏ r.-v.

LA COTELLERAIE
Le Vau Jaumier 2000★★

	4 ha	15 000	⧀	8 à 11 €

Les Vallée ont retrouvé trace d'un de leurs ancêtres auprès du roi en 1665. A cette époque, la Cotelleraie signifiait « belle petite côte ». De beaux coteaux, en effet, pour ce vignoble de 22 ha que mène aujourd'hui Gérald, le fils de Claude Vallée. La robe, soutenue, libère des senteurs de café et de vanille, témoins d'un léger boisé. A l'attaque élégante, répondent ampleur, souplesse et longueur. C'est un vin à attendre qui réservera des surprises. La cuvée **Les Mauguerets 2000 (5 à 8 €)** a été jugée très réussie.

↟ Gérald Vallée, La Cotelleraie,
37140 Saint-Nicolas-de-Bourgueil,
tél. 02.47.97.75.53, fax 02.47.97.85.90,
e-mail gerald.vallee@fnac.net ☑ ☏ r.-v.

PATRICE DELARUE
Cuvée vieilles vignes 2000

	0,75 ha	5 000	▮	3 à 5 €

Une cuvée de belle présentation dans sa robe dense, presque noire. A l'agitation, on perçoit des évocations florales et fruitées. La bouche séduit par sa rondeur, sa souplesse et son équilibre. Les tanins presque inexistants laissent place à une matière discrète. Par son côté vif, ce 2000 est qualifié de vin de printemps.

↟ Patrice Delarue, La Perrée,
37140 Saint-Nicolas-de-Bourgueil,
tél. 02.47.97.94.74, fax 02.47.97.94.74 ☑ ☏ r.-v.

FOUCHER-LEBRUN
Les Grands Jardins 2000

	n.c.	6 000	⧀	3 à 5 €

La maison Foucher-Lebrun est dépositaire d'une longue tradition de sélection et de commercialisation des vins. Elle propose toute une gamme de vins du Val de Loire, dont ce saint-nicolas-de-bourgueil. Le nez discret s'ouvre à l'agitation sur des senteurs de fruits rouges. L'attaque est vive, mais la suite est plus avenante grâce à des tanins soyeux et à une texture souple.

↟ Foucher-Lebrun, 29, rte de Bouhy,
58200 Alligny-Cosne,
tél. 03.86.26.87.27, fax 03.86.26.87.20,
e-mail foucher.lebrun@wanadoo.fr
☑ ☏ t.l.j. sf dim. lun. 8h-12h 14h-18h

VIGNOBLE DU FRESNE 2000

	0,5 ha	5 000	▮⧀	3 à 5 €

La robe d'un rouge profond laisse échapper des senteurs de grillé. La bouche, avec son gras, sa souplesse et sa rondeur, ne révèle pas d'emblée sa structure tannique consistante. Ce vin mérite de vieillir pour atteindre son optimum.

↟ Patrick Guenescheau, 1, Le Fresne,
37140 Saint-Nicolas-de-Bourgueil,
tél. 02.47.97.86.60, fax 02.47.97.42.53 ☑ ☏ r.-v.

VIGNOBLE DE LA GARDIERE
Sélection Tradition 2000★

	5 ha	n.c.	▮⧀	3 à 5 €

Une jolie maison tourangelle au fond d'une allée bordée de vignes : la perspective ne manque pas d'allure. Cette cuvée Tradition non plus. Elle a aussi de l'avenir. Puissante, ronde, avec des tanins déjà bien entamés, elle présente un type marqué qui reflète bien l'appellation. Son bouquet se compose de fleurs et de fruits. La cuvée **Vieilles vignes 2000 (5 à 8 €)**, très réussie, révèle une même richesse aromatique.

↟ Bernard David, La Gardière,
37140 Saint-Nicolas-de-Bourgueil,
tél. 02.47.97.81.51, fax 02.47.97.95.05 ☑ ☏ r.-v.

DOM. DES GESLETS
La Contrie 2000★★

	3,6 ha	15 000	▮⧀	5 à 8 €

En 1998, Vincent Grégoire a pris la suite de son grand-père sur un domaine qui avait déjà connu un bon élan. Au niveau de la vinification, son grand souci est d'obtenir rapidement des vins souples et fruités qui ont le profil type de l'appellation. Celui-ci obéit à la règle. Après un bouquet intense qui rappelle la framboise, la mûre et le cassis, il offre une bouche pleine, d'une belle richesse en matière, issue sans doute d'une vendange cueillie à pleine maturité. C'est un vin d'équilibre, complet, qui a en plus la possibilité d'évoluer encore un an ou deux.

↟ EARL Vincent Grégoire, Dom. des Geslets,
37140 Bourgueil, tél. 02.47.97.97.06, fax 02.47.97.73.95,
e-mail domainedesgeslets@oreka.com
☑ ☏ t.l.j. 9h30-18h30

DOM. GODEFROY
Cuvée Vieilles vignes 2000

	1,9 ha	12 000	▮❶⧀	3 à 5 €

Passée l'attaque fraîche et franche, la bouche évolue en rondeur et en souplesse dans une lignée fruitée, la même que celle qui s'exposait au nez. C'est un vin bien fait, mais qui reste dans un style léger, à boire rapidement.

↟ GAEC Gérard et Jérôme Godefroy,
37, rue de la Taille, 37140 Saint-Nicolas-de-Bourgueil,
tél. 02.47.97.77.43, fax 02.47.97.48.23 ☑ ☏ r.-v.

DOM. DU GROLLAY 2000★

	1,5 ha	10 000	▮	3 à 5 €

Voici un bel exemple de saint-nicolas-de-bourgueil comme on les décrit dans les ouvrages. Une explosion de fruits rouges au nez, une bouche souple et ample, une finale légère, riche en fruits. C'est un vin frais, jovial, dont vous apprécierez les précieuses senteurs du verger dès aujourd'hui. La **cuvée vieillie en fût de chêne 2000 (5 à 8 €)** est citée.

⌐ Jean Brecq, 1, Le Grollay,
37140 Saint-Nicolas-de-Bourgueil, tél. 02.47.97.78.54,
fax 02.47.97.78.54 ☑ Ⲩ t.l.j. 9h-12h30 13h30-20h

DOM. GUY HERSARD
Cuvée Prestige 2000★★

■	1 ha	6 000	■ ♦	5 à 8 €

Le domaine, qui couvre plus de 10 ha, est situé au cœur de l'appellation. Cette cuvée possède tous les atouts : le nez monte en puissance au fil des minutes et évoque un beau fruit de cassis. En bouche, l'attaque vive surprend, mais bien vite c'est du gras et une superbe rondeur qui prennent place, tandis que les tanins soyeux prolongent la dégustation. Un vin remarquable qu'il faudra mettre à l'abri des convoitises.
⌐ Guy Hersard, 5-7, Le Fondis,
37140 Saint-Nicolas-de-Bourgueil,
tél. 02.47.97.76.13, fax 02.47.97.92.06,
e-mail guy.hersard@wanadoo.fr ☑ Ⲩ r.-v.

VIGNOBLE DE LA JARNOTERIE
Cuvée M R 2000★

■	17 ha	50 000	■ ⭘ ♦	5 à 8 €

« Découvrir les saveurs de la terre », en goûtant les vins de la Jarnoterie, aurait pu dire Colette que cite volontiers Jean-Claude Mabileau. Mais apprécions plutôt les qualités de cette cuvée : le nez retient l'attention par ses senteurs de fruits cuits, puis ses notes vanillées et torréfiées. La bouche ample et longue n'est que charme. Ce 2000 s'ouvrira plus largement dans un an ou deux.
⌐ Jean-Claude Mabileau et Didier Rezé,
La Jarnoterie, 37140 Saint-Nicolas-de-Bourgueil,
tél. 02.47.97.75.49, fax 02.47.97.79.98 ☑ Ⲩ r.-v.

MICHEL ET JOELLE LORIEUX
Chevrette 2000★

■	2 ha	5 000	■ ⭘ ♦	5 à 8 €

Des viticulteurs de longue date, mais une installation assez récente sur Saint-Nicolas. Cela n'empêche pas ce couple de viticulteurs sympathiques d'être au fait de ce qui s'y passe et de réussir leurs vins. Derrière un joli rouge rubis se précisent des senteurs de fruits et de fumée. En bouche, l'attaque vive introduit une structure légère qui supporte un fruit persistant. Un 2000 dans le type saint-nicolas-de-bourgueil qui ne doit pas attendre.
⌐ Michel et Joëlle Lorieux, Chevrette,
26, rte du Vignoble, 37140 Bourgueil,
tél. 02.47.97.85.86, fax 02.47.97.85.86 ☑ Ⲩ r.-v.

PASCAL ET ALAIN LORIEUX
Les Mauguerets La Contrie 2000★★

■	3,5 ha	18 000	■	5 à 8 €

Tout est fait chez les Lorieux pour modérer les rendements : enherbement entre les rangs, suppression des grappillons de seconde génération, des bourgeons secondaires... Ces soins participent à la qualité, comme le révèle cette dégustation : nez concentré, axé sur les fruits mûrs, développement en bouche remarquable, tanins ronds et longs et, à nouveau, un fruité flatteur. Une belle harmonie à redécouvrir dans trois ans.
⌐ Pascal et Alain Lorieux, Le Bourg,
37140 Saint-Nicolas-de-Bourgueil,
tél. 02.47.97.92.93, fax 02.47.97.47.88,
e-mail pascal.lorieux@oreka.com ☑ Ⲩ r.-v.

LYSIANE ET GUY MABILEAU
Vieilles vignes 2000★

■	0,5 ha	3 600	■ ♦	5 à 8 €

Cette cuvée a été produite sur une toute petite partie d'un vignoble de 10 ha. Son nez ouvert évoque le cassis avant de prendre de vrais accents de breton. La bouche ne manque ni de rondeur ni de puissance, et présente un bon équilibre entre les tanins et la vivacité. Un vin à consommer rapidement. La **cuvée classique de Lysiane et Guy Mabileau** est citée pour sa légèreté et son fruité.
⌐ GAEC Lysiane et Guy Mabileau,
17, rue du Vieux-Chêne,
37140 Saint-Nicolas-de-Bourgueil,
tél. 02.47.97.70.43, fax 02.47.97.70.43 ☑ Ⲩ t.l.j. 9h-19h

DOM. LAURENT MABILEAU 2000

■	12 ha	90 000	■ ♦	5 à 8 €

« La vigne est une folle maîtresse », aurait pu dire Laurent Mabileau qui avoue sa passion pour le vin. On ne se ruine pas pour elle, mais que de temps lui consacre-t-on... Cette cuvée du domaine a eu sa part d'attentions pour atteindre un bon niveau de qualité. Derrière une robe rouge sombre, très dense, se dévoilent des arômes de cassis. La bouche ample et ronde fait preuve d'harmonie. Un 2000 à boire ou à attendre.
⌐ Dom. Laurent Mabileau, La Croix du Moulin-Neuf,
37140 Saint-Nicolas-de-Bourgueil,
tél. 02.47.97.74.75, fax 02.47.97.99.81,
e-mail domaine@mabileau.fr ☑ Ⲩ r.-v.

FREDERIC MABILEAU
Eclipse 2000★★

■	2 ha	7 000	⭘	8 à 11 €

La cuvée Eclipse de Frédéric Mabileau brille à nouveau dans le ciel de Saint-Nicolas. Déjà coup de cœur l'année dernière, la voici à nouveau au zénith. Le jury a été sensible à sa robe rouge profond d'une parfaite limpidité et à son nez de fruits confiturés où se précise un joli boisé. La bouche n'est pas en reste avec son ampleur, ses tanins solides, qui ne demandent qu'à évoluer, et son élégance naturelle. La finale demeure sur ce boisé délicat. Une belle œuvre d'art. La cuvée **Les Rouillères 2000 (5 à 8 €)** obtient la mention très réussie.
⌐ Frédéric Mabileau, 17, rue de la Treille,
37140 Saint-Nicolas-de-Bourgueil,
tél. 02.47.97.79.58, fax 02.47.97.45.19 ☑ Ⲩ r.-v.

JACQUES ET VINCENT MABILEAU
La Gardière Vieilles vignes 2000★

■	n.c.	n.c.	■	5 à 8 €

La majeure partie du vignoble de 17 ha de Jacques et Vincent Mabileau est située contre le coteau, bien abritée

LOIRE

des vents du nord et exposée au midi. Une situation dont profitent ces deux vignerons pour produire des vins de qualité, souvent retenus dans le Guide. Cette cuvée joue sur les fruits rouges puis propose une attaque fraîche et une bouche ronde et fruitée. Friande, elle se prêtera à de multiples accords.

⌐┐ EARL Jacques et Vincent Mabileau,
La Gardière, 37140 Saint-Nicolas-de-Bourgueil,
tél. 02.47.97.75.85, fax 02.47.97.98.03 ☑ ⵣ r.-v.

DOM. DU MORTIER
Graviers 2000★

■	2 ha	12 000	▮	5 à 8 €

Ce petit domaine, géré par deux frères, est passé de 3 à 8 ha en quelques années. Cette cuvée a capté l'intérêt des dégustateurs grâce à sa parure grenat, à son nez de fruits rouges et à sa bonne densité de matière avec des tanins souples. L'harmonie d'ensemble est réussie. La **cuvée Dyonisos 2000**, élevée dix mois en fût, bénéficie d'un potentiel de garde plus affirmé. Elle obtient également une étoile.

⌐┐ Boisard Fils, Dom. du Mortier,
37140 Saint-Nicolas-de-Bourgueil,
tél. 02.47.97.98.32, fax 02.47.97.94.68,
e-mail info@st-nicolasdebourgueil.com ☑ ⵣ r.-v.

DOM. OLIVIER
Cuvée du Mont des Olivier 2000★

■	3 ha	18 000	▮	5 à 8 €

Les vignes qui ont donné naissance à cette cuvée sont situées sur l'un des coteaux les plus élevés de Saint-Nicolas, plantées sur un sol sableux et argileux. Admirablement exposée, cette parcelle est considérée comme le fleuron du domaine. A juste titre si l'on en juge par ce vin grenat, dont le nez encore un peu fermé laisse apparaître des accents de violette et de fruits rouges. La bouche riche est étayée par de beaux tanins garants de l'avenir. La **cuvée du domaine 2000**, provenant de vignes de la terrasse, est citée pour son caractère sympathique.

⌐┐ EARL Dom. Olivier, La Forcine,
37140 Saint-Nicolas-de-Bourgueil,
tél. 02.47.97.75.32, fax 02.47.97.48.18,
e-mail patrick.olivier14@wanadoo.fr ☑ ⵣ r.-v.
⌐┐ Patrick Olivier

THIERRY PANTALEON
Haut de la Gardière 2000★

■	3 ha	n.c.	▮▮	5 à 8 €

Les vignes de la Gardière, adossées au coteau, plongent leurs racines dans le calcaire. On est loin des terres graveleuses de la basse terrasse. Sur ce terroir est né un vin déjà agréable, dont l'avenir est aussi prometteur. Si le nez est effacé, la bouche plutôt diserte, ronde, mais à la structure solide, est envahie par les fruits rouges.

⌐┐ Thierry Pantaléon, La Gardière,
37140 Saint-Nicolas-de-Bourgueil,
tél. 02.47.97.87.26, fax 02.47.97.47.71 ☑ ⵣ r.-v.

LES CAVES DU PLESSIS
Réserve Stéphane 2000★

■	0,85 ha	6 000	▮	5 à 8 €

C'est Stéphane, le fils de Claude Renou, qui assume la responsabilité de cette cuvée. Il n'a pas à rougir de ce travail bien fait. Le nez livre des senteurs de fruits intenses

accompagnées d'épices et de tous les arômes typiques du cabernet. La bouche, à l'attaque franche, évolue vers une rondeur enveloppant des tanins qui ne demandent qu'à se fondre. La finale harmonieuse, faite de fruits mûrs, laisse percer des notes boisées. La cuvée **Sélection Vieilles vignes 2000 (3 à 5 €)**, très réussie également, doit poursuivre son mûrissement.

⌐┐ Claude Renou, 17, La Martellière,
37140 Saint-Nicolas-de-Bourgueil, tél. 02.47.97.85.67,
fax 02.47.97.45.55 ☑ ⵣ t.l.j. sf dim. 9h-12h 14h-18h30

DOM. PONTONNIER
Cuvée Prestige 2000★

■	3 ha	24 000	▮●◗	5 à 8 €

Quand elles sont adossées au coteau, les vignes reposent sur des sols argilo-calcaires que l'on appelle « tufs » dans la région. Plus bas, elles sont plantées sur les sables et les graviers de la terrasse. Ce sont deux types de vins, bien différents, qui en résultent. La cuvée Prestige est sans doute un assemblage de ses deux récoltes. Le nez délicat rappelle les fruits rouges avec quelques notes vanillées. La bouche soyeuse bénéficie d'une belle matière et de tanins assez fondus. La finale, sans être longue, est plaisante. Un vin gourmand, que l'on peut attendre.

⌐┐ Dom. Pontonnier-Caslot, 4, chem. de L'Epaisse,
37140 Saint-Nicolas-de-Bourgueil,
tél. 02.47.97.84.69, fax 02.47.97.48.55 ☑ ⵣ r.-v.

DOM. CHRISTIAN PROVIN
Coteau 2000★

■	8 ha	40 000	▮◗	5 à 8 €

Sur le coteau qui porte ce vignoble de 16 ha, le tuffeau est recouvert d'éboulis riches en argile. Un tel terroir est réputé produire des vins charpentés. Or, tel n'est pas le cas de ce 2000 qui offre un nez aérien de fruits et de vanille. Il présente un bel équilibre entre ses constituants, tout en demeurant dans un style léger. Il se prête ainsi à une dégustation immédiate ou dans une courte évolution. *A contrario*, la **cuvée Prestige (8 à 11 €)**, citée, est clairement vouée à la garde.

⌐┐ Christian Provin, L'Epaisse,
37140 Saint-Nicolas-de-Bourgueil,
tél. 02.47.97.85.14, fax 02.47.97.47.75 ☑ ⵣ r.-v.

LES QUARTERONS 2000★★

■	15,5 ha	16 600	▮●◗	5 à 8 €

L'accueil est sympathique aux Quarterons, une grande maison bourgeoise construite à la fin du XIXᵉs. dans le bourg de Saint-Nicolas. Les vignes couvrent près de 27 ha, plantées sur des sols de graves. Cette cuvée Quarterons résulte d'un assemblage de plusieurs parcelles. Le nez, élégant, exprime les fruits cuits et l'anis, avec un léger boisé. Distinguée également, la bouche n'en est pas moins consistante, charnue, avec des tanins délicats. Un vin flatteur, prêt à boire. La cuvée **Vieilles vignes 2000**, très réussie, est une sélection des meilleures parcelles du domaine. Elle devra patienter pour intégrer le bois.

⌐┐ Thierry Amirault, Clos des Quarterons,
37140 Saint-Nicolas-de-Bourgueil, tél. 02.47.97.75.25,
fax 02.47.97.97.97 ☑ ⵣ t.l.j. sf dim. 8h-12h 14h-18h

Les vins mentionnés en caractère gras dans les notices sont également recommandés par les jurys.

GUY SAGET
Les Bergeonnettes 2000

	n.c.	10 000		5 à 8 €

Cette maison de négociant-éleveur travaille sur l'ensemble du Val de Loire. La cuvée Les Bergeonnettes se situe dans le type même du saint-nicolas-de-bourgueil, léger et fruité. Le nez s'ouvre sur des notes de cassis bien mûr. D'attaque vive, la bouche s'arrondit bientôt pour mettre en valeur une matière pleine et un agréable fruit. C'est un joli vin à goûter sur une grillade.

☞ SA Guy Saget, La Castille, 58150 Pouilly-sur-Loire, tél. 03.86.39.57.75, fax 03.86.39.08.30, e-mail saget@guy-saget.com ☑ ⏍ r.-v.

JOEL TALUAU
Vieilles vignes 2000★★

	4 ha	18 500		8 à 11 €

JOËL TALUAU
St-Nicolas-de-Bourgueil
Appellation Saint-Nicolas-de-Bourgueil Contrôlée
VIEILLES VIGNES
2000
750 ml   12,5% alc.vol.
Cultivé, récolté, vinifié, élevé et mis en bouteille par
E.A.R.L. TALUAU-FOLTZENLOGEL, Vignerons à Chevrette, 37140 Saint-Nicolas-de-Bourgueil - France
PRODUCE OF FRANCE

Joël Taluau, qui est à la tête de cette belle exploitation de 22 ha, donne à son gendre de plus en plus de responsabilités. Ce dernier en fait bon usage si l'on en juge par les deux cuvées présentées. La première décroche un coup de cœur. Une robe presque noire, à reflets violacés, habille ce millésime dont le nez puissant rappelle les fruits cuits et la cerise. La bouche ample, dotée d'une belle matière, témoigne d'un élevage sous bois bien conduit. La finale encore marquée par les tanins indique que le vin n'a pas terminé son évolution, mais quelle promesse... La seconde cuvée, **Le Vau Jaumier 2000 (5 à 8 €)**, possède beaucoup de gras ; elle est presque du même niveau que la précédente, ce qui lui vaut la mention remarquable.

☞ EARL Taluau-Foltzenlogel, Chevrette, 37140 Saint-Nicolas-de-Bourgueil, tél. 02.47.97.78.79, fax 02.47.97.95.60, e-mail joel.taluau@wanadoo.fr ☑ ⏍ t.l.j. sf sam. dim. 9h-12h 14h-18h
☞ Joël Taluau

DOM. DES VALLETTES 2000

	16 ha	100 000		5 à 8 €

Francis Jamet a créé ce domaine de 20 ha il y a plus de quinze ans. Il a eu la joie de voir son fils François revenir travailler avec lui aux vendanges dernières, après des années d'études et d'activités commerciales. C'est un renouveau que l'on découvrira l'année prochaine. Pour l'heure, on trouve la signature du père dans cette cuvée du domaine. Un nez de framboise et de fraise avec un côté un peu cuir, une bouche agréable, légère, qui fait une large place au fruit. Un vin plaisant à servir dans l'année.

☞ Francis Jamet, Les Vallettes, 37140 Saint-Nicolas-de-Bourgueil, tél. 02.41.52.05.99, fax 02.41.52.87.52, e-mail francis.jamet@les-vallettes.com ☑ ⏍ r.-v.

Chinon

Autour de la vieille cité médiévale qui lui a donné son nom et son cœur, au pays de Gargantua et de Pantagruel, l'AOC chinon (2 200 ha) est produite sur les terrasses anciennes et graveleuses du Véron (triangle formé par le confluent de la Vienne et de la Loire), sur les basses terrasses sableuses du val de Vienne (Cravant), sur les coteaux de part et d'autre de ce val (Sazilly) et sur les terrains calcaires, les « aubuis » (Chinon). Le cabernet franc, dit breton, y a donné en moyenne 109 138 hl en 2001 de beaux vins rouges (avec cependant quelques milliers d'hectolitres de rosé sec), qui égalent en qualité les bourgueil : race, élégance des tanins, longue garde — certains millésimes exceptionnels pouvant dépasser plusieurs décennies ! Confidentiel mais très original, le chinon blanc (1 044 hl en 2001) est un vin plutôt sec, mais qui peut devenir tendre certaines années.

DOM. DE L'ABBAYE
Clos de la Collarderie 2000★★

	4 ha	15 000		8 à 11 €

Michel Fontaine a créé le domaine de l'Abbaye en 1975 en réunissant plusieurs petites exploitations. Ces biens, constituant d'excellents terrains à vigne, ont appartenu un temps à Guillaume de Sainte-Maure qui en fit don à la grande abbaye de Noyers, aujourd'hui disparue. Cette cuvée fait preuve de personnalité avec son nez de griotte et de cassis, sa bouche franche, ample, et ses tanins de qualité qui s'affirment fièrement. C'est un beau vin de garde. La **cuvée vieilles vignes 2000 (5 à 8 €)** du domaine obtient une étoile sur sa charpente solide qui séduira le consommateur averti.

☞ Michel Fontaine, Le Repos Saint-Martin, 37500 Chinon, tél. 02.47.93.35.96, fax 02.47.98.36.76 ☑ ⏍ r.-v.

G. ET M. ANGELLIAUME
Cuvée Vieilles vignes 2000★

	6 ha	40 000		3 à 5 €

Cravant-les-Coteaux possède une intéressante église du IXᵉ s., dont certains motifs décoratifs dateraient des Carolingiens. Ce domaine de 37 ha dispose de caves remarquables où le travail du vin s'accomplit selon les conditions de autrefois. Issue de sols argilo-calcaires du coteau, cette cuvée se présente d'emblée comme une belle bouteille de garde par sa couleur aux nuances violettes, sa rondeur en bouche, synonyme de richesse, et son boisé léger. L'attendre trois ans peut-être, mais pourquoi pas dix ans ?

☞ EARL Angelliaume, La Croix de Bois, 37500 Cravant-les-Coteaux, tél. 02.47.93.06.35, fax 02.47.93.35.19 ☑ ⏍ r.-v.

DOM. CLAUDE AUBERT
Cuvée Prestige 2000

	2,5 ha	12 000		3 à 5 €

Un vin de Pâques, dirait-on à Chinon, pas compliqué, dont les tanins restent bien sages et ne cherchent pas à évoluer. En revanche, il exprime un beau fruit ; on perçoit même en bouche une légère nuance de poivron vert, caractéristique du cabernet franc, du breton pour les Chinonais.

🐦 SCEA Dom. Claude Aubert,
4, rue Malvault, 37500 Cravant-les-Coteaux,
tél. 02.47.93.33.73, fax 02.47.98.34.70,
e-mail domaine.c.aubert@libertysurf.fr
☑ ⵟ t.l.j. 9h-12h30 14h-19h; f. 1ᵉʳ-8 juil.

DOM. AUDEBERT ET FILS 2000★

| ■ | 3,48 ha | 20 000 | 🗉 🕮 ♦ | 5 à 8 € |

La maison Audebert est bien connue des gens de Bourgueil, ville où elle a pignon sur rue. Depuis 1996, elle met en valeur un vignoble en Chinonais dont voici les premiers résultats. Ce vin n'est pas fait pour être bu tout de suite. La matière, riche et puissante, englobe des tanins denses. L'ensemble est équilibré, mais il faut laisser le temps aux composants de se fondre. Une belle bouteille qui fera parler d'elle.

🐦 Dom. Audebert et Fils, av. Jean-Causeret,
37140 Bourgueil, tél. 02.47.97.70.06, fax 02.47.97.72.07
☑ ⵟ t.l.j. 8h30-12h 14h-18h; sam. dim. sur r.-v.

BARC PERE ET FILS
Clos de la Galvauderie 2000

| ■ | 1 ha | 6 000 | 🗉 🕮 | 3 à 5 € |

On faisait déjà du vin à La Croix Marie aux XIVᵉ et XVᵉs. ; deux vieux pressoirs en attestent. Si les techniques ont évolué, le terroir comme le cépage sont restés les mêmes, et c'est toujours ce « bon vin de Chinon » qui remplit les verres. Un vin comme celui de la Galvauderie. Le nez rappelle la marmelade de fruits rouges, l'attaque en bouche est franche mais les tanins se font vite sentir. La finale conclut la dégustation sur une note fugace de fruits mûrs. La **cuvée du Clos de La Croix Marie 2000 (5 à 8 €)** obtient la même note.

🐦 EARL Barc Père et Fils, Clos de La Croix Marie, 37500 Rivière, tél. 02.47.93.02.24, fax 02.47.93.99.45
☑ ⵟ r.-v.

DOM. DE BEAUSEJOUR 2000★

| ■ | 27 ha | 120 000 | 🗉 ♦ | 5 à 8 € |

Autour d'une simple ferme typique du pays acquise en 1951 par un père médecin et amoureux de la région, Gérard Chauveau, initialement architecte et urbaniste, n'aura plus qu'une préoccupation à partir de 1968 : créer une exploitation viticole moderne et fonctionnelle au service de la qualité. Une qualité que l'on perçoit dans ces deux cuvées. La première reflète le raisin cueilli à maturité. Les tanins soyeux tapissent la bouche tout en laissant se dégager les arômes de fruits rouges jusqu'à une finale élégante. C'est un vin de printemps, joyeux, qui fera le bonheur des convives. La seconde cuvée, **L'Angelot 2000**, typée, est à boire.

🐦 Earl Gérard et David Chauveau,
Dom. de Beauséjour, 37220 Panzoult,
tél. 02.47.58.64.64, fax 02.47.95.27.13,
e-mail info@dom.beauséjour.com
☑ 🏠 🏠 ⵟ t.l.j. 9h-12h30 14h-18h30; dim. sur r.-v.

DOM. DES BEGUINERIES
Vieilles vignes 2000★

| ■ | 3 ha | 13 000 | 🗉 🕮 ♦ | 5 à 8 € |

Ce domaine de près de 12 ha, implanté sur les côtes qui dominent la Vienne, est plein de promesses. Si vous ajoutez une vendange à la main et un élevage sous vieux bois, vous tenez une valeur sûre. La cuvée Vieilles vignes est dotée d'un joli nez de confitures de mûres, de cassis, de grillé et de réglisse. Dans une matière dense et volumineuse s'inscrivent de beaux tanins. La finale est surprenante par son fruité. Cette bouteille mérite d'être bue sur son fruit, même si elle a le potentiel d'une petite garde. La **cuvée du Terroir 2000** est citée pour son fruité de qualité.

🐦 Jean-Christophe Pelletier, Clos de la Rue Braie, Saint-Louand, 37500 Chinon,
tél. 06.08.92.88.17, fax 02.47.93.37.16 ☑ ⵟ r.-v.

DOM. DE BEL AIR
Gabriel 2000

| ■ | 2 ha | 5 000 | 🗉 | 3 à 5 € |

Ce domaine d'environ 4 ha se partage entre les terrasses graveleuses de la Vienne et les coteaux qui la dominent. La cuvée Gabriel s'inscrit dans la catégorie des chinon légers issus de jeunes vignes plantées en sol graveleux. Le nez flatte par ses évocations de poivron et de fruits rouges. L'attaque souple et fruitée laisse place à une fraîcheur et à une petite amertume de bon aloi, caractéristiques des vins de printemps. A boire assez frais sur des grillades.

🐦 Jean-Louis Loup, Dom. de Bel Air, 37500 Cravant-les-Coteaux,
tél. 02.47.98.42.75, fax 02.47.93.98.30,
e-mail jean.louisloup@wanadoo.fr ☑ ⵟ r.-v.

VINCENT BELLIVIER 2000★

| ■ | 1 ha | 5 500 | 🗉 ♦ | 5 à 8 € |

Dans ce petit vignoble protégé des vents du nord par le massif forestier de Chinon, la culture est soignée, les vendanges manuelles, et la vinification comme l'élevage se font dans la tradition de l'appellation. C'est un joli vin de terroir authentique, aux arômes de sous-bois et de feuillage d'automne. La structure tannique bien formée et la longueur appréciable sur le fruit laissent dans les meilleures dispositions possibles.

🐦 Vincent Bellivier, La Tourette 12, rue de la Tourette, 37420 Huismes, tél. 02.47.95.54.26, fax 02.47.95.54.26
☑ 🏠 ⵟ r.-v.

CH. DE LA BONNELIERE
Chapelle 2000

| ■ | 1 ha | 6 000 | 🕮 | 8 à 11 € |

Une propriété familiale depuis 1846 mais qui est bien plus ancienne, comme en témoigne un cèdre imposant de 30 m de diamètre planté pour le couronnement de Louis XVI. Marc Plouzeau, fils de Pierre qui a créé le vignoble en 1985, en assure la gestion avec maîtrise. Ce chinon devra patienter en cave quelques années, tant la marque du bois est forte. Il est franc, doté d'une belle matière, et a donc un potentiel de vieillissement certain. Faisons-lui confiance.

🐦 Marc Plouzeau, 54, fg Saint-Jacques, 37500 Chinon, tél. 02.47.93.16.34, fax 02.47.98.48.23,
e-mail info@plouzeau.com
☑ ⵟ t.l.j. sf dim. lun. 11h-13h 15h-19h; f. nov.-mars

DOM. DES BOUQUERRIES
Cuvée royale Vieilles vignes 2000★★

| ■ | 3,5 ha | 20 000 | 🕮 ♦ | 5 à 8 € |

Si l'on pratiquait autrefois aux Bouquerries l'abattage des boucs, on y cultive désormais la vigne du grand-père, et de belle manière. Issue de vignes de plus de cinquante ans, cette cuvée a séjourné en bois près de six mois. Au nez, elle « bretonne » à souhait, rappelant aussi les fruits noirs bien mûrs et la vanille. La bouche, équilibrée entre tanins et matière, laisse une impression de rondeur. Il faut accorder à ce vin deux ans de garde pour en apprécier toutes les qualités.

🐦 GAEC des Bouquerries, 4, Les Bouquerries, 37500 Cravant-les-Coteaux,
tél. 02.47.93.10.50, fax 02.47.93.41.94 ☑ ⊺ r.-v.
🐦 Guillaume et Jérôme Sourdais

DOM. PASCAL BRUNET
Cuvée Tradition 2000★★

■	5 ha	10 000	∎⌣	3 à 5 €

Installé en 1980 sur une petite exploitation de polyculture, Pascal Brunet s'est orienté progressivement vers la viticulture. Parti de 1 ha, il en cultive aujourd'hui plus de 11 . Son talent n'a fait que croître et ce sont deux chinon de qualité qu'il présente. Cette cuvée Tradition mérite attention. Le nez est encore fermé mais ce n'est que timidité de jeunesse. La bouche s'exprime en revanche avec conviction par sa matière riche, ses tanins soyeux et sa longue finale. Un vin d'avenir. La **cuvée Vieilles vignes 2000 (5 à 8€)** a obtenu une étoile pour son beau volume et ses promesses.

🐦 Pascal Brunet, 11, Etilly, 37220 Panzoult,
tél. 02.47.58.62.80, fax 02.47.58.62.80 ☑ ⊺ t.l.j. 9h-13h 14h-19h; dim. matin sur r.v.

DOM. DES CLOS GODEAUX 2001★★

■	3 ha	16 000	∎⌣	3 à 5 €

Ce n'est pas la première fois que Philippe Brocourt se fait remarquer pour son chinon rosé. A-t-il un secret ? Pour le savoir il faut aller à sa cave toujours en aménagement et déguster cette cuvée 2001 qui est sans doute le résultat d'une vinification méticuleuse. Les nuances de la robe sont franches, le nez intense, mais dans une tonalité élégante que l'on retrouve en bouche. On reste sur une longue finale fraîche. Le **chinon Terroir des Coteaux rouge 2000**, cité, sera appréciable dans deux ou trois ans

🐦 Philippe Brocourt, 3, chem. des Caves, 37500 Rivière, tél. 02.47.93.34.49, fax 02.47.93.97.40 ☑ ⊺ r.-v.

DOM. DE LA COMMANDERIE
Sélection 2000

■	12 ha	20 000	∎⏸⌣	5 à 8 €

Cette cuvée résulte d'une macération à basse température et modérément longue. Les arômes ont ainsi été protégés et le vin, léger et fruité, se structure autour des tanins lisses. Plaisant, désaltérant, il s'alliera à beaucoup de mets, mais fera le bonheur des amateurs de grillades en tous genres.

🐦 Philippe Pain, Dom. de La Commanderie, 37220 Panzoult, tél. 02.47.93.39.32, fax 02.47.98.41.26 ☑ ⊺ r.-v.

CH. DE COULAINE
Clos de Turpenay 2000★

■	1,1 ha	4 500	⏸	11 à 15 €

Etienne de Bonnaventure a entrepris l'agrandissement du vignoble qui compte aujourd'hui 12 ha conduits en culture biologique. Sa première cuvée, Clos de Turpenay, est issue d'un ancien terroir situé à flanc de coteau. Le second nez, bien ouvert, laisse fuser des notes de grillé et de boisé. La matière ne manque pas en bouche, pas plus

que les tanins. Ce vin aura donc tout intérêt à prendre un peu de bouteille pour trouver équilibre et harmonie. La seconde cuvée, **La Diablesse 2000** du nom d'une ancêtre au tempérament fougueux, est citée : elle devra intégrer son boisé à la faveur de la garde.

🐦 Etienne et Pascale de Bonnaventure,
Ch. de Coulaine, 37420 Beaumont-en-Véron,
tél. 02.47.98.44.51, fax 02.47.93.49.15,
e-mail chateaudecoulaine@club.internet.fr ☑ ⊺ r.-v.

JEAN-PIERRE CRESPIN
Arlequin Le vin des humanistes 2000★

■	1 ha	5 000	⏸	8 à 11 €

Une étiquette originale pour cette cuvée Arlequin destinée aux « humanistes ». Le nez est ouvert sur un boisé affirmé. L'attaque fine, souple, est suivie d'une matière riche aux tanins soyeux, puis d'une finale qui laisse à nouveau la vedette au bois. Une bouteille à attendre.

🐦 Earl Jean-Pierre Crespin, 12, rue Grande, 37220 Tavant, tél. 02.47.97.01.48, fax 02.47.97.01.48 ☑ ⊺ r.-v.

ALAIN DA COSTA AUDEBERT
Cuvée Jeunes vignes 2000

■	2 ha	5 000	∎	3 à 5 €

C'est une petite vigne de 3,5 ha, héritée du grand-père, qu'Alain Da Costa s'efforce de mettre en valeur tout en exerçant une autre profession. Il y réussit parfaitement puisque deux de ses cuvées sont retenues. La première, Jeunes vignes, a des qualités de souplesse et d'équilibre. Une petite garde lui permettra de s'ouvrir. La seconde, **Vieilles vignes 2000**, élevée trois mois en fût, mérite également une citation pour sa structure ; il faudra la laisser évoluer.

🐦 Alain Da Costa Audebert, 51, rte de Candes, 37420 Savigny-en-Véron, tél. 02.47.58.08.36 ⊺ r.-v.

FRANCIS & FRANCOISE DESBOURDES
Cuvée du Millénaire 2000★

■	2 ha	10 000	∎⌣	5 à 8 €

L'Arpenty s'est développé petit à petit pour couvrir aujourd'hui 13 ha d'un sol argilo-siliceux. Francis Desbourdes a voulu réaliser en ce début de millénaire une cuvée spéciale. C'est une réussite totale : une robe rouge grenat, brillante, au fruit nuancé de touches animales, une bouche ample et généreuse, dotée de tanins ronds et fondus. Avec sa longue finale évocatrice de pâtisserie, sa vocation est toute trouvée : un gâteau au chocolat.

🐦 Earl Francis et Françoise Desbourdes, Arpenty, 11 rue de la Forêt, 37220 Panzoult,
tél. 02.47.95.22.86, fax 02.47.95.22.86 ☑ ⏠ ⊺ r.-v.

DOM. DOZON
Le Bois Joubert 2000

■	2,77 ha	12 000	∎⌣	5 à 8 €

Ligré possède des sols argilo-calcaires réputés favoriser la production de vins de garde. Celui-ci devra rester en cave deux ou trois ans pour mûrir et parfaire ses tanins. Il perdra peut-être ses arômes de grillé, de fruits confiturés, de cuir, mais en gagnera d'autres, tout aussi surprenants. La cuvée **Clos au Saut du Loup 2000**, élevée en cuve, obtient également une citation ; elle devra patienter deux ans pour mieux se révéler.

LOIRE

❧ Dom. Jean-Marie Dozon, 52, rue du Rouilly, 37500 Ligré, tél. 02.47.93.17.67, fax 02.47.93.95.93, e-mail dozon@terre-net.fr
☑ ⵜ t.l.j. sf dim. 9h-12h 14h-18h

DOM. DE LA DOZONNERIE
Cuvée Vieilles vignes 2000★

	2 ha	9 000		8 à 11 €

Les premières vignes du domaine ont été plantées en 1936, année de la reconnaissance de l'appellation. C'est un signe qui montre qu'à La Dozonnerie on s'est toujours préoccupé de la qualité. Voici une cuvée souple, bien équilibrée, avec une bonne persistance. C'est un vin de plaisir, à consommer dès maintenant.
❧ Jean-François Delalay, Les Vallées de Basses, 37500 Chinon, tél. 02.47.93.16.72, fax 02.47.93.23.37
☑ ⵜ r.-v.

CLOS DE L'ECHO 2000★

	20 ha	70 000		11 à 15 €

Si, venant de Tours, vous prenez la petite route du cimetière juste avant de descendre sur Chinon, vous trouverez le clos de l'Echo, autrefois propriété de la famille de Rabelais. On y trouve de beaux ceps bien alignés avec en toile de fond les murailles imposantes du château. Le panorama est saisissant et votre cri d'admiration vous sera renvoyé bien vite par ces vieilles pierres. Le vin se devait donc d'être typé, solide. Mais cette bouteille, légèrement boisée, ne se livrera pas tout de suite.
❧ Couly-Dutheil, 12, rue Diderot, 37500 Chinon, tél. 02.47.97.20.20, fax 02.47.97.20.25, e-mail webmaster@coulydutheil-chinon.com ☑ ⵜ r.-v.

FABRICE GASNIER 2000★

	1,5 ha	7 000		8 à 11 €

Fabrice Gasnier propose deux cuvées très différentes par leur élevage. Celle-ci a été élevée un an sous bois neuf ou en fût d'un vin. Le nez puissant révèle un beau boisé sur fond de fruits rouges mûrs. La bouche ample présente un bel équilibre entre la matière et les tanins, le bois respectant le terroir. La finale est agrémentée de notes de vanille et de cuit. La cuvée **Vieilles vignes 2000 (5 à 8 €)**, élaborée de façon plus traditionnelle (huit mois sous bois), obtient la même note. Représentative de l'appellation, elle est destinée à la garde.
❧ Fabrice Gasnier, Chézelet, 37500 Cravant-les-Coteaux, tél. 02.47.93.11.60, fax 02.47.93.44.83, e-mail gasnierf.@wanadoo.fr ☑ ⵜ r.-v.
❧ Jacky

DOM. GOURON
Cuvée Millésime 2000★★

	1,5 ha	3 000		15 à 23 €

La maison d'habitation et les caves admirablement situées sur les hauteurs de Cravant dominent le village et les terrasses de la Vienne. Les vignes plantées sur les flancs du coteaux bénéficient d'une exposition remarquable. La robe soutenue laisse présager la suite de la dégustation. En effet, c'est l'impression de richesse qui surprend d'emblée. Vient ensuite un boisé assez intense que l'on avait déjà soupçonné au nez, puis une finale plaisante. Il faudra laisser le temps faire son œuvre.

❧ GAEC Gouron, La Croix de Bois, 37500 Cravant-les-Coteaux, tél. 02.47.93.15.33, fax 02.47.93.96.73 ☑ ⵜ r.-v.

CH. DE LA GRILLE 2000★★

	28 ha	170 000		11 à 15 €

Ce domaine de 28 ha de vignes, présidé par un château du XVIᵉs., rénové au XIXᵉs., a été acquis en 1951 par la famille champenoise Gosset. Il commercialise ses vins dans des bouteilles originales, sur le modèle des flacons champenois du XVIIIᵉs. C'est un chinon rare qu'il propose ici, élevé quinze mois en barrique et qui ne sera commmercialisé qu'en 2004. La robe d'un rouge grenat à reflets violacés libère des arômes évocateurs de fruits rouges et de fruits noirs bien mûrs. Richesse et ampleur caractérisent la bouche dont les tanins solides savent s'effacer. L'ensemble, harmonieux, vieillira remarquablement. Le **Château de la Grille rosé 2001 (5 à 8 €)** est cité pour ses qualités de fraîcheur et de légèreté.
❧ Laurent et Sylvie Gosset, Ch. de La Grille, BP 205, rte de Huismes, 37502 Chinon Cedex, tél. 02.47.93.01.95, fax 02.47.93.45.91 ☑ ⵜ r.-v.

DOM. DES HARDONNIERES 2000★★

	3,5 ha	28 000		5 à 8 €

Cette Société d'intérêt collectif agricole, créée en 1989, dispose de moyens performants pour assurer la commercialisation de la production de ses sociétaires. La mise en bouteilles est réalisée à la propriété de l'adhérent, et la vente se fait sous son étiquette. La cuvée du domaine des Hardonnières est à boire maintenant ou à attendre tant ses tanins sont bien enrobés et disposent d'une sérieuse marge d'évolution. Les fruits rouges sont présents à chaque instant. C'est un exemple d'harmonie et d'équilibre. Une autre cuvée, celle du **Domaine du Noyer 2000**, caractéristique d'une récolte cueillie à bonne maturité, reçoit une étoile.
❧ SICA des Caves des Vins de Rabelais, Les Aubuis, Saint-Louand, 37500 Chinon, tél. 02.47.93.42.70, fax 02.41.54.07.23, e-mail loire-wines@uapl.fr ☑ ⵜ r.-v.

DOM. HERAULT
Vieilles vignes 2000★

	2,63 ha	19 700		3 à 5 €

C'est dans une ancienne cave, autrefois carrière, du XIIIᵉs., découverte par hasard en 1975, que mûrissent les vins de ce domaine de 20 ha de vignes, plantées sur sols argilo-calcaires et graveleux. Cette cuvée tendre, harmonieuse, laisse une impression de finesse et d'élégance. Elle est marquée par le fruit du cabernet, porté en finale par des tanins soyeux et persistants.
❧ EARL Hérault, Le Château, 37220 Panzoult, tél. 02.47.58.56.11, fax 02.47.58.69.47 ☑ ⵜ r.-v.

DOM. CHARLES JOGUET
Clos de la Dioterie 2000★

■	2,5 ha	n.c.	❚❚❙ 15 à 23 €

Le domaine Charles Joguet exporte 40 % de sa production. Ses vins, fidèles aux terroirs dans leur expression, trouvent ainsi de nombreux amateurs. Le Clos de la Dioterie se distingue par une robe rubis foncé puis par un nez fruité aux accents de grillé. L'attaque fait ressortir la noisette que couvrent ensuite des tanins vigoureux. La matière est là pour atténuer cette rugosité et donner à l'ensemble une bonne aptitude au vieillissement.
↬ SCEA Charles Joguet, La Dioterie, 37220 Sazilly, tél. 02.47.58.55.53, fax 02.47.58.52.22, e-mail joguet@charlesjoguet.com ☑ ⵏ r.-v.

BÉATRICE ET PASCAL LAMBERT
Cuvée Marie 2000

■	2 ha	9 000	❚❚❙ 11 à 15 €

Une grande partie des vignes de Chinon sont situées sur la commune de Cravant, mot qui vient du vieux français « cra », craie, et « vento », lieu, autrement dit « campagne caillouteuse ». Un tel terroir est voué à la production de vins de qualité. Cette cuvée est issue de vieilles vignes plantées sur les pentes du coteau. Elle a été élevée pendant douze mois en barriques, dont 25 % neuves. Le boisé domine ainsi, accompagné de tanins solides. La matière est présente, heureusement, et laisse espérer une bonne évolution. Conservez cette bouteille cinq ans ou plus pour mieux la redécouvrir.
↬ Pascal et Béatrice Lambert, Les Chesnaies, 37500 Cravant-les-Coteaux, tél. 02.47.93.13.79, fax 02.47.93.40.97, e-mail lambertchesnaies@aol.com ☑ ⵏ r.-v.

PATRICK LAMBERT
Vieilles Vignes 2000★★

■	2 ha	6 000	❚❙❚❚❙ 5 à 8 €

Travailleur méthodique se referant toujours à la tradition, Patrick Lambert est à l'aise dans ses vignes comme dans sa cave. Ses vins issus de graves ou de coteaux reflètent son savoir-faire. Un vieillissement de dix mois en fût mis la dernière touche à cette cuvée « bretonnante » au nez, qui dévoile une bouche ample, riche, déjà bien évoluée. Les fruits noirs, la réglisse, la cannelle constituent une finale joyeuse, inattendue.
↬ Earl Patrick Lambert, 6, Coteau de Sonnay, 37500 Cravant-les-Coteaux, tél. 02.47.93.92.39, fax 02.47.93.92.39 ☑ ⵏ r.-v.

CH. DE LIGRÉ
La Roche Saint Paul 2000★★

■	5 ha	25 000	❚❙❚❚❙⬟ 5 à 8 €

Ce vignoble de 30 ha se situe sur la rive gauche de la Vienne, terroir dont Rabelais vantait les qualités pour la production de vins de garde. La cuvée La Roche Saint Paul a étonné le jury. Des tanins bien présents, enrobés par une matière riche, une finale persistante, des arômes de fruits bien mûrs, confits même, qui apparaissent à tout instant : c'est une sorte de chef-d'œuvre qu'il serait sage de mettre à l'abri des convoitises quelques années, tant ses possibilités d'évolution sont grandes. Le **Château de Ligré blanc 2001**, fruité et vif, est cité.
↬ Pierre Ferrand, Ch. de Ligré, 1, rue Saint-Martin, 37500 Ligré, tél. 02.47.93.16.70, fax 02.47.93.43.29, e-mail pierre.ferrand@wanadoo.fr ☑ ⵏ t.l.j. 9h-12h 14h-18h; sam. dim. sur r.-v.

LE LOGIS DE LA BOUCHARDIÈRE
Les Clos 2000★

■	6,3 ha	36 000	❚❚❙ 15 à 23 €

Une tradition que l'on applique à toutes les étapes de l'élaboration du vin, telle semble être la devise des Sourdais père et fils. De plus, ces producteurs ont apporté un soin particulier à la constitution de leur cuvée en valorisant les terroirs et l'âge des vignes. Une impression de densité se dégage de cette parure soutenue et de ce nez fort expressif où dominent fruits rouges et fruits noirs surmûris. La matière couvre des tanins raisonnables, puis une note boisée agrémente la finale d'une longueur respectable. Un vin d'avenir.
↬ Serge et Bruno Sourdais, Le Logis de la Bouchardière, 37500 Cravant-les-Coteaux, tél. 02.47.93.04.27, fax 02.47.93.38.52 ☑ ⵏ r.-v.

ALAIN LORIEUX
Thélème 2000

■	1,5 ha	6 500	❚ 8 à 11 €

Ces deux frères qui mènent ensemble deux domaines, l'un situé sur Chinon, l'autre sur Saint-Nicolas-de-Bourgueil, mettent en commun matériel et savoir-faire. Ils possèdent sur les deux appellations une réputation de sérieux. Ce chinon, issu des terres argilo-calcaires de Cravant-les-Coteaux, « bretonne » à souhait. La bouche, grasse et puissante, révèle un bon équilibre d'ensemble. Typé, ce vin s'inscrit parmi les chinon classiques et plaisants qui s'adaptent à beaucoup de circonstances.
↬ Pascal et Alain Lorieux, Malvault, 37500 Cravant-les-Coteaux, tél. 02.47.98.35.11, fax 02.47.98.36.11, e-mail alain-lorieux@freesbee.fr ☑

LA MARINIÈRE
Réserve Vieilli en fût de Chêne 2000

■	1 ha	n.c.	❚❚❙ 5 à 8 €

Sur le coteau au sol rocheux, les 12 ha de vignes de Renaud Desbourdes sont comblés. Il n'est pas meilleure situation. La cuvée La Marinière (du lieu-dit où, selon la légende, un ancien marin se serait fait vigneron), sous une couleur intense, exprime les fruits noirs enveloppés d'un boisé marqué. La bouche est concentrée, sans agressivité. Une évolution s'impose pour intégrer le bois, évolution que le vin supportera grâce à sa structure. La cuvée **Les Ribottées 2000**, élevée en cuve, est déjà prête à boire. Elle obtient une citation.
↬ Renaud Desbourdes, La Marinière, 37220 Panzoult, tél. 02.47.95.24.75, fax 02.47.95.24.75 ☑ ⵏ r.-v.

LOIRE

DOM. DES MILLARGES
Elevé en fût 2000★

■	6 ha	28 870	■ ⑪ ⌂	5 à 8 €

Bien équipé et doté d'un personnel de haut niveau, le Centre vitivinicole de Chinon, créé en 1973 par le Conseil général d'Indre-et-Loire, possède tous les atouts pour élaborer des vins de qualité. Cette cuvée se pare d'une robe sombre, à la limite du grenat. Le nez s'ouvre progressivement sur des arômes de fruits rouges et de cerise à l'eau-de-vie. Ronde dès l'attaque, la bouche compte sur une structure bien faite qui participe à son harmonie. Une bouteille plaisante dès aujourd'hui.

⌐ Centre vitivinicole de Chinon, Les Fontenils, 37500 Chinon, tél. 02.47.93.36.89, fax 02.47.93.96.20 ☑ ☖ r.-v.

⌐ Lycée agricole Tours-Fondettes

DOM. DU MORILLY
Vieilles vignes 2000★

■	2 ha	10 000	■ ⑪	3 à 5 €

Un vin bien construit. Les arômes de framboise et de cassis bien mûrs enchantent le verre. La bouche, franche à l'attaque, gagne en onctuosité et bénéficie de l'appui de tanins enrobés. Un boisé subtil au nez et en bouche ne gâte rien. C'est une jolie bouteille que l'on n'est pas obligé d'attendre.

⌐ EARL André-Gabriel Dumont, Malvault, 37500 Cravant-les-Coteaux, tél. 02.47.93.24.93, fax 02.47.93.45.05 ☑ ☖ r.-v.

CLOS DE NEUILLY 2000

■	3 ha	15 000	⑪	5 à 8 €

Voici un millésime qui laisse d'emblée une impression de puissance. Le nez est riche, mais se déroule progressivement. La griotte et le cassis jouent le meilleur rôle. La bouche, bien dotée en matière et en fruit, évolue vite pour laisser se développer une finale un peu austère. Cette bouteille a besoin de vieillir encore sans doute.

⌐ Dom. Spelty, Le Carroi Portier, 37500 Cravant-les-Coteaux, tél. 02.47.93.08.38, fax 02.47.93.93.50, e-mail spelty@free.fr ☑ ☖ r.-v.

DOM. DE LA NOBLAIE
Le Clos 2000★

■	11,9 ha	6 000	■ ⑪ ⌂	5 à 8 €

Cette propriété ancienne, achetée par Pierre Manzagol en 1952, est aujourd'hui exploitée par son gendre Pierre Billard. Elle est située au Vau Breton, c'est-à-dire au Val du Breton, le breton étant le nom régional du cabernet franc. Cette cuvée révèle un boisé bien présent, de l'équilibre et du fruité. Elle mérite d'attendre quelques années. Le jury accorde une citation au **Domaine de la Noblaie blanc 2001**, pour sa bouche ronde et ses parfums de fruits exotiques.

⌐ SCEA Manzagol-Billard, Dom. de La Noblaie, Le Vau Breton, 37500 Ligré, tél. 02.47.93.10.96, fax 02.47.93.26.13 ☑ ☖ r.-v.

DOM. DE NUEIL 2001

■	0,3 ha	1000	■	3 à 5 €

Installé depuis peu, Laurent Gilloire bénéficie des plantations de près de 11 ha réalisées par son grand-père. Bâtiments d'exploitation et d'habitation sont inclus dans l'enceinte d'une ancienne ferme fortifiée qui a belle allure avec son portail d'entrée flanqué de deux tourelles du XVIᵉs. Ce rosé à la fois élégant et bien structuré possède une bouche souple, longue, qui laisse en fin de dégustation une impression d'équilibre. Une bouteille pour une chaude journée d'automne.

⌐ Laurent Gilloire, Dom. de Nueil, 37500 Cravant-les-Coteaux, tél. 02.47.93.19.24, fax 02.47.98.32.91 ☑ ☖ r.-v.

J.-L. PAGE
Cuvée Vieilles vignes 2000

■	1,6 ha	5 000	⑪	3 à 5 €

Récemment installé après des études au lycée viticole de Beaune, Jean-Louis Page présente l'une de ses premières récoltes. Cette cuvée se distingue par son nez de framboise et sa bouche pleine et généreuse. Les tanins restent discrets, mais suffisent à donner à l'ensemble une bonne typicité. Cette bouteille fera le bonheur d'un groupe d'amis réunis pour un repas sans « chichi ».

⌐ Jean-Louis Page, 12, rte de Candes, 37420 Savigny-en-Véron, tél. 02.47.58.96.92, fax 02.47.58.86.65 ☑ ☖ r.-v.

DOM. CHARLES PAIN
Cuvée Domaine 2000★

■	5,5 ha	40 000	■ ⌂	3 à 5 €

Ce chinon, issu des terroirs les plus orientaux de l'aire d'appellation, a de quoi séduire : beaucoup de petits fruits rouges au nez, une bouche nette, franche, ronde, marquée par l'empreinte du cabernet. Les tanins sont à leur place, et la finale souple conclut la dégustation sur la framboise.

⌐ EARL Dom. Charles Pain, Chezelet, 37220 Panzoult, tél. 02.47.93.06.14, fax 02.47.93.04.43, e-mail charles.pain@wanadoo.fr ☑ ☖ r.-v.

CLOS DU PARC DE SAINT-LOUANS 2000

■	3,5 ha	3 500	■ ⑪	5 à 8 €

Le clos du Parc, de plus de 11 ha, est l'ancienne propriété de Louis Farou, une figure de la viticulture chinonaise, aujourd'hui à la retraite. Il a trouvé en la personne de son neveu un digne successeur dont on découvre la première vinification. Une impression de fruits rouges, de fraîcheur et de légèreté au nez, une bouche coulante : c'est bien le type de chinon léger, séducteur, qui a de l'allant.

⌐ Fabrice Nicolet, rue de la Batellerie, Saint-Louans, 37500 Chinon, tél. 02.47.93.25.98, fax 02.47.93.25.98 ☑ ☖ r.-v.

DOM. DE LA PERRIERE
Vieilles vignes 2000★★

■	7,5 ha	40 000	⑪	5 à 8 €

Aux mains de la même famille depuis six siècles, le vignoble de La Perrière est planté sur les terrasses graveleuses de la Vienne. Il donne naissance à des chinon très bouquetés et finement structurés. Il vous propose deux cuvées qui sont des modèles pour le millésime. Cette cuvée Vieilles vignes d'un rouge presque grenat, très intense, offre un bouquet expressif où les fruits rouges l'emportent sur le floral. A l'attaque souple répond un remarquable équilibre entre matière et tanins. C'est un vin « copieux », selon l'un des membres du jury... La seconde cuvée présentée par Christophe Baudry – **Grande Cuvée 2000** (11 à 15€) – se situe à un niveau identique de qualité et obtient la même note. Elle se distingue peut-être par son léger boisé « plaisir ». Elle devrait évoluer encore.

🍇 Dom. de la Perrière, Cravant-les-Coteaux,
37500 Chinon, tél. 02.47.93.15.99, fax 02.47.98.34.57
☑ ☖ t.l.j. sf sam. dim. 9h-12h 14h-18h
🍇 Ch. Baudry

VIGNOBLE DE LA POELERIE 2001★

| | n.c. | 4 000 | | 3 à 5 € |

Voici un rosé de saignée, c'est-à-dire que l'on a prélevé sur une cuve de moût rouge en tout début de macération, avant que la couleur et les tanins ne se diffusent, un volume qui fermentera à part. Il possède des qualités de fruits, et de fraîcheur à apprécier sans tarder. Il faut profiter de son élégance et de ses nuances fruitées qui se rapprochent de l'amande et de la pêche blanche.
🍇 François Caillé, Le Grand Marais, 37220 Panzoult, tél. 02.47.95.26.37, fax 02.47.58.56.67 ☑ ☖ r.-v.

DOM. DU PUY
Vieilles vignes 2000★

| | 6 ha | 7 000 | | 3 à 5 € |

Cinq générations de Delalande se sont succédé sur ce beau domaine de près de 25 ha. La cuvée Vieilles vignes fait la fierté de Patrick. Issue de ceps de cinquante à soixante-cinq ans, elle est généralement ronde grâce à des tanins plaisants. Ce millésime ne déroge pas à la règle. Limpide, d'un rouge violacé, il laisse poindre des accents de framboise et de fraise. Ces mêmes fruits réapparaissent en bouche à l'attaque. Vient ensuite une sensation de souplesse et de rondeur que des tanins fins ne parviennent pas à troubler. A boire dès maintenant ! Le chinon rosé 2001, issu de saignée, est cité.
🍇 Patrick Delalande, EARL du Puy, RN 11, Le Puy, 37500 Cravant-les-Coteaux, tél. 02.47.98.42.31, fax 02.47.93.39.79 ☑ ☖ r.-v.

DOM. DES QUATRE VENTS 2001★

| | n.c. | 9 000 | | 3 à 5 € |

Soumis à tous les vents sur la plus haute butte de Cravant-les-Coteaux, 19 ha de vignes constituent ce domaine créé en 1984. Voici un joli rosé très présent en bouche, rond mais sec, avec une finale assez persistante. Légèrement saumoné, il s'ouvre sur des arômes frais, élégants, de pêche blanche. En rouge, la cuvée Sélection 2000 (5 à 8 €) est citée.
🍇 Philippe Pion, La Bâtisse, 37500 Cravant-les-Coteaux, tél. 02.47.93.46.79, fax 02.47.93.99.59 ☑ ☖ r.-v.

DOM. OLGA RAFFAULT
Les Picasses 2000

| | 12 ha | 80 000 | | 8 à 11 € |

Olga Raffault, veuve très tôt, a su développer toute seule ce domaine et lui donner une notoriété qui a souvent dépassé les frontières. Son fils a pris sa suite, et, aujourd'hui, c'est sa petite-fille Sylvie et son gendre Eric de La Vigerie qui sont en charge de ses 25 ha de vignes. Les terres argilo-calcaires des Picasses donnent généralement des vins de forte constitution. Or, celui-ci n'est que finesse par ses tanins bien fondus et équilibrés. Un chinon friand et léger.
🍇 SARL Olga Raffault, 1, rue des Caillis, 37420 Savigny-en-Véron, tél. 02.47.58.42.16, fax 02.47.58.83.61
☑ ☖ t.l.j sf sam. dim. 9h-12h 14h-18h

JEAN-MAURICE RAFFAULT
Le Puy 2000★

| | 1 ha | 5 000 | | 8 à 11 € |

Qui n'a pas visité les caves du XVIIᵉs. de Jean-Maurice Raffault et vu leur impressionnant alignement de plus de sept cents barriques ? C'est un signe fort de l'attachement de cette famille à la tradition. Leur chinon ne demande qu'à poursuivre son séjour en cave encore quelques années. L'empreinte du bois est nette. Heureusement, la matière ne manque pas et l'on peut penser que ces deux éléments du corps de vin se fondront harmonieusement avec le temps. La cuvée Clos d'Isoré 2000 (5 à 8 €), citée, peut, elle aussi, continuer encore un peu son mûrissement en cave.
🍇 EARL Jean-Maurice Raffault, La Croix, 37420 Savigny-en-Véron, tél. 02.47.58.42.50, fax 02.47.58.83.73, e-mail rodolphe.raffault@wanadoo.fr
☑ ☖ t.l.j. sf sam. dim. 8h-12h 14h-18h30

DOM. DU RAIFAULT 2001

| | 1,42 ha | 8 500 | | 5 à 8 € |

Souvent reconnu pour ses chinon rouges, Julien Raffault présente cette année un vin blanc d'une intensité aromatique forte : agrumes, poire, bonbon anglais sortent pêle-mêle d'une robe jaune soutenu. La bouche assez vive décline de riches arômes de coing et, à nouveau, de poire et d'agrumes. A servir sur un poisson grillé.
🍇 Julien Raffault, 23-25, rte de Candes, 37420 Savigny-en-Véron, tél. 02.47.58.44.01, fax 02.47.58.92.02 ☑ ☖ r.-v.

PHILIPPE RICHARD
Vieilles vignes 2000★

| | n.c. | 5 500 | | 5 à 8 € |

Membre actif au sein de la confrérie des Bons Entonneurs rabelaisiens, Philippe Richard est le premier à défendre la tradition. Sa propriété familiale dispose de caves ouvertes à la visite. Le vignoble dont il a la charge est situé en bordure de la forêt de Chinon, situation qui le protège des vents du nord. Ce millésime, représentatif de l'appellation, « bretonne » à souhait. Bien ouvert, le nez évoque les fruits rouges mûrs. En bouche, c'est la même impression aromatique avec des tanins effacés qui favorisent l'expression d'une certaine rondeur. Un vin harmonieux, de plaisir, parfaitement vinifié.
🍇 Philippe Richard, Le Sanguier, 37420 Huismes, tél. 02.47.95.52.50, fax 02.47.95.45.82
☑ ☖ t.l.j. sf dim. 9h-12h30 14h-19h

DOM. DE LA ROCHE HONNEUR
Diamant Prestige 2000★★

| | 3 ha | 10 000 | | 5 à 8 € |

De grandes caves bien aménagées et artistiquement sculptées contribuent peut-être à la réussite de ce vin dont le nez, discret, mêle les fruits rouges au bourgeon de cassis. Après une attaque souple, la bouche apparaît franche et expressive. Le support tannique est encore présent, mais favorise une bonne longueur. C'est une bouteille riche, pleine de promesses et jeune ; il faudra l'attendre. Très réussie, la cuvée Rubis 2000 demandera un peu de temps pour trouver sa place à table.
🍇 Dom. de la Roche Honneur, 1, rue de la Berthelonnière, 37420 Savigny-en-Véron, tél. 02.47.58.42.10, fax 02.47.58.45.36, e-mail roche.honneur@libertysurf.fr ☑ ☖ r.-v.
🍇 Stéphane Mureau

LOIRE

DOM. DU RONCEE
Clos des Marronniers 2000★★

| | 7,05 ha | 25 000 | | 8 à 11 € |

Cet ancien fief relevait de la châtellenie de l'île Bouchard au XIIᵉˢ. Ses vignobles délimités par des clos donnent aujourd'hui lieu à différentes cuvées aux caractères bien distincts. Celle du Clos des Marronniers passe pour avoir de la générosité, de la souplesse et du fruité. Le millésime 2000 est à la hauteur de cette réputation. Les tanins fondus sont à l'aise dans une bouche ample et longue. Le fruit déborde du verre, et la robe rouge foncé laisse apparaître des reflets lumineux. Un vin d'équilibre qui peut faire une belle carrière. La **cuvée classique 2000 du domaine (5 à 8 €)** obtient une étoile. Avec son potentiel tannique, elle saura patienter.
➥ Dom. du Roncée, La Morandière, 37220 Panzoult, tél. 02.47.58.53.01, fax 02.47.58.64.06, e-mail info@roncee.com ☑ ℐ r.-v.

DOM. DES ROUET 2000

| | 11 ha | 50 000 | | 5 à 8 € |

Ce domaine de 14 ha met en avant cette année une cuvée encore discrète dans son expression aromatique. La bouche s'exprime cependant plus ouvertement, avec souplesse, dès l'attaque, et rondeur. La réglisse apporte une note gaie à la finale de bonne longueur.
➥ Dom. des Rouet, Chezelet, 37500 Cravant-les-Coteaux, tél. 02.47.93.19.41, fax 02.47.93.96.58, e-mail domaine.rouet-chinon@laposte.net ☑ ℐ t.l.j. sf dim. 9h-19h

DOM. WILFRID ROUSSE
Vieilles vignes Elevé en fût de chêne 2000★

| | 1,5 ha | 7 000 | | 5 à 8 € |

La girouette en forme de sirène, plantée sur le toit de La Halbardière et qui figure sur l'étiquette, a plus de trois cents ans. Les vignes n'en ont que quatre-vingt-dix, mais c'est suffisant pour produire cette belle cuvée presque violette, franche, fraîche, à l'attaque souple mais aux tanins persistants. La **cuvée Les Puys 2000** est citée pour son bon équilibre général.
➥ Wilfrid Rousse, La Halbardière, 21, rte de Candes, 37420 Savigny-en-Véron, tél. 02.47.58.84.02, fax 02.47.58.92.66, e-mail wilfrid.rousse@wanadoo.fr ☑ ℐ t.l.j. 9h-12h 14h-19h; f. 16-31 août

GUY SAGET
Marie de Beauregard au Moulin de Beauregard 2000★★

| | n.c. | 10 600 | | 5 à 8 € |

Guy Saget, négociant-éleveur à Pouilly-sur-Loire, possède des intérêts à Chinon. Il y élabore ses vins de la même façon, avec beaucoup de science et de soins. Cette cuvée, élevée neuf mois en fût, présente un caractère boisé indéniable. Mais pour les inconditionnels de ce type aromatique, c'est une réussite : nez franc vanillé, bouche gourmande et fruitée, tanins fins, et persistante finale. Il serait judicieux de garder en cave cette bouteille pour que le bois se fonde.
➥ SA Guy Saget, La Castille, 58150 Pouilly-sur-Loire, tél. 03.86.39.57.75, fax 03.86.39.08.30, e-mail saget@guy-saget.com ☑ ℐ r.-v.

CH. DE SAINT LOUAND
Réserve de Trompegueux 2000

| | 5,75 ha | 25 000 | | 5 à 8 € |

Charles Walther, président de l'académie de Médecine, avait acheté cette propriété de 6,50 ha en 1898. Très attaché à la région, il a beaucoup fait pour la reconnaissance de l'appellation. Aujourd'hui, ce sont ses descendants qui gèrent le vignoble, certainement avec la même passion. En témoigne cette cuvée aux arômes développés de fruits rouges. En bouche, le même registre aromatique se décline. Les tanins, enveloppés dans une bonne matière, font leur réapparition en finale. Un chinon typique, plaisant, mais qui doit mûrir un peu.
➥ Bonnet-Walther, Saint-Louand, 37500 Chinon, tél. 02.47.93.48.60, fax 02.47.98.48.54 ☑ ℐ r.-v.

CAVES DE LA SALLE
Vieilles vignes 2000★

| | 3 ha | 15 000 | | 5 à 8 € |

Un beau couplé gagnant chez les Desbourdes. Cette cuvée se définit parfaitement dès l'attaque comme un vin coulant, doté d'une matière riche et de tanins élégants, avec une bonne persistance. Notée de la même façon, la **cuvée Fief de La Rougellerie 2000** est intéressante pour ses qualités de garde.
➥ Rémi Desbourdes, La Salle, 37220 Avon-les-Roches, tél. 02.47.95.24.30, fax 02.47.95.24.83
☑ ℐ t.l.j. sf dim. 8h-12h 14h-18h30; dim. 8h-12h

DOM. DE LA SEMELLERIE
Cuvée Déborah Elevé en fût de chêne 2000★

| | 2 ha | 10 000 | | 8 à 11 € |

Sur un sol argilo-calcaire exposé au sud, les 39 ha de ce domaine comptent sur des conditions favorables à la maturation du cabernet franc. Les résultats le rappellent : la cuvée Déborah, issue de vignes de soixante-cinq ans, a été élevée en fût de chêne neuf pendant douze mois. Le résultat est surprenant. Le boisé, assez discret, est bien intégré, et les tanins promettent une bonne évolution. Un chinon typique, de garde.
➥ Fabrice Delalande, La Semellerie, 37500 Cravant-les-Coteaux, tél. 02.47.93.18.70, fax 02.47.93.94.00 ☑ ℐ r.-v.

PIERRE SOURDAIS
Tradition 2000★

| | n.c. | 50 000 | | 5 à 8 € |

« La vigne ne donne qu'à ceux qui l'aiment », écrit Pierre Sourdais. Sa passion doit être forte puisque le voilà comblé cette année avec deux belles cuvées. La première est l'heureux résultat de l'alliance de terroirs différents et de ceps aux âges variés. Nez expressif, tanins élégants, bel équilibre d'ensemble : ce vin est à boire dès maintenant. La seconde, **Réserve Stanislas 2000**, élevée en fût de chêne, obtient la même note, mais n'a pas terminé son évolution.
➥ Pierre Sourdais, Le Moulin à Tan, 37500 Cravant-les-Coteaux, tél. 02.47.93.31.13, fax 02.47.98.30.48 ☑ ℐ r.-v.

FRANCIS SUARD 2001★

| | 0,55 ha | 4 000 | | 3 à 5 € |

C'est un rosé de printemps comme on sait les faire à Chinon. Ils sont les rois lors des repas servis dans le jardin, désaltérants et prêts à mettre en valeur entrées, charcuteries et grillades. On peut aussi les servir avec les plats épicées exotiques, auxquels ils savent résister et dont ils calment les ardeurs. Ce vin se distingue par une élégance naturelle, un équilibre, et un gras qui lui donne une belle finale ronde. A servir très frais, bien sûr.

⌐ Francis Suard, 74, rte de Candes, 37420 Savigny-en-Véron, tél. 02.47.58.91.45 ☑ ⊤ r.-v.

DOM. DE LA TRANCHEE 2001★

	n.c.	1 500		5 à 8 €

Un rosé typé, à la bouche généreuse par son gras et sa rondeur. Une petite pointe d'acidité lui donne un ton frais. Les rosés de chinon sont à découvrir. Par leur côté désaltérant, ils conviennent parfaitement à des mets épicés et accompagnent avec succès un couscous.

⌐ Earl Pascal Gasné, 33, rue de la Tranchée, 37420 Beaumont-en-Véron, tél. 02.47.58.91.78, fax 02.47.58.85.25 ☑ ⊤ r.-v.

Coteaux du loir

A vec le jasnières, voici le seul vignoble de la Sarthe, sur les coteaux de la vallée du Loir. Il renaît après avoir failli disparaître il y a vingt-cinq ans. Les vignes sont plantées sur l'argile à silex qui recouvre le tuffeau. En 2001, une production intéressante de 1 969 hl d'un rouge léger et fruité (pineau d'Aunis, assemblé aux cabernet, gamay ou cot) et de rosé, et 1 032 hl de blanc sec (chenin ou pineau blanc de la Loire).

DOM. DE CEZIN 2001★★

	2 ha	6 000		3 à 5 €

François Fresneau, également producteur de jasnières, met un point d'honneur à faire reconnaître le coteaux du loir comme un grand vin de la région. Ce rosé millésime 2001 est remarquable. Sa robe saumoné clair, typique du pineau d'Aunis, accroche l'œil. Le nez franc, finement épicé, sur un fond de framboise, ravit. La bouche est élégante et flatteuse. A noter également le **blanc 2001** (5 à 8 €) très riche, aux arômes de pêche jaune et de sous-bois, que le jury a cité. Ces deux bouteilles pourront accompagner une géline de Touraine à la crème.

⌐ François Fresneau, Dom. de Cézin, rue de Cézin, 72340 Marçon, tél. 02.43.44.13.70, fax 02.43.44.13.70, e-mail earl.francois.fresneau@wanadoo.fr ☑ ⊤ r.-v.

DOM. DE LA CHARRIERE
Pineau d'Aunis 2000★

	1,2 ha	5 000		5 à 8 €

Voici un vin « terroité », comme on aime à le dire ici. Sous sa robe rubis clair aux nuances tuilées, apparaissent de surprenants arômes d'épices sur fond de réglisse. Les tanins sont ronds et soyeux. La finale, de bonne longueur, laisse une impression chaleureuse. Cette bouteille se mariera bien avec un gibier à plume.

⌐ Joël Gigou, 4, rue des Caves, 72340 La Chartre-sur-le-Loir, tél. 02.43.44.48.72, fax 02.43.44.42.15, e-mail joël-gigou@libertysurf.fr ☑ ⊤ r.-v.

BERNARD CROISARD 2001★

	1 ha	4 000		5 à 8 €

Un joli vin argenté aux senteurs de bourgeon de cassis. Tendre et frais, il exprime bien les terroirs de cette vallée du Loir par sa maturité et son fruité de pêche. A déguster sur des rillettes du Mans, par exemple.

⌐ Bernard Croisard, La Pommeraie, 72340 Chahaignes, tél. 02.43.44.47.12 ☑ ⊤ r.-v.

CHRISTOPHE CROISARD
Pineau d'Aunis 2001★★

	3 ha	3 000		3 à 5 €

Déjà convaincant dans les éditions antérieures du Guide, Christophe Croisard confirme au travers de ce rosé toute la pertinence du pineau d'Aunis sur ces terroirs d'argile à silex. Nez intense de fruits rouges rehaussé d'une note poivrée, bouche pleine et finale joyeuse. Tous les compliments du jury. A noter également le **pineau d'Aunis rouge 2000**, à la robe rubis clair, très typé grâce à ses arômes marqués de cassis et de mûre. Il obtient une étoile.

⌐ Christophe Croisard, La Pommeraie, 72340 Chahaignes, tél. 02.43.79.14.90 ☑ ⊤ r.-v.

LES MAISONS ROUGES
Pineau d'Aunis Vieilles vignes 2000

	0,35 ha	1 100		5 à 8 €

Des 50 ares de ses débuts, en 1994, cette propriété s'est agrandie à 5,10 ha et a développé ses chais en même temps. Tout dans son pineau d'Aunis est vivacité ; robe rubis clair, arômes intenses de fruits rouges soulignés d'une note poivrée, fraîcheur d'une bouche un peu épicée. C'est un coteaux du Loir fort honnête, à boire dès maintenant sur une viande blanche.

⌐ Elisabeth et Benoît Jardin, Les Maisons Rouges, Les Chaudières, 72340 Ruillé-sur-Loir, tél. 02.43.79.50.09, fax 02.43.44.46.80, e-mail benoit.jardin@libertysurf.fr ☑ ⊤ r.-v.

BENEDICTE DE RYCKE 2000★

	2 ha	6 000		5 à 8 €

Un vin original qui a plu aux membres du jury, à la fois pour sa puissance et sa finesse. Son nez intense rappelle la marmelade de fruits, tandis que sa bouche à la structure soyeuse est légèrement épicée jusqu'à une finale bien équilibrée. Ce 2001 fera un excellent compagnon des gibiers à plume et des viandes grillées.

⌐ Bénédicte de Rycke, Le Coteau de la Pointe, 72340 Marçon, tél. 02.43.44.46.43, fax 02.43.79.63.54 ☑ ⊤ r.-v.

Jasnières

C'est le cru des coteaux du Loir, bien délimité sur un unique versant plein sud de 4 km de long et de quelques centaines de mètres de large seulement. Une production en 2001 de 2 355 hl de vin blanc, issu du seul cépage chenin ou pineau de la Loire, qui peut donner des produits sublimes les grandes années. Curnonsky

LOIRE

n'a-t-il pas écrit : « Trois fois par siècle, le jasnières est le meilleur vin blanc du monde » ? Il accompagne élégamment, dit-on, la « marmite sarthoise », spécialité locale, où il rejoint d'autres produits du terroir : poulets et lapins finement découpés, légumes cuits à la vapeur. Vin rare, à découvrir.

AUBERT LA CHAPELLE
Cuvée Anne-Mathilde 2001

	5 ha	5 000	🍶🌢🌢	5 à 8 €

La maison des vignes qui se trouve dans les 15 ha cultivés par Jean-Michel Aubert ressemble à une chapelle, d'où le nom de ce domaine qui vous propose un jasnières typique. Or pâle brillant, celui-ci reflète la minéralité du coteau de Jasnières dans sa palette intense. Equilibré, suave, finissant sur une note acidulée, il séduira par sa droiture.
🍂 Aubert La Chapelle, La Roche, 72340 Marçon, tél. 02.43.44.17.50, fax 02.43.79.17.82, e-mail earl.aubert@terre-net.fr ☑ ɪ r.-v.

DOM. DE CEZIN 2001★★

	1,8 ha	10 000	🍶🌢	5 à 8 €

Dans une robe jaune paille brillant, ce vin exhale des arômes puissants alliant fruité et minéralité. Issu d'une vendange très mûre, il présente un équilibre et une puissance remarquables. Il accompagnera avec brio une poêlée de Saint-Jacques sur une fondue de poireaux. Une jolie bouteille à conserver dans votre cave.
🍂 François Fresneau, Dom. de Cézin, rue de Cézin, 72340 Marçon, tél. 02.43.44.13.70, fax 02.43.44.13.70, e-mail earl.francois.fresneau@wanadoo.fr ☑ ɪ r.-v.

JEAN-JACQUES MAILLET 2001★

	3 ha	15 000	🍶🌢	5 à 8 €

Une petite propriété de 6 ha conduite avec soin permet à Jean-Jacques Maillet d'élaborer de grands vins. Ce 2001 séduira par son homogénéité. De l'acacia, de l'aubépine, des fleurs blanches vous introduisent dans son univers. Dans un ensemble gras et long, le fruité (poire et pêche) confère une indéniable originalité à cette bouteille. Un digne représentant d'une « grande » appellation.
🍂 Jean-Jacques Maillet, La Pâquerie, 72340 Ruillé-sur-Loir, tél. 02.43.44.47.45, fax 02.43.44.35.30 ɪ r.-v.

LES MAISONS ROUGES 2001★

	0,7 ha	1 400	🍶🌢🌢	5 à 8 €

Un vin fort bien réussi grâce à l'excellence de la vendange qui se traduit par des arômes intenses de fleurs blanches et de poire sur fond de silex. La bouche harmonieuse mêle pêche blanche et mangue jusqu'à une finale élégante et persistante. A boire dès aujourd'hui.
🍂 Elisabeth et Benoît Jardin, Les Maisons Rouges, Les Chaudières, 72340 Ruillé-sur-Loir, tél. 02.43.79.50.09, fax 02.43.44.46.80, e-mail benoit.jardin@libertysurf.fr ☑ ɪ r.-v.

DOM. J. MARTELLIERE
Cuvée du Poète 2001

	0,19 ha	800		8 à 11 €

Les amateurs et connaisseurs du jasnières seront surpris par celui-ci, moelleux à la robe jaune paille. Le millésime 2001 permettrait-il ce style de vin ? Le Guide vous le propose en découverte. Bien équilibré, minéral, mais encore timide lors de la dégustation, peut-être se révélera-t-il dans quelques années.
🍂 SCEA du Dom. J. Martellière, 46, rue de Fosse, 41800 Montoire-sur-le-Loir, tél. 02.54.85.16.91, fax 02.54.85.16.91 ☑ ɪ r.-v.

BENEDICTE DE RYCKE
Cuvée Tradition 2001

	1 ha	4 500	🍶🌢	5 à 8 €

Un vin finement ciselé dans sa robe or pâle à reflets verts. Le fruité du pamplemousse allié à la tendresse de la finale sera apprécié par les amateurs de vins souples, voire légèrement marqués par la douceur. A attendre cinq ans.
🍂 Bénédicte de Rycke, Le Coteau de la Pointe, 72340 Marçon, tél. 02.43.44.46.43, fax 02.43.79.63.54 ☑ ɪ r.-v.

Montlouis

La Loire au nord, la forêt d'Amboise à l'est, le Cher au sud limitent l'aire d'appellation (1 000 ha de vignes dont 400 en AOC montlouis). Les sols « perrucheux » (argile à silex), localement recouverts de sable, sont plantés de chenin blanc (ou pineau de la Loire) et produisent des vins blancs vifs et pleins de finesse, tranquilles (secs ou doux), ou effervescents (15 469 hl en 2001). Les premiers gagnent à évoluer longuement en bouteilles dans les caves de tuffeau. Ils ont un potentiel de garde d'une dizaine d'années.

DOM. AURORE DE BEAUFORT
Moelleux 2000★

	1,2 ha	5 000	🍶	5 à 8 €

Descendant d'une vieille famille tourangelle (Scourion de Beaufort), les Moyer exploitent 6 ha de vignes couvrant les coteaux qui dominent le Cher. Leur moelleux séduit par un nez subtil où se mêlent les fleurs, la pomme et le miel avec un effluve de menthe. L'attaque fraîche annonce une bouche à la structure légère, mais où s'épanouissent des arômes de fruits mûrs et exotiques. On y retrouve une délicate évocation de menthe. Un vin bien travaillé et très réussi dans un millésime difficile. Des mêmes vignerons, la **Cuvée tendre 2000, un sec**, est cité pour sa typicité : un classique de l'appellation.
🍂 Jean-Marie Moyer, 23, rue des Caves, 37270 Saint-Martin-le-Beau, tél. 02.47.50.61.51, fax 02.47.50.27.56, e-mail aurore.de.beaufort@wanadoo.fr ☑ ɪ t.l.j. sf dim. 8h-20h

PATRICE BENOIT
Demi-sec 2000

	1 ha	2 000	🌢	5 à 8 €

Patrice Benoît a constitué au fil des ans un petit vignoble de 6 ha en achetant des parcelles cédées à

l'occasion de départs à la retraite. Son demi-sec a retenu l'attention du jury par ses arômes de miel, de coing et d'agrumes et par son équilibre entre les sucres et l'acidité.
➲ Patrice Benoît, 3, rue des Jardins, Nouy, 37270 Saint-Martin-le-Beau, tél. 02.47.50.62.46 ☑ Ⳏ r.-v.

CLAUDE BOUREAU
Brut 2000

	2 ha	10 000		5 à 8 €

Un vin frais d'après-midi élaboré par un artisan vigneron (comme Claude Boureau aime se présenter), voilà de quoi animer la conversation. On débattra de sa robe jaune pâle, de son nez marqué par la banane, de son attaque franche et vive et de sa matière qui pétille plus qu'elle ne mousse. L'accord se fera vite au deuxième verre.
➲ Claude Boureau, 1, rue de la Résistance, 37270 Saint-Martin-le-Beau, tél. 02.47.50.61.39 ☑ Ⳏ r.-v.

THIERRY CHAPUT
Moelleux Clos des Vollagray 2000★

	2 ha	8 000		8 à 11 €

Les 8 ha du domaine de Thierry Chaput couvrent les coteaux ensoleillés d'Husseau en bord de Loire. Une situation des plus favorables à l'élaboration de moelleux issus de surmaturation. En voici d'emblée un bon exemple, une réussite pour le millésime. Les fruits confits annoncent leur présence. La matière supporte allègrement acidité et sucres jusque dans une finale de longueur respectable. Un vin qui gagnera à attendre.
➲ Thierry Chaput, 21, rue des Rocheroux, Husseau, 37270 Montlouis-sur-Loire, tél. 02.47.50.80.70, fax 02.47.50.71.46 ☑ Ⳏ r.-v.

DOM. DES CHARDONNERETS
Sec 2000★★

	2 ha	4 000		3 à 5 €

Daniel Mosny s'est installé en 1970. Aidé par son fils Thierry, il exploite 14 ha de vignes. D'un jaune paille brillant, son sec offre un nez de coing légèrement mentholé. Fraîche dès l'attaque, la bouche évolue vers une rondeur soutenue par une fine acidité. On garde longtemps au palais ses arômes de raisin très mûr. Pourquoi ne pas servir ce vin à l'apéritif, pour lui-même, avec des gougères comme à Chablis ? A l'actif du domaine, il faut encore mentionner le **demi-sec 2000**, cité pour ses qualités aromatiques et son équilibre.
➲ GAEC Daniel et Thierry Mosny, 6, rue des Vignes, 37270 Saint-Martin-le-Beau, tél. 02.47.50.61.84, fax 02.47.50.61.84 ☑ ⌂ Ⳏ t.l.j. sf dim. 8h-12h 14h-20h

LAURENT CHATENAY
Sec Les Maisonnettes 2000★

	1,5 ha	5 000		5 à 8 €

Laurent Chatenay a repris l'exploitation familiale de 12 ha en 1996. Bien charpenté, son montlouis sec révèle une solide matière où le bois a laissé son empreinte. D'un jaune paille, il offre des possibilités d'évolution. Du même producteur, la **méthode traditionnelle brut 2000** a été citée pour sa fraîcheur et sa longue finale.
➲ Laurent Chatenay, 41, rte de Montlouis, Nouy, 37270 Saint-Martin-le-Beau, tél. 02.47.50.65.58, fax 02.47.50.29.90, e-mail laurent.chatenay@wanadoo.fr ☑ Ⳏ r.-v.

FRANCOIS CHIDAINE
Sec Les Choisilles 2000★★

	3 ha	7 000		8 à 11 €

Des fermentations longues en demi-muids dans les caves profondes du coteau d'Husseau permettent à François Chidaine d'obtenir des vins d'une extrême finesse. Une culture bien conduite et des méthodes d'élevage innovantes font le reste, et donnent des bouteilles riches et de caractère, comme ce sec déjà fort réussi dans le millésime précédent. Quelle belle expression du chenin ! Le cépage parle avec éloquence à travers les évocations de coing au nez, l'attaque, la matière concentrée et la finale persistante.
➲ EARL François Chidaine, 5, Grande-Rue, 37270 Montlouis-sur-Loire, tél. 02.47.45.19.14, fax 02.47.45.19.08, e-mail francois.chidaine@wanadoo.fr ☑ Ⳏ r.-v.

FREDERIC COURTEMANCHE
Sec 2000★

	2 ha	2 000		5 à 8 €

Installé depuis 1990 sur un petit vignoble de 5 ha des côtes du Cher, Frédéric Courtemanche est à nouveau présent dans le Guide. Une belle régularité due au soin qu'il apporte à la vendange et à l'élevage. Au nez, son sec offre une expression assez classique du chenin ; on y décèle aussi une touche minérale, reflet des sols siliceux de Saint-Martin. Après une attaque plutôt souple, le vin glisse sans heurt, équilibré jusqu'à une finale suffisamment longue.
➲ Frédéric Courtemanche, 12, rue d'Amboise, 37270 Saint-Martin-le-Beau, tél. 02.47.50.60.89 ☑ Ⳏ r.-v.

DOM. DE LA CROIX MELIER
Demi-sec 2000★

	1 ha	10 000		3 à 5 €

Pascal Berthelot fait le vin comme le faisaient autrefois ses ancêtres. Depuis cinq générations, on fait ici appel aux mêmes techniques : vendanges manuelles, fermentations sans limite de temps à basse température et en demi-muids ou foudres, utilisation de levures indigènes... La machine n'intervient pas et encore moins les produits œnologiques. Cela donne ce demi-sec authentique, très floral au nez, franc à l'attaque, mais qui s'arrondit rapidement. Il tient longuement au palais et laisse une impression d'équilibre. Même note pour le **sec 2000** aux arômes fins et expressifs, qui se placera avec succès sur un poisson ou une charcuterie fine.
➲ Pascal Berthelot, Dom. de La Croix Mélier, 2, chem. Ste-Catherine, 37270 Montlouis-sur-Loire, tél. 02.47.45.12.14, fax 02.47.50.77.85 ☑ Ⳏ r.-v.

LOIRE

SEBASTIEN DELAHAYE
Sec 2000

	1,5 ha	3 000	🍴	5 à 8 €

Depuis sa création en 1785, sept générations se sont succédé sur ce domaine qui compte aujourd'hui 8 ha de vignes réparties sur les sols argilo-calcaires des premières côtes de la Loire. Si les caves d'origine, creusées dans le roc, sont toujours utilisées, un nouveau chai vient d'être aménagé, ainsi qu'une salle de dégustation où l'on trouve une collection de vieux outils de vigneron. Le visiteur pourra y découvrir trois vins cités par le jury : outre le **demi-sec 2000** et la **méthode traditionnelle 99**, ce sec vif et léger, au nez de fruits secs, de pomme bien mûre et de coing, à la finale persistante dont l'évocation citronnée accentue la fraîcheur. Une jolie bouteille pour fruits de mer.

🍷 Sébastien Delahaye, 4, rte d'Amboise,
37400 Lussault-sur-Loire,
tél. 02.47.57.66.81, fax 02.47.57.15.20 ☑ ⵏ t.l.j. 9h-19h

DANIEL FISSELLE
Demi-sec 2000

	n.c.	2 500	🍴	5 à 8 €

Un modeste domaine (8 ha), mais fort bien situé. Les sols siliceux qui reposent sur un sous-sol calcaire constituent des terres chaudes bien drainées qui favorisent la maturation. On s'en rend compte dans ce demi-sec gras et puissant. Les arômes ne manquent pas : réglisse, confiture et miel se mêlent harmonieusement. La finale n'est pas des plus longues mais montre un équilibre entre acidité et sucres satisfaisant. Réussis également, le **sec 2000 (3 à 5 €)** et le **moelleux 2000** expressifs.

🍷 Daniel Fisselle, Les Caves du Verger,
74, rte de Saint-Aignan, 37270 Montlouis-sur-Loire,
tél. 02.47.50.93.59
ⵏ t.l.j. 10h-13h 14h-19h

JEAN-PAUL HABERT
Méthode traditionnelle 1999★★

	2 ha	11 000	🍴🍷	5 à 8 €

Avant la Révolution, les caves de Jean-Paul Habert ont appartenu à la famille de Beaufort qui compta parmi ses membres Gabrielle d'Estrées, favorite d'Henri IV. Cette méthode traditionnelle se montre digne des anciens maîtres des lieux. Sa robe jaune pâle est brillante et sa mousse fine et persistante. Le nez discret laisse percer des senteurs de fruits mûrs assorties d'une touche minérale. La bouche pleine et franche évoque le coing et la pomme. La finale ronde incite à en reprendre un verre.

🍷 Jean-Paul Habert, 3, imp. des Noyers,
Le Gros Buisson, 37270 Saint-Martin-le-Beau,
tél. 02.47.50.26.47, fax 02.47.50.26.47 ☑ ⵏ r.-v.

ALAIN JOULIN
Moelleux 2000

	1,5 ha	4 600		5 à 8 €

Ce joli moelleux provient des vignes de ce coteau pierreux et ensoleillé du Cher qui fait la réputation des vins de Saint-Martin-le-Beau. Le savoir-faire du vigneron, inspiré de la tradition, a donné cette bouteille d'un jaune d'or soutenu, dont le nez franc révèle une vendange bien mûre. La bouche, pleine et équilibrée, reste le type de l'année. Du même domaine, le **sec 2000 (3 à 5 €)** a été également cité. Il accompagnera les fruits de mer.

🍷 Alain Joulin, 58, rue de Chenonceaux,
37270 Saint-Martin-le-Beau, tél. 02.47.50.28.49,
fax 02.47.50.69.73 ☑ ⵏ t.l.j. sf dim. 8h-20h

DOM. LEVASSEUR-ALEX MATHUR
Sec Amadeus 2000★

	1,19 ha	7 404	🍶	5 à 8 €

Claude Levasseur, qui a souvent figuré en bonne place dans le Guide, a pris sa retraite. Son successeur, Alex Mathur, bénéficie d'un équipement de choix et de 10 ha sur les premières côtes qui dominent la Loire. Il a tous les atouts pour réussir, témoin ce sec d'un jaune pâle brillant, au nez de coing un rien boisé. Bien mûre, équilibrée, la bouche ne peut renier son cépage, omniprésent. Une belle expression du chenin qui épousera la cause des crustacés. La **cuvée Dionys 2000, un demi-sec**, obtient, elle aussi, une étoile pour son côté charmeur.

🍷 Dom. Levasseur-Alex Mathur,
38, rue des Bouvineries, Husseau,
37270 Montlouis-sur-Loire,
tél. 02.47.50.97.06, fax 02.47.50.96.80 ☑ ⵏ r.-v.
🍷 Eric Gougeat

DOM. MARNE
Moelleux Cuvée des Coteaux 2000★

	0,59 ha	1 800	🍴🍶	5 à 8 €

Chaque génération a participé au développement de ce vignoble de 9 ha situé sur les hauts de Montlouis. La quatrième, représentée par Patrick Marné, s'est attachée à parfaire les installations de vinification et à agrandir la surface plantée en vignes. Un jaune d'or soutenu habille ce moelleux au nez de fruits exubérant. La bouche n'est pas en reste et décline des arômes de noisette, de caramel et de miel, nuancés d'une légère note de menthol. Un vin authentique dont la riche matière et l'équilibre font oublier les sucres pourtant très présents (60 g).

🍷 Patrick Marné, 14, rue du Chapitre,
37270 Montlouis-sur-Loire,
tél. 02.47.45.11.32, fax 02.47.45.07.49,
e-mail domaine.marne@wanadoo.fr ☑ ⵏ r.-v.

CAVE DE MONTLOUIS-SUR-LOIRE
Cuvée des Anges Méthode traditionnelle 1999

	77,28 ha	180 458	🍴🍶	5 à 8 €

Une cave coopérative très exigeante en qualité. A leur arrivée les vins sont soumis à l'examen sévère d'une commission qui les classe et les assemble selon leur aptitude. Cette Cuvée des Anges vous emmènera au paradis si vous appréciez sa bouche ronde, franche, équilibrée où le coing est présent à tous les instants.

🍷 Cave Coop. des Producteurs de Montlouis-sur-Loire,
2, rte de Saint-Aignan, 37270 Montlouis-sur-Loire,
tél. 02.47.50.80.98, fax 02.47.50.81.34,
e-mail cave-montlouis@france-vin.com
☑ ⵏ t.l.j. 8h-12h 14h-18h

DOMINIQUE MOYER
Méthode traditionnelle★★

	2 ha	8 000	🍴	5 à 8 €

Près de 12 ha de vignes entourent une élégante demeure bâtie au XVIIᵉs. par le duc de Choiseul qui voulait en faire un rendez-vous de chasse. Tout aussi élégante, cette méthode traditionnelle a emporté l'adhésion par son nez qui rappelle le coing et par sa bouche franche, fruitée, vineuse, longue à souhait. Quant au **sec 2000** du domaine, il a été cité par le jury.

🕤 Dominique Moyer, 2, rue de la Croix-des-Granges, 37270 Montlouis-sur-Loire,
tél. 02.47.50.94.83, fax 02.47.45.10.48 ☑ ⏱ r.-v.

DOM. DE L'OUCHE GAILLARD 1999

	2 ha	9 000	🍶	5 à 8 €

Ce domaine a grossi au fil des ans et couvre aujourd'hui plus de 12 ha. Il propose une méthode traditionnelle bien faite, d'un jaune soutenu, au nez de coing et d'un beau volume en bouche. Les fruits mûrs dominent la palette aromatique. Un vin équilibré et franc.
🕤 SCEA Dansault-Baudeau,
94, av. George-Sand, 37700 La Ville-aux-Dames,
tél. 02.47.44.36.23, fax 02.47.44.95.30 ☑ ⏱ r.-v.

CH. DE PINTRAY
Sec 2000★

	5 ha	12 000	🍶🍷	3 à 5 €

Le château de Pintray est une demeure d'un sobre classicisme (XVIᵉ-XIXᵉs.) entourée d'un parc. Lorsqu'il fut vendu comme bien national en 1790, le prix de ses terres atteignit presque celui du vignoble de Château Lafite. C'est dire la réputation qui s'attachait à ce terroir. Celui-ci a donné naissance à un sec au nez jeune qui s'ouvrira avec le temps. La bouche au joli fruité se développe dans une harmonie sans aspérités. Ce vin gagnera à vieillir. Du même vigneron, le **demi-sec 2000 (5 à 8 €)** a été cité pour ses notes à la fois fraîches et miellées.
🕤 Marius Rault, Ch. de Pintray,
37400 Lussault-sur-Loire,
tél. 02.47.23.22.84, fax 02.47.57.64.27,
e-mail marius.rault@wanadoo.fr ☑ 🏠 ⏱ t.l.j. 9h-20h

DOM. DE LA ROCHEPINAL
Tendre Les Grillonières 2000★★

	0,8 ha	4 300	🍶🍷	5 à 8 €

Hervé Denis s'est installé en 1989 sur moins de 3 ha après ses études de viti-œnologie suivies d'une expérience professionnelle dans les centres techniques. Aujourd'hui, à trente-huit ans, il est à la tête de plus de 14 ha de vignes, dont il a su tirer le meilleur. Son Tendre est un demi-sec plein de charme et d'élégance. Le nez discret s'ouvre à l'agitation sur des senteurs de fleurs blanches et de miel. La bouche conjugue ampleur et fraîcheur. Aussi remarquable, le **moelleux Sélection de Vieilles vignes 2000** est tout en légèreté et en finesse. Deux bouteilles d'avenir.
🕤 Hervé Denis, 4, rue de la Barre,
37270 Montlouis-sur-Loire,
tél. 02.47.45.16.65, fax 02.47.50.71.70,
e-mail herve.denis-vigneron@wanadoo.fr ☑ ⏱ r.-v.

LES ROCHES BLANCHES
Brut

	n.c.	n.c.	🍶🍷	5 à 8 €

Créée en 1997, la société Les Roches Blanches sélectionne des vins qu'elle élève et met en bouteilles. Sa clientèle ? Des restaurants, des cavistes, la grande distribution, plus un peu d'export. Elle propose une méthode traditionnelle qui plaira pour son nez typé, sa bouche équilibrée, franche et ronde et sa finale de fruits secs.
🕤 SARL Les Roches Blanches, 21, rue des Rocheroux, Husseau, 37270 Montlouis-sur-Loire,
tél. 02.47.50.80.70, fax 02.47.50.71.46 ☑ ⏱ r.-v.

DOM. DE LA TAILLE AUX LOUPS
Sec Rémus 2000★

	3 ha	12 900	🍾	8 à 11 €

Régulièrement bien placé dans le Guide, Jacky Blot a créé son domaine en 1989 et l'agrandit continuellement depuis lors. Il exploite aujourd'hui 16 ha de vignes dont une partie en vouvray. Dans cette année peu propice aux moelleux, c'est par deux secs qu'il se distingue. Sa cuvée Rémus présente un nez très intense de fruits mûrs, de coing, avec un léger boisé. La première bouche s'ouvre sur la pomme mûre et le bois ; la seconde, plus grasse, rappelle la vanille et termine sur l'amande et la châtaigne. Un vin qui allie puissance, rondeur et fruité délicat. L'autre **sec 2000, sans nom de cuvée (5 à 8 €)**, est plus vif, mais également boisé. Il reçoit la même note.
🕤 Dom. de la Taille aux Loups,
8, rue des Aitres, 37270 Montlouis-sur-Loire,
tél. 02.47.45.11.11, fax 02.47.45.11.14,
e-mail la-taille-aux-loups@wanadoo.fr
☑ ⏱ t.l.j. 9h-19h; f. dim. nov.-mars
🕤 Jacky Blot

DOM. DES TOURTERELLES
Demi-sec★

	2 ha	5 000		5 à 8 €

Jean-Pierre Trouvé tient de ses grands-parents 12 ha de vignes plantées sur les pentes argilo-calcaires et siliceuses des coteaux du Cher d'où naissent des vins typés. Cette méthode traditionnelle s'ouvre au nez sur des notes briochées très intenses qui évoluent vers les fleurs séchées et la paille. La bouche, après une attaque fraîche, confirme les arômes du nez. Pleine et marquée par le cépage, elle offre une bonne persistance. Un vin assez tendre à servir à l'apéritif, accompagné de fruits secs : raisin, figue, amande... Du même domaine, en vin tranquille, le **demi-sec 2000** est cité pour sa rondeur et son équilibre.
🕤 Jean-Pierre Trouvé, 1, rue de la Gare,
37270 Saint-Martin-le-Beau,
tél. 02.47.50.63.62, fax 02.47.50.63.62 ☑ ⏱ r.-v.

Vouvray

Un long vieillissement en cave et en bouteilles révèle toutes les qualités des vouvray, blancs nés au nord de la Loire, sur un vignoble de 2 000 ha qu'écorne au nord l'autoroute A10 (le TGV passe en tunnel) et que traverse la large vallée de la Brenne. Le cépage des blancs de Touraine, chenin blanc (ou pineau de la Loire), donne ici des vins tranquilles de haut niveau, colorés, très racés, secs ou moelleux selon les années, et des vins mousseux ou pétillants, très vineux. Si ces derniers sont bus assez jeunes, les vins tranquilles sont parfaitement aptes à une longue garde, qui leur donne de la complexité aromatique. Poissons, fromages (de chèvre) iront bien avec les uns, plats fins ou desserts légers avec les autres, qui feront aussi d'excellents apéritifs. Le millésime 2001 a donné 119 328 hl.

LOIRE

ABBAYE DE MARMOUTIER
Sec Clos de Rougemont 2000

	1,3 ha	7 000		5 à 8 €

Exploitant 26 ha sur la commune de Chançay, Michel Vigneau vient de replanter la parcelle sise à Tours dans l'enceinte de l'abbaye de Marmoutier où, selon la légende, saint Martin créa en 372 le premier vignoble de Vouvray. Ce sec est ainsi le tout premier vin de cet illustre clos. Issu de jeunes vignes, il n'a pas le développement d'un vin provenant de ceps âgés, mais a pour lui le fruit que donne ces pentes ensoleillées, caillouteuses, séparées de la Loire uniquement par les vieux murs de l'abbaye. Le **vouvray demi-sec Domaine Vigneau-Chevreau 2000** (5 à 8 €), élevé en fût, est également cité.

🕿 EARL Vigneau-Chevreau, 4, rue du Clos-Baglin, 37210 Chançay, tél. 02.47.52.93.22, fax 02.47.52.23.04 ☑ ⊻ t.l.j. sf dim. 9h-12h30 14h-18h30

JEAN-CLAUDE ET DIDIER AUBERT
Brut Réserve 2000★★

	8 ha	40 000		5 à 8 €

Jean-Claude et Didier Aubert, père et fils, mènent un beau domaine de 25 ha, dont les vignes s'étendent sur les meilleures côtes de la vallée Coquette. Ils présentent une méthode traditionnelle d'une grande finesse aromatique, où se mêlent des évocations florales (rose, violette et acacia) et fruitées (poire et banane mûre). L'attaque est agréable, présageant une bonne harmonie d'ensemble. La finale apporte une fraîcheur qui laisse le palais net.

🕿 Jean-Claude et Didier Aubert, 10, rue de la Vallée-Coquette, 37210 Vouvray, tél. 02.47.52.71.03, fax 02.47.52.68.38 ☑ ⊻ t.l.j. 8h30-12h30 14h-19h

DOM. DES AUBUISIERES
Brut★

	9 ha	60 000		5 à 8 €

Bernard Fouquet a pris la suite de son père en 1983 sur ce domaine de 23 ha de terres d'aubuis (argilo-calcaires, riches en éléments grossiers). Son brut non dosé obtient la faveur du jury. Cela peut surprendre quand on connaît la vivacité du chenin, mais ici rien de pointu. La bouche est ronde et longue, avec juste ce qu'il faut de fraîcheur et des évocations de noisette. Une jolie bouteille prête à boire. Cité, le **vouvray demi-sec Les Girardières 2000** (8 à 11 €) est proche d'un moelleux pour ses arômes de fruits mûrs.

🕿 Bernard Fouquet, Dom. des Aubuisières, 37210 Vouvray, tél. 02.47.52.67.82, fax 02.47.52.67.81, e-mail info@vouvrayfouquet.com ☑ ⊻ r.-v.

PASCAL BERTEAU ET VINCENT MABILLE
Demi-sec 2000★★

	1,3 ha	1 500		3 à 5 €

Pascal Berteau et Vincent Mabille mettent la dernière touche à leur chai imposant qui leur permettra de vinifier la récolte de façon rationnelle. C'est un demi-sec qui les distingue cette année. Expressif au nez par ses notes de vanille et son type chenin marqué, il présente en bouche un équilibre presque parfait entre le sucre et l'acidité. S'y ajoute une bonne matière qui se développe harmonieusement et lui donne incontestablement des qualités de garde. Le **vouvray brut (3 à 5 €)** de ces mêmes vignerons obtient une étoile.

🕿 GAEC BM, Vaugondy, 37210 Vernou-sur-Brenne, tél. 02.47.52.03.43, fax 02.47.52.03.43 ☑ ⊻ r.-v.

🕿 P. Berteau et V. Mabille

BONGARS
Moelleux 2000

	n.c.	5 500		5 à 8 €

Depuis 1997, Denise Bongars a repris le flambeau aux côtés de sa mère, Lucette, après la retraite de son père. Elle propose un vin délicat et élégant. Joliment équilibré, celui-ci laisse percer des accents de surmaturation qui justifient sa finale assez douce.

🕿 EARL Bongars, 232, coteau de Venise, 37210 Noizay, tél. 02.47.52.11.64, fax 02.47.52.05.75 ☑ ⊻ r.-v.

DOM. BOURILLON-DORLEANS
Sec La Coulée d'Argent 2000★★

	10 ha	30 000		5 à 8 €

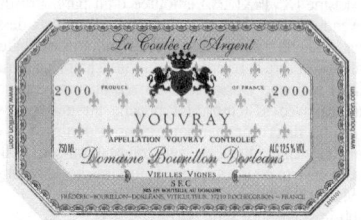

Il fallait la faire cette Coulée d'Argent. C'est un sec gras, puissant, long en bouche, avec des arômes marqués qui fusent de partout : grillé, cire d'abeille, vanille. L'équilibre est atteint avec un petit avantage pour la douceur qui lui donne une finale tendre. Un coup de cœur que l'on peut attendre si l'on a assez de patience. Frédéric Bourillon, qui exploite maintenant plus de 20 ha, s'est beaucoup investi pour développer l'exportation, notamment vers les pays anglo-saxons. Gageons que cette bouteille d'exception fera abondamment parler d'elle outre-Manche. Le **vouvray demi-sec La Bourdonnerie 2000** (20 g/l. de sucres résiduels), classé remarquable par le jury, consacre la réussite de ce jeune vigneron.

🕿 Frédéric Bourillon-Dorléans, 30 bis, rue de Vaufoynard, 37210 Rochecorbon, tél. 02.47.52.83.07, fax 02.47.52.82.19, e-mail info@bourillon.com ☑ ⊻ r.-v.

MARC BREDIF
Sec Vigne blanche Réserve privée 2000★★

	3 ha	8 000		8 à 11 €

Les établissements Marc Brédif sont considérés comme les pionniers de l'élaboration des effervescents dans le Vouvrillon. Dotés de magnifiques caves sur les bords de Loire, ils vinifient des vouvray depuis 1893. A la fois producteurs et négociants, ils n'ont jamais transigé avec la qualité. Les voilà bien récompensés cette année grâce à ce blanc sec à la belle robe jaune paille, d'où émanent des arômes de fleurs et d'agrumes évoluant lentement vers les fruits exotiques. L'attaque souple laisse place à une structure ronde, dense, avec un bon prolongement. L'ensemble est fin et élégant. Pour compléter ce tableau, le **vouvray pétillant brut** (5 à 8 €) reçoit une étoile.

RÉSERVE PRIVÉE
VIGNE BLANCHE
VOUVRAY
APPELLATION VOUVRAY CONTRÔLÉE
2000
750 ml   MARC BRÉDIF   13 % vol.
Mis en bouteille par Marc Brédif - Rochecorbon (Indre et Loire), France
PRODUCT OF FRANCE

⚓ Marc Brédif, 87, quai de la Loire,
37210 Rochecorbon, tél. 02.47.52.50.07,
fax 02.47.52.53.41, e-mail bredif.loire@wanadoo.fr
☑ Ⴑ t.l.j. sf dim. 9h-12h30 14h-18h30
⚓ de Ladoucette

YVES BREUSSIN
Brut★

	3 ha	15 000	∎↓	3 à 5 €

On ne passe pas à Vaugondy sans s'arrêter chez Yves Breussin. On manquerait l'occasion de parler avec lui du terroir de Vouvray et de déguster cette méthode traditionnelle. Le nez d'abricot, d'amande grillée et de pomme se confirme dans une bouche jeune et vive. Fraîche, légère, cette bouteille est faite pour un après-midi d'été. La même note est attribuée au **demi-sec 2000** qui s'exprime avec fermeté et peut prendre de l'âge. Enfin, une citation pour le **vouvray sec 2000**, élevé en fût, souple et de longueur honorable.
⚓ GAEC Yves et Denis Breussin,
Vaugondy, 37210 Vernou-sur-Brenne,
tél. 02.47.52.18.75, fax 02.47.52.13.66,
e-mail breussindenis@aol.com ☑ Ⴑ r.-v.

VIGNOBLES BRISEBARRE
Sec 2000★★

	12 ha	15 000	∎⑪↓	8 à 11 €

Philippe Brisebarre cultive 21 ha sur le terroir argilo-calcaire de Vouvray et pratique la lutte intégrée. Puissant, bien équilibré avec ce qu'il faut de gras et d'élégance, son vouvray sec représente parfaitement l'appellation. Ce producteur, avec sa cuvée **Fines Bulles brut** très réussie, fait moisson de récompenses cette année.
⚓ EARL Philippe Brisebarre, La Vallée-Chartier,
37210 Vouvray, tél. 02.47.52.63.07, fax 02.47.52.65.59
☑ Ⴑ t.l.j. sf dim. 8h30-12h15 14h-19h; groupes sur r.-v.

ROGER FELICIEN BROU
Brut★

	n.c.	120 000	∎↓	5 à 8 €

Dirigée par Christian Dumange, cette maison créée en 1969 est spécialisée dans l'élaboration de vins effervescents. Cette méthode traditionnelle libère des bulles fines et régulières dans une robe jaune pâle. Elle est mise en valeur par son équilibre et son fruité. C'est une bouteille franche, droite, qui jouera les apéritifs avec succès.
⚓ SA Roger Félicien Brou,
10, rue Vauvert, 37210 Rochecorbon,
tél. 02.47.52.54.85, fax 02.47.52.82.05

DOM. GEORGES BRUNET
Demi-sec 2000★

	2 ha	4 500	∎⑪	5 à 8 €

Ce petit domaine de 11 ha appartenait autrefois au château de Sens, aujourd'hui siège d'une société d'informatique. La qualité du terroir demeure, et cela se note dans ce demi-sec au nez très développé évoquant les fleurs. En bouche, il donne une impression d'équilibre et de solidité. Il évoluera bien. En attendant, on peut le boire pour lui-même, sans chercher un accord sur la table.
⚓ Georges Brunet, 12, rue de la Croix-Mariotte,
37210 Vouvray, tél. 02.47.52.60.36, fax 02.47.52.75.38,
e-mail info@vouvray-brunet.com ☑ Ⴑ t.l.j. 8h-20h

DOM. LE CAPITAINE
Brut 1998

	10 ha	20 000	∎↓	5 à 8 €

Toujours bien barré, un vaisseau pour emblème chez les frères Le Capitaine. Cette méthode traditionnelle brut, de belle couleur à reflets argentés, possède une bouche agréable, quoique vive. Une bouteille à servir à l'apéritif. Le **demi-sec 2000**, proche d'un moelleux, se distingue par sa bonne typicité et obtient une citation.
⚓ Dom. Le Capitaine,
23, rue du Cdt-Mathieu, 37210 Rochecorbon,
tél. 02.47.52.51.84, fax 02.47.52.85.23 ☑ Ⴑ r.-v.

VINCENT CAREME
Brut 2000★★

	2 ha	8 000	∎↓	5 à 8 €

C'est son père Gilles qui a mis Vincent Carême sur les rails voilà trois ans. En attendant plus grand, ce vigneron peaufine son petit vignoble de 7 ha, sis sur les coteaux qui dominent le lit majeur de la Loire. Bien lui en prend car voilà une méthode traditionnelle qui fera des adeptes : arômes à profusion, bonne longueur et surtout délicatesse et charme. Le **vouvray 2000** est cité pour la qualité de son boisé.
⚓ Vincent Carême, 6, allée de la Vallée-Chartier,
37210 Vouvray, tél. 02.47.52.71.28 ☑ Ⴑ r.-v.

CHAMPALOU
Brut 1999★

	12 ha	25 000		5 à 8 €

Didier et Catherine Champalou proposent cette année encore une jolie méthode traditionnelle brut. La robe jaune paille à reflets verts est parsemée de bulles fines qui s'égrènent lentement le long du verre. Le nez développe un bouquet floral intense. La bouche possède une rondeur et une harmonie rares, où se mêlent des senteurs de fruits et de caramel. Les deux vignerons obtiennent une étoile également pour le **moelleux, cuvée des Fonderaux 2000** (8 à 11 €), prometteur, et une citation pour le **Champalou sec 2000**, très aromatique.
⚓ Catherine et Didier Champalou,
7, rue du Grand-Ormeau, 37210 Vouvray,
tél. 02.47.52.64.49, fax 02.47.52.67.99,
e-mail champalou@wanadoo.fr ☑ Ⴑ r.-v.

DOM. CHAMPION
Sec 2000★

	2 ha	4 000	⑪	5 à 8 €

A une vingtaine de kilomètres des châteaux d'Amboise et de Chenonceau, Gilles Champion et son fils Pierre exploitent un domaine de 13 ha. Leur vouvray sec, paré d'une robe jaune pâle, libère de nombreuses senteurs de fruits mûrs (litchi, ananas) mêlées d'accents floraux. C'est une jolie expression du vouvray. La bouche ne manque ni d'arômes ni de gras, et sa rondeur lui confère une finale flatteuse. Une réussite pour le court et le long terme. Le **vouvray moelleux 2000** (50 g/l. de sucres résiduels) est cité pour ses qualités de garde.

➥ GAEC Champion, 57, Vallée-de-Cousse, 37210 Vernou-sur-Brenne, tél. 02.47.52.02.38, fax 02.47.52.05.69 ☑ ⟨ t.l.j. sf dim. 8h-12h30 14h-19h

DOM. DU CLOS DE L'EPINAY
Brut Tête de cuvée 1999★

10 ha	20 000	▮♦	8 à 11 €

Le Clos de l'Epinay, une vinerie qui a peut-être appartenu au duc de Choiseul, fête son tricentenaire cette année. C'était l'occasion d'élaborer une méthode traditionnelle à la hauteur de l'événement. La robe jaune doré soutenu s'anime des chapelets de bulles fines, joyeuses. Les senteurs de tilleul, d'acacia, de praline précèdent celles d'abricot. En bouche, les arômes du nez sont confirmés. Vient ensuite une petite vivacité qui n'enlève rien au charme du vin.

➥ Luc Dumange, Dom. du Clos de L'Epinay, L'Epinay, 37210 Vouvray, tél. 02.47.52.61.30, fax 02.47.52.71.31, e-mail ldumange@terre-net.fr ☑ ⟨ t.l.j. 10h-17h30; sam. dim. 14h30-17h30

DOM. DU CLOS DES AUMONES
Brut 1999

2 ha	12 000	▮♦	8 à 11 €

Philippe Gaultier cultive 16 ha de vignes sur les premières côtes de Rochecorbon. Il se distingue cette année avec une méthode traditionnelle très florale, plutôt corsée, au caractère brut affirmé. Son **vouvray sec 2000** (5 à 8 €), élevé six mois en fût, obtient une citation.

➥ Philippe Gaultier, 10, rue Vaufoynard, 37210 Rochecorbon, tél. 02.47.54.69.82, fax 02.47.42.62.01, e-mail domaine-du-clos-des-aumones@nomade.fr ☑ ⟨ r.-v.

DOM. THIERRY COSME
Sec 2000★

1 ha	n.c.	▮	3 à 5 €

Un vigneron installé depuis plus de douze ans sur un domaine de 14 ha, dont les vignes couvrent les coteaux qui dominent l'ancien lit de la Loire. Un vin de terroir qui décline au nez toutes les senteurs caractéristiques du chenin : beaucoup de fruits et du miel. Assez vive à l'attaque, la bouche prend du corps, s'amplifie et maintient son équilibre pour aller vers une finale assez longue. Une bouteille à boire ou à conserver.

➥ Thierry Cosme, 11-27, rte de Nazelles, 37210 Noizay, tél. 02.47.52.05.87, fax 02.47.52.11.36 ☑ ⟨ r.-v.

DOM. DE LA CROIX DES VAINQUEURS
Brut 1999

4 ha	18 000	▮♦	5 à 8 €

C'est dans l'habitation troglodytique datant de 1740 que vous dégusterez cette méthode traditionnelle au nez puissant et vineux. Très moussante en bouche, elle reste équilibrée. Un vin prêt à boire. Le **vouvray demi-sec 2000**, aux arômes de raisin surmûri, est également cité.

➥ Francis Denis, 6, rue de la Bergeonnerie, 37210 Chançay, tél. 02.47.52.23.31, fax 02.47.52.23.31 ☑ ⟨ ⟨ r.-v.

MAISON DARRAGON
Demi-sec Le Haut des Ruettes 2000

n.c.	3 500		5 à 8 €

Ce demi-sec à la robe jaune paille limpide développe un nez floral nuancé d'épices. La même intensité aromatique est perceptible dans une bouche grasse et généreuse, qui maintient son équilibre tout au long de la dégustation. Un chenin de haute typicité.

➥ Maison Darragon, 34, rue de Sanzelle, 37210 Vouvray, tél. 02.47.52.74.49, fax 02.47.52.64.96, e-mail darragon@libertysurf.fr ☑ ⟨ t.l.j. 9h-12h 14h-19h

REGIS FORTINEAU
Pétillant 2000

2 ha	10 000	▮	5 à 8 €

Régis Fortineau, à la tête de 11 ha de vignes, avait déjà proposé un de ces rares pétillants à la dégustation du Guide 2001. Aujourd'hui, il retrouve une bonne place avec ce vouvray typé, dont le fruit n'est pas écrasé par le gaz carbonique. Assez dosé, ce vin flattera le palais à l'apéritif.

➥ Régis Fortineau, 4, rue de la Croix-Mariotte, 37210 Vouvray, tél. 02.47.52.63.62, fax 02.47.52.69.97 ☑ ⟨ r.-v.

DOM. FRANCOIS VILLON
Brut 2000

n.c.	60 000	▮♦	5 à 8 €

Le domaine de près de 17 ha de vignes faisait partie autrefois du clos des Pentes, l'un des plus vieux vignobles de Rochecorbon. Cette méthode traditionnelle présente des bulles régulières et fines. Sa bouche équilibrée dévoile une structure corsée et s'achève sur le fruit typique du chenin. Du classique.

➥ Christian Dumange, Dom. François Villon, Les Maisons, 37210 Rochecorbon, tél. 02.47.52.54.85, fax 02.47.52.82.05

JEAN-PIERRE FRESLIER
Sec 2000★

2 ha	9 000	▥	5 à 8 €

Le domaine de Jean-Pierre Freslier, qui couvre une dizaine d'hectares, se partage entre les hauts de la vallée Coquette et les Quarts de Moncontour. Ce dernier lieu-dit a la réputation de produire du « meilleur », comme on dit à Vouvray. C'est le côté minéral qui séduit d'abord dans ce vin sec, puis une impression massive, mais ronde, et un prolongement honorable. Le tout, franc, équilibré, sans reproche. Un vouvray fait pour la garde. Du même vigneron, deux méthodes traditionnelles : la première, tout en harmonie, **pétillant demi-sec**, obtient une étoile, la seconde, **brut**, est citée.

➥ Jean-Pierre Freslier, 92, rue de la Vallée-Coquette, 37210 Vouvray, tél. 02.47.52.76.61, fax 02.47.52.78.65 ☑ ⟨ ⟨ t.l.j. 8h-12h 13h30-19h30; dim. 8h30-12h

DOM. DE LA GALINIERE
Sec Terroir 2000★

2 ha	5 000	▥	5 à 8 €

Vendanges en caissettes, pressurages longs et délicats, fermentations de trois mois en fût et élevage sur lies fines : on prend son temps à La Galinière, mais c'est dans l'intérêt du vin. Le résultat ? Un sec d'un équilibre parfait, fruité et élégant. Les sucres résiduels se manifestent discrètement. C'est une bouteille à garder quelques années. La méthode traditionnelle **cuvée Clément 98** obtient une citation.

🕿 EARL Dom. de la Galinière,
La Galinière, 37210 Vernou-sur-Brenne,
tél. 02.47.52.15.92, fax 02.47.52.15.92 ☑ ⊥ r.-v.

DOM. GANGNEUX
Sec 2000

1 ha	5 700	⑪	5 à 8 €

« La tradition, c'est le respect scrupuleux des méthodes ancestrales de culture et de vinification sans cesse en harmonie avec la nature », dit Gérard Gangneux. Son vin, à la bouche puissante et ferme, trouve un bon équilibre entre sucre et vivacité. Il pourra se mettre à table dans deux ou trois ans.

🕿 Gérard Gangneux, 1, rte de Monnaie,
37210 Vouvray, tél. 02.47.52.60.93, fax 02.47.52.67.66
☑ ⊥ t.l.j. sf dim. 8h-12h 14h-19h

CH. GAUDRELLE
Sec 2000

7 ha	35 000	⑪	5 à 8 €

Cette ancienne gentilhommière fût mentionnée au XVIᵉ s. dans les archives départementales. Le vignoble environnant couvre 14 ha et s'étend sur les hauts de Vouvray. L'ensemble avait été constitué par Armand Monmousseau, une figure de la profession du vin. Aujourd'hui, son fils Alexandre gère cet ensemble. Il propose ce vin fruité. La bouche équilibrée se termine dans une impression de douceur. On a affaire à un sec tendre, prêt à boire. Egalement cité, le **Sec de Château Gaudrelle 2000 (8 à 11 €)**, élevé douze mois en fût, possède un caractère boisé très marqué.

🕿 EARL A. Monmousseau, Ch. Gaudrelle,
87, rte de Monnaie, 37210 Vouvray, tél. 02.47.52.67.50,
fax 02.47.52.67.98, e-mail gaudrelle@libertysurf.fr ☑

DOM. SYLVAIN GAUDRON
Sec 2000★

1 ha	6 500	▮	3 à 5 €

Sylvain Gaudron, c'est le père. Désormais, c'est Gilles le fils qui conduit le vignoble de 17 ha et vinifie dans une superbe cave creusée au XIIIᵉs. Ce vouvray sec en est issu. Il livre un nez intense d'épices, d'amande et d'acacia. La bouche est fraîche, légère et bien équilibrée. Une belle bouteille à servir avec un poisson ou une viande blanche.

🕿 EARL Dom. Sylvain Gaudron, 59, rue Neuve,
37210 Vernou-sur-Brenne, tél. 02.47.52.12.27,
fax 02.47.52.05.05 ☑ ⊥ r.-v.

🕿 Gilles Gaudron

BENOIT GAUTIER
Demi-sec 2000★

3 ha	3 000	▮⑪	5 à 8 €

Benoît Gautier, qui a créé son exploitation en 1981, s'est toujours attaché, en choisissant des parcelles à sol argilo-calcaire, à produire des vins très typés, tel ce demi-sec. Celui-ci, de caractère, reste souple et bien équilibré, avec une bonne longueur. Ses arômes de vanille rappellent son séjour de six mois en fût. Le **Clos de La Lanterne sec 2000 (8 à 11 €)** et la **cuvée Antique brut de Gautier 99 (8 à 11 €)** sont cités.

🕿 Benoît Gautier, Dom. de La Châtaigneraie,
37210 Rochecorbon, tél. 02.47.52.84.63,
fax 02.47.52.84.65, e-mail info@vouvraygautier.com
☑ ⊥ r.-v.

DOM. DE LA GAVERIE
Brut★★

3 ha	10 000	▮	5 à 8 €

Ce domaine couvre 18 ha sur un sol argilo-calcaire et argilo-siliceux, non loin de la grange de Parçay-Meslay. Il propose une méthode traditionnelle à la bouche ronde harmonieuse, où le caramel et les fruits mûrs se développent. Cette bouteille prometteuse se bonifiera encore avec le temps. Noté une étoile, le **vouvray moelleux 2000** mérite de vieillir pour se parfaire.

🕿 GAEC de la Pinsonnière,
13, rue de la Pinsonnière, 37210 Parçay-Meslay,
tél. 02.47.29.14.43, fax 02.47.29.14.43 ☑ ⊥ r.-v.

🕿 Philippe et Vincent Gasnier

JEAN-PIERRE GILET
Brut

4 ha	20 000	▮	5 à 8 €

Au Moyen Age, la seigneurie de Parçay dépendait de l'abbaye de Marmoutier qui entretenait un important vignoble. Ce n'était pas le hasard, le terroir y avait déjà bonne réputation. Jean-Pierre Gilet y exploite 7 ha aujourd'hui. Son vin, très « terroité » au nez, présente en bouche une mousse fine et abondante qui laisse une heureuse impression de fruits secs. Sérieuse, bien faite, cette bouteille fera plaisir tout de suite, mais pourra aussi prendre un peu d'âge.

🕿 Jean-Pierre Gilet, 5, rue de Parçay,
37210 Parçay-Meslay,
tél. 02.47.29.12.99, fax 02.47.29.07.96 ☑ ⊥ r.-v.

C. GREFFE
Brut Carte noire★

n.c.	60 000	▮	5 à 8 €

Cette maison d'élaboration a pignon sur la rue Neuve à Vernou, le chemin que prenait Jeanne d'Arc pour aller à Orléans ; elle a racheté la marque Christiane Greffe en 1999 et s'est toujours montrée exigeante dans le choix de ses vins de base. Cette méthode traditionnelle est un vin jeune, léger, mais de belle matière. Si ses arômes sont divers au nez, il reste au palais une évocation de sous-bois des plus plaisantes. Le **vouvray brut Tête de cuvée 2000** obtient la même note.

🕿 C. Greffe, 35, rue Neuve, 37210 Vernou-sur-Brenne,
tél. 02.47.52.12.24, fax 02.47.52.09.56,
e-mail savardja@club-internet.fr ☑ ⊥ r.-v.

🕿 Jacques Savard

DANIEL JARRY
Demi-sec 2000★

1,9 ha	11 000	⑪	3 à 5 €

Daniel Jarry n'a pas de successeur, il ralentit ainsi ses activités. Il a cédé une partie de ses vignes et se consacre cette année aux 5,5 ha qui lui restent. C'est l'occasion de faire encore mieux. Son demi-sec est de belle expression, calé dans le type vouvray, avec un équilibre parfait et des évocations d'agrumes. Une petite note minérale en fin de bouche lui donne du caractère.

🕿 Daniel Jarry, 99, rue de la Vallée-Coquette,
37210 Vouvray, tél. 02.47.52.78.75, fax 02.47.52.67.36,
e-mail daniel.jarry@terre-net.fr ☑ ⊥ t.l.j. sf dim. 8h-19h

DOM. DES LAURIERS
Brut 1999★

	2,5 ha	10 000	🍾	5 à 8 €

Les vignes se cultivent de père en fils chez les Kraft depuis huit générations. Elles constituent aujourd'hui un bel ensemble de 13 ha, plus qu'il n'en faut pour occuper ce viticulteur qui se rappelle à votre bon souvenir chaque année dans le Guide. C'est une méthode traditionnelle qui l'emporte, dont la qualité première est d'être aromatique. Viennent ensuite finesse et élégance. Un apéritif idéal qui vous laissera les papilles fraîches pour faire honneur à la table.

🍇 Laurent Kraft, 29, rue du Petit-Coteau, 37210 Vouvray, tél. 02.47.52.61.82, fax 02.47.52.61.82, e-mail lkraft@wanadoo.fr
☑ Ⴁ t.l.j. sf dim. 8h-12h 14h-19h

DOM. DES LOCQUETS
Sec 2000★

	1 ha	4 000	🍾🍷	5 à 8 €

Les 12 ha de vignes de ce domaine correspondent à l'un des premiers vignobles de Vouvray, implantés par l'abbaye de Marmoutier. La vendange 2000 a donné naissance à ce vin jaune clair aux reflets argentés qui s'ouvre généreusement sur des arômes de fleurs, d'abricot, de fruits exotiques. Après une attaque souple, la bouche développe toute sa richesse et ses parfums jusque dans une finale à la note un peu minérale.

🍇 Michel Deniau, 27, rue des Locquets, 37210 Parçay-Meslay, tél. 02.47.29.15.29, fax 02.47.29.15.29 ☑ Ⴁ r.-v.

DANIEL MABILLE
Moelleux 2000

	n.c.	3 900	🍷	5 à 8 €

Voilà plus de quarante ans que Daniel Mabille cultive ses vignes de la vallée Chartier qui débouche sur la Loire. Il a une longue expérience de la culture, de la vendange du raisin surmûri et des vinifications délicates des moelleux. Son 2000 évoque le fruit mûr à tout instant. Il est souple, léger et se prolonge agréablement en bouche. Il est bon pour le service.

🍇 Daniel Mabille, 25, rue de la Vallée-Chartier, 37210 Vouvray, tél. 02.47.52.75.22, fax 02.47.52.75.22 ☑ Ⴁ r.-v.

FRANCIS MABILLE
Demi-sec 2000★

	0,5 ha	2 446	🍾🍷	5 à 8 €

Francis Mabille a vécu toute sa jeunesse avec des vignerons, parents et grands-parents, et c'est tout naturellement qu'il s'est tourné vers cette profession. Son demi-sec, tout empreint d'arômes de pêche et de fleurs blanches, joue en bouche avec délicatesse, dans un bon équilibre sucre-acidité. Il est prêt à boire. Quant à son **vouvray sec 2000**, il est cité.

🍇 Francis Mabille, 17, Vallée-de-Vaugondy, 37210 Vernou-sur-Brenne, tél. 02.47.52.01.87, fax 02.47.52.19.41 ☑ Ⴁ r.-v.

GILLES MADRELLE
Moelleux 2000★

	0,4 ha	1000	🍾	5 à 8 €

Un vignoble créé au lendemain de la guerre et que la famille Madrelle a bien agrandi. Aujourd'hui, il couvre près de 12 ha sur les premiers coteaux de la Loire, face au sud. Ce moelleux, à 42 g/l de sucres résiduels, dispose de beaucoup d'atouts : ampleur, équilibre, harmonie, évocations de miel et de cire. On sent une vendange bien mûre, récoltée dans des conditions parfaites. Un vin de garde, il va de soi. Le **demi-sec 2000** et le **vouvray pétillant brut cuvée Louis 99** méritent une citation.

🍇 EARL Gilles Madrelle, 24, rue de la Vallée-Chartier, 37210 Vouvray, tél. 02.47.52.78.59, fax 02.47.52.78.59
☑ 🏠 Ⴁ r.-v.

MARC ET LAURENT MAILLET
Brut 1998★

	4,25 ha	16 500	🍾🍷	5 à 8 €

Le domaine Maillet compte désormais plus de 22 ha dans la vallée Coquette. Ses caves immenses creusées dans le roc ont abrité cette méthode traditionnelle remarquée par sa mousse fine, abondante, et ses arômes qui se développent dans une bouche tendre et longue. C'est un vin bien dosé, habilement élaboré. Très réussi également, le **moelleux 2000**, élevé six mois en fût, pourra attendre et rester tout aussi gourmand.

🍇 EARL Marc et Laurent Maillet, 101, rue de la Vallée-Coquette, 37210 Vouvray, tél. 02.47.52.76.46, fax 02.47.52.63.06 ☑ Ⴁ r.-v.

DOM. DU MARGALLEAU
Brut 1999

	4 ha	20 000	🍾🍷	5 à 8 €

Bruno et Jean-Michel Pieaux dirigent 25 ha de vignes issus d'un regroupement de biens familiaux. Ils proposent un vin dont le caractère brut est indéniable. La belle attaque est suivie d'une impression de finesse et d'élégance. Une bouteille équilibrée destinée à l'apéritif comme à la table.

🍇 GAEC Bruno et Jean-Michel Pieaux, Vallée de Vaux, rue du Clos-Baglin, 37210 Chançay, tél. 02.47.52.25.51, fax 02.47.52.27.59 ☑ Ⴁ r.-v.

MAISON MIRAULT
Demi-sec★

	n.c.	18 000	🍾🍷🍷	5 à 8 €

Philippe Mirault dirige cet établissement réputé pour ses vins effervescents. Dans cette méthode traditionnelle, les sucres s'harmonisent parfaitement avec les autres constituants et les arômes de fruits frais sont développés. Les belles bouteilles demi-sec sont assez rares : réservez celle-ci à une tarte ou à un dessert pas trop sucré.

🍇 Maison Mirault, 15, av. Brûlé, 37210 Vouvray, tél. 02.47.52.71.62, fax 02.47.52.60.90, e-mail maisonmirault@wanadoo.fr
☑ Ⴁ t.l.j. 8h-12h 13h30-18h30; dim. sur r.-v.

CH. MONCONTOUR
Demi-sec 2000

	12 ha	80 000	🍾🍷	3 à 5 €

Balzac convoita longtemps ce château du XVe s., remanié au XVIIIe s., qui veille aujourd'hui sur un vignoble de 140 ha ; il abrite un chai impressionnant et une collection de vieux outils vitivinicoles. Ce demi-sec, assez riche en sucres résiduels, possède un nez intense, au caractère de fruits mûrs. La bouche, longue, est d'un bon équilibre. A boire ou à garder.

🍇 Ch. Moncontour, 37210 Vouvray, tél. 02.47.52.60.77, fax 02.47.52.65.50, e-mail info@moncontour.com ☑ Ⴁ r.-v.
🍇 M. et Mme Feray

CH. DE MONTGOUVERNE
Demi-sec 2000★

| | n.c. | 14 000 | ▮♨ | 5 à 8 € |

Frédéric Bourillon propose un demi-sec jaune doré, dont le nez de coing et d'abricot bien mûrs finit sur des nuances de fruits secs. La bouche, équilibrée, est empreinte de cette même sensation fruitée. La longueur de la finale parachève l'harmonie de ce vin de garde. La **cuvée demi-sec Gaston-Dorléans 2000** obtient la même note, avec un potentiel de vieillissement équivalent.
🍴 SARL Frédéric Bourillon,
4, rue du Châlateau, 37210 Rochecorbon,
tél. 02.47.52.83.07, fax 02.47.52.82.19

DOM. D'ORFEUILLES
Sec Silex d'Orfeuilles 2000★

| | 2 ha | 4 650 | ▮⊞♨ | 8 à 11 € |

Le nom de cette cuvée rappelle que le vignoble se situe dans une partie de l'AOC caractérisée par ses sols riches en silex, sur les communes de Chançay et de Reugny. Un côté minéral apparaît ainsi à la dégustation. L'attaque est vive et fraîche, mais la bouche gagne vite en rondeur et souplesse. Les arômes de fruits mûrs — abricot et fruits confits — sont présents tant au nez qu'en bouche, tandis que l'accent minéral s'impose en finale. La cuvée classique **Domaine d'Orfeuilles sec 2000** obtient une citation.
🍴 EARL Bernard Hérivault, La Croix-Blanche,
37380 Reugny, tél. 02.47.52.91.85, fax 02.47.52.25.01,
e-mail earl.herivault@france-vin.com ☑ 🍷 r.-v.

VINCENT PELTIER
Brut 2000★★

| | 1 ha | 8 100 | ▮ | 3 à 5 € |

Au début des années 1990, Vincent Peltier a creusé dans le coteau des caves de vieillissement étagées sur quatre niveaux. Il y élabore des vins de qualité, comme cette méthode traditionnelle aux bulles fines régulières, au nez de fruits frais et à la bouche flatteuse. Cette bouteille de fête ne doit manquer aucune célébration. Le **pétillant brut 98**, très réussi, semble être de la même veine.
🍴 Vincent Peltier, 41 *bis*, rue de la Mairie,
37210 Chançay, tél. 02.47.52.93.34, fax 02.47.52.96.98
☑ 🍷 r.-v.

DOM. LE PEU DE LA MORIETTE
Sec 2000

| | 10 ha | 20 000 | ⊞ | 5 à 8 € |

Jean-Claude et Christophe Pichot, le père et le fils, ne sont pas peu fiers quand ils font visiter leur cave creusée sur plusieurs niveaux et où trône un curieux pressoir du XVIᵉˢ. Il en est passé certainement des belles bouteilles dans ce dédale de galeries. Celle-ci en fait partie, avec sa robe brillante, jaune vert, et ses arômes de brioche. La bouche est tendre, sans vivacité. Un mets en sauce blanche lui conviendrait parfaitement.
🍴 EARL Jean-Claude et Christophe Pichot,
32, rue de la Bonne-Dame, 37210 Vouvray,
tél. 02.47.52.62.55, fax 02.47.52.66.59,
e-mail domaine.pichot@wanadoo.fr ☑ 🍷 r.-v.

FRANCOIS PINON
Demi-sec Cuvée Tradition 2000

| | 3 ha | 10 000 | ▮⊞♨ | 5 à 8 € |

La vallée de Cousse, cernée par le vignoble, est un haut lieu des randonneurs, tant sont pittoresques les maisons accolées au coteau et les entrées de caves aux portes impressionnantes. Le vin y tient bien sûr la vedette. Celui de François Pinon se pose en vouvray typique, apte à une petite garde. Équilibré, frais, il est tout indiqué pour une charcuterie tourangelle.
🍴 François Pinon, 55, rue Jean-Jaurès,
Vallée-de-Cousse, 37210 Vernou-sur-Brenne,
tél. 02.47.52.16.59, fax 02.47.52.10.63 ☑ 🍷 r.-v.

DOM. DE LA POULTIERE
Brut

| | 5 ha | 25 000 | ▮♨ | 3 à 5 € |

Ce vignoble de 17 ha de vignes, perchées sur les coteaux de la vallée de la Brenne, a produit un vin flatteur, frais, qui joue l'élégance. Les arômes de coing, d'agrumes, de fleurs qui semblent sortir de ses chapelets de bulles très fines y sont certainement pour quelque chose. Lui confier l'animation d'un goûter entre amis.
🍴 Michel et Damien Pinon,
29, rte de Châteaurenault, 37210 Vernou-sur-Brenne,
tél. 02.47.52.15.16, fax 02.47.52.07.07
☑ 🍷 t.l.j. sf dim. 9h-12h 14h-19h

VINCENT RAIMBAULT
Brut 1998★

| | 2,6 ha | 20 000 | ▮♨ | 5 à 8 € |

C'est une méthode traditionnelle vive et légère que propose ce producteur à la tête de 16 ha de vignes sur les coteaux de la vallée de la Brenne. Le nez comme la bouche évoquent poire, coing, melon et amande grillée. Il convient de boire maintenant cette bouteille pour profiter de son fruit ou de l'attendre un peu pour que son caractère s'affirme.
🍴 Vincent Raimbault, 9, rue des Violettes,
37210 Chançay, tél. 02.47.52.92.13, fax 02.47.52.24.90
☑ 🍷 t.l.j. sf dim. 9h30-12h30 14h-19h; f. 10-20 août

J. ET G. RAIMBAULT
Sec 2000

| | 2 ha | 3 500 | ▮⊞♨ | 5 à 8 € |

Si vous visitez le domaine de Jean et Ghislaine Raimbault, frère et sœur, empruntez l'escalier en colimaçon qui dessert les caves creusées dans le roc : vous retrouverez à l'air libre, devant le spectacle de la vallée de la Loire et du château d'Amboise en toile de fond. Ce 2000 est un sec tendre, qui a conservé un peu de sucres résiduels. Il est rond, léger, joliment parfumé, et accompagnera avec succès un poisson au four.
🍴 GAEC J. et G. Raimbault, 186, coteau des Vérons,
37210 Noizay, tél. 02.47.52.00.10, fax 02.47.52.05.29,
e-mail contact@vouvray-jg-raimbault.com
☑ 🍷 t.l.j. 9h-12h30 14h-19h; sam. dim. sur r.-v.

ALAIN ROBERT ET FILS
Sec 2000★

| | 3 ha | 16 000 | ▮♨ | 3 à 5 € |

Ces deux vignerons cultivent 23 ha. Un travail méticuleux et soigné a présidé à l'élaboration d'un vin sec, dont la typicité a séduit le jury. Gras, long en bouche, bien équilibré surtout, ce vouvray occupera une place d'honneur à table. Du même vignoble, le **vouvray brut 2000** obtient une citation.
🍴 Alain Robert et Fils, Charmigny, 37210 Chançay,
tél. 02.47.52.97.97, fax 02.47.52.27.24 ☑ 🍷 r.-v.

LOIRE

DOM. DE LA TAILLE AUX LOUPS
Sec Clos de Venise 2000★★

| | 1 ha | 5 000 | | 8 à 11 € |

Pour les amateurs de montlouis, le nom de Jacky Blot est familier. Il fait des merveilles de l'autre côté de la Loire et y a acquis une bonne notoriété. Le voilà en vouvray pour la deuxième année consécutive. Son secret : beaucoup de soins à la vendange et à la vinification. « Vin de grande table », a déclaré le jury, par sa puissance, sa rondeur et son équilibre. Une bouteille gourmande, riche, qu'il sera bien difficile de laisser vieillir.
☛ Dom. de la Taille aux Loups,
8, rue des Aitres, 37270 Montlouis-sur-Loire,
tél. 02.47.45.11.11, fax 02.47.45.11.14,
e-mail la-taille-aux-loups@wanadoo.fr
☑ ☷ t.l.j. 9h-19h; f. dim. nov.-mars
☛ Jacky Blot

DOM. DE VAUGONDY
Sec 2000★

| | 2 ha | 9 000 | | 5 à 8 € |

Vaugondy est le nom d'une vallée encadrée de coteaux viticoles pentus et bien exposés. Ce vin sec en est issu. Il se distingue par une robe jaune doré aux reflets chatoyants. Le nez développé évoque les fruits confits et l'amande. La bouche, souple, offre beaucoup de gras et de rondeur. Le bon équilibre d'ensemble se confirme dans une finale fraîche où percent des arômes d'agrumes. Philippe Perdriaux présente également un **vouvray moelleux 2000**, cité pour sa bouche pleine, longue et sa finale vive.
☛ EARL Perdriaux,
3, Les Glandiers, 37210 Vernou-sur-Brenne,
tél. 02.47.52.02.26, fax 02.47.52.04.81 ☑ ☷ r.-v.

DOM. DU VIEUX BUIS
Moelleux La Loge 2000★

| | 0,7 ha | 900 | | 15 à 23 € |

Alain Rohart s'est installé il y a une quinzaine d'années sur ce petit domaine de 6 ha sis sur les dernières côtes de Vouvray. Il présente un joli moelleux. Les fruits confits s'imposent d'emblée au nez. Après une attaque plaisante, la bouche se développe rapidement pour atteindre une bonne dimension ; la finale revient sur les arômes perçus à l'olfaction. L'harmonie est préservée d'un bout à l'autre de la dégustation. C'est une belle bouteille pour une année somme toute moyenne.
☛ Alain Rohart, Dom. Vieux-Buis, La Loge,
85 *bis*, rte de Monnaie, 37210 Vouvray,
tél. 02.47.52.63.70, fax 02.47.52.76.55,
e-mail alain.rohart@caramail.com ☑ ☷ r.-v.

DOM. DU VIKING
Brut 1999★

| | 4 ha | 10 000 | | 5 à 8 € |

Lionel Gauthier n'est pas Tourangeau. Il est venu un jour de Nantes. Passionné de viticulture, il a travaillé chez son beau-père qui lui a tout appris de la vigne et du vin. Spécialisé aujourd'hui dans les effervescents, il s'attache à les laisser le plus longtemps possible sur lattes. Cette méthode traditionnelle a ainsi trois ans. Mousse fine, nez fruité, bouche qui allie élégance et typicité, elle est prête à boire sur une tarte aux pommes. Une autre méthode traditionnelle, un **brut non millésimé**, est citée : légère, elle termine sur une note de caramel.

☛ Lionel Gauthier, Melotin, 1300, rte de Monnaie,
37380 Reugny, tél. 02.47.52.96.41, fax 02.47.52.24.84,
e-mail viking@france-vin.com ☑ ☷ r.-v.

CAVE DES PRODUCTEURS DE VOUVRAY
Brut Tête de cuvée 2000★

| | 35 ha | 218 000 | | 5 à 8 € |

Etablie au cœur de la vallée Coquette, cette coopérative est l'un des fleurons de l'AOC. Avec son équipement des plus complets et une bonne organisation de l'accueil, elle contribue à la renommée du vouvray. Elle propose un vin de teinte pâle, brillante, à la mousse légère et abondante. Le nez dévoile des arômes fruités fins. Franche à l'attaque, la bouche devient corsée, mais reste toujours élégante car l'équilibre n'est jamais rompu.
☛ Cave des producteurs de Vouvray,
38, Vallée-Coquette, 37210 Vouvray,
tél. 02.47.52.75.03, fax 02.47.52.66.41,
e-mail cp.vouvray@wanadoo.fr
☑ ☷ t.l.j. 9h-12h 14h-18h30

Cheverny

Consacré AOC le 26 mars 1993, cheverny était né VDQS en 1973. Dans cette appellation (plus de 2 000 ha délimités, 472 ha en production), dont le terroir à dominante sableuse (des sables sur argile de Sologne aux terrasses de Loire) s'étend le long de la rive gauche du fleuve depuis la Sologne blésoise jusqu'aux portes de l'Orléanais, les cépages sont nombreux. Les producteurs ont réussi à les assembler, en proportions variant légèrement selon les terroirs, pour trouver le « style » cheverny. Les vins rouges (10 490 hl en 2001), à base de gamay et de pinot noir, sont fruités dans leur jeunesse et acquièrent, en évoluant, des arômes animaux... en harmonie avec l'image cynégétique de cette région. Les rosés, à base de gamay, sont secs et parfumés. Les blancs (8 537 hl en 2001), où le sauvignon est assemblé avec un peu de chardonnay, sont floraux et fins.

PASCAL BELLIER
Sélection 2001★★

| | 2 ha | 13 300 | | 3 à 5 € |

Implanté à Vineuil, dont une visite vous permettra de découvrir une jolie église romane, Pascal Bellier cultive un vignoble de 30 ha depuis 1989. Il a récolté sur un sol silico-rocailleux, puis assemblé, le pinot noir, le gamay et le cabernet. Le millésime 2001 lui est plus que favorable, et le jury a accordé à son vin un coup de cœur unanime, tant il a été séduit par sa jolie couleur rubis aux nuances orangées, puis par sa palette de fruits rouges et d'épices. Riche en matière, ce cheverny tapisse la bouche avec douceur. La **cuvée classique 2001 de Pascal Bellier** obtient pour sa part une citation.

🐦 Pascal Bellier, 3, rue Reculée, 41350 Vineuil, tél. 02.54.20.64.31, fax 02.54.20.58.19, e-mail domainesbellier@wanadoo.fr ☑ 🏠 ⵣ r.-v.

CHESNEAU ET FILS 2001★★

■	0,6 ha	3 500	🍷♦	3 à 5 €

Gamay, pinot noir et pinot d'Aunis se rassemblent dans un cheverny rosé de couleur franche, qui attaque avec souplesse en bouche avant de prendre un remarquable volume. Cette bouteille de bonne tenue accompagnera aisément tout un repas entre amis. Cité, le **cheverny rouge 2001** se sera pleinement épanoui à la sortie du guide.
🐦 EARL Chesneau et Fils, 26, rue Sainte-Néomoise, 41120 Sambin, tél. 02.54.20.20.15, fax 02.54.33.21.91, e-mail contact@chesneauetfils.fr ☑ ⵣ r.-v.

MICHEL CONTOUR 2001

■	2,04 ha	4 000	🍷♦	3 à 5 €

Sur un domaine de 6,5 ha, Michel Contour a produit ce vin rouge violacé intense qui laisse monter d'agréables arômes fruités. Tout en rondeur et en légèreté, c'est un cheverny coulant, à déguster assez frais sur un plateau de charcuteries.
🐦 Michel Contour, 7, rue La Boissière, 41120 Cellettes, tél. 02.54.70.43.07, fax 02.54.70.36.68 ☑ ⵣ t.l.j. 8h-12h30 14h-19h

DOM. DU CROC DU MERLE 2001★

▨	3 ha	10 000	🍷♦	3 à 5 €

Ce domaine de 8 ha, situé tout près du parc de Chambord, propose un cheverny typique des bords de Loire. Pâle mais brillant, il exprime avec intensité les senteurs printanières. Au sein de la bouche équilibrée s'inscrivent des flaveurs délicates de fruits à chair blanche. Le domaine du **Croc du Merle rouge 2001** obtient une étoile pour son joli nez de fruits rouges mûrs et son harmonie.
🐦 Patrice et Anne-Marie Hahusseau, Dom. du Croc du Merle, 38, rue de La Chaumette, 41500 Muides-sur-Loire, tél. 02.54.87.58.65, fax 02.54.87.02.85, e-mail patricehahusseau@aol.com ☑ ⵣ t.l.j. 9h-12h30 14h-19h; dim. 9h-12h; f. 25-31 août

BENOIT DARIDAN 2001★

■	1,12 ha	3 500	🍷	3 à 5 €

Si le **cheverny rouge 2001 de Benoît Daridan** est cité par le jury pour son bon potentiel, le rosé a remporté sa faveur. Brillant de reflets orangés, ce vin offre un nez intense et tout en finesse, complété d'une nuance d'agrumes. Souple, il possède beaucoup de gras, mais dévoile une agréable pointe de fraîcheur dans sa finale poivrée.

🐦 Benoît Daridan, la Bigeaye, 41700 Cour-Cheverny, tél. 02.54.79.94.53, fax 02.54.79.94.53 ☑ ⵣ r.-v.

DOM. DE LA DESOUCHERIE 2001★

■	4 ha	40 000	🍷♦	5 à 8 €

Aujourdhui fort de 22 ha sur le plus haut coteau de la commune de Cour-Cheverny, le domaine de la Désoucherie remonte au XVIIIᵉs. Il a produit un vin rouge nuancé de violet qui livre des arômes de fruits rouges mûrs, puis une matière harmonieuse grâce à des tanins souples. Le **Domaine de la Désoucherie blanc 2001** est cité pour la qualité de ses arômes et son équilibre.
🐦 Christian Tessier et Fils, Dom. de la Désoucherie, 41700 Cour-Cheverny, tél. 02.54.79.90.08, fax 02.54.79.22.48, e-mail tessier.christian@libertysurf.fr ☑ 🏠 ⵣ r.-v.

DOM. DE LA GAUDRONNIERE
Cuvée Tradition 2001★

■	10,68 ha	30 000	🍷♦	3 à 5 €

Arrivés ex aequo, la cuvée **Laëtitia blanc 2001(5 à 8 €)**, tout en nuances d'agrumes, et cette cuvée Tradition marquée par le pinot noir. Les arômes fruités se manifestent agréablement et accompagnent une matière tout en douceur et en rondeur.
🐦 Christian Dorléans, Dom. de La Gaudronnière, 41120 Cellettes, tél. 02.54.70.40.41, fax 02.54.70.38.83 ☑ ⵣ r.-v.

MICHEL GENDRIER
Le Pressoir 2001★

■	3 ha	13 000	🍷♦	5 à 8 €

Le pinot noir, associé à 20 % de gamay, a donné naissance à ce vin dont la teinte commence à prendre des nuances plus soutenues. Les fruits rouges dominent l'expression olfactive, tandis qu'une matière de bonne longueur enveloppe le palais.
🐦 Jocelyne et Michel Gendrier, Les Huards, 41700 Cour-Cheverny, tél. 02.54.79.97.90, fax 02.54.79.26.82, e-mail gendrier.huards@club-internet.fr ☑ ⵣ t.l.j. 9h-12h 14h-19h; dim. sur r.-v.

HUGUET 2001★

■	3 ha	15 000	🍷♦	3 à 5 €

Un **cheverny blanc 2001** très réussi et ce rouge de teinte rubis qui présente une bonne intensité aromatique, une attaque douce, puis une bouche enveloppante et équilibrée. Voilà de quoi accompagner tout un repas, du plateau de charcuteries à celui de fromages.
🐦 GAEC Huguet, 12, rue de la Franchetière, 41350 Saint-Claude-de-Diray, tél. 02.54.20.57.36, fax 02.54.20.58.57 ☑ ⵣ r.-v.

DOM. MAISON PERE ET FILS 2001★★

■	22 ha	50 000	🍷♦	5 à 8 €

Les premières vignes de domaine, fort de 45 ha aujourd'hui, furent plantées en 1906. Depuis 1990, Jean-François Maison dirige le domaine. Avec son père Guy, il propose ce vin rubis, surprenant de générosité dans ses arômes de fruits rouges, net et d'un parfait équilibre. De la rondeur, des tanins souples, tout invite à un plaisir immédiat. Le **cheverny rosé 2001** du domaine est cité.
🐦 Earl Maison Père et Fils, 22, rue de la Roche, 41120 Sambin, tél. 02.54.20.22.87, fax 02.54.20.22.91 ☑ ⵣ t.l.j. 8h-19h
🐦 Jean-François Maison

LOIRE

JEROME MARCADET 2001★

| | 0,8 ha | 5 000 | | 3 à 5 € |

Jérôme Marcadet possède non seulement des vignes à Cheverny, mais aussi à Chitenay et à Feings. Il propose ici un assemblage harmonieux de gamay, de pinot noir et de cabernet franc récoltés sur sols argilo-siliceux et graveleux. Et c'est un beau spécimen de cheverny que l'on découvre sous une robe pelure d'oignon. Généreusement fruité (fraise), il laisse une impression de rondeur et de souplesse. Goûtez-le sur des fraises de Sologne. La **Cuvée de l'Orme blanc 2001** est citée pour son intensité aromatique et son côté rafraîchissant.
🕿 Jérôme Marcadet, L'Orme Favras, 41120 Feings, tél. 02.54.20.28.42, fax 02.54.20.28.42
☑ ⊺ t.l.j. 8h-12h 14h-19h; dim. sur r.-v.

DOM. DE MONTCY
Cuvée Louis de La Saussaye 2001★★

| | 3,5 ha | 16 000 | | 5 à 8 € |

Du XVIᵉs. jusqu'au début du XXᵉs., ce vignoble appartenait au château de Troussay, gentilhommière Renaissance aux murs de brique et de pierre blanche que l'on visite aujourd'hui pour découvrir l'histoire de la Sologne agricole. Ce vin aux élégants arômes de fruits rouges légèrement épicés vous séduira par son équilibre et la souplesse de ses tanins. Le **cheverny blanc 2001**, issu à 65 % de sauvignon, complété par le chardonnay, est cité pour sa bonne présence en bouche.
🕿 R. et S. Simon, La Porte dorée, 32, rte de Fougères, 41700 Cheverny, tél. 02.54.44.20.00, fax 02.54.44.21.00, e-mail domaine-de-montcy@wanadoo.fr
☑ ⊺ t.l.j. sf dim. 10h-12h 14h-18h; sam. sur r.-v.; f. 26 août-8 sept.

LES VIGNERONS DE MONT-PRES-CHAMBORD 2001★

| | 30 ha | 240 000 | | 5 à 8 € |

Créée en 1931, cette cave coopérative propose un cheverny jaune pâle mariant dans une parfaite harmonie le sauvignon et le chardonnay. Au nez élégant, à la fois fruité (citron) et floral, répond une bouche équilibrée et friande qu'une légère pointe vive rafraîchit. Le **cheverny rouge 2001**, à dominante de gamay, obtient également une étoile pour son intensité aromatique.
🕿 Les Vignerons de Mont-près-Chambord, 816, la Petite-Rue, 41250 Mont-près-Chambord, tél. 02.54.70.71.15, fax 02.54.70.70.65, e-mail cavemont@club-internet.fr
☑ ⊺ t.l.j. sf dim. lun. 9h-12h 14h-18h

LES VIGNERONS DE OISLY ET THESEE 2001★

| | 1 ha | 5 800 | | 3 à 5 € |

Une nuance violette annonce la jeunesse de ce vin pinot noir et gamay qui accompagnera bien les grillades d'un repas entre amis. Il est en effet bien flatteur ce cheverny, équilibré et rond en rondeur. Une terrine de poisson fait l'entrée de vos agapes, pourquoi ne pas vous tourner vers le **cheverny blanc 2001**, cité par le jury ?
🕿 Confrérie des Vignerons de Oisly et Thésée, Le Bourg, 41700 Oisly, tél. 02.54.79.75.20, fax 02.54.79.75.29 ☑ ⊺ t.l.j. 9h-12h30 14h-18h

PIERRE PARENT 2001★

| | 3,67 ha | 13 000 | | 5 à 8 € |

Petite exploitation familiale depuis 1901, ce domaine possède 8,5 ha de vignes. En assemblant sauvignon (80 %) et chardonnay, Pierre Parent a réussi un cheverny joliment exotique dans ses senteurs de mangue, de litchi et d'ananas. On « croque » ce vin rond et fin comme un fruit qui envahit le palais de ses saveurs.
🕿 Pierre Parent, 201, rue de Chancelée, 41250 Mont-près-Chambord, tél. 02.54.70.73.57, fax 02.54.70.89.72 ⊺ r.-v.

LE PETIT CHAMBORD 2001★

| | 4 ha | 16 000 | | 5 à 8 € |

Est-ce le cot, présent à 10 % dans l'assemblage, qui laisse ce sillage épicé dans la palette de fruits rouges ? Est-ce le pinot noir, majoritaire devant le gamay, qui donne cette impression de rondeur ? Voilà, somme toute, un joli cheverny rouge cerise à reflets violets qui s'installe en bouche durablement, avec équilibre. Les viandes rouges lui iront bien.
🕿 François Cazin, Le Petit Chambord, 41700 Cheverny, tél. 02.54.79.93.75, fax 02.54.79.27.89
☑ ⊺ r.-v.

DOM. LE PORTAIL 2001★★

| | 8 ha | n.c. | | 5 à 8 € |

A 600 m du château de Cheverny, ce vignoble de 14 ha doit son nom à la jolie demeure solognote qui le devance de son portail ancien et de sa tour ronde de vieilles pierres. De teinte soutenue, son vin livre d'élégants arômes de fruits rouges, dominés par la griotte. La souplesse, la rondeur et la présence de tanins soyeux ajoutent au plaisir de la dégustation. Du même producteur, le **cheverny blanc 2001** est cité pour ses senteurs d'agrumes et sa fraîcheur.
🕿 Michel Cadoux, Le Portail, 41700 Cheverny, tél. 02.54.79.91.25, fax 02.54.79.28.03 ☑ ⊺ r.-v.

DOM. SAUGER
Cuvée Nathan 1999★

| | 3 ha | 7 000 | | 8 à 11 € |

Ce cheverny présente une intéressante évolution aromatique, les fruits noirs et la cerise se mariant à un boisé bien perceptible hérité d'un élevage de six mois en fût. Equilibré, il peut déjà accompagner une viande rouge, mais gagnera aussi à attendre pour fondre ses tanins. La **cuvée Carla blanc 2001** est citée pour sa bonne rondeur.
🕿 Dom. Sauger , Les Touches, 41700 Fresnes, tél. 02.54.79.58.45, fax 02.54.79.03.35 ☑ ⊺ r.-v.

DANIEL TEVENOT 2001★

| | 1,5 ha | 7 000 | | 3 à 5 € |

Voué à la polyculture à ses origines, ce domaine s'est spécialisé en viticulture à la fin des années 1970. Un chai a été construit sur le site d'un ancien moulin à vent, dont une partie de la tour demeure. C'est là que ce cheverny a vu le jour. Jaune pâle aux légers reflets gris, il plaît par ses notes fruitées perceptibles tout au long de la dégustation. Son caractère rafraîchissant invite à un accord avec les poissons ou les asperges de Sologne.
🕿 Daniel Tévenot, 4, rue du Moulin-à-Vent, Madon, 41120 Candé-sur-Beuvron, tél. 02.54.79.44.24, fax 02.54.79.44.24 ☑ ⊺ r.-v.

LE VIEUX CLOS 2001★

| | 5 ha | 30 000 | | 5 à 8 € |

Fougères-sur Bièvre possède un intéressant château d'architecture militaire, dont l'origine remonte au XIᵉs., mais qui fut reconstruit au XVᵉs. dans un style Renaissance. Aux environs du village s'inscrit ce domaine d'une

trentaine d'hectares, typiquement solognot par ses vieux bâtiments en U, acheté en 1920 par Maurice Delaille. C'est certainement dans les vieux clos que l'on élabore les belles cuvées. D'une limpidité parfaite, celle-ci dévoile un nez intense et complexe de buis, puis d'agrumes et de fruits exotiques. D'attaque douce, elle se prolonge avec harmonie entre fruits et fleurs. Egalement très réussie, la **Cuvée L'Héritière blanc 2001** (8 à 11 €) fait preuve d'une même richesse dans le registre des fruits exotiques. La cuvée principale, le **Domaine du Salvard blanc 2001**, est citée.
🕭 EARL Delaille, Dom. du Salvard,
41120 Fougères-sur-Bièvre, tél. 02.54.20.28.21,
fax 02.54.20.22.54 ☑ ⍦ r.-v.

Cour-cheverny

Le décret du 24 mars 1993 a reconnu l'AOC cour-cheverny. Celle-ci est réservée aux vins blancs de cépage romorantin, produits dans l'aire de l'ancienne AOS cour-cheverny mont-près-chambord et quelques communes des alentours où ce cépage s'est maintenu. Le terroir est typique de la Sologne (sable sur argile). La vendange de 2001 a représenté 1 442 hl.

DOM. DE LA DESOUCHERIE 2000**

| | 4 ha | 15 000 | 🍴🍷 | 5 à 8 € |

A 5 km du château de Cheverny et à 9 km du château de Chambord, ce domaine est idéalement situé en haut d'un coteau silico-argileux, riche en silex. Son 2000 jaune doré offre les senteurs typiques du cépage romorantin, très fraîches et florales. Bien équilibré, il se prolonge agréablement. Un dégustateur le juge comme le plus souple des vins dégustés dans l'appellation.
🕭 Christian Tessier et Fils,
Dom. de la Désoucherie, 41700 Cour-Cheverny,
tél. 02.54.79.90.08, fax 02.54.79.22.48,
e-mail tessier.christian@libertysurf.fr ☑ ⌂ ⍦ r.-v.

DOM. DES HUARDS 2000*

| | 5,75 ha | 24 000 | 🍴 | 5 à 8 € |

Voilà douze ans que Jocelyne et Michel Gendrier œuvrent sur ce domaine familial remontant à 1846. Régulièrement présents dans le Guide, ils proposent cette année un vin jaune paille, aux arômes fins de fleurs. Franc en attaque, il laisse une impression agréable et délicate, de bonne longueur.
🕭 Jocelyne et Michel Gendrier,
Les Huards, 41700 Cour-Cheverny,
tél. 02.54.79.97.90, fax 02.54.79.26.82,
e-mail gendrier.huards@club-internet.fr
☑ ⍦ t.l.j. 9h-12h 14h-19h; dim. sur r.-v.

DOM. DE MONTCY 2000**

| | 2 ha | 5 700 | 🍴🍷 | 5 à 8 € |

Créé au XVIᵉˢ. dans le giron du château de Troussay, ce vignoble couvre aujourd'hui 20 ha. Le romorantin, cépage d'origine bourguignonne implanté en Loir-et-Cher à la demande de François Iᵉʳ, participe à son encépage-

ment. C'est un beau cour-cheverny qui se dévoile dans le verre, élégant par sa couleur jaune doré à reflets verts. Il semble complexe par ses senteurs de fruits blancs et se fait charmeur par sa rondeur et sa souplesse. Une bouteille à déguster sur un fromage de chèvre.
🕭 R. et S. Simon, La Porte dorée, 32, rte de Fougères, 41700 Cheverny, tél. 02.54.44.20.00, fax 02.54.44.21.00, e-mail domaine-de-montcy@wanadoo.fr
☑ ⍦ t.l.j. sf dim. 10h-12h 14h-18h; sam. sur r.-v.;
f. 26 août-8 sept.

LES VIGNERONS DE MONT-PRES-CHAMBORD 2000

| | 8 ha | 46 000 | 🍴🍷 | 5 à 8 € |

Jaune pâle très net, ce vin floral possède une jolie élégance par ses arômes fruités et sa bouche fraîche. Il est à boire sans plus attendre sur un fromage de chèvre demi-sec ou un poisson grillé.
🕭 Les Vignerons de Mont-près-Chambord,
816, la Petite-Rue, 41250 Mont-près-Chambord,
tél. 02.54.70.71.15, fax 02.54.70.70.65,
e-mail cavemont@club-internet.fr
☑ ⍦ t.l.j. sf dim. lun. 9h-12h 14h-18h

PIERRE PARENT 2000

| | 1,13 ha | 6 500 | 🍴 | 3 à 5 € |

Ce domaine se situe à 3 km du château de Villesavin, élégant édifice Renaissance, contemporain de Chambord où l'on peut admirer une belle vasque italienne du XVIᵉˢ. Il propose un vin frais, sympathique, qui accompagnera avantageusement un plateau de fruits de mer.
🕭 Pierre Parent, 201, rue de Chancelée,
41250 Mont-près-Chambord,
tél. 02.54.70.73.57, fax 02.54.70.89.72 ☑ ⍦ r.-v.

Coteaux du vendômois

Les coteaux du vendômois ont été reconnu en appellation d'origine en 2001.

La particularité, unique en France, de cette appellation produite entre Vendôme et Montoire, est constituée de le vin gris de pineau d'Aunis, dont la robe doit rester très pâle et les arômes exprimer des nuances poivrées. On y apprécie également un blanc de chenin, comme dans les AOC coteaux de loir et jasnières voisines, au terroir similaire.

Depuis quelques années, à la demande des consommateurs, les rouges tendent à se développer. La nervosité légèrement épicée du pineau d'Aunis est tempérée par le calme gamay et rehaussée soit en finesse par le pinot noir, soit en tanin par le cabernet.

La production a atteint 8 611 hl en 2001. Le touriste pourra apprécier les bords du Loir, les coteaux truffés d'habitations troglodytiques et de caves taillées dans le tuffeau.

DOM. DU CARROIR
Tradition 2001

| ■ | 2,3 ha | 10 000 | | 3 à 5 € |

Thoré-la-Rochette mérite une visite pour sa chapelle troglodytique et ses maisons des XVᵉ et XVIᵉs. Ce parcours dans la ville vous mènera sans doute au domaine du Carroir qui a produit un vin délicat dans son expression aromatique, quoique un peu fermé encore, et dont la bouche se prolonge bien sur une note épicée. Du même producteur, le **coteaux du vendômois blanc 2001** est également cité.
↰ GAEC Jean et Benoît Brazilier, 17, rue des Ecoles, 41100 Thoré-la-Rochette, tél. 02.54.72.81.72, fax 02.54.72.77.13 ☑ 🏠 🍷 r.-v.

DOM. DE LA CHARLOTTERIE
Tradition 2001★

| ■ | 1,63 ha | 12 000 | ▮♨ | 3 à 5 € |

Dominique Houdebert cultive 9 ha sur un sol d'argile à silex. En assemblant le pineau d'Aunis, le pinot noir et le cabernet franc, il a produit un vin friand, d'intensité moyenne, dans lequel les fruits commencent à poindre. Tout en harmonie, il coule bien en bouche. Issu à 100 % de pineau d'Aunis, le **coteaux du vendômois gris 2001** est cité pour sa jolie teinte œil-de-perdrix et ses arômes poivrés.
↰ Dominique Houdebert, 2, rue du Bas-Bourg, 41100 Villiersfaux, tél. 02.54.80.29.79, fax 02.54.73.10.01 ☑ 🍷 r.-v.

PATRICE COLIN
Pierre François 2001

| ■ | 5 ha | 10 000 | ▮♨ | 3 à 5 € |

Dans la commune de Thoré-la-Rochette se trouve le tombeau du maréchal de Rochambeau qui participa à l'indépendance des Etats-Unis grâce à la victoire de Yorktown en 1781. Le dernier maréchal de l'Ancien Régime vint se réfugier dans le Vendômois après la Terreur pour y finir sa vie. Aujourd'hui, le village est plus connu pour ses vignerons, tel Patrice Colin qui propose un 2001 rouge soutenu à reflets violacés, qui mêle les fruits rouges aux notes épicées. Très présent en bouche, ce millésime s'inscrit comme un vin de terroir, bien fait.
↰ Patrice Colin, Dom. de la Gaudetterie, 41100 Thoré-la-Rochette, tél. 02.54.72.80.73, fax 02.54.72.75.54 ☑ 🍷 r.-v.

DOM. DU FOUR A CHAUX
Cuvée Tradition 2001★

| ■ | 3,5 ha | 6 000 | ▮♨ | 3 à 5 € |

De belles découvertes sont à faire sur ce domaine de 25 ha. D'abord, le vieux four à chaux rénové par l'association Résurgence. Ensuite, trois coteaux du vendômois très réussis : le **blanc 2001**, le **rosé 2001** et ce vin rouge cerise offrant des senteurs de fruits rouges et d'épices, ainsi que des tanins encore puissants qui devraient se fondre dans le temps.
↰ EARL Dominique Norguet, Berger, 41100 Thoré-la-Rochette, tél. 02.54.77.12.52, fax 02.54.80.23.22 ☑ 🍷 r.-v.

DOM. MINIER 2001

| ■ | n.c. | n.c. | ▮♨ | 3 à 5 € |

Claude Minier produit non seulement du vin mais aussi des fromages dans ses caves troglodytiques. Son 2001 blanc se marie aussi bien avec l'un de ses produits fermiers qu'avec des poissons en sauce. D'une bonne intensité aromatique, il possède souplesse et vivacité.

↰ GAEC Claude Minier, Les Monts, 41360 Lunay, tél. 02.54.72.02.36, fax 02.54.72.18.52 ☑ 🏠 🍷 r.-v.

LES VIGNERONS DU VENDOMOIS
Gris 2001★★

| ■ | 13 ha | 100 000 | ▮♨ | 3 à 5 € |

Un vin gris caractéristique du Vendômois. Couleur œil-de-perdrix, il séduit par son élégance et sa fraîcheur. Il accompagnera gaiement les repas de fin d'été et d'automne. Très réussi, le **coteaux du vendômois blanc 2001** obtient une étoile pour sa complexité aromatique (fruits exotiques et buis) et sa présence en bouche.
↰ Cave des Vignerons du Vendômois, 60, av. Dupetit-Thouars, 41100 Villiers-sur-Loir, tél. 02.54.72.90.69, fax 02.54.72.75.09
☑ 🍷 t.l.j. sf dim. lun. 9h-12h 14h-18h

Valençay AOVDQS

Dans cette région marquée par le passage de Talleyrand, aux confins du Berry, de la Sologne et de la Touraine, la vigne alterne avec les forêts, la grande culture et l'élevage de chèvres. Les sols sont à dominante argilo-siliceuse ou argilo-limoneuse. Le vignoble s'étend sur plus de 300 ha, dont moins de la moitié déclarée en valençay (133 ha en 2001). L'encépagement y est classique de la moyenne vallée de la Loire et les vins sont à boire jeunes le plus souvent. Le sauvignon fournit des vins aromatiques aux touches de cassis ou de genêt, avec un complément apporté par le chardonnay. Les vins rouges assemblent gamay, cabernets, cot et pinot noir. La production 2001 a atteint 2 015 hl en blanc et 5 965 hl en rouge.

La même appellation désigne un fromage de chèvre, qui a obtenu l'AOC en 1998. Ces pyramides s'accordent, selon leur degré d'affinage, avec les vins rouges ou les vins blancs.

JACKY ET PHILIPPE AUGIS 2001★

| ■ | 2,9 ha | 15 000 | ▮♨ | 3 à 5 € |

Sous une robe rubis soutenu, ce 2001 offre un nez expressif, aux notes de fruits rouges. De bel équilibre, il se prolonge durablement en bénéficiant de tanins bien présents qui devraient se fondre d'ici la fin de l'année. Il sera alors prêt à se marier avec un gibier. Egalement très réussi, le **valençay blanc 2001**, inscrit dans le registre floral, révèle une bonne harmonie entre suavité et vivacité.
↰ Dom. Jacky Augis, Le Musa, 1465, rue des Vignes, 41130 Meusnes, tél. 02.54.71.01.89, fax 02.54.71.74.15, e-mail paugis@net-up.com
☑ 🍷 t.l.j. sf dim. 8h-12h 14h-19h30; f. 15-30 août
↰ Philippe Augis

DOM. FRANCK CHUET
Cuvée d'Alexis 2000

| ■ | 0,5 ha | 4 000 | ◍ | 3 à 5 € |

Après avoir visité le musée de la Pierre à fusil de Meusnes, vous pourrez faire un détour par le domaine de

Franck Chuet pour y découvrir ce vin rubis, expressif par ses arômes fruités et son boisé subtil. La même gamme se retrouve dans une matière encore tannique, qui mérite de s'assouplir. A attendre.

⚓ Dom. Franck Chuet, Le Bois Pontois,
41130 Meusnes, tél. 02.54.71.01.06, fax 02.54.71.46.82
☑ ⵣ t.l.j. sf dim. 8h-12h30 14h-19h

ANDRE FOUASSIER 2001

	1 ha	6 000	▪⬥	3 à 5 €

En 1991, André Fouassier a repris ce vignoble de 19,5 ha à des vignerons sans successeurs. Il propose un vin typé par le sauvignon (85 %) que complète le chardonnay. D'une belle intensité aromatique, ce 2001 jaune pâle à reflets verts est tout en rondeur. Il pourra accompagner un fromage de chèvre de Valençay.

⚓ André Fouassier, Vaux, 36600 Lye,
tél. 02.54.40.16.13, fax 02.54.40.10.98 ☑ ⵣ r.-v.

DOM. GARNIER
Cuvée Prestige 2000★★

▪	1,2 ha	n.c.	▪⬥	3 à 5 €

C'est en 1995 que ce duo de vignerons s'est formé, lorsque Olivier Garnier a rejoint son frère Eric sur l'exploitation familiale de 21 ha. Leur cuvée 2000 a parfaitement évolué : elle offre un nez intense dominé par la fraise des bois légèrement épicée, puis une bouche équilibrée, souple et persistante. A noter aussi, le **Montbail blanc 2001** dont la sympathique générosité en bouche lui vaut d'être cité.

⚓ Dom. Garnier, 81, rue Eugène-Delacroix,
Chamberlin, 41130 Meusnes, tél. 02.54.00.10.06,
fax 02.54.06.13.36, e-mail garnier@terre-net.fr ☑ ⵣ r.-v.

CHANTAL ET PATRICK GIBAULT 2001★

▪	3 ha	25 000	▪⬥	3 à 5 €

Sur un sol d'argile à silex, le pinot noir, le gamay et le cot ont produit un vin rubis nuancé de violet. Les arômes intenses soulignés d'épices se manifestent au nez comme en bouche, dans une structure légère et ronde. Une belle finale signe la dégustation. Une bouteille aimable à boire dans l'année sur des viandes en sauce. Le **valençay blanc 2001** du domaine mérite aussi une étoile pour ses arômes de bourgeon de cassis et son harmonie, caractéristiques d'une vendange bien mûre.

⚓ EARL Chantal et Patrick Gibault,
183, rue Gambetta, 41130 Meusnes,
tél. 02.54.71.02.63, fax 02.54.71.58.92,
e-mail gibault.earl@wanadoo.fr
☑ ⵣ t.l.j. sf dim. 8h-12h 14h-19h

FRANCIS JOURDAIN
Cuvée des Griottes 2001★★

▪	1,5 ha	8 000	▪⬥	3 à 5 €

Francis Jourdain exporte 15 % de ses vins vers les Pays-Bas, la Belgique, le Canada, ainsi que vers le Japon et le Brésil... Cette cuvée devrait ainsi trouver de nombreux amateurs. Grenat à reflets violacés, elle exprime une vendange mûre à travers des arômes fruités puissants. Elle dévoile de l'équilibre et du gras dans un beau volume qui laisse imaginer un mariage avec un gibier en sauce.

⚓ Francis Jourdain, Les Moreaux, 36600 Lye,
tél. 02.54.41.01.45, fax 02.54.41.07.56 ☑ ⵣ r.-v.

DOM. JACKY PREYS
Cuvée Prestige 2001★

▪	n.c.	45 000	▪⬥	3 à 5 €

Il est loin le temps où les caillouteux extrayaient des deux rives du Cher, de Meusnes à Saint-Aignan, le silex blond du Berry si prisé pour l'artillerie. Aujourd'hui, cette richesse minérale profite à la vigne et à l'expression de vins aussi réussis que ce 2001. Le pinot noir donne une note orangée à la robe, puis marque le nez de ses arômes de fruits rouges à noyau. Une pointe minérale se distingue, qui persiste dans une bouche harmonieuse. Un bon produit du terroir de pierre à fusil.

⚓ Dom. Jacky Preys, Bois Pontois, 41130 Meusnes,
tél. 02.54.71.00.34 ☑ ⵣ r.-v.

JEAN-FRANCOIS ROY 2001

	3,5 ha	25 000	▪	3 à 5 €

Des fruits de mer se marieraient bien avec ce vin or pâle, dont la palette florale est rafraîchie par une note mentholée. La bouche s'inscrit dans le même registre et laisse une impression de vivacité. Une bouteille, prête à boire, qui pourra aussi être conservée un an.

⚓ Jean-François Roy, 3, rue des Acacias, 36600 Lye,
tél. 02.54.41.00.39, fax 02.54.41.06.89 ☑ ⵣ r.-v.

HUBERT SINSON ET FILS 2000★★

▪	3,8 ha	10 000	▪	3 à 5 €

Gérard Depardieu, Jean Carmet, Michel Platini... Ce domaine a connu des visiteurs célèbres. Y ont-ils goûté un valençay à l'image de ce 2000 ? Celui-ci a remarquablement évolué. Rouge profond à nuances violacées, il s'ouvre sur des arômes fruités et floraux intenses avant de dévoiler son équilibre et sa persistance. Le **valençay blanc 2001** est cité pour ses senteurs de buis typiques du sauvignon et sa bouche harmonieuse.

⚓ GAEC Hubert Sinson et Fils,
1397, rue des Vignes, Le Musa, 41130 Meusnes,
tél. 02.54.71.00.26, fax 02.54.71.50.93 ☑ ⵣ r.-v.

GERARD TOYER 2001★

▪	3,3 ha	13 500	▪⬥	- de 3 €

Au printemps, la foire aux vins et aux fromages de Selles-sur-Cher est l'occasion de découvrir la gastronomie locale. Le selles-sur-cher est un fromage de chèvre tronconique fabriqué depuis le XIXᵉs. et qui bénéficie d'une appellation d'origine. Vous le goûterez accompagné de ce séduisant vin jaune pâle, qui dévoile un nez discret mais délicat de fleurs blanches (aubépine et sureau). Vineux, celui-ci peut être consommé jeune, mais devrait acquérir plus de complexité en vieillissant. La **cuvée du Prince rouge 2001** (3 à 5€) est également très réussie. Généreuse, caractéristique par son côté griotte, elle saura se marier, grâce à ses tanins fondus, avec une galette de pommes de terre.

⚓ Gérard Toyer, 63, Grande-Rue,
Champcol, 41130 Selles-sur-Cher,
tél. 02.54.97.49.23, fax 02.54.97.46.25 ☑ ⵣ r.-v.

CAVE DES VIGNERONS REUNIS DE VALENCAY
Terroir 2001

▪	8,5 ha	58 000	▪	3 à 5 €

A 6 km du château de Valençay que George Sand affectionnait tant, ce domaine cultive quelque 63 ha. Il propose non seulement ce vin rubis brillant, au nez de fruits rouges confits et à la bouche souple, mais aussi un **valençay blanc 2001** expressif et vif. Deux vins cités par le jury, à boire dès aujourd'hui.

LOIRE

⊶ Cave des Vignerons réunis de Valençay,
36600 Fontguenand, tél. 02.54.00.16.11,
fax 02.54.00.05.55, e-mail vigneronvalençay@aol.com
☑ ☒ t.l.j. sf dim. 9h-12h 14h-18h; groupes sur r.-v.

Le Poitou

Haut-poitou AOVDQS

Le docteur Guyot rapporte, en 1865, que le vignoble de la Vienne représente 33 560 ha. De nos jours, outre le vignoble du nord du département, rattaché au Saumurois, et une enclave dans les Deux-Sèvres, le seul intérêt porté à la vigne se situe autour des cantons de Neuville et de Mirebeau ! Marigny-Brizay est la commune la plus riche en viticulteurs indépendants. Les autres se sont regroupés pour former la cave de Neuville-de-Poitou. Les vins du haut-Poitou ont produit 33 013 hl en 2001 dont 17 058 en blanc sur une surface déclarée de 518 ha..

Les sols du plateau du Neuvillois, évolués sur calcaires durs et craie de Marigny ainsi que sur marnes, sont propices aux différents cépages de l'appellation ; le plus connu d'entre eux est le sauvignon (blanc).

DOM. DU CENTAURE
Sauvignon 2001

1,43 ha	7 000	▮🍷	3 à 5 €

Ce domaine de 7 ha, régulièrement présent dans le Guide, a retenu l'attention du jury par deux vins réussis, cités dans cette édition. Ce 2001 blanc d'un bel or gris délivre des arômes de genêt associés à des notes de cassis attrayantes. L'équilibre gustatif est là, prolongé par une nuance végétale en finale. Le **cabernet franc 2001**, rubis foncé, révèle l'expression du cépage parvenu à bonne maturité. Rond et ample, il possède des tanins bien présents qui lui permettront d'attendre quelques années.
⊶ Gérard Marsault,
4, rue du Poirier, 86380 Chabournay,
tél. 05.49.51.19.39, fax 05.49.51.14.25
☑ ☒ t.l.j. sur r.-v.; sam. 10h-12h 14h-19h

CAVE DU HAUT-POITOU
Chardonnay 2001

8 ha	66 600	▮🍷	3 à 5 €

C'est en 1948 que la Cave du Haut-Poitou fut créée. Elle exporte aujourd'hui plus de 80 % de sa production. Cette bouteille sera sans doute appréciée pour sa couleur jaune pâle, annonciatrice d'une palette gaie de fleurs blanches et de citron. Souple et flatteuse, elle garde cette fraîcheur jusqu'en finale. Servie bien fraîche, elle sera plaisante sur des fruits de mer.
⊶ SA Cave du Haut-Poitou,
32, rue Alphonse-Plault, 86170 Neuville-de-Poitou,
tél. 05.49.51.21.65, fax 05.49.51.16.07,
e-mail sachp@libertysurf.fr ☑ ☒ r.-v.

DOM. DES LISES
Cabernet 2001

1,2 ha	4 000	▮🍷	3 à 5 €

Fille de vignerons et œnologue, Pascale Bonneau a repris le vignoble de son père en 1995 et créé une cave de vinification en 1996. Dès lors, elle s'est lancée dans la vente aux particuliers. Le chai est situé à l'entrée de la cité médiévale de Mirebeau. Vous y découvrirez ce vin rubis aux reflets éclatants, qui livre généreusement ses arômes de fruits rouges mûrs. Bien équilibré, celui-ci évolue harmonieusement sur des tanins souples jusqu'à une finale attrayante. On pourra l'attendre un an ou deux avant de le servir sur des viandes rouges.
⊶ Pascale Bonneau, 21, rue Nationale,
86110 Mirebeau, tél. 05.49.50.53.66, fax 05.49.50.90.50,
e-mail pascale.bonneau@libertysurf.fr
☑ ☒ t.l.j. sf dim. 10h-19h; hiver 18h-19h
et sam. 10h-18h

DOM. DE LA ROTISSERIE
Sauvignon 2001

3,6 ha	12 000	▮	3 à 5 €

C'est en 1986 que le domaine des Coteaux de Marigny prit le nom de La Rôtisserie, en référence au four qui avait été creusé dans la cave en tuffeau, pour que les villageois puissent cuire leur nourriture. Jacques Baudon vous propose aujourd'hui de goûter un vin or pâle, qu'un caractère végétal de genêt rend vif et aérien. La bouche évoque la pomme acidulée tout en restant plaisante.
⊶ Jacques Baudon, 35, rue de l'Habit-d'Or,
86380 Marigny-Brizay, tél. 05.49.52.09.02,
fax 05.49.37.11.44 ☑ ☒ t.l.j. sf dim. 8h-12h 13h30-19h

DOM. LA TOUR BEAUMONT
Cabernet Tradition 2001★

n.c.	3 500	▯▯	5 à 8 €

Le Futuroscope n'est qu'à 6 km de ce domaine de 12 ha qui a joliment réussi son cabernet élevé sous bois. Attrayant par sa teinte grenat à reflets ambrés, celui-ci dispense des arômes fruités liés à une bonne maturité. Il tapisse le palais d'une matière ronde et ample qui traduit une vinification adaptée au raisin. A peine le boisé surgit-il en finale, comme un signe favorable pour l'avenir. A boire ou à attendre.
⊶ Gilles et Brigitte Morgeau, 2, av. de Bordeaux,
86490 Beaumont, tél. 05.49.85.50.37, fax 05.49.85.58.13
☑ ☒ t.l.j. sf dim. 14h30-18h

DOM. DE VILLEMONT
Gamay 2001

2,36 ha	12 000	▮🍷	3 à 5 €

Après les efforts réalisés dans le vignoble pour obtenir une vendange et des vins de qualité, ce domaine a décidé en 1995 de commercialiser directement sa production. Ce 2001, rouge vermillon brillant, est encore peu intense, mais révèle déjà des notes fruitées agréables (fraise, notamment). S'il n'est pas très long en bouche, il laisse une bonne impression par sa souplesse, par son équilibre, comme par ses tanins légers et soyeux.
⊶ Alain Bourdier, Dom. de Villemont, Seuilly,
86110 Mirebeau, tél. 05.49.50.51.31, fax 05.49.50.96.71,
e-mail domaine-de-villemont@wanadoo.fr
☑ ☒ t.l.j. sf dim. 9h30-12h30 14h-19h

Les vignobles du Centre

Des côtes du Forez à l'Orléanais, les principaux secteurs viticoles du Centre occupent les endroits les mieux exposés des coteaux ou plateaux modelés au cours des âges géologiques par la Loire et ses affluents, l'Allier et le Cher. Ceux qui, sur les côtes d'Auvergne, à Saint-Pourçain en partie ou à Châteaumeillant, sont implantés sur les flancs est et nord du Massif central, restent cependant ouverts sur le bassin de la Loire.

Siliceux ou calcaires, toujours bien situés et exposés, les sols viticoles de ces régions portent un nombre restreint de cépages, parmi lesquels ressortent surtout le gamay pour les vins rouges et rosés, et le sauvignon pour les vins blancs. Quelques spécialités émergent çà et là : tressallier à Saint-Pourçain et chasselas à Pouilly-sur-Loire pour les blancs ; pinot noir à Sancerre, Menetou-Salon et Reuilly pour les rouges et rosés, avec encore le délicat pinot gris dans ce dernier vignoble ; et enfin le meunier qui, près d'Orléans, fournit l'original « gris meunier ». Somme toute, un encépagement sélectif.

Tous les vins obtenus dans ces terroirs et avec ces cépages ont en commun légèreté, fraîcheur et fruité, qui les rendent particulièrement attrayants, agréables et digestes. Et combien en harmonie avec les spécialités gastronomiques de la cuisine régionale ! Qu'ils soient d'Auvergne, du Bourbonnais, du Nivernais, du Berry ou de l'Orléanais, pays verts et calmes, aux horizons larges, aux paysages variés, les vignerons savent faire apprécier des vins méritants, issus de vignobles souvent familiaux et artisanaux.

Châteaumeillant AOVDQS

Le gamay retrouve ici les terroirs qu'il affectionne, dans un site très anciennement viticole qui compte 86 ha en 2001 pour une production de 3 566 hl.

La réputation de Châteaumeillant s'est établie grâce à son célèbre « gris », vin issu du pressurage immédiat des raisins de gamay et présentant un grain, une fraîcheur et un fruité remarquables. Les rouges (à boire jeunes et frais), produits de sols d'origine éruptive, allient légèreté, bouquet et gouleyance.

↗ Dom. du Chaillot, pl. de la Tournoise, 18130 Dun-sur-Auron,
tél. 02.48.59.57.69, fax 02.48.59.58.78,
e-mail pierre.picot@wanadoo.fr ☑ ⟁ r.-v.
↗ Pierre Picot

DOM. DU CHAILLOT 2001★★

■	3,8 ha	30 000	▮↓	5 à 8 €

Vigneron depuis 1993, Pierre Picot s'est attaché à mieux connaître ses terroirs et les vins qu'ils sont capables de produire. Il s'impose, notamment, des rendements limités et de sévères sélections à la vendange. Résultat : un coup de cœur pour son 2001 rubis intense à reflets violets, au nez de fruits rouges très mûrs (cassis), à la bouche parfaitement construite, avec de bons tanins. On sent de la puissance et du devenir dans cette remarquable cuvée qui accompagnera une viande d'agneau, par exemple. Le **rosé 2001** est cité.

VALERIE ET FREDERIC DALLOT
Tradition 2000★

■	3 ha	10 000	▮↓	3 à 5 €

A dominante de gamay (90 %), associé à du pinot noir, ce vin se présente dans un habit rubis clair. D'intensité modérée, les arômes passent de la griotte à la confiture de cerises et du cuir à la réglisse. Dotée de tanins légers et de rondeur, voilà une bouteille franche et désaltérante à servir par exemple sur une viande blanche.
↗ Frédéric et Valérie Dallot,
La Bidoire, 18370 Châteaumeillant,
tél. 02.48.56.31.84, fax 02.48.61.35.14 ☑ ⟁ r.-v.

DOM. GEOFFRENET MORVAL
Cuvée Jeanne Vieilles vignes 2001

■	0,5 ha	3 000	■↓	5 à 8 €

Issue d'une petite parcelle de plus de cinquante ans qui a été touchée par la grêle en juillet, cette cuvée est confidentielle. Le tri minutieux des raisins très mûrs et une vinification bien adaptée pour une extraction mesurée expliquent la réussite du vin. Les arômes fins mais discrets donnent l'impression de croquer le fruit. Les tanins sont souples, presque effacés. L'expression devrait s'ouvrir dans les mois qui viennent.

↰ EARL Geoffrenet Morval, 2, rue de La Fontaine, 18190 Venesmes, tél. 02.48.60.50.15, fax 02.48.24.62.91, e-mail fabien.geoffrenet@wanadoo.fr ☑ ⵃ r.-v.

↰ Fabien Geoffrenet

PRESTIGE DES GARENNES
Vin gris 2001★★

■	6,2 ha	50 000	■↓	3 à 5 €

Cave coopérative de Châteaumeillant, la Cave du Tivoli voit ses efforts récompensés : deux de ses vins ont été retenus. Le rosé, né d'un assemblage de 80 % de gamay et de 20 % de pinot noir, a été obtenu par pressurage direct. La robe œil-de-perdrix est légèrement nuancée d'orange et de gris. Délicats, les arômes évoquent un beau fruité de pêche et de fraise. La rondeur et la fraîcheur s'allient pour donner à la fois de la vivacité et de la persistance. Un rosé qui fait aimer les rosés ! Le **Domaine des Garennes rouge 2000** obtient une étoile pour son élégance et sa typicité.

↰ Cave du Tivoli, rte de Culan, 18370 Châteaumeillant, tél. 02.48.61.33.55, fax 02.48.61.44.92, e-mail cave@chateaumeillant.com ☑ ⵃ t.l.j. 8h-12h 13h30-17h30; dim. de mai à août

DOM. DES TANNERIES 2001

■	6 ha	35 000	■↓	5 à 8 €

La famille Raffinat fait partie des irréductibles du vignoble de Châteaumeillant, toujours présente, même dans les années les plus difficiles. Ce 2001 a besoin d'être aéré pour s'exprimer ; il présente alors des arômes développés et persistants. L'attaque souple et les tanins sont de bon augure pour une dégustation dans les douze à dix-huit mois à venir. La **cuvée Maître de Chai rouge 2000** est citée.

↰ Raffinat et Fils, Dom. des Tanneries, 18370 Châteaumeillant, tél. 02.48.61.35.16, fax 02.48.61.44.27 ☑ ⵃ r.-v.

Côtes d'auvergne AOVDQS

Qu'ils soient issus de vignobles des puys, en Limagne, ou de vignobles des monts (dômes) en bordure orientale du Massif central, les bons vins d'Auvergne proviennent du gamay, très anciennement cultivé ainsi que du pinot noir pour les rouges et rosés et du chardonnay pour les blancs. Ils ont droit à la dénomination AOVDQS depuis 1977 et naissent de 370 ha de vignes. Les rosés malicieux et les rouges agréables sont particulièrement indiqués sur les fameuses charcuteries locales ou les plats régionaux réputés. Dans les crus, Boudes, Chanturgue, Chateaugay, Corent et Madargues, ils peuvent prendre un caractère, une ampleur et une personnalité surprenants. 15 267 hl ont été produits en 2001 dont 875 en blanc.

JACQUES ABONNAT
Boudes 2001★★★

■	1 ha	2 000	■	5 à 8 €

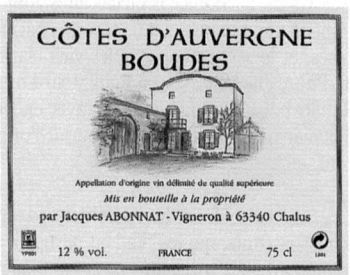

Un gâteau aux groseilles attend sans doute ce rosé de teinte œil-de-perdrix qui livre sans ambages ses arômes fruités de fraise des bois et d'agrumes, soulignés de nuances de pivoine. Franc et net en attaque, il se développe avec équilibre et ampleur jusqu'à une longue finale légèrement épicée. A boire bien frais.

↰ Jacques Abonnat, 63340 Chalus, tél. 04.73.96.45.95, fax 04.73.96.45.95 ☑ ⵃ r.-v.

MICHEL BLOT
Boudes Cuvée d'Antan Sélection 2001★

■	0,3 ha	2 400	■	5 à 8 €

Des vignes de gamay cultivées depuis trente ans sur le sol de microgranites de Boudes ont donné naissance à ce joli vin rouge soutenu, égayé de nuances violettes. La timidité du nez est compensée par l'expression fruitée de la bouche. Les tanins ont certes la fougue de la jeunesse, mais ils sauront s'arrondir dans l'année.

↰ Michel Blot, 63340 Boudes, tél. 04.73.96.41.42, fax 04.73.96.58.34 ☑ ⵃ r.-v.

NOEL BRESSOULALY
Chardonnay 2001★

■	0,5 ha	4 000	■⊞↓	3 à 5 €

La culture de la vigne remonte à la fin du XVIe s. sur ce domaine dont Noël Bressoulaly a pris la tête voilà dix ans. Une antériorité qui explique peut-être la présence d'un conservatoire des anciens cépages d'Auvergne. Ce chardonnay, jaune clair à reflets dorés, offre des arômes de fruits à chair blanche légèrement vanillés par un passage de quatre mois sous bois. La vivacité apparaît en attaque, puis en finale, comme pour inviter à une dégustation sur un plateau de fruits de mer. Le **rouge 2000** (5 à 8 €), assemblage de gamay et de pinot noir élevé dix mois en fût, obtient, lui aussi, une étoile.

↰ Noël Bressoulaly, chem. des Pales, 63114 Authezat, tél. 04.73.24.18.01, fax 04.73.24.18.01 ☑ ⵃ r.-v.

CHARMENSAT
Boudes 2001★★

	0,8 ha	4 800	⬛⬇	3 à 5 €

Dans la vallée des Saints, vous découvrirez un site caractéristique, dû à l'affleurement d'argiles rouges, que l'on appelle le « petit Colorado auvergnat ». A 2 km de là, vous rendrez visite à Annie Charmensat qui, en 1999, a succédé à son père sur un domaine de plus de 9 ha de vignes cultivées en terrasses sous une exposition plein sud. Elle vous propose un vin rose bonbon relevé de reflets saumonés, dont les arômes intenses évoquent la fraise et la framboise. Souple, fraîche et fruitée, cette bouteille est attendue sur les charcuteries du pays.

🍷 GAEC Charmensat, rue du Coufin, 63340 Boudes, tél. 04.73.96.44.75, fax 04.73.96.58.04, e-mail charmensat@wanadoo.fr ☑ ☖ r.-v.

ODETTE ET GILLES MIOLANNE
Cuvée Volcane 2001★★★

	1,7 ha	7 000	⬛⬇	3 à 5 €

Née de sols d'origine volcanique, la cuvée Volcane associe à parts égales le pinot noir et le gamay. Dans son enveloppe rose bonbon à reflets cerise, elle surprend par sa complexité, offrant au dégustateur une corbeille de fruits rouges. Très harmonieuse, elle laisse une impression rafraîchissante grâce à son léger perlant. Et, pour poursuivre le déjeuner d'un début d'automne ensoleillé, goûtez la **cuvée Volcane rouge 2001** (une étoile) sur une viande rouge ou sur un fromage d'Auvergne (cantal, fourme d'Ambert).

🍷 EARL de la Sardissère, 17, rte de Coudes, 63320 Neschers, tél. 04.73.96.72.45, fax 04.73.96.25.79, e-mail gilles.miolanne@wanadoo.fr ☑ ☖ r.-v.

🍷 Odette et Gilles Miolanne

DOM. MONTEL-CAILLOT
Chardonnay 2001

	0,2 ha	1 700	⬛	5 à 8 €

Sitôt sorti du lycée viticole de Beaune, ce vigneron a créé en 1999 son domaine. Il y a un an, il s'est associé à son beau-frère pour mieux l'agrandir. Tous deux proposent un vin au nez bien développé de fruits jaunes mûrs. Les mêmes flaveurs se retrouvent en bouche, associées à une pointe minérale en finale. Bien équilibré, c'est un 2001 qui accompagnera aisément une truite des torrents auvergnats.

🍷 GAEC de Bourrassol, 33, Grande-Rue, 63200 Ménétrol, tél. 04.73.38.24.12, fax 04.73.38.89.90 ☑ ☖ r.-v.

GILLES PERSILIER
Vercingétorix 2001

	1,5 ha	6 000	⬛	3 à 5 €

En 1995, Gilles Persilier, ancien technicien agricole, achète et loue une vigne près de Gergovie. Il cultive aujourd'hui 8 ha sur des coteaux argilo-calcaires, au sud-est du plateau qui fut le théâtre de la victoire de Vercingétorix sur Jules César en 52 av. J.-C. Son vin, élevé en fût, a bien la fougue d'un jeune conquérant. D'un bel éclat, il a de la présence en bouche, mais ses tanins encore vifs méritent de s'assagir.

🍷 Gilles Persilier, 27, rue Jean-Jaurès, 63670 Gergovie, tél. 04.73.79.44.42, fax 04.73.87.56.95, e-mail gilles-persilier@wanadoo.fr ☑ ☖ r.-v.

YOHANNA ET BENOIT PORTEILLA
Cuvée Canis Lupus Elevé en fût 2000★

	1 ha	1 200	⬛	5 à 8 €

Au cours des ères géologiques, des colluvions basaltiques ont été arrachées au plateau qui domine les collines viticoles des côtes d'Auvergne. Elles caractérisent le sol de ce vignoble de 7 ha mené depuis 1997 par les Porteilla. Un vin au nez discret, mais élégant, de fruits rouges se présente à la dégustation. D'un bel équilibre, il offre des tanins bien fondus, signe d'un élevage sous bois réussi. A apprécier dès maintenant.

🍷 Yohanna et Benoît Porteilla, Caveau de Loup, 4, imp. de la Halle, 63111 Dallet, tél. 04.73.83.05.21, fax 04.73.83.05.21, e-mail caveaudeloup@wanadoo.fr ☑ 🏠 ☖ r.-v.

JEAN-PIERRE ET MARC PRADIER
Corent 2001

	3,5 ha	25 000	⬛⬇	3 à 5 €

Corent est célèbre en Auvergne pour ses rosés de teinte pelure d'oignon. Ce 2001 d'une grande fraîcheur, tant par ses arômes d'agrumes que par sa bouche acidulée,

Les vins du Centre

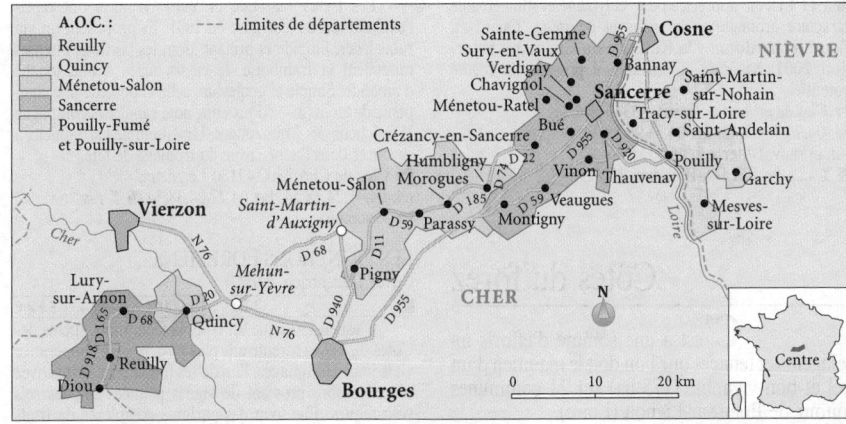

en est une illustration. Les barbecues lui iront bien. Le **côtes d'auvergne chardonnay 2001** et la **cuvée Tradition rouge 2001** sont également cités.
🍷 Jean-Pierre et Marc Pradier,
9, rue Saint-Jean-Baptiste, 63730 Les Martres-de-Veyre,
tél. 04.73.39.86.41, fax 04.73.39.88.17,
e-mail jpmpradier@wanadoo.fr ☑ ⊥ r.-v.

CHRISTOPHE ROMEUF 2001★

■	4 ha	n.c.		3 à 5 €

Depuis 1996, Christophe Romeuf conduit un vignoble de 8 ha. Après un vin rouge 2000 très réussi retenu dans le Guide 2002, il vous propose un rosé de gamay. De légers reflets orangés animent ce millésime rose bonbon intense, à la palette de fruits rouges et au caractère rafraîchissant. Sa place est toute trouvée aux côtés d'un plateau de charcuteries.
🍷 Christophe Romeuf, 1 *bis*, rue du Couvent,
63670 Orcet, tél. 04.73.84.92.10, fax 04.73.84.07.83
☑ ⊥ r.-v.

DOM. ROUGEYRON
Châteaugay Cuvée Bousset d'or 2001★

■	2,24 ha	14 800	■ ↓	5 à 8 €

Une formation volcanique originale caractérise le terroir de Châteaugay : les pépérites, petites boules de basalte nées de la rencontre de la lave avec des eaux souterraines. Elles participent à la création d'un sol bien drainé, capable de se réchauffer rapidement, qu'affectionne le gamay. Ce rosé, œil-de-perdrix, fruité et harmonieux, est un bel exemple des vins de ce cru. Il en va de même du **Châteaugay cuvée Bousset d'or rouge 2001**, également très réussi, expressif et bien équilibré.
🍷 Dom. Rougeyron,
27, rue de La Crouzette, 63119 Châteaugay,
tél. 04.73.87.24.45, fax 04.73.87.23.55 ☑ ⊥ r.-v.

SAUVAT
Boudes Gamay Les Demoiselles oubliées du Donazat Sélection 2001★

■	7,5 ha	53 000	■	5 à 8 €

Les Sauvat font honneur au cru Boudes avec trois cuvées très réussies. La première, rouge soutenu à reflets violets, semble timide au nez, mais surprend par sa générosité et son ampleur dès la mise en bouche. Elle peut être servie aujourd'hui ou conservée un an ou deux. La cuvée **Boudes Gamay Prestige Elevage sous bois 2000** (8 à 11 €) a été appréciée pour sa typicité et son agréable caractère aromatique de cassis et de mûre. Quant au **Boudes chardonnay la Roseraie du Chamaret Sélection 2001**, équilibré et puissant, il possède un même potentiel.
🍷 Claude et Annie Sauvat, 63340 Boudes,
tél. 04.73.96.41.42, fax 04.73.96.58.34,
e-mail sauvat@terre-net.fr
☑ ⊥ t.l.j. 9h-12h 14h-19h; dim. 15h-19h

Côtes du forez

C'est à une somme d'efforts intelligents et tenaces que l'on doit le maintien d'un bel et bon vignoble (175 ha) sur 21 communes autour de Boën-sur-Lignon (Loire).

La quasi-totalité des excellents vins rosés et rouges, secs et vifs, exclusivement à base de gamay, est issue de terrains du tertiaire au nord et du primaire, au sud. Ils proviennent en majorité d'une belle cave coopérative. On consomme jeunes ces vins qui ont été reconnus en AOC en 2001 et ont produit 7 800 hl.

GILLES BONNEFOY
La Madone 2001★★

■	1,2 ha	6 000	■ ⊞	3 à 5 €

Cette exploitation qui compte aujourd'hui 2 ha, a été créée à partir de vignes partiellement abandonnées. En 2001, elle s'est lancée dans une conversion à l'agriculture biologique. Issu de ceps de quarante ans implantés sur des sols mi-granitiques mi-basaltiques, son vin rouge sombre, presque bleuté, livre d'intenses notes minérales de pierre à fusil avant d'évoluer vers la cerise, la framboise, la rose et les épices. La bouche puissante, ample et soyeuse, grâce à des tanins fondus, développe des flaveurs minérales accompagnées de notes de cerise confite, puis s'achève sur une nuance de brûlé. Ce 2001 persistant offre une belle expression du terroir forézien. Il pourra se marier avec une viande rouge au cours des cinq prochaines années.
🍷 Gilles Bonnefoy, Le Pizet, 42600 Champdieu,
tél. 04.77.97.07.33, fax 04.77.97.79.38,
e-mail g.bonnefoy@sideral.fr ☑ ⊥ r.-v.

CLOS DE CHOZIEUX 2001★

■		n.c.	4 000	⊞	3 à 5 €

Les frères Jean-Luc et Yves Gaumon ont repris l'exploitation de leur père en 2001. Ils proposent un vin rubis léger, limpide et brillant, dont les parfums intenses rappellent la framboise, le cassis, alliés à une touche d'amande. Souple et gouleyant, celui-ci possède une charpente de tanins assez doux ; une note vanillée accompagne la fraîcheur des fruits rouges. Un ensemble harmonieux à savourer dans l'année avec du fromage de tête.
🍷 Clos de Chozieux, 42130 Leigneux,
tél. 04.77.24.38.54, fax 04.77.24.38.54 ☑ ⊥ r.-v.
🍷 Gaumon

LES VIGNERONS FOREZIENS
Cuvée Dellenbach 2001★

■	2 ha	10 000	■ ↓	5 à 8 €

C'est en 1932 que fut créée la fédération viticole des Côtes du Forez ; trente ans plus tard, la cave coopérative vit le jour. Hommage à l'un de ses fondateurs, cette cuvée rouge sombre provient de vignes plantées sur des sols volcaniques. Elle livre des parfums complexes de fruits bien mûrs, comme la cerise, la framboise, le cassis, la fraise et la mûre. Puissante et fraîche, quoique marquée par des tanins encore austères, elle retient l'intérêt par sa minéralité, expression d'un terroir original. A boire au cours des deux prochaines années.

🖐 Les Vignerons Foréziens, Le Pont-Rompu, 42130 Trelins, tél. 04.77.24.00.12, fax 04.77.24.01.76
☑ ⊥ r.-v.

DOM. DU POYET 2001★★

■	5 ha	30 000	■ 3 à 5 €

Jean-François Arnaud s'est installé sur cette exploitation en 1995, mais les vignes qui ont donné naissance à son vin sont âgées de quarante ans. Dans le verre brille ainsi une robe rouge violacé à reflets pourpres, de laquelle émanent des arômes fins et intenses de cerise, de groseille, d'amande, associés à des nuances d'œillet et de rose. En bouche, les notes de poivron vert et de silex, de grande fraîcheur, s'accompagnent de vanille, puis de groseille et de réglisse en finale. Ample, souple, élégamment structuré par des tanins serrés et fondus, ce 2001 séduisant est à boire dans l'année avec une viande blanche.

🖐 Jean-François Arnaud, Dom. du Poyet, au Bourg, 42130 Marcilly-le-Châtel, tél. 04.77.97.48.54, fax 04.77.97.48.71 ☑ ⊥ t.l.j. 8h-20h; groupes sur r.-v.

O. VERDIER ET J. LOGEL
Amasis 2001★

■	2 ha	10 000	■ 3 à 5 €

Élaborée à partir de vignes âgées de vingt ans, implantées sur des sols granitiques, cette cuvée rouge intense à reflets violets, livre de riches parfums de fruits mûrs, parmi lesquels la framboise, le cassis et la cerise. La mâche bien ronde s'agrémente de flaveurs de fruits surmûris, comme confits, pour donner la charmante impression d'un vin plein et gouleyant. A déguster avec une salade de fruits rouges. Citée, **La Volcanique rouge 2001**, joliment fruitée et minérale, devra s'arrondir dans l'année.

🖐 Odile Verdier et Jacky Logel, La Côte, 42130 Marcilly-le-Châtel, tél. 04.77.97.41.95, fax 04.77.97.48.80, e-mail cave.verdierlogel@wanadoo.fr
☑ 🏠 ⊥ t.l.j. 9h-12h 14h-19h

Coteaux du giennois

Sur les coteaux de Loire réputés depuis longtemps, tant dans la Nièvre que dans le Loiret, s'étendent des sols siliceux ou calcaires. Trois cépages traditionnels, le gamay, le pinot et le sauvignon, ont donné en 2001, 6 645 hl dont 2 910 hl en vins blancs, légers et fruités, peu tanniques, authentique expression d'un terroir original ; les rouges peuvent être servis jusqu'à cinq ans d'âge, sur toutes les viandes.

Les plantations progressent toujours nettement dans la Nièvre, elles reprennent aussi dans le Loiret, attestant la bonne santé du vignoble, qui atteint 153 ha. Les coteaux du giennois ont accédé à l'AOC en 1998.

JOSEPH BALLAND-CHAPUIS 2001★★

	8 ha	60 000	■♦ 5 à 8 €

Le domaine Balland-Chapuis s'étend également sur les appellations sancerre et pouilly-fumé. Son vignoble du Giennois est situé sur des terrasses surplombant la Loire, aux sols filtrants. Il a donné naissance à un vin d'un bel or soutenu. Le nez est opulent, dominé par les fruits exotiques (fruits de la Passion et mangue), mais une fine nuance de pomme verte se distingue aussi. Rond, gras et très parfumé, ce 2001 pourra être apprécié dès maintenant sur une raie au beurre blanc, mais aussi être conservé deux ou trois ans. Le **rouge 2000**, rubis nuancé d'un soupçon d'orangé, affiche des arômes de fruits rouges typiques, de la complexité, et une structure franche qui le portera encore au moins trois ans. Il obtient une étoile.

🖐 SCEA Dom. Balland-Chapuis, 6, allée des Soupirs, 45420 Bonny-sur-Loire, tél. 02.48.54.06.67, fax 02.48.54.07.97 ☑
🖐 Jean-Louis Saget

DOM. DES BEAUROIS 2001

■	2 ha	12 000	■ 5 à 8 €

La Puisaye est riche en activités touristiques et culturelles, comme la poterie, mais elle produit aussi de bons vins, tel ce 2001, or pâle, dont les arômes prononcés de coing et de fruits confits sont le reflet d'un raisin très mûr. Souple et ronde en bouche, cette bouteille sera prête à boire à l'automne. Si vous passez par Lavaux, goûtez les fromages de chèvre que produit le voisin d'Anne-Marie Marty. Le mariage avec le vin sera réussi.

🖐 Anne-Marie Marty, Dom. des Beaurois, 89170 Lavau, tél. 03.86.74.16.09, fax 03.86.74.16.09
☑ 🗓 ⊥ t.l.j. 11h-12h30 16h-19h

LYCEE AGRICOLE DE COSNE-SUR-LOIRE 2000★

■	2,68 ha	16 000	■♦ 3 à 5 €

Responsable du vignoble et du chai du lycée agricole de Cosne-sur-Loire, Olivier Chappaz s'applique à produire des vins dignes de son établissement. Le nez est réservé, mais sympathique (gibier, sous-bois). De la rondeur, une belle concentration, des tanins souples font de ce millésime une bouteille prête à boire. Le **blanc 2001** est cité.

☛ Lycée agricole de Cosne-sur-Loire,
66, rue Jean-Monnet, BP 132, 58206 Cosne-sur-Loire,
tél. 03.86.26.99.84, fax 03.86.26.99.84
☑ ▼ t.l.j. sf sam. dim. 8h30-12h30 13h30-17h30

DOM. COUET 2001★

| ■ | 0,5 ha | 4 000 | ■↓ | 3 à 5 € |

Bernard Couet est secondé par son fils depuis 1998.
Tous deux ont élaboré un joli rosé issu de sols argilo-
calcaires et de silex. Derrière une robe orangée, assez
soutenue, celui-ci présente une grande finesse. La finale est
marquée par une grande vivacité évocatrice d'agrumes et
de citron vert. A boire avec des grillades. Le **blanc 2001**
est cité.
☛ EARL Dom. Couet, Croquant,
58200 Saint-Père, tél. 03.86.28.14.80, fax 03.86.28.14.80
☑ ▼ t.l.j. 8h-20h

FOURNIER PERE ET FILS 2000

| ■ | n.c. | 19 400 | ■↓ | 5 à 8 € |

La famille Fournier est implantée sur l'ensemble des
vignobles de la région (sancerre, pouilly-fumé, menetou-
salon). Son coteaux du giennois est dans une phase
d'évolution. La couleur soutenue laisse apparaître un léger
reflet tuilé. Les arômes encore discrets évoquent les fruits
rouges, marqués d'une note animale (cuir). Légèrement
perlant, il devra être servi en carafe pour être pleinement
apprécié.
☛ SA Fournier Père et Fils, Chaudoux, BP 7,
18300 Verdigny, tél. 02.48.79.35.24, fax 02.48.79.30.41,
e-mail claude @ fournier-père-fils.fr ☑ ▼ t.l.j. 8h-18h30;
sam. dim. sur r.-v.
☛ GFA Chanvrieres

DOM. DE LA GRANGE ARTHUIS
Les Daguettes 2001★★

| ■ | 2,5 ha | 9 000 | ■ | 5 à 8 € |

Propriété essentiellement arboricole à l'origine, le
domaine de La Grange Arthuis a recentré son activité
sur la vigne, accentuant cette reconversion à partir de
1992. Cette cuvée est une belle consécration. La palette
puissante et persistante évoque bourgeon de cassis et
fruits blancs. La fraîcheur, la vivacité et les arômes
d'agrumes imprègnent et ravissent les papilles. Un grand
classique. La cuvée **Les Daguettes rouge 2001** est
citée.
☛ Dom. de la Grange Arthuis, 89170 Lavau,
tél. 03.86.74.06.20, fax 03.86.74.18.01
☑ 🏠 🏠 ▼ r.-v.
☛ Reynaud

MICHEL LANGLOIS
Champ de la Croix 2000★★

| ■ | 6 ha | 22 000 | ■⬛↓ | 5 à 8 € |

Michel Langlois produit non seulement des crèmes
de fruits et du pouilly-fumé, mais aussi des coteaux du
giennois. Et quel beau représentant de l'appellation que ce
2000 ! La palette décline des senteurs très mûres, compotées. La structure est bâtie sur des tanins souples et soyeux
qui savent manifester leur présence en finale, accompagnés
de longues flaveurs de réglisse et d'épices. Ce vin est très
bon maintenant ; il le sera encore dans cinq ans. Au **blanc
2000**, le jury accorde une étoile.

☛ Michel Langlois, Le Bourg, 58200 Pougny,
tél. 03.86.28.47.08, fax 03.86.28.59.29
☑ ▼ t.l.j. sf dim. 9h-13h 15h-19h

DOM. RAIMBAULT-PINEAU
Les Vignes du Dimanche 2001

| ■ | n.c. | 2 600 | ■↓ | 5 à 8 € |

Les Vignes du Dimanche correspondent à un terroir
de sol argilo-siliceux sur sous-sol calcaire. Les arômes
intenses mêlent la suavité du fruit (agrumes) à un minéral.
Très vif en bouche, sur la pomme verte, agrémentée de
notes mentholées, il ne tardera pas à s'assagir. C'est un vin
pour les huîtres.
☛ Dom. Raimbault-Pineau,
rte de Sancerre, 18300 Sury-en-Vaux,
tél. 02.48.79.33.04, fax 02.48.79.36.25 ☑ ▼ r.-v.

DOM. DES RATAS 2001★

| ■ | 1,5 ha | 10 000 | ■ | 5 à 8 € |

Le domaine des Ratas est exploité depuis 1994 en
partenariat entre la famille Balland et M. Villeneuve,
restaurateur. Son coteaux du giennois trouvera une bonne
place à table sur des fruits de mer. Les arômes sont
intenses, dominés par les nuances végétales et le bourgeon
de cassis. S'il montre de la rondeur en attaque, ce 2001
rappelle ensuite son jeune âge et ses origines (des vignes
d'une dizaine d'années seulement) : la vivacité est en effet
bien présente.
☛ SCEA Dom. des Ratas, Les Ratas,
RN 7, 45420 Bonny-sur-Loire,
tél. 02.38.85.31.52, fax 02.38.85.37.88 ☑ ▼ r.-v.

SEBASTIEN TREUILLET 2001★

| ■ | 0,5 ha | 1 500 | | 5 à 8 € |

Sébastien Treuillet est présent dans trois appellations : pouilly-fumé, pouilly-sur-loire et coteaux du giennois, où il a produit un 2001 rose saumon soutenu, relevé
de quelques reflets orangés. Le fruité s'agrémente d'une
touche de miel. Souple en attaque, réveillé par une belle
vivacité, ce vin convivial représente bien les rosés du
Centre-Loire.
☛ Sébastien Treuillet, Fontenille,
58150 Tracy-sur-Loire,
tél. 03.86.26.17.06, fax 03.86.26.17.06 ▼ t.l.j. 8h-18h

LES TUILERIES 2000★★

| ■ | 6 ha | 40 000 | ■↓ | 3 à 5 € |

C'est en 1970 que les Caves de Pouilly-sur-Loire se
sont impliquées dans le vignoble des coteaux du giennois.
Leur travail lent et patient aboutit à une cuvée de teinte
engageante, rubis intense à reflets violets. Le nez expressif
et fin rappelle les petits fruits rouges, puis la matière se

structure autour de bons tanins qui méritent de se fondre. Prometteur, ce vin pourra être conservé quelques années pour être servi sur un gibier ou une côte de bœuf.
🛏 Caves de Pouilly-sur-Loire,
Les Moulins à Vent, BP 9, 58150 Pouilly-sur-Loire,
tél. 03.86.39.10.99, fax 03.86.39.02.28,
e-mail caves.pouilly.loire@wanadoo.fr ☑ ⵀ r.-v.

DOM. DE VILLARGEAU 2000★

■	1,6 ha	7 200	🍷	5 à 8 €

Les deux frères, François et Jean-Fernand, viennent d'être rejoints par leur fils et neveu Marc : la belle aventure viticole continue pour la famille Thibault qui vous propose un vin rubis intense qui réunit les fruits surmûris, presque confiturés, le sous-bois et même le gibier. Les tanins mûrs et équilibrés participent à l'impression de rondeur. Le tout se termine chaleureusement. Un ensemble agréable pour une viande en croûte ou un fromage bien fait.
🛏 GAEC Thibault, Villargeau, 58200 Pougny,
tél. 03.86.28.23.24, fax 03.86.28.47.00,
e-mail fthibault@wanadoo.fr ☑ ⵀ r.-v.

DOM. DE VILLEGEAI
Terres des Violettes 2000★

■	3,5 ha	27 000	🍷	5 à 8 €

Les frères Quintin possèdent une cave voûtée, en pierre de taille ; celle-ci a notamment accueilli ce vin fin et fruité (cerise noire), qui laisse échapper quelques notes animales. Franc, rond, de bon volume, le palais est flatteur, aux tanins bien présents. Déjà un peu évoluée, cette bouteille conviendra à des viandes rouges ou à un coq au vin. Le blanc 2001 est cité.
🛏 SCEA Quintin Frères, Villegeai,
58200 Cosne-Cours-sur-Loire,
tél. 03.86.28.31.77, fax 03.86.28.20.77 ☑ ⵀ r.-v.

Saint-pourçain AOVDQS

Le paisible et plantureux Bourbonnais possède aussi, sur dix-neuf communes, un beau vignoble de 515 ha au sud-ouest de Moulins qui a donné 28 492 hl en 2001.

Les coteaux et les plateaux calcaires ou graveleux bordent la charmante Sioule ou sont proches d'elle. C'est surtout l'assemblage des vins issus de gamay et de pinot noir qui confère aux vins rouges et rosés leur charme fruité.

Les blancs ont fait autrefois la réputation de ce vignoble ; un cépage local, le tressallier, est assemblé au chardonnay et au sauvignon, conférant une grande originalité aromatique à ces vins.

DOM. DE BELLEVUE
Grande Réserve 2001★

■	6,5 ha	45 000	🍷	3 à 5 €

Ce domaine de 18 ha, créé en 1922, fête cette année non seulement ses quatre-vingts ans d'existence, mais aussi

les vingt ans de travail de Jean-Louis Pétillat. Celui-ci a de quoi être satisfait. Son saint-pourçain blanc a séduit le jury par sa couleur jaune pâle, comme par ses arômes intensément floraux. D'attaque franche, ce 2001 se poursuit avec onctuosité. Egalement très réussis, les Roches grises rouge 2000 (5 à 8 €), à reflets orangés, offrent un nez délicat, une bouche équilibrée et fruitée. Enfin, la Grande Réserve rouge 2001 est citée : ses tanins encore jeunes méritent de s'assouplir à la garde.
🛏 Jean-Louis Pétillat, Bellevue, 03500 Meillard,
tél. 04.70.42.05.56, fax 04.70.42.09.75,
e-mail jean-louis-petillat1@wanadoo.fr
☑ ⵀ t.l.j. sf dim. 9h-12h 14h-18h30

BERNARD GARDIEN ET FILS
Nectar des Fées 2001

▨	7 ha	40 000	🍷🍷	3 à 5 €

Depuis que le millésime 99 a été élu coup de cœur dans le Guide 2001, Bernard Gardien organise la fête du Nectar des Fées à la mi-décembre. Ce vin de chardonnay et de tressallier trouve à nouveau sa place dans notre sélection. Caractérisé par des notes d'agrumes, il révèle un bon équilibre et une finale longuement minérale. Le blanc La Réserve des Grands Jours 2000 (5 à 8 €), élevé un an en fût, est également cité. Marqué par le bois, il devra patienter en cave.
🛏 Dom. Gardien, Chassignolles, 03210 Besson,
tél. 04.70.42.80.11, fax 04.70.42.80.99,
e-mail c.gardien@03.sideral.fr
☑ ⵀ t.l.j. sf dim. 8h-12h 14h-19h

DOM. GROSBOT-BARBARA
La Vreladière 2001

▨	0,84 ha	5 600	🍷	3 à 5 €

C'est en 1996 que ces deux vignerons se sont associés. Ils viennent d'investir dans un nouveau chai. Ce 2001, tout en souplesse et en générosité, développe un nez floral, puis une bouche élégante. Il sera apprécié sur des fromages persillés. Le Vin d'Alon blanc 2001 est également cité pour ses arômes de fleurs et son caractère flatteur.
🛏 Dom. Grosbot-Barbara, Montjournal,
rte de Montluçon, 03500 Cesset,
tél. 04.70.45.26.66, fax 04.70.45.54.95 ☑ ⵀ r.-v.

DOM. HAUT DE BRIAILLES
L'Hermitage 2001

■	1,55 ha	8 000	🍷	3 à 5 €

Voilà un vin bien sympathique par ses arômes de fruits rouges intenses. Il faudra cependant attendre un peu que ses tanins encore très présents se fondent pour découvrir son équilibre. Egalement citée, La Chapelle blanc 2001, au nez discret, tirera tous les avantages d'un mariage avec une andouillette de Dromard.
🛏 Dom. Haut de Briailles,
03500 Saint-Pourçain-sur-Sioule,
tél. 04.70.45.38.88, fax 04.70.45.60.07,
e-mail jeanmeunier@freesbee.fr ☑ ⵀ r.-v.

LAURENT
Cuvée Tradition 2000★★

■	2,2 ha	13 000	🍷🍷	5 à 8 €

Plus que sa belle robe à reflets orangés, c'est tout un ensemble qui a séduit le jury. Le nez plaisant offre des arômes typés de fruits noirs très mûrs. La bouche dévoile d'emblée un bon équilibre. Souple, charnu, aromatique, harmonieux sont les qualificatifs utilisés par le jury pour

LOIRE

décrire ce fleuron de l'appellation. Le **rouge 2000, élevé en fût de chêne**, est cité pour son nez intense et ses tanins fondus. Il est à boire dès aujourd'hui. Le jury a également retenu avec une citation le **blanc 99, élevé en fût de chêne** qu'il faudra attendre quelques années.

➻ Famille Laurent, Montifaud, 03500 Saulcet,
tél. 04.70.45.90.41, fax 04.70.45.90.42,
e-mail cave.laurent@wanadoo.fr
☑ ⊥ t.l.j. sf dim. 8h-12h 14h-19h

NEBOUT 2001★

■		7 ha	40 000	🍷 3 à 5 €

Deux vins très réussis témoignent de la régularité de la production des Nebout sur les millésimes 2000 et 2001. Le premier, assemblage de gamay et de pinot noir, délivre ses notes de fruits rouges mûrs avant d'emplir le palais de sa rondeur harmonieuse. La **cuvée de la Malgarnie rouge 2000**, couleur cerise à nuances orangées, également très réussie, possède des arômes intenses et des tanins fondus qui lui permettront de s'accorder avec des spécialités auvergnates, comme le pâté à la pomme de terre.

➻ Serge et Odile Nebout, rte de Montluçon,
03500 Saint-Pourçain-sur-Sioule,
tél. 04.70.45.31.70, fax 04.70.45.12.54 ☑ ⊥ r.-v.

FRANCOIS RAY 2001★★

■		1,5 ha	11 700	🍷 5 à 8 €

François Ray dirige depuis 1983 cette propriété de 14 ha. Il propose un rosé du plus bel effet dans sa robe brillante, parfumé de fruits rouges (groseille), dont l'attaque vive et la finale poivrée renforcent le caractère rafraîchissant. Le **blanc 2001**, bon compagnon des crustacés et des poissons froids par sa minéralité, ainsi que la **cuvée des Gaumes rouge 2001**, aux arômes fruités nuancés de notes animales (gibier) et aux tanins encore présents, sont cités.

➻ Cave François Ray, Venteuil, 03500 Saulcet,
tél. 04.70.45.35.46, fax 04.70.45.64.96
☑ ⊥ t.l.j. sf dim. 9h-12h 14h-19h; groupes sur r.-v.

LES VIGNERONS DE SAINT-POURCAIN
Cuvée Tradition 2000★

■		n.c.	120 000	🍷 3 à 5 €

La cave de Saint-Pourçain défend dignement son appellation avec trois vins retenus dans le Guide. Ce vin légèrement tuilé offre des senteurs de fruits rouges mûrs avant de dévoiler une bouche équilibrée et longue. L'**Atlantis blanc 2001**, rafraîchissant par ses puissants arômes d'agrumes, et la **Réserve spéciale blanc 2001**, florale, sont cités.

➻ Union des vignerons de Saint-Pourçain,
3, rue de la Ronde, 03500 Saint-Pourçain-sur-Sioule,
tél. 04.70.45.42.82, fax 04.70.45.99.34,
e-mail udv.stpourcain@wanadoo.fr
☑ ⊥ t.l.j. 8h30-12h30 13h30-18h30; groupes sur r.-v.

Côte roannaise

Des sols d'origine éruptive face à l'est, au sud et au sud-ouest, sur les pentes d'une vallée creusée par une Loire encore adolescente : voilà un milieu naturel qui appelle aussi le gamay.

Quatorze communes (192 ha) situées sur la rive gauche du fleuve produisent d'excellents vins rouges et de frais rosés, plus rares. Des vignerons particuliers soignent attentivement leur vinification (10 012 hl en 2001) ; ils obtiennent des vins originaux et de caractère, auxquels s'intéressent les chefs les plus prestigieux de la région. On évoque les traditions viticoles au Musée forézien d'Ambierle.

Lentement mais sûrement, le vignoble progresse... Cependant, le fait le plus notable réside dans l'intérêt que le négoce et la distribution attachent aux vins de la côte roannaise, confirmant ainsi l'originalité et la qualité du cru.

Quoique très timidement, le chardonnay s'implante localement et fournit des produits non dépourvus de valeur dans la catégorie vin de pays d'Urfé.

JEAN-PIERRE BENETIERE
Vieilles vignes 2001

■		1,5 ha	9 000	🍷 5 à 8 €

Non content de cultiver et de vinifier le fruit de 4,5 ha de vignes, Jean-Pierre Benetière fabrique aussi un peu de vannerie. Choisissez votre panier et emportez ce vin de couleur cassis, sombre et limpide, qui laisse le souvenir de parfums discrets et plaisants de fruits rouges et noirs, de gingembre, de violette et d'orange confite. Un léger perlant apparaît à l'attaque, suivi de tanins encore marqués. Mais les arômes fruités égayent la bouche. Un 2001 qui devra s'affiner quelques mois en cave pour parvenir à son optimum.

➻ Jean-Pierre et Paul Benetière,
pl. de la Mairie, 42155 Villemontais,
tél. 04.77.63.18.29, fax 04.77.63.18.29 ☑ ⊥ r.-v.

CH. DE CHAMPAGNY
Grande Réserve 2001★★

■		1,9 ha	9 000	🍷 3 à 5 €

À l'arrivée d'André Villeneuve sur ce domaine datant du début du XVIIIe s., il ne restait que 2 ha de vignes, la

crise du phylloxéra ayant réduit à néant l'activité pourtant si dynamique de la propriété, là où, à l'aube du siècle dernier, treize métayers vinifiaient encore 4 000 hl. Frédéric a rejoint son père en 1997 ; ensemble, ils vinifient le fruit de 12 ha. Leur cuvée rouge foncé, presque cassis, exhale des parfums complexes et intenses de fruits rouges frais, puis d'épices. Aux tanins souples qui se manifestent dès l'attaque répond sans dissonance une matière aromatique, concentrée et ronde. Ce vin long et puissant, harmonieux du début à la fin de la dégustation, saura vous satisfaire pendant deux ou trois ans. La **cuvée classique rouge 2001 du Château de Champagny** été jugée très réussie pour son élégance et son expression bien marquée de cassis.

⤙ André et Frédéric Villeneuve, Champagny,
42370 Saint-Haon-le-Vieux,
tél. 04.77.64.42.88, fax 04.77.62.12.55 ☑ ⊺ r.-v.

MICHEL ET ERIC DESORMIERE
Tradition 2001★

■	2,4 ha	18 000	▮	3 à 5 €

En 1996, Eric est venu rejoindre son père pour cultiver ensemble les quelque 12 ha de vignes. Tous deux proposent un vin d'un rouge brillant animé de reflets violets, qui libère d'intenses parfums de framboise, de groseille, mêlés de notes végétales, poivrées et minérales. Agréablement fruité à l'attaque, celui-ci évolue sur des tanins encore sensibles, mais n'en reste pas moins équilibré, typé et bien sympathique. A déguster dans l'année.

⤙ Michel et Eric Desormière, Le Perron,
42370 Renaison, tél. 04.77.64.48.55, fax 04.77.62.12.73
☑ ⊺ t.l.j. 8h-12h30 13h30-19h; dim. sur r.-v.

DOM. DU FONTENAY
L'Authentique 2001

■	1,5 ha	10 000	▮↓	8 à 11 €

Issue d'une vendange éraflée, cette cuvée grenat soutenu n'a subi ni collage, ni filtration. Elle s'ouvre sur des notes épicées et des nuances de sous-bois, tandis qu'au palais les tanins très présents dominent le fruité. Puissante et vive en finale, elle demande à attendre deux ans avant de rejoindre un plateau de charcuteries. Le **côte roannaise Rosé à l'ancienne 2001** (5 à 8 €) est cité.

⤙ Dom. du Fontenay, 42155 Villemontais,
tél. 04.77.63.12.22, fax 04.77.63.15.95,
e-mail hawkins@netsysteme.net ☑ ⌂ ⊺ r.-v.
⤙ Hawkins

MICHEL ET LIONEL MONTROUSSIER
Bouthéran 2001

■	2 ha	10 000	▮↓	3 à 5 €

Dans le chai rénové et agrandi en 2001 ont été élevés un **rosé 2001**, cité par le jury, et ce millésime rouge sombre, dont le nez de fruits rouges évolue vers le cassis

et l'iris, associés à une pointe minérale. Assez charnu, le vin révèle une structure ample et droite qui masque un peu le fruité. Avec ses jeunes tanins encore sauvages, il doit s'assagir quelques mois de plus.

⤙ GAEC Michel et Lionel Montroussier,
La Baude, 42370 Saint-André-d'Apchon,
tél. 04.77.65.80.86, fax 04.77.65.92.76
☑ ⊺ t.l.j. 8h-19h; sam. dim. sur r.-v.

DOM. DE LA PAROISSE
Cuvée à l'ancienne 2001

■	2,5 ha	7 000	▯	3 à 5 €

Vinifiée dans une cuve en bois avec un foulage aux pieds, cette cuvée rouge sombre livre de discrètes nuances minérales, des arômes de cassis, des notes végétales et des parfums de fruits exotiques. La bouche, elle, se révèle assez vive, étayée par une structure légère et aromatique. Un vin fruité, sans prétention pour la garde, qui est à boire dès à présent.

⤙ Jean-Claude Chaucesse, La Paroisse,
42370 Renaison, tél. 04.77.64.26.10, fax 04.77.62.13.84
☑ ⊺ r.-v.

DOM. DU PAVILLON 2001

■	7 ha	45 000	▮	3 à 5 €

Non loin de l'abbaye du XVᵉs., au célèbre retable, l'exploitation a produit un vin rouge violacé aux parfums assez développés de cassis, de fruits rouges, assortis de fraîches et fines nuances de pivoine. La bouche d'un bon volume met en valeur, par une pointe de vivacité, des arômes fruités et confits. Souple, ce 2001 est à boire dans l'année.

⤙ Maurice Lutz, Dom. du Pavillon, 42820 Ambierle,
tél. 04.77.65.64.35, fax 04.77.65.69.69 ☑ ⊺ r.-v.

JACQUES PLASSE
Bel Air 2001★

■	3 ha	11 000	▮↓	3 à 5 €

Des vignes de soixante ans implantées sur des sols granitiques ont produit un millésime rubis intense qui s'ouvre sur les petits fruits rouges, puis appelle le cassis, l'iris et la fleur de sureau. Le vin emplit le palais de sa chair comme de ses arômes fruités, associés à une note minérale. Doté d'une belle structure, il laisse une bonne impression. A apprécier pendant les deux prochaines années.

⤙ Jacques Plasse, Bel-Air,
42370 Saint-André-d'Apchon,
tél. 04.77.65.84.31 ☑ ⊺ r.-v.

DOM. DES POTHIERS 2001★

■	0,75 ha	6 000	▮↓	5 à 8 €

Un gîte rural et une production fermière de fromages viennent compléter l'activité de cette exploitation qui a élaboré une cuvée pourpre aux reflets violets. Les parfums complexes et très purs de raisin et de fruits rouges s'associent à des notes poivrées évoquant le terroir. La bouche révèle un bon équilibre entre les tanins fruités et la vivacité. La charpente n'altère pas la souplesse de ce vin persistant, très bien équilibré. A boire au cours de deux prochaines années.

⤙ Georges et Denise Paire,
Les Pothiers, 42155 Villemontais,
tél. 04.77.63.15.84, fax 04.77.63.19.24 ☑ ⌂ ⊺ r.-v.

ROBERT SEROL ET FILS
Les Vieilles vignes 2001

■	4,5 ha	27 000	■↓	3 à 5 €

Dans leur cave de vinification rénovée en 1999, qui reçoit le fruit de 18 ha de vignes cultivées selon les principes de la lutte intégrée, les Sirol ont élaboré un vin grenat intense et limpide, aux parfums de fruits rouges, de cassis et de kirsch, mêlés à des notes de cuir. La riche matière, d'une bonne ampleur et solidement bâtie, permettra à ce 2001 de rester à votre disposition dans vos casiers pendant les deux prochaines années.
➼ EARL Robert Sérol et Fils, Les Estinaudes, 42370 Renaison, tél. 04.77.64.44.04, fax 04.77.62.10.87, e-mail domaine.serol@wanadoo.fr
☑ ⟇ t.l.j. 9h-12h30 14h-19h; dim. sur r.-v.

PHILIPPE ET JEAN-MARIE VIAL
Vieille vigne 2001

■	1 ha	6 000	■↓	5 à 8 €

Cette Vieille vigne de soixante ans a produit une cuvée rouge sombre aux parfums discrets de petits fruits rouges et de bourgeon de cassis, associés à des nuances minérales et à des arômes de kirsch. Après une attaque fruitée, ce vin emplit totalement le palais, révélant une structure de tanins légers, puis une finale minérale. Une bouteille à boire dans l'année en toute simplicité.
➼ GAEC Vial, Bel-Air, 42370 Saint-André-d'Apchon, tél. 04.77.65.81.04, fax 04.77.65.91.99
☑ ⟇ t.l.j. sf dim. 8h-12h 14h-18h30

L'Orléanais AOVDQS

Parmi les « vins françois », ceux d'Orléans eurent leur heure de gloire à l'époque médiévale. A côté des jardins, des pépinières et des vergers renommés, la vigne prospère (127 ha revendiqués en 2001). La tradition s'est surtout maintenue sur les terrasses sablo-graveleuses de la rive sud de la Loire entre Olivet et Cléry, dont la basilique abrite le tombeau de Louis XI.

Les vins rouges et rosés tirent leur originalité du pinot meunier, utilisé surtout... en Champagne. Les vins rosés, dits parfois « gris », sont souples.

Les vignerons ont su adapter des cépages cités depuis le Xe s. comme venus d'Auvergne, mais identiques à ceux de Bourgogne : auvernat rouge (pinot noir), auvernat blanc (chardonnay) et gris meunier, auxquels est venu s'ajouter le cabernet (ou breton) au bouquet de groseille et de cassis. Il faut les boire sur des perdreaux et des faisans rôtis, des pâtés de gibier de la Sologne voisine et des fromages cendrés du Gâtinais. La production en rouge a atteint 3 125 hl en 2001 ; les vins blancs restent confidentiels (954 hl).

VIGNOBLE DU CHANT D'OISEAUX
Gris meunier 2001

■	1 ha	6 000	■↓	3 à 5 €

Jacky Legroux cultive près de 10 ha au lieu-dit Chant d'Oiseaux. L'assemblage de pinot meunier à 20 % de pinot noir lui a permis d'élaborer un vin de teinte vieux rose, légèrement orangé, dont les arômes fins et discrets s'harmonisent bien avec l'élégante matière. Cette bouteille se prête à des accords avec les charcuteries et les grillades. Egalement cités, le **chardonnay 2001** qui se montre généreux en bouche et vif en finale, ainsi que le **pinot meunier rouge 2001**.
➼ Jacky Legroux, 315, rue des Muids, 45370 Mareau-aux-Prés, tél. 02.38.45.60.31, fax 02.38.45.62.35 ☑ ⟇ r.-v.

LES VIGNERONS DE LA GRAND'MAISON
2001★

■	25 ha	12 000	■↓	3 à 5 €

Créée en 1931, cette cave coopérative vinifie aujourd'hui le fruit de 189 ha de vignes. Elle propose un orléanais jaune brillant, au nez encore timide mais déjà fort agréable en bouche grâce à son onctuosité et à sa longueur. Une bouteille à servir sur la petite friture de Loire.
➼ Les Vignerons de la Grand'Maison, 550, rte des Muids, 45370 Mareau-aux-Prés, tél. 02.38.45.61.08, fax 02.38.45.65.70, e-mail vignerons.orleans@free.fr
☑ ⟇ t.l.j. sf dim. 9h-12h 14h-17h30

SAINT AVIT
Cabernet 2000★

■	5,7 ha	10 000	■↓	3 à 5 €

A Cléry-Saint-André, vous aurez plaisir à découvrir une splendide basilique de style gothique flamboyant. C'est dans cette ville que s'est installée la famille Javoy, dont l'histoire viticole remonte à 1792, selon des actes notariés. Aujourd'hui à la tête de plus de 15 ha, le producteur a élaboré un cabernet de teinte soutenue, délivrant avec élégance et générosité des senteurs de fruits rouges mûrs. Equilibré, son vin représente bien le millésime 2000. Le **Saint Avit de pinot noir meunier 2000** obtient également une étoile pour sa longueur et sa bonne évolution.
➼ Javoy Père et Fils, 450, rue du Buisson, 45370 Mézières-lez-Cléry, tél. 02.38.45.66.95, fax 02.38.45.69.77 ☑ ⟇ t.l.j. sf dim. 8h-12h 14h-19h

CLOS SAINT-FIACRE 2001★

■	5,94 ha	32 000	■↓	5 à 8 €

L'histoire du Clos Saint-Fiacre remonte à 1635. Depuis, les générations se sont succédé et le vignoble s'est agrandi pour atteindre les quelque 21 ha cultivés aujourd'hui par Bénédicte et Hubert Montigny-Piel. Pinot meunier (80 %) et pinot noir s'assemblent pour donner naissance à un vin rouge cerise, brillant. S'il est encore timide dans son expression aromatique, il laisse une agréable sensation en bouche et représente bien son millésime. Le **chardonnay 2001** obtient, lui aussi, une étoile pour ses arômes de fleurs blanches et son style élégant et rond. Quant au **rosé 2001**, pensez-y pour accompagner des grillades ; le jury l'a cité.
➼ GAEC Clos Saint-Fiacre, 560, rue Saint-Fiacre, 45370 Mareau-aux-Prés, tél. 02.38.45.61.55, fax 02.38.45.66.58 ☑ ⟇ r.-v.
➼ Montigny-Piel

Menetou-salon

Menetou-Salon doit son origine viticole à la proximité de la métropole médiévale qu'était Bourges ; Jacques Cœur y eut des vignes. À l'encontre de nombreux vignobles jadis célèbres, la région est demeurée viticole, et son vignoble de 400 ha est de qualité.

Sur ses coteaux bien adaptés, Menetou-Salon partage, avec son prestigieux voisin Sancerre, sols favorables et cépages nobles : sauvignon blanc et pinot noir sur kimméridgien. D'où ces vins blancs frais, épicés, ces rosés délicats et fruités, ces rouges harmonieux et bouquetés, à boire jeunes. Fierté du Berry viticole, ils accompagnent à ravir une cuisine classique mais savoureuse (apéritif, entrées chaudes pour les blancs ; poisson, lapin, charcuterie pour les rouges, à servir frais). La production a atteint 25 440 hl en 2001, dont 15 965 hl en vin blanc.

CAVES ALAIN ASSADET 2001

n.c.	n.c.		5 à 8 €

Née d'un sol argilo-calcaire, cette cuvée se pare d'une livrée d'or parcourue d'un reflet vert d'une intensité étonnante. Persévérant, le nez évoque la racine d'iris et les fleurs blanches. A ces fragrances s'ajoute une légère touche végétale. Rond en attaque, le palais se fait nerveux dans une finale aux nuances de fruits secs et de poire. Cette bouteille devrait être prête à la sortie du Guide.
➥ EARL A. et V. Assadet,
Les Faucards, 18510 Menetou-Salon,
tél. 02.48.64.86.39, fax 02.48.64.86.38 ☑

DOM. DE CHATENOY 2001★★

8 ha	70 000		8 à 11 €

Représentant la quinzième génération d'une lignée de vignerons remontant au XVIᵉ s., Pierre Clément sait imprimer à ses vins sa marque personnelle. Celui-ci s'annonce par des sensations vanillées avant d'exprimer le fruité caractéristique du pinot. Sa puissance en bouche s'allie avec la fraîcheur du raisin qui dure longuement. Déjà plaisant, ce menetou-salon possède aussi un réel potentiel. Le **blanc 2001** du domaine reçoit une étoile pour ses arômes particulièrement développés et persistants.
➥ SCEA Pierre Clément,
Dom. de Chatenoy, 18510 Menetou-Salon,
tél. 02.48.66.68.70, fax 02.48.66.68.71 ☑ Ⓨ r.-v.

G. CHAVET ET FILS 2001★

9,6 ha	75 000		5 à 8 €

Encore un bon millésime pour ce domaine puisqu'il est sélectionné dans les trois couleurs. Un ménetou-salon blanc, né d'« oreille de poule » : c'est le nom local du kimméridgien, célèbre terroir argilo-calcaire. Discret, mais très fin, le vin libère des effluves fruitées (abricot, pêche blanche) et florales. Rond et charnu, il se livrera davantage dans un an ou deux. Le **rouge 2001** obtient une étoile pour son beau fruité, tandis que le **rosé 2001** est cité.

➥ G. Chavet et Fils, GAEC des Brangers,
18510 Menetou-Salon, tél. 02.48.64.80.87,
fax 02.48.64.84.78, e-mail contact@chavet-vins.com
☑ ⌂ Ⓨ t.l.j. sf dim. 8h-12h 14h-18h

DOM. DE COQUIN 2001★

3,5 ha	28 000		5 à 8 €

Francis Audiot développe avec persévérance la vente directe au domaine de Coquin. Depuis plusieurs années, des mentions régulières dans le Guide témoignent de sa constance dans la qualité. Son vin rouge, après aération, s'ouvre sur un fruité caractéristique du pinot noir. Le grain est finement ciselé, le tanin discret. Encore jeune, cette bouteille révèle un fort potentiel. Le **blanc 2001** obtient la même note pour son harmonie.
➥ Francis Audiot,
Dom. de Coquin, 18510 Menetou-Salon,
tél. 02.48.64.80.46, fax 02.48.64.84.51 ☑ Ⓨ r.-v.

DOM. GILBERT 2001★

13,4 ha	108 000		8 à 11 €

Le domaine Gilbert obtient régulièrement de bonnes appréciations, notamment pour ses vins rouges : ne reçut-il pas l'un des coups de cœur de l'appellation dans le millésime précédent ? Le 2001 est encore fort bien accueilli. Les dégustateurs saluent la complexité fruitée de sa palette aromatique, où ressort la myrtille, le volume et les tanins tendres et fondus qui en font une bouteille prête à boire. La cuvée **Les Renardières rouge 2000 (11 à 15 €)**, élevée en fût, obtient une citation, tout comme le **blanc 2001**.
➥ Dom. Gilbert, Les Faucards, 18510 Menetou-Salon,
tél. 02.48.66.65.90, fax 02.48.66.65.99 ☑ Ⓨ r.-v.

DOM. HENRY PELLE
Morogues 2001★

8,8 ha	65 000		8 à 11 €

Installé en 1950, quelques années avant la reconnaissance du menetou-salon en AOC, Henry Pellé a contribué au renom de l'appellation. Sa fille a pris la relève. Son Morogues rouge peut se décrire en un mot : concentration. Concentration à l'œil, avec un rubis profond ; concentration au nez avec des arômes de fruits cuits, de marc de raisin, voire de réglisse ; concentration en bouche où l'on trouve beaucoup de corps et de tanins fondus. La qualité du raisin transparaît. Un menetou-salon sans artifice, d'un excellent potentiel de garde. Quant à son **Morogues blanc 2001**, il obtient une citation.
➥ SARL Henry Pellé, rte d'Aubinges,
18220 Morogues, tél. 02.48.64.42.48,
fax 02.48.64.36.88, e-mail info@henry-pelle.com
☑ Ⓨ t.l.j. sf sam. dim. 8h-12h 13h30-17h30;
f. 14 août-1ᵉʳ sept.
➥ Anne Pellé

HENRY PELLE 2001★★

8,8 ha	80 000		5 à 8 €

A côté de son domaine, la maison Pellé exerce une activité de négoce. C'est le négociant qui est distingué cette année, grâce à ce remarquable vin blanc. Ses arômes jaillissent en de multiples senteurs de pamplemousse, d'orange sanguine, le tout nuancé d'une subtile touche végétale. La puissance et la finesse se rejoignent au palais en une très belle harmonie. Un superbe 2001.

LOIRE

↦ SARL Henry Pellé, 18220 Moroges,
tél. 02.48.64.42.48, fax 02.48.64.36.80,
e-mail info@henry.pelle.com
☑ ⵖ t.l.j. sf sam. dim. 9h-12h 13h30-17h30;
f. 14 août-1er sept.

DOM. DU PRIEURE 2000★★

■	1,2 ha	10 000	⅏	5 à 8 €

MENETOU-SALON
APPELLATION MENETOU-SALON CONTRÔLÉE

Domaine du Prieuré

Récolté et mis en bouteille au Domaine par
la Cave Gogué

₡ 750 ml   Alc 12.5% by vol

18510 MENETOU-SALON

Le Grand Cru 2000

A la tête d'une vingtaine d'hectares de vignes depuis 1988, les frères Gogué ont élaboré cette cuvée spéciale, avec un soin tout particulier. La richesse de sa palette aromatique est remarquable, on y trouve des notes de noyau et de pruneau, du praliné et du chocolat. Après un an d'élevage en fût, le boisé reste discret et délicat. Les tanins sont fondus tout en apportant leur personnalité. Un dosage parfait entre le chêne, le fruit et la structure, de la complexité, de la persistance ; tout cela vaut un coup de cœur.
↦ SCEA du Prieuré, 14, rue de la Gare,
18510 Menetou-Salon,
tél. 02.48.64.88.39, fax 02.48.64.85.95,
e-mail gogue-prieure@terre-net.fr ☑ ⵖ r.-v.

LE PRIEURE DE SAINT-CEOLS
Cuvée des Bénédictins 2000★

	1 ha	8 000	■↧	5 à 8 €

Issue d'une sélection des meilleures parcelles du domaine et élevée neuf mois sur lies, cette cuvée a pris ses habitudes dans le Guide. Le millésime 2000 propose des arômes intenses et jeunes, complexes et riches : amande fraîche, tubéreuses, orange avec une pointe lactée. Rond et ferme, il fait preuve d'une vivacité qui laisse présager un excellent potentiel de garde. A servir sur un poisson en sauce.
↦ Pierre Jacolin,
Le Prieuré de Saint-Céols, 18220 Saint-Céols,
tél. 02.48.64.40.75, fax 02.48.64.41.15,
e-mail sarl-jacolin@libertysurf.fr
☑ ⵖ t.l.j. 8h-19h; dim. sur r.-v.

DOM. JEAN TEILLER 2001★

■	5,4 ha	40 000	■↧	5 à 8 €

Autre valeur sûre de l'appellation, Jean-Jacques Teiller (fils de Jean) exploite un domaine de 14,50 ha partagé équitablement entre sauvignon et pinot noir. Le dernier cépage n'a pas été favorisé par le millésime. Que de travail a-t-il fallu pour obtenir une belle cuvée en 2001 : tri à la vigne, sélection des jus... Ce ne fut pas peine perdue, témoin ce vin rouge, qui s'annonce par des senteurs agréables de cassis fort. La structure laisse le fruité s'exprimer, même si les tanins ont besoin de s'arrondir. Un vin prometteur qui procure déjà beaucoup de plaisir. Le **rosé 2001** de l'exploitation obtient une étoile, et le **blanc 2001**, une citation.
↦ Dom. Jean Teiller, 13, rte de la Gare,
18510 Menetou-Salon, tél. 02.48.64.80.71,
fax 02.48.64.86.92, e-mail domaine-teiller@wanadoo.fr
☑ ⵖ t.l.j. sf dim. 8h30-12h 14h-18h
↦ Jean-Jacques Teiller

LA TOUR SAINT-MARTIN
Moroges 2001★★

	8 ha	60 000	■↧	8 à 11 €

Elu coup de cœur pour ce vin blanc dans le millésime précédent, Bertrand Minchin place, une fois de plus, ses vins en haut de l'affiche. Le 2001 offre d'intenses et agréables parfums de fruits mûrs (poire). Sa charpente et son volume soutiennent et mettent en valeur une belle fraîcheur évocatrice d'agrumes, de pulpe d'orange. Harmonieuse et équilibrée, une bouteille qui se boit par gourmandise. Quant à la **cuvée Honorine blanc 2000**, et la **cuvée Célestin rouge 2000**, elles obtiennent chacune une étoile.
↦ Albane et Bertrand Minchin,
EARL La Tour Saint-Martin, 18340 Crosses,
tél. 02.48.25.02.95, fax 02.48.25.05.03,
e-mail tour.saint.martin@wanadoo.fr ☑ ⵖ r.-v.

CHRISTOPHE ET GUY TURPIN
Moroges 2001★

■	4,5 ha	30 000	■⅏↧	5 à 8 €

La robe est d'un grenat limpide. Les arômes annoncent un raisin d'une belle maturité : fruits compotés, pruneau, noyau. Après une attaque souple, les tanins font sentir leur présence et suggèrent de garder cette bouteille quelques mois en cave.
↦ Christophe et Guy Turpin, 11, pl. de l'Eglise,
18220 Moroges, tél. 02.48.64.32.24, fax 02.48.64.32.24
☑ ⵖ r.-v.

Pouilly-fumé
et pouilly-sur-loire

Œuvre de moines, et qui plus est de bénédictins, voilà l'heureux vignoble des vins blancs secs de Pouilly-sur-Loire ! La Loire s'y heurte à un promontoire calcaire qui la rejette vers le nord-ouest, mais dont le sol, moins calcaire cependant qu'à Sancerre, sert de support privilégié au vignoble exposé sud-sud-est. C'est là que l'on retrouve les vignes de sauvignon « blanc fumé », lequel aura bientôt entièrement supplanté le chasselas, pourtant historiquement lié à Pouilly et producteur d'un vin non dénué de charme lorsqu'il est cultivé sur sols siliceux. Le pouilly-sur-loire est produit sur 40 ha alors que le pouilly-fumé représente 1 070 ha. L'ensemble a donné 73 343 hl d'un vin qui traduit bien les qualités enfouies en terres calcaires : une fraîcheur qui n'exclut pas une certaine fermeté, un assortiment d'arômes spécifiques du cépage, affinés par le milieu de culture et les conditions de fermentation du moût.

Ici encore la vigne s'intègre harmonieusement aux paysages de Loire où le charme des lieux-dits (les Cornets, les Loges, le calvaire de Saint-Andelain...) fait pressentir la qualité des vins. Fromages secs et fruits de mer leur conviendront, mais ils seront séduisants aussi en apéritif, servis bien frais.

Pouilly-fumé

JEAN-PIERRE BAILLY
Rabatelleries Vieilles vignes 2000

	1,5 ha	3 000	🍴🍷	5 à 8 €

Installée en 1963, Jean-Pierre Bailly a suivi toute l'évolution de la viticulture et s'oriente maintenant vers les méthodes de lutte raisonnée. Elevé en cuve pendant un an, ce pouilly-fumé présente une grande finesse aromatique. Si l'attaque est vive et très minérale, la finale s'avère plus monocorde sur les fruits mûrs. A proposer sur un sandre au beurre blanc.

🕷 Jean-Pierre Bailly, Les Girarmes,
11, rue des Coteaux, 58150 Tracy-sur-Loire,
tél. 03.86.26.14.32, fax 03.86.26.16.13 ☑ ☂ r.-v.

CEDRICK BARDIN 2001★

	6 ha	38 000	🍴🍷	8 à 11 €

Un pouilly-fumé qui évoque une promenade dans les bois au printemps. Les arômes intenses rappellent la fougère et les agrumes. Tout en étant ronde et pleine, la bouche laisse une impression de fraîcheur agréable (citronnée) tout au long de la dégustation. Une bouteille qui devrait bien se tenir avec le temps. La **cuvée des Bernadats 2001** obtient une étoile.

🕷 Cédrick Bardin,
12, rue Waldeck-Rousseau, 58150 Pouilly-sur-Loire,
tél. 03.86.39.11.24, fax 03.86.39.16.50,
e-mail cedrick.bardin@terre-net.fr ☑ ☂ r.-v.

DOM. BARILLOT 2001★

	4 ha	28 000	🍴🍷	5 à 8 €

La couleur est originale par ses tons or vert pâle, mais le nez est classique pour un blanc fumé (nom du sauvignon

dans la Nièvre) : bourgeon de cassis et buis, pamplemousse aussi. La rondeur est bien équilibrée par une fraîcheur qui apporte du relief. Un vin typique.

🕷 Barillot Père et Fils, Le Bouchot,
58150 Pouilly-sur-Loire, tél. 03.86.39.15.29,
fax 03.86.39.09.52 ☑ ☂ t.l.j. 9h-12h30 13h30-18h30;
groupes sur r.-v.

DOM. DE BEL AIR 2001

	12,5 ha	40 000	🍴🍷	5 à 8 €

Gérard Mauroy exploite le domaine de Bel-Air avec son fils Cédrick, sa fille Katia et son gendre Eric Gauliez. Il propose un vin aux arômes expressifs et complexes, rappelant les fleurs blanches, la pomme, et surtout des notes fumées. La bouche est plus timide, mais laisse une impression de rondeur en attaque, vite relevée par la vivacité caractéristique du millésime.

🕷 Mauroy-Gauliez, Le Bouchot,
6 rue Waldeck-Rousseau, 58150 Pouilly-sur-Loire,
tél. 03.86.39.15.85, fax 03.86.39.19.52,
e-mail mauroygauliez@aol.com
☑ ☂ t.l.j. 8h30-12h 13h30-18h30

DOM. DES BERTHIERS 2001★

	12,5 ha	90 000	🍴🍷	8 à 11 €

En 1995, l'exploitation de ce domaine de 15 ha a été reprise par les Fournier, venus de Sancerre. La cuvée principale de la maison a retenu l'attention des dégustateurs par sa teinte or franc et son nez déroutant au premier abord, puis citronné, minéral et souligné d'une touche d'amande. La bouche suave possède la vivacité nécessaire pour être plaisante.

🕷 SCEA Dom. des Berthiers, Les Berthiers, BP 30,
58150 Saint-Andelain, tél. 03.86.39.12.85,
fax 03.86.39.12.94, e-mail claude@fournier-père-fils.fr
☑ ☂ t.l.j. 9h30-17h; sam. dim. sur r.-v.
🕷 Jean-Claude Dagueneau

GILLES BLANCHET 2001★

	5,2 ha	35 000		5 à 8 €

Le terrain argilo-siliceux s'exprime parfaitement dans un pouilly-fumé aux arômes typés dans le registre minéral (pierre à fusil). Si ces notes sont discrètes, elles se développeront tout au long de la première année de garde. La bouche monte progressivement en puissance : douce en attaque, la matière prend peu à peu le dessus avant de laisser place à une amertume de bon aloi en finale. A conserver.

🕷 Gilles Blanchet, Les Berthiers,
58150 Saint-Andelain,
tél. 03.86.39.14.03, fax 03.86.39.00.54 ☑ ☂ r.-v.

FRANCIS BLANCHET Silice 2001★

	1 ha	8 000	🍴🍷	5 à 8 €

Tirant son nom du sol à silex qui l'a portée, la cuvée silice présente des nuances olfactives d'une bonne complexité (fleurs d'acacia et de genêt, feuille de cassis, poire). La vivacité citronnée contribue au caractère plaisant de ce vin, car elle est contrebalancée par le gras qui apparaît en milieu de bouche. Il faudra savoir attendre quelque temps pour une totale harmonie. Egalement retenue avec une étoile, la **cuvée principale 2001, élevée en cuve**, possède un bon équilibre.

🕷 EARL Francis Blanchet,
Le Bouchot, 58150 Pouilly-sur-Loire,
tél. 03.86.39.05.90, fax 03.86.39.13.19 ☑ ☂ r.-v.

LOIRE

BOUCHIE-CHATELLIER
Premier Millésime 2001

	0,75 ha	5 000	▪️ ⅃ 11 à 15 €

Encore un millésime pour lequel la cuvée « Premier Millésime » est première au domaine Bouchié-Chatellier. S'il fallait prouver que les meilleurs raisins font les meilleurs vins, nous aurions ici un bel exemple. Ce 2001 est certes sur sa réserve à ce jour, mais l'on perçoit derrière la vivacité de la matière et du gras. Une bouteille en devenir. Du même producteur, **La Chatellière 2001** (8 à 11 €) et **La Renardière 2001** (8 à 11 €) sont également cités.
🕯 Bouchié-Chatellier,
La Renardière, 58150 Saint-Andelain,
tél. 03.86.39.14.01, fax 03.86.39.05.18,
e-mail pouilly.fume.bouchie.chatellier @ wanadoo.
☑ ⅄ r.-v.

DOM. DU BOUCHOT 2001★

	8 ha	50 000	▪️ ⅃ 8 à 11 €

Après le coup de cœur de l'an dernier, le domaine du Bouchot voit l'ensemble de sa récolte 2001 retenue dans le Guide avec une étoile, grâce à ses deux cuvées. La cuvée principale laisse deviner une grande maturité du raisin par ses arômes de fruits compotés, de fruits confits, à la limite de la surmaturation. La structure est souple et ample. Ce vin serait à essayer sur un dessert. La cuvée **Regain 2001**, issue de vignes enherbées, retient l'intérêt par l'originalité de ses arômes miellés.
🕯 EARL Dom. du Bouchot,
BP 31, 58150 Saint-Andelain,
tél. 03.86.39.13.95, fax 03.86.39.05.92 ☑ ⅄ r.-v.
🕯 Kerbiquet

HENRI BOURGEOIS
La Demoiselle de Bourgeois 2001★★

	3,8 ha	26 000	▪️ ⅃ 11 à 15 €

Toujours aussi belle, cette Demoiselle de Bourgeois dans sa robe or pâle à légers reflets verts. La palette aromatique allie le fruité du cassis à de délicates notes de coing et de rose. Une étonnante rondeur, avec du gras, est relayée en finale par une pointe de vivacité. Longue et fine, une cuvée qui a du potentiel.
🕯 SARL Dom. Henri Bourgeois, Chavignol,
18300 Sancerre, tél. 02.48.78.53.20, fax 02.48.54.14.24,
e-mail domaine @ bourgeois-sancerre.com ☑ ⅄ r.-v.

DOMINIQUE BRISSET 2000

	1 ha	6 000	⅏ 5 à 8 €

L'élevage en fût a été bien réussi comme le prouve la dégustation de ce vin aux arômes de fruits mûrs et exotiques. Onctuosité et gras caractérisent l'équilibre gustatif, tant et si bien que vous pourrez servir cette bouteille sur un plat sucré-salé.
🕯 Dominique Brisset, 18, rue des Levées,
Boisfleury, 58150 Tracy-sur-Loire,
tél. 03.86.26.16.72, fax 03.86.26.19.87 ☑ ⅄ r.-v.

HENRY BROCHARD
Sélection 2001★★

	n.c.	48 000	⅏ 8 à 11 €

Négociant installé en Sancerrois, Henry Brochard propose une belle cuvée de pouilly-fumé. Celle-ci est particulièrement intense et on ne peut que qualifier de « fumé » son nez, tant ce caractère est présent. La fraîcheur et la minéralité flattent le palais avant que la finale ne se prolonge tout en finesse sur des notes de coing. Un beau potentiel.

🕯 Henry Brochard, Chavignol, 18300 Sancerre,
tél. 02.48.78.20.10, fax 02.48.78.20.19,
e-mail lesvins-henrybrochard @ wanadoo.fr ☑

A. CAILBOURDIN
Triptyque 2000★

	1 ha	4 600	⅏ 11 à 15 €

Vendangée le 15 octobre 2000, élevée sur lies pendant dix mois, en fût de un à quatre ans, commercialisée après un an de garde en bouteilles, cette cuvée est celle de la patience. Le nez est une explosion de fruits frais (pêche), très légèrement muscatés. La bouche montre beaucoup de richesse, mais elle est encore marquée par la rigueur des tanins apportés par le bois. Il est conseillé d'attendre cette bouteille car elle a les atouts pour affronter le temps. La cuvée **Les Cris 2001** (8 à 11 €), élevée en cuve, est citée.
🕯 Dom. A. Cailbourdin, Maltaverne,
58150 Tracy-sur-Loire,
tél. 03.86.26.17.73, fax 03.86.26.14.73 ☑ ⅄ r.-v.

DOM. CHAMPEAU
Sélection Vieilles vignes 2000★

	n.c.	2 000	⅏ 11 à 15 €

Certes le boisé est perceptible dans cette cuvée Vieilles vignes qui a passé huit mois en fût, mais bien fondu, il ne domine pas. La minéralité du vin produit sur un terroir d'argiles à silex est respectée. De bonne longueur, structuré et gras, ce 2000 devrait s'accommoder d'une poêlée de langoustines. Le **pouilly-fumé 2001** (5 à 8 €) du domaine, élevé en cuve, est cité.
🕯 SCEA Dom. Guy et Franck Champeau,
Le Bourg, 58150 Saint-Andelain,
tél. 03.86.39.15.61, fax 03.86.39.19.44,
e-mail domaine.champeau @ wanadoo.fr
☑ ⅄ t.l.j. 9h-12h 14h-18h; mer. 14h-18h; dim. sur r.-v.

LES CHANTALOUETTES 2001

	5 ha	45 000	▪️ ⅃ 8 à 11 €

Jaune pâle à reflets verts, ce vin présente une palette encore marquée par la mie de pain et les agrumes. Certes, il possède la grande vivacité de son jeune âge, mais la jeunesse n'est pas un défaut. Rappelant la pomme et l'abricot à peine mûr, voilà un pouilly-fumé qui révèle sa valeur en bouche grâce à sa bonne matière. Il mérite d'attendre quelques mois.
🕯 EARL Les Chantalouettes,
16, rue René-Couard, 58150 Pouilly-sur-Loire,
tél. 03.86.39.56.60, fax 03.86.39.08.30

LES CHARMES CHATELAIN 2001★

	3 ha	24 000	▪️⅏ ⅃ 8 à 11 €

C'est en 1992 que Jean-Claude Chatelain s'est lancé dans l'élevage en fût. Sa cuvée Les Charmes Chatelain suffit à montrer qu'il maîtrise bien cette pratique. Le nez intense fait la part belle aux fruits très mûrs. La vivacité est bien là, sous-jacente, pour parfaire l'équilibre et le volume en bouche. Une bouteille qui plaira aux amateurs de vins puissants. Le **Domaine Chatelain 2001** (5 à 8 €), élevé en cuve, est cité.
🕯 Dom. Chatelain, Les Berthiers,
58150 Saint-Andelain,
tél. 03.86.39.17.46, fax 03.86.39.01.13,
e-mail jean-claude.chatelain @ wanadoo.fr ⅄ r.-v.

DOM. CHAUVEAU
La Charmette 2001★

		7 ha	40 000		8 à 11 €

Benoît Chauveau fait partie de ces nombreux vignerons soucieux de respecter l'environnement et qui pratiquent une viticulture adaptée aux exigences de la nature. Les fragrances de son pouilly-fumé évoquent les agrumes (pamplemousse, citron), ce qui est classique, ainsi que le grillé et le brioché, ce qui n'est pas anormal mais plus rare. La vivacité soutient la longueur, un vin plaisir qui accompagnera une bourriche d'huîtres. Les cuvées **Les Croqloups 2001** (5 à 8 €) et **Sainte Clélie 2000** (11 à 15 €) obtiennent chacune une étoile.
↜ EARL dom. Chauveau, Les Cassiers,
58150 Saint-Andelain, tél. 03.86.39.15.42,
fax 03.86.39.19.46, e-mail pouillychauveau@aol.com
☑ ⵣ t.l.j. 9h-12h 14h-19h

DOM. GILLES CHOLLET 2001

		1,5 ha	13 000		5 à 8 €

La cuvée que propose Gilles Chollet résulte d'un assemblage de vins venant de terroirs argilo-calcaires et sableux. De bonne intensité, elle livre des arômes fruités de pêche et de poire nuancés d'une touche végétale et minérale. La vivacité est agréable au palais. Une bouteille qu'un poisson de rivière mettra en valeur.
↜ Gilles Chollet, 6 bis, rue Joseph-Renaud,
Le Bouchot, 58150 Pouilly-sur-Loire,
tél. 03.86.39.02.19, fax 03.86.39.06.13,
e-mail gilleschollet@terre-net.fr
☑ ⵣ t.l.j. 10h-18h30; f. 15-25 août

DOM. DE CONGY 2001

		1 ha	8 000		5 à 8 €

Sur une propriété acquise en 1951, Jack et Christophe Bonnard ont développé leur vignoble, surtout à partir de 1990. Cette cuvée ne peut cacher ses origines : le sauvignon transparaît dans la palette, notamment par son caractère de feuille de cassis. Sa présence reste marquée dans une bouche fraîche, minérale en finale.
↜ GAEC Bonnard Père et Fils,
Dom. de Congy, 58150 Saint-Andelain,
tél. 03.86.39.14.20, fax 03.86.39.10.79 ☑ ⵣ r.-v.

DOM. PAUL CORNEAU
Cuvée Sélection 2001

		7 ha	40 000		5 à 8 €

Voilà déjà vingt-cinq ans que Paul et Marie-Luce Corneau cultivent la vigne et élèvent le pouilly-fumé sur cette propriété de 13 ha. Encore sur le retrait, les arômes de ce 2001 n'en sont pas moins bien inscrits dans le registre. En bouche, l'attaque est franche, puis apparaît beaucoup de fraîcheur accompagnée d'une note végétale. Une cuvée destinée aux fruits de mer.
↜ Paul Corneau, Le Bouchot, 58150 Pouilly-sur-Loire,
tél. 03.86.39.17.95, fax 03.86.39.16.32,
e-mail domainecorneau@wanadoo.fr ☑ ⵣ r.-v.

DIDIER DAGUENEAU
Pur sang 2000

		3 ha	15 000		30 à 38 €

Les nuances florales et fruitées nées du raisin sont en équilibre avec les senteurs vanillées et grillées apportées par le bois. La bouche, bien sur le boisé, dévoile de la fraîcheur et des notes de torréfaction. Ce Pur sang n'en est qu'à ses premiers pas. Il s'exprimera pleinement dans quelques années.

↜ EARL Didier Dagueneau, rue de l'Ecole,
58150 Saint-Andelain, tél. 03.86.39.15.62,
fax 03.86.39.07.61, e-mail silex@wanadoo.fr ☑ ⵣ r.-v.

MARC DESCHAMPS
Les Porcheronnes 2001★★

		1,6 ha	14 000		5 à 8 €

Félicitations à Marc Deschamps dont les trois vins présentés sont sélectionnés. Arrivée première, cette cuvée, issue de terrains argilo-calcaires, est un bouquet d'arômes de fruits, de buis, de fleurs, de troène. La bouche volumineuse bénéficie d'une vivacité bien présente. Un fort potentiel. La **Tradition des Loges 2001** avec une étoile, et la cuvée **Vieilles vignes 2001** (8 à 11 €), citée, ont aussi séduit les jurys.
↜ Marc Deschamps, Les Loges,
58150 Pouilly-sur-Loire,
tél. 03.86.69.16.43, fax 03.86.39.06.90 ☑ ⵣ r.-v.
↜ Colette Figeat

JEAN DUMONT
Les Coques vieilles 2001

		n.c.	53 333		8 à 11 €

La robe à la limpidité et l'éclat de l'or en fusion. Après des sensations miellées et fumées, l'aération révèle des parfums exotiques d'ananas, des notes de fruits très mûrs, presque confiturées. L'attaque nette, la matière ronde et fine sont en cohérence avec la structure. L'évolution de cette bouteille est à suivre. La cuvée **Les Charmilles 2001** est également citée.
↜ Jean Dumont, La Castille Charenton,
58150 Pouilly-sur-Loire,
tél. 03.86.39.57.75, fax 03.86.39.08.30
↜ J.-L. Saget

ANDRE ET EDMOND FIGEAT
Les Chaumiennes 2001

		3 ha	8 000		11 à 15 €

C'est d'un terroir argilo-calcaire que provient cette cuvée dont le nez, certes, livre cependant de belles nuances de fumé et de minéral. Le retour aromatique se développe sur un fond d'amande et de pêche. A l'attaque fraîche succède une impression de vivacité et un zeste d'amertume. Une bouteille qui confirmera sa valeur dans les mois à venir.
↜ André et Edmond Figeat,
Côte du Nozet, 58150 Pouilly-sur-Loire,
tél. 03.86.39.19.39, fax 03.86.39.19.00 ☑ ⵣ r.-v.

FOURNIER
Grande Cuvée Vieilles vignes 2000★

		2,5 ha	15 000		15 à 23 €

Les Fournier sont partis de 2 ha pour exploiter aujourd'hui 31 ha répartis entre sancerre, menetou-salon et pouilly-fumé. Grande est leur cuvée par le nom, comme par ses qualités intrinsèques. L'expression aromatique intense marie les fruits frais, les agrumes, avec un plaisant côté végétal (buis, genêt). Plein, gouleyant, de bonne longueur, c'est un vin « féminin », écrit l'une des dégustatrices du jury.
↜ SA Fournier Père et Fils, Chaudoux, BP 7,
18300 Verdigny, tél. 02.48.79.35.24, fax 02.48.79.30.41,
e-mail claude@fournier-père-fils.fr
☑ ⵣ t.l.j. 8h-18h30; sam. dim. sur r.-v.
↜ GFA Chanvières

LOIRE

DOM. LANDRAT-GUYOLLOT
La Rambarde 2001★

	12 ha	55 000	🍷↓ 8 à 11 €

Sur un vignoble aux terroirs d'argilo-calcaire et de silex dont il faut rechercher l'origine au XVIIᵉˢ., Sophie Guyollot a produit une cuvée qui respire la fraîcheur, égayée de fleurs blanches, avec une pointe de minéralité. La vivacité maintient la bouche, en respectant le juste équilibre. Cette bouteille conviendra à des huîtres ou à des crustacés. La cuvée **Carte noire 2001 (11 à 15 €)** est citée.
🕯 Dom. Landrat-Guyollot, Les Berthiers,
58150 Saint-Andelain,
tél. 03.86.39.11.83, fax 03.86.39.11.65 ☑ 🍷 r.-v.

LAPORTE
La Vigne de Beaussoppet 2000★

	n.c.	n.c.	🍷🍷↓ 11 à 15 €

En 1463, le frère Loys Beaussoppet, prévôt-moine de l'abbaye de Saint-Satur, fut chargé du vignoble dépendant ; à ce vignoble était rattachée une parcelle du domaine Laporte, d'où le nom de cette cuvée. Elevée pour 70 % en cuve et 30 % en fût, pendant douze mois, celle-ci révèle une fine fraîcheur. Le bois apporte du vanillé, mais aussi une légère amertume qui se fondra avec le temps. A attendre de trois à cinq ans. La cuvée **Les Duchesses 2001 (8 à 11 €)**, élevée en cuve, est citée.
🕯 Laporte SA, Cave de la Cresle,
rte de Sury-en-Vaux, 18300 Saint-Satur,
tél. 02.48.78.54.20, fax 02.48.54.34.33 ☑ 🍷 r.-v.

DOM. JACQUES MARCHAND 2001★★

	12,6 ha	100 000	🍷↓ 11 à 15 €

D'un bel or soutenu, ce vin présente une réelle intensité aromatique, mariant minéralité et fraîcheur citronnée. Suave, sans aspérité en attaque, il prend vite de l'ampleur et révèle du volume et du gras. La délicieuse finale persistante conclut avec brio la dégustation. Le jury a attribué une étoile au **Domaine des Mariniers 2001**, souple, rond et frais à la fois.
🕯 SARL Jacques Marchand, Les Loges,
rue des Francs-Bourgeois, 58150 Pouilly-sur-Loire,
tél. 02.48.78.54.53, fax 02.48.78.54.55 ☑ 🍷 r.-v.
🕯 Alexandre Mellot

DOM. PIERRE MARCHAND ET FILS 2001★★

	2,4 ha	20 000	🍷↓ 8 à 11 €

Installés dans le vieux village vigneron qu'est Les Loges, Eric et Pascal Marchand obtiennent dans ce millésime ce qu'ils cherchent chaque année : un vin déjà excellent, mais surtout plein de promesses. Les senteurs fruitées (fruits de la Passion, pamplemousse, mangue),

auxquelles viennent se joindre des notes florales (jasmin), sont très développées. Si la bouche manifeste de la rondeur et de la souplesse, elle est aussi complétée d'une juste fraîcheur. Une sole meunière sera un digne compagnon.
🕯 Pierre Marchand et Fils, Les Loges,
9, rue des Pressoirs, 58150 Pouilly-sur-Loire,
tél. 03.86.39.14.61, fax 03.86.39.17.21
☑ 🍷 t.l.j. 9h-12h30 14h-19h30

DOM. MASSON-BLONDELET
Les Angelots 2001★

	6 ha	43 000	🍷↓ 8 à 11 €

Le passage de la sixième à la septième génération se réalise très bien sur le domaine Masson-Blondelet : les deux pouilly-fumé présentés sont dignes de figurer dans le Guide. Les Angelots, issus de sols calcaires durs, apparaissent sous une teinte or soutenu. Au nez puissant et riche répond une bouche ample, souple, sans vivacité marquée, qui exprime un fruité persistant. Produite sur marnes kimméridgiennes, la cuvée **Villa Paulus 2001** brille aussi d'une étoile.
🕯 Jean-Michel Masson,
1, rue de Paris, 58150 Pouilly-sur-Loire,
tél. 03.86.39.00.34, fax 03.86.39.04.61,
e-mail masson.blondelet@wanadoo.fr ☑ 🍷 r.-v.

JOSEPH MELLOT
Le Chant des Vignes 2001★★

	n.c.	150 000	🍷↓ 11 à 15 €

En humant ce pouilly-fumé, le dégustateur se promène dans un paysage de landes, quand soudain il découvre les fleurs blanches et les fruits exotiques, dominant des notes d'épices et de végétal. L'attaque franche est suivie d'une sensation de plénitude. Les notes citronnées s'insèrent dans cet ensemble harmonieux. De la matière, du charnu, de la persistance, c'est un vin d'avenir.
🕯 SA Joseph Mellot, rte de Ménétréol, BP 13,
18300 Sancerre, tél. 02.48.78.54.54, fax 02.48.78.54.55
☑ 🍷 r.-v.

FREDERIC MICHOT 2001★

	1,1 ha	7 500	🍷↓ 5 à 8 €

C'est grâce au vignoble de son grand-père que Frédéric Michot a pu s'installer en tant que vigneron en 1995. L'œil est attiré par la couleur pâle et les reflets d'or et d'argent de ce 2001. Minéral, puis dévoilant des notes de fruits confiturés et de fleurs blanches, le nez fait penser à une certaine évolution... que le palais ne confirme pas. La texture est bien faite, finissant sur une heureuse nuance d'amertume qui vient soutenir le fruité.
🕯 Frédéric Michot, Soumard, 58150 Saint-Andelain,
tél. 03.86.39.03.54, fax 03.86.39.09.25 ☑ 🍷 r.-v.

GUY ET ODILE MICHOT 2001

	3 ha	15 000	🍷↓ 5 à 8 €

Odile et Guy Michot peuvent légitimement commencer à songer à leur retraite. Ceci ne les empêche pas de travailler ardemment à la qualité de leurs vins. Le premier contact, au nez comme en bouche, est frais. Puis le climat se détend avec une souplesse fruitée qui, peu à peu, fait place à une vivacité citronnée. Une bouteille pour lancer la discussion à l'apéritif.
🕯 Guy et Odile Michot, Soumard,
58150 Saint-Andelain, tél. 03.86.39.13.23,
fax 03.86.39.09.25 ☑ 🍷 t.l.j. 9h-12h 14h-19h

JEAN-PAUL MOLLET

Les Sables 2000★

	1,5 ha	12 500	▮↓	8 à 11 €

Jean-Paul Mollet a produit cette cuvée Les Sables à partir de vignes plantées il y a soixante ans. Le nez dégage puissance et élégance, révélant de fines notes de fleurs blanches. Riche et ample, la bouche est agrémentée d'une délicate touche mentholée. Ajoutez la persistance à tous ces caractères, et vous apprécierez un pouilly-fumé très réussi.

🡆 Jean-Paul Mollet, Boisgibault, 11, rue des Ecoles, 58150 Tracy-sur-Loire, tél. 02.48.54.13.88, fax 02.48.54.09.28, e-mail mollet.jeanpaul@wanadoo.fr ☑ ⊤ t.l.j. 8h-12h 14h-19h

LES MOULINS A VENT 2001★

	6 ha	40 000	▮↓	8 à 11 €

La colline des Moulins à Vent, où se situent les Caves de Pouilly-sur-Loire, a donné son nom à cette cuvée dont les arômes s'expriment en finesse : floraux, puis citronnés auxquels s'ajoute une pointe de fruits secs. Ronde et ample, la matière se développe jusqu'à un retour olfactif d'orange très mûre. A marier avec des gambas grillées. La cuvée **Les Vieillottes 2001** est citée.

🡆 Caves de Pouilly-sur-Loire, Les Moulins à Vent, BP 9, 58150 Pouilly-sur-Loire, tél. 03.86.39.10.99, fax 03.86.39.02.28, e-mail caves.pouilly.loire@wanadoo.fr ☑ ⊤ r.-v.

DOMINIQUE PABIOT

Les Vieilles Terres 2001★★

	7 ha	45 000	▮↓	5 à 8 €

Deux vins de Dominique Pabiot ont été sélectionnés dans le Guide, mais Les Vieilles Terres a été le plus apprécié du jury. La jeunesse est évidente dans ses arômes d'ananas, de pamplemousse comme dans le caractère vif et perlant. Le potentiel se dévoile quand on découvre sa structure forte, sa rondeur et son harmonie. La cuvée **Plaisir 2001 (8 à 11 €)** est citée.

🡆 Dominique Pabiot, Les Loges, pl. des Mariniers, 58150 Pouilly-sur-Loire, tél. 03.86.39.19.09, fax 03.86.39.09.91, e-mail dominique.pabiot@terre-net.fr ☑ ⊤ t.l.j. sf dim. 8h-12h 14h-18h

JEAN PABIOT ET FILS

Prestige des fines Caillottes 2000★★

	3 ha	22 000	▮↓	11 à 15 €

Sélection des meilleures parcelles du domaine, cette cuvée provient d'un terroir argilo-calcaire. Elle nécessite une aération pour s'ouvrir avec élégance sur les fruits mûrs (pêche) et les fleurs blanches (acacia). Les sensations en bouche sont remarquablement longues et équilibrées, la vivacité soutenant sa complexité. A conseiller sur un foie gras poêlé. La **cuvée classique du domaine 2001 (8 à 11 €)** est citée.

🡆 Jean Pabiot et Fils, 9, rue de la Treille, Les Loges, 58150 Pouilly-sur-Loire, tél. 03.86.39.10.25, fax 03.86.39.10.12 ☑ ⊤ t.l.j. sf sam. dim. 8h-12h 14h-18h

DOM. ROGER PABIOT ET SES FILS

Coteau des Girarmes 2001★

	12 ha	80 000	▮↓	8 à 11 €

Le coteau des Girarmes, constitué principalement de marnes argilo-calcaires, a donné naissance à un 2001 très

sauvignon par ses arômes de bourgeon de cassis et d'agrumes ; mais ce vin exprime aussi de l'originalité par un subtil aspect végétal (buis, lierre). La rondeur, à peine relevée en finale d'une belle amertume, lui confère une bonne persistance.

🡆 Dom. Roger Pabiot et ses Fils, 13, rte de Pouilly, Boisgibault, 58150 Tracy-sur-Loire, tél. 03.86.26.18.41, fax 03.86.26.19.89, e-mail domainerogerpabiot@wanadoo.fr ☑ ⊤ r.-v.

PHILIPPE RAIMBAULT

La Montée des Lumeaux 2001

	1,7 ha	13 000	▮↓	8 à 11 €

Philippe Raimbault, également producteur de Sancerre, propose ici sa quatrième récolte. Son pouilly-fumé s'exprime avec retenue et discrétion. C'est la finesse qui l'emporte. Les évocations d'agrumes et de fleurs blanches sont nuancées d'un peu de buis. Avec une rondeur relevée d'une juste vivacité, l'ensemble est équilibré.

🡆 Philippe Raimbault, rte de Maimbray, 18300 Sury-en-Vaux, tél. 02.48.79.29.54, fax 02.48.79.29.51 ☑ ⊤ r.-v.

DOM. DE RIAUX 2001★★

	9,75 ha	60 000	▮↓	5 à 8 €

GRANDS VINS DE POUILLY-SUR-LOIRE

Pouilly Fumé

APPELLATION POUILLY FUMÉ CONTRÔLÉE

Alc. 13% by vol.   Mis en bouteille au Domaine par   750 ml
Bertrand JEANNOT et Fils, Propriétaires-Récoltants
DOMAINE DE RIAUX, 58150 POUILLY-SUR-LOIRE (Nièvre) • France
PRODUCE OF FRANCE

En quittant la RN 7, juste après Saint-Andelain, vous trouverez le domaine de Riaux et, à proximité, ses vignes plantées sur des sols d'argiles à silex. La cuvée 2001 est parée d'une robe oscillant entre l'or et le jaune paille. Les arômes (pierre à fusil, pomme fraîche) envahissent le nez. La bouche ample et harmonieuse rappelle les agrumes (pamplemousse) et les fruits à chair blanche (pêche). Sans concession ni exubérance, c'est une expression originelle du terroir.

🡆 GAEC Jeannot Père et Fils, Dom. de Riaux, 58150 Saint-Andelain, tél. 03.86.39.11.37, fax 03.86.39.06.21 ☑ ⊤ r.-v.

DOM. SAGET 2001★

	3 ha	26 666	▮↓	8 à 11 €

Le domaine Saget, fort de 8 ha, propose une cuvée L12 au beau potentiel. Encore discrète, celle-ci n'en livre pas moins des arômes fins et complexes. Après une légère note de buis, elle affirme sa présence. Attendez-la un peu avant de la servir à l'apéritif ou sur des fruits de mer.

🡆 SCEA Dom. Saget, 4, rue René-Couard, 58150 Pouilly-sur-Loire, tél. 03.86.39.57.75, fax 03.86.39.08.30 ☑ ⊤ t.l.j. 8h-12h30 14h-18h30

LOIRE

GUY SAGET
Les Logères 2001

	14 ha	120 000	🍷🍴	5 à 8 €

Guy Saget est un négociant important non seulement à Pouilly-sur-Loire, mais aussi sur l'ensemble de la vallée de la Loire. Dès le versement dans le verre, les agrumes et les fleurs jaunes émanent de cette cuvée. Légèrement perlante sur les papilles, celle-ci montre sa vivacité. D'une bonne persistance sur des arômes de pamplemousse et de genêt, elle a tout ce qu'il faut pour bien évoluer.
🍇 SA Guy Saget, La Castille, 58150 Pouilly-sur-Loire, tél. 03.86.39.57.75, fax 03.86.39.08.30,
☑ ☰ t.l.j. sf dim. 8h-12h 13h30-18h
🍷 J.-L. Saget

DOM. HERVE SEGUIN
Cuvée Prestige 2000

	0,5 ha	4 000	🍷🍴	8 à 11 €

Il y a quelques années, Hervé Seguin a été rejoint par son fils Philippe, œnologue sur ce domaine de 15 ha. La cuvée Prestige est issue de ceps âgés de quarante ans en moyenne, plantés sur des marnes argilo-calcaires. La palette aromatique est nettement dominée par le registre végétal. L'ensemble franc et souple se développe jusqu'à une finale ronde. A servir sur des fromages de chèvre. La **cuvée classique du domaine 2001** est citée.
🍇 EARL Dom. Hervé Seguin, Le Bouchot, 58150 Pouilly-sur-Loire, tél. 03.86.39.10.75, fax 03.86.39.10.26 ☑ ☰ t.l.j. 9h-12h 14h-19h

DOM. THIBAULT 2001

	13,27 ha	100 000	🍷🍴	8 à 11 €

Des vendanges issues de caillottes pour 50 %, d'argilo-siliceux pour 30 % et de terres blanches pour 20 % ont constitué un judicieux assemblage pour un vin de caractère. Le nez intense explose en fleurs blanches et en fruits. L'équilibre gustatif reste sur la fraîcheur et se prolonge agréablement. Une bouteille pour les poissons en sauce.
🍇 SCEV André Dezat et Fils, Chaudoux, 18300 Verdigny, tél. 02.48.79.38.82, fax 02.48.79.38.24
☑ ☰ r.-v.

F. TINEL-BLONDELET
L'Arrêt Buffatte 2001★

	3,7 ha	28 000	🍷🍴	8 à 11 €

Parmi les cuvées élaborées par le domaine Tinel-Blondelet, l'Arrêt Buffate est sans doute la plus régulièrement sélectionnée dans le Guide. Le fruité (litchi) et le végétal (cœur d'artichaut) se mêlent en une agréable harmonie. La structure est bien représentative du millésime : attaque souple, puis du nerf et une finale sur le zeste de pamplemousse.
🍇 Dom. Tinel-Blondelet, La Croix-Canat, 58150 Pouilly-sur-Loire, tél. 03.86.39.13.83, fax 03.86.39.02.94, e-mail tinel-blondelet@wanadoo.fr ☑ ☰ r.-v.

CH. DE TRACY 2000

	30 ha	170 000	🍷🍴	11 à 15 €

La vigne est cultivée depuis 1396 sur cette propriété appartenant à la famille d'Assay. Des ceps d'une trentaine d'années ont donné naissance à ce pouilly-fumé, encore jeune dans sa teinte or pâle à reflets verts soutenus. Le nez de bonne intensité évoque à la fois le bourgeon de cassis et les fruits confits. La bouche est structurée, voire nerveuse (citron mûr), témoignant d'un bon potentiel de garde.
🍇 Ch. de Tracy, 58150 Tracy, tél. 03.86.26.15.12, fax 03.86.26.10.73, e-mail tracy@wanadoo.fr ☑ ☰ r.-v.
🍷 Comtesse d'Assay

SEBASTIEN TREUILLET 2001

	2 ha	10 000	🍷🍴	5 à 8 €

Les premières sensations olfactives rappelant la mie de pain puis la banane et le bonbon anglais sont le résultat d'une vinification bien maîtrisée. L'ensemble est léger et souple, avec en finale une note de pomme verte bien dans le style du millésime 2001. A servir sur des fruits de mer.
🍇 Sébastien Treuillet, Fontenille, 58150 Tracy-sur-Loire, tél. 03.86.26.17.06, fax 03.86.26.17.06 ☑ ☰ t.l.j. 8h-18h

HUBERT VENEAU
Cuvée Silex 2000

	4 ha	15 000	🍷🍴	8 à 11 €

Pour rester plus près de la nature, Hubert Veneau a décidé de laisser les levures du raisin travailler seules pour vinifier cette cuvée. Une gaieté florale, mêlée de végétal, séduit dès l'abord. La bouche s'ouvre en souplesse pour finir plus vivement. Un vin de plaisir que l'on pourra apprécier dès aujourd'hui.
🍇 SCEA Hubert Veneau, Les Ormousseaux, 58200 Saint-Père, tél. 03.86.28.01.17, fax 03.86.28.44.71
☑ ☰ r.-v.

REMY VINCENT 2001

	n.c.	60 000	🍷🍴	8 à 11 €

Si le nez libère en première approche, de discrètes nuances de fleurs blanches, l'aération permet de dévoiler des arômes plus fruités (agrumes et fruits blancs). Frais et coulant, ce vin révèle une vivacité à peine marquée. Il pourra ainsi être servi en apéritif ou sur un poisson de Loire.
🍇 Rémy Vincent, Chavignol, 18300 Sancerre, tél. 02.48.78.20.10, fax 02.48.78.20.19, e-mail lesvins-remyvincent@wanadoo.fr ☑

Pouilly-sur-loire

GILLES BLANCHET 2001★

	0,7 ha	4 600	🍷🍴	3 à 5 €

Derrière une teinte jaune pâle s'exprime un premier nez encore dominé par les nuances de banane fraîche. Puis apparaît un fruité de mirabelle et de pêche. Frais, souple et coulant, ce vin présente les qualités recherchées dans un pouilly-sur-loire : il est facile à boire et pourra accompagner, en toute simplicité, tout un repas : lapin à la moutarde, pâté de campagne, mais aussi apéritif.
🍇 Gilles Blanchet, Les Berthiers, 58150 Saint-Andelain, tél. 03.86.39.14.03, fax 03.86.39.00.54 ☑ ☰ r.-v.

DOM. CHAMPEAU 2001

	1,7 ha	10 000	🍷	5 à 8 €

Guy et Franck Champeau obtiennent régulièrement de belles réussites avec leurs pouilly-sur-loire. Ce 2001 séduit d'emblée par sa fraîcheur subtilement avisée. La vivacité marque l'attaque en bouche, puis la finale plaisante livre une pointe de rondeur et de gras. Un vin de chasselas qui a du caractère.

↰ SCEA Dom. Guy et Franck Champeau,
Le Bourg, 58150 Saint-Andelain,
tél. 03.86.39.15.61, fax 03.86.39.19.44,
e-mail domaine.champeau@wanadoo.fr
☑ ⵌ t.l.j. 9h-12h 14h-18h; mer. 14h-18h; dim. sur r.-v.

GUSTAVE DAUDIN 2000

	1,4 ha	2 000	🍶 11 à 15 €

Thierry Redde ne fait pas dans la facilité et propose aux dégustateurs de s'éloigner de ses repères habituels : les senteurs de vanille, de miel et de pâte de coing rappellent que ce chasselas a été récolté au-delà de la maturité et que son vin a été élevé sous bois. Rond et gras, celui-ci se termine agréablement. Un pouilly-sur-loire original qui plaira aux curieux.

↰ SA Michel Redde et Fils,
La Moynerie, 58150 Pouilly-sur-Loire,
tél. 03.86.39.14.72, fax 03.86.39.04.36,
e-mail thierry.redde@michel-redde.fr ☑ ⵌ r.-v.
↰ Thierry Redde

DOM. DE RIAUX 2001★

	0,4 ha	3 000	🍶 3 à 5 €

La présence de fines bulles de gaz traduit la jeunesse de ce vin. Mais l'on aperçoit déjà d'élégantes notes de fleurs blanches, de menthe subtile et d'anis. La structure bien présente assure aux saveurs de la persistance. L'ensemble fort harmonieux s'inscrit parfaitement dans le type de l'appellation. A emporter pour un pique-nique.

↰ GAEC Jeannot Père et Fils,
Dom. de Riaux, 58150 Saint-Andelain,
tél. 03.86.39.11.37, fax 03.86.39.06.21 ☑ ⵌ r.-v.

Quincy

C'est sur les bords du Cher, non loin de Bourges et près de Mehun-sur-Yèvre, lieux riches en souvenirs historiques du XVIᵉˢ., que les vignobles de Quincy et de Brinay s'étendent sur 174 ha, sur des plateaux de graves sablo-argileuses sur calcaires lacustres.

Le seul cépage sauvignon blanc fournit les quincy (9 990 hl en 2001), qui présentent une grande légèreté, une certaine finesse et de la distinction dans le type frais et fruité.

Si, comme l'écrivait le Dr Guyot au XIXᵉˢ., le cépage domine le cru, le quincy apporte aussi la démonstration que, dans une même région, la même variété peut s'exprimer en vins différents selon la nature des sols ; et c'est tant mieux pour l'amateur, qui trouvera ici l'un des plus élégants vins de Loire, à déguster avec les poissons et les fruits de mer aussi bien qu'avec les fromages de chèvre.

DOM. DES BALLANDORS
Cuvée Domaine 2001

	7,36 ha	60 000	ⵌ 5 à 8 €

Le domaine des Ballandors a été constitué à partir de 1990 sur l'emplacement des anciennes vignes et du pressoir banal du château de Brinay. Son quincy a besoin d'aération pour s'ouvrir sur de discrètes notes de fleurs blanches agrémentées de nuances de pêche et d'abricot. Si la vivacité se manifeste rapidement, la finale est agréable. Bon potentiel.

↰ Chantal Wilk et Jean Tatin, Le Tremblay,
18120 Brinay, tél. 02.48.75.20.09, fax 02.48.75.70.50,
e-mail jeantatin@wanadoo.fr ☑ 🏠 ⵌ r.-v.

LES BERRYCURIENS
Villalin 2001★★

	1,71 ha	4 500	ⵌ 5 à 8 €

Ils ont le vin et le Berry pour passion ; ils ont formé le groupe des BerryCuriens et constitué en 1995 un domaine viticole à partir de parcelles de vignes âgées de plus de soixante ans. Leur cuvée Villalin livre des senteurs tout en finesse, aux évocations de fruits mûrs et de citron, avec une pointe mentholée. Souple et grasse, marquée par une minéralité pleine de distinction, la bouche séduit par son volume et sa longueur. Autant de qualités qui lui valent un coup de cœur.

↰ SCEV les BerryCuriens, 9, rte Deboisgisson,
18120 Preuilly, tél. 02.48.51.30.17, fax 02.48.51.35.47
☑ ⵌ r.-v.

GERARD BIGONNEAU 2001

	2,5 ha	12 000	ⵌ 5 à 8 €

Egalement producteur de reuilly, Gérard Bigonneau s'est installé il y a une quinzaine d'années. Son quincy mêle au nez des arômes de buis légèrement fumés et une touche minérale. Un vin sec, d'une simplicité de bon aloi, un peu fugace. « Gentil », conclut l'un des dégustateurs.

↰ Gérard Bigonneau, La Chagnat, 18120 Brinay,
tél. 02.48.52.80.22, fax 02.48.52.83.41 ☑ 🏠 ⵌ r.-v.

HENRI BOURGEOIS
Haute Victoire 2001★

	7 ha	55 000	ⵌ 5 à 8 €

Etablie à Chavignol où elle possède une vaste propriété, la maison Henri Bourgeois est surtout connue pour ses sancerre, mais elle produit aussi d'autres vins du Centre, de très bonne tenue, comme ce quincy qui traduit l'expression d'un terroir siliceux. Le jury est séduit par les senteurs élégantes de fleurs blanches et de citron. La bouche bien construite, puissante, offre une finale encore nerveuse. C'est un cru qu'il faudra attendre de un an ou deux pour l'apprécier pleinement.

LOIRE

•ṇ SARL Dom. Henri Bourgeois, Chavignol,
18300 Sancerre, tél. 02.48.78.53.20, fax 02.48.54.14.24,
e-mail domaine @ bourgeois-sancerre.com ☑ ⏃ r.-v.

DOM. DES BRUNIERS 2001★

8 ha	40 000	▮↓	5 à 8 €

Une belle présentation pour ce quincy d'un or vert
franc. Le nez mêle des notes fraîches à des nuances de cire
et d'abricot sec. Les sensations en bouche sont amples et
équilibrées. Bref, tout dans le vin témoigne de la bonne
maturité de la vendange. Il devrait bien convenir à un
poisson en sauce.

•ṇ Jérôme de La Chaise, Les Bruniers, 18120 Quincy,
tél. 02.48.51.34.10, fax 02.48.51.34.10 ☑ ⏃ r.-v.

DOM. DES CAVES 2001★★

0,6 ha	n.c.	▮↓	5 à 8 €

Encore un bon millésime pour Bruno Lecomte qui
voit ses deux cuvées de quincy 2001 accueillies très
favorablement par le jury. Celle-ci (étiquette blanche)
provient d'une parcelle plantée sur sols gravelo-siliceux.
Son nez riche, intense et complexe (violette, fenouil et
fleurs séchées), son palais onctueux et d'un bon volume, sa
finale agréable et longue, lui donnent le style d'un quincy
à l'ancienne. Quant à la cuvée **Domaine des Caves 2001**
(étiquette jaune), elle obtient une étoile.

•ṇ Bruno Lecomte, 105, rue Saint-Exupéry,
18520 Avord, tél. 02.48.69.27.14, fax 02.48.69.16.42,
e-mail quincy.lecomte @ wanadoo.fr ☑ ⏃ r.-v.

DOM. DE CHAMP MARTIN 2001

4 ha	30 000	▮↓	5 à 8 €

Dans le verre, un or blanc des plus engageants. Des
arômes de buis et de bourgeon de cassis, caractéristiques
du sauvignon, s'en échappent. La bouche est en harmonie
avec ces premières impressions, minérale et vive avec une
pointe d'amertume en finale. Ce vin devrait être prêt à
boire à la sortie du Guide.

•ṇ Didier Rassat, Champ Martin, 18120 Cerbois,
tél. 02.48.51.70.19, fax 02.48.51.79.27 ☑ ⏃ t.l.j. 9h-18h

DOM. DE CHEVILLY 2000★

4,55 ha	33 000	▮↓	5 à 8 €

Yves et Antoine Lestourgie ont créé leur domaine en
1993. L'exploitation compte à présent 6,5 ha. Leur 99 avait
obtenu un coup de cœur ; le 2001 tranche parmi les quincy
du même millésime : ses arômes sont bâtis sur le poivron
vert. La bouche apparaît d'une « élégance aristocratique »
et pleine de douceur. Ce vin mérite une sole meunière.

•ṇ Yves et Antoine Lestourgie, Dom. de Chevilly,
52, rte de Chevilly, 18120 Méreau, tél. 02.48.52.80.45,
fax 02.48.52.80.45 ☑ ⏃ t.l.j. 8h-12h 14h-19h

DOM. DES COUDEREAUX 2001★

7 ha	60 000	▮↓	3 à 5 €

Si le premier nez est marqué par des notes fermentaires (bonbon anglais) et végétales (pointe d'asperge,
genêt), l'aération fait naître des nuances fruitées, agrémentées de réglisse et de menthe. Vif et minéral au palais, ce
vin affirme une belle expression et se révèle facile et
plaisant à boire.

•ṇ SCEA Les Coudereaux,
34, rte de Bourges, 18510 Menetou-Salon,
tél. 02.48.64.88.88, fax 02.48.64.87.97 ☑ ⏃ r.-v.

LES VIGNERONS DU DUC DE BERRY 2001★

6 ha	50 000	▮↓	3 à 5 €

Tout dans cette bouteille traduit une belle maîtrise de
la vinification. Les premières impressions olfactives sont
dominées par des notes végétales d'asperge, puis apparaissent progressivement les agrumes (citron) et le bonbon
anglais. Franc et nerveux, le palais révèle en finale un peu
de gras et une pointe d'amertume. Un quincy représentatif
de l'appellation.

•ṇ SICA Vignerons du Duc de Berry,
34, rte de Bourges, 18510 Menetou-Salon,
tél. 02.48.64.88.88, fax 02.48.64.87.97 ☑ ⏃ r.-v.

JEAN-PAUL GODINAT 2001

6 ha	50 000	▮↓	3 à 5 €

Ce quincy provient de sols sablo-limoneux. On est
d'abord frappé par l'intensité et la variété de ses arômes
rappelant la pâte d'amandes et l'anis. La bouche, légère et
bien équilibrée, combine des sensations de rondeur et un
côté acidulé. La longueur est suffisante. Un vin que l'on
prendra plaisir à déguster sur des coquillages ou du
poisson.

•ṇ Jean-Paul Godinat,
34, rte de Bourges, 18510 Menetou-Salon,
tél. 02.48.64.88.88, fax 02.48.64.87.97 ☑ ⏃ r.-v.

•ṇ SCEA Les Coudereaux

DOM. DU GRAND ROSIERES 2001★★

2 ha	15 000	▮↓	5 à 8 €

Producteur de grains et de poulets fermiers en vente
directe, Jacques Siret a adopté la vigne en 1995. Son
quincy 2001 offre une expression puissante de buis et de
bourgeon de cassis qui en fait un sauvignon d'école. La
bouche fort longue montre beaucoup de matière. Alliant
vivacité et arômes typés, voilà un superbe représentant de
l'appellation, à servir sur un sandre ou un brochet au
beurre blanc.

•ṇ Jacques Siret, Dom. du Grand Rosières,
18400 Lunery, tél. 02.48.68.90.34, fax 02.48.68.03.71,
e-mail jac.siret @ wanadoo.fr ☑ ⏃ r.-v.

DOM. DE MAISON BLANCHE 2001

3,3 ha	25 000	▮↓	5 à 8 €

Groupement coopératif de viticulteurs, la Cave romane a repris ce domaine en 1998. Le quincy de Maison
Blanche présente un nez assez intense aux nuances de lies
fraîches, accompagnées de notes lactées, beurrées et
pralinées. Si l'attaque est souple, une pointe d'amertume
marque la finale. Un bon potentiel qui reste à confirmer.

•ṇ SCA Maison Blanche, La Ferme du Bourg,
18120 Brinay, tél. 02.48.51.09.45, fax 02.48.51.08.89
☑ ⏃ r.-v.

DOM. MARDON 2001

11 ha	80 000	▮↓	5 à 8 €

Créé en 1870, le domaine Mardon est actuellement
travaillé par la cinquième génération de vignerons... et
l'une des filles de la maison se prépare à reprendre
l'exploitation en 2003. Le 2001 de la propriété, encore
fermé, laisse poindre des notes de litchi et une touche
végétale. L'attaque est souple, puis la minéralité l'emporte,
faisant place en finale à une nervosité que les mois sauront
atténuer.

•ṇ Dom. Mardon, 40, rte de Reuilly, 18120 Quincy,
tél. 02.48.51.31.60, fax 02.48.51.35.55
☑ ⏃ t.l.j. 9h-12h 14h-18h30; dim. sur r.-v.

DOM. ANDRE PIGEAT 2001★

	1,78 ha	6 000	∎↓	3 à 5 €

Vous trouverez le domaine André Pigeat au lieu-dit Le Clos de la Bourgogne, à... Quincy. Créé en 1967, il vient d'être transmis à Philippe, le fils du fondateur. Très expressif, le millésime 2001 s'ouvre sur des parfums intenses, qui évoluent de la vanille aux fleurs blanches, du coing aux agrumes. Le palais a beaucoup de vivacité, et ne manque pas de chair. Un vin complet et complexe.
☛ Dom. André Pigeat, 18, rte de Cerbois, 18120 Quincy, tél. 02.48.51.31.90, fax 02.48.51.03.12, e-mail ppigeat@wanadoo.fr
☑ Ⴤ t.l.j. 8h30-12h30 13h30-20h

PHILIPPE PORTIER 2001★★

	9,5 ha	80 000	∎↓	5 à 8 €

A la tête de 10 ha depuis 1990, Philippe Portier est un habitué du Guide. Son 98 avait obtenu un coup de cœur. Le millésime 2001 est encore remarquable. Des raisins récoltés mûrs à point, un élevage prolongé sur lies fines, procurent le plaisir d'arômes particulièrement prononcés et d'une constitution tout en rondeur qui flatte le palais. Un régal ! Une bouteille à ouvrir sur un poisson fin ou de la volaille en sauce.
☛ Dom. Philippe Portier, Bois-Gy-Moreau, 18120 Brinay, tél. 02.48.51.04.47, fax 02.48.51.00.96
☑ Ⴤ r.-v.

JACQUES ROUZE
Vignes d'antan 2001★

	3,5 ha	15 000	∎↓	5 à 8 €

Jacques Rouzé représente la troisième génération de vignerons sur cette terre familiale. Deux de ses vins sont sélectionnés. La cuvée Vignes d'antan est la préférée ; elle est née de ceps de soixante-quinze ans, plantés sur un terroir silico-argileux. Intensité et finesse caractérisent le nez, qui livre des notes florales (fleur d'oranger) et des nuances d'infusion. Du gras, voire du moelleux, en font un quincy des plus séduisants. Du même domaine, la cuvée **Tradition 2001** a été citée.
☛ Dom. Jacques Rouzé, chem. des Vignes, 18120 Quincy, tél. 02.48.51.35.61, fax 02.48.51.05.00
☑ Ⴤ r.-v.

DOM. DU TONKIN 2001

	3,24 ha	18 000	∎↓	5 à 8 €

Jacques Masson présente ici son quincy 2001, cuvée unique qui constitue la totalité de sa production. Ce vin est tout à fait dans le style variétal du sauvignon. Le bourgeon de cassis et l'asperge, le pamplemousse et le citron dominent la palette aromatique. La bouche nerveuse laisse une sympathique impression de fraîcheur.
☛ EARL du Tonkin, Le Tonkin, 18120 Brinay, tél. 02.48.51.09.72, fax 02.48.51.11.67
☑ Ⴤ t.l.j. 9h-12h 14h-17h
☛ Jacques Masson

DOM. DU TREMBLAY
Cuvée Domaine 2001

	7,29 ha	25 000	∎↓	5 à 8 €

Le domaine du Tremblay est une ancienne seigneurie détenue jadis par l'un des écuyers du duc de Berry. La propriété actuelle a été constituée entre 1993 et 1999 et comprend des terroirs variés. Cette cuvée provient de sables sur sous-sols argileux. Avec sa jolie robe or pâle à reflets dorés, son nez franc, mais encore fermé comme un bouton floral au matin, sa bouche agréable aux notes vives de fougère et de citron, cette bouteille a la fraîcheur du printemps.
☛ Jean Tatin, Le Tremblay, 18120 Brinay, tél. 02.48.75.20.09, fax 02.48.75.70.50, e-mail jeantatin@wanadoo.fr ☑ Ⴤ r.-v.

DOM. TROTEREAU 2001★

	12 ha	32 000	∎↓	5 à 8 €

Descendant de la famille Trotereau qui a donné son nom au domaine, Pierre Ragon reste fidèle à la tradition. Son quincy 2000 avait été salué d'un coup de cœur. Dans le millésime suivant, le terroir transparaît à travers les arômes aussi intenses qu'originaux : à côté des notes florales, on respire des nuances fruitées de poire, mais aussi, et c'est plus inhabituel, de framboise et de fraise des bois. Le gras est équilibré par de la vivacité. Une expression toute particulière du quincy.
☛ Pierre Ragon, rte de Lury, 18120 Quincy, tél. 02.48.51.37.37, fax 02.48.51.32.23 ☑ Ⴤ r.-v.

Reuilly

Par ses coteaux accentués et bien ensoleillés, ses sols remarquables, Reuilly était prédestiné à la plantation de la vigne.

Sur une superficie de 158 ha, l'appellation recouvre sept communes situées dans l'Indre et le Cher, dans une région charmante traversée par les vertes vallées du Cher, de l'Arnon et du Théols. Elle a produit 9 359 hl en 2001.

Le sauvignon blanc produit l'essentiel des reuilly (4 871 hl en 2001) dans la gamme des blancs secs et fruités, qui prennent ici une ampleur remarquable. Le pinot gris fournit localement un rosé de pressoir tendre, délicat, distingué à souhait, mais qui risque de disparaître, supplanté par le pinot noir dont on tire également d'excellents rosés, plus colorés, frais et gouleyants, mais surtout des rouges pleins, enveloppés, toujours légers, au fruité affirmé.

BERNARD AUJARD 2001★

	2,37 ha	18 000	∎↓	5 à 8 €

Passant à Lazenay, le visiteur pourra découvrir, au hameau de la Ferté, un château du XVIIᵉs. où est installé un club hippique. S'il recherche du bon vin, il se rendra chez Bernard Aujard, qui a obtenu deux coups de cœur consécutifs, en rosé et en rouge. Cette année, c'est le blanc qui s'affiche, habillé d'une nouvelle étiquette. Au nez, il possède un côté amylique marqué, nuancé d'arômes floraux (genêt, acacia). Léger et raffiné, doté d'une finale agréable et assez longue, ce reuilly trouvera sa place sur une salade au crottin de Chavignol.

LOIRE

❧ Earl Bernard Aujard, 2, rue du Bas-Bourg, 18120 Lazenay, tél. 02.48.51.73.69, fax 02.48.51.79.74 ☑ ⊤ r.-v.

ANDRE BARBIER 2001

| | 1,68 ha | 14 000 | ▪▪▪ | 5 à 8 € |

Ce reuilly blanc 2001 marque le dixième anniversaire de l'exploitation viticole d'André Barbier. Son apparence parfaitement cristalline attire l'œil. Quelques fines bulles indiquent la jeunesse de ce vin. Le nez discret est d'abord végétal, puis laisse à peine percer quelques notes de buis et de tilleul. L'ensemble donne une impression d'équilibre, dans un style léger mais agréable.

❧ André Barbier, Le Crot-au-Loup, 18120 Chéry, tél. 02.48.51.75.81, fax 02.48.51.72.47 ☑ ⊤ r.-v.

DOM. HENRI BEURDIN ET FILS 2001

| | n.c. | 50 000 | ▪▪▪ | 3 à 5 € |

Henri Beurdin et son fils sont établis à Preuilly, village situé au bord du Cher, dont les berges ont été agréablement aménagées. Ils sont très souvent mentionnés dans le Guide, parfois aux meilleures places (voir blanc 99). Le 2001 offre un nez d'une belle intensité, mariant fleurs blanches et fruits avec un soupçon de feuille de tabac. Gras et fraîcheur font bon ménage au palais, bien relevé par des nuances poivrées. Cette bouteille pourra être appréciée maintenant, ou conservée deux à trois ans.

❧ SCEV Dom. Henri Beurdin et Fils, 14, Le Carroir, 18120 Preuilly, tél. 02.48.51.30.78, fax 02.48.51.34.81, e-mail domaine.beurdin@terre-net.fr
☑ ⊤ t.l.j. 8h-12h 14h-18h; dim. sur r.-v.

GERARD BIGONNEAU
Les Bouchauds 2001

| | 4 ha | 27 000 | ▪ | 5 à 8 € |

Brinay, paisible village sur la rive gauche du Cher, mérite un détour pour son église du XIᵉs. où a été mis au jour un ensemble de fresques romanes représentant la vie du Christ et les travaux des champs. Et sur sa propriété, Gérard Bigonneau pourra vous montrer un magnifique gingko biloba, vieux d'environ deux cents ans. Ses plants de sauvignon, nettement plus jeunes, ont fourni en 2001 un vin aux arômes de buis, de poivron et de sous-bois. Le corps a de la rondeur et du gras, bien soutenus par un joli perlant. Les Bouchauds ont déjà obtenu un coup de cœur (le 97).

❧ Gérard Bigonneau, La Chagnat, 18120 Brinay, tél. 02.48.52.80.22, fax 02.48.52.83.41 ☑ ⌂ ⊤ r.-v.

FRANCOIS CHARPENTIER 2001★

| | 3 ha | 15 000 | ▪▪▪ | 5 à 8 € |

Installé en 1975 sur le domaine familial, François Charpentier exploite 7,8 ha de vignes. Son reuilly 2001 a reçu un fort bon accueil du jury. A l'œil, il est jaune pâle, à reflets argentés. Les nuances aromatiques (coumarine, acacia) s'expriment avec élégance. La bouche est bien construite. De bon volume, sans aspérité, c'est un sauvi-gnon de style.

❧ François Charpentier, Dom. du Bourdonnat, 36260 Reuilly, tél. 02.54.49.28.74, fax 02.54.49.29.91
☑ ⊤ r.-v.

CHANTAL ET MICHEL CORDAILLAT 2001★★

| | 2,6 ha | 15 000 | ▪▪▪ | 5 à 8 € |

Jeunes viticulteurs installés en couple il y a sept ans, Chantal et Michel Cordaillat exploitent des vignes sur des coteaux argilo-siliceux exposés au sud-est . Leur vin blanc, retenu dès leurs débuts, a été particulièrement apprécié dans le millésime 2001. Ce vin, déjà expressif, peut encore s'épanouir dans les mois qui viennent. Les arômes sont fort agréables et d'une bonne complexité (fleurs blanches, agrumes, menthe). La structure respecte le juste équilibre entre alcool et acidité. Un reuilly de caractère, frais et plaisant.

❧ Dom. Chantal et Michel Cordaillat, Le Montet, 18120 Méreau, tél. 02.48.52.83.48, fax 02.48.52.83.09 ☑ ⊤ t.l.j. sf dim. 14h-19h

PASCAL DESROCHES
Clos des Varennes 2001★

| | 3,1 ha | 33 000 | ▪▪▪ | 5 à 8 € |

Les Desroches aiment comparer leur généalogie vigneronne à un cep, planté en 1894 juste après la crise phylloxérique. On retrouve leur Clos des Varennes, un vin blanc régulièrement sélectionné dans le Guide. Fleurs de sureau et de genêt ouvrent le nez sur une intensité gaie. La bouche montre de l'ampleur, bien étayée par de la fraîcheur, et une finale vive, aux accents citronnés. Un ensemble typique du millésime. Le **Clos des Lignis rosé 2001**, issu de pinot gris, est, lui aussi, encore présent. Il obtient la même note.

❧ Pascal Desroches, 13, rte de Charost, Le Bourg, 18120 Lazenay, tél. 02.48.51.71.60, fax 02.48.51.71.60 ☑ ⊤ r.-v.

JEAN-SYLVAIN GUILLEMAIN 2001

| ▪ | 1,37 ha | 10 000 | ▪▪▪ | 5 à 8 € |

Le rouge soutenu de la robe est légèrement nuancé de jaune. Le bourgeon de cassis domine la palette aromati-que, avec une pointe plus vive de groseille et une note de foin. Encore marqué par des tanins austères, ce vin est à laisser mûrir quelques mois.

❧ Jean-Sylvain Guillemain, Palleau, 18120 Lury-sur-Arnon, tél. 02.48.52.99.01, fax 02.48.52.99.09 ☑ ⊤ r.-v.

CLAUDE LAFOND
La Raie 2001

| | 6,55 ha | 47 000 | ▪▪▪ | 5 à 8 € |

Cette cuvée La Raie provient d'un terroir particuliè-rement caillouteux, reposant sur un sous-sol calcaire. Elevée sur lies fines pendant cinq mois, elle est faite pour durer. Le millésime précédent avait mérité un coup de cœur. Le 2001 est plus modeste, mais honorable. Ses arômes sont franchement dominés par la feuille de cassis et le buis, avec un côté iodé. La structure est correcte et nette. Un vin d'apéritif. **Les Grandes Vignes rouge 2001** obtiennent la même note.

❧ Claude Lafond, Le Bois-Saint-Denis, 36260 Reuilly, tél. 02.54.49.22.17, fax 02.54.49.26.64, e-mail claude.lafond@wanadoo.fr ☑ ⊤ r.-v.

ALAIN MABILLOT 2001★

| ▪ | 1,2 ha | 8 000 | ▪▪▪ | 5 à 8 € |

Dans ses vignes de pinot, Alain Mabillot pratique l'enherbement maîtrisé. Son vin rouge affiche une robe d'un rubis profond qui met le dégustateur dans des dispositions favorables. Le nez, encore presque primeur, se montre délicat, avec des fragrances de cerise (griotte). La structure est gouleyante, même si des tanins font sentir leur présence. Un reuilly bien dans le type. Le 99 avait obtenu un coup de cœur.

➤ Alain Mabillot,
Villiers-les-Roses, 36260 Sainte-Lizaigne,
tél. 02.54.04.02.09, fax 02.54.04.01.33 ☑ ⏁ r.-v.

GUY MALBETE 2001

	3 ha	20 000	∎⬤	3 à 5 €

Guy Malbète continue de labourer ses vignes et de les amender au fumier de ferme. Sa production est régulièrement mentionnée dans le Guide. Son blanc 2001 exprime au nez des notes de fruits surmûris. Gras et riche, le palais évoque le sucre d'orge ou la pâte de coing. On ne retrouve pas la fraîcheur des 2001, mais l'originalité ne nuit pas à l'agrément.
➤ EARL Guy Malbète, 16, chem. du Boulanger,
Bois-Saint-Denis, 36260 Reuilly,
tél. 02.54.49.25.09, fax 02.54.49.27.49 ☑ ⏁ r.-v.

JACQUES RENAUDAT 2001★

	1,1 ha	7 000		5 à 8 €

Trois vins présentés, trois vins retenus pour Jacques Renaudat. Si, dernièrement, ses vins rouges se sont distingués (on se rappelle les très beaux 96 et 98), cette année, c'est le vin blanc qui a eu la préférence du jury. Celui-ci attire l'attention par ses arômes fruités (mangue) et beurrés, qui témoignent d'une excellente maturité. L'attaque souple se prolonge par des sensations de gras et de volume non dénuées d'une certaine fraîcheur mentholée. Une expression originale dans le millésime. Du même domaine, le **rosé 2001** et le **rouge 2001** ont été cités.
➤ Jacques Renaudat, Seresnes, 36260 Diou,
tél. 02.54.49.21.44, fax 02.54.49.30.42
☑ ⏁ t.l.j. 8h-12h 14h-18h30; dim. sur r.v.

VALERY RENAUDAT 2001

	0,7 ha	5 400	∎⬤	5 à 8 €

S'étendant à cheval sur les AOC reuilly et quincy, l'exploitation de Valéry Renaudat a été créée en 1999. C'est en rouge que sa production a été retenue cette année. Le rubis intense de la robe montre quelques reflets grenat. Le nez empyreumatique, rappelant le confit et le cuit, déjà à la limite de l'animal, semble atypique. L'extraction, bien menée, a conduit à une concentration intéressante. Un cru particulier qu'il faudra savoir attendre.
➤ Dom. Valéry Renaudat, 3, place des Ecoles,
36260 Reuilly, tél. 02.54.49.38.12, fax 02.54.49.38.26,
e-mail domainevaleryrenaudat@wanadoo.fr ☑ ⏁ r.-v.

DOM. DE REUILLY 2001★★

	0,76 ha	4 900	∎⬤	5 à 8 €

C'est en 1998 que Denis Jamain a repris ce vignoble dont les sols sont en majorité issus de formations kimmé-

ridgiennes. Pour sa quatrième année de production, et sa quatrième mention dans le Guide, il réalise un coup d'éclat avec son rosé de pinot gris. Si le volume en fait une cuvée presque confidentielle, la dégustation révèle une excellente et généreuse qualité. De couleur saumon clair à reflets roses, ce vin exprime les senteurs d'une salade de fruits frais. L'acidité répond au gras dans une harmonieuse souplesse vineuse. Coup de cœur !
➤ SCE Dom. de Reuilly, chem. des Petites-Fontaines,
36260 Reuilly, tél. 02.38.66.16.74, fax 02.38.66.74.69,
e-mail denis.jamain@wanadoo.fr ☑ ⏁ t.l.j. 8h-18h
➤ Jamain

DOM. DE REUILLY 2001★★

	3,7 ha	28 000		5 à 8 €

Denis Jamain a su aussi tirer le meilleur du pinot noir avec son vin rouge rubis soutenu. De subtils arômes, tout en dentelle, reflètent les fruits rouges très mûrs (cerise). Sobre au palais, ce reuilly enchante par le velouté et le soyeux de ses tanins. Un ensemble d'une belle harmonie, déjà plaisant, mais doté d'un bon potentiel de garde.
➤ SCE Dom. de Reuilly, chem. des Petites-Fontaines,
36260 Reuilly, tél. 02.38.66.16.74, fax 02.38.66.74.69,
e-mail denis.jamain@wanadoo.fr ⏁ t.l.j. 8h-18h

JEAN-MICHEL SORBE 2001★

	1,2 ha	15 000	∎⬤	5 à 8 €

A la date où sort le Guide, Jean Michel Sorbe devrait travailler ses vins dans sa nouvelle cave. D'un saumon pâle, légèrement doré, son rosé fait preuve d'une belle exubérance aromatique, avec des parfums de banane, de pêche et d'orange. Il emplit bien la bouche grâce à une harmonieuse complémentarité entre la vivacité et le charnu. La finale persistante laisse une très bonne impression.
➤ SARL Jean-Michel Sorbe, La Quervée,
18120 Preuilly, tél. 02.48.51.30.17, fax 02.48.51.35.47
☑ ⏁ r.-v.
➤ Alexandre Mellot

JACQUES VINCENT 2001

	2,5 ha	15 000	∎⬤	5 à 8 €

Françoise et Jacques Vincent exploitent un domaine de 7 ha plantés des trois cépages de l'appellation. Le sauvignon a donné ce vin blanc dont les arômes – le fenouil, le poivre et une pointe végétale – se bousculent dans le verre. La bouche est légère, vive, alerte. Une bouteille primesautière et conviviale. Le pinot gris a produit un **rosé 2001** en robe pâle, qui a également été cité.
➤ Jacques Vincent, 11, chem. des Caves,
18120 Lazenay, tél. 02.48.51.73.55, fax 02.48.51.14.96
☑ ⏁ t.l.j. 9h-12h 14h-19h; dim. sur r.-v.

Sancerre

Sancerre, c'est avant tout un lieu prédestiné dominant la Loire. Sur quatorze communes, s'étend un magnifique réseau de collines parfaitement adaptées à la viticulture, bien orientées, exposées et protégées. Les sols portent des noms locaux : « Terres blanches » (marnes argilo-calcaires du kimméridgien ; « caillottes » et « griottes » (calcaires) ; « cailloux » ou « silex » (siliceux du tertiaire). Ils conviennent à la vigne et contribuent à la qualité des vins ; 2 570 ha sont plantés et ont produit environ 166 259 hl en 2001 dont 132 789 hl de vin blanc.

Deux cépages règnent à Sancerre : le sauvignon blanc et le pinot noir, deux raisins éminemment nobles, capables de traduire l'esprit du milieu et du terroir, d'exprimer au mieux les dons des sols qui s'épanouissent dans des blancs (les plus nombreux) frais, jeunes, fruités ; dans des rosés tendres et subtils ; dans des rouges légers, parfumés, enveloppés.

Mais Sancerre, c'est aussi un milieu humain particulièrement attachant. Il n'est pas facile, en effet, de produire un grand vin avec le sauvignon, cépage de deuxième époque de maturité, non loin de la limite nord de la culture de la vigne, à des altitudes de 200 à 300 m qui influencent encore le climat local et sur des sols qui comptent parmi les plus pentus de notre pays, d'autant plus que les fermentations se déroulent dans une conjoncture délicate de fin de saison tardive !

On appréciera particulièrement le sancerre blanc sur les fromages de chèvre secs, comme l'illustre « crottin » de Chavignol, village lui-même producteur de vin, mais aussi sur les poissons ou les entrées chaudes peu épicées ; les rouges iront sur les volailles et les préparations locales de viandes.

JOSEPH BALLAND-CHAPUIS
Le Chatillet 2001★

	5 ha	40 000	🍶♦ 8 à 11 €

Régulièrement présent dans le Guide, ce domaine de 12 ha se distingue et décline joliment le sancerre cette année. Le Chatillet est né d'un assemblage de vins issus de parcelles argilo-calcaires sur les communes de Bué, de Sancerre et d'Amigny. Très plaisant par ses arômes d'agrumes comme par son équilibre général, il s'achève sur une note vive qui invite à le déguster sur des huîtres. Le **Chêne Marchand blanc 2000 (11 à 15 €)**, issu d'une seule parcelle calcaire élevé partiellement en fût, ainsi que la cuvée **Le Vallon blanc 2001**, sympathique par ses arômes variés, obtiennent une citation.

➣ SARL Joseph Balland-Chapuis,
La Croix-Saint-Laurent, BP 24, 18300 Bué,
tél. 02.48.54.06.67, fax 02.48.54.07.97 ✓ 🍷 r.-v.
➣ J.-L. Saget

ROGER BONTEMPS ET FILLES
Cuvée Lucaxel 2000

	0,5 ha	1 500	🍷 8 à 11 €

Cette exploitation familiale depuis cinq générations, de père en fils, et de père en filles depuis 1994, est installée

à Ménétréol, charmant village situé au bord du canal de la Loire et en contrebas de la butte de Sancerre. Son vin rubis foncé livre d'agréables arômes mais fait montre de sa jeunesse en bouche : les tanins doivent en effet se fondre. Patience, donc.

➣ EARL Roger Bontemps et Filles, rte de Sancerre, 18300 Ménétréol-sous-Sancerre, tél. 02.48.54.25.41, fax 02.48.54.07.63 ✓ 🍷 t.l.j. 8h-12h 14h-18h

HENRI BOURGEOIS
La Bourgeoise 2000★

	12 ha	60 000	🍷🍶♦ 11 à 15 €

La maison Henri Bourgeois, régulièrement référencée dans le Guide, est installée sur les hauteurs de Chavignol face à la fameuse côte des Monts Damnés. A redécouvrir, le millésime 2000 à travers cette cuvée issue de vieilles vignes sur silex. D'une belle robe dorée, celle-ci développe des arômes de fruits exotiques, d'abricot, de fleurs blanches et de pain grillé. Franche, bien équilibrée, ronde, elle est prête à boire. Laissez-vous tenter par la **Grande Réserve 2001 (8 à 11€)**, élevée six mois sur lies fines, citée pour sa souplesse.

➣ SARL Dom. Henri Bourgeois, Chavignol, 18300 Sancerre, tél. 02.48.78.53.20, fax 02.48.54.14.24, e-mail domaine@bourgeois-sancerre.com ✓ 🍷 r.-v.

DOM. HUBERT BROCHARD
Aujourd'hui comme autrefois 2001★★

	4 ha	20 000	🍷♦ 11 à 15 €

Cette exploitation familiale est installée sur Chavignol depuis le XVIᵉs. Et la maison est une habituée du Guide. A découvrir « aujourd'hui comme autrefois », une cuvée ni collée ni filtrée, à laquelle un élevage sur lies a apporté rondeur et complexité aromatique : du fruit exotique (pêche, agrumes) accompagné d'une pointe de minéral. Un très beau sancerre à déguster entre amis. Et pour vous rappeler le millésime précédent, la cuvée **Côte des Monts Damnés 2000 (15 à 23 €)**, qui s'exprime pleinement actuellement, est citée.

➣ Dom. Hubert Brochard, Chavignol, 18300 Sancerre, tél. 02.48.78.20.10, fax 02.48.78.20.19, e-mail domaine-hubertbrochard@wanadoo.fr ✓

DOM. DES BUISSONNES 2001★★

	9,59 ha	15 000	🍷♦ 11 à 15 €

Le domaine des Buissonnes est une association familiale où chacun joue un rôle. Il a réalisé un beau parcours en 2001, puisque trois vins ont été retenus par nos jurys. Le premier a été plébiscité non seulement pour son nez intense, complexe et délicat (acacia, seringat, pierre à fusil, agrumes), mais aussi pour son équilibre et sa fin de bouche élégante et persistante. Le deuxième, le **rouge 2001**, souple et léger, obtient une étoile ; le troisième, **Domaine des Buissonnes rosé 2001**, tout en fraîcheur, est cité.

➣ Cave Roger Naudet, SCEA des Buissonnes, Maison Sallé, 18300 Sury-en-Vaux, tél. 02.48.79.34.68, fax 02.48.79.34.68 ✓ 🍷 t.l.j. 9h-12h 14h-19h

DOM. DU CARROIR PERRIN 2001

	9 ha	50 000	🍷♦ 8 à 11 €

Pierre Riffault exploite une dizaine d'hectares de vignes sur un terrain qui ménage une belle vue sur le piton sancerrois. Ce sancerre de style classique possède un nez de bonne intensité (fleurs et agrumes) et une bouche assez vive, dont la pointe d'amertume traduit la jeunesse.

🍷 Pierre Riffault, Chaudoux, 18300 Verdigny,
tél. 02.48.79.31.03, fax 02.48.79.35.68,
e-mail pierre.riffault@9online.fr
☑ 🏠 🍴 t.l.j. 8h-12h30 14h-19h

DOM. DES CAVES DU PRIEURE 2001★★

		10 ha	70 000	🍴	5 à 8 €

Les vins qui vous sont présentés ici sont le fruit d'un travail familial. Le domaine est tenu par Jacques et Geneviève Guillerault, avec leur fils, et, depuis 2001, avec leur gendre. Le vin blanc 2001 est un sancerre plein d'avenir, brillant représentant de son appellation. Une robe or pâle, un nez intense de fruits blancs et de fleurs, une bouche équilibrée, ronde et aromatique : rien ne manque. Goûtez aussi la **cuvée Tradition rouge 2000 (8 à 11 €)**, élevée un an en fût, riche et élégante, qui obtient une étoile.
🍷 Jacques Guillerault, Dom. des Caves du Prieuré, Reigny, 18300 Crézancy-en-Sancerre, tél. 02.48.79.02.84, fax 02.48.79.01.02 ☑ 🍴 r.-v.

DOM. CHOTARD 2001★

		0,66 ha	5 000	🍴	5 à 8 €

Daniel Chotard est non seulement un vigneron passionné, mais aussi un musicien. Et il saura vous faire partager ses deux passions. Pour vous en convaincre, goûtez son rosé à reflets orangés qui libère des notes fruitées de coing, de poire, de groseille, soulignées d'un soupçon d'épices. Ce vin, ample et gras, possède une bonne vivacité : il est original et montre une vraie personnalité. A déguster le **sancerre blanc 2000**, bien équilibré, qui a su garder toute sa fraîcheur. Il est côté.
🍷 Daniel Chotard, Hameau de Reigny, 18300 Crézancy-en-Sancerre, tél. 02.48.79.08.12, fax 02.48.79.09.21, e-mail daniel.chotard@sancerre.com ☑ 🍴 t.l.j. 9h-12h 14h-19h; dim. sur r.-v.

COMTE DE LA PERRIERE 2001★

		n.c.	20 000		8 à 11 €

Issu d'un terroir sur silex, ce sancerre se mariera très bien avec un poisson grillé. Or pâle, il fleure bon les agrumes et s'agrémente de fines notes florales. Sa bouche complexe, ample, bénéficie d'un support vif jusqu'à une finale très aromatique.
🍷 SA Pierre Archambault, Caves de la Perrière, 18300 Verdigny, tél. 02.48.54.16.93, fax 02.48.54.11.54
☑ 🍴 r.-v.
🍷 J.-L. Saget

DANIEL CROCHET 2001

		0,61 ha	5 000	🍴	5 à 8 €

Ce rosé, issu de vignes plantées sur sols argilo-calcaires, revêt une robe saumon qui invite à la dégustation. Au nez délicat de fruits relevé d'un accent minéral répond une bouche grasse, équilibrée et persistante dans le même registre aromatique. A savourer sur un bar grillé au barbecue.
🍷 Daniel Crochet, 61, rue de Venoize, 18300 Bué, tél. 02.48.54.07.83, fax 02.48.54.27.36
☑ 🍴 t.l.j. 9h-12h 14h-19h

DOM. DOMINIQUE ET JANINE CROCHET 2001★★

		0,5 ha	3 500	🍴	5 à 8 €

Les Crochet mènent leur vignoble en lutte raisonnée. Cette année, ils vous font découvrir un remarquable rosé de pinot noir issu de terrains argilo-calcaires. La brillance

de la robe saumon est attirante. Les arômes de fleurs et de framboise, très fins, invitent à goûter la matière franche, vive à souhait, ronde aussi. Ce vin allie la fraîcheur et la puissance. Très réussi, le **sancerre rouge 2001** présente une belle couleur pour le millésime, une bonne intensité aromatique (pruneau, épices) et des tanins bien fondus.
🍷 Dom. Dominique et Janine Crochet, 64, rue de Venoize, 18300 Bué-en-Sancerre, tél. 02.48.54.19.56, fax 02.48.54.12.61 ☑ 🍴 r.-v.

DOM. ROBERT ET MARIE-SOLANGE CROCHET 2001★★

		0,6 ha	5 000	🍴	5 à 8 €

Créée en 1650, cette exploitation familiale a produit un joli vin rosé aux reflets saumon séduisants. Au nez surgissent des arômes floraux (rose) avec une pointe de réglisse. La bouche, ronde et équilibrée, persiste sur les mêmes notes de fleurs. Un dégustateur propose un mariage avec des escalopes aux pruneaux. Citée, la **Réserve de Marcigoué rouge 2000 (8 à 11 €)**, élevée sous bois, conserve un bon fruit.
🍷 Robert et Marie-Solange Crochet, Marcigoué, 18300 Bué-en-Sancerre, tél. 02.48.54.21.77, fax 02.48.54.25.10 ☑ 🍴 t.l.j. 9h-19h; dim. sur r.-v.

DOM. CROIX SAINT URSIN
Terroirs 2001★

		n.c.	70 000	🍴	8 à 11 €

Sylvain Bailly propose un beau vin auquel un élevage sur lies fines a apporté ampleur et rondeur. Une robe séduisante et brillante, or pâle à reflets argentés, annonce un nez intense de miel, de pomme et de genêt. On retrouve ces mêmes arômes persistants dans un palais équilibré. A déguster sur un poisson de Loire ou des fruits de mer.
🍷 Sylvain Bailly, 71, rue de Venoize, 18300 Bué, tél. 02.48.54.02.75, fax 02.48.54.28.41, e-mail jacquesbailly3@wanadoo.fr
☑ 🍴 t.l.j. 8h-12h 13h30-18h; dim. sur r.-v.
🍷 Jacques Bailly

DOM. DAULNY 2000

		1,9 ha	4 000	🍶	5 à 8 €

Le domaine Daulny se distingue par un beau trio sur deux millésimes, preuve s'il en est de la qualité régulière de son travail. Ce sancerre rouge, vinifié en fût de chêne, doit certes encore se fondre, mais il est prometteur et déjà aromatique : notes grillées, vanillées, arômes de fruits rouges. Attendez-le avant de le servir sur une gigue de chevreuil. Retenez également le **sancerre blanc 2001 du domaine**, vif et rond, ainsi que le **Clos de Chaudenay 2000 (8 à 11 €)**, bon compagnon des fruits de mer, auxquels le jury accorde aussi une citation.

🔚 Etienne Daulny, Chaudenay, 18300 Verdigny,
tél. 02.48.79.33.96, fax 02.48.79.33.39 ☑ ☒ r.-v.

DOM. VINCENT DELAPORTE 2001★

■	n.c.	18 000	■⦿↓	5 à 8 €

Encore une réussite pour un domaine régulièrement
présent dans le Guide. La robe de ce sancerre cerise
intense est de qualité pour le millésime. Il en va de même
du nez intense, complexe et élégant sur le pruneau, les
fruits rouges, les fruits exotiques et un soupçon de vanille.
A l'attaque franche et vive succède une bouche équilibrée,
dans laquelle les tanins du bois se fondent bien. Le sancerre
blanc **cuvée Maxime, Vieilles vignes, vinifiée en fût de
chêne 2001 (8 à 11 €)** est cité.
🔚 SCEV Vincent Delaporte et Fils, 18300 Chavignol,
tél. 02.48.78.03.32, fax 02.48.78.02.62 ☑ ☒ r.-v.

PAUL DOUCET 2001

■	8,5 ha	7 000	■ 5 à 8 €

Partez à la découverte du village de Sury-en-Vaux,
cerné par de magnifiques coteaux viticoles. Puis allez à la
rencontre de Paul Doucet qui vous proposera ce vin à
reflets or, au nez floral et végétal, bien dans le type du
cépage. L'attaque est ronde, le corps vif et la finale d'une
bonne persistance.
🔚 EARL Paul Doucet,
Les Plessis, 18300 Sury-en-Vaux,
tél. 02.48.79.33.40, fax 02.48.79.28.14 ☑ ☒ r.-v.

DOM. DOUDEAU-LEGER 2001

■	0,09 ha	700	■↓ 5 à 8 €

Rose brillant, ce vin aux arômes intenses et fruités
présente une bonne vivacité en bouche, avant de finir sur
une pointe d'amertume qui ne nuit pas à son caractère
sympathique. Le **sancerre blanc 2001** est également cité
pour l'agrément de sa robe or pâle à reflets argentés, de son
nez intense et fin tout en fleurs blanches et en agrumes, de
sa bouche équilibrée.
🔚 Dom. Doudeau-Léger,
Les Giraults, 18300 Sury-en-Vaux,
tél. 02.48.79.32.26, fax 02.48.79.29.80 ☑ 🏠 ☒ r.-v.
🔚 Pascal Doudeau

GERARD FIOU 2001★

■	6 ha	35 000	■↓ 5 à 8 €

Les 9,20 ha de vignes de Gérard Fiou sont situés sur
le silex et les marnes kimméridgiennes des coteaux bordant
le piton sancerrois. Les dégustateurs n'ont pas manqué de
mots pour décrire le nez de ce vin : une explosion
d'agrumes, de pomme, de raisin frais, de fruits exotiques,
de notes minérales. En bouche, l'attaque ronde laisse place
à la fraîcheur des agrumes. Un sancerre très harmonieux.
A découvrir aussi, le **rosé 2001**, assez léger, qui accompagnera les crudités. Il est cité.
🔚 Gérard Fiou,
15, rue Hilaire-Amagat, 18300 Saint-Satur,
tél. 02.48.54.16.17, fax 02.48.54.36.89 ☑ ☒ r.-v.

FONTAINE 2001★★

■	1 ha	4 000	■ 8 à 11 €

Ce vin est issu de vignes d'une quinzaine d'années,
implantées sur les coteaux argilo-calcaires dominant le
charmant village de Chavignol. Il vous tentera par sa

couleur jaune doré. Il vous charmera par sa palette intense
et complexe où se mêlent les notes d'agrumes, de menthol
et de fleurs d'acacia. Enfin, il vous comblera par son
équilibre entre vivacité et rondeur. Un beau sancerre qui
devrait encore s'épanouir avec le temps.
🔚 Mme Fontaine, Le Caveau, Cidex M73,
18300 Chavignol, tél. 02.48.54.13.47
☑ ☒ t.l.j. 8h-20h

CH. DE FONTAINE-AUDON 2001

■	9,5 ha	70 000	■↓ 8 à 11 €

Le vignoble de 11 ha est entièrement regroupé autour
de ce château, situé à Sainte-Gemme-en-Sancerrois. Il
couvre des pentes orientées au sud dont le sol est à
dominante de silex. D'apparence jaune pâle, ce sancerre
semble encore jeune dans son expression, mais l'on y
découvre des notes de fruits et des accents minéraux. Cette
jeunesse se retrouve dans la bouche vive en attaque,
dominée par les agrumes, puis plus souple en finale. A
tenter sur un brochet au beurre blanc.
🔚 Langlois-Château, 3, rue Léopold-Palustre,
49400 Saint-Hilaire-Saint-Florent, tél. 02.41.40.21.40,
fax 02.41.40.21.49, e-mail contact@langlois.chateau.fr

GUSTAVE FOUASSIER
Mélodie 2000★★

■	0,5 ha	2 000	⦿ 11 à 15 €

Les neuvième et dixième générations travaillent de
concert sur ce domaine familial. En 2000, ils ont composé
une mélodie qui charme les sens. La vue : une robe jaune
aux jolis reflets dorés. L'odorat : des notes vanillées
(témoignant du passage en fût de dix mois) et des arômes
de fleurs blanches. Le goût : l'attaque est souple, la bouche
ronde, avec en finale des notes grillées. Un ensemble
harmonieux. Aussi, la cuvée **Le Clos de Bannon blanc
2001 (8 à 11 €)** est assez vive, mais aromatique.
🔚 SA Fouassier Père et Fils, 180, av. de Verdun,
18300 Sancerre, tél. 02.48.54.02.34, fax 02.48.54.35.61,
e-mail fouassier@terre-net.fr ☑ ☒ t.l.j. 9h-12h 14h-18h

FOUCHER-LEBRUN
Genceney 2001

■	n.c.	5 000	■ 5 à 8 €

Ce vignoble fut créé en 1921 par Paulin Lebrun,
tonnelier de formation. Il est aujourd'hui dirigé par Jacky
Foucher, son petit-fils, qui propose un rosé de teinte
soutenue, rappelant intensément les fruits rouges. Vif en
attaque, celui-ci s'arrondit en fin de bouche. On retrouve
alors les notes fruitées (fraise, mûre).
🔚 Foucher-Lebrun, 29, rte de Bouhy,
58200 Alligny-Cosne, tél. 03.86.26.87.27,
fax 03.86.26.87.20, e-mail foucher.lebrun@wanadoo.fr
☑ ☒ t.l.j. sf dim. lun. 8h-12h 14h-18h

DOM. DE LA GARENNE 2001★★

■	6,5 ha	50 000	■↓ 8 à 11 €

Le domaine de la Garenne comporte 10 ha sur la
commune de Verdigny. Il vous propose un vin jaune
pâle à reflets verts, fruité, minéral et d'une belle intensité.
La bouche est à la hauteur du nez grâce à sa fraîcheur
agréable et à ses notes d'agrumes. Ce sancerre, complexe
et bien équilibré, défend remarquablement le millésime
2001.

🔌 Bernard-Noël Reverdy, Dom. de la Garenne, 18300 Verdigny-en-Sancerre, tél. 02.48.79.35.79, fax 02.48.79.32.82 ☑ ☒ r.-v.

DOM. DES GRANDES PERRIERES 2001★

	1 ha	6 500		5 à 8 €

Jérôme Gueneau s'est installé en 1991 avec seulement 11 ares de vignes. Il exploite aujourd'hui 7,5 ha sur les divers terroirs du Sancerrois. Sa cuvée séduit dans sa robe cerise. La palette aromatique associe les fruits bien mûrs, le fumé et les notes épicées. En bouche, on retrouve les fruits ainsi qu'une pointe de végétal ; l'attaque est franche, le tout équilibré. Un vin bien fait qui mérite d'attendre un an ou deux pour fondre ses tanins. Le **Domaine des Grandes Perrières rosé 2001** est cité.

🔌 Jérôme Gueneau, Les Grandes-Perrières, 18300 Sury-en-Vaux, tél. 02.48.79.39.31, fax 02.48.79.40.27 ☑ ☒ t.l.j. sf sam. dim. 8h-12h 14h-19h

DOM. DE LA JOLIVE 2001★

	1,5 ha	10 300		8 à 11 €

Cette cuvée, issue d'une vendange manuelle, revêt une robe or soutenu et livre des arômes puissants de fruits mûrs, de bourgeon de cassis, de minéral qui invitent à la mise en bouche. Celle-ci est ronde, bien équilibrée, et la finale aromatique. Un vin typique de son appellation.

🔌 Gérard Terrier, Les Giraults, 18300 Sury-en-Vaux, tél. 02.48.79.35.10, fax 02.48.79.39.98 ☑ 🏠 ☒ r.-v.

SERGE LALOUE
Silex Cuvée réservée 2001★

	2 ha	16 000		8 à 11 €

Des habitués du Guide qui réussissent cette année encore à retenir l'attention du jury. Le Silex tire son origine de son terroir argilo-siliceux. Jaune clair et tout en finesse dans ses évocations florales et fruitées, il prend de l'ampleur en bouche, du gras, de la vivacité aussi, de la longueur. Il s'inscrit bien dans le type 2001. Cités, le **sancerre blanc 2001**, frais et plein d'avenir, ainsi que le **rouge 2000** qui peut encore attendre un peu.

🔌 Serge Laloue, Thauvenay, 18300 Sancerre, tél. 02.48.79.94.10, fax 02.48.79.92.48, e-mail laloue@terre-net.fr ☑ ☒ r.-v.

DOM. SERGE LAPORTE 2001

	3 ha	20 000		8 à 11 €

Cette exploitation familiale de 9 ha se situe en plein cœur de Chavignol. Guillaume Laporte a rejoint ses parents en 2001, et c'est ce millésime que le jury a retenu pour son agréable teinte jaune or à reflets verts, ses arômes fruités, légèrement miellés, et sa bouche très ronde. Un sancerre à déguster en accompagnement d'un poisson en sauce.

🔌 Dom. Serge Laporte, Chavignol, 18300 Sancerre, tél. 02.48.54.30.10, fax 02.48.54.28.91 ☑ ☒ r.-v.

CHRISTIAN LAUVERJAT
Perle blanche 2001★★

	1,5 ha	8 000		5 à 8 €

Blotti dans le vallon de la Belaine, dans ce charmant village de Sury-en-Vaux, le domaine est un ancien moulin à eau ; il comporte 12 ha de vignes. Une perle rare que ce 2001 qui mêle, tout en nuances et en finesse, la fleur d'acacia, la mirabelle, le miel et le minéral. Son gras enveloppe le palais : vous croquez à pleines dents dans du raisin bien mûr, et les arômes fruités persistent. Cité, le **sancerre blanc Moulin des Vrillères 2001** exprime davantage les agrumes.

🔌 Christian Lauverjat, SCEA des Vrillères, Moulin des Vrillères, 18300 Sury-en-Vaux, tél. 02.48.79.38.28, fax 02.48.79.39.49, e-mail lauverjat-christian@wanadoo.fr ☑ ☒ r.-v.

PHILIPPE LEMAIN-POUILLOT
Cuvée Clotaire 2000

	0,4 ha	2 500		8 à 11 €

Installé depuis dix ans sur Bué, en Sancerrois, Philippe Lemain propose une cuvée qui s'associera très bien aux plats de poisson. Jaune or, aux arômes discrets d'agrumes et de buis, ce 2000 dévoile ses charmes au palais, avec rondeur et vivacité. Un bel équilibre.

🔌 Philippe Lemain, 18300 Bué, tél. 02.48.54.11.09, fax 02.48.54.06.75 ☑ ☒ r.-v.

DOM. RENE MALLERON 2001

	1,59 ha	12 500		8 à 11 €

Ce vin est issu d'un vignoble planté sur sols argilo-calcaires. Teinte rouge cerise assez claire. Nez agréable avec des nuances de fruits rouges et de végétal. Bouche assez ronde, au fruité léger. Tel est le portrait d'un sancerre qui s'associera volontiers à un coq, sur le feu comme sur la table.

🔌 Dom. René Malleron, Champtin, 18300 Crézancy-en-Sancerre, tél. 02.48.79.06.90, fax 02.48.79.42.18 ☑ ☒ r.-v.

ALPHONSE MELLOT
La Moussière 2001★

	40 ha	200 000		11 à 15 €

Alphonse Mellot est une valeur sûre du Sancerrois. Il est installé sur le piton de Sancerre dans de vastes et beaux locaux de vinification et d'élevage. La Moussière explose au nez : les arômes rappellent les agrumes, la réglisse, le coing, le pain grillé. L'attaque est souple, le corps rond, et la finale longue. La cuvée **Génération XIX rouge 2000 (30 à 38 €)** est citée pour son harmonie et ses tanins prometteurs.

🔌 SCEA Alphonse Mellot, rue Porte-César, BP 18, 18300 Sancerre, tél. 02.48.54.07.41, fax 02.48.54.07.62, e-mail mellot@sfiedi.com ☑ ☒ r.-v.

JOSEPH MELLOT
La Châtellenie 2001

	13 ha	n.c.		11 à 15 €

En 1698, Louis XIV aurait choisi un Mellot comme conseiller viticole. Aujourd'hui présente sur toutes les AOC du Centre, la maison propose un sancerre bien

LOIRE

représentatif du millésime. Buis, fleurs blanches et agrumes sont les arômes dominants typiques du sauvignon. La bouche bien équilibrée, acidulée, se prolonge dans une finale plaisante.

➤ SA Joseph Mellot, rte de Ménétréol, BP 13, 18300 Sancerre, tél. 02.48.78.54.54, fax 02.48.78.54.55
☑ ⛾ r.-v.

➤ Alexandre Mellot

DOM. FRANCK MILLET
Fût de Chêne 2000

■	2 ha	2 000	⦀ 8 à 11 €

Cette cuvée a fait sa fermentation malolactique sous bois et a été élevée dix mois en fût d'un an. Derrière une robe rouge violine nuancée de rubis, le bois s'associe délicatement aux épices, aux fruits et aux nuances grillées. L'attaque est franche, les tanins bien fondus. Le dégustateur reste sur des notes de réglisse.

➤ Franck Millet, rue Saint-Vincent, 18300 Bué, tél. 02.48.54.25.26, fax 02.48.54.39.85 ☑ ⛾ r.-v.

DOM. GERARD MILLET 2001★★★

	12,99 ha	114 464	▪⬗ 8 à 11 €

Installé en 1979, Gérard Millet agrandit son vignoble d'année en année ; ainsi possède-t-il aujourd'hui plus de 16 ha. Il apporte également un soin particulier à ses cuvées, comme en témoigne ce sancerre complexe et élégant qui libère, pêle-mêle, des arômes d'amande fraîche, de poivre, de bourgeon de cassis et de pierre à fusil. Le gras et la persistance de la bouche confirment la qualité d'un vin, réalisé avec un beau raisin. Le sancerre rouge 2000, élevé dix mois en fût, a été jugé très réussi.

➤ Gérard Millet, rte de Bourges, 18300 Bué, tél. 02.48.54.38.62, fax 02.48.54.13.50, e-mail gmillet@terre-net.fr ☑ ⛾ r.-v.

FLORIAN MOLLET
L'Antique Vieilles vignes 2000★

	1 ha	8 000	▪⬗ 8 à 11 €

Ancienne propriété domaniale de l'abbaye de Saint-Satur, ce domaine de quelque 8 ha est dans la famille Mollet depuis dix générations. Les bâtiments viennent d'être restaurés avec goût. Après une entrée remarquée dans le Guide 2002, Florian Mollet propose trois nouveaux sancerre de belle facture. L'Antique, vin ni filtré ni collé, est une cuvée ronde, fraîche et longue, évocatrice de fruits et de réglisse. Le classique sancerre blanc 2001, né d'une vendange manuelle, présente certes de la tendresse, mais aussi la vivacité caractéristique de l'appellation. Quant au Roc de l'abbaye 2001, il est franc et vif, résolument inscrit dans le registre des agrumes. Ces deux vins ont été cités par le jury.

➤ Florian Mollet, 84, av. de Fontenay, 18300 Saint-Satur, tél. 02.48.54.13.88, fax 02.48.54.09.28, e-mail mollet.jean-paul@wanadoo.fr
☑ ⛾ t.l.j. 8h-12h 14h-19h

LA MONTAGNE NOIRE
Vieilles vignes 1999★

	1 ha	5 000	⦀ 11 à 15 €

Michel Brock a créé ce domaine en 1968 en reprenant le vignoble de son beau-père. Ce millésime 99, issu de vieilles vignes cultivées sur calcaires, a fermenté en fût, ce qui se traduit par des arômes vanillés, mêlés de fruits d'été. L'attaque est franche, l'équilibre très réussi. A déguster sur une viande blanche en sauce. Cité, le Domaine de Sarry blanc 2001 (8 à 11 €), riche, s'améliorera avec le temps en développant ses notes de miel et de fruits.

➤ Dom. Brock, Le Briou-de-Veaugues, rte de Bourges, 18300 Sancerre, tél. 02.48.79.07.92, fax 02.48.79.05.28
☑ ⛾ t.l.j. 8h-12h 13h30-17h30; sam. dim. sur r.-v.

➤ Michel Brock

ROGER MOREUX
Les Monts Damnés 2000★★

	1 ha	6 000	▪⬗ 8 à 11 €

Les Monts Damnés, l'un des plus beaux lieux-dits du Sancerrois, ménagent un point de vue superbe sur le village de Sancerre. Ce vin, particulièrement typique de l'appellation, a séduit les dégustateurs en premier lieu par sa palette intense et complexe, composée de multiples arômes : poire, pêche, brioche, citron, minéral, fleurs. Ces mêmes sensations se manifestent dans une bouche franche, vive, d'une longueur incroyable. Ouvrez cette bouteille sur une poêlée de pétoncles, ainsi que le conseille un dégustateur.

➤ Roger Moreux, Chavignol, 18300 Sancerre, tél. 02.48.54.05.79, fax 02.48.54.09.55, e-mail moreux912@aol.com
☑ ⛾ t.l.j. 8h-12h 14h-19h; dim. 8h-12h

ROGER NEVEU ET FILS
Cuvée Pierre François Xavier Vieilles vignes 2000

	0,4 ha	2 200	⦀ 15 à 23 €

Issu de vignes plantées sur des terrains calcaires, ce vin a été vinifié en fût et élevé sur lies fines, ce qui lui vaut de la rondeur. Ses arômes subtils évoquent les fleurs et la réglisse. A tenter sur des viandes blanches.

➤ Dom. Neveu et Fils, 18300 Verdigny, tél. 02.48.79.40.34, fax 02.48.79.32.93, e-mail neveu@terre-net.fr ☑ ⛾ r.-v.

➤ Roger Neveu

DOM. DU NOZAY 2001

	6 ha	86 000	▪ 5 à 8 €

Le domaine du Nozay se niche au creux d'un havre de paix sur la commune de Sainte-Gemme. Allez visiter le caveau de dégustation pour apprécier ses peintures en trompe-l'œil et profitez-en pour découvrir son sancerre. Si le premier nez est à dominante fruitée (pêche, agrumes), des notes florales apparaissent après aération. Bien équilibré, rond, ce 2001 est typique de l'appellation.

➤ Dom. du Nozay, Ch. du Nozay, 18240 Sainte-Gemme, tél. 02.48.79.30.23, fax 02.48.79.36.64, e-mail nozays@aol.com ☑ ⛾ r.-v.

➤ de Benoist

DOM. HENRY PELLE
La Croix au Garde 2001

	3,9 ha	33 000	▪⬗ 8 à 11 €

Henri Pellé s'est installé en 1950 sur la commune de Morogues. Retraité aujourd'hui, il a laissé les rênes à Anne Pellé, guidée par un jeune œnologue, Julien Zernott. Leur sancerre présente un nez flatteur qui associe l'acacia, les agrumes et le genêt. Il révèle la fougue de sa jeunesse dans sa trame vive, mais souple.

➤ SARL Henry Pellé, 18220 Morogues,
tél. 02.48.64.42.48, fax 02.48.64.36.80,
e-mail info@henry.pelle.com
☑ ⟁ t.l.j. sf sam. dim. 9h-12h 13h30-17h30;
f. 14 août-1ᵉʳ sept.
➤ Anne Pellé

DOM. DE LA PERRIERE 2001★★

| | 15 ha | 120 000 | ⬛⬤ | 8 à 11 € |

Ce domaine de 40 ha, incontournable dans le Guide,
se fait brillamment remarquer cette année. A commencer
par son superbe vin intense, complexe et tout en finesse
dans un registre floral dominant. Sa rondeur, son équilibre
et sa persistance aromatique le rendent inoubliable. A
savourer sur un rôti de saumon aux agrumes. Dégustez
aussi cet autre sancerre blanc étonnant qu'est la cuvée
Pierre Archambault 2001, tout aussi ronde et équilibrée,
mais plus fruitée. Celle-ci est arrivée seconde au grand jury
des coups de cœur. Enfin, comme nos dégustateurs,
appréciez le **sancerre Domaine de la Perrière rouge
2001 (11 à 15 €)**, auquel le fruit et les tanins fondus valent
deux étoiles. Chapeau à tout le personnel du domaine !
➤ SCEA Dom. de la Perrière, Cave de la Perrière,
18300 Verdigny, tél. 02.48.54.16.93, fax 02.48.54.11.54
☑ ⟁ r.-v.
➤ J.-L. Saget

PAUL PRIEUR ET FILS 2000★

| | 3,34 ha | 26 000 | ⬛⬤⬤ | 8 à 11 € |

Un seul terroir, Pichon, de type caillotte, pour une
cuvée rouge à reflets cerise. Le nez flatteur est marqué par
les fruits rouges. Ces arômes persistent en bouche. Les
tanins souples procurent au vin un bon équilibre. Tout
deux cités, le **sancerre blanc 2001** présente un beau
potentiel, tandis que le **sancerre rosé 2001**, aux notes
florales, est un millésime de tendresse qui accompagnera
vos grillades.
➤ Dom. Paul Prieur et Fils, rte des Monts-Damnés,
18300 Verdigny, tél. 02.48.79.35.86, fax 02.48.79.36.85
☑ ⟁ t.l.j. 9h-12h 14h-18h; dim. sur r.-v.

DOM. ANDRE RAFFAITIN 2001★★

| | n.c. | 4 000 | ⬛⬤ | 5 à 8 € |

Selon l'un des dégustateurs, voici « un très beau vin,
de production maîtrisée et de vinification étudiée ». La
palette aromatique élégante, avec une touche fruitée, ne
demande qu'à s'épanouir. En bouche, ce sancerre est tout
en rondeur et en finesse, tout en fruit aussi... et cette
impression persiste remarquablement.
➤ EARL Jacques Raffaitin, 39, rue Saint-Vincent,
18300 Bué, tél. 02.48.54.25.62, fax 02.48.54.11.87
☑ ⟁ r.-v.

NOEL ET JEAN-LUC RAIMBAULT
Le Cotelin 2001★

| | 0,8 ha | 6 000 | ⬛⬤ | 5 à 8 € |

Noël et Jean-Luc Raimbault, installés à Chambre,
vous accueilleront avec gentillesse et passion. Le jury a
apprécié leur vin issu des caillottes sancerroises, dont la
robe rouge cerise bien soutenu annonce les arômes intenses, à dominante de fruits des bois. L'attaque est souple,
le fruit toujours présent et l'équilibre très réussi. Mais ce
sancerre a suffisamment de matière pour vieillir un peu.
➤ Noël et Jean-Luc Raimbault,
Lieu-dit Chambre, 18300 Sury-en-Vaux,
tél. 02.48.79.36.56, fax 02.48.79.36.56 ☑ ⟁ r.-v.

PHILIPPE RAIMBAULT
Les Godons 2001

| | 3,1 ha | 25 000 | ⬛⬤ | 8 à 11 € |

Installé dans ce beau village vigneron qu'est Sucy-
en-Vaux, Philippe Raimbault se fera un plaisir de vous faire
découvrir sa gamme de vins, mais aussi sa collection de
fossiles marins. Son sancerre est représentatif du millésime. Les fleurs, le genêt et les agrumes se dégagent de la
robe jaune pâle à reflets or. Vif, bien structuré, long, voilà
une bouteille harmonieuse.
➤ Philippe Raimbault,
rte de Maimbray, 18300 Sury-en-Vaux,
tél. 02.48.79.29.54, fax 02.48.79.29.51 ☑ ⟁ r.-v.

ROGER ET DIDIER RAIMBAULT 2001★★

| | 2,6 ha | 20 000 | ⬛⬤ | 11 à 15 € |

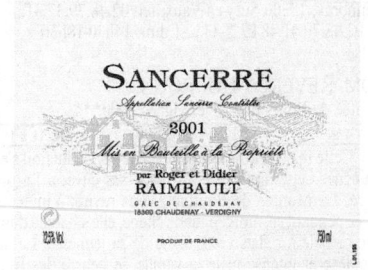

Cette exploitation viticole s'est transmise de père en
fils depuis plusieurs générations avec pour mot d'ordre
l'amélioration constante de la qualité des vins. Et, visiblement, ça marche... Ce sancerre fait un parcours sans
faute... Il résulte d'une vendange saine et mûre, comme en
témoignent les arômes de fruits rouges épicés. Il est franc,
élégant, bien équilibré et fondu. « Voilà ce qu'on attend
d'un sancerre rouge », conclut un dégustateur. A boire dès
aujourd'hui. Quant au **sancerre blanc 2001**, il a été jugé
très réussi.
➤ Roger et Didier Raimbault, Chaudenay,
18300 Verdigny, tél. 02.48.79.32.87, fax 02.48.79.39.08
☑ ⟁ t.l.j. 9h-12h30 14h-18h30

DOM. RAIMBAULT-PINEAU 2001

| | 7,5 ha | 60 000 | ⬛⬤ | 8 à 11 € |

Jaune or, ce vin hésite à se dévoiler, mais libère déjà
de jolis arômes de fruits blancs. Les dégustateurs assurent
qu'il se révélera totalement d'ici quelques mois, car la
bouche est ronde et équilibrée jusqu'à sa finale sur des
notes acidulées.

◆⌐ Dom. Raimbault-Pineau,
rte de Sancerre, 18300 Sury-en-Vaux,
tél. 02.48.79.33.04, fax 02.48.79.36.25 ☑ � r.-v.

DOM. HIPPOLYTE REVERDY 2001★

	1 ha	6 000	▮▲ 8 à 11 €

Elégant, ce rosé l'est autant par sa teinte saumonée
que par son expression florale et fruitée (fruits blancs).
D'attaque souple et fraîche, il présente de la vivacité et un
bon équilibre. A découvrir sur des charcuteries ou des
salades. Le **sancerre rouge 2001** présente un beau
potentiel, mais il faudra patienter deux ans avant qu'il ne
vous dévoile tous ses charmes. En revanche, le **sancerre
blanc 2001**, élégant et rond, vous attend. Ces deux vins
sont cités.
◆⌐ Dom. Hippolyte Reverdy, rue de la Croix-Michaud,
Chaudoux, 18300 Verdigny-en-Sancerre,
tél. 02.48.79.36.16, fax 02.48.79.36.65 ☑ may r.-v.

PASCAL ET NICOLAS REVERDY 2001★

	8 ha	63 000	▮▲ 8 à 11 €

Pascal et Nicolas Reverdy ont vraiment très bien
réussi le millésime 2001. Le blanc présente un nez certes
discret, mais qui prouve déjà sa complexité par d'agréables
notes minérales, des arômes de fruits blancs et de genêt,
puis de cassis. En bouche, la rondeur s'équilibre avec la
fraîcheur. Le **rouge 2001**, élevé en cuve et en fût, obtient
la même note. Il est bien structuré, équilibré, fruité et de
bonne longueur.
◆⌐ GAEC Pascal et Nicolas Reverdy,
Maimbray, 18300 Sury-en-Vaux, tél. 02.48.79.37.31,
fax 02.48.79.41.48 ☑ may t.l.j. sf dim. 14h30-18h30

DOM. REVERDY-DUCROUX
Montée de Bouffant Vieilles vignes 2000★★★

	1,1 ha	6 500	▥ 11 à 15 €

Cette maison qui exporte 50 % de sa production s'est
distinguée cette année avec trois de ses cuvées. La première, La Montée de Bouffant, vous ravira. Vinifiée et
élevée pendant six mois en fût de chêne, elle s'habille d'une
robe or pâle à reflets verts, signe de sa jeunesse. Le nez
complexe et intense mêle la vanille, le beurre, les fruits
exotiques, les agrumes, voire une pointe de menthe
sauvage. En bouche, le bois bien fondu ajoute à la
complexité. Très long, très bien équilibré, ce vin pourra
patienter quelques années en cave. La cuvée **Beau Roy
blanc 2000** (8 à 11 €) et le **Louys Marie 1999 rouge** sont
cités.
◆⌐ Dom. Reverdy-Ducroux, rue du Pressoir,
18300 Verdigny, tél. 02.48.79.31.33, fax 02.48.79.36.19,
e-mail reverdy.ducroux-sancerre@wanadoo.fr ☑ may r.-v.

DOM. BERNARD REVERDY ET FILS 2001★

	1,04 ha	7 000	▮▲ 8 à 11 €

Cette petite cuvée de rosé est issue de vignes plantées
sur sols argilo-calcaires. Rose pâle à reflets saumonés, elle
offre de riches parfums fruités (notamment d'agrumes).
D'attaque franche et fraîche, bien structurée, elle persiste
agréablement. Cité, le **sancerre blanc 2001** révèle un nez
discret et une bouche dominée par les agrumes.
◆⌐ Bernard Reverdy et Fils,
rte des Petites-Perrières, Chaudoux, 18300 Verdigny,
tél. 02.48.79.33.08, fax 02.48.79.37.93 ☑ may r.-v.

JEAN REVERDY ET FILS
Les Villots 2001★

	1 ha	8 000	▮▲ 8 à 11 €

Habitué du Guide, ayant bénéficié d'un coup de
cœur dans le millésime 99 pour la Reine blanche, Jean
Reverdy vous invite à découvrir son rosé 2001 sur du
jambon fumé de Sancerre. D'une belle couleur saumonée,
ce vin dégage de puissants arômes d'agrumes, de coing et
d'épices. L'attaque est fraîche, les arômes explosent ensuite et se prolongent délicatement. Un beau sancerre
harmonieux.
◆⌐ Jean Reverdy et Fils, 18300 Verdigny,
tél. 02.48.79.31.48, fax 02.48.79.31.48 ☑ may r.-v.

CLAUDE RIFFAULT
Les Pierrottes 2001

	0,73 ha	6 400	▮▲ 5 à 8 €

Les Riffault sont installés depuis plusieurs générations à Sury-en-Vaux, dans l'un des lieux-dits de grande
renommée viticole : Maison-Sallé. Des vignes sur silex sont
à l'origine de ce vin or pâle bien brillant qui joue encore
au timide, même s'il laisse percevoir des notes végétales,
des arômes d'agrumes et de poire. La bouche harmonieuse, suave à l'attaque, se poursuit sur une pointe vive et
une finale fruitée.
◆⌐ SCEV Claude Riffault,
Maison-Sallé, 18300 Sury-en-Vaux,
tél. 02.48.79.38.22, fax 02.48.79.36.22
☑ may t.l.j. 8h-12h 14h-19h; dim. sur r.-v.

DOMINIQUE ROGER
La Jouline Vieilles vignes 2000★★

	0,8 ha	3 500	▥ 11 à 15 €

Chez les Roger, on est vigneron de père en fils depuis
le XVIIᵉs. Dominique pratique la lutte raisonnée sur son
vignoble de près de 10 ha, depuis 1996. En 2000, il a
élaboré un vin grenat intense, complexe, et à la belle
matière première. On y perçoit des arômes de griotte, de
mûre, de myrtille, de vanille et de boisé. La bouche est
ample, riche et fruitée, la finale boisée, mais le tout est bien
fondu. Cité, le **Domaine du Carrou rouge 2000** (8 à
11 €), au nez de fruits à l'eau-de-vie, et aux tanins présents,
pourra attendre encore deux ou trois ans.
◆⌐ Dominique Roger, 7, pl. du Carrou, 18300 Bué,
tél. 02.48.54.10.65, fax 02.48.54.38.77,
e-mail dominique-roger11@wanadoo.fr
☑ may t.l.j. 8h30-12h 13h30-19h; dim. sur r.-v.

DOM. DE SAINT-PIERRE
Maréchal Prieur 2000★★

	n.c.	4 000	▮▥▲ 11 à 15 €

Pierre, le père, Bruno et Thierry, les fils, perpétuent
une tradition instaurée dès le XVIIᵉs. Découvrez cette
cuvée dont 20 % ont été vinifiés et élevés sur lies fines et
en fût de chêne, ce qui lui a donné de la rondeur et a
renforcé le côté fruité. Le vin est vif, frais et bien charpenté.
La **cuvée Maréchal Prieur rouge 2000** (citée) a une belle
robe rubis, un bon équilibre et des tanins fondus. Retenez
aussi la **cuvée Domaine de Saint-Pierre blanc 2001** (8
à 11 €) citée, élevée trois mois sur lies, équilibrée et typique
de l'appellation comme du millésime.
◆⌐ SA Pierre Prieur et Fils, Dom. de Saint-Pierre,
18300 Verdigny-en-Sancerre, tél. 02.48.79.31.70,
fax 02.48.79.38.87 ☑ may t.l.j. sf dim. 8h30-12h 14h-18h

DOM. DE SAINT ROMBLE 2001★

	10 ha	70 000	▮▯	8 à 11 €

L'exploitation de ce domaine de plus de 12 ha a été reprise par la famille Fournier en 1996. Leur vin est à l'image du millésime. Complexe et puissant au nez (cassis, genêt, minéral), il se poursuit avec équilibre jusqu'à une finale citronnée. Le léger perlant, perceptible à l'attaque, témoigne de sa jeunesse. Egalement très réussie, la **Grande Cuvée Vieilles vignes blanc 2000** est intensément aromatique et complexe, minérale jusque dans sa bouche franche, équilibrée et fraîche.

🍷 SARL Paul Vattan, Dom. de Saint Romble, Maimbray, BP 45, 18300 Sury-en-Vaux, tél. 02.48.79.30.36, fax 02.48.79.30.41, e-mail claude@fournier-pere-fils.fr
☑ ⵟ t.l.j. 9h-12h 14h-18h; sam. dim. sur r.-v.

LES CELLIERS SAINT-ROMBLE 2001★★

	14,72 ha	110 000	▮▯	8 à 11 €

Cette vieille famille vigneronne sancerroise installée sur Verdigny a réussi un beau millésime 2001. Tout d'abord, un remarquable sancerre blanc issu de vieilles vignes de trente ans, en pleine maturité. Le nez intense, masqué par les fruits (pomme, fruits secs, agrumes) et le buis, est typique de l'expression du terroir de caillottes. La bouche confirme cette palette et révèle un bel équilibre. Ce vin est fin, nuancé, bien travaillé. Très réussi, le **sancerre rouge 2001** présente une robe rubis, des arômes de fruits rouges et une structure de qualité.

🍷 SCEV André Dezat et Fils, Chaudoux, 18300 Verdigny, tél. 02.48.79.38.82, fax 02.48.79.38.24
☑ ⵟ r.-v.

CAVE DES VINS DE SANCERRE
La Duchesse 2001★★

		n.c.	10 600	▮▯	8 à 11 €

La Cave des vins de Sancerre a agrandi ses bâtiments en 2001. Elle présente cette année une belle série. Tout d'abord, cet impressionnant sancerre blanc qui s'habille d'une robe pâle et élégante. Il exhale des arômes intenses et tout en finesse (floraux-fruités). La délicatesse se retrouve en bouche où se mêlent des notes de pomme et d'agrumes. La vivacité ne masque pas l'équilibre de cette « Grande Dame ». Très réussi, le **sancerre Les Champs Clos blanc 2001** est vif et gras à la fois. Le **Duc de Tarente blanc 2001** obtient une citation.

🍷 Cave des vins de Sancerre, av. de Verdun, 18300 Sancerre, tél. 02.48.54.19.24, fax 02.48.54.16.44, e-mail infos@vins-sancerre.com ☑

CH. DE SANCERRE 2001

	27 ha	230 000	▮⦿▯	8 à 11 €

C'est en 1919 que Louis-Alexandre Marnier-Lapostolle se porta acquéreur de ce château qui domine tout Sancerre et la vallée de Loire, ainsi qu'une partie des vignes. Aujourd'hui, le vignoble de 29 ha est guidé de main de maître par Gérard Cherrier, un passionné de son art. Découvrez cette cuvée qui mérite d'être attendue pour s'épanouir. Sa jeunesse transparaît d'abord dans sa couleur claire à reflets verts, puis dans ses notes d'agrumes. Mais déjà pointent des arômes de maturité, comme la réglisse et le coing.

🍷 Sté Marnier-Lapostolle, Ch. de Sancerre, 18300 Sancerre, tél. 02.48.78.51.52, fax 02.48.78.51.56
☑ ⵟ r.-v.

DOM. TABORDET 2001★

◼	1,66 ha	13 000	▮▯	8 à 11 €

Dirigé par deux frères, ce domaine de 12 ha exporte 30 % de sa production. Il présente un vin rouge à reflets cerise, bien brillant et limpide. Les notes fruitées (fraise, cerise), accompagnées d'effluves végétaux et poivrés, flattent le nez. Après une attaque franche et vive, le fruit et les épices dominent et persistent. Ce millésime agréable, équilibré, est typique de son appellation. Le **sancerre blanc 2001** du domaine est cité.

🍷 Yvon et Pascal Tabordet, rue du Carroir-Perrin, Chaudoux, 18300 Verdigny, tél. 02.48.79.34.01, fax 02.48.79.32.69 ☑ ⵟ r.-v.

DOM. MICHEL THOMAS 2001

	11 ha	80 000	▮▯	8 à 11 €

Des vignes plantées sur un terrain argilo-calcaire ont donné naissance à un vin de dix-huit ans d'âge moyen, jaune à reflets verts, plein de jeunesse. Celui-ci flatte le nez par son intensité. D'attaque ronde et ample, il présente une bonne structure qui, associée à la vivacité, lui assure un potentiel de garde intéressant. Il s'exprimera pleinement ultérieurement.

🍷 SCEV Michel Thomas et Fils, Les Egrots, 18300 Sury-en-Vaux, tél. 02.48.79.35.46, fax 02.48.79.37.60, e-mail thomas.mld@wanadoo.fr ☑ ⵟ r.-v.

DOM. THOMAS
Ultimus 2000

	0,7 ha	4 000	⦿⦿	11 à 15 €

Ce domaine, dont l'origine remonte au XVIIᵉs., couvre 12 ha sur six des onze communes de l'appellation. Son Ultimus, de teinte dorée, présente une attaque souple, des arômes minéraux et floraux et des notes vanillées qui témoignent de sa vinification en fût. Egalement cité, le **Pierrier 2001 (8 à 11 €)** exhale un nez subtil et complexe. En bouche, son gras complète sa vivacité. Ce vin mérite d'attendre deux ou trois ans.

🍷 Dom. Thomas et Fils, Verdigny, 18300 Sancerre, tél. 02.48.79.38.71, fax 02.48.79.38.14
☑ ⵟ t.l.j. 8h30-12h 13h30-18h30

CLAUDE ET FLORENCE THOMAS-LABAILLE
Les Aristides Vieilles vignes 2001★

	2 ha	12 000	▮⦿	8 à 11 €

Un beau millésime pour Claude et Florence Thomas-Labaille qui pratiquent la lutte raisonnée sur leur vignoble. La cuvée Les Aristides, vin fruité et équilibré, possède un nez discret et complexe, une bouche vive en attaque, puis souple et gouleyante. Cité, le **sancerre blanc 2001 (23 à 30 €)**, issu des plus vieilles vignes du domaine et vinifié en barrique, mérite d'être attendu une bonne année pour fondre son bois.

🍷 Claude et Florence Thomas-Labaille, Chavignol, 18300 Sancerre, tél. 02.48.54.06.95, fax 02.48.54.07.80, e-mail thomas.labaille@wanadoo.fr ☑ ⵟ r.-v.

DOM. DES TROIS NOYERS 2001

	7,5 ha	50 000	▮▯	8 à 11 €

Né de l'assemblage de vins issus des trois types de sols du Sancerrois, ce millésime exhale des arômes d'agrumes très présents, notamment de citron et de pamplemousse. L'attaque en bouche est vive, mais la finale s'arrondit. Une bouteille à apprécier dès à présent.

LOIRE

⊶ Reverdy-Cadet et Fils, rte de la Perrière, Chaudoux, 18300 Verdigny, tél. 02.48.79.38.54, fax 02.48.79.35.25 ☑ ⟁ r.-v.

DOM. VACHERON 2000

■	11 ha	60 000	⦿ 8 à 11 €

Toujours au rendez-vous, le domaine Vacheron propose deux vins appréciés du jury. Le premier, encore marqué par son élevage d'un an en fût, revêt une robe pourpre d'où émanent des arômes complexes et persistants en rétro-olfaction. Il commence à sortir de sa réserve. Egalement cité, le **sancerre blanc 2001**, élevé en cuve, est bien équilibré jusqu'à sa finale vive. Il devrait se bonifier avec le temps.

⊶ Dom. Vacheron, rue du Puits-Poulton, 18300 Sancerre, tél. 02.48.54.09.93, fax 02.48.54.01.74, e-mail vacheron.sa@wanadoo.fr ☑ ⟁ t.l.j. 10h-12h 14h30-18h

DOM. ANDRE VATAN
Maulin Bèle 2001★

■	0,45 ha	3 900	▮⭥ 8 à 11 €

Belle réussite que ce millésime 2001 pour André Vatan. Son rosé, aux nuances pelure d'oignon, dégage des parfums floraux et fruités (agrumes). L'attaque est franche, élégante. Puis, on retrouve les arômes du nez, qui persistent longuement. Citée, la cuvée **Les Charmes 2001**, aux arômes fruités et végétaux, témoigne d'une vinification soignée. Le **Maulin Bèle rouge 2001 (11 à 15 €)** présente une robe soutenue pour le millésime. La bouche est souple et légèrement acidulée en finale. Une autre citation.

⊶ André Vatan, Chaudoux, 18300 Verdigny, tél. 02.48.79.33.07, fax 02.48.79.36.30 ☑ ⟁ r.-v.

DOM. DU VIEUX PRECHE 2001★★

■	0,5 ha	4 000	▮ 8 à 11 €

Robert Planchon et son fils Christophe cultivent une dizaine d'hectares de vignes plantées sur les coteaux du Sancerrois aux sols argilo-calcaires et de silex. Ce rosé à la couleur chatoyante, aux arômes intenses de fruits rouges et de réglisse, vous comblera à la dégustation par sa matière, son ampleur et sa persistance. A découvrir dès aujourd'hui.

⊶ SCEV Robert Planchon et Fils, Dom. du Vieux-Prêche, 3, rue Porte-Serrure, 18300 Sancerre, tél. 02.48.54.22.22, fax 02.48.54.09.31, e-mail robert-planchon@terre-net.fr ☑ ⟁ r.-v.

DOM. DES VIEUX PRUNIERS 2001

■	0,5 ha	2 000	▮ 5 à 8 €

Installée au cœur d'un charmant village de vignerons, Bué, la famille Thirot-Fournier, soigne un petit vignoble de 9 ha. Son rosé, de teinte limpide et soutenue, livre des arômes de banane, de fleurs et de fruits exotiques. Le fruit de la Passion empreint sa bouche toute ronde. Egalement cité, le **blanc 2001**, aux reflets argentés, décline les fleurs, le genêt et les agrumes. Encore un peu timide, il devrait dévoiler ses atouts dans les mois à venir.

⊶ Christian Thirot-Fournier, 1, chem. de Marcigoi, 18300 Bué, tél. 02.48.54.09.40, fax 02.48.78.02.72 ☑ ⟁ r.-v.

REMY VINCENT 2001

■	n.c.	150 000	▮⭥ 8 à 11 €

Les arômes rappelant les fleurs blanches et les agrumes apparaissent discrètement. Le palais est plus expressif, rond en attaque, vif à l'olfaction en finale. Le dégustateur garde le souvenir de flaveurs d'agrumes et d'une pointe d'anis. Un vin agréable.

⊶ Rémy Vincent, Chavignol, 18300 Sancerre, tél. 02.48.78.20.10, fax 02.48.78.20.19, e-mail lesvins-remyvincent@wanadoo.fr ☑

DOM. LA VOLTONNERIE
Vieilles vignes 2000★

■	0,3 ha	1 164	▮⭥ 11 à 15 €

Jack Pinson a débuté en reprenant 1,50 ha de vignes de ses grands-parents. Aujourd'hui, il dispose d'un vignoble d'une douzaine d'hectares. A découvrir, cette toute petite cuvée issue de vieilles vignes, qui dévoile d'emblée des notes fumées puis, après aération, des arômes floraux et végétaux. En bouche, l'attaque est franche, vive, et la finale longue. Le tout s'achève sur des nuances de pêche qui s'harmoniseront très bien au fameux crottin de Chavignol.

⊶ Jack Pinson, Le Bourg, 18300 Crézancy-en-Sancerre, tél. 02.48.79.00.94, fax 02.48.79.00.11, e-mail j.pinson@terre-net.fr ☑ ⟁ r.-v.

LA VALLEE DU RHONE

Viril et fougueux, le Rhône file vers le Midi, vers le soleil. Sur ses rives, le long des pays qu'il unit plus qu'il ne les divise, s'étendent des vignobles parmi les plus anciens de France, ici prestigieux, plus loin méconnus. La vallée du Rhône est, en production de vins fins, la seconde région viticole de l'Hexagone après le Bordelais. En qualité aussi, elle peut rivaliser sans honte avec certains de ses crus, suscitant l'intérêt des connaisseurs autant que quelques-uns des bordeaux ou des bourgognes les plus réputés.

Longtemps, pourtant, le côtes du rhône fut mésestimé : gentil vin de comptoir un peu populaire, il n'apparaissait que trop rarement aux tables élégantes. « Vin d'une nuit » qu'une si brève cuvaison rendait léger, fruité et peu tannique, il voisinait avec le beaujolais dans les « bouchons » lyonnais ; mais les vrais amateurs appréciaient pourtant les grands crus et goûtaient un hermitage avec tout le respect dû aux plus grandes bouteilles. Aujourd'hui, grâce aux efforts de 12 000 vignerons et de leurs organismes professionnels, en vue d'une constante amélioration de la qualité, l'image des côtes du rhône s'est redressée. S'ils continuent à couler allègrement sur le zinc des bistrots, ils prennent une place de plus en plus grande sur les meilleures tables, et, tandis que leur diversité fait leur richesse, ils ont regagné désormais le succès que l'histoire, déjà, leur avait accordé.

Peu de vignobles sont en effet capables de se prévaloir d'un passé aussi glorieux que ceux-ci, et, de Vienne jusqu'à Avignon, il n'est pas un village qui ne puisse retracer quelques pages parmi les plus mémorables de l'histoire de France. On revendique en outre, aux abords de Vienne, l'un des plus anciens vignobles du pays, développé par les Romains, après avoir été créé par des Phocéens « montés » depuis Marseille. Vers le IVᵉˢ. avant notre ère, des vignobles étaient attestés dans les secteurs des actuels hermitage et côte rôtie, tandis que ceux de la région de Die apparaissaient dès le début de l'ère chrétienne. Les Templiers, au XIIᵉˢ., ont planté les premières vignes de Châteauneuf-du-Pape, œuvre poursuivie par le pape Jean XXII deux siècles plus tard. Quant aux vins de la Côte du Rhône gardoise, ils connurent une grande vogue aux XVIIᵉ et XVIIIᵉˢ.

Aujourd'hui, dans le secteur méridional, sur la rive gauche du fleuve, le château médiéval de Suze-la-Rousse s'est reconverti au service du vin : l'université du Vin y siège et y organise stages, formation professionnelle et manifestations diverses.

Tout le long de la vallée, les vins sont produits sur les deux rives, certains experts séparant cependant les vins de la rive gauche, plus lourds et capiteux, de ceux de la rive droite, plus légers. Mais on distingue plus généralement deux grands secteurs nettement différenciés : celui des Côtes du Rhône septentrionales, au nord de Valence, et celui des Côtes du Rhône méridionales, au sud de Montélimar, coupés l'un de l'autre par une zone d'environ cinquante kilomètres où la vigne est absente.

Il ne faut pas oublier non plus les appellations voisines de la vallée du Rhône, qui, si elles sont moins connues du grand public, produisent pourtant des vins originaux et de qualité. Ce sont le coteaux du tricastin au nord, le côtes du ventoux et le côtes du lubéron à l'est, le côtes du vivarais au nord-ouest. Il existe trois autres appellations que leur situation géographique éloigne davantage de la vallée proprement dite : la clairette de die et le châtillon-en-diois, dans la vallée de la Drôme, en bordure du Vercors, et les coteaux de pierrevert, produits dans le département des Alpes-de-Haute-Provence. Il convient enfin de citer les deux appellations de vins doux naturels du Vaucluse : muscat de beaumes-de-venise et rasteau (voir le chapitre consacré aux vins doux naturels).

Selon les variations de sol et de climat, il est encore possible de repérer trois sous-ensembles dans cette vaste région de la vallée du Rhône. Au nord de Valence, le climat est tempéré à influence continentale, les sols sont le plus souvent granitiques ou schisteux, disposés en coteaux à très forte pente ; les vins sont issus du seul cépage syrah pour les rouges, des cépages marsanne et roussanne pour les blancs, et le cépage viognier est à l'origine du château-grillet et du condrieu. Dans le Diois, le climat est influencé par le relief montagneux, et les sols calcaires sont constitués par des éboulis de bas de pente ; les cépages clairette et muscat se sont bien adaptés à ces conditions naturelles. Au sud de Montélimar, le climat est méditerranéen, les sols très variés sont répartis sur un substrat calcaire (terrasses à galets roulés, sols rouges argilo-sableux, molasses et sables) ; le cépage principal est alors le grenache, mais les excès climatiques obligent les viticulteurs à utiliser plusieurs cépages pour obtenir des vins parfaitement équilibrés : la syrah, le mourvèdre, le cinsault, la clairette, le bourboulenc, la roussanne.

Après une nette diminution des superficies plantées au XIXᵉs., le vignoble de la vallée du Rhône s'est à nouveau étendu, et il demeure aujourd'hui en expansion. Dans son ensemble, il couvre 59 000 ha, pour une production de 2,9 millions d'hectolitres en année moyenne ; près de 50 % de cette production sont commercialisés par le négoce dans le secteur septentrional et 70 % par des coopératives dans la zone méridionale.

Côtes du rhône

L'appellation régionale côtes du rhône a été définie par décret en 1937. En 1996, un nouveau décret a fixé les conditions d'encépagement qui devront être appliquées dès l'an 2004 : en rouge, le grenache devra représenter 40 % minimum, syrah et mourvèdre devant tenir leur place. Cette disposition n'est bien sûr valable que pour les vignobles méridionaux situés au sud de Montélimar. La possibilité d'incorporer des cépages blancs n'existera plus que pour les rosés. L'AOC s'étend sur six départements : Gard, Ardèche, Drôme, Vaucluse, Loire et Rhône. Produits sur quelque 41 000 ha situés en quasi-totalité dans la partie méridionale, ces vins représentent une production de 2 015 753 hl, les vins rouges se taillant la part du lion avec 96 % de la production, rosés et blancs étant à égalité avec 2 %. 10 000 vignerons sont répartis entre 1 610 caves particulières (35 % des volumes) et 70 caves coopératives (65 % des volumes). Sur les trois cents millions de bouteilles commercialisées chaque année, 40 % sont consommées à domicile, 30 % dans la restauration et 30 % sont exportées.

Grâce aux variations des microclimats, à la diversité des sols et des cépages, ces vignobles produisent des vins qui pourront réjouir tous les palais : vins rouges de garde, riches, tanniques et généreux, à servir sur la viande rouge, produits dans les zones les plus chaudes et sur les sols de diluvium alpin (Domazan, Estézargues, Courthézon, Orange...) ; vins rouges plus légers, fruités et plus nerveux, nés sur des sols eux-mêmes plus légers (Puyméras, Nyons, Sabran, Bourg-Saint-Andéol...) ; vins « primeurs » enfin (environ 15 millions de cols), fruités et gouleyants, à boire très jeunes, à partir du troisième jeudi de novembre, et qui connaissent un succès sans cesse grandissant.

La chaleur estivale prédispose les vins blancs et les vins rosés à une structure caractérisée par leur équilibre et leur rondeur. L'attention des producteurs et le soin des œnologues permettent d'extraire le maximum d'arômes et d'obtenir des vins frais et délicats, dont la demande augmente continuellement. On les servira respectivement sur les poissons de mer, sur les salades ou la charcuterie.

CH. LES AMOUREUSES 2001**

| ■ | 3,5 ha | 14 000 | ❒ | 5 à 8 € |

Le château les Amoureuses avait déjà eu un coup de cœur dans le Guide 2001 pour sa cuvée spéciale. Cette année c'est la cuvée principale qui peut être considérée comme vin de référence des côtes du rhône 2001. De l'ampleur, de la puissance... Une bouteille à la fois fruitée et empyreumatique avec des tanins d'une maturité exceptionnelle. Trois autres cuvées sont sélectionnées et reçoivent chacune une étoile : **La Byzantine rouge 2000**, harmonieuse et complexe ; **La Barbare rouge 2001**, légèrement poivrée avec des notes de moka ; la **Cuvée spéciale rouge 2000** que 10 % de mourvèdre et un léger boisé rendent très agréable et bien équilibrée. Le tri de la vendange est l'une des causes d'une telle réussite.

⌐┐ Alain Grangaud, chem. de Vinsas,
07700 Bourg-Saint-Andéol,
tél. 04.75.54.51.85, fax 04.75.54.66.38,
e-mail alain.grangaud@wanadoo.fr ☑ Ⅰ r.-v.

DOM. D'ANDEZON
Vieilles vignes 2000★★

| ■ | 70 ha | 120 000 | ■ ♦ | 5 à 8 € |

Le pont du Gard, vieux de deux mille ans, chef-d'œuvre d'architecture et d'hydraulique, servait à alimenter Nîmes en eau. Pour le vin, rendez-vous plutôt à 5 km de là, à Estézargues, pour y goûter cette remarquable cuvée qui ne reçoit pas de soufre jusqu'à la mise en bouteilles... Le résultat est surprenant : une fondue de raisins, des arômes de cassis et de groseille. L'équilibre séduisant inspire le respect. La syrah (70 %) affiche ses qualités pour les amateurs. Le **Domaine de Pierredon blanc 2000**,100 % viognier, obtient une étoile. Une bouteille de bonne ampleur aux notes d'agrumes.

⌐┐ Cave des Vignerons d'Estézargues,
30390 Estézargues,
tél. 04.66.57.03.64, fax 04.66.57.04.83
☑ Ⅰ t.l.j. sf dim. 8h-12h 14h-18h; sam. sur r.-v.

CH. DE BASTET
Cuvée Sainte Nelly 2001★

| ■ | 18 ha | 100 000 | ■ ♦ | 5 à 8 € |

Selon certains, Hannibal et ses éléphants auraient fait halte sur les terres de l'actuel domaine, plus précisément sur la parcelle dite de l'Hôpital. On ne sait s'il y avait alors des vignes. Aujourd'hui, la cuvée Sainte Nelly présente de jolies notes aromatiques. C'est un vin déjà agréable, mais qui pourra se garder. **Les Cistes rouge 2000 (8 à 11 €)**, une étoile, a déjà atteint son apogée. Vanille, cannelle, fruits rouges se retrouvent dans un équilibre suave.

⌐┐ Jean-Charles Aubert, Ch. de Bastet, 30200 Sabran,
tél. 04.66.89.69.14, fax 04.66.39.92.01,
e-mail chateau.bastet@wanadoo.fr
☑ ⌂ Ⅰ t.l.j. sf sam. dim. 8h30-12h 13h30-18h

LA BASTIDE SAINT DOMINIQUE 2001★

| ■ | 1,5 ha | 10 000 | ■ ♦ | 5 à 8 € |

40 % de viognier, 30 % de clairette et 30 % de grenache blanc : un assemblage très réussi qui procure une multitude de sensations plaisir. A la dégustation, une complexité aromatique à tendance fruitée se dégage, ainsi qu'une puissance très intéressante en bouche où beaucoup de souplesse et de gras se conjuguent.

⌐┐ Gérard Bonnet,
La Bastide Saint-Dominique, 84350 Courthézon,
tél. 04.90.70.85.32, fax 04.90.70.76.64,
e-mail contact@bastide-st-dominique.com ☑ ⌂ Ⅰ r.-v.

CH. BEAUCHENE
Les Sens de Syrah 2001★

| ■ | 3 ha | 14 000 | ⬥ | 5 à 8 € |

Une étiquette dépouillée avec une plume de paon pour cette pure syrah et un passage en fût de six mois. Très typé, ce vin équilibré où le fruit (cassis) est mêlé à de jolies notes de torréfaction possède un important potentiel de garde. Une bouteille dont la complexité n'a d'égale que sa jeunesse.

⌐┐ Michel Bernard, ch. Beauchêne, rte de Beauchêne,
84420 Piolenc, tél. 04.90.51.75.87, fax 04.90.51.73.36,
e-mail chateaubeauchene@worldonline.fr
☑ Ⅰ t.l.j. sf sam. dim. 8h-12h 13h30-17h30

CH. DE BEAULIEU
Cuvée Prestige 1999★

| ■ | 2 ha | 10 000 | ■ | 5 à 8 € |

Jadis propriété du prince d'Orange, le château devint bien national en 1789. Le millésime 99, composé à 90 % de syrah, a déjà bénéficié de deux ans pour s'assouplir ; il s'exprime intensément aujourd'hui. Il a conservé des arômes de fruits frais, plutôt fruits noirs. L'équilibre est très agréable et la finale intéressante.

⌐┐ SCEA Merle et Fils, Ch. de Beaulieu,
rte de Sérignan, 84100 Orange,
tél. 04.90.34.07.11, fax 04.90.34.07.11 ☑ Ⅰ r.-v.
⌐┐ François Merle

DOM. BEAU MISTRAL
Grande Réserve gastronomique 2000★

| ■ | 4 ha | 5 000 | ■ ♦ | 5 à 8 € |

Vendange manuelle et tri du raisin, un bon point de départ pour vinifier et réussir cette belle cuvée. Le bourgeon de cassis domine les arômes où l'on retrouve également des épices. La bouche a la constance du fruit rouge et possède une structure suffisante pour en faire un bon vin de garde.

⌐┐ Jean-Marc Brun, Le Village, rte d'Orange,
84110 Rasteau, tél. 04.90.46.16.90, fax 04.90.46.17.30
☑ Ⅰ t.l.j. 8h-12h 14h-19h

LES BECS FINS 2000★

| ■ | n.c. | n.c. | | 5 à 8 € |

Une étiquette moderne et dépouillée pour cette bouteille très réussie. Elle est tout en fruit et le jury qui l'apprécie ajoute, « une bonne souplesse et une bonne longueur ».

⌐┐ SARL Tardieu-Laurent, quartier Les Ferrailles,
rte de Cucuron, 84160 Lourmarin, tél. 04.90.68.80.25,
fax 04.90.68.22.65, e-mail tarlau@club-internet.fr

LOUIS BERNARD
Grande Réserve 2000★★

| ■ | n.c. | 15 000 | ⬥ | 5 à 8 € |

Dans diverses appellations, la production des domaines Bernard est régulièrement retenue dans le Guide. Cette année, ce négociant est récompensé entre autres pour trois côtes du rhône. D'abord le Grande Réserve 2000 à dominante de syrah. Les arômes de cassis et de réglisse sont très bien accompagnés par la vanille. Son équilibre est fondu, riche et puissant. Ensuite, le **Domaine des Roumianes rouge 2001 (3 à 5 €)**, très réussi, est un assemblage de grenache, syrah, cinsault et carignan, bien représentatif de l'AOC par son élégance et son charme. Enfin, le **Domaine des Masses-Bertolo rouge 2001 (3 à 5 €)**, également une étoile, est plus complexe. Réglissé et nuancé de fruits rouges, il est déjà fort harmonieux.

⌐┐ Salavert-Les Domaines Bernard, rte de Sérignan,
84100 Orange, tél. 04.90.11.86.86, fax 04.90.34.87.30,
e-mail sagon@domaines-bernard.fr

CH. DU BOIS DE LA GARDE 2000★

| ■ | 65 ha | 426 000 | ■ | 5 à 8 € |

Le bois de la Garde ? Il s'agit de la Garde napoléonienne qui séjourna en ces lieux après la défaite de

RHONE

Waterloo. Quelques grognards courageux décident alors de défricher les terres pour planter des vignes. Aujourd'hui, la violette affronte la fraise, et le vainqueur est le consommateur ! Encore très jeune pour un millésime 2000, ce vin pétille au palais. Fondu et rond, il se montre très agréable et pourra accompagner tout type de viande.
🕿 Robert Barrot, 1, av. du Baron-Leroy, 84230 Châteauneuf-du-Pape, tél. 04.90.83.51.73, fax 04.90.83.52.77, e-mail chateaux@wmb.fr ☑ ⏰ r.-v.

DOM. BOUCHE
La Truffière 2000★★

■	5 ha	24 000	■ ↓	8 à 11 €

Il y a deux ans la cuvée La Truffière 98 obtenait trois étoiles et un coup de cœur ; l'année dernière, son millésime 99 recevait deux étoiles et, cette année, ce sont encore deux étoiles qui viennent récompenser cette même cuvée, dans son millésime 2000. Quelle constance ! Un zeste de cassis, une poignée de mûres, le tout un peu confit : c'est le point de départ d'une bonne recette relevée par des tanins chaleureux et de légères notes poivrées. L'équilibre acidité, alcool, tanins est somptueux, et il faudrait penser à l'accompagner d'un bon gigot d'agneau.
🕿 Dom. Dominique Bouche, chem. d'Avignon, 84850 Camaret-sur-Aigues, tél. 04.90.37.27.19, fax 04.90.37.74.17 ☑ ⏰ r.-v.

CH. DE BOURDINES 1999★

■		n.c.	5 000	■ ↓	5 à 8 €

Une ancienne résidence d'été des papes. Un côté cuir, dû à la présence de mourvèdre (20 %), agrémente les arômes de fruits rouges qui dominent. Les tanins, puissants et agréables, se fondent dans une bonne harmonie générale.
🕿 Gérard Baroux, Ch. de Bourdines, 84700 Sorgues, tél. 04.90.83.36.77, fax 04.90.83.00.20 ☑ ⏰ r.-v.

CH. DE BOUSSARGUES 2001★

■		n.c.	9 000		3 à 5 €

La nouvelle étiquette est seulement un avant-goût de l'émotion esthétique que vous éprouverez en découvrant le site du château et sa chapelle restaurée. Ce vin, bien travaillé, est puissant ; il développe des sensations tactiles, veloutées et, malgré son ampleur, reste d'une finesse remarquable. Le blanc 2001, jugé également très réussi, se montre plutôt floral au nez, puis sur les fruits exotiques en bouche.
🕿 Chantal Malabre, Ch. de Boussargues Colombier, 30200 Sabran, tél. 04.66.89.32.20, fax 04.66.79.81.64 ☑ ⌂ ⏰ t.l.j. 8h-20h

DOM. LA BOUVAUDE
Vieilli en fût de chêne 2000★

■	1 ha	4 000	⏺	5 à 8 €

100 % syrah, vendange manuelle égrappée, macération, pigeage et passage en fût. Tout a été mis en œuvre pour donner un vin de caractère. Les tanins sont fondus, et l'ensemble est très rond, de type floral, légèrement vanillé.
🕿 Stéphane Barnaud, Dom. La Bouvaude, 26770 Rousset-les-Vignes, tél. 04.75.27.90.32, fax 04.75.27.98.72 ☑ ⏰ t.l.j. 10h-19h

DOM. DES BOUZONS
Cuvée Beauchamp 2000★

■	1 ha	5 000	■ ⏺ ↓	5 à 8 €

Une cave neuve très bien conçue, à côté d'un mas du XVIᵉˢ., à découvrir lors de la visite du domaine. Robe rubis à reflets brillants, fruits rouges, notes grillées, vanille, parfums de rose, poivre, rondeur, équilibre : le jury a apprécié cette bouteille et n'a pas été avare en description. Un fort beau vin.
🕿 EARL du mas des Bouzons, chem. des Manjo-Rassado, 30150 Sauveterre, tél. 04.66.82.52.43, fax 04.66.82.52.43 ☑ ⏰ r.-v.
🕿 Marc Serguier

LAURENT BRUSSET
Vendange Clavelle 2001★

■	2 ha	n.c.	■ ⏺ ↓	11 à 15 €

100 % viognier, 100 % réussi ! C'est un blanc à la fois rond et vif, paré d'une robe étincelante. Sa très belle expression en bouche confirme la subtilité aromatique de ses parfums. Peu typique des blancs produits dans ce secteur, il est dès aujourd'hui très agréable.
🕿 SA Dom. Daniel et Laurent Brusset, 84290 Cairanne, tél. 04.90.30.82.16, fax 04.90.30.73.31 ☑ ⏰ r.-v.

DOM. CHAMFORT 2001★★

■	3,81 ha	23 700	■ ↓	3 à 5 €

Une dégustation éloquente pour deux bouteilles 2001 du domaine Chamfort qui reçoivent chacune deux étoiles. Celle-ci, par sa complexité, peut aussi bien être bue dès maintenant ou être gardée en cave. De jolies notes de kirsch rivalisent avec des tanins soyeux. La cuvée Benjamin blanc 2001 (5 à 8 €) est également d'une franchise exceptionnelle avec des arômes soutenus très floraux. Un vin long, moelleux et puissant. Très, très bien vinifié...
🕿 Denis Chamfort, La Pause, 84110 Sablet, tél. 04.90.46.94.75, fax 04.90.46.99.84, e-mail denis.chamfort@wanadoo.fr ☑ ⏰ r.-v.

CHANTECOTES 2001★

■		n.c.	18 000	■	3 à 5 €

C'est d'abord la garance, plante recherchée pour ses qualités colorantes, qui fit la richesse de Sainte-Cécile. Aujourd'hui, la petite bourgade vit surtout de ses activités viticoles. Une excellente maîtrise d'un matériel à la pointe du progrès permet à cette coopérative d'être retenue. Le Chantecôtes en blanc obtient une étoile, tout comme le rosé 2001. Ces deux cuvées sont le résultat d'une vinification traditionnelle ; très aromatiques, ces vins se montrent à la fois plaisants, fruités et floraux. Essayez donc le blanc sur des coquillages et le rosé sur des quenelles aux morilles.
🕿 Caveau Chantecôtes, cours Maurice-Trintignant, 84290 Sainte-Cécile-les-Vignes, tél. 04.90.30.83.25, fax 04.90.30.74.53, e-mail chantecôtes@wanadoo.fr ☑ ⏰ t.l.j. 8h30-12h15 14h30-19h

CHAPELLE DE MAILLAC 2000★★

■		n.c.	70 000	■	3 à 5 €

Châteauneuf-du-Pape, bourgade réputée pour sa production viticole, fête les vins le premier week-end d'août. Le domaine Roger Sabon présente un millésime équilibré, au nez à la fois animal et fruité. C'est un vin chaleureux, très bien enrobé par une structure complexe et d'une belle longueur.

La Vallée du Rhône (partie septentrionale)

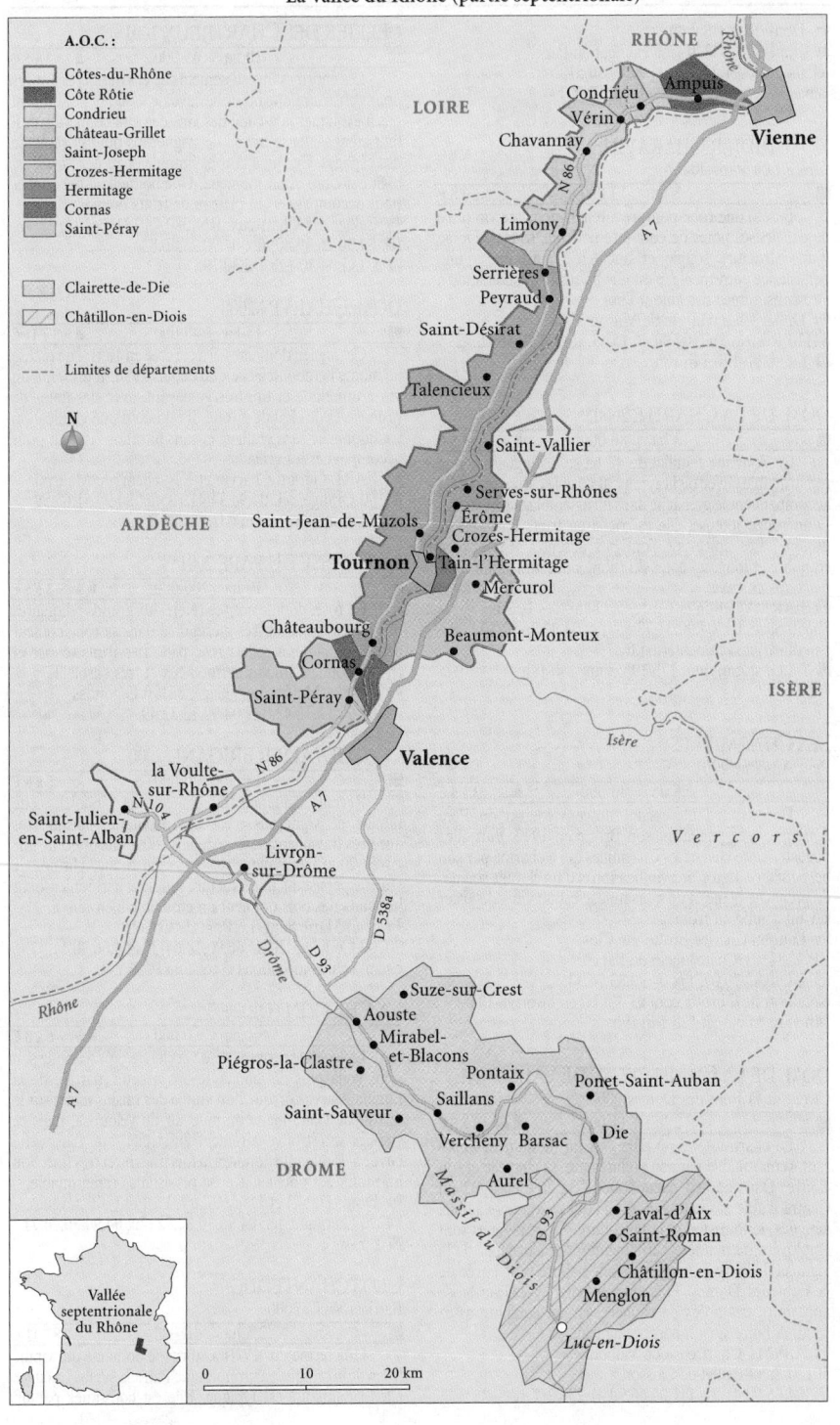

A.O.C. :

- Côtes-du-Rhône
- Côte Rôtie
- Condrieu
- Château-Grillet
- Saint-Joseph
- Crozes-Hermitage
- Hermitage
- Cornas
- Saint-Péray

- Clairette-de-Die
- Châtillon-en-Diois

--- Limites de départements

N

RHÔNE
LOIRE
Vienne
Condrieu
Vérin
Chavannay
Ampuis
N 86
A 7
Limony
Serrières
Peyraud
Saint-Désirat
Talencieux
Saint-Vallier
Serves-sur-Rhônes
ARDÈCHE
Saint-Jean-de-Muzols
Érôme
Crozes-Hermitage
Tournon
Tain-l'Hermitage
Mercurol
Beaumont-Monteux
Châteaubourg
Cornas
Saint-Péray
ISÈRE
Isère
Valence
la Voulte-sur-Rhône
N 86
A 7
Saint-Julien-en-Saint-Alban
N 104
Livron-sur-Drôme
Vercors
Rhône
Drôme
D 93
D 538a
Suze-sur-Crest
Aouste
Mirabel-et-Blacons
Piégros-la-Clastre
Pontaix
Ponet-Saint-Auban
Saillans
Saint-Sauveur
Vercheny Barsac
Die
DRÔME
Aurel
Massif du Diois
D 93
Laval-d'Aix
Saint-Roman
Châtillon-en-Diois
Menglon
Luc-en-Diois

Vallée septentrionale du Rhône

0   10   20 km

⌐ Dom. Roger Sabon,
av. Impériale, 84230 Châteauneuf-du-Pape,
tél. 04.90.83.71.72, fax 04.90.83.50.51,
e-mail roger.sabon@wanadoo.fr ☑ ⦗ r.-v.

DOM. DIDIER CHARAVIN
Cuvée Lou Paris 2000★

■	3 ha	13 000	■ 5 à 8 €

Paré d'une robe pourpre à reflets noirs, ce vin offre de délicieuses notes de confiture de fruits rouges. Dotée d'une structure souple et onctueuse ainsi que d'une persistance convenable, c'est une bouteille qui demande à être consommée dès aujourd'hui.
⌐ Didier Charavin, rte de Vaison,
84110 Rasteau, tél. 04.90.46.15.63, fax 04.90.46.16.22
☑ ⦗ t.l.j. 9h-12h 14h-18h

DOM. DE LA CHARITE 2000★★

■	13 ha	86 000	■↓ 3 à 5 €

Ce domaine familial de 42 ha se distingue par une remarquable cuvée où la syrah (30 %) et le carignan (10 %) accompagnent le grenache dans un assemblage fort réussi. D'un rouge intense, elle est riche en fruits où le cassis domine. Les épices ne sont pas absentes. Frais, bien équilibré et long, un côtes du rhône qui saura rester un à deux ans en cave.
⌐ EARL Valentin et Coste, 5, chem. des Issarts,
30650 Saze, tél. 04.90.31.73.55, fax 04.90.26.92.50,
e-mail earlvc@club-internet.fr
☑ ⦗ t.l.j. sf dim. lun. 17h-19h; sam. 14h-19h
⌐ Coste

LES CHARMILLES
Père Anselme 2001

■	5 ha	33 000	■↓ 3 à 5 €

Découvrez l'intéressant musée vigneron du Père Anselme, créé par la maison Brotte en 1972. Puis allez déguster cette cuvée Les Charmilles qui a charmé par son bel équilibre. Issu d'une vinification et d'un élevage soignés de grenache blanc et de marsanne, c'est un vin à déguster sur un soufflé au fromage.
⌐ Laurent-Charles Brotte, Le Clos,
BP 1, 84231 Châteauneuf-du-Pape,
tél. 04.90.83.70.07, fax 04.90.83.74.34,
e-mail brotte@brotte.com ☑ ⦗ t.l.j. en hiver 9h-12h
14h-18h; en été 9h-13h 14h-19h

DOM. DE LA CHARTREUSE DE VALBONNE
Cuvée de la Font des Dames 2000

■	3 ha	11 000	■↓ 3 à 5 €

La chartreuse, du XIIIᵉs., est un monument imposant, remarquable par son architecture, sa chapelle et son cloître. Dans ce lieu magnifique, s'est créé en 1992 un Centre d'aide par le travail (CAT) qui se consacre à deux activités, le tourisme et la viticulture. Six personnes sont employées de manière permanente pour s'occuper de la vigne et de la cave. Ainsi, elles ont élaboré cette cuvée de la Font des Dames. Puissante et poivrée, celle-ci laisse apparaître des notes de cannelle sur un équilibre assez rond. A boire sur un baron d'agneau.
⌐ ASVMT Chartreuse de Valbonne,
30130 Saint-Paulet-de-Caisson,
tél. 04.66.90.41.21, fax 04.66.90.41.23 ☑ ⦗ r.-v.

CELLIER DES CHARTREUX 2001★

■	10 ha	65 000	■ 3 à 5 €

Les énormes investissements de ces dernières années pour construire une nouvelle cave de 9 000 hl ne suffisent pas à expliquer la qualité des vins de cette coopérative. Il faut aussi saluer le travail des vignerons qui ont replanté des cépages. Ce vin, à la robe limpide et au nez floral, est bien équilibré et harmonieux. Une bouteille à déboucher pour accompagner un plateau de fruits de mer.
⌐ Cellier des Chartreux, RN 580, 30131 Pujaut,
tél. 04.90.26.39.40, fax 04.90.23.46.83
☑ ⦗ t.l.j. 8h30-12h 14h30-19h

DOM. CHARVIN 2000

■	13 ha	40 000	■ 8 à 11 €

Cet ancien domaine – il a été créé en 1851 – ne réalise lui-même l'embouteillage que depuis 1990. Il présente un vin aromatique et fin, très gouleyant, avec des notes de pruneau et de clou de girofle. Il est issu d'une vinification traditionnelle sans éraflage et sans filtration. Parfait pour accompagner les grillades.
⌐ EARL Gérard Charvin et Fils, chem. de Maucoil,
84100 Orange, tél. 04.90.34.41.10, fax 04.90.51.65.59,
e-mail domaine.charvin@free.fr ☑ ⦗ r.-v.

LA CHASSE DU PAPE 2001★

■	19 ha	100 000	■↓ 3 à 5 €

Ce rosé, dont le nom se réfère aux grands reliquaires des Papes, apparaît très méridional dans sa robe couleur cerise, brillante, à reflets rose pâle. Les fruits (cerise et fraise) donnent un vin harmonieux et très ensoleillé.
⌐ Gabriel Meffre, Le Village, 84190 Gigondas,
tél. 04.90.12.32.42, fax 04.90.12.32.49

CH. CHEVALIER BRIGAND 2000

■	18 ha	120 000	5 à 8 €

Récent acquéreur du château de Codolet, cette famille de vignerons n'est pas débutante puisque ses ancêtres travaillent la vigne depuis 1609. Elle présente une cuvée 2000 très typique des côtes du rhône. Un nez de violette persistant, une structure souple et harmonieuse sur les fruits des bois donnent un ensemble bien réussi.
⌐ Jean-Marie Saut, Le Pont de Codolet,
30200 Codolet, tél. 04.66.90.18.64, fax 04.66.90.11.57,
e-mail chateaudecodolet@aol.com ☑ ⦗ r.-v.

LA CHEVRE D'OR 2000★

■	1 ha	6 000	■↓ 5 à 8 €

La légende provençale de la chèvre d'or a donné son nom voilà plus de cinquante ans à cette marque de la famille Alary. Lorsque l'on vinifie des raisins mûris sur le terroir de Cairanne, « on joue sur du velours », mais ce velours se retrouve rarement aussi bien que dans cette cuvée à dominante florale, à la fois franche et très fine. Son harmonie est onctueuse et sa persistance remarquable.
⌐ Dom. Daniel et Denis Alary, La Font d'Estévenas,
84290 Cairanne, tél. 04.90.30.82.32, fax 04.90.30.74.71
☑ ⦗ r.-v.

CLOS CHANTEDUC
Patricia Wells 2000

■	2,5 ha	10 000	8 à 11 €

Une ferme du XVIIIᵉs. abrite le domaine qui vinifie le vin de la critique gastronomique Patricia Wells. La cuvée Clos Chanteduc est typique. Elle est constituée par un assemblage de quatre cépages d'où émanent des parfums de violette et de fruits. Son équilibre est très chaleureux et sa longueur d'une bonne persistance.

📦 Ludovic Cornillon, Dom. Saint-Luc,
26790 La Baume-de-Transit, tél. 04.75.98.11.51,
fax 04.75.98.19.22, e-mail domainesaintluc@wanadoo.fr
▨ 🏠 🏠

DOM. LE CLOS DU BAILLY 2000★

| ◼ | 16 ha | 35 000 | 🍾🍷 | 3 à 5 € |

Un vin d'un rouge profond, très structuré, marqué par le fruit et par des notes animales et de cuir. Solide et généreux, il est gras, avec des tanins fondus. A la dégustation, on retrouve tout le soleil du Midi. Conseillé unanimement sur du gibier.

📦 Richard Soulier,
17, rue d'Avignon, 30210 Remoulins,
tél. 04.66.37.12.23, fax 04.66.37.38.44
▨ 🍷 t.l.j. sf dim. 9h-12h30 14h-19h30

LE CLOS DU CAILLOU

Bouquet des Garrigues 2001★

| ◼ | 2 ha | 8 000 | 🍾🍷 | 5 à 8 € |

Un riche assemblage de viognier, clairette, grenache et roussanne révèle un nez fin et aromatique. Un vin plutôt léger, ce qui ne l'empêche pas d'être bien équilibré et de laisser une bonne impression. Sa sympathique personnalité permettra de le boire jeune.

📦 Jean-Denis Vacheron,
Le Clos du Caillou, 84350 Courthézon,
tél. 04.90.70.73.05, fax 04.90.70.76.47 ▨ 🍷 r.-v.

CLOS MONT-OLIVET 2000

| ◼ | n.c. | n.c. | 3 à 5 € |

Des jolies notes de torréfaction pour un millésime 2000 réussi et typique, à base de grenache. Les premiers arômes rappellent les fruits rouges. L'équilibre est intéressant, chaud avec des tanins bien présents.

📦 Les Fils de Joseph Sabon,
GAEC du Clos Mont-Olivet, 15 av. Saint-Joseph,
84230 Châteauneuf-du-Pape,
tél. 04.90.83.72.46, fax 04.90.83.51.75,
e-mail clos.montolivet@wanadoo.fr ▨ 🍷 r.-v.

LES COLOMBES 1999

| ◼ | n.c. | 57 000 | 🍾🍷 | 3 à 5 € |

Les Colombes, comme la **cuvée Prestige rouge 99** (5 à 8 €), bénéficient d'un passage en fût de six mois. Les parfums, très ouverts, se retrouvent en bouche. Bien typiques de ce terroir argilo-calcaire des côtes du rhône rive gauche, deux vins prêts à boire, issus d'un assemblage de grenache et de syrah.

📦 Cave des Vignerons réunis de
Sainte-Cécile-les-Vignes, 35, rte de Valréas, BP 21,
84290 Sainte-Cécile-les-Vignes,
tél. 04.90.30.79.30, fax 04.90.30.79.39,
e-mail cave@vignerons-saintececile.fr ▨ 🍷 r.-v.

DOM. CORNE-LOUP 2000

| ◼ | 6 ha | 20 000 | 🍷 | 3 à 5 € |

A l'époque où la peur du loup sévissait, un villageois était chargé de prévenir, par la sonnerie d'une corne, de l'arrivée du loup. C'est ainsi que le nom de Corne-Loup fut

La Vallée du Rhône (partie méridionale)

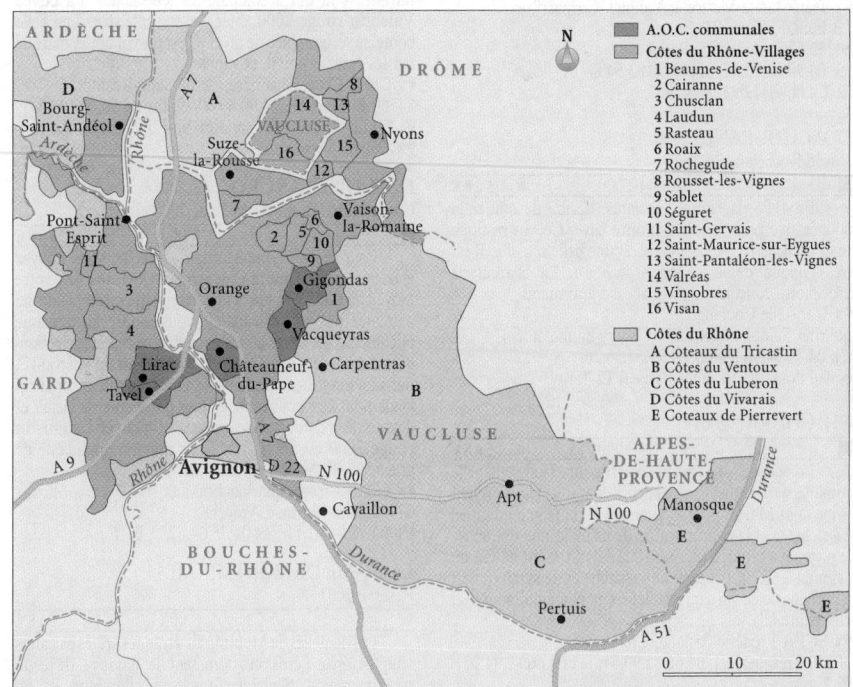

donné à un quartier de Tavel. Les arômes de ce vin évoluent lentement, développant des parfums de fruits confits, de pruneau et d'amande. Le léger passage en fût (trois mois) a à peine marqué la bouche charnue, assez structurée, d'une belle élégance.

🍷 Jacques Lafond, rue Mireille, 30126 Tavel,
tél. 04.66.50.34.37, fax 04.66.50.31.36,
e-mail corne-loup@wanadoo.fr
☑ ⏺ t.l.j. sf sam. dim. 9h30-12h 15h-18h30

CAVE COSTES ROUSSES
Cuvée Saint-Léger 2000*

■	25 ha	16 000	▮♦	3 à 5 €

La cuvée Saint-Léger, issue d'une vinification traditionnelle avec un délestage en fin de fermentation alcoolique, gagne son étoile grâce à ses jolis parfums de fruits cuits et de pruneau ainsi qu'à sa structure qui atteindra toute sa plénitude dans dix-huit mois. La **cuvée Lieu-dit Hautes Vouleuyes rouge 2000**, citée, est aussi très fruitée, mais déjà plus ronde. Bien chaleureuse, elle est prête à boire.

🍷 SCA Cave Costes Rousses,
2, av. des Alpes, 26790 Tulette,
tél. 04.75.97.23.10, fax 04.75.98.38.61 ☑ ⏺ r.-v.

DOM. DE LA COTE DE L'ANGE 2000*

■	2,3 ha	15 000	⬙	5 à 8 €

La propriété familiale date de 1930, mais signe avec ce 2000 sa première vinification en côtes du rhône. Et c'est une réussite ! Né sur un terroir sablonneux, ce vin, composé à 80 % de grenache, est bien concentré. Les petits fruits rouges rivalisent avec des notes animales et de sous-bois. A garder en cave.

🍷 Jean-Claude Mestre et Yannick Gasparri,
La Font-du-Pape, BP 79,
84232 Châteauneuf-du-Pape,
tél. 04.90.83.72.24, fax 04.90.83.54.88
☑ ⏺ t.l.j. 9h-12h 13h30-19h

DOM. COULANGE
Cuvée Rochelette 2000

■	2 ha	12 000	▮	5 à 8 €

En 1996, la famille Coulange décide de quitter la coopérative pour créer sa propre cave. Ce vin rustique mais d'une agréable harmonie est une belle réussite. Il est très typique de la région ardéchoise. La charcuterie ardéchoise constitue un bon accord gourmand.

🍷 Christelle Coulange,
quartier Saint-Ferréol, 07700 Bourg-Saint-Andéol,
tél. 04.75.54.56.26, fax 04.75.54.56.26,
e-mail domaine.coulange@free.fr ☑ ⏺ r.-v.

CH. COURAC 2001*

■	35 ha	240 000	▮	5 à 8 €

Le village de Tresques abrite une jolie chapelle romane, dans laquelle il y a encore quarante ans, on venait prier saint Martin pour la guérison de la teigne infantile. La richesse et la concentration de ce millésime ont abusé le jury qui a cru déguster un 100 % syrah. C'est en fait un assemblage à parts égales de grenache et de syrah qui est à l'origine de ce vin capiteux, légèrement animal, souple et charpenté à la fois.

🍷 SCEA Frédéric Arnaud, Ch. Courac,
30330 Tresques, tél. 04.66.82.90.51, fax 04.66.82.94.27
☑ ⏺ r.-v.

DOM. DE LA CROIX BLANCHE
Cuvée Vieilles vignes 2000

■	4 ha	20 000	⬙	3 à 5 €

Est-ce à cause du vin ou des splendides gorges de l'Ardèche que Max Ernst s'installa à Saint-Martin ? Peut-être pour ces deux raisons à la fois. Le domaine de la Croix Blanche est retenu pour trois vins, tous cités sans étoile. Cette cuvée Vieilles vignes en rouge se montre puissante, élégante et jeune. La bonne impression de l'attaque n'est pas démentie par la suite. Le palais, équilibré et racé, livre quelques jolies notes de fraise sauvage ; il devra s'affiner pendant encore une année. Le **blanc 2001** à dominante florale (fleur d'acacia) est très mentholé et offre quelques jolies notes de fraise sauvage. La **cuvée Claïas rouge 99** (**5 à 8 €**), très franche, possède des tanins encore bien présents, nécessaires à sa structure ainsi qu'à un bon civet de sanglier.

🍷 Daniel Archambault, Dom. de La Croix Blanche,
07700 Saint-Martin-d'Ardèche, tél. 04.75.04.65.07,
fax 04.75.98.77.25, e-mail daniel.archambault@free.fr
☑ ⏺ t.l.j. 9h-12h 15h-19h, oct. à mars 9h-12h

CH. LA CROIX CHABRIERE
D'Ici on voit la mer 2001*

▨	n.c.	3 000	▮	5 à 8 €

La visite du château, qu'entourent des platanes centenaires, permet de découvrir tous les secrets de la vinification. Ne manquez pas alors cette cuvée au nom original. Très agréable avec ses notes d'agrumes, ses arômes de fleurs et de pêche, elle évoque les vacances. A déguster en tête-à-tête sur un plateau de coquillages. (Bouteilles de 50 cl.) Le **côtes du rhône blanc 2001** du domaine obtient une citation pour sa finesse. Il se montre ample et généreux, avec un caractère plutôt floral. Un vin rafraîchissant qui accompagnera les salades. La **cuvée Valentin rouge 2000**, citée, se présente dans une belle bouteille sérigraphiée de 50 cl. C'est un vin boisé, marqué par les épices : poivre et vanille.

🍷 Ch. la Croix Chabrière, rte de Saint-Restitut,
84500 Bollène, tél. 04.90.40.00.89, fax 04.90.40.19.93
☑ ⏺ t.l.j. 9h-12h 14h-18h; dim. 9h-12h; groupes sur r.-v.
🍷 Patrick Daniel

DOM. NICOLAS CROZE
Cuvée Notre Dame de Mélinas 2000*

■	n.c.	8 000		5 à 8 €

Pour gagner Saint-Martin-d'Ardèche, vous pouvez choisir entre la voiture et le canoë. Quel que soit votre moyen de transport, après une magnifique promenade, ne manquez pas, en arrivant, de vous rendre au domaine Nicolas Croze. Cette année deux cuvées ont été sélectionnées. La cuvée Notre Dame de Mélinas est un vin rond et puissant à la structure complexe. Une bouteille encore trop jeune pour être consommée, mais qui mérite de vieillir et devrait réserver de belles surprises... La **cuvée Langustin rouge 2000** est un vin très fruits mûrs, à dominante de grenache (90 %). Il est prêt à boire.

🍷 GAEC Croze, quartier Fouquet,
07700 Saint-Martin-d'Ardèche,
tél. 04.75.04.67.11, fax 04.75.04.62.28 ☑ ⏺ r.-v.

LA DAME DE MONTMIRAIL
Réserve 2001**

▨	2 ha	8 000		5 à 8 €

Les dentelles de Montmirail, étranges arêtes calcaires sculptées par l'érosion, dominent le paysage de cette superbe région. Seulement quelques kilomètres les séparent de Gigondas. Le jury ne s'y est pas trompé : il a retrouvé tout au long de la dégustation les arômes typiques du viognier et, notamment, une persistance pêche blanche. Un ensemble remarquable, tout en puissance – arômes, parfums, équilibre et harmonie –, parfaitement vinifié par cette cave.

🔸 Cave des Vignerons de Gigondas, rte de Sablet, 84190 Gigondas, tél. 04.90.65.86.27, fax 04.90.65.80.13, e-mail gigondas.lacave@wanadoo.fr ☑ ⵏ r.-v.

CELLIER DES DAUPHINS
Prestige 2001★

	100 ha	700 000	🍶🏆	- de 3 €

700 000 bouteilles de cette cuvée Prestige à la belle robe dorée. Vivacité et élégance du palais où jouent des notes d'abricot après l'expression d'un nez très agréable, floral et miellé : un vin bien fait. La **cuvée Grand Millésime 2000 rouge (3 à 5 €)** est citée pour son bel équilibre et ses tanins fins.

🔸 Cellier des Dauphins, BP 16, 26790 Tulette, tél. 04.75.96.20.47, fax 04.75.96.20.22, e-mail cellier.des.dauphins@wanadoo.fr

DOM. J. DESPESSE 2000

■	0,3 ha	1 600	⊞	5 à 8 €

Ce producteur de Cornas a mis dans l'élevage de ce côtes du rhône toute son expérience acquise avec le cépage syrah. Les jolies notes de fruits très mûrs sont relevées par une pointe de vanille due au passage en fût de dix mois. L'ensemble est souple et agréable, et l'on décèle quelques notes d'amande grillée en finale.

🔸 Dom. J. Despesse, 10, Basses-Rues, 07130 Cornas, tél. 04.75.80.03.54, fax 04.75.80.03.26 ☑ ⵏ r.-v.

DOM. DE DIEUMERCY 2001★

■	75 ha	400 000	🍶🏆	3 à 5 €

Un vin d'une intensité impressionnante tant au niveau de sa couleur que de sa matière. Ses tanins sont bien présents, mais très fondus. Il s'accordera avec une viande rouge.

🔸 SCEA des Domaines Jack Meffre et Fils, 84190 Gigondas, tél. 04.90.65.85.32, fax 04.90.65.83.46

DUVERNAY VINS MILLESIMES 2001★

■	n.c.	n.c.		3 à 5 €

Elaboré par la coopérative de Castellas, ce vin est distribué par un négociant. Un côtes du rhône structuré, très net, bien charpenté ; le dégustateur est enchanté par cet assemblage de 70 % de syrah et de 30 % de grenache, très cassis. La sélection des raisins a dû être rigoureuse pour arriver à un tel niveau qualitatif. Bel avenir.

🔸 Cave coop. les Vignerons du Castellas, 30650 Rochefort-du-Gard, tél. 04.90.31.72.10, fax 04.90.26.62.64 ⵏ r.-v.

DOM. REMY ESTOURNEL 2001★

■	2 ha	2 000	■	5 à 8 €

Pas moins de six cépages blancs s'assemblent harmonieusement dans ce vin. Une jolie robe pâle à reflets nacrés, des arômes discrets de fleurs blanches, légèrement mentholés et poivrés, laissent découvrir en bouche une délicieuse fraîcheur d'agrumes : confiture de mandarine, orange sanguine et zeste de citron.

🔸 Rémy Estournel, 13, rue de Plaineautier, 30290 Saint-Victor-la-Coste, tél. 04.66.50.01.73, fax 04.66.50.21.85 ☑ ⵏ r.-v.

LA FAGOTIERE 2000★

■	12 ha	20 000	🍶🏆	5 à 8 €

Beaucoup de fraîcheur dans ce 2000. Pas moins de six cépages rouges en assemblage pour un vin fruité aux notes épicées. Les tanins sont très présents et devraient lui permettre de vieillir encore deux à trois ans en se bonifiant.

🔸 SCEA Pierry Chastan, La Fagotière, 84100 Orange, tél. 04.90.34.51.81, fax 04.90.51.04.44, e-mail la-fagotiere@wanadoo.fr ☑ ⵏ t.l.j. sf dim. 8h-12h 14h-19h

LES FAISANDINES 2001★

■	n.c.	n.c.		3 à 5 €

Une cuvée bien élevée, parée d'une robe rouge intense. Elle évoque les fruits rouges mûrs tout au long de la dégustation. Les tanins sont présents sans être agressifs ; un vin harmonieux à conserver un an ou deux.

🔸 Vignobles Du Peloux, quartier Barrade, 84350 Courthézon, tél. 04.90.70.42.00, fax 04.90.70.42.15 ☑ ⵏ r.-v.

DOM. DU FARLET 2001

■	19,24 ha	128 000	🍶🏆	- de 3 €

La Compagnie rhodanienne est retenue pour trois cuvées à moins de 3 €. Le rouge est un vin concentré qui reste fort élégant grâce à des tanins déjà fondus. Le **Domaine du Farlet blanc 2001**, cité, issu d'un assemblage de quatre cépages, est délicat et fin avec un caractère minéral. Enfin, **Lieu-dit Le Grand Devès rouge 2001**, cité, se montre bien expressif avec des notes poivrées mêlées à des nuances de petits fruits rouges.

🔸 La Compagnie rhodanienne, Chemin-Neuf, 30210 Castillon-du-Gard, tél. 04.66.37.49.50, fax 04.66.37.49.51, e-mail cie.rhodanienne@wanadoo.fr ⵏ t.l.j. sf sam. dim. 8h-12h30 14h-17h30

DOM. FOND CROZE 2000★★

■	5 ha	25 000		3 à 5 €

Déjà récompensé (deux étoiles) dans la précédente édition du Guide pour un côtes du rhône-villages, le domaine Fond Croze répond aux attentes des lecteurs. Issu de vendanges éraflées, d'une longue macération et d'un assemblage (70 % grenache et 30 % syrah), ce vin atteint des sommets. Les reflets violacés disent toute sa jeunesse ainsi que ses arômes fruités et poivrés. En bouche, l'équilibre est parfait. Fin et long, il emplit le palais de sensations harmonieuses.

🔸 Dom. Fond Croze, Le Village, 84290 Saint-Roman-de-Malegarde, tél. 04.90.28.97.07, fax 04.90.28.97.07, e-mail fondcroze@hotmail.com ☑ ⵏ r.-v.

🔸 Long Frères

RHÔNE

CH. DE FONTSEGUGNE
Santo Estello 2000

| ■ | | 2,5 ha | 12 000 | ▮▥▸ | 5 à 8 € |

C'est dans le château de Fontségugne que fut fondé, en mai 1854, le Félibrige, mouvement littéraire pour la rénovation de la langue d'Oc, porté notamment par le poète Frédéric Mistral. La première vinification du domaine – la cave date de 2000 – est très caractéristique des côtes du rhône. Ses agréables parfums de fruits rouges et sa fraîcheur permettront à ce vin d'accompagner tous les repas familiaux.
↬ GAEC Fontségugne, 976, rte de Saint-Saturnin, Le Vieux Moulin, 84470 Châteauneuf-de-Gadagne, tél. 04.90.22.42.40, fax 04.90.22.42.40, e-mail gerenjm@aol.com ☑ ⟑ t.l.j. 10h-19h
↬ Famille Geren

DOM. DE LA GAYERE 2000★

| ■ | | 1 ha | 6 500 | ▮▸ | 3 à 5 € |

Cinq générations de viticulteurs sur cette propriété. Une solide expérience a d'ailleurs été nécessaire pour vinifier ce vin prometteur. Bien enrobé, il possède des tanins de garde. Le compagnon de tout gibier.
↬ Dom. de la Gayère, Les Garrigues, 84290 Cairanne, tél. 04.90.30.83.34, fax 04.90.30.83.27, e-mail christele.plantevin@wanadoo.fr ☑ ⟑ r.-v.
↬ Christèle Plantevin

CH. GIGOGNAN
Vigne du Prieuré 2001★

| ■ | | 2,47 ha | 9 000 | ▮▸ | 5 à 8 € |

C'est à Sorgues que le marquis de Brantes fit la première ascension en montgolfière cinq ans avant la Révolution. On aime le rappeler ici. Cette cuvée est issue d'un assemblage peu courant pour les blancs de la vallée du Rhône : viognier 50 %, roussanne 25 % et clairette 25 %. Chacun des cépages exprime ses qualités propres. Des arômes, de la vivacité, de la finesse pour une bouteille à servir à l'apéritif.
↬ Ch. Gigognan, chem. du Castillon, 84700 Sorgues, tél. 04.90.39.57.46, fax 04.90.39.15.28, e-mail info@chateau-gigognan.fr
☑ ⟑ t.l.j. 10h-12h 14h-18h; dim. sur r.-v.
↬ Callet

DOM. DU GRAND MOULIN 2001★

| ■ | | 40 ha | 120 000 | ▮▸ | 3 à 5 € |

A l'emplacement du domaine actuel se dressait, autrefois, un vieux moulin à farine. Cette cuvée rouge rubis à reflets clairs libère d'élégants parfums de fruits alliés à des nuances de cuir. Après une attaque tannique, due à sa jeunesse, la bouche s'ouvre sur des parfums très typiques du grenache. Pur et sans détour, c'est un vin bien fait et agréable à boire.
↬ Cellier de l'Enclave des Papes, rte d'Orange, BP 51, 84602 Valréas Cedex, tél. 04.90.41.91.42, fax 04.90.41.90.21, e-mail france@enclavedespapes.com

DOM. GRAND NICOLET 2000

| ■ | | 1 ha | 6 000 | ▮▸ | 3 à 5 € |

Créé en 1926, ce domaine peut s'enorgueillir de posséder le plus ancien chai rastellain. Jean-Pierre Bertrand y produit un millésime à la robe grenat sombre intense et très soutenu. Un élevage traditionnel a donné un vin riche et complexe avec des arômes de sous-bois et de fruits. Grâce à des tanins déjà patinés, cette bouteille dispose d'un fort potentiel.

↬ Jean-Pierre Bertrand, 84110 Rasteau, tél. 04.90.46.12.40, fax 04.90.46.11.37, e-mail cave-nicolet-leyraud@wanadoo.fr ☑ ⟑ ⟑ r.-v.
↬ Nicolet-Leyraud

DOM. LES GRANDS BOIS 2000

| ■ | | 10 ha | 50 000 | ▮▸ | 3 à 5 € |

Marc Besnardeau, ancien maître d'hôtel à Paris, et Mireille ont pris la tête du domaine familial et proposent une bouteille bien équilibrée, très typée, marquée par le pruneau et les fruits cuits. Chaleureux en bouche, ce vin évoque les fruits macérés. Il est prêt à boire sur des viandes rouges ou blanches.
↬ Dom. les Grands Bois, 55, av. Jean-Jaurès, 84290 Sainte-Cécile-les-Vignes, tél. 04.90.30.81.86, fax 04.90.30.87.94, e-mail mbesnardeau@grands-bois.com ☑ ⟑ r.-v.
↬ Besnardeau

DOM. GRAND VENEUR
Blanc de Viognier 2001★

| ▨ | | 1 ha | 3 000 | ▮▸ | 8 à 11 € |

Chaque été, le théâtre d'Orange, aux qualités acoustiques exceptionnelles, accueille les Chorégies, festival d'art lyrique de renommée internationale. Au domaine Grand Veneur, le faible rendement est sans nul doute la clé du succès de ce fort beau vin né du viognier, très aromatique, gras et puissant ; sa fraîcheur enchante. A découvrir sur une terrine aux champignons (cèpes ou chanterelles).
↬ EARL Alain Jaume, Dom. Grand Veneur, rte de Châteauneuf-du-Pape, 84100 Orange, tél. 04.90.34.68.70, fax 04.90.34.43.71, e-mail jaume@domaine-grand-veneur.com ☑ ⟑ r.-v.

DOM. DES GRAVENNES 2001

| ■ | | 1 ha | 1 400 | ▮▸ | 3 à 5 € |

Une conduite raisonnée de ce vignoble entouré de bois, dans un souci du respect de l'environnement, marque l'engagement de ce couple vigneron-œnologue. Cette année, ce rosé flatteur est sélectionné pour sa puissance aromatique et sa rondeur. C'est le rosé de tout repas léger.
↬ Bayon de Noyer, chem. d'Empaulet, 84810 Aubignan, tél. 04.90.62.71.49, fax 04.90.62.70.31, e-mail domaine.des.gravennes@wanadoo.fr ☑ ⟑ r.-v.

DOM. DU GROS PATA
Vieilli en fût de chêne 2000★

| ■ | | 1,6 ha | 6 000 | ▮▥▸ | 5 à 8 € |

Gros Pata, un nom étrange pour ce domaine de près de 20 ha. Le pata désignait au Moyen Age une monnaie en cuivre, utilisée en Provence. Le passage d'une commune à une autre nécessitait le versement de patas. Cette cuvée, où le mourvèdre est très présent (60 %), est vieillie en fût de chêne de 50 hl durant une année. Les nuances odorantes sont intenses avec des notes de confiserie et de cuir. Les tanins fins et racés apportent une structure complexe. On retrouve en bouche des notes poivrées qui relèvent la très bonne persistance de ce vin.
↬ Gérald Garagnon, Dom. du Gros Pata, 84110 Vaison-la-Romaine, tél. 04.90.36.23.75, fax 04.90.28.77.05 ☑ ⟑ r.-v.

CLOS DE L'HERMITAGE 2000★

| ■ | | 3,5 ha | 15 000 | ▥ | 8 à 11 € |

Le Clos de l'Hermitage est issu du dernier vignoble situé dans le célèbre quartier de la chartreuse de

Villeneuve-lès-Avignon. Assemblage classique de grenache, syrah et mourvèdre, la structure de ce vin lui a permis un passage en barrique très bénéfique. Soyeux, fin, et légèrement vanillé, il procure un plaisir intense. Le fruit de la réalisation d'une nouvelle cave et notamment d'un chai de vieillissement en barrique totalement enterré. Tout un « circuit » bien maîtrisé.
☞ SCEA Henri de Lanzac, Ch. de Ségriès, chem. de la Grange, 30126 Lirac, tél. 04.66.50.22.97, fax 04.66.50.17.02 ☑ ⲏ r.-v.

CH. D'HUGUES
Grande Réserve 2000★

■	4,9 ha	25 000	■ 8 à 11 €

Une étiquette tout en longueur, manuscrite à l'ancienne pour ce Grande Réserve né sur un terroir de sables fossilisés et de galets. Ce très joli vin, issu d'une vendange manuelle, triée à la vigne puis transportée en caisse à la cave, est structuré. Les épices côtoient les fruits rouges pour donner un ensemble fort agréable.
☞ Bernard et Sylviane Pradier, Ch. d'Hugues, 84100 Uchaux, tél. 04.90.70.06.27, fax 04.90.70.10.28
☑ ⲏ t.l.j. 9h-12h 14h-19h; sam. dim. sur r.-v.

DOM. DE LA JANASSE 2001★★

	1,5 ha	6 000	■♦ 5 à 8 €

Cet assemblage de grenache, de clairette et de bourboulenc produit sur des sables est parfaitement vinifié. Raffiné et fruité, il est d'une extrême persistance. La cuvée **Les Garrigues rouge 2000 (11 à 15 €)** obtient une étoile. Elle révèle dès le début de la dégustation qu'elle est destinée à la garde avec des tanins puissants et des arômes qui ne demandent qu'à s'épanouir.
☞ Aimé Sabon, 27, chem. du Moulin, 84350 Courthézon, tél. 04.90.70.86.29, fax 04.90.70.75.93, e-mail lajanasse@free.fr
☑ ⲏ t.l.j. 8h-12h 14h-19h; sam. dim. sur r.-v.

DOM. DU JAS 2001

	2,3 ha	6 000	■ 3 à 5 €

Depuis trois ans, le domaine, qui compte près de 25 ha, pratique l'agriculture biologique. Et, cette année, il a élaboré un vin remarqué pour son élégance, son équilibre, son fruité et son agréable persistance.
☞ Hubert Pradelle, Dom. du Jas, 26790 Suze-la-Rousse, tél. 04.75.98.23.20, fax 04.75.04.83.82 ☑ ⲏ r.-v.

DOM. JAUME 2000★

■	23 ha	150 000	■ 3 à 5 €

Cette propriété, qui reçut le baron Le Roy en 1937, a toujours joué la carte de l'AOC. Rigoureuse dans la qualité des vins produits, à l'image de cette cuvée. Bien enrobée, la bouche, classique et loyale, ne manque pas de présence. Les parfums de fruits frais et d'amande perdurent longuement.
☞ Dom. Jaume, 24, rue Reynarde, 26110 Vinsobres, tél. 04.75.27.61.01, fax 04.75.27.68.40, e-mail cave.jaume@libertysurf.fr ☑ ⲏ r.-v.

VIGNOBLES ALAIN JAUME ET FILS
Réserve Grand Veneur 2001

■	n.c.	n.c.	■♦ 5 à 8 €

Dans sa jolie robe assez soutenue à reflets vifs, ce rosé de caractère possède des arômes très présents, assez originaux, de type fruits secs, amande et fleurs blanches avec une pointe d'agrume. Une attaque franche et vive rend cette bouteille très agréable.
☞ Vignobles Alain Jaume et Fils, rte Châteauneuf-du-Pape, 84100 Orange, tél. 04.90.34.68.70, fax 04.90.34.43.71 ☑ ⲏ r.-v.

CH. JOANNY 2001★

■	3,5 ha	22 000	■♦ 5 à 8 €

Arrêtez-vous à Sérignan pour apprécier pleinement l'envergure de cette propriété familiale qui date de 1880. Cette année, les trois couleurs sont retenues. Tout d'abord, un blanc très réussi aux nuances de fruits d'été, de pêche et de pamplemousse sur un équilibre frais. Le **rosé 2001 (3 à 5 €)**, cité, est rond et gras. Déjà fort agréable, il est prêt à boire. Le **rouge 2000 (3 à 5 €)**, cité, se révèle plus complexe : derrière sa robe sombre on devine déjà les fruits noirs. Les tanins présents demandent encore à s'affiner.
☞ Ch. Joanny, rte de Piolenc, 84830 Sérignan-du-Comtat, tél. 04.90.70.00.10, fax 04.90.70.09.21 ☑ ⲏ t.l.j. sf mar. 8h-12h 14h-18h
☞ Famille Dupont

DOM. JULLIAN 2000★★

■	27 ha	130 000	■♦ 3 à 5 €

Un vin rouge corsé à la structure ample et soyeuse. Vanille, poivre, raisin sec, noisette : tous ces arômes procurent une richesse gustative impressionnante. Très agréable à consommer dès aujourd'hui.
☞ Guy Jullian, rte de Châteauneuf, 84100 Orange, tél. 04.90.12.32.42, fax 04.90.12.32.49

DOM. LAFOND ROC-EPINE 2000★★

■	n.c.	100 000	■ 5 à 8 €

Pas de bémol, que des accords majeurs dans cette superbe harmonie où les notes de fruits mûrs, de cannelle et autres épices, de sous-bois s'accordent à l'unisson... Enchanteur, c'est un vin plaisir et flatteur issu tout simplement de l'assemblage des deux cépages rois des côtes du rhône : le grenache et la syrah.
☞ Dom. Lafond Roc-Epine, rte des Vignobles, 30126 Tavel , tél. 04.66.50.24.59, fax 04.66.50.12.42, e-mail lafond@roc-epine.com ☑ ⲏ r.-v.

DOM. DE LASCAMP
Cuvée de l'An 2000 Vieilli en fût 2000★★

■	10 ha	3 000	⦀ 5 à 8 €

Régulièrement présents dans le Guide, les vins de ce micro-terroir de Cadignac, commune de Sabran, sont toujours remarqués. Monsieur Imbert propose cette année un **Clos de Lascamp rouge 2000 (3 à 5 €)**, très réussi, aux notes de fruits confits, poivrées et épicées. Un véritable vin de garde. Plus flatteur et légèrement boisé, le Domaine de Lascamp, du même millésime, vieilli en fût, est d'une suave harmonie. Le palais développe des tanins mûrs, goûteux et équilibrés qui lui assureront une bonne garde.
☞ EARL Clos de Lascamp, Cadignac, 30200 Sabran, tél. 04.66.89.69.28, fax 04.66.89.62.44 ☑ ⲏ r.-v.
☞ Imbert

LAURUS 2000

■	n.c.	100 000	⦀ 15 à 23 €

Laurus semper voluptas (Que Laurus soit toujours un plaisir) : la devise est pour ce côtes du rhône au nez marqué par les fruits méridionaux. L'équilibre est bon, avec une pointe de cerise. La finale est vanillée. Il mérite de rester quatre à cinq ans en cave.

⌐┐ Gabriel Meffre, Le Village, 84190 Gigondas,
tél. 04.90.12.30.22, fax 04.90.12.30.29 ☑ ⅄ r.-v.

DOM. DE LUMIAN 2001★

	1 ha	5 000	■↓	5 à 8 €

Le domaine se situe à seulement quelques kilomètres
de Richerenches, connu pour ses vins mais aussi pour ses
truffes. Il présente un vin blanc tout en finesse dont
l'élégance n'a d'égal que le parfum délicat de fruits et de
fleurs. Ne pas hésiter à le servir à l'apéritif.
⌐┐ Gilles Phétisson, Dom. de Lumian, 84600 Valréas,
tél. 04.90.35.09.70, fax 04.90.35.18.38,
e-mail domainedelumian@terre-net.fr
☑ ⅄ t.l.j. 9h-12h 14h30-19h

DOM. MABY 2001★

	0,7 ha	n.c.	■	5 à 8 €

Roger Maby peut être fier de son viognier conseillé
à l'apéritif ou sur du foie gras ; c'est un vin tout en finesse
et en élégance. Sa puissance et son intensité aromatique lui
confèrent une excellente persistance. Il est prêt à boire.
⌐┐ Dom. Roger Maby, rue Saint-Vincent, 30126 Tavel,
tél. 04.66.50.03.40, fax 04.66.50.43.12,
e-mail domaine-maby@wanadoo.fr ☑ ⅄ t.l.j. sf sam.
dim. 8h-12h 13h30-17h30; f. 11-25 août

DOM. LA MANARINE 2001

	2 ha	6 000	■↓	5 à 8 €

Un nouveau producteur qui a effectué sa première
récolte en 2001. Il a su, dès son arrivée sur le domaine,
exploiter toutes les qualités du grenache. Avec ce 100 %
grenache, quatre semaines de cuvaison ont été nécessaires
pour extraire le maximum de matière. Le résultat : un vin
bien charpenté aux arômes de cassis.
⌐┐ Gilles Gasq, La Grangette, av. Fr-Lascour,
84130 Le Pontet, tél. 04.90.03.19.16, fax 04.90.03.19.16
☑ ⅄ r.-v.

CH. DE MARJOLET 2001★

	2 ha	13 000	■	3 à 5 €

Une bonne maîtrise de la vinification et un pressoir
pneumatique permettent à ce domaine de présenter un vin
blanc, à base de roussanne (60 %), d'une grande qualité. Le
parfum est floral, tandis que les arômes en bouche sont plus
fruités.
⌐┐ Bernard Pontaud, Dom. de Marjolet, 30330 Gaujac,
tél. 04.66.82.00.93, fax 04.66.82.92.58,
e-mail marjolet@fr.packardbell.org ☑ ⅄ r.-v.

DOM. MARTIN DE GRANGENEUVE
Réserve 2000

	2 ha	8 000	⑪	8 à 11 €

Pas d'utilisation de pompes à vendange sur ce
domaine. L'élévateur de raisin prend soin de cette vendange peu foulée. Ce Réserve à base de grenache (80 %)
a conservé tout son fruit, et la bouche confirme le nez avec
l'apparition de quelques notes animales.
⌐┐ François Martin,
Dom. Martin de Grangeneuve, 84150 Jonquières,
tél. 04.90.70.62.62, fax 04.90.70.38.08,
e-mail martin@grangeneuve.com ☑ ⅄ r.-v.

DOM. DE LA MAVETTE 2000

	16 ha	35 000	■	3 à 5 €

Le millésime 2000 de cette propriété familiale traverse les années avec brio. Son acidité particulièrement

bien combinée et son équilibre en sont les garants. Encore
très fruits rouges, cette bouteille révèle quelques notes
animales mêlées de cuir. A boire à l'automne prochain, à
la sortie du Guide.
⌐┐ EARL Lambert et Fils, Dom. de La Mavette,
84190 Gigondas, tél. 04.90.65.85.29, fax 04.90.65.87.41,
e-mail mavette@club-internet.fr ☑ ⅄ r.-v.

LES MOIRETS 2001★

		n.c.	40 000	■↓	3 à 5 €

Cette maison de négoce, fondée en 1859, joue un rôle
important dans la vallée du Rhône. Elle figure toujours en
bonne place dans le Guide. Un rosé de saignée avec
macération pelliculaire pour le cinsault (60 %) assemblé au
grenache (40 %) : une bonne recette pour un vin gras
et équilibré aux jolies notes de fruits confits. La cuvée
**Léonce Amouroux rouge 2000, élevée en fût de chêne
(5 à 8 €)**, est bien équilibrée avec un beau volume et des
notes de réglisse et de cerise noire. Ce vin très harmonieux
obtient une étoile.
⌐┐ Ogier-Caves des Papes, 10, av. Louis-Pasteur,
BP 75, 84232 Châteauneuf-du-Pape Cedex,
tél. 04.90.39.32.32, fax 04.90.83.72.51,
e-mail ogiercavesdespapes@ogier.fr
☑ ⅄ t.l.j. sf sam. dim. 9h-12h 14h30-18h

DOM. LA MONARDIERE
Cuvée Lou Peyrau 2001

	2 ha	8 000	■	5 à 8 €

Le domaine, reconstitué en 1987 par Martine et
Christian Vache, est planté de très belles vignes : soixante
ans d'âge. Intense et chaleureux, ce vin laisse percevoir à
la dégustation de jolies nuances aromatiques. Les tanins,
fort présents, persistent longuement. Le seul régime prescrit pour ce 2001 sera le temps.
⌐┐ Dom. la Monardière, Les Grès, 84190 Vacqueyras,
tél. 04.90.65.87.20, fax 04.90.65.82.01,
e-mail monardiere@wanadoo.fr
☑ ⅄ t.l.j. sf dim. 9h-12h 14h-19h
⌐┐ Ch. Vache.

CH. MONGIN 2000★

	4 ha	15 000	■↓	3 à 5 €

Expression réussie de l'alliance des cépages (grenache et syrah) et du classique terroir argilo-calcaire, ce vin
fait honneur aux élèves du lycée viticole qui ont participé
à son élaboration sous l'œil méticuleux de José Carballar,
maître en ses lieux. Un côtes du rhône intense et fruité avec
des tanins fins qui structurent le palais, et ne demandent
qu'à évoluer.
⌐┐ Lycée viticole d'Orange, Ch. Mongin,
2260, rte du Grès, 84100 Orange,
tél. 04.90.51.48.04, fax 04.90.51.11.92,
e-mail chateau.mongin@free.fr ☑ ⅄ r.-v.

CH. DE MONTFAUCON 2000★★

	5 ha	30 000	■↓	5 à 8 €

Le château de Montfaucon, imposante forteresse
néomédiévale reconstruite au XIXᵉs., est aussi viticole.
Cette cuvée remarquable est intense avec ses notes de fruits
cuits et d'orange confite ; fort bien construite, elle se révèle
légèrement poivrée en bouche sur une pointe de cannelle.
La **cuvée Baron Louis rouge (8 à 11 €)** est tout aussi
remarquable, notamment pour sa rondeur et sa complexité.
Douze mois de barrique l'ont parfaitement élevée, et l'ajout
de 10 % de mourvèdre propulse cette bouteille parmi les
grands vins de l'appellation.

Rodolphe de Pins,
Ch. de Montfaucon, 30150 Montfaucon,
tél. 04.66.50.37.19, fax 04.66.50.62.19
☑ ☉ t.l.j. sf sam. dim. 14h-18h; groupes sur r.-v.

CH. MONT-REDON 2001★

	4 ha	12 000	∎ ⬥	5 à 8 €

Cette superbe propriété de 145 ha bénéficie d'un encépagement équilibré sur un terroir argilo-calcaire couvert de galets, qui a donné naissance à ce vin blanc aux arômes intenses de fleurs blanches et qui allie finesse et complexité. Le palais est à la fois frais, ample et gras, et accompagnera tous les poissons en sauce.

Ch. Mont-Redon, BP 10,
84231 Châteauneuf-du-Pape,
tél. 04.90.83.72.75, fax 04.90.83.77.20,
e-mail chateaumontredon@wanadoo.fr ☑ ☉ r.-v.

DOM. DE LA MORDOREE 2001★

	n.c.	n.c.	∎ ⬥	5 à 8 €

Ce domaine régulièrement mentionné dans le Guide présente à chaque millésime des vins très réussis. Cette cuvée, assez originale par son caractère gras et enrobé, se classe parmi les rosés de tout un repas. Ses arômes très marqués de framboise lui procurent une forte personnalité. Un vin au relief surprenant. Mais ne vient-il pas de Tavel, capitale des rosés ?

Dom. de la Mordorée, chem. des Oliviers,
30126 Tavel, tél. 04.66.50.00.75, fax 04.66.50.47.39
☑ ☉ t.l.j. sf dim. 8h-12h 13h30-17h30
Delorme

DOM. DE L'OLIVIER 2001★★

	1,48 ha	9 300	∎ ⬥	3 à 5 €

Viognier, roussanne et grenache blanc à parts égales ont donné ce vin floral puis fruité, typé poire ; d'une bonne intensité, il reste longtemps en bouche. Le rouge 2000 possède au nez des nuances de fruits cuits et confits, de violette et de rose rouge. Agréable en bouche, il tire sur le pruneau et les cerises à l'eau-de-vie.

Eric Bastide, EARL Dom. de L'Olivier,
1, rue de la Clastre, 30210 Saint-Hilaire-d'Ozilhan,
tél. 04.66.37.08.04, fax 04.66.37.00.46 ☑ ☉ r.-v.

DOM. DU PARC SAINT CHARLES 2000★

	50 ha	10 650	∎ ⬥	5 à 8 €

Le village de Montfrin abrita durant trois siècles les Templiers. La ferme fortifiée du domaine en porte d'ailleurs la marque. Ce millésime présente non seulement un bel aspect, mais se révèle également très expressif avec de puissants parfums de fruits mûrs (cassis). Le palais est d'une telle richesse qu'il devrait permettre de patienter encore dix-huit à vingt-quatre mois. La cuvée Saint-Charles rouge 2000 obtient également une étoile. C'est un vin soyeux dont la finesse de la structure est compensée par l'attrait du bouquet.

SCEA du Parc Saint-Charles,
Dom. du Parc Saint-Charles, 30490 Montfrin,
tél. 04.66.57.22.82, fax 04.66.57.54.41,
e-mail florent.combe@wanadoo.fr ☑ ☉ r.-v.
Combe Frères

DOM. PELAQUIE 2001★★

	1,5 ha	8 000	∎ ⬥	5 à 8 €

La passion du vigneron et son art dans l'élaboration des vins blancs s'affirment dans cette cuvée 100 % viognier,

composée de raisins mûris sur un terroir très particulier aux portes du charmant village de Saint-Victor-la-Coste. Élégante, douce et puissante, cette bouteille enchante les jurés. Le 2000 rouge, jugé très réussi, est porté par une structure souple. L'équilibre est soyeux et le rend prêt à boire dès aujourd'hui.

Dom. Pélaquié, 7, rue du Vernet,
30290 Saint-Victor-la-Coste,
tél. 04.66.50.06.04,
e-mail contact@domaine-pelaquie.com ☑ ☉ r.-v.
GFA du Grand Vernet

DOM. ROGER PERRIN
Prestige blanc 2001

	2 ha	5 000	∎ ⬥	5 à 8 €

A base de grenache (65 %), cette cuvée Prestige possède une robe enjôleuse et brillante à reflets vert pâle. La présence de 25 % de clairette apporte beaucoup de fraîcheur et de finesse dans cette harmonie assez puissante et chaleureuse.

Dom. Roger Perrin, rte de Châteauneuf-du-Pape,
84100 Orange, tél. 04.90.34.25.64, fax 04.90.34.88.37
☑ ☉ t.l.j. sf dim. 8h-12h 14h-19h
Luc Perrin

PERRIN
Réserve 2001★

	9 ha	48 000	∎ ⬥	5 à 8 €

Issue d'une vinification traditionnelle, cette cuvée, au nez élégant et raffiné de pain grillé, offre une bouche en adéquation avec le nez. Fraîche et pure, celle-ci est d'une belle rondeur. Son bon équilibre permettra à cette bouteille de vivre ces deux prochaines années.

Perrin et Fils, La Ferrière, rte de Jonquière,
84100 Orange, tél. 04.90.11.12.00, fax 04.90.11.12.19,
e-mail perrin@rhone.net ☑ ☉ r.-v.

DOM. DE LA PIEGONNE 2000

	3 ha	15 000	∎ ⬥	3 à 5 €

En 1999, les sœurs Bonnefoy ont racheté le domaine de leur oncle. Aujourd'hui, elles présentent un côtes du rhône quasiment pur grenache (90 %), tout en rondeur, qui ne trahit pas ses origines.

Caroline Bonnefoy, Ch. Notre Dame des Veilles,
84600 Valréas, tél. 04.90.35.00.25, fax 04.90.35.00.25,
e-mail notredamedesveilles@wanadoo.fr ☉ r.-v.

DOM. DE LA PRESIDENTE
Grands Classiques 2000★

	40 ha	120 000	∎	5 à 8 €

L'épouse du président du Parlement de Provence décide, en 1701, de convertir certaines de ses terres en vignoble, donnant ainsi son nom à ce domaine. Un terroir toujours bien mis en valeur où le grenache est roi. Il entre à 55 % dans la composition de cette cuvée et est également présent à 50 % dans le rosé 2001, cité. Ce cépage apporte de la finesse à ces deux bouteilles. Le rosé peut être bu dès maintenant, en attendant le rouge.

Dom. de la Présidente, BP 1, rte de Cairanne,
84190 Sainte-Cécile-les-Vignes, tél. 04.90.30.80.34,
fax 04.90.30.72.93, e-mail aubert@présidente.fr
☑ ☉ t.l.j. sf dim. 8h30-12h 14h-18h
Famille Aubert

RHONE

DOM. LE PUY DU MAUPAS
Cuvée Isabelle 2000

	3 ha	2 000		5 à 8 €

C'est un vin charmeur. La cuvée Isabelle est parée d'une belle robe jaune clair. A dominante fruitée, elle révèle des arômes de fruits exotiques accompagnés de notes de cire d'abeille. Un millésime de bon équilibre avec une pointe de fraîcheur, à servir sur un poisson ou sur des sorbets.

🖕 Christian Sauvayre, Dom. Le Puy du Maupas, 84110 Puyméras, tél. 04.90.46.47.43, fax 04.90.46.48.51, e-mail sauvage@puy-du-maupas.com
☑ 🏠 🏠 ⌥ t.l.j. 9h-12h30 14h-19h30

CH. LES QUATRE FILLES
Cuvée Pharamond 2000

	1 ha	5 000		5 à 8 €

Une très jolie cuvée pour fêter les vingt ans de la cave qui choisit de prendre une nouvelle orientation cette année en passant à l'agriculture biologique. Cette cuvée Pharamond est classée parmi les vins de garde. Encore discrète aujourd'hui, elle est très structurée et prometteuse.

🖕 Roger, Romain, Vincent Flesia, Ch. Les Quatre-Filles, rte de Lagarde-Paréol, 84290 Sainte-Cécile-les-Vignes, tél. 04.90.30.84.12, fax 04.90.30.86.15, e-mail contact@chateau-4filles.com ☑ ⌥ r.-v.

DOM. DES QUAYRADES 2000★

	11 ha	80 000		3 à 5 €

Un domaine établi non loin des célèbres coteaux du cru de Vacqueyras dont ce côtes du rhône se rapproche par sa puissance. Son vin agréable porte une robe cerise noire. Le premier arôme perçu est animal avec des notes de cuir, puis le fruit reprend le dessus dans un très bel équilibre.

🖕 Dom. des Quayrades, La Grand Comtadine, 84190 Vacqueyras, tél. 04.90.65.85.91, fax 04.90.65.89.23 ⌥ r.-v.
🖕 Patrick Latour

DOM. LA REMEJEANNE
Les Arbousiers 2001★★

	2 ha	13 000		5 à 8 €

A sa création, en 1960, la propriété ne compte que 5 ha de vignes. Aujourd'hui, quarante ans plus tard, elle atteint 35 ha, et sa cuvée Les Arbousiers n'est plus à présenter. Toujours la même constance : qualité, typicité. Le blanc glisse sur du velours, onctueux et gras, et fait preuve de finesse. La cuvée **Les Arbousiers rouge 2001**, une étoile, possède des tanins bien présents et une persistance remarquable. A découvrir également, **Les Chèvrefeuilles rouge 2001**, jugée très réussie. Un grand côtes du rhône, typique de l'appellation.

🖕 Ouahi et Rémy Klein, Cadignac, 30200 Sabran, tél. 04.66.89.44.51, fax 04.66.89.64.22, e-mail remejeanne@wanadoo.fr ☑ ⌥ r.-v.

DOM. ROCHE-AUDRAN 2000★

	5 ha	5 000		3 à 5 €

Les fouilles archéologiques menées à Vaison au début du XXᵉs. ont mis au jour les vestiges remarquables de la cité antique. Non loin, au Buisson, vous découvrirez cette propriété familiale qui propose deux intéressantes cuvées. Cette bouteille d'un rouge très intense, sombre et profond, possède un caractère fruité et une structure puissante. Le **côtes du rhône blanc 2000 (8 à 11 €)**, une étoile, composé à parts égales de grenache blanc et de viognier offre beaucoup de volume dans un ensemble fort harmonieux.

🖕 Vincent Rochette, Dom. Roche-Audran, 84110 Buisson, tél. 04.90.28.96.49, fax 04.90.28.90.96, e-mail vincent.rochette@mnet.fr ☑ ⌥ r.-v.

CH. ROCHECOLOMBE 2000★

	6,5 ha	43 000		3 à 5 €

Il fait bon flâner à travers les rues de Bourg-Saint-Andéol, village ardéchois qui s'est enrichi d'un intéressant patrimoine culturel au fil des siècles. Cette année, le château Rochecolombe propose un millésime légèrement réglissé, d'une teinte très concentrée. A l'attaque, le palais s'ouvre sur une impression sucrée. Puissant et gras, ce vin s'accordera avec du gibier ou des fromages forts. Le **rosé 2001**, issu de saignée, est extrêmement classique. Vif et harmonieux, il fait honneur aux rosés produits dans la vallée du Rhône.

🖕 EARL Herberigs, Ch. Rochecolombe, 07700 Bourg-Saint-Andéol, tél. 04.75.54.50.47, fax 04.75.54.80.03, e-mail rochecolombe@aol.com ☑ ⌥ r.-v.

CAVE DES VIGNERONS DE ROCHEGUDE
Rosé de Saignée 2001★

	75 ha	16 000		3 à 5 €

Vaste coopérative vinifiant plus de 1 000 ha, la cave de Rochegude a assemblé 70 % de grenache au cinsault. Les jolies notes de fruits confits et de fleurs de verger font de ce rosé de saignée une curiosité. Très intéressant également pour son équilibre fin et soyeux, c'est un rosé typique des côtes du rhône.

🖕 Cave des Vignerons de Rochegude, 26790 Rochegude, tél. 04.75.04.81.84, fax 04.75.04.84.80 ☑ ⌥ r.-v.

DOM. DE ROCHEMOND 2001★

	n.c.	n.c.		3 à 5 €

Assemblage composé à 60 % de syrah, ce 2000 est dominé par des arômes de fruits rouges. Le jury le classe parmi les vins de garde. Très réussi également, le **blanc 2001 (5 à 8 €)**, 100 % viognier, où la puissance des arômes est tout simplement surprenante.

🖕 EARL Philip-Ladet, Eric Philip, Dom. Rochemond, 1, chem. des Cyprès, 30200 Sabran, tél. 04.66.79.04.42, fax 04.66.79.04.42 ⌥ r.-v.

DOM. DES ROCHES FORTES
Prestige 2000★★

	1 ha	4 000		5 à 8 €

Bâti par les comtes de Toulouse au XIIᵉs., le château marque le développement médiéval de la ville. Non loin, le siège de ce domaine qui propose un vin fort expressif, concentré, à la robe profonde et très sombre, aux arômes de cacao et de café, marqué par la syrah (90 %) au nez comme en bouche. La pointe de vanille sur les tanins fondus est le résultat d'un travail du bois parfaitement maîtrisé.

🖕 EARL Brunel et Fils, Dom. des Roches Fortes, quartier Le Château, 84110 Vaison-la-Romaine, tél. 04.90.36.03.03, fax 04.90.28.77.14
☑ 🏠 ⌥ t.l.j. sf dim. 10h30-12h 13h30-18h

DOM. DES ROMARINS 2000★

■ 　　　10 ha　　35 000　　■ ↓　　3 à 5 €

Une persistance aromatique intense pour ce vin du soleil où la chaleur apporte une puissance relative. Les tanins bien présents sont les garants d'une bonne garde : cette cuvée équilibrée sera au sommet dans deux à trois ans. Un investissement judicieux. A marier alors avec une épaule d'agneau marinée dans le même vin avec des gousses d'ail.

🕯 SARL Dom. des Romarins, rte d'Estézargues, 30390 Domazan, tél. 04.66.57.05.84, fax 04.66.57.14.87, e-mail domromarin@aol.com ☑ ⵌ mer. ven. sam. 15h-19h; groupes sur r.-v.; f. 15 jan.-15 fév.

🕯 Fabre

DOM. ROUGE GARANCE

Garances 2000★

■ 　　　3 ha　　14 000　　■　　3 à 5 €

Le domaine, récent, puisque créé en 1996, a vu le jour grâce à la collaboration de l'acteur Jean-Louis Trintignant. Cette cuvée Garances d'un rouge franc et soutenu, comme celui de la plante du même nom, possède un bouquet intense de fruits mûrs. C'est un vin sévère mais d'une grande pureté qui réhabilite le carignan (60 %). Dans un contexte de belle maturité, ses accents de réglisse en font un joli côtes du rhône.

🕯 Dom. Rouge Garance, chem. de Massacan, 30210 Saint-Hilaire-d'Ozilhan, tél. 04.66.37.06.92, fax 04.66.37.06.92, e-mail rougegarance@waika9.com ☑ ⵌ r.-v.

🕯 Cortellini et Trintignant

CH. DE RUTH

Cuvée Françoise de Soissans 2000★

■ 　　　1,5 ha　　7 500　　⬛　　5 à 8 €

La cuvée Françoise de Soissans, à l'étiquette si fine, recèle un joli petit trésor. Un vin riche où les notes de fruits à l'eau-de-vie sont légèrement caramélisées, résultat d'un passage en fût de huit mois. Alliance parfaite des tanins du raisin et de ceux du chêne. Avis aux amateurs...

🕯 Christian Meffre, Ch. de Ruth, 84290 Sainte-Cécile-les-Vignes, tél. 04.90.65.88.93, fax 04.90.65.88.96, e-mail chateau.raspail@wanadoo.fr ☑ ⵌ t.l.j. sf sam. dim. 8h-12h 13h30-17h30

DOM. DU SABLAS 2000★

■ 　　　3 ha　　3 000　　■ ↓　　3 à 5 €

Le domaine familial créé en 1924 s'est agrandi au fil des années et avec les générations qui se succèdent à sa tête. Une jolie couleur pourpre à reflets bleu violet prouve la jeunesse de ce millésime 2000. Les arômes très présents, complexes, mélangent fruits noirs (myrtille) et épices douces. Bien équilibré, c'est un vin à boire, mais qui pourra également vieillir un peu.

🕯 Alain Camproux et Fils, Dom. du Sablas, Saint-Gely, 30630 Cornillon, tél. 04.66.82.22.31, fax 04.66.82.22.31 ☑ ⵌ r.-v.

DOM. SAINT-ANTHELME 2000

■ 　　　20 ha　　140 000　　■ ⬛ ↓　　5 à 8 €

Un vin tendre et délicat aux reflets bleutés. Les fruits rouges sont très présents agrémentés de jolies notes d'épices et de vanille. Un côte du rhône réussi et typique de l'AOC. A boire sur un cuisine méditerranéenne (aubergines grillées accompagnées de sauce tomate maison).

🕯 Morad Layouni, Dom. la Genestière, 30126 Tavel, tél. 04.66.50.07.03, fax 04.66.50.27.03, e-mail genestiere@pacwan.fr ☑ ⵌ t.l.j. 9h-12h 13h30-17h30; sam. dim. sur r.-v.

SAINT COSME 2001★

■ 　　　3 ha　　14 000　　■ ⬛ ↓　　5 à 8 €

Ce négociant présente deux bouteilles très attrayantes. D'abord ce vin blanc, complexe, issu d'un assemblage de cinq cépages. Un élevage sur lies avec bâtonnage lui permet déjà de s'exprimer avec plénitude. Les Deux Albion rouge 2001 est cité pour sa puissance remarquable et son bel équilibre. Il est prometteur.

🕯 EARL Louis Barruol, Ch. de Saint Cosme, 84190 Gigondas, tél. 04.90.65.80.80, fax 04.90.65.81.05 ☑ ⵌ t.l.j. sf sam. dim. 8h-12h 14h-17h.

DOM. SAINT ETIENNE

Les Albizzias 2001★

■ 　　　6 ha　　40 000　　■ ↓　　3 à 5 €

C'est sur des terrasses de galets roulés que mûrissent généreusement les raisins du domaine. Pas de foulage ni d'éraflage pour l'élaboration de ce vin toujours très fruité. Encore jeunes, les parfums de cassis éclatent en bouche. Les tanins bien présents mais soyeux contribuent à sa belle structure.

🕯 Michel Coullomb, Dom. Saint-Etienne, 26, fg du Pont, 30490 Montfrin, tél. 04.66.57.50.20, fax 04.66.57.22.78 ☑ ⵌ r.-v.

DOM. SAINT GAYAN 2001★

■ 　　　1,3 ha　　6 000　　■ ↓　　5 à 8 €

40 % de clairette vinifiée par macération pelliculaire ont donné une bouteille aux arômes très francs et fruités avec des notes florales. Un vin frais, équilibré et harmonieux. A servir sur du poisson.

🕯 SCEA Jean-Pierre et Martine Meffre, Dom. Saint-Gayan, 84190 Gigondas, tél. 04.90.65.86.33, fax 04.90.65.85.10, e-mail jpmeffre@saintgayan.com ☑ ⵌ r.-v.

LES VIGNERONS DE SAINT-HILAIRE-D'OZILHAN

Arômes 2001★

■ 　　　n.c.　　n.c.　　■ ↓　　3 à 5 €

Une étoile pour chacune des trois bouteilles présentées par les vignerons de la cave de Saint-Hilaire. La cuvée Arômes est très bien baptisée puisque les fruits dominent une structure assez ronde. La cuvée Prestige rouge 2000, davantage typée syrah, sera sublime dans quelques années. Quant au Domaine l'Aure rouge 2001, il surprend : sa bouche ample et suave en fait un vin très gourmand. A conseiller sur une salade de gésiers.

🕯 Les Vignerons producteurs de Saint-Hilaire-d'Ozilhan, av. Paul-Blisson, 30210 Saint-Hilaire-d'Ozilhan, tél. 04.66.37.16.47, fax 04.66.37.35.12, e-mail contact@cotes-du-rhone-wine.com ☑ ⵌ t.l.j. sf dim. 9h-12h30 14h-18h30

CH. SAINT-JEAN 2001★

■ 　　　8 ha　　40 000　　■ ↓　　5 à 8 €

Le domaine, acquis par Gabriel Meffre en 1946, fut, jusqu'à la Révolution française, propriété des seigneurs de Sérignan. Son terroir, très typé, jouit d'une bonne renommée et produit des vins de grande qualité. Celui-ci, assemblage de quatre cépages, est bien équilibré. Les fortes nuances de fleurs blanches (chèvrefeuille) sont omniprésentes au nez comme en bouche. A boire dès à présent.

☛ SCA Ch. Saint-Jean, 84850 Travaillan, tél. 04.90.12.32.42, fax 04.90.12.32.49

☛ Christian Meffre

CH. SAINT-SAUVEUR 2000★

■	2,1 ha	14 600	▬ 5 à 8 €

La chapelle Saint-Sixte, datant du XIᵉˢ., a récemment été restaurée et sert désormais de caveau de dégustation. De la mûre, mûre ! Très aromatique, ce 100 % grenache possède une structure ronde et soyeuse. Un vin de charme, gouleyant, à découvrir.

☛ EARL les Héritiers de Marcel Rey, Ch. Saint-Sauveur, rte de Caromb, 84810 Aubignan, tél. 04.90.62.60.39, fax 04.90.62.60.46 ☑ ♈ r.-v.

LE SERRE DE BERNON 2001

■	5 ha	20 000	▬♦ 3 à 5 €

La notoriété des vins blancs de cette cave n'est plus à faire. Cette année encore, ils sont réussis. On découvre des arômes de fleurs blanches, de fleurs d'acacia et de pêcher ; la bouche soyeuse avec beaucoup de volume et une belle acidité révèle des saveurs de pêche de vigne sur des notes mentholées.

☛ Cave des Quatre-Chemins, 30290 Laudun, tél. 04.66.82.00.22, fax 04.66.82.44.26, e-mail cave.4-chemins@wanadoo.fr ☑ ♈ r.-v.

DOM. DE SERVANS
Cuvée Tradition Elevé en fût de chêne 1999★

■	1,9 ha	7 000	▬♦ 8 à 11 €

Coup de cœur l'an passé, le domaine obtient cette année une étoile pour sa cuvée Tradition rouge 99 qui a passé douze mois en barrique. Ses tanins sont très fondus. La puissance et la complexité des arômes ont évité la marque du bois. Typique et bien aromatique, c'est un vin de garde (deux à trois ans). Pour un civet.

☛ Pierre et Philippe Granier, av. de Provence, 26790 Tulette, tél. 04.75.98.31.47, fax 04.75.98.31.47, e-mail domainedeservans@wanadoo.fr
☑ ♈ t.l.j. sf dim. 9h-12h 13h30-19h

CH. SIMIAN 2001★

■	1 ha	7 000	▬♦ 5 à 8 €

La collection des dix-huit cépages du domaine, au bord du chemin d'accès du château, mérite le détour tout autant que ce blanc 2001, très réussi, où les arômes de pêche blanche, d'abricot et de poire rivalisent entre eux pour se retrouver en bouche sous forme de pâte de coing.

☛ Jean-Pierre Serguier, Ch. Simian, 84420 Piolenc, tél. 04.90.29.50.67, fax 04.90.29.62.33, e-mail chateau-simian@wanadoo.fr
☑ ♈ t.l.j. sf dim. 8h30-20h

DOM. SOLEYRADE 2001★

■	0,4 ha	1 600	▬♦ 3 à 5 €

A seulement quelques minutes du domaine, le musée J.-H. Fabre est installé dans la propriété de ce célèbre entomologiste. Très typique des grands crus blancs de la vallée du Rhône, ce 2001, composé à 80 % de grenache blanc, est à la fois gras, long et bien équilibré. Son nez, d'une grande finesse, révèle un caractère plutôt floral. Un

vin harmonieux. Le domaine obtient également une étoile pour son **rosé 2001**, assemblage de grenache (80 %) et de clairette ; il est prêt à boire.

☛ Denis Raymond, quartier La Combe, 84830 Sérignan-du-Comtat, tél. 04.90.70.07.79, fax 04.90.70.07.79, e-mail soleyrade@hotmail.com
☑ ♈ t.l.j. 9h-12h 15h-19h ; dim. sur r.-v.

DOM. DE LA SOLITUDE 2001★★

■	3,7 ha	24 000	▬◐♦ 5 à 8 €

Ce domaine, très ancien, appartient depuis 1600 à la même famille. Particularité : il s'est transmis presque exclusivement par les femmes. Le jury a retenu deux cuvées. D'abord ce vin blanc, très apprécié, où roussanne et marsanne constituent près de 70 % de l'assemblage. Il possède un remarquable moelleux, grâce à un passage en fût qui l'a parfaitement affiné, sans le marquer. Ensuite le **Domaine de la Solitude rouge 2001** cité pour sa grande typicité. Bien équilibré, il est déjà prêt à boire.

☛ SCEA Dom. Pierre Lançon, Dom. de La Solitude, BP 21, 84231 Châteauneuf-du-Pape, tél. 04.90.83.71.45, fax 04.90.83.51.34, e-mail solitude@mnet.fr ☑ ♈ t.l.j. 9h-18h

DOM. LA SOUMADE
Les Violettes 2000★★

■	2 ha	5 000	◐ 15 à 23 €

Domaine la Soumade
2000 Les Violettes 2000
Côtes du Rhône
APPELLATION CÔTES DU RHÔNE CONTRÔLÉE
14%vol   Mis en bouteille au domaine   750ML
Earl Romero André propriétaire récoltant à 84110 Rasteau
PRODUCT OF FRANCE

Dans le village de Rasteau entouré par le vignoble, ne manquez pas le petit musée des Vignerons qui présente des instruments utilisés en viticulture, des vieilles bouteilles... 20 % de cépages blancs (roussanne et viognier) composent ce vin rouge à base de syrah. C'est original et encore autorisé jusqu'en 2004, date à laquelle le nouveau décret des côtes du rhône entrera en vigueur. Il faut donc profiter de cette cuvée, véritable feu d'artifice pour le palais. Sa robe pourpre, très soutenue, est de toute beauté tandis que les arômes de fruits bien mûrs rivalisent avec les notes de truffe et de sous-bois. L'équilibre général est tout simplement somptueux.

☛ André Romero et Fils, Dom. la Soumade, 84110 Rasteau, tél. 04.90.46.11.26, fax 04.90.46.11.69
☑ ♈ t.l.j. sf dim. 8h30-11h 14h-18h

DOM. DE LA TOURADE 2000★

■	2,2 ha	14 000	▬ 5 à 8 €

Un côtes du rhône 90 % grenache et 10 % syrah, très réussi. Rien d'étonnant chez ce producteur de gigondas et de vacqueyras habitué à vinifier des raisins bien mûrs. D'une structure agréable, avec une dominante de fruits secs et de cuir, ce vin présente une fort bonne harmonie générale.

☛ EARL André Richard, Dom. de La Tourade, 84190 Gigondas, tél. 04.90.70.91.09, fax 04.90.70.96.31
☑ ⌂ ♈ t.l.j. 9h-19h

DOM. TOUR PARADIS 2001★

	0,7 ha	3 500	▮♦	3 à 5 €

Une véritable promenade en pleine nature fleurie. Beaucoup de qualité dans ce vin blanc qui rappelle le village médiéval où il a été élaboré. Comme Aiguèze, il se distingue par sa présence et son charme. A découvrir sur place dans le caveau très frais du domaine.
↬ GAEC Chabot, pl. du Jeu-de-Paume, 30760 Aiguèze, tél. 04.66.82.18.80, fax 04.66.82.45.69
☑ ⌂ Ⓨ t.l.j. sf dim. 9h-12h 14h-19h

DOM. DE LA VALERIANE 2000

▮	5 ha	10 000	▮♦	3 à 5 €

Qu'il soit rouge ou rosé, le vin du domaine mérite le détour et la dégustation. Le rouge, à la belle couleur soutenue, se révèle très complexe avec une finale particulièrement longue et agréable. Des notes de pamplemousse et de fraise permettent au **rosé 2001**, cité, de se distinguer parmi ses confrères. Deux bouteilles qui représentent dignement les côtes du rhône.
↬ Mesmin et Maryse Castan, rte d'Estézargues, 30390 Domazan, tél. 04.66.57.04.84, fax 04.66.57.04.84, e-mail valeriane.mc@terre-net.fr ☑ Ⓨ r.-v.

J. VIDAL-FLEURY 2000★★

▮	n.c.	130 000		5 à 8 €

La maison Vidal-Fleury, la plus ancienne de la vallée du Rhône, rachetée en 1986 par les Guigal, propose une large gamme de vins. Elle est régulièrement présente dans le Guide. Des moyens modernes au service des méthodes traditionnelles permettent de vinifier dans des conditions sanitaires irréprochables. Ce côtes du rhône, issu de raisins de très grande qualité, exprime une riche palette d'arômes : pain d'épice, griotte, légères notes fumées. Pour les amateurs de vins puissants.
↬ J. Vidal-Fleury, 19, rte de la Roche, 69420 Ampuis, tél. 04.74.56.10.18, fax 04.74.56.19.19 ☑ Ⓨ r.-v.

LA VINSOBRAISE 2001★

▮	3 ha	15 000	▮♦	- de 3 €

Une cave coopérative qui vinifie près de 2 000 ha de vignes. Le blanc, assemblage à parts égales de grenache, de marsanne et de viognier, présente beaucoup de gras et de souplesse. C'est un vin très franc et aromatique. Sous la même marque, le **rosé 2001** est cité pour ses arômes subtils de fleurs de rose ou de pommier. Son acidité, parfaitement dosée, procure une agréable fraîcheur.
↬ Cave coop. la Vinsobraise, 26110 Vinsobres, tél. 04.75.27.64.22, fax 04.75.27.66.59
☑ Ⓨ t.l.j. 8h-12h 14h-18h

Côtes du rhône-villages

A l'intérieur de l'aire des côtes du rhône, quelques communes ont acquis une notoriété certaine grâce à des terroirs qui produisent des vins (environ 402 120 hl) dont la typicité et les qualités sont unanimement reconnues et appréciées. Les conditions de production de ces vins sont soumises à des critères plus restrictifs en matière notamment de délimitation, de rendement et de degré alcoolique par rapport à ceux des côtes du rhône. Une très faible production de blanc (5 249 hl en 2001) complète l'important volume des côtes du rhône-villages.

Il y a d'une part les côtes du rhône-villages pouvant mentionner un nom de commune, seize noms historiquement reconnus et qui sont : Chusclan, Laudun et Saint-Gervais dans le Gard ; Beaumes-de-Venise, Cairanne, Sablet, Séguret, Rasteau, Roaix, Valréas et Visan dans le Vaucluse ; Rochegude, Rousset-les-Vignes, Saint-Maurice, Saint-Pantaléon-les-Vignes et Vinsobres dans la Drôme, et qui recouvrent vingt-cinq communes.

Il y a d'autre part les côtes du rhône-villages sans nom de commune, dont la délimitation vient de s'achever sur le reste de l'ensemble des communes du Gard, du Vaucluse et de la Drôme dans l'aire côtes du rhône. Soixante-dix communes ont été retenues. Cette délimitation avait pour premier objectif de permettre l'élaboration de vins de semi-garde.

DOM. D'AERIA
Cuvée Prestige 1999★★

▮	2 ha	6 000	�	11 à 15 €

Sous les parcelles du domaine se trouveraient les vestiges de la ville antique romaine d'Aéria. Ces vignes ont donné un remarquable 99, confirmé coup de cœur par le grand jury. Grenache (60 %), mourvèdre (40 %), vinification traditionnelle, douze mois de fût, rien n'est laissé au hasard. Un nez subtil, fin et élégant sur des notes épicées, anisées, mêlées de résine ; une belle harmonie en bouche, de la longueur, de la rondeur, de l'équilibre, des tanins fins, soyeux et des arômes de garrigue (thym), pour un vin qui exprime parfaitement la typicité de son terroir. La **cuvée Tradition rouge 99** (8 à 11 €) reçoit une étoile.
↬ SARL Dom. d'Aéria, rte de Rasteau, 84290 Cairanne, tél. 04.90.30.88.78, fax 04.90.30.78.38, e-mail domaine.aéria@wanadoo.fr ☑ ⌂ Ⓨ r.-v.

DOM. DANIEL ET DENIS ALARY
Cairanne 2000★

▮	3 ha	16 000	▮⎕	8 à 11 €

Grâce à un parcours balisé à travers le vignoble de Cairanne, découvrez ce magnifique terroir et les différents

RHONE

cépages qui y sont implantés. Puis allez déguster cette cuvée à la robe foncée à nuances vives, au nez agréable et épicé, avec des notes animales et des arômes de sous-bois et de fruits macérés. La bouche, où tanins et fruits s'harmonisent, fait preuve d'un bel équilibre. Une bouteille bien faite. La **Réserve du Vigneron 2000** est citée pour son bon équilibre.

⌐ Dom. Daniel et Denis Alary, La Font d'Estévenas, 84290 Cairanne, tél. 04.90.30.82.32, fax 04.90.30.74.71
☑ ⏁ r.-v.

DOM. DES AMADIEU
Cuvée Vitalis 2000

| ■ | | 2 ha | 10 500 | ▮⬤ | 5 à 8 € |

Michel Achiary a repris cette propriété familiale en 1984 et, depuis, a cessé d'exercer la médecine pour s'y consacrer pleinement. Sa cuvée Vitalis à la robe violacée, au nez friand de fruits et de sous-bois, possède une bonne attaque et des tanins fondus. Elle est à boire.

⌐ Michel Achiary, Dom. des Amadieu, quartier Beauregard, 84290 Cairanne, tél. 04.90.66.17.41, fax 04.90.66.01.28, e-mail maryachiary@yahoo.fr ☑ ⏁ r.-v.

DOM. AMIDO 2000★★

| ■ | | 5,25 ha | 16 000 | ▮⬤ | 5 à 8 € |

Ce domaine de Tavel consacre un peu plus de 5 ha de vignes à la production de côtes du rhône-villages. Son 99, avec sa belle robe rouge intense, est remarquable. Le nez, complexe, développe des arômes de groseille et de cassis sur des notes épicées. La bouche, agréable et flatteuse, est dominée par le fruit rouge et les épices.

⌐ Christian Amido, le Palais-Nord, rte de la Commanderie, 30126 Tavel, tél. 04.66.50.04.41, fax 04.66.50.04.41 ☑ ⏁ r.-v.

CH. DES APPLANATS
Beaumes-de-Venise 2000★★

| ■ | | 30 ha | 80 000 | ▮⬤ | 5 à 8 € |

Les caves Saint-Pierre à Châteauneuf-du-Pape, maison de négoce centenaire, sont spécialisées dans les vins de la vallée du Rhône. Une robe grenat violacé habille cette magnifique bouteille au nez expressif avec ses nuances d'épices (cannelle et noix muscade). La belle attaque est portée par les fruits rouges et les épices, sur des tanins fondus. La longue persistance aromatique se termine sur le kirsch.

⌐ Henry Bouachon, Cave Saint-Pierre, BP 5, 84230 Châteauneuf-du-Pape, tél. 04.90.83.58.35, fax 04.90.83.77.23 ☑ ⏁ t.l.j. 9h-12h 14h-19h

DOM. BEAU MISTRAL
Rasteau Sélection en fût de chêne 2001★

| ■ | | 2 ha | 5 000 | ▮⏁⬤ | 5 à 8 € |

Les raisins de quelques parcelles ont soigneusement été sélectionnés pour élaborer cette cuvée composée de quatre cépages différents. Cette très belle bouteille, à la robe jaune paille à reflets verts, possède un nez chaleureux, légèrement réglissé. L'attaque, franche et fraîche, révèle une palette aromatique d'agrumes et de réglisse.

⌐ Jean-Marc Brun, Le Village, rte d'Orange, 84110 Rasteau, tél. 04.90.46.16.90, fax 04.90.46.17.30
☑ ⏁ t.l.j. 8h-12h 14h-19h

DOM. DE BEAURENARD
Rasteau 2000★

| ■ | | 4 ha | 50 000 | ▮⏁⬤ | 8 à 11 € |

Un domaine familial régulièrement présent dans le Guide pour l'ensemble de sa production. Une longue cuvaison a doté le 2000 d'une bonne charpente. L'olfaction révèle des notes confiturées et de fraise. En bouche, le boisé bien présent s'harmonise parfaitement avec le fruit cuit. Un vin agréable à boire.

⌐ SCEA Paul Coulon et Fils, Dom. de Beaurenard, 84231 Châteauneuf-du-Pape, tél. 04.90.83.71.79, fax 04.90.83.78.06, e-mail paul.coulon@beaurenard.fr
☑ ⏁ t.l.j. sf dim. 9h-12h 13h30-17h30; groupes sur r.-v.

LOUIS BERNARD
Grande Réserve 2000★

| ■ | | n.c. | 300 000 | ⏁⬤ | 8 à 11 € |

Un achat bien réussi pour cette maison de négoce. Les conseils en vinification ont porté leurs fruits. L'élevage en barrique neuve donne un léger boisé sur de jolis tanins fins. La bouche, bien fruitée, possède une bonne persistance aromatique.

⌐ Salavert-Les Domaines Bernard, rte de Sérignan, 84100 Orange, tél. 04.90.11.86.86, fax 04.90.34.87.30, e-mail sagon@domaines-bernard.fr

DOM. DU BOIS DE SAINT JEAN
Cuvée du Comte d'Hust et du Saint Empire 2000★

| ■ | | 10 ha | 13 000 | ▮⬤ | 5 à 8 € |

Le domaine du Bois de Saint-Jean qui compte 40 ha est établi à Jonquerettes, près d'Avignon. Grenache, syrah et mourvèdre complantés sur un sol de galets roulés ont donné un vin puissant, tannique et complexe, dominé par les fruits rouges. Une robe d'une couleur intense habille cette bouteille au nez de fruits confits.

⌐ EARL Vincent et Xavier Anglès, 126, av. de la République, 84450 Jonquerettes, tél. 04.90.22.53.22, fax 04.90.22.53.22
☑ ⏁ t.l.j. 8h-12h 14h-20h

DOM. BOISSON
Cairanne 2000★★

| ■ | | 7 ha | 25 000 | | 5 à 8 € |

En 1956, après un hiver particulièrement rude, nombre d'oliviers avaient gelé. René Boisson, père de l'actuel propriétaire, décide de les remplacer par de la vigne. Aujourd'hui, le domaine s'étend sur 40 ha. Un bon terroir et des vieilles vignes (quarante ans) ont donné un remarquable vin, bien typé grenache. Des arômes de fruits très mûrs et de fruits rouges évoluent agréablement tout au long de la dégustation vers des tanins fins. Un vin à boire dès maintenant, mais peut également attendre deux à trois ans pour accompagner un carré d'agneau aux herbes.

⌐ Dom. Régis Boisson, le Grand-Vallat, 84290 Cairanne, tél. 04.90.30.70.01, fax 04.90.30.89.03, e-mail domaineboisson@hotmail.com ☑ ⏁ r.-v.

CH. LA BORIE 1999★★

| ■ | | 35 ha | 5 000 | ▮⬤ | 8 à 11 € |

Le château du XVIIIᵉs., avec ses grandes tours crénelées, fut, selon les époques, bastion, lieu de chasse... Puis la vigne a remplacé les chênes et le domaine compte aujourd'hui plus de 70 ha. Son 99 est remarquable. Les dégustateurs ont apprécié ses arômes de fruits secs et d'épices douces, ses notes de réglisse. La bouche, de belle longueur, révèle des tanins fondus et élégants. C'est un vin prêt à boire.

🍷 Dom. la Borie, 26790 Suze-la-Rousse,
tél. 04.75.04.81.92,
e-mail jerome.margnat@chateau-la-borie.fr ☑ ⏀ r.-v.

DOM. DES BOUMIANES 2001

| ■ | 5 ha | 4 000 | 🔽♦ | 3 à 5 € |

Sur la route du pèlerinage des Saintes-Maries-de-la-Mer, les Gitans avaient l'habitude de faire étape à proximité du domaine. C'est de là que lui vient son nom : en provençal, Boumianes signifie « bohémiens ». Trente jours de cuvaison ont été nécessaires pour obtenir une bonne concentration de fruits très mûrs et confiturés. Les tanins sont fins et la bouche s'achève sur une finale réglissée. Une bouteille qu'il serait sage de garder en cave pour la faire évoluer.

🍷 GAEC des Boumianes, chem. des Bohémiennes, 30390 Domazan, tél. 04.66.57.29.35, fax 04.66.57.09.48
☑ ⏀ t.l.j. sf dim. 9h-12h 14h-18h
🍷 Philippe Méger

DOM. BRESSY-MASSON
Rasteau La Souco d'or 2000★

| ■ | 2 ha | 8 000 | ⏀ | 8 à 11 € |

La cuvée La Souco d'or, coup de cœur l'année dernière, a une fois de plus retenu l'attention du jury par ses arômes de fruits et son léger boisé : c'est un vin puissant, bien équilibré et légèrement tannique. Il gagnera à être attendu un à deux ans. La **cuvée Paul Emile rouge 2000**, également très réussie, est bien structurée. Elle atteindra son apogée d'ici quatre à cinq ans.

🍷 Marie-France Masson, Dom. Bressy-Masson, rte d'Orange, 84110 Rasteau, tél. 04.90.46.10.45, fax 04.90.46.17.78 ☑ ⏀ t.l.j. 9h-12h 14h-19h

LAURENT-CHARLES BROTTE
Cairanne Réserve Christine 2000

| ■ | 2,25 ha | 12 000 | ⏀ | 5 à 8 € |

Sur l'étiquette, la petite chapelle de Cairanne, joli village perché sur un promontoire surplombant l'Aigues et l'Ouvèze. Cette cuvée Réserve Christine, élevée douze mois en foudre, est habillée d'une belle robe brillante. Fruité, très agréable au palais et bien équilibré, c'est un vin fin et complexe. D'ici deux à trois ans, il pourra être servi sur un agneau en croûte.

🍷 Laurent-Charles Brotte, Le Clos, BP 1, 84231 Châteauneuf-du-Pape, tél. 04.90.83.70.07, fax 04.90.83.74.34, e-mail brotte@brotte.com
☑ ⏀ t.l.j. en hiver 9h-12h 14h-18h; en été 9h-13h 14h-19h

DOM. BRUSSET
Cairanne Coteaux des Travers 2001

| ■ | 3 ha | 5 000 | 🔽♦ | 5 à 8 € |

Un domaine relativement ancien puisque créé en 1947, mais bien équipé d'une cave moderne. Il propose un joli vin à la robe jaune à reflets d'or. Cette bouteille se caractérise par un nez miellé et floral, une attaque souple, équilibrée et fraîche. Elle sera parfaite sur un poisson en sauce.

🍷 SA Dom. Daniel et Laurent Brusset, 84290 Cairanne, tél. 04.90.30.82.16, fax 04.90.30.73.31
☑ ⏀ r.-v.

DOM. DE CABASSE
Séguret Cuvée de la Casa Bassa 1999★

| ■ | 3 ha | 12 000 | ⏀ | 8 à 11 € |

Dans le charmant village médiéval de Séguret, le domaine de Cabasse, où les Haeni ont ouvert un hôtel trois étoiles, vous attend. Là, vous pouvez vous reposer, vous restaurer ou simplement déguster cette cuvée au drôle de nom. Casa Bassa signifie en effet, la maison sous le village. Ce vin élégant se distingue par des arômes de fruits noirs et de réglisse douce ainsi que par la présence de tanins vanillés.

🍷 Dom. de Cabasse, 84110 Séguret, tél. 04.90.46.91.12, fax 04.90.46.94.01, e-mail info@domaine-de-cabasse.fr ☑ ⏀ r.-v.

CH. CARBONEL 2000★

| ■ | 5 ha | 15 000 | 🔽♦ | 5 à 8 € |

Cette propriété familiale propose une jolie cuvée. Des arômes de sous-bois, de garrigue et d'olive noire sont perceptibles à l'olfaction et se retrouvent en bouche avec les fruits rouges. Un vin au gras bien présent, prêt à boire.

🍷 Famille Dupond, Ch. Carbonel, rte de Piolenc, 84830 Sérignan-du-Comtat, tél. 04.90.70.00.10, fax 04.90.70.09.21 ☑ ⏀ t.l.j. sf mar. 8h-12h 14h-18h

DOM. DE CASSAN
Beaumes-de-Venise Cuvée Saint Christophe 2000

| ■ | 3 ha | 16 800 | 🔽♦ | 8 à 11 € |

Entre les dentelles de Montmirail et le mont Ventoux, le vignoble du domaine s'étend sur 28 ha. La petite chapelle Saint-Christophe, érigée au milieu des vignes, a donné son nom à cette cuvée d'un rouge profond. Le nez, encore fermé, laisse toutefois apparaître des arômes de fruits mûrs. La bouche se montre puissante et structurée sur des tanins fondus.

🍷 Dom. de Cassan, SCIA Saint-Christophe, Lafare, 84190 Beaumes-de-Venise, tél. 04.90.62.96.12, fax 04.90.65.05.47, e-mail domainedecassan@wanadoo.fr
☑ ⏀ t.l.j. sf dim. 10h-12h 14h-19h
🍷 Famille Croset

CASTEL MIREIO
Cairanne Prestige Elevé en fût de chêne 2000★

| ■ | 3 ha | 15 000 | ⏀ | 8 à 11 € |

Un domaine qui vit le jour avec la Révolution française, en 1789. Le grenache (70 %) structure cette cuvée et lui apporte gras et puissance. Syrah et mourvèdre viennent compléter cet assemblage marqué par les fruits rouges et les épices. Des notes boisées (vanille), résultat d'un élevage de douze mois en fût, sont présentes sur des tanins fondus.

🍷 Michel et André Berthet-Rayne, rte d'Orange, 84290 Cairanne, tél. 04.90.30.88.15, fax 04.90.30.83.17
☑ ⏀ r.-v.

DOM. DIDIER CHARAVIN
Rasteau Les Parpaïouns 2000

| ■ | 2 ha | 7 000 | ■ | 8 à 11 € |

Des raisins bien mûrs sur un terroir argileux ont donné à ce vin, cité pour sa typicité, des arômes de cerise noire très mûre. La bouche agréablement équilibrée et ronde révèle des notes animales et poivrées. Une belle bouteille.

🍷 Didier Charavin, rte de Vaison, 84110 Rasteau, tél. 04.90.46.15.63, fax 04.90.46.16.22
☑ ⏀ t.l.j. 9h-12h 14h-18h

RHÔNE

DOM. DE LA CHARTREUSE DE VALBONNE
Cuvée Terrasses de Montalivet 2001★

	1,5 ha	5 000	∎↓	5 à 8 €

Alain Steinmaier est le nouveau maître de chai de cette magnifique chartreuse, réputée pour ses vins et pour son Centre d'aide par le travail (CAT), et qu'il n'est plus nécessaire de présenter. Il propose une très jolie cuvée élaborée à partir de 80 % de viognier et de 20 % de grenache, mûris sur les terrasses de Valbonne. La robe est jaune pâle à reflets verts. Le nez, élégant, est dominé par les fruits exotiques. Ce vin frais, d'une bonne acidité avec des notes citronnées, possède un bel équilibre. Le jury conseille de le marier avec une dorade grillée sur des sarments de vignes.

⌐ ASVMT Chartreuse de Valbonne,
30130 Saint-Paulet-de-Caisson,
tél. 04.66.90.41.21, fax 04.66.90.41.23 ☑ ⟐ r.-v.

DOM. CHAUME-ARNAUD
Vinsobres La Piade 1999★

∎	4 ha	20 000		5 à 8 €

Commercialisée par cette union de coopératives, la cuvée La Piade, parée d'une robe pourpre, possède un nez plaisant, floral, agrémenté de notes de miel et d'amandier en fleur. Avec ses saveurs de myrtille, de réglisse et ses tanins fins, cette bouteille devra être un peu attendue.

⌐ Les Vignerons de Rasteau et de Tain-l'Hermitage,
rte des Princes-d'Orange, 84110 Rasteau,
tél. 04.90.10.90.10, fax 04.90.46.16.65

YVES CHERON
Cairanne 2000★

∎	1,4 ha	6 000	⫟	5 à 8 €

Grenache, syrah et mourvèdre pour une cuvée réussie qui a passé neuf mois en fût. Le nez encore fermé laisse cependant percevoir la violette, la cerise et le cassis ; la bouche ample, dotée d'un très bel équilibre, se termine sur le fruit mûr. Une bouteille à boire dans deux ans.

⌐ Yves Chéron, La Grand-Comtadine,
84190 Vacqueyras, tél. 04.90.65.85.91,
fax 04.90.65.89.23 ☑ ⟐ r.-v.

DOM. CLAVEL
Saint-Gervais Elevé en fût de chêne 1999★★

∎	0,45 ha	2 500	⫟	11 à 15 €

Cette cuvée à base de syrah (90 %), d'un très bel équilibre, est un fort joli vin, prêt à boire. La robe est particulièrement réussie et le nez intense révèle des nuances de réglisse et de garrigue. Les tanins fondus et fins font preuve d'une belle longueur ; l'harmonie entre épices et fruits est parfaite.

⌐ Denis Clavel, rue du Pigeonnier,
30200 Saint-Gervais,
tél. 04.66.82.78.90, fax 04.66.82.74.30,
e-mail domaineclavel@free.fr ☑ 🏠 ⟐ r.-v.

LE CLOS DU CAILLOU 2000★

∎	4 ha	20 000	∎⫟↓	11 à 15 €

Les cépages grenache et syrah ont donné un vin complexe à la robe pourpre violacé et au nez de fruits à noyau et de plantes aromatiques. Les tanins fins et soyeux s'allient aux fruits concentrés.

⌐ Jean-Denis Vacheron,
Le Clos du Caillou, 84350 Courthézon,
tél. 04.90.70.73.05, fax 04.90.70.76.47 ☑ ⟐ r.-v.

DOM. DU CORIANCON
Vinsobres L'Exception 1999★★

∎	0,5 ha	1000	⫟	15 à 23 €

Le domaine porte le nom du petit torrent – le Couriançon – qui longe la propriété. François Vallot a apporté énormément de soin à cette remarquable cuvée L'Exception, qui porte bien son nom. Une robe à la couleur intense, soutenue et brillante, et un nez enchanteur avec des arômes de fruits secs, de framboise, d'épices (poivre) ont charmé les dégustateurs. Les épices et les fruits rouges dansent sur des tanins fondus. Un beau produit très prometteur. Le **Couriançon blanc 2000 (11 à 15 €)**, cité, se montre particulièrement boisé. La **cuvée Claude Vallot rouge 99 (5 à 8 €)**, à l'intéressant rapport qualité-prix, reçoit deux étoiles.

⌐ François Vallot, Dom. du Coriançon,
26110 Vinsobres, tél. 04.75.26.03.24, fax 04.75.26.44.67,
e-mail françois.vallot@wanadoo.fr
☑ ⟐ t.l.j. sf dim. 9h-12h 14h-19h

DOM. DE COSTE CHAUDE
L'Argentière Elevé en fût de chêne 1999★

∎	1,3 ha	7 500	⫟	8 à 11 €

Ce domaine, qui bénéficie d'une belle exposition très ensoleillée, porte bien son nom. Selon le cadastre, au XVIᵉs., une partie du vignoble existait déjà. Cette cuvée élaborée avec 70 % de grenache complété par la syrah offre un nez enivrant de fruits à l'eau-de-vie et de garrigue. La bouche, solidement structurée, est réglissée et de belle longueur. Une bouteille à ouvrir dès maintenant pour accompagner un gibier ou de la viande rouge.

⌐ SARL Dom. de Coste Chaude,
rte de Saint-Maurice, 84820 Visan,
tél. 04.90.41.91.04, fax 04.90.41.96.52
☑ ⟐ t.l.j. sf dim. 8h-12h 14h-18h
⌐ Marc Fues

DOM. DES COTEAUX DES TRAVERS
Cairanne 2000

∎	n.c.	n.c.	∎	5 à 8 €

Coup de cœur dans la précédente édition du Guide pour sa cuvée Prestige, le domaine est retenu cette année pour un vin à la robe rouge sombre soutenu. Le nez de fruits et d'épices est plaisant. La bouche, ample avec des tanins bien présents, évolue vers les fruits à l'eau-de-vie et les épices douces. A servir sur une viande rouge.

⌐ EARL Robert Charavin, Dom. des Coteaux des Travers, BP 5, 84110 Rasteau, tél. 04.90.46.13.69,
fax 04.90.46.15.81, e-mail robert.charavin@wanadoo.fr
☑ ⟐ r.-v.

CH. COURAC
Laudun 2000★

∎	10 ha	60 000	∎	5 à 8 €

De jeunes vignerons sont à la tête de la propriété ; ils mettent tout en œuvre pour réussir. Cette année encore le jury recommande la cuvée du château. Sa robe est d'un rouge profond, pourpre. Son nez est franc avec des arômes de raisins très mûrs et de cerise tirant sur le kirsch. Les tanins bien présents donnent son équilibre à cette bouteille.

⌐ SCEA Frédéric Arnaud, Ch. Courac,
30330 Tresques, tél. 04.66.82.90.51, fax 04.66.82.94.27
⟐ r.-v.

CH. LA DECELLE
Valréas Cuvée Saint Paul 2000★

■	5 ha	7 000	▮↧	5 à 8 €

Commencez par partir à la découverte de l'art roman provençal avec la visite de la cathédrale (XIIᵉ-XIIIᵉs.) de Saint-Paul-Trois-Châteaux, avant d'aller goûter à cette cuvée Saint-Paul. Une robe profonde l'habille et ses parfums de fruits à noyau perdurent tout au long de la dégustation. Les tanins tapissent bien la bouche et accompagnent une finale fruitée. Un vin chaleureux et puissant à boire sur une volaille truffée. La cuvée principale rouge 2000 du domaine obtient une citation. Elle est fraîche, agréable à boire.

⌐ Ch. la Decelle, rte de Pierrelatte, D 59, 26130 Saint-Paul-Trois-Châteaux, tél. 04.75.04.71.33, fax 04.75.04.56.98, e-mail ladecelle@wanadoo.fr
☑ Ⴤ t.l.j. sf dim. 9h-12h 14h30-18h30

DOM. DURIEU 1999★

■	31 ha	n.c.		5 à 8 €

Ce fort ancien domaine, également récompensé cette année dans le Guide pour un châteauneuf-du-pape, présente un *villages*, classique et bien méridional, aux arômes de fruits mûrs. Cette belle bouteille offre une attaque souple, des tanins fondus et une longue persistance aromatique sur les fruits rouges.

⌐ Dom. Paul Durieu, 10, av. Baron-le-Roy, 84230 Châteauneuf-du-Pape, tél. 04.90.37.28.14, fax 04.90.37.76.05 ☑ Ⴤ r.-v.

DOM. DUSEIGNEUR
Laudun 2000★

■	n.c.	40 000	5 à 8 €

La garrigue a laissé la place à la vigne sur des terres bien exposées. Le résultat : une bouteille d'un bon équilibre entre alcool et vivacité, où les parfums de sous-bois dominent les fruits mûrs. La belle structure, portée par le fruit, est particulièrement agréable, et devrait encore évoluer dans les prochaines années.

⌐ Dom. Frédéric Duseigneur, rte de Saint-Victor, 30126 Saint-Laurent-des-Arbres, tél. 04.66.50.02.57, fax 04.66.50.43.57, e-mail freduseigneur@infonie.fr ☑ Ⴤ r.-v.

L'ENVOL 2000★

■	7 ha	23 000	◫ 8 à 11 €

En 1999, Lionel Duplessis, sommelier, s'associe à la maison Guyot. Sa cuvée L'Envol offre de subtils arômes boisés, accompagnés de nuances animales et de kirsch. En bouche, le fruit à l'eau-de-vie est bien présent sur une agréable note boisée. Prête à boire.

⌐ Vignobles Duplessis-Guyot, montée de l'Eglise, 69440 Taluyers, tél. 04.78.98.70.54, fax 04.78.98.77.31, e-mail ptayol.guyot@vins-guyot.com ☑ Ⴤ r.-v.

DOM. DE LA FERME SAINT-MARTIN
Beaumes-de-Venise Cuvée Saint-Martin 1999

■	4 ha	12 000	▮ 8 à 11 €

Le domaine, tourné depuis longtemps vers une culture raisonnée, a opté depuis sa récolte 2000 pour l'agriculture biologique. Ce 99 ne peut donc pas se prévaloir de ce label. La cuvée Saint-Martin a séduit le jury par ses tanins riches, encore fermes, et ses arômes d'épices (réglisse et poivre gris). C'est un vin très expressif, robuste et ensoleillé qui devrait s'épanouir sur un beau gibier. La cuvée Les Terres Jaunes rouge 2000 (5 à 8 €) obtient également une citation.

⌐ Guy Jullien, Dom. de la Ferme Saint-Martin, 84190 Suzette, tél. 04.90.62.96.40, fax 04.90.62.90.84
☑ ⌂ Ⴤ r.-v.

LA FIOLE DU CHEVALIER D'ELBENE
Séguret 2001★

■	2 ha	10 000	▮↧	5 à 8 €

L'appellation villages Séguret porte le nom d'un ravissant village classé, aimé des peintres. Ce Chevalier blanc se présente dans une robe jaune paille à reflets dorés. Après aération dans le verre, le vin s'épanouit sur des notes d'agrumes. La bouche d'une grande finesse et d'un bel équilibre s'achève sur l'écorce d'orange. Le Chevalier d'Elbène rouge 99 (8 à 11 €) obtient une étoile.

⌐ SCEA Ch. la Courançonne, 84150 Violès, tél. 04.90.70.92.16, fax 04.90.70.90.54, e-mail info@lacouranconne.com ☑ Ⴤ r.-v.

DOM. LA GARANCIERE
Séguret 2000★

■	n.c.	n.c.	▮↧	11 à 15 €

Fernand Chastan, également producteur de gigondas et de vacqueyras, présente un *villages* très agréable à la robe rouge foncé à reflets violets. Des arômes de fruits rouges, de la finesse et une bonne longueur en bouche en font un vin très réussi.

⌐ Fernand et Dany Chastan, Clos du Joncuas, 84190 Gigondas, tél. 04.90.65.86.86, fax 04.90.65.83.68
☑ Ⴤ r.-v.

CH. DU GRAND MOULAS
Cuvée de l'Ecu Grande Réserve 2000★

■	2 ha	5 000	◫ 8 à 11 €

Le vieux village de Mornas, accroché à la falaise, possède une ancienne forteresse du XIIᵉs. qui offre un beau panorama sur toute la vallée du Rhône. Très expressif au nez et en bouche, ce vin, à la robe noire d'une grande intensité, est élaboré à partir de 95 % de syrah qui lui confère un bouquet de caractère (violette et épices). Le palais, dominé par la réglisse, offre une finale où les fruits rouges et la mûre se conjuguent. Les tanins sont bien fondus.

⌐ Marc Ryckwaert, Ch. du Grand Moulas, 84550 Mornas, tél. 04.90.37.00.13, fax 04.90.37.05.89, e-mail ryckwaert@grand.moulas.com ☑ Ⴤ r.-v.

DOM. GRAND NICOLET
Rasteau 2000★★

■	5 ha	10 000	▮↧	5 à 8 €

Grenache (75 %), syrah (20 %) et carignan (5 %) ont donné une remarquable cuvée parée d'une robe noir intense. Le nez, d'une grande finesse, met à l'honneur les fruits noirs. Ce vin se montre très long avec des tanins soyeux et une élégante concentration de fruits mûrs, de cassis et de cuir.

⌐ Jean-Pierre Bertrand, 84110 Rasteau, tél. 04.90.46.12.40, fax 04.90.46.11.37, e-mail cave-nicolet-leyraud@wanadoo.fr ☑ ⌂ Ⴤ r.-v.
⌐ Nicolet-Leyraud

RHONE

DOM. LES GRANDS BOIS
Cairanne Cuvée Eloïse 2000

■		3 ha	8 000	⦿	8 à 11 €

La cuvée Eloïse est encore un peu jeune, mais montre déjà des arômes complexes et une belle charpente. Il faudra attendre un peu pour que le boisé et le fruit s'harmonisent. Patientez avant d'ouvrir cette bouteille sur un lièvre à la royale !
↳ Dom. les Grands Bois,
55, av. Jean-Jaurès, 84290 Sainte-Cécile-les-Vignes,
tél. 04.90.30.81.86, fax 04.90.30.87.94,
e-mail mbesnardeau@grands-bois.com ☑ ⵏ r.-v.

LE GRAVILLAS
Sablet Elevé en fût de chêne 1999

■	10,26 ha	52 000	■⦿♦	5 à 8 €

La vigne et le vin sont, depuis toujours, indissociables de Sablet : déjà Pline l'Ancien vantait les vertus des vins issus de ces terroirs. Pour survivre aux grandes crises viticoles, en 1935, les vignerons du village décident de créer une cave. Aujourd'hui celle-ci présente une cuvée, puissante et rustique, à la robe rubis, au nez de confiture, de réglisse et de fruits cuits. A garder de deux à trois ans en cave.
↳ Les vignerons du Gravillas, 84110 Sablet,
tél. 04.90.46.90.20, fax 04.90.46.96.71 ☑ ⵏ r.-v.

DOM. DE LA JANASSE 2000★★

■	5 ha	16 000	⦿	11 à 15 €

Une superbe robe rouge vif légèrement évoluée ; un nez intense s'ouvrant sur des notes épicées, fruitées et grillées ; des tanins soyeux, un boisé discret, une belle longueur pour une bouteille prête à boire.
↳ Aimé Sabon, 27, chem. du Moulin,
84350 Courthézon, tél. 04.90.70.86.29,
fax 04.90.70.75.93, e-mail lajanasse@free.fr
☑ ⵏ t.l.j. 8h-12h 14h-19h; sam. dim. sur r.-v.

DOM. JAUME
Vinsobres 2000★

■	8 ha	35 000	■⦿♦	8 à 11 €

Culture traditionnelle, sélection parcellaire, rénovation de la cave, maîtrise des techniques de vinification et d'élevage pour ce domaine qui a obtenu l'an passé deux étoiles pour son *villages*. Le 2000, habillé d'une robe grenat, est bien présent. Il exhale des arômes de fruits rouges et un léger boisé. En bouche, il laisse apparaître une belle longueur et de la puissance. Un vin à boire dès à présent.
↳ Dom. Jaume, 24, rue Reynarde, 26110 Vinsobres,
tél. 04.75.27.61.01, fax 04.75.27.68.40,
e-mail cave.jaume@libertysurf.fr ☑ ⵏ r.-v.

LES VIGNERONS DE LAUDUN
Laudun Expressions en chêne Elevé en fût 2000★

■	n.c.	36 000	■⦿♦	5 à 8 €

Très bel élevage en fût (neuf mois), de grande qualité, boisé remarquable avec des notes de vanille pour cette cuvée Expressions en chêne placée sous le signe du bois. Sa robe est d'un beau rouge soutenu. La cave coopérative est également retenue pour un **côtes du rhône rosé 2001** (3 à 5 €), cité pour sa bonne intensité aromatique et son équilibre.
↳ Les Vignerons de Laudun, 105, rte de l'Ardoise,
30290 Laudun, tél. 04.66.90.55.20, fax 04.66.90.55.21
☑ ⵏ r.-v.

DOM. CATHERINE LE GŒUIL
Cairanne Cuvée Léa Felsch 2000★

■	7,5 ha	35 000	■♦	5 à 8 €

Le domaine a commencé sa conversion à l'agriculture biologique. La cuvée Léa Felsch dans sa robe à la couleur soutenue avec des reflets violacés, présente un très joli concentré d'arômes sur les fruits cuits, le sous-bois et les épices avec de beaux tanins. Un vin bien structuré.
↳ Dom. Catherine Le Gœuil, quartier les Sablières,
84290 Cairanne, tél. 04.90.30.82.38, fax 04.90.30.76.56,
e-mail cplegoeuil@wanadoo.fr
☑ ⵏ t.l.j. 8h-12h 14h-18h; sam. dim. sur r.-v.

DOM. MARIE BLANCHE
Cuvée Crépin Delorme 2000★

■	15 ha	25 000	■♦	3 à 5 €

Le domaine porte le prénom de l'épouse du propriétaire, Jean-Jacques Delorme, mais qui est Crépin Delorme à qui est dédiée cette cuvée ? Sans doute un ancêtre de la famille... Cette bouteille, avec ses arômes de cuir et son côté animal, est pleine de promesses. Elle est puissante avec une attaque franche sur des tanins bien présents. Le fruit confit l'emporte sur les notes épicées. Commencer à la boire dans deux ans.
↳ Jean-Jacques Delorme, Dom. Marie-Blanche,
30650 Saze, tél. 04.90.31.77.26, fax 04.90.26.94.48,
e-mail jean-jacques.delorme@wanadoo.fr
☑ ⵏ t.l.j. sf dim. 10h-12h 16h30-19h30

CH. DE MARJOLET
Cuvée de Samnaga Elevé en fût de chêne 2000★★

■	2,22 ha	12 000	■⦿♦	5 à 8 €

Des vieilles vignes cultivées sur un sol argilo-calcaire à proximité du site de l'*oppidum* de Gaujac, charmant village gardois, ont donné cette cuvée Samnaga. Une robe intense à reflets noirs habille cette bouteille dominée par les arômes de vanille. C'est un vin puissant, charnu, de belle longueur où se mêlent les saveurs de fruits rouges et d'épices.
↳ Bernard Pontaud, Dom. de Marjolet, 30330 Gaujac,
tél. 04.66.82.00.93, fax 04.66.82.92.58,
e-mail marjolet@fr.packardbell.org ☑ ⵏ r.-v.

MAS DE LIBIAN
La Calade 2000

■	2 ha	4 000	■♦	11 à 15 €

Une étiquette originale aux couleurs chaudes du sud de la France pour cette cuvée La Calade, assemblage de mourvèdre et de grenache centenaires. Avec sa belle robe pourpre foncé, elle se caractérise par des arômes de fruits cuits, de cerise, de pruneau et de fruits à l'eau-de-vie. Bien équilibrée et structurée, elle est prête.
↳ Thibon, Mas de Libian,
07700 Saint-Marcel-d'Ardèche,
tél. 04.75.04.66.22, fax 04.75.98.66.38,
e-mail helenethibon@aol.com ☑ ⵏ r.-v.

GABRIEL MEFFRE
Cairanne Réserve Clément VII 2001★★

■	8 ha	35 000	■♦	8 à 11 €

Ce côtes du rhône-villages Cairanne, hommage à un pape qui a résidé en Avignon au XIVᵉ s., mérite une grand-messe. Quel nez exceptionnel de fruits frais ! Cerise, framboise, mûre et épices s'imposent dans une bouche aux tanins fins. Son équilibre, son gras et sa rondeur destinent cette bouteille à la garde.

🔻 Gabriel Meffre, Le Village, 84190 Gigondas, tél. 04.90.12.32.42, fax 04.90.12.32.49 ☑

DOM. DU MOULIN
Vinsobres 2001★★

	1,5 ha	8 000		5 à 8 €

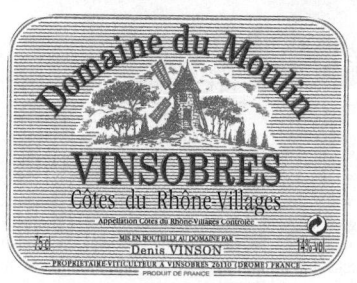

Après son grand-père et son père, Denis Vinson perpétue avec brio la tradition familiale. Le grand jury lui a décerné un coup de cœur pour son remarquable vin blanc, très harmonieux. Une robe brillante, jaune paille clair, habille ce *villages* au nez complexe et agréable, de belle intensité, où la fleur d'oranger se marie à l'abricot. L'acacia et les agrumes s'harmonisent dans une bouche bien fraîche, d'une grande richesse. C'est parfait. La **cuvée Charles Joseph rouge 99 (11 à 15 €)**, très réussie, mérite d'être gardée en cave pour lui donner le temps de s'épanouir pleinement.
🔻 Denis Vinson, Dom. du Moulin, 26110 Vinsobres, tél. 04.75.27.65.59, fax 04.75.27.63.92
☑ 🍷 t.l.j. sf dim. 8h-12h 13h30-19h

DOM. DE MOURCHON
Séguret Grande Réserve 2000★

	7 ha	20 000		11 à 15 €

Une réussite pour la famille McKinlay, propriétaire du domaine depuis 1998 et qui a déjà apporté plusieurs aménagements à la cave. Le jury a apprécié cet assemblage de grenache et de syrah marqué par le boisé et des tanins bien présents. De belles notes de fruits cuits et de vanille laissent place en finale au cuir. Une bouteille qui devrait atteindre sa plénitude dans quatre à cinq ans.
🔻 Dom. de Mourchon, La Grande Montagne, 84110 Séguret, tél. 04.90.46.70.30, fax 04.90.46.70.31, e-mail info@domainedemourchon.com ☑ 🍷 r.-v.
🔻 McKinlay

DOM. DE L'ORATOIRE SAINT-MARTIN
Cairanne Haut-Coustias 1999★★

	3,7 ha	20 000		15 à 23 €

Une très ancienne famille de vignerons de Cairanne et un domaine habitué des coups de cœur. Son 99, assemblage de mourvèdre, de grenache et de syrah ayant connu le fût (vingt-quatre mois), révèle un vrai savoir-faire. Le nez est complexe, fin, profond et épicé. Après une bonne attaque sur des tanins tout en dentelle, la réglisse, le cuir et le fruit rouge se profilent ; les arômes tapissent agréablement la bouche. Un vin à déguster sur un gigot d'agneau ou une côte de bœuf. La **Réserve des Seigneurs rouge 2000 (8 à 11 €)** a été jugée très réussie.
🔻 Frédéric et François Alary, Dom. de l'Oratoire St-Martin, rte de Saint-Roman, 84290 Cairanne, tél. 04.90.30.82.07, fax 04.90.30.74.27
☑ 🍷 t.l.j. sf dim. 8h-12h 14h-19h

DOM. DU PETIT BARBARAS
Sélection Le Chemin de Barbaras 2000★★

	2,5 ha	13 333		5 à 8 €

Cette remarquable cuvée, Sélection de vieilles vignes, montre une belle maîtrise des techniques de vinification et d'élevage. Une jolie palette d'arômes (groseille, chocolat, truffe et poivre), de la puissance et une belle charpente caractérisent cette bouteille encore un peu jeune qui passera aisément trois ans en cave.
🔻 SCEA Feschet Père et Fils, Dom. du Petit-Barbaras, 26790 Bouchet, tél. 04.75.04.80.02, fax 04.75.04.84.70, e-mail info@domaine-petit-barbaras.com ☑ 🍷 r.-v.

DOM. PHILIPPE PLANTEVIN
Cairanne La Daurelle 2000★

	1,25 ha	6 800		5 à 8 €

Ancienne seigneurie des Templiers, Cairanne est intéressante par ses vestiges médiévaux mais aussi par ses vignobles. De bonne constitution, dominé par les épices et les fruits noirs, accompagnés de notes animales, ce vin est bien fait.
🔻 EARL Plantevin Père et Fils, La Daurelle, 84290 Cairanne, tél. 04.90.30.71.05, fax 04.90.30.77.75, e-mail philippe.plantevin@libertysurf.fr ☑ 🍷 r.-v.

DOM. DU POURRA
Séguret Mont-Bayon Cuvée Prestige 1999★

	8 ha	8 200		11 à 15 €

Au pied des dentelles de Montmirail, le village de Sablet avec ses jolies ruelles – les calades – est protégé par des remparts du XVᵉs. et plusieurs tours de guet. La maturité exceptionnelle et les vingt mois d'élevage en cuve et en fût de la cuvée Prestige n'ont pas laissé le jury indifférent. Ce vin boisé et balsamique avec des arômes de vanille, de fruits écrasés, de réglisse, de cuir, de poivre et de cassis se montre complexe et harmonieux. A attendre.

RHÔNE

❧ J.-C. Mayordome, SCEA Dom. du Pourra,
rte de Vaison, 84110 Sablet,
tél. 04.90.46.93.59, fax 04.90.46.98.71,
e-mail domaine.du.pourra@wanadoo.fr
☑ ✗ t.l.j. sf sam. dim. 8h-17h30

DOM. DU PRIEURE SAINT-JUST
Séguret 2000★★

| | 2,5 ha | 13 000 | ▮ё | 5 à 8 € |

Séguret, l'un des plus beaux villages de France, et ses environs recèlent bien des trésors pour les voyageurs qui seront les bienvenus au domaine où sont proposées des chambres d'hôte. Ils pourront aussi y goûter ce vin remarquable élaboré avec des raisins en pleine maturité. Les arômes de fruits rouges confits, présents au nez et en bouche, s'allient à la fraîcheur de la cerise de mai. Une belle bouteille bien faite.
❧ Thierry Goliard, Dom. Saint-Just, 84110 Séguret,
tél. 04.90.46.17.71, fax 04.90.46.17.71
☑ ⌂ ✗ t.l.j. 10h-12h 15h-18h

DOM. LE PUY DU MAUPAS 2000

| | 4 ha | 15 000 | ▮ | 5 à 8 € |

A seulement 5 km de Vaison-la-Romaine, le village de Puyméras est entouré de coteaux et de terrasses où les raisins mûrissent jusqu'en octobre. Cette cuvée, au nez de fruits à l'eau-de-vie, fait preuve d'une grande maturité. La bouche, chaleureuse, possède des saveurs de fruits macérés. Un vin à garder.
❧ Christian Sauvayre, Dom. Le Puy du Maupas, 84110 Puyméras, tél. 04.90.46.47.43, fax 04.90.46.48.51, e-mail sauvage@puy-maupas.com
☑ ⌂ ⌂ ✗ t.l.j. 9h-12h30 14h-19h30

OLIVIER RAVOIRE
Beaumes-de-Venise 2000

| | n.c. | 13 000 | ▮ё | 8 à 11 € |

Cette maison de négoce a fait le bon choix avec cette cuvée à majorité de grenache (70 %) qui présente un bel équilibre sur des notes épicées. Dans sa robe grenat, cette bouteille est prête.
❧ Cellier Val de Durance, Le Grand Jardin, 84360 Lauris, tél. 04.90.08.26.36, fax 04.90.08.28.27

DOM. LA REMEJEANNE
Les Genévriers 2001★

| | 4 ha | 23 000 | ▮ё | 8 à 11 € |

Les propriétaires, originaires du Maroc, se sont installés sur le domaine en 1960. Ils possédaient alors 5 ha. Aujourd'hui, la propriété compte 35 ha. La cuvée Les Genévriers est de belle facture dans sa robe noire à reflets violets. Le nez est marqué par les fruits cuits, le cassis et le café. Les tanins superbes, une longue note de truffe et des saveurs de cacao sont perceptibles en bouche. La **cuvée Les Eglantiers rouge 2001 (15 à 23 €)** est citée.
❧ Ouahi et Rémy Klein, Cadignac, 30200 Sabran, tél. 04.66.89.44.51, fax 04.66.89.64.22, e-mail remejeanne@wanadoo.fr ☑ ✗ r.-v.

DOM. DE LA RENJARDE
Réserve de Cassagne 2000

| | 5 ha | 24 000 | ⦿ | 8 à 11 € |

Cette cuvée Réserve de Cassagne porte le nom de la parcelle dont sont issus les raisins qui ont servi à produire cette bouteille d'un rouge profond et violacé, au nez de fruits mûrs et de bois. Un vin tannique, bien structuré, à attendre deux ans pour que le mourvèdre donne toute sa puissance olfactive.
❧ Guillaume Dugas, Dom. de la Renjarde, rte d'Uchaux, 84830 Sérignan-du-Comtat, tél. 04.90.70.00.15, fax 04.90.70.12.66, e-mail renjarde@wanadoo.fr ☑ ✗ r.-v.

CH. ROCHECOLOMBE
Vieilli en fût de chêne 2000★

| | 0,62 ha | 3 500 | ▮⦿ё | 5 à 8 € |

Des vignes en terrasse exposées sud-est sur un sol argilo-calcaire ont donné un vin de garde très réussi. Il se révèle encore un peu jeune avec des arômes très marqués par la syrah : la violette est bien présente puis cède la place au cassis. Une belle bouteille, puissante.
❧ EARL Herberigs, Ch. Rochecolombe, 07700 Bourg-Saint-Andéol, tél. 04.75.54.50.47, fax 04.75.54.80.03, e-mail rochecolombe@aol.com ☑ ✗ r.-v.

DOMINIQUE ROCHER
Cairanne Monsieur Paul 2000★★

| | 3,5 ha | 12 640 | ▮⦿ | 11 à 15 € |

Le domaine, qui a déjà obtenu deux étoiles dans la précédente édition du Guide, est en pleine conversion à l'agriculture biologique. Des raisins cueillis à maturité et triés, une bonne maîtrise de la vinification et un vieillissement de onze mois en cuve et en fût, ont donné cette magnifique cuvée au nez encore discret mais prometteur. Quant à la bouche, elle apparaît déjà épanouie, équilibrée et riche. Les arômes de cacao, de réglisse et de fruits mûrs évoluent agréablement.
❧ Dominique Rocher, rte de Saint-Roman, 84290 Cairanne, tél. 04.90.30.87.44, fax 04.90.30.80.62, e-mail contact@rochervin.com
☑ ✗ t.l.j. sf dim. 9h-12h 14h30-18h

DOM. DES ROMARINS 2000

| | 5 ha | 7 000 | ▮⦿ё | 5 à 8 € |

Cette cuvée élaborée à partir de grenache et de syrah fait preuve d'une belle maturité. La chaleur et le gras de l'un et les arômes de l'autre composent un bel équilibre. Les tanins sont présents et fins sur un très joli fruité. Un vin à servir pour accompagner une épaule d'agneau marinée.
❧ SARL Dom. des Romarins, rte d'Estézargues, 30390 Domazan, tél. 04.66.57.05.84, fax 04.66.57.14.87, e-mail domromarin@aol.com ☑ ✗ mer. ven. sam. 15h-19h; groupes sur r.-v.; f. 15 jan.-15 fév.
❧ Francis Fabre

CH. DE ROUANNE
Vinsobres 2000★

| | 2,19 ha | 11 700 | ▮ | 5 à 8 € |

Paul Lambert a acheté le domaine en 1960. Après l'avoir déboisé, il y a planté des vignes. Ce 2000 est bien typé dans l'appellation. Après aération, le nez s'ouvre dans le verre sur des nuances de fruits rouges. Les tanins sont fondus et le gras présent. Un vin agréable.
❧ SCA Ch. de Rouanne, 26110 Vinsobres, tél. 06.83.57.26.61, fax 04.90.46.90.07 ☑ ✗ r.-v.
❧ Lambert

DOM. SAINT-AMANT
Beaumes-de-Venise La Tabardonne 2000★

	2 ha	8 000		8 à 11 €

Un chef d'entreprise à la retraite, amoureux de la région, créa ce domaine de toutes pièces en 1992. Il signe cette année un vin élevé en barrique qui possède des arômes de genêt et de miel sur un boisé bien maîtrisé. Une bouteille élégante et fine.

🕼 Dom. Saint-Amant, 84190 Suzette,
tél. 04.90.62.99.25, fax 04.90.65.03.56,
e-mail saintamant@wanadoo.fr ☑ ⊥ r.-v.

DOM. SAINTE-ANNE
Saint-Gervais Les Mourillons 1999★★

	3 ha	5 000		11 à 15 €

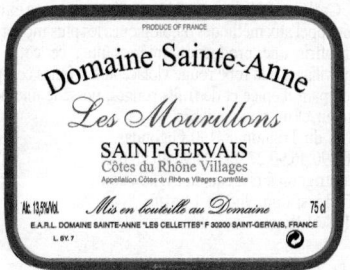

On ne compte plus les coups de cœur de ce domaine qui reçoit à nouveau cette récompense pour sa cuvée Les Mourillons. Issue de vieilles vignes (trente-cinq ans) plantées sur un sol de grès calcaire, celle-ci, 100 % syrah, a passé douze mois en fût. Elle montre un nez puissant avec des notes d'épices et de fruits rouges dominés par le cassis. Les tanins concentrés et fondus signent la jeunesse de ce vin, structuré, équilibré, prometteur, à la finale florale. La **cuvée Notre-Dame des Cellettes rouge 2000 (8 à 11 €)** est très réussie.

🕼 EARL Dom. Sainte-Anne, Les Cellettes,
30200 Saint-Gervais, tél. 04.66.82.77.41,
fax 04.66.82.74.57 ☑ ⊥ t.l.j. sf dim. 9h-11h 14h-18h
🕼 Steinmaier

DOM. SAINT-ETIENNE
Les Galets 2001★

	3 ha	12 000		5 à 8 €

C'est un vin à qui il faudra dix-huit à vingt-quatre mois pour s'ouvrir. Avec 30 % de syrah et 20 % de mourvèdre, il a tout pour vieillir. Encore fermé, il possède cependant de beaux tanins. Une valeur sûre de l'appellation.

🕼 Michel Coullomb, Dom. Saint-Etienne,
26, fg du Pont, 30490 Montfrin,
tél. 04.66.57.50.20, fax 04.66.57.22.78 ☑ ⊥ r.-v.

CAVE DES VIGNERONS DE SAINT-GERVAIS
Saint-Gervais Prestige 2000

	16 ha	25 000		3 à 5 €

La Cave des vignerons de Saint-Gervais, village gardais, avec ses coteaux exposés plein sud, est citée pour deux vins. La cuvée Prestige de couleur rouge sombre possède un nez complexe, très marqué par le cassis.

Animale en bouche, elle révèle des tanins fins. Le **2001 blanc** du domaine, méridional, est bien fait et mérite d'être cité.

🕼 Cave des Vignerons de Saint-Gervais,
Le Village, 30200 Saint-Gervais,
tél. 04.66.82.77.05, fax 04.66.82.78.85,
e-mail cave@saint-gervais.com.fr ☑ ⊥ r.-v.

LES VIGNERONS DE SAINT-HILAIRE-D'OZILHAN 2000★

	25 ha	130 000		3 à 5 €

Après une introduction complexe et florale, marquée par des senteurs de garrigue, la bouche possède une agréable longueur et bonne persistance aromatique sur des notes de romarin.

🕼 Les Vignerons producteurs de
Saint-Hilaire-d'Ozilhan, av. Paul-Blisson,
30210 Saint-Hilaire-d'Ozilhan,
tél. 04.66.37.16.47, fax 04.66.37.35.12,
e-mail contact@cotes-du-rhone-wine.com
☑ ⊥ t.l.j. sf dim. 9h-12h30 14h-18h30

DOM. SAINT LAURENT
Cuvée de la Tamardière 2000

	7 ha	10 000		5 à 8 €

Une bouteille typée grenache parvenue à pleine maturité, avec des notes d'épices, de cerise bien mûre et de framboise sur une base boisée due à douze mois de fût. Un vin très puissant qui arrive à son apogée : il sera prêt pour les fêtes de fin d'année.

🕼 Robert-Henri Sinard, la Tamardière,
BP 38, 84350 Courthézon,
tél. 04.90.70.87.92, fax 04.90.70.78.49,
e-mail sinard@domaine.saint-laurent.com
☑ ⊥ t.l.j. sf dim. 9h-12h 14h-18h

CH. SAINT-NABOR
Cuvée Prestige 1999★

	2 ha	10 000		5 à 8 €

Le village perché de Cornillon est un bon point de départ pour des randonnées dans les collines voisines ou sur les bords de la Cèze. Une cuvaison de vingt-cinq jours donne beaucoup de puissance à cet assemblage (grenache et syrah à parts égales) marqué par la réglisse et le fumé. Encore un peu jeune en mars, il devrait se montrer plus souple à la sortie du Guide. Le château Saint-Nabor est aussi retenu en **côtes du rhône rosé 2001 (3 à 5 €)**. Issu de saignée, il mérite d'être cité pour sa franchise et sa netteté.

🕼 Gérard Castor, Vignobles Saint-Nabor,
30630 Cornillon, tél. 04.66.82.24.26, fax 04.66.82.31.40
☑ ⊥ t.l.j. 9h-12h 14h-18h; f. 15 déc.-10 jan.

SAINT-PANTALEON-LES-VIGNES 2000★

	n.c.	8 000		5 à 8 €

Avec sa robe de couleur foncée, violacée, cette bouteille au nez légèrement fermé laisse entrevoir le petit fruit rouge. Elle est bien structurée et la bouche, qui doit encore s'affirmer, est marquée, elle aussi, par le fruit. Le **Rousset-les-Vignes rouge 2000** doit attendre de deux à trois ans.

🕼 Cave coop. de Saint-Pantaléon-les-Vignes,
rte de Nyons, 26770 Saint-Pantaléon-les-Vignes,
tél. 04.75.27.90.44, fax 04.75.27.96.43 ☑ ⊥ r.-v.

RHONE

CAVE DES VIGNERONS DE SAINT-VICTOR-LA-COSTE
Laudun Sanctus Victor de Costa 2000★

■ 2 ha 6 000 ◐ 5 à 8 €

Le village s'étend à flanc de coteau au pied d'une forteresse du XIIᵉs. Cette cave coopérative présente une cuvée très agréable avec sa robe rouge sombre et ses arômes de baies sauvages, d'épices et de torréfaction. Un léger boisé révèle le beau travail de vieillissement en fût.

☛ Cave des Vignerons de Saint-Victor-la-Coste, 30290 Saint-Victor-la-Coste, tél. 04.66.50.02.07, fax 04.66.50.43.92, e-mail cave.st.victor@wanadoo.fr
☑ ⵟ t.l.j. sf dim. 9h-12h 14h-18h

CH. SIGNAC
Chusclan Cuvée Terra Amata 2000★★

■ 37 ha 80 000 ◐ 8 à 11 €

La cave de ce domaine, situé sur la rive droite du Rhône au pied du camp de César, est installée dans une ferme fortifiée du XVIᵉs. Trois cuvées du domaine ont été retenues, grâce au talent du consultant Alain Dugas du château de la Nerthe, à Châteauneuf-du-Pape. Le jury a été particulièrement attiré par la cuvée Terra Amata parée d'une robe rubis violacé. Il a été séduit par ses arômes de pain d'épice et ses saveurs de fruits cuits. La bouche pleine, profonde et élégante possède des tanins fins et s'achève sur des notes boisées vanillées. La **cuvée principale rouge 2000** (5 à 8 €) du domaine obtient une étoile, tout comme la **cuvée Combe d'Enfer rouge 2000**.

☛ Ch. Signac, rte d'Orsan, 30200 Bagnols-sur-Cèze, tél. 04.90.83.59.02, fax 04.90.83.79.69, e-mail chateausignac@wanadoo.fr ☑ ⵟ r.-v.

DOM. LA SOUMADE
Rasteau Cuvée Confiance 2000★

■ 6 ha 25 000 ◐ 15 à 23 €

Cette cuvée porte bien son nom : deux à trois ans de cave devraient en faire un beau vin. En effet, les arômes (fruits rouges) sont bien présents sur une belle base tannique accompagnée d'un léger boisé. Cette bouteille mérite un gibier. La **cuvée Fleur de Confiance rouge 2000** (30 à 38 €) a été citée sans étoile par le jury. C'est un vin bien fait, déjà évolué.

☛ André Romero et Fils, Dom. la Soumade, 84110 Rasteau, tél. 04.90.46.11.26, fax 04.90.46.11.69
☑ ⵟ t.l.j. sf dim. 8h30-11h 14h-18h

DOM. DU TERME
Sablet 2001

■ 1 ha 2 000 ▌♦ 5 à 8 €

Le caveau de dégustation est installé sur la place de Gigondas ; il est construit sur les remparts du village et accueille également un musée de la Vigne et du Vin. Allez donc y goûter ce Sablet blanc, 50 % viognier, 50 % roussanne, d'un beau jaune pâle à reflets verts. Le nez, floral et fruité, se montre puissant. La bouche révèle une belle palette d'arômes avec un bon équilibre entre alcool et acide.

☛ Rolland Gaudin, Dom. du Terme, 84190 Gigondas, tél. 04.90.65.86.75, fax 04.90.65.80.29, e-mail domaine.terme@free.fr
☑ 🏠 ⵟ t.l.j. 10h-12h 14h-18h

LES TERRASSES DU BELVEDERE
Cairanne Sélection Vieilles vignes 2000★

■ n.c. n.c. 5 à 8 €

Cette Sélection de vieilles vignes, avec sa robe rouge profond, violacé, est une réussite. Des arômes de fruits rouges et de fumé, de la persistance et de l'harmonie sans oublier des tanins fondus rendent cette bouteille prête à boire.

☛ Gérard et Nicole Julien, Les Terrasses du Belvédère, rte de Carpentras, 84290 Cairanne, tél. 04.90.30.88.24, fax 04.90.30.88.24
☑ ⵟ t.l.j. 9h-12h30 14h-20h

CH. DU TRIGNON 2000

■ 5,04 ha 26 900 5 à 8 €

Créé en 1895, ce domaine ne ménage pas ses efforts et fait appel aux méthodes œnologiques les plus modernes pour offrir une production intéressante ; ce côtes du rhône-villages à la robe rouge violacé aux arômes complexes de pain d'épice et de fruits rouges, possède une belle longueur et un bon équilibre.

☛ Ch. du Trignon, 84190 Gigondas, tél. 04.90.46.90.27, fax 04.90.46.98.63, e-mail trignon@chateau-du-trignon.com
☑ ⵟ t.l.j. sf dim. 9h-12h 14h-19h
☛ Pascal Roux

DOM. DU VIEUX CHENE
Cuvée Béatrice 2000

■ 1 ha 6 000 ◐ 5 à 8 €

Ce domaine de 45 ha a opté, en 1997, pour l'agriculture biologique « un choix pour l'avenir », affirment les producteurs, Jean-Claude et Béatrice Bouché. La cuvée Béatrice, avec sa robe foncée, possède des arômes boisés, légèrement vanillés, et d'amande grillée avec des nuances animales. Une agréable structure révèle un bel élevage en fût. Le domaine est également cité pour sa **cuvée des Capucines rouge 2000**, un côtes du rhône 100 % grenache.

☛ Jean-Claude et Béatrice Bouché, rte de Vaison-la-Romaine, rue Buisseron, BP34, 84850 Camaret-sur-Aigues, tél. 04.90.37.25.07, fax 04.90.37.76.84, e-mail contact@bouche-duvieuxchene.com
☑ ⵟ t.l.j. sf dim. 9h-12h 14h-18h

DOM. VIRET
Cuvée Mareotis 2000★

■ 2 ha 8 000 ▌◐ 11 à 15 €

Une propriété récente : la cave date de 1999. Elle a été conçue en s'appuyant sur d'anciennes données architecturales (nombre d'or notamment), afin de créer un lieu privilégié pour l'élaboration du vin. La cuvée Mareotis se montre ample et généreuse, bien structurée, marquée par les fruits, le cassis en particulier, les fleurs sauvages et les épices. Attendre quelques années avant d'ouvrir cette bouteille sur un civet. Les arômes de la **cuvée Emergence rouge 99** (15 à 23 €), qui obtient aussi une étoile, sont plus évolués.

☛ Dom. Philippe Viret, EARL Clos du Paradis, Les Escoulenches, 26110 Saint-Maurice, tél. 04.75.27.62.77, fax 04.75.27.62.31 ☑ ⵟ r.-v.

Côte rôtie

Situé à Vienne, sur la rive droite du fleuve, c'est le plus ancien vignoble de la vallée du Rhône. Il représente 8 774 hl en 2001 sur 203 ha de production, répartis entre les communes d'Ampuis, de Saint-Cyr-sur-Rhône et de Tupins-Sémons. La vigne est cultivée sur des coteaux très abrupts, presque vertigineux. Et si l'on peut distinguer la Côte Blonde et la Côte Brune, c'est en souvenir d'un certain seigneur de Maugiron, qui aurait, par testament, partagé ses terres entre ses deux filles, l'une blonde, l'autre brune. Notons que les vins de la Côte Brune sont les plus corsés, ceux de la Côte Blonde les plus fins.

Le sol est le plus schisteux de la région. Les vins sont uniquement des rouges, obtenus à partir du cépage syrah, mais aussi du viognier, dans une proportion maximale de 20 %. Le vin de côte rôtie est d'un rouge profond, et offre un bouquet délicat, fin, à dominante de framboise et d'épices, avec une touche de violette. D'une bonne structure, tannique et très long en bouche, il a indéniablement sa place au sommet de la gamme des vins du Rhône et s'allie parfaitement aux mets convenant aux grands vins rouges.

LOUIS BERNARD 2000★

	n.c.	13 000		15 à 23 €

Un vin solide qui laisse percevoir une belle matière première. Il est encore sur la réserve, mais il apparaît cependant déjà comme un digne représentant de l'appellation avec ses notes animales, grillées et poivrées. Il accompagnera un gigot d'agneau dans cinq à sept ans.

➥ Salavert-Les domaines Bernard, rte de Sérignan, 84100 Orange, tél. 04.90.11.86.86, fax 04.90.34.87.30, e-mail sagon@domaines-bernard.fr

DE BOISSEYT-CHOL
Côte blonde 2000

	0,8 ha	3 000		23 à 30 €

Installée à Chavanay, à l'entrée du Parc national régional du Pilat, cette marque présente un vin « charnu, simple et complet », comme la résume un dégustateur. C'est une bouteille tout en rondeur avec des effluves de fruits rouges et de bois bien dosés. Aujourd'hui la finale se montre encore un peu ferme, mais le temps devrait gommer cette impression.

➥ De Boisseyt-Chol, 178 RN 86, 42410 Chavanay, tél. 04.74.87.23.45, fax 04.74.87.07.36, e-mail infos@deboisseyt-chol.com
☑ ⏰ t.l.j. sf dim. 9h-12h 14h-18h; f. 15 août-10 sept.
➥ Didier Chol

PATRICK ET CHRISTOPHE BONNEFOND 2000★

	4 ha	16 000		15 à 23 €

Le vignoble, planté sur des terrains particulièrement pentus composés de gneiss et de micaschiste, bénéficie d'un bon ensoleillement. Ce vin présente une belle expression des fruits rouges dans un fondu de vanille. Aujourd'hui, il est encore très marqué par son élevage en fût, mais des tanins soyeux, une belle matière et une finale poivrée déjà très intéressante promettent un avenir radieux.

➥ Patrick et Christophe Bonnefond, Mornas, 69420 Ampuis, tél. 04.74.56.12.30, fax 04.74.56.17.93
☑ ⏰ r.-v.

DOM. DE BONSERINE
La Sarrasine 2000★

	6,5 ha	30 000		23 à 30 €

Des trois cuvées haut de gamme présentées, et qui obtiennent toutes une étoile, c'est aujourd'hui La Sarrasine qui se montre la plus complète à la dégustation. Le jury a été impressionné par sa structure tannique et son agréable boisé. La **Côte Brune rouge 2000** (30 à 38 €), marquée par la vanille et le fruit, est pour le moment encore un peu sous l'emprise du fût, tout comme la cuvée **La Garde rouge 2000** (38 à 46 €). Choisissez le meilleur emplacement de votre cave pour les laisser vieillir.

➥ Dom. de Bonserine, 2, chem. de la Viallière, 69420 Ampuis, tél. 04.74.56.14.27, fax 04.74.56.18.13
☑ ⏰ t.l.j. sf dim. 9h-18h; sam. sur r.-v.

BERNARD BURGAUD 2000

	4 ha	20 000		15 à 23 €

Un vin simple d'une belle jeunesse avec ses arômes de violette, de poivre et de girofle. Il est tout en rondeur, avec du gras, mais devra néanmoins patienter quelques années avant d'accompagner un petit gibier.

➥ Bernard Burgaud, Le Champin, 69420 Ampuis, tél. 04.74.56.11.86, fax 04.74.56.13.03 ☑ ⏰ r.-v.

M. CHAPOUTIER
La Mordorée 2000

	3 ha	1 200		30 à 38 €

Maison emblématique de Tain-l'Hermitage, Chapoutier, aujourd'hui parmi les grandes familles converties à la biodynamie, propose cette cuvée vedette encore beaucoup trop jeune. Limpide et brillante, construite sur des tanins serrés, elle laisse paraître des notes de fruits rouges mûrs sous un boisé impérial. Le temps lui permettra de révéler toute son élégance.

➥ Maison M. Chapoutier, 18, av. du Dr-Paul-Durand, 26600 Tain-l'Hermitage, tél. 04.75.08.28.65, fax 04.75.08.81.70, e-mail chapoutier@chapoutier.com ☑ ⏰ r.-v.

EDMOND ET DAVID DUCLAUX 2000

	4 ha	20 000		23 à 30 €

En 1994, David rejoignait ses parents sur l'exploitation. En 2001, il est imité par son frère Benjamin. La famille Duclaux au grand complet propose un vin dont la robe noir profond indique déjà le style du vin. Le nez, modérément intense, décline des parfums d'épices, de cuir, de truffe et de cacao. Une cuvaison de quatre semaines a imprimé à cette bouteille une charpente solide, encore peu complexe. A boire dans cinq ans sur une viande rôtie. Domaine coup de cœur pour le millésime 98.

➥ GAEC Edmond et David Duclaux, RN 86, 69420 Tupin-Semons, tél. 04.74.59.56.30, fax 04.74.56.64.09 ☑ ⏰ r.-v.

PIERRE GAILLARD 2000★

■ 2,5 ha 10 000 ▯ 23 à 30 €

La robe ne trompe pas : sa densité annonce une matière solide. Les 10 % de viognier qui entrent dans sa composition sont un allié indispensable pour le développement de son harmonie. La structure tannique importante devrait acquérir de l'élégance avec le temps. La cuvée **Rose pourpre 2000 (38 à 46 €)** a suscité des débats, mais a séduit le jury qui lui accorde une citation.

↘ Pierre Gaillard, lieu-dit Chez Favier,
42520 Malleval, tél. 04.74.87.13.10, fax 04.74.87.17.66,
e-mail vinsp.gaillard@wanadoo.fr ▣ ⊻ r.-v.

JEAN-MICHEL GERIN
Champin le Seigneur 2000★

■ 5 ha 20 000 ▯ 23 à 30 €

Un des habitués du Guide, coup de cœur l'an passé. Dans son millésime 2000, Champin le Seigneur offre un côté très boisé, animal et cuir ; après une attaque franche, s'installe une belle harmonie. Ce vin intéressant a recherché une forte extraction. Il devra vieillir longuement en cave.

↘ Jean-Michel Gerin, 19, rue de Montmain, Vérenay,
69420 Ampuis, tél. 04.74.56.16.56, fax 04.74.56.11.37,
e-mail gerin.jm@wanadoo.fr ▣ ⊻ r.-v.

E. GUIGAL
Brune et blonde de Guigal 1999★

■ n.c. 320 000 ▯ 23 à 30 €

Marcel Guigal vient d'acquérir les 22,5 ha du domaine Vallouir et les 11 ha de Jean-Louis Grippat. Poursuivant ainsi son développement, il propose plus de trois cent mille bouteilles de très belle facture : de quoi satisfaire les amateurs de côte rôtie. Le côté fruité et épicé est un véritable appel à la gourmandise. Un vin fin et élégant avec des tanins enrobés et une solide charpente. A déguster avec un roulé de lapin.

↘ E. Guigal, Ch. d'Ampuis, 69420 Ampuis,
tél. 04.74.56.10.22, fax 04.74.56.18.76,
e-mail contact@guigal.com ▣ ⊻ r.-v.

LES HAUTS DES CHEYS 2000

■ n.c. 8 000 ▯ 23 à 30 €

Marque de l'Union des coopératives de Rasteau et de Tain, les Hauts des Cheys propose un 2000 qui se révèle bien représentatif de l'appellation. Bien élevé, il demande quelques années de garde.

↘ Les Vignerons de Rasteau et de Tain-l'Hermitage,
rte des Princes-d'Orange, 84110 Rasteau,
tél. 04.90.10.90.10, fax 04.90.46.16.65

VIGNOBLES DU MONTEILLET
Fortis 2000★★

■ 0,4 ha 1 800 ▯ 23 à 30 €

Le domaine a choisi comme devise « La chance sourit aux audacieux ». Ce viticulteur a-t-il fait preuve d'audace ? En tout cas, son savoir-faire est récompensé par un coup de cœur. Le jury ne tarit pas d'éloges pour ce vin au parfait équilibre entre les tanins, l'alcool et l'acidité. L'un d'eux voit en cette bouteille un archétype du côte rôtie, l'autre un kaléidoscope d'arômes... Et ce nez qui n'en finit pas d'évoluer dans une complexité renouvelée avec des arômes qui se transforment à l'infini. Un côte rôtie qui sera à savourer sur un sanglier ou un chevreuil.

↘ Vignobles Antoine et Stéphane Montez,
Dom. du Monteillet, 42410 Chavanay,
tél. 04.74.87.24.57, fax 04.74.87.06.89 ▣ ⊻ r.-v.

MOUTON PERE ET FILS 2000★

■ 0,5 ha 2 100 ▯ 15 à 23 €

Un vin de bonne complexité, qui a passé dix-huit mois en fût. Une bouteille bien faite, sérieuse, au nez expressif de fruits mûrs et de boisé. Avec son bel équilibre, elle pourra attendre un quinquennat.

↘ André et Jean-Claude Mouton, Le Rozay,
69420 Condrieu, tél. 04.74.87.82.36, fax 04.74.87.84.55
▣ ⊻ t.l.j. 9h-12h 14h-18h30; groupes sur r.-v.

DOM. DE ROSIERS 2000★★

■ 7 ha 32 000 ▯ 23 à 30 €

A sept kilomètres du domaine, la ville de Saint-Romain-en-Gal est réputée pour ses nombreux vestiges préhistoriques, et en particulier pour ses mosaïques. Le domaine de Rosiers, qui n'en est pas à son premier coup de cœur, présente un côte rôtie remarquable qu'un dégustateur résume ainsi : « Du plaisir et uniquement du plaisir ! » Cette jeunesse est dominée, à l'olfaction comme à la dégustation, par le fruit mûr (confiture de mûres) et un boisé bien fondu. Un vin plein de grâce, à boire dans plusieurs années sur une viande rouge ou un gibier.

↘ Louis Drevon, 3, rue des Moutonnes,
69420 Ampuis, tél. 04.74.56.11.38, fax 04.74.56.13.00,
e-mail idrevon@terre-net.fr ▣ ⊻ r.-v.

SAINT COSME 2000★

■ 2 ha 6 000 ▯ 15 à 23 €

Ce négociant des côtes du Rhône méridionales figure régulièrement en bonne place dans cette appellation. Son côte rôtie se montre tannique et boisé (il a passé douze mois en fût). De la puissance et un côté sauvage au nez comme en bouche lui permettront de bien vieillir.

↘ EARL Louis Barruol, Ch. de Saint Cosme,
84190 Gigondas, tél. 04.90.65.80.80, fax 04.90.65.81.05
▣ ⊻ t.l.j. sf sam. dim. 8h-12h 14h-17h

DOM. GEORGES VERNAY
Maison rouge 1999★★

■	1 ha	4 000	■ ⬡ ⬧ 30 à 38 €

Une Crucifixion, entourée par la Descente aux enfers et la Résurrection, orne le tympan roman de l'église de Condrieu ; allez la visiter puis rejoignez la maison Vernay dont deux bouteilles se sont retrouvées devant le grand jury qui attribue les coups de cœur. C'est dire la qualité des vins de ce domaine. Réglisse, fruits noirs (cassis), grillé : une belle palette d'arômes souvent puissants, sans être jamais excessifs, caractérise ce côte rôtie d'une remarquable élégance. A attendre de cinq à six ans. La **cuvée principale du domaine 99 (23 à 30 €)**, deux étoiles, montre une bonne intensité et un bel équilibre. Egalement très élégante, elle sera à boire dans quelques années.
➦ Dom. Georges Vernay, 1, rte Nationale, 69420 Condrieu, tél. 04.74.56.81.81, fax 04.74.56.60.98, e-mail pa@georges-vernay.fr ☑ ⍊ r.-v.

Condrieu

Le vignoble est situé à 11 km au sud de Vienne, sur la rive droite du Rhône et sur des sols granitiques. Seuls les vins provenant uniquement du cépage viognier peuvent bénéficier de l'appellation. L'aire d'appellation, répartie sur sept communes et trois départements, n'a qu'une superficie de 102 ha. Ces caractéristiques contribuent à donner au condrieu une image de vin très rare puisqu'il ne produit que 4 211 hl en 2001. Blanc, il est riche en alcool, gras, souple, mais avec de la fraîcheur. Très parfumé, il exhale des arômes floraux – où domine la violette – et des notes d'abricot. Un vin unique, exceptionnel et inoubliable, à boire jeune (sur toutes les préparations à base de poisson), mais pouvant se développer en vieillissant. Il apparaît depuis peu une production de vendanges tardives avec des tries successives des raisins (allant parfois jusqu'à huit passages par récolte).

LAURENT BETTON 2000

	1,7 ha	2 000	■ ⬡ ⬧ 15 à 23 €

Une agréable promenade dans les ruelles de Chavanay bordées de maisons des XVIᵉ et XVIIᵉs. conduira vos pas vers le domaine de Laurent Betton. Les vignes sont encore jeunes sur ses 3,4 ha, puisque plantées à partir de 1988, mais elles ont produit un condrieu typé, dont la vinification et l'élevage se sont déroulés par tiers : un tiers en cuve Inox, un tiers en fût d'un an, un tiers en fût de deux ans. De couleur claire et limpide, ce vin exhale des arômes de pêche et d'abricot, avec un soupçon de menthol. De bonne longueur, il est prêt à boire.
➦ Laurent Betton, La Côte, 42410 Chavanay, tél. 04.74.87.08.23, fax 04.74.87.08.23 ☑ ⍊ r.-v.

PATRICK ET CHRISTOPHE BONNEFOND
Côte Chatillon 2000★

	0,6 ha	2 500	⬡ 15 à 23 €

La jolie étiquette représente, en noir et or, les vignes cultivées en terrasses soutenues par des murets de pierre sèche. Ce condrieu, tout en souplesse, livre ses arômes floraux avec finesse, soulignés d'un boisé certes présent, mais qui devrait bientôt s'atténuer pour laisser le vin s'exprimer pleinement.
➦ Patrick et Christophe Bonnefond, Mornas, 69420 Ampuis, tél. 04.74.56.12.30, fax 04.74.56.17.93 ☑ ⍊ r.-v.

DOM. DU CHENE 2000★

	3,5 ha	10 000	■ ⬡ ⬧ 15 à 23 €

Installés en 1985, Marc et Dominique Rouvière exportent 30 % de leur production, de l'Europe aux Etats-Unis et jusqu'au Japon. Le chêne qui illustre leurs étiquettes en saint-joseph comme en condrieu est donc bien connu. Ce 2000 trouve naturellement sa place dans le Guide grâce à sa bonne structure et à sa longueur. D'une belle couleur dorée, il laisse s'épanouir des notes de pêche et d'abricot avec une pointe minérale.
➦ Marc et Dominique Rouvière, Le Pêcher, 42410 Chavanay, tél. 04.74.87.27.34, fax 04.74.87.02.70 ☑ ⍊ r.-v.

YVES CUILLERON
Les Ayguets 2000★★

	1,5 ha	4 000	⬡ 30 à 38 €

Yves Cuilleron s'est associé à deux autres vignerons pour créer les Vins de Vienne, dont le condrieu est coup de cœur ci-dessous. Ce qui ne l'empêche pas de vinifier ses propres vins sur une propriété familiale centenaire de 30 ha. Honoré de deux étoiles en saint-joseph, il présente un remarquable condrieu moelleux, contenant 100 g/l de sucres résiduels. Les notes d'abricot sec et de figue sèche témoignent du caractère surmûri de la vendange, de même que la richesse équilibrée et flatteuse d'une matière persistante. La cuvée **Les Chaillets 2000 (23 à 30 €)**, vin sec, est citée pour son harmonie entre gras et fraîcheur. Elle devra simplement fondre son boisé.
➦ Yves Cuilleron, Verlieu, 42410 Chavanay, tél. 04.74.87.02.37, fax 04.74.87.05.62, e-mail ycuiller@terre-net.fr ☑ ⍊ r.-v.

CUILLERON-GAILLARD-VILLARD
La Chambée 2000★★

	n.c.	3 960	⬡ 15 à 23 €

Les ruines d'un château médiéval veillent sur la butte de Seyssuel, commune sur laquelle est installée cette maison. Le terme de chambée se réfère à la largeur des travées piochées lors du déchaussage manuel des vignes au printemps. Fermentation malolactique en fût de chêne, élevage sur lie avec bâtonnage régulier pendant neuf mois en fût : beaucoup de soins dans l'élaboration du condrieu, et une belle matière première. Très riche et complexe, ce 2000 or paille est sans conteste un vin de garde. Toute sa classe se révèlera lorsque l'empreinte du fût se sera estompée.

☛ SARL Les Vins de Vienne,
Bas-Seyssuel, 38200 Seyssuel,
tél. 04.74.85.04.52, fax 04.74.31.97.55 ☑ ⵙ r.-v.
☛ Cuilleron-Gaillard-Villard

E. GUIGAL 2000★

	n.c.	130 000	∎ ⬙ ⬥ 15 à 23 €

Après des débuts au sein des établissements Vidal-Fleury, Etienne Guigal créa son domaine en 1946 avant de devenir l'un des vignerons les plus célèbres de France. Aujourd'hui, son fils, Marcel Guigal, préside aux destinées de cette maison qui possède des vignes sur l'ensemble de la vallée septentrionale et, notamment, deux vignobles en condrieu. Ce 2000 agréable à déguster dès aujourd'hui est bien représentatif de l'appellation. Les arômes d'abricot sec et de pêche blanche se fondent dans une douce fraîcheur et un bel équilibre. On voudrait le goûter avec un feuilleté de turbot.

☛ E. Guigal, Ch. d'Ampuis, 69420 Ampuis,
tél. 04.74.56.10.22, fax 04.74.56.18.76,
e-mail contact@guigal.com ☑ ⵙ r.-v.

FRANCOIS MERLIN 2000★

	1 ha	4 000	∎ ⬙ ⬥ 15 à 23 €

Le coteau de Saint-Michel-sur-Rhône ménage une belle vue sur le Rhône, avec la boucle de Condrieu. Depuis 1986, François Merlin cultive ses 2,8 ha avec passion. 40 % de ce condrieu ont été vinifiés en barrique et élevés pendant un an sous bois. L'assemblage avec les 60 % de vin vinifiés traditionnellement a donné un 2000 de bonne constitution, aux arômes de fleurs blanches. La juste vivacité permet d'envisager une garde de quelques années.

☛ François Merlin, Le Bardoux,
42410 Saint-Michel-sur-Rhône,
tél. 04.74.56.61.90, fax 04.74.56.61.90 ☑ ⵙ r.-v.

DOM. DU MONTEILLET 2000★★

	1,56 ha	6 000	⬙ 15 à 23 €

Coup de cœur en côte rôtie, Antoine et Stéphane Montez n'en ont pas moins soigné leur condrieu qui retrouve les deux étoiles du millésime précédent. Après une macération pelliculaire d'une nuit et un passage d'un tiers du vin en fût neuf, leur 2000 affiche un bel équilibre et de la rondeur soulignée d'une vivacité de bon aloi. Le bois reste discret, laissant se développer les fleurs, les fruits mûrs et l'abricot sec. Si elle peut être bue dès à présent, cette bouteille saura aussi attendre un an ou deux. La cuvée **Les Grandes Chaillées 2000** (11 à 15 €) obtient une citation.

☛ Vignobles Antoine et Stéphane Montez,
Dom. du Monteillet, 42410 Chavanay,
tél. 04.74.87.24.57, fax 04.74.87.06.89 ⵙ r.-v.

DIDIER MORION 2000

	1 ha	2 000	∎ ⬙ ⬥ 15 à 23 €

En 1993, lorsque Didier Morion s'installa en fermage sur une exploitation en polyculture, la vigne ne représentait que 2 ha. Aujourd'hui, ce sont 7,5 ha qu'il conduit au cœur du Parc naturel régional du Pilat. Son vin se livre avec harmonie, sans lourdeur, sur des évocations florales. La rondeur et le gras en font une agréable bouteille.

☛ Didier Morion, Epitaillon, 42410 Chavanay,
tél. 04.74.87.26.33, fax 04.74.87.26.33 ☑ ⵙ r.-v.

MOUTON PERE ET FILS
Côte Châtillon 2001

	0,7 ha	3 000	∎ ⬙ ⬥ 15 à 23 €

André et Jean-Claude Mouton cultivent 4 ha de vignes sur des terrasses exposées plein sud. Ils ont élaboré un vin tout en rondeur, déclinant la pêche et l'abricot. La structure déjà harmonieuse permet une dégustation immédiate. La cuvée **Côte Bonnette 2001** obtient, elle aussi, une citation, mais elle devra attendre pour être pleinement appréciée.

☛ André et Jean-Claude Mouton, Le Rozay,
69420 Condrieu, tél. 04.74.87.82.36, fax 04.74.87.84.55
☑ ⵙ t.l.j. 9h-12h 14h-18h30; groupes sur r.-v.

ROBERT NIERO
Les Ravines 2000

	2 ha	8 500	∎ ⬙ ⬥ 15 à 23 €

Une flore et une faune étonnantes font le charme du parc du Pilat, tant apprécié des randonneurs : peut-être y découvrirez-vous l'apollon du Mont-Pilat, cette espèce rare de papillon réintroduite dans la région. Vous apprécierez aussi les ceps de viognier agrippés aux terrasses. Ce condrieu présente une légère vivacité en finale, après un développement en rondeur. Les arômes subtils de pêche blanche lui donnent de la finesse.

☛ Robert Niero, 20, rue Cuvillière, 69420 Condrieu,
tél. 04.74.59.84.38, fax 04.74.56.62.70 ☑ ⵙ r.-v.

ANDRE PERRET
Chery 2000

	2 ha	9 000	∎ ⬙ ⬥ 15 à 23 €

Après des études de biologie, André Perret a repris l'exploitation familiale en s'attachant à la développer jusqu'à ses 11 ha actuels. Il vinifie le viognier avec des levures indigènes et élève son vin sur lie pendant douze mois. Il en résulte un condrieu de teinte claire, à l'expression florale persistante. Une bouteille équilibrée, prête à boire.

☛ André Perret, Verlieu, 42410 Chavanay,
tél. 04.74.87.24.74, fax 04.74.87.05.26 ☑ ⵙ r.-v.

DOM. DE PIERRE BLANCHE 2000

	0,5 ha	2 500	⬙ 15 à 23 €

La cité médiévale de Malleval n'est qu'à 5 km de ce domaine créé dans les années 1990. Sur l'étiquette des vins figure une maison au toit de tuile à deux pans, avec son porche d'entrée, bien représentative de l'habitat du Pilat. Vinifié en fût de six à huit semaines à basse température (16 °C), ce condrieu offre des arômes d'agrumes caractéristiques, ainsi qu'une harmonie agréable dès aujourd'hui.

☛ Dom. de Pierre Blanche, 53 RN 86, Chanson,
42410 Chavanay, tél. 04.74.87.04.07, fax 04.77.80.68.71
☑ ⵙ r.-v.

DOM. RICHARD
Le Moelleux 2000

	0,5 ha	1 700	∎ ⬥ 15 à 23 €

Un moelleux contenant 50 g/l de sucres résiduels après une vinification à une température de 20 à 22 °C, ce qui est peu fréquent pour un vin blanc. Sous une couleur légèrement dorée apparaissent des notes d'agrumes et de fruits exotiques qui persistent dans une bouche douce.

🕿 Hervé et Marie-Thérèse Richard, Verlieu, 42410 Chavanay, tél. 04.74.87.07.75, fax 04.74.87.05.09
☑ ⅞ r.-v.

SAINT-COSME 2000★

	1 ha	3 000	⑪ 15 à 23 €

« Un petit négoce à l'ancienne » : cette maison méridionale propose un condrieu ample, gras et long. Si l'empreinte du fût marque encore ses arômes de nuances grillées, les fruits et les fleurs blanches ne tarderont pas à reprendre leurs droits.

🕿 Saint-Cosme, Ch. Saint-Cosme, 84190 Gigondas, tél. 04.90.65.80.80, fax 04.90.65.81.05
☑ ⅞ t.l.j. 8h-12h 14h-17h

GEORGES VERNAY
Coteau de Vernon 2000

	1,69 ha	5 000	⑪ 30 à 38 €

Après un coup de cœur pour des Chaillées de l'Enfer 99 paradisiaques, ce domaine propose cette année deux vins typés. Le premier s'ouvre avec légèreté sur la vanille et le grillé. Peu puissant, il offre un bel équilibre et de la longueur. Le second, **Les Terrasses de l'Empire (23 à 30 €)** s'inscrit dans le même registre et obtient, lui aussi, une citation.

🕿 Dom. Georges Vernay, 1, rte Nationale, 69420 Condrieu, tél. 04.74.56.81.81, fax 04.74.56.60.98, e-mail pa@georges-vernay.fr ☑ ⅞ r.-v.

DOM. DU VERSANT DORE 2000

	0,5 ha	2 500	⑪ 23 à 30 €

Le domaine du Versant Doré est constitué de deux parcelles de vignes : 1 ha au lieu-dit La Roche Coulante et 0,5 ha au lieu-dit Meve. Le fruit de ces terroirs a été vinifié séparément et 10 % de la cuvée ont séjourné en fût neuf pendant quatre mois. On découvre ainsi un vin tout en finesse, encore un peu timide, mais qui développe déjà des arômes floraux.

🕿 Laurent-Charles Brotte, Le Clos, BP 1, 84231 Châteauneuf-du-Pape, tél. 04.90.83.70.07, fax 04.90.83.74.34, e-mail brotte@brotte.com
☑ ⅞ t.l.j. en hiver 9h-12h 14h-18h; en été 9h-13h 14h-19h

Château-grillet

Cas rare dans la viticulture française, cette appellation n'est produite que par un seul domaine. Avec ses 3,5 ha sur deux communes, c'est l'une des plus petites appellations d'origine contrôlée. Le vignoble est implanté sur des terrasses granitiques bien exposées, abritées du vent, isolées dans un cirque dominant la vallée du Rhône. Ce terroir bien particulier apporte toute son originalité au vin, un blanc issu, tout comme le condrieu, du cépage viognier. Il se boit jeune, mais acquiert en vieillissant une classe et des arômes qui en font un vin idéal sur le poisson.

CHATEAU-GRILLET 2000★

	3,5 ha	10 000	🍾 ⑪ ↓ 30 à 38 €

81 82 85 ⑧⑥ 88 |89| |90| 92 |93| 94 |95| 98 00

Ce cru monopole fait partie des plus anciens domaines viticoles de France. La situation privilégiée du vignoble en terrasses dominant le Rhône n'est pas étrangère à son charme. Ce millésime est d'une extrême délicatesse. Légèrement floral, il est marqué par des notes de Zan et possède beaucoup de gras. Trop jeune pour être complexe, ce viognier atteindra pleinement son équilibre après quelques années de bouteille ; « il est prometteur », confirme le jury.

🕿 Neyret-Gachet, Château-Grillet, 42410 Vérin, tél. 04.74.59.51.56, fax 04.78.92.96.10 ☑ ⅞ r.-v.
🕿 Famille Canet

Saint-joseph

Sur la rive droite du Rhône, dans le département de l'Ardèche, l'appellation saint-joseph s'étend sur vingt-six communes de l'Ardèche et de la Loire et totalise environ 900 ha. Les coteaux sont constitués de pentes granitiques rudes, qui offrent de belles vues sur les Alpes, le mont Pilat et les gorges du Doux. Issus de syrah, les saint-joseph rouges (34 472 hl en 2001) sont élégants, fins, relativement légers et tendres, avec des arômes subtils de framboise, de poivre et de cassis, qui se révéleront sur les volailles grillées ou sur certains fromages. Les vins blancs (3 348 hl), issus des cépages roussanne et marsanne, rappellent ceux de l'hermitage. Ils sont gras, avec un parfum délicat de fleurs, de fruits et de miel. Il est conseillé de les boire assez jeunes.

LAURENT BETTON 2000★

	1,3 ha	7 000	🍾 ⑪ 8 à 11 €

Un vignoble encore jeune – il date de 1993 et est planté de vignes âgées d'une dizaine d'années – dont la production montre une orientation très nette vers le fruit. La souplesse de cette bouteille est confortée par des arômes de bourgeon de cassis et de framboise, bien présents.

🕿 Laurent Betton, La Côte, 42410 Chavanay, tél. 04.74.87.08.23, fax 04.74.87.08.23 ☑ ⅞ r.-v.

DE BOISSEYT-CHOL 2000

| | 4 ha | 17 000 | ❚❚ 11 à 15 € |

Jeune, très jeune, ce vin n'a pas atteint son expression de saint-joseph. Seul un côté végétal apparaît accompagné de notes animales (cuir). Marquée par le sous-bois, la bouche est bien construite et longue. Pourquoi ne pas marier cette bouteille avec un canard aux olives ?
➸ De Boisseyt-Chol, 178 RN 86, 42410 Chavanay, tél. 04.74.87.23.45, fax 04.74.87.07.36, e-mail infos@deboisseyt-chol.com
☑ Ⓨ t.l.j. sf dim. 9h-12h 14h-18h; f. 15 août-10 sept.
➸ Didier Chol

BONSERINE 2000★★

| | n.c. | 6 000 | ❚❚ 11 à 15 € |

Ce domaine qui appartient à une société composée d'un groupe d'actionnaires franco-américains ne déçoit jamais les dégustateurs du Guide. Il signe sa première vinification dans cette appellation. Son saint-joseph (100 % égrappé, vingt jours de cuvaison, élevage de 50 % en barriques, dont 50 % en fûts neufs, pendant douze mois) ne dément pas la tradition de l'AOC. Un beau vin en devenir, puissant et possédant un bel équilibre sur le fruit (framboise, griotte et cassis).
➸ SEAR, RN 86, 69420 Ampuis, tél. 04.74.56.14.27, fax 04.74.56.18.13 ☑ Ⓨ r.-v.

M. CHAPOUTIER
Les Granits 2000

| | 2 ha | 1 000 | ❚❚ 38 à 46 € |

Les granits sont en effet les meilleurs sols de cette appellation. Ils donnent des vins de longue garde, comme ce saint-joseph très boisé. La longueur est déjà bien perceptible, mais l'ensemble est encore fermé. Il est certainement encore trop tôt pour apprécier une telle bouteille à sa juste valeur : mieux vaut attendre dix ans, affirme un dégustateur.
➸ Maison M. Chapoutier, 18, av. du Dr-Paul-Durand, 26600 Tain-l'Hermitage, tél. 04.75.08.28.65, fax 04.75.08.81.70, e-mail chapoutier@chapoutier.com ☑ Ⓨ r.-v.

DOM. DU CHENE 2000

| | 1,5 ha | 4 000 | ❚❚ 8 à 11 € |

Chavanay appartient au circuit du Pélussinois qui permet de découvrir, sur une vingtaine de kilomètres, le Parc naturel régional du Pilat. Ce domaine, bien connu des lecteurs, propose un saint-joseph blanc bien équilibré, qui joue la carte de la fraîcheur par ses arômes d'agrumes.
➸ Marc et Dominique Rouvière, Le Pêcher, 42410 Chavanay, tél. 04.74.87.27.34, fax 04.74.87.02.70
☑ Ⓨ r.-v.

CLOS DE CUMINAILLE 2000★★

| | 3,5 ha | 14 000 | 11 à 15 € |

L'année dernière, le Clos de Cuminaille manquait de peu le coup de cœur. Cette année, il l'obtient avec ce millésime magnifique. De la structure, du gras, une puissance exceptionnelle caractérisent ce très grand vin, à attendre dix ans. Également sélectionné sans étoile, **Les Pierres rouge 2000 (15 à 23 €)**, bien boisé.

➸ Pierre Gaillard, lieu-dit Chez Favier, 42520 Malleval, tél. 04.74.87.13.10, fax 04.74.87.17.66, e-mail vinsp.gaillard@wanadoo.fr Ⓨ r.-v.

DOM. COMBIER 2000

| | 0,55 ha | n.c. | ❚❚ 11 à 15 € |

Un vin qui n'a certes pas encore trouvé son harmonie, mais en prolongeant ses gammes en bouteille, il trouvera le ton juste pour la mélodie du bonheur.
➸ Dom. Combier, RN 7, 26600 Pont-de-l'Isère, tél. 04.75.84.61.56, fax 04.75.84.53.43 ☑ Ⓨ r.-v.

DOM. COURBIS 2000★

| | 10 ha | 50 000 | ▮❚❚⬇ 11 à 15 € |

Deux cuvées sélectionnées pour ce domaine, coup de cœur l'an dernier. Celle-ci est un vin assez typique de son millésime : gras, souple et mûr. Les tanins se montrent bien enrobés et la longueur joue sur le fruit mûr ; le **saint-joseph blanc 2000** est cité pour son côté charmeur.
➸ Dom. Courbis, rte de Saint-Romain, 07130 Châteaubourg, tél. 04.75.81.81.60, fax 04.75.40.25.39, e-mail domaine-courbis@wanadoo.fr ☑ Ⓨ r.-v.

PIERRE COURSODON
Le Paradis Saint-Pierre 2000★★

| | n.c. | 3 000 | ❚❚ 15 à 23 € |

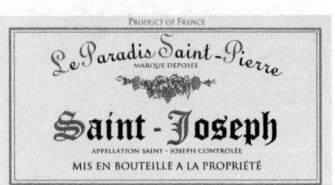

La Paradis Saint-Pierre : une cuvée qui porte bien son nom et qui vous emmènera au paradis, coup de cœur unanime du grand jury. Une bonne attaque, des tanins fondus et des arômes de chocolat, de vanille, de poivre et autres épices caractérisent cette remarquable bouteille. Le **Paradis Saint-Pierre blanc 2000 (11 à 15 €)** obtient une étoile pour son bon parfum.
➸ EARL Pierre Coursodon, pl. du Marché, 07300 Mauves, tél. 04.75.08.29.27, fax 04.75.08.75.72
☑ Ⓨ t.l.j. sf dim. 9h-12h 14h-18h30

DOM. COURSODON 2000★★

■	n.c.	34 000	⊞ 8 à 11 €

Comme chaque année, le domaine Coursodon remporte bien des récompenses dans cette appellation. Un vrai festival ! Ce saint-joseph, paré d'une robe somptueuse, doté d'un nez puissant, bien structuré et long, sera de grande garde. Deux autres cuvées obtiennent chacune une étoile : le **Domaine Coursodon blanc 2000** à la jolie robe jaune soutenu et **L'Olivaie rouge 2000 (11 à 15 €)** qui a passé quinze mois en fût et qui devra rester quelques années en cave. Un domaine qui mérite vraiment le détour.
↬ EARL Pierre Coursodon, pl. du Marché,
07300 Mauves, tél. 04.75.08.29.27, fax 04.75.08.75.72
☑ ϒ t.l.j. sf dim. 9h-12h 14h-18h30

CUILLERON
Les Serines 1999★★

■	2 ha	8 000	⊞ 15 à 23 €

Familiale depuis plus d'un siècle, cette propriété propose deux cuvées. Les Serines 99, élevées vingt mois sous bois, habillées d'une superbe robe rubis sombre et dont les arômes de fruits cuits, de cuir, d'épices et de chocolat accompagnent une matière dense, structurée par une trame tannique encore ferme. Un « produit noble ». Le **Saint-Pierre blanc 2000 (11 à 15 €)** plaisant et complet, frais et long, destiné aux poissons à la crème, reçoit une étoile.
↬ Yves Cuilleron, Verlieu, 42410 Chavanay,
tél. 04.74.87.02.37, fax 04.74.87.05.62,
e-mail ycuiller@terre-net.fr ☑ ϒ r.-v.

CUILLERON-GAILLARD-VILLARD
L'Arzelle 1999★★

■	n.c.	8 200	⊞ 11 à 15 €

Le granit, qui compose les terrains de l'appellation saint-joseph, soumis au travail du temps donne des produits de décomposition, communément appelés « arzelle ». Pour cette cuvée L'Arzelle, il n'est pas question de décomposition, mais de composition. Elle se montre riche, complexe et puissante avec des tanins fondus et des arômes de réglisse, de violette et de vanille. Sa belle matière doit vieillir quelques années avant d'enchanter un grand repas.
↬ SARL Les Vins de Vienne,
Bas-Seyssuel, 38200 Seyssuel,
tél. 04.74.85.04.52, fax 04.74.31.97.55 ☑ ϒ r.-v.
↬ Cuilleron-Gaillard-Villard

DOM. FARJON 1999★

■	3 ha	12 000	⊞ 5 à 8 €

Trois vins de ce cuisinier, reconverti dans la viticulture, sont sélectionnés cette année. Avec ses arômes de réglisse, de poivre et de chocolat, cette bouteille, timide par sa structure, séduit par son côté plaisant à boire. **Ma Sélection rouge 99 (8 à 11 €)**, une étoile, possède un beau boisé. Il faudra l'attendre deux ans. Enfin le **Farjon blanc 2000** est étoilé par son élégance.
↬ Thierry Farjon, Morzelas, 42520 Malleval,
tél. 04.74.87.16.84, fax 04.74.87.95.30 ☑ ϒ r.-v.

FERRATON PERE ET FILS
Les Oliviers 1999★

■	n.c.	150	11 à 15 €

En blanc, le 99 est assez surprenant. Une robe jaune d'or très, très soutenue : un nez complexe aux arômes miellés et grillés, de fruits et d'écorces d'agrumes confits, qui se montre atypique, mais avec une belle expression. Les raisins surmûris sont bien présents. Une curiosité.

↬ Ferraton, 13, rue de la Sizeranne, 26600 Tain,
tél. 04.75.08.59.51, fax 04.75.08.81.59 ☑ ϒ r.-v.
↬ Chapoutier

FRANCOIS DE TOURNON 1999★

■	n.c.	20 000	11 à 15 €

Deux cuvées de la maison Delas, propriété des champagnes Deutz, ont retenu l'attention du jury. La cuvée François de Tournon évolue vers des arômes intéressants de tabac, de café, de cacao avec des tanins très fins. Une bouteille qui devrait bien vieillir. Même note pour la cuvée **Les Challeys blanc 2000** dont la belle évolution révèle des arômes de cire d'abeille, de fruits exotiques ainsi que d'agrumes.
↬ Delas Frères, ZA de l'Olivet,
07302 Tournon-sur-Rhône,
tél. 04.75.08.60.30, fax 04.75.08.53.67 ☑ ϒ r.-v.
↬ Champagne Deutz

DOM. DE LA GARENNE

■	3 ha	13 000	▪ ⬥ 8 à 11 €

Un nez de sous-bois, truffé, fruité, une bouche avec une note poivrée et marquée par les herbes sauvages pour ce vin proposé par les vignerons de la Cave de Sarras. A servir sur un lapin aux olives ou une viande rouge. La **cuvée Amendine blanc 2000, élevée en fût de chêne**, obtient également une étoile.
↬ Cave de Sarras, Le Village, 07370 Sarras,
tél. 04.75.23.14.81, fax 04.75.23.38.36,
e-mail contact@cavedesarras.fr ☑ ϒ r.-v.

PIERRE GONON 2000★★

■	5,5 ha	22 000	⊞ 11 à 15 €

Un domaine qui ne déçoit jamais dans cette appellation. Foudres et demi-muids reçoivent les vins ; le boisé est délicat, la matière des vendanges s'impose sans difficulté. Très harmonieux, ce millésime fait l'unanimité du jury. La **cuvée Les Oliviers blanc 2000**, remarquée pour sa persistance aromatique, brille d'une étoile.
↬ Pierre Gonon, 34, av. Ozier, 07300 Mauves,
tél. 04.75.08.45.27, fax 04.75.08.65.21 ☑ ϒ r.-v.
↬

BERNARD GRIPA 2000★

■	6 ha	25 000	⊞ 11 à 15 €

Un rouge tout en finesse. Bernard Gripa n'a pas recherché la concentration, il a voulu faire un vin harmonieux, qui se libère tout de suite. Pari tenu ! Dès l'attaque, on assiste à une véritable explosion de sous-bois. Le **blanc 2000**, cité, a été jugé typique du millésime.
↬ Dom. Bernard Gripa, 5, av. Ozier, 07300 Mauves,
tél. 04.75.08.14.96, fax 04.75.07.06.81 ☑ ϒ r.-v.

DOM. DU MONTEILLET 2000★

■	0,72 ha	4 000	▪ ⊞ ⬥ 8 à 11 €

En saint-joseph, c'est le blanc qui brille dans ce domaine. Une bouteille très aromatique marquée par le bois qui donne des notes toastées et grillées. Mais on relève aussi des arômes d'abricot confit et de poire très mûre. Un beau vin en puissance. Sont citées, la **cuvée du Papy rouge 2000 (11 à 15 €)** et **La Cabriole rouge 2000**.
↬ Vignobles Antoine et Stéphane Montez,
Dom. du Monteillet, 42410 Chavanay,
tél. 04.74.87.24.57, fax 04.74.87.06.89 ☑ ϒ r.-v.

DIDIER MORION
Les Echets 2000★

■	0,7 ha	3 000	🍶 8 à 11 €

Un domaine qui a vu le jour en 1993 et a construit sa cave en 1994. Dans sa robe d'un beau rouge sombre, ce saint-joseph se montre un peu austère, mais révèle cependant une grande potentialité par sa longue finale. Avec le temps, le bois devrait se fondre pour donner une belle bouteille. Le **blanc 2000 (5 à 8 €)** est cité pour sa finesse.
🕯 Didier Morion, Epitaillon, 42410 Chavanay, tél. 04.74.87.26.33, fax 04.74.87.26.33 ☑ ⟙ r.-v.

MAS DU PARADIS 2000★

■	4 ha	10 000	■🍶 8 à 11 €

Ce mas, au milieu du vignoble, propose un vin au nez encore fermé qui laisse cependant transparaître élégance et finesse. Les tanins un peu austères demandent à s'arrondir. Cette bouteille est à oublier dans une bonne cave pendant deux ou trois ans.
🕯 André Morion, Epitalion, 42410 Chavanay, tél. 04.90.12.32.42, fax 04.90.12.32.49

ALAIN PARET
420 Nuits 2000★

■	3 ha	16 000	🍶 15 à 23 €

Un domaine qui ne manque jamais à l'appel et qui collectionne les coups de cœur. Un élevage de quatorze mois en fût a marqué cette cuvée 420 Nuits à la robe d'une couleur profonde. Complexe, fruité, rond avec du gras et des tanins bien présents, c'est un vin à savourer sur des mets à la truffe, mais pas avant trois à cinq ans, pour laisser le temps au boisé de se fondre.
🕯 Alain Paret, pl. de l'Eglise, 42520 Saint-Pierre-de-Bœuf, tél. 04.74.87.12.09, fax 04.74.87.17.34 ⟙ r.-v.

CUVEE PARSIFAL 2000

■	15 ha	70 000	8 à 11 €

Une jolie robe rubis, brillante et violine ; un beau nez complexe de fruits rouges et de notes florales (rose et violette) ; d'une grande finesse, agréable et prometteur, il donnera le meilleur de lui-même sur votre table.
🕯 Les Vignerons de Rasteau et de Tain-l'Hermitage, rte des Princes-d'Orange, 84110 Rasteau, tél. 04.90.10.90.10, fax 04.90.46.16.65

PASCAL 1999★

■	3 ha	15 000	■🍶 8 à 11 €

Caractérisé par la puissance, ce vin un peu rustique offre une grande pureté en bouche marquée par les fruits rouges et les épices. L'extraction a été très forte, trop pour certains.
🕯 Pascal, rte de Gigondas, 84190 Vacqueyras, tél. 04.90.65.85.91, fax 04.90.65.89.23 ☑ ⟙ r.-v.

DOM. DES REMIZIERES 2000

■	n.c.	3 000	🍶 11 à 15 €

A voir, tout près à Hauterive, le palais du facteur Cheval, dont la construction dura trente-trois ans ; c'est un édifice étonnant qui mélange tous les styles architecturaux, un des chefs-d'œuvre de l'art brut. Le domaine des Remizières propose un vin moderne qui doit sa puissance à son élevage en fût de douze mois. Riche et boisé, avec un joli nez marqué par le moka, ce vin est dominé par le bois. Attendre trois ans avant de le goûter sur des marcassins sauce chocolat.

🕯 Cave Philippe Desmeure, rte de Romans, 26600 Mercurol, tél. 04.75.07.44.28, fax 04.75.07.45.87 ☑ ⟙ r.-v.

DOM. RICHARD
Vieilles vignes 2000

■	1 ha	5 000	■🍶♦ 11 à 15 €

Malleval, un joli village de moyenne montagne, bâti dans un site remarquable, est à seulement huit kilomètres du domaine Richard, coup de cœur du Guide dans l'édition 2002. Un pigeage d'une semaine, deux semaines de remontage, dix-huit mois de fût pour cette cuvée Vieilles vignes d'un rouge profond. C'est un vin boisé et fruité, bien rond, avec une bonne structure.
🕯 Hervé et Marie-Thérèse Richard, Verlieu, 42410 Chavanay, tél. 04.74.87.07.75, fax 04.74.87.05.09 ☑ ⟙ r.-v.

ERIC ROCHER
Terroir de Champal 2000

■	2,2 ha	10 000	🍶 11 à 15 €

Un ancien corps de ferme du XVII᷍e s. abrite une partie de ce domaine constitué en 1987 et qui a choisi la voie de la biodynamie. Eric Rocher propose un vin très boisé d'une couleur intense. La bouche laisse un fort agréable souvenir, et les tanins devraient se fondre avec le temps. A attendre donc.
🕯 Eric Rocher, Dom. de Champal, quartier Champal, 07370 Sarras, tél. 04.78.34.21.21, fax 04.78.34.30.60, e-mail vignobles-rocher@wanadoo.fr ☑ ⟙ r.-v.

CAVE DE SAINT-DESIRAT
Ex Septentrio 1999★

■	25 ha	60 000	🍶 8 à 11 €

A quelques centaines de mètres seulement de la cave se dresse une abbaye du XI᷍e s., beau spécimen d'art roman. Deux vins de la cave, de deux millésimes différents, ont été sélectionnés par le jury. La cuvée Ex Septentrio offre une belle longueur, de la concentration et du gras avec un nez bien présent marqué par les épices (poivre et réglisse). Aujourd'hui, ce 99 commence à atteindre sa plénitude. La **cuvée Côte-Diane rouge 2000, élevée en fût de chêne**, est citée.
🕯 Cave de Saint-Désirat, 07340 Saint-Désirat, tél. 04.75.34.22.05, fax 04.75.34.30.10 ☑ ⟙ r.-v.

Crozes-hermitage

Cette appellation, couvrant des terrains moins difficiles à cultiver que ceux de l'hermitage, s'étend sur onze communes environnant Tain-l'Hermitage. C'est le plus grand vignoble des appellations septentrionales : la superficie de production est de 1 256 ha pour 60 390 hl. Les sols, plus riches que ceux de l'hermitage, donnent des vins moins puissants, fruités et à boire jeunes. Rouges, ils sont assez souples et aromatiques ; blancs, ils sont secs et frais, légers en couleur, à l'arôme floral, et, comme les hermitage blancs, ils iront parfaitement sur les poissons d'eau douce.

DOM. BERNARD ANGE 2001★

	0,8 ha	3 000		8 à 11 €

Bernard Ange a créé sa cave dans une ancienne carrière de molasse, localement appelée baume, qui assure à ses vins des conditions optimales de vieillissement. Ce 2001 jaune clair laisse percevoir d'agréables nuances de poire qui s'harmonisent avec une fraîcheur équilibrée. Les fruits de mer lui iront bien, qu'ils soient préparés en salade ou servis chauds avec un riz au safran.

↬ Bernard Ange, Pont-de-l'Herbasse, 26260 Clérieux, tél. 04.75.71.62.42, fax 04.75.71.62.42
☑ � t.l.j. sf dim. 9h-19h

HENRY BOUACHON
La Maurelle 2000

	40 ha	80 000		5 à 8 €

Cette maison de négoce fondée en 1898 et installée à Châteauneuf-du-Pape vient de céder 50 % de son capital à Robert Skalli. Elle propose un vin bien vinifié. S'il n'est pas d'une grande persistance, il possède cependant de la structure, de la rondeur, sous des accents d'épices (réglisse). Vous l'attendrez au moins deux ans avant de le présenter à table aux côtés d'une pièce de bœuf entourée de haricots verts persillés.

↬ Henry Bouachon, Cave Saint-Pierre, BP 5, 84230 Châteauneuf-du-Pape, tél. 04.90.83.58.35, fax 04.90.83.77.23
☑ � t.l.j. 9h-12h 14h-19h

CALVET
Elevé en fût de chêne Cuvée J.-M. Calvet 2000

	n.c.	n.c.		5 à 8 €

Si Calvet est devenu une grande maison de négoce installée à Bordeaux dans un élégant édifice du XIXᵉ s., son histoire débute bel et bien dans le Rhône, lorsque, en 1818, son fondateur, Jean-Marie Calvet, s'établit sur le vignoble familial de Tain-l'Hermitage. Aujourd'hui présent en Bordelais, en Bourgogne et dans la vallée rhodanienne, il propose un vin à boire dès la sortie du Guide. En effet, la souplesse et le côté chaleureux de cette bouteille réjouissent déjà le palais. Sans intensité démesurée, les fruits rouges mûrs et le poivre se déclinent agréablement.

↬ Calvet, 75, cours du Médoc, BP 11, 33028 Bordeaux Cedex, tél. 05.56.43.59.00, fax 05.56.43.17.78, e-mail calvet@calvet.com

M. CHAPOUTIER
Les Meysonniers 2000★★

	n.c.	25 000		8 à 11 €

Michel Chapoutier dirige depuis une dizaine d'années la célèbre maison familiale rhodanienne, créée en 1808. Il a étendu ses activités à d'autres vignobles de France, dans le Roussillon ou en Provence, ainsi qu'aux antipodes, en Australie-Méridionale. Revenons aux sources avec ce crozes-hermitage. Le jury salue le boisé bien intégré. Mais il y a plus : la finesse du nez, dans des nuances de prune, d'aubépine et de poire juste à point qui enchantent les sens, de la fraîcheur aussi. Le vin recherche en permanence le parfait équilibre, comme un funambule sous le chapiteau qui émerveille par son aisance.

↬ Maison M. Chapoutier, 18, av. du Dr-Paul-Durand, 26600 Tain-l'Hermitage, tél. 04.75.08.28.65, fax 04.75.08.81.70, e-mail chapoutier@chapoutier.com ☑ � r.-v.

M. CHAPOUTIER
Les Meysonniers 2000★

	n.c.	24 000		8 à 11 €

La maison Chapoutier ne laisse pas insensible. Tourné avec conviction vers la biodynamie, Michel Chapoutier va jusqu'au bout de sa réflexion. Cette cuvée Meysonniers, toute rubis profond, marie le fruité du cassis à une matière riche et ronde, équilibrée. La cuvée Les Varonniers rouge 2000 (38 à 46 €) reçoit la même distinction, mais elle est actuellement plus marquée par le bois et demande une garde de deux ans minimum.

↬ Maison M. Chapoutier, 18, av. du Dr-Paul-Durand, 26600 Tain-l'Hermitage, tél. 04.75.08.28.65, fax 04.75.08.81.70, e-mail chapoutier@chapoutier.com ☑ � r.-v.

DOM. BERNARD CHAVE
Cuvée traditionnelle 2000★

	7,48 ha	49 000		8 à 11 €

En 1996, Yann Chave a pris la tête de ce domaine de 14 ha implanté au tout début des années 1970. Pour élaborer cette cuvée, il a élevé 30 % du vin en demi-muid, ce qui lui confère suffisamment de présence. Dans le registre des fruits rouges et des épices souligné d'une pointe de cuir, celle-ci se révèle puissante avec un juste soutien de fraîcheur. Les tanins sont encore fermes, mais s'assagiront après trois ans de garde. La Tête de Cuvée rouge 2000 (11 à 15 €) est citée pour son caractère rond et gras, quoique très marqué par l'élevage à ce jour. A attendre.

↬ Yann Chave, La Burge, 26600 Mercurol, tél. 04.75.07.42.11, fax 04.75.07.47.34 � r.-v.
↬ Bernard Chave

CAVE DES CLAIRMONTS 2000★

	20 ha	103 200		8 à 11 €

Au menu : agneau du Vercors et fromage de Saint-Marcellin. Quelle belle idée... Car ce crozes-hermitage vous propose sa compagnie dès aujourd'hui. Aérien sur des notes de réglisse et de fruits rouges légers, il respire la santé par son équilibre frais. Et le blanc 2000 ? A l'apéritif, bien sûr, puis sur un feuilleté de chèvre chaud pour apprécier sa fraîcheur et ses arômes d'aubépine. Il obtient, lui aussi, une étoile.

↬ SCA Cave des Clairmonts, Vignes-Vieilles, 26600 Beaumont-Monteux, tél. 04.75.84.61.91, fax 04.75.84.56.98
☑ � t.l.j. sf dim. 9h-12h 14h-18h; groupes sur r.-v.

CLOS LES CORNIRETS
Vieilles vignes 2000★★

	0,83 ha	5 000		8 à 11 €

Les 12,5 ha de ce domaine sont essentiellement plantés en coteau sur Crozes. Laurent Fayolle, œnologue, fait une entrée remarquée avec deux cuvées d'intérêt. Les Pontaix blanc 2000 (5 à 8 €) reçoivent une étoile pour leur fraîcheur et leur finesse, tandis que ce crozes-hermitage rouge remporte tous les suffrages par ses arômes intenses de fruits mûrs qui persistent tout au long de la dégustation, comme par son ampleur. Les tanins, certes bien perceptibles, mais de qualité, témoignent d'un bon élevage en demi-muid.

RHÔNE

🍷 GAEC Fayolle, 9, rue du Ruisseau, 26600 Gervans,
tél. 04.75.03.33.74, fax 04.75.03.32.52 ☑ 🍷 r.-v.

DOM. COLLONGE 2000

■	30 ha	28 000	🍶 5 à 8 €

Ce domaine familial de 44 ha implanté sur les deux rives du Rhône exporte 30 % de sa production vers le Japon et le Canada. Son vin, orienté sur le fruit, devra être servi dans l'année. Pas de longs discours... « Le cœur n'est pas là pour attendre », dit la chanson. Mais vous serez surpris par la fraîcheur et le fruité.

🍷 GAEC Collonge, La Négociale, 26600 Mercurol,
tél. 04.75.07.44.32, fax 04.75.07.44.06 ☑ 🍷 t.l.j. sf dim.
8h30-12h 13h30-18h30; sam. 9h-12h 14h30-18h30;
groupes sur r.-v.

DOM. DU COLOMBIER 2000★★

■	1,2 ha	6 000	🍶 11 à 15 €

Elle avait obtenu deux étoiles l'an passé sur le millésime 99, elle en décroche une cette année, car la **cuvée Gaby rouge 2000**, fruitée et gracieuse, laisse la vedette au crozes-hermitage blanc équilibré et bien long. Celui-ci fait grand effet par ses arômes de fruits à pépins et de fleurs blanches, comme par son boisé bien fondu. Le plaisir est assuré en accompagnement d'un bar souligné d'une sauce aux noisettes et de tuiles de gruyère rôties.

🍷 Dom. du Colombier, SCEA Viale, 26600 Mercurol,
tél. 04.75.07.44.07, fax 04.75.07.41.43 ☑ 🍷 r.-v.

DOM. COMBIER 2000★

■	6,5 ha	30 000	🍶 11 à 15 €

Cultivé en agriculture biologique depuis 1970, le vignoble cinquantenaire du Combier couvre aujourd'hui 13 ha. Ce vin, élaboré dans une recherche de structure plus que de fruits, offre une belle expression de la syrah. Le fût ne domine pas, laissant la place à une matière veloutée soutenue par des tanins ronds. Un bel avenir de trois ans est prévisible. Le **Clos des Grives rouge 2000 (15 à 23 €)** obtient la même note, mais le boisé plus marqué demande à se fondre.

🍷 Dom. Combier, RN 7, 26600 Pont-de-l'Isère,
tél. 04.75.84.61.56, fax 04.75.84.53.43 ☑ 🍷 r.-v.

CUILLERON-GAILLARD-VILLARD
Les Palignons 1999

■	n.c.	5 900	🍶 11 à 15 €

Les palignons sont les morceaux d'échalas brisés par la violence du mistral dont l'on commence à sentir le souffle au nord de la vallée du Rhône. Encore dominé par les arômes de l'élevage auxquels s'associe la violette, ce vin possède de la matière étayée par des tanins serrés qui s'assoupliront au cours d'une garde de deux ans. Il a juste besoin d'une bonne aération avant le service.

🍷 SARL Les Vins de Vienne,
Bas-Seyssuel, 38200 Seyssuel,
tél. 04.74.85.04.52, fax 04.74.31.97.55 ☑ 🍷 r.-v.
🍷 Cuilleron-Gaillard-Villard

CH. CURSON 2001★★

▨	2 ha	n.c.	🍶 8 à 11 €

La cave du château de Curson est idéalement située dans un bâtiment du XVIᵉs., ancienne propriété de la protectrice des arts que fut Diane de Poitiers. Il n'en fallait pas moins pour produire ce vin jaune pâle à reflets argentés, tout en nuances de fleurs blanches (acacia), de pêche et d'abricot. L'équilibre remarquable entre la matière et le boisé trouve son point d'orgue dans une longue finale. Une bouteille à savourer dès à présent sur un sandre au beurre blanc ou des ravioles de Romans. Très réussi, le **Château Curson rouge 2000 (11 à 15 €)** joue sur le côté plaisant de ses arômes de fruits compotés, subtilement épicés, et de sa rondeur. Les tanins encore austères demandent juste une garde de deux ou trois ans pour se fondre.

🍷 Dom. Pochon, Ch. de Curson,
26600 Chanos-Curson,
tél. 04.75.07.34.60, fax 04.75.07.30.27 ☑ 🍷 r.-v.

DOM. DES ENTREFAUX 2000★★

■	15 ha	80 000	🍶🍷 8 à 11 €

Charles et François Tardy peuvent être fiers de leur millésime 2000 : deux de leurs crozes-hermitage ont participé au grand jury, dont l'un obtient un coup de cœur. Rubis profond, cette cuvée classique décline d'agréables notes de fruits rouges et noirs soulignées d'épices et de café. Après une attaque fraîche qui lui donne du relief, elle évolue avec rondeur et structure sur une belle ligne aromatique. Elle peut être appréciée dès aujourd'hui ou attendue deux ou trois ans. La cuvée **Les Machonnières 2000**, élevée quinze mois en fût et sur lie, est encore marquée par le bois, mais révèle bien des promesses à travers son nez puissant de fruits et de réglisse, sa matière équilibrée aux tanins très présents qui se fondront après deux ans de garde. Le jury lui a attribué deux étoiles.

↻ Dom. des Entrefaux,
quartier de la Beaume, 26600 Chanos-Curson,
tél. 04.75.07.33.38, fax 04.75.07.35.27 ☑ ⳨ r.-v.
↻ Tardy

DOM. MICHELAS-SAINT-JEMMS
La Chasselière 1999

■	12 ha	8 000	⑪	8 à 11 €

La vigne côtoie les arbres fruitiers sur le domaine de 45 ha, dont l'histoire est bien antérieure à l'arrivée des Michelas en 1961 ; en effet, au XIIᵉ s., le terroir appartenait à la noble famille d'Arces. Ce vin commence à évoluer comme en témoigne sa teinte cerise noire aux légers reflets tuilés. Les fruits macérés à l'eau-de-vie se marient à la fumée et à la vanille, tandis qu'en bouche les tanins encore présents ne nuisent pas à l'équilibre de l'ensemble.
↻ Dom. Michelas-Saint-Jemms, Bellevue-les-Chassis, 26600 Mercurol, tél. 04.75.07.86.70, fax 04.75.08.69.80, e-mail michelas.st.jemms@wanadoo.fr ☑ ⳨ r.-v.

DOM. DU MURINAIS
Vieilles vignes 2000

■	2,5 ha	10 000	⑪	8 à 11 €

Le vignoble de 12 ha apporte beaucoup de satisfaction à Luc Tardy qui le conduit depuis 1998 et en vinifie le fruit, alors que ses prédécesseurs étaient coopérants de la cave de Tain-l'Hermitage. Son vin apparaît dans toute sa simplicité. Pas très puissant, mais fondu, il retient l'attention par son nez de cassis, de violette. Servez-le sur une daube.
↻ Luc Tardy, quartier Champ-Bernard, 26600 Beaumont-Monteux, tél. 04.75.07.34.76, fax 04.75.07.35.91 ☑ ⳨ r.-v.

ORATORIO 2000*

■	n.c.	20 000	⑪	11 à 15 €

Cette maison de négoce fondée en 1859 possède de vastes chais d'élevage abritant une panoplie de fûts de contenance diverse. Des demi-muids de 600 l ont accueilli un vin rubis profond à reflets violines. L'expression intense allie la confiture de framboises, la violette et un boisé délicat perceptible en finale. D'une bonne présence, ce 2000 pourra être apprécié dès aujourd'hui et dans les deux prochaines années. Cité, **Les Allégories d'Antoine Ogier rouge 2000 (15 à 23 €)** est un vin fruité et équilibré.
↻ Ogier-Caves des Papes, 10, av. Louis-Pasteur, BP 75, 84232 Châteauneuf-du-Pape Cedex, tél. 04.90.39.32.32, fax 04.90.83.72.51, e-mail ogiercavesdespapes@ogier.fr
☑ ⳨ t.l.j. sf sam. dim. 9h-12h 14h30-18h

DOM. DES REMIZIERES
Cuvée Christophe 2000

■	n.c.	14 000	⑪	11 à 15 €

A Romans, vous aurez visité le musée de la Chaussure qui présente l'histoire de cet indispensable article vestimentaire sur près de quatre mille ans. Userez-vous vos souliers sur la route de Romans pour rejoindre ce domaine ? Il vous réserve un vin rouge violacé qui dévoile des notes de fruits noirs après un premier nez boisé. Une sensation de torréfaction émane de la bouche fraîche, aux tanins encore serrés. Un peu de patience.
↻ Cave Philippe Desmeure, rte de Romans, 26600 Mercurol, tél. 04.75.07.44.28, fax 04.75.07.45.87
☑ ⳨ r.-v.

DOM. LES SEPT CHEMINS 2000*

■	5 ha	25 000	▮↓	5 à 8 €

Autrefois dénommé Domaine du Vieux Monge, le vignoble situé au sud-est de Tain-l'Hermitage fut acheté dans les années 1930 par la famille Buffière. Présenté par le négociant Gabriel Meffre de Gigondas, ce vin présente longueur, ampleur et beaucoup de finesse. Le sous-bois se dispute aux épices et aux fruits mûrs, tant et si bien que l'on rêve de savourer cette bouteille sur un petit gibier ou une terrine de lapin au romarin. Présentée par le producteur, viticulteur à Pont-de-l'Isère, la **cuvée rouge 2000**, élevée en fût, obtient une citation pour son harmonie.
↻ Jean-Louis Buffière, Dom. Les Sept-Chemins, 26600 Pont-de-l'Isère, tél. 04.90.12.32.42, fax 04.90.12.32.49

CAVE DE TAIN L'HERMITAGE
Les Hauts du Fief 1999

■	n.c.	n.c.	▮↓	8 à 11 €

La cuvée Les Hauts du Fief est le fruit d'une syrah plantée sur des sols caillouteux d'alluvions fluvio-glaciaires, au nord de la terrasse des Châssis. Rappelant les fruits macérés à l'eau-de-vie sous sa robe grenat foncé, elle commence à dévoiler des notes de sous-bois caractéristiques d'un début d'évolution. On assiste aux prémices de son épanouissement en découvrant sa matière équilibrée, dans laquelle les tanins se fondent. Attendez-la encore un peu.
↻ Cave de Tain-l'Hermitage, 22, rte de Larnage, BP 3, 26601 Tain-l'Hermitage Cedex, tél. 04.75.08.20.87, fax 04.75.07.15.16, e-mail commercial.france@cave-tain-hermitage.com
☑ ⳨ r.-v.

Hermitage

Le coteau de l'Hermitage, très bien exposé au sud, est situé au nord-est de Tain-l'Hermitage. La culture de la vigne y remonte au IVᵉ s. av. J.-C., mais on attribue l'origine du nom de l'appellation au chevalier Gaspard de Sterimberg qui, revenant de la croisade contre les Albigeois en 1224, décida de se retirer du monde. Il édifia un ermitage, défricha et planta de la vigne.

L'appellation couvre environ 131 ha. Le massif de Tain est constitué à l'ouest d'arènes granitiques, terrain idéal pour la production de vins rouges (les Bessards). Dans les parties est et sud-est, formées de cailloutis et de lœss, se trouvent les zones ayant vocation à produire des vins blancs (les Rocoules, les Murets).

L'hermitage rouge (3 240 hl en 2001) est un vin tannique, extrêmement aromatique, qui demande un vieillissement de cinq à dix ans, voire vingt ans, avant de développer un bouquet d'une richesse et d'une qualité rares. C'est donc un très grand vin de garde, que l'on servira entre 16 °C et 18 °C, sur le gibier ou les viandes rouges goûteuses. L'hermitage blanc (1 073 hl) – cépage roussanne, et surtout marsanne – est un vin très fin, peu acide, souple, gras et très parfumé. Il peut être apprécié dès la première année, mais atteindra son plein épanouissement après un vieillissement de cinq à dix ans. Cependant les grandes années, en blanc comme en rouge, peuvent supporter un vieillissement de trente ou quarante ans.

DOM. BERNARD CHAVE 2000★

	1,12 ha	6 300	🍷 38 à 46 €

En venant de Tain-l'Hermitage, arrêtez-vous au belvédère de Pierre-Aiguille auquel vous accéderez au prix d'un petit effort qui sera récompensé ! Allez ensuite au domaine Bernard Chave. Son hermitage, élevé douze mois en demi-muid, possède un très joli nez, fin et élégant. Jugez-en : fruits rouges confiturés, épices (réglisse). Après une attaque sur le fruit, la bouche se montre onctueuse et soyeuse avec des tanins fins et discrets. Un vin de belle ampleur à boire dans trois à cinq ans.
🍷 Yann Chave, La Burge, 26600 Mercurol, tél. 04.75.07.42.11, fax 04.75.07.47.34 ⅄ r.-v.
🍷 Bernard Chave

DOM. JEAN-LOUIS CHAVE 1999★★

	n.c.	🍷 + de 76 €

Un domaine dont le renom s'est répandu sur tous les continents, fleuron des grands vins de France. Ce millésime, pourtant marqué par un climat de sécheresse, ne décevra pas. Comme tous ses aînés, il ne se laisse pas facilement aborder. Doté d'une riche matière, il offre un bouquet où l'humus et la truffe sont associés aux fruits noirs confits (notamment la mûre). Les tanins élégants sont présents et demandent quelques années de garde.
🍷 Dom. Jean-Louis Chave, 37, av. du Saint-Joseph, 07300 Mauves, tél. 04.75.08.24.63, fax 04.75.07.14.21

DOM. JEAN-LOUIS CHAVE 1999★★

	15 ha	n.c.	🍷 + de 76 €

Un grand vin comme l'annonce sa robe jaune d'or limpide. Le nez, marqué par le tilleul assorti à des fruits secs (amande, raisin de Smyrne), se montre puissant et enchante la dégustation. Le palais légèrement boisé révèle des notes de résineux et de moka. Une bouteille à savourer avec un foie gras ou des crevettes poêlées aux légumes.
🍷 Dom. Jean-Louis Chave, 37, av. du Saint-Joseph, 07300 Mauves, tél. 04.75.08.24.63, fax 04.75.07.14.21
🍷 Gérard Chave

LES DIONNIERES 1999★

	n.c.	340	46 à 76 €

Selon la légende, c'est le chevalier Henri Gaspard de Sterimberg qui aurait planté les premières vignes sur l'emplacement de l'actuel vignoble de l'Hermitage. Trois vins de ce domaine ayant opté pour la biodynamie sont sélectionnés. La cuvée Les Dionnières, d'une couleur rubis profond, est très typique de l'appellation. C'est un vin, de

belle extraction, équilibré, avec de la matière et qui possède un bon potentiel de vieillissement (trois ans environ). Le Reverdy blanc 99, élaboré à partir de roussanne et de marsanne à parts égales, obtient aussi une étoile. Des notes minérales mêlées de fruits secs ainsi qu'un boisé grillé bien présent caractérisent cette bouteille à laquelle il faudra laisser le temps de développer toute sa complexité. Quant à la cuvée Le Méal rouge 99, elle est citée.
🍷 Ferraton Père et Fils, 13, rue de la Sizeranne, 26600 Tain-l'Hermitage, tél. 04.75.08.59.51, fax 04.75.08.81.59, e-mail ferraton.pereetfils@wanadoo.fr ☑ ⅄ r.-v.
🍷 Chapoutier

GAMBERT DE LOCHE 1999★★

	n.c.	8 000	🍷 30 à 38 €

PRODUCT OF FRANCE

HERMITAGE
APPELLATION HERMITAGE CONTRÔLÉE

GAMBERT DE LOCHE
MIS EN BOUTEILLE A LA PROPRIÉTÉ

Alc. 13,5% by vol / 13,5% alc./vol

Cave de Tain l'Hermitage
26600 Tain 1 'Hermitage - France   750

PRODUIT DE FRANCE

Présentée par les vignerons de la Cave de Tain-l'Hermitage, cette remarquable cuvée est dédiée à son fondateur, Louis Gambert de Loché, connu pour sa passion pour la vigne et pour son humanisme. Une sélection particulièrement rigoureuse de vieilles vignes a donné un vin complexe à la fois boisé et fruité. Un hermitage comme on les aime : dense, charnu et puissant, mais fin. La cuvée Nobles Rives blanc 2000 (15 à 23 €), légèrement marquée par son élevage en fût, reçoit une étoile.
🍷 Cave de Tain-l'Hermitage, 22, rte de Larnage, BP 3, 26601 Tain-l'Hermitage Cedex, tél. 04.75.08.20.87, fax 04.75.07.15.16, e-mail commercial.france@cave-tain-hermitage.com ⅄ r.-v.

MARQUISE DE LA TOURETTE 2000★

	117 ha	10 000	🍷 30 à 38 €

Outre son château aménagé en musée, Tournon est réputé pour son marché qui se tient tous les samedis mais aussi pour sa foire aux oignons à la fin du mois d'août. Une très belle maturité pour cette Marquise de la Tourette aux arômes de fruits à chair blanche (pêche notamment), d'abricot, de vanille, et de miel. Une bouteille qui révèle une grande maîtrise de la vinification et laisse présager d'un bon vieillissement.
🍷 Delas Frères, ZA de l'Olivet, 07302 Tournon-sur-Rhône, tél. 04.75.08.60.30, fax 04.75.08.53.67 ⅄ r.-v.
🍷 Champagne Deutz

MONIER DE LA SIZERANNE 2000★

	14 ha	3 300	38 à 46 €

Avant de se rendre chez Chapoutier, les gourmands pourront visiter la chocolaterie Valrhôna installée à Tain-l'Hermitage. Une belle robe rouge foncé habille cet

hermitage au nez intense. La bouche fruitée possède une matière assez tannique, mais ne se montre pas agressive. Un millésime jeune au bon potentiel de garde, jusqu'à dix ans. La célèbre **cuvée Chante-Alouette blanc 2000 (30 à 38 €)**, citée, se distingue par son gras et sa rondeur.
🕏 Maison M. Chapoutier,
18, av. du Dr-Paul-Durand, 26600 Tain-l'Hermitage,
tél. 04.75.08.28.65, fax 04.75.08.81.70,
e-mail chapoutier@chapoutier.com ☑ ⵐ r.-v.

DOM. DES REMIZIERES
Cuvée Emilie 2000★

▦	n.c.	3 000	⫯ 23 à 30 €

La cuvée Emilie, coup de cœur dans l'édition 2002, est à nouveau distinguée. Le blanc vinifié en barrique (50 % fût neuf, 50 % d'un vin) laisse percevoir des notes de vanille et de torréfaction tout au long de la dégustation. La finale, sur le fruit à chair blanche, apporte une touche de fraîcheur. C'est un vin riche, gras et rond. La **cuvée Emilie rouge 2000** est citée. Les dégustateurs conseillent de l'attendre pour permettre au bois de se fondre.
🕏 Cave Philippe Desmeure, rte de Romans,
26600 Mercurol, tél. 04.75.07.44.28, fax 04.75.07.45.87 ☑ ⵐ r.-v.

Cornas

En face de Valence, l'appellation (108,56 ha) s'étend sur la seule commune de Cornas. Les sols, en pente assez forte, sont composés d'arènes granitiques, maintenues en place par des murets. Le cornas (3 602 hl) est un vin rouge viril, charpenté, qu'il faut faire vieillir au moins trois années (mais il peut attendre parfois beaucoup plus) afin qu'il puisse exprimer ses arômes fruités et épicés sur viandes rouges et gibier.

DOM. COURBIS
La Sabarotte 2000★

▦	0,85 ha	4 200	⫯ 30 à 38 €

Deux vins ont été distingués par le jury cette année. La Sabarotte, habillée d'une robe aux beaux reflets violacés, est un vin riche et équilibré, avec une finale chaleureuse. Le boisé, bien fondu, est rehaussé par un côté réglissé mais aussi par le fruit. La **cuvée Champelrose rouge 2000 (15 à 23 €)**, citée, se montre agréable.
🕏 Dom. Courbis,
rte de Saint-Romain, 07130 Châteaubourg,
tél. 04.75.81.81.60, fax 04.75.40.25.39,
e-mail domaine-courbis@wanadoo.fr ☑ ⵐ r.-v.

CUILLERON-GAILLARD-VILLARD
Les Barcillants 1999

▦	90 ha	3 880	⫯ 15 à 23 €

Comment mieux sceller son amitié qu'autour d'une bonne bouteille ? Non pas en la dégustant mais en la produisant, ont estimé ces trois amis vignerons. Les Barcillants, élevés dix-huit mois en fût, sont marqués par le bois et les fruits compotés. Un vin frais qui accompagnera une viande rouge cuite au four dans quelques années.

🕏 SARL Les Vins de Vienne,
Bas-Seyssuel, 38200 Seyssuel,
tél. 04.74.85.04.52, fax 04.74.31.97.55 ☑ ⵐ r.-v.
🕏 Cuilleron-Gaillard-Villard

DOM. J. DESPESSE
Les Côtes 2000

▦	0,25 ha	1 800	⫯ 11 à 15 €

Jusqu'en 1990, cette propriété familiale, qui vinifie depuis trois générations, vendait sa production au négoce. Depuis, elle a bien développé la vente en bouteilles. Ce vin qui a passé dix-huit mois en fût est marqué par le fruit et évolue agréablement. La finale se révèle pleine de finesse.
🕏 Dom. J. Despesse, 10, Basses-Rues, 07130 Cornas,
tél. 04.75.80.03.54, fax 04.75.80.03.26 ☑ ⵐ r.-v.

ERIC ET JOEL DURAND 2000

▦	2,5 ha	13 000	⫯ 15 à 23 €

Ce cornas produit par le GAEC du Lautaret se montre simple et élégant. Des arômes de fruits, de cuir, des tanins souples caractérisent ce vin qui offrira une belle harmonie dans quelque temps, lorsque le bois sera fondu.
🕏 Eric et Joël Durand,
6, imp. de la Fontaine, 07130 Châteaubourg,
tél. 04.75.40.46.78, fax 04.75.40.29.77 ☑ ⵐ r.-v.

CAVE DE TAIN-L'HERMITAGE
Nobles Rives 1999

▦	n.c.	n.c.	⫯ 11 à 15 €

Déjà des notes d'évolution apparaissent ; le cassis et le cuir sont bien présents. La concentration n'est pas très importante, mais le bel équilibre est typique du millésime. Un vin à attendre de trois à cinq ans.
🕏 Cave de Tain-l'Hermitage, 22, rte de Larnage,
BP 3, 26601 Tain-l'Hermitage Cedex,
tél. 04.75.08.20.87, fax 04.75.07.15.16,
e-mail commercial.france@cave-tain-hermitage.com
☑ ⵐ r.-v.

DOM. DU TUNNEL
Cuvée Prestige 2000★

▦	0,8 ha	2 800	⫯ 23 à 30 €

Une robe rouge à reflets violacés, un nez puissant et net, une matière première mûre, des notes de violette, d'épices, de tabac, de cuir et un boisé léger et fondu pour cette jolie bouteille bien équilibrée. A boire sur le fruit ou, pour les plus patients, dans cinq à dix ans sur des gibiers.
🕏 Stéphane Robert, Dom. du Tunnel,
20, rue de la République, 07130 Saint-Péray,
tél. 04.75.80.04.66, fax 04.75.80.06.50 ☑ ⵐ r.-v.

Saint-péray

Situé face à Valence, le vignoble de Saint-Péray (59 ha, 2 677 hl en 2001) est dominé par les ruines du château de Crussol. Un microclimat relativement plus froid et des sols plus riches que dans le reste de la région sont favorables à la production de vins plus acides, secs et moins riches en alcool, remarquablement

RHÔNE

bien adaptés à l'élaboration de blanc de blancs par la méthode traditionnelle. C'est d'ailleurs la principale production de l'appellation, et l'un des meilleurs vins effervescents de France.

CUILLERON-GAILLARD-VILLARD
Les Bialères 2000

	n.c.	4 000	⊞ 11 à 15 €

Trop marqué par le bois actuellement pour être totalement apprécié, cet assemblage dominé par la marsanne (90 %) n'en offre pas moins une agréable impression en première attaque. Beurrée, grillée, une bouteille qui offre du gras associé à la fraîcheur de l'agrume.
☛ SARL Les Vins de Vienne,
Bas-Seyssuel, 38200 Seyssuel,
tél. 04.74.85.04.52, fax 04.74.31.97.55 ☑ Y r.-v.
☛ Cuilleron-Gaillard-Villard

DOM. DARONA 2000★

	0,3 ha	2 200	∎◊ 5 à 8 €

Ce vin, composé à 92 % par la marsanne, est d'une grande fraîcheur, très agréable. Il se montre ample et complexe avec un nez pour le moment encore fermé, mais qui devrait révéler des surprises d'ici quelque temps.
☛ Dom. Darona, Les Faures, 07130 Saint-Péray,
tél. 04.75.40.34.11, fax 04.75.81.05.70 ☑ Y r.-v.

BERNARD GRIPA
Les Figuiers 2000

	0,6 ha	2 500	⊞ 11 à 15 €

Pourquoi masquer ce vin par le bois alors qu'il possède un potentiel qui piaffe d'impatience pour s'exprimer. Le jury a décelé derrière cette matière un gras, associé à de la fraîcheur qui rend cette bouteille typique de son appellation. Attendons deux ans pour que cela se révèle totalement.
☛ Dom. Bernard Gripa, 5, av. Ozier, 07300 Mauves,
tél. 04.75.08.14.96, fax 04.75.07.06.81 ☑ Y r.-v.

CAVE DE TAIN-L'HERMITAGE
Nobles Rives 2000★

	n.c.	n.c.	5 à 8 €

Un assemblage de marsanne (70 %) et de roussanne (30 %) dont 30 % est passé en barrique pour ces Nobles Rives. L'attaque apparaît sur un boisé fondu délicat, bientôt relayé par les fruits et les fleurs blancs. Une pointe d'alcool se manifeste, mais laisse une impression de gras tandis que la finale reste très fraîche.
☛ Cave de Tain-l'Hermitage, 22, rte de Larnage,
BP 3, 26601 Tain-l'Hermitage Cedex,
tél. 04.75.08.20.87, fax 04.75.07.15.16,
e-mail commercial.france@cave-tain-hermitage.com
☑ Y r.-v.

JEAN-LOUIS ET FRANCOISE THIERS
Brut

	3,5 ha	22 000	∎◊ 8 à 11 €

Un bon reflet de l'appellation en effervescent. Des bulles fines et légères accompagnent un vin jaune pâle aux reflets dorés. Des fruits blancs parsèment le parcours dégustatif mais toujours dans un bel équilibre.
☛ Cave Jean-Louis et Françoise Thiers,
EARL du Biguet, 07130 Toulaud,
tél. 04.75.40.49.44, fax 04.75.40.33.03 ☑ Y r.-v.

Gigondas

Au pied des étonnantes dentelles de Montmirail, le célèbre vignoble de Gigondas ne couvre que la commune de Gigondas et est constitué d'une série de coteaux et de vallonnements. La vocation viticole de l'endroit est très ancienne, mais son réel développement date du XIXᵉs. (vignobles du Colombier et des Bosquets), sous l'impulsion d'Eugène Raspail. D'abord côtes du rhône, puis, en 1966, côtes du rhône-villages, gigondas obtient ses lettres de noblesse en tant qu'appellation spécifique en 1971. L'AOC couvre aujourd'hui 1 244 ha.

Les caractéristiques du sol et son climat font que les vins de gigondas (41 310 hl en 2001) sont, dans une très grande proportion, des vins rouges à forte teneur en alcool, puissants, charpentés et bien équilibrés, tout en présentant une finesse aromatique où se mêlent épices et fruits à noyau. Bien adaptés au gibier, ils mûrissent lentement et peuvent garder leurs qualités pendant de nombreuses années. Il existe également quelques vins rosés, puissants et capiteux.

PIERRE AMADIEU
Romane-Machotte 2000★★

	40 ha	80 000	⊞ 8 à 11 €

Un ancien tunnel de chemin de fer, racheté par la famille Amadieu en 1953, abrite des foudres de chêne. Une robe noire et brillante donne le ton de cette cuvée Romane-Machotte, élevée un an en foudre. Le nez, prometteur, allie les fruits rouges, les notes de sous-bois et une pointe minérale. Le palais révèle des saveurs de garrigue avant de céder la place à une finale longue et particulièrement agréable. L'attaque se révèle jeune, vite dominée par des tanins soyeux.
☛ Pierre Amadieu, 84190 Gigondas,
tél. 04.90.65.84.08, fax 04.90.65.82.14,
e-mail pierre.amadieu@pierre-amadieu.com ☑ Y r.-v.
☛ Jean-Pierre Amadieu

DOM. DES BOSQUETS
Préférence 2000★★

	n.c.	6 500	∎◊ 15 à 23 €

La cuvée Préférence porte une séduisante robe rouge cerise à reflets violines. Toujours de la cerise, mais rehaussée par de la mûre et de la violette pour le nez. L'attaque est déjà riche et pleine de rondeur. Une bouteille qui se révèle bien fruitée, promise à un bel avenir. En l'attendant, goûtez donc à la **cuvée principale 2000** (11 à 15 €), citée, produite en plus grande quantité (110 000 bouteilles).
☛ Dom. des Bosquets, 84190 Gigondas,
tél. 04.90.65.80.45, fax 04.90.65.80.45 ☑ Y r.-v.
☛ Bréchet

DOM. LA BOUSCATIERE 1999

| | 7,5 ha | 34 000 | | | 8 à 11 € |

Le domaine de la Bouscatière, ou « bûcher » en provençal, est installé dans un vieux mas, entouré par la vigne. Le nez de ce vin à la robe sombre est encore fermé. Mais patience : la concentration est bien présente. Un gigondas très tannique et puissant possédant beaucoup d'ampleur et qu'il faudra attendre de trois à cinq ans pour qu'il s'exprime pleinement et se domestique.
�‧ Sabine Saurel, La Beaumette, 84190 Gigondas, tél. 04.90.70.96.80, fax 04.90.70.96.80 ☑ ⵏ r.-v.

DOM. LA BOUISSIERE
La Font de Tonin 2000★

| | 2,5 ha | n.c. | | 15 à 23 € |

Coup de cœur l'an dernier pour sa cuvée principale, ce domaine ne déçoit pas. La Font de Tonin offre un nez intense et complexe qui mêle harmonieusement les fruits à noyau, le boisé et des notes de torréfaction. La présence de mourvèdre (25 %) commence à se manifester. Un beau vin de caractère, généreux, avec une très belle matière, et un indéniable potentiel. La **Cuvée traditionnelle rouge 2000 (11 à 15 €)**, encore un peu sur la réserve, est citée.
�‧ EARL Faravel, rue du Portail, 84190 Gigondas, tél. 04.90.65.87.91, fax 04.90.65.82.16 ☑ ⵏ r.-v.

DOM. BRUSSET
Tradition Le Grand Montmirail 2000★

| | 12 ha | 45 000 | | | 11 à 15 € |

Un joli couple cerise et épices (poivre) qui évolue en bouche sur des notes de cuir. Un petit côté rustique, bâti pour durer. Ce vin rouge d'encre accompagnera un gibier dans trois à quatre ans, lorsque les tanins seront davantage fondus.
�‧ SA Dom. Daniel et Laurent Brusset, 84290 Cairanne, tél. 04.90.30.82.16, fax 04.90.30.73.31 ☑ ⵏ r.-v.

DOM. DE CASSAN 2000★

| | 7,5 ha | 30 000 | | | 8 à 11 € |

La fille et le gendre de Paul Croset, un ancien imprimeur qui acheta le domaine en 1975, ont pris sa succession depuis plusieurs années. Une jolie robe et un nez déjà très expressif pour ce vin dominé par les épices qui se marient aux fruits rouges confiturés et à quelques notes de noyau. La réglisse prend ensuite le relais. L'ensemble révèle une grande complexité avec du volume. La finale est particulièrement chaleureuse.
�‧ Dom. de Cassan, SCIA Saint-Christophe, Lafare, 84190 Beaumes-de-Venise, tél. 04.90.62.96.12, fax 04.90.65.05.47, e-mail domainedecassan@wanadoo.fr
☑ ⌂ ⵏ t.l.j. sf dim. 10h-12h 14h-19h
�‧ Famille Croset

CAVES DES PAPES
Oratorio 2000★

| | n.c. | 30 000 | | 11 à 15 € |

Contrairement à ce que son nom Oratorio indique, cette bouteille ne renferme pas un drame mais un vin fort plaisant. Si sa robe vive paraît jeune, ses arômes fleurent bon la maturité. Confiture de cassis et de groseilles jouent sur un air vanillé. Les tanins bien présents sont enrobés et la finale est soyeuse. Un vrai régal.

�‧ Ogier-Caves des Papes, 10, av. Louis-Pasteur, BP 75, 84232 Châteauneuf-du-Pape Cedex, tél. 04.90.39.32.32, fax 04.90.83.72.51, e-mail ogiercavesdespapes@ogier.fr
☑ ⵏ t.l.j. sf sam. dim. 9h-12h 14h30-18h

DOM. DU CAYRON 2000★

| | 16 ha | 68 000 | | 11 à 15 € |

Une cuvée aux notes de sous-bois et d'épices accompagnant joliment les fruits noirs très mûrs. La bouche demande encore quelques années pour exprimer toute sa puissance et toute sa plénitude. A servir alors sur une viande rouge ou un gibier.
�‧ EARL Michel Faraud, Dom. du Cayron, 84190 Gigondas, tél. 04.90.65.87.46, fax 04.90.65.88.81 ☑ ⵏ r.-v.

DOM. LE CLOS DES CAZAUX
Cuvée de la Tour sarrazine 2000★

| | 10 ha | 40 000 | | | 8 à 11 € |

Sur la route qui mène de Vacqueyras à Montmirail, au milieu du vignoble, se dresse la tour des Sarrasins, une tour à signaux du XIIᵉˢ. Elle a donné son nom à cette cuvée au bouquet fruité et empyreumatique où se mêlent des notes épicées. La bouche, franche et ronde avec des tanins doux, possède une belle longueur marquée par la réglisse et associée à une agréable matière. Une bouteille bien structurée.
�‧ EARL Archimbaud-Vache, Dom. Le Clos des Cazaux, 84190 Vacqueyras, tél. 04.90.65.85.83, fax 04.90.65.83.94 ☑ ⵏ r.-v.
�‧ Maurice Vache

CLOS DU JONCUAS 1999★★

| | 11 ha | n.c. | | 15 à 23 € |

Un très beau vin, typique de l'appellation. De la robe grenat intense à l'équilibre général, tout est en profondeur et en générosité. Retenons simplement les jolis arômes de pruneau et de fruits cuits soulignés de quelques épices. La persistance aromatique et le gras permettront à ce gigondas de rivaliser avec les gibiers les plus forts en goût.
�‧ Fernand et Dany Chastan, Clos du Joncuas, 84190 Gigondas, tél. 04.90.65.86.86, fax 04.90.65.83.68 ☑ ⵏ r.-v.

DOM. DES ESPIERS
Cuvée Tradition 2000★

| | 2 ha | 10 000 | | 11 à 15 € |

Pour assouvir sa passion pour la vigne et le vin, Philippe Cartoux décide, il y a une quinzaine d'années, de créer son domaine. Cette cuvée Tradition élaborée à partir du classique assemblage de grenache et de syrah est marquée par les fruits (mûre et framboise) et une pointe de grillé. Les épices (clou de girofle) lui apportent une touche d'originalité. Rondeur et équilibre sont déjà au rendez-vous et, grâce à la souplesse de ses tanins, cette bouteille peut être appréciée dès maintenant. Une étoile également pour la **cuvée des Blaches 99 (15 à 23 €)**, marquée par la syrah, qui gagnera à être attendue un peu.
�‧ Philippe Cartoux, rte de Vaison, 84190 Vacqueyras, tél. 04.90.65.81.16, fax 04.90.65.81.16
☑ ⵏ t.l.j. sf dim. 8h-12h 14h-18h

CAVE DES VIGNERON DE GIGONDAS
Seigneurie de Fontange Vieilles vignes 1999

■ 13,88 ha 50 000 **▮❶** 8 à 11 €

Si l'âge commence doucement à marquer la robe de ce 99, le nez, en revanche, avec des arômes de fruits cuits et de cuir, n'a pas encore atteint sa pleine maturité. Quant à la bouche, elle se montre fort chaleureuse, et cependant les tanins très présents dominent en finale. A boire sur un civet.

� Cave des Vignerons de Gigondas, rte de Sablet, 84190 Gigondas, tél. 04.90.65.86.27, fax 04.90.65.80.13, e-mail gigondas.lacave@wanadoo.fr ☑ ⵒ r.-v.

DOM. GIROUSSE 2000
■ 1,36 ha 5 200 **❶** 8 à 11 €

Benoît Girousse ne regrette pas sa décision. En 1996, après un stage de formation, il vend sa maison pour acquérir ce petit domaine viticole (1,36 ha) et se consacrer en partie à la vigne. Il continue cependant d'exercer son métier d'ingénieur. Cette bouteille se montre plutôt exotique au nez avant de s'achever de manière assez classique. Un vin très boisé, à la mode... Une affaire de goût.

↙ Girousse, Le Cours, 84410 Bédoin, tél. 04.90.12.81.47, fax 04.90.12.81.47, e-mail benoit.girousse@free.fr ☑ ⵒ r.-v.

DOM. GONDRAN 2000★
■ 1,7 ha 8 000 **▮⚭** 8 à 11 €

Valréas possède une caractéristique administrative unique en France. Cette commune est la capitale de l'Enclave, un canton du Vaucluse enchâssé dans la Drôme. La bourgade est également réputée pour sa production vinicole. Le nez flatteur de ce gigondas est en pleine évolution et il ne devrait pas tarder à afficher toute sa complexité : violette, sous-bois, réglisse et autres épices. La présence de vieux grenache (plus de quarante ans), qui s'exprime pleinement, est révélée par une attaque bien ronde, des tanins enrobés et une finale marquée par la confiture. A recommander sur un gibier.

↙ Cellier de l' Enclave des Papes, rte d'Orange, BP 51, 84602 Valréas Cedex, tél. 04.90.41.91.42, fax 04.90.41.90.21, e-mail france@enclavedespapes.com

DOM. DU GOUR DE CHAULE
Cuvée Tradition 1999★★

▨ 4 ha 18 000 **▮❶⚭** 8 à 11 €

A l'origine, au début du XXᵉs., l'activité du domaine se partageait entre la culture de la vigne et celle de l'olivier. Peu à peu, le vignoble a pris le dessus. Aujourd'hui, Aline Bonfils présente un vin de couleur foncée, épais, dont la concentration s'exprime déjà par la robe. Le premier nez s'ouvre sur des notes de fruits très mûrs, de figue, de torréfaction avant de céder la place au second nez caractérisé par des sensations plus jeunes de fruits rouges. Tout est arôme dans ce gigondas au joli boisé. Les tanins très serrés sont remarquables. Une rare réussite, mais il est préférable de patienter encore cinq ans pour laisser le temps à cette bouteille de s'exprimer pleinement.

↙ SCEA Beaumet-Bonfils, Dom. du Gour de Chaulé, 84190 Gigondas, tél. 04.90.65.85.62, fax 04.90.65.82.40 ☑ ⵒ r.-v.

↙ Aline Bonfils

DOM. DU GRAND BOURJASSOT
Cuvée Cécile 2000★

■ 2 ha 3 500 **▮❶** 8 à 11 €

Cette année encore la Cuvée Cécile reçoit une étoile. La douceur de sa robe est à l'image de la puissance de son nez. Les notes animales se mêlent à celles des épices et des fruits compotés, voire à quelques notes grillées du meilleur effet. Le style est féminin : les tanins se montrent ronds et doux avant de laisser la tendresse s'exprimer par des effluves sucrés (caramel) et vanillés. Un compromis très réussi entre vin et bois.

↙ Pierre Varenne, Dom. du Grand Bourjassot, quartier Les Parties, 84190 Gigondas, tél. 04.90.65.88.80, fax 04.90.65.89.38 ☑ ⵒ t.l.j. sf dim. 10h-12h 14h30-18h

DOM. DU GRAND MONTMIRAIL
Le Coteau de Mon Rêve 2000★

■ 8 ha 37 000 8 à 11 €

La propriété de 20 ha s'étend sur le versant sud des dentelles de Montmirail. Elle propose un beau gigondas avec des arômes expressifs et complexes jouant sur les fruits, le cuir, les épices et la réglisse. L'attaque de ce vin, charnu, généreux et étoffé, est pleine et ronde.

↙ Dom. du Grand-Montmirail, ferme du Grand-Montmirail, 84190 Gigondas, tél. 04.90.65.00.22, fax 04.90.65.85.91 ☑ ⵒ t.l.j. sf sam. dim. 10h-12h 14h-18h

↙ Y. et D. Chéron

DOM. DE LONGUE TOQUE 2000★★
■ 18 ha 67 000 **❶** 23 à 30 €

Propriété de Gabriel Meffre, le domaine de Longue Toque, frise l'excellence. Ce gigondas mêle très agréablement les notes de fruits rouges au cuir. La finesse et le charme habillent une bonne structure et une majestueuse ampleur. Le jury prédit un séduisant avenir à cette bouteille. La **cuvée Laurus rouge 2000** reçoit une étoile. L'équilibre entre la barrique et la cuve est parfaitement maîtrisé et a donné une belle bouteille qu'il faut laisser vieillir.

↙ Gabriel Meffre, Le Village, 84190 Gigondas, tél. 04.90.12.30.22, fax 04.90.12.30.29 ☑ ⵒ r.-v.

DOM. LA MACHOTTE 2000★
■ 25 ha 60 000 8 à 11 €

Gigondas, dominé par les vestiges de son château, offre une belle vue sur la plaine du Comtat. Cette bouteille est parée d'une robe d'un joli grenat profond. La discrétion de son nez est compensée par une grande finesse où se mêlent fruits cuits, sous-bois, truffe, tandis que les épices et la cerise l'emportent en bouche. Ce gigondas d'un abord plutôt souple se caractérise cependant davantage par la complexité et la puissance. A attendre un peu.

↙ SCEA de Gigondas, Claude Amadieu, Dom. la Machotte, 84190 Gigondas, tél. 04.90.65.85.90, fax 04.90.65.82.14, e-mail claude.amadieu@pierre-amadieu.com ☑ ⵒ r.-v.

MONTIRIUS 2000
■ 16 ha 70 000 **▮❶** 11 à 15 €

Ce domaine a choisi la voie de l'agriculture biologique. Il a sans doute fait un choix judicieux à plus d'un titre. Une robe soutenue habille ce Montirius marqué par les fruits rouges et les épices. Des tanins soutiennent le palais comme le fait la charpente d'une grande bâtisse. Avec sa belle longueur, c'est incontestablement un vin de garde.

Christine et Eric Saurel, SARL Montirius,
Le Deves, 84260 Sarrians, tél. 04.90.65.38.28,
fax 04.90.65.48.72, e-mail montirius@wanadoo.fr
☑ ⵊ t.l.j. sf sam. dim. 9h-12h 14h-18h

MOULIN DE LA GARDETTE
Cuvée Ventabren 1999★★

| ■ | 2,5 ha | 10 000 | 🍷 15 à 23 € |

Les premiers textes consacrés au vignoble de Gigondas se trouvent chez Pline. C'est dire l'ancienneté de sa renommée. Ce domaine, certes plus récent, est réputé. Intense et franche, cette cuvée laisse d'abord s'exprimer des arômes légèrement boisés qui cèdent peu à peu la place aux fruits rouges et au caramel. La concentration aromatique est remarquable et d'une grande complexité. La structure des tanins est à l'avenant. Avec ce vin, le terroir révèle toute sa plénitude. A déguster sur un sanglier ou des brochettes de grive.

Moulin de la Gardette, pl. de la Mairie,
84190 Gigondas, tél. 04.90.65.81.51, fax 04.90.65.86.80,
e-mail n.la-gardette@voila.fr
☑ ⵊ t.l.j. sf dim. 10h-13h 15h-18h30
Meunier

DOM. NOTRE DAME DES PALLIERES
Cuvée classique 1999

| ■ | 13 ha | 20 000 | ▮▮ 8 à 11 € |

Au Moyen Age, les pèlerins se rendaient jusqu'à la petite chapelle de Notre Dame des Pallières dans l'espoir de guérir des « mauvaises fièvres », notamment de la peste. Ce gigondas est bien dans la tradition de l'appellation. Aujourd'hui, le grenache (85 %) domine les autres cépages. Les parfums de garrigue et les notes sauvages cèdent la place à la cerise noire et au pruneau en bouche. Une bouteille que l'on pourra bientôt déboucher pour accompagner une viande rouge, pas trop cuite.

Jean-Pierre et Claude Roux, chem. des Tuileries,
84190 Gigondas, tél. 04.90.65.83.03, fax 04.90.65.83.03,
e-mail nd_pallieres@hotmail.com ☑ ⵊ r.-v.

L'OLIVIERE 1999★

| ■ | n.c. | n.c. | 8 à 11 € |

Un gigondas dont le côté sauvage – griotte, airelle, arbouse... – a su conquérir le jury. Sachez apprivoiser cette bouteille pour découvrir ses tanins soyeux, sa belle ampleur et son intéressante expression. Sinon, patientez un peu et, d'ici trois à quatre ans, elle devrait savoir se tenir à table.

Cellier de l'Enclave des Papes,
rte d'Orange, BP 51, 84602 Valréas Cedex,
tél. 04.90.41.91.42, fax 04.90.41.90.21,
e-mail france@enclavedespapes.com ☑

DOM. DU PARANDOU 1999★

| ■ | 1,8 ha | 8 000 | ▮▮ 8 à 11 € |

Des barriques sur l'étiquette de ce vin pourtant élevé en cuve ! Discrétion et finesse caractérisent ce gigondas, subtil et encore ferme. Le jury a été séduit par son équilibre et sa finale. Il n'est pas nécessaire d'attendre plus de trois ans pour profiter pleinement de cette bouteille.

EARL Le Parandou, 84110 Sablet,
tél. 04.90.46.96.12, fax 04.90.46.96.13 ☑ ⵊ r.-v.
Didier Grangeon

DOM. LE PEAGE 2000★★

| ■ | 15 ha | 70 000 | ▮ 8 à 11 € |

Le grand-père de l'actuel propriétaire fut, paraît-il, l'un des premiers à commercialiser la bouteille de Gigon-

das. Aujourd'hui, il peut être fier de sa descendance dont deux vins illustrent ici. Le millésime 2000 montre d'emblée une grande intensité dominée par les épices douces, le foin et les fruits macérés à l'alcool. L'attaque est vive et tellement ronde... Les tanins jouent sur le velours. « Un vin qui appelle à la soif », conclut un dégustateur sous le charme. « Avec modération », ajoute l'éditeur.

Sabine Saurel, La Beaumette, 84190 Gigondas,
tél. 04.90.70.96.80, fax 04.90.70.96.80 ☑ ⵊ r.-v.

DOM. DU PESQUIER 2000★

| ■ | 16 ha | 50 000 | ▮🍷 8 à 11 € |

Au cœur de l'appellation, ce vignoble appartenait aux princes d'Orange au XVIe s. ; ce vin n'a pas laissé indifférent le jury, lequel a apprécié son nez expressif à dominante de fruits rouges. Les tanins sont puissants, mais néanmoins fondus. Un gigondas d'une certaine élégance, apanage des grands.

Boutière et Fils, Dom. du Pesquier,
84190 Gigondas, tél. 04.90.65.86.16, fax 04.90.65.88.48
☑ ⵊ r.-v.

DOM. DE PIAUGIER 2000

| ■ | 3,5 ha | 15 000 | 8 à 11 € |

Un gigondas remarqué pour son joli nez marqué par le cuir, le sous-bois et les notes animales. La bouche est contrastée avec une attaque souple et un style plutôt fin ; elle est suivie d'une finale rude qui vient réveiller les papilles. Déjà prêt, toujours prêt !

Jean-Marc Autran, Dom. de Piaugier,
3, rte de Gigondas, 84110 Sablet,
tél. 04.90.46.96.49, fax 04.90.46.99.48,
e-mail piaugier@wanadoo.fr 🏠 ⵊ r.-v.

DOM. DU POURRA
Cuvée Prestige SK 1999★

| ■ | 11 ha | 8 200 | ▮🍷 15 à 23 € |

Sis dans un vallon bien ensoleillé, à l'abri des vents, le domaine produit des vins de qualité. Celui-ci, déjà épanoui, révèle un boisé fondu. Au palais, le fruit est présent avec des notes de vanille. C'est un 99 fin, rond, ample et gras, avec de la tenue. Déjà très agréable, il est cependant recommandé de le laisser vieillir.

J.-C. Mayordome, SCEA Dom. du Pourra,
rte de Vaison, 84110 Sablet,
tél. 04.90.46.93.59, fax 04.90.46.98.71,
e-mail domaine.du.pourra@wanadoo.fr
☑ ⵊ t.l.j. sf sam. dim. 8h-17h30

DOM. DU PRADAS 2000

| ■ | 4,5 ha | 20 000 | 8 à 11 € |

De vieilles vignes plantées sur un sol de sables marneux et de gypse ont donné ce gigondas, encore en pleine évolution, mais qui s'avère déjà être un bon représentant, bien typé, de l'appellation. L'assemblage classique de grenache et de syrah sera à son apogée d'ici à deux ans, le temps que le nez, à la complexité naissante, s'exprime. Un vin qui accompagnera parfaitement un agneau aux herbes.

Dom. du Pradas, 84190 Gigondas,
tél. 04.90.62.94.28 ☑ ⵊ r.-v.
Sylvie Cottet

CH. RASPAIL 2000

| ■ | 42 ha | 25 000 | ▮ 8 à 11 € |

Les vignes du château Raspail recèlent des trésors ! C'est ainsi qu'Eugène Raspail y trouva une statue grecque

RHONE

qu'il vendit au British Museum de Londres. L'argent de cette vente lui permit de construire, en 1866, le château Raspail, belle et vaste demeure. Un trio d'arômes des plus agréables (fruits, violette, cacao) caractérise ce vin élégant, davantage tourné vers la finesse que vers la puissance. Déjà accessible, il mérite cependant d'être attendu.
🕿 Christian Meffre, Ch. Raspail, 84190 Gigondas, tél. 04.90.65.88.93, fax 04.90.65.88.96, e-mail château.raspail@wanadoo.fr ☑ ⌂ ⌾ r.-v.

DOM. RASPAIL-AY 2000★★
| ■ | 18 ha | 60 000 | 🗚⑪ 8 à 11 € |

Bien abritées des excès climatiques sur des terrasses en pentes douces, les vignes qui ont servi à élaborer ce gigondas sont âgées de quarante ans. Le nez se révèle dans un premier temps balsamique avant de céder la place aux fruits et à la réglisse pour finir sur le cuir. Une bouteille parfaitement équilibrée, ample avec du gras. La belle harmonie en bouche est la marque des produits bien faits. Un superbe représentant de l'appellation.
🕿 Dominique Ay, Dom. Raspail-Ay, 84190 Gigondas, tél. 04.90.65.83.01, fax 04.90.65.89.55 ☑ ⌂ ⌾ r.-v.

DOM. LA ROUBINE 2000★
| ■ | 5 ha | 2 500 | 🗚⑪ 8 à 11 € |

La Roubine signe avec ce gigondas sa première vinification en cave particulière. Les propriétaires peuvent être satisfaits de ce vin qui se déguste agréablement, tout en douceur. Celui-ci se montre d'abord discret avant de laisser s'exprimer les arômes d'épices, de sous-bois et de fruits confits... De même, l'attaque, souple dans un premier temps, se révèle puissante. L'équilibre tanin-acidité est parfait. Un gigondas qui mérite d'être connu.
🕿 Eric Ughetto, Dom. La Roubine, 84190 Gigondas, tél. 04.90.65.81.55, fax 04.90.65.81.55 ☑ ⌾ r.-v.

CH. DE SAINT COSME 2000★★
| ■ | 15,3 ha | 60 000 | 🗚⑪ 11 à 15 € |

Ce domaine serait le plus ancien de Gigondas. C'est peut-être grâce à sa longue expérience et à ses très vieilles vignes (soixante ans d'âge) qu'il décroche deux étoiles ? La robe soutenue de ce 2000 devance un nez qui sait faire cohabiter élégamment fruité et boisé. Harmonie et fondu sont les maîtres mots de ce vin très soigné à la finale souple et longue. Une superbe bouteille qui gagnera encore en vieillissant.
🕿 EARL Louis Barruol, Ch. de Saint Cosme, 84190 Gigondas, tél. 04.90.65.80.80, fax 04.90.65.81.05 ☑ ⌾ r.-v.

SAINT-DAMIEN 2000★★
| ■ | 4 ha | 6 700 | 🗚⑪ 8 à 11 € |

Saint Damien, représenté sur l'étiquette de cette bouteille, possède aussi, près l'église de Gigondas, une statue en bois doré. Il veille sur cette cuvée originale aux jolies notes animales. Les arômes de fruits confits et d'épices contribuent à faire de ce vin un ensemble complexe et très prometteur. Les dégustateurs ont été impressionnés par les magnifiques tanins qui jouent sur du velours et par la persistance aromatique de ce 2000. A essayer sur un gibier à plume.

🕿 SCEA Joël Saurel, Dom. Saint-Damien, 84190 Gigondas, tél. 04.90.70.96.42, fax 04.90.70.96.42 ☑ ⌾ r.-v.

DOM. SAINT GAYAN
Fontmaria 2000★★★
| ■ | 31 ha | 2 000 | ⑪ 15 à 23 € |

La qualité des arômes – épices (réglisse), menthol, fumée – n'a d'égale que la maîtrise de l'élevage sous bois, perceptible mais sans excès. La bouche, veloutée et fondue, qui allie puissance et élégance, est une rare réussite. Cette bouteille attendra cinq à huit ans en cave avant d'accompagner une viande rouge ou un gibier. Le domaine ne ménage pas ses efforts : la **cuvée principale Domaine Saint Gayan 2000 (11 à 15 €)**, typique de l'appellation, remporte une étoile.
🕿 SCEA Jean-Pierre et Martine Meffre, Dom. Saint-Gayan, 84190 Gigondas, tél. 04.90.65.86.33, fax 04.90.65.85.10, e-mail jpmeffre@saintgayan.com ☑ ⌾ r.-v.

DOM. DU TERME 2001
| ■ | 0,7 ha | 3 000 | 🗚↓ 8 à 11 € |

En 2002 le domaine a entrepris de grands travaux pour reconstruire et moderniser son chai. A côté de sa **cuvée principale Domaine du Terme rouge 99**, souple et gras, cité, il propose un intéressant rosé, à la fois floral et fruité avec des nuances de pêche et de fruits rouges. La groseille et la framboise persistent durablement.
🕿 Rolland Gaudin, Dom. du Terme, 84190 Gigondas, tél. 04.90.65.86.75, fax 04.90.65.80.29, e-mail domaine.terme@free.fr
☑ ⌸ ⌂ ⌾ t.l.j. 10h-12h 14h-18h

DOM. DE LA TOURADE
Font des Aïeux 2000★★
| ■ | 2,86 ha | 13 000 | ⑪ 11 à 15 € |

La robe est tellement dense qu'elle est presque noire. Encore austère, ce vin a besoin d'être aéré pour dévoiler un bouquet d'une rare richesse : fruits noirs confits, sous-bois, pointe minérale, truffe, foin, grillé... La palette est infinie. La bouche, ample et puissante, est à la hauteur. Quelques années de vieillissement assoupliront cette cuvée Font des Aïeux qui sera alors divine.

☛ EARL André Richard, Dom. de La Tourade, 84190 Gigondas, tél. 04.90.70.91.09, fax 04.90.70.96.31 ✓ ⌂ ☿ t.l.j. 9h-19h

DOM. DES TOURELLES 2000

| ■ | 9 ha | n.c. | ▮⑪▱ | 8 à 11 € |

Un ancien monastère abrite les caves de ce petit domaine de 9 ha. Côté technique : une cuvaison longue sans égrappage et un passage en foudre de neuf mois. Côté dégustation : un vin souple et ferme à la fois, tendre et rustique, à boire dès maintenant sur un gibier.

☛ Roger Cuillerat, Dom. des Tourelles, 84190 Gigondas, tél. 04.90.65.86.98, fax 04.90.65.89.47, e-mail domaine-des-tourelles@wanadoo.fr ✓ ☿ r.-v.

DOM. DES TROIS EVEQUES 2000

| ■ | 1 ha | n.c. | | 8 à 11 € |

Vieux seulement d'une dizaine d'années, ce domaine s'est peu à peu agrandi et compte aujourd'hui 12 ha. Il présente un vin à la robe d'une jolie couleur grenat intense. Des notes de cuir sont nettement perceptibles dans cette cuvée aux arômes particulièrement fins, tout comme son harmonie générale. Ces Trois Evêques se montrent fort classiques et surtout chaleureux ; ils réjouiront le cœur du prélat comme celui de l'honnête homme.

☛ Jérôme Evesque, quartier Cabassole, 84190 Vacqueyras, tél. 04.90.65.80.58, fax 04.90.65.87.10 ✓ ☿ r.-v.

DOM. VARENNE
Vieux fût 2000

| ■ | 1,4 ha | 6 500 | ⑪ | 11 à 15 € |

Douze mois de fût ont durablement marqué ce vin au nez vanillé. Sa structure encore un peu rude domine le fruit, mais celui-ci est toutefois bien perceptible. Un peu de patience suffira pour que ce gigondas s'assouplisse et accompagne agréablement un gibier. Le **rosé 2001 (8 à 11 €)** du domaine reçoit une étoile.

☛ Dom. Varenne, Le Petit Chemin, 84190 Gigondas, tél. 04.90.65.86.55, fax 04.90.12.39.28 ✓ ☿ t.l.j. 10h-12h 14h-18h

VIEUX CLOCHER 1999★

| ■ | 3 ha | 13 000 | ▮⑪▱ | 8 à 11 € |

Depuis 1717, date à laquelle la famille Arnoux reçut sa première vigne, le domaine perpétue la tradition viticole. Le jury a apprécié les beaux arômes de fruits typés griotte de ce gigondas. Une bouteille structurée et tannique qui souligne le caractère chaleureux du grenache.

☛ Arnoux et Fils, Portail Neuf, 84190 Vacqueyras, tél. 04.90.65.84.18, fax 04.90.65.80.07, e-mail info@arnoux-vins.com ✓ ☿ t.l.j. sf dim. 8h-12h 14h-18h

> L'alcool assure corps et rondeur au vin ; l'acidité lui donne la nervosité et l'équilibre ; les tanins lui procurent structure et charpente.

Vacqueyras

L'appellation d'origine contrôlée vacqueyras, dont les conditions de production ont été définies par décret du 9 août 1990, est la treizième et dernière-née des AOC locales des côtes du rhône.

Elle rejoint gigondas et châteauneuf-du-pape à ce niveau hiérarchique dans le département du Vaucluse. Situé entre Gigondas au nord et Beaumes-de-Venise au sud-est, son territoire s'étend sur les deux communes de Vacqueyras et de Sarrians. Les 1 326 ha de vignes produisent un peu plus de 47 367 hl dont 700 hl de blanc.

Vingt-trois embouteilleurs, une cave coopérative ainsi que trois négociants-éleveurs commercialisent 1,5 million de cols en vacqueyras.

Les vins rouges (95 %), élaborés à base de grenache, de syrah, de mourvèdre et de cinsault, sont aptes au vieillissement (trois à dix ans). Les rosés (4 %) sont issus d'un encépagement similaire. Les blancs restent confidentiels (cépages : clairette, grenache blanc, bourboulenc, roussanne).

DOM. DES AMOURIERS
Les Genestes 2000★

| ■ | 4 ha | 10 000 | ▮▱ | 8 à 11 € |

Le domaine des Mûriers, ou Amouriers en provençal, propose une cuvée Geneste très fruitée (fruits rouges) avec des notes grillées et fumées. Rondeur et gras sont bien présents et attestent d'une bonne maîtrise de la vinification. Une bouteille d'une grande fraîcheur, marquée par la syrah.

☛ IND Chudzikiewicz, Les Garrigues, 84260 Sarrians, tél. 04.90.65.83.22, fax 04.90.65.84.13 ✓ ☿ r.-v.

LA BASTIDE SAINT-VINCENT 2000

| ■ | 5,5 ha | 18 000 | ▮▱ | 5 à 8 € |

Un domaine incontournable, était-il écrit dans le Guide l'an passé. Et cette année le voilà sélectionné pour un vacqueyras élaboré avec des raisins vendangés à pleine maturité. Ce vin, paré d'une robe avec quelques reflets brique, mêle agréablement les fruits mûrs et la chaleur de l'alcool à la réglisse. Plein, gras et bien équilibré, il peut accompagner une viande en sauce.

☛ Guy Daniel, Bastide Saint-Vincent, rte Vaison-la-Romaine, 84150 Violès, tél. 04.90.70.94.13, fax 04.90.70.96.13, e-mail bastide.vincent@free.fr ✓ ☿ t.l.j. sf dim. 8h30-12h 14h-19h; f. 1er-15 jan.

DOM. DE BOISSAN 2000

| ■ | 1,7 ha | 8 000 | ▮ | 5 à 8 € |

Les fruits rouges évoluent vers les fruits cuits ou peut-être les fruits macérés dans l'alcool, le tout agrémenté de quelques notes poivrées. Assez charpenté, mais sans excès, ce vacqueyras possède une belle matière qui a encore besoin de temps pour s'affirmer.

⌐┐ Christian Bonfils, Dom. de Boissan,
84110 Sablet, tél. 04.90.46.93.30, fax 04.90.46.99.46,
e-mail c.bonfil@wanadoo.fr
☑ Ⲩ t.l.j. 9h-12h 14h-19h; sam. dim. sur r.-v.

DOM. BOULETIN
Sélection de Vieilles vignes 2000

	8 ha	10 000	5 à 8 €

Une étiquette parcheminée pour cet assemblage de
syrah et de grenache agrémenté d'une pointe de mourvèdre. Peut-être est-ce la recette pour obtenir un beau nez
floral et empyreumatique ? A n'en pas douter, l'évolution
sera favorable. Vivacité et longueur caractérisent ce vin fait
pour durer.
⌐┐ Dom. Bouletin et Fils,
quartier Les Plantades, 84190 Beaumes-de-Venise,
tél. 04.90.62.95.10, fax 04.90.62.98.23 ☑ Ⲩ r.-v.

BOUVENCOURT 1999★

	5 ha	27 000	▮◖▯ 8 à 11 €

Le négociant Laurent-Charles Brotte propose un
Vacqueyras à la jolie robe rubis dont les reflets brique
rappellent les façades de Toulouse, dit un juré. C'est
l'Occitanie qui chante dans ce vin composé à 80 % de
grenache ! La bouche se montre onctueuse, voluptueuse,
suave avec des accents de fruits rouges dégoulinant de
soleil. Un instant de plaisir, comme un air de Nougaro.
⌐┐ Laurent-Charles Brotte, Le Clos, BP 1,
84231 Châteauneuf-du-Pape, tél. 04.90.83.70.07,
fax 04.90.83.74.34, e-mail brotte@brotte.com
☑ Ⲩ t.l.j. en hiver 9h-12h 14h-18h;
en été 9h-13h 14h-19h

DOM. DE LA BRUNELY 1999

	8 ha	40 000	▮◖▯⌄ 5 à 8 €

Au XVᵉs., la famille Brunély de Vérone, en Italie,
s'installe à Sarrians. Elle reçoit de la Papauté, qui réside
alors à Avignon, les terres qui constituent aujourd'hui le
domaine. Les premières vignes auraient d'ailleurs été
plantées dès cette époque. Les arômes d'épices sont
présents, plus ou moins intensément, tout au long de la
dégustation. Le fruit se fait également sentir et la finale,
avec ses notes de torréfaction, est particulièrement agréable. Le grain des tanins est intéressant et, lorsque le boisé
sera légèrement atténué, l'harmonie générale sera idéale,
suave et veloutée. A attendre donc.
⌐┐ Anne et Charles Carichon, Dom. de La Brunely,
84260 Sarrians, tél. 04.90.65.41.24, fax 04.90.65.30.60,
e-mail charles-carichon@terre-net.fr ☑ Ⲩ r.-v.

DOM. DE LA CHARBONNIERE 2000★

	n.c.	20 000	◖▯ 11 à 15 €

Cette année une étoile vient à nouveau couronner le
vacqueyras de ce domaine établi à Châteauneuf-du-Pape.
La délicatesse de ce vin plus que sa puissance a séduit le
jury. Fruits rouges, violette et réglisse se prolongent dans
une bouche aux tanins fondus très agréables. En résumé,
un vin velouté et harmonieux.
⌐┐ Michel Maret, Dom. de La Charbonnière,
26, rte Courthézon, 84230 Châteauneuf-du-Pape,
tél. 04.90.83.74.59, fax 04.90.83.53.46 ☑ Ⲩ r.-v.

DOM. LE CLOS DES CAZAUX
Cuvée de Saint Roch 2000★★

	7 ha	30 000	▮⌄ 8 à 11 €

Depuis 1989, le domaine s'est tourné vers l'agriculture biologique. Un choix que ne lui fera sûrement pas

regretter sa superbe cuvée de Saint Roch. Un peu de fruits
mûrs et de réglisse, une pointe d'épices, l'ensemble bien
dosé et l'alchimie est parfaite. Franc et intense, c'est tout
simplement un très beau vin dont la structure joliment
enrobée permettra un vieillissement optimum d'ici quatre
à cinq ans. La Cuvée des Templiers rouge 99 reçoit une
étoile. Avec son nez aux notes de gibier mêlées de fruits
cuits et d'épices, elle conviendra parfaitement à un repas
de chasseur. La cuvée des Clefs d'or blanc 2000, citée,
d'une grande fraîcheur et d'une grande volupté, accompagnera la salade.
⌐┐ EARL Archimbaud-Vache,
Dom. Le Clos des Cazaux, 84190 Vacqueyras,
tél. 04.90.65.85.83, fax 04.90.65.83.94 ☑ Ⲩ r.-v.
⌐┐ Maurice Vache

DOM. LE COLOMBIER
Cuvée Tradition 2000★

	11,4 ha	20 000	▮⌄ 5 à 8 €

Jean-Louis Mourre, géologue, a pris la tête du
domaine familial en 1995. Il présente une cuvée Tradition
très appréciée du jury et qui a frôlé les deux étoiles. De
jolies nuances odorantes caractérisent un nez assez classique. La bouche, ample et bien équilibrée, s'achève sur des
saveurs de violette et de Zan. Un beau vin qui fait honneur
à l'appellation. La cuvée Vieilles vignes rouge 2000 (8
à 11 €), citée, a besoin de quelques années supplémentaires
pour s'épanouir complètement.
⌐┐ Jean-Louis Mourre,
Dom. le Colombier, 84190 Vacqueyras,
tél. 04.90.12.39.71, fax 04.90.65.85.71 ☑ Ⲩ r.-v.

DOM. LE COUROULU
Vieilles vignes 1999★

	4 ha	12 000	▮◖▯⌄ 8 à 11 €

Tiercé gagnant pour ce domaine qui obtient une
étoile pour trois cuvées différentes. Le volume et la
puissance des vieux ceps de la cuvée Vieilles vignes
ainsi que ses notes animales et de confiture de fraises sont
du meilleur effet. La maîtrise du bois est sensible, comme
dans la cuvée classique rouge 99 (5 à 8 €), marquée
par des parfums de sous-bois, de girofle et de gibier.
Son harmonie est excellente. La cuvée Laura blanc
2001 (5 à 8 €), assemblage de grenache, de clairette,
de viognier et de roussanne, offre une superbe palette
aromatique.
⌐┐ EARL Le Couroulu,
La Pousterle, 84190 Vacqueyras,
tél. 04.90.65.84.83, fax 04.90.65.81.25
☑ Ⲩ t.l.j. sf dim. 9h-12h 14h-18h
⌐┐ Guy Ricard

DOM. DE L'ESPIGOUETTE 1999★★

	1,85 ha	8 000	▮⬤⬤	5 à 8 €

L'élégance de la robe à reflets rouges donne la tonalité de cette dégustation. Aucune agressivité dans cette symphonie pastorale de fruits rouges sauvages, de groseille et de griotte. Après une attaque franche, la bouche se révèle ample et soyeuse, équilibrée jusque dans sa longue finale.

☛ Bernard Latour, EARL Dom. de L'Espigouette, 84150 Violès, tél. 04.90.70.95.48, fax 04.90.70.96.06, e-mail espigouette@wanadoo.fr ☑ ⏃ r.-v.

LA FONT DE PAPIER
La Fontaine des Papes 2000★

	n.c.	n.c.	▮⬤	11 à 15 €

De jolies notes poivrées servent de fil conducteur à la dégustation de ce vin paré d'une robe bordeaux ; elles sont accompagnées de nuances de réglisse et même de cacao. La présence d'alcool est sensible au premier nez. En bouche, l'attaque est puissante avec une belle matière qui révèle un bon potentiel de vieillissement. Attendre au moins trois ans ce vin issu de l'agriculture biologique.

☛ Fernand et Dany Chastan, Clos du Joncuas, 84190 Gigondas, tél. 04.90.65.86.86, fax 04.90.65.83.68 ☑ ⏃ r.-v.

DOM. LA FOURMONE
Cuvée des Ceps d'or 2000★★

	11 ha	23 000	▮⬤	30 à 38 €

Nul ne sait vraiment de quand datent les bâtiments du domaine. Seule certitude, la cuve aux parois tapissées de carreaux vernis remonte au XVIIIᵉs. Cette année le succès est au rendez-vous à la Fourmone. Trois cuvées sont retenues par le jury : une citation pour le **Trésor du Poète rouge 2000 (23 à 30 €)**, une étoile pour la **Sélection Maître de Chais (23 à 30 €)**, et le firmament pour la cuvée des Ceps d'or. Avec plus de gras encore, ce vin atteindrait le sublime, mais c'est déjà une gourmandise avec ses arômes d'épices (réglisse), de cuir et de fruits noirs. La structure tannique est domptée par la rondeur. Une bouteille à redécouvrir dans cinq ans.

☛ Roger Combe et Filles, Dom. La Fourmone, rte de Bollène, 84190 Vacqueyras, tél. 04.90.65.86.05, fax 04.90.65.87.84 ☑ ⏃ t.l.j. 9h30-12h 14h-18h; f. fév.

DOM. LA GARRIGUE
Cuvée de l'Hostellerie 2000

	4 ha	16 000	▮⬤	5 à 8 €

« Le vin de la Garrigue jamais ne fatigue » est la devise de ce domaine. Quoi qu'il en soit, il ne lasse pas le jury. La cuvée de l'Hostellerie, parée d'une robe grenat de

faible intensité, développe des notes de cerise à l'alcool. Le nez le confirme, ainsi que la bouche où alcool et tanins se retrouvent. A ne pas attendre.

☛ SCEA A. Bernard et Fils, Dom. La Garrigue, 84190 Vacqueyras, tél. 04.90.65.84.60, fax 04.90.65.80.79 ☑ ⏃ t.l.j. 8h-12h 14h-19h30; dim. sur r.-v.

DOM. GONDRAN 1999

	5,8 ha	27 000	▮⬤	5 à 8 €

Un vin très traditionnel, de la robe à la finale. Les fruits rouges au sirop accompagnés de cannelle et de gingembre ont été particulièrement remarqués. Les tanins sont très présents sans être agressifs. L'équilibre ample et puissant conviendra au gibier.

☛ Cellier de l'Enclave des Papes, rte d'Orange, BP 51, 84602 Valréas Cedex, tél. 04.90.41.91.42, fax 04.90.41.90.21, e-mail france@enclavedespapes.com

DOM. DU GRAND MONTMIRAIL 2000★

	2,5 ha	10 000	▮⬤⬤	8 à 11 €

Un vin issu de grenache et de syrah à parts égales qui offre beaucoup de générosité. Discret au nez, c'est le cassis qui emplit la bouche aux tanins bien présents. Une bouteille qui peut attendre quatre ans.

☛ Dom. du Grand-Montmirail, ferme du Grand-Montmirail, 84190 Gigondas, tél. 04.90.65.00.22, fax 04.90.65.85.91 ☑ ⏃ t.l.j. sf sam. dim. 10h-12h 14h-18h ☛ Y. et D. Chéron

ALAIN JAUME 2000★

	n.c.	6 000	▮⬤	8 à 11 €

Que de diversité dans les arômes ! La mûre sauvage ressort sur les myrtilles, les fruits noirs, la réglisse et de subtiles notes de vanille. Le boisé est superbement maîtrisé ; il est toujours bien présent, cependant l'évolution laisse déjà la place à un vacqueyras tannique mais plein, gras, qui va encore se bonifier avec le temps.

☛ Vignobles Alain Jaume et Fils, rte Châteauneuf-du-Pape, 84100 Orange, tél. 04.90.34.68.70, fax 04.90.34.43.71 ⏃ r.-v.

DOM. LA MONARDIERE
Vieilles vignes 2000

	4 ha	13 000	▮⬤	11 à 15 €

Ces Vieilles vignes n'expriment peut-être pas tout leur potentiel. Le vin, un peu sur la retenue, dévoile cependant de beaux arômes empyreumatiques de fruits mûrs et d'écorce d'orange. Les tanins commencent à se fondre. Une bouteille à ressortir dans deux à trois ans lorsqu'elle aura gagné en harmonie et en onctuosité.

☛ Dom. la Monardière, Les Grès, 84190 Vacqueyras, tél. 04.90.65.87.20, fax 04.90.65.82.01, e-mail monardiere@wanadoo.fr ☑ ⏃ t.l.j. sf dim. 9h-12h 14h-19h ☛ Christian Vache

CH. DE MONTMIRAIL
Cuvée de l'Ermite 2000★

	3 ha	10 000	▮⬤	8 à 11 €

Les caves de ce domaine, qui atteint presque 50 ha, sont installées dans des bâtiments de l'ancienne station thermale de Montmirail, réputée pour ses sources salines et sulfureuses. Elles ont produit un vin où syrah et grenache entrent à parts égales. La belle ampleur et la bonne longueur de cette cuvée de l'Ermite sont sans doute ses deux qualités premières. Elle présente beaucoup de fraîcheur et gagnera à être attendue. Pour patienter, goûtez donc la **cuvée des Deux Frères rouge 2000**, citée par le jury.

🐦 SCEV Archimbaud-Bouteiller, Ch. de Montmirail, cours Stassart, BP 12, 84190 Vacqueyras, tél. 04.90.65.86.72, fax 04.90.65.81.31, e-mail archimbaud @chateau-de-montmirail.com ☑ ⵗ t.l.j. sf dim. 9h-12h 14h-18h

DOM. DE MONTVAC 2000**

◼	10 ha	45 000	🍶	5 à 8 €

Quel succès pour le domaine cette année ! Deux de ses vacqueyras obtiennent deux étoiles. Celui-ci présente une complexité et un bouquet digne des plus grands. La maturité des raisins se ressent ; les épices côtoient le cacao ; les fruits confits accompagnent les sous-bois pour composer un ensemble d'une grande harmonie. Après une attaque ample et douce comme pour mieux apprivoiser le dégustateur, le vin se développe sans aucune aspérité. Tout est rondeur, suavité et pourtant quelle charpente ! Le jury est tout aussi élogieux à propos de la **cuvée Vincila rouge 2000** (8 à 11 €), produite uniquement dans les grands millésimes. Elle est élaborée à partir d'une sélection des meilleurs terroirs du domaine et des plus anciennes vignes. Dans quatre ans, cette remarquable bouteille devrait avoir atteint toute sa plénitude.

🐦 Cécile Dusserre, Dom. de Montvac, 84190 Vacqueyras, tél. 04.90.65.85.51, fax 04.90.65.82.38 ☑ ⵗ t.l.j. sf dim. 9h-12h 14h-18h; sur r.-v. pour groupes

DOM. LE SANG DES CAILLOUX
Cuvée Azalaïs 2000**

◼	12 ha	45 000	🍶	11 à 15 €

Le nom du domaine évoque la couleur rouge de l'argile recouvert de galets (les cailloux) sur lequel sont plantées les vignes âgées en moyenne de trente-cinq ans. Celles-ci ont donné une superbe cuvée Azalaïs qui a enthousiasmé le jury avec ses tanins bien marqués sans être agressifs. Une forte personnalité pour ce vin riche, complexe et bien équilibré. « Beaucoup de plaisir en perspective », conclut un juré.

🐦 Dom. le Sang des Cailloux, rte de Vacqueyras, 84260 Sarrians, tél. 04.90.65.88.64, fax 04.90.65.88.75, e-mail le-sang-des-cailloux @wanadoo.fr ☑ ⵗ t.l.j. sf dim. 14h-18h; sur r.-v. le matin
🐦 S. Férigoule.

DOM. DE LA TOURADE 2000

◼	3,7 ha	19 000		8 à 11 €

Le nez, d'abord discret, s'ouvre sur les fruits mûrs, les notes animales et le cuir et enfin les épices, arômes qui se retrouvent en bouche. Le palais, de la même façon, offre une attaque douce, un développement harmonieux et une chute qui est un nouvel appel à la dégustation... avec modération.

🐦 EARL André Richard, Dom. de La Tourade, 84190 Gigondas, tél. 04.90.70.91.09, fax 04.90.70.96.31 ☑ 🏠 ⵗ t.l.j. 9h-19h

DOM. DES TROIS EVEQUES 2000*

◼	8 ha	20 000	🍶	5 à 8 €

Trois crosses d'évêques ornent l'étiquette de ce vin. Des tanins fins, mais fortement présents, de la vivacité, de jolis arômes et un bon équilibre lui permettent d'obtenir une étoile. Le soin apporté au vignoble, la récolte manuelle font partie du résultat final.

🐦 Jérôme Evesque, quartier Cabassole, 84190 Vacqueyras, tél. 04.90.65.80.58, fax 04.90.65.87.10 ☑ ⵗ r.-v.

VIEUX CLOCHER 2000*

◼	25 ha	120 000	🍶	5 à 8 €

Une maison qui jouit d'une bonne renommée et qui le prouve aujourd'hui encore avec ce vacqueyras, très intéressant aux tanins fondus et cependant bien présents. Beaucoup de fraîcheur à l'attaque et de l'ampleur en finale. Une belle réussite de l'appellation.

🐦 Arnoux et Fils, Portail Neuf, 84190 Vacqueyras, tél. 04.90.65.84.18, fax 04.90.65.80.07, e-mail info @arnoux-vins.com ☑ ⵗ t.l.j. sf dim. 8h-12h 14h-18h

Châteauneuf-du-pape

Le territoire de production de l'appellation, la première à avoir défini légalement ses conditions de production en 1931, s'étend sur la quasi-totalité de la commune qui lui a donné son nom et sur certains terrains de même nature des communes limitrophes d'Orange, de Courthézon, de Bédarrides et de Sorgues (3 204 ha). Ce vignoble est situé sur la rive gauche du Rhône, à une quinzaine de kilomètres au nord d'Avignon. Son originalité provient de son sol, formé notamment de vastes terrasses de hauteurs différentes, recouvertes d'argile rouge mêlée de nombreux cailloux roulés. Les cépages sont très divers, avec prédominance du grenache, de la syrah, du mourvèdre et du cinsault. Le rendement ne dépasse pas 35 hl/ha.

Les châteauneuf-du-pape ont toujours une couleur très intense. Ils seront mieux appréciés après un vieillissement qui varie en fonction des millésimes. Amples, corsés et charpentés, ce sont des vins au bouquet puissant et complexe, qui accompagnent avec succès les viandes rouges, le gibier et les fromages à pâte fermentée. Les blancs, produits en petite quantité (6 873 hl), savent cacher leur puissance par leur saveur et la finesse de leurs arômes. La production globale atteint les 105 586 hl.

ANCIEN DOMAINE DES PONTIFES 2001★

■	0,3 ha	1 300	❙❙❙ 11 à 15 €

Contrairement à ce que laisse penser l'étiquette, ce domaine n'est pas si ancien. Il date du début du XXᵉs. Cet assemblage à parts égales de grenache et de roussanne a été vinifié à basse température (16 °C) comme le révèlent les notes amyliques marquées par des arômes fermentaires. Son côté anisé le destine à accompagner un loup au fenouil dans les deux ans à venir.
➤ Françoise Granier,
13, rue de l'Escatillon, 30150 Roquemaure,
tél. 04.66.82.56.73, fax 04.66.90.23.90 ☑ ️ r.-v.

DOM. DE BABAN 1999★★

■	9 ha	30 000	❙❙❙ 15 à 23 €

En 1922, la famille Riché mettait déjà elle-même son châteauneuf-du-pape en bouteilles avant de l'expédier à la Cour de Roumanie. Son 99 est encore en devenir. Si les tanins sont bien présents, ils manquent pour le moment de souplesse, mais le potentiel est là. Laissons encore du temps à cette bouteille. Dans cinq ans, elle devrait avoir atteint son harmonie.
➤ SCEA Dom. Riche, 84230 Châteauneuf-du-Pape,
tél. 04.90.12.32.42, fax 04.90.12.32.49

LA BASTIDE-SAINT-DOMINIQUE 2000★★

■	7 ha	26 000	❙♦ 11 à 15 €

Un vin issu de vieilles vignes à la robe d'un rouge très concentré à reflets violacés. Le nez offre la même concentration et, avec ses notes épicées et vanillées, il réveille les papilles. Un châteauneuf-du-pape typique aux tanins complexes et aux arômes de garrigue. Un dégustateur conseille de lui laisser cinq à six ans pour s'épanouir.
➤ Gérard Bonnet,
La Bastide-Saint-Dominique, 84350 Courthézon,
tél. 04.90.70.85.32, fax 04.90.70.76.64,
e-mail contact@bastide-st-dominique.com ☑ 🏠 ️ r.-v.

LOUIS BERNARD 2000

■	n.c.	80 000	❙❙❙ 11 à 15 €

Le négociant Louis Bernard a entrepris une démarche assez rare de partenariat avec des viticulteurs dont les parcelles sont suivies tout au long de l'année. Ce vin, issu de vignes plantées sur un sol d'argile rouge recouvert de galets roulés, est bien charpenté et marqué par les fruits. La bouche, intense, demande un peu de temps pour se fondre. Une bouteille à servir dans deux ans sur un rôti de bœuf.
➤ Salavert-Les domaines Bernard, rte de Sérignan,
84100 Orange, tél. 04.90.11.86.86, fax 04.90.34.87.30,
e-mail sagon@domaines-bernard.fr

DOM. BERTHET-RAYNE

Vieilli en fût de chêne 2000★

■	1,8 ha	8 000	❙❙❙ 11 à 15 €

Deux vins de cette propriété familiale qui couvre presque 10 ha sont sélectionnés. La cuvée vieillie en fût de chêne est à conseiller aux amateurs de boisé. Elle demande cinq à six ans pour mieux se fondre. La cuvée Cadiac rouge 2000 (15 à 23 €), une étoile, offre un nez puissant et une bouche à la fois riche et concentrée, où boisé et fruité s'harmonisent.
➤ Berthet-Rayne, 2334, rte de Caderousse,
84350 Courthézon, tél. 04.90.70.74.14, fax 04.90.70.77.85
☑ 🏠 ️ t.l.j. 8h-12h 13h30-18h30; sam. dim. sur r.-v.

MAS DE BOISLAUZON 2000★★★

■	6 ha	15 000	❙❙❙ 11 à 15 €

Elevé un an en fût, le 2000 est bien représentatif de son millésime. Sa robe grenat soutenu affiche sa jeunesse tout comme son joli bouquet de cerise à l'eau-de-vie mêlée aux épices et aux fruits mûrs. La bouche aux tanins élégants se montre généreuse et harmonieuse. Un vin au beau potentiel de garde (cinq à dix ans), à réserver à un gibier d'exception.
➤ Monique et Daniel Chaussy, Mas de Boislauzon,
84100 Orange, tél. 04.90.34.46.49, fax 04.90.34.46.61
☑ ️ t.l.j. sf dim. 10h-12h 13h-18h;
groupes sur r.-v.; f. 15-30 sept.

BOISRENARD 2000★★★

■	2,5 ha	9 000	❙❙❙ 30 à 38 €

Des documents anciens attestent de la présence de vignes au lieu-dit Bois Renard en 1344. Aujourd'hui la cuvée Boisrenard, issue de très vieilles vignes (quatre-vingts ans), obtient un coup de cœur. Une longue cuvaison (vingt-huit jours) a été nécessaire pour enrichir le vin de toute sa substance polyphénolique. L'élevage en fût (dix-huit mois) est encore très présent même si les tanins mûrs participent au charme de cette grande bouteille qu'il faudra attendre encore quelques années pour que le bois se fonde parfaitement. Un vin robuste et élégant fait pour durer.
➤ SCEA Paul Coulon et Fils, Dom. de Beaurenard,
84231 Châteauneuf-du-Pape, tél. 04.90.83.71.79,
fax 04.90.83.78.06, e-mail paul.coulon@beaurenard.fr
☑ ️ t.l.j. sf dim. 9h-12h 13h30-17h30; groupes sur r.-v.

LAURENT-CHARLES BROTTE 2001★★★

■	2,9 ha	14 000	❙❙❙ 11 à 15 €

Découvrez les étapes de la mise en bouteilles et initiez-vous à l'univers du vin, au musée installé dans cette maison. Etonnante bouteille que ce blanc. Cet assemblage à parts égales de clairette, de roussanne, de grenache blanc et de bourboulenc se distingue par son élégance. Une valeur sûre à garder en cave au moins quatre à cinq ans avant de l'ouvrir sur un brochet au beurre blanc.

RHÔNE

Laurent-Charles Brotte, Le Clos,
BP 1, 84231 Châteauneuf-du-Pape,
tél. 04.90.83.70.07, fax 04.90.83.74.34,
e-mail brotte@brotte.com ☑ ⵝ t.l.j. en hiver 9h-12h
14h-18h; en été 9h-13h 14h-19h

CAVES DES PAPES
Les Closiers 2000★

	n.c.	80 000	11 à 15 €

Difficile de choisir entre ces Closiers et la **Cuvée de la Reine Jeanne 2000 rouge** puisque leur notation est identique et que ce sont tous deux des vins de garde (quatre à cinq ans). Sans doute davantage de caractère pour Les Closiers à servir sur un sanglier ou un fromage corsé ; pour la Reine Jeanne, plus de finesse.
Ogier-Caves des Papes, 10, av. Louis-Pasteur,
BP 75, 84232 Châteauneuf-du-Pape Cedex,
tél. 04.90.39.32.32, fax 04.90.83.72.51,
e-mail ogiercavesdespapes@ogier.fr
☑ ⵝ t.l.j. sf sam. dim. 9h-12h 14h30-18h

DOM. CHANTE PERDRIX 2001★

	1 ha	2 500	11 à 15 €

Les vignes du domaine (18 ha) s'étalent sur la partie méridionale de l'appellation châteauneuf-du-pape. Ce vin blanc, bien équilibré, est dominé par une belle harmonie rehaussée de notes allant vers les épices et le minéral. Il est à boire dès aujourd'hui avec un plat en sauce blanche.
Guy et Frédéric Nicolet, Dom. Chante Perdrix,
84230 Châteauneuf-du-Pape,
tél. 04.90.83.71.86, fax 04.90.83.53.14,
e-mail chante-perdrix@wanadoo.fr ☑ ⵝ r.-v.

M. CHAPOUTIER
Croix de Bois 2000

	4 ha	1 300	46 à 76 €

La maison Chapoutier a pensé aux malvoyants et a imprimé ses étiquettes en braille. La cuvée Croix de Bois, 100 % grenache, est puissante et s'ouvre sur des notes de fruits rouges et d'épices. En bouche, des nuances de sous-bois complètent la palette aromatique. Les tanins sont fondus, mais l'alcool est encore bien présent. Une bouteille qui a besoin de quatre à cinq ans pour s'assagir.
Maison M. Chapoutier,
18, av. du Dr-Paul-Durand, 26600 Tain-l'Hermitage,
tél. 04.75.08.28.65, fax 04.75.08.81.70,
e-mail chapoutier@chapoutier.com ☑ ⵝ r.-v.

CLOS SAINT-MICHEL 2001★★

	1,8 ha	8 000	11 à 15 €

Cette année encore, trois vins de la propriété familiale sont retenus dans le Guide, et notamment celui-ci qui a bénéficié d'un élevage de huit mois en cuve. Il s'ouvre sur des horizons d'îles lointaines avec des notes de caramel, de vanille et de tilleul. Cette bouteille puissante et subtile, à réserver à des mets très onctueux, se conservera dix ans dans une bonne cave. Le **Clos Saint Michel rouge 2000**, cité, gagnera à attendre quelques années en cave, tout comme la **cuvée Réservée rouge 99 (23 à 30 €)**, également citée.
EARL Vignobles Guy Mousset et Fils, Le Clos Saint-Michel, rte de Châteauneuf, 84700 Sorgues,
tél. 04.90.83.56.05, fax 04.90.83.56.06 ☑ ⵝ t.l.j. 10h-18h

DOM. DE LA COTE DE L'ANGE 2001★★

	1 ha	3 500	11 à 15 €

Cette cuvée de la Côte de l'Ange porte une robe tout en or et en transparence. De belle longueur, elle laisse entrevoir des formes arrondies et élégantes. Des notes fruitées laissent ensuite la place à des nuances plus sauvages de café, de chocolat et de vanille. Un vin de grande classe à garder cinq à six ans. La **cuvée Vieilles vignes rouge 2000 (15 à 23 €)**, une étoile, avec ses arômes d'abricot et de pêche, de mûre et d'épices pourra être bue dès maintenant.
Jean-Claude Mestre et Yannick Gasparri,
La Font-du-Pape, BP 79, 84232 Châteauneuf-du-Pape,
tél. 04.90.83.72.24, fax 04.90.83.54.88
☑ ⵝ t.l.j. 9h-12h 13h30-19h

LA CRAU DE MA MERE 2000★★

	8 ha	35 000	15 à 23 €

La troisième génération s'est installée sur le domaine qui atteint aujourd'hui 44 ha alors qu'il n'en comptait que sept en 1976. La propriété s'est également enrichie d'une belle bâtisse du XVIIe s. avec une cave voûtée. Issu de vignes de quatre-vingts ans, et après un élevage en fût de douze mois, ce vin se montre bien dense. Il est prêt à accompagner une daube de chevreuil.
Dom. du Père Pape, 24, av. Baron-le-Roy,
BP 16, 84230 Châteauneuf-du-Pape,
tél. 04.90.83.70.16, fax 04.90.83.50.47,
e-mail beatrice.mayard@wanadoo.fr ☑ ⵝ r.-v.
Mayard

DOM. DE CRISTIA 2000★★

	1 ha	4 000	11 à 15 €

C'est seulement depuis 1999 que le domaine commercialise sa production en bouteilles et déjà il présente une très belle cuvée élevée dix-huit mois en cuve et pour partie en fût. Le résultat est un vin boisé, fin, laissant s'exprimer la fleur et l'abricot. Bien fait, il contentera un homard. Le **Domaine rouge 2000** a également été remarqué par le jury qui lui décerne une étoile. La **cuvée Renaissance Vieilles vignes rouge 2000 (23 à 30 €)**, très réussie, se révèle harmonieuse avec un bon potentiel (trois à quatre ans). Elle peut aussi être bue dès maintenant.
Alain et Baptiste Grangeon,
33, fg Saint-Georges, 84350 Courthézon,
tél. 04.90.70.24.09, fax 04.90.70.25.38,
e-mail domainedecristia@hotmail.com ☑ ⵝ r.-v.

DIFFONTY
Cuvée du Vatican 2000★

	16 ha	67 000	11 à 15 €

En 1959, le domaine, établi à Châteauneuf-du-Pape, recevait la bénédiction papale. Aujourd'hui il présente une cuvée du Vatican très réussie. Après une cuvaison très longue pour la région (vingt à vingt-cinq jours), ses arômes se montrent encore peu expressifs et sa structure tannique, importante, demande du temps pour s'assouplir. Une bouteille à conserver six à sept ans avant de pouvoir l'apprécier.

↰ SCEA Félicien Diffonty et Fils,
10, rte de Courthézon, 84231 Châteauneuf-du-Pape
Cedex, tél. 04.90.83.70.51, fax 04.90.83.50.36,
e-mail cuvee_du_vatican@mnet.fr
☑ ☍ t.l.j. 10h-12h 14h-18h

PAUL DURIEU
Réserve Lucile Avril 2000

■	20 ha	n.c.	11 à 15 €

Sur une petite place, à proximité du domaine, se dresse une chapelle romane. Ce monument, le plus ancien du village, est dédié à saint Théodoric, saint patron de Châteauneuf-du-Pape jusqu'en 1892. La Réserve Lucile Avril, vin bien typé dans la plus pure tradition des vieux domaines, offre un nez animal qui s'estompe à l'aération vers des notes d'épices et de sous-bois. La bouche, également épicée, possède une structure bien présente. A servir dans trois ou quatre ans sur un civet de sanglier.
↰ Dom. Paul Durieu, 10, av. Baron-le-Roy,
84230 Châteauneuf-du-Pape,
tél. 04.90.37.28.14, fax 04.90.37.76.05 ☑ ☍ r.-v.

LA FAGOTIERE 2000★

■	18 ha	18 000	⊞ 8 à 11 €

Le domaine de la Fagotière a réussi un très joli vin de garde. L'élevage de dix-huit mois en foudre l'a enrichi de notes de cerise au kirsch et de confiture de fruits rouges. En bouche, l'attaque est souple, mais la structure est suffisamment solide pour assurer une bonne longueur. Un séjour en cave de trois à quatre ans est conseillé.
↰ SCEA Pierry Chastan, La Fagotière, Dom. Palestor,
84100 Orange, tél. 04.90.34.51.81, fax 04.90.51.04.44,
e-mail la-fagotiere@wanadoo.fr
☑ ☍ t.l.j. sf dim. 8h-12h 14h-19h

CH. DES FINES ROCHES 2000★★

■	40,5 ha	190 000	▌⊞ 11 à 15 €

Ce château se distingue par une étonnante architecture ; édifié au XIXe s., il rappelle pourtant davantage le Moyen Age et la Renaissance. Le domaine a élaboré un produit phare, complexe et riche, avec des notes boisées, épicées. Un vin de garde à ouvrir dans quelques années sur un civet de lièvre. Le **Château des Fines Roches blanc 2001**, d'un fruité rare, est très réussi. C'est un vin à boire ou à conserver deux à trois ans.
↰ Robert Barrot, 1, av. du Baron-Leroy,
84230 Châteauneuf-du-Pape, tél. 04.90.83.51.73,
fax 04.90.83.52.77, e-mail chateaux@vmb.fr ☑ ☍ r.-v.

DOM. DE FONTAVIN 2001★★

■	0,34 ha	1 600	▌⊞ ♦ 11 à 15 €

Seulement 34 ares et 1 600 bouteilles pour ce vin remarquable. Rares sont donc ceux qui pourront se réjouir de sa robe pâle et de ses arômes multicolores vanillés et fruités. Un vin à découvrir qui se gardera quatre à cinq ans. Il se suffit à lui-même ; essayez-le à l'apéritif.
↰ EARL Hélène et Michel Chouvet,
Dom. de Fontavin, 1468, rte de la Plaine,
84350 Courthézon, tél. 04.90.70.72.14,
fax 04.90.70.79.39, e-mail helene-chouvet@fontavin.com
☑ ☍ t.l.j. sf dim. 9h-12h 14h-18h; été 9h-19h;
groupes sur r.-v.

CH. FORTIA 1999★

■	23 ha	70 000	⊞ 11 à 15 €

Bien avant que le baron Le Roy de Boiseaumarié, père de l'AOC, prenne la tête du domaine, les vins issus de ces vignes étaient expédiés par-delà les mers, jusqu'en Amérique. Aujourd'hui encore 80 % de la production du château est exportée vers les Etats-Unis, le Japon, la Chine et l'Europe. Ce 99 a subi une longue macération (vingt-cinq jours) suivie d'un élevage en foudre afin d'extraire tout le potentiel de la matière première et de la faire évoluer patiemment vers plus de douceur. Un châteauneuf-du-pape à boire dans les trois ans à venir pour le plaisir.
↰ Bruno Le Roy, SARL Ch. Fortia, BP 13,
84231 Châteauneuf-du-Pape Cedex, tél. 04.90.83.72.25,
fax 04.90.83.51.03, e-mail fortia@terre-net.fr
☑ ☍ t.l.j. 9h30-12h30 14h30-18h30

DOM. DU GALET DES PAPES
Tradition 2000★★

■	9 ha	n.c.	⊞ 11 à 15 €

La propriété est composée de dix-huit parcelles réparties sur trois types de sols : argilo-calcaires, sablonneux, galets roulés. Cette diversité structure solidement le vin enrichi par un élevage en fût de huit mois. Une bouteille qu'il faut laisser vieillir pour que ses tanins s'arrondissent. À servir dans cinq ans sur un gibier.
↰ Jean-Luc Mayard, Dom. Galet des Papes,
15, rte de Bédarrides, 84230 Châteauneuf-du-Pape,
tél. 04.90.83.73.67, fax 04.90.83.50.22,
e-mail galet.des.papes@terre-net.fr
☑ ☍ t.l.j. sf dim. 9h-12h 14h30-18h30

CH. DE LA GARDINE
Marie Léoncie 2000★

■	5 ha	8 000	▌⊞ ♦ 30 à 38 €

Le château est unique avec sa tour de vingt-deux mètres de haut construite pour y accueillir une partie de la récolte. De son sommet, le regard embrasse un vaste panorama : Avignon, dentelles de Montmirail, mont Ventoux, contrefort des Cévennes... La cuvée Marie Léoncie, parée d'une belle robe jaune paille, révèle un boisé très présent. La palette aromatique décline des notes d'agrumes, d'épices, de miel et de cire d'abeille. Un vin remarquable par sa longueur qui supportera sans faillir des préparations à base de truffes. A déguster dans trois à quatre ans.
↰ Brunel, Ch. de La Gardine, rte de Roquemaure,
BP 35, 84231 Châteauneuf-du-Pape Cedex,
tél. 04.90.83.73.20, fax 04.90.83.77.24,
e-mail chateau@gardine.com ☑ ☍ r.-v.

DOM. GIRAUD
Les Gallimardes 2000★

| ■ | 5 ha | 16 000 | ■ ⊞ ⌁ 23 à 30 € |

Ce vin de grande tenue est issu de très vieilles vignes, âgées en moyenne de cent ans. Il est particulièrement agréable, doux, et ses tanins intéressants témoignent d'un bon potentiel de vieillissement. Un vin à garder trois à quatre ans.

➥ Pierre Giraud, 12, av. Impériale,
84230 Châteauneuf-du-Pape, tél. 04.90.83.73.49,
fax 04.90.83.52.05, e-mail giraud.pierre@libertysurf.fr
☑ ⏀ t.l.j. sf sam. dim. 10h-12h 14h-18h

LES GRANDES SERRES 2000★

| ■ | 20 ha | 12 000 | ■ ⊞ ⌁ 23 à 30 € |

Un vin de bonne qualité, au nez encore peu développé mais aux tanins déjà bien souples. Il devrait prendre toute son envergure d'ici trois à quatre ans. A réserver à une belle pièce de gibier.

➥ Les Grandes Serres, BP 17,
84231 Châteauneuf-du-Pape Cedex,
tél. 04.90.83.72.22, fax 04.90.83.78.77 ⏀ r.-v.

DOM. DU GRAND TINEL
Alexis Establet 1999★

| ■ | 30 ha | 26 000 | ■ ⊞ ⌁ 15 à 23 € |

Domaine du Grand Tinel ou domaine de la Grande Cave : tinel vient du latin *tina*, tonneau, et par extension cave. La cuvée Alexis Establet, hommage à « cet ancêtre qui est à l'origine de notre vignoble » peut-on lire sur l'étiquette, a séduit le jury par sa structure et sa belle longueur en bouche. Une bouteille à déboucher dans cinq ans pour accompagner des viandes en sauce.

➥ Les Vignobles Elie Jeune, rte de Bédarrides,
84232 Châteauneuf-du-Pape, tél. 04.90.83.70.28,
fax 04.90.83.78.07, e-mail eliejeun@terre-net.fr
☑ ⏀ t.l.j. 9h-12h 14h-18h; sam. dim. sur r.-v.

DOM. DE LA JANASSE 2000★

| ■ | 5 ha | 12 000 | ⊞ ⌁ 15 à 23 € |

L'équipe familiale a été renforcée en 2001 par l'arrivée de la fille du créateur, titulaire d'un diplôme d'œnologue. De quoi poursuivre la marche vers l'excellence entreprise par le domaine depuis plusieurs années. Les deux échantillons présentés ont été appréciés par les dégustateurs (une étoile chacun). Cette bouteille se montre bien structurée avec des tanins fondus. Elle se bonifiera si on lui en laisse le temps (trois à quatre ans) et pourra accompagner un tajine d'agneau aux pruneaux. La **cuvée Vieilles vignes en rouge 2000 (30 à 38 €)** offre les mêmes caractéristiques.

➥ Aimé Sabon, 27, chem. du Moulin,
84350 Courthézon, tél. 04.90.70.86.29,
fax 04.90.70.75.93, e-mail lajanasse@free.fr
☑ ⏀ t.l.j. 8h-12h 14h-19h; sam. dim. sur r.-v.

DOM. JULLIAN 1999★

| ■ | 13,5 ha | 63 000 | ■ ⊞ ⌁ 15 à 23 € |

Le domaine Jullian, aux parcelles très morcelées, s'enorgueillit à juste titre de cette diversité pédologique qui contribue à enrichir ses vins. Celui-ci, bien structuré, est encore un peu jeune pour être apprécié à sa juste valeur. Il faut attendre quatre à cinq ans avant de le servir sur des viandes rôties.

➥ Guy Jullian, rte de Châteauneuf, 84100 Orange,
tél. 04.90.12.32.42, fax 04.90.12.32.49

GABRIEL LIOGIER
Montjoie 1999★

| ■ | 1 ha | 6 500 | ■ ⌁ 23 à 30 € |

Ce Montjoie est un vin sauvage avec des notes animales et des tanins encore un peu fermes. L'harmonie générale est bonne et, dans deux ou trois ans, on devrait être en présence d'une bouteille ronde et très pleine. A accompagner d'un civet de lièvre.

➥ Gabriel Liogier, 21420 Aloxe-Corton,
tél. 03.80.26.44.25, fax 03.80.26.43.57

DOM. LOU FREJAU 1999★

| ■ | 7 ha | 3 500 | ⊞ 11 à 15 € |

Ce châteauneuf-du-pape est issu de vignes de quarante-cinq ans complantées sur les sols argilo-calcaires recouverts de galets roulés de l'AOC. C'est un vin dont les arômes devraient évoluer et dont la charpente est assez solide pour lui permettre d'attendre cinq à six ans dans une bonne cave. A essayer sur un gâteau au chocolat.

➥ SCEA Dom. Lou Fréjau, chem. de la Gironde,
84100 Orange, tél. 04.90.34.83.00, fax 04.90.34.48.78,
e-mail loufrejau@wanadoo.fr ☑ ⏀ r.-v.
➥ Serge Chastan

DOM. MATHIEU 1999

| ■ | 20,6 ha | 40 000 | ■ ⊞ ⌁ 11 à 15 € |

Depuis quatre siècles, les Mathieu sont vignerons de père en fils et entretiennent avec soin leur domaine dans le respect de la tradition. Ce vin à dominante de grenache (85 %) est bien typé avec ses notes de fruits rouges et de pruneau. Beaucoup de finesse et une attaque franche pour cette bouteille qui gagnera à être attendue quelques années.

➥ SCEA du Dom. Mathieu,
rte de Courthézon, 84230 Châteauneuf-du-Pape,
tél. 04.90.83.72.09, fax 04.90.83.50.55,
e-mail dnemathieu@aol.com ☑ ⏀ r.-v.

DOM. DE LA MORDOREE
Cuvée de la Reine des Bois 2000★★

| ■ | 5 ha | n.c. | 23 à 30 € |

La cuvée de la Reine des Bois, coup de cœur l'an passé pour le millésime 99, n'usurpe pas son nom puisque le fût est très marqué et couvre une belle matière. Délivrons donc un blanc-seing à cette reine et espérons que, dans dix ans, elle sera couronnée. A servir avec une bécasse ou une perdrix.

➥ Dom. de la Mordorée, chem. des Oliviers,
30126 Tavel, tél. 04.66.50.00.75, fax 04.66.50.47.39
☑ ⏀ t.l.j. sf dim. 8h-12h 13h30-17h30
➥ C. Delorme

CH. LA NERTHE 2001★

| ■ | 7 ha | 24 000 | ■ ⊞ ⌁ 15 à 23 € |

« Royal, impérial et pontifical », c'est ainsi que Frédéric Mistral qualifiait le vin du château qui figure parmi les plus anciens crus de châteauneuf-du-pape. Souvent coup de cœur dans les éditions successives du Guide, le domaine est cette année sélectionné pour trois vins. Celui-ci a su trouver un équilibre parfait entre l'élevage en fût et en cuve. L'harmonie en bouche est réelle et exprime la quintessence de la matière première. A garder deux ans au moins mais il se conservera bien davantage. La **Nerthe rouge 2000 (23 à 30 €)** est retenu avec une citation. Quant à la **cuvée des Cadettes 99 rouge (38 à 46 €)**, une étoile, elle est destinée aux œnophiles disposant d'une bonne cave. Elle deviendra superbe.

SCA Ch. la Nerthe, rte de Sorgues,
84230 Châteauneuf-du-Pape, tél. 04.90.83.70.11,
fax 04.90.83.79.69, e-mail la.nerthe@wanadoo.fr
☑ ⊺ t.l.j. 9h-12h 14h-18h
M. Richard

LA NONCIATURE
Grande Réserve 2000*

	3 ha	6 000	⑪ 23 à 30 €

La famille Aubert a rénové sa cave en 1999 ; elle a
revu et complété son équipement. Ce blanc révèle un
délicat boisé à l'attaque. La bouche est très élégante, ronde
et grasse, délicatement vanillée et briochée avec des
senteurs de freesia et de réglisse. La Nonciature rouge 99
(30 à 38 €) est citée pour son élégance.
Dom. de la Présidente, BP 1, rte de Cairanne,
84190 Sainte-Cécile-les-Vignes, tél. 04.90.30.80.34,
fax 04.90.30.72.93, e-mail aubert@présidente.fr
☑ ⊺ t.l.j. sf dim. 8h30-12h 14h-18h
Famille Aubert

DOM. ROGER PERRIN 2001*

	2 ha	7 000	⑪⬇ 11 à 15 €

Des vignes âgées en moyenne de cinquante ans et un
élevage de sept mois en fût ont permis à ce vin d'acquérir
une bonne consistance gourmande. Il sait allier le prestige
et le sérieux de son terroir avec un plaisir aérien. Il se
gardera aisément cinq ans.
Dom. Roger Perrin, rte de Châteauneuf-du-Pape,
84100 Orange, tél. 04.90.34.25.64, fax 04.90.34.88.37
☑ ⊺ t.l.j. sf dim. 8h-12h 14h-19h

DOM. DE PIGNAN
Cuvée des Bosquets 2001*

	0,3 ha	1 250	11 à 15 €

Une production confidentielle - 1 250 bouteilles -
élaborée à partir de très vieilles vignes âgées de soixante
ans. Le nez de cette cuvée est marqué par des notes florales
et printanières. L'attaque est franche et flatteuse, empreinte d'une grande finesse aromatique soutenue par une
puissance maîtrisée. Un vin à boire, mais qui donnera aussi
beaucoup de plaisir dans quatre ans.
SCEA Dom. de Pignan,
17, av. des Bosquets, 84230 Châteauneuf-du-Pape,
tél. 04.90.83.55.38, fax 04.90.83.55.38 ☑ ⊺ r.-v.

DOM. PONTIFICAL 2000*

	14 ha	10 000	⑪ 11 à 15 €

Des foudres de chêne de 600 hl ont accueilli pendant
un an ce vin aux notes animales, d'épices et de fruits
compotés. Grâce à une structure longue et puissante, il
pourra attendre cinq à six ans sans faiblir. À servir par
exemple sur un gibier en sauce.
SCEA François Laget-Royer, Dom. Pontifical,
19, av. Saint-Joseph, BP 67,
84230 Châteauneuf-du-Pape,
tél. 04.90.83.70.91, fax 04.90.83.52.97 ☑ ⊺ r.-v.

DOM. DE LA RONCIERE 2000*

	9 ha	30 000	⬇ 11 à 15 €

Luis Canto, salarié agricole, est arrivé d'Espagne en
1948. En 1960, les propriétaires, âgés et sans descendance,
lui proposent de prendre le vignoble en métayage.
Aujourd'hui, son petit-fils, Jean-Louis, est à la tête du
domaine. Ce vin, très tannique, demande encore du temps

pour s'assagir. Cependant, le fruit s'exprime déjà sur des
notes confites et de confiture de mûres mais aussi d'épices.
A conserver sept ans puis le servir sur un marcassin.
Jean-Louis Canto, Dom. de la Roncière,
Les Mascaronnes, 84230 Châteauneuf-du-Pape,
tél. 04.90.83.78.08, fax 04.90.83.74.52,
e-mail domaine.de.la.ronciere@wanadoo.fr ☑ ⊺ r.-v.

DOM. SAINT-BENOIT
Soleil et Festins 2000*

	n.c.	n.c.	15 à 23 €

La cuvée Soleil et Festins - tout un programme ! -
est un vin très agréable marqué par les fruits mûrs et les
épices. La bouche est franche avec une fin tannique mais
assez douce cependant. Une bouteille qui peut attendre
deux ans une viande rouge braisée.
EARL Saint-Benoît, rte de Sorgues,
84230 Châteauneuf-du-Pape, tél. 04.90.83.51.36,
fax 04.90.83.51.37, e-mail saint-benoit@wanadoo.fr
☑ ⊺ t.l.j. 10h-12h30 15h-18h; sam. dim. sur r.-v.
Cellier

CAVES SAINT-PIERRE
Cuvée Premium 2000

	50 ha	100 000	⑪ 11 à 15 €

La maison Bouachon, établie à Châteauneuf-du-Pape
depuis 1898, présente un vin chaleureux en finale, dominé
par les épices. L'équilibre est réussi et l'ensemble est à la
hauteur de l'appellation.
Caves Saint-Pierre, BP 5,
84230 Châteauneuf-du-Pape, tél. 04.90.83.58.35,
fax 04.90.83.77.23 ☑ ⊺ t.l.j. sf dim. 9h-12h 14h-19h

DOM. DES SAUMADES 2000

	1,8 ha	6 000	⑪ 11 à 15 €

Le domaine des Saumades est un jeune domaine créé
en 1995. Il présente un 100 % grenache bien structuré avec
un boisé très marqué. Une bouteille qu'il faut laisser
s'affiner trois à quatre ans avant de la déguster sur une
viande rôtie.
Franck et Murielle Mousset,
20, fg Saint-Georges, 84350 Courthézon,
tél. 04.90.70.83.04, fax 04.90.70.83.04 ☑ ⊺ r.-v.

DOM. DES SENECHAUX 2000*

	23 ha	83 000	⑪ 11 à 15 €

Pascal Roux a acquis ce domaine en 1993. Il propose
un châteauneuf-du-pape très aérien. La robe est grenat
clair, le nez de petits fruits rouges est légèrement épicé, la
bouche offre une belle rondeur tout en finesse : l'élégance
même ! Un vin qui s'apprécie déjà mais qui surprendra
encore dans dix ans.
Pascal Roux, Dom. Sénéchaux,
3, rue Nouvelle-Poste, BP 27,
84231 Châteauneuf-du-Pape,
tél. 04.90.83.73.52, fax 04.90.83.52.88
☑ ⊺ t.l.j. sf dim. 8h30-12h30 13h30-19h

DOM. DE LA SOLITUDE 2001*

	2,8 ha	12 000	⑪⬇ 15 à 23 €

Sur l'étiquette, deux chapeaux rouges. Ils symbolisent
les deux frères cardinaux apparentés aux ancêtres des
actuels propriétaires. Un blanc à dominante de clairette,
cépage qui apporte élégance et finesse à l'ensemble. La

RHONE

roussanne (15 %), élevée trois mois en fût, développe des notes vanillées très agréables. Un vin à essayer pendant deux à trois ans avec une brouillade aux truffes. La **cuvée Prestige rouge 99** (38 à 46 €), très réussie, se montre particulièrement concentrée et boisée.

⌐ SCEA Dom. Pierre Lançon, Dom. de La Solitude, BP 21, 84231 Châteauneuf-du-Pape, tél. 04.90.83.71.45, fax 04.90.83.51.34, e-mail solitude@mnet.fr ☑ ☨ t.l.j. 9h-18h

DOM. RAYMOND USSEGLIO ET FILS 2000★

| ■ | 6 ha | 13 000 | ⦀ 11 à 15 € |

Valeur sûre de l'appellation châteauneuf-du-pape, ce domaine présente deux vins très réussis. Celui-ci, rouge intense, aux notes de fruits noirs confiturés et d'épices, bien équilibré, accompagnera de longues années vos efforts culinaires, notamment si vous excellez dans la préparation du gibier. Le **blanc 2001**, d'une grande complexité aromatique, soutiendra avec bonheur des mets aussi variés qu'un velouté d'asperge, une poularde ou un poisson au fenouil.

⌐ Dom. Raymond Usseglio et Fils, 16, rte de Courthézon, BP 29, 84230 Châteauneuf-du-Pape, tél. 04.90.83.71.85, fax 04.90.83.50.42 ☑ ☨ r.-v.

DOM. PIERRE USSEGLIO ET FILS 2001

| ■ | 1 ha | 3 200 | ▮▾ 11 à 15 € |

80 % de grenache blanc ; des notes évoluées de cire d'abeille et d'encaustique ; de la rondeur en bouche. Voilà un vin long et puissant qui accompagnera les fromages les plus aromatiques.

⌐ Dom. Pierre Usseglio et Fils, rte d'Orange, 84230 Châteauneuf-du-Pape, tél. 04.90.83.72.98, fax 04.90.83.56.70 ☑ ☨ r.-v.

⌐ Jean-Pierre Thierry

DOM. DE VALORI 2000★

| ■ | 14 ha | 60 000 | ▮▾ 15 à 23 € |

Soucieux de la qualité, le domaine s'impliqua, dès 1935, pour améliorer les conditions de production de l'appellation. Un encépagement traditionnel (90 % de grenache) a donné un vin bien harmonieux avec des tanins qui ne demandent qu'à s'affiner. Ce sera chose faite d'ici trois à cinq ans. A servir sur une bonne cuisine du terroir.

⌐ Jack et Christian Meffre, Le Village, 84190 Gigondas, tél. 04.90.12.32.42, fax 04.90.12.32.49

CH. DE VAUDIEU 2000★

| ■ | 60 ha | 88 200 | ▮▾ 15 à 23 € |

Au cœur de l'appellation, le château de Vaudieu fondé au XVIIIᵉs. allie la tradition à des techniques modernes. Depuis dix ans maintenant, un brillant œnologue est en charge de la vinification. Il a réussi un 2000 au bouquet digne d'un grand châteauneuf. Sa structure tannique est prometteuse. Une bouteille à attendre quatre à cinq ans si l'on veut assister à un véritable feu d'artifice aromatique. A découvrir.

⌐ SARL Giaconda Ch. de Vaudieu, rte de Courthezon, 84230 Châteauneuf-du-Pape, tél. 04.90.83.70.31, fax 04.90.83.51.97 ☑ ☨ r.-v.

⌐ Brechet

Lirac

Dès le XVIᵉs., Lirac produisait des vins de qualité que les magistrats de Roquemaure authentifiaient en apposant sur les fûts, au fer rouge, les lettres « C d R ». Nous y trouvons à peu près le même climat et le même terroir qu'à Tavel, au nord, sur une aire répartie entre Lirac, Saint-Laurent-des-Arbres, Saint-Geniès-de-Comolas et Roquemaure. Depuis l'accession de vacqueyras à l'AOC, ce n'est plus le seul cru méridional qui offre les trois couleurs : les rosés et les blancs, tout de grâce et de parfums, qui se marient agréablement avec les fruits de la Méditerranée toute proche et se boivent jeunes et frais ; les rouges, puissants, au goût de terroir prononcé, généreux, et qui accompagnent parfaitement les viandes rouges. En 2001, Lirac a produit 28 964 hl, sur près de 714 ha.

CH. DE BOUCHASSY 2001★★

| ■ | 1 ha | 4 000 | ▮▾ 5 à 8 € |

2002 est une date importante pour ce château, qui a entrepris des travaux de rénovation. Il obtient deux étoiles pour ce remarquable rosé à la robe cerise à nuances violines. Le nez puissant avec des notes d'épices et de cassis ; la bouche franche d'une belle vivacité ; la longueur des arômes qui persistent dans les épices, signalent un vin à boire jeune, même si sa structure puissante lui donne également un bon potentiel de vieillissement. Le **Bouchassy rouge 2000**, très réussi, est prêt à boire.

⌐ Gérard Degoul, Ch. de Bouchassy, rte de Nîmes, 30150 Roquemaure, tél. 04.66.82.82.49, fax 04.66.82.87.80, e-mail girard.degoul@wanadoo.fr ☑ ☨ t.l.j. sf dim. 8h-12h 14h-18h

DOM. CORNE-LOUP
Vieilli en fût de chêne 2000★

| ■ | 5 ha | 12 000 | ⦀ 5 à 8 € |

Grenache, syrah et mourvèdre ont donné une cuvée à la robe rubis foncé à reflets violets. Avec ses arômes d'épices et de fruits mûrs, elle montre une belle maturité. Une bouteille à ouvrir dans quelques années pour accompagner une viande rouge ou un gibier.

⌐ Jacques Lafond, rue Mireille, 30126 Tavel, tél. 04.66.50.34.37, fax 04.66.50.31.36, e-mail corne-loup@wanadoo.fr ☑ ☨ t.l.j. sf sam. dim. 9h30-12h 15h-18h30

DOM. DE LA CROZE 2000★

| ■ | 1 ha | n.c. | ⦀ 5 à 8 € |

Avant l'ensablement de son port, Roquemaure s'est enrichi grâce au commerce fluvial. Elégance et finesse caractérisent ce joli vin au nez confituré de framboise et de cassis. Sa bouche, tout en finesse, révèle des tanins bien enrobés et des notes d'épices. Il est encore jeune et cependant prêt à boire.

⌐ Françoise Granier, 13, rue de l'Escatillon, 30150 Roquemaure, tél. 04.66.82.56.73, fax 04.66.90.23.90 ☑ ☨ r.-v.

DOM. LES GARRIGUES
Elevé en fût de chêne 2000★★

	10 ha	100 000	◗	5 à 8 €

Les Vignobles Assemat sont le regroupement de trois domaines créés par les parents et grands-parents des propriétaires actuels. Ils regroupent 90 ha et produisent environ 4 000 hl. Ce lirac à la robe rubis intense présente un remarquable équilibre. Marqué par la vanille et les fruits confits, il repose sur des tanins soyeux. Un léger boisé tapisse la bouche. Un vin à boire ou à attendre trois ans. Le **Domaine des Garrigues rosé 2001**, très réussi, est à découvrir.

↷ SCEA Les Vignobles Assémat, 30150 Roquemaure, tél. 04.66.82.65.52, fax 04.66.82.86.76 ☑ Ⴠ r.-v.

DOM. LA GENESTIERE
Cuvée Raphaël 2000★★

	1 ha	6 000	◗	11 à 15 €

Depuis 1994, date de création du domaine, que de chemin parcouru ! Rénovation du vignoble, sérieux de la cave ont permis de produire cette remarquable cuvée Raphaël, qui a connu onze mois de fût. Elle porte une robe d'une belle intensité et possède un nez puissant qui s'ouvre sur des notes de fruits à l'eau-de-vie. L'harmonie entre le léger boisé, l'amande grillée et la violette est particulièrement réussie. Un vin très bien fait.

↷ Jean-Claude Garcin, Dom. La Genestière, 30126 Tavel, tél. 04.66.50.07.03, fax 04.66.50.27.03, e-mail genestiere@pacwan.fr
☑ Ⴠ t.l.j. 9h-12h 13h30-17h30; sam. dim. sur r.-v.

DOM. DU JONCIER 2000

	n.c.	53 000	◗	8 à 11 €

Chaque printemps, la cave de ce domaine se transforme en galerie d'art et en salle de concert pour un soir, le temps pour Marine Roussel de présenter son nouveau millésime. Dix-huit mois d'élevage en fût ont donné un lirac de caractère. Le cacao et les épices se déclinent sur une structure équilibrée. Un vin rond, gras et puissant.

↷ Marine Roussel, rue de la Combe, 30126 Tavel, tél. 04.66.50.27.70, fax 04.66.50.34.07, e-mail domainedujoncier@free.fr ☑ Ⴠ r.-v.

DOM. LAFOND ROC-EPINE 2000★★★

	13 ha	50 000	◗	8 à 11 €

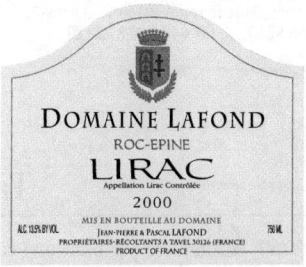

Trois étoiles et un coup de cœur. Paré d'une robe couleur sang, intense et soutenue, ce vin exhale des parfums de cassis, de mûre et de violette. Des saveurs de fruits cuits et de réglisse tapissent le palais sur une base tannique très fine, d'une belle persistance aromatique. La cuvée **La Ferme romaine rouge 2000 (11 à 15 €)** obtient deux étoiles. Un joli vin agréablement boisé, à avoir dans

sa cave. Enfin, le **Lafond Roc-Epine blanc 2001 (5 à 8 €)**, une étoile, se montre élégant, floral et fruité. Il sera apprécié sur des viandes blanches ou des fromages de chèvre.

↷ Dom. Lafond Roc-Epine, rte des Vignobles, 30126 Tavel, tél. 04.66.50.24.59, fax 04.66.50.12.42, e-mail lafond@roc-epine.com ☑ Ⴠ r.-v.

CAVE DES VINS DU CRU DE LIRAC 2001★★

	2,62 ha	14 300		3 à 5 €

Saint-Laurent-des-Arbres, village fortifié où il fait bon flâner, offre un magnifique panorama sur la vallée du Rhône et le mont Ventoux. La cave de Lirac propose un remarquable vin élaboré à partir des cépages traditionnels de la vallée méridionale du Rhône (grenache blanc, clairette et bourboulenc). Des parfums d'abricot et de pêche, une attaque ronde, puissante et équilibrée, des arômes pleins de finesse pour un millésime très typé. A boire dès à présent.

↷ Cave des vins du cru de Lirac, 30126 Saint-Laurent-des-Arbres, tél. 04.66.50.01.02, fax 04.66.50.37.23 ☑ Ⴠ r.-v.

CH. MONT-REDON 2000★★

	7 ha	65 000	◗ ♦	5 à 8 €

Commencez la dégustation des vins du château par ce lirac rouge, d'une belle facture dans sa robe rubis soutenu. Le nez puissant et épicé est marqué par le sous-bois. Gras, équilibre et harmonie dans une bouche structurée par de très beaux tanins ont comblé le jury. Puis, s'il en reste, goûtez au **Mont-Redon blanc 2001**, tout aussi remarquable, mais dont huit mille bouteilles seulement ont été produites.

↷ Ch. Mont-Redon, BP 10, 84231 Châteauneuf-du-Pape, tél. 04.90.83.72.75, fax 04.90.83.77.20, e-mail chateaumontredon@wanadoo.fr ☑ Ⴠ r.-v.

DOM. DE LA MORDOREE
Cuvée de la Reine des Bois 2000★★★

	n.c.	40 000		11 à 15 €

Un domaine habitué à produire des vins de qualité. Mais avec cette cuvée de la Reine des Bois, il s'est surpassé. Sa robe est sombre et profonde avec des reflets violets ; le nez riche, complexe, est marqué d'abord par le cuir et les fruits cuits, puis par les épices et la vanille. Et quelle élégance en bouche, quel équilibre. Les tanins tout en dentelle laissent s'exprimer les fruits rouges, les épices et le cuir. Une très grande bouteille qu'il faudra avoir la sagesse d'attendre.

RHÔNE

⌐ Dom. de la Mordorée, chem. des Oliviers,
30126 Tavel, tél. 04.66.50.00.75, fax 04.66.50.47.39
☑ ⟇ t.l.j. sf dim. 8h-12h 13h30-17h30
⌐ Delorme

DOM. PELAQUIE 2001★

	0,37 ha	2 000	⬛⬇	5 à 8 €

La renommée du domaine pour ses vins blancs dépasse nos frontières. Elle est méritée, à en juger par ce lirac à la robe jaune clair brillante et aux arômes de fruits et de grillé. Son équilibre est parfait, de l'attaque à la finale, en passant par la rondeur du palais.
⌐ Dom. Pélaquié, 7, rue du Vernet,
30290 Saint-Victor-la-Coste,
tél. 04.66.50.06.04,
e-mail contact@domaine-pelaquie.com ☑ ⟇ r.-v.
⌐ GFA du Grand Vernet

DOM. LA ROCALIERE 2000★

	n.c.	3 000	⬛⬛	5 à 8 €

Ce lirac aux arômes de réglisse et de fruits mûrs, signe d'une belle maturité et d'un très beau terroir, se montre équilibré, gras et d'une grande persistance aromatique. C'est un bon vin de garde.
⌐ Dom. la Rocalière, Le Palais-Nord, BP 21,
30126 Tavel, tél. 04.66.50.12.60, fax 04.66.50.23.45
☑ ⟇ t.l.j. sf sam. dim. 8h-12h 14h-18h
⌐ Borrelly-Maby

CH. SAINT-ROCH
Cuvée Tradition 2001★★

	2 ha	10 000	⬛⬛⬇	8 à 11 €

Maxime et Patrick Brunel, propriétaires du château de la Gardine à Châteauneuf-du-Pape, ont, du haut de leur tour, un œil sur la rive droite du Rhône et sur le château de Saint-Roch, qu'ils ont acquis en 1998. Ils ont conservé les cépages traditionnels de l'AOC pour réussir cette cuvée à la robe jaune clair à reflets verts et au nez intense de fruits acidulés. L'attaque franche et puissante, l'équilibre, le joli fruité et la longueur en font un vin typique de l'appellation. Egalement deux étoiles pour le rosé 2001, issu de grenache (50 %), de cinsault (30 %) et de syrah (20 %). Le nez d'une extrême finesse se développe sur le fruit exotique légèrement citronné. Il est marqué par des notes de petits fruits rouges qui se retrouvent en bouche, accompagnées de saveurs de bonbon anglais. La Cuvée confidentielle rouge 2000 (11 à 15 €), très réussie, comblera le palais dans quelques années.
⌐ Maxime et Patrick Brunel,
Ch. Saint-Roch, chem. de Lirac, 30150 Roquemaure,
tél. 04.66.82.82.59, fax 04.66.82.83.00,
e-mail brunel@chateau-saint-roch.com ☑ ⟇ t.l.j. sf sam. dim. 8h-12h 14h-17h; f. du 1er au 15 août

CELLIER SAINT VALENTIN
Cuvée Saint Valentin Elevé en fût de chêne 2000★★

	3,04 ha	17 000	⬛⬛	5 à 8 €

La collégiale de Roquemaure abrite les reliques de saint Valentin, achetées au Vatican, en 1870, dans l'espoir d'éradiquer le phylloxéra. Les vignerons du Cellier Saint Valentin améliorent régulièrement leur encépagement et proposent aujourd'hui une cuvée à la belle couleur rubis foncé. Le nez puissant est encore fermé, même si des arômes de fruits rouges sont déjà perceptibles. La dégustation révèle de la puissance, un bon équilibre, des arômes de fruits rouges et de réglisse et des tanins souples.

⌐ SCA Cellier Saint Valentin, 1, rue des Vignerons,
30150 Roquemaure, tél. 04.66.82.82.01,
fax 04.66.82.67.28 ☑ ⟇ t.l.j. sf dim. 8h-12h 14h-18h

CH. DE SEGRIES 2000★

⬛	n.c.	100 000	⬛	5 à 8 €

Au début du siècle, le château se consacrait à la culture des céréales, des oliviers et des arbres fruitiers avant de s'adonner à l'élevage des vers à soie. En 1925, le comte de Régis crée le vignoble. Ce vin est puissant, équilibré, avec des notes florales et des arômes de fruits rouges, de sous-bois et de beaux tanins. Mais il faudra patienter quelques années pour qu'il s'ouvre totalement. Le rosé 2001, de belle facture, est cité.
⌐ SCEA Henri de Lanzac, Ch. de Ségriès,
chem. de la Grange, 30126 Lirac,
tél. 04.66.50.22.97, fax 04.66.50.17.02 ☑ ⟇ r.-v.

TOUR DES CHENES 2001★★

	3 ha	17 000		5 à 8 €

Le joli village médiéval de Saint-Laurent-des-Arbres, entouré de pinèdes, possède notamment une belle église fortifiée. 2001 a été une année bien ensoleillée, comme en témoigne ce rosé au potentiel intéressant. Sa robe est très soutenue avec des nuances violines. Son nez de vendanges bien mûres est marqué par les fruits noirs et le cassis. Un vin puissant et harmonieux. Tout aussi remarquable, le Tour des Chênes rouge 2000 (8 à 11 €), qui a passé dix-huit mois en cuve et huit mois en fût, affiche un nez puissant et vanillé, une grande maturité en bouche, des tanins fondus et réglissés. Un beau palmarès pour ce domaine coup de cœur dans l'édition 2001 du Guide.
⌐ Tour des Chênes, 30126 Saint-Laurent-des-Arbres,
tél. 04.66.50.01.19, fax 04.66.50.34.69,
e-mail tour-des-chenes@wanadoo.fr ☑ ⟇ r.-v.
⌐ J.-C. Sallin

DOM. VERDA
Cuvée de la Barotte 2000★

	1 ha	3 000	⬛⬛	11 à 15 €

Un hectare de grenache et de syrah a donné trois mille bouteilles auxquelles vous aurez peut-être la chance de goûter. Ce lirac riche, complexe, avec des arômes de réglisse, de fourrure, de fruits cuits, d'épices, évolue sur des tanins très fins. A garder trois à cinq ans.
⌐ EARL Dom. André Verda,
2749, chem. de la Barotte, 30150 Roquemaure,
tél. 04.66.82.87.28, fax 04.66.82.87.28 ☑

Tavel

Considéré par beaucoup comme le meilleur rosé de France, ce grand vin de la vallée du Rhône provient d'un vignoble situé dans le département du Gard, sur la rive droite du fleuve. Sur des sols de sable, d'alluvions argileuses ou de cailloux roulés, c'est la seule appellation rhodanienne à ne produire que du rosé, sur le territoire de Tavel et sur quelques parcelles de la commune de Roquemaure, soit 948 ha ; la production est de 42 610 hl en 2001. Le tavel est un vin généreux, au bouquet floral puis fruité, qui accompagnera le poisson en sauce, la charcuterie et les viandes blanches.

DOM. AMIDO
Les Amandines 2001★

■	13,75 ha	60 000	▮�	5 à 8 €

Les Amandines ? Un fort potentiel aromatique que l'on perçoit dès l'olfaction des notes fraîches et intenses de cerise. L'ensemble gras, rond et équilibré se conclut par une nuance friande de pain grillé. Une bouteille qui pourrait attendre encore une année si la patience est l'une de vos qualités.
☙ Christian Amido, Le Palais-Nord, rte de la Commanderie, 30126 Tavel, tél. 04.66.50.04.41, fax 04.66.50.04.41 ☑ ☒ r.-v.

CH. D'AQUERIA 2001★★★

■	45,38 ha	250 000	▮	5 à 8 €

« Voilà ce que l'on attend d'un tavel », conclut le grand jury. Le mérite revient au château d'Aqueria qui a su élaborer un vin de teinte vive et intense, œil-de-perdrix, limpide. La palette s'apparente à une corbeille de fruits rouges frais : groseille, fraise et framboise. L'enchantement naît d'un palais généreux et harmonieux, mêlant fruits rouges et pierre à fusil. Une grande bouteille à savourer sur un baron d'agneau aux herbes de Provence.
☙ SCA Jean Olivier, Ch. d'Aqueria, 30126 Tavel, tél. 04.66.50.04.56, fax 04.66.50.18.46, e-mail contact@aqueria.com
☑ ☒ t.l.j. sf sam. dim. 8h-12h 14h-18h

AVE MARIA 2001

■	4,3 ha	20 000	▮♀	5 à 8 €

Un Ave Maria est une belle prière pour un rosé paré d'une robe délicate, qui s'ouvrira bientôt. Si la puissance et le caractère chaleureux dominent encore le fruit, le temps saura y remédier ; vous accorderez alors cette bouteille avec la cuisine méditerranéenne.
☙ Cellier de l'Enclave des Papes, rte d'Orange, BP 51, 84602 Valréas Cedex, tél. 04.90.41.91.42, fax 04.90.41.90.21, e-mail france@enclavedespapes.com

DOM. DES CARABINIERS 2001

■	5 ha	24 000	▮♀	5 à 8 €

Les 40 ha de ce domaine, créé il y a bientôt trente ans sur la commune de Roquemaure, sont désormais conduits en agriculture biologique. De nombreux cépages entrent dans son tavel : grenache bien sûr, cinsault, clairette, syrah, mais aussi bourboulenc. Délicatement vêtu, ce 2001 s'exprime avec subtilité, équilibre et rondeur. Il se mariera avantageusement à des plats épicés.
☙ Christian Leperchois, Dom. des Carabiniers, 30150 Roquemaure, tél. 04.66.82.62.94, fax 04.66.82.82.15 ☒ r.-v.

DOM. LAFOND ROC-EPINE
Cuvée Jean-Baptiste 2001★

■	5 ha	5 000	▮♀	8 à 11 €

Après un passage en cuve de six mois, cette cuvée se présente avec élégance dans une robe brillante, limpide, à reflets cerise. Fraîche et minérale, elle garde une même finesse lorsqu'elle développe sa rondeur. A boire dès à présent.
☙ Dom. Lafond Roc-Epine, rte des Vignobles, 30126 Tavel, tél. 04.66.50.24.59, fax 04.66.50.12.42, e-mail lafond@roc-epine.com ☑ ☒ r.-v.

LES LAUZERAIES 2001★★

■	32 ha	200 000	▮♀	5 à 8 €

Créée en 1937, la coopérative de Tavel fait honneur à l'appellation avec ce rosé de teinte soutenue, élégamment ouvert sur les fruits rouges et, plus encore, sur la groseille. C'est cette dernière qui se distingue d'un ensemble rond et persistant, également souligné de fruits cuits. Tel est le reflet du terroir et de la bonne maturité du raisin.
☙ Les Vignerons de Tavel, rte de la Commanderie, 30126 Tavel, tél. 04.66.50.03.57, fax 04.66.50.46.57, e-mail tavel.cave@wanadoo.fr ☑ ☒ t.l.j. 9h-12h 14h-18h

LOUIS BERNARD 2001

■	n.c.	60 000	▮♀	5 à 8 €

Une maison de négoce qui a fait le bon choix sur les conseils de son œnologue, Jean-François Ranvier. Une teinte pâle et délicate réserve la surprise d'un nez puissant. Une chaleur que l'on retrouve en bouche avec générosité et équilibre.
☙ Salavert-Les domaines Bernard, rte de Sérignan, 84100 Orange, tél. 04.90.11.86.86, fax 04.90.34.87.30, e-mail sagon@domaines-bernard.fr

DOM. MABY
La Forcadière 2001★

■	18,51 ha	100 000	▮	5 à 8 €

Le domaine est l'une des plus anciennes exploitations familiales de l'aire d'appellation. Sa cuvée est certes encore timide, mais laisse déjà percevoir la maturité parfaite des raisins récoltés sur ce terroir de galets roulés chauffés au soleil. Les notes de cerise qui s'égrènent tout au long de la dégustation donnent un certain relief au vin.
☙ Dom. Roger Maby, rue Saint-Vincent, 30126 Tavel, tél. 04.66.50.03.40, fax 04.66.50.43.12, e-mail domaine-maby@wanadoo.fr ☑ ☒ t.l.j. sf sam. dim. 8h-12h 13h30-17h30 ; f. 11-25 août

DOM. MOULIN-LA-VIGUERIE 2001★

■	4,54 ha	35 000	▮♀	5 à 8 €

Le phylloxéra a sans doute dévasté ce vignoble créé en 1870, mais n'a pu ruiner les espoirs de cette ancienne famille vigneronne qui s'attacha à reconstituer un domaine fort de 15 ha aujourd'hui. Le grenache, le cinsault, la syrah et le bourboulenc s'harmonisent dans ce vin puissamment épicé qui présente du gras et de la rondeur. Une pointe de cannelle vient signer la dégustation d'un tavel ample, prêt à accompagner tout un repas.

RHÔNE

⚲ SCEA les Vignobles Mireille Petit-Roudil,
rue de la Combe, BP 16, 30126 Tavel,
tél. 04.66.50.06.55, fax 04.66.79.37.07 ☑ Ⴈ r.-v.

DOM. LA ROCALIERE 2001

	23 ha	130 000	▮⬦	5 à 8 €

Un tavel issu du grenache, du cinsault et de la syrah.
La robe brillante et limpide invite à découvrir d'agréables
arômes d'amande grillée, ainsi que la bonne maturité de ce
vin chaleureux et fruité.
⚲ Dom. la Rocalière, Le Palais-Nord, BP 21,
30126 Tavel, tél. 04.66.50.12.60, fax 04.66.50.23.45
☑ Ⴈ t.l.j. sf sam. dim. 8h-12h 14h-18h
⚲ Borrelly-Maby

CH. DE SEGRIES 2001★★

	6,5 ha	30 000	▮	5 à 8 €

Pour l'anecdote, Henri de Lanzac est fermier de
quelques vignes appartenant au coureur automobile, Jean
Alési. La maturité du grenache, la fraîcheur du cinsault, les
reflets de la syrah s'unissent dans ce rosé limpide aux
nuances violettes. Les fruits rouges frais se déclinent sans
discontinuer, en prenant des accents de framboise et de
fraise pour accompagner une bouche ample, de belle
tenue.
⚲ SCEA Henri de Lanzac, Ch. de Ségriès,
chem. de la Grange, 30126 Lirac, tél. 04.66.50.22.97,
fax 04.66.50.17.02 ☑ Ⴈ r.-v.

Clairette de die

La clairette de die est l'un des vins
les plus anciennement connus au monde. Le
vignoble occupe les versants de la moyenne vallée
de la Drôme, entre Luc-en-Diois et Aouste-sur-
Sye. On produit ce vin mousseux essentiellement
à partir du cépage muscat (75 % minimum). La
fermentation se termine naturellement en bouteilles. Il n'y a pas adjonction de liqueur de tirage.
C'est la méthode dioise ancestrale. La production
a atteint 74 184 hl en 2001.

CHAMBERAN
Tradition 2001★★

	20 ha	150 000	▮⬦	5 à 8 €

L'UJVR, c'est l'Union des jeunes viticulteurs récoltants de Vercheny : sept vignerons qui se sont regroupés en
1961 pour constituer un seul et même domaine et qui
vinifient aujourd'hui le fruit de 61 ha dans un caveau à
l'architecture contemporaine. Leur clairette jaune pâle
possède une belle mousse qui semble porter les arômes
intenses de fruits blancs, de beurre et de noisette. Franche
et longue, elle fait montre de puissance.
⚲ Union des Jeunes Viticulteurs Récoltants,
rte de Die, 26340 Vercheny, tél. 04.75.21.70.88,
fax 04.75.21.73.73, e-mail ujvr@terre-net.fr
☑ Ⴈ t.l.j. 9h30-12h 14h-18h30

DIDIER CORNILLON
Florilège 2000

	2 ha	14 000	▮⬦	5 à 8 €

C'est une jolie bulle fine et légère qui danse dans ce
vin jaune pâle à reflets verts. Aérien ? Certes, avec en plus
un côté muscaté délicat et une agréable impression de
fraîcheur équilibrée par de la rondeur. Une clairette
typique.
⚲ Didier Cornillon, 26410 Saint-Roman,
tél. 04.75.21.81.79, fax 04.75.21.84.44
☑ Ⴈ t.l.j. 10h-12h30 14h-19h; f. jan.-mars

JAILLANCE
Tradition Cuvée impériale★★

	100 ha	770 000	▮⬦	5 à 8 €

Un beau tir groupé pour la cave de Jaillance. Voyez
cette Cuvée impériale qui, défendant parfaitement son
titre, se démarque par son expression intense, plus florale
que fruitée, et par sa puissance. Aromatique et complexe,
elle se prolonge durablement et pourra être appréciée
pendant un an ou deux sur des salades de fruits. La **cuvée
Tradition issue de raisins de l'agriculture biologique**
est tout aussi remarquable avec sa mousse fine, ses notes
de fruits blancs et sa bonne ampleur sur des notes de
muscat. Et deux nouvelles étoiles pour la **cuvée Tradition
classique** mariant les fruits et les nuances mentholées à
l'olfaction, puis la pêche de vigne dans une belle harmonie.
Un gâteau aux fruits sera le bienvenu pour l'accompagner.
⚲ Cave coop. de Die Jaillance,
av. de la Clairette, BP 79, 26150 Die,
tél. 04.75.22.30.00, fax 04.75.22.21.06 ☑ Ⴈ r.-v.

DOM. DE MAGORD
Tradition 2000

	7 ha	50 000		5 à 8 €

Jean-Claude et Jérôme Vincent, le père et le fils,
conduisent ensemble ce domaine de 10 ha créé en 1929.
C'est une clairette de die aux arômes discrets qu'ils
présentent. On perçoit la pêche de vigne, le fruit blanc, le
litchi et une pointe de rose. Fraîcheur et équilibre sont au
rendez-vous.
⚲ Jean-Claude et Jérôme Vincent,
GAEC du Dom. de Magord, 26150 Barsac,
tél. 04.75.21.71.43, fax 04.75.21.72.41 Ⴈ r.-v.

Coteaux de die

Vins tranquilles issus à 100 % du
cépage clairette, les coteaux de die ont été reconnus par le décret du 26 mars 1993.

CHAMBERAN 1998★

	0,8 ha	5 000		- de 3 €

Cette clairette pure d'un millésime ancien, appréciée
par le jury, offre cependant fraîcheur et plaisir. Ce vin
floral, bien persistant, ne décevra pas.

☙ Union des Jeunes Viticulteurs Récoltants,
rte de Die, 26340 Vercheny, tél. 04.75.21.70.88,
fax 04.75.21.73.73, e-mail ujvr@terre-net.fr
Ⳁ t.l.j. 9h30-12h 14h-18h30

☙ Jean-Claude Raspail, Dom. de la Mûre,
26340 Saillans, tél. 04.75.21.55.99, fax 04.75.21.57.57,
e-mail raspail.jean-claude.earl@wanadoo.fr
☑ Ⳁ t.l.j. 9h-12h 14h-18h30; f. 5-31 jan.

Crémant de die

Le décret du 26 mars 1993 a
reconnu l'AOC crémant de die, produite uniquement à partir du cépage clairette selon la méthode
dite traditionnelle de seconde fermentation en
bouteille.

JAILLANCE

	54 ha	300 000		5 à 8 €

Un effervescent qui se révèle tout en harmonie tant
dans sa présentation que lors de sa dégustation : robe
brillante jaune pâle à reflets verts, notes de fruits blancs, de
réglisse, belle longueur. Un vin agréable.
☙ Cave coop. de Die Jaillance,
av. de la Clairette, BP 79, 26150 Die,
tél. 04.75.22.30.00, fax 04.75.22.21.06 Ⳁ r.-v.

MARCEL MAILLEFAUD ET FILS 1998★

	1 ha	7 000	▮ ♦	5 à 8 €

Un domaine qui a déjà fait ses preuves, notamment
l'an passé : son crémant a alors obtenu trois étoiles et un
coup de cœur. Cette bouteille est somptueusement vêtue
d'une robe limpide, dans les tons jaune paille clair, avec des
reflets verts, et est surmontée d'un liseré ciselé. Pour
couronner cette tenue, des notes complexes de fleurs, de
fruits et d'orange amère confite. Un vin de bel équilibre,
à découvrir.
☙ Marcel Maillefaud et Fils, GAEC des Adrets,
26150 Barsac, tél. 04.75.21.71.77, fax 04.75.21.75.24
☑ Ⳁ t.l.j. 8h-12h 14h-18h

ALAIN POULET 1997

	3 ha	3 000	▮ ♦	5 à 8 €

Un nez franc, net, puissant et élégant, les qualificatifs
ne manquent pas. La fraîcheur est là, avec une légère
amertume en finale.
☙ Alain Poulet, La Chapelle, 26150 Pontaix,
tél. 04.75.21.22.59, fax 04.75.21.20.95 ☑ Ⳁ r.-v.

JEAN-CLAUDE RASPAIL
Cuvée Flavien Brut extra 1998

	1,5 ha	9 000	▮ ♦	8 à 11 €

Cette année, la maison familiale, créée en 1942 par le
père négociant en bois de noyer, fête son soixantième
anniversaire. Pour les festivités, cette bouteille sera parfaite. Un nez, massif comme le noyer, apporte une
fraîcheur comparable à celle des branches de ce dernier
sous lequel il fait bon faire la sieste en été. Un crémant
typique.

Châtillon-en-diois

Le vignoble du châtillon-en-diois
occupe 50 ha, sur les versants de la haute vallée
de la Drôme, entre Luc-en-Diois (550 m d'altitude) et Pont-de-Quart (465 m). L'appellation
produit des rouges (cépage gamay), légers et
fruités, à consommer jeunes, ou des blancs (cépages aligoté et chardonnay), agréables et nerveux. Production totale : 3 318 hl en 2001.

DOM. DE LAYE 2001★

	1 ha	5 600		3 à 5 €

Cette cave propose un aligoté et un gamay. Le blanc
avec son nez puissant et légèrement acidulé, qui lui confère
une bonne fraîcheur, a conquis le jury. Il a été élaboré à
partir de raisins issus de l'agriculture biologique et se
mariera avec des fruits de mer ou un poisson grillé. Le
Domaine du Sourbier rouge 2001, cité, se révèle frais
et agréable.
☙ Cave coop. de Die Jaillance,
av. de la Clairette, BP 79, 26150 Die,
tél. 04.75.22.30.00, fax 04.75.22.21.06 Ⳁ r.-v.

Coteaux du tricastin

Cette appellation couvre 2 000 ha
répartis sur vingt-deux communes de la rive
gauche du Rhône, depuis La Baume-de-Transit
au sud, en passant par Saint-Paul-Trois-
Châteaux, jusqu'aux Granges-Gontardes, au
nord. Les terrains d'alluvions anciennes très
caillouteuses et les coteaux sableux, situés à la
limite du climat méditerranéen, ont produit
112 094 hl de vin en 2001. Cette appellation vient
d'être redélimitée.

DOM. DES AGATES
Le Grand Luas 2001★

▮	2,63 ha	8 800	▮ ♦	3 à 5 €

Première vinification pour ce domaine et déjà une
mention dans le Guide pour sa cuvée, Le Grand Luas,
parée d'une belle robe rouge rubis. Le sous-bois et le cassis
pour les parfums ; un côté frais et gouleyant au palais pour un
vin qui se montre très agréable tout au long de la
dégustation.

RHÔNE

●┐ SCEA Vignerons Chabanis Riffard,
chem. de l'Etang, 26780 Châteauneuf-du-Rhône,
tél. 04.75.90.80.03, fax 04.75.90.75.59 ☑ Ⴀ r.-v.

CH. LA CROIX CHABRIERE
Terre Nette 2000★

■	1 ha	5 000	■ ⅊	5 à 8 €

Des arômes d'épices douces, de fruits confits, de
sous-bois, de brioché, de réglisse pour ce vin souple à
l'attaque, structuré et élégant. Une bonne montée en
puissance tout au long de la dégustation a séduit le jury.
●┐ Ch. la Croix Chabrière, rte de Saint-Restitut,
84500 Bollène, tél. 04.90.40.00.89, fax 04.90.40.19.93
☑ Ⴀ t.l.j. 9h-12h 14h-18h; dim. 9h-12h; groupes sur r.-v.
●┐ Patrick Daniel

LES DAMES BLANCHES DU SUD 2000★★

■	4 ha	25 000	■ ⅊	8 à 11 €

Roussas, au cœur de la Drôme provençale, possède
les vestiges d'une cave viticole romaine du Ier s. avant notre
ère. Les Dames blanches du Sud, avec leurs subtils arômes
de tilleul, de garrigue, de cumin et autres épices, se
montrent équilibrées et plaisantes, même élégantes. Elles
pourront accompagner tout un repas, de l'apéritif jusqu'au
fromage. Les inconditionnels du rouge choisiront la **cuvée
Vieilles vignes 2000**. Avec sa structure charpentée, ses
tanins onctueux et ses arômes riches, elle a également été
jugée très réussie. La **cuvée Tradition rouge 2000** (5 à
8 €), citée, est un vin agréable, à boire dès maintenant.
●┐ SARL Domaines Bour, Dom. de Grangeneuve,
26230 Roussas, tél. 04.75.98.50.22, fax 04.75.98.51.09,
e-mail domainesbour@wanadoo.fr
☑ Ⴀ t.l.j. 9h-12h 14h-19h

CH.LA DECELLE 2000★

■	6 ha	30 000	■ ⅊	3 à 5 €

Un vin remarqué pour son originalité due à des
arômes de cire d'abeille et de figue sèche. Une harmonie
classique lui permettra d'accompagner des grillades de
viande rouge et plus généralement la cuisine familiale. Plus
rare (7 000 bouteilles) et plus charpentée, la **cuvée S rouge
2000** (5 à 8 €) a également été jugée très réussie par les
dégustateurs qui lui ont trouvé beaucoup d'attrait. Ses
arômes sont puissants (fruits noirs, compote, truffe, cuir,
notes de torréfaction), sa structure ronde et ample. Un vin
qui sait maîtriser une alliance difficile : puissance et élégance.
●┐ Ch. la Décelle, rte de Pierrelatte, D 59,
26130 Saint-Paul-Trois-Châteaux, tél. 04.75.04.71.33,
fax 04.75.04.56.98, e-mail ladecelle@wanadoo.fr
☑ Ⴀ t.l.j. sf dim. 9h-12h 14h30-18h30

DOME D'ELYSSAS
Cuvée des Echirousses 2000

■	10 ha	20 000	■ ⅊	3 à 5 €

Deux vins du domaine sont retenus. D'une part, cette
cuvée des Echirousses, très traditionnelle avec un joli
bouquet aromatique sur fond de garrigue. C'est un vin
élégant et souple, à boire relativement jeune pour son
fruité. La **cuvée du Gros Chêne rouge 2000**, légèrement
marquée par la syrah, est citée pour son nez riche et
complexe. A vous de choisir.
●┐ Dôme d'Elyssas, quartier Combe d'Elyssas,
26290 Les Granges Gontardes,
tél. 04.75.98.61.55, fax 04.75.98.63.12 ☑ Ⴀ r.-v.

DOM. DE L'ESPEROUZE
Réserve 2000★

■	n.c.	45 000	■ ⅊	3 à 5 €

Une robe pourpre et sombre, un nez élégant marqué
par les fruits rouges, la figue fraîche et les raisins secs, le
foin et même le romarin, le miel, le cacao... La liste est
longue ! L'attaque est certes un peu austère, mais le friand
est tellement chaleureux que l'on y revient volontiers.
●┐ Dom. de l'Esperouze,
26230 Chantemerle-lès-Grignan,
tél. 04.75.98.59.11, fax 04.75.98.58.20 ☑ Ⴀ r.-v.
●┐ A. et C. Renouard

CH. DES ESTUBIERS 1999★

■	5 ha	20 000	⅊	8 à 11 €

Une étiquette en braille pour ce vin élevé en biodynamie qui comblera les amateurs de boisé et les dégustateurs patients. Le bouquet commence à s'épanouir et mêle
le cuir neuf, la vanille et autres épices et notes animales, le
sous-bois et la truffe. Une bouteille puissante dont les
tanins ne demandent qu'à se fondre. A attendre deux ans.
●┐ Ch. des Estubiers, 26290 Les Granges Gontardes,
tél. 04.75.98.54.78, fax 04.75.98.54.81 ☑ Ⴀ r.-v.
●┐ M. Chapoutier

DOM. DE MONTINE
Sélection Terroir 2000

■	10 ha	20 000	■	3 à 5 €

La marquise de Sévigné séjourna chez sa fille au
château (XVIe-XVIIe s.) de Grignan, bourgade où est
installé le domaine de Montine. Cette Sélection Terroir,
moitié grenache, moitié syrah, développe de jolis arômes :
sous-bois, fraise, cerises rouges et noires, réglisse et autres
épices. Elle sera bientôt prête. En attendant, la **cuvée
Séduction rouge 99**, vieilli en fût de chêne (5 à 8 €),
citée, en étonnera plus d'un avec son nez de violette et de
figue fraîche.
●┐ Jean-Luc et Claude Monteillet,
Dom. de Montine, GAEC de la Grande Tuilière,
26230 Grignan, tél. 04.75.46.54.21, fax 04.75.46.93.26,
e-mail domainedemontine@wanadoo.fr
☑ ⌂ Ⴀ t.l.j. 9h-12h 14h-19h

DOM. SAINT LUC 2000★

■	13 ha	15 000	■ ⅊	5 à 8 €

Le domaine est installé dans une ancienne ferme du
XVIIIe s. Il propose un vin aux arômes de mousse et de
violette, de bourgeon de cassis et de figue séchée, relevés
par une pointe de poivre blanc. L'attaque tannique révèle
une grande jeunesse, mais bientôt l'élégance l'emportera.
Une très belle expression de la syrah à servir sur une viande
cuisinée.
●┐ Dom. Saint Luc, 26790 Labaune-de-Transit,
tél. 04.75.98.11.51, fax 04.75.98.19.22,
e-mail domainesaintluc@wanadoo.fr ☑ 🛏 ⌂ Ⴀ r.-v.
●┐ Ludovic Cornillon

LA SUZIENNE
Sélection Le Lutin 2001★

■	n.c.	33 400		- de 3 €

Une belle robe saumonée habille ce rosé de saignée
issu de grenache noir (70 %) et de cinsault. Le fruité est bien
soutenu par des notes florales et plus particulièrement le
tilleul. Un assemblage fin et équilibré qui se boit sans soif,
en fin de journée.

⌐ EURL Caveau la Suzienne, 26790 Suze-la-Rousse, tél. 04.75.04.80.04, fax 04.75.98.23.77 ☑ ⊺ r.-v.

DOM. DU VIEUX MICOCOULIER 2000★★

■	100 ha	100 000	▤▵	5 à 8 €

La famille Vergobbi était propriétaire en Algérie d'un vignoble créé en 1877 par l'un de ses ancêtres cévenols. Contrainte de quitter le pays, elle revient en France en 1962 où elle s'attache à défricher la garrigue pour y implanter un vignoble qui atteint aujourd'hui 100 ha. Ce magnifique terroir a produit un vin à la robe sombre à reflets violines qui laisse deviner une forte onctuosité. Le nez, d'abord discret, développe petit à petit de subtils arômes de pâtisserie, de fruits noirs compotés, de Zan, de cassis frais, de rose rouge, de fumé... L'attaque souple se montre trompeuse, la structure tannique est imposante. Puissance et soyeux, quelle élégance !

⌐ SCGEA Cave Vergobbi, Le Logis de Berre, 26290 Les Granges-Gontardes, tél. 04.75.04.02.72, fax 04.75.04.41.81 ☑ ⊺ t.l.j. 9h30-12h 14h30-18h30; dim. et jours fériés sur r.-v.

Côtes du ventoux

À la base du massif calcaire du Ventoux, « le géant du Vaucluse » (1 912 m), des sédiments tertiaires portent ce vignoble qui s'étend sur cinquante et une communes (7 450 ha), entre Vaison-la-Romaine au nord et Apt au sud. Les vins produits sont essentiellement des rouges et des rosés. Le climat, plus froid que celui des Côtes du Rhône, entraîne une maturité plus tardive. Les vins rouges sont de moindre degré alcoolique, mais frais et élégants dans leur jeunesse ; ils sont cependant davantage charpentés dans les communes situées le plus à l'ouest (Caromb, Bédoin, Mormoiron). Les vins rosés sont agréables et demandent à être bus jeunes. La production totale a atteint 325 967 hl en 2001.

ALTITUDE 400
Les Condamines 2000★

■	9 ha	45 000	▤▵	3 à 5 €

Le lieu-dit Les Condamines rassemble tous les ingrédients de la Provence : vignes, oliviers, cyprès, cerisiers,

mas et cabanon... et suscite certainement des vocations de peintre. Une belle robe rouge rubis habille ce vin qui révèle des nuances odorantes de fruits à l'alcool sur des notes poivrées. Beaucoup de gras, de fraîcheur et de douceur en bouche pour cette cuvée issue de vignes d'altitude. Une bouteille bien représentative de l'appellation. Les Vignerons du Mont Ventoux obtiennent également une citation pour le **Chais du Grillon rosé 2001**. Un vin très friand qui exhale la fraise et le bonbon anglais ; à servir à l'apéritif.

⌐ SCA Les Vignerons du Mont Ventoux, quartier de la Salle, 84410 Bédoin, tél. 04.90.12.88.00, fax 04.90.65.64.43 ☑ ⊺ r.-v.

DOM. DES ANGES 2001★

▨	3,62 ha	20 000	▤▵	5 à 8 €

Le domaine des Anges : une propriété à l'heure irlandaise. Un Irlandais, Gabriel Guinness, est à la tête du domaine, tandis qu'un autre, Cioran Rooney, se consacre à la vinification, avec succès comme le montre ce vin blanc au bouquet d'agrumes (citron, pamplemousse), très frais. C'est un vin franc, typique de l'appellation qui accompagnera aussi bien un loup au citron qu'un crabe à la mayonnaise.

⌐ SCA Dom. des Anges, 84570 Mormoiron, tél. 04.90.61.88.78, fax 04.90.61.98.05, e-mail cioranr@club-internet.fr ☑ ⌂ ⊺ t.l.j. 9h-12h 14h-18h; f. oct.-1 avr.

DOM. DE LA BASTIDONNE 2001★★

■	1,5 ha	6 000	▤▵	5 à 8 €

Le domaine fêtera son centenaire en 2003. Son rosé à la robe soutenue et au nez de fleurs est composé de syrah et de grenache à parts égales. Au palais, les petits fruits et les épices s'expriment intensément. Une bouteille remarquable bien représentative de l'appellation.

⌐ SCEA Dom. de la Bastidonne, 84220 Cabrières-d'Avignon, tél. 04.90.76.70.00, fax 04.90.76.74.34 ☑ ⊺ t.l.j. sf dim. 9h-12h 14h-18h ⌐ Gérard Marreau

VIGNERONS DE BEAUMES-DE-VENISE
La Cuvée des Toques 2001★★

■	150 ha	25 000	▤▵	- de 3 €

Une coopérative qui a institué une charte qualité pour le suivi des vignes de ses adhérents. Cela explique en grande partie la belle facture de ce vin assemblant 95 % de grenache au cinsault ainsi que celle du **Château Juvenal rouge 2001 (3 à 5 €)** où la syrah (20 %) accompagne le grenache. Ces deux vins obtiennent une même note, sont parfaitement dans le type de l'appellation et pourront accompagner tout un repas ou une carbonade à la flamande.

⌐ Cave des Vignerons de Beaumes-de-Venise, quartier Ravel, 84190 Beaumes-de-Venise, tél. 04.90.12.41.00, fax 04.90.65.02.05, e-mail vignerons@beaumes-de-venise.com ☑ ⊺ r.-v.

DOM. DE BERANE
Les Blaques 2000

■	2 ha	9 500	▤	5 à 8 €

Dirigé par un jeune couple de vignerons, ce domaine a ouvert, en été 2002, un caveau de dégustation. Pour leur première vinification, ils s'en sont bien sortis : ce vin rouge équilibré aux tanins soyeux avec des notes de fruits et de caramel est fort agréable. Continuez ainsi !

☛ A. C. Rabatel et B. Ferary, rte de Flassan,
84570 Mormoiron, tél. 06.19.92.62.75
☑ ⵣ t.l.j. sf lun. 10h-12h 15h-19h; f. jan.

DOM. DU BON REMEDE
Secret de Vincent Vieilli en fût de chêne 2000★

| ■ | 1,5 ha | 5 000 | ■ ⑪ ↓ | 5 à 8 € |

Créé en 1991, ce domaine d'une dizaine d'hectares a commencé à vinifier en 1997 et déjà s'applique à élever cette cuvée en fût de chêne. Grenat profond très intense, ce vin au nez très fin de fruits rouges (cassis) et de torréfaction se révèle assez tannique. Il pourra attendre ou être apprécié jeune sur le fruit. **Le rosé Pensée Sauvage 2001 (3 à 5 €)** a fait rêver les dégustateurs par la complexité du bouquet et par son harmonie flatteuse. Il reçoit une étoile.
☛ Frédéric Delay, 1248, rte de Malemort,
84380 Mazan, tél. 04.90.69.69.76, fax 04.90.69.69.76
☑ ⵣ r.-v.

DOM. DE CASCAVEL 2000

| ■ | | 7 ha | 17 000 | ■ ⑪ | 5 à 8 € |

En mars 2000, Olivier Baguet et Raphaël Trouiller, réunis par leur passion pour le vin, créent le domaine de Cascavel. Ce vin, de belle présentation, est dominé par la vanille et les épices douces. L'ensemble s'avère agréable, mais il faut attendre un peu que le boisé se fonde.
☛ Dom. de Cascavel, SCEA Baguet-Trouiller,
quartier Bel Air, 84570 Méthamis, tél. 04.90.61.72.18,
fax 04.90.61.99.58, e-mail cascavel@voila.fr ☑ ⵣ r.-v.

PIERRE CHANAU 2001★★

| ■ | n.c. | 250 000 | ■ ↓ | - de 3 € |

A proximité de la cave se dressent les ruines imposantes du château de la Tour d'Aigues. Syrah (60 %) et grenache (40 %) composent cette cuvée vinifiée traditionnellement. Le nez intense affiche des notes de bourgeon de cassis. Sa matière ample et ses tanins encore jeunes annoncent un bon vieillissement. A boire avec un plat mijoté ou un gibier. Ce vin, vous le trouverez chez Auchan.
☛ Cellier de Marrenon, BP 13, 84240 La Tour d'Aigues, tél. 04.90.07.40.65, fax 04.90.07.30.77,
e-mail marrenon@marrenon.com
ⵣ t.l.j. 8h-12h 14h-18h (été 15h-19h); dim. 8h-12h

DOM. CHAUMARD 2001★

| ■ | 1,5 ha | 8 000 | ■ ↓ | 3 à 5 € |

L'accueil est toujours très chaleureux au domaine. Poussez la porte du caveau et dégustez ce vin blanc à la belle robe dorée à reflets verts. Tout en douceur, rond, subtil, bien fondu, et doté d'un bouquet d'amande verte, il peut être bu dès maintenant ou attendu jusqu'à deux ans. Du même domaine, le **rosé 2001**, avec son nez de bonbon anglais et de fruits rouges (framboise), ses arômes très frais, obtient une étoile. C'est un vin équilibré, séducteur.
☛ Gilles Chaumard, rte d'Aubignan, 84330 Caromb,
tél. 04.90.62.43.38, fax 04.90.62.35.84,
e-mail g.chaumard@terre-net.fr ☑ ⵣ r.-v.

DOM. DE FENOUILLET 2001★★

| ■ | 4,44 ha | 25 700 | ■ ↓ | 5 à 8 € |

Le savoir-faire de la famille Soard est ancien, comme en atteste un diplôme remis à l'arrière-grand-père en 1900. Belle harmonie, bonne structure et parfait équilibre pour ce 2001 aux arômes fruités très fins et aux tanins bien

présents. Une bouteille qui doit vieillir un peu avant de s'épanouir pleinement et de faire la démonstration de tout son potentiel.
☛ GAEC Patrick et Vincent Soard,
Dom. de Fenouillet, allée Saint-Roch,
84190 Beaumes-de-Venise, tél. 04.90.62.95.61,
fax 04.90.62.90.67, e-mail pv.soard@freesbee.fr
☑ ⵣ r.-v.

DOM. DE LA FERME SAINT-MARTIN
Clos des Estaillades 2000★

| ■ | 1,5 ha | 5 000 | ■ | 5 à 8 € |

Le village de Suzette offre un beau panorama sur les dentelles de Montmirail. Le domaine de la Ferme Saint-Martin propose, sous une robe grenat aux reflets violines, un vin tout en fruits rouges et épices, très agréable aussi bien au nez qu'en bouche. C'est un bon représentant de l'appellation.
☛ Guy Jullien, Dom. de la Ferme Saint-Martin,
84190 Suzette, tél. 04.90.62.96.40, fax 04.90.62.90.84
☑ ⏠ ⵣ r.-v.

LA FERME SAINT-PIERRE
Cuvée Véronique 2000★

| ■ | 2 ha | 13 000 | ■ ↓ | 5 à 8 € |

Paul Vendran, jeune viticulteur, se consacre pleinement à son exploitation... sans un oublier pour autant sa famille. Sa cuvée Véronique, à la robe grenat intense, au nez d'épices, accompagné à notes animales, est prometteuse. Ses tanins veloutés mais fermes lui permettront de vieillir.
☛ La Ferme Saint-Pierre, 84410 Flassan,
tél. 04.90.61.90.88, fax 04.90.61.89.96,
e-mail paulvendran@free.fr ☑
☛ Paul Vendran

DOM. DE FONDRECHE
Cuvée Persia 2000★

| ■ | 29,5 ha | 12 000 | ⑪ | 11 à 15 € |

Depuis plusieurs années, le domaine se restructure ; en 2002, il a agrandi sa cave. Une étiquette aux couleurs chatoyantes avec, en arrière-plan, le mont Ventoux, habille la cuvée Persia, coup de cœur en rouge dans le Guide précédent. Le millésime 2000, typé syrah, possède une robe grenat sombre avec d'intenses reflets violets. Le bouquet de fruits rouges, d'épices douces avec une pointe de vanille, les arômes de pain d'épices en font un vin très réussi, fin et élégant. Il pourra attendre de deux à trois ans avant d'accompagner un gibier ou un civet. La **cuvée Persia blanc 2001**, une étoile également, a été élaborée à partir de roussanne et de grenache à parts égales. Un vin boisé à attendre un an environ. **La cuvée du domaine en rosé 2001 (5 à 8 €)** est jugée très réussie. Elle est bien équilibrée et gouleyante.
☛ Dom. de Fondrèche,
quartier Fondrèche, 84380 Mazan,
tél. 04.90.69.61.42, fax 04.90.69.61.18 ☑ ⵣ r.-v.
☛ Vincenti et Barthélémy

DOM. GRANDJACQUET
Le Diamant noir 2000

| ■ | 1,5 ha | 4 000 | ⑪ | 11 à 15 € |

Patricia et Joël sont de nouveaux venus dans le Guide. Et pour cause, c'est leur première vinification ! Eraflage total, pigeage et macération de quatre semaines,

ensuite fermentation malolactique en fûts, dont un tiers de fûts neufs, pendant un an. Le vanillé est présent avec de la rondeur, de l'ampleur et du soyeux. Un travail bien fait.
↡ Dom. GrandJacquet, 2869,
La Venue de Carpentras, 84380 Mazan,
tél. 04.90.63.24.87, fax 04.90.63.24.87 ☑ ϒ r.-v.
↡ Joël Jacquet

DOM. LES GRAND'TERRES
Cuvée spéciale 2000

■		2 ha	6 000	▮ⅠⅠ	3 à 5 €

Une cuvée composée à parts égales de syrah et de grenache ayant respectivement subi une macération carbonique de trois semaines et une fermentation traditionnelle de quinze jours. Cela donne un vin chaleureux à la bouche légèrement épicée. Une bonne partie de cette cuvée est destinée à l'exportation à destination de la Corée du Sud.
↡ Comtes O. d'Ollone, rte la Roque Alric,
84330 Le Barroux, tél. 04.90.62.43.09,
fax 04.90.62.48.50 ☑ ϒ t.l.j. sf dim. 8h-12h 14h-18h

DOM. LES HERBES BLANCHES 2001★★

■		n.c.	80 000	▮⎖	3 à 5 €

Le nom de ce vin de négociant est une allusion à celui d'une colline à la végétation essentiellement composée de fleurs blanches. Ce vin, élaboré avec beaucoup de soin, est issu de longues cuvaisons. L'olfaction révèle la puissance (fruits mûrs) ; la dégustation laisse des impressions de souplesse, de rondeur et d'équilibre. Un vin prêt à boire mais qui gagnera à attendre.
↡ Salavert-Les Domaines Bernard, rte de Sérignan,
84100 Orange, tél. 04.90.11.86.86, fax 04.90.34.87.30,
e-mail sagon@domaines-bernard.fr

CAVE DU LUBERON
Cuvée de Labba 2001

■		50 ha	n.c.	▮	3 à 5 €

Un vin, encore discret au nez, mais de grande structure, qu'il faudra laisser vieillir deux à trois ans avant d'en apprécier toute la quintessence. Il y a du cassis en bouche.
↡ Cave du Lubéron, 84660 Maubec,
tél. 04.90.76.90.01, fax 04.90.76.92.72 ☑ ϒ r.-v.

LA CAVE DE LUMIERES
Cuvée Lumières 2000

■		3,5 ha	15 000	▮⎖	3 à 5 €

Des arômes de fraise et de framboise rejoints par des senteurs de cuir et d'épices font toute la richesse du bouquet de ce vin très harmonieux et bien représentatif de l'appellation. Il est prêt à boire, pourquoi pas avec une viande braisée ou marinée.
↡ Cave de Lumières, 84220 Goult,
tél. 04.90.72.20.04, fax 04.90.72.42.52 ☑ ϒ r.-v.

DOM. DE MAROTTE
Cuvée Eline 1999★★

■		4 ha	6 600	▮ⅠⅠ⎖	5 à 8 €

Depuis 1997, Dan et Elvira Van Dykman sont à la tête d'un domaine de 15 ha, situé sur le flanc sud du mont Ventoux. Leur cuvée Eline, à la couleur soutenue rouge sombre avec des reflets vifs, s'ouvre sur le fruit rouge et les épices. De belle longueur, elle révèle des saveurs intenses et se termine harmonieusement. C'est un vin remarquable, bien équilibré, à savourer sur une viande rouge ou un petit gibier.

↡ EARL la Reynarde, Dom. de Marotte,
petit chemin de Serres, 84200 Carpentras,
tél. 04.90.63.43.27, fax 04.90.67.15.28,
e-mail marotte@wanadoo.fr
☑ ϒ t.l.j. sf dim. 8h30-12h 14h30-18h; f. jan. fev.

DOM. LE MURMURIUM
Carpe Diem 2000★

■		3 ha	12 000	▮ⅠⅠ	8 à 11 €

Le domaine, créé en 1995, a construit un chai souterrain. Il propose un joli vin rubis foncé à reflets violets. Le nez est un peu fermé sur le fruit (groseille, framboise) mais le palais exprime des fruits rouges et des notes boisées (vanille) très agréables. Cette bouteille devrait trouver sa plénitude d'ici deux ans. A servir sur un cuissot de sanglier. Le **blanc 2001 (5 à 8 €)**, une étoile, est puissant, gras, bien fondu et se caractérise par des arômes de pain grillé. Enfin, le **rosé 2001 (5 à 8 €)**, cité, possède un bouquet intense de fruits à noyau et développe des arômes très frais. Un vin classique, séducteur et équilibré.
↡ SCEA Marot-Metzler, rte de Flassan,
Dom. le Murmurium, 84570 Mormoiron,
tél. 04.90.61.73.74, fax 04.90.61.74.51 ☑ ϒ r.-v.

DOM. PELISSON 2001

■		n.c.	n.c.		5 à 8 €

Patrick Pélisson est un fervent partisan de l'agriculture biologique. Ce millésime, moins structuré que les précédents, n'en est pas moins plaisant par son fruité et sa couleur légère.
↡ Patrick Pelisson, 84220 Gordes,
tél. 04.90.72.28.49, fax 04.90.72.23.91 ☑ ϒ r.-v.

DOM. DE LA PIGEADE 2001

■		2 ha	8 000	▮	3 à 5 €

Le domaine, situé sur la commune de Beaumes-de-Venise, propose un rosé vinifié par saignée. Paré d'une robe intense à reflets rouges soutenus, ce vin s'avère très flatteur au nez avec des arômes de cerise et de groseille. A proposer sur une pissaladière ou à l'apéritif avec des toasts de tapenade.
↡ Thierry Vaute, Dom. de La Pigeade,
84190 Beaumes-de-Venise, tél. 04.90.62.90.00,
fax 04.90.62.90.90, e-mail th.vaute@lapigeade.fr
☑ ϒ t.l.j. 9h-12h 14h-19h; sur r.-v. pour groupes

DOM. DU PUY MARQUIS 2000

■		4,2 ha	14 100	ⅠⅠ	5 à 8 €

40 % de syrah accompagnent le grenache dans ce vin élevé un an en fût. Le nez boisé laisse la cerise à l'eau-de-vie s'exprimer. On retrouve ces arômes au cours de la dégustation, avec des notes de vanille et de chocolat dans une bouche équilibrée, structurée. Un vin d'hiver.
↡ Claude Leclercq, Dom. du Puy Marquis,
84440 Apt, tél. 04.90.74.51.87, fax 04.90.04.69.80
☑ ⌂ ϒ t.l.j. sf dim. 10h15-12h 15h-18h30

DOM. DE LA ROYERE
La Garance 2000★★

■		3 ha	6 200	▮	8 à 11 €

Une femme, Anne Hugues, est à la tête de ce domaine. Beaucoup de matière pour sa cuvée La Garance vinifiée traditionnellement après une longue macération. Cette bouteille se distingue par un nez intense de violette et de fruits rouges (framboise, fraise) et une grande persistance. Un vin à apprécier dès maintenant ou à attendre un an ou deux.

☙ Anne Hugues, Dom. de La Royère,
84580 Oppède, tél. 04.90.76.79.50,
fax 04.90.76.79.50, e-mail info@royere.com
☑ ✗ t.l.j. sf dim. 9h-12h 14h-18h30;
f. après-midi en hiver

CAVE SAINT-MARC
Cuvée du Sénéchal 2000*

	5 ha	34 000		5 à 8 €

Une cave dynamique et qui possède un caveau accueillant, spacieux et climatisé pour déguster à bonne température en été. Elle propose un côtes du ventoux très frais, au nez bien expressif, animal et épicé, bien construit.
☙ Cave coopérative Saint-Marc, 84330 Caromb,
tél. 04.90.62.40.24, fax 04.90.62.48.83,
e-mail cave@cave-st-marc.com ☑ ✗ r.-v.

DOM. DE TARA
Hautes Pierres 2000**

	3 ha	4 600		8 à 11 €

Depuis 1999, Françoise Droux et sa fille Frédérique sont à la tête de ce domaine situé à Roussillon, pittoresque village réputé pour ses carrières et ses falaises aux multiples nuances de rouge et d'ocre qui ont inspiré l'étiquette de cette bouteille. Jolie robe brillante à reflets jaune doré, limpide ; nez séduisant et intense d'épices et de pain grillé ; arômes d'amande, d'agrumes et de vanille pour ce vin à la forte personnalité qui offre du gras en bouche, de façon étonnante. A recommander sur une terrine de saumon ou une poularde aux morilles.
☙ Dom. de Tara, Les Rossignols, 84220 Roussillon,
tél. 04.90.05.74.87, fax 04.90.05.71.35
☑ ✗ t.l.j. sf dim. 14h-18h
☙ Droux

TERRE DU LEVANT 2001

	2 ha	13 000		3 à 5 €

Union de caves coopératives, le Cellier de Marrenon construit un chai à barriques avec, pour objectif, d'élaborer des cuvées haut de gamme. Contentons-nous, en attendant, de cette cuvée réussie. La robe intense aux reflets violacés annonce la finesse de ce vin au nez de garrigue et de petits fruits rouges (framboise). Très agréable, très frais, bien équilibré et séduisant, il pourra accompagner les terrines de légumes et/ou les grillades.
☙ Cellier de Marrenon, BP 13, 84240 La Tour
d'Aigues, tél. 04.90.07.40.65, fax 04.90.07.30.77,
e-mail marrenon@marrenon.com
☑ ✗ t.l.j. 8h-12h 14h-18h (été 15h-19h); dim. 8h-12h

TERRES ROUGES 2000*

	10 ha	9 547		3 à 5 €

Bonnieux, ancienne cité pontificale, possède une cave coopérative vinicole. Son côtes du ventoux, Terres rouges, vinifié traditionnellement à partir de 70 % de syrah et de 30 % de grenache, révèle un nez de fruits rouges avec des notes de pierre à silex. Au palais des saveurs de compote de pomme et de cerise se dégagent. Un vin à laisser en cave deux à trois ans.
☙ Cave de Bonnieux, quartier de la Gare,
84480 Bonnieux, tél. 04.90.75.80.03, fax 04.90.75.98.30,
e-mail webmaster@cave-bonnieux.com ☑ ✗ r.-v.

DOM. TROUSSEL 2001*

	0,8 ha	3 000		3 à 5 €

Un vin de belle présentation, ayant du mordant et de la fraîcheur dans un style traditionnel. Il a du caractère, de l'élégance et de la finesse. A boire dès aujourd'hui sur un plateau de fruits de mer.
☙ GAEC Dom. Troussel,
2059, av. Saint-Roch, 84200 Carpentras,
tél. 04.90.67.28.35, fax 04.90.60.68.99 ☑ ✗ r.-v.

DOM. LA TUILIERE
Sélection Vieilles vignes 2000*

	4 ha	16 000		5 à 8 €

Bien avant d'être un domaine viticole, la propriété abritait, à l'époque romaine, une fabrique de tuiles, qui lui vaut son nom actuel. Un terroir argilo-calcaire, des vignes très anciennes, grenache noir et syrah à parts égales, sont à l'origine de ce vin au bouquet bien développé de réglisse et autres épices et de fruits rouges (fraise). La structure ne devrait par tarder à s'assouplir pour une dégustation intéressante sur un carré d'agneau provençal.
☙ Dom. la Tuilière, rte D 60,
84220 Murs, tél. 04.90.05.73.03, fax 04.90.05.78.07,
e-mail alizeesud@aol.com
☑ ✗ t.l.j. sf dim. 9h-12h 14h-19h

DOM. DE LA VERRIERE
Le Haut de la Jacotte 2000**

	2,9 ha	13 330		5 à 8 €

Jacques Maubert, à la tête du domaine depuis 1988, assemble 70 % de syrah au grenache. Elevée en fût de chêne français pendant douze mois, cette bouteille de belle présentation exhale les fruits rouges et les épices et révèle des arômes boisés très intenses. La présence de tanins charnus permettra à ce vin complet et bien équilibré déjà agréable, de vieillir plusieurs années. Jusqu'à cinq ans, selon un dégustateur.
☙ Jacques Maubert, Dom. de La Verrière,
84220 Goult, tél. 04.90.72.20.88, fax 04.90.72.40.33,
e-mail laverriere2@wanadoo.fr
☑ ✗ t.l.j. sf dim. 9h-12h 14h-18h

Côtes du luberon

L'appellation côtes du luberon a été promue AOC par décret du 26 février 1988. Le vignoble des trente-six communes que compte cette appellation, s'étendant sur les versants nord et sud du massif calcaire du Luberon, représente près de 4 013 ha et a produit, en 2001, 190 833 hl. L'appellation donne de bons vins rouges marqués par un encépagement de qualité (grenache, syrah) et un terroir original. Le climat, plus frais qu'en vallée du Rhône, et les vendanges plus tardives expliquent la part importante des vins blancs (25 %) ainsi que leur qualité, reconnue et recherchée.

BASTIDE DE MARIE 2000

■　1,7 ha　7 500　◗◗ 11 à 15 €

Située au milieu des vignobles, au cœur du parc naturel du Luberon, la Bastide de Marie, datant du XVIIIᵉˢ., a été restaurée et aménagée en chambres d'hôte. M. Mouriesse, œnologue, a soigné l'élaboration de cette cuvée à la robe rouge violacé intense, au nez de petits fruits et de réglisse, accompagnés de notes animales. La bouche est marquée par le cuir, les épices et des notes boisées très présentes. A servir avec un jarret au genièvre des garrigues.
☛ Dom. de Marie, quartier de la Verrerie, 84560 Ménerbes, tél. 04.90.72.43.98, fax 04.90.72.54.24, e-mail dme-de-marie@wanadoo.fr
☑ ⚐ ♼ t.l.j. sf dim. 10h-12h 14h-18h; f. jan.
☛ Jean-Louis Sibuet

LA BAUME D'ESTELAN 2000

■　10 ha　13 000　🍴♦ 3 à 5 €

Créée en 1920, la coopérative de Bonnieux vinifie 700 ha. Une jolie robe rouge sombre à nuances violines habille ce vin très jeune au bouquet encore un peu discret, qui révèle des arômes épicés. Les tanins, bien présents, laissent entrevoir un bon potentiel.
☛ Cave de Bonnieux, quartier de la Gare, 84480 Bonnieux, tél. 04.90.75.80.03, fax 04.90.75.98.30, e-mail webmaster@cave-bonnieux.com ☑ ♼ r.-v.

LOUIS BERNARD 2001★

■　n.c.　100 000　3 à 5 €

Ce vin est le fruit d'une vinification traditionnelle reposant sur une longue cuvaison. Le résultat est probant : un bouquet complexe de fruits rouges avec une légère nuance épicée, une bouche intense de fruits rouges confits et de délicats arômes de figue. A servir avec une viande grillée ou une volaille. Le **Domaine Meillan-Pagès rouge 2001 (5 à 8 €)** est cité. Cette bouteille aux arômes de fruits rouges et d'épices se révèle complexe et de garde (un an ou deux).
☛ Salavert-Les domaines Bernard, rte de Sérignan, 84100 Orange, tél. 04.90.11.86.86, fax 04.90.34.87.30, e-mail sagon@domaines-bernard.fr

CH. LA CANORGUE 2000★

■　20 ha　80 000　◗◗ 8 à 11 €

Bonnieux, haut lieu touristique, possède une magnifique forêt de cèdres. Ce château est lui aussi un lieu de visite incontournable. Depuis quinze ans conduit en biodynamie, il possède de vieux carignans. Ils entrent pour 5 % dans ce vin composé à 70 % de syrah complétés par la grenache et complantés sur un sol argilo-calcaire. Il se présente dans une belle robe rouge à reflets violets. Ce sont les fruits rouges (mûre, cassis) qui dominent aussi bien à l'olfaction qu'en dégustation. Une daube provençale conviendra parfaitement à ce vin fruité très élégant.
☛ EARL Jean-Pierre et Martine Margan, Ch. La Canorgue, 84480 Bonnieux, tél. 04.90.75.81.01, fax 04.90.75.82.98, e-mail chateaucanorgue.margan@wanadoo.fr ☑ ♼ r.-v.

DOM. DE LA CAVALE 2001★

■　4 ha　9 000　🍴♦ 5 à 8 €

Alphonse Daudet rendit célèbre Cucuron à travers *Les Lettres de mon moulin*, où le village provençal apparaît sous le nom de Cucugnan. Déja retenu par le passé, dans le Guide, le domaine de la Cavale, propriété de Paul Dubrule, coprésident du groupe Accor, présente

aujourd'hui un vin à la robe rose pâle, aux arômes à la fois floraux et fruités (fruits blancs). Une bouteille plaisante et d'une grande finesse, plutôt moderne, selon un dégustateur. A boire dès maintenant sur une grillade ou un agneau du Luberon.
☛ Paul Dubrule, rte de Lourmarin, 84160 Cucuron, tél. 04.90.77.22.96, fax 04.90.77.25.64 ☑ ♼ r.-v.

DOM. CHASSON 2000★

■　8 ha　50 000　🍴◗◗♦ 5 à 8 €

Situé entre trois hauts lieux touristiques du Luberon – Roussillon, Gordes et Bonnieux –, où la vigne côtoie les oliviers, les cerisiers et la garrigue, riche de parfums enivrants, le domaine propose cette année une cuvée élaborée à partir de grenache (60 %) complété par la syrah (30 %) et le carignan. Aujourd'hui, le boisé l'emporte sur le fruit, mais, avec le temps, cette bouteille trouvera un bon équilibre. A ouvrir dans deux à trois ans sur une daube provençale ou un civet.
☛ Jean-Claude Chasson, SCEA Ch. Blanc, quartier Grimaud, 84220 Roussillon, tél. 04.90.05.64.56, fax 04.90.05.72.79 ☑ ♼ t.l.j. 10h-12h 14h-19h

DOM. CHATEAU D'AIGUES 2001★★

■　8 ha　40 000　🍴♦ 5 à 8 €

Robe rouge sombre à reflets violets ; nuances odorantes de fruits rouges accompagnées de notes de sous-bois ; très bon équilibre en bouche ; tanins fins qui révèlent un bon potentiel d'évolution. Cette bouteille devrait avoir atteint son apogée dans deux ans.
☛ Cellier Val de Durance, Le Grand Jardin, 84360 Lauris, tél. 04.90.08.26.36, fax 04.90.08.28.27

DOM. DE LA CITADELLE
Cuvée classique 1999★★

■　10 ha　53 600　🍴◗◗♦ 8 à 11 €

Le musée du Tire-bouchon, installé dans l'enceinte même du domaine, présente plus de mille pièces, dont les plus anciennes datent du début du XVIIᵉs. Cette année, le jury a plébiscité le domaine. D'abord cette Cuvée classique parée d'une fort belle robe rouge profond à reflets violets, résultat d'un élevage en barrique bien maîtrisé. Le nez, très complexe, est dominé par un boisé particulièrement agréable, accompagné de notes de grillé, de torréfaction et d'épices. Plaisant dès aujourd'hui, ce vin gagnera à attendre encore deux à trois ans. La **Cuvée classique blanc 2001** reçoit une étoile tout comme la **Cuvée le Châtaignier 2001 (5 à 8 €) en rouge**, harmonieuse, tout en fruits rouges et notes animales, particulièrement longue.
☛ Rousset-Rouard, Dom. de la Citadelle, rte de Cavaillon, 84560 Ménerbes, tél. 04.90.72.41.58, fax 04.90.72.41.59, e-mail domainedelacitadelle@wanadoo.fr
☑ ♼ t.l.j. 10h-12h 14h-19h; groupes sur r.-v.

CH. DE CLAPIER 2001★

■　1,3 ha　9 000　🍴♦ 3 à 5 €

C'est dans le village perché de Mirabeau que furent tournés *Jean de Florette* et *Manon des Sources*, d'après l'œuvre de Marcel Pagnol. C'est aussi là qu'a été élaboré ce rosé au bouquet intense de fruits rouges et aux nuances odorantes, légèrement amyliques. A boire à l'apéritif ou en début de repas avec une terrine de foie de volaille. Le jury a également attribué une étoile à la **Cuvée réservée 2001 en blanc (5 à 8 €)** pour ses arômes vanillés et fruités.

RHONE

🐌 Thomas Montagne, Ch. de Clapier, RN 96, 84120 Mirabeau, tél. 04.90.77.01.03, fax 04.90.77.03.26, e-mail thomas.montagne @ chateau-de-clapier.com
☑ �𝖸 r.-v.

CH. CONSTANTIN-CHEVALIER
Cuvée des Fondateurs 2001

| | 4 ha | 6 500 | 🍶⑪� | 5 à 8 € |

Coup de cœur l'année dernière dans le millésime 1998 en rouge, la cuvée des Fondateurs a été retenue aujourd'hui en blanc. Avec sa belle robe jaune pâle à reflets verts, elle a séduit le jury par ses arômes exotiques (ananas) mêlés aux fruits secs grillés. Un vin original et élégant à boire sur des crustacés ou un poisson grillé.
🐌 Allen Chevalier, Ch. de Constantin, 84160 Lourmarin, tél. 04.90.68.38.99, fax 04.90.68.37.37 ☑ �𝖸 r.-v.

DOM. FAVEROT
Cuvée du Général 2000

| | 2 ha | 10 000 | ⑪ | 11 à 15 € |

Ancienne magnanerie convertie en domaine viticole en 1920, le domaine Faverot a réussi un 2000 à la robe rouge foncé, au bouquet complexe dominé par les fruits rouges auxquels s'ajoutent des arômes légèrement boisés d'une grande finesse. Une bouteille harmonieuse qui pourra attendre deux à trois ans avant d'être dégustée sur une viande ou des petits légumes farcis.
🐌 Dom. Faverot, L'Allée, BP 9, 84660 Maubec, tél. 04.90.76.65.16, fax 04.90.76.65.16, e-mail domainefaverot@libertysurf.fr ☑ ⹄ t.l.j. 9h-18h
🐌 de Kerbrech

DOM. DE FONTENILLE 2001★★

| | 15 ha | 20 000 | 🍶 | 3 à 5 € |

Après leur grand-père et leur père, Pierre et Jean Lévêque dirigent, depuis déjà une douzaine d'années, le domaine familial avec succès comme en témoigne ce vin, à la robe rouge sombre à reflets violet soutenu qui frôle le coup de cœur. Un nez complexe de bonne intensité (notes florales et animales, fruits rouges confits), des arômes de fruits cuits et d'épices, des tanins bien présents ont enchanté le jury. Un vin harmonieux avec un bon potentiel de vieillissement. Le **rosé 2001** obtient une étoile. C'est un vin frais et gouleyant, équilibré, à boire dans l'année.
🐌 EARL Lévêque et Fils, Dom. de Fontenille, 84360 Lauris, tél. 04.90.08.23.36, fax 04.90.08.45.05, e-mail domaine.fontenille@wanadoo.fr
☑ ⿻ ⹄ t.l.j. sf dim. 9h-12h30 14h-19h

DOM. DE LA GARELLE
Cuvée Père Antoine 2000★

| | 3 ha | 12 000 | ⑪ | 8 à 11 € |

Le domaine, propriété de Robert Vlasman depuis 1995, est constitué par un vignoble jusqu'alors vinifié en coopérative. Cette cuvée Père Antoine est issue de vignes vendangées à bonne maturité. Elle se caractérise par un bouquet puissant avec des notes confiturées et vanillées ; la bouche est bien structurée, ronde et de bonne longueur. A servir sur un civet de lièvre. La **Cuvée spéciale blanc 2001 (5 à 8 €)** obtient la même note pour son bouquet complexe de pêche et d'abricot avec des notes vanillées.
🐌 Robert Vlasman, quartier des Vallats, 84580 Oppède, tél. 04.90.72.31.20, fax 04.90.72.47.81, e-mail vlasman@lagarelle.fr ☑ ⹄ r.-v.

HAU COULOBRE 2001★

| | 15 ha | 20 000 | 🍶 | 3 à 5 € |

Lourmarin, classé parmi les plus beaux villages de France, possède au bord du château des XVᵉ et XVIᵉs. se sont trois vins de la cave de Lourmarin-Cadenet qui ont retenu l'attention du jury : la cuvée Hau Coulobre à la robe limpide, dominée par des notes amyliques et fruitées. Des saveurs de fruits rouges s'expriment pleinement avant de céder la place à une finale réglissée qui termine agréablement la dégustation. A boire sur un poulet, un steak au poivre ou une assiette de charcuterie, le **Domaine Rhodarès rouge 99 (5 à 8 €)** est cité pour sa structure, son équilibre et sa longueur ; enfin, la **cuvée Vin Passion rouge 2000 (3 à 5 €)**, composée à 90 % de syrah et élevée en fût, obtient une citation.
🐌 SCA Cave de Lourmarin-Cadenet, montée du Galinier, 84160 Lourmarin, tél. 04.90.68.06.21, fax 04.90.68.25.84 ☑

DOM. DE MAYOL
Cuvée Tradition 2000★★

| | 1,5 ha | 6 000 | ⑪ | 8 à 11 € |

Pour mieux faire partager aux visiteurs sa passion pour le vignoble, Bernard Viguier vient de créer un gîte au milieu des vignes. Ce 2000 à la jolie robe profonde à reflets violacés a séduit le jury par l'intensité de son bouquet dominé par le café, le fumé et le grillé accompagnés de nuances fruitées (baies sauvages). En bouche, s'expriment les fruits noirs ainsi que des notes de café et de vanille. Un vin remarquable par sa complexité. A savourer dans deux à cinq ans avec un gigot à la crème d'ail.
🐌 Bernard Viguier, Dom. de Mayol, rte de Bonnieux, 84400 Apt, tél. 04.90.74.12.80, fax 04.90.04.85.64, e-mail domaine.mayol @ worldonline.fr
☑ ⿻ ⹄ t.l.j. sf dim. 9h-12h 14h30-19h

DOM. MEILLAN-PAGES 2001★

| | 3,25 ha | 15 000 | 🍶96 | 3 à 5 € |

En 1998, Jean-Pierre Pagès décide de quitter la coopérative pour vinifier lui-même sa récolte. Et, aujourd'hui, il obtient une étoile pour ce 2001 à la belle robe rose à peine saumoné, au fruité délicat, très frais et long en bouche. Un rosé gouleyant, agréable, bien équilibré ; légèrement amylique, il doit être bu sans attendre.
🐌 Jean-Pierre Pagès, Dom. Meillan-Pagès, quartier La Garrigue, 84580 Oppède, tél. 04.32.52.17.50, fax 04.90.76.94.78, e-mail meillan @ terre-net.fr ☑ ⹄ r.-v.

CH. DE MILLE 2001★

| | 3 ha | 18 000 | 🍶 | 5 à 8 € |

Une demeure historique, « vieille demeure estivale du Pape », précise l'étiquette sur laquelle figure la tiare.

Une grande fraîcheur, due certainement au bourboulenc (30 %), apparaît dès l'attaque. Le caractère floral révèle la présence de la clairette (30 %). Quant à la roussanne qui complète l'assemblage, elle assure une agréable longueur en bouche. Un ensemble très harmonieux.

🖝 Ch. de Mille, 84400 Apt, tél. 04.90.74.11.94, fax 04.90.74.56.82, e-mail pinatel@chateau-de-mille.fr
☑ ⴼ t.l.j. 8h-12h 14h-19h; groupes sur r.-v.
🖝 Conrad Pinatel

DOM. DE LA ROYERE
L'Oppidum Cuvée spéciale 2000★

■	3,8 ha	15 000	■	5 à 8 €

Une robe rouge foncé à reflets violet sombre ; un bouquet de fruits rouges confits ; une bouche bien équilibrée avec des tanins fins ; une bonne persistance aromatique : une cuvée très réussie, prête à être servie.

🖝 Anne Hugues, Dom. de La Royère, 84580 Oppède, tél. 04.90.76.79.50, fax 04.90.76.79.50, e-mail info@royere.com ☑ ⴼ t.l.j. sf dim. 9h-12h 14h-18h30 ; f. après-midi en hiver

CH. LA SABLE 2000★

■	10 ha	50 000	ⵏ	5 à 8 €

Des chênes tricentenaires entourent cette propriété de plus de 40 ha. Le Château La Sable, d'une jolie couleur rubis, possède un bouquet très fin de fruits rouges, de réglisse et autres épices. Typique, on peut le boire dès maintenant ou l'attendre de deux à trois ans. Il accompagnera un gibier ou un lapin grillé aux herbes.

🖝 EARL Luc Pinatel, Rte de Bonnieux, 84400 Apt, tél. 04.90.74.16.70, fax 04.90.04.70.73
☑ ⴼ t.l.j. sf dim. 8h-11h30 14h-17h30

CH. SAINT-PIERRE DE MEJANS 2001

■	3,5 ha	5 300	■	5 à 8 €

Brice Doan a réussi la vinification de ce rosé de saignée élaboré à partir de cinsault (60 %) et de grenache noir. C'est un vin flatteur, gouleyant, à la robe pétale de rose et au bouquet floral et fruité. A boire dès la sortie du Guide. Egalement cité, le **rouge 2000**, bien équilibré, est dominé par les fruits rouges (cassis). De la rondeur et une bonne persistance caractérisent cette cuvée qui pourra attendre deux à trois ans.

🖝 Laurence Doan de Champassak, Ch. Saint-Pierre de Mejans, 84160 Puyvert, tél. 04.90.08.40.51, fax 04.90.08.41.96, e-mail bricedoan@yahoo.fr ☑ ⴼ t.l.j. sf mardi. 9h30-12h 14h30-19h ; f. jan.

CH. DE LA TOUR D'AIGUES 2000★

■	4,5 ha	21 000	ⵏ	8 à 11 €

Le cellier de Marrenon regroupe aujourd'hui treize coopératives du Luberon et commercialise 60 % de la production des côtes du Luberon. Syrah et grenache noir entrent à parts égales dans la composition de cette cuvée au bouquet de fruits rouges qui laisse une impression de fraîcheur malgré la présence du bois. Elle s'accordera avec un chevreuil aux airelles ou un filet de bœuf. Du même producteur, le **Grande Toque rosé 2001** (3 à 5 €) est cité. Il peut être bu dès maintenant en début de repas ou avec une grillade.

🖝 Cellier de Marrenon, BP 13, 84240 La Tour d'Aigues, tél. 04.90.07.40.65, fax 04.90.07.30.77, e-mail marrenon@marrenon.com
☑ ⴼ t.l.j. 8h-12h 14h-18h (été 15h-19h); dim. 8h-12h

DOM. LES VADONS
La Melchiorte 2000

■	2 ha	7 000	■	5 à 8 €

L'exploitation reprise en 1998 est conseillée par l'œnologue Bernard Ganichot. La cuvée La Melchiorte offre un bouquet intense de cuir, de fruits noirs, de réglisse et de cerise macérée. C'est un vin robuste, d'une belle harmonie, aux tanins encore jeunes et qui possède un réel potentiel. Il sera parfait sur une daube provençale ou un civet de lièvre dans deux ans environ.

🖝 Louis-Michel Brémond, Dom. Les Vadons, La Resparine, 84160 Cucuron, tél. 06.03.00.10.29, fax 04.90.77.13.40, e-mail vadonbreba@terre-net.fr
☑ ⴼ t.l.j. 10h-12h30 16h-19h30

CH. VAL JOANIS
Réserve Les Griottes 1999★

■	7 ha	28 800	ⵏ	11 à 15 €

Le château Val Joanis est établi à l'emplacement d'une ancienne *villa* romaine. Le domaine couvre 400 ha d'un seul tenant dont 150 ha, pour le vignoble, et 60 ha en AOC. Cette cuvée exhale des nuances odorantes de fruits rouges, de réglisse et de bois avec des notes vanillées. C'est un vin puissant et concentré, marqué par l'élevage sous bois. Encore un peu jeune aujourd'hui, il mérite d'être attendu quelques années.

🖝 SC du Ch. Val Joanis, 84120 Pertuis, tél. 04.90.79.20.77, fax 04.90.09.69.52, e-mail info.visites@val-joanis.com ☑ ⴼ r.-v.
🖝 Chancel

Coteaux de pierrevert

Dans le département des Alpes-de-Haute-Provence, la majeure partie des vignes se trouve sur les versants de la rive droite de la Durance (Corbières, Sainte-Tulle, Pierrevert, Manosque...), et couvre environ 296 ha. Les conditions climatiques, déjà rigoureuses, cantonnent la culture de la vigne dans une dizaine de communes sur les quarante-deux que compte légalement l'aire d'appellation. Les vins rouges, rosés et blancs (14 355 hl) en 2001, d'assez faible degré alcoolique et d'une bonne nervosité, sont appréciés par ceux qui traversent cette région touristique. Les coteaux de pierrevert ont été reconnus en appellation d'origine contrôlée en 1998.

DOM. LA BLAQUE
Réserve 1999★★

■	7 ha	25 000	ⵏ	8 à 11 €

Issu de vignes plantées sur un sol argilo-calcaire, ce Réserve, dominé par la syrah, se montre encore un peu fermé au nez, mais exprime, en bouche, des arômes très intéressants d'épices, de café et de fruits noirs. Il sera parfait dans deux à trois ans, sur une viande rouge ou un gibier.

☙ Dom. la Blaque, Dom. Châteauneuf,
04860 Pierrevert, tél. 04.92.72.39.71, fax 04.92.72.81.26,
e-mail domaine.lablaque@wanadoo.fr ☑ ⵕ r.-v.

CAVE DES VIGNERONS DE PIERREVERT
Cuvée du Village d'or 2001★

| ■ | 100 ha | n.c. | ■⌄ | 3 à 5 € |

Sur l'étiquette, une phrase de Jean Giono décrivant
Pierrevert : « Un village d'or semblable à une barque
portée par une vague de rochers... » Rouge intense à reflets
violacés, ce vin possède un bouquet complexe, végétal,
marqué de fruits noirs. Encore un peu fermé, il accompagnera agréablement un agneau de Sisteron ou de la
cuisine typiquement méditerranéenne dans un an ou deux.
La **cuvée du Village d'Or en rosé 2001**, bien représentative de l'appellation, obtient une étoile.
☙ Cave des Vignerons de Pierrevert,
1, av. Auguste-Bastide, 04860 Pierrevert,
tél. 04.92.72.19.06, fax 04.92.72.85.36
☑ ⵕ t.l.j. sf dim. 8h-12h 14h-18h

CH. DE ROUSSET 2000★★

| | 2,5 ha | 12 000 | | 3 à 5 € |

Situé à l'extrémité sud du plateau de Valensole, le
domaine de Rousset, avec ses anciennes fortifications du
Moyen Age, s'étend sur les coteaux de la Durance, en face
de Manosque. Il est retenu pour trois cuvées. Celle-ci,
jaune pâle à reflets verts avec des parfums floraux accompagnés de notes d'agrumes et d'abricot, se situe nettement
« au-dessus du lot », selon un dégustateur qui lui reconnaît
également beaucoup de finesse et une grande longueur en
bouche. La **cuvée Grand Jas rouge 99 (8 à 11 €)** est tout
aussi bien notée. Le jury vous conseille de l'attendre une
année avant de l'ouvrir sur une daube de sanglier. Quant au
rosé 2001, il le juge très réussi.
☙ Hubert et Roseline Emery, SCEV Ch. de Rousset,
04800 Gréoux-les-Bains, tél. 04.92.72.62.49,
fax 04.92.72.66.50 ☑ ⵕ r.-v.

Côtes du vivarais

A la limite nord-ouest des Côtes
du Rhône méridionales, les Côtes du Vivarais
chevauchent les départements de l'Ardèche et du
Gard, sur 647 ha. Les communes d'Orgnac
(célèbre par son aven), Saint-Remèze et Saint-
Montan peuvent ajouter leur nom à celui de
l'appellation. Les vins, produits sur des terrains
calcaires, sont essentiellement des rouges à base
de grenache (30 % minimum), de syrah (30 %
minimum), et des rosés, caractérisés par leur
fraîcheur et à boire jeunes. Notez que ce VDQS
a été reconnu en AOC en mai 1999 et qu'il a
produit 30 954 hl en 2001.

DOM. DU BELVEZET 2000★★

| ■ | 3 ha | 10 000 | ■ | 3 à 5 € |

Le plateau de Saint-Remèze, au sol très ingrat, recèle
pourtant des trésors... Maturité et équilibre sont les maîtres
mots de cet assemblage très classique de syrah (72 %) et de
grenache. Un nez puissant de fruits mûrs et d'épices mêlés
de notes animales, ainsi qu'une bouche structurée avec de
jolis tanins ronds pour ce joli vin bien fait, qui accompagnera parfaitement une viande.
☙ René Brunel, rte de Vallon-Pont-d'Arc,
07700 Saint-Remèze, tél. 04.75.04.05.87,
fax 04.75.04.05.87, e-mail belvezet.brunel@wanadoo.fr
☑ ⵕ r.-v.

DOM. DE COMBELONGE 2001★★

| | 2,2 ha | 5 000 | | 3 à 5 € |

Un rouge et un blanc de grande qualité. Le second
propose des notes fruitées (pêche) et florales (fleurs
blanches) mêlées d'une pointe minérale qui ont enchanté
le jury. Équilibre, ampleur, prestance... tout y est. Une jolie
bouteille. La **cuvée des Allobres rouge 2000 (5 à 8 €)**,
syrah à 70 %, a été tout autant appréciée. Sa très grande
concentration donne un nez déjà puissant et complexe,
dominé par les fruits rouges confiturés et les épices. Un vin
promis à un bel avenir.
☙ Denis Manent, Dom. de Combelonge,
07110 Vinezac, tél. 04.75.36.92.54, fax 04.75.36.99.59
☑ ⵕ t.l.j. sf dim. 9h-12h 14h30-18h30

UNION DES PRODUCTEUR D'ORGNAC-L'AVEN 2001

| ■ | 50 ha | 50 000 | | 3 à 5 € |

La robe présente des reflets violacés, irisés. En
bouche, le côté amylique domine sans cependant exclure
de jolies touches de fruits rouges et de fleurs. Un rosé bien
sympathique, qui rafraîchira les souvenirs d'été une fois la
mauvaise saison commencée...
☙ Union des Producteurs d'Orgnac-l'Aven,
07150 Orgnac-l'Aven, tél. 04.75.38.60.08,
fax 04.75.38.65.90 ☑ ⵕ t.l.j. sf sam. dim. 8h-12h
14h-18h; f. 5 sept.-15 oct.

DOM. DE VIGIER 2001

| ■ | 4 ha | 23 000 | ■ | 3 à 5 € |

Un ancien domaine, comme l'atteste la date de 1789
gravée sur la clé de voûte du portail. Une robe jeune et un
nez de fruits frais signalent un vin à saisir dès maintenant.
Agréable et plutôt frais, il accompagnera les entrées.
☙ Dupré et Fils, Dom. de Vigier, 07150 Lagorce,
tél. 04.75.88.01.18, fax 04.75.37.18.79
☑ ⟰ ⵕ t.l.j. 9h-12h 14h-18h; groupes sur r.-v.

BERNARD VIGNE 2001

| | 1 ha | 4 000 | ■⌄ | 3 à 5 € |

Une belle robe cousue de fil d'or et un bouquet délicat
de fleurs blanches et de fruits, notamment de pêche, pour
cet assemblage de grenache blanc et de marsanne. Une
attaque ronde et une bonne persistance aromatique complètent cette agréable dégustation.
☙ Bernard Vigne, Dom. Vigne, Vallée de l'Ibie,
07150 Lagorce, tél. 04.75.37.19.00 ☑ ⟰ ⵕ r.-v.

LES VINS DOUX NATURELS

_____ **D**ès l'Antiquité, les vignerons du Roussillon ont élaboré des vins liquoreux de haute renommée. Au XIIIᵉ s., Arnaud de Villeneuve découvrit le mariage miraculeux de la « liqueur de raisin et de son eau-de-vie » : c'est le principe du mutage qui, appliqué en pleine fermentation sur des vins rouges ou blancs, arrête celle-ci en préservant ainsi une certaine quantité de sucre naturel.

_____ **L**es vins doux naturels d'appellation d'origine contrôlée se répartissent dans la France méridionale : Pyrénées-Orientales, Aude, Hérault, Vaucluse et Corse, jamais bien loin de la Méditerranée. Les cépages utilisés sont les grenaches (blanc, gris, noir), le macabeu, la malvoisie du Roussillon, dite tourbat, le muscat à petits grains et le muscat d'Alexandrie. La taille courte est obligatoire.

_____ **L**es rendements sont faibles, et les raisins doivent, à la récolte, avoir une richesse en sucre de 252 g minimum par litre de moût. La libération à la récolte se fait après un certain temps d'élevage, variable selon les appellations. L'agrément des vins est obtenu après un contrôle analytique. Ils doivent présenter un taux d'alcool acquis de 15 à 18 % vol., une richesse en sucre de 45 g minimum à plus de 100 g pour certains muscats, et un taux d'alcool total (alcool acquis plus alcool en puissance) de 21,5 % vol. minimum. Certains sont commercialisés tôt (muscats), d'autres le sont après trente mois d'élevage. Vieillis sous bois de manière traditionnelle, c'est-à-dire dans des fûts, ils acquièrent parfois après un long élevage des notes très appréciées de rancio. La production actuelle approche les 450 000 hl.

Banyuls
et banyuls grand cru

Voici un terroir exceptionnel, comme il en existe peu dans le monde viticole : à l'extrémité orientale des Pyrénées, avec des coteaux en pente abrupte sur la Méditerranée. Seules les quatre communes de Collioure, Port-Vendres, Banyuls-sur-Mer et Cerbère bénéficient de l'appellation. Le vignoble (1 400 ha environ) s'accroche le long des terrasses installées sur des schistes dont le substrat rocheux est, sinon apparent, tout au plus recouvert d'une mince couche de terre. Le sol est donc pauvre, souvent acide, n'autorisant que des cépages très rustiques, comme le grenache, avec des rendements extrêmement faibles, souvent moins d'une vingtaine d'hectolitres à l'hectare : la production de banyuls et de banyuls grand cru a atteint 23 000 hl en 2001.

En revanche, l'ensoleillement optimisé par la culture en terrasses (culture difficile où le vigneron entretient manuellement les terrasses, en protégeant la terre qui ne demande qu'à être ravinée par le moindre orage) et le microclimat qui bénéficie de la proximité de la Méditerranée sont sans doute la cause de la noblesse des raisins gorgés de sucre et d'éléments aromatiques.

L'encépagement est à base de grenache ; ce sont surtout de vieilles vignes qui occupent le terroir. La vinification se fait par macération des grappes ; le mutage intervient parfois sur le raisin, permettant ainsi une longue macération de plus d'une dizaine de jours ; c'est la pratique de la macération sous alcool, ou mutage sur grains.

L'élevage joue un rôle essentiel. En général, il tend à favoriser une évolution oxydative du produit, dans le bois (foudres, demi-muids) ou en bonbonnes exposées au soleil sur les toits des caves. Les différentes cuvées ainsi élevées sont assemblées avec le plus grand soin par le maître de chai pour créer les nombreux types que nous connaissons. Dans certains cas, l'élevage cherche à préserver au contraire le fruit du vin jeune en empêchant toute oxydation ; on obtient alors des produits différents aux caractéristiques organoleptiques bien précises : ce sont les rimages. Il faut noter que, pour l'appellation grand cru, l'élevage sous bois est obligatoire pendant trente mois.

Les vins sont de couleur rubis à acajou, avec un bouquet de raisins secs, de fruits cuits, d'amandes grillées, de café, d'eau-de-vie de pruneau. Les rimages gardent des arômes de fruits rouges, cerise et kirsch. Les banyuls se dégustent à une température de 12 à 17 °C selon leur âge ; on les boit à l'apéritif, au dessert (certains banyuls sont les seuls vins à pouvoir accompagner un dessert au chocolat), avec un café et un cigare, mais également avec du foie gras, un canard aux cerises ou aux figues, et certains fromages.

esprit que J.-P. Ramio, personnage tout en rondeur, continue de suivre sa bonne étoile. Dix-sept ans, le bel âge ! En robe d'ambre roux, ce banyuls offre un nez complexe de miel, d'abricot sec, de pain grillé et d'épice. La bouche ample, douce, où le grillé du fruit sec se fond dans la noix de cajou est admirable. C'est le modèle du vin à apprécier sur café ou cigare. Ne pas oublier un superbe **Extra Vieux 89 (15 à 23 €)** et le **Six ans d'âge (11 à 15 €)**, un classique.
↪ Sté coopérative de l'Etoile, 26, av. du Puig-del-Mas, 66650 Banyuls-sur-Mer,
tél. 04.68.88.00.10, fax 04.68.88.15.10
☑ ⊺ t.l.j. sf sam. dim. 8h-12h 14h-18h

DOM. DE LA MARQUISE
Tradition 1999★

| ■ | | 1 ha | 3 000 | ■⬥ | 5 à 8 € |

En collioure ou banyuls, Jacques Py affiche la même détermination à bien faire. Il est vrai qu'à Collioure, le terroir ne demande qu'attention que, au travers des vins, exprimer la beauté des lieux. Ainsi, cette Marquise au léger tuilé où l'évolution apporte le kirsch au fruit puis des notes de fruits secs légèrement résinés. Le vin est prêt à boire, velouté, équilibré avec une belle continuité bouche-nez et une finale épicée d'une longueur admirable.
↪ Jacques Py, Dom. de la Marquise, rte Impériale, 66190 Collioure, tél. 04.68.98.03.77, fax 04.68.98.09.14
☑ ⊺ r.-v.

DOM. PIETRI-GERAUD 2000★

| ■ | | 1 ha | 2 500 | ⬥⬥ 11 à 15 € |

Ces vigneronnes de Collioure sont une nouvelle fois à l'honneur pour un banyuls blanc dont la robe d'or entoure des senteurs chaudes d'abricot, de pêche et de cire d'abeille. La bouche évolue sur un équilibre doux jusqu'à une finale où s'expriment vivacité et amande grillée, fruit de l'élevage sous bois.
↪ Maguy et Laetitia Piétri-Géraud, 22, rue Pasteur, 66190 Collioure, tél. 04.68.82.07.42, fax 04.68.98.02.58, e-mail domaine.pietri-geraud@wanadoo.fr ☑ ⊺ t.l.j. 10h-12h30 15h30-19h; f. dim. lun. de nov. à juin

SANT VICENS
Rimage 2000★

| ■ | | n.c. | 5 200 | ■ 11 à 15 € |

La montagne avant de se fondre en mer semble avoir laissé ce modeste replat pour que l'homme, en s'y installant, rende hommage à la beauté du lieu. Les dominicains y avaient fondé un monastère ; aujourd'hui, hasard de l'histoire, les vignerons coopérateurs ont donc leur cave-église ! Voici un beau *vintage*, typique, pourpre, riche de notes de cerise bigarreau. Il est déjà très fondu, avec un fruit charnu intéressant. Des notes poivrées et une finale mentholée complètent un ensemble plaisant par sa jeunesse et sa fraîcheur. En **Hors d'âge, la cuvée Hanicotte (15 à 23 €)** est également très réussie.

Banyuls

CLOS CHATART 1998★★

| ■ | | 2,8 ha | 10 000 | ■⬥⬥ 15 à 23 € |

Depuis le XIIᵉs., le mas est là, solide malgré les ans. Un peu à l'image du grenache, cépage roi du banyuls qui a su plonger ses racines dans les schistes et la culture banyulenque. Déjà l'élevage en fût marque profondément le vin avec un nez très intense de fruits secs où percent des notes de café et de noix. Structurée, le tanin fin, la bouche équilibrée évolue sur le fruit, le grillé du vieux bois et toujours une pointe de café qui flirte avec le rancio.
↪ Jacques Laverrière,
Clos Chatart, 66650 Banyuls-sur-Mer,
tél. 04.68.88.12.58, fax 04.68.88.51.51 ☑ 🏠 ⊺ r.-v.

CORNET
Rimage 2000

| ■ | | 23 ha | 4 923 | ■ 15 à 23 € |

L'abbé Rous serait heureux de voir son œuvre continuer ainsi, lui qui a initié la vente du vin en direct, avec, à l'origine, un vin de messe commercialisé pour aider la paroisse. La robe de ce vin est très profonde autour de l'épice pimentée et des fruits rouges. L'équilibre est celui d'un rimage (récolte en catalan) doux, marqué par le fruit confituré. La finale de raisin à l'eau-de-vie séduit. A servir très frais. Cuvée commercialisée par les cavistes.
↪ La Cave de l'Abbé Rous,
56, av. Charles-de-Gaulle, 66650 Banyuls-sur-Mer,
tél. 04.68.88.72.72, fax 04.68.88.30.57,
e-mail contact@banyuls.com

L'ETOILE
Sélect-Vieux 1985★★★

| ■ | | 4 ha | 8 000 | ■⬥⬥ 30 à 38 € |

Cette cave coopérative, créée à l'origine par une seule famille, n'a rien perdu de la tradition. C'est avec le même

Cave Le Dominicain, pl. Orphila, 66190 Collioure, tél. 04.68.82.05.63, fax 04.68.82.43.06, e-mail ledominicain@wanadoo.fr 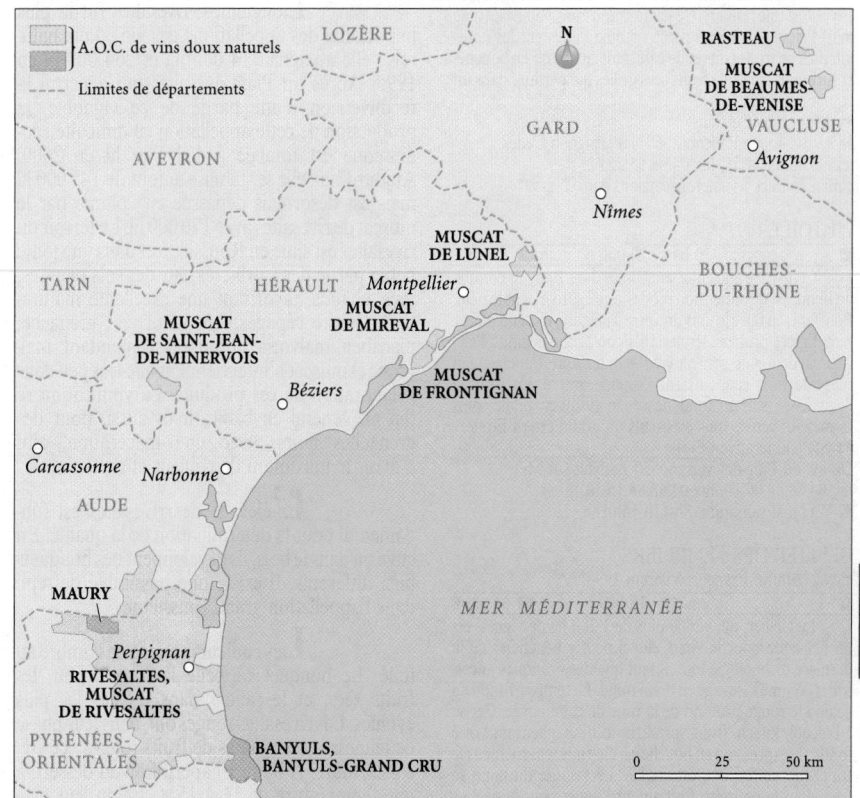 r.-v.

DOM. DE TAILLELAUQUE 1998★★

■		2,6 ha	4 764	🍶	5 à 8 €

Avec le **Mas Ventoux 98**, la **Galline 98** et Taille-lauque, la SIVIR offre trois cuvées remarquables, à égalité de notation. Il faut un savoir-faire accompli pour révéler ainsi les terroirs ! Pain d'épice, touche fumée, pruneau à l'eau-de-vie, le tout enrobé par la douceur lumineuse de l'acajou, voilà comme entrée en matière. La bouche s'apprécie pour son équilibre, le fondu et l'ampleur, mais aussi pour cette dominante de torréfaction (cacao et fruits secs grillés) qui aborde le rancio.

SIVIR, rte des Crêtes, 66652 Banyuls-sur-Mer, tél. 04.68.88.03.22, fax 04.68.98.36.97, e-mail sivir@templers.com

CELLIER DES TEMPLIERS
Rimatge 2000★

■		n.c.	95 417	▬	11 à 15 €

Une maîtrise consommée de l'élevage sous bois et reconnue par tous : le Cellier sait aussi garder tout le fruit du grenache par longue macération et mise en bouteille précoce. Tout l'art du rimatge (type *vintage*). Beau travail

pour ce banyuls noir, aux arômes de cassis, framboise et fruits sauvages. Une note poivrée et un fruit charnu sont au programme en bouche. Un vin intense, structuré, qui promet un réel plaisir dans un ou deux ans sur une soupe de fruits rouges. Apprécié également, un **Redéris blanc (15 à 23 €)** floral et miellé.

Cellier des Templiers, rte du Mas-Reig, 66652 Banyuls-sur-Mer, tél. 04.68.98.36.70, fax 04.68.98.36.91 t.l.j. 10h30-13h 14h30-18h30; avr.-oct 10h-19h30

DOM. LA TOUR VIEILLE
Reserva★★

■		n.c.	6 000	▬🍶	11 à 15 €

Pour magnifier ce terroir tourmenté, beau et atta-chant, Christine et Vincent sont attentifs à l'évolution des techniques viti-vinicoles mais aussi n'oublient pas qu'ils ont été bercés par la tradition. Le tuilé de ce Reserva est encore très vif et s'accompagne de senteurs méditerra-néennes d'épice et d'olive noire. Le pruneau s'impose dans une bouche charnue où le vin est très présent, avec un tanin encore puissant. L'ensemble, bien fait et déjà bien élevé, saura néanmoins attendre. A apprécier également, un **Vintage 2000 (11 à 15 €)**.

Dom. la Tour Vieille, 12, rte de Madeloc, 66190 Collioure, tél. 04.68.82.44.82, fax 04.68.82.38.42 t.l.j. 10h30-12h30 16h30-19h30; hiver sur r.-v.

Les vins doux naturels

VIAL-MAGNERES
Rivage 1998

| | 1,5 ha | 7 000 | ▮ ⑪ ⚹ 15 à 23 € |

Le père du banyuls blanc continue d'assumer sa position en allant chaque année plus loin dans sa recherche maximale de l'expression du terroir. Ainsi, ce blanc élevé sous bois, bâtonné régulièrement, s'épanouit pleinement en bouche avec des notes de pain d'épice et de châtaigne dans un bel équilibre.

🕿 Dom. Vial-Magnères, Clos Saint-André,
14, rue Edouard-Herriot, 66650 Banyuls-sur-Mer,
tél. 04.68.88.31.04, fax 04.68.88.02.43,
e-mail al.tragou@wanadoo.fr ☑ ⵂ r.-v.
🕿 Monique et Bernard Sapéras

Banyuls grand cru

LES VIGNERONS CATALANS 1997★★

| ▪ | 3 ha | 12 000 | ⑪ 8 à 11 € |

On pourrait regretter que ce groupement spécialisé dans les côtes du roussillon et *villages* ne s'attarde pas plus sur les vins doux naturels, car son choix dans ses rares cuvées est une réussite. Ce jeune grand cru s'habille de tuilé mais l'élevage est bien mené comme l'attestent les notes intenses de fruits cuits et de café, tant au nez qu'en bouche, et surtout la finale de fruits secs grillés qui perdure dans un équilibre parfait.

🕿 Vignerons Catalans,
1870, av. Julien-Panchot, 66011 Perpignan Cedex,
tél. 04.68.85.04.51, fax 04.68.55.25.62,
e-mail contact@vigneronscatalans.com ⵂ r.-v.

L'ETOILE 1997★★

| ▪ | 10 ha | 20 000 | ▮ ⑪ 11 à 15 € |

Cette cave ancienne, enchâssée dans Banyuls comme un bijou, est de dimension modeste eu égard à sa notoriété. Pourtant, en faire le tour un verre à la main, c'est du plaisir pur. Epice, pruneau, fruits à l'alcool, robe acajou : l'élevage a déjà fait son œuvre. Ajoutez une bouche bien présente où s'épanouissent l'orange amère, les fruits à l'eau-de-vie sur un fond de cacao jusqu'en finale, puis fermez les yeux : vous êtes dans un grand cru : l'Etoile.

🕿 Sté coopérative l'Etoile,
26, av. du Puig-del-Mas, 66650 Banyuls-sur-Mer,
tél. 04.68.88.00.10, fax 04.68.88.15.10
☑ ⵂ t.l.j. sf sam. dim. 8h-12h 14h-18h

CELLIER DES TEMPLIERS
Cuvée Amiral François Vilarem 1993★★★

| ▪ | n.c. | 15 009 | ⑪ 30 à 38 € |

Le Cellier, qui vinifie plus de 1 200 ha de vignes, est un lieu-culte pour le vin. Celui-ci peut y bénéficier de la dernière technologie tout autant que des pratiques ancestrales comme l'élevage en demi-muid. Le temps a fondu en acajou le rouge profond de la robe de cette cuvée. Cerise à l'alcool, kirsch, fruits surmûris accompagnent un boisé fondu. L'expression en bouche est charnue, charpentée ; le fruit, encore présent, est vanillé. Le velouté du tanin se fond dans la douceur. Prêt aujourd'hui et pour le siècle...

H. Carris 99 (23 à 30 €) et le Pur Tradition (23 à 30 €) complètent, avec un Henri Vidal 91, un travail exceptionnel.
🕿 Cellier des Templiers,
rte du Mas-Reig, 66652 Banyuls-sur-Mer,
tél. 04.68.98.36.70, fax 04.68.98.36.91
☑ ⵂ t.l.j. 10h30-13h 14h30-18h30; avr.-oct. 10h-19h30

Rivesaltes

Longtemps, rivesaltes fut la plus importante des appellations des vins doux naturels : elle atteignait 14 000 ha et 264 000 hl en 1995. Après un Plan rivesaltes qui a permi la reconversion d'une partie de ce vignoble, la production de cette appellation en difficulté économique est tombée à 131 000 hl en 2000. Aujourd'hui, elle se stabilise autour de 145 000 hl mais est désormais dépassée en volume par le muscat de rivesaltes avec 170 000 hl. Le terroir du rivesaltes est situé en Roussillon et dans une toute petite partie des Corbières, sur des sols pauvres, secs, chauds, favorisant une excellente maturation. Quatre cépages sont autorisés : grenache, macabeu, malvoisie et muscat. Cependant, malvoisie et muscat n'interviennent que très peu dans l'élaboration de ces produits. La vinification se fait en général en blanc, mais aussi, pour des grenaches noirs, avec une macération, afin d'avoir le maximum de couleur et de tanin.

L'élevage des rivesaltes est fondamental pour la détermination de la qualité. En cuve ou dans le bois, ils développent des bouquets bien différents. Il existe une possibilité de repli dans l'appellation grand roussillon.

Les couleurs varient de l'ambre au tuilé. Le bouquet rappelle la torréfaction, les fruits secs, et le rancio dans les cas les plus évolués. Les rivesaltes rouges ont, dans leur phase de jeunesse, des arômes de fruits rouges : cerise, cassis, mûre. A boire à l'apéritif ou au dessert, à une température de 11 à 15 °C, selon leur âge.

ARNAUD DE VILLENEUVE
Grenat 1998★

■	n.c.	4 586	**Ⅲ 15 à 23 €**

Entre Salses et Rivesaltes, cette belle terrasse de cailloux roulés est le terroir de prédilection des grenaches et du muscat. Spécialisée dans de superbes vins doux naturels blancs d'élevage, la cave de Rivesaltes élabore également avec bonheur des vins rouges de type *vintage*. Celui-ci porte une jolie robe dont l'évolution tend vers le tuilé. Une touche de genièvre épice le pruneau. Doux, fondu mais structuré, le tanin reprend la finale sur des notes de fruits secs et de cacao.
↪ Les Vignobles du Rivesaltais,
1, rue de la Roussillonnaise, 66602 Rivesaltes-Salses,
tél. 04.68.64.06.63, fax 04.68.64.64.69,
e-mail vignobles.rivesaltais@wanadoo.fr ☑ ⲩ r.-v.

CH. BELLOCH
Tuilé 1998

■	3 ha	3 000	8 à 11 €

Entre ville et mer, le vignoble s'étire nonchalamment sur les dernières terrasses de la Têt, terroir d'élection du grenache noir. La robe rouge s'orne de tuilé ; la cerise devient confite sous le grillé du bois. Une touche de fruits secs et une note légère de cacao complètent ce rivesaltes destiné aux desserts chocolatés.
↪ SA Cibaud-Ch. Miraflors et Belloch,
rte de Canet, 66000 Perpignan,
tél. 04.68.50.24.92, fax 04.68.67.20.02,
e-mail vins.cibaud@wanadoo.fr ⲩ t.l.j. 9h-12h 15h-19h

DOM. BERTRAND-BERGE
Hors d'âge Ambré Grande réserve

■	2 ha	2 000	**Ⅲ ◐ ♣ 8 à 11 €**

Paziols a le charme incontesté de ces petits villages des Corbières où l'on ne passe pas par hasard, et où le temps s'arrête parfois pour écouter l'accent des anciens à l'ombre des platanes. Cette bouteille (50 cl) d'une couleur d'or ambré repose sur un équilibre doux où miel, abricot sec et coing s'imposent avant la note finale très fraîche d'eau-de-vie de noyau.
↪ Dom. Bertrand-Bergé, av. du Roussillon,
11350 Paziols, tél. 04.68.45.41.73, fax 04.68.45.41.73,
e-mail bertrand-berge@wanadoo.fr
☑ ⲩ t.l.j. 8h-12h 13h30-19h
↪ Jérôme Bertrand

DOM. BOUDAU
Sur grains 2000★★★

■	15 ha	7 000	8 à 11 €

Le souci du travail bien fait anime frère et sœur dans un climat de complicité toujours très chaleureux, convivial et plein de vie. Tout est beau, tout est bon ! Un rouge profond, un nez intense très cassis, petits fruits et genièvre. Et quel équilibre somptueux en bouche ! Un vin ample, charnu, aux tanins soyeux, épicés et frais en finale. Remarquable ? Non, exceptionnel.
↪ Dom. Véronique et Pierre Boudau,
6, rue Marceau, 66602 Rivesaltes,
tél. 04.68.64.45.37, fax 04.68.64.46.26
☑ ⲩ t.l.j. sf dim. 10h-12h 15h-19h; f. oct. à mai

CH. DE CALADROY
Ambré Cuvée Al Vi Réal

■	8,5 ha	35 000	**◐Ⅲ♣ 8 à 11 €**

Caladroy est un lieu superbe, à cheval entre deux vallées et sur la limite du royaume de France. C'est là que le vieux château s'adosse à la tramontane pour protéger ses terres. Le fondu apporte à ce rivesaltes sa teinte d'ambré roux et la note de pain d'épice très remarquée. L'équilibre est doux ; le vin miellé offre en finale une touche de noyau de cerise.
↪ SCEA Ch. de Caladroy, 66720 Bélesta,
tél. 04.68.57.10.25, fax 04.68.57.27.76,
e-mail chateau.caladroy@wanadoo.fr
☑ ⲩ t.l.j. sf sam. dim. 8h-12h 13h30-17h30

DOM. CARLE COURTY
Rouge Vieilli sous bois 1999★★

■	1,5 ha	1 400	**Ⅲ 8 à 11 €**

Petit vignoble, petits rendements, vente directe très développée, le tout sur un superbe terroir : c'est une des voies de la sagesse viticole. Ce 99 le prouve : le rouge est profond, signe de jeunesse confirmé par les parfums de cerise à l'eau-de-vie sur fond de gentiane. Les petits fruits jouent en bouche sur un équilibre doux : le vin est ample, structuré, bien dans le style de l'appellation.
↪ Frédéric Carle, rte de Corneilla, 66170 Millas,
tél. 04.68.57.21.79, fax 04.68.57.21.79
☑ ⲩ t.l.j. 9h30-19h

LES MAITRES VIGNERONS DE CASCATEL
Rancio Cinq ans d'âge ★★

■	120 ha	50 000	**◐Ⅲ♣ 5 à 8 €**

Fier de sa nouvelle cave construite après les terribles inondations de 1999, ce petit village des hautes Corbières s'est doté d'un outil d'avenir et d'espoir. L'ambré roux est attirant dès le premier regard, puis l'abricot sec, le foin coupé et la noisette sont à l'accueil. Après, le fruit sec et les notes de torréfaction accompagnent l'abricot sec et l'amande grillée. Un vin qui hésite entre ambré et tuilé pour le plaisir des amateurs.
↪ Les Maîtres Vignerons de Cascatel,
11360 Cascatel, tél. 04.68.45.91.74, fax 04.68.45.82.70
☑ ⲩ r.-v.

CASTELL REAL
Ambré Hors d'âge★★

■	n.c.	2 400	**◐Ⅲ♣ 11 à 15 €**

Cuve en vidange, bonbonne en verre, barrique, ce vin a tout vu... et plus de dix ans ont été nécessaires pour obtenir cet ambré roux, aux senteurs de coing, de fleurs séchées et de noix du rancio. Très marqué par l'élevage en bois, le fruit confit apporte sa douceur à un ensemble dominé par des notes de grillé et de torréfaction, et à la finale nerveuse et bien typée Rancio.

VDN

ᴙ SCV Cellier Castell Réal,
152, rte Nationale, 66550 Corneille-de-la-Rivière,
tél. 04.68.57.39.93, fax 04.68.57.23.36,
e-mail castell-real-com @ wanadoo.fr ♈ r.-v.

DOM. CAZES
Vintage 1995★★★

■	4,5 ha 7 000	■ ♨ 11 à 15 €

Un **Ambré 91** à la fraîcheur de verveine, un **Tuilé** 85 (15 à 23 €) tout de fruits confits pour se limiter aux vins présentés, et ce remarquable 95 de type *vintage*. Que dire de plus ? Un rouge profond accompagne le fruit confit, le pruneau relevé d'épice. Ample, fondue, harmonieuse, la bouche souligne le fruit dans la chair, l'épice, puis la note torréfiée du cacao.
ᴙ Sté Cazes Frères, 4, rue Francisco-Ferrer, BP 61, 66602 Rivesaltes, tél. 04.68.64.08.26, fax 04.68.64.69.79, e-mail info @ cazes-rivesaltes.com
☑ ♈ t.l.j. sf dim. 8h-12h 14h-18h

DOM. CELLER D'AL MOULI
Ambré

	3,36 ha 2 500	■ 5 à 8 €

Ici, chacun y trouve son compte : les sportifs peuvent choisir escalade, vélo ou randonnée. Les amoureux d'histoire préféreront le musée de la Préhistoire. Personne ne pourra oublier la quiétude et la beauté du site. Cet ambré surprend par le mariage olfactif du pruneau et de l'agrume. La bouche est complexe mêlant la douceur à des touches de foin séché et à l'apport tannique du grenache gris qui lui confère son originalité.
ᴙ Pierre Pelou, 9, rue de la République, 66720 Tautavel, tél. 04.68.29.02.21, fax 04.68.29.02.21, e-mail ppelou@aol.com ☑ ⌂ ♈ r.-v.

CH. DE CORNEILLA
Rubis 1993★★

	2 ha 6 000	⦀ 11 à 15 €

Une des plus anciennes familles du Roussillon, rodée à l'exercice du vin depuis plusieurs siècles, présente cette année un rubis 93 patiné par les ans, aux senteurs de pruneau et de fruits surmûris confiturés. Doux en attaque, le fruit charnu laisse place à la torréfaction et aux notes fortes de tabac brun. A réserver absolument à la dégustation du chocolat noir.
ᴙ EARL Jonquères d'Oriola, Ch. de Corneilla, 66200 Corneilla-del-Vercol, tél. 04.68.22.73.22, fax 04.68.22.43.99, e-mail chateaudecorneilla @ hotmail.com ☑ ♈ r.-v.

DOM BRIAL
Hors d'âge 1979★★★

	4,5 ha 8 000	■ ⦀ ♨ 23 à 30 €

Ce Dom Brial est le fruit d'années d'expérience et de patience qui lui ont donné une exceptionnelle richesse. Déjà la robe est d'un vieil or superbe. Puis, tout de suite, agrume, noix, eau-de-vie, et patine du bois sont à la fête. Le palais est ample et gras d'un remarquable équilibre ; au fondu s'ajoutent le fruit sec, le foin coupé et des notes de torréfaction. La finale ne peut que confirmer qu'il s'agit là d'un véritable vin plaisir. De cette même cave, vous retiendrez le **Tuilé 96 (8 à 11 €)**.
ᴙ Cave Les Vignerons de Baixas, 14, av. du Mal-Joffre, 66390 Baixas, tél. 04.68.64.22.37, fax 04.68.64.26.70, e-mail contact @ dom-brial.com ☑ ♈ r.-v.

FORÇA REAL
Tuilé 1997★

■	30,5 ha 5 400	■ 3 à 5 €

Millas, célèbre pour ses fêtes estivales, est la porte des Pyrénées. Là, les collines se font plus hautes ; l'arrière-pays se dessine sur fond de Canigou avec les remarquables terrasses de Força Réal. Ce 97, d'un beau tuilé limpide, a des odeurs de pruneau à l'eau-de-vie, accompagnées d'une touche de sous-bois. Le palais, enlevé, avec un tanin encore présent, laisse dominer le pruneau séché sur fond de cacao.
ᴙ SCV Les Vignerons de Força Réal, rue Léo-Lagrange, 66170 Millas, tél. 04.68.57.35.02, fax 04.68.57.28.09 ☑ ♈ r.-v.

DOM. LHERITIER
Hors d'âge Malvoisie Vieilli en fût de chêne

	1,5 ha 3 000	⦀ 15 à 23 €

C'est le seul vigneron à présenter un vin issu à 100 % de malvoisie, très vieux cépage dont l'origine remonterait à la venue des Grecs en Roussillon huit siècles avant notre ère. Il a fallu plus de dix ans d'élevage en foudre pour obtenir cette robe acajou et les senteurs boisées et confiturées. L'équilibre doux est relevé par l'acidité autour de notes empyreumatiques mêlées d'eau-de-vie de prune et de malt.
ᴙ Dom. Lhéritier, av. Gambetta, 66600 Rivesaltes, tél. 04.68.38.56.53, fax 04.68.38.56.52, e-mail domaine.lheritier @ wanadoo.fr
☑ ♈ t.l.j. 9h-12h30 14h-19h

DOM. DE LA MADELEINE 1996

	19 ha 3 000	■ ⦀ ♨ 5 à 8 €

Perpignan s'arrête à la porte du domaine. Après, c'est la folle course ondulée de la vigne vers la mer. La robe de ce 96 connaît une belle évolution, allant de l'ambre vers le roux acajou. Le fruit confit cède le pas en bouche aux fruits secs sans perdre une note de garrigue méditerranéenne.
ᴙ SCEA Dom. de la Madeleine, 25, chem. de Néguebous, 66000 Perpignan, tél. 04.68.61.23.49, fax 04.68.61.73.17, e-mail georgesassens @ wanadoo.fr ☑ 🏠 ♈ r.-v.
ᴙ Georges Assens

MAS CRISTINE 1998★

	4 ha 13 000	⦀ 11 à 15 €

Autour des vignes et des chênes-lièges, le Mas Cristine est le témoin privilégié du mariage de la Méditerranée et des schistes tourmentés des Pyrénées. Un spectacle permanent. Dans le verre, l'ambré se teinte de roux. Ce rivesaltes livre la douceur du pain d'épice et de la noisette. Le fruit sec grillé marque une bouche ample, patinée en finale par des touches miellées de tabac blond.
ᴙ Vignobles Jean et Bernard Dauré, Mas Cristine, 66700 Argelès-sur-Mer, tél. 04.68.38.90.10, fax 04.68.38.91.33, e-mail daure @ wanadoo.fr
ᴙ Famille Dauré

CH. MOSSE
Ambré★★★

	n.c. 3 000	■ ⦀ 5 à 8 €

Sainte-Colombe, toute de briquettes et de cailloux roulés, semble s'appuyer sur les premiers contreforts du Canigou pour se protéger de la tramontane tout en admirant, au sud, les superbes Albères et la Méditerranée. Très surprenant, cet Ambré a des accents de liquoreux,

avec une touche de vendange noble et de raisin rôti. Il offre un bel équilibre où la douceur est compensée par une finale nerveuse appuyée par un très beau travail satiné du bois.
🐦 SA Destavel, 7 bis, av. du Canigou,
66000 Perpignan, tél. 04.68.68.36.00, fax 04.68.54.03.54
Ⓥ
🐦 M. G. Baissas

CH. DE NOUVELLES
Tuilé Hors d'âge 1995★★★

■	4 ha	4 000	🍷🍶🥄 8 à 11 €

L'histoire ici se lit dans chaque pierre du domaine. Elle s'imagine dans un paysage à la fois sauvage et reposant. Elle s'écoute ensuite, portée par le vent, et pourquoi pas autour de ce 95 d'exception. Les vieux foudres ont fait leur œuvre : le rouge est désormais ambré roux, limpide. Le nez explose entre pruneau, fruits secs, cuir, tourbe et tabac brun. Riche, ample, fondu, l'équilibre est parfait jusque dans une finale torréfiée mêlant café et chocolat.
🐦 SCEA R. Daurat-Fort, Ch. de Nouvelles,
11350 Tuchan, tél. 04.68.45.40.03, fax 04.68.45.49.21
Ⓥ Ⓨ r.-v.

LES VIGNERONS DE PEZILLA
Hors d'âge 1991★

▨	250 ha	12 000	🍷 8 à 11 €

Du col de la Dona, le vignoble étagé descend en pente douce jusqu'au village. Au-delà, c'est le royaume des maraîchers et arboriculteurs en bord de Têt. Dix ans d'attente sous bois pour cet Ambré doré aux notes d'agrumes, de verveine et d'abricot sec. Ce vin ample, très fondu et fin, où l'orange amère laisse place à un grillé miellé, est très agréable. A noter un excellent **Ambré 94 (5 à 8 €)**.
🐦 SCV Pézilla, 1, av. du Canigou,
66370 Pézilla-la-Rivière, tél. 04.68.92.00.09,
fax 04.68.92.49.91 Ⓥ Ⓨ t.l.j. 8h30-12h30 14h-18h30

CH. PRADAL
Tuilé Cuvée Aurélien Hors d'âge 1995★★

■	1,5 ha	3 000	🍷 8 à 11 €

Deux cents ans de présence sur ce domaine situé au cœur de Perpignan, ville qui grandit et flirte amoureusement avec les vignes en laissant encore une petite place au vigneron. Le tuilé de la robe de ce 95 est intense. Pruneau et figue sont au rendez-vous des fragrances ; ensuite, le vin surprend par une attaque très douce de fruits confits et se poursuit doucement vers le fruit sec et la note fumée du tabac. Prix pour une bouteille de 50 cl.

🐦 André Coll-Escluse, Ch. Pradal,
58, rue Pépinière-Robin, 66000 Perpignan,
tél. 04.68.85.04.73, fax 04.68.56.80.49
Ⓥ Ⓨ t.l.j. sf sam. dim. 10h-12h 17h-19h30

DOM. DE RANCY
Ambré 1990★★

▨	n.c.	n.c.	🍷🍶 11 à 15 €

L'un des rares domaines où vous découvrirez de vrais rancios et où la production est presque entièrement consacrée aux vins doux naturels rivesaltes élevés en fût de chêne. Ce 90 a une couleur brou de noix à reflets verts caractéristiques du rancio, tout comme le sont les odeurs de vieux foudre et de noix. La bouche, liquoreuse, joue sur les fruits sucrés puis tend vers des notes grillées, avant d'afficher des arômes de chocolat et à nouveau de noix. Un rancio d'école.
🐦 Jean-Hubert Verdaguer, Dom. de Rancy,
11, rue Jean-Jaurès, 66720 Latour-de-France,
tél. 04.68.29.03.47, fax 04.68.29.06.13 Ⓥ Ⓨ r.-v.

CH. ROMBEAU
Hors d'âge Grande Réserve 1980★

■	2 ha	1 700	🍷🍶 11 à 15 €

Dans sa cave-auberge, cet homme du Roussillon vous séduira tant par sa culture catalane que par sa bonhomie ou par son rare talent de conteur qui fait oublier le temps. Ce vieux rivesaltes très dépouillé à reflets rancio, ceint de fruits confits, d'agrumes et de noisette, vous contentera certainement tout autant. La bouche à l'avenant se fait remarquer par son équilibre, par la touche miellée du tabac blond et par sa finale longue et savoureuse (bouteille de 50 cl).
🐦 Pierre-Henri de La Fabrègue, Dom. de Rombeau,
66600 Rivesaltes, tél. 04.68.64.35.35, fax 04.68.64.64.66
Ⓥ Ⓨ r.-v.

DOM. SARDA-MALET
La Carbasse 2000★

■	2 ha	9 600	🍷 15 à 23 €

Connu à l'origine pour ses vieux rivesaltes, le domaine s'est fait au fil des ans une place de choix en côtes du roussillon mais aussi parmi les vins doux naturels. Il en va ainsi de ce 2000, tout de noir vêtu, dominé par les fruits noirs (cassis) et la cerise tant au nez qu'en bouche. Après une attaque suave, le vin, présent et au tanin de garde, se montre généreux.
🐦 Dom. Sarda-Malet, Mas Saint-Michel,
chem. de Sainte-Barbe, 66000 Perpignan,
tél. 04.68.56.72.38, fax 04.68.56.47.60 Ⓥ Ⓨ r.-v.
🐦 Jérôme Malet

DOM. DES SCHISTES
Solera

▨	5 ha	5 000	🍷 11 à 15 €

La technique de la Solera consiste à nourrir le vin vieux avec du vin jeune. Elle se pratique en barrique en vidange en prélevant chaque année une partie du vin, remplacée à part égale par du vin plus jeune. Les grenaches gris, nés sur schistes, ont ainsi donné ce rivesaltes où l'abricot confit et la douceur de la noisette se parent d'or ; puis les notes de verveine, de foin coupé, de tabac miellé viennent masquer l'abricot sur une finale nerveuse.
🐦 Jacques Sire, Dom. des Schistes, 1, av. Jean-Lurçat,
66310 Estagel, tél. 04.68.29.11.25, fax 04.68.29.47.17
Ⓥ 🏠 Ⓨ r.-v.

VDN

DOM. SOL-PAYRE
Tuilé Terre de Pierres 1998★★

■	3 ha	3 000	❚❙❚ 15 à 23 €

Depuis 1995, Jean-Claude Sol a opté pour l'appellation et la vente directe. Bien lui en a pris car c'est désormais une adresse incontournable des Aspres. Un Tuilé d'école, à la robe à reflets acajou, aux senteurs de pruneau, avec un soupçon de cacao. Sur un équilibre doux, le fruit confituré se laisse griller par le tanin du fût avant d'offrir une finale relevée fort appréciée par le jury.

↬ Jean-Claude Sol, rue de Paris, 66200 Elne, tél. 04.68.22.17.97, fax 04.68.22.50.42 ☑ ⟙ t.l.j. sf dim. 9h-12h 15h30-19h; jan. fév. mars le matin

VAQUER
Préface 1993★

■	2,5 ha	3 000	▮ ◊ 11 à 15 €

Remarqué l'an passé pour son Post-Scriptum, Bernard Vaquer semble, avant de partir brutalement et prématurément, avoir laissé le Préface pour que Frédérique continue leur passion viticole commune. L'ambre roux soutenu annonce le travail d'élevage. Fruit sec et rancio dominent au nez alors que le palais, très fondu et gras, s'exprime sur des notes de grillé, de fruits secs et de tabac brun. La fraîcheur en finale accompagne longuement le rancio (bouteille de 50 cl).

↬ Dom. Vaquer, 1, rue des Ecoles, 66300 Tresserre, tél. 04.68.38.89.53, fax 04.68.38.84.42 ☑ ⟙ r.-v.

VILLA PASSANT
Hors d'âge 1991

■	30 ha	80 000	❚❙❚ 5 à 8 €

Si l'outil technique de cette structure moderne est impressionnant, il n'en reste pas moins au service d'une production de vins doux naturels traditionnels où savoir-faire et empirisme sont les règles. Fruits mûrs et eau-de-vie de prune caractérisent ce Tuilé acajou bien dans le type avec des tanins encore présents et une dominante de pruneau. La finale ajoute des notes de torréfaction et de tabac brun.

↬ Les Producteurs du Mont Tauch, 11350 Tuchan, tél. 04.68.45.41.08, fax 04.68.45.45.29, e-mail contact@mont-tauch.com
☑ ⟙ t.l.j. sf dim. 9h-12h 14h-18h

CH. DE VILLARGEIL
Ambré Vieille Réserve 1995

■	6 ha	3 000	▮ ❚❙❚ 5 à 8 €

Entre Bages et Saint-Jean, Laurent Viguier a appris à faire jouer la complicité existant entre les terroirs et la juste adaptation des cépages. Sous l'ambre soutenu percent le rancio, un boisé présent et des senteurs de foin coupé, prélude à une bouche suave où apparaissent des notes de tabac brun, de vieux foudre satiné et de cerneau de noix. Les amateurs de rancio apprécieront ce rivesaltes.

↬ Laurent Viguier, Ch. Villargeil, 66490 Saint-Jean-Pla-De-Corts, tél. 04.68.83.20.62, fax 04.68.83.51.31 ☑ ⟙ r.-v.

> Le grenache noir affectionne les sols de schistes du Roussillon, sur lesquels il est conduit en taille courte, dite en gobelets.

Maury

L̲e terroir (1 700 ha) recouvre la commune de Maury, au nord de l'Agly, et une partie des communes limitrophes. Ce sont des collines escarpées couvertes de schistes noirs de l'aptiens plus ou moins décomposés, où l'on a produit 42 000 hl de vin en 2001, à partir du grenache noir. La vinification se fait souvent par de longues macérations, et l'élevage permet d'affiner des cuvées remarquables.

D̲'un rouge profond lorsqu'ils sont jeunes, les vins prennent par la suite une teinte acajou. Le bouquet est d'abord très aromatique, à base de petits fruits rouges. Celui des vins plus évolués rappelle le cacao, les fruits cuits et le café. Ils sont appréciés à l'apéritif et au dessert, et peuvent également se prêter à des accompagnements sur des mets à base d'épices et de sucre.

DOM. DE LA COUME DU ROY
Vieilli en foudre de chêne 1925★★

■	12 ha	4 550	❚❙❚ + de 76 €

Mis en foudre l'année de naissance de la petite-fille de l'aïeul, ce vin y est resté sans aucun ouillage depuis 1925 ! Le temps permet d'accepter un léger dépôt pour admirer l'ambré de la robe. Pruneau confit, café, torréfaction et fruit sec annoncent un vin patiné par le bois, liquoreux. Epicé, un peu dépouillé, il nous laisse sur une finale de rancio. (Vénérable bouteille de 50 cl.)

↬ A. de Volontat-Bachelet, Dom. de la Coume du Roy, 5, rue Emile-Zola, 66460 Maury, tél. 04.68.59.67.58, fax 04.68.59.67.58, e-mail de.volontat.bachelet@wanadoo.fr ☑ ⟙ r.-v.

CAVE JEAN-LOUIS LAFAGE
Hors d'âge Prestige 1990

■	0,9 ha	2 600	▮ ❚❙❚ 23 à 30 €

Le dernier bastion rappelle que c'est ici, au château de Queribus dominant le vignoble de Maury, que vinrent résider les derniers Cathares. Après dix ans, la robe a pris des reflets acajou. Le nez a évolué sur l'épice et l'agrume confituré. La bouche à l'avenant est ample, douce, le fruit s'estompant sur des notes vanillées et de cacao.

↬ Jean-Louis Lafage, 13, rue Dr-Pougault et 29, av. Jean-Jaurès, 66460 Maury, tél. 04.68.59.12.66, fax 04.68.59.13.14, e-mail cavejllafage@aol.com
☑ ⟙ t.l.j. sf dim. 9h30-12h30 15h-18h; f. du 15 sept. au 1er avr.

MAS AMIEL
Cuvée spéciale 10 ans d'âge★★★

■	30 ha	20 000	❚❙❚ 11 à 15 €

Que ce soit le **Vintage 2000**, le **15 ans d'âge** (15 à 23 €) ou ce coup de cœur pour le 10 ans d'âge, tout est remarquable. Et que dire du 1980, coup de cœur l'an passé, qui, s'il pouvait concourir, lui disputerait la palme. Le passage un an en bonbonne au soleil puis neuf ans en foudre lui confère ce tuilé acajou. Le nez intense joue entre pruneau, écorce d'orange, fruits confits et cacao. Puis le

palais est conquis par l'ampleur et l'équilibre ; la vanille s'ajoute à la fête, avant une finale de tabac et de cacao. Ce maury sera somptueux sur un gâteau au chocolat.

🍷 Dom. Mas Amiel, 66460 Maury,
tél. 04.68.29.01.02, fax 04.68.29.17.82
☑ �Y t.l.j. sf dim. 9h-12h30 14h-17h
🍷 O. Decelle

MAS AMIEL
Plénitude Maccabeu 2000★

	1,35 ha	4 000		▮♦ 11 à 15 €

Une originalité en complément d'une gamme déjà très riche. Ce blanc à base de maccabeu est une réussite toutefois confidentielle. La robe est d'un or de belle intensité ; l'approche discrète se révèle ensuite sur la poire, le kumquat et l'agrume. Onctueux, le fruit à l'eau-de-vie apporte fraîcheur et plaisir. (Bouteilles de 50 cl.)

🍷 Dom. Mas Amiel, 66460 Maury,
tél. 04.68.29.01.02, fax 04.68.29.17.82
☑ Y t.l.j. sf dim. 9h-12h30 14h-17h

MAS CAMPS 2000

▮	2 ha	2 000	⓫ 8 à 11 €

Le Mas est la porte d'entrée du terroir de Maury, tel un péage contrôlant le passage ou vous offrant, avec ses chambres d'hôte, un point de départ pour la découverte du cru. Grenat, tout en fruits rouges, ce vin est très *vintage*, charnu et puissant. Avec originalité, une touche boisée vanille le fruit.

🍷 François Susplugas, 24, bd Jean-Jaurès,
66310 Estagel, tél. 04.68.29.04.74, fax 04.68.29.47.04
☑ 🏠 🏠 Y r.-v.

LES VIGNERONS DE MAURY
Récolte 1996★★

▮	200 ha	25 000	▮♦ 8 à 11 €

La nouvelle équipe de la cave, en partenariat avec les Toiles du Soleil, a décidé d'habiller les vins avec des étiquettes aux couleurs des toiles catalanes. L'important reste le contenu avec une série de cuvées remarquées par le jury : un **Maury rancio (5 à 8 €)**, un très beau **6 ans d'âge (5 à 8 €)**, un **blanc Doré (5 à 8 €)** et cette Récolte 96. La fraîcheur du rubis se retrouve dans la violette, le sous-bois et la mûre du bouquet. Le vin est tout en fruits ; cerise, mûre, groseille sont de la fête dans un ensemble équilibré, suave et harmonieux.

🍷 SCV Les Vignerons de Maury, 128, av. Jean-Jaurès, 66460 Maury, tél. 04.68.59.00.95, fax 04.68.59.02.88, e-mail a.inajoral @ vigneronsdemaury.com ☑ Y r.-v.

DOM. LA PLEIADE
Vintage 1995★★

▮	1 ha	3 000	▮ 11 à 15 €

Sans bruit, Jacques Delcour continue de marier au quotidien talent et passion dans le superbe cadre du hameau de la Roque. Le jury a aimé ce maury mise tardive aux reflets acajou, aux senteurs complexes de figue, de café grillé et de garrigue estivale. Ample, coulant, fondu, le tanin velouté accompagne le pruneau avant une finale où percent le fruit sec et des notes de torréfaction. Egalement retenu par le jury, un **Hors d'âge (15 à 23 €)** de belle facture.

🍷 EARL Dom. La Pléiade, Hameau de la Roque, 66220 Saint-Paul-de-Fenouillet,
tél. 04.68.52.21.66, fax 04.68.52.21.66 ☑ Y r.-v.
🍷 Delcour

DOM. POUDEROUX
Vendange 2000★★★

▮	4 ha	12 000	▮♦ 11 à 15 €

Ici, vous avez le choix entre ce type jeune retenu par le jury et une **Grande réserve (8 à 11 €)** dans la plus pure tradition des vins élevés ou, entre les deux, une **Vendange mise tardive 98 (15 à 23 €)** suave et réglissée. Le grenat 2000 est profond et s'entoure de fruits des bois, d'épices et d'un léger grillé. Puissant, harmonieux, charnu, le vin est solide, le fruit mûr, le tanin de garde. Idéal sur une soupe de fruits.

🍷 Dom. Pouderoux, 2, rue Emile-Zola, 66460 Maury, tél. 04.68.57.22.02, fax 04.68.57.11.63, e-mail 123pou @ free.fr ☑ Y r.-v.

Muscat de rivesaltes

Sur l'ensemble du terroir des rivesaltes, maury et banyuls, le vigneron peut élaborer du muscat de rivesaltes, lorsque l'encépagement se compose à 100 % de cépages muscat. La superficie de ce vignoble représente plus de 5 200 ha, pour une production de 170 000 hl en 2001. Les deux cépages autorisés sont le muscat à petits grains et le muscat d'Alexandrie. Le premier, souvent appelé muscat blanc ou muscat de Rivesaltes, est précoce et se plaît dans les terrains relativement frais et si possible calcaires. Le second, appelé aussi muscat romain, est plus tardif et très résistant à la sécheresse.

La vinification s'opère soit par pressurage direct, soit avec une macération plus ou moins longue. La conservation se fait obligatoirement en milieu réducteur, pour éviter l'oxydation des arômes primaires.

Les vins sont liquoreux, avec 100 g minimum de sucre par litre. Ils sont à boire jeunes, à une température de 9 à 10 °C. Ils accompagnent parfaitement les desserts : tartes au citron, aux pommes ou aux fraises, sorbets, glaces, fruits, touron, pâte d'amande... ainsi que le roquefort.

VDN

ARNAUD DE VILLENEUVE 2001

	n.c.	10 000	∎↓ 8 à 11 €

En plein cœur du vignoble, la cave coopérative de Rivesaltes est un des premiers producteurs de muscat. Son 2001 est d'une teinte or clair brillante. Le nez offre à la fois des notes de raisin frais et de légère évolution (miel, fruits cuits, rose épanouie). L'attaque est ronde et harmonieuse et la finale d'une agréable vivacité.

🐦 Les Vignobles du Rivesaltais,
1, rue de la Roussillonnaise, 66602 Rivesaltes-Salses,
tél. 04.68.64.06.63, fax 04.68.64.64.69,
e-mail vignobles.rivesaltais@wanadoo.fr ☑ ᵞ r.-v.

CH. AYMERICH 2001★

	2,15 ha	6 000	∎ 8 à 11 €

On nous dit que ce serait fameux avec des ris de veau à la crème et aux morilles. La robe est d'or clair, aux reflets verts, et les parfums élégants jouent sur des touches de fruits mûrs, rose, menthe et citronnelle. L'équilibre est remarquable par son onctuosité relevée d'une savoureuse fraîcheur.

🐦 Ch. Aymerich, 52, av. Dr-Torreilles, 66310 Estagel,
tél. 04.68.29.45.45, fax 04.68.29.10.35,
e-mail aymerich-grau-vins@wanadoo.fr ☑ ᵞ r.-v.
🐦 J.-P. Grau et C. Aymerich

CH. BELLOCH 2001★

	9,7 ha	6 000	∎↓ 5 à 8 €

La robe est d'or pâle, brillante. Le nez est bien intense, dans une harmonie de fruits exotiques, d'agrumes et de nuances végétales (menthol). Puissant, attaquant sur des notes de pamplemousse, un vin typé et bien équilibré.

🐦 SA Cibaud-Ch. Miraflors et Belloch,
rte de Canet, 66000 Perpignan, tél. 04.68.50.24.92,
fax 04.68.67.20.02, e-mail vins.cibaud@wanadoo.fr
☑ ᵞ t.l.j. 9h-12h 15h-19h

DOM. DE BESOMBES-SINGLA
Mas Saint-Michel 2001

	1 ha	4 000	∎↓ 8 à 11 €

Le domaine est propriété de la même famille depuis 1760. La « nouvelle garde » s'est installée en 1998. Son muscat 2001 est d'une belle couleur dorée et les arômes intenses évoquent les fruits (raisin mûr, poire, pêche) et les fleurs (rose). Il est puissant, d'une très belle texture, à la fois rond, ample et frais.

🐦 Dom. de Besombes-Singla, 4, rue de Rivoli,
66250 Saint-Laurent-de-la-Salanque,
tél. 04.68.28.30.68, fax 04.68.28.30.68,
e-mail ddbs@libertysurf.fr ☑

DOM. BONZOMS 2001★

	5 ha	2 500	∎↓ 5 à 8 €

Beaucoup d'originalité dans ce muscat à l'étiquette préhistorique représentant l'homme de Tautavel. La robe, vieil or lumineux, appelle la dégustation. Les arômes évoquent l'eau-de-vie, l'encens, la verveine et le fruit confit. Un vin onctueux et d'une bonne longueur.

🐦 EARL Dom. Bonzoms, 2, pl. de la République,
66720 Tautavel, tél. 04.68.29.40.15,
e-mail domaine.bonzoms@club-internet.fr ☑ ᵞ r.-v.

CH. DE CALADROY 2000★

	18,29 ha	60 000	∎↓ 5 à 8 €

Le domaine est vaste et superbe sur son terroir de schistes. Son muscat 2000 est d'une belle tenue : la robe est brillante, d'or jaune aux reflets verts. Aux arômes de genêt et de miel s'allient des notes de raisin confit et de fruits exotiques. Tout en onctuosité, la dégustation s'achève sur une pointe tannique qui relève agréablement la finale.

🐦 SCEA Ch. de Caladroy, 66720 Bélesta,
tél. 04.68.57.10.25, fax 04.68.57.27.76,
e-mail chateau.caladroy@wanadoo.fr
☑ ᵞ t.l.j. sf sam. dim. 8h-12h 13h30-17h30

DOM. DES CHENES 2000★

	4,5 ha	14 000	∎↓ 5 à 8 €

Si on ne présente plus la famille Razungles, on savoure avec toujours autant de délectation les vins du domaine. Le muscat 2000 est d'un bel or lumineux. Ses arômes légèrement évolués évoquent la verveine, les agrumes confits et la cire d'abeille. La bouche offre beaucoup d'harmonie et de puissance ainsi qu'une finale d'une belle longueur.

🐦 SCEA Dom. des Chênes, 7, rue du Mal-Joffre,
66600 Vingrau, tél. 04.68.29.40.21, fax 04.68.29.10.91
☑ ᵞ r.-v.
🐦 Razungles

DOM. LE CLOS DES ANGES
Cuvée Victoire 2000★

	1,05 ha	3 000	∎↓ 5 à 8 €

Un jeune domaine qui présente son premier millésime. Une robe dorée intense, des arômes d'écorce d'orange confite et de fleur d'oranger, une bouche particulièrement puissante, liquoreuse et vive à la fois : tout évoque la concentration et l'évolution maîtrisée. Bravo pour ce coup d'essai !

🐦 Jean-Dominique Dupau, 6, Carré Grand,
66300 Passa, tél. 04.68.38.81.96, fax 04.68.38.81.96
☑ ᵞ r.-v.

CH. DE CORNEILLA 2001★★

	11 ha	44 000	∎↓ 8 à 11 €

Une famille célèbre du Rousillon qui excelle aussi dans l'art du vin. Le muscat 2001 est revêtu d'or tendre aux reflets verts. Les arômes sont d'une grande élégance : fleurs blanches, ananas frais, papaye... La bouche est vive, tonique, avec une belle finale liquoreuse.

🐦 EARL Jonquères d'Oriola,
Ch. de Corneilla, 66200 Corneilla-del-Vercol,
tél. 04.68.22.73.22, fax 04.68.22.43.99,
e-mail chateaudecorneilla@hotmail.com ☑ ᵞ r.-v.

LES VIGNERONS DES COTES D'AGLY
2001★★★

	110 ha	40 000	∎↓ 5 à 8 €

Egalement cités pour leur **Château Montner 2001**, les Vignerons des Côtes d'Agly se voient attribuer un coup de cœur pour leur cuvée traditionnelle. Sa robe est d'or pâle aux reflets verts. Les arômes sont particulièrement puissants et complexes : agrumes, fruits exotiques, poire fraîche, fleur d'acacia et citronnelle se mêlent dans un bouquet soutenu par un équilibre parfait. Un vin agréable, ample et très frais.

➼ Les Vignerons des Côtes d'Agly, Cave coopérative, 66310 Estagel, tél. 04.68.29.00.45, fax 04.68.29.19.80, e-mail estagel.cave@free.fr

☑ ⍵ t.l.j. sf dim. 9h-12h 14h-18h

DOM BRIAL 2001★★

20 ha	70 000		8 à 11 €

A Baixas, qualité rime avec quantité. La cave coopérative est le premier producteur de l'appellation. Dans le Guide 2002, Dom Brial avait été élu coup de cœur. Cette année, le vin est toujours remarquable. Les arômes très frais offrent des nuances de raisin frais, d'agrumes et de fleur d'amandier. La bouche est fraîche et suave, ample avec un équilibre remarquable d'élégance et de finesse.

➼ Cave Les Vignerons de Baixas, 14, av. du Mal-Joffre, 66390 Baixas, tél. 04.68.64.22.37, fax 04.68.64.26.70, e-mail contact@dom-brial.com

☑ ⍵ r.-v.

PATRICE EY
Saint-Esprit 2001

1 ha	4 330		8 à 11 €

Egalement éleveur de volailles fermières et maraîcher en agriculture biologique, Patrice Ey est un jeune vigneron plein de talent. Il entre aujourd'hui dans le Guide avec un muscat d'une belle fraîcheur à la robe or brillant de reflets verts, aux senteurs mêlées d'agrumes, de fruits frais (pêche, poire) et de fleurs. L'équilibre en bouche est harmonieux.

➼ Patrice Ey, rte de Perpignan, entrée de Saint-Estève, 66240 Saint-Estève, tél. 04.68.92.04.99, fax 04.68.38.06.26, e-mail patriceey@hotmail.com

☑ ⍵ r.-v.

CH. LES FENALS 2001★

n.c.	4 000		8 à 11 €

Encore une naissance réussie au château Les Fenals ! Le muscat 2001, d'une belle couleur dorée brillante, se montre à la fois fruité, fleural (mimosa) et mentholé. La bouche est tout en dentelles, fine et délicate, offrant des nuances d'agrumes et de miel.

➼ Mme Roustan Fontanel et Fille, Les Fenals, 11510 Fitou, tél. 04.68.45.71.94, fax 04.68.45.60.57, e-mail les.fenals@wanadoo.fr ☑ ⍵ r.-v.

CH. LES FONTAINES 2000★★

22,3 ha	66 726		5 à 8 €

La SIVIR est un important groupement de producteurs qui travaille à la mise en valeur des AOC du Roussillon. Ce vin n'est plus commercialisé, ils vendent actuellement le 2001. Le château des Fontaines a été particulièrement apprécié du jury. Sa robe d'or intense exprime la concentration. Les arômes évoquent l'écorce d'orange confite, la cire d'abeille, les épices et la confiture de pêches. La bouche est ample, suave et s'achève sur une touche de délicieuse amertume.

➼ SIVIR, rte des Crêtes, 66652 Banyuls-sur-Mer, tél. 04.68.88.03.22, fax 04.68.98.36.97, e-mail sivir@templers.com

LES VIGNERONS DE FOURQUES 2001★

30 ha	5 000		5 à 8 €

La robe est d'or pâle aux nuances argentées. Les arômes puissants rappellent les fruits exotiques. Le vin est frais et fin, délicatement parfumé, offrant une finale bien persistante.

➼ SCV Les Vignerons de Fourques, 1, rue des Taste-Vin, 66300 Fourques, tél. 04.68.38.80.51, fax 04.68.38.89.65

☑ ⍵ t.l.j. sf dim. 9h-12h 14h-18h

CH. L'HOSPITALET 2000

1,5 ha	9 900		8 à 11 €

Créé au XVIe s. par des moines hospitaliers, ce domaine occupe 1 000 ha sur les hauteurs de La Clape, dans un cadre superbe. La couleur est dense, d'un bel et brillant. Les arômes puissants et originaux proposent des notes de raisin passerillé et de fleurs blanches. La bouche est bien équilibrée entre des nuances de fruits surmûris et une touche élégante et fraîche de citron (bouteille de 50 cl).

➼ SPH l'Hospitalet, 11100 Narbonne, tél. 04.68.45.27.10, fax 04.68.45.23.49, e-mail info@domaine.hospitalet.com

☑ ⍵ t.l.j. 9h-12h 14h-18h

DOM. JOLIETTE
Cuvée Mercier Prestige 2001★

9 ha	15 000		8 à 11 €

Joliette jouit d'une vue imprenable sur l'étang de Salses. Sa cuvée mérite elle aussi le voyage : la robe est d'une belle jaune pâle. Tout en générosité, le vin développe des arômes à la fois fruités (citron), floraux (fleurs blanches) et légèrement minéraux. Très ample en bouche, il s'achève en une finale harmonieuse et puissante.

➼ A. et Ph. Mercier, Dom. Joliette, 66600 Espira-de-l'Agly, tél. 04.68.64.50.60, fax 04.68.64.18.82

☑ ⍵ t.l.j. sf sam. dim. 7h30-12h 14h-19h30

DOM. LAPORTE 2001★★

5 ha	10 000		8 à 11 €

Le domaine est situé non loin de l'antique Ruscino. Au fil du temps, Raymond et Patricia Laporte ont su diversifier et parfaire leur production. Leur muscat, paré d'une robe brillante, est attrayant. Après un premier nez d'une étonnante fraîcheur (citronnelle, bourgeon de cassis), apparaissent des notes intenses de fruits frais. Rond et aromatique, ce vin au remarquable équilibre est très friand.

➼ Dom. Laporte, Ch. Roussillon, 66000 Perpignan, tél. 04.68.50.06.53, fax 04.68.66.77.52, e-mail domaine-laporte@wanadoo.fr ☑ ⍵ r.-v.

DOM. LHERITIER 2001★★★

1 ha	3 000		11 à 15 €

Henri Lhéritier est le chantre du terroir de Rivesaltes. Le poète-vigneron est également le fondateur de la Maison du muscat. Son muscat 2001 a séduit unanimement le jury. Dans sa robe d'or pâle brillant de reflets verts, il exhale des arômes intenses, mélange subtil de fruits frais, menthe et anis. En bouche, il est souple, très gras, tout en élégance avec ses notes de fruits surmûris et d'agrumes. Un beau coup de cœur pour ce vin délicat et onctueux.

VDN

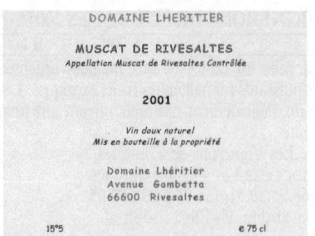

Dom. Lhéritier, av. Gambetta, 66600 Rivesaltes,
tél. 04.68.38.56.53, fax 04.68.38.56.52,
e-mail domaine.lheritier@wanadoo.fr
☑ ☏ t.l.j. 9h-12h30 14h-19h

MAS CAMPS 2000

	0,5 ha	3 000	∎⬤	5 à 8 €

Aux portes du cru maury, le domaine est situé sur un terroir argilo-calcaire. Le muscat à petits grains y trouve une belle expression avec ses arômes de fruits à chair jaune, de rose et de cire d'abeille. Très puissant en bouche, il conserve une très bonne vivacité.

François Susplugas, 24, bd Jean-Jaurès, 66310 Estagel, tél. 04.68.29.04.74, fax 04.68.29.47.04
☑ ⚲ ⚲ ☏ r.-v.

LES VIGNERONS DE MAURY 2001★★

	53 ha	28 000	∎⬤	5 à 8 €

Les Vignerons de Maury proposent cette année un superbe muscat à la robe d'or lumineux. Il fleure bon les agrumes confits, les fruits exotiques et la pêche blanche. À la fois vif et rond en bouche, sa fraîcheur finale relève encore sa persistance aromatique.

SCV Les Vignerons de Maury, 128, av. Jean-Jaurès, 66460 Maury, tél. 04.68.59.00.95, fax 04.68.59.02.88, e-mail a.inajoral@vigneronsdemaury.com ☑ ☏ r.-v.

CH. MILLAS 2000

	26,45 ha	8 000	∎	5 à 8 €

Le vignoble est situé sur les schistes de la colline de Força Réal. Habillé de vieil or brillant, le muscat 2000 offre des notes d'évolution aromatique : résine, miel, eucalyptus et écorce d'orange. En bouche, il est croquant, onctueux, avec une finale légèrement mentholée.

SCV Les Vignerons de Força Réal, rue Léo-Lagrange, 66170 Millas, tél. 04.68.57.35.02, fax 04.68.57.28.09 ☑ ☏ r.-v.

DOM. MOUNIE 2001★

	3 ha	7 000	∎⬤	5 à 8 €

Ce très ancien domaine familial est situé sur la commune de Tautavel. Le muscat 2001 s'habille de soie brillante. Ses arômes sont bien intenses, très exotiques (litchi, banane mûre) et floraux. L'attaque est fraîche, suivie par la puissance liquoreuse. Beaucoup de présence et de longueur.

Dom. Mounié, 1, av. du Verdouble, 66720 Tautavel, tél. 04.68.29.12.31, fax 04.68.29.05.59 ☑ ☏ r.-v.
Claude Rigaill

NAYANDEI
Muscat de Noël Nadal 2001★★

	1 ha	1 000	∎⬤	8 à 11 €

Un groupe de jeunes œnophiles a fait le pari d'implanter le vin dans un univers qui l'ignorait jusque-là (restaurants « tendance », boîtes de nuit, discothèques). Ils sont en passe de réussir et ont proposé à ces consommateurs un muscat 2001 à la couleur lumineuse, aux reflets d'or vert et aux arômes très frais, floraux et exotiques. Beaucoup de vivacité en bouche et une belle longueur aromatique contribuent au succès de la nouvelle boisson des jeunes.

Albéra Nayandei, 7, rue Pasteur, 66600 Rivesaltes, tél. 06.14.86.29.62, fax 04.68.34.18.23
☏ t.l.j. sf dim. 9h-12h 14h-18h

DOM. DE NIDOLERES 2000

	2,5 ha	3 000	∎⬤	8 à 11 €

Le muscat du domaine est d'une belle constance dans sa typicité. La robe d'or intense accompagne des arômes complexes et évolués avec une note enjôleuse de verveine. La bouche est liquoreuse, puissante, avec des notes de mandarine confite. Vous le goûterez sur une cuisine catalane au restaurant du domaine.

Pierre Escudié, Dom. de Nidolères, 66300 Tresserre, tél. 04.68.83.15.14, fax 04.68.83.31.26
☑ ☏ r.-v.

LES VIGNERONS DE PEZILLA 2000★★

	145 ha	25 000	∎⬤	5 à 8 €

La cave, citée pour sa **cuvée Prestige 2001**, a élaboré une remarquable cuvée classique. La couleur est vive, d'un bel or aux reflets verts. Le nez intense et élégant offre des arômes de citron confit, d'ananas et de rose fanée. Légère et parfumée, la bouche développe des notes de bergamote très appréciées en finale.

SCV Pézilla, 1, av. du Canigou, 66370 Pézilla-la-Rivière, tél. 04.68.92.00.09, fax 04.68.92.49.91 ☑ ☏ t.l.j. 8h30-12h30 14h-18h

CH. LES PINS 2001★★

	5 ha	20 000		8 à 11 €

Le château Les Pins abrite les fleurons de la cave coopérative. La robe du muscat 2001 est intense, d'un jaune d'or lumineux. Le nez surprend et séduit par ses notes d'écorce d'orange, de melon blanc, de miel et de mimosa. La bouche pleine et très charnue, délicatement sucrée, offre des accents d'épices orientales et de miel.

Cave Les Vignerons de Baixas, 14, av. du Mal-Joffre, 66390 Baixas, tél. 04.68.64.22.37, fax 04.68.64.26.70, e-mail contact@dom-brial.com ☑ ☏ r.-v.

DOM. PIQUEMAL
Coup de Foudre 1999★

	1 ha	4 500	⫿⫿	15 à 23 €

Très originale, la cuvée Coup de Foudre est élevée en barrique de chêne pendant deux ans. La robe est vieil or, les arômes sont intenses aux notes de miel, de coing, avec une dominante d'orange confite. L'attaque en bouche est savoureuse, puis dominent liqueur et générosité. Un vin pour les amateurs de muscats élevés.

Dom. Pierre et Franck Piquemal, 1, rue Pierre-Lefranc, 66600 Espira-de-l'Agly, tél. 04.68.64.09.14, fax 04.68.38.52.94, e-mail contact@domaine-piquemal.com ☑ ☏ r.-v.

CH. PLANERES
Excellence 2001★

	5 ha	15 000	∎⬤	8 à 11 €

La robe est d'or pâle brillant. Les arômes d'une bonne intensité affichent des notes de fruits exotiques (ananas mûr) et de raisin frais. L'attaque est franche, puis l'équilibre plaisant offre sa fraîcheur persistante. Une belle réussite des familles Jaubert et Noury, par ailleurs bien connues pour leur production de vins secs.

🕿 Ch. Planères, Vignobles Jaubert et Noury, 66300 Saint-Jean-Lasseille, tél. 04.68.21.74.50, fax 04.68.21.87.25, e-mail content@chateauplaneres.com
✓ ⍦ t.l.j. sf dim. 8h30-12h 14h-17h45

CH. PONTEILLA 2001★

20 ha	6 666	🍴🍷 8 à 11 €

La couleur est d'or pâle, limpide et lumineuse. Après un premier nez discret, se développent des notes florales, de fruits frais et une pointe de réglisse. Le vin ample, gras et velouté offre une finale fraîche et relevée par une touche mentholée.

🕿 SCV Les Vignerons de Ponteilla, av. de la Gare, 66300 Ponteilla, tél. 04.68.53.47.64, fax 04.68.53.54.90
✓ ⍦ r.-v.

DOM. ROSSIGNOL 2001★★

4,89 ha	2 000	🍴🍷 5 à 8 €

La robe est d'or pâle aux légers reflets verts. Le nez fleure bon les fruits exotiques, les fleurs blanches et la cire d'abeille. La bouche est très expressive avec ses notes de fruits mûrs et d'abricot confit. Le tout bien enrobé, onctueux et gras. Choisir des pêches pochées au muscat avec des zestes d'orange et de citron.

🕿 Pascal Rossignol, rte de Villemolaque, 66300 Passa, tél. 04.68.38.83.17, fax 04.68.38.83.17
⍦ t.l.j. sf dim. 11h-12h30 16h30-19h30

DOM. SAN MARTI 2000★★

7,37 ha	26 000	🍴🍷 8 à 11 €

Le domaine pratique l'agriculture biologique depuis de nombreuses années. Déjà bien apprécié l'an dernier pour son Muscat de Noël, le domaine revient avec une cuvée classique d'excellente qualité. Les arômes très fins développent des notes de miel, de fruits confits, de garrigue et de menthe. La bouche est très onctueuse et puissante.

🕿 Bernard Coronat, 20, av. Lamartine, 66430 Bompas, tél. 04.68.63.26.09, fax 04.68.63.14.04, e-mail domainesanmarti@free.fr ✓ ⍦ r.-v.

DOM. SARDA-MALET 2001★

3 ha	4 300	🍴🍷 8 à 11 €

Le domaine est situé aux portes de Perpignan avec, en fond de vigne, le Canigou. La robe est d'or paille, vif et brillant. Le nez intense et floral révèle des notes de garrigue et de citronnelle. En bouche, apparaissent des arômes de tulipier de Virginie et d'agrumes confits. L'équilibre est très réussi avec une onctuosité dominante. Lecteur, sachez que le jury a longuement débattu des senteurs du tulipier de Virginie !

🕿 Dom. Sarda-Malet, Mas Saint-Michel, chem. de Sainte-Barbe, 66000 Perpignan, tél. 04.68.56.72.38, fax 04.68.56.47.60 ✓ ⍦ r.-v.
🕿 Jérôme Malet

VAQUER 2000★

3 ha	3 000	🍴🍷 5 à 8 €

Le nom de Vaquer est depuis des décennies une référence en matière de vins dans la région. Le muscat 2000 est d'une belle couleur or jaune aux nuances paillées. Les arômes évoquent la maturité avec des notes d'abricot

sec, de raisin surmûri et de confiture d'oranges. La bouche est ample, parfumée, sur fond d'épices et de miel. Elle n'attend que le foie gras mi-cuit macéré au muscat.

🕿 Dom. Vaquer, 1, rue des Ecoles, 66300 Tresserre, tél. 04.68.38.89.53, fax 04.68.38.84.42 ✓ ⍦ r.-v.

Muscat de frontignan

La réputation du muscat de frontignan n'est plus à faire : le muscat à petits grains trouve sur les éboulis calcaires l'un de ses terroirs de prédilection. Pour l'amateur, il reste à découvrir des vins de liqueur, avec mutage sur le moût avant fermentation – ce qui donne des produits beaucoup plus riches en sucre et peu de rares cuvées –, un élevage des muscats dans de vieux foudres qui provoque une légère oxydation donnant au vin un goût particulier de raisins secs.

CH. DES ARESQUIERS 2000

1,6 ha	9 000	🍴🍷 5 à 8 €

Vic-la-Gardiole mérite une visite tant pour ses vestiges du néolithique, de l'époque romaine et gallo-romaine découverts sous les vignes, que pour son église fortifiée du XIIᵉs. On y découvrira aussi le travail de ces deux productrices qui proposent un muscat jaune paille soutenu, faisant preuve de beaucoup de finesse dans ses arômes de fruits compotés (pêche, poire). En bouche, explosent les flaveurs de citron vert, de poire et de pomme jusqu'à une finale fraîche.

🕿 Elisabeth et Brigitte Jeanjean, Dom. Mas Neuf des Aresquiers, 34110 Vic-la-Gardiole, tél. 04.67.78.37.44, fax 04.67.78.37.46

DOM. DU MAS ROUGE 2000★

4,5 ha	12 500	🍴🍷 5 à 8 €

L'impressionnant massif calcaire de la Gardiole est devenu le domaine de la vigne, laquelle a pris le pas sur les salines et les cultures maraîchères. Anne-Marie Jeanjean possède ici 30 ha. Elle propose un muscat jaune paille brillant qui, dès le premier nez, explose en arômes de rose, de fruits mûrs et de fruits exotiques. On retrouve en bouche des notes de vendange mûre, alliées à une touche de verveine et de miel. Original et plaisant, ce muscat sait être à la fois frais et ample.

🕿 Anne-Marie Jeanjean, Dom. du Mas Rouge, 34110 Vic-la-Gardiole, tél. 04.67.88.80.01, fax 04.67.95.65.67

CH. DE LA PEYRADE
Cuvée Prestige 2001★

n.c.	55 000	🍴🍷 8 à 11 €

Coup de cœur dans le Guide 2002, la cuvée Prestige séduit dans ce nouveau millésime par sa teinte or clair à reflets jaunes comme par ses arômes intenses de rose fanée, de pêche cuite et de raisin mûri par le soleil. En bouche, se manifestent des notes fraîches, exotiques, de menthe et de citron vert. Un vin tout en puissance et en harmonie.

VDN

⌐ Yves Pastourel et Fils,
Ch. de La Peyrade, 34110 Frontignan,
tél. 04.67.48.61.19, fax 04.67.43.03.31,
e-mail info@châteaulapeyrade.com ☑ ⟂ r.-v.

CH. DE LA PEYRADE
Sol Invictus 2001★★

	n.c.	5 000	■↓ 8 à 11 €

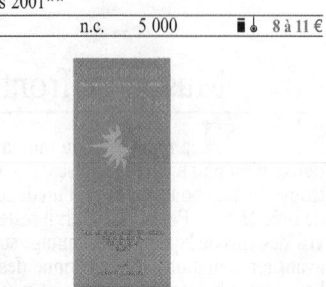

« Sol Invictus », quelle belle devise pour la famille Pastourel ! Le jury accorde, à nouveau, un coup de cœur à l'un de ses muscats. La nouvelle cuvée a été remarquée par sa finesse et sa complexité. Dans sa robe d'or léger, elle développe des arômes floraux frais d'églantier épanoui. La bouche enveloppante est relevée par une belle fraîcheur et un léger perlé. La finale se prolonge sur des notes de citron confit et de mangue. Un équilibre superbe.
⌐ Yves Pastourel et Fils,
Ch. de La Peyrade, 34110 Frontignan,
tél. 04.67.48.61.19, fax 04.67.43.03.31,
e-mail info@chateaulapeyrade.com ☑ ⟂ r.-v.

CH. DE PEYSSONNIE 2000★

	n.c.	59 924	■ 8 à 11 €

Egalement citée pour sa cuvée **Premier 2000 (5 à 8 €)**, la cave coopérative propose, dans un style très classique, ce muscat intense et complexe dans ses évocations de pâte de coing, de cire d'abeille, de rose épanouie. La bouche est liquoreuse avec une nuance sucrée de pistil de fleur de bignone. La finale, légèrement acidulée, conclut la dégustation sur des notes de confiture de citrons.
⌐ SCA Coop. de Frontignan,
14, av. du Muscat, 34110 Frontignan,
tél. 04.67.48.12.26, fax 04.67.43.07.17 ☑ ⟂ r.-v.

CH. DE STONY 2000

	7 ha	30 000	■↓ 8 à 11 €

En 1972, ce domaine s'est totalement investi dans la culture exclusive du muscat à petits grains. Il doit son nom à l'importante charge caillouteuse du sol (de l'anglais *stony* : pierreux). Son muscat de frontignan, or soutenu, livre des arômes intenses et variés : se mêlent harmonieusement verveine, citronnelle, feuille de citronnier froissée, fleur d'oranger et fruits confits. La finale propose une amertume savoureuse qui contribue à l'équilibre du vin.
⌐ Frédéric et Henri Nodet, Ch. de Stony,
La Peyrade, rte de Balaruc, 34110 Frontignan,
tél. 04.67.18.80.30, fax 04.67.43.24.96,
e-mail benoit.nodet@libertysurf.fr
☑ ⟂ t.l.j. sf dim. 10h-12h30 14h30-19h

Muscat de beaumes-de-venise

Au nord de Carpentras, sous les impressionnantes Dentelles de Montmirail, le paysage doit son aspect à des calcaires grisâtres et à des marnes rouges. Une partie des sols est formée de sables, de marnes et de grès, une autre de terrains tourmentés datant du trias et du jurassique. Ici encore, le seul cépage est le muscat à petits grains ; mais dans certaines parcelles, une mutation donne des raisins roses. Les vins (16 000 hl en 2001) doivent avoir au moins 110 g de sucre par litre de moût ; ils sont aromatiques, fruités et fins, et conviennent parfaitement à l'apéritif ou sur certains fromages.

VIGNERONS DE BEAUMES-DE-VENISE
Muscat des Papes 2001★★

	200,36 ha	40 000	■↓ 8 à 11 €

Vinifié par la cave coopérative, ce muscat des Papes est d'une belle couleur or clair brillant, à reflets roses. Les arômes puissants mêlent le bourgeon de cassis, la feuille de citronnier fraîchement froissée et les agrumes. L'attaque en bouche est vive, citronnée et la finale légèrement acidulée.
⌐ Cave des Vignerons de Beaumes-de-Venise,
quartier Ravel, 84190 Beaumes-de-Venise,
tél. 04.90.12.41.00, fax 04.90.65.02.05,
e-mail vignerons@beaumes-de-venise.com ⟂ r.-v.

DOM. BOULETIN 2001

	6 ha	23 000	■↓ 8 à 11 €

La robe or clair, brillante, aux reflets verts, invite à découvrir un nez original aux nuances végétales de verveine, de menthe et d'eucalyptus. En bouche, la liqueur est savoureuse et les arômes se développent sur le miel et la garrigue. La finale élégante s'enrichit d'une très légère amertume donnant une sensation très fraîche.
⌐ Dom. Bouletin et Fils, quartier Les Plantades,
84190 Beaumes-de-Venise, tél. 04.90.62.95.10,
fax 04.90.62.98.23 ☑ ⟂ r.-v.

DOM. DE DURBAN 2001

	24,83 ha	n.c.	■ 8 à 11 €

La propriété date du Moyen Age, les bâtiments que l'on découvre aujourd'hui étant ceux d'une ancienne ferme fortifiée. A l'ombre de ces murs séculaires, la famille Leydier élabore ses vins avec le plus grand soin. Son muscat est d'une couleur légère à reflets jaune paille. Le nez d'une grande finesse développe ses nuances de poire surmûrie, d'agrumes, de raisin mûr et d'abricot confit, tandis que la bouche offre un bel équilibre entre fraîcheur et liqueur.
⌐ SCEA Leydier et Fils,
Dom. de Durban, 84190 Beaumes-de-Venise,
tél. 04.90.62.94.26, fax 04.90.65.01.85
☑ ⟂ t.l.j. sf dim. 9h-12h 14h-18h

DOM. DE FONTAVIN 2001★

	1,7 ha	7 700	■↓ 8 à 11 €

Depuis plusieurs années, ce domaine trouve sa place dans le Guide. Le millésime 2001 est tout en fraîcheur :

robe d'or pâle brillant, arômes d'agrumes (pomelo, citron vert), de fleurs et de menthe. La bouche est à l'avenant, à la fois finement acidulée et d'une belle rondeur.

☛ EARL Hélène et Michel Chouvet, Dom. de Fontavin, 1468, rte de la Plaine, 84350 Courthézon, tél. 04.90.70.72.14, fax 04.90.70.79.39, e-mail helene-chouvet@fontavin.com
☑ ⦵ t.l.j. sf dim. 9h-12h 14h-18h; été 9h-19h; groupes sur r.-v.

GABRIEL MEFFRE
Laurus 2000★

	3 ha	8 000	▯⦵ 11 à 15 €

Laurus est la gamme de prestige de la maison Gabriel Meffre. De petits lots de raisins ont été sélectionnés et vinifiés avec le plus grand soin. Dans sa bouteille de 50 cl à l'élégante présentation, transparaît une robe d'or brillant. Les arômes sont très expressifs et variés : rose épanouie, fruits exotiques mûrs (mangue, ananas), citronnelle. La finale fraîche propose un accent légèrement mentholé.

☛ Gabriel Meffre, Le Village, 84190 Gigondas, tél. 04.90.12.30.22, fax 04.90.12.30.29 ☑ ⦵ r.-v.

J. VIDAL-FLEURY
Réserve 2001★★

	3 ha	12 000	▯⦵ 11 à 15 €

Cette ancienne maison de négoce, fondée en 1781, œuvre pour porter haut les couleurs de l'appellation. Sa cuvée 2001 se présente remarquablement dans son habit or légèrement rosé. Les arômes à la fois puissants et aériens font la part belle à la rose et aux fruits frais. Puis la bouche offre un réel équilibre entre un caractère charnu et une sensation finement acidulée. Un beau vin classique, ouvert et élégant.

☛ J. Vidal-Fleury, 19, rte de la Roche, 69420 Ampuis, tél. 04.74.56.10.18, fax 04.74.56.19.19 ☑ ⦵ r.-v.

DOM. DU VIEUX PIGEONNIER 2000

	12,5 ha	20 000	▯⦵ 11 à 15 €

Dans cet ancien relais de pigeons voyageurs, Thierry Veaute a élaboré un très beau muscat traditionnel distribué par Gabriel Meffre. La robe d'or jaune franc annonce des arômes confits (kumquat, poire au sirop) soulignés d'une nuance originale d'hydromel. Le palais est enveloppé par la liqueur ; une légère vivacité en finale lui donne du caractère.

☛ Gabriel Meffre, Le Village, 84190 Gigondas, tél. 04.90.12.32.42, fax 04.90.12.32.49
☛ Thierry Veaute

Muscat de lunel

Le terroir de Lunel est principalement constitué de « gress » cailloutis sur plusieurs mètres d'épaisseur à ciment d'argile rouge. Le vignoble se localise sur ces nappes caillouteuses, au sommet des coteaux. Ici encore, seul le muscat à petits grains est utilisé ; les vins finis doivent avoir au minimum 125 g de sucre. 11 000 hl ont été élaborés pour le millésime 2001.

MAS DE BELLEVUE 2001★

	6 ha	26 000	▯⦵ 8 à 11 €

Le talent de Francis Lacoste se confirme tous les ans. Le jury cite le **Clos Bellevue Vieilles vignes 2001 (11 à 15 €)**, mais a été plus sensible encore à la dégustation de ce vin or pâle à reflets verts, aux arômes puissants de poire, de pamplemousse et d'anis. La bouche est à l'avenant, avec des notes de zeste de citron et une pointe mentholée en finale. L'élégance est au rendez-vous.

☛ Francis Lacoste, Dom. de Bellevue, rte de Sommières, 34400 Lunel, tél. 04.67.83.24.83, fax 04.67.71.48.23, e-mail muscatlacoste@wanadoo.fr
☑ ⦵ t.l.j. sf dim. 9h-19h; hiver 9h-18h; groupes sur r.-v.

CH. GRES SAINT-PAUL
Sévillane 2000★★

	3 ha	8 525	▯⦵ 8 à 11 €

Ce domaine de près de 8 ha se situe non loin de l'oppidum d'Ambrussum, construit au IVᵉ s. avant J.-C. sur un site occupé dès la préhistoire. Vêtue d'or intense, cette belle Sévillane a séduit le jury par ses arômes complexes nuancés d'une note d'évolution : pétales de rose, verveine, liqueur de mandarine et gentiane. La bouche embaume l'écorce de pamplemousse confite. Liqueur et vivacité se fondent en un bel équilibre.

☛ Ch. Grès Saint-Paul, rte de Restinclières, 34400 Lunel, tél. 04.67.71.27.90, fax 04.67.71.73.76, e-mail contact@gres-saint-paul.com
☑ ⦵ t.l.j. sf dim. 9h-12h 15h-19h

LES VIGNERONS DU MUSCAT DE LUNEL
Cuvée Prestige 2001★

	19 ha	65 000	▯⦵ 5 à 8 €

La toponymie permet de retracer l'histoire ancienne de nombreux villages du Languedoc-Roussillon. Des propriétaires gallo-romains ont, par exemple, donné leur nom à des *villae* aujourd'hui devenues communes. Ainsi d'un

VDN

certain Verus que l'on retrouve dans Vérargues. La cave coopérative installée à Vérargues propose un muscat or intense à reflets verts étincelants qui livre de puissants arômes de pâte de fruits citronnée, de rose épanouie, soulignés d'une pointe minérale. La bouche liquoreuse, confite (pâte de coing, abricot) et tout en fraîcheur s'achève sur une finale longue. Un beau et grand classique.
📞 Les Vignerons du Muscat de Lunel, rte de Lunel-Viel, 34400 Vérargues, tél. 04.67.86.00.09, fax 04.67.86.07.52, e-mail info@muscat-lunel.com ✓ Ⓣ r.-v.

DOM. DE SAINT-PIERRE DE PARADIS
Vendanges d'Automne 2000★

	3 ha	5 000	▮▯⚀⚁ 8 à 11 €

Le domaine de Saint-Pierre de Paradis correspond à un ancien prieuré des Cordeliers construit en 1343. La coopérative du muscat-de-lunel y a produit ce vin ambré à reflets roux, dont le nez puissant et évolué rappelle les raisins secs, le caramel et la mandarine confite. La bouche très longue développe des nuances de vanille et de café, héritage d'un élevage en fût de douze mois. Un vin original et harmonieux. (Bouteille de 50 cl.)
📞 Les Vignerons du Muscat de Lunel, rte de Lunel-Viel, 34400 Vérargues, tél. 04.67.86.00.09, fax 04.67.86.07.52, e-mail info@muscat-lunel.com ✓ Ⓣ r.-v.

Muscat de mireval

C e vignoble s'étend entre Sète et Montpellier, sur le versant sud du massif de la Gardiole, et est limité par l'étang de Vic. Les sols sont d'origine jurassique et se présentent sous forme d'alluvions anciennes de cailloutis calcaires. Le cépage est uniquement le muscat à petits grains ; il a donné, en 2001, 8 000 hl de vins doux naturels.

L e mutage est effectué assez tôt, car les vins doivent avoir un minimum de 125 g de sucre ; ils sont moelleux, fruités et liquoreux.

DOM. DE LA MAGDELAINE 2000★★★

	2,51 ha	5 000	▮⚀ 8 à 11 €

Une cuve baptismale est le seul vestige de l'église romane Sainte-Magdelaine qui s'élevait sur ce site. Elle figure sur l'étiquette de ce vin somptueux dans sa robe vieil or intense et brillant. Les arômes puissants et complexes mêlent le litchi, la rose épanouie, le pain d'épice, l'écorce d'orange confite et la liqueur de citron. Une onctuosité et un équilibre remarquables ont fini de conquérir le jury.

📞 Catherine Sicard-Géroudet, La Magdelaine d'Exindre, 34750 Villeneuve-lès-Maguelone, tél. 04.67.69.49.77, fax 04.67.69.49.77 ✓ ⌂ Ⓣ r.-v.

DOM. DU MAS NEUF 2001★★

	62 ha	106 666	▮⚀ 5 à 8 €

A 5 km de ce domaine, ne manquez pas de visiter la commune isolée de Villeneuve-lès-Maguelone qui possède une église romane des XIᵉ et XIIᵉ s. si rigoureuse dans son architecture qu'elle annonce les églises fortifiées rencontrées sur le littoral. Rien d'austère en revanche dans ce vin or très clair à reflets verts, qui offre des nuances complexes de raisin mûr, d'agrumes et de menthol. On croque le grain de raisin dans ce muscat vif et élégant.
📞 Bernard-Pierre Jeanjean, Mas Neuf des Aresquiers, 34110 Vic-la-Gardiole, tél. 04.67.78.37.44, fax 04.67.78.37.46

LE CLOS DE TURENNE 2000★

	3 ha	10 000	▮⚀ 5 à 8 €

La couleur est d'or paille à reflets verts. Les arômes intenses évoquent les pétales de rose, les fruits surmûris (pâte de coing) et le citron. L'équilibre en bouche est parfaitement réalisé entre liqueur et fraîcheur. Un beau classique de l'appellation.
📞 Elisabeth et Brigitte Jeanjean, Dom. Mas Neuf des Aresquiers, 34110 Vic-la-Gardiole, tél. 04.67.78.37.44, fax 04.67.78.37.46

Muscat de saint-jean-de-minervois

C e muscat est produit par un vignoble perché à 200 m d'altitude et dont les parcelles s'imbriquent dans un paysage classique de garrigue. Il s'ensuit une récolte tardive, près de trois semaines environ après les autres appellations de muscat. Le vignoble est implanté sur des sols calcaires d'un blanc étincelant où apparaît parfois la coloration rouge de l'argile. Là encore, seul le muscat à petits grains est autorisé ; les vins obtenus doivent avoir un minimum de 125 g de sucre. Ils sont très aromatiques, avec beaucoup de finesse, de fraîcheur et des notes florales caractéristiques. C'est la plus petite AOC de muscat sur le continent avec une production de 5 000 hl en 2001.

DOM. DE BARROUBIO
Cuvée Nicolas Vieilles vignes 2000★

	1 ha	5 000		■ 11 à 15 €

Derrière une belle couleur ambré clair s'évase un nez riche, aux accents de fruits cuits (poire) et confits, de pain d'épice et de fruits secs. La bouche est gourmande, concentrée avec des arômes de noisette, de pâte d'amande et une jolie finale de liqueur de mandarine. Un vin original et puissant. (Bouteilles de 50 cl.)

➤ Raymond Miquel, Dom. de Barroubio,
34360 Saint-Jean-de-Minervois, tél. 04.67.38.14.06,
fax 04.67.38.14.06 ☑ ⛪ ⍨ t.l.j. 10h-12h 15h-19h

LE MUSCAT
Petit Grain 2000★★

	150 ha	100 000		■⌕ 8 à 11 €

Egalement commercialisé par les vignerons de la Méditerranée, ce muscat a ravi les dégustateurs dans sa robe or franc à reflets paille. Il exhale des arômes intenses, à la fois frais et floraux (seringa) et légèrement évolués (orange confite, résine). L'attaque en bouche est douce, puis se développent des nuances confites de citron vert et des notes mentholées. Une fine pointe acidulée relève la finale.

➤ Cave coopérative Le Muscat,
34360 Saint-Jean-de-Minervois,
tél. 04.67.38.03.24, fax 04.67.38.23.38
☑ ⍨ t.l.j. sf sam. dim. 8h-12h 14h-16h

Rasteau

Tout au nord du département du Vaucluse, ce vignoble s'étale sur deux formations distinctes : sols de sables, marnes et galets au nord ; terrasses d'alluvions anciennes du Rhône (quaternaire), avec des galets roulés, au sud. Partout, le cépage utilisé est le grenache. La production moyenne est confidentielle : de 1 500 à 2 000 hl.

DOM. BEAU MISTRAL
Vieilli en fût de chêne★

	3 ha	8 000	⊞ 8 à 11 €

Rasteau doit beaucoup au mistral qui permet à la fois d'assainir le climat autour des ceps de vieux grenaches et d'apporter la concentration nécessaire pour la maturité du raisin. Ces vins se prêtent à l'élevage en bois. L'ambré de la robe, les senteurs de fruits confits et de figue, un début de rancio caractérisent cette jolie cuvée dont le palais est marqué par l'orange amère confite. A réserver au dessert.

➤ Jean-Marc Brun, Le Village, rte d'Orange,
84110 Rasteau, tél. 04.90.46.16.90, fax 04.90.46.17.30
☑ ⍨ t.l.j. 8h-12h 14h-19h

DOM. DE BEAURENARD 1999★

■	0,4 ha	2 200	⊞ 15 à 23 €

Une production confidentielle proposée par cette ancienne famille de vignerons bien connue de nos lecteurs. Il est bon de faire partager le plaisir que donne la dégustation de ce vin doux naturel au rouge profond, intense, aux odeurs de raisin en vendange, de violette et de réglisse. Encore jeune, le tanin très présent veut attendre. Dans l'immédiat, c'est la cerise qui se croque. Ce rasteau s'appréciera sur une soupe de fruits des bois.

➤ SCEA Paul Coulon et Fils,
Dom. de Beaurenard, 84231 Châteauneuf-du-Pape,
tél. 04.90.83.71.79, fax 04.90.83.78.06,
e-mail paul.coulon@beaurenard.fr
☑ ⍨ t.l.j. sf dim. 9h-12h 13h30-17h30; groupes sur r.-v.

DOM. BRESSY MASSON
Rancio★★

	2 ha	3 000	⊞ 8 à 11 €

Encore une fois, le domaine de Marie-France Masson revient en force avec un superbe Rancio. Dès l'approche, l'ambre et le roux accompagnent la nuance du rancio. La noix, le cuir, les fruits torréfiés se partagent le nez, mais c'est en bouche que l'expression est la plus accomplie. Le vin est ample, généreux, à la fois fondu et plein, autour du fruit sec et d'une finale interminable sur la noix.

➤ Marie-France Masson,
Dom. Bressy-Masson, rte d'Orange, 84110 Rasteau,
tél. 04.90.46.10.45, fax 04.90.46.17.78
☑ ⍨ t.l.j. 9h-12h 14h-19h

CAVE DE RASTEAU★

	16 ha	60 000	■⊞⌕ 5 à 8 €

Depuis 1944, avec quiétude, la cave exprime son savoir-faire au travers de vins doux naturels réputés. Longtemps spécialisée dans les blancs, elle se signale aujourd'hui également par une **Signature 98 rouge (8 à 11 €)** de belle facture. Le jury a été séduit par la robe d'ambre clair, légèrement saumoné, et par les notes miellées de ce blanc ample, riche, encore sur la fleur et le tabac blond. Délicat, fin, il surprend par une finale très fraîche.

➤ Cave de Rasteau, rte des Princes-d'Orange,
84110 Rasteau, tél. 04.90.10.90.10, fax 04.90.46.16.65,
e-mail rasteau@rasteau.com ☑ ⍨ r.-v.

VDN

Connu depuis l'Antiquité sous le nom de « raisin des abeilles », le muscat à petits grains, d'origine grecque, fut introduit par les Romains dans la province Narbonnaise. Ses vignes sont appelées « muscatières ».

Muscat du cap corse

L'appellation muscat du cap corse a été reconnue par décret en date du 26 mars 1993. C'est l'aboutissement des longs efforts d'une poignée de vignerons regroupés sur les terroirs calcaires de Patrimonio et ceux schisteux de l'AOC vin de corse-coteaux du cap corse, soit 17 communes de l'extrême nord de l'île. La production confidentielle est d'environ 2 300 hl.

Seuls les vins élaborés à partir de muscat blanc à petits grains, répondant aux conditions de production des vins doux naturels et titrant au moins 95 g/l de sucres résiduels, peuvent prétendre à l'appellation.

DOM. ALISO-ROSSI
Sélection Groccia d'Oru 2001

	3 ha	4 000		15 à 23 €

Les dégustateurs ont apprécié ce muscat original, rappelant les vins liquoreux du Sud-Ouest. La bouche évoque le printemps par ses notes de fleurs qui se mêlent agréablement aux saveurs de fruits secs et d'abricot.
🍷 Dom. Aliso-Rossi, 20246 Santo-Pietro-di-Tenda, tél. 04.95.37.03.03, fax 04.95.37.71.80 ☑ ⍑ r.-v.

DOM. GENTILE 2001★

	4 ha	16 300		11 à 15 €

Dominique Gentile sait exprimer la quintessence de sa vigne. Ce muscat aux arômes complexes de fleurs blanches et de raisin mûr se fait rond et gourmand, tapissant savoureusement le palais de flaveurs muscatées, soulignées de quelques notes de fruits secs et d'abricot. La finale très soutenue renforce l'impression du dégustateur de croquer un grain de muscat. Un vin très équilibré, que vous savourerez à l'apéritif ou au dessert. Un conseil : gardez quelques bouteilles en cave.
🍷 Dom. Gentile, Olzo, 20217 Saint-Florent, tél. 04.95.37.01.54, fax 04.95.37.16.69, e-mail domaine.gentile@wanadoo.fr ☑ ⍑ t.l.j. sf dim. 8h30-12h 14h30-18h30; r.-v. hors saison

DOM. GIUDICELLI 2001

	5,17 ha	18 000		11 à 15 €

C'est un vin intense que vous propose Muriel Giudicelli. Si l'alcool semble légèrement plus marqué que le fruité à ce jour, quelques mois de patience inverseront la tendance. À déguster bien frais à l'apéritif.
🍷 Muriel Giudicelli, Hameau Paese Novu, 20213 Penta di Casinca, tél. 04.95.36.45.10, fax 04.95.36.45.10, e-mail muriel.giudicelli@wanadoo.fr ☑ ⍑ r.-v.

DOM. LAZZARINI 2001★

	n.c.	2 000		8 à 11 €

L'expérience et le savoir-faire des Lazzarini se traduisent régulièrement dans des muscats de qualité. Ce millésime séduit par une belle couleur et un nez expressif. Ampleur et longueur le distinguent : les composantes aromatiques se fondent dans la matière et le gras enveloppe le palais. Une valeur sûre.
🍷 GAEC Lazzarini, rte de la Cathédrale, 20217 Saint-Florent, tél. 04.95.37.18.61, fax 04.95.37.13.17 ☑ ⍑ t.l.j. 8h-19h; f. nov. à mars

CLOS MARFISI 2001★★

	3 ha	13 000		11 à 15 €

2001   2001
Muscat du Cap Corse
APPELLATION MUSCAT DU CAP CORSE CONTRÔLÉE
Vin doux Naturel
16,9% vol   Mis en bouteille à la propriété   75 cl
MARFISI TOUSSAINT · PROPRIÉTAIRE RÉCOLTANT
PATRIMONIO - CORSE
Product of France

Toussaint Marfisi, vigneron à Patrimonio depuis 1956, cultive ses 12 ha de vignes à l'entrée du cap Corse. Son superbe muscat a fait battre très fort le cœur du grand jury. Il suffit d'humer les arômes intenses, riches et complexes, à la fois fruités et floraux, pour partager son plaisir. D'un équilibre parfait, le vin s'installe pour longtemps au palais et emporte le dégustateur sur des flaveurs de fruits secs, d'abricot et de caramel. À l'apéritif, il vous éblouira ; au dessert, il vous comblera. N'hésitez pas à le laisser vieillir.
🍷 Toussaint Marfisi, Clos Marfisi, av. Jules-Ventre, 20253 Patrimonio, tél. 04.95.37.07.49, fax 04.95.37.06.37 ☑ ⍑ t.l.j. 9h-13h 16h-20h; f. jan.-fév.

CLOS MONTEMAGNI
Cuvée Prestige du Menhir 2001★★

	12 ha	10 000		11 à 15 €

Procurez-vous sans hésitation ce muscat finaliste au grand jury. Mais attention, les bouteilles sont comptées... Sous une teinte jaune pâle aux reflets changeants s'épanouit un nez très typé, à la fois puissant et fin. Subtil et harmonieux, le vin présente un équilibre parfait qui le distinguera dans les grandes occasions.
🍷 SCEA Montemagni, 20253 Patrimonio, tél. 04.95.37.14.46, fax 04.95.37.17.15 ☑ ⍑ t.l.j. 8h-12h 14h-18h

DOM. ORENGA DE GAFFORY 2001

	10 ha	35 000		8 à 11 €

Un muscat très clair, moderne et traditionnel à la fois, qui accompagnera fort bien un *fiadone*. Le nez discrètement fruité promet de s'ouvrir dans les mois à venir. Goûtez sa matière : elle est déjà intense et équilibrée.
🍷 GFA Orenga de Gaffory, Lieu-dit Morta-Majo, 20253 Patrimonio, tél. 04.95.37.45.00, fax 04.95.37.14.25, e-mail orenga.de.gaffory@wanadoo.fr ☑ ⍑ t.l.j. sf sam. dim. 9h-12h 13h30-18h; groupes sur r.-v.
🍷 H. Orenga et P. de Gaffory

DOM. PIERETTI 2001★★

| | 0,75 ha | n.c. | ▮↓ 11 à 15 € |

Habituée du Guide, Lina Pieretti Venturi offre cette année encore un muscat très harmonieux, finaliste au grand jury. Complexe et fin, celui-ci dévoile au dégustateur ses arômes de fleurs blanches et de fruits frais mêlés. Puissance et équilibre s'imposent ; une légère vivacité renforce l'agrément et fait de ce vin un parfait compagnon de l'apéritif. Si une dégustation immédiate vous apportera entière satisfaction, réservez-vous d'autres moments de plaisir en conservant quelques bouteilles.
↰ Lina Venturi, Santa-Severa, 20228 Luri, tél. 04.95.35.01.03, fax 04.95.35.01.03 ☑ ⵏ r.-v.

DOM. SAN QUILICO 2001

| | 3 ha | n.c. | ▮↓ 8 à 11 € |

La propriété située sur la commune de Poggio d'Oletta bénéficie d'une exposition privilégiée, face au soleil couchant. Ce muscat possède un fort caractère : très muscaté, il parle de ses origines tout en se développant avec équilibre et finesse.
↰ EARL Dom. San Quilico, Lieu-dit Morta-Majo, 20253 Patrimonio, tél. 04.95.37.45.00, fax 04.95.37.14.25, e-mail orenga.de.gaffory@wanadoo.fr
☑ ⵏ t.l.j. sf sam. dim. 9h-12h 13h30-18h; groupes sur r.-v.

VDN

LES VINS DE LIQUEUR

L'appellation contrôlée ne s'appliquait qu'au pineau des charentes pour la dénomination « vin de liqueur » (désignation communautaire VLQPRD), à l'exception très rare de quelques frontignans ; le 27 novembre 1990, le floc de gascogne et le 14 novembre 1991, le macvin du jura ont rejoint l'appellation contrôlée « vin de liqueur ». Ce produit est le fruit d'un assemblage de moût en fermentation avec une eau-de-vie d'origine vinique. En tout état de cause, les produits « vins de liqueur » auront un titre alcoométrique compris entre 16 et 22 % vol. L'addition de l'eau-de-vie sur le moût est appelée « mutage » ; dans les deux cas, l'eau-de-vie et le moût sont originaires de la même exploitation.

Pineau des charentes

Le pineau des charentes est produit dans la région de Cognac qui forme un vaste plan incliné d'est en ouest d'une altitude maximum de 180 m, et qui s'abaisse progressivement vers l'océan Atlantique. Le relief est peu accentué. Le climat, de type océanique, est caractérisé par un ensoleillement remarquable, avec de faibles écarts de température qui favorisent une lente maturation des raisins.

Le vignoble, traversé par la Charente, est implanté sur des coteaux au sol essentiellement calcaire et couvre plus de 80 000 ha, dont la destination principale est la production du cognac. Celui-ci va être « l'esprit » du pineau des charentes : ce vin de liqueur est en effet le résultat du mélange des moûts des raisins charentais partiellement fermentés avec du cognac.

Selon la légende, c'est par hasard qu'au XVIᵉ s. un vigneron un peu distrait commit l'erreur de remplir de moût de raisin une barrique qui contenait encore du cognac. Constatant que ce fût ne fermentait pas, il l'abandonna au fond du chai. Quelques années plus tard, alors qu'il s'apprêtait à vider la barrique, il découvrit un liquide limpide, délicat, à la saveur douce et fruitée : ainsi serait né le pineau des charentes. Le recours à cet assemblage se poursuit aujourd'hui encore, de la même façon artisanale à chaque vendange, car le pineau des charentes ne peut être élaboré que par les viticulteurs. Restée locale pendant longtemps, sa renommée s'étendit peu à peu à toute la France, puis au-delà de nos frontières.

Les moûts de raisins proviennent essentiellement, pour le pineau des charentes blanc, des cépages ugni blanc, colombard, montils et sémillon auxquels peuvent être adjoints les merlot et cabernet franc ou sauvignon, et, pour le rosé, des cabernet franc, cabernet-sauvignon et merlot. Les ceps doivent être conduits en taille courte et cultivés sans engrais azotés. Les raisins devront donner un moût dépassant les 170 g de sucre par litre en puissance. Le pineau des charentes vieillit en fût de chêne pendant au minimum une année.

Il ne peut sortir de la région que mis en bouteilles. Comme en matière de cognac, il n'est pas d'usage d'indiquer le millésime. En revanche, un qualificatif d'âge est souvent spécifié. Le terme « vieux pineau » est réservé au pineau de plus de cinq ans et celui de « très vieux pineau » au pineau de plus de dix ans. Dans ces deux cas, il doit passer son temps de vieillissement exclusivement en barrique et la qualité de ce vieillissement doit être reconnue par une commission de dégustation. Le degré alcoolique est généralement compris entre 17 % vol. et 18 % vol. et la teneur en sucre non fermenté de 125 à 150 g ; le rosé est par essence généralement plus doux et plus fruité que le blanc, lequel est plus nerveux et plus sec. La production annuelle dépasse 120 000 hl : 55 % de blanc et 45 % de rosé. Six cents producteurs-récoltants et sept coopératives élaborent et commercialisent le pineau des charentes. Cent négociants représentent plus de 40 % du marché de détail.

Nectar de miel et de feu, dont la merveilleuse douceur dissimule une certaine traîtrise, le pineau des charentes peut être consommé jeune (à partir de deux ans) ; il donne alors tous ses arômes de fruits, encore plus abondants dans le rosé. Avec l'âge, il prend des parfums de rancio très caractéristiques. Par tradition, il se consomme à l'apéritif ou au dessert ; cependant, de nombreux gastronomes ont noté que sa rondeur accompagne le foie gras et le roquefort, que son moelleux intensifie le goût et la douceur de certains fruits, principalement le melon (charentais), les fraises et les framboises. Il est utilisé également en cuisine pour la confection de plats régionaux (mouclades).

CLAUDE AUDEBERT
Vieux★

	6 ha	4 000	🍶 15 à 23 €

Vieux pineau blanc : issu de vignes d'ugni blanc et de colombard, il est habillé d'une très jolie robe vieil or, limpide et brillante, aussi élégante que la maison du XVIIIᵉs. qui l'a vu naître. Les parfums ne déçoivent pas, de belles notes de rancio se mariant aux notes de fruits secs, de coing et à des touches de noix. L'attaque est souple, puis l'évolution est riche, ample, avec des notes grillées et un rancio bien développé.
🍷 Claude Audebert, Les Villairs, 16170 Rouillac,
tél. 05.45.21.76.86, fax 05.45.96.81.36 ☑ 🍸 t.l.j. 9h-19h

DOM. D'AUDEVILLE★

	1,8 ha	4 500	🍶 8 à 11 €

Le domaine d'Audeville existe depuis 1771. Sylvie et Pascal Sauzeau ont repris la tête de l'exploitation en 1985 et ont créé leur marque en 1992. Ce pineau d'ugni blanc a une très belle robe jaune or brillant. Les nuances odorantes sont riches, intenses (notes confites avec du miel et des fleurs d'acacia soulignées par un boisé bien présent). Atteindra sa plénitude dans quelques mois.
🍷 Sylvie et Pascal Sauzeau, Audeville, 16120 Malaville, tél. 05.45.97.53.00, fax 05.45.97.53.00 ☑ 🍸 r.-v.

BARBEAU ET FILS
Sélection★★

	1 ha	9 000	🍶 8 à 11 €

Le jury a salué la belle harmonie générale de ce pineau rosé issu de vieilles vignes 100 % merlot noir : une jolie robe rose aux reflets rubis brillant l'habille. Après un nez de belle intensité, ce vin de liqueur explose de petits fruits rouges (fraise et framboise) en bouche avec une nuance supplémentaire de cerise. L'attaque est souple et ronde, l'équilibre long et harmonieux.
🍷 Maison Barbeau et Fils, Les Vignes, 17160 Sonnac, tél. 05.46.58.55.85, fax 05.46.58.53.62 ☑ 🍸 r.-v.

VEUVE BARON ET FILS
Vieux Logis de Brissac★★

	2 ha	4 000	🍶 11 à 15 €

Habitué du Guide, récompensé cette année par un coup de cœur, ce vieux pineau blanc, assemblage de 25 % de colombard et 75 % d'ugni blanc, de vignes de trente ans, présente une somptueuse robe vieil or, limpide, aux reflets orangés. Discret au premiez nez, il s'exprime parfaitement après agitation ; il est perceptible à travers des notes de fruits secs, de pain d'épice et d'un rancio très fin. L'attaque très souple dévoile un superbe équilibre sucre-

acidité. L'évolution est ronde et complexe avec la présence de fruits confits et à nouveau - on ne s'en lasse pas - un rancio discret. La finale harmonieuse offre un rappel de toutes les nuances perçues jusque-là.
🍷 Jean-Michel Baron, Logis du Coudret, 16370 Cherves-Richemont, tél. 05.45.83.16.27, fax 05.45.83.18.67, e-mail veuvebaron@wanadoo.fr
☑ 🍸 t.l.j. sf dim. 14h-18h30

JEAN-RENE BATARD★

	2 ha	3 500	🍾🍶 8 à 11 €

Circuit d'églises romanes ponctué par de nombreuses curiosités - fontaines romaines de Vénérand, fours de potier, fours à chaux -, tout vous invite à découvrir cette région ainsi que cette famille qui a maintenu une double activité jusqu'aux années 1920 : poterie et viticulture. D'une couleur franche, rouge rubis aux reflets tuilés, ce pineau a des fragrances de fruits rouges, cerise principalement. La bouche est volumineuse et charnue à forte dominance fruitée. Les tanins et l'acidité s'équilibrent parfaitement et la longueur est généreuse et fine.
🍷 Jean-René Batard, 8, chem. des Sous-bois, 17100 Vénérand, tél. 05.46.97.27.16, fax 05.46.97.27.16
☑ 🏠 🍸 r.-v.

PASCAL CHAIGNIER
Très Vieux★

	n.c.	n.c.	🍶 11 à 15 €

Magasin de vente à Jonzac, place de la République, où est exposé un alambic avec une présentation de la vie de l'exploitation et du cycle végétatif de la vigne. Très vieux, il paraît d'une couleur jaune doré, presque bronze très limpide. Le nez est fin avec une bonne intensité de rancio et des arômes d'orange confite. Bien équilibré, ce pineau est moelleux et bien veilli. La figue sèche termine la dégustation.
🍷 Pascal Chaignier, Lussac, 17500 Jonzac, tél. 05.46.48.31.63, fax 05.46.48.31.63 ☑

PASCAL CLAIR★

	1 ha	3 500	🍶 8 à 11 €

Exploitation traditionnelle de petite champagne depuis le milieu du XIXᵉs., ce domaine propose un pineau rouge cerise. La framboise est présente tout au long de la dégustation avec une note acidulée. Equilibrée et fine, cette bouteille joue sur la délicatesse.
🍷 EARL Pascal Clair, La Genébrière, 17520 Neuillac, tél. 05.46.70.22.01, fax 05.46.48.06.77 ☑ 🍸 r.-v.

JEAN-NOEL COLLIN
Vieux★

	1 ha	3 000	🍶 15 à 23 €

Au sud de Cognac, Salles d'Angles offre au visiteur un musée d'outils vignerons et d'élaboration du cognac.

Installée depuis 1850, cette famille mérite elle aussi votre visite pour ce vieux pineau blanc paré d'une belle très belle robe jaune doré, aux reflets orangés, limpide et brillante. Le premier nez est intense, élégant, fondu avec des nuances de pain d'épice et de miel puis des notes de noix apparaissent avec force. Le rancio final est délicatement lié aux notes de fruits secs et à la noix dans une longue et très riche persistance.

↪ Jean-Noël Collin, La Font-Bourreau, 16130 Salles-d'Angles, tél. 05.45.83.70.77, fax 05.45.83.66.89, e-mail jean-noel.collin@wanadoo.fr ☑ Ⴤ t.l.j. 8h-20h

LE CROIX DES GRAVES★★

	2,8 ha	3 000		5 à 8 €

Bernard Loriaud pratique la lutte raisonnée et est resté fidèle à un mode de culture traditionnel. Il a racheté en 1989 le domaine de la Croix des Graves situé à Mirambeau sur les coteaux de l'estuaire de la Gironde, sur la route de Saint-Jacques-de-Compostelle. La couleur de ce pineau est intense, grenat foncé brillant. Le nez traduit toujours l'intensité, la puissance et paradoxalement la finesse. Les arômes dominants sont fruités (framboise, myrtille, griotte) avec des notes caramélisées. Harmonieux et équilibré, moelleux, avec toujours la même dominante de framboise élégante, de la rare myrtille et de la fraise évoquée en finale. D'une belle complexité, ce pineau a fait l'unanimité du grand jury.

↪ Bernard Loriaud, 36, av. de la République, Le Bourg, 17240 Saint-Ciers-du-Taillon, tél. 05.46.49.72.16, fax 05.46.48.25.01 ☑ Ⴤ r.-v.

RICHARD DELISLE★

	n.c.	50 000		5 à 8 €

Marque d'une maison de négoce, ce pineau des charentes est paré d'une robe jaune paille aux reflets or très limpide. Le nez complet, net est de belle intensité avec des notes confites. Rond et équilibré, il a des arômes fruités bien présents et un goût de miel. Cette bouteille encore jeune possède toutes les qualités pour devenir une grande.

↪ SARL Hawkins Distribution, Moulineuf, 16200 Bourg-Charente, tél. 05.45.81.11.30, fax 05.45.81.11.31, e-mail contact@hawkins-distribution.com ☑

DHIERSAT★

	6 ha	25 000		8 à 11 €

Assemblage réussi de merlot et de cabernet à parts égales, ce rosé à la robe foncée d'une belle intensité se révèle puissant, rond et harmonieux, dominé par des arômes de fruits rouges, légèrement confits (cassis et framboise). Souple et moelleuse, la bouche évolue tout en rondeur pour persister longuement : des notes grillées et torréfiées donnent un pineau complexe et accompli. Le **Très Vieux pineau blanc** obtient une citation.

↪ Jean-Claude Dhiersat, Le Breuil, 16170 Rouillac, tél. 05.45.21.75.75, fax 05.45.96.52.74, e-mail dhiersat@libertysurf.fr ☑ Ⴤ t.l.j. sf dim. 9h-12h 14h-18h

DROUET ET FILS
X'Cep★

	1 ha	2 000		15 à 23 €

Depuis des générations (on ne les compte plus), les Drouet occupent cette propriété. Aux commandes aujourd'hui, les jeunes viticulteurs ont trente ans. Ils pratiquent la lutte intégrée, l'enherbement total et opèrent en méthode de vinification traditionnelle (récolte manuelle, vieillissement sur lies, absence de collage et de filtration). D'un or aux reflets intenses, ce pineau offre un nez confit avec une note de rancio, de sous-bois et de vanille : le boisé est bien présent. On le retrouve au palais, qui s'affirme bien équilibré mais qui demande à s'arrondir au vieillissement.

↪ Patrick et Stéphanie Drouet, 1, rte du Maine-Neuf, 16130 Salles-d'Angles, tél. 05.45.83.63.13, fax 05.45.83.65.48 ☑ Ⴤ t.l.j. 9h-12h 14h-19h; dim. sur r.-v.

FAMILLE ESTEVE
Très vieux★

	3 ha	3 000		15 à 23 €

Famille de petite champagne exploitant un vignoble situé sur des sols argilo-calcaires. L'ugni blanc vendangé manuellement et vieilli en fût de chêne donne une robe jaune doré, soutenue, assez brillante et limpide. Le nez est dominé par la figue bien mûre avec des notes de noisette et un rancio fin et élégant. Assez gras à l'attaque, il est plus vif en finale où des fruits secs comme la figue sont très présents, en compagnie du boisé, une bonne longueur.

↪ Jacques Estève, Les Corbinauds, 17520 Celles, tél. 05.46.49.51.20, fax 05.46.49.25.57 ☑ Ⴤ r.-v.

FIEF DE RASSINOUX★

	0,5 ha	6 000		8 à 11 €

La Gironde est proche et les églises romanes de Haute Saintonge nombreuses à visiter. Ce domaine de 27 ha saura vous accueillir. La robe élégante, rosée aux reflets orangés, et le nez très intense, déjà évolué avec des notes de fruits rouges confits et de zeste d'orange, annoncent un pineau souple et moelleux, très plaisant. Au palais, les nuances évoluées de cerise et de pruneau sont complétées de notes de café qui lui confèrent originalité et personnalité.

↪ SCEA des Piniers, Le Pinier, 17130 Courpignac, tél. 05.46.49.44.22, fax 05.46.49.17.73 ☑ Ⴤ t.l.j. 9h-19h ↪ Chotard

LA FINE GOULE★

	3 ha	7 500		8 à 11 €

Un joli logis du XVᵉ s. situé sur une butte plantée de vignes dominant les environs. Cette vieille demeure a accueilli Madame de Maintenon. Voyez comme nos dégustateurs sont précis : « la couleur est rosé vif, tirant vers le rouge rubis ». Puissant, dominé par les fruits rouges (mûre et cerise) aux expressions confites, souple et généreux, ce pineau est le produit d'une macération bien menée.

❦ EARL La Fine Goule, Dom. de Pimbert, 17520 Arthénac, tél. 05.46.49.10.14, fax 05.46.49.11.21, e-mail fine.goule@wanadoo.fr
☑ ⵏ mar. jeu. sam. 9h-12h 15h-19h

CH. GIBEAU★★

	5 ha	9 000	⬛ 5 à 8 €

Ce joli pineau blanc provient des vignes plantées sur les coteaux argilo-calcaires dominant le château et les chais. Fénelon, précepteur du duc de Bourgogne vers 1689, passa quelque temps ici. Jaune d'or, limpide aux reflets ambrés, ce pineau affiche un nez plein, net et flatteur : c'est un bouquet de fleurs d'acacia. Souple, bien équilibré par une acidité parfaitement contrôlée, ce vin de liqueur est élaboré avec des cépages blancs : ugni blanc (50 %), colombard (25 %) et montils (25 %). Il est traditionnel mais complexe, tout en finesse, et signe un logement en fût de chêne de belle qualité.
❦ SARL du Gibeau, Ch. Gibeau, 17800 Marignac, tél. 05.46.91.21.72, fax 05.46.91.98.08 ☑ ⵏ

CH. GUYNOT
Tradition★★

	15 ha	26 000	⬛ 11 à 15 €

Des églises romanes et le château de Roche-Courbon vous retiendront sans doute sur la route qui mène au château Guynot. Située à 15 km de Saintes, cette propriété familiale possède un vignoble d'un seul tenant sur des sols argilo-siliceux. Une belle présentation ambrée, or assez prononcé, annonce un vin au nez harmonieux marqué par le vieillissement avec des notes de rancio, de noix et quelques touches de noix muscade. Après une attaque douce et agréable, on assiste à une bonne progression des saveurs sur des tanins bien présents. Des notes torréfiées et grillées confèrent à ce pineau une très bonne longueur. Fin et bien élevé, il vieillira remarquablement.
❦ Dom. de Ch. Guynot, 17460 Tesson, tél. 05.46.91.93.71, fax 05.46.91.35.60, e-mail domaine-de-chateau-guynot@wanadoo.fr
☑ 🏠 ⵏ t.l.j. 10h-12h30 15h-18h30
❦ Francis Ardouin

JULLIARD
Vieux pineau or rose★

	1,5 ha	5 000	⬛ 11 à 15 €

Ce Vieux pineau or rose est élaboré avec 50 % de merlot noir, 20 % de cabernet franc et 30 % de cabernet-sauvignon. Habillé par une robe orangée aux reflets tuilés brillants, il se montre tout d'abord discret, puis l'agitation donne des notes fines et élégantes, empyreumatiques, de chocolat et de café. La bouche souple et harmonieuse offre une grande richesse aromatique : pruneau, pâte de fruits, confiture de fruits rouges... La finale fruitée est d'une bonne longueur.
❦ EARL Vignobles Julliard, 8, rue de l'Eglise, 17800 Pérignac, tél. 05.46.96.30.42, fax 05.46.96.34.06, e-mail VignoblesJulliard@wanadoo.fr ☑ ⵏ r.-v.

THIERRY JULLION★

	2 ha	10 000	⬛ 8 à 11 €

Ce pineau rosé issu de merlot noir (75 %) et de cabernet-sauvignon (25 %) cultivés sur des sols argilo-calcaires peut vieillir encore quelques mois. Sa robe est jolie, fraîche, rouge vif. Le nez discret avec des nuances de cassis. La première attaque est très fruitée : les notes de fraise, de framboise assez persistantes sont accompagnées

en finale par des tanins encore jeunes. Vous avez le temps de cueillir les fruits de la salade qu'il séduira.
❦ Thierry Jullion, Montizeau, 17520 Saint-Maigrin, tél. 05.46.70.00.73, fax 05.46.70.02.60
☑ ⵏ t.l.j. sf dim. 14h-19h; sam. 9h-12h

J.Y. ET F. MOINE
Très Vieux★★

	3 ha	2 500	⬛ 15 à 23 €

Les frères Moine ont créé « le circuit du chêne » qui permet aux visiteurs de suivre l'activité du fendeur de merrain, du tonnelier et du bouilleur de cru. Voici un Très Vieux comme on les aime : la robe est jaune doré très limpide aux reflets mordorés. Les nuances odorantes ont une jolie intensité avec des notes florales, un léger rancio élégant que l'on retrouve au palais complétées par des arômes de pruneau et de noisette. La finale est fruitée et boisée à la fois. Très bon pineau en accord gourmand avec le foie gras poêlé.
❦ Jean-Yves et François Moine, Villeneuve, 16200 Chassors, tél. 05.45.80.98.91, fax 05.45.80.96.01, e-mail lesfreres.moine@wanadoo.fr
☑ ⵏ t.l.j. sf dim. 9h30-12h 14h-18h30

JACQUES PAINTURAUD★

	1 ha	7 000	⬛ 8 à 11 €

La maison Painturaud organise régulièrement des journées portes ouvertes (janvier, août, décembre) avec exposition et animations. Le secteur de Ségonzac est très touristique grâce à son circuit des églises romanes, ses musées, ses randonnées pédestres et équestres, mais aussi pour ses maisons viticoles. Ce pineau mérite le détour. D'une couleur orangée aux reflets tuilés, ambrés, il a des nuances odorantes élégantes avec des notes confites de griotte. La bouche est plaisante, livrant des arômes fruités plus évolués (figue et pruneau). La finale fait une place à l'alcool. A essayer sur un coq au pineau.
❦ Jacques Painturaud, 3, rue Pierre-Gourry, 16130 Ségonzac, tél. 05.45.83.40.24, fax 05.45.83.37.91, e-mail j.pointuraud.cognac@cer16.cernet.fr
☑ 🏠 ⵏ t.l.j. 8h-20h; dim. sur r.-v.

ROBERT POUILLOUX ET SES FILS★

	14 ha	n.c.	⬛ 8 à 11 €

Les vignes 100 % ugni blanc se situent en petite champagne sur des sols calcaires. Ce pineau assemble les années 96, 97 et 98. Il porte un bel habit jaune paille aux jolis reflets brillants. Le nez est discret mais fin avec des notes florales. Equilibré, légèrement boisé, il est long, toujours dominé par les fleurs.
❦ EARL Robert Pouilloux et ses Fils, 7, rue du village Peugrignoux, 17800 Pérignac, tél. 05.46.96.41.41, fax 05.46.96.35.04, e-mail pouilloux.thierry@wanadoo.fr ☑ ⵏ
ⵏ t.l.j. 8h-20h

DAVID RAMNOUX★

	1 ha	2 400	⬛ 8 à 11 €

David Ramnoux a repris l'exploitation en 1997 et il pratique l'agriculture biologique en suivant les thèses de la biodynamie. Il a vendangé manuellement ses vieilles vignes d'ugni blanc situées sur des terrains argilo-calcaires. La robe est jaune, brillant de reflets ambrés. Des nuances de fleurs séchées, de fleurs de vigne et de pain d'épice composent un bouquet complexe et intense. Ce pineau rond et généreux a des arômes de croûte de pain et un boisé bien équilibré.

VDL

🔑 David Ramnoux, rue de l'église, 16170 Mareuil, tél. 05.45.35.43.88, fax 05.45.96.46.94, e-mail david-ramnoux@hotmail.com ☑ 🍷 r.-v.

ROUSSILLE*

■ 26 ha n.c. ⦀ 8 à 11 €

La maison fut fondée en 1928 par Gaston Roussille. Il commercialisait ses produits dans les années 1950 en faisant les grandes foires expositions (Paris, Lille, Rouen, Belgique). Son fils a repris l'exploitation en 1976 et élabore un pineau blanc (85 % d'ugni blanc et 15 % de sémillion) à la robe ambrée aux reflets brillants. Complexe avec des nuances de fleurs de vigne, de miel et de pain d'épice, il est équilibré. La finale reste peut-être un peu vive mais sans excès. Le **pineau rosé** a aussi été remarqué par le jury.

🔑 SCA Pineau Roussille, Libourdeau, 16730 Linars, tél. 05.45.91.05.18, fax 05.45.91.13.83 ☑ 🍷 t.l.j. 9h-19h

🔑 Pascal Roussille

FELIX-MARIE DE LA VILLIERE*

■ n.c. 1 600 ⦀ 5 à 8 €

Ce noble pineau Félix-Marie de la Villière est né en petite champagne de l'assemblage de merlot noir, de cabernet franc et de cognac. Intense, la couleur bigarreau bien mûr, très limpide, annonce un nez rond, toujours fruité, mais avec une dominance de fraise. Même rondeur en bouche avec un dosage réussi de l'alcool, du sucre et des tanins.

🔑 Distillerie Vinet, 3, imp. Félix-Chartier, 17520 Brie-sous-Archiac, tél. 05.46.70.04.66, fax 05.46.70.03.12, e-mail egeexport@aol.com ☑ 🍷 t.l.j. sf sam. dim. 8h-12h30 14h-18h

Floc de gascogne

Le floc de gascogne est produit dans l'aire géographique d'appellation bas armagnac, ténarèze et haut armagnac, ainsi que dans toutes les communes répondant aux dispositions du décret du 6 août 1936, définissant l'aire géographique d'appellation armagnac. Cette région viticole fait partie du piémont pyrénéen et se répartit sur trois départements : le Gers, les Landes et le Lot-et-Garonne. Afin de donner une force supplémentaire à l'antériorité de leur production, les vignerons du floc de gascogne ont mis en place un principe nouveau qui n'est ni une délimitation parcellaire telle qu'on la rencontre pour les vins, ni une simple aire géographique telle qu'on la rencontre pour les eaux-de-vie. C'est le principe des listes parcellaires approuvées annuellement par l'INAO.

Les blancs sont issus des cépages colombard, gros manseng et ugni blanc, qui doivent ensemble représenter au moins 70 % de l'encépagement, et ne peuvent dépasser seuls 50 % depuis 1996, avec pour cépages complémentaires le baroque, la folle blanche, le petit manseng, le mauzac, le sauvignon, le sémillon ; pour les rosés, les cépages sont le cabernet franc et le cabernet-sauvignon, le cot, le fer servadou, le merlot et le tannat, ce dernier ne pouvant dépasser 50 % de l'encépagement.

Les règles de production mises en place par les producteurs sont contraignantes : 3 300 pieds/ha taillés en guyot ou en cordon, nombre d'yeux à l'hectare toujours inférieur à 60 000, irrigation des vignes strictement interdite en toute saison, rendement de base des parcelles inférieur ou égal à 60 hl/ha.

Chaque viticulteur doit, chaque année, souscrire la déclaration d'intention d'élaboration destinée à l'INAO, afin que ce dernier puisse vérifier réellement sur le terrain les conditions de production. Les moûts récoltés ne peuvent avoir moins de 170 g/l de sucres de moût. La vendange, une fois égrappée et débourbée, est mise dans un récipient où le moût peut subir un début de fermentation. Aucune adjonction de produits extérieurs n'est autorisée. Le mutage se fait avec une eau-de-vie d'armagnac d'un compte d'âge minimum 0 et d'un degré minimum de 52 % vol. Le mélange ainsi réalisé sera laissé au repos pendant neuf mois au moins. Il ne peut sortir des chais avant le 1er septembre de l'année qui suit la récolte. Tous les lots de vins sont dégustés et analysés. En raison de l'hétérogénéité toujours à craindre de ce type de produit, l'agrément se fait en bouteilles.

DOM. DE BILE*

■ 2 ha 5 134 ▮ 5 à 8 €

Le village de Bassoues, sur la route des bastides et des castelnaux, est très pittoresque (donjon du XIVe s., halle et église du XVe s.). Le domaine de Bilé, dernier vignoble situé sur cette commune, est aussi un des derniers bastions de la zone haut armagnac. De couleur rouge carmin brillant, ce floc de gascogne rosé a un nez très complexe, aux notes florales, de miel et de cassis. Ces arômes, confortés par une attaque puissante, en font un produit mettant en appétit. En Gascogne il ne peut en être autrement.

🔑 EARL Della-Vedove, Dom. de Bilé, 32320 Bassoues-d'Armagnac, tél. 05.62.70.93.59, fax 05.62.70.93.59, e-mail armagnac.della-vedove@marciac.net ☑ 🍷 t.l.j. 8h-20h

BORDENEUVE-ENTRAS**

■ 1,04 ha 13 500 ⦀ 8 à 11 €

La relance d'une moutarde ancienne dont la fabrication locale avait disparu prend beaucoup de temps. Cela n'empêche pas la famille Maestrojuan de soigner ses produits, vins, armagnac et floc de gascogne. Elle a proposé un remarquable rosé d'un rouge cerise à reflets bruns, au nez de fruits rouges de bonne intensité. Au palais, où s'expriment des arômes fruités agréables, il est équilibré et a de la tenue, avec une certaine longueur. Bien dans le type floc de gascogne.

☛ GAEC Bordeneuve-Entras, 32410 Ayguetinte,
tél. 05.62.68.11.41, fax 05.62.68.15.32,
e-mail michel.brigitte.maestrojuan@wanadoo.fr
☑ ❦ t.l.j. 9h-18h; été (9h-20h); groupes sur r.-v.
☛ Maestrojuan

DOM. DE CAMPET★★★

	0,3 ha	1 900		☷ ↓ 8 à 11 €

Durant l'occupation romaine, Crassus, neveu de César établit son camp *(campus)* sur ce domaine niché aux confins du Lot-et-Garonne sur le dernier plateau argilo-calcaire de l'armagnac Ténarèze entre Gers et Landes. La rénovation du chai et l'installation d'un alambic permettent à la famille Buisson d'organiser de nombreuses manifestations (expositions, marché paysan, etc.). Le floc blanc, coup de cœur à l'unanimité, d'un jaune paille soutenu, assez puissant et complexe, mélange de fruits blancs et confits, procure en bouche fraîcheur, finesse ainsi qu'une impression de sucrosité sans lourdeur. Très agréable persistance du plaisir. Le **rosé** pour sa robe rubis clair, son nez fruits rouges (cerise) et sa bouche très aromatique, d'un parfait équilibre sucre-alcool, reçoit très justement deux étoiles. Avec ses deux produits au pays du rugby c'est le « petit schelem ».

☛ SCEA de Campet, 47170 Sos,
tél. 05.53.65.63.60, fax 05.53.65.36.79,
e-mail domainecampet@club-internet.fr ☑ ❦ r.-v.

DOM. DE CASSAGNAOUS★

	0,92 ha	2 986		☷ ⑪ 8 à 11 €

Ce petit domaine qui est passé de 3 ha en 1968 à 15 ha en 2002 est implanté autour d'une ancienne tour de garde et situé à 3 km de la *villa* gallo-romaine de Seviac. Les étoiles récompensent ici tradition et persévérance : le rosé d'un rouge clair brillant a des parfums intenses de cerise et de noix de cajou. Les raisins mûrs et la griotte s'expriment au palais jusque dans une finale sucrée. Le **blanc**, de belle présentation jaune clair et marqué par le miel procure une sensation de bien-être.

☛ EARL de Cassagnaous, Au Cassagnaous,
32250 Montréal-du-Gers,
tél. 05.62.29.44.81, fax 05.62.29.44.82 ☑ ❦ r.-v.
☛ Zago

DOM. DES CASSAGNOLES★★

	5 ha	5 800	⑪ 5 à 8 €

Comment présenter la famille Baumann sans se répéter, tant elle est abonnée aux étoiles dans le Guide ? Elle a su marier haute technicité et tradition au service de la qualité et ce, en toute modestie. Résultat : deux floc, deux récompenses. Le blanc jaune pâle offre des parfums complexes. Mais quelle bouche ! Gras, rondeur, rehaussé d'une pointe vanillée se mariant très bien avec les arômes de jus de raisin frais et de l'armagnac. A déguster les yeux fermés, pour le plaisir. Le **rosé** d'un rouge soutenu aux reflets ambrés se montre, tant au nez qu'en bouche, plaisant par son volume, son fruité et son équilibre. Sera apprécié avec un melon de Lectoure.

☛ J. et G. Baumann, Dom. des Cassagnoles,
EARL de la Ténarèze, 32330 Gondrin,
tél. 05.62.28.40.57, fax 05.62.28.42.42,
e-mail tenareze@club-internet.fr ☑ ❦ r.-v.

DE CASTELFORT★

	15 ha	100 000		☷ ↓ 8 à 11 €

La CPR, plus grosse productrice de floc de gascogne, a fait le choix de la qualité en construisant un chai uniquement réservé à ce produit. Le résultat est là avec ce rosé rouge léger, fruité tant au nez qu'en bouche, bien équilibré, d'une bonne rondeur. Il sera apprécié avec des chocolats de Gimont.

☛ Cave des Producteurs réunis de Nogaro,
Les Hauts de Montrouge, BP 13, 32110 Nogaro,
tél. 05.62.09.01.79, fax 05.62.09.10.99,
e-mail cpr-armagnaccastelfort@wanadoo.fr ☑ ❦ r.-v.

DOM. DE CAUMONT★★

	0,98 ha	n.c.		☷ 8 à 11 €

Malgré l'évolution des structures, cette propriété située au cœur du bas armagnac garde l'esprit de famille sous l'œil avisé de M. Bourdens père qui propose un rosé d'un rouge grenat limpide et brillant. Son nez de fruits rouges confits, intense et puissant, surprend agréablement par ses nuances épicées (poivron). D'attaque franche, la bouche est riche et équilibrée. La finale légèrement armagnac en fait un vrai délice.

☛ Bourdens-Samacens, 32240 Lias d'Armagnac,
tél. 05.62.09.63.95, fax 05.62.08.70.14
☑ ❦ t.l.j. 8h-12h 14h-20h
☛ Bourdens

DOM. D'EYSSAC★★★

	1,4 ha	7 000		☷ ↓ 8 à 11 €

Sur cette propriété, familiale depuis plusieurs générations, où se trouve un moulin rénové, Gilles Lhoste élabore ce rosé, rouge rubis profond, aux arômes de fruits rouges d'une bonne intensité. La bouche, très complexe, ressemble aux fragrances offertes par une salade de fruits mûrs, avec en retour une note de coing procurant un réel plaisir. Le **blanc**, jaune pâle avec des reflets verts, doté d'arômes floraux et d'agrumes, reçoit deux étoiles. Il se montre bien équilibré et très délicat. Deux produits, de belle facture, à découvrir.

☛ Gilles Lhoste, Dom. d'Eyssac,
32290 Averon-Bergelle, tél. 05.62.08.52.57,
fax 05.62.61.84.86 ☑ ❦ ❦ t.l.j. sf dim. 8h-12h 14h-18h

FEZAS★

	4 ha	20 000		☷ ⑪ ↓ 5 à 8 €

Pas une année du Guide sans la famille Fezas ! Depuis 1893, quatre générations se sont succédé sur le domaine, passant de 10 ha en 1945 à 45 ha en 2001. Le chiroulet (« sifflet » en patois) va s'entendre encore longtemps sur les coteaux gersois. D'une belle couleur rouge rubis à reflets jaunes, ce rosé est d'une grande complexité aromatique : on y trouve des fruits rouges mûrs et des fruits secs. D'un parfait équilibre, il attire envie et curiosité. A découvrir avec une pâtisserie chocolatée.

🏠 EARL Famille Fezas, Dom. Chiroulet,
32100 Larroque-sur-l'Osse, tél. 05.62.28.02.21,
fax 05.62.28.41.56, e-mail contact@chiroulet.com
☑ ⊤ r.-v.
🏠 Michel Fezas

GARREAU★

	n.c.	40 000	🍾⬇	5 à 8 €

Ce château datant des années 1700 est la propriété de la famille Garreau depuis 1919. Situé à 3 km d'un village médiéval possédant une place royale du XVIIᵉs. et à 13 km de Berbotan, station thermale, son terroir est celui des sables dits « fauves ». Jaune paille, doté d'un nez assez intense, encore marqué par l'armagnac, ce floc se révèle long et fruité, sa finale légèrement évoluée lui procurant une certaine typicité.

🏠 Ch. Garreau, Côtes de la Jeunesse,
Ecomusée de l'Armagnac,
40240 Labastide-d'Armagnac, tél. 05.58.44.84.35,
fax 05.58.44.87.07, e-mail chateau.garreau@wanadoo.fr
☑ ⊤ r.-v.

DOM. DE LAGAJAN★

	n.c.	n.c.	🍶	8 à 11 €

Chez les Georga, comme on les appelle familièrement, on trouve un musée familial, un alambic unique de 1907 et... la convivialité. Le rosé à la robe brillante, saumoné, a des arômes discrets de fruits rouges. Vif, bien équilibré, avec un agréable retour fruité (cerise), il mérite cette récompense qui, espérons-le, rendra moins amère la perte par expropriation, pour passage d'une route, d'une partie des meilleurs terroirs de ce domaine très réputé.

🏠 EARL Georgacaracos Filles et Fils,
Dom. de Lagajan, 32800 Eauze,
tél. 05.62.09.81.69, fax 05.62.09.82.90,
e-mail earl.georgacaracos@terre-net.fr ⊤ r.-v.

CH. DE LAGRANGERIE★★★

	0,2 ha	n.c.		5 à 8 €

Cet ancien monastère datant du XIIᵉs., transformé en château au XVIIIᵉs. est situé sur des graves argilo-limoneuses, dans une région très touristique. Ce floc blanc exceptionnel, d'un jaune pâle très limpide voire cristallin, offre un nez intense à dominante florale avec une note légèrement atypique de pomme verte. Sa grande sucrosité lui confère une réelle rondeur. Il se montre malgré tout bien équilibré avec des nuances boisées. Une belle réussite confortée par le rosé qui reçoit deux étoiles. D'un rouge rubis clair brillant, très fruits rouges confits tant au nez qu'en bouche (groseille, cassis), il est riche, équilibré et d'une grande finesse.

🏠 GAEC de Lagrangerie, 47170 Lannes,
tél. 05.53.65.70.97, fax 05.53.65.88.97,
e-mail lagrangerie@wanadoo.fr
☑ ⊤ t.l.j. 9h-12h 14h-19h

DOM. DE LAUROUX★★

	0,5 ha	3 104	🍾⬇	8 à 11 €

Rémy Fraisse a la passion des bolides. C'est un fonceur, ce qui ne l'empêche pas d'aimer le travail bien fait. Pour preuve, ce remarquable rosé à la couleur soutenue, limpide et brillante, au nez de cerise et de notes florales que l'on retrouve dans un palais rond, avec quelques touches

de cassis. Sa finale légèrement « armagnac » donne une note vive intéressante. Le blanc presque translucide, aux arômes complexes de fleurs et de fruits exotiques, procure une sensation de fraîcheur le rendant aérien et gouleyant. Deux produits typiques de l'appellation.

🏠 Rémy Fraisse, EARL de Lauroux, 32370 Manciet, tél. 05.62.08.56.76, fax 05.62.08.57.44 ☑ ⊤ r.-v.

DOM. DE MAUBET★

	1 ha	n.c.	🍶	5 à 8 €

Vignerons-récoltants depuis trois générations, les Fontan présentent un floc de gascogne blanc de qualité, comme tous les produits élaborés sur le domaine. Jaune pâle, clair et brillant, il est tout en nuances florales. Un bon mariage du raisin et de l'armagnac ne donne que du plaisir. A savourer avec un foie gras... du Gers... bien sûr.

🏠 Jean-Claude Fontan, Dom. de Maubet,
allée du Colombard, 32800 Noulens, tél. 05.62.08.55.28,
fax 05.62.08.58.94 ☑ ⊤ r.-v.

CH. DE MILLET★

	4 ha	20 000	🍾⬇	8 à 11 €

Avec un ancien pigeonnier aménagé en gîte, une salle de réception récemment rénovée, la famille Dèche, présente depuis cinq générations, s'est ouverte au grand public. D'un rouge léger mais soutenu, ce floc a un nez fin et léger, alors qu'il se montre en bouche beaucoup plus riche avec des arômes très prononcés de fruits rouges. Le bon équilibre sucre-alcool procure une suavité agréable.

🏠 Francis Dèche, EARL Ch. de Millet, 32800 Eauze, tél. 05.62.09.87.91, fax 05.62.09.78.53,
e-mail chateaudemillet@wanadoo.fr
☑ 🏠 ⊤ t.l.j. sf dim. 9h-12h 14h-18h

DOM. DE MONS★

	1 ha	6 500	🍾⬇	8 à 11 €

Depuis son origine, vers 1285, jusqu'à son acquisition en 1963 par la chambre d'Agriculture du Gers, le château de Mons fut la résidence de bien des familles. De Jean Iᵉʳ comte d'Armagnac en passant par les Vallés, les Leclaire, la compagnie de Jésus... Ce rosé, savant mariage de tannat et cabernets franc et sauvignon, d'un rubis clair et limpide, au nez légèrement marqué par un armagnac de qualité, est fruité, équilibré. Agréable en tout.

🏠 Dom. de Mons, Chambre d'agriculture du Gers,
32100 Caussens, tél. 05.62.68.30.30, fax 05.62.68.30.35,
e-mail chateau.mons.cda.32@wanadoo.fr ☑ ⊤ r.-v.

DOM. DE POLIGNAC★★

	3 ha	10 000		8 à 11 €

A un kilomètre d'un joli village (Roques), ce domaine, propriété de la famille Gratian depuis plusieurs générations, est situé sur des coteaux argilo-calcaires et caillouteux. Proposé au jury, ce rosé rouge à reflets bruns possède un nez complexe et intense de fruits noirs (cassis, mûre). Ces arômes sont très présents en bouche qui de plus, tant en attaque qu'en finale, est sucrée mais d'un bon équilibre. Un produit délicat, d'une grande féminité.

🏠 EARL Gratian, Dom. de Polignac, 32330 Gondrin, tél. 05.62.28.54.74, fax 05.62.28.54.86
☑ ⊤ t.l.j. 10h-13h 15h-20h

DOM. DE LA SALLE★★

	3 ha	30 000	🍾⬇	8 à 11 €

En plein cœur de la Gascogne, non loin de l'église du XIIᵉs., cette propriété située sur une crête est dominée par une tour de garde du XIIes. M. Dauzère propose deux floc : ce blanc jaune pâle à reflets verts au nez de fruits mûrs bien évolués. Ample, avec un fruité dominant, la bouche est harmonieuse et longue. Le rosé, très réussi, a une jolie robe rouge pâle à reflets violets. Avec son nez de fruits rouges frais, légèrement vineux, sa bouche sucrée aux notes de griotte et sa bonne longueur, il saura accompagner une salade de fruits.

🕿 SARL de La Salle, 32330 Mouchan, tél. 05.62.28.40.54, fax 05.62.28.35.33 ☑ � r.-v.

🕿 Dauzère

CH. DE SALLES★

	2,2 ha	3 330		🍶 8 à 11 €

Fondé au XVIIIes., le château de Salles domine une magnifique chapelle du XIVes., curieusement édifiée au creux d'un vallon en bordure d'un petit lac. Le floc rosé d'un rouge grenat intense, au nez de fruits mûrs est, en bouche, gras, rond, sucré, très « liqueur ». Un melon sera pour lui un parfait partenaire.

🕿 Benoît Hébert, Ch. de Salles, 32370 Salles-d'Armagnac, tél. 05.62.69.03.11, fax 05.62.69.07.18, e-mail chsalle@club-internet.fr ☑ ⌂ � t.l.j. 9h-12h 14h-19h; dim. sur r.-v.

DOM. SAN DE GUILHEM★

	2,09 ha	27 000		🍶 8 à 11 €

Le président du floc de gascogne, toujours aussi pugnace dans la défense de son appellation, offre ici un rosé particulièrement réussi, d'un rouge grenat profond légèrement ambré. Son nez riche à souhait de notes d'amande, de fruits confits (pruneau) et chocolatées est d'une grande complexité. Rond et fruité, ce floc de gascogne est bien dans la tradition.

🕿 Alain Lalanne, Dom. San de Guilhem, 32800 Ramouzens, tél. 05.62.06.57.02, fax 05.62.06.44.99, e-mail domaine@sandeguilhem.com ☑ � r.-v.

Macvin du jura

Il aurait aussi bien pu s'appeler galant, car c'est le nom qui lui était donné au XIVes. alors que Marguerite de France, duchesse de Bourgogne, femme de Philippe le Hardi, en faisait son préféré.

Tirant probablement son origine d'une recette des abbesses de l'abbaye de Château-Chalon, le macvin - anciennement maquevin ou marc-vin - a été reconnu en AOC sous le nom de macvin du jura par décret du 14 novembre 1991. C'est en 1976 que la Société de Viticulture engagea pour la première fois une démarche de reconnaissance en AOC pour ce produit très original. L'enquête fut longue car il fallait trouver un accord sur l'utilisation d'un procédé unique d'élaboration. En effet, au cours du temps, le macvin, d'abord vin cuit additionné

d'aromates ou d'épices, est devenu mistelle, élaboré à partir du moût concentré par la chaleur (cuit), puis vin de liqueur muté soit au marc, soit à l'eau-de-vie de vin de Franche-Comté. La méthode la plus courante a été finalement retenue ; il s'agit pour l'AOC d'un vin de liqueur mettant en œuvre du moût ayant subi un tout léger départ en fermentation, muté avec l'eau-de-vie de marc de Franche-Comté à appellation d'origine, issue de la même exploitation que les moûts. Le moût doit provenir des cépages et de l'aire de production ouvrant droit à l'AOC. L'eau-de-vie doit être « rassise », c'est-à-dire vieillie en fût de chêne pendant 18 mois au moins.

Après cette ultime association qui se fait sans filtration, le macvin doit se « reposer » pendant un an en fût de chêne, puisque sa commercialisation ne peut se faire avant le 1er octobre de l'année suivant la récolte.

La production, en évolution, se situe à 1 700 hl environ (sur 36 ha). Le macvin du jura connaît un bon développement, car il est très apprécié, notamment localement. C'est un apéritif d'amateur qui, lorsqu'il est bien réussi, rappelle les produits jurassiens à forte influence du terroir. Il complète la gamme des appellations comtoises et s'associe parfaitement à la gastronomie régionale.

CH. D'ARLAY★

	0,4 ha	3 500		🍶 8 à 11 €

Le château d'Arlay a muté un moût issu uniquement du pinot noir, ce qui est assez rare. Cela donne un macvin rouge grenat. Ses parfums sont ceux de la griotte et de la cerise à l'eau-de-vie. Souple, bien équilibré entre alcool, sucre et acidité, il s'avère délicat et harmonieux, d'une bonne qualité aromatique également. Pour l'apéritif avec quelques dés de melon.

🕿 Alain de Laguiche, Ch. d'Arlay, rte de Saint-Germain, 39140 Arlay, tél. 03.84.85.04.22, fax 03.84.48.17.96, e-mail chateau@arlay.com ☑ � t.l.j. sf dim. 9h-12h 14h-18h

DOM. BAUD★★

	0,5 ha	4 000		🍶 11 à 15 €

Alain et Jean-Michel Baud constituent la huitième génération de la famille sur ce domaine, acquis en 1642 par Jean-François Baud. Leur macvin a séduit le grand jury car

VDL

il laisse une bonne impression de finesse et de fraîcheur jouant sur le coing et le raisin. La bouche est harmonieuse, entre fruits secs et amande. De la finesse dans l'équilibre : un bon moment à passer.

⌐┐ Dom. Baud Père et Fils, rte de Voiteur, 39210 Le Vernois, tél. 03.84.25.31.41, fax 03.84.25.30.09 ☑ ⍚ r.-v.

BERNARD FRERES

	n.c.	450	ⅢD 11 à 15 €

Un macvin qui a été élevé six ans en fût et qui a un peu dérouté le jury, car ce type de produit est rare. La couleur vieil or de la robe n'étonne pas dans ces conditions. Le nez, quant à lui, rappelle curieusement le vin jaune. De la noix et un côté épicé marqué. La bouche, puissante, offre des arômes de fruits secs mêlés à des notes herbacées. Un macvin hors du temps, pour curieux.

⌐┐ Bernard Frères, 15, rue Principale, 39570 Gevingey, tél. 03.84.47.33.99 ☑ ⍚ r.-v.

PHILIPPE BUTIN★★

	0,3 ha	1 500	ⅢD 11 à 15 €

Le nez est d'abord marqué par le marc, puis les fruits exotiques prennent le relais. La bouche est ample, grasse mais fraîche en même temps. Le moût et le marc sont intimement liés dans un subtil mariage. Caramel, pâte d'amande et épices forment un faisceau aromatique dans lequel nous sommes plongés avec plaisir. Complexe, agréable et pouvant encore évoluer dans le bon sens, ce macvin conviendrait bien pour relever la douceur d'un melon ou accompagner des pommes caramélisées.

⌐┐ Philippe Butin, 21, rue de la Combe, 39210 Lavigny, tél. 03.84.25.36.26, fax 03.84.25.39.18 ☑ ⍚ r.-v.

MARIE ET DENIS CHEVASSU★

	n.c.	1 000	ⅢD 11 à 15 €

Un or paille limpide et brillant : quelle belle robe ! Le nez de ce macvin est néanmoins fort surprenant : d'abord très végétal et citronné puis réglissé. Cela donne une approche non dénuée de complexité et qui s'avère très fraîche. Les notes d'agrumes qui apparaissent en bouche confirment cette impression, somme toute, agréable. Plutôt jeune, bien maîtrisé, il devrait faire plaisir.

⌐┐ Denis Chevassu, Granges Bernard, 39210 Menétru-le-Vignoble, tél. 03.84.85.23.67, fax 03.84.85.23.67 ☑ ⍚ r.-v.

CLOS DES GRIVES★

	n.c.	1 500	8 à 11 €

Chillé est situé juste à côté de Lons-le-Saunier. Au domaine du Clos des Grives, on pratique l'agriculture biologique. Une robe d'or pâle juste agrémentée de quelques reflets verts. Le nez est délicat, légèrement grillé. Des épices et de la pomme cuite caramélisée forment des parfums intenses et complexes. La bouche est souple mais ne manque pas d'une certaine fraîcheur. C'est un macvin qualifié de « féminin » par certains membres du jury qui trouvent là un produit d'un joli genre. Inégalable avec une tarte tatin.

⌐┐ Claude Charbonnier, 204, Grande-Rue, 39570 Chillé, tél. 03.84.47.23.78, fax 03.84.47.29.27

RICHARD DELAY

	0,5 ha	2 400	ⅢD 11 à 15 €

Richard Delay est établi depuis longtemps dans la région du vignoble que l'on appelle le « sud revermont »,

au sud de Lons-le-Saunier. Son macvin se présente sous une belle robe d'ambre clair. Avec un moût issu du seul chardonnay, il développe un nez intense de pruneau que des notes de muscade et de diverses épices viennent compléter avec élégance. La bouche est souple et grasse. Un macvin prêt à boire, bien frais.

⌐┐ Richard Delay, 37, rue du Château, 39570 Gevingey, tél. 03.84.47.46.78, fax 03.84.43.26.75, e-mail delay@freesurf.fr ☑ ⍚ r.-v.

DANIEL DUGOIS★

	0,25 ha	2 400	ⅢD 11 à 15 €

Un bien beau nez que celui de ce macvin. La mirabelle et le coing sont de ces nuances aromatiques qui font tomber les masques les plus sombres tant elles sont agréables. Avec sans doute un peu de vieillissement souhaitable, c'est un produit qui possède déjà une certaine harmonie sur des tons d'écorce d'orange et de grillé. L'alcool se fait sentir par pointes mais le temps devrait faire son affaire car la matière est là.

⌐┐ Daniel Dugois, 4, rue de la Mirode, 39600 Les Arsures, tél. 03.84.66.03.41, fax 03.84.37.44.59 ☑ ⍚ ⍚ r.-v.

RAPHAEL FUMEY ET ADELINE CHATELAIN

	0,2 ha	1 600	ⅢD 11 à 15 €

Si la robe est intense dans ses attraits jaune paille, le nez est plus discret avec néanmoins une note boisée et une touche de marc qui dominent. Puissante, la bouche est marquée par le marc. Petites natures, s'abstenir.

⌐┐ EARL Raphaël Fumey et Adeline Chatelain, 39600 Montigny-lès-Arsures, tél. 03.84.66.27.84, fax 03.84.66.27.84 ☑ ⍚ r.-v.

MICHEL GAHIER

	0,8 ha	1 000	ⅢD 11 à 15 €

En venant de Besançon, juste avant Arbois, Montigny-lès-Arsures offre le charme typique d'un petit village vigneron franc-comtois. C'est ici que Michel Gahier a élaboré ce macvin dans lequel le marc domine au nez et qui offre une belle présence en bouche avec un côté citronné puissant. Un vin intéressant mais qui a besoin de se fondre. Quelques mois de vieillissement lui seront donc encore nécessaires.

⌐┐ Michel Gahier, pl. de l'Eglise, 39600 Montigny-lès-Arsures, tél. 03.84.66.17.63, fax 03.84.66.17.63 ☑ ⍚ r.-v.

DOM. GENELETTI★

	n.c.	n.c.	ⅢD 11 à 15 €

Un beau jaune doré pour ce macvin issu du terroir de l'Etoile. De la cire d'abeille au nez puis une évolution sur la pâte d'amande, la pâte de coing et enfin le vieux marc. Une belle attaque en bouche, ample, chaude et miellée. Tout en rondeur, le macvin de Michel Geneletti est confituré à souhait : les notes de confiture de mirabelle amplifient le côté chaleureux de la structure. Un vin nature et bien équilibré, très certainement issu d'un raisin de bonne maturité. Sur une tarte aux fruits mais peut aussi servir à déglacer un foie gras poêlé.

⌐┐ Dom. Michel Geneletti, 373, rue de l'Eglise, 39570 L'Etoile, tél. 03.84.47.46.25, fax 03.84.47.38.18 ☑ ⍚ r.-v.

DOM. GRAND FRERES★

| | n.c. | 16 000 | 11 à 15 € |

La robe jaune pâle de ce macvin est plus claire qu'à l'accoutumée mais limpide. Le nez est en revanche intense, avec un beau mariage d'un moût de chardonnay et d'une eau-de-vie très présente : il décèle d'abord du raisin frais marqué par une note de marc suivie d'un fondu d'agrumes, de poire et de coing. Le fruit mûr se fait sentir dans une bouche ample et grasse où sucré et acide sont parfaitement équilibrés. Il a sans doute fallu un marc de très belle qualité pour obtenir un produit racé comme celui-ci. Un macvin représentatif qui conviendra parfaitement au dessert.
🖈 Dom. Grand Frères, rue du Savagnin,
39230 Passenans, tél. 03.84.85.28.88,
fax 03.84.44.67.47, e-mail grandfreres@wanadoo.fr
☑ ⵂ t.l.j. 9h-12h 14h-18h; f. sam. dim. en jan. et fév.

DOM. GRANGE CANOZ★

| | n.c. | 650 | 11 à 15 € |

Plutôt discret à l'œil dans sa robe jaune pâle à reflets verts, ce macvin se montre vanillé et frais au nez avec une prédominance du marc. L'eau-de-vie est toujours bien présente dans une bouche épicée et vanillée. Un produit qui peut être consommé aujourd'hui si l'on apprécie cette empreinte de l'alcool, à servir frais à l'apéritif, ou attendre qu'il se fonde d'ici deux à trois ans.
🖈 Patrick et Michèle Johann, Grange Canoz,
39600 Arbois, tél. 03.84.66.13.82, fax 03.84.37.48.81
☑ ⵂ r.-v.

ALAIN LABET★

| | n.c. | 400 | 11 à 15 € |

Une belle robe ambrée pour ce macvin qui offre au nez quelques notes de rancio très agréables. Complété par des nuances de noix séchée, de miel et de vieux marc. C'est une approche tout en finesse qui nous est donnée. Beaucoup de gras et de douceur en bouche, avec une pointe d'amertume qui rehausse un côté sucré très présent. De belles notes d'orange amère réveillent les papilles. Tradition et personnalité, un beau doublé à associer à une tarte tatin ou à un gâteau au chocolat.
🖈 Alain Labet Père et Fils, pl. du Village,
39190 Rotalier, tél. 03.84.25.11.13, fax 03.84.25.06.75
☑ ⵂ r.-v.

LIGIER PERE ET FILS★

| | 0,4 ha | 1 800 | 11 à 15 € |

Actuellement un peu excentrée, cette exploitation souhaite construire un chai neuf avec caveau de dégustation sur Arbois même. Le moût qui a été muté pour donner ce macvin aux tons dorés n'est constitué que de savagnin. Le nez complexe mêle les fruits secs, la cire et le tabac blond. L'attaque est suave : le raisin domine dans le concert de fruits secs tandis qu'en bouche, un côté épicé clôt une dégustation où l'harmonie est toujours présente.
🖈 Ligier Père et Fils, 7, rte de Poligny,
39380 Mont-sous-Vaudrey, tél. 03.84.71.74.75,
fax 03.84.81.59.82, e-mail gaec.ligier@wanadoo.fr
☑ ⵂ t.l.j. 8h30-12h 13h30-19h

FREDERIC LORNET★

| | 0,5 ha | n.c. | 11 à 15 € |

Au nez, une première impression de marc assez frais puis quelques notes de fruits confits. La bouche, plaisante, offre une attaque épicée mais chaleureuse du fait de la sensation de gras. Pas encore tout à fait à maturité, ce macvin doit pouvoir gagner au vieillissement et mettra alors en valeur un beau dessert comme une tarte aux pommes.
🖈 Frédéric Lornet, L'Abbaye,
39600 Montigny-lès-Arsures, tél. 03.84.37.44.95,
fax 03.84.37.40.17 ☑ ⵂ t.l.j. 10h-12h 13h30-19h

LA MAISON DU VIGNERON★★

| | 1 ha | 5 100 | 11 à 15 € |

Le nez est discret mais complexe. Balsamique, épicé (poivre, muscade, vanille), on le « décortique » avec plaisir. Riche en sucre, souple mais équilibré, le vin dévoile une bouche alliant la finesse à la richesse. Avec les mêmes qualités aromatiques que celles perçues au nez, c'est un macvin harmonieux, à boire ou à conserver. Il pourra être apprécié tant à l'apéritif qu'au dessert.
🖈 Compagnie des Grands Vins du Jura,
rte de Champagnole, 39570 Crançot,
tél. 03.84.87.61.30, fax 03.84.48.21.36,
e-mail jura@grandschais.fr ☑ ⵂ r.-v.

DOM. DE MONTBOURGEAU★★★

| | 0,5 ha | 3 000 | 11 à 15 € |

Moût et marc se sont plu dès le premier instant. Le mariage est parfait. Le nez fruité en est le témoin : pâte de coing, confiture de prune se mêlent aux notes de marc avec délice. La bouche chaude et puissante contraste un peu avec la délicatesse du nez mais l'ampleur se fait dans l'équilibre. Du gras sans lourdeur et toujours beaucoup de présence aromatique. Avec subtilité et harmonie, ce macvin nous plonge dans un moment d'exception.
🖈 Jean Gros, Dom. de Montbourgeau, 39570 L'Etoile,
tél. 03.84.47.32.96, fax 03.84.24.41.44,
e-mail domaine-montbourgeau@wanadoo.fr ☑ ⵂ r.-v.

DOM. DESIRE PETIT★

| | 1 ha | 5 700 | 11 à 15 € |

Une belle robe ambrée aux reflets orangés. Une richesse au nez imposante qui se décline en notes de fruits confits, de figue, de raisin à l'eau-de-vie et de prune fraîche. Après une attaque souple, la bouche évolue dans la puissance. D'une belle qualité aromatique, la bouche de ce macvin est opulente. Il est recommandé de le goûter l'hiver après le café.
🖈 Dom. Désiré Petit, rue du Ploussard,
39600 Pupillin, tél. 03.84.66.01.20, fax 03.84.66.26.59
☑ ⵂ t.l.j. 9h-12h 14h-19h
🖈 Gérard et Marcel Petit

DOM. DE LA PINTE★

| | 1 ha | 3 000 | 11 à 15 € |

La visite des trois caves de 70 m de long mérite le détour. Elles ont été construites en 1955 par Roger Martin. Philippe Chatillon est aujourd'hui le régisseur de ce domaine, toujours propriété de la famille Martin. De la distinction dans le nez de ce macvin, marqué d'abord par le marc puis la noix. La bouche est plaisante. La noix est encore très présente et se dévoile progressivement tout au long de la dégustation. L'empreinte du savagnin, qui compose 80 % du moût, ne passe pas inaperçue. Un macvin peut-être un peu austère de prime abord mais qui reflète bien le terroir jurassien. Avec un gâteau au chocolat.

VDL

⊷ Dom. de la Pinte, rte de Lyon, BP 16,
39600 Arbois, tél. 03.84.66.06.47, fax 03.84.66.24.58,
e-mail accueil@lapinte.fr
☑ ☂ t.l.j. 9h-12h 14h-18h; dim sur r.-v.
⊷ Roger Martin

LES VINS AUGUSTE PIROU★

	n.c.	27 000	8 à 11 €

Auguste Pirou est l'une des marques de la célèbre maison Henri Maire, que l'on trouve en grande distribution. Une première note végétale au nez étonne mais laisse rapidement place, à l'aération, à une belle évolution sur une note d'agrumes confits. Assez bien équilibré en bouche, il offre une belle richesse d'arômes où caramel, café et épices se dévoilent tour à tour. En prenant soin de l'aérer pour une meilleure qualité aromatique, ce macvin constituera un beau digestif.
⊷ Auguste Pirou, Caves de Faramand, 39600 Arbois,
tél. 03.84.66.42.70, fax 03.84.66.42.42,
e-mail info@mh2000.com

DOM. DE SAVAGNY★

	n.c.	4 500	⅏ 11 à 15 €

Il y a une belle intensité tant dans la robe dorée de ce macvin que dans le nez de fruits mûrs. De la puissance mais une impression de fondu tout à fait perceptible. La bouche équilibrée se plaît à dégager longuement des notes de fruits secs et grillés. Quelques mois d'attente et l'harmonie n'en sera que meilleure.
⊷ Claude Rousselot-Pailley, 140, rue Neuve,
39210 Lavigny, tél. 03.84.25.38.38, fax 03.84.25.31.25
☑ ☂ r.-v.

ANDRE ET MIREILLE TISSOT★★

	0,8 ha	4 000	⅏ 11 à 15 €

Le moût qui est à la base de ce macvin est issu pour moitié de savagnin et pour l'autre moitié de poulsard. Quelle robe magnifique ! Un jaune doré rehaussé de reflets couleur bronze que l'on contemplerait longtemps si le nez n'appellait pas à d'autres émois. Avec ses nuances de fruits confits et de pâte de fruit sur fond d'écorce d'orange, il est presque parfait. La bouche est concentrée, suave, mais aussi douce et harmonieuse. L'alliance entre le marc et le moût est superbe par son équilibre. La finale sur l'amande et le miel finit de nous convaincre de la qualité de ce produit quand on sait qu'il a également le potentiel lui permettant de vieillir.
⊷ André et Mireille Tissot,
39600 Montigny-lès-Arsures,
tél. 03.84.66.08.27, fax 03.84.66.25.08
☑ ☂ t.l.j. 9h-12h 14h-19h; dim. sur r.-v.
⊷ André et Stéphane Tissot

DOM. JEAN-LOUIS TISSOT★★

	1 ha	8 000	⅏ 11 à 15 €

Une belle robe de macvin, or à reflets verts. Le nez ne tarde pas à se dévoiler : noix, pruneau, épices et notes florales défilent en toute finesse. La bouche est ronde et puissante mais très équilibrée - le sucre est bien relevé par l'acidité - et l'on retrouve des qualités aromatiques identiques à celles développées au nez avec une touche supplémentaire de miel et d'amande. Un très beau macvin alliant complexité, longueur et équilibre. A boire ou à attendre.
⊷ Jean-Louis Tissot, Vauxelles,
39600 Montigny-les-Arsures, tél. 03.84.66.13.08,
fax 03.84.66.08.09 ☑ ☂ t.l.j. sf dim. 10h-12h30 14h-17h

LES VINS DE PAYS

Si l'expression « vins de pays » est employée depuis 1930, ce n'est que récemment qu'elle est devenue familière pour désigner officiellement certains « vins de table portant l'indication géographique du secteur, de la région ou du département d'où ils proviennent ». C'est en effet par le décret général du 1er septembre 2000 abrogeant le décret du 4 septembre 1979 modifié, qu'une réglementation spécifique a déterminé leurs conditions particulières de production, recommandant notamment l'utilisation de certains cépages et fixant des rendements plafonds. Des normes analytiques, tels la teneur en alcool, l'acidité volatile ou les dosages de certains additifs autorisés, ont été établies, permettant de contrôler et de garantir au consommateur un niveau de qualité qui place les vins de pays parmi les meilleurs vins de table français. Comme les vins d'appellations, les vins de pays sont soumis à une procédure d'agrément rigoureuse complétée par une dégustation spécifique ; mais, alors que les vins d'AOC sont placés sous la tutelle de l'INAO, c'est l'Office national interprofessionnel des vins (ONIVINS) qui assure celle des vins de pays. Avec les organismes professionnels agréés et les syndicats de défense de chaque vin de pays, l'ONIVINS participe en outre à leur promotion, tant en France que sur les marchés extérieurs, où ils ont pu conquérir une place relativement importante.

Il existe trois catégories de vins de pays, selon l'extension de la zone géographique dans laquelle ils sont produits et qui compose leur dénomination. Les premiers sont désignés sous le nom du département de production, à l'exclusion bien sûr des départements dont le nom est aussi celui d'une AOC (Jura, Savoie ou Corse) ; les seconds, vins de pays de zone ; les troisièmes sont dits « régionaux », issus de cinq grandes zones regroupant plusieurs départements et pour lesquels des assemblages sont autorisés afin de garantir une expression constante. Il s'agit du vin de pays du Jardin de la France (Val de Loire), du vin de pays du Comté tolosan, du vin de pays d'Oc, du vin de pays des Comtés rhodaniens et du vin de pays Portes de Méditerranée. Chaque catégorie de vin de pays est soumise aux conditions générales de production dictées par le décret du 1er septembre 2000. Mais pour chaque vin de pays de zone et chaque vin de pays régional, il existe en plus un décret spécifique mentionnant les conditions de production plus restrictives auxquelles ces vins sont soumis.

Les vins de pays, dont 11 millions d'hectolitres font l'objet d'un agrément, sont essentiellement vinifiés par des coopératives. Entre 1980 et 2000, les volumes agréés en vin de pays ont pratiquement triplé (4 à 11 millions hl). Les vins de pays agréés en « vin primeur ou nouveau » représentent aujourd'hui 200 000 à 250 000 hl. Les vinifications en vin de cépage prennent également beaucoup d'importance. La plus grande part (85 %) est issue des vignobles du Midi. Vins simples mais de caractère, ils n'ont d'autre prétention que d'accompagner agréablement les repas quotidiens, ou de participer, dans les étapes des voyages, à la découverte des régions dont ils sont issus, accompagnant les mets selon les usages habituels de leurs types. L'ensemble des zones de production est présenté ci-dessous selon le découpage régional de la législation spécifique des dénominations de vins de pays, qui ne correspond pas à celui des régions viticoles d'AOC ou AOVDQS. Notez que le décret du 4 mai 1995 exclut des zones autorisées à produire des vins de pays les départements du Rhône, du Bas-Rhin, du Haut-Rhin, de la Gironde, de la Côte-d'Or et de la Marne.

VDP

Les vins de pays

1   Vin de pays des Coteaux de Coiffy
2   Vin de pays de Franche-Comté
3   Vin de pays des Coteaux de l'Auxois
4   Vin de pays de Sainte-Marie-la-Blanche
5   Vin de pays des Coteaux du Cher et de l'Arnon
6   Vin de pays des Coteaux charitois
7   Vin de pays des Coteaux de Tannay
8   Vin de pays du Bourbonnais
9   Vin de pays d'Allobrogie
10 Vin de pays d'Urfé
11 Vin de pays des Balmes dauphinoises
12 Vin de pays des Coteaux du Grésivaudan
13 Vin de pays des Coteaux de l'Ardèche
14 Vin de pays des Collines rhodaniennes
15 Vin de pays des Coteaux des Baronnies
16 Vin de pays du Comté de Grignan
17 Vin de pays des Coteaux du Verdon
18 Vin de pays de Mont-Caume
19 Vin de pays des Maures
20 Vin de pays d'Argens
21 Vin de pays de la Petite Crau
22 Vin de pays d'Aigues

23 Vin de pays de la Principauté d'Orange
24 Vin de pays des Sables du Golfe du Lion
25 Vin de pays du Duché d'Uzès
26 Vin de pays des Cévennes
27 Vin de pays de la Vistrenque
28 Vin de pays des Côtes du Vidourle
29 Vin de pays de la Vaunage
30 Vin de pays des Coteaux de Cèze
31 Vin de pays des Coteaux du Pont du Gard
32 Vin de pays des Coteaux Flaviens
33 Vin de pays du Val de Montferrand
34 Vin de pays du Mont Baudile
35 Vin de pays des Côtes du Ceressou
36 Vin de pays des Monts de la Grage
37 Vin de pays des Coteaux d'Enserune
38 Vin de pays des Coteaux du Libron
39 Vin de pays de Pézenas
40 Vin de pays des Coteaux de Murviel
41 Vin de pays des Coteaux de Laurens
42 Vin de pays des Côtes de Thongue
43 Vin de pays de la Bénovie
44 Vin de pays de Cassan
45 Vin de pays de la Haute Vallée de l'Orb
46 Vin de pays des Gorges de l'Hérault
47 Vin de pays des Coteaux de Bessilles
48 Vin de pays de l'Ardailhou
49 Vin de pays des Côtes du Brian
50 Vin de pays de Cessenon
51 Vin de pays des Coteaux du Salagou
52 Vin de pays de la Vicomté d'Aumelas
53 Vin de pays des Collines de la Moure
54 Vin de pays de Caux
55 Vin de pays des Coteaux de Fontcaude
56 Vin de pays de Bessan
57 Vin de pays de Bérange
58 Vin de pays des Côtes de Thau
59 Vin de pays des Coteaux de Peyriac
60 Vin de pays de la Haute Vallée de l'Aude
61 Vin de pays des Coteaux de Narbonne
62 Vin de pays des Côtes de Prouilhe
63 Vin de pays de la Cité de Carcassonne
64 Vin de pays de Cucugnan
65 Vin de pays du Val de Dagne
66 Vin de pays des Coteaux du Littoral audois
67 Vin de pays des Côtes de Pérignan
68 Vin de pays des Coteaux de la Cabrerisse
69 Vin de pays des Hauts de Badens
70 Vin de pays du Torgan
71 Vin de pays des Côtes de Lastours
72 Vin de pays du Val de Cesse
73 Vin de pays de la Vallée du Paradis
74 Vin de pays des Coteaux de Miramont
75 Vin de pays d'Hauterive
76 Vin de pays cathare
77 Vin de pays des Vals d'Agly
78 Vin de pays des Coteaux des Fenouillèdes

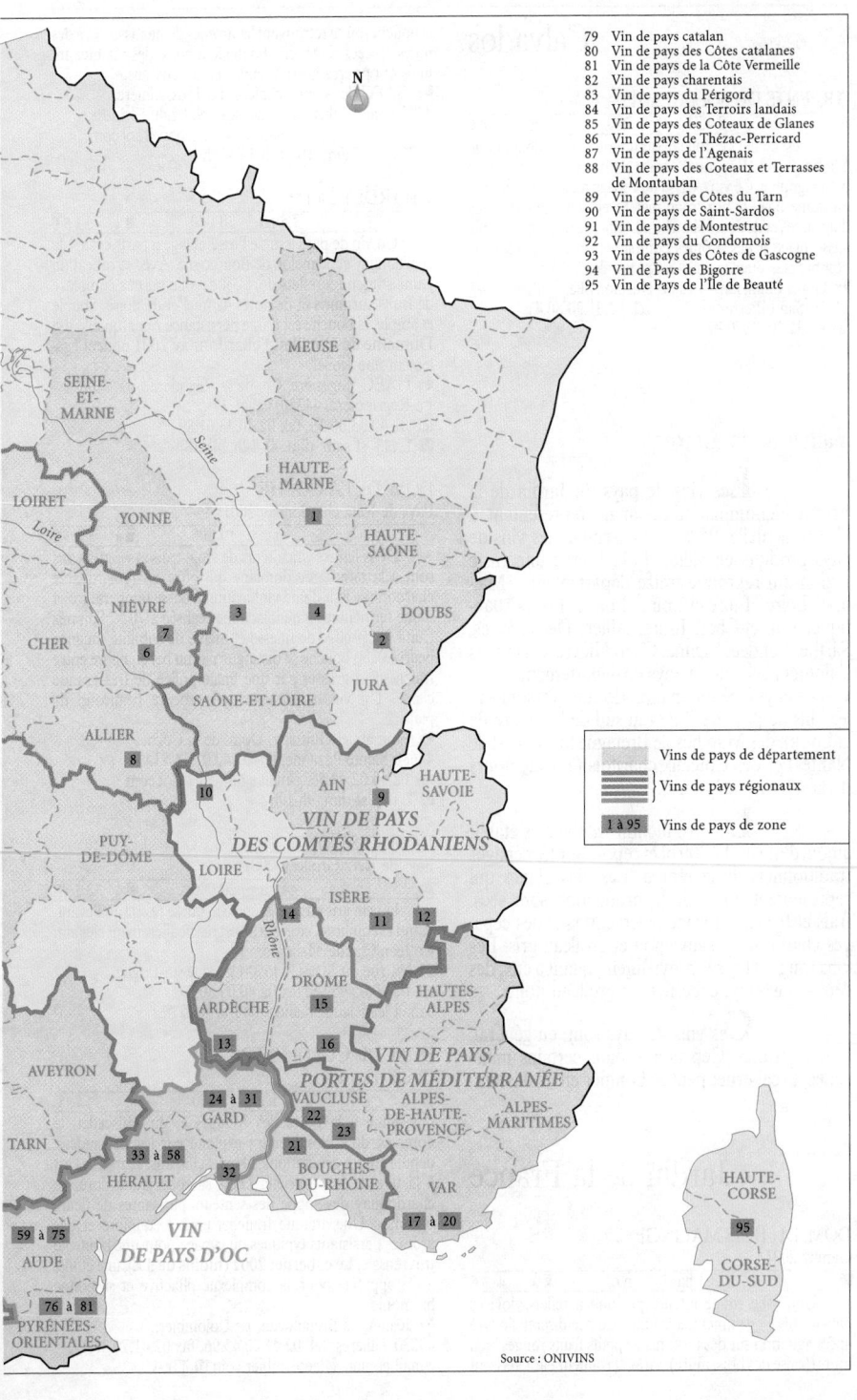

79 Vin de pays catalan
80 Vin de pays des Côtes catalanes
81 Vin de pays de la Côte Vermeille
82 Vin de pays charentais
83 Vin de pays du Périgord
84 Vin de pays des Terroirs landais
85 Vin de pays des Coteaux de Glanes
86 Vin de pays de Thézac-Perricard
87 Vin de pays de l'Agenais
88 Vin de pays des Coteaux et Terrasses
   de Montauban
89 Vin de pays de Côtes du Tarn
90 Vin de pays de Saint-Sardos
91 Vin de pays de Montestruc
92 Vin de pays du Condomois
93 Vin de pays des Côtes de Gascogne
94 Vin de Pays de Bigorre
95 Vin de Pays de l'Île de Beauté

Vins de pays de département

} Vins de pays régionaux

1 à 95   Vins de pays de zone

Source : ONIVINS

Calvados

ARPENTS DU SOLEIL 2001★

0,15 ha	1 200	▮	5 à 8 €

C'est en pays cidricole, sur un site viticole abandonné à la fin du XVIIIᵉs., que Gérard Samson a reconstitué ce petit vignoble. Ce vin est issu du cépage auxerrois. La robe est jaune pâle, le nez franc mêle avec subtilité des notes d'agrumes et de fleurs blanches. L'attaque fraîche et souple laisse place à des arômes complexes où l'on perçoit de nombreuses nuances fruitées et florales.

☛ Gérard Samson, 3, rue d'Harmonville, 14170 Saint-Pierre-sur-Dives, tél. 02.31.20.80.41, fax 02.31.20.29.70 ▨

Vallée de la Loire

Les vins de pays du Jardin de la France, dénomination régionale, représentent, à l'heure actuelle, 95 % de l'ensemble des vins de pays produits en vallée de la Loire ; une vaste région qui regroupe treize départements : Maine-et-Loire, Indre-et-Loire, Loiret, Loire-Atlantique, Loir-et-Cher, Indre, Allier, Deux-Sèvres, Sarthe, Vendée, Vienne, Cher, Nièvre. A ces vins s'ajoutent les vins de pays de départements et les vins de pays à dénominations locales qui sont ici : les vins de pays de Retz (au sud de l'estuaire de la Loire), des Marches de Bretagne (au sud-est de Nantes) et des Coteaux charitois (aux alentours de la Charité-sur-Loire).

La production globale s'établit aujourd'hui à 617 000 hl et repose sur les cépages traditionnels de la région. Les vins blancs qui représentent 45 % de la production sont secs, frais et fruités, et principalement issus des cépages chardonnay, sauvignon et grolleau gris. Les vins rouges et rosés proviennent, quant à eux, des cépages gamay, cabernets et grolleau noir.

Ces vins de pays sont, en général, à boire jeunes. Cependant, dans certains millésimes, le cabernet peut se bonifier en vieillissant.

Jardin de la France

DOM. DU BOIS-MALINGE
Gamay 2001★

3,3 ha	n.c.	▮♦	- de 3 €

Une robe rouge intense profond à reflets violacés habille très élégamment ce gamay. Le nez discret s'ouvre après agitation sur des parfums de petits fruits rouges bien mûrs (fraise des bois, mûre). Gras et rondeur caractérisent la bouche, où se retrouvent les arômes du nez associés à des notes épicées. Une jolie bouteille à boire dès maintenant mais qui pourra aussi attendre un à deux ans.

☛ GAEC de la Jousselinière, La Jousselinière, 44450 Saint-Julien-de-Concelles, tél. 02.40.54.11.08, fax 02.40.54.19.90, e-mail muscadetchon @ aol.com ▨ Ⲩ t.l.j. sf dim. 10h-12h 14h-18h

CHARDET 2001★★

2,5 ha	30 000	▮♦	3 à 5 €

Un vin de pays issu de l'assemblage à parts égales de chardonnay et de melon de Bourgogne. Avec sa robe d'un jaune soutenu à reflets dorés, il dévoile un nez complexe de fruits surmûris et de notes de miel et de poire. Souple et ample, la bouche est d'une persistance remarquable. Le **Domaine de Couillaud chardonnay 2001** obtient également une étoile.

☛ GAEC Ragotière, Ch. de la Ragotière, La Regrippière, 44330 Vallet, tél. 02.40.33.60.56, fax 02.40.33.61.89 ▨ Ⲩ t.l.j. sf sam. dim. 8h-12h 14h-18h

DOM. DE LA COCHE
Pays de Retz chardonnay 2001★★

n.c.	10 000	▮♦	- de 3 €

Deux jeunes viticulteurs de vingt-trois et vingt-six ans sont à la tête de ce domaine qui offre un remarquable chardonnay issu d'une vinification à basse température et d'une fermentation malolactique réalisée à 70 %. Son nez fruité fait preuve de finesse et même de subtilité (nuance beurrée). Sa bouche se distingue par un bel équilibre entre fraîcheur et gras et par une finale grillée de très grande classe. Un vin harmonieux qui procure beaucoup de plaisir.

☛ Emmanuel Guitteny, Dom. de la Coche, 44680 Sainte-Pazanne, tél. 02.40.02.44.43, fax 02.40.02.43.55, e-mail eguitteny @ aol.com ▨ Ⲩ t.l.j. sf dim. 9h-19h

DOM. LES COINS
Pays de Retz Grolleau 2001★

4 ha	20 000	▮♦	3 à 5 €

Un vin gris aux notes épicées, qui se révèle gouleyant. Rond et équilibré, ce grolleau est particulièrement élégant.

☛ Jean-Claude Malidain, 25 bis, rue du Stade, 44650 Corcoué-sur-Logne, tél. 02.40.05.95.95, fax 02.40.05.80.99, e-mail jeanclaude.malidain@free.fr ▨ Ⲩ r.-v.

DOM. DU COLOMBIER
Chardonnay 2001★

2 ha	17 000		3 à 5 €

Situé à la porte des Mauges et du Muscadet, le domaine du Colombier est exploité par les Bretaudeau depuis quatre générations. Depuis cinq ans, Jean-Yves est à la tête de la propriété. Dans sa robe jaune doré, ce chardonnay développe des senteurs puissantes de fleurs blanches. Une attaque franche, un bel équilibre et des arômes persistants typiques du cépage pour une bouteille très réussie. Le **cabernet 2001 (moins de 3 €)**, une étoile, a été apprécié pour sa complexité olfactive et sa bonne harmonie.

☛ Jean-Yves Brétaudeau, Le Colombier, 49230 Tillières, tél. 02.41.70.45.96, fax 02.41.70.36.17, e-mail contact @ lecolombier.com ▨ Ⲩ r.-v.

DOM. DE LA COUPERIE
Cuvée Clyan Cabernet Elevé en fût de chêne 2000★

■	2 ha	8 000	(l)	3 à 5 €

Ce vin, composé de cabernet franc (90 %) complété par du cabernet-sauvignon, présente une couleur soutenue à reflets violets et un nez puissant de fruits mûrs. La bouche se montre équilibrée avec du volume et du gras. Les tanins demandent cependant encore un peu de temps pour s'affiner. A boire sur une viande ou un fromage.
⌐ Claude Cogné, La Couperie,
49270 Saint-Christophe-la-Couperie,
tél. 02.40.83.73.16, fax 02.40.83.76.71 ☑ ⵣ r.-v.

DOM. DE CRAY
Chardonnay 2001★

	5,55 ha	41 300	■↓	3 à 5 €

Une visite en Touraine vous donnera peut-être l'occasion d'aller visiter l'Aquarium de Touraine, situé à seulement 500 m du domaine de Cray. Ce chardonnay au nez floral, fin et discret offre des saveurs typiques du cépage. Bien structuré, il laisse une sensation de fraîcheur.
⌐ Boutinot, SARL La Chapelle de Cray,
rte de l'Aquarium, 37400 Lussault-sur-Loire,
tél. 02.47.57.17.74, fax 02.47.57.11.97,
e-mail chapelledecray@wanadoo.fr ⵣ r.-v.

PRIVILEGE DE DROUET
Chardonnay 2001★

	11,5 ha	72 000	■(l)↓	3 à 5 €

Cette maison de négoce du vignoble nantais distribue ses vins dans près de soixante pays. Après un nez plutôt discret mais typique, son chardonnay s'exprime pleinement en bouche avec des arômes de pomme accompagnés d'une note vanillée.
⌐ SA Les vins Drouet Frères,
8, bd du Luxembourg, 44330 Vallet,
tél. 02.40.36.65.20, fax 02.40.33.99.78,
e-mail drouetsa@club-internet.fr ☑ ⵣ r.-v.

DOM. DE L'ERRIERE
Cabernet 2001★

■	1,92 ha	10 000	■↓	- de 3 €

Ce cabernet possède une couleur rouge foncé à reflets violets, des arômes puissants et des nuances de fruits rouges (cerise, fraise), une attaque fruitée (fraise, framboise). Sa structure légère lui apporte souplesse et élégance. Une bouteille à boire dès maintenant.
⌐ GAEC Madeleineau Père et Fils,
Dom. de L'Errière, 44430 Le Landreau,
tél. 02.40.06.43.94, fax 02.40.06.48.82 ☑ ⵣ r.-v.

DOM. DE FLINES
Chardonnay 2001★

	6,19 ha	64 000	■↓	3 à 5 €

Proche du château médiéval de Martigné-Briand, cette exploitation propose un chardonnay plutôt surprenant qui plaira aux amateurs. Le nez possède des arômes de pamplemousse puis de fleurs blanches qui se retrouvent en bouche. La macération pelliculaire apporte à ce vin la rondeur et le volume qui lui permettront d'être attendu. Les dégustateurs ont également retenu un **gamay rouge 2001** agréable et équilibré.

⌐ C. Motheron, Dom. de Flines,
102, rue d'Anjou, 49540 Martigné-Briand,
tél. 02.41.59.42.78, fax 02.41.59.45.60 ☑ ⵣ r.-v.

GOULAINE
Chardonnay 2001★

	20 ha	100 000	■↓	3 à 5 €

Ce vin à la robe jaune pâle, typique du cépage chardonnay, présente une attaque fraîche, des arômes floraux et une bonne longueur en bouche.
⌐ Vinival, La Sablette, 44330 Mouzillon,
tél. 02.40.36.66.00, fax 02.40.36.26.83

DOM. DES HAUTES OUCHES
Grolleau gris 2001★

	n.c.	3 000	■↓	3 à 5 €

Un vin typique du cépage à la robe jaune pâle à reflets rosés. Le nez, franc, exprime des arômes floraux intenses avec des notes d'agrumes (citron, pamplemousse). L'équilibre et la persistance en bouche en font une bouteille fort agréable et prête pour cet automne.
⌐ EARL Joël et Jean-Louis Lhumeau,
9, rue Saint-Vincent, Linières, 49700 Brigné-sur-Layon,
tél. 02.41.59.30.51, fax 02.41.59.31.75 ⵣ r.-v.

DOM. DE LA HOUSSAIS
Marches de Bretagne Gamay 2001★

■	1,3 ha	8 000	■↓	3 à 5 €

Gamay de type primeur, cette bouteille dévoile des parfums de fruits rouges (groseille, framboise) aux notes légèrement amyliques. La bouche est franche, souple et soyeuse. Un joli vin.
⌐ Bernard Gratas, Dom. de La Houssais,
44430 Le Landreau,
tél. 02.40.06.46.27, fax 02.40.06.47.25
☑ ⵣ t.l.j. sf dim. 9h30-12h 14h-19h; f. 10-15 août

LE MOULIN DE LA TOUCHE
Pays de Retz Chardonnay 2001★

	3 ha	12 000	■↓	3 à 5 €

Une étoile vient à nouveau récompenser le chardonnay du domaine de Joël Hérissé. Des nuances vertes illuminent la robe jaune pâle de ce vin. Le nez est remarquable, avec des arômes de fleurs blanches et des notes mellifères. Le développement gustatif s'amorce avec franchise et équilibre, et se prolonge sur des nuances fruitées très agréables.
⌐ Joël Hérissé,
Le Moulin de la Touche, 44580 Bourgneuf-en-Retz,
tél. 02.40.21.47.89, fax 02.40.21.47.89 ☑ ⵣ r.-v.

DOM. DE LA PIERRE BLANCHE
Pays de Retz Chardonnay 2001★

	n.c.	4 000	■	- de 3 €

Lors de la construction des bâtiments au XIXᵉs., la première pierre posée était de couleur blanche. C'est ainsi que le domaine reçut son nom. L'impression de fraîcheur domine la dégustation de ce chardonnay : son nez léger, son attaque acidulée et une certaine longueur en bouche le destinent aux fruits de mer.
⌐ Gérard Epiard, La Pierre Blanche,
85660 Saint-Philbert-de-Bouaine,
tél. 02.51.41.93.42, fax 02.51.41.91.71 ☑ ⵣ r.-v.

LES ROCHERS
Cabernet Elevé en fût de chêne 1999★

| ■ | n.c. | 3 000 | ⬙ | 3 à 5 € |

Ce vin d'une belle couleur rouge cerise avec un nez de fruits rouges possède un bon équilibre et des arômes de cassis.
↬ GAEC Michel et fils Luneau,
3, rte de Nantes, 44330 Mouzillon,
tél. 02.40.33.95.22, fax 02.40.33.95.22 ☑ ♈ r.-v.

GASTON ROLANDEAU
Cuvée atlantique Chardonnay 2001★

| ■ | 16 ha | 150 000 | ■♨ | - de 3 € |

Des arômes d'une grande complexité émanent de ce vin blanc issu de chardonnay, qui présente un mélange de parfums de fruits rouges et de fruits secs. C'est peut-être en bouche qu'il livre tous ses charmes. Les qualificatifs n'ont pas manqué : charnu, souple, friand, gras, fondu, rond. Ce vin accompagnera très bien les poissons grillés ou en sauce, les coquilles Saint-Jacques, ainsi que certains fromages.
↬ Les Vendangeoirs du Val de Loire, Rolandeau,
La Frémonderie BP 2, 49230 Tillières,
tél. 02.41.70.45.93, fax 02.41.70.43.74,
e-mail vvl@rolandeau.fr

DOM. DE SAINTE ANNE
Chardonnay 2001★

| ■ | 2 ha | 6 000 | ■♨ | 3 à 5 € |

Le domaine situé à moins d'un kilomètre du château de Brissac-Quincé possède 55 ha de vignes. Vêtu d'une belle robe dorée, son chardonnay bien typique, au nez intense et floral, présente une bouche ronde et agréable. Son harmonie est parfaite.
↬ Dom. de Sainte-Anne,
EARL Brault, 49320 Brissac-Quincé,
tél. 02.41.91.24.58, fax 02.41.91.25.87,
e-mail eva.brault@terre-net
☑ ♈ t.l.j. sf dim. 9h-12h 14h-19h; sam. 18h

YVONNICK ET THIERRY SAUVETRE
Marches de Bretagne Gamay 2001★★

| ■ | 1,3 ha | 10 000 | ■♨ | - de 3 € |

Cette cuvée parée d'une robe sombre et brillante à reflets violets, bien caractéristique du gamay, offre un nez tout en finesse mais aussi intense, avec des notes de fruits mûrs et des nuances poivrées. La bouche vient parfaire cet ensemble, remarquablement harmonieux, par sa charpente, son gras et sa longueur.
↬ Yves Sauvètre et Fils, La Landelle,
90, rue de la Durandière, 44430 Le Loroux-Bottereau,
tél. 02.40.33.81.48, fax 02.40.33.87.67 ☑ ♈ r.-v.

DOM. DU SILLON COTIER
Pays de Retz Grolleau gris 2001★

| ■ | 1,5 ha | 8 000 | ■♨ | 3 à 5 € |

La proximité de l'océan Atlantique et de ses embruns associés à un sol à dominante de schistes confère à ce vin des notes iodées et minérales complétées, après agitation, par des arômes de fleurs. Bien construite, cette bouteille lie en bouche harmonie, rondeur et vivacité.
↬ Jean-Marc Ferre, Chem. de Trélebourg,
44760 Les Moutiers-en-Retz,
tél. 02.40.64.77.29, fax 02.40.64.77.29
☑ ⛌ ♈ r.-v.

Nièvre

JEAN TREUILLET
Sauvignon 2001

| ▨ | 2 ha | 7 000 | | 3 à 5 € |

Tous les dégustateurs s'accordent sur l'équilibre de la structure qui confère à ce vin de pays une bonne longueur. Les arômes sont caractéristiques du cépage, avec, en plus, une petite note minérale. A goûter sur des fruits de mer.
↬ Madeleine Treuillet,
Fontenille, 58150 Tracy-sur-Loire,
tél. 03.86.26.17.06, fax 03.86.26.17.06 ☑ ♈ t.l.j. 8h-18h

Aquitaine et Charentes

Entourant largement le Bordelais, c'est la région formée par les départements de Charente et Charente-Maritime, Gironde, Landes, Dordogne et Lot-et-Garonne. La production y atteint 100 000 hl, avec une majorité de vins rouges souples et parfumés dans le secteur aquitain, issus des cépages bordelais que complètent quelques cépages locaux plus rustiques (tannat, abouriou, bouchalès, fer). Charentes et Dordogne donnent surtout des vins de pays blancs, légers et fins (ugni blanc, colombard), ronds (sémillon, en assemblage avec d'autres cépages) ou corsés (baroque). Charentais, Agenais, Terroirs landais et Thézac-Perricard sont les dénominations sous-régionales ; Dordogne, Gironde et Landes constituent les dénominations départementales.

Charentais

BRARD BLANCHARD 2001★

| ■ | 2,21 ha | 22 667 | ▨ | 3 à 5 € |

Bouilleur de cru, ce producteur cultive ses 18,80 ha en agriculture biologique depuis une trentaine d'années, sur les coteaux bordant la Charente. Il élabore non seulement du pineau des charentes et du cognac, mais aussi des vins de pays, tel ce vin rouge gouleyant. Celui-ci est si frais qu'il se consomme presque comme un rosé. Fin et rond, il se mariera aux viandes blanches et rouges.
↬ GAEC Brard Blanchard,
1, chem. de Routreau, Boutiers, 16100 Cognac,
tél. 05.45.32.19.58, fax 05.45.36.53.21
☑ ⛭ ♈ t.l.j. sf dim. 9h-12h 14h-18h; sam. 9h-12h

DOM. DU BREUIL
Rosé de cabernet 2001★

| ■ | 1 ha | 4 500 | ■♨ | - de 3 € |

Le merlot à 90 %, soutenu par 10 % de cabernet, compose ce vin rosé vif et équilibré. Du poisson, des salades, des viandes froides ou de la charcuterie : le choix est vaste parmi les mets qui s'y accorderont pour un agréable moment à passer entre amis.

↝ Guy et Jean-Pierre Morandière, Le Breuil,
17150 Saint-Georges-des-Agoûts, tél. 05.46.86.02.76,
fax 05.46.70.63.11 ☑ ☒ t.l.j. sf dim. 8h-18h30

DOM. BRUNEAU
Merlot 2001

■	5 ha	15 000	■ ♦	3 à 5 €

Implanté en sommet de coteaux argilo-calcaires, ce vignoble s'est étendu depuis la fin des années 1960, remplaçant les diverses cultures qui y étaient pratiquées. Alain Pillet a élaboré un vin léger, prêt à accompagner toute la cuisine du terroir charentais.
↝ Alain Pillet, Chez Bruneau, 17130 Rouffignac,
tél. 05.46.49.04.82 ☑ ☒ r.-v.

DOM. DE LA CHAUVILLIERE
Chardonnay 2001★

■	10 ha	50 000	■	3 à 5 €

Autour de Royan, un agréable circuit conduira vos pas d'une église romane à l'autre, et notamment à l'abbaye de Sablonceaux. A 2 km, ce domaine cultive 50 ha de vignes. Son vin puissant et fin à la fois possède suffisamment de générosité pour souligner les saveurs des poissons ou des viandes blanches.
↝ EARL Hauselmann et Fils,
Dom. de La Chauvillière, 17600 Sablonceaux,
tél. 05.46.94.44.40, fax 05.46.94.44.63 ☑ ☒ r.-v.

DOM. GARDRAT
Colombard 2001★★

■	3 ha	32 000	■ ♦	- de 3 €

On l'appelle aussi pied tendre dans le Blayais ou bon blanc en Vendée, ce colombard originellement cultivé dans les Borderies et dont le vin est réputé vif, plein d'allant. Mais Jean-Pierre Gardrat et son fils Lionel ont su élaborer un 2001 flatteur et fin. La finale persistante ne fait qu'ajouter à l'agrément de cette bouteille.
↝ Jean-Pierre Gardrat, La Touche, 17120 Cozes,
tél. 05.46.90.86.94, fax 05.46.90.95.22,
e-mail lionel.gardrat@wanadoo.fr ☑ ☒ r.-v.

DOM. DU GROLLET 2000★

■	20,3 ha	40 000	■ ◫ ♦	3 à 5 €

Si le domaine comprend 200 ha en totalité, voués à la production de cognac, 20 ha ont été plantés en cépages rouges dans la seconde moitié des années 1990, autour de la demeure. Cabernet-sauvignon et merlot ont ainsi donné naissance à un 2000 concentré et équilibré, souligné d'une légère nuance végétale. Avez-vous déjà goûté l'une des recettes de canard charentaises ? La bouteille est toute trouvée.
↝ SA Les Dom. Rémy-Martin,
29, rue de la Société-Vinicole, B.P. 37, 16100 Cognac,
tél. 05.45.35.76.00, fax 05.45.35.77.94

THIERRY JULLION
Sauvignon 2001

■	1,65 ha	12 000	■ ♦	3 à 5 €

Installé il y a vingt ans sur ce domaine viticole dont la création remonte à 1850, Thierry Jullion cultive aujourd'hui 34 ha. Son 2001 sauvignonne à souhait, mais avec légèreté. Frais et persistant, il n'attend qu'un plateau de fruits de mer.
↝ Thierry Jullion, Montizeau, 17520 Saint-Maigrin,
tél. 05.46.70.00.73, fax 05.46.70.02.60
☑ ☒ t.l.j. sf dim. 14h-19h; sam. 9h-12h

DOM. DE MERIENNE
Merlot 2000★

■	5 ha	15 000	■ ♦	5 à 8 €

L'histoire du domaine de Mérienne commence en 1764, une antériorité que Bruno Charpentron met en avant lorsqu'il évoque son vignoble, fort aujourd'hui de 24 ha. Vinifié en cuve, ce merlot se dévoile sous son meilleur jour : rond, généreux et équilibré, il mérite d'être dégusté dès aujourd'hui.
↝ SCA du Clos de Mérienne,
1, Chem. du Clos de Mérienne, 16200 Gondeville,
tél. 05.45.81.13.27, fax 05.45.81.74.30,
e-mail cognac-charpentron@hotmail.com ☑ ☒ r.-v.
↝ Bruno Charpentron

MOINE FRERES 2001★

■	5,25 ha	12 000	■ ♦	3 à 5 €

Membre du réseau Bienvenus à la ferme, les frères Moine ont souhaité mettre en valeur le lien qui unit le vigneron au tonnelier. Ils proposent ainsi aux amateurs de visiter non seulement leur domaine de quelque 39 ha, mais aussi l'atelier d'un fendeur de merrain et une tonnellerie. Il est déjà difficile de résister aux grillons de Charentes, délicieuses rillettes. Mais il le sera davantage encore si on les accompagne de ce rosé de teinte séduisante, fin et rafraîchissant.
↝ SNC Jean-Yves et François Moine, Villeneuve,
16200 Chassors, tél. 05.45.80.98.91, fax 05.45.80.96.01,
e-mail lesfreres.moine@wanadoo.fr
☑ 🏠 ☒ t.l.j. sf dim. 9h-12h 14h-18h

DOM. PIERRIERE GONTHIER 2001★

■	6 ha	27 000	■ ♦	3 à 5 €

Depuis plus de deux siècles, ce domaine, avec sa maison typiquement charentaise à cour fermée, est résolument voué à la vigne. Il connut cependant un tournant en 1993, lorsque Pascal Gonthier l'orienta vers la production de vin rouge. Si la cuvée Jean Marin 2000 obtient une citation du jury, cet assemblage de merlot et de cabernet-sauvignon a retenu l'attention par son caractère souple, bien équilibré, à peine ponctué d'une nuance végétale.
↝ Pascal Gonthier, Nigronde,
16170 Saint-Amant-de-Nouère,
tél. 05.45.96.42.79, fax 05.45.96.42.79 ☑ ☒ r.-v.

CHAI DU ROUISSOIR
Cabernet Terroir de Fossiles 2001★

■	1,5 ha	1 200	■ ♦	3 à 5 €

Didier Chapon, bouilleur de cru, s'installa en 1972 sur ce domaine. Aujourd'hui, son fils Hugues poursuit les efforts de diversification de la production dès 1996. Ainsi découvrirez-vous ce vin bien typé cabernet-sauvignon, léger et frais.
↝ Chai du Rouissoir, Roussillon, 17500 Ozillac,
tél. 05.46.48.14.76, fax 05.46.48.14.76,
e-mail chaidurouissoir@hotmail.com
☑ ☒ t.l.j. sf dim. 10h-20h
↝ Chapon

LE ROYAL
Ile de Ré 2001★

■	35 ha	240 000	■ ♦	- de 3 €

Le Bois-Plage-en-Ré, l'une des incontournables stations balnéaires de l'île, s'anime d'un agréable marché où vous pourrez acheter tous les ingrédients nécessaires à l'élaboration de votre repas. Choisissez une alose citronnée

VDP

pour accompagner cet assemblage de sauvignon, d'ugni blanc et de colombard. Voilà une bouteille agréablement parfumée et équilibrée.

☛ Coop. des Vignerons de l'Ile de Ré,
17580 Le Bois-Plage-en-Ré, tél. 05.46.09.23.09,
fax 05.46.09.09.26, e-mail uniré@wanadoo.fr ☑ ☰ r.-v.

SORNIN ERECTUS 2000*

	8,5 ha	60 000		3 à 5 €

Une étonnante étiquette habille cette bouteille : un silex et des animaux évoquant ceux des peintures rupestres. La cave de Saint-Sornin rappelle ainsi les merveilles préhistoriques découvertes par les archéologues dans les grottes de la Chaise et du Placard. Son vin, très actuel, flatte par ses arômes persistants comme par sa rondeur et son équilibre.

☛ SCA Cave de Saint-Sornin, Les Combes,
16220 Saint-Sornin, tél. 05.45.23.92.22,
fax 05.45.23.11.61, e-mail contact@cavesaintsornin.com
☑ ☰ t.l.j. sf dim. 8h-12h 14h-18h

TERRA SANA 2001*

	n.c.	n.c.		5 à 8 €

Issu de vignes cultivées en agriculture biologique à Ségonzac, Terra Sana marie l'ugni blanc, le colombard et le sauvignon. Il apparaît équilibré et joliment fruité jusqu'en finale, comme pour mieux convaincre de le servir à table sur les produits de la mer (des huîtres en barbote, cuites et enveloppées de lard, par exemple), les viandes blanches et les volailles.

☛ SA Jacques et François Lurton,
Dom. de Poumeyrade, 33870 Vayres,
tél. 05.57.55.12.12, fax 05.57.55.12.13,
e-mail jflurton@jflurton.com

VILNEAU
Sauvignon Cuvée Prestige 2001

	1 ha	4 500		3 à 5 €

A une dizaine de kilomètres de Tusson et de son abbaye, où Marguerite de Valois se retira après la mort de son frère, François Ier, pour se consacrer à la poésie, Roland Vineau cultive la vigne depuis trente ans avec dévouement. Son sauvignon légèrement parfumé se déguste aussi agréablement qu'une matelote d'anguille, comme un bon produit de la gastronomie charentaise.

☛ Roland Vilneau, Le Breuil, 16140 Verdille,
tél. 05.45.21.34.43, fax 05.45.21.34.43
☑ ☰ t.l.j. sf dim. 8h-13h 14h-20h

Agenais

DOM. DE BORDES
Doux 2001★★

	0,3 ha	1 330		3 à 5 €

Installée ici depuis 1927, la famille Morel distille l'armagnac et produit également des vins blancs. Le doux est remarquable et mérite que l'on s'arrête. Doré paille, il provient de gros manseng (80 %), colombard et ugni blanc. Bouquet d'agrumes, fruit de la Passion, bonbon anglais. On retrouve au palais cette complexité ainsi que des arômes de fruits à chair blanche. De la souplesse de l'attaque à la finale longue et onctueuse, un vrai plaisir.

☛ Christian Morel, Dom. de Bordes,
47170 Sainte-Maure-de-Peyriac, tél. 05.53.65.62.16,
fax 05.53.65.21.63 ☑ ☰ t.l.j. 8h-12h30 14h-20h30

DOM. DE CAZEAUX
Elevé en fût de chêne 2000★

	8 ha	12 000		5 à 8 €

Michel Kauffer a donné naissance à la première bouteille de floc de gascogne produite au domaine ; Eric, au premier vin rouge élevé en fût de chêne. Ainsi, de génération en génération, la tradition se poursuit en accomplissant des pas en avant. Merlot, cabernet-sauvignon et une pointe de tannat se mettent en quatre pour constituer ce millésime robuste, mais accessible à de bons sentiments. Rubis si foncé qu'il en devient noir, illuminé d'une lueur violette, il reste au nez sur ce mot en évoquant cette fleur. Ses treize mois de fût ont laissé un souvenir vanillé, mais le corps est mis en valeur par un élevage soigné. Il devra vieillir en cave.

☛ Eric Kauffer, Dom. de Cazeaux, 47170 Lannes,
tél. 05.53.65.73.03, fax 05.53.65.88.95,
e-mail domaine.de.cazeaux@wanadoo.fr
☑ ☰ t.l.j. 9h-12h 14h-18h; groupes sur r.-v.

COTES DES OLIVIERS
Elevé en fût de chêne 2000★

	1 ha	4 000		3 à 5 €

On est ici au pays du pruneau et de la noix d'Agen, des bastides de Guyenne, du musée du Foie gras... On est donc toute tendresse pour ce merlot, cabernet-sauvignon et cabernet franc qui nous prend par les sentiments et nous incite au péché de gourmandise. Rouge cerise à reflets pourpres, il rappelle, au nez, les fruits à l'eau-de-vie, la confiture de vieux garçon. Les tanins dressent un peu le dos, mais la visite se déroule bien. Le fond et la forme sont respectés.

☛ Jean-Pierre Richarte, Les Oliviers, 47140 Auradou,
tél. 05.53.41.28.59, fax 05.53.49.38.89
☑ ☰ t.l.j. 9h-12h 14h-19h

LOU GAILLOT
Tradition 2001★

	2,5 ha	20 000		3 à 5 €

Situées sur l'une des rares terrasses de la vallée du Lot, ces vignes portent le merlot et les deux cabernets. Pour ce vin, l'apport du cabernet-sauvignon est le plus important. D'un rouge si foncé qu'on le dirait noir, un 2001 particulièrement odorant sur des expressions habituelles d'épices et de fruits rouges. Franc à l'attaque, gras et rond, sachant discipliner ses tanins sans pour autant s'en passer, il conclut l'affaire par une suave arrière-bouche.

☛ Gilles Pons, Les Gaillots, 47440 Casseneuil,
tél. 05.53.41.04.66, fax 05.53.01.13.89
☑ ☰ t.l.j. sf dim. 9h-12h30 14h-19h30

DOM. DU SERBAT 2001

	0,4 ha	3 000		3 à 5 €

100 % merlot, il ne cherche pas les complications. Mais ce vignoble mérite une attention particulière : propriété d'un Centre d'assistance pour le travail, il emploie des personnes handicapées sur une douzaine d'hectares. Pourpre mauve, il rend compte des arômes du cépage et du terroir. Sa structure est satisfaisante, son goût fruité et on apprécie en outre l'harmonie générale entre l'acidité, l'alcool et les tanins.

↬ CAT Lamothe-Poulin, Dom. du Serbat,
47340 Laroque-Timbaut, tél. 05.53.95.71.07,
fax 05.53.95.79.61, e-mail domaine-serbat@wanadoo.fr
☑ ⏲ t.l.j. sf dim. 8h30-17h30; sam. 8h30-12h

Thézac-Perricard

VIN DU TSAR
Tradition 2000

■	4,5 ha	40 000	▮▴	3 à 5 €

Une curiosité à servir si vous recevez un ami russe à votre table. Le président Fallières offrit un jour du vin de son pays à Nicolas II qui par la suite en commanda beaucoup. Dans la langue populaire, le vin de Thézac-Perricard devint « le vin du Tsar ». La coopérative locale a déposé cette marque et joue astucieusement de son image. Voyez www.vin-du-tsar.tm.fr ! Merlot et malbec participent à cette entente franco-russe. La robe rubis à grenat, très soutenue, rappelle davantage la cour de Saint-Petersbourg que les drapeaux rouges de la Révolution. Nez assez complexe. L'ensemble chante réglisse et violette et le prix est démocratique.
↬ Les Vignerons de Thézac-Perricard, Plaisance,
47370 Thézac, tél. 05.53.40.72.76, fax 05.53.40.78.76,
e-mail info@vin-du-tsar.tm.fr
☑ ⏲ t.l.j. 9h15-12h15 14h-18h; dim. 14h-18h

Périgord

DOM. DE LA VITROLLE 2000★

■	4,5 ha	13 135	▯▯	5 à 8 €

Dans l'ancienne demeure de la famille de Senailhac de la Vitrolle, cave et chai produisent ce 2000 : le vignoble s'étend sur 7,5 ha et l'encépagement comporte merlot, cabernets franc et sauvignon répartis ici à parts égales. Rouge cerise à reflets mauves, offrant un bouquet où dominent le fruit rouge et l'animal, un vin à l'attaque franche mais souple, correctement structuré. Le boisé est bien fondu (huit mois de fût). En Périgord, on a l'embarras du choix quand on pense à un accord gourmand...
↬ Dom. de la Vitrolle, rte du Bugue, 24510 Limeuil,
tél. 05.53.61.58.58, fax 05.53.61.05.27 ☑ ⏲ r.-v.

Terroirs landais

ROUGE DE BACHEN 2000★★

■	10 ha	12 600	▮▯▯▴	8 à 11 €

Nombreux sont les grands chefs devenus vignerons à leurs moments perdus : Blanc, Meneau, Lorain, etc. Voici Michel Guérard dans ses œuvres. Merveilleusement remis en valeur, le château de Bachen fait ainsi renaître avec éclat le vin de Tursan. Ce vignoble est né en 1984 et, depuis 1996, le rouge s'ajoute au blanc. La bouteille dégustée est la meilleure de toutes parmi les terroirs landais. D'un rouge profond, moiré, elle développe avec ardeur des arômes de mûre et de vanille (huit mois de cuve, autant de fût). En bouche, le boisé est davantage fondu. Sensation riche et longue. Pour un conseil d'accord gourmand, Eugénie-les-Bains est à deux pas.
↬ Michel Guérard, Cie hôtelière et fermière d'Eugénie-les-Bains, 40800 Duhort-Bachen,
tél. 05.58.71.76.76, fax 05.58.71.77.77,
e-mail michelguerard@wanadoo.fr ☑ ⏲ r.-v.

DOM. DE CAMENTRON
Sables de l'Océan 2001★

■	1,2 ha	6 000		5 à 8 €

Cabernet franc (80 %) et cabernet-sauvignon tombent d'accord pour donner une robe intense et soutenue, brillante, à laquelle s'associent quelques reflets orangés. De même, le nez est assez évolué et tend à la maturité de la framboise sur fond vanillé. Nettement marqués par le cabernet franc, l'attaque et son suivi témoignent de qualités solides : l'ampleur de la scène, la finesse du sujet. Ne pas confondre ce Messanges et le village du même nom qui produit, lui, du bourgogne hautes-côtes de nuits.
↬ SCEA Les vignes de Camentron,
chem. de Camentron, 40660 Messanges,
tél. 05.58.48.93.26, fax 05.58.48.92.30 ☑ ⏲ r.-v.
↬ Bouyrie-Dutirou

DOM. DE LABAIGT
Coteaux de Chalosse 2001★

■	3 ha	29 000	▮▴	3 à 5 €

Domaine de 10 ha sur les coteaux de Chalosse. Cabernet et tannat moitié-moitié. De rubis à grenat, un rouge profond à reflets ambrés. Ce 2001 a déjà atteint sa maturité. Evolué, il a le nez assez fin et un corps de bonne stature. Longueur suffisante à dominante de fruits mûrs.
↬ Dominique Lanot,
Dom. de Labaigt, 40290 Mouscardès,
tél. 05.58.98.02.42, fax 05.58.98.80.75
☑ ⏲ t.l.j. sf sam. dim. 8h30-12h 14h-18h

DOM. DE LABALLE
Sables fauves 2001★

■	17 ha	45 000	▮▴	- de 3 €

Au cœur du Bas Armagnac, on ne produit pas seulement la célèbre eau-de-vie. Ce domaine situé à la charnière des Landes et du Gers signe un assemblage colombard (70 %) et gros manseng à la robe discrète et limpide. Banane, citron, fleurs blanches peuplent un bouquet expansif. Ronde et fruitée, la bouche ne manque pas de vivacité. Cette propriété, familiale depuis 1820, est dirigée par Noël Laudet qui fut à la tête de Beychevelle pendant une dizaine d'années.
↬ SCEA Noël et christian Laudet,
Le Moulin de Laballe, 40310 Parleboscq,
tél. 05.58.44.37.82, e-mail n.laudet@wanadoo.fr
☑ ⏲ r.-v.

DOM. DU TASTET
Elevé en fût de chêne 2001★

■	n.c.	4 800	▯▯	3 à 5 €

Si vous voulez faire la connaissance de l'egiodola, cépage conçu naguère par l'INRA à Bordeaux, l'occasion est toute trouvée. Il entre à 80 % dans l'assemblage, marié au cabernet franc et au tannat. On vérifie ici sa forte couleur. Le nez a besoin d'aération pour s'exprimer et il se range finalement du côté du fruit rouge. Si les tanins sont un peu sévères en finale, ce qui précède en bouche est de nature équilibrée, avec de la rondeur et du volume. Un peu de sommeil en cave le rendra plus aimable.

☙ EARL J.-C. Romain et Fils, Dom. du Tastet, 2350, chem. d'Aymont, 40350 Pouillon, tél. 05.58.98.28.27, fax 05.58.98.27.63, e-mail domaine-tastet@voila.fr
☑ ㅜ t.l.j. 8h-12h30 14h-19h30

Landes

DOM. D'ESPÉRANCE
Cuvée d'Or 2001★

▨	12,3 ha	10 000	▮↓ 3 à 5 €

Claire de Montesquiou a plusieurs cordes à son arc. L'armagnac bien sûr, mais aussi ce blanc composé de gros manseng (50 %), de colombard et de sauvignon. La bouteille nous fait joliment la révérence. Sa robe or pâle conviendrait au bal des debs. Parfum discret où se confondent la fleur blanche et le citron. Une authentique richesse intérieure exclut toute frivolité malgré ses avantages : la rondeur et même le gras. Persistance convenable. Une espérance comblée.

☙ Claire de Montesquiou, Dom. d'Espérance, 40240 Mauvezin-d'Armagnac, tél. 05.58.44.85.93, fax 05.58.44.85.93, e-mail info@espérance.com.fr ☑ ⛫ ㅜ r.-v.

FLEUR DES LANDES 2001

▪	3 ha	25 000	▮↓ 3 à 5 €

Les établissements Duprat Frères à Bayonne mettent sur le marché une partie des vins de pays produits par les Vignerons landais (coopérative) sur le site de Mugron en Chalosse. Ce vin à 70 % cabernets et 30 % tannat a quelques reflets orangés qui annoncent l'évolution de la robe. Les notes de petits fruits rouges accompagnent une bouche souple de bout en bout, construite sur des tanins très lisses, presque soyeux.

☙ Vins Duprat Frères, quai Pièce-Noyée, chem. Saint-Bernard, 64100 Bayonne, tél. 05.59.55.65.65, fax 05.59.55.41.52, e-mail vins.duprat@wanadoo.fr
ㅜ t.l.j. sf sam. dim. 8h-12h 14h-17h

GAILANDE 2001

▪	6 ha	50 000	▮↓ - de 3 €

D'un rouge légèrement tuilé, ambré, tirant sur le grenat, il évolue à vue d'œil. Son nez est mûr, ouvert sur des accents animaux. A boire maintenant, il est agréable et souple. Issu de tannat (40 %) et de cabernets.

☙ Les Vignerons Landais, 40320 Geaune, tél. 05.58.44.51.25, fax 05.58.44.40.22, e-mail info@vlandais.com
☑ ㅜ t.l.j. sf dim. 9h-12h 14h-17h30

SYMPHONIE
Moelleux 2001★

▨	1,8 ha	16 000	▮↓ 3 à 5 €

Ce blanc moelleux (gros manseng à 70 %, petit manseng à 30 %) accompagne le roquefort, le bleu de

Bresse. Sa robe de couleur paille à dorée est bien soutenue. Il y a du gras : les larmes apparaissent vite au bord du verre. Le bouquet est agréable. Le miel et la noix s'expriment pleinement. L'ensemble est puissant, bien persistant.

☙ EARL Dulucq, Château de Perchade, 40320 Payros-Cazautets, tél. 05.58.44.50.68, fax 05.58.44.57.75 ☑ ㅜ t.l.j. sf dim. 8h-13h 14h30-19h

Pays de la Garonne

Avec Toulouse en son cœur, cette région regroupe dans la dénomination « vin de pays du Comté tolosan » les départements suivants : l'Ariège, l'Aveyron, la Haute-Garonne, le Gers, le Lot, le Lot-et-Garonne, les Pyrénées-Atlantiques, les Hautes-Pyrénées, le Tarn et le Tarn-et-Garonne. Les dénominations sous-régionales ou locales sont : les côtes du Tarn ; les coteaux de Glanes (Haut-Quercy, au nord du Lot ; rouges pouvant vieillir) ; les coteaux du Quercy (sud de Cahors ; rouges charpentés) ; Saint-Sardos (rive gauche de la Garonne) ; les coteaux et terrasses de Montauban (rouges légers) ; les côtes de Gascogne, les côtes du Condomois et les côtes de Montestruc, (zone de production de l'armagnac dans le Gers ; majorité de blancs) ; et la Bigorre. Haute-Garonne, Tarn-et-Garonne, Pyrénées-Atlantiques, Lot, Aveyron et Gers sont les dénominations départementales.

L'ensemble de la région, d'une extrême variété, produit environ 200 000 hl de vins rouges et rosés et 400 000 hl de blancs dans le Gers et le Tarn. La diversité des sols et des climats, des rivages atlantiques au sud du Massif central, alliée à une gamme particulièrement étendue de cépages, incite à l'élaboration d'un vin d'assemblage de caractère constant, ce que s'efforce d'être, depuis 1982, le vin de pays du Comté tolosan ; mais sa production est encore réduite : 40 000 hl dans un ensemble produisant environ quinze fois plus.

Comté tolosan

CABIDOS
Petit manseng 2001★★

▨	3,8 ha	9 000	▥ 8 à 11 €

Cabidos offre l'occasion de découvrir un cépage typique des Pyrénées-Atlantiques : le petit manseng. Vinifié en moelleux, celui-ci présente ici une belle robe jaune paille ; il semble riche, généreux en arômes de fruits exotiques, de vanille et d'épices. Le bois magnifie comme il faut son volume.

☙ Vivien de Nazelle, Ch. de Cabidos, 64410 Cabidos, tél. 05.59.04.43.41, fax 05.59.04.41.83
☑ ㅜ t.l.j. sf sam. dim. 8h-12h 14h-17h30

LIBRA
Colombard-Sauvignon 2001★

	n.c.	200 000	▮♦	5 à 8 €

Délicieux mariage du colombard et du sauvignon. La palette discrète et fine s'inscrit dans le registre floral, tandis que la bouche franche, à la fois fruitée (agrumes) et florale (buis), possède ce qu'il faut de gras.
🌪 Producteurs Plaimont, 32400 Saint-Mont, tél. 05.62.69.62.87, fax 05.62.69.61.68 ☑ ❤ r.-v.

Saint-Sardos

DOM. DE LA GRAVETTE 2001

▮	3,43 ha	27 600	▮♦	3 à 5 €

La cave de Saint-Sardos est surtout connue pour ses vins rouges puissants. Cette année, la cuvée de rosé gagne à être dégustée. Elle livre des arômes puissants et persistants de fraise au nez, puis de banane en bouche. Bien que vive, elle garde une certaine souplesse qui la rend facile à boire.
🌪 Cave des vignerons de Saint-Sardos, Le Bourg, 82600 Saint-Sardos, tél. 05.63.02.52.44, fax 05.63.02.62.19 ☑ ❤ r.-v.

Côtes du Tarn

DOM. D'ARLUS 2001★

▮	1 ha	6 800	▮♦	3 à 5 €

Sur ce domaine de 32 ha ont été mis au jour les vestiges d'une ancienne fabrique d'amphores. Le vignoble du Tarn jouit d'une longue histoire mais aussi d'un encépagement varié. Ce bicépage duras-syrah retient l'attention par son côté jeune, vif, presque piquant.
🌪 Ch. d'Arlus, Les Homps, 81140 Montels, tél. 05.63.33.15.06, fax 05.63.33.15.06, e-mail schmitt.lichtenau@online.de ☑ ❤ r.-v.
🌪 Lucien Schmitt

DOM. D'EN SEGUR
Cuvée Germain Elevé en fût de chêne 1999★

▮	6 ha	30 000	◨	5 à 8 €

Le vignoble de 25,7 ha a été entièrement replanté à partir de 1986. En Gourau présente une vendange 99 passée en fût qui laisse se développer tous les arômes de vanille, de pain grillé et de fruits rouges. Les tanins sont fins et persistants.
🌪 SCEA En Gourau-En Ségur, rte de Saint-Sulpice, 81500 Lavaur, tél. 05.63.58.09.45, fax 05.63.58.65.03, e-mail fontorbe@wanadoo.fr ☑ ❤ r.-v.

CAVE DE RABASTENS
Gamay 2001★

▮	80 ha	500 000	▮♦	- de 3 €

La cave de Rabastens vous a habitués à ses gamay si bien réussis. Si ce 2001 ne s'affiche pas comme un vin de primeur, il en a toute la vigueur et le gouleyant. Il mêle en outre les arômes de banane et de fraise.
🌪 Cave de Rabastens, 33, rte d'Albi, 81800 Rabastens, tél. 05.63.33.73.80, fax 05.63.33.85.82 ❤ r.-v.

LES VIGNES DES GARBASSES
Syrah 2001★★

▮	0,4 ha	1 650	▮	5 à 8 €

Lorsqu'il s'installa en 1986, Guy Fontaine ne cultivait que 9 ha de vignes. Aujourd'hui, il possède un vignoble de 16,5 ha sur ce sol caillouteux profond. Cette syrah joliment rubis affiche un nez complexe et fin, fait d'arômes de fruits rouges, de mûre, de banane, légèrement fumés. Ample, il se termine par une longue finale.
🌪 Guy Fontaine, Le Bousquet, 81500 Cabanes, tél. 05.63.42.02.05 ☑ ❤ r.-v.

Côtes de Gascogne

ALAIN BRUMONT
Chardonnay 2001

	3 ha	32 000	▮♦	3 à 5 €

Ce chardonnay à la fois souple et discret possède ce qu'il faut de gras. Dans le même chai, il ne faut pas manquer de découvrir le **tannat-merlot** également cité par le jury.
🌪 Alain Brumont , Ch. Bouscassé, 32400 Maumusson-Laguian, tél. 05.62.69.74.67, fax 05.62.69.70.46, e-mail brumontalain@wanadoo.fr ☑ ❤ r.-v.

DOM. DES CASSAGNOLES
Colombard sauvignon 2001★★

	5 ha	26 000	▮♦	- de 3 €

Voici un Colombard de Gascogne qui se marie parfaitement avec le sauvignon. La bouche est typée colombard, et c'est en finale que l'on découvre les arômes du sauvignon. Cette dégustation « en cascade » vous permettra d'apprécier successivement ces deux cépages.
🌪 J. et G. Baumann, Dom. des Cassagnoles, EARL de la Ténarèze, 32330 Gondrin, tél. 05.62.28.40.57, fax 05.62.28.42.42, e-mail tenareze@club-internet.fr ☑ ❤ r.-v.

J.P. CHENET
Colombard chardonnay 2001★

	75 ha	600 000	▮♦	- de 3 €

La maison J.P. Chenet exporte une forte proportion de ses vins vers le Royaume-Uni. Ce 2001 invite à la dégustation dès l'observation de sa robe brillante, jaune pâle. Si le chardonnay apporte ses arômes beurrés, du gras et de l'ampleur, le colombard lui donne fruité et vigueur. C'est un mariage parfaitement réussi.
🌪 Les caves de Landiras, rte de Balizac, 33720 Landiras, tél. 05.57.98.07.20, fax 05.56.62.45.38

LES ESCASSES 2001★

	n.c.	100 000	▮♦	3 à 5 €

Les producteurs du Vignoble de Gascogne associent ici le colombard, cépage dominant, à deux autres cépages de la Gascogne : le listan et l'ugni blanc. Quelle richesse : arômes d'agrumes, de vanille, avec des notes beurrées.

➼ Vignoble de Gascogne, 32400 Riscle,
tél. 05.62.69.62.87, fax 05.62.69.66.71 ☑ ⍐ r.-v.

DOM. DE JOY
Gros manseng sauvignon 2001★

▨	6 ha	13 000	▮⌴ 3 à 5 €

Gessler réalise là un parfait équilibre entre ces deux cépages, les laissant s'exprimer tous deux avec la même puissance : arômes de buis et de fruits secs pour le sauvignon, d'agrumes pour le gros manseng. Et quelle longueur en bouche : bien, très bien !
➼ GAEC Gessler et Fils, Dom. de Joÿ, 32110 Panjas,
tél. 05.62.09.03.20, fax 05.62.69.04.46,
e-mail contact@domaine-joy.com
☑ ⌂ ⍐ t.l.j. 9h-12h 14h-19h

DOM. DE MIRAIL
Colombard 2001★★

▨	20 ha	50 000	▮⌴ 5 à 8 €

Les Hollandais étaient autrefois friands des vins de colombard, qu'ils édulcoraient pour mieux les exporter à travers l'Europe. Le domaine de Mirail propose ici un 2001 au nez harmonieux, et à la bouche aux flaveurs d'agrumes avec la pointe de vivacité qui lui confère toute sa vigueur. Un vrai colombard de Gascogne.
➼ EARL du Dom. de Mirail, 32700 Lectoure,
tél. 05.62.68.82.52, fax 05.62.68.53.96 ☑ ⍐ r.-v.
➼ Hochman

DOM. DES PERSENADES
Gros manseng Moelleux 2001★★

▨	1,1 ha	10 000	▮⌴ 3 à 5 €

La palette de ce gros manseng se dessine lentement : elle est fine, discrète mais complexe. La bouche est à la fois fruitée et florale, avec une dominante citronnée qui lui confère toute sa fraîcheur. Bonne longueur également. C'est vraiment une très belle vinification de ce cépage.
➼ Christian Marou, Dom. des Persenades,
32800 Cazeneuve, tél. 05.62.09.99.30,
fax 05.62.09.84.64, e-mail marou@terre-net;fr
☑ ⍐ t.l.j. 8h30-20h

DOM. DE SAINT-LANNES
Gros manseng Moelleux 2000★★

▨	2 ha	10 000	▮ 5 à 8 €

Tout est réellement remarquable : joli jaune d'or, bouquet complexe, équilibre. La gamme des arômes se révèle successivement à qui sait s'attarder : vanille, miel, truffe, agrumes, fraise... Voici un vin de pays vraiment complet.
➼ Michel Duffour, Dom. de Saint-Lannes,
32330 Lagraulet-du-Gers,
tél. 05.62.29.11.93, fax 05.62.29.12.71,
e-mail duffour.michel@wanadoo.fr ☑ ⍐ r.-v.

DOM. DU TARIQUET
Côté Tariquet Chardonnay sauvignon 2000★★

▨	n.c.	120 000	▮⌴ 5 à 8 €

Le domaine du Tariquet continue de surprendre par la variété de ses vinifications, mono ou bicépages, boisées ou non. Ce Côté Tariquet vous fera découvrir toute la gamme d'arômes si typiques des cépages gascons : agrumes, fruits exotiques.
➼ SCV Ch. du Tariquet, Saint Amand, 32800 Eauze,
tél. 05.62.09.87.82, fax 05.62.09.89.49,
e-mail latour@tariquet.com ☑
➼ Famille Grassa

DOM. DE LA TUILERIE 2001★★

▮	2 ha	15 000	▮⌴ 3 à 5 €

La Gascogne offre au milieu de tous ses vins blancs quelques cuvées rouges de haut niveau. Joël Pellefigue a ainsi vinifié un 2001 très aromatique, souple, fruité, légèrement épicé. Retenez aussi la cuvée de rosé 2001 qui ne manquera pas de vous étonner.
➼ Joël Pellefigue, 32810 Roquelaure,
tél. 05.62.65.50.30, fax 05.62.65.58.35 ☑ ⍐ r.-v.

Lot

CLIN D'ŒIL 2001★

▮	0,9 ha	5 400	▮⌴ 3 à 5 €

Si le vignoble de Cahors est célèbre pour ses vins rouges d'appellation d'origine contrôlée, on produit également des vins blancs et rosés. Clin d'œil porte ainsi fort bien son nom. Très floral, il possède du volume, presque du gras, et une longue finale.
➼ EARL de Nozières,
Maradenne-Guitard, 46700 Vire-sur-Lot,
tél. 05.65.36.52.73, fax 05.65.36.50.62
☑ ⍐ t.l.j. sf dim. 8h-12h 14h-18h; dim. matin sur r.-v.

Lot et Garonne

COTEAUX DU MEZINAIS
Elevé en fût de chêne 2000

▮	1 ha	10 000	⦷ 3 à 5 €

Trente-six coopérateurs et 260 ha de vignes. Ce « fût de chêne » est la cerise sur le gâteau, une coquetterie à 10 000 bouteilles, invitation à découvrir les autres. Par volumes décroissants, merlot, tannat et cabernet entrent dans cette cuvée rouge éclatant. On respire le gibier, la framboise, la vanille. L'attaque est très civile, ronde et souple. Toujours un rien de rudesse tannique en bouche, mais elle fait partie du pays et mieux vaut faire un vin vrai qu'un vin travesti. D'ailleurs, la finale est déjà onctueuse.
➼ Cave des Coteaux du Mézinais, 1, bd du Colome,
47170 Mézin, tél. 05.53.65.53.55, fax 05.53.97.16.73
☑ ⍐ t.l.j. sf lun. 9h-12h30 14h30-18h30

Corrèze

MILLE ET UNE PIERRES
Elevé en fût de chêne 2000★

▮	16 ha	100 000	⦷ 5 à 8 €

C'est bien le diable si le vin de pays corrézien n'est pas servi de temps en temps sur la table élyséenne... Cabernet franc (80 %) et merlot (20 %) composent cette cuvée.

Produit par une coopérative, voici un 2000 à la robe profonde et violacée : elle ne cache pas ses sentiments. Le fruit rouge va jusqu'au confit dans un décor épicé. Attaque souple, du gras et de la rondeur, on est tout acquis à sa cause. Si le confit de canard est à votre portée, votez pour lui.

↳ Cave viticole de Branceilles,
Le Bourg, 19500 Branceilles,
tél. 05.55.84.09.01, fax 05.55.25.33.01,
e-mail cave-viticole-de-branceilles@wanadoo.fr
☑ ⏣ t.l.j. sf dim. 10h-12h 15h-18h

Coteaux et terrasses de Montauban

DOM. DU BIARNES 2001★

	1,4 ha	3 000		▮⏣	3 à 5 €

Tout est parfait dans ce vin rosé issu de cabernet franc et de syrah. D'un magnifique rose bonbon, il livre des senteurs intenses. La bouche, où dominent la violette et les épices ajoute à l'agrément d'une bouteille à boire bien fraîche.

↳ Léo Béteille, Dom. du Biarnès,
82230 La Salvetat-Belmontet,
tél. 05.63.30.42.43, fax 05.63.30.42.43 ☑ ⏣ r.-v.

DOM. DE MONTELS 2001★★★

	5 ha	20 000		▮⏣	3 à 5 €

2001
DOMAINE
de MONTELS
Vin de Pays des Côteaux
et Terrasses de Montauban
12,5%vol. C.A.E.C. du Domaine de Montels
Philippe et Thierry Romain
Vignerons Éleveurs à Albias 82350 - France
MIS EN BOUTEILLE AU DOMAINE
75cl

Philippe et Thierry Romain ont repris il y a quelques années le vignoble implanté par leur mère Aline. Il est rare de trouver dans un même chai une telle variété de cuvées de qualité. Cet assemblage de cabernet, merlot et tannat a retenu l'attention du jury : une attaque souple, des tanins présents et bien fondus qui donnent une bouche ample et équilibrée, des arômes de vanille légèrement poivrée. A ne pas manquer.

↳ Philippe et Thierry Romain, Dom. de Montels,
82350 Albias, tél. 05.63.31.02.82, fax 05.63.31.07.94
☑ ⏣ t.l.j. sf dim. 8h-12h 14h-19h

Languedoc et Roussillon

Vaste amphithéâtre ouvert sur la Méditerranée, la région Languedoc-Roussillon décline ses vignobles du Rhône aux Pyrénées catalanes. Premier ensemble viticole français, la région produit près de 80 % des vins de pays de France. Les vins de pays de départements (Aude, Gard, l'Hérault et Pyrénées-Orientales) représentent 3,1 millions d'hectolitres. Dans chacun de ces départements les vins de pays produits sur une zone plus restreinte sont nombreux (57 zones) pour 1 million d'hectolitres. Enfin, le vin de pays régional « vin de pays d'Oc », constitué à 80 % des vins de cépage avec six grands cépages essentiellement (cabernet-sauvignon, merlot, syrah en rouge et chardonnay, sauvignon, viognier en blanc) représente 3,5 millions d'hectolitres.

Obtenus par la vinification séparée de cuvées, les vins de pays de la région Languedoc-Roussillon sont issus non seulement des cépages traditionnels (carignan, cinsault et grenache, syrah pour les rouges et les rosés, clairette, grenache blanc, macabeu, muscat, terret pour les blancs) mais aussi de cépages non méridionaux : merlot, cabernet-sauvignon, cabernet franc, cot, petit verdot et pinot noir pour les vins rouges ; chardonnay, sauvignon et viognier pour les vins blancs.

Oc

LE MUST D'AMBRUSSUM
Doux 2000★★

	3 ha	8 000		▮⏣	11 à 15 €

Installé depuis 1986, Jean-Pierre Boissier va bientôt créer une petite révolution en vinifiant un muscat de vendanges assez tardives. Ce muscat à petits grains retient l'attention par son côté surprenant. Superbe à l'œil et floral au nez, sa complexité aromatique s'accompagne d'une harmonie générale tout à fait convaincante. Il n'est pas donné mais, en vin de pays d'Oc doux, on tient le *must*. Ce vin s'appelle en effet Le Must d'Ambrussum (site gallo-romain voisin).

↳ Jean-Pierre Boissier, Dom. la Croix Saint-Roch,
34400 Saint-Series, tél. 04.67.86.08.65,
fax 04.67.86.08.65, e-mail jean.pierre@wanadoo.fr
☑ ⏣ t.l.j. 10h-12h 16h-18h

LE SAUVIGNON D'ANNE DE JOYEUSE 2001★

	8,5 ha	40 000		▮⏣	5 à 8 €

Fondée en 1929 pour vinifier les vins rouges de Limoux, cette cave coopérative gère aujourd'hui 1 250 ha en réussissant à les suivre « à la parcelle ». Cette cuvée de sauvignon est un peu l'enfant chéri de la maison (8,5 ha seulement et une attention maternelle). La réussite est réelle : une robe de bal, un nez qui sauvignonne et une attaque rapide. Puis l'harmonie s'établit selon l'architecture des ducs de Joyeuse qui ont laissé ici un château Renaissance.

☍ Cave Anne de Joyeuse, 41, avenue
Charles-de-Gaulle, 11300 Limoux,
tél. 04.68.71.79.40, fax 04.68.71.79.49 ☑ Ⴤ r.-v.

VIGNERONS D'ART
Chardonnay 2001★★

	3,79 ha	4 000	■↧	3 à 5 €

Cette coopérative fondée en 1923, et établie sur
216 ha, signe ce chardonnay récolté sur 3,79 ha seulement.
Une petite merveille : d'or à reflets verts, un vin aux
arômes d'amande et de fleurs. Il devrait se sentir en
harmonie avec les crustacés. L'attaque est pleine et entière.
L'élégance ? Oui.
☍ SCA Les vignerons d' Art, RN 110,
30260 Crespian, tél. 04.66.77.81.87, fax 04.66.77.81.43,
e-mail lesvigneronsdart @ free.fr ☑ Ⴤ r.-v.

DOM. DES ASPES
Chardonnay-Viognier 2000★

	2 ha	8 000	■⊕↧	8 à 11 €

Ancienne propriété épiscopale, ce domaine a des
accointances avec le Ciel. Son assemblage chardonnay
(55 %) et viognier (45 %) ne passe pas inaperçu. Doré sur
tranche, il vous réserve une surprise : un charmant parfum
d'abricot. En bouche, il ne perd pas de temps en ronds de
jambes et formules de politesse : il va droit au but.
☍ SARL Vignobles Jérôme Roger,
Ch. du Prieuré des Mourgues, 34360 Pierrerue,
tél. 04.67.38.18.19, fax 04.67.38.27.29,
e-mail prieure.des.mourgues @ wanadoo.fr ☑ Ⴤ r.-v.

DOM. DE BEAUSEJOUR JUDELL
Cuvée Bérénas Chardonnay 2001★★★

	2,3 ha	11 000	⊕	5 à 8 €

« Australien marié à une Française, je suis tombé
amoureux de cette terre », confie ce viticulteur dont le
chardonnay (2,3 ha sur les 22 du domaine) monte sur la
plus haute marche du podium. Une réussite remarquable
de bout en bout. On ne peut guère imaginer robe plus
cristalline et plus nuancée, de l'or tendre aux reflets verts.
Agrumes, réglisse, le bouquet impressionne par sa complexité rare. Petite touche d'amande grillée rappelant le fût
(six mois). La bouche est délicieuse. De la grâce et de la
profondeur.
☍ SCEA Dom. de Beauséjour-Judell, TM 14, RN 9,
34800 Nébian, tél. 04.67.96.27.80, fax 04.67.96.39.57,
e-mail graeme @ beausejour-judell.com ☑ Ⴤ r.-v.

DOM. BELOT
Cabernet-sauvignon 2001★

	1 ha	5 000	■	5 à 8 €

La famille Belot a repris en 1997 un vieux domaine
du XVIIᵉs. à l'abandon. Elle le fait renaître. Ce travail se
ressent. Un cabernet-sauvignon très réussi, alors que l'on
en est aux toutes premières récoltes. On a su extraire une
couleur intense, un bouquet riche et complexe, framboise
et poivre en harmonie. Les tanins bien lisses sont de bonne
compagnie. Le plaisir trouve en bouche le gîte et le couvert.
☍ Karine et Lionel Belot, rte de Cazedarnes,
34360 Pierrerue, tél. 04.67.38.08.96, fax 04.67.38.14.14,
e-mail vignoble.belot @ wanadoo.fr
☑ Ⴤ t.l.j. 9h-12h30 13h30-19h30; f. jan.

DOM. DE LA BERGERIE D'AMILHAC
Cabernet-sauvignon 2000★

	1 ha	4 700	■⊕	3 à 5 €

Exemple d'un vigneron chablisien faisant coup double en Languedoc-Roussillon. Christian Adine a racheté en
1998 le vignoble de la Bergerie (13,5 ha de vignes). Faisant
une infidélité au chardonnay, il présente un cabernet-
sauvignon élevé en cuve puis cinq mois en fût. Rouge vif,
un vin tout de brillance au nez volubile et à la structure
solide. En devenir car il mérite un temps d'attente. Une
syrah 2000 également fort séduisante. S'adresser chez
Christian à Courgis près de... Chablis !
☍ SCEV Christian Adine, 2, allée du Château,
89800 Courgis, tél. 03.86.41.40.28, fax 03.86.41.45.75,
e-mail nicole.adine @ free.fr

DOM. DES BONS AUSPICES
Cuvée Emperatriz 1998★

	1,5 ha	6 933	⊕	15 à 23 €

Propriétaire du domaine depuis 1998, Emperatriz
Larretche sait vendre le produit fort bien mis en scène.
Chemin faisant, on se dit aussi qu'un cabernet-sauvignon
98 (légère évolution à l'œil) a des atouts sur le tapis rouge.
Arômes épicés et balsamiques, corps rond et structuré,
robe rubis à reflets ambrés.
☍ Emperatriz Larretche, 30350 Canaules,
tél. 01.47.38.66.05, fax 01.47.38.66.05

DOM. DU BOSC
Moulin 2001★★

	5 ha	30 000	■↧	5 à 8 €

Sol volcanique marin. Viognier à 75 %, sauvignon en
appui, muscat pour le principe. Le beau blanc : son nez
explose sous l'effet de la mangue et des fruits de la Passion.
C'est bon, plaisant, dépaysant, et la performance incite à
applaudir.
☍ Pierre Bésinet, Dom. du Bosc, 34450 Vias,
tél. 04.67.21.73.54, fax 04.67.21.68.38,
e-mail domaine-du-bosc @ wanadoo.fr ☑ Ⴤ r.-v.

CALVET DE CALVET
Syrah 2001★

	n.c.	60 000	■↧	3 à 5 €

Les Chartrons en pays d'Oc. Calvet de Calvet,
comme l'on dirait d'un parfumeur célèbre. Une « collection » ! La syrah présentée ainsi a du tempérament. Rubis
à bords grenat, elle est travaillée. On a vivifié son nez pour
le porter naturellement au noyau de cerise. Une chaleur
communicative s'empare de la bouche, évoluant sur le fruit
en compote. Nul accident de parcours, c'est une syrah qui
joue à merveille un rôle bien appris.
☍ Calvet, 75, cours du Médoc, BP 11,
33028 Bordeaux Cedex, tél. 05.56.43.59.00,
fax 05.56.43.17.78, e-mail calvet @ calvet.com

DOM. DE LA CESSANE
Sauvignon 2001★★

	5 ha	40 000	▮ ◍ ﹗ 11 à 15 €

Sur sables et limons, un sauvignon pur, à la couleur claire nuancée d'émeraude. Le nez se prête à quelques notes exotiques. Belle fraîcheur dans une bouche parfumée. Il y a de l'allant et cela dure longtemps. C'est de bon ton et vinifié pour plaire.

🖙 SA Maurel Vedeau, ZI La Baume, 34290 Servian, tél. 04.67.39.21.20, fax 04.67.39.22.13, e-mail estelle@maurelvedeau.com ⵉ r.-v.

DOM. LES CHARMETTES
Blanc Tradition 2000★

	2 ha	5 000	▮﹗ 5 à 8 €

Chardonnay (50 %) et grenache blanc (20 %) composent cette symphonie blanche. Ce domaine a été acquis en 1987 par la famille Alcon déjà à la tête d'une quarantaine d'hectares. Cette cuvée incarne la première mise en bouteilles des blancs. Couleur paille, un vin d'une agréable fraîcheur, et qui ne manque pas de gras ni de rondeur. Sa complexité aromatique est l'un de ses atouts.

🖙 Dom. les Charmettes, 34340 Marseillan, tél. 04.67.77.66.16, fax 04.67.77.66.16, e-mail alcon.nicolas@laposte.net ⵉ r.-v.

LES COLLINES DU BOURDIC
Viognier 2001★★

	17 ha	80 000	▮﹗ 5 à 8 €

Viognier signé par une cave coopérative qui produisait du vin de table jusqu'au début des années 1980, puis qui a évolué et investi. La première cave du Gard sur 1 700 ha, dont 17 seulement pour ce produit haut de gamme et qui nous plaît pour sa qualité. « La pêche blanche, les agrumes, l'abricot, dit un dégustateur, constituent un bouquet significatif. » Au palais, c'est charmant et le mot n'est pas de circonstance. Un vrai bon viognier.

🖙 SCA les Collines du Bourdic, chem. de Saint-Chaptes, 30190 Bourdic, tél. 04.66.81.20.82, fax 04.66.81.23.20, e-mail bourdic@wanadoo.fr ☑ ⵉ r.-v.

DOM. COSTEPLANE
Pioch de l'Oule 2000★★

	8 ha	12 000	▮◍ 8 à 11 €

Jolie étiquette, élégante et originale, rien qu'à la voir on a envie de poser la bouteille sur la table ! Cela dit, le prix est à la hauteur du sujet. Syrah, grenache et cabernet-sauvignon se partagent équitablement la besogne (un tiers élevé en fût). Violacé, griotte et poivron vert, un 2000 au mieux de sa forme et qui laisse en bouche des souvenirs confits et épicés.

🖙 Françoise et Vincent Coste, Mas Costeplane, 30260 Cannes-et-Clairan, tél. 04.66.77.85.02, fax 04.66.77.85.47, e-mail fetvcoste@hotmail.com ☑ ⵉ r.-v.

DOM. DE COUSSERGUES
Chardonnay-viognier 2001★

	3 ha	20 000	▮﹗ 3 à 5 €

« J'y suis, j'y reste » semble dire cette bouteille au tempérament résolu. Il est vrai que le maréchal de Mac-Mahon, père de ce mot historique, rendit jadis visite au domaine. Elégant et limpide, ce composé de chardonnay (70 %) et de viognier sait faire ce qu'il faut pour plaire.

Exotique en diable, il vous invite aux Iles tout en manifestant de la vivacité : utile rappel des réalités d'un bon mariage avec les crustacés.

🖙 GAF Dom. de Coussergues, Ch. de Coussergues, 34290 Montblanc, tél. 04.67.00.80.00, fax 04.67.00.80.05 ☑ ⵉ t.l.j. sf sam. dim. 9h-18h
🖙 de Bertier

ELIXIR CONDAMINE BERTRAND 2001★★

	3 ha	12 000	◍ 15 à 23 €

Syrah, grenache et cabernet, ces deux derniers d'une contribution modeste, voilà le tiercé dans l'ordre. Propriétaire naguère de la Condamine, Marie-Rose Bertrand (tante de la génération actuelle) joue un rôle décisif dans la reconnaissance par l'INAO des vins du cru. Cet Elixir vendu à haut prix est d'un pourpre violet qui conduit à un nez intense et boisé, beurré peut-être. La bouche est étoffée, vanillée, fondue. Tout s'enchaîne bien. Autre conseil : le petit verdot 2001, également remarquable.

🖙 B. et C.-A. Jany et B. Andreu, Ch. Condamine Bertrand, 34230 Paulhan, tél. 04.67.25.27.96, fax 04.67.25.07.55, e-mail chateau.condamineber@free.fr ☑ r.-v.

DOM. DES EMBASTIES 2001★

	3,5 ha	26 000	◍ 3 à 5 €

Si, en passant par ici, le dolmen des fées ne vous intéresse pas, ce chardonnay d'oc peut vous retenir par le bras. Un prix gentil comme tout pour une robe or clair, un peu de vanille due au fût et une structure comme on l'espère dans ce voisinage. Les parties de campagne ont du charme : on pourra servir cette bouteille sur des salades composées.

🖙 SCV Coteaux du Minervois, 11700 Pépieux, tél. 04.68.91.41.04, fax 04.68.91.41.07
ⵉ t.l.j. 8h-12h 14h-18h30
🖙 Rouanet

ENCLOS DE LA CROIX 2000★

	4,23 ha	22 000	◍ 8 à 11 €

L'encépagement convoqué pour cette bouteille ? Merlot à 94 %, cabernet-sauvignon à 5 % et cabernet franc à... 1 %. Pour l'honneur. Se présentant bien sous une robe d'un grenat intense, c'est un bon pays d'oc qui a passé quatre mois en fût et garde sa mémoire. L'attaque est fine, presque douce tant elle évite de heurter. Pas de tanins violents, mais au contraire un fondu aimable, équilibré. On se trouve ici aux portes de la Petite Camargue.

🖙 Dom. des Plantades, 2, av. Marius-Ales, 34130 Lansargues, tél. 04.67.86.72.11, fax 04.67.86.72.11 ☑ ⵉ t.l.j. sf dim. 16h-19h
🖙 Frezouls

DOM. DE L'ENGARRAN
Cuvée Adélys 2000★★

	3 ha	4 000	◍ 11 à 15 €

Voici le deuxième millésime de cette cuvée Adélys, dont le nom rappelle l'ancêtre ayant jadis acquis l'Engarran. Adélys, à délices... Le sauvignon rayonne de naturel. Le chêne (six mois) l'enveloppe de vanille mais rien de trop : exemple de bel élevage en barrique. Le tout est puissant et conquérant.

🖙 SCEA du Ch. de l'Engarran, 34880 Laverune, tél. 04.67.47.00.02, fax 04.67.27.87.89, e-mail lengarran@wanadoo.fr ☑ ⵉ t.l.j. 10h-19h
🖙 Grill

LES FAVORITES
Syrah Réserve Barriques 2001★

■	2 ha	13 000	▮◗↓	5 à 8 €

Négociant vinifiant lui-même les raisins qu'il achète. Une cuisine ensoleillée mettra cette syrah en beauté. Elle a connu la cuve et la barrique. Elle s'affiche d'un rubis auréolé de mauve et développe des arômes de petits fruits noirs. Beaucoup de volume et de profondeur ; en définitive l'impression est positive.

➼ Domaines du Soleil, Ch. Canet, 11800 Rustiques, tél. 04.90.12.30.22, fax 04.90.12.30.29

DOM. FONTENELLES
Cabernet-sauvignon 2001★

■	25 ha	80 000	▮↓	3 à 5 €

Cette coopérative consacre 25 de ses 450 ha à ce cabernet-sauvignon. Rouge sombre, c'est un vin au bouquet s'exprimant surtout par des notes épicées et végétales. Ses tanins restent dans des proportions raisonnables. Notez également sur votre petit carnet le **viognier 2001** de la même cave.

➼ Vignerons des Trois Terroirs, Dom. de Roueïre, 34310 Quarante, tél. 04.67.89.39.16, fax 04.67.89.30.76, e-mail xavier-luc@wanadoo.fr ⵏ r.-v.

FORCA 2000★

	n.c.	25 000	▮↓	3 à 5 €

Ce négociant et viticulteur présente un pays d'oc 50 % chardonnay, 35 % viognier et 15 % grenache blanc ; il compose un exercice de style or limpide, porté sur l'exotique pour plaire au public en jouant la fraîcheur et la souplesse durant tout le parcours en bouche. Cela s'appelle Força. En réalité, c'est empli de délicatesse. Commercial assurément, dans la bonne moyenne sur ce plan.

➼ SA J.-P. Henriquès, rue Pierre-Pascal-Fauvelles, 66000 Perpignan, tél. 04.68.85.06.07, fax 04.68.85.49.00, e-mail henriques@forcareal.com ☑ ⵏ r.-v.

FRISSONS
Grenache-Syrah 1998★

■	5 ha	28 000	▮	3 à 5 €

Cela s'intitule Frissons, et c'est un mariage en robe rouge cinquante-cinquante, syrah et grenache. Millésime 98 et seize mois de fût. On est donc là dans la marge, pour un prix super-modeste. Pourpre approfondi, presque noir, il est vanillé sur fond d'épices poivrées. L'équilibre est assuré et concourt à l'élégance.

➼ Vignerons et Passions, BP 1, 34725 Saint-Félix-de-Lodez, tél. 04.67.88.45.75, fax 04.67.88.45.79 ☑ ⵏ r.-v.

DOM. DU GRAND CHEMIN
Chardonnay 2001★

	3,5 ha	20 000	▮↓	5 à 8 €

Le vin du Grand Chemin n'a rien à voir avec les bandits du même nom. Cousu d'or certes, mais d'un chardonnay beurré à souhait comme s'il venait de Meursault. Vieux domaine familial où les Floutier consacrent tous leurs soins à ce vignoble de 45 ha, dont 3,5 pour une bouteille de prestige. Sa vivacité, sa personnalité trouvent en bouche un point d'équilibre qui ne nous échappe pas.

➼ EARL Jean-Marc Floutier, Dom. du Grand Chemin, 30350 Savignargues, tél. 04.66.83.42.83, fax 04.66.83.44.46 ☑ ⵏ t.l.j. 8h-12h 13h30-18h30

DOM. DU GRAND CRES 2000★★

	5 ha	8 000	▮↓	8 à 11 €

Après avoir travaillé au domaine de la Romanée-Conti, Hervé Leferrer acquiert, en 1989, 5 ha de vignes dans les hauteurs des Corbières. Avec Pascaline, il transforme une bergerie en cave, porte la propriété à 15 ha et la gère avec des doigts de dentellière. De ces efforts naît ce viognier-roussanne à deux tiers-un tiers, cohérent dans ses arômes floraux du premier coup de nez à la fin de bouche ; doré comme on le lui a appris, ayant du volume, il est représentatif d'un languedoc assoiffé de progrès.

➼ Hervé et Pascaline Leferrer, Dom. du Grand Crès, 40, av. de la Mer, 11200 Ferrals-les-Corbières, tél. 04.68.43.69.08, fax 04.68.43.58.99 ☑ ⵏ r.-v.

DOM. LA GRANGETTE
Rouge franc Cabernet franc 2001★

■	2,5 ha	15 000	▮↓	5 à 8 €

Déguster un cabernet franc 100 % n'est pas une mauvaise idée. Le domaine vient de changer de main, et retrouve la viticulture traditionnelle après une expérience antérieure en bio. Ce 2001 se laisse boire sans trouble de conscience. Vin de soif, dit-on... Les tanins sont soyeux et le fruit a du répondant au nez et en bouche.

➼ Dom. la Grangette, rte de Pomerols, 34120 Castelnau-de-Quers, tél. 04.67.98.73.56, fax 04.67.90.79.36 ☑ ⵏ r.-v.

➼ Moret

HAUTS CLOCHERS
Cabernet-sauvignon 2000★

	n.c.	n.c.	▮◗	8 à 11 €

Un cabernet-sauvignon qui tient honorablement son rang au sein des vins de la région, signé par une coopérative connue. Sa couleur est d'un rouge sombre assez luisant. Le passage en fût après le séjour en cuve explique son caractère légèrement boisé. Sa bouche a tout ce qu'il faut de vinosité, des tanins fondus et une longueur appréciable. Il pourra accompagner les viandes rouges.

➼ Aimery-Sieur d'Arques, av. de Carcassonne, BP 30, 11303 Limoux Cedex, tél. 04.68.74.63.00, fax 04.68.74.63.12 ⵏ r.-v.

DOM. LALAURIE
Merlot 2000★

	12 ha	15 000	◗	5 à 8 €

Ici on ne fait pas petit. Neuf générations de vignerons se sont succédé corps et âme. Jean-Charles Lalaurie, artisan vigneron, séduit par un merlot, pur et simple, sans courir l'aventure d'un assemblage. De rubis classique, ce 2000 évolue un peu au nez, sur un fruit rouge très mûr. Le corps est là, ferme et éloquent. Ces 12 ha sur les 50 du domaine acccomplissent correctement leur destin.

➼ Jean-Charles Lalaurie, 2, rue Le-Pelletier-de-Saint-Fargeau, 11590 Ouveillan, tél. 04.68.46.84.96, fax 04.68.46.93.92, e-mail jean-charles.lalaurie@libertysurf.fr ☑ ⵏ r.-v.

MICHEL LAROCHE FRANCE-SUD
Peyroli Chardonnay 2000★★

	n.c.	2 208	◗	11 à 15 €

Comme beaucoup de Bourguignons, Michel Laroche (Chablis) est allé courir l'aventure en Languedoc-Roussillon. L'acquisition du mas de la Chevalière date de 1995, et, depuis, l'implantation porte ses fruits. Ce chardonnay à l'accent chantant procède en partie des vignes du domaine, en partie d'achats conclus en privilégiant les bas rendements. La robe est d'un or fin et soutenu. Le nez miellé et généreux. La bouche chaleureuse et puissante. Un peu de fût pour un boisé bien tempéré. L'œnologue Yves Barry atteint le cœur de la cible.

☛ Mas la Chevalière, rte de Murviel, 34500 Béziers, tél. 04.67.49.88.30, fax 04.67.49.88.59, e-mail info@michellaroche.com 🟥 🍷 r.-v.

☛ Michel Laroche

LOUXOR
Chardonnay 2001★

	23,09 ha	230 000	🍶	- de 3 €

Louxor ! Sans doute les pharaons appréciaient-ils le vin mais ce n'était pas celui du Languedoc-Roussillon... Un chardonnay de belle facture, tout comme sa **syrah en rouge sous le même label** égyptien. Rien à reprocher à sa robe. Les six mois de fût expliquent ce nez de noisette grillée, sinon de Cléopâtre. Souple et gras, sa complexité joue sur les agrumes et le léger boisé.

☛ La Compagnie rhodanienne, chem. Neuf, 30210 Castillon-du-Gard, tél. 04.66.37.49.50, fax 04.66.37.49.51, e-mail cie.rhodanienne@wanadoo.fr 🍷 t.l.j. sf sam. dim. 8h-12h30 14h-17h30

DOM. DE MAIRAN
Cabernet-sauvignon Elevé en barrique 1999★

■	5 ha	25 000	🍶	5 à 8 €

On se situe au lieu de naissance de M. de Mairan que Louis XIV rangea parmi la noblesse pour ses travaux de physique. Les racines familiales sont ici fort anciennes. Une trentaine d'hectares, dont cinq affectés à cette cuvée pure de cabernet-sauvignon. Elle resplendit. La robe évolue un peu : c'est un 99. Les arômes sincères (fruits cuits, poivre) se confondent avec ceux du fût (vanille). La bouche est glorieuse, emportée par la puissance et harmonieuse.

☛ Jean Peitavy, Dom. de Mairan, 34620 Puisserguier, tél. 04.67.93.74.20, fax 04.67.93.83.05 🟥 🍷 t.l.j. 8h-12h 14h-20h

DOM. DE MALAVIEILLE
Chardonnay 2000★★

	0,72 ha	3 900	🍶	3 à 5 €

L'un des meilleurs rapports qualité-prix de la région en pays d'oc. Ce chardonnay 2000 à boire maintenant exprime sous sa robe dorée l'élan d'un parfum de miel associé au grillé (six mois de fût). Il parvient à montrer un rien de complexité tout en mettant en avant ses plus sûrs atouts, un fin boisé, une nature spontanée. On se trouve ici en Salagou rouge et, voyez-vous, le blanc s'y plaît...

☛ Mireille Bertrand, Malavieille, 34800 Mérifons, tél. 04.67.96.34.67, fax 04.67.96.32.21 🟥 🍷 r.-v.

DOM. DE MALLEMORT 2001★

■	6 ha	10 000	🍶	5 à 8 €

Mallemort est un site voisin des Justices où – au Moyen Age – on procédait aux exécutions capitales après avoir prononcé la sentence. Ce n'est pas le seul lieu-dit vitivinicole français à évoquer la mort... Merlot (70 %) et cabernet-sauvignon forment une belle paire pour agrémenter l'élevage en foudre de compliments sincères. La robe est impeccable, le nez raconte les fruits mûrs avec une touche fumée. La bouche est sereine. Excellent potentiel pour un 2001 à laisser un peu reposer.

☛ Luc Peitavy, Dom. de Mallemort, 34620 Puisserguier, tél. 04.67.93.74.20, fax 04.67.93.83.05 🟥 🍷 t.l.j. 9h-13h 14h-20h

DOM. MONPLEZY
Cuvée Plaisir 2001★

■	1,35 ha	3 750	🍾	5 à 8 €

Carignan et grenache se partagent les mérites de cette cuvée. Respectivement à 62 et 38 %. Très faible rendement pour le second cépage. Domaine en cave particulière jusqu'en 1958, puis apport à la coopérative jusqu'en 2001, puis des « micro-cuvées » (de 500 à 3 000 bouteilles) en cave particulière. Aromatique et charnu, d'un rouge appuyé, un vin souple et persistant, conseillé sur la daube ou le civet.

☛ Anne Sutra de Germa et Christian Gil, Dom. Monplézy, 34120 Pézenas, tél. 04.67.98.27.81, fax 04.67.98.27.81, e-mail domainemonplezy@free.fr 🟥 🏠 🍷 r.-v.

DOM. DE PEYREMORTE
Cabernet-sauvignon 2000★

■	n.c.	15 000		5 à 8 €

Un cabernet-sauvignon hors de tout soupçon. On a affaire ici à un vin de propriété mis en bouteilles par une coopérative. Conforme à son image, il a du caractère, de la personnalité. Rouge sombre, tout en fruits rouges, il repose sur des tanins fondus et épicés. A servir sur un gibier.

☛ Vignerons de la Méditerranée, ZI Plaisance, 12, rue du Rec-de-Veyret, BP 414, 11104 Narbonne Cedex, tél. 04.68.42.75.00, fax 04.68.42.75.01, e-mail rhirtz@listel.fr 🍷 r.-v.

☛ Annick et Véronique Etienne

DOM. DU PIC SAINT JEAN D'AUREILHAN
Les Pivoines 2001★★

■	1,3 ha	6 000	■↓	5 à 8 €

L'endroit est réellement superbe. Le lac du Salagou, le pic Saint-Jean-d'Aureilhan s'inscrivent dans un paysage rougeâtre dû « aux ruffes », oxydes de fer, strictement protégé. Nouveau venu comme vigneron, Christian a mis pour la première fois son 98 en bouteilles, sur ce site familial. Ici un merlot pur aux reflets presque noirs. Au nez, il évoque le fruit au maximum de sa maturité, dans une complexité aromatique de bon augure. Car la suite est très ample et d'esprit méditerranéen.

☛ Christian Arboux, Dom. du Pic Saint-Jean-d'Aureilhan, 34800 Liausson, tél. 04.67.96.66.18, fax 04.67.96.66.18, e-mail christian.arboux@wanadoo.fr 🟥 🍷 r.-v.

DOM. LA PROVENQUIERE
Vermentino 2001★

	3,8 ha	n.c.	■↓	3 à 5 €

Pour faire plus ample connaissance avec le vermentino produit en cépage unique, voici une bonne entrée en matière. Peu de couleur mais quelques reflets verts à faire pâlir de jalousie un chablis...Bouquet fruité assez pénétrant. Fine et nerveuse, la bouche se montre explicite dans ce style. De quoi réveiller la nonchalance du canal du Midi qui passe à deux pas de ce domaine familial. Une bouteille élégante à servir avec un poisson en sauce.

Brigitte et Claude Robert,
SCEA Dom. de La Provenquière, 34310 Capestang,
tél. 04.67.90.54.73, fax 04.67.90.69.02,
e-mail la.provenquière@wanadoo.fr ☑ ☎ t.l.j. 9h-18h

DOM. PUYDEVAL 2000*

| | | n.c. | 16 000 | ⑪ | 5 à 8 € |

Propriété et négoce nous présentent ce sauvignon très typé. Puydeval se consacre en effet à ces deux activités. Nous sommes ici aux abords de Carcassonne, et le touriste amateur de bon vin ne manque pas. Doré, ce 2000 entre en bouche avec beaucoup de punch. Ses arômes de cassis et de buis contribuent à sa personnalité, d'autant que la finale est suffisante.

Dom. Puydeval, 1 *bis*, montée du Château, 11250 Leuc, tél. 04.68.79.50.25, fax 04.68.79.50.29
☑ ☎ t.l.j. 8h-18h; dim. sur r.-v.

Mentucq

DOM. DE RAISSAC
Le Crès Viognier 2001*

| | 5,14 ha | 34 000 | ⬛⬇ | 5 à 8 € |

Sans remonter aux Gallo-Romains, la famille Viennet perpétue ici l'art de la vigne depuis 1828. A Raissac, on est de plain-pied dans le néolithique, et les vignerons romains font figure de jeunots. Voyons voir ce viognier. Il est très viognier, disons-le sans détour. Il en a la robe et le bouquet, tirant sur l'exotique comme cela se fait de nos jours. Bon en bouche.

Jean Viennet, Ch. de Raissac, rte de Murviel, 34500 Béziers, tél. 04.67.28.15.61, fax 04.67.28.19.75, e-mail raissac@raissac.com
☑ ☎ t.l.j. sf dim. 9h-12h30 14h-18h

CUVEE ROQUE-JALABERT 2001*

| | 2,5 ha | 7 000 | ⬛⬇ | 5 à 8 € |

Allez-y, on vous le dit à l'oreille. Geneviève et ses deux garçons font leurs premiers pas en cave particulière. Grenache, syrah, carignan se mettent ici en quatre et en macération carbonique pour fournir une bouteille grenat très vif, dont les arômes chantent les garrigues, le pruneau, la cerise sauvage. Le corps est sans défaut.

GAEC Les Carretals, rue du Minervois, 34210 Aigne, tél. 04.68.91.13.42, fax 04.68.91.13.42
☑ ☎ r.-v.

Laugé et Fils

DOM. ROZES
Cabernet-sauvignon 2000*

| | 4,65 ha | 40 000 | ⬛⬇ | 5 à 8 € |

Etiquette numérotée ! « BCBG », ce cabernet-sauvignon est issu d'une propriété familiale dont l'origine se perd dans la nuit des temps. La marque Domaine Rozès date cependant de 1990. Cette bonne bouteille a mis sa plus belle robe rouge coucher de soleil. Les petits fruits rouges sont présents tout au long du parcours. En bouche, un tapis de soie. Sans le moindre accroc.

Dom. Rozès, SCEA Tarquin, 3, rue de Lorraine, 66600 Espira-de-l'Agly, tél. 04.68.38.52.11, fax 04.68.38.51.38, e-mail rozes.domaine@wanadoo.fr
☑ ☎ t.l.j. sf sam. dim. 9h-18h

DOM. SAINT-ANDRE
Merlot 2001**

| | 40 ha | 10 000 | ⬛⬇ | 3 à 5 € |

La gardiane de taureau est évidemment l'accord gourmand prédestiné pour ce merlot. La Camargue a ses exigences. Le domaine, acquis il y a un peu plus de vingt ans, a été restauré avec soin. Ce vin a des reflets noirs comme le poil d'un taureau, des arômes végétaux, avec des touches de fruits rouges ; il a de la carrure, de la puissance, et ses tanins sont prometteurs.

Philippe Guichard, SCEA Les Salimandres, Dom. Saint-André, 30800 Saint-Gilles, tél. 04.66.87.30.27, fax 04.66.87.01.62
☑ ☎ t.l.j. 8h-12h 14h-19h

DOM. SAINT-HILAIRE
Sauvignon 2001*

| | 3 ha | 18 600 | ⬛ | 5 à 8 € |

Jaune paille, translucide, un sauvignon sans complexe et évoquant le fruit, plus précisément l'agrume. Ce cépage a été introduit en 1983 sur le domaine, et il s'y plaît. Beaucoup de nerf à l'attaque, puis la tempête se calme, la mer s'apaise. La famille Hardy est propriétaire de ces 70 ha depuis 1956, partagés par moitié entre les rouges et les blancs.

A. Hardy, SARL Dom. Saint-Hilaire, 34530 Montagnac, tél. 04.67.24.00.08, fax 04.67.24.04.01, e-mail sthilaire@club-internet.fr
☑ ☎ t.l.j. 9h-12h 13h-18h; sam. dim. sur r.-v.

DOM. SAINT JEAN DE CONQUES 2001**

| | 3 ha | 15 000 | ⬛⬇ | 5 à 8 € |

Un **blanc 2001** remarqué et à noter sur vos tablettes. Et surtout cet assemblage merlot-grenache-mourvèdre à parts égales pour un pays d'oc qui s'épanouit délicieusement dans le verre. Rubis aux nuances violines, ce 2001 aux arômes charmants, fruités (framboise et cerise) n'a pas besoin de support pour s'établir longuement en bouche.

François-Régis Boussagol, Dom. Saint-Jean-de-Conques, 34310 Quarante, tél. 04.67.89.34.18, fax 04.67.89.35.66 ☑ ☎ r.-v.

HERMITAGE DU DOM. SAINT MARTIN DES CHAMPS
Elevé en fût de chêne 2000**

| | 2,5 ha | 15 000 | ⑪ | 5 à 8 € |

Saint Martin in the fields est un ensemble musical de haute renommée ; Saint-Martin des Champs, un vignoble au cœur du Languedoc. On comprend pourquoi on y faisait volontiers halte sur le chemin de Compostelle. L'ensemble en état d'abandon a été relancé, depuis 1996, par Pierre et Michel Birot. Cabernet-sauvignon pour l'essentiel (85 %), merlot pour le reste, un vin rouge grenat au bouquet de plantes aromatiques et d'épices. Quelle charpente ! Des perspectives de garde (raisonnable) en raison de sa forte constitution.

Pierre et Michel Birot, Ch. Saint-Martin-des-Champs, rte de Puimisson, 34490 Murviel-lès-Béziers, tél. 04.67.32.92.58, fax 04.67.37.84.49, e-mail domaine@saintmartindeschamps.com
☑ 🏠 ☎ t.l.j. 9h-12h 14h-18h

LES SALICES
Viognier 2001***

| | 20 ha | 156 000 | ⬛⑪⬇ | 5 à 8 € |

Signé par deux frères négociant sur tous les continents, un viognier pur et haut de gamme. On reste en admiration devant cette nuance de couleur qui est discrète et sage tout en exprimant la beauté cristalline appréciée ici. Abricot, fruits secs, charmes exotiques, on s'enfonce dans

son nez comme dans un puits de science aromatique. Bouche parfaite (si l'on ose dire cela en pays cathare !) et vin plaisir conseillé à l'apéritif ou à l'entrée, sur un vol-au-vent par exemple.
⌐ SA Jacques et François Lurton, Dom. de Poumeyrade, 33870 Vayres, tél. 05.57.55.12.12, fax 05.57.55.12.13, e-mail jflurton@jflurton.com

ROBERT SKALLI
Syrah Elevé en fût de chêne 2000★★

| ■ | 20 ha | 10 000 | ⦙ | 5 à 8 € |

La syrah de Skalli. Immense et dynamique affaire basée à Sète et présente en Californie. Et cette syrah ? Sa robe sort d'une boutique chic : profonde à reflets noirs. Un soupçon de violette. Du fruit rouge, il va sans dire. L'architecture est correcte, la persistance superbe. On ne se plaint de rien.
⌐ Les vins Skalli, 278, av. du Mal.-Juin, BP 376, 34204 Sète Cedex, tél. 04.67.46.70.00, fax 04.67.46.71.99, e-mail info@vinskalli.com
☑ ⏀ r.-v.; t.l.j. sf sam. dim.10h-18h juil. et août

SYRACHE
Comte cathare 1999★★

| ■ | 2 ha | 10 000 | ⦙ | 8 à 11 € |

L'étiquette porte Syrache : 70 % de grenache et le reste en syrah. C'est amusant mais peut-être pas de compréhension immédiate. Ce vin, drôle coté face, nous plaît bien côté pile. Il est expressif, très structuré. Robe classique et violacée. Nez fruité, style cerise avec une note de violette.
⌐ Grands Vignobles en Méditerranée, La Tuilerie, 34210 La Livinière, tél. 04.68.91.42.63, fax 04.68.91.62.15, e-mail francois@comtecathare.com ☑

TERRE D'AMANDIERS 1999★★

| ■ | 7 ha | 32 000 | ⦙ | 11 à 15 € |

Un négociant ayant déjà dix ans d'expérience. Son chardonnay évolue très légèrement à l'œil, mais le nez ne barguigne pas, entre la fleur et l'épice. C'est un blanc de mise en bouche, voire de dessert si celui-ci s'y prête. Il sait ménager ses effets, avec la présence et de la plénitude.
⌐ SARL Caudalies Sud, La Haute-Chenaie, 34720 Caux, tél. 04.67.39.21.20, fax 04.67.39.22.13 ⏀ r.-v.

DOM. DE TERRE MEGERE
Cabernet-sauvignon 2001★★

| ■ | 2 ha | 20 000 | ⦙ | 3 à 5 € |

Un cabernet-sauvignon aimable et charpenté, costaud, déterminé. On aime les **merlot 2001** et **viognier 2001** du domaine, mais la préférence va plutôt à cette bouteille aux tanins encore frais et aux ambitions puissantes : la robe sombre l'annonce. Les fruits rouges à maturité et les épices composent également un bouquet de tradition.

⌐ Michel Moreau, Dom. de Terre Mégère, Cœur de Village, 34660 Cournonsec, tél. 04.67.85.42.85, fax 04.67.85.25.12, e-mail terremegere@wanadoo.fr
☑ ⏀ t.l.j. sf dim. 15h-18h30; sam. 9h30-12h30

DOM. LA VALMALE
Cuvée Alphonse 2001★

| ■ | 10 ha | 50 000 | ⦙ | - de 3 € |

Propriété de la famille Fulcrand depuis 1920, le domaine a été repris par les petits-enfants. Grenache (70 %) et syrah (30 %), un heureux mariage offrant à la postérité ce 2001 d'un rouge soutenu et à la constitution généreuse. Un vin robuste et capable de durer.
⌐ Clarou, Dom. la Valmale, 34550 Bessan, tél. 04.67.98.44.81, fax 04.67.98.44.81 ☑ ⏀ r.-v.

DOM. LES YEUSES
Cuvée la Gazelle 2001★

| ■ | 3 ha | 11 000 | ⦙ | 3 à 5 € |

Les vignes ont pris ici la place des yeuses, ou chênes verts, surtout depuis que Jean-Paul et Michel Dardé ont choisi de s'y installer (1977). Assemblant 80 % de syrah et 20 % de grenache, ils produisent un rosé à la robe très soutenue, pleine de feu. Groseille et framboise sont les suggestions du nez. Beaucoup de grain dans un contexte frais. Choisir un fromage léger et une grillade.
⌐ Jean-Paul et Michel Dardé, Dom. Les Yeuses, rte de Marseillan, 34140 Mèze, tél. 04.67.43.80.20, fax 04.67.43.59.32, e-mail jp.darde@worldonline.fr
☑ ⏀ t.l.j. sf dim. 9h-12h 15h-19h

Sables du Golfe du Lion

DOM. DU PETIT CHAUMONT
Gris de gris 2001★

| ■ | n.c. | 60 000 | ⦙ | 3 à 5 € |

Situé à moins d'1,50 m au-dessus du niveau de la mer, ce domaine de Petite Camargue (Aigues-Mortes) maintient la tradition du vin des Sables. Totalement détruit pendant la Seconde Guerre mondiale, il a été reconstitué dès 1957 par la famille Bruel. Intéressant à découvrir, son gris de gris est un rosé original. Jolie robe grisée, très lumineuse, nez élégant et fin, bouche assez charnue. Ni argile, ni limons : le sol est ici entièrement minéral (silice et calcaire).
⌐ GAEC Bruel, Dom. du Petit Chaumont, 30220 Aigues-Mortes, tél. 04.66.53.60.63, fax 04.66.53.64.31, e-mail petitchaumont@netcourrier.com
☑ ⏀ t.l.j. sf dim. 9h-12h30 15h-19h; groupes sur r.-v.

Côtes de Ceressou

DOM. DES CRES RICARDS
Alexaume Elevé en fût de chêne 2001★

| ■ | 2,4 ha | 19 800 | ⦙ | 3 à 5 € |

Ce domaine a souvent changé de propriétaire durant les dernières décennies, et la vigne succède ici à des vergers (pêchers). La nouvelle équipe entreprend de commercialiser directement son vin. Assemblage des cépages habituels (merlot pour moitié) dans ce 2001 aux joues violacées et aux arômes partagés entre la violette et le poivron. L'attaque est franche, la bouche harmonieuse et pleine, les tanins déjà fondus.

➻ Colette et Gérard Foltran, Dom. des Crès Ricards, 34800 Ceyras, tél. 04.67.44.67.63, fax 04.67.44.67.63, e-mail foltran@cresricards.com ☑ ♈ r.-v.

Beaucaire, et quel beau pays ! Cet assemblage 35 % muscat et 65 % vermentino donne un blanc à la jolie robe sans artifice. Nez muscat, on l'aurait deviné. Une persistance intéressante pour un juste *satisfecit*.

➻ GFA Dom. de Tavernel, rte de Fourques, 30300 Beaucaire, tél. 04.66.58.57.01, fax 04.66.59.38.30, e-mail tavernel.domaine@libertysurf.fr
☑ ♈ t.l.j. sf dim. 10h-18h; sam. sur r.-v.
➻ M. Amphoux

Gard

MAS DE FORTON 2000★

| ■ | 20 ha | 100 000 | ▮♦ | 3 à 5 € |

60 % syrah, le reste en merlot, un bon mariage. Le premier millésime produit par les Durand sur cette vieille propriété familiale est une réussite. D'un noir violacé, ce vin au bouquet de violette (pas impériale, non, mais presque...) présente une structure impeccable et une rétro de fruits rouges qui complète l'ampleur du sujet. Successeurs des Forton par mariage, les Durand sont des imaginatifs. Ils produisent le célèbre vin de l'Orpailleur au Québec et recréent les « Vins archéologiques romains ».

➻ Hervé et Guilhem Durand, Mas de Forton, 30300 Beaucaire, tél. 04.66.59.19.72, fax 04.66.59.50.80, e-mail contact@tourelles.com ☑ ♈ r.-v.

DOM. DE MOLINES
Réserve Viognier 2001★★

| ▬ | 3 ha | 12 000 | ◫ | 8 à 11 € |

Revenu au pays après avoir vécu à l'étranger, ce viticulteur s'efforce depuis 1993 de porter son vin à un niveau véritable. Il y réussit ! On l'a remarqué. Son viognier tout d'or vêtu se présente comme il faut. Nez assez personnel, bergamote, pâte de fruits, miel : on y prête attention. Subtil et plein d'arômes, le corps se décline avec bonheur.

➻ EARL Roger Gassier, Ch. de Nages, 30132 Caissargues, tél. 04.66.38.44.20, fax 04.66.38.44.21, e-mail m.gassier@châteaudenages.com ☑ ♈ r.-v.

MAS MONTEL
Les Blancs 2001★

| ▬ | 8 ha | 12 000 | ▮♦ | 3 à 5 € |

L'apéritif lui conviendra à merveille. « Les Blancs », dit l'étiquette. On les passe tous en revue : grenache blanc, viognier, muscat, chardonnay. Il est sympathique. Quelques reflets ambrés nuancent une robe pâle et brillante. Le nez est assez complexe, sur fond de pêche blanche et de menthol. C'est si rond et ample en bouche ! Et avec une belle persistance.

➻ EARL Granier, Cellier du Mas Montel, 30250 Aspères, tél. 04.66.80.01.21, fax 04.66.80.01.87, e-mail montel@wanadoo.fr ☑ ♈ t.l.j. sf dim. 9h-19h

DOM. DE TAVERNEL 2001★

| ■ | 7 ha | 60 000 | ▮ | 3 à 5 € |

Propriété familiale depuis 1900, ce domaine appartenait jadis à une autre famille très célèbre : celle du poète provençal Frédéric Mistral. On est ici dans les environs de

Côtes de Thongue

DOM. DE L'ARJOLLE
Paradoxe 2000★

| ■ | 5 ha | 24 000 | ◫ | 15 à 23 € |

La bouteille s'intitule Paradoxe. Pourquoi pas ? Cela dit, que vaut-elle ? Grenat d'un beau brillant, syrah, cabernet-sauvignon, merlot et grenache y tiennent conférence en ordre utile et décroissant. Une sorte de complexité envahit ses arômes jusqu'à des tanins bien enrobés dans une sûre continuité. Le vin est bon. Le paradoxe n'en est pas un. Tout simplement la preuve qu'un vin de pays peut jouer très gentiment sa carte.

➻ Dom. de l'Arjolle, 6, rue de la Côte, 34480 Pouzolles, tél. 04.67.24.81.18, fax 04.67.24.81.90, e-mail arjolle@free.fr ☑ ♈ t.l.j. 8h-12h30 13h30-18h

DOM. BOURDIC
Cinsault 2001★★

| ■ | 1,4 ha | 5 600 | ▮♦ | 3 à 5 € |

Elle, institutrice. Lui compositeur de musique contemporaine. Tous deux Suisses. En 1994, ils sautent le pas et s'installent près de Pézenas. Ils relancent le domaine et créent, bien sûr, un festival de musique. Belle aventure illustrée ici par un rosé de saignée issu de cinsault. Couleur discrète, reflets saumonés. Nez floral gentiment dessiné. La vivacité s'efface au profit de la rondeur fraîche et gouleyante. Accord parfait avec la flûte et la viande blanche.

➻ Christa Vogel et Hans Hürlimann, Dom. Bourdic, 34290 Alignan-du-Vent, tél. 04.67.24.98.08, fax 04.67.24.98.96, e-mail bourdic2@wanadoo.fr ☑ ♈ r.-v.

DOM. DE BRESCOU
Syrah 2000★★

| ■ | 3,9 ha | 12 000 | ◫ | 5 à 8 € |

Le domaine de Brescou s'était fait jadis une célébrité en devenant l'un des principaux fournisseurs de vin de messe aux quatre coins de la France. Il a diversifié de nos jours sa clientèle ! Dégusté en verre ou en burette, cette syrah passée six mois en fût est d'un beau rouge grenat brillant. Touche de vanille due à l'élevage et enrobant les épices. Les tanins déjà fondus ne présentent aucune agressivité, mettant en valeur la rondeur de la bouche.

➻ SARL Dom. de Brescou, rte de Margon, 34290 Alignan du Vent, tél. 04.67.24.96.66, fax 04.67.24.96.29, e-mail domaine.brescou@wanadoo.fr
☑ ♈ t.l.j. sf sam. dim. 9h-17h

LES CHEMINS DE BASSAC
Camille Léonie 1999★

| | 1 ha | 2 000 | ⦿ | 23 à 30 € |

Passionnés d'archéologie et professeurs d'histoire dans la région parisienne, Isabelle et Rémi décident un jour de reprendre cette propriété de famille et de devenir vignerons. Leur cuvée Camille Léonie est 100 % mourvèdre et élevée en barrique neuve. Sous une robe rubis très attrayante, le bouquet se porte sur le fruit rouge confit. Le grillé est sensible. Corps puissant après une attaque bien enlevée. A noter : petit rendement (30 hl sur 1 ha pour ce vin et un élevage soigné – c'est un 99).
☛ Isabelle et Rémi Ducellier, Les Chemins de Bassac, 9, pl. de la Mairie, 34480 Puimisson, tél. 04.67.36.09.67, fax 04.67.36.14.05, e-mail remi.ducellier@wanadoo.fr ☑ ⵏ r.-v.

DOM. DES MONTARELS
Chardonnay 2000★★

| | n.c. | 25 000 | ⦿ | 5 à 8 € |

Les Vignerons d'Alignan-du-Vent forment une coopérative fondée dans les années 1930 et qui gère actuellement 878 ha. Voici un chardonnay bien méridional. La robe est ici parfaitement réussie. Un soupçon de miel orne un nez classique de fleurs blanches. Dès l'étape suivante, l'attaque est décidée, puis les choses se calment un peu sur une physionomie générale positive.
☛ Cave coop. les vignerons d' Alignan-du-Vent, rue Lissac, 34290 Alignan-du-Vent, tél. 04.67.24.91.31, fax 04.67.24.96.22
☑ ⵏ t.l.j. sf sam. dim. 8h-12h 13h30-17H30

DOM. MONTROSE
Les Lézards 2000★

| | 2 ha | 6 500 | ▮⚬ | 5 à 8 € |

L'exploitation est originale. Une « ferme de rencontre » réunissant cinq associations et quatre salariés. Et si le lézard est ici à l'honneur, figurant notamment sur le blason du domaine, cette équipe ne lézarde pas sur ses 50 ha de vignes. Quelques reflets ambrés animent la robe de ce rosé à moitié syrah. Son bouquet n'est pas insignifiant, comme c'est souvent le cas dans cette couleur. En bouche, ample et charnu, il montre de la vivacité, sans céder tout à fait à une trop forte impulsion.
☛ Bernard Coste, Dom. Montrose, RN 9, 34120 Tourbes, tél. 04.67.98.63.33, fax 04.67.98.65.27
☑ ⵏ t.l.j. sf sam. dim. 9h-12h30 16h-18h30

DOM. DU PRIEURE D'AMILHAC
Chardonnay 2000★

| | 50 ha | 120 000 | ⦿ | 5 à 8 € |

On nage ici en anciens biens d'église confisqués à la Révolution, et saint Dominique en personne aurait fait étape en ces lieux en poursuivant les cathares... Le domaine s'est réordonné il y a vingt-cinq ans. D'où ce chardonnay en droite ligne de Cluny ou de Cîteaux, dont l'évangile est communicatif. La robe est aimable. Rien de trop. Le fût se rappelle à notre bon souvenir. En bouche, du style et une composition réussie sur un sujet qu'il n'est pas si facile de traiter à l'examen.
☛ SCEA Les Domaines Caton, Prieuré d'Amilhac, 34290 Servian, tél. 04.67.39.10.51, fax 04.67.39.15.33, e-mail max.cazottes@domainecaton.com
☑ ⵏ t.l.j. sf dim. 8h-12h 14h-18h

DOM. SAINT-GEORGES D'IBRY
Syrah 2001★★

| | 1,1 ha | 8 000 | ▮⚬ | 3 à 5 € |

Le domaine Saint-Georges a été achevé dans les années 1860. Son encépagement est varié, tant en rouges qu'en blancs. Demandez à voir les foudres anciens. Ils sont superbes. Michel et Elisabeth Cros signent ce syrah 2001 qui, en rosé, nous est sympathique. Il n'est pas si facile de réussir un rosé. Il a du gras, de la fraîcheur, de la vivacité, un goût soutenu et le fruit rouge toujours présent. Egalement remarquable, retenez la cuvée **Excellence blanc 2001 (5 à 8 €)**.
☛ Michel Cros, Dom. Saint-Georges-d'Ibry, rte d'Espondeilhan, 34290 Abeilhan, tél. 04.67.39.19.18, fax 04.67.39.07.44 ☑ ⵏ r.-v.

TARRAL
Syrah 2001★★

| | n.c. | 36 000 | ⦿⚬ | 5 à 8 € |

Un rosé de syrah 50 % en rosé de saignée et 50 % en pressurage direct après macération pelliculaire. Il y a quelque vingt ans, les caves coopératives de Pouzolles et Valréas ont entrepris de restructurer leur vignoble. D'où l'Union Le Tarral (1995). Le tout produit ce 2001 riche en chair et en grain, vif comme il doit l'être, parfumé comme une corbeille de fruits. Notez aussi le **chardonnay 2001** et le **cabernet-sauvignon 2001**, cités, sous la même signature.
☛ UCA Le Tarral, av. de Roujan, 34480 Pouzolles, tél. 04.67.24.58.60, fax 04.67.24.58.61, e-mail info@tarral.com ☑ ⵏ r.-v.

Collines de la Moure

MAS SAINT-LAURENT
L'enclos 2000★

| | 0,75 ha | 1 200 | ⦿ | 11 à 15 € |

Grenat profond, très aromatique (fruits rouges, épices), ce 2000 a été élevé en barrique neuve. Cela se sent. Il s'agit de syrah à 100 %. Sa complexité ne l'empêche pas de montrer une certaine rondeur. Les amateurs d'émotions fortes sauront que le sous-sol de ce vignoble contient des coquilles d'œufs de... dinosaures !
☛ Roland Tarroux, Mas Saint-Laurent, Montmèze, 34140 Mèze, tél. 04.67.43.92.30, fax 04.67.43.99.61
☑ ⵏ r.-v.

Coteaux de Murviel

DOM. DE COUJAN
Rolle 2001★

| | 5,25 ha | 8 630 | ▮⚬ | 5 à 8 € |

Quel sous-sol étonnant ! Un îlot de corail fossilisé, ancien atoll de la mer helvétienne des temps très anciens (le miocène)... La vigne ne s'y sent pas dépaysée et ce cépage, le rolle, y prospère. Quant au vin qui en est issu, sa vivacité expressive s'habille d'une robe très pâle et cristalline. Arômes assez classiques (fleurs blanches, agrumes) et ensemble bien réussi.

☙ Florence Guy-Fraisse, SCEA Guy-Peyre, Ch. Coujan, 34490 Murviel-lès-Béziers, tél. 04.67.37.80.00, fax 04.67.37.86.23, e-mail coujan@mnet.fr
☑ �🍸 t.l.j. 9h-12h 14h-18h; dim. sur r.-v.

Côtes de Thau

HUGUES DE BEAUVIGNAC
Sauvignon 2001★★

| | 40 ha | 200 000 | ▮⬥ | 3 à 5 € |

Il y a Pomerol et Pomérols... Nous sommes ici sur les bords de l'étang de Thau, non loin de Sète, du cap d'Agde. La cave propose un sauvignon limpide et très peu coloré. Bouquet de fruits exotiques, avec du pamplemousse, du citron, et l'on retrouve au palais un rien de nervosité. Hugues de Beauvignac est la dénomination commerciale des meilleures cuvées de la coopérative.

☙ Cave les Costières de Pomérols, 34810 Pomérols, tél. 04.67.77.01.59, fax 04.67.77.77.21 ☑ �🍸 r.-v.

Hérault

MAS DE DAUMAS GASSAC
Haute Vallée du Gassac 2000★★

| | 29 ha | 153 200 | ⬛🛢 | 38 à 46 € |

Outre ses 75 % de cabernet-sauvignon, le vin réunit ici en cuve vingt-cinq cépages nobles (entre 1 % et 3,5 % chacun). Le compte n'est pas juste, mais saint Benoît d'Aniane, qui aurait exploité ces vignes vers 780, nous absout. Ce 2000 est en effet un oiseau rare pour un vin de pays et il sait chanter à la cantonade comme le merle, le soir, du haut de la cheminée. Pourpre à reflets violets, le nez intense et riche, il offre au palais une puissance fantastique. Long comme il n'est pas permis. Un grand vin.

☙ SAS Moulin de Gassac, Mas Daumas Gassac, 34150 Aniane, tél. 04.67.57.71.28, fax 04.67.57.41.03, e-mail contact@daumas-gassac.com
☑ �🍸 t.l.j. 10h-12h30 14h-18h; groupes sur r.-v.
☙ Guibert de La Vaissière

DOM. LA FADEZE
Grenache 2001★

| | 4,2 ha | 40 000 | ▮⬥ | 5 à 8 € |

La Fadèze n'est certainement pas une fadaise. Un grenache en rosé de saignée, où l'œil est séduit et le nez

comblé (groseille assortie de quelques notes florales). Un bon rosé méridional, haut en caractère et nullement alangui. En finale, on aime sa vivacité.

☙ GAEC Dom. la Fadèze, 34340 Marseillan, tél. 04.67.77.26.42, fax 04.67.77.20.92, e-mail lentheric@lafadeze.com
☑ �🍸 t.l.j. sf dim. 9h-12h 14h-19h

DOM. FOUGERAY DE BEAUCLAIR 2000★

| | n.c. | 8 000 | ▮⬥ | 8 à 11 € |

La Bourgogne dans l'Hérault. Fougeray de Beauclair (assemblage de trois noms de familles, dont les célèbres Clair-Daü, inventeurs du rosé de Marsannay) a en effet racheté ces vignobles en 1999 et produit un mi-grenache mi-carignan. Le résultat fait honneur à ce viticulteur messianique, plus habitué au pinot noir qu'à ces cépages. Rouge vif et éclatant, un 2000 bouqueté, très gouleyant en bouche et qui conclut sur un délicat retour d'arômes.

☙ Fougeray de Beauclair, 10, rue du Collège, 34140 Méze, tél. 04.62.43.12.18, fax 03.80.58.73.83
☑ �🍸 r.-v.

DOM. DE MOULINES
Merlot 2001★★

| | 15,8 ha | 170 000 | ▮⬥ | 3 à 5 € |

Domaine acquis en 1914. Il a doublé de superficie et trois générations s'y sont succédé. On n'est pas loin de la Grande Motte ! On ira jusqu'au gigot d'agneau aux cèpes pour accompagner ce vin très vivant en bouche, vif, prometteur, dont les éléments doivent encore se rejoindre et se fondre. Il en est capable. Robe sombre et violacée, nez un peu mentholé mais réservant aux fruits rouges ses hommages particuliers. A attendre un peu.

☙ Michel Saumade, GFA Mas de Moulines, 34130 Mudaison, tél. 04.67.70.20.48, fax 04.67.87.50.05
☑ ⍜ t.l.j. sf dim. 9h-12h 14h-19h

Hauterive

DOM. DU CADRAN
Carignan 2001★★

| | 7,28 ha | 50 000 | ▮⬥ | 3 à 5 € |

Charlemagne n'a pas seulement donné son nom au corton : il aurait aussi fait halte en ces lieux lors de son passage dans les Corbières. On comprend mieux pourquoi il portait une « barbe fleurie »... Entre Narbonne et Carcassonne, La Pujade est d'ailleurs l'une des plus anciennes propriétés de la région, toujours entre des mains féminines. Voici un carignan digne de ce nom. Grenat brillant, riche en reflets violacés, il n'est pas avare de ses arômes, du cassis au pruneau. Sa bouche tient bien en équilibre et, outre l'harmonie générale, on note une finale joliment aromatique.

☙ Viviane Mennesson, 3, av. des Vignerons, 11200 Ferrals-les-Corbières, tél. 04.68.43.55.65, fax 04.68.43.56.16, e-mail chateaupujade@aol.com ☑

Hauts de Badens

DOM. LA GRAVE
Sauvignon 2001★★

	1 ha	10 000		3 à 5 €

Les vins de pays ont un grand mérite : ils nous font réviser notre géographie de façon bien agréable. Ainsi connaissez-vous au sud du Minervois les pentes douces des Graves, terrasses des balcons de l'Aude à Badens ? Non, alors offrez-vous cette bouteille. Elle se présente correctement : pas d'excès de couleur, un nez qui vous fait le coup du grand amour, une bouche impétueuse et puissante. Ce sauvignon a du tonus.
➥ Jean-Pierre et Jean-François Orosquette, Ch. La Grave, 11800 Badens, tél. 04.68.79.16.00, fax 04.68.79.22.91, e-mail chateaulagrave@wanadoo.fr ☑ ⏆ t.l.j. 9h-12h 14h-18h30; sam. dim. sur r.-v.

Torgan

MONT TAUCH
Merlot 2001★★

	14 ha	35 000		5 à 8 €

Un merlot 2001 gardant la jeunesse de sa robe. Sa teinte ne semble pas pressée d'évoluer et c'est tant mieux. De toute façon, on ne le conservera pas éternellement en cave. Le bouquet tire sur le végétal, façon poivron un peu épicé. L'accord aromatique avec la bouche est bien réalisé. Plutôt un rouge à mettre en présence d'un fromage affiné. Tiens, changeons de région et montrons un esprit large : pourquoi pas un époisses affiné au marc de Bourgogne ?
➥ Les Producteurs du Mont Tauch, 11350 Tuchan, tél. 04.68.45.41.08, fax 04.68.45.45.29, e-mail contact@mont-tauch.com ☑ ⏆ t.l.j. sf dim. 9h-12h 14h-18h

Coteaux des Fenouillèdes

DOM. SALVAT
Muscat sec 2000★★

	n.c.	n.c.	5 à 8 €

Un muscat sec 2000 tout d'or vêtu, au nez particulièrement typé, très démonstratif. Avec un tel maître, on retient la leçon ! Le corps est équilibré. Le retour de la fraîcheur en fin de course est agréable. Le tout vivifiant, produit sur des terrasses où la silice se mêle à l'argile, pour un assemblage 80 % alexandrie et 20 % petits grains. Le compte est bon.
➥ Dom. Salvat, 8, av. Jean-Moulin, 66220 Saint-Paul-de-Fenouillet, tél. 04.68.59.29.00, fax 04.68.59.20.44, e-mail salvat.jp@wanadoo.fr ☑ ⏆ t.l.j. 9h-12h 14h-18h

Catalan

DOM. LAPORTE
Siloe 2001★★

	7 ha	12 000		5 à 8 €

Patricia et Raymond Laporte dirigent l'exploitation depuis 1980. Elle se situe au bord de la *Via Domitia*, une « autoroute » de l'Antiquité. Muscat d'Alexandrie à 100 % pour un vin qu'un rien habille. Cette robe très légère lui va à ravir. Le muscat ne reste pas les bras croisés et il intervient nettement au nez. Petite touche de fleurs blanches. Puis une forte constitution relevée par une certaine vivacité dans l'expression aromatique. Toutes les pièces du puzzle sont en ordre.
➥ Dom. Laporte, Ch. Roussillon, 66000 Perpignan, tél. 04.68.50.06.53, fax 04.68.66.77.52, e-mail domaine-laporte@wanadoo.fr ☑ ⏆ r.-v.

Côtes catalanes

DOM. BOUDAU
Muscat sec 2001★★

	4 ha	13 000		5 à 8 €

Une formule classique et qui réussit presque toujours, à quelques pourcentages près. Pour un muscat sec, 60 % d'alexandrie et 40 % de petits grains. Le dialogue passe bien entre les deux pour offrir un 2001 caractéristique du cépage et dont l'élégance se marie avec un zeste de nervosité. Frère et sœur, Pierre et Véronique ont repris l'exploitation familiale en 1993 : trois domaines à Baho, Salses et Lapalme. De quoi s'occuper, entre plusieurs appellations et quelque 83 ha. Un bijou de famille.
➥ Dom. Véronique et Pierre Boudau, 6, rue Marceau, 66600 Rivesaltes, tél. 04.68.64.45.37, fax 04.68.64.46.26 ☑ ⏆ t.l.j. sf dim. 10h-12h 15h-19h; f. oct. à mai

LE CANON DU MARECHAL 2001★★

	12,5 ha	100 000		5 à 8 €

Le Canon du Maréchal, il faut l'écrire sur l'étiquette ! En raison du rachat en 1919 d'une partie de la propriété du maréchal Joffre, vainqueur de la bataille de la Marne. Grenache noir, syrah, cabernet-sauvignon et merlot se partagent à égalité les cartouches. Tir nourri ! Honneur au rouge du drapeau français, le rubis brille de tous ses feux. Nez friand de fruits frais. Attaque très franche, souple et directe. Ce n'est pas la guerre de tranchées mais la fleur au fusil. Intéressant **muscat sec 2001** sous la même signature.
➥ Sté Cazes Frères, 4, rue Francisco-Ferrer, BP 61, 66602 Rivesaltes, tél. 04.68.64.08.26, fax 04.68.64.69.79, e-mail info@cazes-rivesaltes.com ☑ ⏆ t.l.j. sf dim. 8h-12h 14h-18h

DOM. MAS AMIEL
Le Plaisir Grenache noir 2001★

	20 ha	20 000		5 à 8 €

Acquis par Olivier Decelle il y a deux ans, ce vaste domaine présente un grenache noir qui devrait se plaire avec la viande d'agneau mitonnée à l'ancienne. D'une couleur somptueuse, il excite les cénacles olfactifs : cerise, framboise parfaitement mûres, odorantes et heureuses. Le gras est bien présent, la structure efficace. Une bouteille d'excellente tenue.

✦ Dom. Mas Amiel, 66460 Maury,
tél. 04.68.29.01.02, fax 04.68.29.17.82
☑ ⍶ t.l.j. sf dim. 9h-12h30 13h30-17h30
✦ O. Decelle

DOM. PIQUEMAL
Cuvée Justin Piquemal 2001★

■	4 ha	30 000	🍷⚘	3 à 5 €

Au pied du Canigou. Il s'agit seulement ici d'une étape du tour de France... des vignobles. Le val d'Agly mérite d'être connu. Pierre et Franck veillent sur 65 ha, une belle et large gamme d'appellations. Nous avons affaire à un assemblage équitable de grenache, de syrah et de cabernet. Pourpre profond et violacé, ce 2001 a des accents de vieux cuir, de fruits surmûris, de la malle aux souvenirs qu'on tire du grenier de notre grand-mère. Equilibre et persistance sont au rendez-vous.

✦ Dom. Pierre et Franck Piquemal,
1, rue Pierre-Lefranc, 66600 Espira-de-l'Agly,
tél. 04.68.64.09.14, fax 04.68.38.52.94,
e-mail contact@domaine-piquemal.com ☑ ⍶ r.-v.

Cité de Carcassonne

DOM. DE SAUTES
Villa Saint Sernin Elevé en fût de chêne 2000★★

■	3 ha	4 000	⮑	5 à 8 €

Deux tiers merlot et un tiers syrah pour ce vin abrité derrière les remparts d'une solide structure. Cité de Carcassonne oblige ! Rouge sombre et brillant, il se visite bien. Son nez est orienté vers des parfums épicés où entre le fruit très mûr. La charpente soutient un corps ample et assez long. Est-il besoin de préciser qu'on est, ici, aussi intarissable sur le vin que sur les... cathares ?

✦ Guy et Emmanuel Giva, Dom. de Sautes,
RN 113, 11000 Carcassonne,
tél. 04.68.78.77.98, fax 04.68.78.51.66,
e-mail domainedesautes@libertysurf.fr
☑ ⍶ t.l.j. sf dim. 10h-12h 14h-18h

Cassan

DOM. SAINTE MARTHE 2001★

■	8 ha	48 000	🍷⚘	- de 3 €

Mi-grenache et mi-cinsault, ce rosé de saignée fait son bout de chemin dans la vie sous la bénédiction de sainte Marthe, connue pour sa générosité et sa douceur. A l'œil, du cœur la fraise. Le chic absolu ! On lui trouve le nez fin, frais et même distingué. En bouche, il ne descend pas « tout debout » mais prend le temps de faire partager le bonheur de l'instant. Bon support aromatique.

✦ Olivier Bonfils, Dom. de Sainte-Marthe,
rte Pouzolles, 34320 Roujan,
tél. 04.67.93.10.10, fax 04.67.93.10.05

DOM. DE LA TOUR PENEDESSES
Tempranillo Mas de Couy 2000★★

■	n.c.	7 800	🍷⚘	5 à 8 €

Là, pas moins qu'une terrine de chasseur catalan avec perdreau et raisins ! Ce jeune viticulteur commence par une cuvée très personnelle. Œnologue à l'Université du Vin à Suze-la-Rousse, consultant qualité, biodynamique, il signe un tempranillo, cépage espagnol de La Rioja – le fameux « œil de lièvre ». Pas mal d'alcool. Il n'est pas besoin de le solliciter beaucoup pour qu'il explose en couleur et en bouquet. Et de fait, on tient un vin rouge profond, un nez fruité presque caramélisé, beaucoup de présence sur la langue.

✦ Dom. de La Tour Penedesses, rte de Fouzilhon,
34320 Gabian, tél. 04.67.24.14.41, fax 04.67.24.14.22,
e-mail domainedelatourpenedesses@yahoo.fr ☑ ⍶ r.-v.
✦ Alexandre Fouque

Coteaux du Libron

DOM. LA COLOMBETTE
Demi-Muid Chardonnay Vinifié en fût de chêne 2000★★

	7 ha	17 000	⮑	8 à 11 €

Reprise par François Pugibet en 1968, la propriété a été entièrement replantée. Son chardonnay est issu des vignes les plus anciennes (un peu plus de vingt ans d'âge) et il fermente en demi-muid de 600 l. Une grosse futaille ! Ceci explique sans doute les notes fumées de cette bouteille dans son écrin doré. Un certain style « fruits exotiques » et une constitution bien équilibrée, riche et néanmoins friande.

✦ François Pugibet, Dom. de la Colombette,
anc. rte de Bédarieux, 34500 Béziers,
tél. 04.67.31.05.53, fax 04.67.31.05.53,
e-mail lacolombette@freesurf.fr
☑ ⍶ t.l.j. 8h-12h 14h-18h

Provence, basse vallée du Rhône, Corse

Majorité de vins rouges dans cette vaste zone, constituant 60 % des 900 000 hl produits dans les départements de la région administrative Provence-Alpes-Côte d'Azur. Les rosés (30 %) sont surtout issus du Var, et les blancs, du Vaucluse et du nord des Bouches-du-Rhône. On retrouve dans ces régions la diversité des cépages méridionaux, mais ceux-ci sont rarement utilisés seuls ; selon proportions variables et en fonction des conditions climatiques et pédologiques, ils sont employés avec des cépages plus originaux, d'origine extérieure : chardonnay, sauvignon, cabernet-sauvignon ou merlot, cépages bordelais, auxquels s'ajoute la syrah venue de la vallée du Rhône. Les dénominations départementales s'appliquent au Vaucluse, aux Bouches-du-Rhône, au Var, aux Alpes-de-Haute-Provence, aux Alpes-Maritimes et aux Hautes-Alpes ; les dénominations de petites zones sont les suivantes : principauté d'Orange, Petite Crau (au sud-est d'Avignon), Mont Caumes (à l'ouest de Toulon), Argens (entre Brignoles et Draguignan, dans le Var), Maures, Coteaux du Verdon (Var), Aigues (Vaucluse), reconnues récemment, et île de Beauté (Corse). Depuis la récole 1999, le vin de pays Portes de Méditerranée à vocation régionale vient compléter ce panorama. Son bassin de production couvre la région PACA (à l'exception du département des Bouches-du-Rhône) ainsi que la Drôme et l'Ardèche dans la région Rhône-Alpes.

Ile de Beauté

DOM. AGJHE VECCHIE
Vecchio Chardonnay 2001

0,83 ha	5 000		5 à 8 €

À la tête de 8 ha de vignes, Jacques Giudicelli propose un chardonnay d'un abord discret, mais qui s'exprime pleinement après aération. Son caractère chaleureux et les arômes hérités du bois se fondent de manière équilibrée.
➥ Jacques Giudicelli,
Dom. Agjhe Vecchie, 20230 Canale di Verde,
tél. 06.09.50.73.36, fax 04.95.38.03.37,
e-mail jerome.girard@attglobal.net ☑ Ⴤ r.-v.

DOM. CASABIANCA
Cantabilé Nectar d'Automne 2001★

17 ha	47 000		8 à 11 €

Marque destinée à la grande distribution, ce muscat moelleux issu de vendanges passerillées présente une palette de fruits confits. Les mêmes arômes se développent au palais, avec plus de délicatesse, tandis qu'une sensation chaleureuse conclut la dégustation. Le **Moderato Nectar d'automne 2001**, également issu de muscat à petits grains, est cité.
➥ SCEA Dom. Casabianca, 20230 Bravone,
tél. 04.95.38.96.08, fax 04.95.38.81.91

DOM. DU MONT SAINT-JEAN
Merlot 2001★★

40 ha	250 000		3 à 5 €

Aléria (Alalia dans l'Antiquité) fut la capitale de la Corse au IIes. av. J.-C. Il reste de cette époque de fabuleux vestiges que l'on peut découvrir au musée Jérôme-Carcopino. Après cette visite, découvrez ce remarquable vin qui, sous une teinte profonde, offre des arômes de sous-bois accompagnés de notes de pruneau et de réglisse. Une telle palette annonce la générosité d'une bouche riche en arômes, ample, souple, avec beaucoup de gras. Cette bouteille pourra attendre un ou deux ans. La **syrah 2001**

obtient une étoile pour ses notes fruitées et florales délicates, l'harmonie de ses tanins et sa longueur. L'**aléatico 2001** est cité.
➥ SCA du Mont Saint-Jean, Campo Quercio,
20270 Aléria, tél. 04.95.38.59.96, fax 04.95.38.50.29,
e-mail roger-pouyau@wanadoo.fr ☑ Ⴤ r.-v.
➥ Roger Pouyau

MULINU DI RASIGNANI
Muscat à petits grains 2001★

20 ha	52 000		5 à 8 €

Caractérisé d'abord par des arômes muscatés discrets, mais empreints d'une grande finesse, ce vin se découvre pleinement en bouche en révélant son élégance et en concluant un mariage équilibré entre moelleux et chaleur.
➥ Uval, Rasignani, 20290 Borgo, tél. 04.95.58.44.00,
fax 04.95.38.38.10, e-mail uval.sica@wanadoo.fr ☑

LES POLYPHONIES DE CEPAGES
Merlot 2001★

25 ha	200 000		- de 3 €

Quelle plus belle illustration de la culture corse que les polyphonies, ces chants qui ont séduit les mélomanes du monde entier. La cave d'Aléria décline la gamme des cépages avec un même succès. Ce merlot grenat brillant accorde à l'unisson les fruits rouges et les senteurs grillées. Les tanins présents, mais disciplinés lui donnent de l'ampleur et se marient agréablement aux nuances fruitées.
➥ Union de Vignerons de l'Ile de Beauté, Cave coop. d'Aléria, 20270 Aléria, tél. 04.95.57.02.48,
fax 04.95.56.15.86 ☑ Ⴤ r.-v.

TERRA MARIANA
Cabernet-sauvignon Cuvée ancestrale Elevée en fût de chêne 1999★

4 ha	15 000		5 à 8 €

La belle maturité de ce vin apparaît déjà dans la robe profonde à nuances tuilées. Elle se concrétise à mesure que se développent les arômes de fruits rouges (fraise), les généreuses notes d'évolution (fruits confits, pruneau) et la note de vanille apportée par le bois. Les tanins fondus contribuent à la rondeur d'un ensemble épanoui. A boire avec un gibier. Le **pinot noir Cuvée Ancestrale 99** obtient également une étoile.
➥ Uval, Rasignani, 20290 Borgo, tél. 04.95.58.44.00,
fax 04.95.38.38.10, e-mail uval.sica@wanadoo.fr ☑

DOM. TERRA VECCHIA 2001★★

n.c.	n.c.		5 à 8 €

Depuis le Guide 2000, Terra Vecchia n'aura cessé d'étonner le jury. Le 98 rouge, le rosé 99, le vermentino

2000, et, aujourd'hui, cet assemblage de chardonnay et de vermentino : tous ont été coups de cœur. Dès l'abord, se dégagent du 2001 des arômes fruités variés qui forment un bouquet d'une rare intensité. La bouche bien équilibrée confirme cette première impression en offrant des saveurs d'agrumes et de fruits exotiques, ainsi qu'une belle vivacité. Le **vermentino 2001 (3 à 5 €)** obtient une étoile, tandis que le **Terra Vecchia rouge 2001 (3 à 5 €)** est cité.
🐓 SICA Civile Coteaux de Diana,
Les vins Skalli, Dom. Terra Vecchia, 20270 Tallone,
tél. 04.95.57.20.30, fax 04.95.57.08.98 ☑

Portes de Méditerranée

CAVE DE BEAUMONT DE VENTOUX
Caladoc 2000

■	0,67 ha	4 000	🍴👄 5 à 8 €

Le caladoc est un cépage encore assez peu répandu en Provence. Vinifié en rosé avec soin, ce qui est à l'évidence le cas à Beaumont, il permet l'élaboration d'un vin au nez assez expressif, aromatique voire capiteux, et à la bouche ronde et assez ample. Idéal sur de la charcuterie, entre amis.
🐓 Cave de Beaumont du Ventoux, rte de Carpentras, 84340 Malaucène, tél. 04.90.65.11.78,
fax 04.90.12.69.88, e-mail jacob.michel@wanadoo.fr
☑ ☖ t.l.j. 9h-12h 14h-18h

DOM. LA BLAQUE
Viognier 2001★

■	6 ha	16 000	🍴👄 5 à 8 €

A la Blaque, le viognier a trouvé son terroir. Gilles Delsuc a élaboré un vin très typé, reconnaissable à la dominante abricot. Les notes florales (violette) perçues au nez sont encore un peu plus marquées en bouche. Un vin rond, à servir idéalement sur des plats salés-sucrés ou à l'apéritif.
🐓 Dom. la Blaque, Dom. Châteauneuf,
04860 Pierrevert, tél. 04.92.72.39.71, fax 04.92.72.81.26,
e-mail domaine.lablaque@wanadoo.fr ☑ ☖ r.-v.

Principauté d'Orange

DOM. FOND CROZE
Chardonnay 2001★

▨	0,8 ha	3 000	🍴👄 3 à 5 €

La belle robe blanche aux reflets nacrés en guise de premier contact ; on découvre ensuite un nez aux arômes étonnants de mangue fraîche et de papaye. Ces notes exotiques laissent la place, en bouche, à des arômes de fruits à chair blanche et à des notes d'agrumes (mandarine). Dégustation très agréable, avec une persistance aromatique indéniable. Se servira seul pour le plaisir ou sur un bar grillé.

🐓 Dom. Fond Croze, Le Village,
84290 Saint-Roman-de-Malegarde,
tél. 04.90.28.97.07, fax 04.90.28.97.07,
e-mail fondcroze@hotmail.com ☑ ☖ r.-v.
🐓 Bruno et Daniel Long

Maures

DOM. BORRELY-MARTIN 1998★

■	n.c.	2 600	8 à 11 €

Dans le cahier des charges des frères Martin, l'exigence vient au premier rang. La recherche de rendements très limités leur permet d'obtenir une matière riche et concentrée. Ce vin rouge 98, à forte dominante de carignan (85 %), en est un exemple. Au nez comme en bouche, les arômes de fruits rouges cuits dominent. C'est fin, élégant en un mot. Bel accord en vue sur un gigot d'agneau.
🐓 Dom. Borrely-Martin, 83340 Les Mayons,
tél. 04.94.60.09.39, fax 04.94.60.09.39
☑ ☖ t.l.j. 9h-12h 14h-19h
🐓 Martin frères

LE GRAND CROS
Carignan 2001★★

■	2,5 ha	13 000	🍴👄 5 à 8 €

Admirable démonstration du potentiel qualitatif du carignan... Reste à travailler amoureusement, ce qui est à l'évidence le cas à Grand Cros. La robe est d'un pourpre superbe. Le nez est très ouvert, intense (épices, fruits noirs, pruneau). En bouche, se retrouvent les arômes de fruits noirs confits. C'est rond, ample et harmonieux. A servir sur un gibier rôti (filet de sanglier).
🐓 Dom. du Grand Cros, 83660 Carnoules,
tél. 04.98.01.80.08, fax 04.98.01.80.09,
e-mail info@grandcros.fr ☑ ☖ r.-v.
🐓 Faulkner

MAROUINE
Carignan Vieilles vignes 2000★★

■	1,38 ha	8 900	⑪ 3 à 5 €

Le château Marouïne, vestige du village de Puget du XVIIᵉs., surplombe la plaine de Cuers. Ce remarquable carignan est destiné aux amateurs de vins de caractère tant il est marqué, au nez et en bouche, par des notes animales et de sous-bois. La bouche est superbe d'équilibre et de souplesse. L'accord gourmand conseillé : la pintade fermière rôtie.

☛ Marie-Odile Marty, Ch. Marouïne,
83390 Puget-Ville, tél. 04.94.48.35.74,
fax 04.94.48.37.61 ☑ ☙ t.l.j. sf dim. 9h-19h

DOM. DE LA ROUVIERE
Cuvée des Maures 2001★

■	n.c. n.c.	3 à 5 €

L'alliance de quatre cépages (cabernet, syrah, mourvèdre et carignan) a conduit à l'élaboration de cette cuvée
dont le jury a reconnu tout l'intérêt, notamment en bouche
où s'exprime une certaine élégance. Les tanins sont fins.
Bel équilibre d'ensemble. A proposer avec un poulet
fermier rôti ou un rôti de veau aux olives.
☛ SNC SONEVI, Dom. de la Rouvière,
quartier La Rouvière, 83390 Pierrefeu-du-Var,
tél. 04.94.48.13.13, fax 04.94.48.11.64
☑ ☙ t.l.j. 8h30-12h30 13h30-17h30

CELLIER SAINT-BERNARD
Chardonnay 2001★

▨	n.c. 1 355	⬛☙ 3 à 5 €

Le cellier propose ce chardonnay 2001 bien typé aux
amateurs de vins blancs. Dans sa robe jaune pâle, ce vin
offre un nez marqué par les arômes de fruits exotiques,
avec des notes briochées. L'intensité de ces nuances
odorantes, est à souligner. La bouche offre un très bon
équilibre et une belle longueur. On reste sur une agréable
impression d'harmonie générale.
☛ Cellier Saint-Bernard, 83340 Flassans-sur-Issole,
tél. 04.94.69.71.01, fax 04.94.69.71.80
☑ ☙ t.l.j. sf dim. 9h-12h 15h-18h

Vaucluse

DOM. DES ANGES
Cabernet-sauvignon 2000★

■	2,5 ha 6 600	⬛⬛ 8 à 11 €

D'une belle robe sombre, ce cabernet-sauvignon se
pare au nez de notes très confiturées (fruits bien mûrs)
auxquelles se mêlent des effluves de menthe poivrée et une
touche de vanille, due à un élevage en fût très subtil où le
boisé ne se montre jamais envahissant. En bouche, c'est
onctueux et ample après une attaque suave. A boire dès
maintenant ou dans trois à cinq ans.
☛ SCA Dom. des Anges, 84570 Mormoiron,
tél. 04.90.61.88.78, fax 04.90.61.98.05,
e-mail cioranr@club-internet.fr
☑ ⌂ ☙ t.l.j. 9h-12h 14h-18h; f. oct.-1 av.

MAS CASCAL
Regain 2000★

▨	0,23 ha 430	⬛⬛☙ 38 à 46 €

Cette cuvée Regain 2000, il faut le souligner, est tirée
à seulement 430 bouteilles... Intrinsèquement, elle a plu au
jury : le nez est très agréable, assez vanillé (élevage en fût
oblige !) et marqué par l'abricot confituré. La palette
aromatique s'élargit en bouche (confiture de coings, fruit
de la Passion). C'est rond !
☛ Jean Natoli, Mas Cascal 2, chem. des Centurions,
34170 Castelnau-le-Lez, tél. 04.67.84.84.90,
fax 04.67.84.85.02, e-mail jean.natoli@wanadoo.fr

DOM. DE LA CITADELLE
Cabernet-sauvignon 2001★★

■	5 ha 33 000	⬛☙ 3 à 5 €

La Citadelle se retrouve aux meilleures places avec
son cabernet 2001 remarquablement typé : épices douces,
cacao, tabac blanc et fruits noirs très mûrs au nez, et fort
belle matière onctueuse et soyeuse en bouche (arômes de
fruits rouges et noirs mûrs telle la mûre). Le **viognier 2001**
(8 à 11 €) a été apprécié également ; il se montre un peu
discret au nez mais vif et long en bouche avec des notes
d'agrumes (pamplemousse).
☛ Rousset-Rouard, Dom. de la Citadelle,
rte de Cavaillon, 84560 Ménerbes,
tél. 04.90.72.41.58, fax 04.90.72.41.59,
e-mail domainedelacitadelle@wanadoo.fr
☑ ☙ t.l.j. 10h-12h 14h-19h; groupes sur r.-v.

DOM. DE COMBEBELLE 2001

▨	n.c. 4 000	3 à 5 €

Ce vin rosé est classiquement élaboré à partir de
cépages grenache et cinsault, cépages provençaux s'il en
est. Et il est bien fait. Sa robe couleur grenadine est limpide,
son nez, délicat et discret, sent bon les petits fruits rouges.
En bouche, il est désaltérant et marqué par des arômes de
fruits rouges (framboise). A boire à l'apéritif ou avec des
côtelettes d'agneau de Provence.
☛ Eric Sauvan, EARL Dom. de Combebelle,
26110 Piegon, tél. 04.75.27.18.96, fax 04.75.27.15.62
☑ ☙ t.l.j. 9h-12h 14h-19h30; dim. matin

DOM. FONTAINE DU CLOS
Merlot 2001

■	4 ha 9 330	⬛☙ 3 à 5 €

Ce merlot aura su retenir l'attention du jury par son
nez intense (kirsch, cerise noire, fruits au sirop) et sa
bouche ample marquée de notes épicées et fruitées (fruits
noirs). L'harmonie d'ensemble est intéressante même si
plus de complexité ajouterait au plaisir.
☛ EARL Jean Barnier, Dom. Fontaine du Clos,
84260 Sarrians, tél. 04.90.65.42.73, fax 04.90.65.30.69
☑ ☙ t.l.j. sf dim. 9h-12h 15h-19h

DOM. GRAND JACQUET
Cuvée Aymard Savinas 2001★

▨	1 ha 2 400	⬛☙ 5 à 8 €

Le domaine mené par Patricia et Joël Jacquet, qui
sont sortis de la cave coopérative en 2000, produit 35 % de
vins blancs. Les efforts consentis par le couple pour
façonner des vins de caractère ne sont certainement pas
vains à l'exemple de cette cuvée Aymard Savinas. Belle
expression au nez avec en dominante des nuances d'agrumes (mandarine). Bouche ample et soyeuse, avec arômes
de coing et encore d'agrumes (citron, mandarine). A
accorder avec un poisson à la crème.
☛ Dom. GrandJacquet,
2869, La Venue de Carpentras, 84380 Mazan,
tél. 04.90.63.24.87, fax 04.90.63.24.87 ☑ ☙ r.-v.
☛ Joël Jacquet

DOM. DE MAROTTE 2001★

■	5 ha 15 000	⬛☙ 3 à 5 €

Le domaine se distingue encore avec ce vin blanc
2001. Des arômes de petites fleurs blanches sont nettement
perceptibles au nez, alors que la coloration est plus
exotique en bouche (mangue, fruit de la Passion, orange
confite). Jolie longueur qui plus est... Comment résister à

cette tentation à l'heure de l'apéritif ? Encore qu'un poisson grillé... A découvrir également le **rosé 2001** qui a marqué le jury par son équilibre et sa convivialité.

☛ EARL la Reynarde, Dom. de Marotte, petit chemin de Serres, 84200 Carpentras, tél. 04.90.63.43.27, fax 04.90.67.15.28, e-mail marotte@wanadoo.fr

Ⓥ ⊤ t.l.j. sf lun. 8h30-12h 14h30-18h; f. jan. fev.

DOM. MEILLAN-PAGES
Merlot 2001★

■	0,67 ha	4 000	ⓘ 3 à 5 €

Après un admirable sauvignon coup de cœur dans le Guide 2001 et un viognier très réussi (Guide 2002), le domaine se fait remarquer cette fois par un vin de cépage rouge merlot (première cuvée merlot sur le domaine). Le nez est un peu minéral, avec des notes de fruits cuits et secs, voire d'épices douces (noix de muscade). Beaucoup de volume en bouche, avec de la suavité. Très flatteur et élégant.

☛ Jean-Pierre Pagès, Dom. Meillan-Pagès, Quartier La Garrigue, 84580 Oppède, tél. 04.32.52.17.50, fax 04.90.76.94.78, e-mail meillan@terre-net.fr Ⓥ ⊤ r.-v.

LE PIGEOULET DES BRUNIER 2001

■	10 ha	60 000	ⓘ ⓞ⬤ 5 à 8 €

Le vin de pays des Brunier est élaboré à 80 % à partir de grenache. Il n'a certes pas le potentiel des « pointures » vinifiées par la famille (notamment Vieux Télégraphe à Chateauneuf-du-Pape), mais il a bénéficié de toute leur attention et c'est indéniable à la dégustation : nez de petits fruits rouges et de cerise noire, bouche franche soulignée par des notes d'épices douces, de fruits à noyau. Les tanins vont se fondre d'ici deux ans.

☛ Frédéric et Daniel Brunier, Dom. la Roquette; 2, av. Louis-Pasteur, 84230 Châteauneuf-du-Pape, tél. 04.90.33.00.31, fax 04.90.33.18.47, e-mail vignobles@brunier.fr Ⓥ

DOM. LES TERRASSES D'EOLE
Viognier 2001★

	2 ha	10 000	5 à 8 €

Fort agréable, la dégustation de ce viognier qui offre au prime abord un nez intense très marqué par l'abricot sec et la pêche blanche. Ce côté flatteur se retrouve en bouche après une attaque vive et fraîche qu'équilibre un soupçon de sucre encore présent, conférant ainsi de la rondeur. Belle harmonie. A découvrir sur une tranche de foie gras poêlée.

☛ Stéphane Saurel, Dom. Terrasses d'Eole; chem. des Rossignols, 84380 Mazan, tél. 04.90.69.84.82, fax 04.90.69.84.90, e-mail terrasses.eole@online.fr

Ⓥ ⊤ t.l.j. sf dim. 9h-12h 14h-18h

Bouches-du-Rhône

DOM. DU GRAND FONTANILLE 2001

■	3 ha	13 000	ⓘ⬤ 3 à 5 €

De bonne facture et belle franchise, voilà ce qui pourrait résumer au mieux les impressions ressenties à la dégustation de ce vin élaboré à partir de raisins issus de l'agriculture biologique. Au nez, vous découvrirez des notes de fruits mûrs... le soleil n'a pas fait défaut. Lors de la dégustation (avril 2002), toute la jeunesse de la matière était là. Nul doute qu'en septembre, à la lecture de ce Guide, le vin se sera assagi pour procurer encore plus de plaisir. A destiner en priorité aux viandes grillées.

☛ GFA du Grand Fontanille, 13103 Saint-Etienne-du-Grès, tél. 04.90.49.05.15, fax 04.90.49.07.03 Ⓥ ⊤ r.-v.

☛ Mme Leuschner

DOM. DE LUNARD
Cabernet-sauvignon 2000★★★

■	3,5 ha	10 000	ⓘ ⓞ⬤ 3 à 5 €

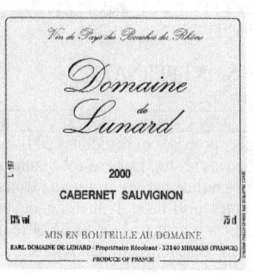

Le jury a contemplé ce beau vin. Les superlatifs n'ont pas manqué lors de la dégustation. Complexité au nez, superbe matière, très belle longueur pour ce cabernet-sauvignon qui a été récolté à l'optimum de sa maturité. Pourquoi le garder, le plaisir n'attend pas ! A déboucher sur une entrecôte marchand de vins.

☛ EARL Dom. de Lunard, 13140 Miramas, tél. 04.90.50.93.44, fax 04.90.50.73.27

Ⓥ 🏠 ⊤ t.l.j. sf dim. lun. 9h-12h 15h-19h

DOM. LA MICHELLE 2000★★

■	1,5 ha	10 000	ⓞ 5 à 8 €

Remarquable harmonie : voilà ce qu'inspire ce vin. Il ne fait pas de doute que les raisins ont été récoltés à maturité tant la matière est ample. Joli nez marqué par le fruit et de légères notes boisées. En bouche, la texture est serrée, fort belle, alors que les tanins boisés (élevage en fût de douze mois) sont très liés. Superbe ! Et ce qui ne gâte rien, ce sont les principes de l'agriculture raisonnée, respectueuse de l'environnement, qui sont appliqués par le domaine.

☛ Dom. La Michelle, 13390 Auriol, tél. 04.42.04.74.09, fax 04.42.04.40.63, e-mail domainelamichelle@club-internet.fr

Ⓥ ⊤ t.l.j. sf dim. lun. 9h-12h 14h-18h

☛ Margier

DOM. L'OPPIDUM DES CAUVINS
Cassus sauvignon 2001★

	2 ha	14 000	ⓘ⬤ 3 à 5 €

Déjà remarqué dans le millésime 2000, cette cuvée Cassus 2001 s'inscrit dans une belle continuité. La robe de ce sauvignon est limpide et brillante. Les arômes de pêche sont nettement perçus au nez, très fruité. Bonne rondeur et persistance suggèrent un bel équilibre. Très indiqué à l'apéritif, mais également avec des fruits de mer.

🍇 Rémy et Dominique Ravaute,
Dom. l'Oppidum des Cauvins, 13840 Rognes,
tél. 04.42.50.13.85, fax 04.42.50.29.40
☑ ⍦ t.l.j. 9h-12h 14h-19h

CELLIER DES QUATRE TOURS
Vermentino 2001★

	0,5 ha	3 300	🍴🥄	3 à 5 €

Belle harmonie d'ensemble reconnue à ce vermentino 2001 à la robe très limpide et aux notes florales intenses, auxquelles se mêlent quelques nuances mentholées. La bouche est nette et franche, accompagnée de nuances exotiques fruitées. L'accord classique avec les poissons grillés s'impose mais on pourrait aussi le tenter sur un risotto.
🍇 Cellier des Quatre Tours, RN 96, 13770 Venelles, tél. 04.42.54.71.11, fax 04.42.54.11.22 ☑ ⍦ r.-v.

JAMES DE ROANY
Sauvignon blanc 2001★

	12 ha	80 000	🍴🥄	- de 3 €

Avec ce vin de pays, James de Roany, propriétaire du château des Gavelles, souhaite relancer une activité de négoce familial qui existait déjà dans les années 1930. Ce sauvignon fort agréable, offre une robe limpide et brillante. Les nuances odorantes très fraîches sont bien caractéristiques du cépage. Bel équilibre et bonne persistance accompagnent une harmonie générale particulièrement plaisante. Mariage réussi sur les fruits de mer.
🍇 SARL Rayons vins,
165, chem. de Maliverny, 13540 Puyricard, tél. 04.42.92.06.83, fax 04.42.92.24.12 ☑
🍇 de Roany

LES VIGNERONS DE ROQUEFORT LA BEDOULE
Syrah 2001★

	1 ha	5 300	3 à 5 €

Une belle étiquette colorée représentant les travaux de la vigne orne la bouteille de ce joli rosé de syrah à la robe saumoné soutenu, dont le nez puissant et parfumé se montre par ailleurs persistant. Le jury a apprécié l'harmonie générale, sur des notes fruitées (fruits rouges et agrumes). Fera parfaitement l'affaire en accompagnant des sardines grillées.
🍇 Les vignerons de Roquefort-la-Bédoule,
1, av. Frédéric-Mistral, 13830 Roquefort-la-Bédoule, tél. 04.42.73.22.80, fax 04.42.73.01.37, e-mail lesvigneronsderoquefort@wanadoo.fr
☑ ⍦ t.l.j. sf dim. 8h30-12h 14h-19h

LES VIGNERONS DU ROY RENE
Syrah 2001★

	8 ha	30 000	🍴 3 à 5 €

Lambesc, située dans l'arrière-pays aixois, fut érigée au XVᵉs. en Principauté par le roi René. Quelle belle robe sombre, presque noire, pour cette syrah ! Des notes de cassis écrasé confèrent au nez beaucoup d'expression. L'attaque est encore très marquée par le fruit. Le grain des tanins s'est déjà bien arrondi. En finale, certains dégustateurs ont perçu une note anisée. L'impression d'harmonie qui se dégage est certainement due à une récolte à bonne maturité. Ne pas hésiter à boire cette bouteille sur une daube provençale. Le jury a également retenu le **cabernet-sauvignon 2001**.

🍇 Les Vignerons du Roy René, RN 7,
13410 Lambesc, tél. 04.42.57.00.20, fax 04.42.92.91.52, e-mail lesvigneronsduroyrene@wanadoo.fr ☑ ⍦ r.-v.

DOM. SAINT-VINCENT
Chardonnay 2001

	1,4 ha	7 200	5 à 8 €

Une belle robe limpide et dorée habille ce vin. Le nez est intense avec des notes miellées et épicées. L'approche est, une fois en bouche, marquée par l'originalité (douces notes iodées) et un bon équilibre (vivacité et rondeur). Plaisant. A boire sur une bouillabaisse.
🍇 GAEC Mas Valériole, 13200 Arles,
tél. 04.90.97.00.38, fax 04.90.97.01.78,
e-mail phmichel@wanadoo.fr ☑ ⍦ r.-v.
🍇 Michel

DUO DE VALDITION
Cabernet-Grenache 2001★★

	2 ha	13 400	🍴🥄	5 à 8 €

Francine et Alain Godard ont acquis le domaine en 2001, et déjà ils sont retenus dans le Guide. Ce duo de cabernet-sauvignon et de grenache a fait l'unanimité. Outre une belle robe sombre et un nez marqué par les épices, c'est l'élégance et la belle harmonie générale de ce vin qui ont vraiment séduit le jury. La matière est parfaitement mûre, les tanins sont réellement fondus et la longueur en bouche bien réelle. Très réussi également, le **Domaine de Valdition blanc 2001** (3 à 5 €), vin d'assemblage qui s'est vu attribuer une étoile.
🍇 Francine et Alain Godard, Dom. de Valdition, rte d'Eygalières, 13660 Orgon, tél. 04.90.73.08.12, fax 04.90.73.05.95 ☑ ⍦ t.l.j. 9h-19h

MINNA VINEYARD 1999★★

	1 ha	2 800	🍷	11 à 15 €

Une couleur très soutenue et très profonde, de la matière, des tanins marqués évoquent la puissance de ce vin. Une longue macération et un élevage en barrique de vingt-quatre mois, bien maîtrisé, témoignent d'une forme de respect dû à la matière, en l'occurrence aux cépages syrah et cabernet-sauvignon. Remarquable produit... mais peu de bouteilles. A attendre deux ou trois ans.
🍇 Villa Minna Vineyard,
Roquepessade CD 17, 13760 Saint-Cannat, tél. 04.42.57.23.19, fax 04.42.57.27.69, e-mail villa.minna@wanadoo.fr ☑ ⍦ r.-v.
🍇 Minna et J.-P. Luc

Var

DOM. LUDOVIC DE BEAUSEJOUR 2001★

	3,36 ha	21 000	🍴🥄	3 à 5 €

Un signe qui ne trompe pas : quand, en rouge et plus encore en rosé, les vins d'un producteur sont remarqués, une conclusion évidente s'impose : c'est une bonne adresse. Vous souriez ? Venez goûtez le rosé à l'harmonie si agréable, très équilibré, aux arômes d'agrumes (nez et bouche). Quant à la cuvée **rouge 2001**, elle vous ravira par sa présence, sa densité. Suggestion pour le rosé : avec des poivrons marinés.

🍇 Dom. Ludovic de Beauséjour, La Basse-Maure, rte de Salernes, 83510 Lorgues, tél. 04.94.50.91.91, fax 04.94.68.46.53 ☑ ⊤ r.-v.

DOM. DE BERSIA 2001★

| ■ | 7 ha | 53 000 | ▮↓ | - de 3 € |

Ce rosé très amylique et tout en rondeur fera le bonheur de plus d'un palais. Ce vin sera parfait pour de beaux jours d'automne, pour étancher une petite soif apéritive et conviviale. Quel joli rapport prix-plaisir !
🍇 Cellier de Saint-Louis, ZI Les Consacs, 83170 Brignoles, tél. 04.94.37.21.00, fax 04.94.59.14.84, e-mail cellier-saintlouis@wanadoo.fr ☑

LES CAVES DU COMMANDEUR
Merlot 2001★★

| ■ | 15 ha | 25 000 | | 3 à 5 € |

Coup de cœur bien mérité pour ce superbe merlot au nez puissant, épicé, aux arômes marqués par les fruits rouges. Quelques notes de poivron. La bouche est tout en puissance et en parfait équilibre, avec des tanins présents mais déjà ronds. Très beau. On peut le boire dès maintenant mais il peut attendre un an.
🍇 Les caves du Commandeur, 44, rue de la Rouguière, 83570 Montfort-sur-Argens, tél. 04.94.59.59.02, fax 04.94.59.53.71 ☑

DOM. DE LA GAYOLLE
Chardonnay 2001★

| ■ | 3 ha | 10 000 | ▮↓ | 3 à 5 € |

La Gayolle a encore réussi son chardonnay (le millésime 2000 était déjà cité avec une étoile dans l'édition 2002 du Guide). De la constance dans la réussite. De jolis reflets verts à l'œil, une belle intensité des arômes (cassis sauvage, fruits exotiques ensuite) et une très agréable fraîcheur avec quelques notes amyliques. C'est bien vinifié. Pour le plaisir à l'apéritif ou sur un carpaccio de saumon frais.
🍇 Paul, Dom. de La Gayolle, RN 7, 83170 Brignoles, tél. 04.94.59.10.88, fax 04.94.72.04.34, e-mail gayolle@wanadoo.fr ☑ ⊤ r.-v.

DOM. LA LIEUE
Chardonnay 2001★

| ■ | 4 ha | 15 000 | | 5 à 8 € |

Un domaine qui a choisi la voie de l'agriculture biologique. Le chardonnay de La Lieue, déjà présent dans l'édition 2002, est encore sorti du lot. Sa robe est franche, son nez très doux, agréablement marqué par des notes de fruits à noyau avec un côté salade de fruits. La typicité ne se dément pas en bouche et la dégustation est alors tout en rondeur et en volume. Bien faite, cette bouteille saura tenir son rang face à un poisson en sauce.

🍇 Jean-Louis Vial, Ch. La Lieue, rte de Cabasse, 83170 Brignoles, tél. 04.94.69.00.12, fax 04.94.69.47.68, e-mail chateau.la.lieue@wanadoo.fr
☑ ⊤ t.l.j. 8h30-12h30 14h-19h

DOM. PINCHINAT 2001★

| ■ | 1,75 ha | 13 000 | ▮↓ | 5 à 8 € |

Le domaine conduit son vignoble selon les principes de l'agriculture biologique et propose ce vin de pays blanc (100 % vermentino) étonnant de finesse. Belle robe jaune pâle, nez assez discret mais floral, bouche souple et ample aux jolis arômes de fruits (pêche de vigne). Dégustation tout en finesse, sur des poissons grillés, des poivrons marinés à l'huile ou des entrées provençales.
🍇 Alain de Welle, Dom. Pinchinat, 83910 Pourrières, tél. 04.42.29.29.92, fax 04.42.29.29.92 ☑ ⊤ r.-v.

LE CELLIER DE LA SAINTE BAUME
Rolle 2001★

| ■ | n.c. | 18 000 | ▮↓ | 3 à 5 € |

De jolis arômes d'acacia et des notes miellées vous titillent les narines d'agréable manière. Le grain est très fin en bouche ; c'est rond avec une fort belle longueur. Les notes de miel se retrouvent en bouche mais sans aucune lourdeur. Vin hautement recommandé à l'apéritif ou sur une viande blanche.
🍇 Le Cellier de la Sainte Baume, 83470 Saint-Maximin-la-Sainte-Baume, tél. 04.94.78.03.97, fax 04.94.78.07.40, e-mail cellier.ste-baume@wanadoo.fr ☑ ⊤ r.-v.

LES VIGNERONS DE LA SAINTE-BAUME
Syrah 2001★

| ■ | n.c. | 6 000 | ■ | 3 à 5 € |

Belle déclinaison de la syrah : la robe rubis possède quelques reflets violets. Des arômes d'épices (notamment poivre) et des notes de fruits rouges sont nettement développés au nez. Enfin, en bouche, les tanins sont ronds et veloutés : il se dégage une impression d'équilibre. Bonne longueur.
🍇 Les Vignerons de la Sainte-Baume, rte de Brignoles, 83170 Rougiers, tél. 04.94.80.42.47, fax 04.94.80.40.85 ☑ ⊤ r.-v.

LES VIGNERONS DE LA TARADOISE
Cabernet-sauvignon Elevé en fût de chêne 2000★

| ■ | n.c. | 4 110 | ⬙ | 3 à 5 € |

En forme de synthèse, le jury a formulé cette remarque : joli vin ! Complexe et multiple au nez (fruits à l'eau-de-vie, fruits cuits, figue, cuir), ce cabernet-sauvignon révèle un très bel équilibre en bouche, certainement procuré par un élevage en fût parfaitement maîtrisé. Un vin expressif auquel conviendrait une côte de bœuf grillée.
🍇 SCA Les Vignerons de Taradeau, rte des Arcs, 83460 Taradeau, tél. 04.94.73.02.03, fax 04.94.73.56.69 ☑ ⊤ r.-v.

DOM. DE TRIENNES
Les Auréliens 2001★★

| ■ | 4,36 ha | 10 000 | ⬙ | 5 à 8 € |

Les Triennes n'en sont pas à leur premier coup de cœur. Cette fois-ci, c'est la cuvée des Auréliens qui est élue.

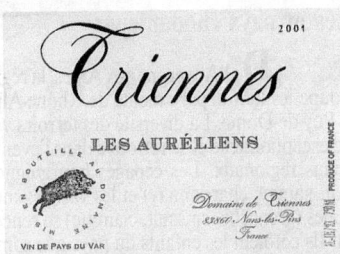

Quelle belle expression ! L'élevage sous bois (en fût) a été conduit avec une main de velours tant les arômes vanillés se font discrets, n'écrasant pas les notes d'agrumes au nez. Et que dire de cette attaque franche, fine et légèrement acidulée ? Un bonheur en bouche, bien équilibrée et de belle longueur. A boire avec un poulet au curry.

🕿 Dom. de Triennes, RN 560, 83860 Nans-les-Pins, tél. 04.94.78.91.46, fax 04.94.78.65.04, e-mail triennes@triennes.com ☑ ⵌ r.-v.

LES TROIS CHENES 2001★

	3,5 ha	32 000		3 à 5 €

Des arômes marqués par les fruits noirs (cassis, cerise noire) sont très nettement perceptibles au nez. Un bel équilibre se ressent en bouche, avec une matière charnue, fondue et une finale épicée (poivre). Un joli vin, friand, complexe, donnant beaucoup de plaisir qui ne démériterait pas devant une côte de bœuf au sel de Guérande.

🕿 SAS Gérard Duffort, Le Rouve, BP 41, 83330 Le Beausset, tél. 04.94.98.71.31, fax 04.94.90.44.87 ☑ ⵌ t.l.j. sf dim. 9h-12h 14h-18h

DOM. DE VALCOLOMBE
Noble Cuvée Viognier 2001★

	0,25 ha	2 000		5 à 8 €

La Noble Cuvée s'est fait remarquer par son originalité. La robe est pâle. Le nez se montre dense avec des notes végétales (asperge) et fumées, avec quelques arômes de cassis. L'attaque en bouche est d'une belle franchise. Un vin à découvrir, assurément. A noter que la **cuvée Baroque rouge 2001 (8 à 11 €)**, au boisé assez marqué, a également été très appréciée lors des dégustations.

🕿 Dom. de Valcolombe, chem. des Espèces, 83690 Villecroze, tél. 04.94.67.57.16, fax 04.94.67.57.16 ☑ ⵌ t.l.j. sf dim. 10h-12h 15h-18h30

🕿 Leonetti

VAL D'IRIS
Cabernet-sauvignon 2001★★

	2 ha	4 000		5 à 8 €

Coup de cœur l'an passé (millésime 2000), le cabernet-sauvignon d'Anne Dor nous revient dans le millésime 2001, magnifique, mais dans un registre qui était encore un peu fermé lors de la dégustation (avril 2002). Quoi qu'il en soit, le jury, face à ce formidable potentiel, a fait le pari – sans risque à dire vrai – d'une belle évolution tant la matière est belle, serrée. A boire en 2003.

🕿 Anne Dor, Val d'Iris, chem. de la Combe, 83440 Seillans, tél. 04.94.76.97.66, fax 04.94.76.89.83, e-mail valdiris@wanadoo.fr ☑ ⵌ r.-v.

Hautes-Alpes

DOM. ALLEMAND 2001★

	2 ha	12 000		3 à 5 €

Pourquoi le producteur ne cherche-t-il pas à valoriser le nom du seul cépage dont est issu ce vin ?... Mystère, mais tant au nez qu'en bouche, l'anonymat n'est pas de mise. Le muscat à petits grains est indéniablement à l'honneur (notes muscatées, registre floral) avec toute la finesse voulue ! Et pourquoi ne pas l'essayer sur du roquefort ? Le **rosé 2001** a également été apprécié par le jury.

🕿 EARL Allemand, La Plaine de Théus, 05190 Théus, tél. 04.92.54.40.20, fax 04.92.54.41.50, e-mail marcallemand@wanadoo.fr ☑ ⵌ r.-v.

LA VALSERROISE
Chardonnay 2001

	9,9 ha	50 000		3 à 5 €

Nul doute que ce terroir d'altitude ainsi que le savoir-faire du caviste sont les deux atouts de ce plaisant chardonnay. Le nez est très frais, marqué par les agrumes (citron). En bouche, on est ravi par une agréable vivacité, une belle attaque et une longueur de bon aloi. C'est bien dans le type et on le mariera avec des huîtres ou un poisson grillé.

🕿 Cave la Valserroise, 05130 Valserres, tél. 04.92.54.33.02, fax 04.92.54.31.34 ☑ ⵌ t.l.j. sf dim. 8h-12h 15h-19h

Alpes-de-Haute-Provence

LA MADELEINE
Cabernet-sauvignon 2001★

	n.c.	15 000		3 à 5 €

La Madeleine offre un très beau cabernet 2001, à la robe sombre. Encore un peu fermé au nez lors de la dégustation, il se montre cependant prometteur par sa concentration. Les tanins sont déjà agréablement fondus. Accord gourmand en vue avec une daube, une côte de porc forestière. Laissez-vous tenter également par le **Caladoc 2001**, peu commun et très marqué ici par des notes confites (cerise, griotte).

🕿 Pierre Bousquet, Cave la Madeleine, 04130 Volx, tél. 04.92.72.13.91, fax 04.92.72.05.99 ☑ ⵌ t.l.j. sf dim. 9h-12h 14h-18h30

DOM. DE REGUSSE
Muscat Moelleux 2001★

	12 ha	100 000		3 à 5 €

Après un coup de cœur dans l'édition 2002 du Guide, Claude Dieudonné sort cette année encore du lot de la plus élégante manière qui soit. A la typicité muscat ici empreinte de finesse, s'ajoute une certaine élégance (ou l'inverse) dans l'expression. Une bouteille qui sera parfaite sur un fromage bleu ou un vieux fromage de brebis. N'omettez pas cependant le **chardonnay 2001**, élevé en fût de chêne, également bien jugé.

VDP

☎ Dieudonné, SARL Régusse, rte
Bastide-des-Jourdans, 04860 Pierrevert,
tél. 04.92.72.30.44, fax 04.92.72.69.08,
e-mail domaine-de-regusse@wanadoo.fr
☑ ⵙ t.l.j. 9h-12h 14h-19h

Alpes-Maritimes

DOM. DES HAUTES COLLINES DE LA COTE D'AZUR
Cuvée du Pressoir romain 2001★

	1,5 ha	5 000	⬛ 8 à 11 €

Tous les ans Rémy Rasse peint une nouvelle œuvre
pour orner l'étiquette du vin de pays des Alpes-Maritimes
élaboré par ses deux frères. Georges et Denis Rasse
proposent un blanc très plaisant, au bel équilibre général,
travaillé essentiellement à partir du cépage provençal rolle
(70 %). Son élevage en fût est très présent, tant au nez,
pourtant ouvert à de jolies notes de fruits exotiques, qu'en
bouche. Un accord avec des filets de rougets grillés
s'impose.
☎ Georges et Denis Rasse, Dom. Hautes Collines,
800, chem. des Sausses, 06640 Saint-Jeannet,
tél. 04.93.24.96.01, fax 04.93.24.96.01 ☑ ⵙ r.-v.

Coteaux du Verdon

DOM. DE VIGNELAURE 2001★★

	8 ha	45 000	🍷 3 à 5 €

2001

DOMAINE
VIGNELAURE
ROSÉ

Seule la dégustation de ce magnifique rosé (100 %
cabernet-sauvignon) vous permettra de partager le plaisir
qu'ont eu les dégustateurs. Le fruit est puissant au nez et
en bouche. Un vin à la fois charnu et de belle longueur.
Vous avez bien dit « vin de pays » ? ... à ne pas laisser
passer ! A servir sur une pissaladière, des côtes d'agneau,
ou à déguster seul, par plaisir.
☎ Dom. de Vignelaure, rte de Jouques, 83560 Rians,
tél. 04.94.37.21.10, fax 04.94.80.53.39,
e-mail david.obrien@wanadoo.fr
☑ ⵙ t.l.j. 9h30-13h 14h-18h

Alpes et pays rhodaniens

De l'Auvergne aux Alpes, la région
regroupe les huit départements de Rhône-Alpes
et le Puy-de-Dôme. La diversité des terroirs y est
donc exceptionnelle et se retrouve dans l'éventail
des vins régionaux. Les cépages bourguignons
(pinot, gamay, chardonnay) et les variétés méridionales (grenache, cinsault, clairette) se rencontrent. Ils côtoient les enfants du pays que sont la
syrah, la roussanne, la marsanne dans la vallée du
Rhône, mais aussi la mondeuse, la jacquère ou le
chasselas en Savoie, ou encore l'étraire de la Dui
et la verdesse, curiosités de la vallée de l'Isère.
L'usage des cépages bordelais (merlot, cabernet-
sauvignon) se développe également, enrichissant
encore la gamme des vins.

Dans une production en progres-
sion, atteignant 450 000 hl, l'Ardèche et la
Drôme contribuent largement à la primauté des
rouges ; la tendance est partout à l'élaboration de
vins de cépage pur. Ain, Ardèche, Drôme, Isère
et Puy-de-Dôme sont les cinq dénominations
départementales. Huit dénominations régionales
couvrent la région : Allobrogie (Savoie et Ain,
7 000 hl de blancs, en forte majorité), coteaux du
Grésivaudan (moyenne vallée de l'Isère,
2 000 hl), Balmes dauphinoises (Isère, 1 000 hl),
Urfé (vallée de la Loire entre Forez et Roannais,
2 000 hl), collines rhodaniennes (10 000 hl,
majorité de rouges), comté de Grignan (sud-
ouest de la Drôme, 25 000 hl, rouges surtout),
coteaux des Baronnies (sud-est de la Drôme,
35 000 hl de rouges) et coteaux de l'Ardèche
(320 000 hl en rouge, rosés et blanc).

Il existe également deux vins de
pays de grande zone. Un vin de pays régional,
créé en 1989 – les Comtés rhodaniens (environ
11 000 hl) –, produit sur les huit départements de
la région Rhône-Alpes (Ain, Ardèche, Drôme,
Isère, Loire, Rhône, Savoie, Haute-Savoie). Et
un vin de pays créé en 1999, dénommé Portes de
Méditerranée (environ 39 000 hl), produit sur
sept départements (Alpes-de-Haute-Provence,
Hautes-Alpes, Alpes-Maritimes, Ardèche,
Drôme, Var et Vaucluse).

Allobrogie

LE CELLIER DE JOUDIN
Jacquère 2001★

	4,2 ha	40 000	🍷 - de 3 €

Le célèbre Mandrin s'établit un temps dans la région.
Il faisait passer en contrebande des marchandises en Suisse
avant d'être arrêté au château de Rochefort, distant de
7 km du domaine. La Jacquère 2001, jaune clair à reflets

verts, offre un nez ouvert de fleurs blanches et de citron, avec une note minérale. L'attaque est franche, avec des arômes d'agrumes ; la finale est agréable et équilibrée. Cette bouteille pourra accompagner les poissons et les spécialités à base de fromage.

☛ Le cellier de Joudin, Dom. Demeure-Pinet-Joudin, 73240 Saint-Genix-sur-Guiers, tél. 04.76.31.61.74, fax 04.76.31.61.74 ☑ ⵖ t.l.j. sf dim. a.-m.

qui a passé quatre mois en fût, présente au nez des arômes de poivron vert, d'épices, de clou de girofle et de réglisse. Elle se caractérise par une bonne attaque. Typique et élégante, elle est à déguster sur un filet de marcassin aux baies de genièvre.

☛ EARL Serge Liotaud et Fils, Dom. La Rosière, 26110 Sainte-Jalle, tél. 04.75.27.30.36, fax 04.75.27.33.69, e-mail vliotaud@yahoo.fr ☑ ⌂ ⵖ t.l.j. 9h-19h

Coteaux des Baronnies

CAVE LA COMTADINE
Chardonnay 2001★

	n.c.	32 000	🍴🥄	3 à 5 €

Ce vin discret mais élégant se caractérise par une robe jaune, brillante et limpide. L'expression olfactive est intense et présente des arômes d'ananas mûr. La bouche subtile et équilibrée, où l'on retrouve des fruits blancs, le rend appréciable dès maintenant. Ce chardonnay 2001 accompagnera très bien une dorade au four.

☛ Cave la Comtadine, 84110 Puyméras, tél. 04.90.46.40.78, fax 04.90.46.43.32 ☑ ⵖ r.-v.

DOM. DU RIEU FRAIS
Merlot Cuvée Benjamin 1999★★

	4 ha	12 000	🍷	5 à 8 €

Dans un site magnifique se dresse la belle église Notre-Dame de Beauvert du XIe s. qui mélange les influences lombardes, l'art provençal et le travail d'artistes locaux. Cette année encore le domaine obtient deux étoiles avec un coup de cœur pour cette cuvée Benjamin, issue de merlot. Ce vin, avec sa jolie robe grenat profond, présente un nez ouvert de fraise, de réglisse, de pivoine et de pain d'épice ainsi qu'une bouche puissante avec, en finale, une touche vanillée.

☛ Jean-Yves Liotaud, quartier des Rieux-Frais, 26110 Sainte-Jalle, tél. 04.75.27.31.54, fax 04.75.27.34.47, e-mail jean-yves.liotaud@wanadoo.fr ☑ ⵖ t.l.j. sf dim. 9h-12h 14h-18h

DOM. LA ROSIERE
Cabernet-sauvignon 2001★

	2 ha	10 000	🍷	3 à 5 €

Cette cave, dont les vins allient tradition et technologie moderne, est située à 680 m d'altitude ; elle offre une vue magnifique. Cette cuvée d'une couleur rouge grenat,

Comté de Grignan

CAVE DE LA VALDAINE
Syrah 2001★★

	n.c.	6 900	- de 3 €

Consécration avec un coup de cœur pour cette cave coopérative qui regroupe des producteurs de la région de Montélimar et conduit, depuis 1987, une rénovation complète de son vignoble et de ses chais. Cette syrah 2001, d'une teinte violacée avec un nez puissant aux notes poivrées, ainsi qu'une bouche ronde et d'une grande longueur, pourra facilement vieillir. A citer également le **cabernet-sauvignon 2001**, une étoile, ainsi que le **merlot 2001** qui obtient la même note ; il s'accordera très bien avec une terrine de lièvre.

☛ Cave de la Valdaine, av. Max-Dormoy, 26160 Saint-Gervais-sur-Roubion, tél. 04.75.53.80.08, fax 04.75.53.93.90, e-mail cave.valdaine@free.fr ☑ ⵖ r.-v.

Collines rhodaniennes

EMMANUEL BAROU
Viognier 2001★

	1 ha	4 000	🍷	11 à 15 €

Menée en agriculture biologique, cette exploitation propose cette année un viognier 2001. Ce vin, d'une belle robe jaune à reflets saumonés et au nez d'abricot et de vanille, présente en bouche un bon compromis entre gras et acidité. Une bouteille originale, intéressante, à servir sur un filet de sole au curry cet hiver.

☛ Emmanuel Barou, Picardel, 07340 Charnas,
tél. 04.75.34.02.13, fax 04.75.34.02.13,
e-mail emmanuel.barou@wordonline.fr ☑ ☒ r.-v.

CAVE DE TAIN L'HERMITAGE
Marsanne Nobles rives 2001★

■	n.c.	120 000	▮▴ 3 à 5 €

Cultivée au cœur de la Drôme sur sa terre d'élection,
la marsanne affirme pleinement son caractère dans ce vin
à la robe jaune or. Son nez est floral et fruité (pêche, poire),
sa bouche est tout en fraîcheur avec une agréable petite
note d'amande amère sur la fin. Les sols sableux lui
confèrent beaucoup de rondeur. A déguster très jeune sur
une assiette de crustacés.

☛ Cave de Tain-l'Hermitage, 22, rte de Larnage,
BP 3, 26601 Tain-l'Hermitage Cedex,
tél. 04.75.08.20.87, fax 04.75.07.15.16,
e-mail commercial.france@cave-tain-hermitage.com
☑ ☒ r.-v.

Coteaux de l'Ardèche

CAVE COOP. D'ALBA
Syrah Sélection du terroir 2001★

■	4,5 ha	28 000	▮ 3 à 5 €

Vous reconnaîtrez Alba-la-Romaine avec son imposant château qui domine le bourg médiéval et le site
archéologique gallo-romain, avec son théâtre antique, qui
rappelle qu'Alba fut le chef-lieu de la cité des Helviens dans
les premiers siècles de notre ère. La syrah 2001, d'une
couleur grenat profond, ne dément pas la bonne réputation
de la cave. Des arômes de fruits mûrs et des notes
minérales en font un produit typé, à la bouche très enrobée.
A déguster sur des hors-d'œuvre.

☛ Cave coop. d'Alba, La Planchette,
07400 Alba-la-Romaine, tél. 04.75.52.40.23,
fax 04.75.52.48.76, e-mail cave.alba@free.fr
☑ ☒ t.l.j. sf dim. 9h-12h 13h30-18h

LES VIGNERONS ARDECHOIS
Cuvée privée Prestige 1999★

■	n.c.	n.c.	⑪ 3 à 5 €

Les Vignerons Ardéchois regroupent dans le sud de
l'Ardèche plus de vingt coopératives engagées dans la voie
des vins de pays de qualité depuis vingt-cinq ans. La cuvée
Prestige 99, assemblage de merlot, de syrah et de cabernet
reçoit deux étoiles pour son très joli nez puissant de fruits
confits et sa bouche particulièrement agréable. Le grenache gris 2001 (moins de 3 €), bien fruité sur l'abricot, et
le pinot noir 2000, structuré et harmonieux, obtiennent
chacun une étoile.

☛ Les Vignerons Ardéchois, quartier Chaussy,
07120 Ruoms, tél. 04.75.39.98.00, fax 04.75.39.69.48,
e-mail uvica@uvica.fr ☑ ☒ r.-v.

DOM. DU BELVEZET
Merlot 2001★

■	1 ha	4 000	▮ 3 à 5 €

Exploitation familiale créée en 1955, avec un souci de
recherche de qualité, le domaine du Belvezet a su montrer

son savoir-faire. Ce merlot 2001, à la robe profonde,
séduira les amateurs de tanins charnus, enrobés. Le nez
complexe laisse dominer les fruits rouges et les épices
douces. Déjà agréable, cette bouteille pourra également
attendre.

☛ René Brunel, rte de Vallon-Pont-d'Arc,
07700 Saint-Remèze, tél. 04.75.04.05.87,
fax 04.75.04.05.87, e-mail belvezet.brunel@wanadoo.fr
☑ ☒ r.-v.

DOM. DE BOURNET
Syrah Cuvée Benoît 1999★★

■	1 ha	5 800	⑪ 11 à 15 €

Le vignoble de 17 ha s'étale autour d'un mas provençal du XVIIᵉs. dont les caves voûtées ont été réhabili-
tées pour permettre l'élevage des vins. Cette syrah 99,
élevée en fût de chêne, est remarquable par sa robe
violacée, son nez intense marqué par des notes de pruneau,
de coing et de café, sa bouche puissante longue et
équilibrée. Notez également le merlot 2000 (5 à 8 €) à la
belle robe pourpre, aux arômes subtils de fruits noirs et
d'épices. Sa bouche est ronde et harmonieuse.

☛ Dom. de Bournet, 07120 Grospierres,
tél. 04.75.39.68.20, fax 04.75.39.06.96
☑ ☒ t.l.j. sf lun. 9h-12h 14h-19h
☛ Xavier de Bournet et Fils

CAVE LA CEVENOLE
Chatus Monnaie d'Or 2000★★

■	3 ha	13 000	⑪ 5 à 8 €

Consécration cette année avec un coup de cœur pour
cette cave coopérative qui a entrepris depuis 1989 la
réhabilitation du chatus, cépage traditionnel rouge des
Cévennes ardéchoises. Ce millésime 2000 est habillé d'une
robe pourpre à reflets bleutés avec un nez puissant de fruits
confits, de fruits secs, d'épices douces, de réglisse et de
vanille. Il fait preuve d'une grande puissance aromatique.
A savourer sans hésiter sur un civet de sanglier, ou, pour
les plus gourmands, avec du chocolat noir.

☛ Cave coop. la Cévenole, Le Grillou, 07260 Rosières,
tél. 04.75.39.90.88, fax 04.75.39.92.30 ☑ ☒ r.-v.

DOM. DE CHAZALIS
Merlot 2001★

■	3 ha	5 000	▮▴ 3 à 5 €

Créé en 1916, ce vignoble compte aujourd'hui 22 ha.
Gérard Champetier, propriétaire actuel, a élaboré cet
élégant merlot 2001. D'un beau rouge grenat, il témoigne,
avec ses notes de mûre, de pruneau et d'épices, d'une
vendange à bonne maturité, ce que confirme la bouche
charnue.

➥ Gérard Champetier, Chazalis, 07460 Beaulieu, tél. 04.75.39.32.09, fax 04.75.39.38.81, e-mail chazalis @ terre-net.fr ☑ ⏲ r.-v.

CAVE LABLACHERE
Viognier Trias cévenol 2001★★

		3 ha	15 000		▪ ♨	3 à 5 €

Cultivé sur les coteaux de grès siliceux des cévennes ardéchoises, le viognier donne cette cuvée remarquable dont le nom évoque la période de l'ère secondaire, pendant laquelle s'est formé le sol qui l'a vu naître. Cette bouteille d'une couleur jaune pâle avec des reflets nacrés possède des arômes fruités (pêche-abricot) avec en finale une pointe minérale et épicée (thym). Un coup de cœur unanime des dégustateurs pour ce vin gras, vif et harmonieux, qui accompagnera très bien les apéritifs.
➥ Cave coopérative Lablachère, La Vignolle, 07230 Lablachère, tél. 04.75.36.65.37, fax 04.75.36.69.25, e-mail cave.lablachere @ free.fr ☑ ⏲ t.l.j. sf dim. 8h-12h 14h-18h

LOUIS LATOUR
Chardonnay Grand Ardèche 2000★

		50 ha	250 000		❙❙❙	8 à 11 €

La maison Louis Latour, fondée à Beaune en 1797, a voulu perpétuer la tradition d'élevage des vins sur une autre terre d'accueil, l'Ardèche. Vinifié en fût de chêne, le millésime 2000 est très réussi. Finesse des arômes de fruits secs et de vanille, puissance de la bouche onctueuse et expressive, tout contribue à en faire un grand vin. A servir en apéritif ou avec des poissons blancs.
➥ Maison Louis Latour, La Téoule, 07400 Alba-la-Romaine, tél. 04.75.52.45.66, fax 04.75.52.87.99 ☑

LES CHAIS DU PONT D'ARC
Merlot 2001★

		n.c.	20 000		▪	5 à 8 €

Bien connue des amateurs de loisirs en eaux vives, la ville de Vallon est aussi le siège des Chais du Pont d'Arc dont le début d'activité remonte à 1925. Cette année, le merlot a été distingué. Ce vin à la robe profonde, avec un nez où dominent fruits rouges et épices, séduira les amateurs de tanins charnus.
➥ Cave coop. Les chais du Pont d'Arc, rte de Ruoms, 07150 Vallon-Pont-d'Arc, tél. 04.75.88.02.16, fax 04.75.88.11.50, e-mail les-chais-du-pont-darc @ wordonline.fr ☑ ⏲ t.l.j. 9h-12h 15h-17h30

DOM. DU PRADEL 2001★

		6 ha	57 000		▪	11 à 15 €

Cette cave coopérative, souvent présente dans le Guide notamment pour son Domaine du Pradel, se distingue cette année par son assemblage syrah, grenache et merlot. Ce vin puissant et expressif sur des notes de petits fruits rouges (cerise, framboise) est très plaisant. Notez aussi le **pinot 2001 (30 à 38 €)** qui obtient également une étoile pour sa finesse, son nez marqué par la cerise et la mûre, et sa bonne persistance.
➥ Cave coop. de Montfleury, quartier gare, 07170 Villeneuve-de-Berg, tél. 04.75.94.82.76, fax 04.75.94.89.45 ☑ ⏲ r.-v.

DOM. DES VIGNEAUX
Grenache 2001★

		4,04 ha	6 000		▪	- de 3 €

Près du village de Valvignères, ces vignerons de père en fils depuis des générations s'engagent en 2001 dans l'agriculture biologique. Leur grenache 2001 est caractérisé par un nez d'une bonne intensité sur des fruits rouges très mûrs. La bouche, ronde et structurée, est marquée par les fruits rouges macérés à l'alcool, avec une légère touche épicée. Cité également par le jury, un **merlot (70 %) et syrah (30 %)**, au nez puissant de fruits cuits, d'épices et de vanille, et en bouche une belle harmonie finale agréable, dotée d'une bonne persistance aromatique.
➥ Dom. des Vigneaux, Serre de Gouy, 07400 Valvignères, tél. 04.75.52.51.91, fax 04.75.52.51.91 ☑ ⏲ t.l.j. sf dim. 9h-12h 15h-19h
➥ Comte

Drôme

DOM. DU CHATEAU VIEUX
Cuvée Prestige 2000★

		2 ha	8 200		❙❙❙	5 à 8 €

Bien que le vignoble soit présent à Triors depuis des siècles, il s'agit d'une nouvelle cave, créée en 1994 et en pleine rénovation. La cuvée Prestige 2000, issue du cépage syrah et qui a passé dix-huit mois en fût de chêne, dispose de beaux atouts pour séduire les amateurs de vins pleins et puissants. De couleur violacée, elle présente au nez des arômes de cassis, de violette et déjà, de réglisse et de poivre. Les tanins sont bien équilibrés et permettent une belle expression de fruits mûrs. Notez également le **blanc moelleux 2001 (3 à 5 €)**, issu d'un assemblage de marsanne, de roussanne et de viognier qui sera parfait à l'apéritif.
➥ Fabrice Rousset, Le Château Vieux, 26750 Triors, tél. 04.75.45.31.65, fax 04.75.71.45.35, e-mail domainechateauvieux @ chez.com ☑ ⏲ r.-v.

> Pour bien utiliser ce guide, consultez les index des appellations, des vins, des producteurs et des communes en fin d'ouvrage.

Régions de l'Est

On découvre ici des vins originaux, fort modestes, vestiges de vignobles décimés par le phylloxéra mais qui eurent leur heure de gloire, bénéficiant du voisinage prestigieux de la Bourgogne ou de la Champagne. Ce sont d'ailleurs les cépages de ces régions que l'on retrouve, avec ceux de l'Alsace ou du Jura, vinifiés le plus souvent individuellement ; les vins ont donc alors le caractère de leur cépage : auxerrois, chardonnay, pinot noir, gamay ou pinot gris.

Vins de pays de Franche-Comté, de la Meuse, de Saône-et-Loire, de la Haute-Marne ou de l'Yonne, ils sont tous le plus souvent fins, légers, agréables, frais et bouquetés ; en augmentation, surtout pour les vins blancs, la production n'est encore que de 9 000 hl dont 5 000 hl en blanc et 3 000 hl en rouge.

che et vive se dessine un volume ample, généreux, qui laisse un long souvenir. Le **pinot noir 2000** remporte une étoile, car il est typique et harmonieux, prêt à la dégustation.
🍷 Vignoble Guillaume, rte de Gy, 70700 Charcenne, tél. 03.84.32.80.55, fax 03.84.32.84.06 ☑ ⴵ r.-v.

Saône-et-Loire

VIN DES FOSSILES
Auxerrois 2001★

	2 ha	7 000	🍶 3 à 5 €

Pour son dixième anniversaire à la tête de ce domaine de 50 ha, Jean-Claude Berthillot propose un auxerrois or pâle qui brille de reflets vert argenté. La gamme florale se décline, mariée à quelques notes fruitées et au buis. Les agrumes l'accompagnent agréablement dans une bouche ronde et fondue, à laquelle un léger perlant apporte de la fraîcheur. Cité, le **pinot noir 2000**, aux notes déjà évoluées de pruneau et de fruits à l'eau-de-vie, mérite d'être servi dès aujourd'hui.
🍷 Jean-Claude Berthillot, SC Les Chavannes, 71340 Mailly, tél. 03.85.84.01.23 ☑ ⴵ r.-v.

Franche-Comté

VIGNOBLE GUILLAUME
Chardonnay Vieilles vignes 2000★★

	3 ha	18 000	🍶 5 à 8 €

Le château Gy se trouve à 5 km de ce vignoble qui se développa au Moyen Age et fut la propriété des archevêques de Besançon. La famille Guillaume, elle, s'est illustrée dans la viticulture dès le XVIIIe s. ; elle a créé une pépinière en 1895 qui fournit encore des plants pour l'export. Ce chardonnay jaune d'or, limpide et brillant, offre des arômes fruités soulignés d'un léger boisé et de nuances mentholées d'eucalyptus. Après une attaque fran-

Meuse

E. ET PH. ANTOINE
Gris 2001★

	2 ha	20 000	🍶 3 à 5 €

Une étiquette parcheminée pour chacune des trois cuvées sélectionnées. Le vin rosé, puissant, agréable et fruité (fraise et framboise) se caractérise par une bouche fraîche, friande et acidulée. Le **blanc 2001** avec son nez marqué par les fruits (pamplemousse et fruits exotiques) obtient également une étoile. Le **rouge 2000**, cité, est à servir sans tarder.
🍷 Philippe Antoine,
6, rue de l'Eglise, 55210 Saint-Maurice,
tél. 03.29.89.38.31, fax 03.29.90.01.80 ☑ ⴵ r.-v.

L'AUMONIERE
Chardonnay 2001

	2,1 ha	14 600	🍶 - de 3 €

Depuis 1995, les Blanpied cultivent un petit vignoble de 5,6 ha non loin du château de Hattonchâtel. Leur chardonnay or vert laisse une agréable impression de fleurs et de fruits secs, arômes qui se mêlent à un équilibre élégant, souligné d'une ligne vive.
🍷 L' Aumonière, Viéville-sous-les-Côtes,
55210 Vigneulles-les-Hattonchâtel,
tél. 03.29.89.31.64, fax 03.29.90.00.92 ☑

DOM. DE COUSTILLE
Coteaux de Creuë 2001★

	1 ha	5 300	🍶 3 à 5 €

Une robe d'un jaune à reflets verts habille cette bouteille au nez fruité (abricot) avec des notes exotiques (ananas). Une bonne attaque sur les agrumes annonce un vin frais de belle longueur à boire dès maintenant.
🍷 SCEA de Coustille,
23, Grand-Rue, 55300 Buxerulles,
tél. 03.29.89.33.81, fax 03.29.90.01.88,
e-mail n.philippe@domaine-de-coustille.com ☑ ⴵ r.-v.
🍷 Philippe

DOM. DE MONTGRIGNON 2001★

	1 ha	4 300	▪	- de 3 €

Implantés sur les coteaux les plus pentus de la Meuse, les 6 ha de vignes du domaine se trouvent à une dizaine de kilomètres du lac de Madine. Cet assemblage d'auxerrois et de pinot gris se présente sous une teinte jaune à reflets verts, annonçant de légers arômes beurrés. Riche et gras, il se révèle fruité (agrumes) et bien équilibré. Le **pinot noir 2001 (3 à 5 €)** a été jugé très réussi, ainsi que le **vin gris 2001** issu de gamay et de pinot noir.

➥ GAEC de Montgrignon Pierson Frères,
9, rue des Vignes, 55210 Billy-sous-les-Côtes,
tél. 03.29.89.58.02, fax 03.29.90.01.04 ☑ ☂ r.-v.

DOM. DE MUZY
Gris 2001★★

	2 ha	13 000	▪♦	3 à 5 €

Il était coup de cœur l'an passé pour son pinot noir 99, le revoici sur la plus haute marche du podium avec un vin gris de gamay, d'auxerrois et de pinot noir. Rose saumon, celui-ci décline finement les fleurs nuancées de fraise. Son ampleur, sa rondeur et sa richesse s'accompagnent d'un joli fruité rouge persistant. L'**auxerrois 2001** obtient une étoile pour son équilibre et son agréable palette de fleurs blanches et de fruits exotiques, ainsi que le **pinot 2000 (5 à 8 €)**, très réussi, car il est fin, élégamment construit sur de beaux tanins, soulignés de notes de café, de pruneau et de fruits rouges mûrs.

➥ Véronique et Jean-Marc Liénard,
Dom. de Muzy, 3, rue de Muzy,
55160 Combres-sous-les-Côtes,
tél. 03.29.87.37.81, fax 03.29.87.35.00,
e-mail muzy.lienard@wanadoo.fr ☑ ☂ r.-v.

accorde ainsi une citation à l'**auxerrois 2001** pour sa fraîcheur fruitée, et attribue une étoile au **pinot gris 2001**, tout en fruits jaunes et à l'agréable perlant. Ce pinot noir a également retenu son attention car, derrière sa robe à reflets noirs, apparaît une palette discrète mais élégante et complexe de cerise mûre et de grillé. Structuré, il garde ce profil fruité qu'une légère vivacité met en valeur. Les tanins encore austères demandent simplement une garde de deux ans pour s'amabiliser.

➥ SCEA les Coteaux de Coiffy, 52400 Coiffy-le-Haut,
tél. 03.25.90.00.96, fax 03.25.90.18.84 ☂ r.-v.

FLORENCE PELLETIER
Auxerrois 2001

	1,3 ha	5 200	▪	5 à 8 €

Le plateau de fromages (avec du langres, bien sûr...) attend ce vin d'un jaune si pâle qu'il en paraît blanc. Les agrumes mûrs et les fruits secs se mêlent au nez, puis s'associent à une matière franche et d'une grande fraîcheur.

➥ Florence Pelletier,
Caves de Coiffy, 52400 Coiffy-le-Haut,
tél. 03.25.90.21.12, fax 03.25.84.48.65,
e-mail caves-de-coiffy@wanadoo.fr
☑ 🏠 ☂ t.l.j.15h-18h

Haute-Marne

LE MUID MONTSAUGEONNAIS
Pinot noir 2001★

	3 ha	28 000	▪♦	3 à 5 €

Le Montsaugeonnais, seigneurie féodale du pays des Langres, non loin de Dijon, se développa autour d'une imposante forteresse, aujourd'hui disparue. Le phylloxéra mit à mal son ancien vignoble à la fin du XIX[e]s. et il fallut attendre 1988 pour que des hommes décident de replanter la vigne sur 12 ha. Le pinot noir s'illustre dans le millésime 2001. Tout de rouge grenat vêtu, à peine ponctué de reflets violets, il s'ouvre sur des senteurs de cerise noire nuancées de fumée ; puis il affirme un caractère solide, mais non moins gourmand, car aromatique et concentré. Ses tanins sont encore jeunes, mais ils sauront se fondre après une garde de deux ou trois ans. Le **chardonnay 2001**, au fruité généreux, est cité.

➥ Le Muid Montsaugeonnais,
2, av. de Bourgogne, 52190 Vaux-sous-Aubigny,
tél. 03.25.90.04.65, fax 03.25.90.04.65 ☑ ☂ r.-v.

Coteaux de Coiffy

LES COTEAUX DE COIFFY
Pinot noir 2000★

	4,12 ha	3 900	◫	3 à 5 €

Le phylloxéra fit son bien triste ouvrage dans ce vignoble de Haute-Marne qui faillit disparaître. Dans les années 1980, pourtant, la vigne reprit ses droits sur les sols argileux et produit aujourd'hui des vins de qualité ; le jury

Coteaux de l'Auxois

VIGNOBLE DE FLAVIGNY
Pinot noir Fût de chêne 2000★★

	1,5 ha	4 500	◫	5 à 8 €

Le domaine n'est qu'à 1 km de Flavigny-sur-Ozerain, où l'on découvre avec intérêt les restes de son abbaye du VIIIᵉs., ainsi que ses maisons du Moyen Age et de la Renaissance. On y savoure aussi les célèbres bonbons à l'anis. Gérard Vermeere propose ce vin rouge sombre à reflets violacés. S'il semble un peu timide à l'abord, il profite d'une légère aération pour dévoiler des senteurs de griotte, un boisé discret et des nuances animales. Sa belle concentration lui donne de l'ampleur et met en valeur le fruité persistant. Une bouteille à laisser en cave deux ou trois ans. L'**auxerrois 2001** est cité.

➤ SCEA Vignoble de Flavigny, Dom. du Pont Laizan, 21150 Flavigny-sur-Ozerain, tél. 03.80.96.25.63, fax 03.80.96.25.63, e-mail emmanuel.gagenpain@libertysurf.fr ☑ ⵣ r.-v.

➤ Gérard Vermeere

Sainte-Marie-la-Blanche

BLANCHE
Auxerrois 2001

3,2 ha	12 000		▮ ⓵	3 à 5 €

De légers reflets verts animent la robe or pâle de cet auxerrois franc et expressif. La fraîcheur des agrumes et des fruits exotiques vient d'emblée à l'esprit du dégustateur. Ce même fruité s'associe à une ligne vive pour composer un ensemble simple et flatteur.

➤ Cave de Sainte-Marie-la-Blanche, rte de Verdun, 21200 Sainte-Marie-la-Blanche, tél. 03.80.26.60.60, fax 03.80.26.54.47 ☑ ⵣ r.-v.

LES VINS DU LUXEMBOURG

Petit Etat prospère au cœur de l'Union européenne, situé à la charnière des mondes germanique et latin, le grand-duché de Luxembourg est un pays viticole à part entière. La consommation de vin y est proche de celle que l'on observe en France et en Italie. Le vignoble s'inscrit le long du cours sinueux de la Moselle, dont les coteaux portent des ceps depuis l'Antiquité. Il donne des vins blancs secs, vifs et aromatiques. La production vinicole du grand-duché est confidentielle (160 000 hl), à la mesure de sa modeste superficie (1 350 ha). Le vin est cependant pris au sérieux dans ce pays, qui possède un ministre de l'Agriculture et de la Viticulture, et où l'on produit des vins réputés depuis l'Antiquité. On sait l'importance que prit le vignoble mosellan au IVes., lorsque Trèves - très proche de la frontière actuelle du Grand Duché - devint résidence impériale et l'une des quatre capitales de l'Empire romain. Aujourd'hui, de Schengen à Wasserbillig, les coteaux de la rive gauche de la Moselle forment un cordon continu de vignobles, autour des cantons de Remich et de Grevenmacher. Orientés au sud et au sud-est, ceux-ci bénéficient de l'effet bienfaisant des eaux du fleuve, qui estompent les courants d'air froid venant du nord et de l'est, et modèrent l'ardeur du soleil de l'été. En raison de leur latitude septentrionale (49 degrés de latitude N.), ils produisent presque exclusivement des vins blancs. Près de 35 % d'entre eux proviennent du cépage rivaner (ou muller-thurgau). L'elbling, cépage typique du Luxembourg (12 % de la surface viticole), donne un vin léger et rafraîchissant. Les vins les plus recherchés proviennent des cépages auxerrois, riesling, pinot blanc, chardonnay, pinot gris, pinot noir et gewurztraminer. Les coopératives représentent plus des deux tiers de la surface viticole. Remich est le siège d'un centre de recherche et de l'organisation officielle de la viticulture. Créée en 1935, la marque nationale des vins de la Moselle luxembourgeoise a pour objet d'encourager la qualité et de permettre au consommateur de réaliser ses choix sous la garantie officielle de l'Etat. En 1985 est apparue l'appellation contrôlée moselle luxembourgeoise. Il existe aussi une hiérarchie des vins (marque nationale - appellation contrôlée, vin classé, premier cru, grand premier cru). L'originalité du classement des vins, en fonction de leur notation lors de chaque agrément, mérite d'être soulignée : les vins qui ont obtenu entre 18 et 20 points sont qualifiés de grand premier cru, entre 16 et 17,9 de premier cru, entre 14 et 15,9 de vin classé, entre 12 et 13,9 de vin de qualité sans mention particulière et en dessous de 12 points de simple vin de table. En 1991 naissait l'appellation crémant de luxembourg.

Moselle luxembourgeoise

DOM. MATHIS BASTIAN
Domaine et Tradition Pinot gris 2001★★

| | 2,08 ha | 11 300 | ▮⬥ | 5 à 8 € |

Voilà trente ans que Mathis Bastian conduit ce vignoble de plus de 11 ha implanté sur les marnes keupériennes qui conviennent si bien au pinot gris. Ce vin de teinte jaune à reflets verts capte les sens par sa grande finesse. Plein de charme, il s'ouvre sur des notes fruitées et florales qu'une légère pointe minérale rejoint en finale. Le **pinot gris grand premier cru Wellenstein Foulschette 2001** est cité pour ses nuances exotiques et sa matière à la fois vive et suave.

➤ Mathis Bastian, 29, rte de Luxembourg, 5551 Remich, tél. 23.69.82.95, fax 23.66.91.18
Ⴑ r.-v.

BERNARD-MASSARD
Côtes de Grevenmacher Riesling 2000★★

▨ Gd 1er cru	2,5 ha	n.c.	▮↓	5 à 8 €

Créée en 1921, la société de négoce Bernard-Massard exporte 30 % de sa production. Gageons que ce riesling trouvera bon accueil, car s'il est encore jeune sous sa teinte jaune pâle éclairée de reflets verts, il se distingue déjà par sa subtilité et la longueur de ses arômes de pêche blanche en finale. Son harmonie ne saurait vous échapper.

↠ Caves Bernard-Massard, 8, rue du Pont,
6773 Grevenmacher, tél. 75.05.45.1, fax 75.06.06,
e-mail info@bernard-massard.lu ☑ ⟁ r.-v.

DOM. CLOS DES ROCHERS
Domaine et Tradition Riesling 2000

▨	1 ha	4 853	▮↓	5 à 8 €

Sur les coteaux de calcaire coquillier de Grevenmacher, les vignes du Clos des Rochers couvrent 16 ha. Ce riesling, brillant de reflets jaune-vert, apporte beaucoup de fraîcheur grâce à ses flaveurs intenses de citronnelle et d'agrumes, soulignées d'une ligne minérale. Long et fin, il pourra être apprécié d'ici douze à dix-huit mois. La **cuvée Domaine et Tradition d'auxerrois 2000** est citée.

↠ SARL Dom. Clos des Rochers, 8, rue du Pont,
6773 Grevenmacher, tél. 75.05.45.1, fax 75.06.06,
e-mail info@bernard-massard.lu ☑ ⟁ t.l.j. 9h30-18h

CHARLES DECKER
Riesling Aiswain 2000★★★

▨ Gd 1er cru	0,7 ha	300	▮↓	30 à 38 €

Les coteaux qui bordent les lacs de Remerschen bénéficient d'un microclimat favorable à l'élaboration de vin de glace. Charles Decker, ingénieur en viticulture et œnologue qui commande ce domaine depuis 1997, excelle dans cette production. Voyez son riesling pailleté d'or qui livre des notes complexes de miel, de brioche et de fruits secs. Après une juste vivacité en attaque, il enveloppe le palais de son onctuosité. Un bel exemple de l'esprit novateur des vignerons luxembourgeois et un grand avenir pour ce vin d'exception. Le **pinot gris grand premier cru Remerschen Rodenberg 2000 (5 à 8 €)**, tout en fraîcheur d'agrumes, est cité.

↠ Dom. Charles Decker, 7, rte de Mondorf,
5441 Remerschen, tél. 23.60.95.10, fax 23.60.95.20
☑ ⟁ r.-v.

HAREMILLEN
Wormeldange Nussbaum Riesling 2000

▨ Gd 1er cru	0,8 ha	5 600	▮↓	5 à 8 €

Le siège du domaine, ainsi que sa cave à barriques se trouvent au vieux moulin banal de Ehnen, où les villageois faisaient moudre leur blé contre redevance. Ce riesling jaune doré offre des arômes soutenus de brioche, de lilas, de mûre, d'ananas et de citron, annonciateurs d'une bouche fraîche et longue. La finale laisse le souvenir de la pêche blanche et de l'amande.

↠ Dom. Häremillen, 3, rue de Borreg, 5419 Ehnen,
tél. 76.84.30, fax 76.91.93 ☑ ⟁ r.-v.

KRIER FRERES
Remich Primerberg Auxerrois 2001★★

▨ Gd 1er cru	0,23 ha	2 000	▮↓	5 à 8 €

Vers 1922, le peintre Nico Klopp, locataire des Krier, paya l'une de ses dettes avec un tableau de la Moselle. Ce paysage figure aujourd'hui sur les étiquettes des vins du domaine, dont celle de cet auxerrois très parfumé, aux accents de sirop de poire, de cannelle, de bergamote et de citron. Une impression d'élégance émane de ce vin frais et puissant à la fois, indéniablement harmonieux dans sa robe jaune pâle à reflets gris. Bien rond et aromatique (pomme et noyau de pêche), le **riesling grand premier cru Remerschen Jongeberg 2001** a été jugé très réussi.

↠ Caves Krier Frères, 1, montée Saint-Urbain,
5501 Remich, tél. 23.69.60.1, fax 23.69.60.60,
e-mail cave@krierfreres.lu ☑ ⟁ r.-v.

CAVES LEGILL
Schengen Markusberg Pinot blanc 2001

▨	0,28 ha	2 700	▮↓	5 à 8 €

Sous une couleur dorée, ce pinot blanc né de sols argilo-calcaires invite à s'évader au pays des agrumes. Droite, bien équilibrée, la bouche conserve ce sillage de pamplemousse qu'elle accompagne de notes de cassis. Avec sa finale miellée, ce vin vous satisfera dès sa première année. L'**auxerrois de Schengen Markusberg 2001 (3 à 5 €)**, à la tonalité minérale, obtient aussi une citation.

↠ Caves Paul Legill, 27, rte du Vin, 5445 Schengen,
tél. 23.66.40.38, fax 23.60.90.97 ☑ ⟁ r.-v.

DOM. JEAN LINDEN-HEINISCH
Greiveldange Hütte pinot gris 2001

▨ Gd 1er cru	1,2 ha	9 000	▮↓	5 à 8 €

Ehnen est un village historique, propriété du Grand-Chapitre de Trèves de 967 à 1795. Outre la Grange-aux-Dîmes ou l'ancienne maison de l'écoutète, le visiteur découvre un vieux pont à dos d'âne enjambant la Moselle, qui permettait autrefois de rejoindre le vignoble. Jean Linden-Heinisch cultive sur les collines environnantes 7,5 ha de vignes ; il nous propose un pinot gris doré brillant, aux arômes de sous-bois et à la structure bien enrobée. Voilà un vin bien né, révélateur d'une bonne maturité des raisins.

↠ Jean Linden-Heinisch, 8, rue Isidore-Comes,
5417 Ehnen, tél. 76.06.61, fax 76.91.29 ☑ ⟁ r.-v.

CAVES HENRI RUPPERT
Vin de paille Pinot gris 2000★★★

▨	0,22 ha	250	▮↓	23 à 30 €

Récolté à la mi-octobre sur les coteaux de Schengen, le pinot gris a passerillé sur claies pour donner naissance à ce vin d'un or lumineux et attirant. Le miel et les fruits secs dominent la dégustation, soutenus par une matière étonnamment ample et puissante. Réservez cette bouteille aux grandes occasions ; elle évoluera favorablement dans le temps. Tout aussi exceptionnel, le **riesling des Coteaux de Schengen Sélection 12, 2000 (8 à 11 €)** se distingue par une excellente structure minérale, une matière fraîche et des arômes intenses d'abricot, de coing, d'ananas et de miel.

↠ Caves Henri Ruppert, 100, rte du Vin,
5445 Schengen, tél. 23.66.42.30, fax 23.66.44.83
☑ ⟁ r.-v.

CAVES SAINT-REMY-DESOM
Wellenstein Foulschette Pinot gris 2000★★

▨ Gd 1er cru	0,85 ha	3 000	▮	5 à 8 €

Une tisserie occupait autrefois les bâtiments que la famille Desom transforma en caves dès 1922. Le nom de la rue rend ainsi hommage au propriétaire de cette fabrique : le poète Dicks, ou Edmond de la Fontaine. On vient aujourd'hui pour découvrir les vins, tel ce pinot gris jaune pâle à reflets bronze. Le fruité fin, typique du cépage, s'harmonise avec une attaque fraîche, puis s'exprime dans une bouche généreuse. Un beau potentiel de garde.

☛ Caves Saint-Rémy-Desom, 9, rue Dicks, 5521 Remich, tél. 23.60.40.10, fax 23.69.93.47 ☑ ⍟ r.-v.

CH. DE SCHENGEN
Pinot gris 2001

| | 2,5 ha | 15 000 | ■↓ | 5 à 8 € |

Le domaine Thill n'a pas attendu la célébration du bicentenaire de la naissance de Victor Hugo pour lui rendre hommage : un dessin du château de Schengen réalisé par le poète illustre l'étiquette de ses vins. Jaune pâle à reflets verts, ce pinot gris, né de marnes keupériennes, livre de discrètes notes de fruits et laisse une agréable impression d'équilibre.

☛ Dom. Thill Frères, 8, rue du Pont, 6773 Grevenmacher, tél. 75.05.45.1, fax 75.06.06, e-mail info@bernard-massard.lu ☑ ⍟ r.-v.

DOM. STEINMETZ-JUNGERS
Ahner Goellebour Gewurztraminer 2000★★

| | 0,2 ha | 1 400 | ■ | 5 à 8 € |

Soupe de fruits frais ou fromage de Munster ? Le choix vous est laissé, car ce gewurztraminer d'un bel éclat jaune paille fondra dans de tels accords ses élégantes nuances de poire et de litchi, ainsi que sa bouche ample et persistante.

☛ Dom. Steinmetz-Jungers, 7, rue de Niederdonven, 5401 Ahn, tél. 26.76.00.70, fax 26.74.71.90 ☑ ⍟ r.-v.

LES DOMAINES DE VINSMOSELLE
Wintrange Felsberg Riesling 2001★★

| Gd 1er cru | 12,01 ha | 14 000 | ■↓ | 5 à 8 € |

Important producteur du Luxembourg, les domaines de Vinsmoselle regroupent plusieurs caves coopératives réparties dans la région viticole. Celle de Remerschen propose un riesling jaune-vert brillant dont le nez discret évoque le miel et le melon. Le moelleux (17 g/l de sucres résiduels) enveloppe le palais jusqu'en finale, à peine relevé d'une pointe minérale, de notes de cassis et de citronnelle. Un vin complexe à découvrir dans dix-huit mois.

☛ Les Domaines de Vinsmoselle, Caves du sud Remerschen, 32, rte du Vin, 5440 Remerschen, tél. 23.69.66.1, fax 23.69.91.89, e-mail info@vinsmoselle.lu ☑ ⍟ t.l.j. sf lun. 10h-19h

LES DOM. DE VINSMOSELLE
Stadtbredimus Dieffert Pinot blanc 2000★★

| Gd 1er cru | 2 ha | 15 000 | ■↓ | 5 à 8 € |

Les vignerons de Stadtbredimus décrochent les étoiles. Leur pinot blanc se présente sous des reflets dorés de bonne intensité. Si le nez est encore timide, il laisse cependant percevoir une agréable note de mirabelle. L'équilibre remarquable est mis en valeur par des flaveurs fruités typiques comme la pomme, la pêche et la poire. Conservez cette bouteille deux ou trois ans, le plaisir n'en sera que plus grand. L'**auxerrois grand premier cru Stadtbredimus Primerberg 2000** (3 à 5 €) obtient une étoile : inscrit dans le registre des fruits secs, des fruits exotiques, puis des épices en finale, il possède du corps, certes, mais aussi une rondeur élégante. Le **pinot blanc grand premier cru Greiveldange Primerberg 2001** est cité.

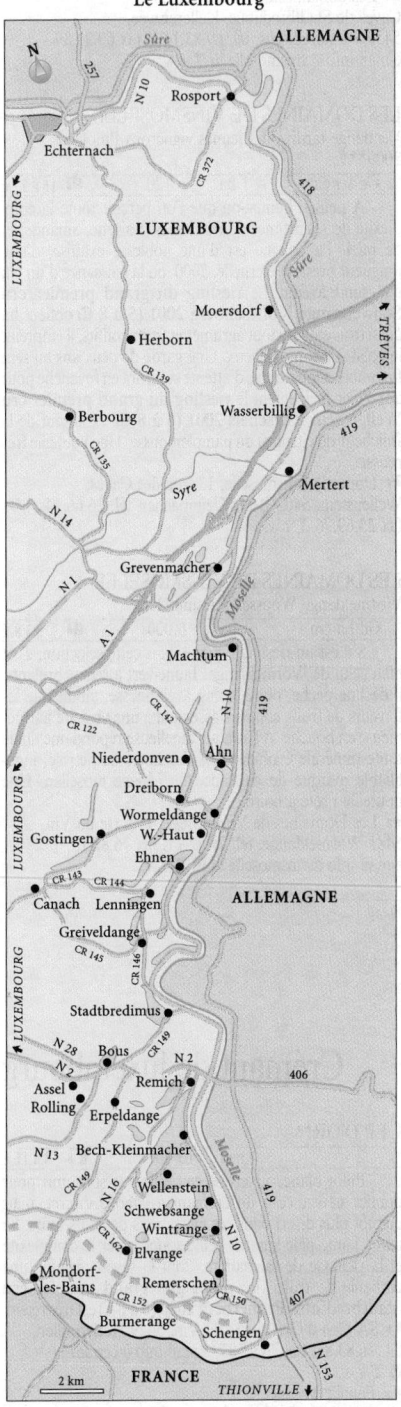

Le Luxembourg

Les domaines de Vinsmoselle,
Caves de Stadtbredimus, Kellereiswee,
5450 Stadtbredimus, tél. 69.83.14.1, fax 69.91.89,
e-mail info@vinsmoselle.lu ⏳ r.-v.

LES DOMAINES DE VINSMOSELLE
Vendange tardive des jeunes vignerons Pinot gris
2000★★★

	Gd 1er cru	1 ha	120	〰 15 à 23 €

A peine l'hume-t-on que l'on perçoit toute la complexité de ses arômes de fruits secs (noisette, amande) et de miel. La bouche est d'une noblesse exquise, d'une longueur presque éternelle. 2000, ou la naissance d'un vin au grand avenir. Le **riesling du grand premier cru Schwebsange Kolteschberg 2001 (5 à 8 €)** obtient lui aussi trois étoiles : tout agrumes et fruits confits, il empreint le palais de son moelleux. Une garde de deux ans lui sera favorable. Douze mois d'attente suffiront en revanche pour apprécier pleinement le **riesling du grand premier cru Wellenstein Kurschels 2001 (5 à 8 €)**, explosant de la fraîcheur du citron et du pamplemousse. Une bouteille très réussie.
Dom. de Vinsmoselle, 13, rue des Caves, Wellenstein, 5402 Bech-Kleinmacher, tél. 26.66.14, fax 23.69.76 ⏳ r.-v.

LES DOMAINES DE VINSMOSELLE
Wormeldange Wousselt Riesling 2001★★

	Gd 1er cru	1 ha	6 000	〰 5 à 8 €

S'il est un riesling typique dans cette sélection, c'est bien celui de Wormeldange. Jaune-vert à reflets brillants, il décline pêche, poire, coing avec finesse, tandis que les flaveurs de fruits confits s'associent à une vivacité harmonieuse en bouche. A l'attaque moelleuse répond une finale toute minérale évoluant vers des notes de pétrole, inoubliable marque de naissance du cépage mosellan. Une bouteille prête à boire.
Les Domaines de Vinsmoselle, 115, rte du Vin, 5481 Wormeldange, tél. 76.82.11, fax 76.82.15, e-mail info@vinsmoselle.lu ☑ ⏳ r.-v.

Crémant de luxembourg

CEP D'OR★★

		n.c.	10 000	〰 8 à 11 €

Pinot blanc, auxerrois et riesling se sont unis pour donner naissance à un crémant à l'abord discret, mais bientôt plus disert dans ses évocations de fruits mûrs. Sa teinte jaune pâle laisse à peine soupçonner la complexité et la richesse de sa matière, dont la saveur évoque une corbeille de fruits. Le **pinot gris grand premier cru Stadtbredimus Primerberg 2000 (5 à 8 €)** est très réussi.
SA Cep d'Or, 15, rte du Vin, 5429 Hëttermillen, tél. 76.83.83, fax 76.91.91, e-mail info@cepdor.lu ☑ ⏳ r.-v.
Famille Vesque

KOHLL-REULAND
Cuvée du domaine★★★

	0,44 ha	4 600	〰 5 à 8 €

Dans une cave creusée à flanc de coteau, est vinifié et élevé le fruit de 5 ha de vignes implantées sur les calcaires coquilliers de Ehnen et de Wormeldange. Le savoir-faire de ce domaine se traduit dans un crémant doré brillant, parcouru de fines bulles qui semblent porter les arômes floraux et fruités. Cette effervescence persistante anime aussi la bouche à la fois ronde et fraîche. Le **pinot gris grand premier cru Wormeldange Heiligenhauschen 2001** est cité.
Kohll-Reuland, 5, am Stach, 5418 Ehnen, tél. 76.00.18, fax 76.06.40, e-mail mkohll@pt.lu ☑ ⏳ r.-v.

LAURENT ET BENOIT KOX
Laurent Benoit★

	0,5 ha	7 000	〰 8 à 11 €

Le crémant est presque une tradition chez Laurent et Benoît Kox qui se lancèrent dans cette aventure dès la création de l'appellation. Animée de bulles fines, cette cuvée charmante dans sa robe jaune pâle offre la fraîcheur fruitée des agrumes et se développe, gracieuse, avec vivacité jusqu'à une finale citronnée. Elle est encore jeune, certes, mais promise à un bel avenir.
Laurent et Benoît Kox, 6A, rue des Prés, 5561 Remich, tél. 23.69.84.94, fax 23.69.81.01, e-mail kox@pt.lu ☑ ⏳ r.-v.

POLL FABAIRE 1999★★★

	8 ha	60 000	〰 8 à 11 €

La marque Poll Fabaire se distingue dans la production de trois caves des domaines de Vinsmoselle. Le crémant millésimé de Wormeldange fait l'unanimité avec ses arômes de raisins mûrs et ses saveurs miellées qui se prolongent en finale. Celui de **Wellenstein (5 à 8 €)**, jugé remarquable pour son équilibre et sa longueur, évoque la pomme verte avec beaucoup de finesse. Enfin, le **crémant de luxembourg de Grevenmacher (5 à 8 €)**, issu exclusivement de pinot noir, brille lui aussi de ses deux étoiles tant il est rond, souple et complexe dans ses évocations de fruits rouges (framboise, cassis).
Les Domaines de Vinsmoselle, 115, rte du Vin, 5481 Wormeldange, tél. 76.82.11, fax 76.82.15, e-mail info@vinsmoselle.lu ☑ ⏳ r.-v.

SUNNEN-HOFFMANN
Cuvée L et F Tradition★★★

	0,6 ha	5 300	〰 5 à 8 €

Anton Sunnen fonda en 1872 une cave où allaient être vinifiées les vendanges de différents producteurs. Il fallut attendre 1995 pour assister à la naissance d'un véritable domaine produisant des vins à partir de ses propres raisins. Le vignoble couvre aujourd'hui 5,3 ha dans la région de Haff Reimech. Une majorité de riesling complétée par le pinot blanc a donné naissance à ce vin cristallin aux éclats verts, dans lequel évoluent de fines bulles. Une palette d'arômes très fins se décline, dont l'élégance se retrouve en finale d'une bouche structurée.

Cité, le **riesling Domaine et Tradition 2000** joue sur la vivacité avec le soutien de flaveurs de pamplemousse, de citronnelle et de discrètes notes d'hydrocarbure. Attendez-le un an.

☛ Sunnen-Hoffmann, 6, rue des Prés,
5440 Remerschen, tél. 23.66.40.07, fax 23.66.43.56
☑ ⏜ r.-v.

LES VINS SUISSES

Comparé à ses voisins européens, le vignoble suisse est modeste avec ses 14 900 ha de superficie. Il s'étend à la naissance des trois grands bassins fluviaux drainés par le Rhône à l'ouest des Alpes, par le Rhin au nord et par le Pô au sud de cette chaîne. Il compte ainsi une grande diversité de sols et de climats qui forment autant de terroirs différents malgré leur relative proximité. Traditionnellement cultivée sur les coteaux ensoleillés, très pentus ou en terrasses, la vigne compose le paysage. On distingue trois régions viticoles principales en fonction du découpage linguistique du pays. Cependant celles-ci sont loin d'être uniformes, tant les contrastes qu'elles présentent sont saisissants. A l'ouest, le vignoble de la Suisse romande couvre plus des trois quarts de la surface viticole du pays. De Genève, il s'étire jusqu'au cœur des Alpes dans le canton du Valais, en longeant les rives du lac Léman, dans le canton de Vaud. Plus au nord, il s'approprie encore les rives des lacs de Neuchâtel, de Morat et de Bienne (Canton de Berne) sur les contreforts du Jura. Beaucoup plus éparpillé, le vignoble de la Suisse alémanique totalise 17 % de la surface viticole. Il s'égrène tout au long de la vallée du Rhin où, à partir de Bâle, il remonte le cours du fleuve jusqu'à l'est du pays. Il pénètre également loin à l'intérieur du territoire sur les meilleurs sites des coteaux dominant de nombreux lacs et vallées. En Suisse italophone, la vigne se concentre dans les vallées méridionales du Tessin où les conditions naturelles du versant sud des Alpes se distinguent nettement de celles des autres régions viticoles. Outre toute une gamme de « spécialités », les vignerons de Suisse romande privilégient par tradition le cépage blanc chasselas. Le pinot noir est ici le cépage rouge le plus cultivé, suivi du gamay. Le pinot noir domine en Suisse alémanique où il côtoie le cépage blanc müller-thurgau et diverses variétés locales très recherchées par les amateurs. En Suisse italienne, c'est le merlot qui fait la renommée des vins de cette partie du pays où les cépages blancs sont peu représentés. Signalons enfin un événement majeur de la vie viticole suisse : la fête des Vignerons de Vevey. Remontant au Moyen Age, cette manifestation somptueuse associe l'ensemble des vignerons et des habitants et célèbre leur travail dans la vigne. La dernière s'est déroulée en août 1999 ; la prochaine se tiendra entre 2021 et 2023.

Canton de Vaud

Au Moyen Age, les moines cisterciens ont défriché une grande partie de cette région de la Suisse et constitué le vignoble vaudois. Si, au milieu du siècle passé, celui-ci était le premier canton viticole devant le vignoble zurichois, les ravages du phylloxéra imposèrent une reconstitution complète. Aujourd'hui, avec 3 850 ha, il vient en deuxième position derrière le Valais.

Depuis plus de quatre cent cinquante ans, le vignoble vaudois s'est donné une véritable tradition viticole reposant aussi bien sur ses châteaux – on en compte près d'une cinquantaine – que sur l'expérience des grandes familles de vignerons et de négociants.

Les conditions climatiques déterminent quatre grandes zones viticoles : les rives vaudoises du lac de Neuchâtel et celles de l'Orbe produisent des vins friands aux arômes délicats. Les rives du Léman, entre Genève et Lausanne, protégées au nord par le Jura et bénéficiant de l'effet régulateur thermique du lac, donnent naissance à des vins tout en finesse. Les vignobles de Lavaux, entre Lausanne et Château-de-Chillon, avec en leur cœur les vignobles en terrasses du Dézaley, bénéficient à la fois de la chaleur accumulée dans les murets et de la lumière reflétée par le lac ; ils produisent des vins structurés et complexes qui se distinguent souvent par des notes de miel et des saveurs grillées. Enfin, les vignobles du Chablais sont situés au nord-est du Léman et remontent la rive droite du Rhône. Les terroirs se caractérisent par des sols pierreux et un climat très marqué par le fœhn ; les vins sont puissants avec des arômes de pierre à fusil.

La spécificité du vignoble vaudois tient à son encépagement. C'est la terre d'élection du chasselas (70 % de l'encépagement) qui atteint ici sa pleine expression.

Les cépages rouges représentent quant à eux 27 % : 15 % de pinot noir et 12 % de gamay. Ces deux cépages souvent assemblés sont connus sous l'appellation d'origine contrôlée *salvagnin*.

Quelques « spécialités » (variétés) représentent 3 % de la production : pinot blanc, pinot gris, gewurztraminer, muscat blanc, sylvaner, auxerrois, charmont, mondeuse, plant-robert, syrah, merlot, gamaret, garanoir, etc.

CAVE D'AUCRET
Calamin Chasselas 2001★★

	Gd cru	0,5 ha	3 500		▮ ▮ 8 à 11 €

Michel Blanche ne produit pas seulement du vin, mais aussi des eaux-de-vie de fruits sur son domaine. Sous une teinte or pâle, le profil minéral de son chasselas s'impose d'emblée à travers des arômes de brûlon récurrents, accompagnés de notes fruitées et florales à l'aération, puis d'une sensation de gras chaleureuse.
⌐ Michel Blanche, Dom. d'Aucrêt, 1091 Bahyse-sur-Cully, tél. 021.799.36.75, fax 021.799.38.14, e-mail aucret@aucret.ch ✓ ⛺ Ⴤ t.l.j. sf sam. dim. 8h-12h 14h-18h

AVY
Yvorne 2001★★

		15 ha	200 000		▮ 5 à 8 €

L'apéritif et les poissons d'eau douce attendent ce chasselas délicatement nuancé de pierre à fusil et de fleurs. Voilà le signe d'une parfaite adéquation entre le cépage, le sol et le climat. Avec sveltesse, le vin prolonge cette expression typée, minérale, soulignée de tilleul, jusqu'à une finale marquée de la petite amertume caractéristique du terroir et d'une fraîcheur friande.
⌐ Association viticole d'Yvorne, Les Maisons Neuves, case postale 43, 1853 Yvorne, tél. 024.466.23.44, fax 024.466.59.19, e-mail avy@span.ch ✓ Ⴤ r.-v.

LA BEGUINE
Calamin 2001★★

	Gd cru	0,5 ha	8 000	▮ 11 à 15 €

Le sol lourd et profond de Calamin a porté un chasselas d'une élégante minéralité et d'un fruité discrètement citronné. La fraîcheur émane des flaveurs de tilleul et de pierre à fusil qui accompagnent son développement au palais jusqu'à la touche d'amertume finale attendue.

⌐ Jean et Michel Dizerens, chem. Moulin 31, 1095 Lutry, tél. 021.791.34.97, fax 021.791.24.86, e-mail jmdlutry@swissonline.ch ✓ Ⴤ r.-v.

CHARLY BLANC & FILS
Yvorne Pinot noir La Coche 2000★

▮		0,5 ha	3 000		▮ ▮ 11 à 15 €

Ce petit rubis est encore bien jeune pour exprimer pleinement ses arômes, mais il retient d'ores et déjà l'intérêt par sa longue structure aux tanins serrés qui s'enveloppe d'une onctuosité légèrement épicée. Le fruité pointe à peine, invitant à la patience pour apprécier cette bouteille.
⌐ Charly Blanc et Fils, Vigneron-Encaveurs, 1852 Versvey, tél. 024.466.51.45, fax 024.466.51.45, e-mail blancfred@bluewin.ch ✓ Ⴤ r.-v.

LES BLASSINGES
Saint-Saphorin 2001★★

		1,2 ha	12 000		▮ ▮ 8 à 11 €

Salué d'un coup de cœur dans l'édition 2001 pour le millésime 99, le chasselas de Pierre-Luc Leyvraz conserve un remarquable niveau. En 2001, il séduit par la grande pureté de ses arômes de tilleul et de pêche auxquels une ligne minérale apporte de la complexité. A la fois gras et vif, il explose de ces mêmes notes jusqu'à une finale onctueuse. Les poissons et les viandes blanches lui iront bien.
⌐ Pierre-Luc Leyvraz, chem. de Baulet 4, 1071 Chexbres, tél. 021.946.19.40, fax 021.946.19.45, e-mail pl.leyvraz@freesurf.ch ✓ Ⴤ r.-v.

JEAN-LUC BLONDEL-DUBOUX
Dézaley Côtes des Abbayes 2001★★

	Gd cru	1 ha	7 500		▮ 15 à 23 €

Le jury s'est trouvé bien en peine pour départager le chasselas de Dézaley et celui de Calamin, L'Arpège 2001. Tous deux remportent donc deux étoiles. Le premier offre le beau fruité d'une vendange mûre, discrètement nuancé de notes minérales, ainsi qu'une rondeur chaleureuse paraphée de la touche d'amertume typique. Le second se distingue par un caractère floral.
⌐ Jean-Luc Blondel, chem. du Vigny 12, 1096 Cully, tél. 021.799.31.92, fax 021.799.21.92, e-mail blondel@lavaux.ch ✓ ⛺ Ⴤ r.-v.

DOM. DE CHANTEGRIVE
Gilly Pinot-Gamay 2001★★

▮		15,4 ha	6 500		▮ ▮ 5 à 8 €

Le pinot noir bourguignon et le gamay beaujolais s'entendent très bien en Suisse et jouent de leur charme. Voyez ce vin rubis, très pur, très frais, tout en fruits. Il se développe en rondeur avec juste assez de vivacité pour laisser une impression friande. Des notes épicées font escorte aux tanins fins et enrobés, avant que le fruit ne reprenne ses droits en finale.
⌐ Alain Rolaz, Dom. de Chantegrive, 1182 Gilly, tél. 021.824.15.87, fax 021.824.25.81 ✓ Ⴤ r.-v.

VINCENT CHAPPUIS ET FILS
Dézaley La Gueniettaz 2001★★

	Gd cru	0,43 ha	5 000		▮ ▮ 11 à 15 €

La famille Chappuis commercialise La Gueniettaz en bouteilles depuis 1904, comme en témoigne sa jolie étiquette illustrée d'une gravure des coteaux de Dézaley.

Le 2001, tout doré, est encore réservé dans son expression minérale, mais il n'en est pas moins bien typé. Sa tendresse en fait un vin gourmand.

↜ Vincent Chappuis et Fils, En Bons-Voisins, 1071 Chexbres, tél. 021.946.17.57, fax 021.946.29.72, e-mail cave.vincent.chappuis.et.fils@urbanet.ch

☑ ⏲ r.-v.

CH. DE CHATAGNEREAZ
Mont-sur-Rolle 2001★★★

Gd cru	12,6 ha	55 000	ⅢⅠ	5 à 8 €

La région était couverte de châtaigniers lorsque furent construits les premiers bâtiments de cette demeure patricienne, dont l'origine remonte au XIIᵉs. Le terroir de Mont-sur-Rolle trouve dans ce chasselas un superbe représentant. L'or de la robe annonce une expression finement minérale et florale, qu'un léger fruité exotique (ananas) nuance. L'amertume typique se fond dans le gras, tandis que se développent des arômes de tilleul, des saveurs de fruit et des notes minérales du plus bel effet. A boire au cours des deux prochaines années. Le **Mont-sur-Rolle rouge 2001 (8 à 11 €)**, assemblage de gamay, de pinot noir et de garanoir, obtient deux étoiles pour son fruité.

↜ SA Ch. de Châtagneréaz, CP 76, 1180 Rolle, tél. 021.822.02.02 ☑ ⏲ r.-v.

CLOS DES ABBAYES
Dézaley 1997★★★

Gd cru	3,85 ha	45 000	ⅢⅠ⅃	15 à 23 €

En 1142, les moines cisterciens défrichèrent ces sols légers, siliceux et calcaires pour y planter la vigne. Quatre siècles plus tard, la ville de Lausanne devenait propriétaire du domaine qui est sans doute l'un des plus célèbres de Suisse : sa silhouette ne figure-t-elle pas sur le billet de deux cents francs ? Le jury a été conquis par son chasselas pailleté d'or. Un caractère minéral de brûlon se marie aux fruits confits et aux fleurs comme pour mieux souligner la tendresse du palais. Point d'orgue, la finale persistante mêle une douce amertume typique du terroir à une onctuosité équilibrée. Si elle procure déjà un immense plaisir à ce stade de maturité, cette bouteille vous enchantera encore cinq ans de plus. Preuve que le chasselas peut vieillir magnifiquement lorsqu'il est issu d'un grand cru.

↜ Ville de Lausanne, Au Boscal, case postale 27, 1000 Lausanne 25, tél. 021.315.42.84, fax 021.315.42.83, e-mail vignobles@lausanne.ch ⏲ r.-v.

CLOS DES CAILLETTES
Bex Pinot blanc Barriques 2000★★

	0,25 ha	1 950	ⅢⅠ	15 à 23 €

Quelques épices viennent se glisser dans la palette intense de fruits presque confits qui se prolonge dans un palais certes riche et gras, mais bien soutenu par la fraîcheur. Une fine pointe de vanille se manifeste avant que le terroir n'appose sa signature par une touche d'amertume fondue.

↜ Willy Deladoëy, Dom. Le Luissalet, 1880 Bex, tél. 024.463.44.49, fax 024.463.44.49, e-mail info@luissalet.ch ☑ ⏲ r.-v.

CLOS DU CHATELARD
Villeneuve Merlot-Cabernet franc 2000★★

■	0,07 ha	1 300	ⅠⅢⅠ	15 à 23 €

Une feuille de chêne finement dorée sur l'étiquette rappelle avec subtilité que le vin a connu un élevage de dix mois en barriques de chêne du Tronçais et des Vosges. Aujourd'hui vêtu d'une robe noire à reflets violets, ce duo de merlot et de cabernet franc joue les notes de mûre, de cerise et d'épices (poivre, cannelle), avec un contrepoint de poivron. Charpenté mais charnu, il tire profit de tanins bien présents pour s'étirer longuement sur des flaveurs fruitées.

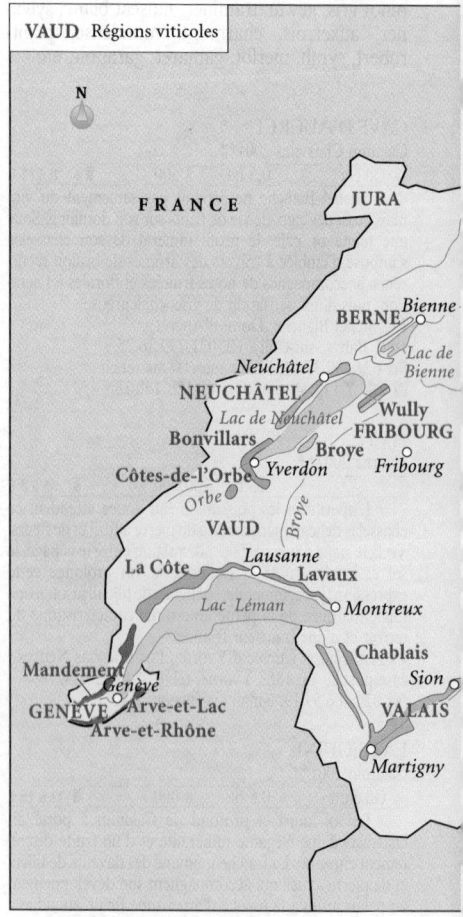

VAUD Régions viticoles

Clos du Châtelard, 1844 Villeneuve,
tél. 021.822.07.07, fax 021.822.07.00,
e-mail hammel@bluewin.ch ☑ ⟂ r.-v.
Sa Hammel - C. Rolaz

CLOS ROCHETTE
Morges Chardonnay 2000★★

| | n.c. | 650 | | 8 à 11 € |

Situé près de l'imposant château de Vufflens – comme l'indique son nom de La Balle (de l'ancien français « Baille », « le bourg avant le château ») –, ce domaine couvre 5 ha et possède deux clos : celui de Bellevue et celui de Rochette, dont sont issus les vins retenus par le jury. Si le **gamaret-garanoir rouge 2001 de Morges**, qui n'a pas connu le bois, obtient une étoile, le chardonnay lui ravit la vedette par ses si jolis arômes d'agrumes (pamplemousse, citron, orange) et d'ananas. Sa fraîcheur fruitée s'équilibre avec un certain gras discrètement vanillé, puis se prolonge avec un côté acidulé friand. Un vin expressif.

Michel Perey, Dom. de La Balle,
Ch. de la Glacière 1, 1134 Vufflens-le-Château,
tél. 021.801.70.52, e-mail michel.perey@bluewin.ch
☑ ⟂ mar. 17h-19h; sam. 9h-12h; autres jours sur r.-v.

CH. DE CRANS
Nyons Galisse Elevé en barrique 2000★★

| | 0,27 ha | 2 500 | | 11 à 15 € |

N'est-il pas élégant ce château du XVIIIes. bâti sur un coteau, au milieu des vignes et dominant le lac Léman ? Ce vin, assemblage de garamet et de garanoir, dévoile une même distinction dans sa robe rouge foncé comme dans son sillage de cerise noire et de cannelle. Fruité, bien équilibré entre gras et fraîcheur, il possède un soutien tannique mesuré qui lui assurera une garde de cinq ans.
Pierre Crétegny, Ferme du château, 1299 Crans,
tél. 022.776.34.04, fax 022.776.88.10,
e-mail pierre.cretegny@bluewin.ch
☑ ⟂ jeu. sam. 8h-12h 16h-18h30; sur r.-v. autres jours
Gisèle de Marignac

La Suisse

CRET-ROUX
Epesses 2001★★

| | 0,5 ha | 4 000 | 📗↓ 11 à 15 € |

Le vignoble en terrasses de 2 ha est si pentu qu'un monorail a été installé pour réaliser plus aisément les travaux de la vigne. Aucune péripétie ne vous sera imposée cependant pour découvrir ce chasselas. La teinte doré clair annonce un vin friand et velouté, parfaitement en accord avec son terroir par la légère amertume finale et le caractère minéral de brûlon qu'un côté floral ne tarde pas à rejoindre après aération.

➽ Pascal Fonjallaz-Spicher, La Place, 1098 Epesses, tél. 021.799.37.56, fax 021.799.36.46, e-mail pascal.fonjallaz@urbanet.ch 📗 �𝚈 r.-v.

DOM. DE CROCHET
Mont-sur-Rolle Merlot 2000★★★

| Gd cru | 0,07 ha | 1 200 | ⦿ 15 à 23 € |

Un carré d'agneau accompagnerait volontiers ce merlot tout de noir vêtu, éclairé de reflets violacés. Intenses et frais, les arômes de mûre et de cannelle s'accordent avec la bouche structurée qui offre la concentration d'une vendange bien mûre, ainsi que des tanins serrés et fins. De l'élégance et un réel potentiel de garde.

➽ Dom. de Crochet, 1185 Mont-sur-Rolle, tél. 021.822.07.07, fax 021.822.07.00, e-mail hammel@bluewin.ch 📗 ⥫ r.-v.
➽ Sa Hammel - C. Rollaz

LA CURE
Vinzel 2001★★

| | 1,5 ha | 1 500 | ⦿ 8 à 11 € |

Les Alpes se dessinent, magnifiques, depuis ce domaine dominant le vignoble de la Côte. Le paysage semble avoir transmis toute son harmonie à ce chasselas doré, ample et bien représentatif du terroir par sa minéralité. Les fleurs s'allient à cette expression, soulignant avec délicatesse le bon équilibre. A marier avec un vacherin.

➽ Claude Berthet, Dom. de la Capite, 1184 Luins, tél. 022.366.11.16, fax 022.366.11.16, e-mail famille.berthet@bluewin.ch 📗 ⥫ r.-v.

CAVE DU CYPRES
Calamin 2001★★★

| Gd cru | 0,5 ha | 3 200 | 📗↓ 5 à 8 € |

Des vignes cultivées en gobelets ou en banquettes sur les terrasses argilo-calcaires : un joli vignoble de 9,4 ha que vous propose de visiter Antoine Bovard. Et un exceptionnel vin de Calamin à découvrir. Des arômes de vendanges parfaitement mûres, un grand terroir, une vinification précise signent ce chasselas doré. Le caractère minéral puissant mais fin s'associe aux registres floral et fruité pour donner du relief à cet ensemble riche, sans lourdeur, magnifiquement structuré et long... si long. Un apéritif d'anthologie en perspective.

➽ Antoine Bovard, Le Petit-Crêt, 1098 Epesses, tél. 021.799.33.52, fax 021.799.33.52 📗 🏛 ⌂ ⥫ r.-v.

DAME DE HAUTECOUR
Mont-sur-Rolle 1998★★

| | 2 ha | 2 000 | ⦿ 15 à 23 € |

Des études d'italien et de restauration de tableaux à Paris et à Florence, des voyages en Afrique et en Asie, un engagement à la Croix-Rouge... Et puis la vigne, celle que cultive sa famille depuis 1649 et que Coraline de Wurs-

temberger a reprise voilà sept ans. Aussi charmant que son étiquette, son chasselas joue avec art sur les touches dorées de la robe, sur les notes intenses de fruits confits, de fleurs, comme sur les courbes minérales. Il déploie un velours tendrement relevé de fraîcheur et soutenu par d'excellents tanins enveloppés de gras.

➽ Coraline de Wurstemberger, rte de la Noyère 10, 1185 Mont-sur-Rolle, tél. 021.826.09.18, fax 021.826.01.64, e-mail coraline@bluewin.ch
📗 ⥫ r.-v.

LES DELICES
Aigle 2001★★

| | n.c. | n.c. | 📗↓ 8 à 11 € |

Délicieux, le chasselas l'est à coup sûr lorsqu'il exprime son terroir aussi remarquablement que ce 2001 expansif et frais. Un léger caractère de pierre à fusil nuance la palette florale qui s'oriente au palais vers le tilleul et se double d'un fruité persistant. La grande douceur trouve un heureux contrepoint dans une juste vivacité et une discrète pointe d'amertume finale qui souligne la typicité du vin.

➽ SA Obrist, av. Reller 26, 1800 Vevey, tél. 021.925.99.25, fax 021.925.99.35, e-mail achats@obrist.ch 📗 ⥫ r.-v.

CHRISTIAN DUGON
Côtes de l'Orbe Gamaret 2000★★★

| | 0,5 ha | 4 000 | ⦿ 8 à 11 € |

Christian Dugon est un fidèle du Guide, et son gamaret des Côtes de l'Orbe aussi. Après un 99 remarquable, le millésime 2000 atteint des sommets. Des vendanges très mûres ont permis d'élaborer un vin de couleur sombre, d'un noir violacé, qui sied à l'expression intense et complexe de mûre, de cassis, de cerise noire, de réglisse, de cannelle et de poivre. Les mêmes arômes apportent leur fraîcheur à une bouche riche et onctueuse, chaleureuse, qui bénéficie du soutien de tanins bien enrobés en finale. Pour un plateau de charcuterie ou des viandes rouges en sauce. Le **gamay d'Arcenant des Côtes de l'Orbe 2000** brille de deux étoiles.

➽ Christian Dugon, La Grande-Ouche, 1353 Bofflens, tél. 024.441.35.01, fax 024.441.18.84 📗 ⥫ r.-v.

LES EMBLEYRES
Dézaley Vieilles vignes 2000★★

| Gd cru | 0,3 ha | 3 500 | 📗↓ 11 à 15 € |

En 1988, Raymond Chappuis acheta à Testuz-Butticaz la marque Les Embleyres. Ce vin de chasselas issu de sols argilo-calcaires se présente sous une teinte or pâle. Sa minéralité intense ne masque pas le caractère floral très frais, d'une grande jeunesse, ni la richesse et la marque du palais. Le fruit se manifeste en finale, nuancé de la marque du terroir. Composez un plateau de fromages à pâte dure pour accompagner cette bouteille.

➽ Raymond Chappuis, Arc-en-Vins, rte de Chardonnes, 1071 Chexbres, tél. 021.946.33.44, fax 021.946.33.43, e-mail raymond-chappuis@lavaux.ch 📗 ⥫ r.-v.

GOUTTE D'OR
Tartegnin 2001★

| | 0,4 ha | 2 560 | 📗 15 à 23 € |

Ancienne maison de la dîme de 1620 à 1830, puis maison vigneronne, Chantemerle a longtemps privilégié le chasselas sur son terroir argileux. Mais depuis 1999, une place a été accordée au pinot gris, au chardonnay et au gewurztraminer pour élaborer un vin liquoreux issu de raisins passerillés. Le 2001 offre sous son étoile dorée le fruité de la pêche et de l'abricot confits, puis une bonne liqueur soutenue par une agréable vivacité. (Bouteilles de 37,5 cl.)

☙ Jean-Claude Jaccoud et Fils, rue des Pressoirs, 1180 Tartegnin, tél. 021.825.19.49, fax 021.825.19.49 ☑ ⊺ r.-v.

LE GRAND AIRE
Aigle 2001★★

	1,4 ha	10 000	⬛🍷 8 à 11 €

Philippe Tille se fait « marieur de terroirs » lorsqu'il élabore son Grand Aire à partir des raisins de chasselas récoltés sur les trois formations d'Aigle : les éboulis, les terres graveleuses et les moraines glaciaires. L'enfant né de ce mariage est encore timide, mais joliment minéral et floral, svelte et friand.

☙ Cave du Prieuré, Marjolin 83, 1860 Aigle, tél. 024.466.46.38, fax 024.466.46.37 ☑ ⊺ r.-v.

GROGNUZ FRERES ET FILS
Saint-Saphorin Syrah 2000★★★

	0,1 ha	900	🍶 15 à 23 €

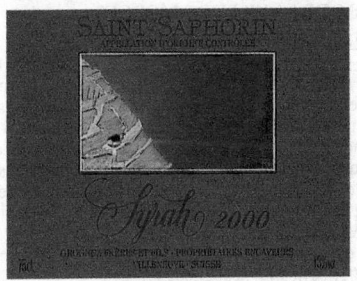

Coup de cœur dans l'édition 2000 et 2002, les frères Grognuz retrouvent une excellente place dans cette nouvelle édition avec leur syrah. Et l'on découvre leur jolie étiquette en couleurs... Noir au disque violacé, ce 2000 évoque la violette, le poivre, la cannelle, la vanille et la truffe avec intensité. Une palette qui trouve un bel écho dans une matière complexe, tout en finesse, au juste équilibre entre onctuosité et vivacité. Si les tanins sont imposants, ils s'enrobent parfaitement et étayent une longue finale. A marier avec des viandes rouges et des mets aux truffes.

☙ Grognuz Frères et Fils, chem. des Bulesses 91, 1814 La tour-de-Peilz, tél. 021.944.41.28, fax 021.944.41.28 ☑ ⊺ r.-v.

LA GRUYRE
Dézaley 2001★★

Gd cru	0,45 ha	5 000	⬛ 15 à 23 €

L'étiquette (un échassier sur fond de vignes en terrasses) fera grand effet lorsque vous présenterez ce vin à l'apéritif. Mais qu'elle ne fasse pas oublier le caractère du chasselas lui-même : teinte doré clair, arômes fruités-floraux autour d'un caractère minéral typique de l'appellation, bon équilibre entre richesse et vivacité, et bien sûr cette légère amertume que souligne l'incontournable note de brûlon.

☙ Louis Hegg et Fils, La Place, 1098 Epesses, tél. 021.799.14.51, fax 021.799.54.04, e-mail hegg-fils@bluewin.ch ☑ ⊺ r.-v.

HAUT DE PIERRE
Dézaley 2000★★

Gd cru	1,2 ha	4 500	⬛🍷 11 à 15 €

Des vignes de trente-cinq ans sont à l'origine de ce chasselas resté très jeune. Le brûlon s'associe aux nuances florales avec finesse dans un univers frais, que le gras équilibre parfaitement sans jamais le dominer et qui porte la marque du terroir en finale.

☙ Vincent et Blaise Duboux, Creyvavers, 1098 Epesses, tél. 021.799.18.80, fax 021.799.38.39, e-mail blaise@domaine-duboux.com ☑ ⊺ r.-v.

JEAN-MARC LAGGER
Ollon Mondeuse 2000★★★

	0,09 ha	600	⬛🍷 8 à 11 €

La mondeuse produit des vins très expressifs qui évoluent lentement. Tel sera le cas de ce 2000 d'un noir violacé qui livre de frais arômes de cerise noire, de clou de girofle, de cannelle et de poivre. Svelte, il affiche son caractère avec une vivacité friande, l'appui d'excellents tanins mûrs et une finale racée sur les fruits épicés.

☙ Jean-Marc Lagger, En la Porte, 1867 Saint-Triphon, tél. 024.499.21.62 ☑ ⊺ r.-v.

DOM. DE MAISON BLANCHE
Mont-sur-Rolle Viognier 2000★★

	0,5 ha	2 500	🍶 11 à 15 €

Maison forte du XVᵉs. où le sel était conservé sous haute protection, la Maison Blanche devint viticole un siècle plus tard. Elle s'entoure aujourd'hui de plus de 5 ha de vignes, principalement plantés en chasselas, mais comprenant aussi une part de viognier. Ce cépage encore rare dans le canton de Vaud lui fait don d'un vin rappelant l'abricot, la pêche et les fleurs. Ses arômes complexes se glissent dans la bonne structure vive et suave à la fois, accompagnant agréablement la légère amertume qui conclut la dégustation.

☙ Yves de Mestral, Dom. de Maison Blanche, 1185 Mont-sur-Rolle, tél. 021.825.44.72, fax 021.825.44.72, e-mail info@domainemaisonblanche.ch ☑ 🏠 ⊺ r.-v.

LA MAISON DU LEZARD
Yvorne Pinot noir Vinifié et élevé en barrique de chêne 2000★★★

	1 ha	9 810	🍶 15 à 23 €

« On ne sent pas le bois ! », note le jury. Et pourtant, ce vin a séjourné treize mois en fût avant de se dévoiler avec élégance sous sa robe rubis. Rien ne saurait masquer l'expression de ses arômes de petits fruits rouges (cerise, framboise, fraise). Ni la richesse chaleureuse de sa matière, ni ses tanins fins et enrobés qui portent la finale. De l'ampleur, de l'équilibre, du fruité.

🍷 Henri Badoux, av. du Chamossaire 18, 1860 Aigle, tél. 024.468.68.88, fax 024.468.68.89, e-mail badoux.vins@bluewin.ch ☑ ⊤ r.-v.
🍷 Henri-Olivier Badoux

DOM. DE MARCELIN
Morges Pinot blanc 2000★★

■	0,08 ha	800	ⅢD 8 à 11 €

Propriété de l'Etat de Vaud depuis 1973, ce domaine de 7 ha implanté sur sol argilo-calcaire met en valeur le fruit parfaitement mûr de vignes certainement conduites à faibles rendements. Après une vinification soignée, ce pinot blanc offre d'indéniables qualités : couleur dorée, notes légères d'épices soulignant la pêche et l'abricot, équilibre parfait entre une vivacité soutenue, un gras qui apporte du velouté, et des tanins qui font durer plus encore les sensations. Pointe vanillée discrète en point d'orgue comme pour rappeler l'élevage en fût de dix mois.

🍷 Dom. de Marcelin, av. Marcelin, 1110 Morges, tél. 021.803.08.33, fax 021.803.08.36 ☑ ⊤ r.-v.
🍷 Etat de Vaud

DOM. DU MARTHERAY
Féchy Chasselas 2001★★★

Gd cru	14,05 ha	65 000	ⅢD 5 à 8 €

Typé La Côte, ce chasselas floral et fruité laisse le souvenir du tilleul, de la pêche et de l'abricot comme une friandise. Du velouté, de la fraîcheur et un fruité pur prolongent le plaisir jusqu'à une finale expressive, discrètement minérale. Pour un poisson du lac ou un vacherin du Mont-d'Or aux douces saveurs duquel ce Féchy apportera du relief, sans les altérer. Le **chardonnay de Féchy élevé en barrique 2000 (8 à 11 €)** est lui aussi exceptionnel d'équilibre et d'élégance avec ses arômes de fruits confits nuancés de minéral.

🍷 SA dom. du Martheray, CP 76, 1180 Rolle, tél. 021.822.02.02, fax 021.822.03.99 ☑ ⊤ r.-v.

PIERRE-ALAIN MEYLAN
Ollon Gamaret Elevé en barrique 2000★★

■	0,85 ha	5 000	ⅢD 15 à 23 €

Ce vignoble de 4 ha ne manque pas d'allure avec sa maison de type savoyard du XVIIIᵉs. Le gamaret, cépage vaudois créé par croisement de gamay noir et de reichensteiner à la station de Pully, se présente dans ce millésime vêtu d'une robe foncée à reflets violacés. Les caractères intenses de poivre, de girofle et de fruits accompagnent sa trame serrée, faite de tanins bien enrobés. La fraîcheur, assurée par une vivacité équilibrée, met en valeur la finale encore un peu tannique, mais joliment fruitée.

🍷 Pierre-Alain Meylan, rue de la Chapelle, 1867 Ollon, tél. 024.499.24.14, fax 024.499.26.29 ☑ ⊤ r.-v.

PIERRE MONACHON
Saint-Saphorin Merlot 2000★★

■	0,5 ha	600	ⅢD 15 à 23 €

Pierre Monachon a marié le merlot à 10 % de diolinoir, cépage issu du rouge de Diolly x pinot noir, réputé pour son vin coloré et bien charpenté. Il a ainsi obtenu un 2000 volumineux, à la fois frais et gras, qui développe de beaux arômes de mûre, de girofle, de cerise noire et une touche de goudron. La finale encore austère invite à conserver cette bouteille en cave deux à trois ans.

🍷 Pierre Monachon, Cave de Derrey Jeu, 1071 Rivaz, tél. 021.946.15.97, fax 021.946.37.91 ☑ ⊤ r.-v.

DOM. DU MONTET
Bex Côte rousse 2000★★

■	0,08 ha	1 350	ⅢD 15 à 23 €

Le terroir de Bex, constitué de roches calcaires du trias et de gypse, a porté avantageusement la syrah, le cabernet franc, le cabernet-sauvignon et le merlot. Il en résulte un vin intensément aromatique dans le registre des épices (poivre) et des fruits mûrs. Celui-ci impose sa structure tout en s'enrobant d'une matière friande, d'une juste fraîcheur. S'il se conclut sur une note chaleureuse et légèrement tannique, c'est pour mieux vous convaincre d'attendre une bonne année avant de le servir sur un plat de viande rouge ou du gibier. Le **vin de glace de Bex 2000**, issu du chasselas, obtient une étoile.

🍷 Dom. du Montet, 1880 Bex, tél. 021.822.07.07, fax 021.822.07.02, e-mail hammel@bluewin.ch ☑ ⊤ r.-v.
🍷 SA Hammel - C. Rolaz

DOM. DE LA VILLE DE MORGES
Morges Gamaret-garanoir barriques 2000★★★

■	0,93 ha	2 500	ⅢD 8 à 11 €

Elevé un an en barrique, cet assemblage de gamaret et de garanoir prend des accents italiens en nuançant ses arômes de mûre et d'épices d'une touche de goudron. Il ne manque certes pas de puissance et de concentration lorsqu'il dévoile ses tanins serrés, son gras complexe et ses profondes flaveurs fruitées. Il pourra vieillir favorablement cinq ans au moins.

🍷 Vignoble communal de Morges, Ch. de La Morgette, 1110 Morges, tél. 021.801.60.19, fax 021.802.17.48, e-mail vignoble@morges.ch ☑ ⊤ r.-v.

ALAIN NEYROUD
Chardonne Le Jardin secret 2000★★★

■	0,85 ha	3 500	ⅢD 11 à 15 €

Le jardin secret de ce vignoble de 7 ha remontant à 1760 est une petite parcelle complantée de gamaret, de diolinoir, de garanoir et de merlot. Au centre du verre, de légers reflets noirs se distinguent d'un fond rouge sombre, annonçant les arômes complexes de fruits, d'épices et de poivron, ainsi qu'une matière pleine et serrée, au beau volume tannique. Une fraîcheur friande accompagne la finale expressive. Un accord sur des viandes en sauce, des charcuteries ou des fromages sera le bienvenu. Retenez aussi le **Chardonne Au coin des Serpents pinot élevé en barrique 2000**, jugé remarquable d'élégance et prêt à déguster.

↳ SA Alain Neyroud, Vigneron-Encaveur, 28, rte du Vignoble, 1803 Chardonne, tél. 021.921.81.27, fax 021.922.76.43 ☑ ☥ r.-v.

YVES-ALAIN PERRET
Lutry Côte de Chatalet Savuit Merlot 2000★★

■	0,04 ha 400	⑪ 11 à 15 €

2000 représente le premier millésime dYves-Alain Perret en matière de merlot. Pour un coup d'essai, ce fut un coup de maître : rouge foncé à reflets violets, le vin offre un beau fruité (mûre surtout), souligné de cannelle, qui se poursuit dans une bouche structurée et bien équilibrée entre suavité et fraîcheur. A boire sur des charcuteries ou des viandes rouges en sauce.

↳ Yves-Alain Perret, 34, rue du Village, Savuit, 1095 Lutry, tél. 02.17.91.58.39 ☑ ☥ r.-v.

BERNARD RAVET
La Côte Trilogie Doux 1998★★

	n.c. 2 400	▮ ⑪ 23 à 30 €

Originaire de Bourgogne, Bernard Ravet s'est installé en 1989 à Vufflens-le-Château dans une demeure du XVIIIᵉs., l'Ermitage, qu'il a transformée en un restaurant gastronomique réputé, recensé dans les Relais & Châteaux. Avec Philippe Corthay, œnologue de la coopérative Uvavins, il a créé sa Collection de Vins vivants, dont ce 98 est un beau représentant. Assemblant le pinot gris, le chardonnay et le chasselas, celui-ci libère une palette intense et fine de fruits confits. Sa liqueur généreuse bénéficie du soutien d'un légère vivacité et se prolonge dans une finale persistante, dont la pointe d'amertume ne fait qu'accentuer la typicité du vin. Dans la même collection, le **chardonnay du pays de Vaud 2000 (15 à 23 €)**, vin élevé sous bois, a également reçu deux étoiles pour la finesse de ses arômes minéraux et fruités.

↳ Uvavins-Cave de la Côte, 1131 Tolochenaz, tél. 021.804.54.54, fax 021.804.54.55, e-mail uvavins@uvavins.ch ☑ ☥ r.-v.

LOUIS-PHILIPPE ROUGE ET FILS
Dézaley Sous-Marsens 2001★★★

■ Gd cru	0,4 ha 4 000	▮⸖ 15 à 23 €

Encore réservé ? Peut-être, mais l'on discerne déjà dans ce chasselas de teinte claire la complexité et l'élégance des arômes minéraux de brûlon. Le terroir et le cépage s'expriment parfaitement dans un ensemble gras, puissant et friand, qui se conclut sur une note discrètement tannique, mais bien fondue, apportant plus de typicité encore. Un vin de choix pour l'apéritif.

↳ Louis-Philippe et Philippe Rouge, cave à la Cornalle, 1098 Epesses, tél. 021.799.41.22, fax 021.799.26.64, e-mail info@rouge-vins.ch ☑ ☥ r.-v.

DOM. DE TERRE-NEUVE
Saint-Prex Gamay 2001★★

■	0,8 ha 4 800	▮⸖ 8 à 11 €

Un gamay d'un beau rouge à reflets violacés qui livre sans retenue ses arômes de fruits frais légèrement poivrés. La cerise et la fraise rendent gourmande la fraîcheur d'une bouche aux tanins fins et aimables. Un vin sympathique à servir sur des viandes blanches ou rouges et sur des charcuteries.

↳ David Kind, Dom. de Terre-Neuve, 1162 Saint-Prex, tél. 021.803.63.44, fax 021.803.63.34, e-mail dkind@swissonline.ch ☑ ☥ r.-v.

DOM. DE VILLAROSE
Vully Petite folie 2000★

	0,3 ha 700	▮⸖ 15 à 23 €

Vully ne possède qu'un tout petit vignoble sur les terrasses du lac Morat (à 450 m d'altitude), partagé entre six communes, dont Mur où est installé Alain Besse. Ce vigneron tente une expérience encore rare dans le canton de Vaud : un chardonnay liquoreux. Tout doré, ce vin offre des arômes expressifs de fruits confits, ainsi qu'une onctuosité bien équilibrée par la fraîcheur qui soutient aussi la finale.

↳ Alain Besse, Dom. de Villarose, 1787 Mur, tél. 026.673.12.40, fax 026.673.14.95, e-mail p.a.besse@bluewin.ch ☑ ☥ r.-v.

DOM. VY FORCHEZ
Ollon Gamaret Elevé en barrique 2000★★

■ Gd cru	0,2 ha 800	⑪ 15 à 23 €

Presque noir, ce gamaret décline avec intensité épices (poivre, cannelle) et fruits (mûre, cerise noire). Ses tanins bien enrobés contribuent à forger son caractère tendre et riche d'un bout à l'autre de la dégustation. A boire entre amis autour d'un plateau de charcuterie.

↳ Philippe Brunner, Les Fontaines, 1867 Ollon, tél. 024.499.17.21, fax 024.499.17.21 ☑ ☥ r.-v.

Canton du Valais

Pays de contrastes, la vallée du haut Rhône a été façonnée au cours des millénaires par le retrait du glacier. Un vignoble a été implanté sur des coteaux souvent aménagés en terrasses.

Le Valais, un air de Provence au cœur des Alpes : à proximité des neiges éternelles, la vigne côtoie l'abricotier et l'asperge. Sur le sentier des bisses (nom local des canaux d'irrigation), le promeneur rencontre l'amandier et l'adonis, le châtaignier et le cactus, la mante religieuse et le scorpion ; il peut palper le long des murs, l'absinthe et l'armoise, l'hysope et le thym.

Plus de quarante cépages sont cultivés dans le Valais, certains introuvables ailleurs tels l'arvine et l'humagne, l'amigne et le cornalin. Le chasselas se nomme ici fendant et, dans un heureux mariage, le pinot noir et le gamay donnent la dôle, tous deux crus AOC qui se distinguent selon les divers terroirs par leur fruité ou leur noblesse.

AMANDOLEYRE
Vétroz Fendant 2001★★

■ Gd cru	0,6 ha 5 000	▮⸖ 8 à 11 €

L'apéritif sera le meilleur moment pour apprécier ce vin jaune pâle à reflets dorés. Fleurs et tilleul se mêlent à l'expression fraîche et harmonieuse d'une bouche persistante. Le terroir de Vétroz et le chasselas s'entendent remarquablement.

🍷 Romain Papilloud, rue des Vignerons 43, 1963 Vétroz, tél. 027.346.43.22, fax 027.346.43.22, e-mail papilloud@bluewin.ch ☑ ⏳ r.-v.

L'AMBROISIE
Ermitage Délice des Nymphes 2001★

| | 0,5 ha | 2 000 | ▮♨ 11 à 15 € |

L'ermitage blanc du Valais, c'est la marsanne. Il se présente ici sous une robe jaune pâle. Au nez, un parfum de violette, un léger caramel. La fraîcheur s'allie à la douceur pour créer un ensemble harmonieux, persistant et typique du cépage.

🍷 Cave Emery, rte de la Madeleine 75, 1966 Ayent, tél. 027.398.18.65, fax 027.398.14.68, e-mail louis.bernard.emery@span.ch ☑ ⏳ r.-v.

CAVE DE L'ANGELUS
Humagne rouge Collection Saint-Germain 2001★★

| ▮ | 0,18 ha | 1 600 | ▮♨⏱ 15 à 23 € |

Si l'on veut découvrir des horizons nouveaux en matière de cépage, il faut aller acheter son vin dans le Valais. Celui-ci s'attache fidèlement à toute une gamme de variétés, cet humagne par exemple, qui existe en blanc comme en rouge. On se trouve ici en rouge et en Valais central. La famille ne se contente pas de carillonner la Fête-Dieu au village, elle produit quelque trente vins différents sur 8 ha. Pourpre violacé, un vin au nez de cuir, très animal. Bon pour le gibier... D'autant qu'en bouche les senteurs fauves accompagnent un équilibre alcool-vivacité très heureux et une longue finale.

🍷 G. Liand et Fils, Cave de l'Angélus, rte de Bonse, 1965 Savièse, tél. 027.395.12.33, fax 027.395.12.06, e-mail guyliand@bluewin ☑ 🏠 ⏳ r.-v.

CAVE LE BANNERET
Fendant Coteau 2001★★

| | 1 ha | 10 000 | ▮♨ 8 à 11 € |

Le village du Livre de Saint-Pierre-de-Clages est proche de ce domaine créé par le grand-père, puis agrandi par Carlo et Joël Maye. Depuis la construction de la cave en 1986, le fils de Carlo mène les travaux de vinification. Avec talent si l'on en juge par ce chasselas jaune pâle, tout en fleurs et en tilleul. La belle vivacité de l'ensemble met en valeur ce caractère floral typique du cépage qui sied si bien aux accords avec les poissons ou les plats au fromage.

🍷 Carlo et Joël Maye et Fils, Cave Le Banneret, rue de La Crettaz 15, 1955 Chamoson, tél. 027.306.40.51, fax 027.306.40.51 ⏳ r.-v.

LES BANS
Martigny Fendant 2001★

| | 0,2 ha | 1 500 | ▮ 8 à 11 € |

Une envie de raclette ? Ce fendant joliment pâle, fin et floral, évocateur de tilleul, saura souligner les saveurs du fromage par son bel équilibre entre vivacité et gras. La pointe d'amande amère finale ne fait qu'insister sur la typicité du terroir de Martigny.

🍷 Marie-Thérèse Chappaz, chem. de Liaudise 39, 1926 Fully, tél. 027.746.35.37 ☑ ⏳ r.-v.

ANTOINE ET CHRISTOPHE BETRISEY
Ermitage Flétri 2001★★

| | 0,15 ha | 1 200 | ▮♨ 30 à 38 € |

L'ermitage (ou marsanne) a été récolté dans les premiers jours de novembre, flétri, sur des terrasses au sol léger, gravelo-calcaire, de Saint-Léonard. Il a donné naissance à un vin jaune paille, tutti frutti sur l'abricot et le coing, moelleux dès l'attaque. Le gras est en effet très présent, entourant une structure équilibrée qui bénéficie d'une pointe de fraîcheur et de longs arômes complexes.

🍷 Antoine et Christophe Bétrisey, rue du château, 1958 Saint-Léonard, tél. 027.203.11.26, fax 027.203.40.26, e-mail info@betrisey-vins.ch ☑ ⏳ r.-v.

ALBERT BIOLLAZ
Johannisberg Le Grand Schiner 2001★★

| | 3 ha | 20 000 | ▮♨ 8 à 11 € |

Fondé en 1917, ce domaine a entièrement rénové ses installations en 1998. On y trouve un large échantillon de vins locaux, dont ce johannisberg (alias sylvaner) à la robe claire et au bouquet floral intense. Celui-ci possède du corps et la pointe d'amertume habituelle de ce cépage. A boire dans les deux à trois ans, sans faire hâte.

🍷 Les Hoirs Albert Biollaz, 7, rue du Prieuré, 1955 Saint-Pierret-de-Clages, tél. 027.306.28.86, fax 027.306.62.50, e-mail info@biollaz-vins.ch ☑ ⏳ r.-v.

CHARLES BONVIN FILS
Petite Arvine 2001★★★

| | 1 ha | 8 000 | ▮♨ 11 à 15 € |

Première maison de vin à Sion, Bonvin, créée en 1858, jouit d'une réputation herculéenne pour avoir élevé d'impressionnants murs de pierre et construit ainsi de belles terrasses viticoles. Cette petite arvine est un bijou. Sa nuance dorée éclaire le verre de son soleil, tandis que la palette complexe mêle la rhubarbe aux fruits exotiques. Le vin s'ouvre avec vivacité, puis se structure dans un environnement citronné. Typicité et distinction résument le compliment. La **syrah 2001** (15 à 23 €) a été jugée remarquable, et le **blanc moelleux d'amigne 2001** très réussi.

🍷 Charles Bonvin Fils, Grand Champsec 30, 1950 Sion 4, tél. 027.203.41.31, fax 027.203.47.07, e-mail info@charlesbonvin.ch
☑ ⏳ t.l.j. 10h-12h 14h-18h30

LE BOSSET
Cyhnoir 2000★★

| ▮ | 0,3 ha | 1 500 | ⏱ 15 à 23 € |

Un assemblage valaisan avec 46 % de cabernet-sauvignon, 37 % de syrah et le reste en humagne rouge. Rubis sombre, il arbore un nez épicé et légèrement sauvage, puis s'ouvre de façon ample et majestueuse comme le rideau de scène du Bolchoï. Un opéra dont les tanins forment les chœurs. L'intrigue est d'une grande complexité. Au-delà du livret, les voix sont belles et d'une harmonie parfaite.

🍷 Romaine Blaser-Michellod, Cave Le Bosset, 1912 Leytron, tél. 027.306.18.80, fax 027.306.18.80 ☑ ⏳ r.-v.

MICHEL BOVEN
Fendant 2001★

| | 1 ha | 4 000 | 8 à 11 € |

Une légère note minérale pointe dans un bouquet floral enveloppé d'une couleur jaune à reflets dorés. Ce

fendant ne manque ni d'intensité ni d'harmonie lorsqu'il offre sa fraîcheur persistante, propice aux accords avec les poissons.
➴ Michel Boven, Latigny 4, 1955 Chamoson, tél. 027.306.28.36, fax 027.306.74.00, e-mail michel.boven@revaz.com ☑ ☒ r.-v.

CAPRICE DU TEMPS
Coteaux de Sierre Pinot noir 2000★

▪	0,5 ha	5 000	▪♦ 8 à 11 €

Ayant une longue expérience de la viticulture et de la vinification, Hugues Clavien se met à son compte en 1980. Son pinot noir pourpre sombre brille de mille feux. Tendance aux fruits confits dès le nez et jusqu'à la finale de cerise. La bouche tapissée de velours présente encore quelques tanins sauvages, mais qui ne tarderont pas à opérer leur conversion.
➴ Hugues Clavien et Fils, Cave Caprice du Temps, rte Coin-du-Cârro 33, 3972 Miège, tél. 027.455.76.40, fax 027.455.76.40, e-mail clavien@capricedutemps.com ☑ ☒ r.-v.

JEAN-FRANÇOIS CARRON
Fully Gamay Vieille vigne 2001★

▪ Gd cru	0,2 ha	1000	▪♦ 23 à 30 €

Dans ce vignoble de poche (3 ha seulement) sur sol granitique, des ceps quarantenaires de gamay s'épanouissent. Rubis profond, épicé (clou de girofle), le 2001 possède une attaque nette et franche. Il se montre friand et gouleyant à souhait pour accompagner un filet de bœuf.
➴ Jean-François Carron, rue de l'Autoroute 44, 1907 Saxon, tél. 027.744.32.48, fax 027.744.32.48 ☑ ☒ r.-v.

PIERRE-MAURICE CARRUZZO
Malvoisie Flétrie 1999★★

▪	0,4 ha	1 500	▥ 15 à 23 €

Chamoson possède une jolie église romane du XIIᵉs. que l'on visitera avant de se rendre dans ce domaine de 5,5 ha qui fait la part belle à l'élaboration de vins liquoreux de pinot gris. Ce 99, d'une grande structure et d'une belle concentration, offre un fruité confit rappelant l'abricot, le coing et la figue. Les mariages avec le foie gras, les fromages bleus et des poires au chocolat seront des plus gourmands.
➴ Pierre-Maurice Carruzzo, Pré de Monthey 24, 1955 Chamoson, tél. 027.306.37.56, fax 027.306.37.46, e-mail vinspmc@bluewin.ch ☑ ☒ r.-v.

CAVE DE CHAMOSON
Chamoson Pinot noir Elevé en barrique 2000★★★

▪	0,5 ha	2 200	▥ 11 à 15 €

La coopérative de Chamoson, fondée en 1958, rassemble aujourd'hui quarante sociétaires. Joliment vêtu, son vin « pinote » sur le cassis, la mûre, les baies noires et la réglisse. La trame est fine, les tanins serrés, l'intensité sérieuse jusqu'à une finale fruitée et épicée. Le sujet est bien traité, mais on en prendra connaissance après quelques années de garde.
➴ La cave union vinicole de Chamoson, rue de l'Eglise, Saint-Pierre-de-Clages 23, 1955 Chamoson, tél. 027.303.31.32, fax 027.306.31.32 ☑ ☒ t.l.j. sf sam. dim. 8h-12h 13h30-17h30

CHAMPORTAY
Martigny Gamay 2001★★★

▪	2 ha	14 000	▪♦ 8 à 11 €

Gérald Besse signe sa première vinification en 1984, mais l'implantation de son vignoble sur les terrasses pentues exposées plein sud et soutenues par d'anciens murs de pierre sèche remonte à 1979. Pas moins de treize cépages sont cultivés ici, dont le gamay. Ce 2001, ouvert et intense sous sa robe rouge clair à reflets violacés, décline la cerise noire et la mûre soulignées d'épices (poivre, clou de girofle). Le relais est passé au registre des fleurs dans une bouche veloutée, soutenue par de beaux tanins. Une grande structure équilibrée. La syrah de Martigny 2000 (11 à 15 €) obtient deux étoiles pour sa puissance et son fruit concentré.
➴ Gérald et Patricia Besse, Les Rappes, 1921 Martigny-Combe, tél. 027.722.78.81, fax 027.723.21.94 ☑ ☒ r.-v.

CAVE DU CHAVALARD
Charrat Pinot blanc 2001★

▪	0,25 ha	2 500	▪♦ 8 à 11 €

Du saumon à la quiche lorraine, du camembert au chèvre, on a l'embarras du choix pour poser sur la table ce pinot blanc. Robe d'un joli jaune nuancé de vert. Citron et pamplemousse règnent sans partage sur le bouquet. La vivacité et le gras ont une connivence assez singulière, mais aimable et convaincante. Une certaine suavité l'emporte sur la fin. Débouchez la bouteille dans les temps qui viennent.
➴ Vincent et Gilles Carron, Cave de Chavalard, rte de Martigny 203, 1926 Branson-Fully, tél. 027.746.23.55, fax 027.746.30.79, e-mail info@vins-chavalard.ch ☑ ☒ t.l.j. sf dim. 9h-12h 14h-18h

CLAUDY CLAVIEN
Coteaux de Sierre Fendant 2001★

▪	1 ha	7 000	▪ 8 à 11 €

Si la teinte jaune à reflets verts semble pâle, l'expression est intense : fleur de tilleul très prononcée, minéral caractéristique, belle fraîcheur, puis ce friand, cette finesse et cette harmonie qui signent un fendant très réussi.
➴ Claudy Clavien, Les Champs, 3972 Miège, tél. 027.455.24.23, fax 027.455.24.23 ☑ ☒ r.-v.

CAVE AU CLOS
Nouveau Saillon Petite Arvine Mélodie 2001★

▪	0,25 ha	1 800	▪ 11 à 15 €

Vigneron propriétaire dès les débuts de la vigne en Valais et aujourd'hui sur 5 ha, Paul Briguet (qui a construit cette cave en 1977) passe actuellement le relais à son fils Patrick. L'arvine est un cépage authentiquement suisse. On le rencontre rarement ailleurs que dans ce canton. Jaune brillant à reflets légèrement verts, ce vin sec dépayse par sa profusion de fruits exotiques. L'attaque est fraîche, puissante, suivie par un beau fruit et, en finale, par la note saline typique du cépage.
➴ Patrick et Paul Briguet, Cave au Clos, 1913 Saillon, tél. 027.744.11.77, fax 027.744.39.05, e-mail cave.briguet@freesurf.ch ☑ 🏠 ☒ r.-v.

THIERRY CONSTANTIN
Larme de Décembre Johannisberg 2000★★★

▪	0,4 ha	1000	▥ 38 à 46 €

« Rien ne naît que d'amour, et rien ne se fait que d'amour », écrit Ramuz dans son Chant de notre Rhône.

Thierry Constantin le sait bien, lui qui ayant repris ce vignoble en 1995, le conduit aujourd'hui au coup de cœur pour une Larme de Décembre : un johannisberg vendanges tardives d'un or riche en carats. Au nez se répondent le champignon, la châtaigne et même la cacahuète. Onctueux, ferme, ce vin incarne le botrytis et pourra faire escorte à votre attente pendant quelque dix ans. Magnifique en un mot.

Thierry Constantin, rte de Savoie 99, 1962 Pont-de-la-Morge, tél. 079.433.16.81, fax 027.346.60.20, e-mail info@thierryconstantin.ch r.-v.

DOM. DES CRETES
Sierre Fendant 2001★

	8 ha	12 000	8 à 11 €

Ce domaine créé dans les années 1950 compte 26 ha sur la commune de Sierre. Le chasselas dévoile toute la typicité attendue : couleur jaune à reflets verts, délicat fruité souligné de tilleul et d'une ligne minérale, fraîcheur associée à un léger caractère noiseté hérité du terroir. En somme, une belle harmonie à apprécier dans les deux ans.

Joseph Vocat et Fils, 3976 Sierre, tél. 027.458.26.49, fax 027.458.28.49, e-mail info@vocatvins.ch r.-v.

PIERRE-ANTOINE CRETTENAND
Humagne rouge 2001★★

	0,4 ha	2 000	15 à 23 €

A la tête d'un petit domaine familial de 7 ha, Pierre-Antoine Crettenand est installé sur le territoire du joli bourg médiéval de Saillon. Rouge foncé enflammé de lueurs violettes, son humagne donne envie d'un bon repas de gibier. Ses senteurs rappellent le sous-bois humide, les feuilles mortes, le cuir de la gibecière. Une petite touche de violette offre un contrepoint floral. Outre une charmante saveur de cerise, on retiendra l'élégance de sa constitution et la fidélité au cépage.

Pierre-Antoine Crettenand, rte de Tobrouk, 1913 Saillon, tél. 027.744.29.60, fax 027.744.29.60 r.-v.

DESFAYES-CRETTENAND
Humagne blanc 2001★

	0,4 ha	3 500	11 à 15 €

L'exploitation, qui ne dépasse guère 5 ha aujourd'hui, est née en 1965. Edmond Desfayes et Jean Crettenand voulaient produire uniquement des cépages valaisans. Ce vœu demeure respecté. L'humagne se décline en rouge et en blanc. Voici sa version blanche. A déboucher fin 2003, cette bouteille à une teinte jaune clair à reflets dorés offre un bouquet de fleur de tilleul et de miel. Ronde et conviviale, elle maîtrise la vivacité et joue sur du velours.

Desfayes-Crettenand, Dormant 23, 1912 Leytron, tél. 027.306.28.07, fax 027.306.28.84, e-mail info@defayes.com r.-v.

CELLIER DE LA DZAQUETTE
Humagne rouge 2001★★

	0,12 ha	1000	11 à 15 €

Situé à 1 km de Saint-Pierre-des-Clages, le village du Livre, ce tout petit domaine de 2,5 ha, produit une douzaine de cépages, dont l'humagne rouge. Vin de chasse aux senteurs de circonstance : le cuir et l'animal sont à l'affût de votre nez. La belle structure s'accompagne de sous-bois, de violette et de cerise noire comme pour mieux séduire.

Pierre-Luc Rémondeulaz, rue de Latigny 27, cellier de la Dzaquette, 1955 Chamoson, tél. 027.306.55.68, fax 027.307.14.08 r.-v.

EXCELSUS
Chamoson Petite Arvine 2001★★★

	0,4 ha	n.c.	11 à 15 €

Cette propriété familiale (4,50 ha) commercialise elle-même son vin depuis 1980. Au nombre des meilleurs vins de la sélection, une petite arvine provenant d'une vigne de douze ans. Sa robe est on ne peut plus classique. Agrumes, pamplemousse, son bouquet est lui aussi dans la tradition. Racé, il marque un bon point bientôt suivi d'un autre. En bouche, les arômes restent en effet dans la même ligne et le vin affirme beaucoup de caractère, de typicité avec sa note saline finale.

Sélection Excelsus, La Palud 9, 1955 Chamoson, tél. 027.306.14.00, fax 027.306.39.11, e-mail excelsus@chamoson.ch r.-v.
M. et J.C. Favre

SIMON FAVRE-BERCLAZ
Humagne blanc 2000★★

	0,11 ha	960	8 à 11 €

Simon Favre-Berclaz se présente comme artisan-vigneron ; ses 10 ha ne produisent pas moins de vingt-six vins de cépages différents. Un homéopathe de la vigne, dirons-nous. En humagne blanc, le résultat apparaît très équilibré. La teinte reste dans une tonalité agréable, tandis que les herbes aromatiques composent un bouquet végétal de caractère. Le corps frais, accompagné des mêmes notes aromatiques, invite à une attente de deux à trois ans.

Simon Favre-Berclaz, Cave d'Anchettes, 3973 Venthône, tél. 027.455.14.57, fax 027.455.14.57 r.-v.

ANDRE FONTANNAZ
Vétroz Amigne 2001★★★

	1 ha	4 000	11 à 15 €

L'amigne porte chance à ce vigneron qui a produit sur 1 ha seulement (le domaine en compte 10) un vin éblouissant, à boire dès à présent et dans les deux ans à venir, sur des morilles à la crème ou même sur un gratin de fruits chauds. Doré et riche en reflets verts, ce 2001 embaume la mandarine et le miel. Moelleux en attaque, il sait à la perfection tirer parti de la vivacité et de l'alcool, ajoutant en milieu de bouche une note de noix fraîche.

☛ André Fontannaz, Cave La Madeleine, 1963 Vétroz, tél. 027.346.45.54, fax 027.346.45.54, e-mail info@fontannaz.ch ☑ ⟂ r.-v.

HERVE FONTANNAZ
Cornalin 2000★★

| ▪ | 0,33 ha | 2 000 | ▮⬇ 11 à 15 € |

Après s'être occupés d'une coopérative viti-vinicole, Hervé Fontannaz et son père ont construit une cave moderne. Leur cornalin mérite d'être connu, si l'on en juge par cette bouteille cerise, qui livre des parfums épicés orientaux comme le clou de girofle et la muscade. A ce marché persan s'associe la violette. Un rien de pierre à fusil se mêle à un ensemble tout en mesure. Ce 2000 vieillira en cave de quatre à cinq ans avant de rejoindre un très vieux fromage.

☛ Cave La Tine Hervé Fontannaz, chem. du Repos 8, 1963 Vétroz, tél. 027.346.47.47, fax 027.346.47.47, e-mail info@cavelatine.ch ☑ ⟂ t.l.j. sf dim. 8h-12h 13h30-18h; sam. 8h-12h; lun. 13h30-18h

CAVE DU FORUM
Chamoson Humagne rouge 2000★★

| ▪ | 0,3 ha | 3 000 | ⬙ 11 à 15 € |

L'œnologue Henri Magistrini en est à ses trentièmes vendanges : il connaît le vin sur le bout des doigts. En 1996, il créa la cave du Forum, puis conclut un mariage avec une cave d'Aigle, en Chablais vaudois. Son humagne rouge n'a pas manqué son rendez-vous avec le jury. A reflets carminés, il a certes connu le bois, mais ses arômes évoquent surtout les feuilles séchées et l'écorce. Gras, il développe une note de griotte sauvage et témoigne d'une bonne maîtrise de la barrique. Pensez à ce vin lorsque vous visiterez à Martigny l'exposition organisée chaque année autour d'un grand artiste.

☛ Henri Magistrini, Cave du Forum, CP 682, rue du Bourg 40, 1920 Martigny, tél. 027.722.50.76 ☑ ⟂ r.-v.

FRANC TIREUR
Païen Traminer 2001★★

| ▪ | 0,8 ha | 7 000 | ▮⬇ 11 à 15 € |

Allez donc goûter ailleurs un païen traminer... Son nom de code est Franc Tireur et il l'a bien choisi. Le païen (ou heida) est une variété du gewurztraminer sollicitée en altitude. Une bouteille qui a des bases solides et dont on reparlera d'ici cinq à dix ans. Paille doré, elle séduit par ses accents de citron vert et de flore sauvage. Sensation fruitée en ouverture, toujours le citron vert et une finale persistante, soucieuse de ne rien laisser de côté. Le **johannisberg Feurgold 2001 (8 à 11 €)** obtient lui aussi deux étoiles.

☛ SA Les Fils Maye, rte des Caves, 1908 Riddes, tél. 027.305.15.00, fax 027.305.15.01, e-mail info@maye.ch ☑ ⟂ r.-v.

JO GAUDARD
Leytron Dôle 2000★★★

| ▪ | 0,04 ha | n.c. | ▮⬇ 8 à 11 € |

Sur ses 3 ha de vignes (un jardin japonais !), Jo cultive douze cépages différents. Le jury rend ici hommage à sa

dôle, assemblage de pinot noir, de gamay et de diolinoir. La robe crache le feu. Framboise, cassis, un concentré de petits fruits. La bouche est ravie d'être conviée à pareille fête, d'autant que les tanins sont caressants. Cerise noire en finale.

☛ Jo Gaudard, rte de Chamoson, 1912 Leytron, tél. 079.204.46.02, fax 027.306.72.18, e-mail jogaudard@bluewin.ch ☑ ⟂ r.-v.

MAURICE GAY
Petite Arvine Les Mazots 2001★★

| ▪ | 0,5 ha | 4 000 | ▮⬙ 11 à 15 € |

Les fûts sont bourguignons, mais la petite arvine est tout ce qu'il y a de plus helvétique. Ce mariage transfrontalier donne un bel enfant. Au chapitre du fromage, choisissez la tomme. Car ce 2001, capable de durer jusqu'à quatre ou cinq ans, jaune légèrement paillé, est un heureux spécimen du cépage valaisan. Le pamplemousse a sa préférence caractéristique. Les agrumes, certes, mais à maturité. Vinosité extrême.

☛ SA Maurice Gay, Vignoble de Ravanay, 1955 Chamoson, tél. 027.306.53.53, fax 027.306.53.88, e-mail mauricegay@mauricegay.ch ☑ ⟂ t.l.j. sf sam. dim. 8h-17h; f. 22 juil.-9 oct.

JEAN-RENE GERMANIER
Petite Arvine 2001★★★

| ▪ | n.c. | 7 000 | ▮ 11 à 15 € |

PETITE ARVINE
DU VALAIS

Un domaine réputé et demeuré familial depuis 1896. Robe de princesse, nuances odorantes de rhubarbe confite et d'agrumes. Ce n'est que le premier acte. Les suivants offrent une magnifique harmonie entre la vivacité, l'alcool et le caractère du cépage. « Très très beau vin », concluent les dégustateurs. Et l'étiquette est un petit chef-d'œuvre. Le vin moelleux **Mitis Amigne de Vétroz Grain noble 2000 (15 à 23 €)** a été jugé remarquable (bouteilles de 37,5 cl.), tandis que l'**humagne rouge 2000 (15 à 23 €)** reçoit une étoile.

☛ SA Jean-René Germanier, Vins et Spiritueux, Balavaud, 1963 Vétroz, tél. 027.346.12.16, fax 027.346.51.32, e-mail wine@bonpere.com ☑ ⟂ r.-v.

ROBERT GILLIARD
Malvoisie Belle d'Octobre 2001★★

| ▪ | 1,5 ha | 6 000 | ▮ 11 à 15 € |

Sur ce domaine créé en 1885, les 4 ha initiaux sont devenus 40, et les Gilliard se montrent fiers de leurs murs en pierre sèche de dix-huit mètres de hauteur à La Cotzette : un record. Le jury a apprécié la remarquable **syrah 2001 (15 à 23 €)** ainsi que la très réussie **Petite Arvine Ollaire 2001**, mais il a accordé sa préférence à cette malvoisie. Inutile de la boire tout de suite. Jaune légèrement orangé et brillant, elle suscite une jolie discussion quand il s'agit de décrire ses arômes : coing, sûrement, cire d'abeille, pain grillé... L'attaque est impeccable. L'ensemble équilibré et riche évolue vers le fruit confit et la fleur.

📞 SA Robert Gilliard, 70, rue de Loèche , 1950 Sion, tél. 027.329.89.29, fax 027.329.89.28, e-mail vins@gilliard.ch ☑ ♈ r.-v.

FRANCOIS ET DOMINIQUE GIROUD
Chamoson Syrah 2001★★

■	n.c.	n.c.	🍷↓ 8 à 11 €

Rouge intense à reflets violacés, cette syrah offre des arômes de poivre qu'elle accompagne de fruits noirs au palais. Les tanins très présents étayent la structure harmonieuse et longue qui assurera au vin une garde de deux à cinq ans.

📞 François et Dominique Giroud, rue du Nasot, 1955 Chamoson, tél. 079.220.33.66, fax 077.306.10.23, e-mail dominique@giroud-vins.ch ☑

DOM. DU GRAND-BRULE
Petite Arvine 2001★★★

	0,58 ha	3 050	🍷↓ 11 à 15 €

A tout seigneur, tout honneur ! Nous sommes accueillis dans la cave de l'Etat du Valais. Grâce à celui-ci, le domaine du Grand-Brûlé a vu la vigne remplacer buissons et taillis : tout à la fois un conservatoire des cépages du canton et un domaine d'expérimentation. Si le jury a attribué deux étoiles à l'**humagne blanche 2001**, les éloges reviennent à cette petite arvine d'un beau moelleux, ample et chaleureuse, délicatement aromatique (fleur de glycine et pamplemousse).

📞 Vignoble de l'Etat du Valais, 1912 Leytron, tél. 027.306.21.05, fax 027.306.36.05 ☑ ♈ r.-v.

PIERRE-ANDRE HERITIER
Pinot noir Fût de Chêne 2000★

■	0,22 ha	1000	⦿ 15 à 23 €

Pinot noir et douze mois de barrique, sous le millésime 2000, témoignant d'une volonté de maturité au terme de l'élevage. Une robe rouge soutenu et des arômes de fruits rouges pour ce cépage qui adore la fraise autant que le cassis. D'entrée de jeu, le vin est ferme et carré. Il dit les choses sans périphrases. Belle remontée de framboise. Du cœur à l'ouvrage pour finir en beauté, en gardant du souffle jusqu'à la dernière caudalie.

📞 Pierre-André Héritier, rue de Redin, Roumaz, 1965 Saviese, tél. 027.395.32.58, fax 027.395.32.68, e-mail info@heritier-vins.ch ☑ ♈ r.-v.

LAURENT HUG
Pinot gris 2001★★

	0,5 ha	2 500	🍷 8 à 11 €

Destiné sans aucun doute aux célébrissimes filets de perche du Léman, ce pinot gris aux très couleur locale. Joli petit bout de nez de noisette, belle attaque aromatique, du gras, de la longueur. Que demander de plus alors qu'on dîne un soir sur une terrasse au bord du lac ?

📞 Laurent Hug, Les Places 42, Champian, 1971 Grimisuat, tél. 027.398.31.43, fax 027.398.31.01, e-mail info@hugvins.ch ☑ ♈ r.-v.

IMESCH VINS DE SIERRE
Petite Arvine★★★

	1 ha	7 000	🍷↓ 11 à 15 €

Important domaine sur 50 ha de vignobles. Son arvine brille de tout l'or du Valais, livrant un nez où la fleur blanche, la rhubarbe, les agrumes ont tour à tour leur mot à dire. Le palais laisse percevoir une fine nuance de kiwi, d'agrumes exotiques, avant de s'achever sur une belle vivacité qui lui donne du relief. Beaucoup de classe dans ce vin... Le **johannisberg Soleil de Sierre 2001 (8 à 11 €)** obtient une étoile.

📞 SA Imesch Vins Sierre, place Beaulieu 8, 3960 Sierre, tél. 027.452.36.80, fax 027.452.36.89, e-mail imesch.vins@swissonline.ch ☑ ♈ r.-v.

TONI LENGGENHAGER
Salquenen Dôle 2000★★

	0,35 ha	3 000	🍷 8 à 11 €

Petit propriétaire-encaveur, Toni Lenggenhager a joué un rôle significatif lors de la création du label grand cru de Salquenen. Sur ses 7 ha, il tient son rang. Sa dôle, rubis d'intensité moyenne, exprime essentiellement les fruits rouges. Du premier coup de nez jusqu'à la finale, elle n'en démord pas. Cette fidélité ne doit pas faire oublier son caractère fondu et souple, d'une persistance estimable. A déboucher d'ici 2004.

📞 Toni Lenggenhager, Bahnhofstrasse 63, 3970 Salgesch, tél. 079.679.69.29, fax 027.456.86.25, e-mail cave@tonilenggenhager.ch ☑ ♈ r.-v.

MADELEINE ET JEAN-YVES MABILLARD-FUCHS
Sierre Cornalin 2001★★

	0,2 ha	1000	🍷 15 à 23 €

Le cornalin fait partie de ces cépages du Valais nous rappelant utilement la diversité ampélographique d'autrefois. Lui, c'est sûr, il résiste à la mondialisation ! Madeleine et Jean-Yves Mabillard-Fuchs ont fondé cette cave en 1993 ; ils exploitent deux cœur à l'ouvrage 3,5 ha dans la région de Sierre, dont 90 % en location. Ces débutants courageux cosignent un vin rouge violacé, aux senteurs de cerise noire épicée. Les tanins n'entendent pas rester à l'écart de la scène et y mettent de la bonne volonté. Du corps, toujours aimable, évidemment.

📞 Madeleine et Jean-Yves Mabillard-Fuchs, rte de Montana, 3973 Venthône, tél. 027.455.34.76, fax 027.456.34.00 ☑ ♈ r.-v.

CAVE LA MADELEINE
Vétroz Fendant 2001★★★

	1,4 ha	9 000	🍷↓ 5 à 8 €

Sur les terrasses schisteuses de Vétroz, le chasselas a donné naissance à un vin d'une belle couleur jaune à reflets dorés, où le tilleul s'allie à une touche minérale d'une grande finesse, annonçant un magnifique équilibre très frais. Le cépage s'exprime jusqu'à une longue finale pour composer un modèle du genre.

📞 André Fontannaz, Cave La Madeleine, 1963 Vétroz, tél. 027.346.45.54, fax 027.346.45.54, e-mail info@fontannaz.ch ☑ ♈ r.-v.

DANIEL MAGLIOCCO
Chamoson 2000★★

■	0,5 ha	3 000	⦿ 15 à 23 €

Une syrah du Valais produite sur un petit vignoble familial de 4,5 ha. Rouge foncé à reflets violacés, elle évoque les baies sauvages, la mûre surtout, avec des accents épicés qui ne surprennent pas. Au palais, l'impression ne varie pas. Des tanins fins, une texture serrée, voilà un vin qui tiendra bon dans le temps.

⌖ Daniel Magliocco, av. de la Gare 10,
1956 Saint-Pierre-de-Clages,
tél. 027.306.35.22, fax 027.306.48.60 ☑ ⴹ r.-v.

SIMON MAYE ET FILS
Chamoson Petite Arvine 2001★★★

▪	0,5 ha	4 000	▮⌅ 15 à 23 €

Petite arvine aux joues pâles, au parfum de violette et de glycine. Charmant comme un jour de printemps quand, en Valais, la nature se réveille et la sève monte au cœur. L'attaque vive et franche laisse bientôt place aux agrumes. La fraîcheur est modérée, l'alcool bien suffisant. Typique. Seuls les fruits de mer qui lui feront escorte ne seront pas du canton.
⌖ Simon Maye et Fils, Collombey 3,
1956 Saint-Pierre-de-Clages, tél. 02.73.06.41.81,
e-mail simon.maye@swissonline.ch ☑ ⴹ r.-v.

DENIS MERCIER
Pinot noir 2000★

▪	2 ha	8 500	▮⌅ 8 à 11 €

Né sur un domaine traditionnel d'un peu plus de 5 ha, ce pinot noir, généreux en couleur, associe le fruit rouge et la baie noire. Souple et ferme, il possède un goût framboisé et ce qu'il faut de texture, de constitution.
⌖ Denis et Anne-Catherine Mercier, Crêt-Goubing,
3960 Sierre, tél. 027.455.47.10, fax 027.455.47.77,
e-mail denis.mercier@vtx.ch ☑ ⴹ r.-v.

BERNARD MERMOUD
Petite Arvine 2001★★

▪	0,15 ha	400	▮⌅ 8 à 11 €

Nul besoin d'explication de texte : une petite arvine qui coule de source. D'une teinte claire et dorée, elle décline les fruits des tropiques : pamplemousse, ananas. L'attaque est très jeune, fraîche et bondissante. Vous pouvez compter trois années de conservation sans problème.
⌖ Bernard Mermoud, Cave l'Or du Vent,
chem. des Vendanges, 3968 Veyras,
tél. 027.455.88.20, fax 027.455.88.20,
e-mail bernardmermoud@swissonline.ch ☑ ⴹ r.-v.

PHILIPPE ET VERONYC METTAZ
Fully Les Claives Gamay 2000★★★

▪ Gd cru	0,1 ha	1000	▮⌅ 8 à 11 €

Créée en 1984 par Edouard et Philippe Mettaz, cette cave s'est peu à peu agrandie et modernisée. En 1996, Philippe et Véronyc reprennent le domaine familial. En 1998, celui-ci s'étend sur de belles vignes en terrasse au lieu-dit Les Claives. Si vous dégustez une assiette valaisanne (viande séchée et fumée), ce gamay fera bon effet. Si rouge qu'il en devient presque violet, cerise noire et pain d'épice, il est soyeux et figure parmi les meilleures bouteilles débouchées à cette occasion.
⌖ Philippe et Véronyc Mettaz, rue Saint-Gothard 19, Mazembroz, 1926 Fully, tél. 027.746.38.16,
fax 027.746.44.04, e-mail vero@mettaz.ch ☑ ⴹ r.-v.

DOM. DU MONT D'OR
La Perle noire Dôle 2001★★

▪	5,8 ha	60 000	⫘ 8 à 11 €

Le Domaine du Mont d'Or, créé en 1848 par un sergent-major de la région de Montreux, occupe le meilleur site du Valais. Si le johannisberg se surpasse ici (introduit par Georges Masson vers 1870 sur ces terres), il ne faudrait pas oublier cette dôle d'un rubis soutenu. Pinot noir et gamay à 45-40, diolinoir et ancellotta pour le reste. Une fondue bourguignonne sera un bon point d'appui pour apprécier ses arômes de fruits cuits et de feuilles de tabac, son caractère vineux et démonstratif, sans excès tannique. Le vin blanc liquoreux **Goût du Conseil 2000 (23 à 30 €)**, assemblage à parts égales de sylvaner et de riesling, obtient lui aussi deux étoiles.
⌖ SA Dom. du Mont d'Or-Sion, Pont-de-la-Morge, case postale 240, 1964 Conthey 1, tél. 027.346.20.32, fax 027.346.51.78, e-mail montdor@montdor-wine.ch ☑ ⴹ r.-v.

CAVE DE MONTORGE
Ermitage Grain doux 1999★★★

▪	0,25 ha	2 400	⫘ 15 à 23 €

Fondée en 1972, cette cave a été rachetée par Les Fils de Ch. Favre en 1995. La marsanne (appelée ermitage en Valais) en vendanges tardives est un rendez-vous à ne pas manquer. Velouté, généreux, le vin suggère le raisin confit après les notes de miel servant d'introduction à un plaisir assez rare. Dégustez-le sur un foie gras, par exemple, d'ici trois à quatre ans.
⌖ SA Dom. Cave de Montorge, La Muraz-Sion, 1950 Sion, tél. 027.327.50.60, fax 027.395.13.60 ☑ ⴹ r.-v.

CLOS DES MONTZUETTES
Humagne rouge 2001★

▪	0,36 ha	3 000	▮⌅ 11 à 15 €

Charles-André Lamon a acquis à la fin des années 1980 ce domaine de 3 ha qui lui a donné une humagne rubis foncé, au bouquet très entier. On y note le cuir, les épices fortes, dans un esprit chasseur. Le vin est rond comme un galet du Rhône. Ses tanins sont très souples et l'attention relancée par quelques notes fruitées. Une bouteille à laisser mûrir un peu (deux ou trois ans).
⌖ Charles-André Lamon , Cave des Montzuettes, Saint-Clément 8, 3978 Flanthey, tél. 079.220.75.80, e-mail ch.-andre@montzuettes.ch ☑ ⴹ r.-v.

DOM. DES MUSES
Pinot noir Réserve 2000★★

▪	1 ha	8 000	⫘ 15 à 23 €

Il y a un peu plus de deux ans, Robert et Pierre Taramarcaz ont rejoint leurs parents sur le domaine. Robert est diplômé de l'Institut universitaire de la vigne et du vin Jules-Guyot à Dijon. Pinot noir et chardonnay sont bien sûr ses passions, acquises en Bourgogne. Vin poétique assurément, se présentant bien au regard et dont le parfum de petits fruits charme l'odorat. Il y a des tanins, mais civilisés et d'aimable compagnie dans une atmosphère feutrée et de bon goût.
⌖ SA Dom. des Muses, 3960 Sierre,
tél. 027.455.73.09, fax 027.455.78.69,
e-mail domainedesmuses@bluewin.ch ☑ ⴹ r.-v.

CAVE DES OASIS
Flanthey Petite Arvine 2001★

▪	0,45 ha	3 000	▮⌅ 8 à 11 €

Du jaune, des reflets, un peu de vert, une belle robe de petite arvine. Le fruit exotique complète l'assortiment : ananas, pamplemousse. Cette ligne aromatique se poursuit en bouche dans un élan frais et puissant.

SUISSE

☛ Cave des Oasis, 42, rte de Granges, 3978 Flanthey, tél. 027.458.13.56, fax 027.458.38.56, e-mail info@caveoasis.ch ☑ ⊥ r.-v.

☛ Yves Clivaz

CAVES DU PARADIS
Humagne blanche 2001*

	0,3 ha	3 000		▮↓ 8 à 11 €

Cette cave privée, créée il y a une petite cinquantaine d'années, fut honorée notamment de la visite de Kurt Waldheim. Son humagne blanche déborde de sympathie. De teinte claire, elle évoque le tilleul et le silex, cette pointe minérale très agréable. Élégante et racée, elle laisse l'impression d'une fraîcheur mesurée.

☛ Alex Roten, Cave du Paradis, rte de la Gemmi 135, 3960 Sierre, tél. 027.455.19.03, fax 027.455.19.44, e-mail roten@cavesduparadis.ch ☑ ⊥ r.-v.

DOMINIQUE PASSAQUAY
Gewurztraminer Passerillé 2000**

	0,2 ha	1000		⊞ 15 à 23 €

Les étoiles se multiplient chez Dominique Passaquay : sa petite arvine 2001 (8 à 11 €), vin liquoreux, a été jugée remarquable, de même que son humagne rouge 2001 (8 à 11 €). Et deux autres étoiles pour ce gewurztraminer passerillé d'une magnifique harmonie. Jaune ambré, il rappelle la rose, la mangue... A cette complexité aromatique s'ajoute une constitution solide, discrètement boisée (un an de barrique).

☛ Dominique Passaquay, Outre-Vieze, rte du Montet 5, 1871 Choëx-sur-Monthey, tél. 024.471.18.01, fax 024.472.36.22, e-mail passdom@bluewin.ch ☑ ⊥ r.-v.

REGINE PENON-GUEX
Vétroz Fendant 2001*

	0,2 ha	2 400		▮↓ 5 à 8 €

L'autre nom de la cave de Régine Penon-Guex est la « Réserve des Amis ». Et il faudra bien réunir ses amis autour d'une raclette pour apprécier ce vin jaune brillant à reflets dorés, qui présente beaucoup de finesse dans ses arômes d'ananas et ses notes de fruits bien mûrs. Cette élégance est aussi celle d'un palais frais et fruité, bien équilibré.

☛ Régine Pénon-Guex, Sous-Maison 15, 1963 Vetroz, tél. 027.346.36.31, fax 027.346.47.68, e-mail jm.penon@netplus.ch ☑ ⊥ r.-v.

PHILIPPOZ FRERES
Leytron Ermitage Grain noble 2000***

	0,2 ha	600		⊞ 15 à 23 €

Grain noble en vedette. Deux étoiles pour la malvoisie flétrie Grain Noble 2000 (bouteilles de 37,5 cl), un blanc très liquoreux, riche et propagateur d'arômes. Et cet ermitage qui charme plus encore. L'abricot, la mangue, le coing cohabitent dans son bouquet. Douceur et vivacité, gras et puissance, il a le sexe des anges et donne vraiment l'impression de gravir les « marches du palais ». Peu de flacons disponibles. (Bouteilles de 37,5 cl.)

☛ Philippoz Frères, 13, rte de Riddes, 1912 Leytron, tél. 027.306.30.16, fax 079.219.26.44 ☑ ⊥ r.-v.

LA CAVE A POLYTE
Chamoson Pinot blanc 2001**

	0,06 ha	500		▮↓ 11 à 15 €

Jacques Disner a repris en 1987 l'exploitation fondée par son grand-père quelque quinze ans plus tôt. Son pinot blanc offre au regard une nuance dorée assez légère, sans trop insister sur la couleur. Une subtile note minérale souligne des arômes de noisette. Le gras contribue à la structure d'ensemble. A boire en 2003.

☛ Jacques Disner, SA La Cave à Polyte , 5, rue de la Place, 1955 Chamoson, tél. 079.220.35.11, fax 027.306.22.66, e-mail info@polyte.ch ☑ ⊥ r.-v.

PRIMUS CLASSICUS
Ermitage Surmaturé sur souches 2000***

	1,2 ha	5 000		⊞ 23 à 30 €

Ermitage et marsanne sont des synonymes. Ce cépage, dont les raisins sont récoltés à surmaturité, donne ici un 2000 à la robe profonde animée de reflets or fin. Le bouquet fait penser à la liqueur de fraise, aux fruits confits. Concentré et fruité, ce vin montre un beau tempérament liquoreux sans pour autant céder à la mollesse ni à la facilité. Sa petite pointe vive est la bienvenue. Le pinot noir Primus Classicus 2001 (11 à 15 €) obtient deux étoiles, ainsi que la petite arvine Primus Classicus blanc sec 2001 (15 à 23 €).

☛ SA Caves Orsat, rte du Levant 99, 1920 Martigny, tél. 027.721.01.01, fax 027.721.01.03, e-mail info@cavesorsat.ch ☑ ⊥ r.-v.

CAVE DES REMPARTS
Cornalin 2000**

▮	0,2 ha	1000		⊞ 15 à 23 €

Ingénieur en viticulture et en œnologie, vigneron encaveur, Yvon Cheseaux a soigné ses vignes de Cornalin, ancien cépage du Valais. Rouge foncé, ce 2000 offre aimablement un nez de cerise, avec une petite pointe végétale rappelant le sureau. Dans le même esprit, les tanins sont postés à leur place, mais sans démonstration intempestive. Le bois ? Maîtrisé, restant dans ses limites. A garder une ou deux années en cave.

☛ Yvon Cheseaux, Cave des Remparts, 1913 Saillon, tél. 027.744.33.76, fax 027.744.33.76, e-mail cavedesremparts@bluewin.ch ☑ ⊥ r.-v.

CAVES DE RIONDAZ
Sierre Ermitage 2000**

	0,2 ha	3 000		▮↓ 8 à 11 €

Taillée en gobelet traditionnel, la marsanne participe au paysage harmonieux des coteaux de Sierre. Ses ceps ont tout le panache de leurs vingt ans et donnent un vin riche et concentré, gras et moelleux, sous une teinte jaune pâle. Prolixe en arômes de framboise à l'alcool et de truffe, corsé, ce 2000 s'achève sur une note d'amertume, sans qu'aucun de ses éléments ne le déséquilibre.

☛ Caves de Riondaz, rte du Rawyl, 38, 3960 Sierre, tél. 027.455.12.63, fax 027.455.31.58, e-mail info@riondaz.ch ☑ ⊥ r.-v.

SERGE ROH
Vétroz Amigne 2001**

▮ Gd cru	0,7 ha	3 500		11 à 15 €

Célébré par Virgile, l'amigne n'existerait de nos jours que sur 19 ha sur toute la Terre ! Remercions les vignerons du Valais qui préservent ces précieux trésors. D'un jaune très intense, on le sent bon le miel et la noix cueillie sur l'arbre, aussitôt savourée. Sa sève est généreuse, vive et franche. Choisissez un fromage à pâte dure, mais vous avez tout le temps...

🍇 Serge Roh, Cave Les Ruinettes, rue de Conthey, 43, 1963 Vétroz, tél. 027.346.13.63, fax 027.346.50.53, e-mail serge.roh@bluewin.ch ☑ ⏆ r.-v.

ROUVINEZ
Les Grains Nobles 2000★★★

4 ha	20 000	📦 15 à 23 €

Le climat valaisan convient bien à la production de vendanges tardives et de grains nobles. Ce vin, issu d'un assemblage de cépages, en est une belle illustration. Sous une robe dense apparaît un bouquet d'eau-de-vie de framboise, de truffe blanche et de fruits confits. Le palais enchante par son onctuosité et son parfait équilibre. Le **Château Lichten 2001**, assemblage d'humagne, de cornalin et de syrah, obtient une étoile, de même que le **pinot noir de Sierre 2001 (11 à 15 €)**. 🍇 Vins Rouvinez, Colline de Géronde, 3960 Sierre, tél. 027.452.22.52, fax 027.452.22.44, e-mail info@rouvinez.com ☑ ⏆ r.-v.

CAVE SAINTE-ANNE
Chamoson Johannisberg Vieilles vignes 2001★★

0,38 ha	4 500	📖 8 à 11 €

Ce vin est produit pour la première fois sous forme de cuvée parcellaire. Même les asperges si difficiles à marier avec le vin (la sauce en est responsable) se montreront aimables avec ce johannisberg (sylvaner) doré paille, minéral sur fond d'amande amère et d'une étonnante ampleur. Une belle illustration d'un raisin cueilli à point. 🍇 SA Cave Sainte-Anne Héritier et Favre, av. Saint-François 2, case postale 2176, 1950 Sion 2 Nord, tél. 027.322.24.35, fax 027.322.92.21, e-mail heritierfavre@swissonline.ch ☑ ⏆ r.-v.

CAVE SAINT-PHILIPPE
Salgesch Dôle 2000★

Gd cru	0,45 ha	3 000	📖 15 à 23 €

Une dôle toute pinot noir, au bouquet concentré, ramassé sur les fruits rouges. Les tanins bombent le torse et roulent des épaules. Mais, fort heureusement, ils commencent à rentrer dans le rang. Un vin à apprécier dans les trois à quatre ans. 🍇 Philippe Constantin, Cave Saint-Philippe, Pachienstrasse, 19, 3970 Salgesch, tél. 021.455.72.36, fax 021.455.72.36, e-mail info@cave-saint-philippe.ch ☑ ⏆ r.-v.

CAVE SAINT-PIERRE
Pinot noir Réserve des Administrateurs 2001★★★

n.c.	50 000	📖 5 à 8 €

Ces Administrateurs se sont réservé le meilleur à prix doux. Rubis foncé, leur pinot noir se partage entre la cerise noire et la framboise. Ample et structuré, il garde longtemps ce goût de petits fruits. L'alcool ne prend pas le dessus. C'est un brillant équilibriste sur un fil. 🍇 SA Cave Saint-Pierre, Case postale, 1955 Chamoson, tél. 027.306.53.54, fax 027.306.53.88, e-mail saintpierre@saintpierre.ch ⏆ t.l.j. sf sam. dim. 8h-17h; f. 22 juil.-9 oct.

FRANCIS SALAMIN
Malvoisie Flétrie 2001★★

0,03 ha	250	📖 15 à 23 €

Issu de vendanges tardives, un vin de dessert qui accompagnera aussi certaines entrées et certains fromages pendant longtemps. Cette bouteille fera encore des heureux dans quinze ans, mais rien ne vous oblige à faire preuve d'une patience aussi courageuse. Abricot, coing, pêche blanche, truffe blanche, tous ces arômes viennent à l'esprit à l'heure de rédiger la fiche de dégustation. Chaleur et ouverture, le vin démarre au quart de tour, et le circuit en bouche est correctement négocié. 🍇 Francis Salamin, Les Fangues, 1958 Saint-Léonard, tél. 027.203.16.48 ☑ ⏆ r.-v.

DOM. DE LA SARVAZ
Arvine 2000★

0,5 ha	2 000	📖 11 à 15 €

Trois frères créèrent ce domaine en 1957 ; leurs enfants ont repris le flambeau quarante ans plus tard sur 10 ha. L'arvine, typiquement valaisanne, aux jolis raisins ronds, vert-jaune et pulpeux, est souvent vinifiée en vin moelleux, mais c'est un vin sec que l'on découvre ici. Jaune à reflets dorés, ce 2000 éveille les sens par ses arômes intenses et frais de pamplemousse qui se marient à la rhubarbe dans un bel équilibre ample. Une note saline apparaît en finale comme la signature du cépage. 🍇 Famille Thétaz, Cave des Vignerons, rue des Sports 15, 1926 Fully, tél. 02.77.46.13.27, e-mail office@thetaz-vin.ch ☑ ⏆ r.-v.

CAVE DU SEMINAIRE
Sierre Syrah Les Trois Nocturnes 2001★

0,2 ha	1 956	11 à 15 €

Conduit par les chanoines de Sion, ce domaine de 20 ha est à l'origine d'une syrah puissante et fruitée. Les accents épicés, les élans de cassis et de mûre, les nuances réglissées témoignent d'une bonne adéquation du cépage et du terroir calcaire. Le rouge violacé de la robe et les accents poivrés paraphent indéniablement la syrah. 🍇 Cave du Séminaire, rue de Savièse 19, 1950 Sion-Valais, tél. 027.322.10.57, fax 027.322.70.81 ⏆ r.-v.

LES TOUACHIERES
Chasselas 2001★

n.c.	10 000	📖 5 à 8 €

Chasselas, il l'est indéniablement depuis sa teinte jaune à reflets verts jusqu'à sa fraîcheur équilibrée et élégante, en passant par son concentré de fleur de tilleul. Chevalier Bayard, il le sera sans faillir au cours des deux prochaines années sur les plats de poisson ou à l'apéririf. 🍇 Cave du Chevalier Bayard, 3969 Varen, tél. 027.473.24.81, fax 027.473.42.51 ☑ ⏆ t.l.j. sf dim. 9h30-12h 14h30-18h

TOURBILLON
Ermitage Grains nobles Vieillis en fût de chêne
1999★★★

| | 1 ha | 3 000 | | 38 à 46 € |

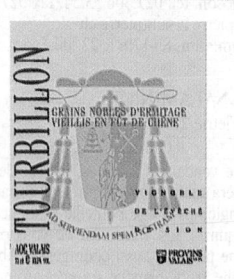

Provins Valais est une coopérative réunissant cinq mille membres sur 1 200 ha. Ce Tourbillon issu de vendanges tardives n'en est pas moins un travail de dentellière. Or jaune, nez d'abricot et un moelleux, une saveur, d'une telle complexité que l'on souhaite apprécier cette bouteille pour elle-même, sans autre accompagnement. La **cuvée du Maître de chais johannisberg de Chamoson 2001 (11 à 15 €)** et celle d'**Arvine de Fully 2001 (15 à 23 €)** obtiennent deux étoiles.
☛ Provins Valais, rue de l'Industrie 22, 1950 Sion, tél. 027.328.66.66, fax 027.328.66.60, e-mail info@provins.ch ☑ ⵙ r.-v.

LA TOURMENTE
Chamoson Humagne rouge 2000★★★

| | 0,3 ha | 2 500 | | 11 à 15 € |

Le domaine travaille depuis vingt-cinq ans avec les scientifiques pour étudier les accords entre les sols et les cépages, si complexes ici en raison de l'abondance des variétés de vigne. Sous sa robe violacée, avec son nez un peu fauve à nuances végétales, ce vin possède de la matière, une grande charpente et du fruit. Tout est au diapason. Rares sont les humagnes aussi éblouissantes. Choisissez bien le gibier.
☛ Bernard Coudray et Fils, Cave La Tourmente, Tzave 6, 1955 Chamoson, tél. 079.241.23.65, fax 027.306.34.56, e-mail tourmente.cave@bluewin.ch ☑ ⵙ r.-v.

HENRI VALLOTON
Fully Petite Arvine Tradition 2001★★

| | 0,2 ha | 1 050 | | 15 à 23 € |

Domaine créé par Oswald Valloton en 1924, et il tient bon ! Ses 8 ha lui permettent de rester à l'échelle humaine.

Et au Guide Hachette, on aime la relation du vigneron et du terroir, du cépage. Petite arvine de bonne compagnie, d'un jaune raisonnable et au parfum de glycine en fleur. Tempérament nerveux à l'attaque, toujours frais et glissant sur le fruit exotique, les agrumes. Le corps est glorieux. A ne pas déboucher prématurément.
☛ Henri Valloton, rue Morin, 8, 1926 Fully, tél. 027.746.28.89, fax 027.746.28.38, e-mail vallotonhenri@bluewin.ch ☑ ⵙ r.-v.

FREDERIC VARONE
Petite Arvine Héritage 2001★★★

| | 2 ha | 15 000 | | 11 à 15 € |

De cette exploitation qui fête ses centièmes récoltes, retenez l'**heida Heritage 2001**, vin blanc sec remarquable, frais et généreux, ainsi que le **pinot noir Valroc 2001 (8 à 11 €)**, très réussi. Mais la faveur revient à la petite arvine. Rhubarbe et pamplemousse, ses arômes la portent en avant. Fraîcheur et minéralité enveloppent la bouche qui se laisse bercer.
☛ Vins Frédéric Varone, av. Grand Champsec, 30, 1950 Sion 4, tél. 027.203.56.83, fax 027.203.47.07, e-mail info@varone.ch
☑ ⵙ t.l.j. sf dim. 10h-12h 14h-18h30

CAVE DU VERSEAU
Coteaux de Sierre Muscat 2000★★

| | 0,15 ha | 1 400 | | 8 à 11 € |

Dix stations de ski dans un rayon de quinze kilomètres. C'est dire si le vin prend ici de l'altitude, du moins en qualité, car on ne cultive pas la vigne à deux mille mètres. Aucune chaptalisation n'est pratiquée dans cette cave qui propose un muscat paille doré, au bouquet expressif de pétales de rose et de citronnelle. Flatteur, le corps séveux et chaleureux laisse des souvenirs exotiques de litchi frais.
☛ Stéphane Clavien, rte de Montana, 3968 Veyras, tél. 027.455.37.03, fax 027.455.37.03, e-mail clavienstef@bluewin.ch ☑ ⵙ r.-v.

MAURICE ZUFFEREY
Pinot noir Tzanio 1999★★

| | 1 ha | 3 000 | | 11 à 15 € |

Maurice Zufferey est le neveu du fondateur du domaine, Charles Caloz, en 1963. Suscitant l'attention de la critique internationale du vin, cette cave propose un pinot noir rubis aux notes de fraise bien mûre. Le corps en est plaisant, toujours dans une ambiance fruitée. Il est juste de signaler sa réelle complexité.
☛ Maurice Zufferey, Chemin des Moulin 52, Case Postale 17, 3964 Muraz-sur-Sierre, tél. 027.455.47.16, fax 027.456.35.27 ☑ ⵙ r.-v.

Canton de Genève

Déjà présente en terre genevoise avant l'ère chrétienne, la vigne a survécu aux vicissitudes de l'histoire pour s'épanouir pleinement dès la fin des années 1960.

Avec un climat tempéré dû à la proximité du lac, à un très bon ensoleillement et à un sol favorable, le vignoble genevois se partage entre trente-deux appellations. Les efforts entrepris pour améliorer le potentiel des vins genevois, par des méthodes culturales respectueuses de l'environnement, le choix de cépages moins productifs et appropriés à un sol généralement caractérisé par une forte teneur en calcaire, permettent de garantir au consommateur un vin de haute qualité. Les exigences contenues dans les textes de loi traduisent autant la volonté des autorités que celle de la profession de mettre sur le marché des vins qui satisfont aux normes des AOC.

La palette des cépages s'est diversifiée avec l'apport des spécialités. Outre les principaux crus provenant du chasselas pour les blancs, du gamay et du pinot noir pour les rouges, les spécialités comme le chardonnay, le pinot blanc, l'aligoté, le gamaret et le cabernet rencontrent un franc succès auprès de l'amateur avisé.

DOM. DES ABEILLES D'OR
Douce Noire 2000★★

	3 ha	20 000	11 à 15 €

Cette très ancienne famille vigneronne a quitté la coopérative en 1993 pour voler de ses propres ailes. Laurent Desbaillets vinifie depuis 1999. Cinq cépages rouges entrent dans la composition de Douce Noire qui pourrait s'allier à un dessert au chocolat noir... et suisse, bien entendu. Rubis profond, ce 2000 n'est guère prodigue de ses arômes et demeure un peu timide. Mais rassurez-vous : le fruit est en embuscade. Force tannique maîtrisée et charpente honorable, comme on sait le faire ici, à deux pas du Jura.
Dom. des Abeilles d'Or, 3, rte du Moulin-Fabry, 1242 Satigny, tél. 022.753.16.37, fax 022.753.80.20, e-mail info@abeillesdor.ch ☑ ⊺ r.-v.
Desbaillets

L'ANCOLIE
Avusy Pinot gris passerillé 2000★★

	0,6 ha	1000	15 à 23 €

« Un p'tit bonheur », celui-ci. Pensez à la chanson canadienne de Félix Leclerc. Kristelle et Nicolas Cadoux, à la tête de 10 ha, se font et vous font plaisir avec ce pinot gris passerillé (L'Ancolie a été créé en 1997 par essais prudents, puis commercialisé). Jaune paille, empli de parfums de miel et de coing, maîtrisant superbement la difficile équation du sucre et de l'alcool, c'est un vin rare, à considérer comme un cadeau de la nature. Pour fromage bleu ou dessert caramélisé.
Kristelle et Nicolas Cadoux, 56, rte de Forestal, 1285 Athenaz, tél. 022.756.28.81, fax 022.756.26.38 ☑ ⊺ mer. et ven. 17h30-19h; sam. 11h-12h

CLAUDE ET JACQUES BOCQUET-THONNEY
Sézenove Pinot gris 2001★

	0,72 ha	6 500	5 à 8 €

Un pinot gris intéressant qui se présente bien au regard, puis au nez par des notes citronnées. Cette vivacité aromatique s'accompagne en bouche d'une fraîcheur continue. Attention, petite production.

Jacques et Claude Bocquet-Thonney, 9, chem. des Grands-Buissons, 1233 Bernex, tél. 022.757.45.63, fax 022.757.45.63, e-mail bocquet@swissonline.ch ☑ ⊺ r.-v.

LE BOIS DES CHIENS
Coteau de Bourdigny Elevé en fût de chêne 2000★

1er cru	0,5 ha	3 000	11 à 15 €

Durant quatre cents ans, les descendants de messire François Turrettini, fils du gonfalonier de la ville de Lucques en Toscane, réfugié à Genève en 1580, se sont succédé ici en ligne directe. La famille Van Berchem est aujourd'hui l'héritière de ce patrimoine. Ce vin de cabernet-sauvignon et de gamaret à 80 % ne laisse pas indifférent. Fortement coloré, il libère des arômes épicés persistants. Sa présence en bouche est très réussie, de l'ouverture jusqu'en finale.
Guy Van Berchem, Ch. des bois, 1242 Satigny, tél. 079.658.49.21, fax 022.341.30.51, e-mail mattja@compuserve.com ☑

DOM. DU CHAMBET
Pinot gris 2001★

	0,4 ha	2 000	5 à 8 €

100 % pinot gris. Un cépage à l'histoire très mouvementée, qui a disparu de son berceau bourguignon et qui se développe surtout en Suisse dans les vallées alpestres où il atteint parfois la surmaturité. Ici, parlons de belle maturité, appuyée par une note minérale. La friture du Léman l'attend.
Gérald Fonjallaz, 7, chem. Garmaise, 1251 Gy, tél. 022.759.10.61, fax 022.769.10.61 ☑ ⊺ r.-v.

LE CLOS DE CELIGNY
La Côte-Céligny Pinot blanc 2001★★

	0,3 ha	3 000	8 à 11 €

L'enclave genevoise de Céligny sur la Côte vaudoise est riche en beaux domaines descendant du pied du Jura aux bords du Léman. S'étendant sur 8 ha d'un seul tenant, ce clos a produit un pinot blanc joliment vêtu, dont les notes de pâte de coings contribuent à la typicité. Il appelle les fromages crémeux par son charme opulent et sa structure équilibrée.
H. Schütz et R. Moser, Le Clos de Céligny, rte de Céligny 38, 1298 Céligny, tél. 022.776.32.05, fax 022.776.07.85, e-mail moser@clos-de-celigny.ch ☑ ⊺ r.-v.

LE CRET 2000★★★

	n.c.	2 500	11 à 15 €

Le phénix des hôtes de ces vignes, comme aurait pu dire le fabuliste. Notre coup de cœur salue les efforts d'un

négociant genevois, également propriétaire dans la Côte vaudoise. Beaucoup d'amateurs découvriront ainsi un merveilleux ménage à trois : gamaret, pinot noir, garanoir. Rubis profond, un 2000 aux arômes délicieux de fruits rouges. Sa structure est impeccable, ses tanins très fins, sa texture serrée. Dotée d'un potentiel de garde considérable, cette bouteille devrait accompagner un magret de canard ou des fromages à pâte dure.

🕯 SA Marcel Berthaudin, 11, rue Ferrier, 1202 Genève, tél. 022.732.06.26, fax 022.732.84.60, e-mail info@berthaudin.ch ☈ r.-v.

LAURENT DUGERDIL
Dardagny Cabernet-sauvignon 2000★

| ■ | 0,4 ha | 2 200 | | 8 à 11 € |

La famille Dugerdil livra longtemps le fruit de ses 12 ha de vignes à la coopérative avant de prendre le statut de vigneron-encaveur. Un bon cabernet-sauvignon, bien construit et qui, sans prétendre faire l'ascension du Cervin en trois quarts d'heure, a des qualités de grimpeur en bouche.

🕯 Laurent Dugerdil, Dom. de la Printanière, rte d'Avully 104, 1237 Avully, tél. 022.756.25.22, fax 022.756.28.54, e-mail laurent.dugerdil@bluewin.ch ☑ ☈ r.-v.

DANIEL FONJALLAZ
Gamay 2001★

| ■ | 0,7 ha | 3 000 | ▮↓ | 5 à 8 € |

Une cave que Daniel Fonjallaz gère depuis 1995 sur la route de... Bellebouche. Il propose un gamay à un prix raisonnable, dont on aime le côté fruité, la souplesse, l'amabilité des tanins. Ce vin est la bonté même. Parfaitement gamay, citoyen de Genève.

🕯 Daniel Fonjallaz, 100, rte de Bellebouche, 1251 Gy, tél. 022.759.12.18, e-mail cavechéna@bluewin.ch ☑ ☈ r.-v.

GRAND'COUR
Peissy Kerner Sauvignon 2001★★

| ■ | 0,52 ha | 3 600 | ▮↓ | 23 à 30 € |

Diffusé à partir de 1979, le kerner est un croisement né dans le Wurtemberg et dont le nom rappelle un auteur de chansons à boire du XIXᵉs. Il s'est développé surtout en Allemagne, un peu en Suisse. Il fait équipe ici à 50-50 avec le sauvignon pour donner, sur ce domaine d'origine médiévale, un vin qui sauvignonne en diable sur des notes de bourgeon de cassis qui ne surprendront pas. Un portrait-robot. La vivacité est là pour assurer la garde. Du caractère, assurément.

🕯 Jean-Pierre Pellegrin, 48, rte de Peissy, 1242 Satigny, tél. 022.753.15.00, fax 022.753.15.00 ☑ ☈ r.-v.

DOM. LES HUTINS BERTHOLIER
Coteaux de Dardagny 2000★★★

| ■ | 1,13 ha | 7 000 | ⦙⦙ | 15 à 23 € |

Même la syrah est du voyage. Les viticulteurs par ici se passionnent pour les cépages ensoleillés, mais il est vrai que le Léman doit beaucoup au Rhône. Très varié, cet assemblage haut en couleur et bien bouqueté s'affirme par son grain, sa structure et une architecture savante. Un vin destiné aux connaisseurs à la recherche de sensations nouvelles.

🕯 Pierre et Jean Hutin, Dom. Les Hutins, 8, chem. de Brive, 1282 Dardagny, tél. 022.754.12.05, fax 022.754.12.27, e-mail domaine.les.hutins@bluewin.ch ☑ ☈ r.-v.

DOM. DU PARADIS
Le Pont des Soupirs 2000★★

| ■ | 1,8 ha | 10 000 | ⦙⦙ | 11 à 15 € |

Ce Pont des soupirs est le rendez-vous des amoureux... d'une bonne bouteille. Nullement une invention publicitaire, mais un lieu-dit dûment cadastré sur la commune de Satigny. Les deux cabernets, le merlot et le gamaret, se mettent en quatre pour fournir un rouge à la robe plus profonde que le lac Léman. Au nez, il a du punch. Et soudain, quelques notes florales conduisent à une bouche délicate et tendre.

🕯 Roger Burgdorfer, Dom. du Paradis, 275, rte du Mandement, 1242 Satigny, tél. 022.753.18.55, fax 022.753.18.55, e-mail info@domaine-du-paradis.ch ☑ ☈ sam. 9h-17h

LES PERRIERES SAINT-GEORGES
Chouilly Cabernet-sauvignon 2000★

| ■ | 0,42 ha | 3 600 | ⦙⦙ | 15 à 23 € |

Une seule religion, le cabernet-sauvignon. Brigitte Rochaix tient le flambeau d'une propriété familiale bicentenaire placée sous les auspices de Saint-Georges. Rubis profond, le vin, toasté par son année de fût, est amical et simple, de texture fine et presque gouleyant.

🕯 Cave Les Perrières, 54, rte de Peissy, 1242 Peissy/Satigny, tél. 022.753.90.00, fax 022.753.90.00, e-mail info@lesperrieres.ch ☑ ☈ t.l.j. sf dim. 9h-12h 14h-18h; sam. 17h
🕯 B. Rochaix

DOM. DES PINS
Dardagny Cabernet-sauvignon 2000★★★

| ■ | 0,35 ha | 3 000 | ⦙⦙ | 11 à 15 € |

Le domaine, familial depuis la fin du XVIIᵉs., cultive 9 ha. Son cabernet-sauvignon possède une couleur nuancée et intense. Son année passée en fût influe positivement sur son expression épanouie et complexe. Les tanins rentrent leurs griffes et font patte de velours. Un vin qui coule en bouche comme un long fleuve tranquille...

🕯 Marc Ramu, Clos des Pins, 458, rte du Mandement, 1282 Dardagny, tél. 022.754.14.57, fax 022.754.17.23 ☑ ☈ r.-v.

RUE DES BELLES FILLES
Cabernet franc 2000★★

| ■ | 1,72 ha | 14 600 | ⦙⦙ | 11 à 15 € |

Rue des Belles Filles : un nom, pas une adresse. Produit du négoce, ce cabernet franc 100 % défend avec charme l'appellation genève. Jean-Jacques Rousseau et Voltaire n'y trouveraient rien à redire. Douze mois de fût, d'où ce bouquet torréfié. Les parfums du cépage résistent bien à cet assaut du chêne. Beaucoup de trame tannique, de corps et de charpente. C'est un glorieux.

🕿 SA La cave de Genève, 140, rte du Mandement, 1242 Satigny, tél. 022.753.11.33, fax 022.753.21.10, e-mail info@cave-geneve.ch ☑ ✗ r.-v.

LES SECRETS DU SOLEIL
Dardagny Chardonnay 2001★★

	0,3 ha	2 000	8 à 11 €

Quel rapport entre Genève et le Clos de Vougeot ? Tous deux possèdent des œuvres du sculpteur bourguignon Henri Bouchard : le célèbre *Monument de la Réformation* et le *Porteur de Bénaton*. Venu lui aussi de Bourgogne, le chardonnay se plaît bien en pays genevois. Témoin, ce 2001 extrêmement typé, caractéristique du cépage quand il est porté tout en longueur sur des bases solides et sûres. Beau vin blanc pour poissons du Léman.

🕿 Philippe et Christine Vocat, Dom. Secrets du Soleil, 446, rte du Mandement, 1282 Dardagny, tél. 022.754.13.84, fax 022.754.14.10, e-mail philippe.vocat@informaniak.ch ☑ ✗ mar. 16h30-19h sam. 9h30-12h

LES VALLIERES
Gamay 2001★★

	4 ha	8 500	11 à 15 €

Des vignes de quelque vingt-cinq ans d'âge sur une molasse argilo-calcaire ont donné naissance à un vin de teinte profonde, au caractère légèrement poivré, très typé. On perçoit une forte concentration et une remarquable souplesse tannique.

🕿 Louis Serex, Les Vallières, 36, rte de Charny, 1242 Satigny, tél. 022.753.16.04, fax 022.753.03.33, e-mail lesvallieres@bluewin.ch

☑ ✗ t.l.j. sf dim. 9h-12h 14h-18h

DOM. DE LA VIGNE BLANCHE
Cologny Gamaret Cabernet-sauvignon 2000★

	0,6 ha	5 000	11 à 15 €

Domaine agricole jusqu'au début des années 1970, la Vigne Blanche s'est reconvertie à la viticulture. Cabernet-sauvignon (60 %) et gamaret (40 %) pour cet assemblage à la robe violacée, qui privilégie les notes réglissées. En bouche, le vin a du coffre. Peut-être un peu rustique, mais costaud, capable de se tenir droit dans la bouteille.

🕿 Dom. de la Vigne Blanche, 13, rte de Vandœuvres, 1223 Cologny, tél. 022.736.80.34, fax 022.700.34.16

☑ ✗ r.-v.

🕿 Roger Meylan

Canton de Neuchâtel

Proche du lac qui reflète le soleil, adossé aux premiers contreforts du Jura qui lui offrent une exposition privilégiée, le vignoble neuchâtelois s'étire sur une étroite bande de 40 km entre Le Landeron et Vaumarcus. Le climat sec et ensoleillé de cette région, de même que les sols calcaires jurassiques qui y prédominent conviennent bien à la culture de la vigne, ce que confirment encore les historiens qui nous apprennent que la première vigne y fut officiellement plantée en 998 ; à Neuchâtel, la vigne est donc millénaire.

Dans ce petit vignoble de 610 ha, le chasselas et le pinot noir règnent en maître ; il y a bien quelques « spécialités » (pinot gris, chardonnay, gewurztraminer et riesling x sylvaner), mais leur culture occupe à peine 6 % des surfaces. Cet encépagement apparemment limité cache en réalité une très large palette de vins et de saveurs différentes, grâce au savoir-faire des vignerons et à la diversité des terroirs.

Les rouges issus du pinot noir, élégants et fruités, souvent racés sont aptes au vieillissement. Le très typique Œil-de-Perdrix est un rosé inimitable originaire du vignoble neuchâtelois, ainsi que la Perdrix blanche obtenue par pressurage sans macération. Quelques caves élaborent même un vin mousseux.

La variété des sols du canton, d'est en ouest, ainsi que les styles personnels des vinificateurs, sont à l'origine d'une grande diversité de goûts et d'arômes des vins blancs de chasselas et promettent à l'amateur curieux plus d'une découverte intéressante. On relèvera encore deux spécialités locales issues du même cépage : le « Non filtré », vin primeur qui ne peut pas être mis en vente avant le troisième mercredi du mois de janvier et les vins sur lies.

Chacune des dix-huit communes viticoles produit sa propre appellation, alors que l'appellation Neuchâtel est applicable à l'ensemble des productions du canton de première catégorie.

L'ARCHE DE NOE
Auvernier Les Grands Ordons 2001★

	0,5 ha	3 000	5 à 8 €

Le domaine, créé en 1765, a été repris en 1994 par Yves Dothaux qui l'a nommé l'Arche de Noé. Dès lors, la gamme des cépages cultivés s'est élargie, mais l'on produit toujours aussi le traditionnel Milène (chasselas en cours de fermentation) si apprécié au moment des vendanges. L'expression florale du tilleul, typique des vins de chasselas, est particulièrement présente dans ce 2001 fin et friand. Ce caractère n'exclut pas une certaine richesse qui est la signature des meilleurs coteaux d'Auvernier.

🕿 Yves Dothaux, L'Arche de Noé, 51, Grand-Rue, 2036 Cormondrèche, tél. 032.731.55.80, fax 032.731.55.71, e-mail ydothaux@iprolink.ch ☑ ✗ r.-v.

CH. D'AUVERNIER
Pinot noir Elevé en barrique 2000★★

■　　　　2 ha　10 000　　　　◧ 23 à 30 €

Le château d'Auvernier, construit en 1559, connut plusieurs propriétaires jusqu'en 1603 et notamment un chevalier d'Henri IV ; c'est à cette date qu'il entra dans la famille Chambrier, dont Thierry Grosjean est le descendant. Ce pinot noir élevé en barrique – pratique encore récente à Neuchâtel – enchantera les connaisseurs loin à la ronde. La structure complexe laisse s'exprimer la complexité du cépage et les tanins, certes présents, offrent un soyeux parfait. Le neuchâtel **blanc 2001 (5 à 8 €)**, issu du chasselas, est cité pour sa rondeur qui flattera les plats de poissons et les mets au fromage.
↬ Ch. d' Auvernier, 2012 Auvernier,
tél. 032.731.21.15, fax 032.730.30.03,
e-mail wine@chateau-auvernier.ch ☑ ⊥ r.-v.

CAVES CHATENAY-BOUVIER
Œil-de-perdrix 2001★★

■　　　　12 ha　80 000　　　　▮↓ 8 à 11 €

L'encavage Châtenay a été fondé en 1796. Dès le milieu du XIXᵉs., il a considérablement agrandi son domaine viticole et développé le commerce des vins. Actuellement, il jouit d'une excellente réputation par la diversité de son offre, dont son remarquable Œil-de-perdrix. Seuls les vins issus d'une macération pelliculaire soigneusement conduite peuvent offrir ce nez typique de pinot noir. Riche et racé, mais en même temps fin, fruité et élégant, ce 2001 a charmé le jury. Le **pinot noir 2000**, un vin rouge de classe aux arômes complexes, obtient la même note. Les tanins bien fondus permettent de l'apprécier aujourd'hui déjà, mais cette bouteille saura affronter la garde.
↬ SA Caves Châtenay-Bouvier,
rte du Vignoble 27, 2017 Boudry,
tél. 032.842.23.33, fax 032.842.54.71,
e-mail chatenay@worldcom.ch ☑ ⊥ r.-v.

J.C. KUNTZER ET FILS
Saint-Sébaste Pinot noir 2000★★

■　　　　9,19 ha　40 000　　　　◧ 8 à 11 €

Jean-Pierre Kuntzer créa ce domaine en 1954. Voilà vingt ans que son fils lui a succédé sur les 17,5 ha de vignes cultivées à Saint-Blaise. C'est un vin dans toute sa plénitude que l'on découvre ici, accompagné de notes légèrement animales, de tanins déjà très fondus. Habillé d'une robe soutenue, il est ample, riche et peut surprendre par sa maturité, mais il sera apprécié sur les plats épicés comme sur les mets plus subtils. Dans le carnotzet du domaine (le caveau de dégustation...), vous goûterez aussi l'**Œil de Perdrix 2001**, vin charmeur, tendre et fruité, que le jury a cité.
↬ Jean-Pierre Kuntzer, Daniel-Dardel 11,
2072 Saint-Blaise, tél. 032.753.14.23, fax 032.753.14.57,
e-mail info@kuntzer.ch ☑ ⊥ r.-v.

CAVE DES LAURIERS 2001★★

■　　　　2,07 ha　20 000　　　　▮↓ 11 à 15 €

Autour du château de Cressier se blottissent d'anciennes maisons bourgeoises et vigneronnes. La vaste demeure qui commande ce vignoble de 6 ha date de 1505 et fut acquise à la fin du XIXᵉs. par Clément Ruedin. Depuis, le domaine est demeuré dans la même famille. Le jury a apprécié l'élégance et la finesse de son chasselas autant que l'expression du terroir de Cressier. Ample et fruité, ce 2001 représente remarquablement les vins de l'est du canton.
↬ Jungo & Fellmann, Cave des Lauriers,
rue du Château 6, 2088 Cressier, tél. 032.757.11.62,
fax 032.757.40.62, e-mail info@jungo-fellmann.ch
☑ ⊥ r.-v.

CAVE DU PRIEURE DE CORMONDRECHE
Œil-de-perdrix 2001★★

■　　　　5 ha　35 000　　　　▮ 11 à 15 €

Le prieuré de Cormondrèche est une ancienne maison vigneronne des moines de Môtiers, où l'on élabore du vin depuis plus de cinq cents ans. L'association des viticulteurs de la Côte neuchâteloise s'en porta acquéreur en 1942, puis, quelques années plus tard, restaura la cave de la chapelle, aux belles voûtes de pierre d'Hauterive. Une légère douceur caractérise cet Œil-de-perdrix, ce qui lui confère rondeur et délicatesse. Les amateurs l'apprécieront ainsi comme un vin de dessert ou d'apéritif.
↬ Caves du Prieuré, Grand-Rue 25,
2036 Cormondrèche,
tél. 032.731.53.63, fax 032.731.56.13,
e-mail caves.du.prieure@bluewin.ch ☑ ⊥ r.-v.

DOM. DE L'HOPITAL DE SOLEURE
Le Landeron 2001★★

	2 ha	6 420	▮♦	5 à 8 €

C'est au Landeron que l'Hôpital de Soleure encave ses vins de Neuchâtel depuis plus de cinq cents ans. Vous serez séduit par la richesse et la longueur de ce chasselas très fruité et bien structuré. Si l'expression du terroir reste discrète, on relève la marque d'une vinification soignée. De la même cave, l'**Œil de perdrix 2001**, au délicat parfum d'ananas, est cité.

➥ Dom. de l'hôpital de Soleure, Russie 8,
2525 Le Landeron, tél. 032.751.46.01,
fax 032.751.46.01 ☑ ⟑ r.-v.

GEORGES-EDOUARD VACHER
Cressier Pinot noir 2000★★

	1 ha	8 000	▮♦	8 à 11 €

Quand, au début du siècle, Edouard Vacher vint s'établir à Cressier, ce petit village avait déjà une vocation viticole et possédait une clientèle du côté de Soleure. Le canton était ravitaillé en vin par voie fluviale. Les bateliers qui le convoyaient mettaient en perce quelques tonneaux et buvaient jusqu'à en être ivres. On disait alors qu'ils avaient « chargé pour Soleure ». Au cours des années, la maison Vacher s'est développée, mais a toujours gardé son caractère familial. Son pinot noir offre de délicats arômes de petits fruits rouges, avec une vivacité qui le rend particulièrement élégant. Charmeur, il révèle sans faux-semblants toute l'élégance du cépage. Il plaira aux amateurs de vins souples et délicats.

➥ Georges-Edouard Vacher, Saint-Martin 18,
2088 Cressier, tél. 032.757.10.59, fax 032.757.25.50,
e-mail vins.vacher@swissonline.ch
☑ ⟑ t.l.j. sf dim. 8h-12h 13h30-18h; sam. 10h-12h

Canton de Berne

L e vignoble forme un ruban qui s'étend le long de la rive gauche du lac de Bienne, au pied du Jura. Les vignes s'accrochent à la pente et entourent les villages dont l'architecture rappelle un art de vivre et une tradition qui ont su traverser les siècles. Cinquante-cinq pour cent de la surface est occupée par du chasselas, 35 % par du pinot noir, 10 % par des spécialités comme le pinot gris, le riesling x sylvaner, le chardonnay, le gewurztraminer et le sauvignon blanc. Le climat tempéré du lac et le calcaire du sol, en général peu profond, confèrent aux vins finesse et caractère. Le chasselas produit un vin blanc léger, pétillant, idéal pour l'apéritif ou pour accompagner un filet de féra du lac. Le pinot noir produit un vin ample, élégant, fruité. Les domaines viticoles sont des entreprises familiales d'une surface comprise entre 2 et 7 ha, où tradition et modernité sont en parfaite harmonie.

D ans les autres cantons viticoles de Suisse alémanique, la vigne pousse très au nord. Malgré la rigueur du climat, ces régions produisent majoritairement des vins rouges. Souvent à base de pinot noir, ils représentent 70 % de la production. Quant aux vins blancs, ils sont principalement à base de riesling x sylvaner.

DOM. DE LA VILLE DE BERNE
Schafiser Chardonnay Barrique 2000★★

	1 ha	3 000	◖▮	11 à 15 €

Dans l'immense et moderne cave du domaine, les spécialités sont vinifiées en barrique depuis cinq ans, comme ce chardonnay très structuré et complexe. A dominante de noisette, le vin gagne en ampleur avec une ligne vanillée très harmonieuse.

➥ Dom. de la ville de Berne,
Ch. de Poudeille, 2520 La Neuveville,
tél. 032.751.21.75, fax 032.751.58.03 ☑ ⟑ r.-v.

JEAN-DANIEL GIAUQUE
Le Sauvageon 2000★★

	0,3 ha	2 000	◖▮	15 à 23 €

Jean-Daniel Giauque est un vigneron passionné par l'insolite : il recherche donc des cépages originaux et des vinifications spéciales. Son domaine de 5 ha ne compte pas moins de trente variétés de vignes... Et cette cuvée vinifiée en barrique qui a fait l'unanimité ? Elle assemble le cabernet franc, le cabernet-sauvignon, le zweigelt, le saint-laurent, le diolinoir et le pinot noir. Puissante, étayée par de beaux tanins, elle aime à décliner les petits fruits. Une belle démonstration du savoir-faire du vigneron et du potentiel de la région. (Bouteilles de 50 cl.)

➥ Jean-Daniel Giauque, Près-Guëtins 1,
2520 La Neuveville,
tél. 032.751.22.93, fax 032.751.57.87,
e-mail lesignolet@bluewin.ch ☑ ⟑ r.-v.

PETER SCHOTT-TRANCHANT
Twanner Œil de Perdrix 2001★

	0,3 ha	1 800	▮♦	8 à 11 €

Twann, Douane en français, est un joli village viticole qui se met en fête le quatrième week-end d'octobre. Vous y goûterez non seulement le saucisson au marc des bords du lac de Bienne, mais aussi ce pinot noir rosé typique de la région, légèrement pétillant. Les arômes floraux laissent place à une agréable flaveur de cassis dans une belle structure.

➥ Peter Schott-Tranchant, Dorfgasse 117,
2513 Twann, tél. 032.315.24.86, fax 032.315.74.22,
e-mail peterschott@bluewind.ch ☑ ⟑ r.-v.

DOM. DE L'HOPITAL DE SOLEURE
Schafiser 2001★

| | 1,2 ha | 4 000 | ⬛⬇ 8 à 11 € |

L'hôpital de Soleure fit l'acquisition de vignes au bord du lac de Bienne en 1466, par la donation testamentaire du maire de la ville. Celui-ci demanda à ce que chaque patient reçût quotidiennement une mesure de vin, soit 1,5 l, souhait qui fut respecté jusqu'au début du XXᵉs. Ce Schafiser blanc serait-il revigorant ? Pétillant, fruité et floral avec une note exotique, il possède une bonne vivacité qui le destine à accompagner poissons et plats au fromage.
➤ Dom. de l'hôpital de Soleure, Russie 8, 2525 Le Landeron, tél. 032.751.46.01, fax 032.751.46.01 ☑ ✗ r.-v.

Canton d'Argovie

BIRMENSTOFER WEINBAUGENOSSENSCHAFT
Birmenstorfer Pinot noir Auslese 2000★★

| ⬛ | 7,5 ha | 4 000 | ⬛⬇ 23 à 30 € |

Les meilleures grappes d'un pinot récolté à parfaite maturité ont été réservées à l'élaboration de cet *Auslese* exprimant parfaitement le cépage. La couleur est foncée, le nez fruité élégant, les tanins encore jeunes, mais prêts à évoluer favorablement au cours de la garde. La belle finale laisse augurer l'harmonie future du vin.
➤ Birmenstorfer Weinbaugenossenschaft, Bruggerstr. 3, 5413 Birmenstorf, tél. 056.225.16.46, fax 056.225.16.54 ☑ ✗ r.-v.

BUCHMANN
Wittnauer Blauburgunder Spätlese 2000★★

| ⬛ | 1 ha | 2 500 | ⬛⬛ 15 à 23 € |

Blauburgunder est le nom allemand du pinot noir et *Spätlese* se réfère au degré de maturité des raisins récoltés sept jours après l'ouverture des vendanges. Ce 2000, issu de la récolte de début novembre, affiche une teinte sombre qui sied particulièrement aux arômes de baies noires (cassis) et à l'impression de puissance perçue au contact de tanins robustes mais mûrs. Une longue harmonie qu'un accord avec des viandes rouges soulignera.
➤ Rebgut Buchmann, Im Wygarte, 5064 Wittnau, tél. 062.871.35.58, fax 062.871.89.60 ☑ ✗ r.-v.
➤ Jürg Buchmann

ADRIAN HARTMANN
Häldeli Riesling x silvaner 2001★

| | n.c. | n.c. | 15 à 23 € |

A peine teinté de jaune à reflets verts, le müller-thurgau d'Adrian Hartmann se fait plus volubile dans ses évocations de fruits exotiques nuancées d'une note de muscat. Sa fraîcheur équilibrée et sa finale légèrement douce en font un joli vin d'apéritif.
➤ Adrian Hartmann, Weinbau, Talbachweg 2, 5107 Schinznach-Dorf, tél. 056.443.12.45, fax 056.443.12.60

MEINRAD-STEIMER
Wettinger Blauburgunder Barrique 1999★★

| ⬛ | 0,24 ha | 1 600 | ⬛⬛ 30 à 38 € |

Après douze mois passés en barrique, ce pinot noir, rouge foncé, souligne ses arômes fruités de baies des bois d'une ligne vanillée. Les tanins mûrs soutiennent une matière veloutée, donnant à l'ensemble un caractère certes corsé mais harmonieux. L'illustration d'un élevage bien maîtrisé.
➤ Meinrad Steimer, Rebbergstr. 32, 5430 Wettingen, tél. 056.426.94.55, fax 056.426.47.67, e-mail meinrad.steimer@wettingerweine.ch ☑ ✗ r.-v.

WINZER-WY
Schinznacher Kerner 2001★★

| | 0,37 ha | 4 500 | ⬛⬇ 15 à 23 € |

C'est à Justinus Kerner, originaire de Weinsberg, médecin et amateur de vin, que le professeur Herold rendit hommage en donnant son nom à l'un de ses croisements au début du XIXᵉs. : trollinger x riesling. Jaune-vert, le vin que la cave coopérative de Schinznach en a tiré offre volontiers ses arômes fruités rappelant le citrus, l'abricot et la pêche. Une vivacité bien présente mais aimable le double d'une légère pointe de douceur.
➤ Schinznacker Weinbaugenossenschaft, Trottenstr. 1B, 5107 Schinznach-Dorf, tél. 056.463.60.20, fax 056.463.60.28, e-mail info@weinbaugenossenschaft.ch ☑ ✗ r.-v.

WITER SCHILLER
Witer Pinot noir-riesling x silvaner 2000★

| ⬛ | n.c. | n.c. | 15 à 23 € |

Riesling x silvaner est le nom donné en Suisse alémanique au müller-thurgau, cépage créé par le professeur Herman Müller-Thurgau à l'Ecole de Gesenheim. La cave coopérative de Wit l'a assemblé au pinot noir pour élaborer un rosé qui « pinote » bel et bien au nez. Non seulement frais, mais aussi plein et rond, ce vin accompagnera avec simplicité les plats de charcuteries et les grillades.
➤ Witer Weinbaugenossenschaft, Wiler Trotte, Trottenstr. 100, 5276 Wil, tél. 062.875.27.28, fax 062.875.37.20

Canton de Bâle

FAMILIE JAUSLIN
Muttenzer Sauvignon blanc Cuvée Oliver 2000★★

| | 0,25 ha | 2 500 | ⬛⬇ 15 à 23 € |

Des reflets verts animent la robe jaune brillant d'un sauvignon au bouquet de cassis très frais. Le palais aromatique, d'un fruité presque exotique, laisse une impression d'élégance qui sera bien venue à l'apéritif ou en accompagnement d'un poisson à la chair délicate.
➤ Regula et Urs Jauslin, Oberdorf 23, 4132 Muttenz, tél. 061.461.84.35, fax 061.461.84.80, e-mail info@jauslinweine.ch ☑ ✗ r.-v.

SIEBE-DUPF-KELLEREI
Liestaler Blauburgunder 2000★★

| ⬛ | n.c. | n.c. | 15 à 23 € |

Le pinot noir mûrit de bonne heure, ce qui explique l'affection que lui portent les vignerons des régions septentrionales et la place qu'il occupe en Suisse alémanique.

Il se distingue ici par un vin fruité typique, dont la finesse et l'harmonie sont mises en valeur par des tanins discrets. A marier avec un fromage à pâte dure.

🔻 Siebe-Dupf-Kellerei, Kasernenstrasse 25, 4410 Liestal, tél. 061.921.13.33, fax 061.921.13.32, e-mail walter.steck@siebe-dupf.ch

🔻 Walter Steck

Canton de Lucerne

PETER SCHULER
Heidegg Cuvée Vigneron 2000★★

■	n.c.	n.c.	◖▮ 30 à 38 €

C'est à une assemblée de belle composition que l'on assiste en dégustant cette cuvée : pinot noir, cabernet-sauvignon, diolinoir, pinot gris et pinot blanc parlent d'une même voix de fraise mûre, de torréfaction, de café et de cacao. Leur éloquence, soutenue par des tanins fins et mûrs, ne tarit pas jusqu'à l'élégante conclusion.

🔻 Peter Schuler, Heidegg, 6284 Gelfingen, tél. 041.917.21.59, fax 041.917.37.14, e-mail weingut.heidegg@bluewin.ch

Canton des Grisons

FAMILIEN LIESCH
Malanser Blauburgunder Barrique Treib 1999★★

■	0,7 ha	3 500	◖▮ 30 à 38 €

Une jolie étiquette signée August Raush habille ce vin sous le signe de la mûre. Il a la couleur de cette baie, son parfum, allié aux arômes du sureau, du thé, de la menthe et aux notes balsamiques. Intense et charpenté, il développe une structure encore jeune, mais capable de mûrir grâce à de bons tanins.

🔻 Ueli et Jürg Liesch, Treib, 7208 Malans, tél. 081.322.12.25, fax 081.330.05.85, e-mail liesch@pop.agri.ch ☑ ⏳ r.-v.

JENNI-WILLY LUZI
Jeninser Riesling x Silvaner 2000★★★

■	n.c.	n.c.	15 à 23 €

Un müller-thurgau de haute classe qui livre ses arômes de muscat avec netteté, puis laisse une impression de fraîcheur équilibrée. Le corps est étonnamment ample et longuement aromatique. Un vin à boire ou à attendre.

🔻 Jenni-Willy Luzi, Poststr. 9, 7307 Jenins, tél. 081.302.25.46

ANNATINA PELIZZATTI
Jeninser Blauburgunder 2000★

■	1,5 ha	6 000	▮◖▮ 15 à 23 €

L'équilibre a été souhaité dès l'élevage de ce vin qui a séjourné huit mois en cuve et huit mois en fût. Sous une

teinte rouge foncé, le fruit se marie au bois avec une expression de jeunesse. Les tanins se fondent dans la matière pleine et longue, complète.

🔻 Annatina Pelizzatti, Sägenstrasse 7, 7307 Jenins, tél. 081.302.49.46, fax 081.330.11.26 ☑ ⏳ r.-v.

POLA
Maienfelder Grauburgunder 2001★★

	0,23 ha	1 600	▮↓ 30 à 38 €

Asperges et plats au fromages se marieront bien avec ce pinot gris issu de vignes plantées sur les sols légers de Maienfeld. Très plein et velouté, le vin trouve un bon équilibre entre la vivacité et la douceur des sucres résiduels (4 g/l).

🔻 Andreas von Sprecher, Weingut Pola, Stadtli 2, 7304 Maienfeld, tél. 081.330.15.21, fax 081.330.15.00 ☑ ⏳ r.-v.

WEGELIN ET BARGAHR
Scadenagut Blauburgunder Mahans 2000★★

■	3,7 ha	18 000	◖▮ 23 à 30 €

Intensément fruité, voici un pinot bien élevé, que ne masque pas l'empreinte d'un séjour sous bois de dix mois. Il associe les baies rouges et noires aux évocations torréfiées et vanillées. La structure de tanins au grain fin donne la sensation d'un ensemble complet, prêt à accompagner des viandes rôties.

🔻 Peter Wegelin et Silvia Bargähr, Scadenagut, 7208 Malans, tél. 081.322.11.64, fax 081.322.11.64 ☑ ⏳ r.-v.

Canton de Saint-Gall

FELIXER AM OELBERG
Oelberg Pinot noir barrique 1999★★

■	0,5 ha	1 800	◖▮ 30 à 38 €

FELIXER AM OELBERG

BLAUBURGUNDER 1999 BARRIQUE

Ce pinot noir a gardé toute sa jeunesse dans ses arômes de baies rouges (framboise) et de cerise qui se révèlent davantage à l'aération. D'un beau rouge foncé, il a hérité d'un élevage de seize mois en fût d'agréables notes de torréfaction qui ne font que renforcer sa complexité.

🔻 Alois Walser & Co, Hofreiti, 8885 Mols, tél. 081.738.11.56, fax 081.738.11.56 ☑ ⏳ r.-v.

EMIL NUESCH
Balgach Schlossberg Pinot noir 2000★★

■	2,3 ha	8 000	▮◖▮ 15 à 23 €

Si vous visitez le canton de Saint-Gall à l'automne, vous aurez plaisir à contempler les vignes de pinot noir au

feuillage jaune légèrement teinté de rouge qui devancent le Balgach Schlossberg. Celles-ci ont donné naissance à un vin intensément coloré, riche en notes de petits fruits rouges à peine ponctuées de bois. Les tanins fins créent l'harmonie et l'impression de souplesse.
↬ Emil Nüesch AG, Hauptstr. 71,
9436 Balgach, tél. 071.722.22.22, fax 071.722.45.94,
e-mail contact@nuesch-weine.ch
☑ ⵏ t.l.j. sf dim. 8h-12h 13h30-18h; sam. 9h-12h

JAKOB SCHMID
Berneker Riesling x Silvaner 2000*

| | n.c. | n.c. | 15 à 23 € |

Typiquement müller-thurgau, le vin de Jakob Schmid dévoile la note de muscat attendue dans les bons millésimes, ainsi qu'une bouche ample, fine et longue, vive en finale. S'il est déjà prêt à boire, il pourra être conservé une bonne année.
↬ Jakob Schmid AG, Tramstrasse 23, 9442 Berneck,
tél. 071.744.12.77, fax 071.744.79.12,
e-mail k.wetli@rebenundwein.ch
↬ Kaspar Wetli

Canton de Schaffhouse

ALTE REBE
Eisenhalder Pinot noir 2000*

| ■ | n.c. | n.c. | 23 à 30 € |

Une couleur rouge foncé annonce bien la palette fruitée composée de baies des bois et de cerise. L'élégance naît tout autant de la fraîcheur que des tanins mûrs et de la longue finale. Un vin à déguster sur un röesti (galette de pommes de terre).
↬ Gus Schachenmann AG, Gennersbrunnerstrasse 61,
8207 Schaffhausen, tél. 052.644.28.00,
fax 052.644.28.01, e-mail weine@gus.ch

MARKUS HEDINGER
Wilchinger Selektion Sunneberg Pinot noir Auslese 2000*

| ■ | 2,5 ha | 9 000 | ■ 15 à 23 € |

Casanier de sa Bourgogne natale, le pinot noir ? Markus Hedinger apporte la preuve que ce cépage peut donner d'excellents résultats en vinifiant ses raisins récoltés tardivement (auslese) par macération carbonique. Rouge foncé, ce 2000 livre de beaux arômes de baies noires (cassis notamment) dans un ensemble ample, complexe et long. Les tanins fins lui assurent un vieillissement heureux.
↬ Markus Hedinger, Zum Sunneberg 151,
8217 Wilchingen, tél. 052.681.25.72, fax 052.681.43.76
☑ ⵏ r.-v.

TERRA FLORALES
Hallau Gewürztraminer 2000***

| | n.c. | n.c. | 23 à 30 € |

Un gewuztraminer intensément floral, digne de son étiquette. La rose déploie en effet son parfum avec toutes les nuances de ses variétés dans le verre, tandis que la matière pleine et longue se fait enveloppante grâce à une pointe de sucres résiduels (4 g/l). Un vin d'exception que vous recevrez avec déférence dans votre cave pour plusieurs années.
↬ Hans Schlatter, Weinbau und Kellerei AG,
Schöneckstr. 20, 8215 Hallau,
tél. 052.681.32.04, fax 052.681.29.51,
e-mail hs.schlatter@swissonline.ch ⵏ r.-v.

VOM ALTEN HOLZ
Wilchingen Pinot noir 1999*

| ■ | 0,2 ha | 1 300 | ⬤ 23 à 30 € |

Des vignes trentenaires sont à l'origine de ce pinot noir qui a su garder tout son fruité après un élevage de dix mois sous bois. Il livre sous sa robe sombre une belle matière issue d'une extraction bien menée, avec des tanins mûrs. La longueur participe à un profil harmonieux qui se révélera pleinement à la garde.
↬ Rötiberg-Kellerei AG,
Dorfstrasse 141, 8217 Wilchingen,
tél. 052.681.18.21, fax 052.681.19.25 ☑ ⵏ r.-v.

WYGARTE
Hallauer Regent 2000*

| ■ | 8,7 ha | 30 000 | ■ 15 à 23 € |

Emil et Robert Rahm pratiquent l'agriculture biologique sur leur domaine de 16 ha. Ils cultivent notamment le regent, cépage né du croisement entre sylvaner x müller-thurgau et le chambourcin, réputé produire un vin sombre et solide. Tel est bien le cas de ce 2000 rouge foncé, qui a le caractère des vins du Sud. Les fruits des bois accompagnent une sensation veloutée, certes pas très longue mais agréable.
↬ Rimuss-Kellerei Rahm, 8215 Hallau,
tél. 052.681.31.44, fax 052.681.40.14 ☑ ⵏ r.-v.

Canton de Thurgovie

RUTISHAUSER WEINKELLEREI
Winzergold Iselisberg Spätlese 2001*

| | n.c. | 5 000 | ■ 23 à 30 € |

Le fruit du pinot bien mûr parfaitement respecté dans sa complexité, une trame de tanins mûrs et souples : les éléments principaux d'un vin rond et harmonieux sont réunis dans cette bouteille prête à boire.
↬ Rutishauser Weinkellerei AG, Dorfstrasse 40,
8596 Scherzingen, tél. 071.686.88.88, fax 071.686.88.99
☑ ⵏ r.-v.

WEINGUT SAXER
Nussbaumen St Anna Pinot noir Barrique 2000★

| ■ | n.c. | n.c. | ◉ 23 à 30 € |

Le domaine Saxer avait obtenu deux étoiles pour son pinot gris 2000 dans la précédente édition. La vedette est donnée aujourd'hui à son pinot noir vêtu d'une robe rouge foncé et élégamment parfumé de fruits des bois. Du caractère, ce vin n'en manque pas, car si ses tanins vanillés sont encore jeunes, ils témoignent d'un bon potentiel d'évolution.
➤ Weingut Saxer, Weinbau und Weinhandel, 8537 Nussbaumen, tél. 052.745.23.51, fax 052.745.27.34, e-mail info@saxer-weine.ch

THOMAX MAX SCHMID
Schlattinger Barrique 2000★★

| ■ | 1 ha | n.c. | ⬛ ◉ 30 à 38 € |

La vanille vient se glisser dans la palette de baies rouges et noires d'un pinot bien élevé. Le boisé hérité d'un séjour de quinze mois en barrique de chêne français est certes perceptible, mais se fond dans une matière ronde, soutenue par des tanins fins.
➤ Thomas Max Schmid, Weinkellerei Im Chloster, 8255 Schlattingen, tél. 052.657.24.95, fax 052.657.34.90, e-mail schmidweine@bluewin.ch ☑ ☥ r.-v.

Canton de Zurich

ERNST MULLER
Dättlikon Berghöfler Chardonnay 2000★★

| ■ | 0,15 ha | 900 | ◉ 23 à 30 € |

Illustrée d'une aquarelle représentant une maison typique devancée de ses vignes sur échalas, cette bouteille donne envie de découvrir le canton de Zurich, ses paysages et ses vins. Ce chardonnay a de la classe : fruité, frais, bien structuré, il est plein d'allant. Une légère douceur ajoute à son harmonie.
➤ Ernst Müller, Berghof, 8421 Dättlikon, tél. 052.315.15.53, fax 052.301.06.23, e-mail info@berghoefter.ch ☑ ☥ r.-v.

WEINGUT PIRCHER
Eglisauer Stadtberger Blauburgunder 2000★★★

| ■ | 1 ha | 5 000 | ◉ 30 à 38 € |

Des vignes de quarante ans sont à l'origine de ce vin rubis qui présente tous les caractères d'un pinot noir apte à la garde. Les senteurs de fruits des bois, noirs et rouges, bénéficient d'un élégant apport boisé, évocateur de vanille. Finement ciselés, les tanins de qualité participent à l'harmonie d'ensemble. A savourer sur des fromages de Suisse ou des viandes rouges.
➤ Urs Pircher, Stadtbergerstr. 368, 8193 Eglisau, tél. 18.67.00.76, fax 18.67.10.29, e-mail urs.pircher@bluewin.ch ☑ ☥ r.-v.

QUERCIBUS
Stammhein-Chardonnay 2000★★★

| ■ | n.c. | n.c. | ◉ 23 à 30 € |

Quercibus ? Le ton est donné : ce chardonnay a connu le chêne. Et il ne s'en plaint pas. D'un jaune très

frais, il chardonne comme il se doit, accordant à la vanille l'expression d'une touche suave. Les tanins de la barrique, au grain polissé, se fondent bien dans un ensemble frais et structuré.
➤ Volg Weinkellereien, Schaffhauserstrasse 6, 8401 Winterthur, tél. 052.264.26.59, fax 052.222.84.81, e-mail michael.balmer@volgweine.ch

JURG SAXER
Nobler Weisser 2001★★

| | 1,8 ha | 10 000 | ⬛ ❧ 11 à 15 € |

La cave de vinification du domaine Bruppach est toute neuve, prête à accueillir les nouvelles vendanges. Ce 2001, fleurant bon les fruits frais et plus encore les agrumes, est un vin racé, dont la bouche se signale par sa droiture et une vivacité agréable.
➤ Jürg Saxer, Weingut Bruppach, 8413 Neftenbach, tél. 052.315.32.00, fax 052.315.32.30, e-mail ys@juergsaxer.ch ☥ r.-v.

JURG SCHNEIDER
Meilener Riesling x Silvaner Chorherren 2000★

| | 0,4 ha | 3 000 | ⬛ 15 à 23 € |

Lorsque le müller-thurgau prend cette note de muscat, c'est que son raisin a bénéficié de la clémence du temps pendant sa maturation. Sa fraîcheur élégante et son équilibre soulignent encore les bienfaits du millésime 2000 sur ce cépage.
➤ Jürg Schneider, Bünishoferstr. 106, 8706 Feldmeilen, tél. 19.23.04.40, fax 19.23.73.41 ☥ r.-v.

FAMILIE ZAHNER
Truttliker Pinot blanc barrique 2000★★★

| | 1,05 ha | 7 000 | ◉ 23 à 30 € |

Les Zahner créèrent cette charmante étiquette de pinot blanc expressément pour le grand chef suisse André Jaeger, dont la cuisine s'inspire des traditions de l'Extrême-Orient. Fermenté en barrique française, le vin offre une couleur dorée à reflets verts aussi attirante que les arômes de citron, de bergamote soulignés d'un boisé discret. Elégamment constitué, il bénéficie d'un parfait équilibre entre fraîcheur et onctuosité, et semble ne jamais devoir quitter le palais.
➤ Familie Zahner, Weinbau Rebgut Bächi, 8467 Truttikon, tél. 052.317.19.49, fax 052.317.20.95, e-mail zahner@swissworld.ch ☑ ☥ r.-v.

WALTER ZWEIFEL
Weisse Zürcher Assemblage 2000★

| | n.c. | 2 500 | ⬛◉❧ 23 à 30 € |

Le müller-thurgau, le sauvignon et le chardonnay s'associent au räuschling. Ce dernier est un ancien cépage blanc allemand, décrit au milieu du XVIe s., né probablement de vignes sauvages qui poussaient au bord du Rhin.

Les Romains le cultivaient déjà dans l'actuel canton de Zurich. Ce n'est cependant pas en historien que vous aborderez ce vin jaune d'or, mais en amateur de bouteilles originales. L'ananas intense marque la palette qui se prolonge au palais sur la papaye et la mangue. Une touche de sucres résiduels (12 g/l) enveloppe la vivacité et contribue à la rondeur de la structure.
↱ Zweifel & CO AG, Dom. Zweifel, Regensdorferstrasse 20, 8049 Zürich-Höngg, tél. 13.44.22.11, fax 13.44.24.03, e-mail info@zweifelweine.ch Ⴏ r.-v.

Canton de Schwyz

VDP OSTSCHWEIZ
Trio Classico 2000★★★

■	n.c.	n.c.	23 à 30 €

Le trio gagnant ? Celui que forment le pinot noir, le cabernet-sauvignon et le diolinoir. Des cépages d'origines bien distinctes qui composent un exceptionnel vin respectant le caractère de chacun. Les arômes fruités du pinot se mêlent au poivre, tandis que des tanins mûrs contribuent au volume de la bouche.
↱ Gebrüder Kümin, Weinbau & Weinnandel AG, Oechsli 1, 8807 Freienbach, tél. 055.410.31.31, fax 055.410.63.67, e-mail info@kuemin-weine.ch

Canton du Tessin

Le vignoble tessinois s'étend de Giornico au nord à Chiasso au sud, sur une surface de 900 ha. Une grande partie des trois mille huit cents viticulteurs du canton possèdent des petites parcelles auxquelles ils consacrent leurs loisirs ; depuis quelques années, une trentaine se consacrent à la viticulture, vinifient et commercialisent. Environ cent viticulteurs travaillent leurs vignes à plein temps et vendent leur raisin aux coopératives. Le cépage « prince » du canton est le merlot d'origine bordelaise, qui a été introduit au Tessin au début du XXe s. Actuellement, le merlot recouvre 85 % de la surface viticole du canton. Le merlot est un cépage qui permet la production de plusieurs types de vins : le blanc, le rosé et le rouge. Le vin rouge de merlot, qui est sans doute le plus répandu, peut être léger ou bien corsé, apte au vieillissement, en fonction du temps de cuvage. Certains sont élevés en barrique. La production moyenne décennale de merlot du Tessin se monte à 55 000 quintaux.

CAMORINO
Vigna Noverasca 2000★

▨	0,5 ha	3 500	ⅲ 11 à 15 €

Le chardonnay, ce coquin, on le retrouve partout. Et 100 %, s'il vous plaît. À boire dans les temps présents, cette bouteille sympathique accompagnera un poisson du lac. Reflets dorés sur la robe limpide, arômes chocolatés nuancés de miel, de fleurs et d'un soupçon de bois, gras et vivacité : cinq sur cinq. Cela montre que ce cépage universel porte sans complexe l'accent helvétique.
↱ SA Cagi-Cantina Giubiasco, via Linoleum 11, 6512 Giubiasco, tél. 091.857.25.31, fax 091.857.79.12, e-mail cagi@ticino.com ☑ Ⴏ r.-v.

CANTINA IL CAVALIERE
Mondelle 1999★

■	1 ha	2 000	▮ⅲ↓ 23 à 30 €

L'étiquette signée M. Sciarini évoque l'art conceptuel très en faveur du côté de Bâle. Ce merlot traduit l'évolution d'un domaine passé progressivement, en quatre générations, des céréales et du lait à... la vigne et au vin. D'un rubis vif, il s'appuie fortement sur les épices et la fraise écrasée. La suite est vineuse, plutôt souple et agréable. Ce qu'on appelle en France un « vin de rôti ».
↱ Cantina il Cavaliere di Roberto, Belossi Viacantonale, 6594 Contone, tél. 091.858.32.67, fax 091.858.17.67, e-mail info@ilcavaliere.ch ☑ ⌂ Ⴏ r.-v.

COMANO
Vigneto Ai Brughi 2000★★★

■	1,5 ha	5 500	ⅲ 23 à 30 €

Tout près de Lugano, ce vignoble de 1,50 ha fait dans la dentelle. Son merlot se présente bien. S'il laisse une sensation boisée due à une chauffe forte, la barrique garde un discours aimable qui ne masque pas les qualités réelles du vin, d'une rondeur charmante.
↱ SA Eredi Carlo Tamborini, Strada Cantonale, 6814 Lamone, tél. 091.935.75.40, fax 091.935.75.35, e-mail info@tamborini-vini.ch ☑ Ⴏ r.-v.

CULDREE
Barrique 2000★★

■	1 ha	2 200	ⅲ 30 à 38 €

Un merlot du Tessin un rubis vif, avec quelques petits signes d'évolution. La barrique mène le jeu dans une expression très vanillée. La constitution est d'une bonne complexité sur des tanins si souples qu'on le croirait élastiques.
↱ Tenuta Vitivinicola Trapletti, via Mola 34, 6877 Coldrerio, tél. 091.646.45.08, e-mail trapletti@ticino.com ☑ ⌂ Ⴏ r.-v.
↱ Lorenzo

TENUTA MONTALBANO
Riserva 2000★★

■ 1,2 ha 6 000 ❑ 15 à 23 €

Cette coopérative présente sa meilleure réserve qui, à l'évidence, est un produit d'appel. Sous une robe rubis à reflets violacés, le bouquet offre un très léger fruité dominé par des expressions vanillées et torréfiées. L'attaque est souple et fringante, le corps très structuré par des tanins encore austères mais prêts à s'amabiliser dans le temps. Une bouteille que l'on n'oublie pas. Les dégustateurs conseillent la viande de cheval comme accord gourmand.
➥ Cantina sociale Mendrisio, via Bernasconi 22, 6850 Mendrisio, tél. 091.646.46.21, fax 091.646.43.64, e-mail info@csmvino.ch ❑ ⵦ r.-v.

PURPURATUM
Riserva 1998★★★

■ 2 ha 3 300 ❑ 30 à 38 €

Purpuratum est un vin issu de vieux pieds de vigne (merlot), élevé en bois neuf durant dix-huit mois. On déguste ici un 98. Le *nec plus ultra*. Légers signes d'évolution dans la robe pourpre à reflets violacés. Notes de vanille au sein d'un complexe aromatique évoquant les épices et le goudron. Au palais, le boisé s'atténue sensiblement pour donner lieu à un épisode très enlevé. L'attaque est belle, la structure élégante, le tout convaincant. On conseille de boire cette bouteille chambrée (dans les 18 °C).
➥ SA la Cappellaccia, Strada Regina 1, 6928 Manno, tél. 091.605.44.76, fax 091.604.64.71, e-mail lacappellaccia@lacappellaccia.ch
ⵦ ⵦ t.l.j. sf sam. dim. 9h-12h 14h-17h
➥ L. et G. Muschi

ROMPIDEE
Affinato in barrique★★

■ n.c. n.c. ❑ 15 à 23 €

Merlot du Tessin façon classique, rigoureux, mais dans trois à quatre ans il va devenir caressant à force de polir, de lisser, de civiliser ses tanins. Toute petite pointe d'évolution dans la couleur de la robe, nez de bonne intensité. De l'attaque, comme les Suisses à Grandson et Morat contre le Téméraire. Pas de quartier ! Le corps est plus diplomate : il faut savoir arranger les choses. Vin de barbecue, et convivialité.
➥ SA Cantina Chiodi, via Delta 24, 6612 Ascona, tél. 091.791.16.82, fax 091.791.03.93 ⵦ r.-v.

ROVERE 2000★★

■ 1,5 ha 9 110 ❑ 15 à 23 €

Merlot 100 %, un vin du Tessin aux reflets rubis, élevé douze mois en barriques (dont un tiers sont neuves). Son

bouquet ? Cerise noire. Ses tanins sont dépourvus d'agressivité. Au contraire, ils sont bien fondus. Rond et presque moelleux, son goût demeure dans la tonalité de la cerise et des baies noires. Pour un lapin chasseur.
➥ SAGL Cantina Monti, Ai Ronchi, 6936 Cademario, tél. 091.605.34.75, fax 091.922.98.23, e-mail info@montifid.ch ❑ ⵦ ⵦ ⵦ r.-v.

ROVIO
Riserva 1999★★★

■ 0,7 ha 5 000 ❑ 15 à 23 €

Ce merlot du Tessin exprime à merveille le millésime 99. On attendra deux à trois ans avant de le savourer. Au regard, il affiche une couleur nuancée et subtile, très profonde. Le nez est riche en fruit, le corps harmonieux. Les tanins sont encore un peu vifs mais une garde en cave y remédiera.
➥ Vini Rovio, Gianfranco Chiesa, 6821 Rovio, tél. 091.649.58.31, fax 091.649.78.12, e-mail vini.rovio@bluewin.ch ❑ ⵦ r.-v.

RUBRO 1999★

■ n.c. 17 000 ❑ 23 à 30 €

Fondée en 1831, l'exploitation demeure aujourd'hui au sein de la famille Valsangiacomo. Celle-ci signe un merlot 99 à la hauteur de la situation. Robe habituelle pour ce cépage. Petite note d'évolution au nez en accompagnement du fruité et du végétal. Bonne harmonie générale sans puissance excessive. A boire sur une viande rouge ou un fromage.
➥ SA Fratelli Valsangiacomo Fu Vittore, Corso San Gottardo 107, 6830 Chiasso, tél. 091.683.60.53, fax 091.683.70.77, e-mail valswine@valswine.ch ❑ ⵦ ⵦ r.-v.

SASSI GROSSI 2000★★

■ 2,5 ha 15 000 ❑ 30 à 38 €

Sassi Grossi. Soit « énormes blocs de rocher ». Merlot évidemment. Vinification *tradizionale bordolese*. Bref, un 2000 rubis tirant sur le mauve. On s'y attendait. Le nez porte une cerise comme une plume à son chapeau. Jolies touches de fraise des bois, cette fraise minuscule et sauvage si odorante. Conformes à l'étiquettte, *Sassi Grossi*, les tanins jouent du Wagner. Dans deux à trois ans, ils joueront du Mozart. Attendez le changement de partitions.
➥ SA Casa Vinicola Gialdi, via Vignoo 3, 6850 Mendrisio, tél. 091.646.40.21, fax 091.646.67.06 ❑ ⵦ r.-v.

SOTTOBOSCO - TENIMENTO DELL'OR★

■ 3 ha 10 000 ❑ 15 à 23 €

Des archives du XVII°s. citent le Tenimento dell'Or comme le plus important vignoble blanc de la région. Merlot à 80 %, cabernet-sauvignon et petit verdot offrent leur concours à un vin digne de ce passé. Elevé en barrique française, il dévoile une vinosité extrême sous une robe très prononcée. Le corps est chaleureux, assez tannique. Aux vendanges, les raisins devaient être d'une maturité absolue.
➥ SA Agriloro, Tenimento Dell'Or, 6864 Arzo, tél. 091.646.74.03, fax 091.640.54.55, e-mail clinicasantalucia@bluewin.ch ❑ ⵦ r.-v.
➥ M.C. Perler

GLOSSAIRE

Acerbe. Se dit d'un vin rendu âpre et vert par un fort excès de tanin et d'acidité. Défaut très grave.

Acescence. Maladie provoquée par des micro-organismes et donnant un vin piqué.

Acidité. Présente sans excès, l'acidité contribue à l'équilibre du vin, en lui apportant fraîcheur et nervosité. Mais lorsqu'elle est très forte, elle devient un défaut, en lui donnant un caractère mordant et vert. En revanche, si elle est insuffisante, le vin est mou.

Agressif. Se dit d'un vin montrant trop de force et attaquant désagréablement les muqueuses.

Aigreur. Caractère acide élevé, assorti d'une odeur particulière rappelant celle du vinaigre.

Aimable. Vin dont tous les aspects sont agréables et pas trop marqués.

Alcool. Composant le plus important du vin après l'eau, l'alcool éthylique apporte au vin son caractère chaleureux. Mais s'il domine trop, le vin devient brûlant.

Aligoté. Cépage blanc de Bourgogne donnant le bourgogne aligoté, vin de carafe à boire jeune.

Altesse. Cépage blanc donnant des roussettes-de-savoie d'une grande finesse.

Ambre. En vieillissant longuement, ou en s'oxydant prématurément, les vins blancs prennent parfois une teinte proche de celle de l'ambre.

Amertume. Normale pour certains vins rouges jeunes et riches en tanin, l'amertume est dans les autres cas un défaut dû à une maladie bactérienne.

Ampélographie. Science étudiant les cépages.

Ample. Se dit d'un vin harmonieux donnant l'impression d'occuper pleinement et longuement la bouche.

Analyse sensorielle. Nom technique de la dégustation.

Animal. Qualifie l'ensemble des odeurs du règne animal : musc, venaison, cuir..., surtout fréquentes dans les vins rouges vieux.

AOC. Appellation d'origine contrôlée. Système réglementaire garantissant l'authenticité d'un vin issu d'un terroir donné. Les grands vins proviennent de régions d'AOC.

AOVDQS. Appellation d'origine vin délimité de qualité supérieure, produit dans une région selon une réglementation précise.

Apreté. Sensation rude, un peu râpeuse, provoquée par un fort excès de tanin.

Aramon. Cépage noir ordinaire du Midi méditerranéen, très en faveur après la crise phylloxérique, mais en recul aujourd'hui.

Arbois. Cépage blanc ordinaire de Touraine (sans aucun rapport avec le vin du même nom produit dans le Jura).

Arôme. Dans le langage technique de la dégustation, ce terme devrait être réservé aux sensations olfactives perçues en bouche. Mais le mot désigne aussi fréquemment les odeurs en général.

Arrufiac. Cépage blanc assez fin, participant à l'élaboration de certains vins béarnais.

Assemblage. Mélange de plusieurs vins pour obtenir un lot unique. Faisant appel à des vins de même origine, l'assemblage est très différent du coupage – mélange de vins de provenances diverses –, qui a une connotation péjorative.

Astringence. Caractère un peu âpre et rude en bouche, souvent présent dans de jeunes vins rouges riches en tanin et ayant besoin de s'arrondir.

Auxerrois. Cépage lorrain donnant l'alsace pinot ou alsace klevner ; nom donné aussi au malbec, à Cahors.

Balsamique. Qualificatif d'odeurs venues de la parfumerie et comprenant, entre autres, la vanille, l'encens, la résine et le benjoin.

Ban des vendanges. Date autorisant le début des vendanges ; souvent occasion de fêtes.

Baroque. Cépage blanc du Béarn donnant un vin de garde.

Barrique. Fût bordelais de 225 litres, ayant servi à déterminer le « tonneau » (unité de mesure correspondant à quatre barriques).

Blanc fumé. Nom donné au sauvignon à Pouilly-sur-Loire, d'où l'appellation pouilly-fumé (à ne pas confondre avec le pouilly-fuissé de Bourgogne, issu de chardonnay).

Botrytis cinerea. Nom d'un champignon entraînant la pourriture des raisins. Généralement très néfaste, il peut sous certaines conditions climatiques produire une concentration des raisins qui est à la base de l'élaboration des vins blancs liquoreux.

Bouche. Terme désignant l'ensemble des caractères perçus dans la bouche.

Bouquet. Caractères odorants se percevant au nez lorsque l'on flaire le vin dans le verre, puis dans la bouche sous le nom d'arôme.

Bourbe. Eléments solides en suspension dans le moût. Voir débourbage.

Bourboulenc. Cépage blanc de qualité de la région méditerranéenne.

Breton. Nom donné au cabernet franc en Val de Loire.

Brillant. Se dit d'une couleur très limpide dont les reflets brillent fortement à la lumière.

Brûlé. Qualificatif, parfois équivoque, d'odeurs diverses, allant du caramel au bois brûlé.

Brut. On appelle bruts des vins effervescents comportant très peu de sucre (juste assez pour tempérer l'acidité du vin) ; « brut zéro » correspond à l'absence totale de sucre.

Cabernet franc. Cépage noir associé au cabernet-sauvignon et au merlot dans le Bordelais, et produisant certains vins du Val de Loire. Il donne un vin de garde d'une bonne finesse.

Cabernet-sauvignon. Cépage noir noble, dominant en Médoc et dans les Graves, mais présent aussi dans d'autres régions et donnant des vins de longue garde.

Capiteux. Caractère d'un vin très riche en alcool, jusqu'à en être fatigant.

Carafe. On appelle « vins de carafe » les vins qui se boivent jeunes et qu'autrefois on tirait directement au tonneau. Par exemple, le muscadet ou le beaujolais.

Carignan. Cépage noir du vignoble méditerranéen donnant des vins très charpentés.

Casse. Accident (oxydation ou réduction) provoquant une perte de limpidité du vin.

Caudalie. Unité de mesure de la durée de persistance en bouche des arômes après la dégustation.

Cépage. Nom de la variété, en matière de vignes.

César (ou romain). Cépage très tannique, utilisé en petite proportion à Irancy et donnant au sol un caractère particulier plus ou moins de pinot noir.

Chai. Bâtiment situé au-dessus du sol et destiné aux vins (synonyme de cellier) dans les régions où l'on ne creuse pas de caves.

Chair. Caractéristique d'un vin donnant dans la bouche une impression de plénitude et de densité, sans aspérité.

Chaleureux. Se dit d'un vin procurant, notamment par sa richesse alcoolique, une impression de chaleur.

Chaptalisation. Addition de sucre dans la vendange, contrôlée par la loi, afin d'obtenir un bon équilibre du vin par augmentation de la richesse en alcool lorsque celle-ci est trop faible.

Chardonnay. Cépage bourguignon blanc de qualité, cultivé également dans d'autres régions, en particulier en Champagne et en Franche-Comté. Il donne des vins fins ayant une bonne aptitude au vieillissement.

Charnu. Se dit d'un vin ayant de la chair.

Charpente. Bonne constitution d'un vin avec une prédominance tannique ouvrant de bonnes possibilités de vieillissement.

Chartreuse. Dans le Bordelais, petit château du XVIIIᵉ siècle ou du début du XIXᵉ.

Chasselas. Cépage blanc cultivé surtout comme raisin de table, mais également utilisé en vinification (en Suisse, en Alsace...).

Château. Terme souvent utilisé pour désigner des exploitations vinicoles, même si parfois elles ne comportent pas de véritable château.

Chenin. Cépage blanc très répandu en Val de Loire, donnant des vins équilibrés, fins, aptes à la garde.

Cinsaut (ou cinsault). Cépage noir du vignoble méditerranéen donnant des vins très fruités.

Clairet. Vin rouge léger et fruité, ou vin rosé produit en Bordelais et en Bourgogne.

Clairette. Cépage blanc du vignoble méditerranéen donnant des vins assez fins.

Claret. Nom donné par les Anglais au vin rouge de Bordeaux.

Clavelin. Bouteille de forme particulière et d'une contenance de 60 cl, réservée aux vins jaunes du Jura.

Climat. Nom de lieu-dit cadastral dans le vignoble bourguignon.

Clone. Ensemble des pieds de vigne issus d'un pied unique par multiplication (bouturage ou greffage).

Clos. Très usité dans certaines régions pour désigner les vignes entourées de murs (Clos de Vougeot), ce terme a pris souvent un usage beaucoup plus large, désignant parfois les exploitations elles-mêmes.

Collage. Opération de clarification réalisée avec un produit (blanc d'œuf, colle de poisson) se coagulant dans le vin en entraînant dans sa chute les particules restées en suspension.

Colombard. Cépage blanc du Sud-Ouest de la France, donnant des vins assez communs.

Cordon. Mode de conduite des vignes palissées.

Corps. Caractère d'un vin alliant une bonne constitution (charpente et chair) à de la chaleur.

Corsé. Se dit d'un vin ayant du corps.

Cot (ou côt). Nom donné au cépage malbec dans certaines régions.

Coulant. Un vin coulant (ou gouleyant) est un vin souple et agréable, « glissant » bien dans la bouche.

Coulure. Non transformation de la fleur en fruit due à une mauvaise fécondation, pouvant s'expliquer par des raisons diverses (climatiques, physiologiques, etc.).

Courbu. Cépage blanc du Béarn et du Pays basque.

Courgée. Nom de la branche à fruits laissée à la taille et qui est ensuite arquée le long du palissage dans le Jura (en Mâconnais, elle porte le nom de queue).

Court. Se dit d'un vin laissant peu de traces en bouche après la dégustation (on dit aussi « court en bouche »).

Crémant. Vin mousseux d'AOC élaboré avec des contraintes spécifiques dans les régions d'Alsace, du Bordelais, de Bourgogne, de Die, du Jura, de Limoux et dans le Val de Loire.

Cru. Terme dont le sens varie selon les régions (terroir ou domaine), mais contenant partout l'idée d'identification d'un vin à un lieu défini de production.

Cruover (marque commerciale). Appareil permettant de conserver le vin en bouteille entamée sous gaz inerte (azote) pour le servir au verre..

Cuvaison. Période pendant laquelle, après la vendange en rouge, les matières solides restent en contact avec le jus en fermentation dans la cuve. Sa longueur détermine la coloration et la force tannique du vin.

Débourbage. Clarification du jus de raisin non fermenté, séparé de la bourbe.

Débourrement. Ouverture des bourgeons et apparition des premières feuilles de la vigne.

Décanter. Transvaser un vin de sa bouteille dans une carafe, pour lui permettre de se rééquilibrer ou d'abandonner son dépôt.

Déclassement. Suppression du droit à l'appellation d'origine d'un vin ; celui-ci est alors commercialisé comme vin de table.

Décuvage. Séparation du vin de goutte et du marc après fermentation (on dit aussi écoulage).

Dégorgement. Dans la méthode traditionnelle, élimination du dépôt de levures formé lors de la seconde fermentation en bouteille.

Degré alcoolique. Richesse du vin en alcool exprimée en général en degrés (correspondant au pourcentage de volume d'alcool contenu dans le vin).

Dépôt. Particules solides contenues dans le vin, notamment dans les vins vieux (où il est enlevé avant dégustation par la décantation).

Dosage. Apport de sucre sous forme de « liqueur de tirage » à un vin effervescent, après le dégorgement.

Doux. Terme s'appliquant à des vins sucrés.

Dur. Le vin dur est caractérisé par un excès d'astringence et d'acidité, pouvant toutefois s'atténuer avec le temps.

Duras. Cépage noir produit surtout à Gaillac.

Durif. Cépage noir du Dauphiné.

Echelle des crus. Système complexe de classement des communes de Champagne en fonction de la valeur des raisins qui y sont produits. Dans d'autres régions, situation hiérarchique des productions classées par des autorités diverses.

Ecoulage. Voir décuvage.

Effervescent. Se dit d'un vin dégageant des bulles de gaz.

Egrappage. Séparation des grains de raisin de la rafle.

Elevage. Ensemble des opérations destinées à préparer les vins au vieillissement jusqu'à la mise en bouteilles.

Empyreumatique. Qualificatif d'une série d'odeurs rappelant le brûlé, le cuit ou la fumée.

Enveloppé. Se dit d'un vin riche en alcool, mais dans lequel le moelleux domine.

Epais. Se dit d'un vin très coloré, donnant en bouche une impression de lourdeur et d'épaisseur.

Epanoui. Qualificatif d'un vin équilibré qui a acquis toutes ses qualités de bouquet.

Equilibré. Désigne un vin dans lequel l'acidité et le moelleux (ainsi que le tanin pour les rouges) s'équilibrent bien mutuellement.

Etampage. Marquage des bouchons, des barriques ou des caisses à l'aide d'un fer.

Eventé. Se dit d'un vin ayant perdu tout ou partie de son bouquet à la suite d'une oxydation.

GLOSSAIRE

Fatigué. Terme s'appliquant à un vin ayant perdu provisoirement ses qualités (par exemple après un transport) et nécessitant un repos pour les recouvrer.

Féminin. Caractérise les vins offrant une certaine tendreté et de la légèreté.

Fer. Cépage noir donnant des vins de garde.

Fermé. S'applique à un vin de qualité encore jeune et n'ayant pas acquis un bouquet très prononcé, et qui nécessite donc d'être attendu pour être dégusté.

Fermentation. Processus permettant au jus de raisin de devenir du vin, grâce à l'action de levures transformant le sucre en alcool.

Fermentation malolactique. Transformation, sous l'effet de bactéries lactiques, de l'acide malique en acide lactique et en gaz carbonique ; elle a pour effet de rendre le vin moins acide.

Fillette. Petite bouteille de 35 cl, utilisée dans le Val de Loire.

Filtration. Clarification du vin à l'aide de filtres.

Finesse. Qualité d'un vin délicat et élégant.

Fleur. Maladie du vin se traduisant par un voile blanchâtre et un goût d'évent.

Folle blanche. Cépage blanc donnant un vin très vif (gros plant).

Fondu. Désigne un vin, notamment un vin vieux, dans lequel les différents caractères se mêlent harmonieusement entre eux pour former un ensemble bien homogène.

Foudre. Tonneau de grande capacité (200 à 300 hl).

Foulage. Opération consistant à faire éclater la peau des grains de raisin.

Foxé. Désigne l'odeur, entre celle du renard et celle de la punaise, que dégage le vin produit à partir de certains cépages hybrides.

Frais. Se dit d'un vin légèrement acide, mais sans excès, qui procure une sensation de fraîcheur.

Franc. Désigne l'ensemble d'un vin, ou l'un de ses aspects (couleur, bouquet, goût...) sans défaut ni ambiguïté.

Friand. Qualificatif d'un vin à la fois frais et fruité.

Fumé. Qualificatif d'odeurs proches de celle des aliments fumés, caractéristiques, entre autres, du cépage sauvignon ; d'où le nom de blanc fumé donné à cette variété.

Fumet. Synonyme ancien de bouquet.

Gamay. Cépage noir assez répandu dans de nombreuses régions, unique en Beaujolais, et donnant un vin très fruité.

Garde (vin de). Désigne un vin montrant une bonne aptitude au vieillissement.

Généreux. Caractère d'un vin riche en alcool, mais sans être fatigant, à la différence d'un vin capiteux.

Générique. Terme pouvant avoir plusieurs acceptions, mais désignant souvent un vin de marque par opposition à un vin de cru ou de château, employé parfois abusivement pour désigner les appellations régionales (par exemple bordeaux, bourgogne...).

Gewurztraminer. Cépage alsacien rose, très aromatique.

Glissant. Synonyme de coulant.

Glycérol. Tri-alcool légèrement sucré, issu de la fermentation du jus de raisin, qui donne au vin son onctuosité.

Gouleyant. Voir coulant.

Goutte (vin de). Dans la vinification en rouge, vin issu directement de la cuve au décuvage (voir presse).

Gras. Synonyme d'onctueux.

Gravelle. Terme désignant le dépôt de cristaux de tartre dans les vins blancs en bouteille.

Graves. Sol composé de cailloux roulés et de graviers, très favorable à la production de vins de qualité, que l'on trouve notamment en Médoc et dans les Graves.

Greffage. Méthode employée depuis la crise phylloxérique, consistant à fixer sur un porte-greffe résistant au phylloxéra un greffon d'origine locale.

Grenache. Cépage noir cultivé dans certaines régions du Midi, comme à Banyuls ou Châteauneuf-du-Pape. Donne un vin parfumé et très chaleureux.

Gris (vin). Vin obtenu en vinifiant en blanc des raisins rouges.

Grolleau. Cépage noir du Val de Loire.

Gros plant. Nom donné au cépage folle blanche dans la région de Nantes.

Harmonieux. Se dit d'un vin présentant des rapports heureux entre ses différents caractères, allant au-delà du simple équilibre.

Hautain (en). Taille de la vigne en hauteur.

Herbacé. Désigne des senteurs ou arômes rappelant l'herbe (ce terme a souvent une connotation péjorative).

Hybride. Terme désignant les cépages obtenus à partir de deux espèces de vignes différentes.

INAO. Institut national des appellations d'origine. Établissement public chargé de déterminer et de contrôler les conditions de production des vins d'AOC et d'AOVDQS.

ITV. Institut technique de la vigne et du vin. Organisme technique professionnel de recherche et d'expérimentation sur la vigne et le vin.

Jacquère. Cépage blanc, produit en Savoie et dans le Dauphiné, donnant un bon vin à boire assez rapidement.

Jambes. Synonyme de larmes.

Jéroboam. Grande bouteille contenant l'équivalent de quatre bouteilles.

Jeune. Qualificatif très relatif pouvant désigner un vin de l'année déjà à son optimum, aussi bien qu'un vin ayant passé sa première année mais n'ayant pas encore développé toutes ses qualités.

Jurançon. Blanc, cépage peu répandu, présent encore en Charente ; noir, cépage accessoire du Sud-Ouest au vin assez commun ; aussi un vin blanc d'AOC, sec ou moelleux, issu des cépages gros et petit manseng et courbu, produit dans le Béarn autour de la commune du même nom.

Lactique (acide). Acide obtenu par la fermentation malolactique.

Larmes. Traces laissées par le vin sur les parois du verre lorsqu'on l'agite ou l'incline.

Léger. Se dit d'un vin peu coloré et peu corsé, mais équilibré et agréable. En général, à boire assez rapidement.

Levures. Champignons microscopiques unicellulaires provoquant la fermentation alcoolique.

Limpide. Se dit d'un vin de couleur claire et brillante ne contenant pas de matières en suspension.

Liquoreux. Vins blancs riches en sucre, obtenus à partir de raisins sur lesquels s'est développée la pourriture noble, et se distinguant entre autres par un bouquet spécifique.

Long. Se dit d'un vin dont les arômes laissent en bouche une impression plaisante et persistante après la dégustation. On dit aussi : « d'une bonne longueur ».

Lourd. Se dit d'un vin excessivement épais.

Macabeu. Cépage blanc du Roussillon donnant un vin agréable dans sa jeunesse.

Macération. Contact du moût avec les parties solides du raisin pendant la cuvaison.

Macération carbonique. Mode de vinification en rouge par macération de grains entiers dans des cuves saturées de gaz carbonique ; il est utilisé surtout pour la production de certains vins de primeur.

Mâche. Terme s'appliquant à un vin possédant à la fois épaisseur et volume et qui, par image, donne l'impression qu'il pourrait être mâché.

Madérisé. Se dit d'un vin blanc qui, en vieillissant, prend une couleur ambrée et un goût rappelant d'une certaine façon celui du madère.

Magnum. Bouteille correspondant à deux bouteilles ordinaires.

Malbec. Nom donné en Bordelais au cépage cot.

Malique (acide). Acide présent à l'état naturel dans beaucoup de vins et qui se transforme en acide lactique par la fermentation malolactique.

Manseng. Gros manseng et petit manseng sont les deux cépages blancs de base du jurançon.

Marc. Matières solides restant après le pressurage.

Marsanne. Cépage blanc surtout cultivé dans la région de l'Hermitage.

Mathusalem. Autre nom pour la bouteille impériale, équivalant à huit bouteilles ordinaires.

Maturation. Transformation subie par le raisin quand il s'enrichit en sucre et perd une partie de son acidité pour arriver à maturité.

Mauzac. Cépage blanc cultivé notamment dans le Midi toulousain et le Languedoc, donnant un vin fin mais de faible garde.

Melon. Nom d'un cépage de Côte d'Or qui a pris le nom de muscadet en pays nantais.

Merlot. Cépage noir dominant dans le Libournais (Pomerol, Saint-Emilion), et associé aux autres cépages dans l'ensemble du Bordelais.

Méthode traditionnelle. Technique d'élaboration des vins effervescents comprenant une prise de mousse en bouteille, conforme à la méthode d'élaboration du champagne.

Meunier. Cépage noir se caractérisant par un feuillage velu, plus rustique que le pinot dont il est issu.

Mildiou. Maladie provoquée par un champignon parasite qui attaque les organes verts de la vigne.

Millésime. Année de récolte d'un vin.

Mistelle. Moût de raisin frais, riche en sucre, dont la fermentation a été arrêtée par l'adjonction d'alcool.

Moelleux. Qualificatif s'appliquant généralement à des vins blancs doux se situant entre les secs et les liquoreux proprement dits. Se dit aussi, à la dégustation, d'un vin à la fois gras et peu acide.

Mondeuse. Cépage noir de Savoie et du Dauphiné donnant un vin de garde de grande qualité.

Mourvèdre. Cépage noir de Provence donnant des vins fins de grande garde.

Mousseux. Vins effervescents rentrant dans les catégories des vins de table et des VQPRD.

Moût. Désigne le liquide sucré extrait du raisin.

Muscadelle. Cépage blanc du Bordelais associé au sémillon et au sauvignon.

Muscadet. Cépage blanc cultivé en Loire-Atlantique, qui donne un vin de carafe très frais.

Muscat. Terme désignant l'ensemble des cépages dont les raisins ont la qualité aromatique muscatée. Vins obtenus avec ces cépages.

Musquée. Se dit d'une odeur rappelant celle du musc.

Mutage. Opération consistant à arrêter la fermentation alcoolique du moût en y ajoutant de l'alcool vinique.

Nabuchodonosor. Bouteille géante équivalant à vingt bouteilles ordinaires.

Négoce. Terme employé pour désigner le commerce des vins et les professions s'y rapportant. Est employé parfois par opposition à viticulture.

Négociant-éleveur. Dans les grandes régions d'appellations, négociant ne se contentant pas d'acheter et de revendre les vins mais, à partir de vins très jeunes, réalisant toutes les opérations et conservations jusqu'à la mise en bouteilles.

Négociant-manipulant. Terme champenois désignant le négociant qui achète des vendanges pour élaborer lui-même un vin de Champagne.

Négrette. Cépage noir donnant un vin riche, coloré et peu acide.

Nerveux. Se dit d'un vin marquant le palais par des caractères bien accusés et une pointe d'acidité, mais sans excès.

Net. Se dit d'un vin franc, aux caractères bien définis.

Nielluccio. Cépage noir planté en Corse, qui donne des vins de garde de haute qualité (en particulier à Patrimonio).

Nouveau. Se dit d'un vin des dernières vendanges.

Odeur. Perçues directement par le nez, à la différence des arômes de bouche, les odeurs du vin peuvent être d'une grande variété, rappelant aussi bien les fruits ou les fleurs que la venaison.

Œil. Synonyme de bourgeon.

Œnologie. Science étudiant le vin.

Oïdium. Maladie de la vigne provoquée par un petit champignon et qui se traduit par une teinte grise et un dessèchement des raisins ; se traite par le soufre.

OIV. Office international de la vigne et du vin. Organisme intergouvernemental étudiant les questions techniques, scientifiques ou économiques soulevées par la culture de la vigne et la production du vin.

Onctueux. Qualificatif d'un vin se montrant en bouche agréablement moelleux, gras.

Onivins. Office national interprofessionnel des vins. Organisme ayant pris la suite de l'ONIVIT dans sa mission d'orientation et de régularisation du marché du vin.

Organoleptique. Désigne les qualités ou propriétés perçues par les sens lors de la dégustation, comme la couleur, l'odeur ou le goût.

Ouillage. Opération consistant à rajouter régulièrement du vin dans chaque barrique pour la maintenir pleine et éviter le contact du vin avec l'air.

Oxydation. Résultat de l'action de l'oxygène de l'air sur le vin. Excessive, elle se traduit par une modification de la couleur (tuilée pour les rouges) et du bouquet.

Parfum. Synonyme d'odeur avec, en plus, une connotation laudative.

Passerillage. Dessèchement du raisin à l'air s'accompagnant d'un enrichissement en sucre.

Pasteurisation. Technique de stérilisation par la chaleur mise au point par Pasteur.

Perlant. Se dit d'un vin dégageant de petites bulles de gaz carbonique.

Persistance. Phénomène se traduisant par la perception de certains caractères du vin (saveur, arômes...) après que celui-ci a été avalé. Une bonne persistance est un signe positif.

Pétillant. Désigne un vin dont la mousse est moins forte que celle des vins mousseux.

Petit verdot. L'un des cépages accompagnant parfois en Bordelais les cabernets et le merlot.

Phylloxéra. Puceron qui, entre 1860 et 1880, ravagea le vignoble français en provoquant la mort des racines par son action.

Pièce. Nom du tonneau de Bourgogne (228 ou 216 litres).

Pierre à fusil. Se dit d'un arôme qui évoque l'odeur du silex venant de produire des étincelles.

Pineau d'Aunis. Cépage noir cultivé dans certaines régions de la vallée de la Loire et donnant un vin peu coloré.

Pinot blanc. Cépage blanc cultivé notamment en Alsace.

Pinot gris. Cépage blanc de qualité cultivé notamment en Alsace.

Pinot noir. Cépage noir, cultivé notamment en Bourgogne, qui donne des vins assez peu colorés mais de longue garde. En Champagne, il est vinifié en blanc.

Piqué. Qualificatif d'un vin atteint d'acescence, maladie se traduisant par une odeur aigre prononcée.

Piqûre (acétique). Synonyme d'acescence.

Plein. Se dit d'un vin ayant les qualités demandées à un bon vin, et qui donne en bouche une sensation de plénitude.

Poulsard. Cépage noir, utilisé notamment dans le Jura, donnant des vins peu colorés mais très fins.

Pourriture noble. Nom donné à l'action du *Botrytis cinerea* dans les régions où elle permet de réaliser des vins blancs liquoreux.

Presse (vin de). Dans la vinification en rouge, vin tiré des marcs par pressurage après le décuvage.

Pressurage. Opération consistant à presser le marc de raisin pour en extraire le jus ou le vin.

Primeur (vin de). Vin élaboré pour être bu très jeune.

Primeur (achat en). Achat fait peu après la récolte et avant que le vin soit consommable.

Prise de mousse. Nom donné à la deuxième fermentation alcoolique que subissent les vins mousseux.

Puissance. Caractère d'un vin qui est à la fois plein, corsé, généreux et d'un riche bouquet.

Rafle. Terme désignant dans la grappe le petit branchage supportant les grains de raisin et qui, lors d'une vendange non éraflée, apporte une certaine astringence au vin.

Rancio. Caractère particulier pris par certains vins doux naturels (arômes de noix), au cours de leur vieillissement.

Râpeux. Se dit d'un vin très astringent, donnant l'impression de racler le palais.

Ratafia. Vin de liqueur élaboré par mélange de marc et de jus de raisin en Champagne et en Bourgogne.

Rebêche (vin de). Vin issu des dernières presses, qui ne participera pas à l'élaboration de cuvées destinées à la champagnisation.

Récoltant-manipulant. En Champagne, viticulteur élaborant lui-même son champagne.

Remuage. Dans la méthode traditionnelle, opération visant à amener les dépôts contre le bouchon par le mouvement imprimé aux bouteilles placées sur des pupitres. Le remuage peut être manuel ou mécanique (à l'aide de gyropalettes).

Riche. Qualificatif d'un vin coloré, généreux, puissant et en même temps équilibré.

Riesling. Cépage blanc, cultivé en Alsace, donnant des vins d'une grande distinction.

Robe. Terme employé souvent pour désigner la couleur d'un vin et son aspect extérieur.

Rognage. Action de couper le bout des rameaux de vigne en fin de végétation.

Rolle. Cépage blanc de Provence et du pays niçois donnant des vins très fins.

Romorantin. Cépage blanc cultivé dans quelques secteurs de la vallée de la Loire.

Rond. Se dit d'un vin dont la souplesse, le moelleux et la chair donnent en bouche une agréable impression de rondeur.

Rôti. Caractère spécifique donné par la pourriture noble aux vins liquoreux, qui se traduit par un goût et des arômes de confit.

Roussanne. Cépage blanc cultivé dans la Drôme, donnant un vin de garde très fin.

Sacy. Cépage blanc, cultivé dans l'Yonne et dans l'Allier, donnant un vin très frais et sec.

Saignée (rosé de). Vin rosé tiré d'une cuve de raisin noir au bout d'un court temps de macération.

Saint-pierre. Cépage blanc donnant un vin acide que l'on trouve dans l'Allier.

Salmanazar. Bouteille géante contenant l'équivalent de douze bouteilles ordinaires.

Sarment. Rameau de vigne de l'année.

Sauvignon. Cépage blanc, cultivé dans de nombreuses régions, donnant un vin fin et de bonne garde dont l'une des caractéristiques est son arôme de fumé, très particulier.

Savagnin. Cépage jurassien donnant le célèbre vin jaune et dont des variétés roses existent en Alsace (klevner et gewurztraminer).

Saveur. Sensation (sucrée, salée, acide ou amère) produite sur la langue par un aliment.

Sciacarello. Cépage noir, cultivé en Corse, produisant un vin charnu et fruité.

Sec. Pour les vins tranquilles, caractère dépourvu de saveur sucrée (moins de 4 g/l) ; dans l'échelle de douceur des vins effervescents, il s'agit d'un caractère peu sucré (entre 17 et 35 g/l).

Sémillon. Cépage blanc noble, cultivé notamment en Gironde, et donnant entre autres les grands vins liquoreux.

Solide. Se dit d'un vin bien constitué, possédant notamment une bonne charpente.

Souple. Se dit d'un vin coulant, dans lequel le moelleux l'emporte sur l'astringence.

Soutirage. Opération consistant à transvaser un vin d'un fût dans un autre pour en séparer la lie.

Soyeux. Qualificatif d'un vin souple, moelleux et velouté, avec une nuance d'harmonie et d'élégance.

Stabilisation. Ensemble des traitements destinés à la bonne conservation des vins.

Structure. Désigne à la fois la charpente et la constitution d'ensemble d'un vin.

Sulfatage. Traitement, jadis pratiqué à l'aide de sulfate de cuivre, appliqué à la vigne pour prévenir les maladies cryptogamiques.

Sulfitage. Introduction de solution sulfureuse dans un moût ou dans un vin pour le protéger d'accidents ou maladies, ou pour sélectionner les ferments.

Sylvaner. Cépage blanc alsacien produisant en général un vin de carafe.

Syrah. Cépage noir de qualité, planté notamment dans la vallée du Rhône et en Languedoc-Roussillon.

Taille. Coupe des sarments pour régulariser et équilibrer la croissance de la vigne afin de contrôler la productivité.

Tanin. Substance se trouvant dans le raisin, et qui apporte au vin sa capacité de longue conservation et certaines de ses propriétés gustatives.

Tannat. Produit dans les Pyrénées-Atlantiques, ce cépage noir donne des vins très charpentés, mais fins et de bonne garde.

Tannique. Caractère d'un vin laissant apparaître une note d'astringence due à sa richesse en tanin.

Tastevinage. Label accordé par la confrérie des Chevaliers du Tastevin à certains vins bourguignons.

Terroir. Territoire s'individualisant par certaines caractéristiques physiques (sol, sous-sol, exposition...) déterminantes pour son vin.

Thermorégulation. Technique permettant de contrôler et de maîtriser la température des cuves pendant la fermentation.

Tirage. Synonyme de soutirage.

Tokay. Nom donné en Alsace au pinot gris, cépage blanc de qualité.

Tranquille (vin). Désigne un vin non effervescent.

Tressallier. Autre nom du cépage sacy.

Tuilé. Caractère des vins rouges qui, en vieillissant, prennent une teinte rouge jaune.

Ugni blanc. Cépage blanc, cultivé dans le Midi (et en Charente sous le nom de saint-émilion), donnant un vin assez acide et de faible garde.

VDL. Vin de liqueur. Vin doux ne répondant pas aux normes réglementaires des VDN, ou vin obtenu par mélange de moût et d'alcool (pineau des charentes).

VDN. Vin doux naturel. Vin obtenu par mutage à l'alcool vinique du moût en cours de fermentation, issu des cépages muscat, grenache, macabeu et malvoisie, et correspondant à des conditions strictes de production, de richesse et d'élaboration.

VDP. Vin de pays. Vin appartenant au groupe des vins de table, mais dont on mentionne sur l'étiquette la région géographique d'origine.

Végétal. Se dit du bouquet ou des arômes d'un vin (principalement jeune) rappelant l'herbe ou la végétation.

Venaison. S'applique au bouquet d'un vin rappelant l'odeur de grand gibier.

Vermentino. Cépage blanc connu sous le nom de rolle à Nice et en Provence, et sous celui de malvoisie en Corse.

Vert. Se dit d'un vin trop acide.

Vieux. Terme pouvant avoir plusieurs acceptions, mais désignant en général un vin ayant plusieurs années d'âge et ayant vieilli en bouteille après avoir séjourné en tonneau.

Vif. Se dit d'un vin frais et léger, avec une petite dominante acide mais sans excès, et agréable.

Village. Terme employé dans certaines régions pour individualiser un secteur particulier au sein d'une appellation plus large (Beaujolais, côtes du rhône).

Vineux. Se dit d'un vin possédant une certaine richesse alcoolique et présentant de façon nette les caractéristiques distinguant le vin des autres boissons alcoolisées.

Vinification. Méthode et ensemble des techniques d'élaboration du vin.

Viognier. Cépage blanc, cultivé dans la vallée du Rhône, donnant un vin fin de haute qualité.

Viril. Se dit d'un vin à la fois charpenté, corsé et puissant.

Volume. Caractéristique d'un vin donnant l'impression de bien remplir la bouche.

VQPRD. Vin de qualité produit dans une région déterminée. Se distingue des vins de table, dans le langage réglementaire de l'Union européenne, et regroupe, en France, les AOC et les AOVDQS.

GLOSSAIRE

INDEX DES APPELLATIONS

APPELLATIONS

INDEX DES COMMUNES

1152

COMMUNES

INDEX DES COMMUNES

Salles-d'Angles, 1062
Salles-d'Armagnac, 1067
Salles-d'Aude, 701
Salsigne, 710
Sambin, 837 935
Samonac, 220 223 225
Sancerre, 954 956 958 960 964 966 967
968 971 972
San-Nicolao, 771
Santenay, 392 398 417 496 497 499 510
511 512 513 521 526 527 535 538 540
541 542 543 544 545 546 549 550 551
552 553 564 565
Santo-Pietro-di-Tenda, 774 1058
Sarcey, 134 135
Sari d'Orcino, 773
Sarras, 1005 1006
Sarrians, 1015 1017 1018 1020 1097
Sartène, 770 772
Sassangy, 407 557
Satigny, 1131 1132 1133
Saulcet, 948
Saulchery, 607 615
Saumur, 838 839 885 886 888 889
Saussignac, 813 821
Sauternes, 211 378 379 380 381 383
Sauveterre, 976
Sauveterre-de-Guyenne, 182 184 208
290 330 360
Sauvian, 695 704
Saux, 778
Sauzet, 782
Savennières, 858 874 875 876
Savièse, 1122 1126
Savignargues, 1086
Savigny-en-Véron, 917 920 921 922
923
Savigny-lès-Beaune, 394 401 412 464
466 474 490 493 494 497 499 501 502
503 504 508 514 520 526 533 534 535
539 545 561
Saxon, 1123
Saze, 978 994
Sazilly, 919
Schaffhausen, 1138
Schengen, 1110
Scherwiller, 81 82 85 97 102
Scherzingen, 1138
Schinznach-Dorf, 1136
Schlattingen, 1139
Ségonzac, 1063
Séguret, 991 995 996
Seillans, 751 1101
Seillons-Source-d'Argens, 765
Selles-sur-Cher, 939
Semens, 300
Senan, 401
Sennecey-le-Grand, 399
Senouillac, 787
Sérignan, 705
Sérignan-du-Comtat, 983 988 991 996
Serrières, 570
Servian, 693 1085 1091
Servies-en-Val, 682
Serzy-et-Prin, 611
Sète, 704 1089
Seyssuel, 1002 1005 1008 1011 1012
Sierre, 1126 1127 1128 1129 1124
Sigolsheim, 85 86 93 94 113
Sigoulès, 814 818 820
Sillery, 616 643
Sion, 1122 1126 1127 1129 1130
Siran, 710 711 713 714
Soings, 896
Solutré-Pouilly, 573 574 577 579 581
582 584 587
Sonnac, 1061
Sorgues, 976 982 1022
Sos, 1065

Soturac, 778 780 781
Souel, 787
Soulaines-sur-Aubance, 872
Soulignac, 187 194
Soultz, 100
Soultzmatt, 80 102 103 123
Soultz-Wuenheim, 115
Soussac, 187 290 293
Soussans, 352 353 356
Souzay-Champigny, 889 892 893
Stadtbredimus, 1112
Sury-en-Vaux, 946 957 964 966 967
969 970 971
Suze-la-Rousse, 983 991 1033
Suzette, 993 997 1034
Tabanac, 373
Tailly, 524
Tain, 1005
Tain-l'Hermitage, 999 1004 1007 1009
1010 1011 1012 1022 1104
Taissy, 645
Talairan, 686
Tallone, 771 1096
Taluyers, 174 993
Taradeau, 1100
Targon, 187 206 292
Tartegnin, 1119
Tauriac, 221 222 224 225 226
Tautavel, 728 729 730 1046 1050 1052
Tauxières, 597 630
Tavant, 917
Tavel, 980 983 984 985 987 990 1024
1026 1027 1028 1029 1030
Tayac, 288
Técou, 786 788
Ternand, 134 138 139
Terrats, 723 726
Tesson, 1063
Teuillac, 223 224 227 228
Theizé, 135 136 140
Thénac, 812 817 822
Thenay, 838
Thésée, 897 898
Théus, 1101
Thézac, 1079
Thézan-des-Corbières, 682 685
Thoré-la-Rochette, 938
Thouarcé, 835 836 860 864 868 870 871
875 878 880 881 882 883
Thuir, 726
Tigné, 861 864
Tillières, 845 850 851 853 1074 1076
Tizac-de-Curton, 292
Tolochenaz, 1121
Tonnerre, 393 395 399 433
Toulaud, 1012
Toulenne, 314
Toulon, 740 756
Tourbes, 1091
Tournon-sur-Rhône, 1005 1010
Tournus, 398 406 410 420 571 575
Tours-sur-Marne, 606 617 621 628 634
Tourves, 742 766
Tracy-sur-Loire, 946 953 954 957 958
1076
Traenheim, 84 105 106
Travaillan, 988
Trelins, 945
Trémont, 863 870 871
Trépail, 641
Tresques, 980 992
Tresserre, 724 1048 1052 1053
Tresses, 195 207
Trets, 734 737 741 743 744
Triors, 1105
Trois-Puits, 646
Troissy, 632 635
Trouillas, 724
Truttikon, 1139

Tuchan, 708 709 1047 1048 1093
Tulette, 980 981 988
Tupin-Semons, 999
Turckheim, 78 82 87 88 92 93
Turquant, 889 890 891
Twann, 1135
Uchaux, 983
Uchizy, 576 577
Urville, 613 637
Vacqueyras, 984 986 992 1006 1013
1017 1018 1019 1020
Vacquières, 699
Vacquiers, 794
Vadans, 654
Vaison-la-Romaine, 982 986
Valady, 797
Valeyrac, 324 326 329 331 333 334
Valflaunès, 693 698 705
Vallet, 840 842 843 844 845 846 847 848
849 850 851 853 854 1074 1075
Valleyrac, 330
Vallon-Pont-d'Arc, 1105
Valréas, 982 984 985 1014 1015 1019
1029
Valserres, 1101
Valvignères, 1105
Vandières, 596 610 636 643
Varen, 1129
Varrains, 884 888 889 890 892
Vaudelnay, 885 889 890
Vauvert, 690
Vaux-en-Beaujolais, 142 151
Vaux-en-Bugey, 674
Vauxrenard, 142 143 166
Vaux-sous-Aubigny, 1107
Vayres, 294 295 1078 1089
Velaux, 760
Vélines, 816
Venelles, 762 1099
Vénérand, 1061
Venesmes, 942
Vensac, 327
Ventenac-Cabardès, 719
Venteuil, 597 613 620 631
Venthône, 1124 1126
Vérac, 188 191 197
Vérargues, 695 1056
Vercheny, 1030 1031
Verdelais, 376
Verdigny, 946 955 958 965 966 967 968
969 970 971 972
Verdille, 1078
Vergisson, 410 577 579 580 581 582 583
584 586 587 588 589
Vérin, 1003
Vernègues, 759
Verneuil, 628
Vernou-sur-Brenne, 928 929 930 931
932 933 934
Versvey, 1115
Vertheuil, 332 338 347
Vertou, 844 847 849 851
Vertus, 601 602 607 612 613 614 615
619 627 635 639 642 648 649 651
Verzé, 406
Verzenay, 596 603 604 605 606 619 621
624 637 640 642
Verzy, 612 625 635 637 642
Vescovato, 769
Vétroz, 1122 1125 1126 1128 1129
Vevey, 1118
Veyras, 1127 1130
Vézelay, 392 403
Vias, 1084
Vic-la-Gardiole, 1053 1056
Vic-le-Fesq, 700
Vic-sur-Seille, 128
Vidauban, 735 743 745 746 749 752
Viella, 804 805 806 807

COMMUNES

INDEX DES PRODUCTEURS

L'indexation ne tient pas compte de l'article défini
Les folios en gras signalent les vins trois étoiles

Salavert-Les Domaines Bernard, 975 990 1035

Jean-Laurent de Bernardi, 774

Claude Bernardin, 134

Caves Bernard-Massard, 1110

Ch. de Berne, 736

Dom. de la ville de Berne, 1135

SCEA Vignoble J. et H. Berneaud, 219

Domaine Jean-Marc Bernhard, 113

Dom. Bernhard-Reibel, 79 96

Dom. Bernier, 221

Jean-Luc Bernillon, 149

François Béroujon, 140

Dom. Berrod, 166

Xavier et Sylvie Berrouet, 324

SCEV les BerryCuriens, 959

GAEC Bersan et Fils, 391 429 441

SARL Bersan et Fils, 439

Dom. Bertagna, 411 467

SA Marcel Berthaudin, 1132

Vincent et Denis Berthaut, 444

Christian Berthelot, 600

Pascal Berthelot, 925

SARL Paul Berthelot, 600

Claude Berthet, 1118

EARL Berthet-Bondet, 657 658

Berthet-Rayne, 1021

Michel et André Berthet-Rayne, 991

SCEA Dom. des Berthiers, 953

Jean-Claude Berthillot, 1106

Pierre Bertin, 847

SCEA Bertin, 277

GAEC Bertrand, 879

Gérard Bertrand, 687

SCEA Jean-Michel Bertrand, 242

SCEA Vignobles Jacques Bertrand, 255 260

Jean-Pierre Bertrand, 982 993

EARL Jean-Pierre et Maryse Bertrand, 146

Lionel Bertrand, 146

Mireille Bertrand, 699 1087

Dom. Bertrand-Bergé, 708 1045

Pierre Bésinet, 1084

Dom. de Besombes-Singla, 1050

Alain Besse, 1121

Gérald et Patricia Besse, 1123

EARL André Bessette, 210

Jean-Claude Bessin, 425 436

SA Vignobles Bessineau, 280 283

EARL Dom. Alain Besson, 425 430 436

Franck Besson, 566

Guillemette et Xavier Besson, 566

Franck Bessone, 154

Cave de Bestheim-Bennwihr, 79 89

Léo Béteille, 1083

Jean-Jacques de Bethmann, 321

Jean-Claude Beton, 244

Antoine et Christophe Bétrisey, 1122

Laurent Betton, 1001 1003

SCEV Dom. Henri Beurdin et Fils, 962

SC Ch. Beychevelle, 338 369

Patrick Beyer, 80

SCA Beyney, 256

Jérôme Bézios, 788

SCEA Ch. du Biac, 298

Jacques Bianchetti, 773

Jean-Pierre Biard, 684

Vignobles Biau, 820

GFA Bibey, 330

Albert Bichot, 454 479 517 537 549 555

Lucette Bielle, 246

SA Ch. La Bienfaisance, 254 271

Claudine et Dominique Bigeard, 842

Gérard Bigonneau, 959 962

SCEA Marcel Biguet, 887

Claudie et Bruno Bilancini, 824

SCEA Dom. Gabriel Billard, 513

Dom. Billard-Gonnet, 513

Dom. Billaud-Simon, 430 436

Champagne Billecart-Salmon, 600

Franck Bimont, 886

Champagne Binet, 600

SCV Ch. Binet, 277

Joseph et Christian Binner, 80

Les Hoirs Albert Biollaz, 1122

Christian Birac, 297

EARL Vignobles de Biran, 826

Bernard Bireau, 831

Birmenstorfer Weinbaugenossenschaft, 1136

Pierre et Michel Birot, 1088

GAEC Biscarlet Père et Fils, 698

Cave de Vignerons de Bissey, 404 418 569

Jean Bissuel, 134

EARL Ch. Biston-Brillette, 357

Vincent Bitouzet-Prieur, 519

Jacques Blais, 816 819

Georges Blanc, 418 572

Charly Blanc et Fils, 1115

René Blanc-Gonnet, 754

Eric Blanchard, 872

SCEA Vignobles Blanchard, 214

GAEC Claude Blanchard et Fils, 850

SCEA Francis et Monique Blanchard, 829

Michel Blanche, 1115

Christian Blanchet, 219

EARL Francis Blanchet, 953

Gilles Blanchet, 953 958

Blancheton Frères, 830 831

André Blanck et Fils, 109

Robert Blanck, 101

Nathalie Blanc-Marès, 681 688

Raphaël Blanco, 165

Lycée agricole de Blanquefort, 340

EARL Georges de Blanquet, 759

Dom. la Blaque, 1040 1096

Romaine Blaser-Michellod, 1122

Blason de Bourgogne, 411

Cave coop. du Blayais, 217

Claude Bléger, 87 100

Dom. Claude Bléger, 80

François Bléger, 101

Champagne Ch. de Bligny, 600

SC Champagne H. Blin et Cie, 600

Bernard Blondeau, 901

Jean-Luc Blondel, 1115

Th. Blondel, 600

Michel Blot, 942

Dom. Michel Blouin, 876

GAEC BM, 928

Guy Bocard, 522 525 530

Charles Boch, 75

Jacques et Claude Bocquet-Thonney, 1131

Denis Bocquier, 793

SCEA Antoine Bodet, 885

SCEA Vignobles André Bodin, 818

Emile Boeckel, 80

Dom. Léon Boesch, 101 123

Claude et Jean-Luc Bohler, 710 713

EARL Albert Bohn et Fils, 77

François Bohn, 101

René Bohn Fils, 101

Hubert Boidron, 279

Jean-Noël Boidron, 196 236 277

Dom. Eric Boigelot, 513 519

Sylvain Bois, 673

Boisard Fils, 914

EARL Vignoble Bois de la Gravette, 357

Cave coop. du Bois de la Salle, 141 159

Boisseaux-Estivant, 415 537

Jean-Claude Boisset, 453 460 470

De Boisseyt-Chol, 999 1004

Jean-Pierre Boissier, 1083

Dom. Régis Boisson, 990

Gérard Boissonneau, 199 291

Jean Boivert, 332

Vincent Boivert, 328

Champagne Boizel, 600

Bollinger, 601

EARL Jean Boncheau, 276

Christian Bonfils, 1018

Olivier Bonfils, 1094

EARL Bongars, 928

André Bonhomme, 578

SARL Pascal Bonnac, 816

Jean-Louis Bonnaire, 601

GAEC Bonnard Père et Fils, 955

Etienne et Pascale de Bonnaventure, 917

EARL Bonneau et Fils, 884

SCEA Bonneau et Fils, 301

Joël Bonneau, 216

Pascale Bonneau, 940

Dom. Bonneau du Martray, 496 498

Patrick et Christophe Bonnefond, 999 1001

Caroline Bonnefoy, 985

Gilles Bonnefoy, 944

EARL Bonnet et Fils, 224

SA Maison Alexandre Bonnet, 601

SCEA Vignobles Franck Bonnet, 313

SCEA Vignobles Pierre Bonnet, 312

Gérard Bonnet, 975 1021

Monique Bonnet, 303

Thierry Bonnet, 601

Maurice Bonnetain, 150

EARL Bonneteau-Guesselin, 843

Bonnet-Huteau, 851

Bonnet-Walther, 922

Ch. Bonneval, 792

Cave de Bonnieux, 1036 1037

Philippe Bonnin, 274

SCEA Bonnin et Fils, 864

Dom. de Bonserine, 999

Grégoire Bonte, 261

EARL Roger Bontemps et Filles, 964

Champagne Franck Bonville, 601

Charles Bonvin Fils, 1122

EARL Dom. Bonzoms, 1050

SCEA Vignobles Bord, 374

Vignobles de Bordeaux, 306

SARL Bordeaux Vins Sélection, 185 186 328

Gisèle Bordenave, 801

Bordenave-Coustarret, 801

Gérard Bordenave-Montesquieu, 802

GAEC Bordeneuve-Entras, 1065

Bernard et Francis Borderie, 826

Jean et Jérôme Borderies, 785

Vignobles Paul Bordes, 274 280

Alain Boré, 860 873

Pierre Borès, 101

GAEC Boret, 876

Dom. Borgeot, 549

EARL Dom. Benjamin Borgnat, 391

Dom. la Borie, 991

SA Jean-Eugène Borie, 362 370

Mme J.-E. Borie, 348

Paul-Henry Borie, 570

Xavier Borliachon, 283

Dom. Borrely-Martin, 1096

Patrice de Bortoli-Dejean, 345

Alain Bortolussi, 807

Thierry Bos, 303

Michel Bosc, 277

Ch. le Boscq - Vignobles Dourthe, 365

Dom. des Bosquets, 1012

SCEA Comte de Bosredon, 810 816

Guy Bossard, 854

Jean Bosse-Platière, 138

SCEA Vignobles Bossuet-Hubert, 218 223

Ch. du Bost, 141

Ch. de la Botinière, 843

Dom. **Bott Frères**, 96
Henry **Bouachon**, 990 1007
La Fleur de **Boüard**, 244
Bouchard Aîné et Fils, 411 444 501 507
    513
Bouchard Père et Fils, 415 479 496 498
    507 519 525 530 539
Dom. Gabriel **Bouchard**, 500 507 528
Pascal **Bouchard**, 400 422 436
Philippe **Bouchard**, 409 415 546
Dominique **Bouchaud**, 851
SCEA Vignobles **Bouche**, 311
Dom. **B. et B. Bouché**, 680
Champagne **Bouché Père et Fils**, 601
Dom. Dominique **Bouche**, 976
Françoise **Bouché**, 826
Jean-Claude et Béatrice **Bouché**, 998
Monika **Boucher**, 770
SCEA Dom. **Bouchez-Crétal**, 418
Bouchié-Chatellier, 954
EARL Dom. du **Bouchot**, 954
EARL Mas de **Boudard**, 753
Céline **Boudard-Coté**, 391
F. **Boudat**, 210 309
Dom. Véronique et Pierre **Boudau**, 727
    1045 1093
R. **Boudigue et Fils**, 206
Eric et Solange **Bouet**, 700
SCEA **Bouffart-Audibert**, 374
EARL Ch. la **Bougerelle**, 760
Gérard **Bougès**, 340
Philippe **Bougreau**, 892
Sylvain **Bouhélier**, 419
Louis **Bouillot**, 419
Jean-Paul **Bouin-Boumard**, 853
Daniel **Bouland**, 162
Dom. Jean-Paul **Bouland**, 162
Patrick **Bouland**, 162
Champagne Raymond **Boulard**, 601
Jean-Marie **Bouldy**, 235
Dom. **Bouletin et Fils**, 1018 1054
Jean-Marc **Bouley**, 508
EARL **Boulin**, 183
Boullault Frères, 845
Paul-Emmanuel **Boulmé**, 219
Georges **Boulon**, 157
Jean-Paul **Boulonnais**, 601
Bouloumié et Fils, 782
GAEC des **Boumianes**, 991
GAEC des **Bouquerries**, 917
Jean et François **Bouquier**, 318
SARL Domaines **Bour**, 1032
Geneviève **Bourdel**, 685
Raymond **Bourdelois**, 602
Bourdens-Samacens, 1065
Ch. **Bourdicotte**, 183
Alain **Bourdier**, 940
SC Ch. le **Bourdieu**, 347
SC Ch. Le **Bourdieu-Vertheuil**, 338
EARL **Bourdin**, 889
Claude **Boureau**, 925
Champagne **Bourgeois**, 602
SARL Dom. Henri **Bourgeois**, 954 960
    964
Champagne **Bourgeois-Boulonnais**, 602
GAEC René **Bourgeon**, 391 566
Cave de **Bourg-Tauriac**, 222
Cave des Grands Vins de **Bourgueil**, 909
SARL Frédéric **Bourillon**, 933
Frédéric **Bourillon-Dorléans**, 928
Henri **Bourlon**, 280
Comtesse de **Bournazel**, 382
Dom. de **Bournet**, 1104
SA Pierre **Bourotte**, 235 245 275
GAEC de **Bourrassol**, 943
SCEV J.-P. et P. **Bourreau**, 860 878
Pascal **Bourrigaud**, 284
SCEA **Bourrigaud et Fils**, 255
Christiane **Bourseau**, 186 199

EARL dom. du **Bouscat**, 202
SA Ch. **Bouscaut**, 315
Jean-Jacques **Bousquet**, 783
Jean-Noël **Bousquet**, 684
Pierre **Bousquet**, 1101
SCEA **Bousquet**, 701 712
François-Régis **Boussagol**, 1088
Dom. Denis **Boussey**, 513 523
EARL du Dom. Eric **Boussey**, 525 530
Francis **Boutemy**, 318
Dom. Marc **Bouthenet**, 415
Boutière et Fils, 1015
G. **Boutillez-Vignon**, 602
Jack **Boutin**, 703
Boutinot, 1075
SCE des Domaines du Ch. **Boutisse**, 254
Gilles **Bouton**, 546
Dom. G. et G. **Bouvet**, 668
Bouvet-Ladubay, 838 884
Dom. René **Bouvier**, 442 444 447 483
Régis **Bouvier**, 442 444 447
Francis **Bouys**, 694
Dom. de la **Bouysse**, 682
Bernard **Bouyssou**, 777
EARL **Bouyx**, 305
Dom. **Bouzerand-Dujardin**, 523 530
Jean-Marie **Bouzereau**, 391 530
Michel **Bouzereau et Fils**, 531 537
Philippe **Bouzereau**, 525
Vincent **Bouzereau**, 519 530
Pierre **Bouzereau-Emonin**, 519
Hubert **Bouzereau-Gruère**, 531 537 542
EARL du mas des **Bouzons**, 976
Antoine **Bovard**, 1118
Michel **Boven**, 1123
GAEC Justin **Boxler**, 106 119
SCE Ch. **Boyd-Cantenac et Pouget**, 351
    355 356
Vincent **Boyé**, 200
Jean-Pierre **Boyer**, 758
Lydie **Boyer**, 602
Michel **Boyer**, 182 192 198 202
SA Vignobles M. **Boyer**, 373
Lionel **Boyreau**, 312
EARL Simone et Guy **Braillon**, 155
SAE du Ch. **Branaire-Ducru**, 370
Cave viticole de **Branceilles**, 1083
Vignoble **Branchereau**, 874 878 883
SC Ch. du **Branda**, 280
SCA des Ch. de **Branda et de Cadillac**,
    309
SA J.-F. **Brando**, 753
SCEA du Ch. **Brane-Cantenac**, 351
Branger et Fils, 847
Claude **Branger**, 847
EARL Didier **Branger**, 849
Guy **Branger**, 847
GAEC **Brard Blanchard**, 1076
Dominique **Brateau**, 602
EARL Anne et Christian **Braud**, 854
EARL **Brault**, 839
GAEC **Brault**, 837
GAEC **Brault Père et Fils**, 859
SARL La **Braulterie-Morisset**, 214
Camille **Braun**, 90 101
François **Braun et Fils**, 90
Bravard, 216
Christophe **Braymand**, 138
GAEC Jean et Benoît **Brazilier**, 938
Les vins **Bréban**, 763
Charles **Bréchard**, 137
Jean **Brecq**, 913
Marc **Brédif**, 929
Jean-Claude **Brelière**, 558
Louis-Michel **Brémond**, 1039
SCE Champagne Bernard **Bremont**, 650
SARL Dom. de **Brescou**, 1090
Pierre **Bresson**, 415
Noël **Bressoulaly**, 942

J.-P. et J.-G. **Bret**, 586
Jean-Daniel **Bretaudeau**, 849
Jean-Yves **Brétaudeau**, 853 1074
Jean-Marc **Breton**, 907
Pierre et Catherine **Breton**, 910
Roselyne et Bruno **Breton**, 905
SCEV **Breton Fils**, 602
Ch. du **Breuil**, 877
GAEC Yves et Denis **Breussin**, 929
AFG Ch. de **Briacé**, 843
Champagne **Brice**, 602
Odile **Brichèse**, 827
SA Champagne **Bricout et Koch**, 602
EARL Stéphane **Briday**, 558
SCEA Clos de la **Briderie**, 904
Jean-Marc et Marie-Jo **Bridet**, 306
Robert **Bridet**, 167
Ch. la **Brie**, 811 822
Yves **Brignon**, 134
Patrick et Paul **Briguet**, 1123
SA Ch. **Brillette**, 357
Dom. Luc **Brintet**, 562
Dominique **Briolais**, 224 228
EARL Philippe **Brisebarre**, 929
Dominique **Brisset**, 954
Gérard **Brisson**, 164
Sandrine **Britès-Girardin**, 618
SCEA Vins **Brobecker**, 80
Daniel **Brocard**, 663
SARL Jean-Marc **Brocard**, 392 429 430
Jean **Brocart-Grivot**, 404
Henry **Brochard**, 954
Dom. Hubert **Brochard**, 964
EARL **Brochard-Cahier**, 329
Jacques **Brochet**, 610
Brochet-Hervieux, 603
Francis **Brochot**, 603
Dom. **Brock**, 968
Marc **Brocot**, 442
Philippe **Brocourt**, 917
GAEC **Brondel Père et Fils**, 135
EARL **Bronzo**, 755
SCEA Yves **Broquin**, 202
Franck **Brossaud**, 872
Jean-Claude **Brossette**, 136
Paul André **Brossette et Fils**, 135
J.-J. et A.-C. **Brossolette**, 392
Laurent-Charles **Brotte**, 978 991 1003
    1018 1022
SA Roger Félicien **Brou**, 929
SCF Ch. des **Brousteras**, 326
Ch. **Brown**, 315
Frederick **Brown**, 704
SCEA du **Bru**, 193
Yves **Bru**, 710
Dom. **Bru-Baché**, 801
GAEC **Bruel**, 1089
Alain **Brugnon**, 603
Guilhem **Bruguière**, 693
Pascal **Brulé**, 392
Dom. de **Brully**, 462 489
Alain **Brumont**, 806 807 1081
Jean-Marc **Brun**, 975 990 1057
Jean-Paul **Brun**, 140 168
EARL Louis **Brun et Fils**, 788
SCEA Vignobles **Brun**, 375
SCEA Vignobles Yvan **Brun**, 247 267
Sté GFA **Brun**, 746
GAEC **Brun-Craveris**, 751
Yvan **Bruneau**, 912
EARL **Bruneau-Dupuy**, 911
Brunel, 1023
Maxime et Patrick **Brunel**, 1028
René **Brunel**, 1040 1104
EARL **Brunel et Fils**, 986
Georges **Brunet**, 929
Pascal **Brunet**, 917
Frédéric et Daniel **Brunier**, 1098
Philippe **Brunner**, 1121

Cave des Vignerons d'Estézargues, 975
Estienne, 757
Julien et Christiane Estoueigt, 802
Rémy Estournel, 981
Les Vignobles Philippe Estournet, 228
Ch. des Estubiers, 1032
SCEV Ch. d'Eternes, 885
Etienne, 614
Sté coopérative l'Etoile, 731 1042 1044
Ch. Eugénie, 779
Champagne Eustache Deschamps, 615
Jérôme Evesque, 1017 1020
Sélection Excelsus, 1124
Patrice Ey, 1051
EARL Vignobles Eymas et Fils, 218
EARL Eynard-Sudre, 223
Patrick Fabbro, 780
Thomas Fabian, 194
SCEA des Domaines Fabre, 735
Denis Fabre, 328
Jean-Marie Fabre, 709
Michel Fabre, 710
Pierre-Henri de La Fabrègue, 1047
Dom. Louise Fabry, 683
GAEC Dom. la Fadèze, 1092
EARL Vignobles Fagard, 203
SA Ch. Fage, 294
SCE du Ch. La Fagnouse, 258
SCEA Sylvie Fahrer, 81
Fahrer-Ackermann, 81
Maison Joseph Faiveley, 453 454 480 497
SCE du Ch. Faizeau, 278
André Faller, 76 90
SCEA Falloux et Fils, 885
SCEA Vignobles Falxa, 292
Faniel-Filaine, 615
SCEA Philippe Faniest, 270
EARL Michel Faraud, 1013
EARL Faravel, 1013
Dom. Chantal Fardeau, 838 864 878
SCEA Fardeau, 869
Philippe Farinelli, 772
Thierry Farjon, 1005
Rémy Fauchey, 330
Cave coop. Faugères, 706
Les Maîtres vignerons du Faugerois, 706
Vignobles Alain Faure, 216 220
Christian Faure, 696
David Faure, 344
Philippe Faure, 248
GFA Faure-Barraud, 260
Laurent Fauvy, 906
SCEA Favereaud, 219
Dom. Faverot, 1038
EARL Gérald Favre, 573
Simon Favre-Berclaz, 1124
Guillaume Fayard, 743
Jean-Pierre Fayard, 749
Clément Fayat, 240 258 271 339
Jean-François Fayel, 688
GAEC Fayolle, 1008
Philippe Fays, 615
EARL Denis Fédieu, 344
Feillon Frères et Fils, 227
GAEC Henri Felettig, 394 462 473
SCEA Félines Jourdan, 696
Dom. Hervé Félix, 395 440
Dom. de la Ferme Blanche, 753
La Ferme Saint-Pierre, 1034
Ch. Ferran, 317
Jacques Ferrand, 136
Pierre Ferrand, 919
Pierre et Michelle Ferrand, 258
Christophe Ferrari, 410 440
Ferraton Père et Fils, 1005 1010
Pierre Ferrand et Fils, 574 579 585
Jean-Marc Ferre, 1076
Sandrine Ferrer, 283

Dom. Denis et Bruno Ferrer Ribière, 723
EARL Ferri Arnaud, 696
Ch. Ferry-Lacombe, 741
Dom. Jean Fery et Fils, 502
SCEA Feschet Père et Fils, 995
Vins Henry Fessy, 575
Dom. de la Feuillata, 136
Champagne Nicolas Feuillatte, 615
Dom. William Fèvre, 422 426 432 438
SCEA Vignobles Georgette Feytit, 272
EARL Famille Fezas, 1066
Dom. Fichet, 395 574
SC Ch. de Fieuzal, 317
André et Edmond Figeat, 955
Champagne Bernard Figuet, 615
Filhol et Fils, 780
SCEA du Ch. Filhot, 379
Toussaint Filippi, 769
Paul Filliatreau, 885 891
Dom. Fillon, 406
EARL La Fine Goule, 1063
Gérard Fiou, 966
Daniel Fisselle, 926
Cave des Producteurs de Fitou, 709
Christian Flamy, 166
Paul Flandroy, 684
Claude Flavard, 697
SCEA Vignoble de Flavigny, 1108
René Fleck et Fille, 102
Dom. Fleischer, 97
René Fleith-Eschard et Fils, 97 109
François Flesch et Fils, 120
Roger, Romain, Vincent Flesia, 986
Claude Fleurance, 846
Charles Fleurance-Hallereau, 853
SCEA la Fleur Haut Brisson, 284
Cave Prod. des Grands Vins de Fleurie, 157 165
Caveau des Fleurières, 474
SC du Ch. La Fleur-Pétrus, 238
Champagne Fleury, 615
EARL Jean-Pierre et Eric Florance, 846
EARL Jean-Marc Floutier, 1086
Dom. de la Folie, 561
Dom. de la Foliette, 846
Dom. Follin-Arbelet, 477 490
Colette et Gérard Foltran, 694 1090
SA Ch. Fombrauge, 259
UC Foncalieu, 685 686 709 711 712
SCA Ch. Fonchereau, 204
Dom. Fond Croze, 981 1096
Dom. de Fondrèche, 1034
SARL de Fongaban, 280 284
Daniel Fonjallaz, 1132
Gérald Fonjallaz, 1131
Pascal Fonjallaz-Spicher, 1118
Antoine Fonné, 81
SC Ch. Fonréaud, 348
SCA Fonscolombe, 761
EARL Fonta et Fils, 310
Champagne Jean de La Fontaine, 616
Guy Fontaine, 1081
Michel Fontaine, 915
Mme Fontaine, 966
Vincent Fontaine, 136
Jean-Claude Fontan, 1066
Dom. Fontanel, 728
André Fontannaz, 1125 1126
Cave La Tine Hervé Fontannaz, 1125
Dom. du Fontenay, 949
Vincent Fonteneau, 707
SC Ch. de Fontenille, 290
Caveau des Fontenilles, 395
Cave coop. la Fontesole, 700
GAEC Fontségugne, 982
SCV Les Vignerons de Força Réal, 729 1046 1052
EARL Forest, 872

Eric Forest, 410 580
Dom. Foret, 654
SCEA Ch. la Forêt, 300
Les Vignerons Foréziens, 945
Florence et Joël Forgeau, 846
Grands Vins Forgeot, 409 505 562
Champagne Forget-Brimont, 616
Champagne Forget-Chemin, 616
Denis Fortin, 670 672
Régis Fortineau, 930
SCA les Viticulteurs du Fort-Médoc, 341
Laurent Fortune, 588
André Fouassier, 939
SA Fouassier Père et Fils, 966
Foucher-Lebrun, 912 966
Joël Foucou, 702
Fougeray de Beauclair, 1092
Dom. Fougeray de Beauclair, 443 466
SCEA du dom. Foulaquier, 697
Bernard Fouquet, 928
SCA Ch. Fourcas-Dumont, 348
Ch. Fourcas Dupré, 348
SC du Ch. Fourcas-Hosten, 348
SEA Fourcas-Loubaney, 349
SCEA Fourcaud-Laussac, 283
Fourcroy et Associés, 260
Daniel Fournaise, 616
SC Ch. Le Fournas, 338
SA Fournier Père et Fils, 946 955
Claire et Gabriel Fournier, 502
Denis Fournier, 689
Dom. Jean Fournier, 443
SCEA des Vignobles Fournier, 198
Thierry Fournier, 616
Champagne Veuve Fourny et Fils, 648
SCV Les Vignerons de Fourques, 1051
Champagne Philippe Fourrier, 616
SCA Fourrier et Fils, 886
EARL David Fourtout, 818 821
Rémy Fraisse, 1066
SCEA Ch. la Franchaie, 874
François Francisci, 770
François-Brossolette, 616
SCEA Ch. de Francs, 288
Dom. de Frégate, 756
Jean-Pierre Fresnier, 930
Benjamin de Fresne, 743
François Fresneau, 923 924
Fresnet-Baudot, 615
Robert Freudenreich et Fils, 91
Dominique Freyburger, 77 91
Georges et Claude Freyburger, 114
SARL Louis Freyburger et Fils, 81
Frey-Sohler, 81
Pierre Frick, 120
Xavier Frissant, 838 903
EARL Gérard Fritsch et Fils, 113
EARL Joseph Fritsch, 109
EARL Romain Fritsch, 121
Fritz-Schmitt, 77 102
Froment et Fils, 777
Maison Jean-Claude Fromont, 406
SCA Coop. de Frontignan, 1054
Cave de Fronton, 793
M. Frydman, 257
Dom. André Fuchs, 113
SC Ch. de Fuissé, 581
EARL Raphaël Fumey et Adeline Chatelain, 654 1068
EARL François Gabard, 200
Dom. de la Gabillière, 902
EARL Gabin, 309
Vignobles Véronique Gaboriaud-Bernard, 266
Denis Gabriel, 854
Pascal Gabriel, 617
Dom. Gachot-Monot, 480 484
Dom. Gadant et François, 395 554
EARL Dom. Gaget, 163

Jean-François **Gaget**, 147
Jean **Gagnerot**, 512
Michel **Gahier**, 1068
Gaidoz-Forget, 617
Pierre **Gaillard**, 1000 1004
EARL **Gaillard-Girot**, 617
GFA Ch. **Gaillarteau**, 186 205
SCEA vignobles Jean **Galand et Enfants**, 205
SC du Ch. la **Galante**, 205
SCEA Martine **Galhaud**, 267
Gisèle et Jean-Louis **Galibert**, 685
Rémy **Galichet**, 617
SCEA Pierre et André **Galinier**, 682
EARL Dom. de la **Galinière**, 931
Michelle **Galley-Golliard**, 580
Champagne **Gallimard Père et Fils**, 617
GAEC des **Galloires**, 856
Dom. Dominique **Gallois**, 448
Ch. du **Galoupet**, 741
GAEC Gilles **Galteau**, 910
Maison Alex **Gambal**, 395 448 456 473 533 543
Paul **Gambier et Fils**, 909
Mathieu **Gambini**, 766
EARL Jacques **Gandon**, 903
Dom. **Ganevat**, 660 663
Gérard **Gangneux**, 931
EARL Gilbert **Ganichaud et Fils**, 843
Gérald **Garagnon**, 982
Paul **Garaudet**, 523 533
José **Garcia**, 741
Jean-Claude **Garcin**, 1027
Sylviane **Garcin-Cathiard**, 237
SCEA **Garde et Fils**, 245 278
SCEA **Garde-Lasserre**, 239 241
Champagne Georges **Gardet**, 617
Dom. **Gardien**, 947
Jean-Pierre **Gardrat**, 1077
Dom. **Garnier**, 939
GAEC **Garnier**, 736
Dom. **Garnier et Fils**, 426
Ch. **Garreau**, 1066
SCEA Ch. **Garreau**, 223
SCEA **Garri du Gai**, 343
EARL Vignobles **Garzaro**, 189 209 236 237 242 259
Vignoble de **Gascogne**, 805 808 809 1082
Earl Pascal **Gasné**, 923
Fabrice **Gasnier**, 918
Gilles **Gasq**, 984
SCEA Ch. **Gasqui**, 742
Fabrice **Gass**, 615
Baron Georges Antony **Gassier**, 735
Michel **Gassier**, 688
EARL Roger **Gassier**, 690 1090
Jo **Gaudard**, 1125
Rolland **Gaudin**, 998 1016
EARL **Gaudinat-Boivin**, 617
Jean-Claude **Gaudrie**, 234
EARL Dom. Sylvain **Gaudron**, 931
Philippe **Gaultier**, 930
SCEA **Gaury et Fils**, 265
Henri et Agnès **Gaussen**, 757
Jean-Pierre **Gaussen**, 756
Dom. Raoul **Gautherin et Fils**, 438
Jean-Michel **Gautheron**, 426
François **Gautherot**, 617
Claude **Gauthier**, 128
EARL Jean-Paul et Hervé **Gauthier**, 158
EARL Pierre et Catherine **Gauthier**, 905
Laurent **Gauthier**, 166
Lionel **Gauthier**, 934
Benoît **Gautier**, 931
SCEA **Gautier et Fils**, 302
SCEA Jean **Gautreau**, 346
SARL Dom. de **Gavaisson**, 742
Ch. des **Gavelles**, 761
Dom. Philippe **Gavignet**, 481

Roselyne et Pierre **Gavoty**, 742
EARL François **Gay**, 488 490 502 506
SA Maurice **Gay**, 1125
Michel **Gay**, 490 502 506 509
Dom. de la **Gayère**, 982
GAEC **Gayet Frères**, 220
Les Dom. Philippe **Gayrel**, 787
Vignobles Philippe **Gayrel**, 790
Claire et Fabio **Gazeau-Montrasi**, 583
SCEA Ch. **Gazin**, 238
Ch. **Gazin Rocquencourt**, 318
Alan et Laurence **Geddes**, 787
Simone et Richard **Geiger-Kœnig**, 97 102
SA **Geisweiler**, 502
EARL Gérard et Gilles **Gelin**, 144
Dom. Pierre **Gelin**, 446
EARL Vignoble **Gélineau**, 836
Nicolas **Gélis**, 794
Jocelyne et Michel **Gendrier**, 935 937
Dom. Michel **Geneletti**, 663 665 1068
Sté coopérative de **Générac**, 214
Alain et Christophe **Geneste**, 820
Michel **Genet**, 617
SA La cave de **Genève**, 1133
Dom. des **Genèves**, 427
SCEA **Genevois**, 766
Cave coop. vinicole de **Génissac**, 193
SCEV Ch. **Génot-Boulanger**, 490 502 509 515
Cave des vignerons de **Genouilly**, 419 556 569
Génovési, 753
Dom. **Gentile**, 774 1058
GAEC Vignoble Daniel **Gentreau**, 855
Claude **Geoffray**, 149
EARL **Geoffrenet Morval**, 942
EARL **Geoffroy**, 825
Dom. Alain **Geoffroy**, 429 432
René **Geoffroy**, 617 651
EARL **Georgacaracos Filles et Fils**, 1066
EARL M.-C. **Georget**, 907
EARL de la **Gérade**, 742
Chantal et Patrick **Gérardin**, 820
François **Gérardin**, 819
Gilles **Gérault**, 827
Pierre **Gerbais**, 618
A. **Gerber**, 88
Dom. François **Gerbet**, 411 473
Jean-Michel **Gerin**, 1000
Germain, 618
Alain et Danièle **Germain**, 139
Didier **Germain**, 136
Dom. Jean-Félix **Germain**, 136
Gilbert et Philippe **Germain**, 416 515 523
Thierry **Germain**, 892
Vignobles **Germain et Associés Loire**, 860 875 878 881
EARL Dom. **Germain Père et Fils**, 516 529
SA Jean-René **Germanier**, 1125
GAEC **Gessler et Fils**, 1082
Christian **Giacometti**, 774
SA Casa Vinicola **Gialdi**, 1141
EARL **Gianesini**, 719
Jean-Daniel **Giauque**, 1135
Dom. **Gibault**, 898
EARL Chantal et Patrick **Gibault**, 898 939
SARL du **Gibeau**, 1063
Vignobles **Gibelin**, 690
Dom. Emmanuel **Giboulot**, 411 512
Jean-Michel **Giboulot**, 502
Robert **Gibourg**, 458
SCA Les Vignerons de **Gignac**, 702
Ch. **Gigognan**, 982
Cave des Vignerons de **Gigondas**, 981 1014
SCEA de **Gigondas**, 1014
Joël **Gigou**, 923

Dom. **Gilbert**, 951
Jean-Pierre **Gilet**, 931
Dom. Armand **Gilg et Fils**, 115
Dom. Anne-Marie **Gille**, 484 497
Jean-François **Gillet**, 329
Patrick **Gillet**, 333
EARL Philippe **Gillet et Fils**, 329
Max **Gilli**, 754
SA Robert **Gilliard**, 1126
Laurent **Gilloire**, 920
Walter **Gilpin**, 758
SCEA ch. des **Gimarets**, 166
Jean-Luc **Gimonnet**, 618
SA Pierre **Gimonnet et Fils**, 618
Pierre **Ginelli**, 190
EARL Dom. de **Gineste**, 786
Maison **Ginestet**, 194 308 312
Georges de **Ginestous**, 692
Paul **Ginglinger**, 116
Ginglinger-Fix, 102 111
EARL Alain **Giran**, 687
Dom. Jean-Jacques **Girard**, 494 502
Dom. Philippe **Girard**, 502
Noël **Girard**, 581
EARL Dom. Yves **Girardin**, 542 549
Xavier **Girardin**, 411
Pierre **Giraud**, 1024
SC Vignobles Robert **Giraud**, 274
EARL de la **Giraudière**, 885
EARL Dominique **Girault**, 896
Gérard **Giresse**, 223
GAEC Henri et Bernard **Girin**, 137
François et Dominique **Giroud**, 1126
Girousse, 1014
EARL Dom. de la **Giscle**, 742
SAE Ch. **Giscours**, 341 353
Willy **Gisselbrecht et Fils**, 81 88
SA Cagi-Cantina **Giubiasco**, 1140
Jacques **Giudicelli**, 1095
Muriel **Giudicelli**, 774 1058
Guy et Emmanuel **Giva**, 712 1094
SCE Bernard et Louis **Glantenay**, 520
SAS **Glauges des Alpilles**, 761
Michel **Gleizes**, 715
Laurent **Glémet**, 217
Paul **Glotin**, 294
EARL **Gobet**, 144
Champagne Pierre **Gobillard**, 618
Paul **Gobillard**, 618
Champagne J.-M. **Gobillard et Fils**, 618
Philippe **Gocker**, 97
Francine et Alain **Godard**, 1099
Robert **Godeau**, 900
GAEC Gérard et Jérôme **Godefroy**, 907 912
Jean-Paul **Godinat**, 960
Godineau Père et Fils, 882
Champagne **Godmé Père et Fils**, 619
Champagne Paul **Goerg**, 619
Michel **Goettelmann**, 81
SCE Vignobles **Goffre-Viaud**, 359
Chantal et Yves **Goislot**, 844
Dom. Anne et Arnaud **Goisot**, 395 441
Ghislaine et Jean-Hugues **Goisot**, 395 441
EARL Denis **Goizil**, 862 880
Albert **Goldschmidt**, 128
Thierry **Goliard**, 996
Michel **Gonet et Fils**, 295 619 632
Champagne Philippe **Gonet**, 619
Champagne **Gonet-Sulcova**, 619
Les Maîtres Vignerons de **Gonfaron**, 750
SCEA **Gonfrier Frères**, 196
Pascal **Gonnachon**, 171
Dom. **Gonon**, 581
Pierre **Gonon**, 1005
Pascal **Gonthier**, 1077
SARL Andrew **Gordon**, 830
SCV Vignerons des **Gorges du Tarn**, 798

Anne Gorostis, 719
Jean-Pierre Gorphe, 226
Champagne Gosset, 619
Laurent et Sylvie Gosset, 918
EARL Michel Goubard et Fils, 556 567
EARL E. et C. Goubault de Brugière,
814
Michel et Jocelyne Goudal, 251
Hervé Goudard, 767
Dom. Gouffier, 563
Dominique Gouillon, 143
GFA Pierre Goujon, 232
Anne-Lise Goujon et Pierre Chatenet,
249
Comte Baudouin de Goulaine, 854
Alain Goumaud, 287
Jacky Goumin, 900
SCEA Alain Gourdon, 884
Franck Gourdon, 880
EARL Gourjon, 744
Les Maîtres Vignerons de la Gourman-
dière, 900
GAEC Gouron, 918
EARL Gourraud, 285
Goussard et Dauphin, 620
Christophe Goutines, 714
René Goutorbe, 620
Dom. Jean Goyon, 581
GAEC du Dom. de Grabiéou, 805
Alain Gracia, 220
Bruno et Jean-Paul Gracia, 718
Michel Gracia, 262
Dom. du Grand Arc, 683
Ch. Grand Barrail Lamarzelle Figeac,
262
SCEA Ch. Grand Bertin de Saint Clair,
328
Dom. du Grand Cros, 743 1096
GAEC Grandeau et Fils, 195 207
SCE de La Grande Barde, 278 281
Dom. de la Grande Brosse, 878
SCEA du Grand Enclos de Cérons, 309
SC des Grandes Graves, 315 316 323
GFA Les Grandes Murailles, 256 262
Les Grandes Serres, 1024
GFA du Grand Fontanille, 1098
Dom. Grand Frères, 660 1069
Dom. GrandJacquet, 1035 1097
Lucien et Lydie Grandjean, 169
Les Vignerons de la Grand'Maison, 950
Dom. du Grand-Montmirail, 1014 1019
Christophe-Jean Grandmougin, 561
GAEC du Grand Moulin, 205
SC du Ch. Grand-Puy Ducasse, 343 361
Ch. Grand-Puy-Lacoste, 361
Dom. les Grands Bois, 982 994
SCEA Ch. Grands Champs, 283
SARL Grands Châteaux de Naujan, 302
Ch. Les Grands Chênes, 328
SARL des Grands Crus, 354
Cave des Grands Crus blancs, 585
SC les Grands Crus Réunis, 347
Grands Vignobles en Méditerranée, 1089
Grands Vins de Gironde, 187 188 220
Compagnie des Grands Vins du Jura,
653 665 1069
Alain Grangaud, 975
Dom. de la Grange Arthuis, 946
Cave de Grangeneuve, 199 211
Alain et Baptiste Grangeon, 1022
Germaine Granger, 154
Dom. la Grangette, 1086
EARL Granier, 697 1090
Françoise Granier, 1021 1026
Pierre et Philippe Granier, 988
Anne-Marie de Granvilliers-Quellien,
311
Champagne Granzany Père et Fils, 620
La Grappe de Gurson, 815

Alain Gras, 529
Bernard Gratas, 854 1075
Daniel Gratas, 850
EARL Gratian, 1066
Champagne Alfred Gratien, 620
Gratien et Meyer, 838 885
Ch. la Grave Béchade, 830
SARL Ch. Gravelines, 300
Cave la Gravette, 705
Cédric Gravier, 758
Les vignerons du Gravillas, 994
C. Greffe, 931
François Greffier, 290
Pierre-Henri et Patricia Grégoire, 842
EARL Vincent Grégoire, 907 912
Jean Greiner, 97
Gilles Gremen, 191
Caves de Grenelle, 838 886
Florence et Benoît Grenetier, 847
SCEA la Grenobloise, 743
Ch. Grès Saint-Paul, 697 1055
Dom. André et Rémy Gresser, 121
Isabelle et Vincent Greuzard, 574 588
Ch. Grézan, 707
Jean-Paul Grillet, 137
Marcel Grillet, 161
Les Vignerons de Grimaud, 737
Dom. Bernard Gripa, 1005 1012
Jean-Pierre et Philippe Grisard, 668 672
SC Dom. Albert Grivault, 534
Grivelet Père et Fils, 520
Catherine Grivot-Gonet, 619
Dom. Robert Groffier Père et Fils, 396
448 453 464 466
Grognuz Frères et Fils, 1119
SC Gromand d'Evry, 343
Grongnet, 620
SCE Gros et Fils, 239
Dom. Gros Frère et Sœur, 412 468 472
476
Christelle Gros, 741
Christian Gros, 490
Dom. A.-F. Gros, 412 470 473 476 503
Dom. Anne Gros, 396
Dom. Michel Gros, 473 481
Henri Gros, 473
Jean Gros, 664 666 1069
Dom. Grosbot-Barbara, 947
Dom. Serge Grosset, 878
EARL Henri Gross et Fils, 110
Corinne et Jean-Pierre Grossot, 433
Ch. Gruaud-Larose, 501
SARL Champagne Gruet, 620
SEV René Gruet, 310
Dominique Gruhier, 390
Guy Grumier, 620
Dom. Gruss, 121 125
Henri Gsell, 91
Joseph Gsell, 81 91
Christophe Gualco, 685
Henri Gualco, 683
Patrick Gualtieri, 737 746
Yves Guégniard, 858 883
SCEA Hubert Guéneau et Fils, 863 871
Jérôme Gueneau, 967
SCEA Louis Guéneau et Fils, 870
Patrick Guenescheau, 912
Michel Guérard, 808 1079
EARL Dominique Guérin, 854
Jean-Marc Guérin, 853
Philippe Guérin, 167 849
Thierry Guérin, 582 588
Cave Guillaume de Guerse, 703
René-Henry Guéry, 711
Dom. Gueugnon-Remond, 396 410
Dom. Guiberteau Eggerton, 886
SCE Baronne Guichard, 242
Philippe Guichard, 1088
Dom. du château de la Guiche, 569

E. Guigal, 1000 1002
GAEC Philippe et Jacques Guignard,
380
GAEC Guignard Frères, 313
Franck Guigneret, 658
Michel Guignier, 166
Guilbaud Frères, 849
Guilbaud-Moulin, 849
Irène Guilhendou, 802
SCEA Guillard, 448
SCEA Ch. Guillaume, 206
Vignoble Guillaume, 1106
Jean-Sylvain Guillemain, 962
Eric et Florence Guillemard, 529
Dom. Guillemard-Clerc, 509
EARL Guillemard-Pothier, 509
SCE du Dom. Pierre Guillemot, 503
Jacques Guillerault, 965
Daniel Guillet, 147
Laurent Guillet, 162
Christophe Guillo, 548
Jean-Michel Guillon, 396
Dom. Patrick Guillot, 558
Rodolphe Guimberteau, 279
SARL Vignobles Claude Guimberteau,
277
Benoît Guinabert, 383
Sylvie et Jacques Guinaudeau, 239
Dom. Guindon, 841
Maison Guinot, 679
Stéphane Guion, 907
GFA Ch. Guiot, 689
SCA du Ch. Guiraud, 380
Michel Guiraud, 716
Jean Guirouilh, 802
Corinne Guisez, 258
Champagne Romain Guistel, 620
Dom. Jean Guiton, 488 509 520
Emmanuel Guitteny, 852 1074
Dom. Michel Guitton, 438
Dom. Guitton-Michel, 427 433
Dom. Guntz, 82
Alain Guyard, 443 446 473
Jean-Pierre et Eric Guyard, 444
Jean-Yves Guyard, 412 484
Vignerons de Guyenne, 292
La Guyennoise, 330 360
Florence Guy-Fraisse, 715 1092
Dom. de Ch. Guynot, 1063
Dom. Antonin Guyon, 464 490 497 499
520 534
Dom. Dominique Guyon, 412 494
EARL Dom. Guyon, 470 474 481 503
Dom. Olivier Guyot, 396 443
EARL Jean-Marie Haag, 123
Dom. Robert Haag et Fils, 102
Jean-Paul Habert, 92
Vignoble Daniel Haeffelin, 91 97
Dom. Henri Haeffelin et Fils, 98 102
Dom. Materne Haegelin et ses Filles, 88
98
Bernard et Daniel Haegi, 82
Patrice et Anne-Marie Hahusseau, 935
Dom. Thierry Hamelin, 427
Champagne Hamm, 621
Emile Hanique, 525
Bernard Hansmann, 78
SA Ch. Hanteillan, 341
A. Hardy, 1088
Dominique Hardy, 847
Dom. Häremillen, 1110
Harlin, 621
Harlin Père et Fils, 621
Dom. Harmand-Geoffroy, 448 457
Adrian Hartmann, 1136
André Hartmann, 82 111
Gérard et Serge Hartmann, 111
Jean-Paul et Frank Hartweg, 102 114
Alain Hasard, 392

SCEA Grands vignobles **Loubrie**, 383
Ch. **Loudenne**, 331
Jacqueline **Louet**, 899
SCEA Dom. **Lou Fréjau**, 1024
EARL Michel **Louison**, 706
Jean-Louis **Loup**, 916
SCA Cave de **Lourmarin-Cadenet**, 1038
Yves **Louvet**, 630
Champagne Philippe de **Lozey**, 630
Cave du **Luberon**, 1035
CCV Les Vignerons du **Luc**, 750
Lucas-Pothier, 398
SCEA Ch. de **Lucey**, 668
Henri **Luddecke**, 196 208 304
Union de producteurs de **Lugon**, 199 230
Cave de **Lumières**, 1035
EARL Dom. de **Lunard**, 1098
Christian et Pascale **Luneau**, 843
Christophe **Luneau**, 853
Gilles **Luneau**, 845
Louis et Denis **Luneau**, 844
EARL Marc et Jean **Luneau**, 850
GAEC Michel et fils **Luneau**, 1076
Pierre **Luneau-Papin**, 842
Dom. Roger **Luquet**, 575
SCEA Vignobles **Luquot**, 239
Comte Alexandre de **Lur-Saluces**, 211
379 383
Vignobles André **Lurton**, 182 198 199
276 290 291 317 320 322
Béatrice **Lurton**, 186
Bérénice **Lurton**, 183
SA Jacques et François **Lurton**, 1078
1089
Gonzague **Lurton**, 352
SCEA Louis **Lurton**, 319
EARL Pierre **Lurton**, 292
EARL **Lusoli**, 830
Dom. de **Lusqueneau**, 904
Laurent **Lusseau**, 265
Raymonde **Lusseau**, 248
EARL Vignobles **Lusseaud**, 846
Maurice **Lutz**, 949
Jenni-Willy **Luzi**, 1137
Dom. du **Lycée viticole de Beaune**, 507
512
Lycée viticole de Mâcon-Davayé, 589
Lycée viticole d'Orange, 984
Michel **Lydoire**, 283
SCEA le **Lys**, 757
Frédéric **Mabileau**, 913
Dom. Laurent **Mabileau**, 908 913
EARL Jacques et Vincent **Mabileau**, 914
Jean-Claude **Mabileau et Didier Rezé**,
913
Jean-François **Mabileau**, 906 912
EARL Jean-Paul **Mabileau**, 911
GAEC Lysiane et Guy **Mabileau**, 913
Madeleine et Jean-Yves **Mabillard-
Fuchs**, 1126
Daniel **Mabille**, 932
Francis **Mabille**, 932
Vignobles **Mabille**, 203
Alain **Mabillot**, 963
Dom. Roger **Maby**, 984 1029
Daniel **Macault**, 872
SCE Dom. **Machard de Gramont**, 474
481
Gaëlle **Maclou**, 745
Lycée viticole de **Mâcon-Davayé**, 571
Hubert **Macquigneau**, 856
SCEA Dom. de la **Madeleine**, 1046
GAEC **Madeleineau Père et Fils**, 845
1075
EARL Dom. de la **Madone**, 151
EARL Gilles **Madrelle**, 932
Michel **Maës**, 303
Jean-Louis **Magdeleine**, 226
Henri **Magistrini**, 1125

Daniel **Magliocco**, 1127
SCEA Vignobles **Magnaudeix**, 273
Frédéric **Magnien**, 453 464 466 471 474
Jean-Claude **Magnien**, 696
Dom. Michel **Magnien et Fils**, 456 460
461 464
Mahieu, 820
SA **Mähler-Besse**, 192 257 258 336
Alain **Mahmoudi**, 794
Jean-Jacques **Mailhac**, 716
Dom. **Maillard Père et Fils**, 488 497 504
506
Michel **Maillart**, 630
Marcel **Maillefaud et Fils**, 1031
Jean-Jacques **Maillet**, 924
EARL Marc et Laurent **Maillet**, 932
Dom. Nicolas **Maillet**, 406
Champagne **Mailly Grand Cru**, 631
Henri **Maire**, 654 662 665
EARL Maison **Père et Fils**, 935
SCA Maison **Blanche**, 960
Ch. **Maison Noble Saint-Martin**, 199
SC Les **Maîtres Vignerons nantais**, 848
Chantal **Malabre**, 976
Dom. des **Malandes**, 423
Champagne J.-L. **Malard**, 631
Ch. **Malartic-Lagravière**, 320
EARL Guy **Malbète**, 963
Dom. Françoise **Maldant**, 492
Jean-Luc **Maldant**, 504
Cave la **Malepère**, 720
Ch. **Malescasse**, 344
SCEA Ch. **Malescot Saint-Exupéry**, 354
Aliénor et Alexandre de **Malet Roquefort**,
194 203
Léo de **Malet Roquefort**, 261 272
Jean-Claude **Malidain**, 853 1074
Danielle **Mallard**, 248 377
Dom. Michel **Mallard et Fils**, 492 500
504
Maison **Mallard-Gaulin**, 474 497 538 547
Dom. René **Malleron**, 967
Jean et Bernard **Mallet**, 224
Dom. Jean-Pierre **Maltoff**, 398
Ch. de la **Maltroye**, 544
Cave des vignerons de **Mancey**, 398 406
410 420 571 575
Dom. **Manciat-Poncet**, 582
Jean-Christophe **Mandard**, 899
Champagne Henri **Mandois**, 631
Denis **Manent**, 1040
EARL Ch. les **Mangons**, 297
Roger **Manigand**, 150
Dom. Albert **Mann**, 109
EARL Jean-Louis **Mann**, 107
EARL du **Manoir de Versillé**, 867 872
Manoir l'Emmeillé, 784
SCEA Famille **Manoncourt**, 259
Champagne **Mansard-Baillet**, 631
SCEA **Manzagol-Billard**, 920
Maradenne-Guitard, 781
Dom. **Maratray-Dubreuil**, 488 492
Michel **Maratuech**, 781
Patrice **Marc**, 631
SCEA **Marc**, 692
EARL Alain **Marcadet**, 897
Jérôme **Marcadet**, 936
Dom. de **Marcelin**, 110
SARL Jacques **Marchand**, 956
Maison Jean-Philippe **Marchand**, 412
450 481
Pierre **Marchand et Fils**, 956
René **Marchand**, 138
Dom. **Marchand Frères**, 457 461
Dom. **Marchand-Grillot**, 450
Marché aux vins, 456 544
EARL **Marchesseau Fils**, 910
R. et D. de **Marcillac**, 285
Dom. **Mardon**, 960

Guy et Jean-Luc **Mardon**, 900
EARL Catherine et Claude **Maréchal**,
398 506
Bernard et Ghislaine **Maréchal-Caillot**,
398 406 488 516
Cyril **Marès**, 688
Michel **Maret**, 1018
Jean-Luc **Marette**, 261
EARL Pierre **Marey et Fils**, 495
Toussaint **Marfisi**, 775 1058
Champagne A. **Margaine**, 631
EARL Jean-Pierre et Martine **Margan**,
1037
SC du Ch. **Margaux**, 196 354 355
Denise et Francis **Margerand**, 167
Gérard et Nathalie **Margerand**, 172
Jean-Pierre **Margerand**, 143
SCEA Ch. **Margillière**, 766
SCEA Ch. **Marguerite**, 793
Champagne **Marguet-Bonnerave**, 631
Dom. de **Marie**, 1037
Jean-Pierre **Marie**, 338
Champagne **Marie-Stuart**, 631
Robert et Marielle **Marin**, 578
Vignobles Louis **Marinier**, 185 226
Marinot-Verdun, 416
Henry **Marionnet**, 896
Patrick **Marné**, 926
Sté **Marnier-Lapostolle**, 971
Jean-Pierre **Marniquet**, 631
Dom. **Maroslavac-Léger**, 526 538
SCEA **Marot-Metzler**, 1035
Christian **Marou**, 1082
Ch. **Marquis de Terme**, 354
Cellier de **Marrenon**, 1034 1036 1039
SCEA **Marsalette**, 320
Ch. **Marsau**, 288
Gérard **Marsault**, 940
SCEV **Marsaux-Donze**, 225
Jacky **Marteau**, 899
José **Marteau**, 838
Champagne G.H. **Martel**, 632
SCEA du Dom. J. **Martellière**, 924
Ch. **Martet**, 297
SA dom. du **Martheray**, 1120
Bernard **Martin**, 139
Champagne Paul-Louis **Martin**, 632
Charles **Martin**, 812 822
Domaines **Martin**, 336 370 371
Dominique **Martin**, 886
Fabrice **Martin**, 474
François **Martin**, 984
Jean-Jacques **Martin**, 172
GAEC Luc et Fabrice **Martin**, 879
Patrice **Martin**, 160
GAEC Richard et Stéphane **Martin**, 570
587
EARL **Martin-Chantreau**, 889
SCEA **Martin-Comps**, 715
Ch. la **Martinette**, 744
Martin-Luneau, 848
Martin-Pierrat, 698
EARL Henri **Martischang**, 88 104
Laurent **Martray**, 148
Anne-Marie **Marty**, 945
Marie-Odile **Marty**, 744 1097
Denis **Marx**, 632
Christophe **Mary**, 534 538
Jean-Luc et Jean-Albert **Mary**, 891
SCEA Ch. La **Marzelle**, 266
Dom. Paul **Mas**, 700
Roland **Mas**, 287
Dom. **Mas Amiel**, 729 1049 1094
Dom. **Mas Bécha**, 723
EARL du **Mas Bleu**, 762
SARL Ch. **Masburel**, 825
Ch. **Mas Neuf**, 689
Dom. **Masse Père et Fils**, 567
Joseph de **Massia**, 722 724

Champagne Rémy **Massin** et **Fils**, 632
Thierry **Massin**, 632
Jean-Michel **Masson**, 956
Marie-France **Masson**, 991 1057
Match, 145
Jean-Luc **Matha**, 798
Hervé **Mathelin**, 632
Béatrice et Gilles **Mathias**, 398 420 583 585
Champagne Serge **Mathieu**, 633
SCEA du Dom. **Mathieu**, 1024
Yves **Mathieu**, 138
SARL **Mathieu-Princet**, 633
Armand **Mathieu-Resuge**, 750
EARL Yves **Matignon**, 861
Dom. des **Matines**, 836 887
GFA Dom. de **Matourne**, 744
Bernard **Matray**, 151
Denis et Valérie **Matray**, 169
SCE Dom. **Matrot-Wittersheim**, 536
Matton-Farnet, 745
GFA Dom. **Mau**, 199
SA Yvon **Mau**, 184 193 196 201 204 206 327 333 356 370 814
Jacques **Maubert**, 1036
Ch. **Maucaillou**, 357 358
Ch. **Maucamps**, 344
Prosper **Maufoux**, 398 544 564
Jean et Alain **Maufras**, 321
EARL Jean-Paul **Mauler**, 83 99
GAEC **Maulin** et **Fils**, 205
Pierre **Maunier**, 748
EARL du **Maupa**, 427 434
SCEA Ch. **Maurac**, 344
SARL Vignobles Alain **Maurel**, 719
Christian **Maurel**, 752
SA **Maurel Vedeau**, 1085
Albert **Maurer**, 77 103
Jean-Michel **Maurice**, 504
Michel **Maurice**, 128
Mauroy-Gauliez, 953
SCV Les Vignerons de **Maury**, 1049 1052
Ch. de **Mauvanne**, 745
Louis **Max**, 551 564
Jean-Luc **Mayard**, 1023
SA Les Fils **Maye**, 1125
Carlo et Joël **Maye** et **Fils**, 1122
Simon **Maye** et **Fils**, 1127
Marlène et Alain **Mayet**, 815 818
Maynadier, 708
Les Vignobles du **Mayne**, 820
SARL **Mayne-Guyon**, 217
SCEA du **Mayne-Vieil**, 233
J.-C. **Mayordome**, 996 1015
Annie et Jean-Pierre **Mazard**, 686
Pascal **Mazet**, 633
Anne **Mazille**, 174
Dom. **Mazilly Père** et **Fils**, 417 517
Patrick et Véronique **Mazoyer**, 565
Serge et Brigitte **Méchineau**, 843
Christian **Médeville**, 313
Vignerons de la **Méditerranée**, 687 711 712 1087
Méditerroirs, 723 725
Christian **Meffre**, 987 1016
Gabriel **Meffre**, 978 984 995 1014 1055
SCEA des Domaines Jack **Meffre** et **Fils**, 981
Jack et Christian **Meffre**, 1026
SCEA Jean-Pierre et Martine **Meffre**, 987 1016
Dom. du **Meix-Foulot**, 565
Pascal **Mazet**, 633
Françoise et Nicolas **Melin**, 584
Jean-Jacques et Liliane **Melinand**, 158
Michel et Claire **Mélinand**, 157
SCEA Alphonse **Mellot**, 967
SA Joseph **Mellot**, 956 968

Dom. L. **Menand Père** et **Fils**, 565
Hervé **Ménard**, 908
SCEA Vignobles Jean-François **Ménard**, 196 200 301
Joël et Christine **Ménard**, 881
SC **Ménard-Gaborit**, 854
Christian **Menaut**, 417
EARL Vignobles **Menaut**, 188
Cantina sociale **Mendrisio**, 1141
Viviane **Mennesson**, 1092
Ch. de **Mercey**, 417
Mercier, 728
A. et Ph. **Mercier**, 723 1051
Champagne **Mercier**, 633
Denis et Anne-Catherine **Mercier**, 1127
Jean-Michel **Mercier**, 852
Les Vignobles **Mercier**, 855
SCEA de **Mercurio**, 691
SCEA Ch. **Méric**, 331
M. **Méric** et **Fils**, 372 375
GAEC Jean-François **Mérieau**, 896
Antoine **Merlaut**, 339
Dom. du **Merle**, 399
Mathilde et Bruno **Merle**, 736
SCEA **Merle** et **Fils**, 975
François **Merlin**, 1002
Bernard **Mermoud**, 1127
Dom. **Mesliand**, 903
Famille **Meslier**, 381
Famille **Meslin**, 265
Robert **Meslin**, 440
Yves de **Mestral**, 1119
Mestre Père et **Fils**, 551
Jean-Claude **Mestre** et Yannick **Gasparri**, 980 1022
GAEC **Mestreguilhem**, 269
Dom. **Mestre-Michelot**, 534
EARL **Métayer** et **Fils**, 790
Jacques **Métral**, 667
Philippe et Véronyc **Mettaz**, 1127
Hubert **Metz**, 83 123
Metz-Laugel, 126
Dom. de la **Meulière**, 427 434
Didier **Meuneveaux**, 492 498
SCEA **Meunier** et **Fils**, 273
Dom. du Château de **Meursault**, 399 510 521
Maison Alfred **Meyer**, 122
Benoît **Meyer**, 204
Félix **Meyer**, 99
Gilbert **Meyer**, 104 111
Jean-Luc **Meyer**, 107
EARL Lucien **Meyer** et **Fils**, 84 92
EARL Dom. René **Meyer** et **Fils**, 84 108
Meyer-Fonné, 84 99
Pierre-Alain **Meylan**, 1120
SCEA des Vignobles **Meynard**, 286
SCA **Meynard** et **Fils**, 193 202
SA Ch. **Meyre**, 344 352
SCEA Vignobles Alain **Meyre**, 342
André **Méziat**, 165
Gilles **Méziat**, 156
Pierre **Méziat**, 156
Méziat Père et **Fils**, 155
Vignobles E. F. **Miailhe**, 346
Didier **Michaud**, 333
EARL Thierry et Dorothée **Michaud**, 838 899
SCEA Jean-Claude **Michaut**, 399
Françoise **Michaut-Audidier**, 475
René **Micheau-Maillou**, 243
Bruno **Michel**, 633
Champagne Jean **Michel**, 633
Dom. **Michelas-Saint-Jemms**, 1009
Louis **Michel** et **Fils**, 427 434 438
SCEV G. **Michel** et **Fils**, 633
Dom. René **Michel** et ses **Fils**, 575 578
Jean-Louis **Michelland**, 762
Dom. La **Michelle**, 1098

Dom. **Michelot**, 399
Frédéric **Michot**, 956
Guy et Odile **Michot**, 956
Charles **Mignon**, 633 645
Pierre **Mignon**, 634
Jean-Paul **Migot**, 822
Champagne **Milan**, 634
Philippe **Milan** et **Fils**, 561
SARL Ch. **Milens**, 272
SA **Milhade**, 191
SCE Vignobles Jean **Milhade**, 209 275
Ch. **Milhau-Lacugue**, 717
Jean-Yves **Millaire**, 229
Ch. de **Mille**, 1039
Franck **Millet**, 968
Gérard **Millet**, 968
Philippe **Millet**, 433
Albane et Bertrand **Minchin**, 952
GAEC Claude **Minier**, 938
SCEV Ch. de **Minière**, 908
SCPA Xavier **Minvielle**, 259
EARL Dom. Christian **Miolane**, 144
Dom. Patrick **Miolane**, 544 548
Raymond **Miquel**, 1057
EARL du Dom. de **Mirail**, 1082
SCEA Vignobles **Mirande**, 286
Maison **Mirault**, 932
Ch. **Miraval**, 766
SA Ch. **Miraval**, 745
Ch. **Mire L'Etang**, 700
Maison P. **Misserey**, 465 481 485 563
SC Dom. Paul **Misset**, 482
Christian **Mocci**, 699
Dom. Frédéric **Mochel**, 105
EARL Vignobles Claude **Modet** et **Fils**, 301
SCEA Jos. **Moellinger** et **Fils**, 84 112
Champagne **Moët** et **Chandon**, 634
Dom. de **Mohune**, 787
Moillard, 149 151 399 459 492 535
Dom. **Moillard**, 450 486
SNC Jean-Yves et François **Moine**, 1063 1077
Moingeon, 420
Dom. **Moissenet-Bonnard**, 517
SARL Vignobles de **Molesmes**, 418
Les Vins **Molière**, 700
EARL Armelle et Jean-Michel **Molin**, 446
SCEA **Molinari** et **Fils**, 312
Famille **Molinier**, 690
Florian **Mollet**, 968
Jean-Paul **Mollet**, 957
Dom. Antoine **Moltès** et **Fils**, 120
Mommessin, 164 576
Pierre **Monachon**, 1120
Dom. la **Monardière**, 984 1019
Cave coopérative de **Monbazillac**, 814
SA Ch. **Monbousquet**, 267
SCEA Catherine **Moncho-Yung**, 302
Ch. **Moncontour**, 932
Champagne Pierre **Moncuit**, 634
Champagne Robert **Moncuit**, 634
Alain **Monestié**, 788
SCEA **Monestier La Tour**, 817
Dom. **Mongeard-Mugneret**, 472 475 504
Dom. **Monin**, 674
Jean-Guy **Monmarthe**, 634
EARL A. **Monmousseau**, 931
Dom. René **Monnier**, 521 535 538
Edmond **Monnot**, 554
Stéphane **Monnot**, 555
Dom. **Monnot-Roche**, 417
SCEA Jean-Baptiste de **Monpezat**, 781
SCEA du dom. **Monrozier**, 158
Dom. de **Mons**, 1066
Groupe de Producteurs de **Montagne**, 276 278
Thomas **Montagne**, 1038

1176

Bernard **Omasson**, 909
Omnivins, 186
Baron Roland de **Onffroy**, 225
Eddy **Oosterlinck-Bracke**, 861 879
Gérard **Opérie**, 373
Champagne Charles **Orban**, 635
GFA **Orenga** de **Gaffory**, 775 1058
Ch. **d'Or et de Gueules**, 690
Union des Producteurs d'**Orgnac-l'Aven**, 1040
Jean, Marie-Thérèse et François **Orliac**, 698
Cave de l'**Ormarine**, 701
Dom. de l'**Orme**, 428
Dom. des **Ormes**, 424
Jean-Pierre et Jean-François **Orosquette**, 711 1093
SA Caves **Orsat**, 1128
Ch. **d'Orschwihr**, 92
François **Orsucci**, 770
Patricia **Ortelli**, 765
SCEA des dom. Georges **Ortola**, 701
SA Dom. **Ott**, 758
Dom. **Otter** et **Fils**, 85 104
Champagne **Oudinot**, 636
Bruno **Oulié**, 805
Dominique **Pabiot**, 957
Jean **Pabiot** et **Fils**, 957
Dom. Roger **Pabiot** et ses **Fils**, 957
Pacaud-Chaptal, 694
Jean-Louis **Page**, 920
Alexandre **Pagès**, 703
Jean-Pierre **Pagès**, 1038 1098
Marc **Pagès**, 334 720
Maryline **Pagès**, 694
EARL James et Nicolas **Paget**, 899 903
Champagne Bruno **Paillard**, 636
Martine **Paillet**, 734
EARL Dom. Charles **Pain**, 920
Philippe **Pain**, 917
Jacques **Painturaud**, 1063
Georges et Denise **Paire**, 949
Jean-Jacques **Paire**, 139
Martine **Palau**, 301
Dom. **Palisses-Beaumont**, 459
Les Vignerons de la **Palme**, 709
Ch. **Palmer**, 350 355
Champagne **Palmer** et **C°**, 636
Ch. **Paloumey**, 345 350 358
Ch. de **Pampelonne**, 746
Jean **Panis**, 711
Panisseau SA, 817
Dom. Eric **Pansiot**, 413 486
Thierry **Pantaléon**, 914
Ch. **Pape Clément**, 321
EARL **Papillon**, 575
Romain **Papilloud**, 1122
EARL Agnès et Christian **Papin**, 860 867 872
Claude **Papin**, 874 880
Catherine **Papon-Nouvel**, 286
EARL **Paquereau**, 845
Champagne **Paques** et **Fils**, 636
François **Paquet**, 134 141
Jean-François **Paquet**, 141
Jean-Paul **Paquet**, 128 581 585 588
Michel **Paquet**, 589
SCEA **Paquette**, 740
EARL Le **Parandou**, 1015
SCEA du **Parc Saint-Charles**, 985
SCEA vignobles de **Pardieu**, 226
Pardon et **Fils**, 167
SAE Dom. **Parent**, 510 517
Dom. Annick **Parent**, 517 521 524
François **Parent**, 400 477 517
Pierre **Parent**, 936 937
Alain **Paret**, 1006
Chantal **Pargade**, 249
Paul **Pariaud**, 144

Dom. **Parigot Père** et **Fils**, 417 510 517
Marie-Louise **Parisot**, 545 556 583
Parize Père et **Fils**, 568
Cave coop. de vinification La **Paroisse**, 341
Pascal, 1006
Famille **Pascal**, 756
Pascal-Delette, 636
Michel **Pascaud**, 310
GAEC Didier **Pasquereau**, 850
Laurence et Marc **Pasquet**, 261
Marc **Pasquet**, 217
Patrick **Pasquier**, 890
Hervé **Passama**, 726
Dominique **Passaquay**, 1128
Bernard **Passot**, 164 170
EARL Dominique et Rémy **Passot**, 170
Jacky **Passot**, 156
Maurice **Passot**, 162
Yves **Pastourel** et **Fils**, 1054
Dom. **Pastricciola**, 775
SA **Patache d'Aux**, 326 332
Sylvain **Pataille**, 443
EARL Dom. de la **Patience**, 690
Denis **Patoux**, 636
Patriarche Père et **Fils**, 459
Alain **Patriarche**, 400
Aline et Joël **Patriarche**, 524
EARL Jean **Pauchard** et **Fils**, 416
Arnaud **Pauchet**, 209
Paul, 1100
Jean-Marie **Paul**, 747
Ph. **Paul-Cavallier**, 763
Clairette de **Paulhan**, 681
SC J. et J. **Pauly**, 379
Alain **Pautré**, 428
Jacques **Pautrizel**, 224
SCEA **Pauty**, 261
Guy **Pauvert** et **Fils**, 829
SCEA **Pauvif**, 215
Jean-Marc et Hugues **Pavelot**, 504
EARL Dom. Régis et Luc **Pavelot**, 495 500
SCA Ch. **Pavie-Decesse**, 268
SCEA Ch. **Pavie Macquin**, 268
Dom. du **Pavillon**, 492
SCEA Ch. du **Pavillon**, 374
SCAV **Pavillon** de **Bellevue**, 332
Dom. du **Pavillon** de **Chavannes**, 152
Les Vignerons du **Pays Basque**, 799 800
SCA des Grands Vins de **Pazac**, 689
SCEA **Pécharnaud**, 202
Jocelyne **Pécou**, 825
GAEC de **Pécoula**, 817 823
SCEA Ch. **Pédesclaux**, 363
GAEC Les grands terroirs **Pehu**, 637
Franck **Peillot**, 674
Jean **Peitavy**, 1087
Luc **Peitavy**, 1087
Dom. **Pélaquié**, 985 1028
SCEV François **Pélissié**, 779
Patrick **Pelisson**, 1035
Annatina **Pelizzatti**, 1137
SARL Henry **Pellé**, 951 952 969
Joël **Pellefigue**, 1082
Jean-Pierre **Pellegrin**, 1132
Ets **Pellerin**, 139 147
Pelletier, 160
Bruno **Pelletier**, 160
Florence **Pelletier**, 1107
Jean-Christophe **Pelletier**, 916
Jean-Michel **Pelletier**, 637
Pelorce-Arquetout, 688
Pierre **Pelou**, 1046
Vincent **Peltier**, 933
Patrick **Penaud**, 213
Annick **Penet**, 909
Dom. Jean-Marie **Penet**, 900
SCEA Ch. de **Pennautier**, 719

Régine **Pénon-Guex**, 1128
François **Péquin**, 902
Jean-Baptiste **Percevaux**, 669
EARL **Perdriaux**, 934
Dom. de la **Perdrix**, 724
Philippe **Perdrix**, 674
Dom. du **Père Benoit**, 152
Dom. du **Père Pape**, 1022
Jean-Baptiste de **Peretti della Rocca**, 772
SCEA Vignobles Y. et C. **Père-Vergé**, 239
Michel **Perey**, 1117
GFA **Perey-Chevreuil**, 271
Ch. **Périn** de **Naudine**, 312
Champagne Jean **Pernet**, 637
Pernet-Lebrun, 637
EARL Paul **Pernot** et ses **Fils**, 536
GFA de **Perponcher**, 201 289
Jacques **Perrachon**, 159 167
Laurent **Perrachon**, 160
Pierre **Perrachon**, 154
Jacques et Marie-Thérèse **Perraud**, 142
Cave Beaujolaise du **Perréon**, 148
André **Perret**, 1002
Yves-Alain **Perret**, 1121
Michel **Perrier**, 157
SA Champagne Joseph **Perrier**, 637
Dom. de la **Perrière**, 921
SCEA Dom. de la **Perrière**, 969
Cave Les **Perrières**, 1132
Champagne **Perrier-Jouët**, 637
SA Dom. Jean **Perrier Père** et **Fils**, 669 672
Perrin et **Fils**, 985
Alain-Dominique **Perrin**, 781
Dom. Christian **Perrin**, 492
Louise **Perrin**, 518
Dom. Noël **Perrin**, 408
Philibert **Perrin**, 319
Robert et Bernard **Perrin**, 138
Dom. Roger **Perrin**, 985 1025
EARL Champagne Daniel **Perrin**, 637
EARL Jacques et Guillaume **Perromat**, 378
Jacques **Perromat**, 305
Jean-Xavier **Perromat**, 311
Henri **Perrot-Minot**, 451 456 457 459 465
Robert **Perroud**, 149
SCEV Dom. de la **Perruche**, 892
Gérard **Perse**, 268
Isabelle et Benoist **Perseval**, 637
Gilles **Persilier**, 943
Vins des **Personnets**, 573 587
EARL Luc **Pétard**, 851
EARL Philippe **Pétard**, 851
Champagne Pierre **Peters**, 637
Jean-Louis **Pétillat**, 947
Camille et Marie-Thérèse **Petit**, 910
Dom. Désiré **Petit**, 655 1069
EARL des Vignobles Francis **Petit**, 217
Jack **Petit**, 861
Vignobles Jean **Petit**, 266 283
Jean-Michel **Petit**, 656
Vignobles Marcel **Petit**, 260
Dom. Jean **Petitot** et **Fils**, 482 486
EARL Dom. du **Petit Paris**, 817 820
SCEA les Vignobles Mireille **Petit-Roudil**, 1030
Dom. de **Petra Bianca**, 770
SC du Ch. **Petrus**, 240
SCEA Ch. **Peychaud**, 226
SARL Ch. **Peyrabon**, 345 361
Patrick **Peyrette**, 803
Jean-Pierre **Peyrondet**, 191
SCEA Domaines **Peyronie**, 361
Christophe **Peyrus** et Françoise **Julien**, 694
EARL Vignobles **Peyvergès**, 195

PRODUCTEURS

Dom. **Puydeval**, 1088
SC Ch. de **Puygueraud**, 289
SCEA Ch. **Puy Guilhem**, 233
SCEA **Puy-Servain**, 821 825
Jacques **Py**, 1042
André **Quancard-André**, 182 192 220 225 226 326 360
Cave des **Quatre-Chemins**, 988
Régis **Quatresols**, 640
Cellier des **Quatre Tours**, 762 1099
Dom. des **Quayrades**, 986
André et Michel **Quénard**, 670
Dom. J.-Pierre et J.-François **Quénard**, 670
Les Fils de René **Quénard**, 670
Champagne **Quénardel et Fils**, 640
GFA du Ch. **Quercy**, 269 270
Vignerons du **Quercy**, 784
Jean-Michel **Quéron**, 201
Michel **Querre**, 268
SCV Jean **Queyrens et Fils**, 375
Jean-Michel **Quié**, 338 361
Maurice **Quinard**, 674
GAEC Ch. de **Quinçay**, 900
Cave beaujolaise de **Quincié**, 144
SARL Vignobles **Quinney**, 193 201
SCEA **Quintin Frères**, 947
Gérard **Quivy**, 451
Cave de **Rabastens**, 789 1081
A. C. **Rabatel et B. Ferary**, 1034
SICA des Caves des Vins de **Rabelais**, 918
Vignobles **Rabiller**, 345 367 368
Pierre **Rabouy**, 185
Denis **Race**, 435
EARL Jacques **Raffaitin**, 969
EARL Jean-Maurice **Raffault**, 921
Julien **Raffault**, 921
SARL Olga **Raffault**, 921
Raffinat et Fils, 942
Denis **Rafflin**, 640
Pierre **Ragon**, 961
Dom. Jean-Paul **Ragot**, 568
GAEC **Ragotière**, 1074
SCEA Dom. des **Raguenières**, 910
EARL **Raguenot-Lallez-Miller**, 220
GAEC **Rahard**, 870
GAEC J. et G. **Raimbault**, 933
Noël et Jean-Luc **Raimbault**, 969
Philippe **Raimbault**, 957 969
Roger et Didier **Raimbault**, 969
Vincent **Raimbault**, 933
Dom. **Raimbault-Pineau**, 946 970
Didier **Raimond**, 640
Ch. **Ramage La Batisse**, 345
SCEA François **Rambeaud**, 279
Jean-Pierre **Rambier et Fils**, 698
Guy **Rambier et Jacques Tournant**, 696
David **Ramnoux**, 1064
Henri **Ramonteu**, 801
Marc **Ramu**, 1132
Ch. de **Raousset**, 165
SCEA Héritiers de **Raousset**, 156
Michel **Raoust**, 770
Philippe **Raoux**, 350
EARL François **Rapet et Fils**, 529
Dom. **Rapet Père et Fils**, 493 495 498 500 511
Vincent et Béatrice **Rapin**, 191
François **Raquillet**, 565
Olivier **Raquillet**, 565
Jean-Claude **Raspail**, 1031
Didier **Rassat**, 960
Georges et Denis **Rasse**, 1102
Champagne **Rasselet Père et Fils**, 640
Cave de **Rasteau**, 1057
Les Vignerons de **Rasteau et de Tain-l'Hermitage**, 992 1000 1006
SCEA Dom. des **Ratas**, 946

SCEA Ch. **Ratouin**, 240
Bernard et Michel **Ratron**, 891
Marius **Rault**, 927
Union de producteurs de **Rauzan**, 187 192 290 292
SCA du Ch. **Rauzan-Gassies**, 355
SA Ch. **Rauzan-Ségla**, 355
Jean-Marc **Ravaille**, 696
Rémy et Dominique **Ravaute**, 762 1099
EARL Olivier **Ravier**, 139 152
Cave François **Ray**, 948
Denis **Raymond**, 988
Yves **Raymond**, 349
SC du Ch. de **Rayne Vigneau**, 197 379 381 382
SARL **Rayons vins**, 1099
EARL Ch. la **Rayre**, 818
Cave du **Razès**, 720
Coop. des Vignerons de l'Ile de **Ré**, 1078
SCEA Ch. **Réal Martin**, 766
Claude **Reaut**, 183
Jean-Pierre **Rebeilleau**, 888
Laurent **Rebes**, 328
Dom. Michel **Rebourgeon**, 511 522
Dom. **Rebourgeon-Mure**, 511 518 522
NSE Dom. Henri **Rebourseau**, 452 457 469
Georges **Rebut**, 133
SA Michel **Redde et Fils**, 959
Pascal **Redon**, 641
SCEA **Regaud**, 293
Famille **Reggio**, 762
Dom. **Régina**, 128
Bernard **Réglat**, 309
Guillaume **Réglat**, 313
EARL Laurent **Réglat**, 303 373
Régnard, 424 428 435 439
Bernard **Regnaudot**, 555
Jean-Claude **Regnaudot et Fils**, 552 555
GAEC des vignobles **Reich**, 324
Reine Pédauque, 498 500
Pierre **Reinhart**, 85
Pierre-Luc **Rémondeulaz**, 1124
Gilles **Remoriquet**, 413 475 482
Dom. des **Remparts**, 401
Gabriel **Remuet**, 145
Bernard **Rémy**, 641
Dom. Louis **Remy**, 454 460 461 465
SCEA Roger et Joël **Rémy**, 401 506
SA Les Dom. **Rémy-Martin**, 1077
Jacques **Renaudat**, 963
Dom. Valéry **Renaudat**, 963
SCEA Dom. de la **Renaudie**, 827
EARL Raymond **Renck**, 77 118
J.-L. et M.-P. **Rendu**, 723
Evelyne **Rénier**, 199 291
SCEA René **Renon**, 352
GAEC **Renou Frères**, 841
Claude **Renou**, 914
GAEC Joseph **Renou et Fils**, 879
Dom. René **Renou**, 882
David **Renouil**, 326
Renoud-Grappin et Périnet, 574
Bernard **Renucci**, 771
Ch. **Réquier**, 747
La **Réserve des Domaines**, 135 147 171
Resses et Fils, 778
EARL **Rétiveau-Rétif**, 890 891
SCE Dom. de **Reuilly**, 963
Damien **Reulier**, 835
Muriel et Patrick **Revaire**, 216
Ch. **Revelette**, 762
Xavier **Reverchon**, 661 662
Bernard **Reverdy et Fils**, 970
Bernard-Noël **Reverdy**, 967
Dom. Hippolyte **Reverdy**, 970
Jean **Reverdy et Fils**, 970
GAEC Pascal et Nicolas **Reverdy**, 970

Patrick **Reverdy**, 687
Reverdy-Cadet et Fils, 972
Dom. **Reverdy-Ducroux**, 970
Revollat, 157
EARL les Héritiers de Marcel **Rey**, 988
Michel **Rey**, 589
Simon **Rey et Fils**, 215
EARL Isabelle **Rey-Auriat**, 780
EARL la **Reynarde**, 1035 1098
SCEA Dom. de la **Reynardière**, 707
EARL Vignobles **Reynaud**, 312
Ch. la **Reyne**, 782
Jean-Yves **Reynou**, 820
Guillaume **Reynouard**, 886
Hubert **Reyser**, 77 85
La Compagnie **rhodanienne**, 981
Cave vinicole de **Ribeauvillé**, 117 119
Ribes, 794
Jean-Marc **Ribet**, 705
Ch. **Ricardelle**, 703
Ch. de **Ricaud**, 197 374
SCEA Vignobles Y. **Ricaud-Lafosse**, 376
EARL André **Richard**, 988 1017 1020
EARL des Vignobles Benoît **Richard**, 257
SCEA Dominique **Richard**, 844
Hervé et Marie-Thérèse **Richard**, 1003 1006
Jean-Pierre **Richard**, 856
Philippe **Richard**, 921
Pierre **Richard**, 664
Richard et Jooris, 784
Tim **Richardson**, 819
Jean-Pierre **Richarte**, 1078
SCEA Dom. **Riche**, 1021
EARL Ch. **Richelieu**, 234
Dom. **Richou**, 863 867 872
Thierry **Richoux**, 440
Dominique **Ricome**, 691
André **Rieffel**, 93 122
Dom. **Rieflé**, 120
EARL Pierre et Jean-Pierre **Rietsch**, 124
Ch. **Rieussec**, 382
Dom. René **Rieux - CAT Boissel**, 789
SCEV Claude **Riffault**, 970
Pierre **Riffault**, 965
EARL Vignobles **Rigal**, 816
Champagne Marc **Rigolot**, 641
Françoise **Rigord**, 746
Dom. Pascale et Alain **Rigoutat**, 401
Dom. de **Rimauresq**, 748
Rimuss-Kellerei Rahm, 1138
Ringenbach-Moser, 85
Dom. Armelle et Bernard **Rion**, 469 475
Dom. Michèle et Patrice **Rion**, 391
Caves de **Riondaz**, 1128
EARL Daniel **Rion et Fils**, 483
Thérèse et Michel **Riouspeyrous**, 799
SCEA La **Rivalerie**, 200 218
Bernard **Rivals**, 267
Les Vignobles du **Rivesaltais**, 726 1045 1050
Philippe **Rivière**, 306
Serge **Rizzetto**, 186
EARL Vignobles **Robert**, 293
GFA **Robert**, 680
Alain **Robert et Fils**, 933
Brigitte et Claude **Robert**, 1088
EARL Michel **Robert**, 751
Myriam et Luc **Robert**, 715
Régis **Robert**, 641
Stéphane **Robert**, 1011
SARL Ch. la **Robertie**, 821
EARL **Roberts**, 188 197
Patrick **Robichon**, 871
SCEA Ch. **Robin**, 286
Les vins Dominique **Robin**, 236
Dom. Jean-Louis **Robin-Diot**, 866 880

1183   INDEX DES PRODUCTEURS

PRODUCTEURS

INDEX DES VINS

L'indexation ne tient pas compte de l'article défini
Les folios en gras signalent les vins trois étoiles

INDEX DES VINS

VINS

CH. **DUPLESSIS FABRE**, Moulis-en-médoc, 357

DOM. **DUPONT-FAHN**, Auxey-duresses, 526 • Meursault, 533 • Puligny-montrachet, 538

DOM. **DUPONT-TISSERANDOT**, Charmes-chambertin, 456 • Gevrey-chambertin, 448 • Mazis-chambertin, 457 • Nuits-saint-georges, 480

JACQUES **DUPORT ET J.-P. DUMAS**, Bugey AOVDQS, 674

CORINNE ET JEAN-MICHEL **DUPRE**, Beaujolais, 136

ANTOINE **DUPUY**, Touraine noble-joué, 901

ERIC ET JOEL **DURAND**, Cornas, 1011

GUY **DURAND**, Touraine, 897 • Touraine-amboise, 902

DOM. **DURAND-CAMILLO**, Coteaux du languedoc, 695

CH. DE LA **DURANDIERE**, Saumur, 885

DOM. DE **DURBAN**, Muscat de beaumes-de-venise, 1054

RAYMOND **DUREUIL-JANTHIAL**, Bourgogne aligoté, 406 • Puligny-montrachet, 538 • Rully, 560

VINCENT **DUREUIL-JANTHIAL**, Nuits-saint-georges, 480 • Rully, 560

CH. **DURFORT-VIVENS**, Margaux, 352

DOM. **DURIEU**, Côtes du rhône-villages, 993

PAUL **DURIEU**, Châteauneuf-du-pape, 1023

DOM. **DUSEIGNEUR**, Côtes du rhône-villages, 993

SYLVAIN **DUSSORT**, Bourgogne, 394

ANDRE **DUSSOURT**, Alsace tokay-pinot gris, 97

DOM. **DUTERTRE**, Touraine-amboise, 902

CH. **DUTRUCH GRAND POUJEAUX**, Moulis-en-médoc, 358

DUVAL-LEROY, Champagne, 614

ALBERIC **DUVAT**, Champagne, 614

XAVIER **DUVAT ET FILS**, Champagne, 614

CH. **DUVERGER**, Graves, 308

DUVERNAY PERE ET FILS, Rully, 560

DUVERNAY VINS MILLESIMES, Côtes du rhône, 981

CELLIER DE LA **DZAQUETTE**, Canton du Valais, 1124

MARCEL ET JOSE **EBELMANN**, Alsace grand cru zinnkoepflé, 123 • Alsace riesling, 80

EBLIN-FUCHS, Alsace pinot noir, 101 • Alsace tokay-pinot gris, 97

DOM. DES **ECHARDIERES**, Touraine, 897

CLOS DE L'**ECHO**, Chinon, 918

JEAN-PAUL **ECKLE**, Alsace grand cru wineck-schlossberg, 122

CH. DE L'**ECLAIR**, Beaujolais-villages, 142

DOM. DE L'**ECOLE**, Alsace gewurztraminer, 90

DOM. DE L'**ECU**, Gros-plant AOVDQS, 854

LES **EGLANTIERES**, Mâcon-villages, 573

CH. DU DOMAINE DE L'**EGLISE**, Pomerol, 237

ESPRIT DE L'**EGLISE**, Pomerol, 237

DOM. ANDRE **EHRHART**, Alsace grand cru hengst, 111

DOM. **EINHART**, Alsace pinot ou klevner, 77

CH. **ELGET**, Muscadet sèvre-et-maine, 845

DOM. D'**ELISE**, Chablis, 426 • Petit chablis, 422

CH. **ELISEE**, Pomerol, 237

ELITE SAINT-ROCH, Médoc, 327

ELIXIR CONDAMINE BERTRAND, Oc, 1085

CHARLES **ELLNER**, Champagne, 614

DOM. **ELLUL-FERRIERES**, Coteaux du languedoc, 695

DOM. **ELOY**, Mâcon, 570

ELYSIS, Cabernet d'anjou, 869

DOM. DES **EMBASTIES**, Oc, 1085

LES **EMBLEYRES**, Canton de Vaud, 1118

CH. L'**ENCLOS**, Pomerol, 237 • Sainte-foy-bordeaux, 296

ENCLOS DE LA CROIX, Oc, 1085

DOM. DES **ENCLOSES**, Muscadet sèvre-et-maine, 845

L'**ENCLOS GALLEN**, Margaux, 352

CH. DE L'**ENGARRAN**, Coteaux du languedoc, 695

DOM. DE L'**ENGARRAN**, Oc, 1085

DOM. **ENGEL**, Alsace gewurztraminer, 90 • Alsace grand cru praelatenberg, 117

DOM. D'**EN SEGUR**, Côtes du Tarn, 1081

DOM. D'**ENTRE-COLLES**, Côtes de provence, 740

DOM. DES **ENTREFAUX**, Crozes-hermitage, 1008

L'**ENVIE**, Montagne saint-émilion, 277

L'**ENVOL**, Côtes du rhône-villages, 993

DOM. D'**EOLE**, Coteaux d'aix-en-provence, 761

EPICURE, Bordeaux, 185 • Médoc, 328

DOM. DES **EPINAUDIERES**, Cabernet d'anjou, 869

DOM. DE L'**EPINAY**, Muscadet sèvre-et-maine, 845

DIDIER **ERKER**, Givry, 567

DAVID **ERMEL**, Alsace gewurztraminer, 90

CH. L'**ERMITAGE**, Listrac-médoc, 348

L'**ERMITAGE DE CHASSE-SPLEEN**, Haut-médoc, 340

ERMITAGE DU PIC SAINT-LOUP, Coteaux du languedoc, 695

DOM. DE L'**ERRIERE**, Jardin de la France, 1075 • Muscadet sèvre-et-maine, 845

CH. D'**ESCABES**, Gaillac, 785

CLOS DE L'**ESCANDIL**, Minervois la livinière, 713

CH. **ESCARAVATIERS**, Côtes de provence, 740

DOM. DE L'**ESCARELLE**, Coteaux varois, 765

CH. L'**ESCART**, Bordeaux supérieur, 204

LES **ESCASSES**, Côtes de Gascogne, 1081

DOM. D'**ESCAUSSES**, Gaillac, 786

CH. D'**ESCOT**, Médoc, 328

DOM. DE L'**ESCOUACH**, Bordeaux, 185

DOM. D'**ESCURAC**, Médoc, 328

CH. DE L'**ESPARROU**, Côtes du roussillon, 722

DOM. D'**ESPERANCE**, Landes, 1080

DOM. DE L'**ESPERANCE**, Muscadet sèvre-et-maine, 845

DOM. DE L'**ESPEROUZE**, Coteaux du tricastin, 1032

DOM. DES **ESPIERS**, Gigondas, 1013

DOM. DE L'**ESPIGOUETTE**, Vacqueyras, 1019

CLOS L'**ESQUIROL**, Minervois, 711

L'**ESTANDON ROYAL**, Côtes de provence, 740

CH. DES **ESTANILLES**, Faugères, 706

JEAN D'**ESTAVEL**, Côtes du roussillon-villages, 728

L'**ESTELLO**, Côtes de provence, 740

ESTERLIN, Champagne, 614

FAMILLE **ESTEVE**, Pineau des charentes, 1062

CH. D'**ESTHER**, Bordeaux sec, 194

DOM. REMY **ESTOURNEL**, Côtes du rhône, 981

CH. DES **ESTUBIERS**, Coteaux du tricastin, 1032

CH. **ETANG DES COLOMBES**, Corbières, 683

ETERNES, Saumur, 885

JEAN-MARIE **ETIENNE**, Champagne, 614

CH. DE L'**ETOILE**, Crémant du jura, 663 • L'étoile, 665

L'**ETOILE**, Banyuls, 1042 • Banyuls grand cru, 1044 • Collioure, 731

CH. **EUGENIE**, Cahors, 779

DOM. DE L'**EUROPE**, Mercurey, 563

EUSTACHE DESCHAMPS, Champagne, 614

CH. DE L'**EVECHE**, Lalande de pomerol, 244

EVIDENCE, Côtes de bourg, 222

EXCELSUS, Canton du Valais, 1124

CH. D'**EXINDRE**, Coteaux du languedoc, 696

EXTREMUS, Faugères, 706

PATRICE **EY**, Muscat de rivesaltes, 1051

DOM. D'**EYSSAC**, Floc de gascogne, 1065

DOM. LOUISE **FABRY**, Corbières, 683

DOM. LA **FADEZE**, Hérault, 1092

CH. **FAGE**, Graves de vayres, 294

CH. LE **FAGE**, Côtes de bergerac, 819

CH. LA **FAGNOUSE**, Saint-émilion grand cru, 258

LA **FAGOTIERE**, Châteauneuf-du-pape, 1023 • Côtes du rhône, 981

SYLVIE **FAHRER**, Alsace riesling, 80

FAHRER-ACKERMANN, Alsace riesling, 81

LES **FAISANDINES**, Côtes du rhône, 981

FAIVELEY, Chambertin-clos de bèze, 453 • Latricières-chambertin, 454 • Nuits-saint-georges, 480

CLOS DES CORTONS **FAIVELEY**, Corton, 497

CH. **FAIZEAU**, Montagne saint-émilion, 277

ANDRE **FALLER**, Alsace gewurztraminer, 90 • Alsace sylvaner, 76

FANIEL-FILAINE, Champagne, 615

DOM. **FARDEAU**, Anjou-villages, 864 • Coteaux du layon, 878 • Crémant de loire, 837

CH. **FARGUES**, Sauternes, 379

DOM. **FARJON**, Saint-joseph, 1005

CH. DU **FARLET**, Côtes du rhône, 981

CH. DE LA **FAUBRETIERE**, Muscadet sèvre-et-maine, 845

CH. **FAUGERES**, Saint-émilion grand cru, 258

CH. LA **FAURIE MAISON NEUVE**, Lalande de pomerol, 244

DOM. **FAURMARIE**, Coteaux du languedoc, 696

LAURENT **FAUVY**, Bourgueil, 906

SINS

CH. LA GALIANE, Margaux, 352
REMY GALICHET, Champagne, 617
CH. DE LA GALINIERE, Côtes de provence, 741
DOM. DE LA GALINIERE, Vouvray, 930
CH. DE LA GALISSONNIERE, Muscadet sèvre-et-maine, 846
GALLIMARD PERE ET FILS, Champagne, 617
DOM. DES GALLOIRES, Coteaux d'ancenis AOVDQS, 856
DOM. DOMINIQUE GALLOIS, Gevrey-chambertin, 448
DOM. DE LA GALOPIERE, Savigny-lès-beaune, 502
CH. GALOUCHEY, Sainte-foy-bordeaux, 297
CH. DU GALOUPET, Côtes de provence, 741
DOM. GALTIER, Coteaux du languedoc, 697
ALEX GAMBAL, Bourgogne, 395 • Chassagne-montrachet, 543 • Gevrey-chambertin, 448 • Meursault, 533 • Vosne-romanée, 473
GAMBERT DE LOCHE, Hermitage, 1010
CLOS DE GAMOT, Cahors, 780
DOM. GANEVAT, Crémant du jura, 663
DOM. JULIEN GANEVAT, Côtes du jura, 660
DOM. GANGNEUX, Vouvray, 931
DOM. LA GANNE, Pomerol, 238
CH. GARANCE HAUT GRENAT, Médoc, 328
DOM. LA GARANCIERE, Côtes du rhône-villages, 993
PAUL GARAUDET, Meursault, 533 • Monthélie, 523
DOM. DE GARBELLE, Coteaux varois, 765
CH. DES GARCINIERES, Côtes de provence, 741
CH. LA GARDE, Fronsac, 232 • Pessac-léognan, 317
DOM. DE LA GARDE, Coteaux du Quercy AOVDQS, 783
GARDET, Champagne, 617
BERNARD GARDIEN ET FILS, Saint-pourçain AOVDQS, 947
VIGNOBLE DE LA GARDIERE, Saint-nicolas-de-bourgueil, 912
CH. DE LA GARDINE, Châteauneuf-du-pape, 1023
DOM. GARDRAT, Charentais, 1077
CH. GARDUT HAUT-CLUZEAU, Premières côtes de blaye, 215
CH. LA GARELLE, Saint-émilion grand cru, 261
DOM. DE LA GARELLE, Côtes du luberon, 1038
DOM. DE LA GARENNE, Mâcon-villages, 574
DOM. DE LA GARENNE, Saint-joseph, 1005
DOM. DE LA GARENNE, Sancerre, 966
DOM. DE LA GARENNE, Touraine, 898
DOM. GARNIER, Valençay AOVDQS, 939
DOM. GARNIER ET FILS, Chablis, 426
DOM. DES GAROCHES, Brouilly, 147
CH. GARRAUD, Lalande de pomerol, 244
GARREAU, Floc de gascogne, 1066
CH. GARREAU, Côtes de bourg, 222
DOM. DE LA GARRELIERE, Touraine, 898

CH. LA GARRICQ, Moulis-en-médoc, 358
DOM. LA GARRIGUE, Vacqueyras, 1019
DOM. LES GARRIGUES, Lirac, 1027
FABRICE GASNIER, Chinon, 918
CH. GASQUI, Côtes de provence, 741
MICHEL GASSIER, Costières de nîmes, 688
CLOS GASSIOT, Jurançon, 801
DOM. DES GATILLES, Chiroubles, 156
DOM. DE GATINES, Anjou-villages, 864
DOM. DE LA GAUCHERIE, Bourgueil, 906
DOM. GAUDARD, Cabernet d'anjou, 869
JO GAUDARD, Canton du Valais, 1125
CH. DE LA GAUDE, Coteaux d'aix-en-provence, 761
CH. GAUDIN, Pauillac, 361
GAUDINAT-BOIVIN, Champagne, 617
CH. DE GAUDOU, Cahors, 780
CH. GAUDRELLE, Vouvray, 931
DOM. SYLVAIN GAUDRON, Vouvray, 931
DOM. DE LA GAUDRONNIERE, Cheverny, 935
CLOS DU GAUFFRIAUD, Muscadet sèvre-et-maine, 846
DOM. DES GAUMONTS, Cabernet d'anjou, 870
CH. JEAN-PIERRE GAUSSEN, Bandol, 756
RAOUL GAUTHERIN ET FILS, Chablis grand cru, 438
JEAN-MICHEL GAUTHERON, Chablis, 426
GAUTHEROT, Champagne, 617
GAUTHIER, Moselle AOVDQS, 128
BENOIT GAUTIER, Vouvray, 931
CH. DES GAUTRONNIERES, Muscadet sèvre-et-maine, 846
DOM. DE GAVAISSON, Côtes de provence, 742
CH. DES GAVELLES, Coteaux d'aix-en-provence, 761
DOM. DE LA GAVERIE, Vouvray, 931
PHILIPPE GAVIGNET, Nuits-saint-georges, 481
DOM. GAVOTY, Côtes de provence, 742
FRANCOIS GAY, Aloxe-corton, 490 • Chorey-lès-beaune, 505 • Ladoix, 487 • Savigny-lès-beaune, 502
MAURICE GAY, Canton du Valais, 1125
MICHEL GAY, Aloxe-corton, 490 • Beaune, 509 • Chorey-lès-beaune, 506 • Savigny-lès-beaune, 502
DOM. DE LA GAYERE, Côtes du rhône, 982
DOM. DE LA GAYOLLE, Var, 1100
DOM. DU GAZANIA, Lavilledieu AOVDQS, 794
CH. GAZIN, Pomerol, 238
CH. GAZIN ROCQUENCOURT, Pessac-léognan, 317
GEIGER-KOENIG, Alsace pinot noir, 102 • Alsace tokay-pinot gris, 97
DOM. DES GELERIES, Bourgueil, 906
DOM. PIERRE GELIN, Fixin, 446
DOM. DES GENAUDIERES, Coteaux d'ancenis AOVDQS, 856
MICHEL GENDRIER, Cheverny, 935
DOM. GENELETTI, Crémant du jura, 663 • L'étoile, 665 • Macvin du jura, 1068
DOM. LA GENESTIERE, Lirac, 1027
MICHEL GENET, Champagne, 617
DOM. DES GENEVES, Chablis, 427

CH. GENIBON-BLANCHEREAU, Côtes de bourg, 223
DOM. DE LA GENILLOTTE, Chablis, 427
CH. GENOT-BOULANGER, Aloxe-corton, 490 • Beaune, 509 • Pommard, 514 • Savigny-lès-beaune, 502
CAVE DE GENOUILLY, Crémant de bourgogne, 419 • Bourgogne côte chalonnaise, 556
DOM. GENTILE, Muscat du cap corse, 1058 • Patrimonio, 774
DOM. GEOFFRENET MORVAL, Châteaumeillant AOVDQS, 942
DOM. ALAIN GEOFFROY, Chablis premier cru, 432
RENE GEOFFROY, Champagne, 617 • Coteaux champenois, 651
DOM. GEORGET, Bourgueil, 907
MAS DE LA GERADE, Côtes de provence, 742
PIERRE GERBAIS, Champagne, 618
DOM. DES GERBEAUX, Pouilly-fuissé, 581
AUGUSTE GERBER, Alsace muscat, 88
DOM. FRANCOIS GERBET, Bourgogne hautes-côtes de nuits, 411 • Vosne-romanée, 473
DOM. DE LA GERFAUDRIE, Anjou, 860 • Coteaux du layon, 878
JEAN-MICHEL GERIN, Côte rôtie, 1000
GERMAIN, Champagne, 618
DIDIER GERMAIN, Beaujolais, 136
DOM. JEAN-FELIX GERMAIN, Beaujolais, 136
GILBERT ET PHILIPPE GERMAIN, Bourgogne hautes-côtes de beaune, 416 • Monthélie, 523 • Pommard, 515
GERMAIN PERE ET FILS, Pommard, 515 • Saint-romain, 529
JEAN-RENE GERMANIER, Canton du Valais, 1125
DOM. DES GESLETS, Bourgueil, 907 • Saint-nicolas-de-bourgueil, 912
GESWEILER ET FILS, Savigny-lès-beaune, 502
DOM. GIACOMETTI, Patrimonio, 774
JEAN-DANIEL GIAUQUE, Canton de Berne, 1135
CHANTAL ET PATRICK GIBAULT, Touraine, 898 • Valençay AOVDQS, 939
DOM. GIBAULT, Touraine, 898
CH. GIBEAU, Pineau des charentes, 1063
DOM. EMMANUEL GIBOULOT, Bourgogne hautes-côtes de nuits, 411 • Côte de beaune, 512
JEAN-MICHEL GIBOULOT, Savigny-lès-beaune, 502
CH. GIGOGNAN, Côtes du rhône, 982
CAVE DES VIGNERONS DE GIGONDAS, Gigondas, 1014
DOM. GILBERT, Menetou-salon, 951
JEAN-PIERRE GILET, Vouvray, 931
ARMAND GILG, Alsace grand cru moenchberg, 114
DOM. ANNE-MARIE GILLE, Corton, 497 • Côte de nuits-villages, 484
MAX GILLI, Bellet, 754
ROBERT GILLIARD, Canton du Valais, 1125
CH. DES GIMARETS, Moulin-à-vent, 166
DOM. DE GIMELANDE, Beaujolais-villages, 142
PIERRE GIMONNET ET FILS, Champagne, 618

1205

CH. **GRAND MOULIN**, Corbières, 684
CH. LE **GRAND MOULIN**, Bordeaux supérieur, 205
DOM. DU **GRAND MOULIN**, Côtes du rhône, 982
CH. **GRAND MOULINET**, Pomerol, 238
CH. **GRAND MOUTA**, Graves, 309
DOM. **GRAND NICOLET**, Côtes du rhône, 982 • Côtes du rhône-villages, 993
CH. **GRAND ORMEAU**, Lalande de pomerol, 244
LE **GRAND PAROISSIEN**, Haut-médoc, 341
CH. DU **GRAND PLANTIER**, Bordeaux sec, 195
DOM. DE **GRANDPRE**, Côtes de provence, 743
DOM. DU **GRAND PRE**, Mâcon-villages, 574
CH. **GRAND-PUY DUCASSE**, Pauillac, 361
CH. **GRAND-PUY-LACOSTE**, Pauillac, 361
DOM. DE LA **GRAND RAIE**, Côte de brouilly, 151
DOM. **GRAND ROCHE**, Bourgogne, 395
DOM. DU **GRAND ROSIERES**, Quincy, 960
DOM. LES **GRANDS BOIS**, Côtes du rhône, 982 • Côtes du rhône-villages, 994
CH. LES **GRANDS CHENES**, Médoc, 328
CAVE DES **GRANDS CRUS BLANCS**, Pouilly loché, 585 • Pouilly vinzelles, 585
CLOS DES **GRANDS FERS**, Fleurie, 157
CH. LE **GRAND SIGOGNAC**, Médoc, 328
CH. LES **GRANDS THIBAUDS**, Côtes de bourg, 223
CH. DU **GRAND TALANCE**, Beaujolais, 137
DOM. LES **GRAND'TERRES**, Côtes du ventoux, 1035
GRAND TERROIR, Minervois la livinière, 714
DOM. DU **GRAND TINEL**, Châteauneuf-du-pape, 1024
CH. **GRAND TUILLAC**, Côtes de castillon, 284
DOM. **GRAND VENEUR**, Côtes du rhône, 982
CH. LE **GRAND VERDUS**, Bordeaux supérieur, 205
CH. DE LA **GRANGE**, Gros-plant AOVDQS, 854
DOM. DE LA **GRANGE**, Muscadet sèvre-et-maine, 847
DOM. DE LA **GRANGE ARTHUIS**, Coteaux du giennois, 946
DOM. **GRANGE CANOZ**, Arbois, 654 • Macvin du jura, 1069
CH. LA **GRANGE CLINET**, Premières côtes de bordeaux, 300
DOM. DE LA **GRANGE MENARD**, Beaujolais, 137
GRANGENEUVE, Bordeaux rosé, 199 • Crémant de bordeaux, 211
CH. **GRANGE-NEUVE**, Pomerol, 238
VIGNOBLE **GRANGE-NEUVE**, Beaujolais, 137
PASCAL **GRANGER**, Chénas, 154
DOM. LA **GRANGE TIPHAINE**, Touraine-amboise, 902

DOM. LA **GRANGETTE**, Oc, 1086
DOM. LES **GRANGETTES**, Pécharmant, 826
MAS **GRANIER**, Coteaux du languedoc, 697
CH. **GRANINS GRAND POUJEAUX**, Moulis-en-médoc, 358
DOM. DE **GRANOUPIAC**, Coteaux du languedoc, 697
GRANZANY PERE ET FILS, Champagne, 620
LA **GRAPPE DE GURSON**, Bergerac rosé, 815
ALAIN **GRAS**, Saint-romain, 529
ALFRED **GRATIEN**, Champagne, 620
GRATIEN ET MEYER, Crémant de loire, 838 • Saumur, 885
CH. LES **GRAUZILS**, Cahors, 780
DOM. DES **GRAVALOUS**, Cahors, 780
CH. **GRAVAS**, Barsac, 377
CH. DE LA **GRAVE**, Côtes de bourg, 223
CH. LA **GRAVE**, Fronsac, 232
CH. LA **GRAVE**, Minervois, 711
CH. LA **GRAVE**, Sainte-croix-du-mont, 375
DOM. LA **GRAVE**, Hauts de Badens, 1093
CH. LA **GRAVE BECHADE**, Côtes de duras, 830
CH. DE LA **GRAVELIERE**, Graves, 309
CH. **GRAVELINES**, Premières côtes de bordeaux, 300
DOM. DES **GRAVENNES**, Côtes du rhône, 982
CH. LES **GRAVES**, Premières côtes de blaye, 215
DOM. DES **GRAVES D'ARDONNEAU**, Premières côtes de blaye, 215
CH. LES **GRAVES DE LOIRAC**, Médoc, 329
CH. LES **GRAVES DE PICON**, Bordeaux supérieur, 205
CH. LES **GRAVES DE VIAUD**, Côtes de bourg, 223
CH. DES **GRAVES DU TICH**, Saintecroix-du-mont, 375
CH. LA **GRAVE TRIGANT DE BOISSET**, Pomerol, 239
DOM. DE LA **GRAVETTE**, Saint-Sardos, 1081
CH. LA **GRAVETTE DES LUCQUES**, Bordeaux supérieur, 206
CH. **GRAVETTES-SAMONAC**, Côtes de bourg, 223
CH. LES **GRAVIERES**, Saint-émilion grand cru, 262
LE **GRAVILLAS**, Côtes du rhône-villages, 994
CH. LE **GRAVILLOT**, Lalande de pomerol, 244
CH. **GREA**, Côtes du jura, 660
CH. **GREE-LAROQUE**, Bordeaux supérieur, 206
C. **GREFFE**, Vouvray, 931
CH. DE LA **GREFFIERE**, Mâcon-villages, 574 • Saint-véran, 588
JEAN **GREINER**, Alsace tokay-pinot gris, 97
MANOIR DE LA **GRELIERE**, Muscadet sèvre-et-maine, 847
FLORENCE ET BENOIT **GRENETIER**, Muscadet sèvre-et-maine, 847
CH. DE LA **GRENIERE**, Lussac saint-émilion, 275
DOM. DE LA **GRENOUILLERE**, Beaujolais, 137
CH. **GRES SAINT PAUL**, Coteaux du languedoc, 697 • Muscat de lunel, 1055

DOM. ANDRE ET REMY **GRESSER**, Alsace grand cru wiebelsberg, 121
DOM. DE LA **GRETONNELLE**, Rosé de loire, 836
CH. **GREYSAC**, Médoc, 329
CH. **GREZAN**, Faugères, 707
DOM. DU **GRIFFON**, Brouilly, 147
CH. DE LA **GRILLE**, Chinon, 918
JEAN-PAUL **GRILLET**, Beaujolais, 137
CH. **GRILLON**, Sauternes, 380
CH. LES **GRIMARD**, Côtes de montravel, 825
DOM. DE **GRIMARDY**, Côtes de bergerac, 819
CH. **GRIMON**, Côtes de castillon, 284
CH. **GRINOU**, Bergerac, 812 • Saussignac, 827
VIGNOBLE DE LA **GRIOCHE**, Bourgueil, 907
BERNARD **GRIPA**, Saint-joseph, 1005 • Saint-péray, 1012
DOM. JEAN-PIERRE ET PHILIPPE **GRISARD**, Vin de savoie, 668 • Roussette de savoie, 672
ALBERT **GRIVAULT**, Meursault, 533
GRIVELET PERE ET FILS, Volnay, 520
CH. **GRIVIERE**, Médoc, 329
DOM. ROBERT **GROFFIER PERE ET FILS**, Bourgogne, 395 • Chambolle-musigny, 462 • Bonnes-mares, 466 • Chambertin-clos de bèze, 453 • Gevrey-chambertin, 448
GROGNUZ FRERES ET FILS, Canton de Vaud, 1119
CH. LA **GROLET**, Côtes de bourg, 223
DOM. DU **GROLLAY**, Saint-nicolas-de-bourgueil, 912
DOM. DU **GROLLET**, Charentais, 1077
GRONGNET, Champagne, 620
CHRISTIAN **GROS**, Aloxe-corton, 490
DOM. A.-F. **GROS**, Bourgogne hautes-côtes de nuits, 412 • Echézeaux, 470 • Richebourg, 476 • Savigny-lès-beaune, 502 • Vosne-romanée, 473
DOM. ANNE **GROS**, Bourgogne, 396
DOM. MICHEL **GROS**, Nuits-saint-georges, 481 • Vosne-romanée, 473
HENRI **GROS**, Vosne-romanée, 473
DOM. DU **GROS BOST**, Beaujolais, 137
DOM. **GROSBOT-BARBARA**, Saint-pourçain AOVDQS, 947
DOM. **GROS FRERE ET SŒUR**, Bourgogne hautes-côtes de nuits, 412 • Clos de vougeot, 468 • Grands-échézeaux, 471 • Richebourg, 476
DOM. DU **GROS NORE**, Bandol, 756
DOM. DU **GROS PATA**, Côtes du rhône, 982
HENRI **GROSS**, Alsace grand cru goldert, 110
DOM. **GROSSET**, Coteaux du layon, 878
CH. **GROSSOMBRE**, Bordeaux, 186 • Bordeaux rosé, 199 • Entre-deux-mers, 291
JEAN-PIERRE **GROSSOT**, Chablis premier cru, 433
CH. **GRUAUD LAROSE**, Saint-julien, 370
GRUET, Champagne, 620
G. **GRUET ET FILS**, Champagne, 620
MAURICE **GRUMIER**, Champagne, 620
GRUSS, Alsace grand cru vorbourg, 121
JOSEPH **GRUSS ET FILS**, Crémant d'alsace, 125
LA **GRUYRE**, Canton de Vaud, 1119
DOM. DE **GRY-SABLON**, Morgon, 163
GSELL, Alsace gewurztraminer, 91

1209

VINS

JULIEN DE SAVIGNAC, Bergerac rosé, 816

DOM. JULLIAN, Châteauneuf-du-pape, 1024 • Côtes du rhône, 983

JULLIARD, Pineau des charentes, 1063

THIERRY JULLION, Charentais, 1077 • Pineau des charentes, 1063

DOM. DANIEL JUNOT, Bourgogne, 397

DOM. JUX, Alsace pinot noir, 103 • Alsace riesling, 83

KIENTZ, Alsace grand cru winzenberg, 123

MICHELE ET GERARD KINSELLA, Moulin-à-vent, 167 • Pouilly-fuissé, 582

KIRSCHNER, Alsace riesling, 83

P. KIRSCHNER ET FILS, Alsace grand cru frankstein, 108

CH. KIRWAN, Margaux, 353

HENRI KLEE, Alsace tokay-pinot gris, 98

GEORGES KLEIN, Alsace gewurztraminer, 91

KLEIN-BRAND, Alsace pinot noir, 103

ANDRE KLEINKNECHT, Alsace grand cru kirchberg de Barr, 112

EUGENE KLIPFEL, Alsace riesling, 83

RENE KOCH ET FILS, Alsace grand cru muenchberg, 115 • Alsace pinot noir, 103

KOEBERLE KREYER, Alsace gewurztraminer, 92

KOEHLY, Alsace pinot noir, 103 • Crémant d'alsace, 125

KOHLL-REULAND, Crémant de luxembourg, 1112

LAURENT ET BENOIT KOX, Crémant de luxembourg, 1112

KRESSMANN, Saint-émilion, 249 • Haut-médoc, 342

MARC KREYDENWEISS, Alsace grand cru wiebelsberg, 121 • Alsace riesling, 83

KRIER FRERES, Moselle luxembourgeoise, 1110

KROSSFELDER, Crémant d'alsace, 126

KRUG, Champagne, 625

KUEHN, Alsace tokay-pinot gris, 98

KUENTZ, Alsace tokay-pinot gris, 98

KUMPF ET MEYER, Alsace grand cru bruderthal, 107 • Alsace sylvaner, 76

J.C. KUNTZER ET FILS, Canton de Neuchâtel, 1134

KUNTZMANN, Alsace gewurztraminer, 92 • Alsace muscat, 88

CH. LABADIE, Côtes de bourg, 224

CH. LABADIE, Minervois, 711

CH. LABADIE, Médoc, 330

DOM. DE LABAIGT, Terroirs landais, 1079

DOM. DE LABALLE, Terroirs landais, 1079

CH. LABARDE, Haut-médoc, 342

DOM. DE LABARTHE, Gaillac, 786

MICHEL LABBE ET FILS, Champagne, 625

CH. LABEGORCE-ZEDE, Margaux, 353

ALAIN LABET, Macvin du jura, 1069

DOM. LABET, Côtes du jura, 660

DOM. PIERRE LABET, Bourgogne, 397 • Beaune, 510

CAVE LABLACHERE, Coteaux de l'Ardèche, 1105

CH. LABORIE, Sainte-croix-du-mont, 375

LABOTTIERE, Bordeaux sec, 195

LABOURE-ROI, Monthélie, 523 • Savigny-lès-beaune, 503

DOM. LABRANCHE LAFFONT, Madiran, 806

DOM. A. ET B. LABRY, Auxey-duresses, 526

CH. LACAPELLE CABANAC, Cahors, 781

CH. LACAUSSADE SAINT-MARTIN, Premières côtes de blaye, 216

DOM. LACHARME ET FILS, Mâcon, 571

CH. LACHESNAYE, Haut-médoc, 342

CH. LACLAVERIE, Bordeaux côtes de francs, 288

VINCENT LACONDEMINE, Beaujolais-villages, 143

JOEL LACOQUE, Morgon, 163

CH. LACOUR JACQUET, Haut-médoc, 342

CH. LACOUR MANOY, Corbières, 684

LACROIX, Champagne, 625

DOM. LACROIX-VANEL, Coteaux du languedoc, 698

CH. DE LACROUX, Gaillac, 786

CH. LADESVIGNES, Côtes de bergerac, 819 • Monbazillac, 823

DOM. DE LADRECHT, Marcillac, 797

MLLE LADUBAY, Crémant de loire, 838

CAVE JEAN-LOUIS LAFAGE, Maury, 1048

DOM. MICHEL LAFARGE, Volnay, 520

CH. LAFAURIE, Puisseguin saint-émilion, 280

CH. LAFAURIE-PEYRAGUEY, Sauternes, 380

CH. LAFFITTE-TESTON, Madiran, 806

DOM. LAFFOND, Blanquette de limoux et blanquette méthode ancestrale, 679

DOM. LAFFONT, Madiran, 806

CARRUADES DE LAFITE, Pauillac, 362

LAFITE BARONS DE ROTHSCHILD, Bordeaux, 187

CH. LAFITE ROTHSCHILD, Pauillac, 362

CH. LAFITTE, Jurançon, 802

CH. LAFLEUR, Pomerol, 239

CH. LAFON, Médoc, 330

CLAUDE LAFOND, Reuilly, 962

DOM. LAFOND, Beaujolais, 138

DOM. LAFOND ROC-EPINE, Côtes du rhône, 983 • Lirac, 1027 • Tavel, 1029

CH. LAFON-ROCHET, Saint-estèphe, 367

JEAN-MARC LAFONT, Juliénas, 160

CH. LAFONT MENAUT, Pessac-léognan, 319

JEAN-MARC LAFOREST, Brouilly, 148

JEAN ET GILLES LAFOUGE, Auxey-duresses, 526

CH. LAFOUX, Coteaux varois, 766

DOM. LAFRAN-VEYROLLES, Bandol, 756

DOM. DE LAGAJAN, Floc de gascogne, 1066

CH. LAGARDE BELLEVUE, Saint-émilion, 249

JEAN-MARC LAGGER, Canton de Vaud, 1119

CH. LAGRANGE, Saint-julien, 370

CH. DE LAGRANGERIE, Floc de gascogne, 1066

CH. LAGRAVE AUBERT, Côtes de castillon, 285

LAGRAVE-MARTILLAC, Pessac-léognan, 319

CH. LAGUE, Fronsac, 233

CH. LA LAGUNE, Haut-médoc, 342

LAHERTE FRERES, Champagne, 625

DOM. DE LA LAIDIERE, Bandol, 757

CH. LALANDE, Listrac-médoc, 349

DOM. DE LALANDE, Mâcon-villages, 574 • Pouilly-fuissé, 582

CH. LALANDE D'AUVION, Médoc, 330

CH. LALANDE DE GRAVELONGUE, Médoc, 331

CH. LALANDE DE TAYAC, Bordeaux côtes de francs, 288

CH. LALANDE LABATUT, Entre-deux-mers, 292

CH. LALAUDEY, Moulis-en-médoc, 358

DOM. LALAURIE, Oc, 1086

DOM. LALEURE-PIOT, Chorey-lès-beaune, 506 • Corton, 497 • Pernand-vergelesses, 494

ALAIN LALLEMENT, Champagne, 625

RENE-JAMES LALLIER, Champagne, 626

SERGE LALOUE, Sancerre, 967

CH. LAMARCHE, Bordeaux supérieur, 207

DOM. FRANCOIS LAMARCHE, Clos de vougeot, 468 • Echézeaux, 470 • La grande rue, 478

CH. LAMARGUE, Costières de nîmes, 689

CH. DE LAMARQUE, Haut-médoc, 343

CH. LAMARTINE, Cahors, 781

EXCELLENCE DE LAMARTINE, Côtes de castillon, 285

BEATRICE ET PASCAL LAMBERT, Chinon, 919

FREDERIC LAMBERT, Côtes du jura, 661

PATRICK LAMBERT, Chinon, 919

CH. LAMBLIN, Côtes de bourg, 224

LAMBLIN ET FILS, Chablis, 427 • Chablis premier cru, 433 • Petit chablis, 422

DOM. DES LAMBRAYS, Clos des lambrays, 461

LAME-DELISLE-BOUCARD, Touraine, 898

CH. LAMOTHE, Côtes de bourg, 225

CH. LAMOTHE BERGERON, Haut-médoc, 343

CH. LAMOTHE-CISSAC, Haut-médoc, 343

CH. LAMOTHE DE HAUX, Premières côtes de bordeaux, 300

CH. LAMOTHE GUIGNARD, Sauternes, 380

CH. LAMOTHE VINCENT, Bordeaux supérieur, 207

CH. LAMOURETTE, Sauternes, 380

JEAN-JACQUES LAMOUREUX, Champagne, 626

VINCENT LAMOUREUX, Champagne, 626 • Coteaux champenois, 651 • Rosé des riceys, 651

DOM. HUBERT LAMY, Saint-aubin, 547

LES HERITIERS LAMY, Bourgogne-côte chalonnaise, 556

DOM. LAMY-PILLOT, Bourgogne, 397 • Chassagne-montrachet, 544 • Saint-aubin, 547

LANCELOT FILS, Champagne, 626

LANCELOT-PIENNE, Champagne, 626

P. LANCELOT-ROYER, Champagne, 626

CH. DE LANCYRE, Coteaux du languedoc, 698

DOM. DE LA LANDE, Bourgueil, 908

LOUIS **LEQUIN**, Bâtard-montrachet, 540 • Corton-charlemagne, 499

RENE **LEQUIN-COLIN**, Bâtard-montrachet, 540 • Chassagne-montrachet, 544 • Corton, 497 • Corton-charlemagne, 499 • Santenay, 551

CH. **LERET MONPEZAT**, Cahors, 781

CH. **LERYS**, Fitou, 708

CH. **LESCALLE**, Bordeaux supérieur, 207

DOM. CHANTAL **LESCURE**, Beaune, 510 • Pommard, 516

CH. **LESPARRE**, Graves de vayres, 295

CH. **LESPAULT**, Pessac-léognan, 320

STE VINICOLE DE **LESQUERDE**, Côtes du roussillon-villages, 729

CH. **LESTAGE SIMON**, Haut-médoc, 343

CH. **LESTEVENIE**, Saussignac, 828

CH. **LESTOURS**, Bordeaux, 188

CH. **LESTRILLE CAPMARTIN**, Bordeaux supérieur, 207

LETE-VAUTRAIN, Champagne, 629

DOM. **LEVASSEUR-ALEX MATHUR**, Montlouis, 926

CH. **LEYDET-FIGEAC**, Saint-émilion grand cru, 265

DOM. **LEYMARIE**, Bourgogne, 397 • Chambolle-musigny, 464 • Gevrey-chambertin, 450

LEYMARIE-CECI, Clos de vougeot, 468

CH. DE **LEYNES**, Saint-véran, 588

DOM. DE **LEYRE-LOUP**, Morgon, 164

DOM. **LEYRIS MAZIERE**, Coteaux du languedoc, 699

CH. **LEYTRIE**, Bordeaux, 188

CH. LA **LEZARDIERE**, Entre-deux-mers, 292

L'ENCLOS DU CH. **LEZONGARS**, Premières de bordeaux, 301

ANDRE **LHERITIER**, Bouzeron, 558

DOM. **LHERITIER**, Côtes du roussillon-villages, 729 • Muscat de rivesaltes, 1051 • Rivesaltes, 1046

DOM. ANDRE **LHERITIER**, Rully, 561

LIBRA, Comté tolosan, 1081

LIEBART-REGNIER, Champagne, 629

CAVE DES VIGNERONS DE **LIERGUES**, Beaujolais, 138 • Crémant de bourgogne, 420

FAMILIEN **LIESCH**, Canton des Grisons, 1137

CH. LA **LIEUE**, Coteaux varois, 766

DOM. LA **LIEUE**, Var, 1100

CH. **LIEUJEAN**, Haut-médoc, 343

DOM. **LIGIER PERE ET FILS**, Arbois, 654 • Crémant du jura, 663 • Macvin du jura, 1069

DOM. **LIGNIER-MICHELOT**, Chambolle-musigny, 464 • Morey-saint-denis, 459

CH. DE **LIGRE**, Chinon, 919

CH. **LILIAN LADOUYS**, Saint-estèphe, 367

DOM. JEAN **LINDEN-HEINISCH**, Moselle luxembourgeoise, 1110

JACQUES **LINDENLAUB**, Crémant d'alsace, 126

DOM. DE LA **LINOTTE**, Côtes de toul, 127

DOM. LA **LINQUIERE**, Saint-chinian, 716

GABRIEL **LIOGIER**, Châteauneuf-du-pape, 1024

CH. **LIOT**, Sauternes, 381

CH. DE LA **LIQUIERE**, Faugères, 707

CAVE DES VINS DU CRU DE **LIRAC**, Lirac, 1027

CH. DE **LISENNES**, Bordeaux supérieur, 207

DOM. DES **LISES**, Haut-poitou AOVDQS, 940

CH. **LISTRAN**, Médoc, 331

CH. **LIVERSAN**, Haut médoc, 343

LOBERGER, Alsace grand cru saering, 117

DOM. DES **LOCQUETS**, Vouvray, 932

DOM. **LOEW**, Alsace tokay-pinot gris, 98

LE **LOGIS DE LA BOUCHARDIERE**, Chinon, 919

LE **LOGIS DU GOUVERNEUR**, Coteaux d'ancenis AOVDQS, 856

LE **LOGIS DU PRIEUR**, Cabernet d'anjou, 870 • Coteaux du layon, 879 • Rosé de loire, 836

CH. **LOIRAC**, Médoc, 331

BERNARD **LONCLAS**, Champagne, 630

DOM. **LONG-DEPAQUIT**, Chablis, 427 • Chablis grand cru, 438 • Chablis premier cru, 433

DOM. **LONGERE**, Beaujolais, 138

DOM. DE **LONG PECH**, Gaillac, 787

DOM. DE **LONGUE TOQUE**, Gigondas, 1014

DOM. DU **LOOU**, Coteaux varois, 766

MICHEL **LORAIN**, Bourgogne, 397

LORANG, Alsace tokay-pinot gris, 98

GUSTAVE **LORENTZ**, Alsace grand cru altenberg de bergheim, 106

JEROME **LORENTZ FILS**, Alsace gewurztraminer, 92

DOM. **LORENZON**, Mercurey, 564

ALAIN **LORIEUX**, Chinon, 919

MICHEL ET JOELLE **LORIEUX**, Bourgueil, 908 • Saint-nicolas-de-bourgueil, 913

PASCAL ET ALAIN **LORIEUX**, Saint-nicolas-de-bourgueil, 913

GERARD **LORIOT**, Champagne, 630

MICHEL **LORIOT**, Champagne, 630

JOSEPH **LORIOT-PAGEL**, Champagne, 630

FREDERIC **LORNET**, Arbois, 655 • Macvin du jura, 1069

DOM. JACQUES ET ANNIE **LORON**, Moulin à vent, 167

CH. DE **LOS**, Bordeaux, 188

LOU BASSAQUET, Côtes de provence, 744

CH. **LOUDENNE**, Médoc, 331

JACQUELINE **LOUET**, Touraine, 899

DOM. **LOU FREJAU**, Châteauneuf-du-pape, 1024

LOU GAILLOT, Agenais, 1078

LOUIS BERNARD, Tavel, 1029

LOUIS DE GRENELLE, Crémant de loire, 838 • Saumur, 886

DOM. DU **LOUP**, Beaujolais, 138

CH. **LOUPIAC-GAUDIET**, Loupiac, 374

CH. **LOUSTEAUNEUF**, Médoc, 331

CH. **LOUSTEAU-VIEIL**, Sainte-croix-du-mont, 375

YVES **LOUVET**, Champagne, 630

CH. LA **LOUVIERE**, Pessac-léognan, 320

LOUXOR, Oc, 1087

PHILIPPE DE **LOZEY**, Champagne, 630

CAVE DU **LUBERON**, Côtes du ventoux, 1035

CH. **LUCAS**, Lussac saint-émilion, 275

LUCAS-POTHIER, Bourgogne, 398

CH. DE **LUCEY**, Vin de savoie, 668

CH. **LUDEMAN LA COTE**, Graves, 310

DOM. DE **LUMIAN**, Côtes du rhône, 984

LA CAVE DE **LUMIERES**, Côtes du ventoux, 1035

DOM. DE **LUNARD**, Bouches-du-Rhône, 1098

DOM. ROGER **LUQUET**, Mâcon-villages, 575

DOM. LES **LUQUETTES**, Bandol, 757

DOM. DE **LUSQUENEAU**, Touraine-mesland, 904

CH. **LUSSEAU**, Graves, 310 • Saint-émilion grand cru, 265

DOM. DU **LUX EN ROC**, Fiefs vendéens AOVDQS, 855

JENNI-WILLY **LUZI**, Canton des Grisons, 1137

CH. **LYNCH-BAGES**, Pauillac, 363

CH. **LYONNAT**, Lussac saint-émilion, 275

DOM. LAURENT **MABILEAU**, Bourgueil, 908 • Saint-nicolas-de-bourgueil, 913

FREDERIC **MABILEAU**, Saint-nicolas-de-bourgueil, 913

JACQUES ET VINCENT **MABILEAU**, Saint-nicolas-de-bourgueil, 913

LYSIANE ET GUY **MABILEAU**, Saint-nicolas-de-bourgueil, 913

MADELEINE ET JEAN-YVES **MABILLARD-FUCHS**, Canton du Valais, 1126

DANIEL **MABILLE**, Vouvray, 932

FRANCIS **MABILLE**, Vouvray, 932

ALAIN **MABILLOT**, Reuilly, 962

DOM. **MABY**, Côtes du rhône, 984 • Tavel, 1029

CH. **MACAY**, Côtes de bourg, 225

DOM. **MACHARD DE GRAMONT**, Nuits-saint-georges, 481 • Vosne-romanée, 474

DOM. LA **MACHOTTE**, Gigondas, 1014

CAVE LA **MADELEINE**, Canton du Valais, 1126

DOM. DE LA **MADELEINE**, Rivesaltes, 1046

LA **MADELEINE**, Alpes-de-Haute-Provence, 1101

DOM. DE LA **MADONE**, Beaujolais-villages, 143 • Côte-de-brouilly, 151 • Fleurie, 158

GILLES **MADRELLE**, Vouvray, 932

DOM. **MAESTRACCI**, Vins de corse, 770

CH. **MAGDELAINE**, Saint-émilion grand cru, 265

DOM. DE LA **MAGDELAINE**, Muscat de mireval, 1056

DANIEL **MAGLIOCCO**, Canton du Valais, 1126

CH. **MAGNAN LA GAFFELIERE**, Saint-émilion grand cru, 266

CH. **MAGNEAU**, Graves, 311

FREDERIC **MAGNIEN**, Bonnes-mares, 466 • Chambertin-clos de bèze, 453 • Chambolle-musigny, 464 • Echézeaux, 471 • Vosne-romanée, 474

DOM. MICHEL **MAGNIEN ET FILS**, Chambolle-musigny, 464 • Charmes-chambertin, 456 • Clos de la roche, 460 • Clos saint-denis, 461

DOM. DE **MAGORD**, Clairette de die, 1030

DOM. **MAILLARD PERE ET FILS**, Chorey-lès-beaune, 506 • Corton, 497 • Ladoix, 488 • Savigny-lès-beaune, 504

M. **MAILLART**, Champagne, 630

LA **MONTAGNE NOIRE,** Sancerre, 968
CH. **MONTAIGUILLON,** Montagne saint-émilion, 278
CH. **MONTAIGUT,** Côtes de bourg, 226
TENUTA **MONTALBANO,** Canton du Tessin, 1141
CH. **MONTALIVET,** Graves, 311
DOM. **MONTANGERON,** Fleurie, 158 • Morgon, 164
DOM. DES **MONTARELS,** Côtes de Thongue, 1091
CH. **MONTAURIOL,** Côtes du frontonnais, 794
DOM. **MONTAUT,** Jurançon, 802
CH. **MONTBENAULT,** Anjou, 861
DOM. DE **MONTBOURGEAU,** Crémant du jura, 663 • L'étoile, 665, 666 • Macvin du jura, 1069
CH. DU **MONTCEAU,** Brouilly, 148
DOM. DE LA **MONTCELLIERE,** Cabernet d'anjou, 870
CH. **MONTCLAR,** Côtes de la malepère AOVDQS, 720
DOM. DE **MONTCY,** Cheverny, 936 • Cour-cheverny, 937
DOM. DU **MONT D'OR,** Canton du Valais, 1127
CH. **MONTDOYEN,** Bergerac, 813 • Bergerac sec, 817 • Monbazillac, 823
DOM. DU **MONTEILLET,** Côte rôtie, 1000 • Condrieu, 1002 • Saint-joseph, 1005
DOM. DE **MONTEILS,** Sauternes, 381
MAS **MONTEL,** Gard, 1090
DOM. **MONTEL-CAILLOT,** Côtes d'auvergne AOVDQS, 943
CH. **MONTELS,** Gaillac, 787
DOM. DE **MONTELS,** Coteaux et terrasses de Montauban, 1083
CLOS **MONTEMAGNI,** Muscat du cap corse, 1058 • Patrimonio, 775
DOM. LOUIS **MONTEMAGNI,** Patrimonio, 775
DOM. DE **MONTESQUIOU,** Jurançon, 802
DOM. DU **MONTET,** Canton de Vaud, 1120
CH. DE **MONTFAUCON,** Côtes du rhône, 984
CH. **MONTFOLLET,** Premières côtes de blaye, 217
CH. DE **MONTGOUVERNE,** Vouvray, 933
DOM. DE **MONTGRIGNON,** Meuse, 1107
CH. DE **MONTGUERET,** Rosé d'anjou, 868 • Saumur, 887
CH. DE **MONTHELIE,** Monthélie, 524
DOM. DE **MONTIFAULT,** Muscadet sèvre-et-maine, 848
DOM. DE **MONTINE,** Coteaux du tricastin, 1032
MONTIRIUS, Gigondas, 1014
CH. **MONTJOUAN,** Premières côtes de bordeaux, 301
DOM. DE **MONTLAUR,** Côtes de la malepère AOVDQS, 720
CAVE DE **MONTLOUIS-SUR-LOIRE,** Montlouis, 926
DOM. DE **MONTMAIN,** Bourgogne hautes-côtes de nuits, 412
CH. DE **MONTMIRAIL,** Vacqueyras, 1019
CH. **MONTNER,** Côtes du roussillon, 724 • Côtes du roussillon-villages, 729
CAVE DE **MONTORGE,** Canton du Valais, 1127

CH. DE **MONTPATEY,** Bourgogne, 399
CH. **MONT-PERAT,** Premières côtes de bordeaux, 301
LES VIGNERONS DE **MONT-PRES-CHAMBORD,** Cheverny, 936 • Cour-cheverny, 937
CH. **MONT-REDON,** Côtes du rhône, 985 • Lirac, 1027
DOM. DE **MONT REDON,** Côtes de provence, 745
CH. **MONTREUIL-BELLAY,** Saumur, 887
LYCEE VITICOLE DE **MONTREUIL-BELLAY,** Saumur, 887
CH. **MONTROSE,** Saint-estèphe, 367
DOM. **MONTROSE,** Côtes de Thongue, 1091
MICHEL ET LIONEL **MONTROUS-SIER,** Côte roannaise, 949
DOM. DU **MONT SAINT-JEAN,** Ile de Beauté, 1095 • Vins de corse, 770
MONT TAUCH, Torgan, 1093
CH. **MONTUS,** Madiran, 806
DOM. DE **MONTVAC,** Vacqueyras, 1020
CH. DE **MONTVAL,** Bordeaux supérieur, 208
CH. **MONTVIEL,** Pomerol, 239
CLOS DES **MONTZUETTES,** Canton du Valais, 1127
DOM. DE LA **MORDOREE,** Châteauneuf-du-pape, 1024 • Côtes du rhône, 985 • Lirac, 1027
JEAN-MICHEL **MOREAU,** Bourgogne, 399
RONALD **MOREAU,** Champagne, 635
DOM. BERNARD **MOREAU ET FILS,** Chassagne-montrachet, 544
J. **MOREAU ET FILS,** Chablis grand cru, 438 • Chablis premier cru, 434 • Petit chablis, 424 • Sauvignon de saint-bris AOVDQS, 441
MOREAU-NAUDET ET FILS, Chablis grand cru, 439 • Petit chablis, 424
DOM. DES **MOREAUX,** Touraine, 899
MOREL **PERE ET FILS,** Champagne, 635 • Rosé des riceys, 651
DOM. **MOREL-THIBAUT,** Côtes du jura, 661
MORET-NOMINE, Auxey-duresses, 526 • Meursault, 535 • Puligny-montrachet, 539 • Rully, 561
ROGER **MOREUX,** Sancerre, 968
PIERRE **MOREY,** Bourgogne, 399 • Bourgogne aligoté, 407
DOM. **MOREY-COFFINET,** Bourgogne, 400
MICHEL **MOREY-COFFINET,** Chassagne-montrachet, 545
DOM. DE LA VILLE DE **MORGES,** Canton de Vaud, 1120
DOM. DU **MORILLY,** Chinon, 920
CHRISTIAN **MORIN,** Bourgogne aligoté, 407 • Chablis, 428
OLIVIER **MORIN,** Bourgogne, 400
MORIN PERE ET FILS, Clos de vougeot, 469 • Nuits-saint-georges, 482
DIDIER **MORION,** Condrieu, 1002 • Saint-joseph, 1006
PIERRE **MORLET,** Champagne, 635
ALBERT **MOROT,** Beaune, 510 • Savigny-lès-beaune, 504
CH. **MOROT-GAUDRY,** Santenay, 551
DOM. THIERRY **MORTET,** Bourgogne, 400 • Bourgogne aligoté, 407 • Chambolle-musigny, 465 • Gevrey-chambertin, 450
DOM. DU **MORTIER,** Saint-nicolas-de-bourgueil, 914

MORTIES, Coteaux du languedoc, 700
SYLVAIN **MOSNIER,** Chablis, 428 • Chablis premier cru, 434
CH. **MOSSE,** Côtes du roussillon, 724 • Rivesaltes, 1046
CH. LA **MOTHE DU BARRY,** Bordeaux, 188, 189 • Bordeaux rosé, 200
DOM. DE LA **MOTTE,** Anjou, 861 •
DOM. DE LA **MOTTE,** Chablis premier cru, 434 • Petit chablis, 424
CH. **MOTTE MAUCOURT,** Bordeaux, 189
DOM. DES **MOUILLES,** Juliénas, 160
CH. **MOUJAN,** Coteaux du languedoc, 700
CH. LA **MOULEYRE,** Saint-émilion grand cru, 267
DOM. DU **MOULIE,** Madiran, 806
CH. LA **MOULIERE,** Côtes de duras, 830
CH. DU **MOULIN,** Puisseguin saint-émilion, 280
CH. LE **MOULIN,** Côtes de gerbac, 820
DOM. DU **MOULIN,** Côtes du rhône-villages, 995
DOM. DU **MOULIN,** Gaillac, 787
DOM. DU **MOULIN,** Saumur, 887
DOM. DU **MOULIN BLANC,** Beaujolais, 138
DOM. DU **MOULIN CAMUS,** Muscadet sèvre-et-maine, 848
CH. **MOULIN CARESSE,** Bergerac, 813 • Côtes de bergerac, 820
LE **MOULIN COUDERC,** Faugères, 707
CH. **MOULIN DE BLANCHON,** Haut-médoc, 344
MOULIN DE BREUIL, Côtes du roussillon, 724
MOULIN DE CIFFRE, Faugères, 707
CH. **MOULIN DE CORNEIL,** Premières côtes de bordeaux, 301
DOM. DU **MOULIN DE DUSEN-BACH,** Alsace pinot noir, 104
MOULIN DE LA GARDETTE, Gigondas, 1015
CH. **MOULIN DE LAGNET,** Saint-émilion, 249
CH. **MOULIN DE LA ROQUILLE,** Bordeaux côtes de francs, 288
CH. **MOULIN DE LA ROSE,** Saint-julien, 371
LE **MOULIN DE LA TOUCHE,** Jardin de la France, 1075 • Muscadet, 840
DOM. DU **MOULIN DE L'HORIZON,** Saumur, 887
CH. **MOULIN D'EOLE,** Costières de nîmes, 689
CH. **MOULIN D'EOLE,** Moulin à vent, 167
CH. **MOULIN DE PONCET,** Bordeaux, 189
CH. **MOULIN DE REYNAUD,** Fronsac, 233
MOULIN DE SARPE, Saint-émilion, 249
MOULIN DU BREUIL, Grand roussillon, 722
LE **MOULIN DU PONT,** Mâcon-villages, 575
DOM. DE **MOULINES,** Hérault, 1092
CH. **MOULINET,** Pomerol, 239
CH. **MOULINET-LASSERRE,** Pomerol, 239
DOM. DU **MOULIN FAVRE,** Brouilly, 148
CH. **MOULIN GALHAUD,** Saint-émilion grand cru, 267

DOM. DU MOULIN GIRON, Muscadet coteaux de la loire sur lie, 841
CH. MOULIN HAUT-LAROQUE, Fronsac, 233
DOM. G. MOULINIER, Saint-chinian, 717
DOM. MOULIN-LA-VIGUERIE, Tavel, 1029
CH. MOULIN NEUF, Premières côtes de blaye, 217
DOM. DU MOULIN NEUF, Givry, 567
CH. DU MOULIN NOIR, Montagne saint-émilion, 278
CH. MOULIN PEY-LABRIE, Canon-fronsac, 230
CH. MOULIN RICHE, Saint-julien, 371
CH. DES MOULINS, Médoc, 332
CH. MOULIN SAINT-GEORGES, Saint-émilion grand cru, 267
LES MOULINS A VENT, Pouilly-fumé, 957
DOM. DES MOULINS D'ASTREE, Muscadet sèvre-et-maine, 848
LES MOULINS DE COUSSILLON, Côtes de castillon, 285
LES MOULINS DU HAUT LANSAC, Côtes de bourg, 226
CH. DU MOULIN VIEUX, Côtes de bourg, 226
DOM. MOUNIE, Côtes du roussillon-villages, 729 • Muscat de rivesaltes, 1052
CH. MOURAS, Graves, 311
DOM. DE MOURCHON, Côtes du rhône-villages, 995
CH. MOURESSE, Côtes de provence, 745
CH. MOURGUES DU GRES, Costières de nîmes, 689
CH. MOUSSENS, Gaillac, 788
CH. MOUSSEYRON, Bordeaux, 189
JEAN MOUTARDIER, Champagne, 635
MOUTARD PERE ET FILS, Champagne, 635
CH. LA MOUTETE, Côtes de provence, 745
GERARD MOUTON, Givry, 567
MOUTON CADET, Bordeaux, 189
DOM. DE LA MOUTONNIERE, Muscadet sèvre-et-maine, 849
MOUTON PERE ET FILS, Condrieu, 1002 • Côte rôtie, 1000
CH. MOUTON ROTHSCHILD, Pauillac, 363
CH. LA MOUTTE, Côtes de provence, 745
CH. MOUTTE BLANC, Haut-médoc, 344
PH. MOUZON-LEROUX, Champagne, 635
DOMINIQUE MOYER, Montlouis, 926
JEAN-PIERRE MUGNERET, Bourgogne hautes-côtes de nuits, 413
DENIS MUGNERET ET FILS, Echézeaux, 471 • Nuits-saint-georges, 482 • Richebourg, 477 • Vosne-romanée, 475
MUGNIER PERE ET FILS, Meursault, 535
MUHLBERGER, Alsace riesling, 84
LE MUID MONTSAUGEONNAIS, Haute-Marne, 1107
MULINU DI RASIGNANI, Ile de Beauté, 1095
ERNST MULLER, Canton de Zurich, 1139
JULES MULLER, Alsace gewurztraminer, 92 • Alsace riesling, 84
CHARLES MULLER ET FILS, Alsace riesling, 84

MUMM DE CRAMANT, Champagne, 635
CH. LES MURAILLES, Bordeaux, 189
DOM. MUR DU CLOITRE, Moselle AOVDQS, 128
FRANCIS MURE, Alsace grand cru zinnkoepflé, 123 • Alsace riesling, 84
CH. MURET, Haut-médoc, 345
LES MURGERES, Mâcon-villages, 575
DOM. DU MURINAIS, Crozes-hermitage, 1009
DOM. LE MURMURIUM, Côtes du ventoux, 1035
CH. MURVIEL LES MONTPELLIER, Coteaux du languedoc, 700
LE MUSCAT, Muscat de saint-jean-de-minervois, 1057
LES VIGNERONS DU MUSCAT DE LUNEL, Muscat de lunel, 1055
DOM. DES MUSES, Canton du Valais, 1127
DOM. DE MUSOLEU, Vins de corse, 770
CH. MUSSET CHEVALIER, Saint-émilion grand cru, 267
GILLES MUSSET ET SERGE ROULLIER, Anjou, 861 • Anjou-villages, 865
DOM. JEAN ET GENO MUSSO, Bourgogne aligoté, 407
LUCIEN MUZARD ET FILS, Santenay, 551
DOM. DE MUZY, Meuse, 1107
CH. MYLORD, Entre-deux-mers, 292
CH. MYON DE L'ENCLOS, Moulis-en-médoc, 358
CH. DE MYRAT, Sauternes, 381
LES MYRTHES, Coteaux du languedoc, 700
CH. DE NAGES, Costières de nîmes, 690
DOM. PIERRE NAIGEON, Charmes-chambertin, 456
NAPOLEON, Champagne, 635
CH. NARDOU, Bordeaux côtes de francs, 288
NARJOUX-NORMAND, Bourgogne-côte chalonnaise, 557
DOM. HENRI NAUDIN-FERRAND, Bourgogne aligoté, 407 • Côte de nuits-villages, 486 • Echézeaux, 471
NAUDIN-TIERCIN, Meursault, 535
NAU FRERES, Bourgueil, 908
CH. NAUJAN LAPEREYRE, Premières côtes de bordeaux, 302
CH. LA NAUZE, Côtes de castillon, 285
CH. DE NAVAILLES, Jurançon, 803
DOM. DE LA NAVARRE, Côtes de provence, 746
NAYANDEI, Muscat de rivesaltes, 1052
NEBOUT, Saint-pourçain AOVDQS, 948
CH. DE LA NEGLY, Coteaux du languedoc, 700
CH. NENINE, Premières côtes de bordeaux, 302
DOM. DE NERLEUX, Cabernet de saumur, 889 • Crémant de loire, 838 • Saumur-champigny, 892
CH. LA NERTHE, Châteauneuf-du-pape, 1024
CH. DE NERVERS, Brouilly, 148
CLOS DE NEUILLY, Chinon, 920
GERARD NEUMEYER, Alsace grand cru bruderthal, 107
CLOS LA NEUVE, Côtes de provence, 746
ROGER NEVEU ET FILS, Sancerre, 968
ALAIN NEYROUD, Canton de Vaud, 1120

DOM. DES NIBAS, Côtes de provence, 746
NICOLAS PERE ET FILS, Bourgogne aligoté, 407 • Bourgogne hautes-côtes de beaune, 417 • Santenay, 551
ROBERT NICOLLE, Chablis premier cru, 434
DOM. DE NIDOLERES, Côtes du roussillon, 724 • Muscat de rivesaltes, 1052
ROBERT NIERO, Condrieu, 1002
DOM. NIGRI, Jurançon sec, 804
CH. NOAILLAC, Médoc, 332
DOM. DE LA NOBLAIE, Chinon, 920
CH. LE NOBLE, Bordeaux, 189
NOBLE GRESS, Costières de nîmes, 690
CH. DE LA NOBLESSE, Bandol, 757
CH. NODOZ, Côtes de bourg, 226
DOM. DE LA NOE, Muscadet, 840
DOM. MICHEL NOELLAT ET FILS, Vosne-romanée, 475
LES VIGNERONS DES TERROIRS DE NOELLE, Coteaux du layon, 879
DOM. DES NOELS, Cabernet d'anjou, 870 • Rosé de loire, 836
DOM. DES NOES, Muscadet sèvre-et-maine, 849
DOM. DE LA NOIRAIE, Bourgueil, 909
DOM. DE LA NOISERAIE, Beaujolais, 139
CHARLES NOLL, Alsace tokay-pinot gris, 99
LA NONCIATURE, Châteauneuf-du-pape, 1025
NONY BORIE, Bordeaux sec, 196
ALAIN NORMAND, Mâcon, 571 • Mâcon-villages, 575
DOM. NOTRE DAME DES PALLIERES, Gigondas, 1015
CH. NOTRE-DAME DU QUATOURZE, Coteaux du languedoc, 701
EXCELLENCE NOUET, Muscadet sèvre-et-maine, 849
DOM. CLAUDE NOUVEAU, Santenay, 552
CH. DE NOUVELLES, Fitou, 708 • Rivesaltes, 1047
MAS DU NOVI, Coteaux du languedoc, 701
CH. DES NOYERS, Anjou, 862 • Rosé d'anjou, 868
DOM. DU NOZAY, Sancerre, 968
CH. NOZIERES, Cahors, 781
DOM. NUDANT, Corton, 498 • Corton-charlemagne, 500 • Ladoix, 488
DOM. DE NUEIL, Chinon, 920
EMIL NUESCH, Canton de Saint-Gall, 1137
DOM. DES NUGUES, Beaujolais-villages, 144
NUMERO 10, Premières côtes de blaye, 217
CAVE DES OASIS, Canton du Valais, 1127
CAVE D'OBERNAI, Alsace gewurztraminer, 92
DOM. OCTAVIE, Touraine, 899
DOM. OGEREAU, Anjou, 862 • Anjou-villages, 865 • Cabernet d'anjou, 870 • Coteaux du layon, 879
CH. L'OISELINIERE DE LA RAMEE, Muscadet sèvre-et-maine, 849
LES VIGNERONS DE OISLY ET THESEE, Cheverny, 936
DOM. DE L'OLIVETTE, Bandol, 757
CH. OLIVIER, Pessac-léognan, 321
DOM. OLIVIER, Saint-nicolas-de-bourgueil, 914
DOM. DE L'OLIVIER, Côtes du rhône, 985

PIERRE OLIVIER, Pouilly-fuissé, 583

L'OLIVIERE, Gigondas, 1015

DOM. OLIVIER-GARD, Bourgogne aligoté, 407 • Bourgogne hautes-côtes de nuits, 413

DOM. OLLIER-TAILLEFER, Faugères, 707

LES VIGNERONS D'OLT, Vins d'estaing AOVDQS, 797

BERNARD OMASSON, Bourgueil, 909

OMENALDI, Irouléguy, 799

DOM. DE L'OPPIDUM DES CAUVINS, Coteaux d'aix-en-provence, 762 • Bouches-du-Rhône, 1098

DOM. DE L'ORATOIRE SAINT-MARTIN, Côtes du rhône-villages, 995

ORATORIO, Crozes-hermitage, 1009

CHARLES ORBAN, Champagne, 635

L'OR DE SANGONIS, Coteaux du languedoc, 701

L'OREE DES FRESNES, Touraine-amboise, 903

DOM. ORENGA DE GAFFORY, Muscat du cap corse, 1058 • Patrimonio, 775

CH. D'OR ET DE GUEULES, Costières de nîmes, 690

DOM. D'ORFEUILLES, Vouvray, 933

UNION DES PRODUCTEUR D'OR-GNAC-L'AVEN, Côtes du vivarais, 1040

CH. ORISSE DU CASSE, Saint-émilion grand cru, 267

CLOS D'ORLEA, Vins de corse, 770

L'ORMARINE, Coteaux du languedoc, 701

DOM. DE L'ORME, Chablis, 428

CH. ORME BRUN, Saint-émilion grand cru, 267

DOM. DES ORMES, Petit chablis, 424

CH. LES ORMES DE PEZ, Saint-estèphe, 367

CH. LES ORMES SORBET, Médoc, 332

DOM. DES ORMIERES, Muscadet sèvre-et-maine, 849

CLOS ORNASCA, Ajaccio, 773

CUVEE ORPALE, Champagne, 636

CH. D'ORSCHWIHR, Alsace gewurztraminer, 92

OSTSCHWEIZ, Canton de Schwyz, 1140

OTTER, Alsace pinot noir, 104 • Alsace riesling, 84

DOM. DE L'OUCHE GAILLARD, Montlouis, 927

DOM. DES OUCHES, Bourgueil, 909

OUDINOT, Champagne, 636

DOMINIQUE PABIOT, Pouilly-fumé, 957

JEAN PABIOT ET FILS, Pouilly-fumé, 957

DOM. ROGER PABIOT ET SES FILS, Pouilly-fumé, 957

J.-L. PAGE, Chinon, 920

JAMES PAGET, Touraine, 899

JAMES ET NICOLAS PAGET, Touraine-azay-le-rideau, 903

BRUNO PAILLARD, Champagne, 636

DOM. DE PAILLOS, Coteaux du languedoc, 701

DOM. DE PAIMPARE, Anjou-villages, 865

DOM. CHARLES PAIN, Chinon, 920

JACQUES PAINTURAUD, Pineau des charentes, 1063

JEAN-JACQUES PAIRE, Beaujolais, 139

DOM. DE LA PALEINE, Saumur, 887

DOM. PALISSES-BEAUMONT, Morey-saint-denis, 459

CH. PALMER, Margaux, 355

PALMER ET Cⁱᵉ, Champagne, 636

CH. PALON GRAND SEIGNEUR, Montagne saint-émilion, 278

CH. PALOUMEY, Haut-médoc, 345

LES SECRETS DU CHATEAU PAL-VIE, Gaillac, 788

CH. DE PAMPELONNE, Côtes de provence, 746

CH. PANCHILLE, Bordeaux supérieur, 208

CH.DE PANISSEAU, Bergerac sec, 817

PANNIER, Champagne, 636

DOM. ERIC PANSIOT, Côte de nuits-villages, 486 • Bourgogne hautes-côtes de nuits, 413

THIERRY PANTALEON, Saint-nicolas-de-bourgueil, 914

CH. PAPE CLEMENT, Pessac-léognan, 321

PAQUES ET FILS, Champagne, 636

CAVES DU PARADIS, Canton du Valais, 1128

DOM. DU PARADIS, Canton de Genève, 1132

DOM. DU PARADIS, Muscadet sèvre-et-maine, 849

DOM. DU PARADIS, Touraine-mesland, 904

MAS DU PARADIS, Saint-joseph, 1006

DOM. DU PARANDOU, Gigondas, 1015

CH. DU PARC, Saint-émilion grand cru, 267

CLOS DU PARC DE SAINT-LOUANS, Chinon, 920

DOM. DU PARC SAINT CHARLES, Côtes du rhône, 985

DOM. PARENT, Beaune, 510 • Pommard, 517

DOM. ANNICK PARENT, Monthélie, 524 • Pommard, 517 • Volnay, 501

FRANÇOIS PARENT, Bourgogne, 400 • Pommard, 517

PIERRE PARENT, Cheverny, 936 • Cour-cheverny, 937

ALAIN PARET, Saint-joseph, 1006

PARFUMS DE LOIRE, Cabernet d'anjou, 870

DOM. PARIGOT PERE ET FILS, Beaune, 510 • Bourgogne hautes-côtes de beaune, 417 • Pommard, 517

CH. LES PARIS, Sainte-foy-bordeaux, 297

DOM. DE PARIS, Côtes de provence, 746

DOM. DES PARISES, Gaillac, 788

MARIE-LOUISE PARISOT, Chassagne-montrachet, 545 • Côte de beaune-villages, 555 • Pouilly-fuissé, 583

DOM. DE LA PAROISSE, Côte roannaise, 949

CUVEE PARSIFAL, Saint-joseph, 1006

PASCAL, Saint-joseph, 1006

PASCAL-DELETTE, Champagne, 636

CH. PASCOT, Premières côtes de bordeaux, 302

CH. PAS DU CERF, Côtes de provence, 746

DOM. DU PAS SAINT MARTIN, Saumur, 887

DOMINIQUE PASSAQUAY, Canton du Valais, 1128

CH. DE PASSAVANT, Anjou-villages, 865 • Crémant de loire, 839 • Rosé de loire, 836

LE PASSE AUTHENTIQUE, Côtes de saint-mont AOVDQS, 809

CH. PASSE CRABY, Bordeaux rosé, 200

PASSION, Gaillac, 788

BERNARD PASSOT, Morgon, 164

DOM. PASSOT LES RAMPAUX, Régnié, 170

DOM. PASTRICCIOLA, Patrimonio, 775

CH. PATACHE D'AUX, Médoc, 332

DOM. SYLVAIN PATAILLE, Marsannay, 443

DOM. DE LA PATIENCE, Costières de nîmes, 690

DENIS PATOUX, Champagne, 636

DOM. ALAIN PATRIARCHE, Bourgogne, 400

PATRIARCHE PERE ET FILS, Morey-saint-denis, 459

CH. PATRIS, Saint-émilion grand cru, 268

PAULHAN, Clairette du languedoc, 681

PAULIAN, Crémant de bordeaux, 211

LES CLOS DE PAULILLES, Collioure, 731

DOM. ALAIN PAUTRE, Chablis, 428

DOM. PAVELOT, Corton-charlemagne, 500 • Pernand-vergelesses, 495

JEAN-MARC PAVELOT, Savigny-lès-beaune, 504

CH. PAVIE, Saint-émilion grand cru, 268

CH. PAVIE DECESSE, Saint-émilion grand cru, 268

CH. PAVIE MACQUIN, Saint-émilion grand cru, 268

DOM. DU PAVILLON, Aloxe-corton, 492 • Pommard, 517

DOM. DU PAVILLON, Côte roannaise, 949

PAVILLON BLANC, Bordeaux sec, 196

PAVILLON DE BELLEVUE, Médoc, 332

CH. LE PAVILLON DE BOYREIN, Graves, 311

DOM. PAVILLON DE CHAVANNES, Côte-de-brouilly, 151

CH. PAVILLON FIGEAC, Saint-émilion grand cru, 268

PAVILLON ROUGE, Margaux, 355

CH. LE PAYRAL, Bergerac, 813

LE PAYSSEL, Gaillac, 788

DOM. LE PEAGE, Gigondas, 1015

DOM. DE PECH BELY, Coteaux du Quercy AOVDQS, 784

CLOS DU PECH BESSOU, Bergerac, 814

CH. PECH-CELEYRAN, Coteaux du languedoc, 701

CH. PECH-MENEL, Saint-chinian, 717

CH. PECH REDON, Coteaux du languedoc, 701

DOM. DE PECOULA, Bergerac sec, 817 • Monbazillac, 823

CH. PEDESCLAUX, Pauillac, 363

PEHU-SIMONET, Champagne, 636

FRANCK PEILLOT, Bugey AOVDQS, 674

DOM. DES PEIRECEDES, Côtes de provence, 746

PELAN, Bordeaux côtes de francs, 288

DOM. PELAQUIE, Côtes du rhône, 985 • Lirac, 1028

DOM. DES PELERINS, Muscadet sèvre-et-maine, 849

DOM. PELISSON, Côtes du ventoux, 1035

ANNATINA PELIZZATTI, Canton des Grisons, 1137

QUENARDEL ET FILS, Champagne, 640

QUERCIBUS, Canton de Zurich, 1139

CH. QUERCY, Saint-émilion grand cru, 269

CH. LE QUEYROUX, Premières côtes de blaye, 218

CAVEAU QUINARD, Bugey AOVDQS, 674

CH. QUINCARNON, Sauternes, 381

CH. DE QUINCAY, Touraine, 900

CAVE BEAUJOLAISE DE QUINCIE, Beaujolais-villages, 144

GERARD QUIVY, Gevrey-chambertin, 451

CAVE DE RABASTENS, Côtes du Tarn, 1081

DOM. DE RABELAIS, Touraine-mesland, 904

DENIS RACE, Chablis premier cru, 435

DOM. ANDRE RAFFAITIN, Sancerre, 969

DOM. OLGA RAFFAULT, Chinon, 921

JEAN-MAURICE RAFFAULT, Chinon, 921

SERGE RAFFLIN, Champagne, 640

DOM. DU RAFOU, Muscadet sèvre-et-maine, 850

DOM. RAGOT, Givry, 568

DOM. DES RAGUENIERES, Bourgueil, 910

CH. RAHOUL, Graves, 312

DOM. DU RAIFAULT, Chinon, 921

J. ET G. RAIMBAULT, Vouvray, 933

NOEL ET JEAN-LUC RAIMBAULT, Sancerre, 969

PHILIPPE RAIMBAULT, Pouilly-fumé, 957 • Sancerre, 969

ROGER ET DIDIER RAIMBAULT, Sancerre, 969

VINCENT RAIMBAULT, Vouvray, 933

RAIMBAULT DES VIGNES, Gaillac, 789

DOM. RAIMBAULT-PINEAU, Coteaux du giennois, 946 • Sancerre, 969

DIDIER RAIMOND, Champagne, 640

DOM. DE RAISSAC, Oc, 1088

CH. RAMAGE LA BATISSE, Haut-médoc, 345

DOM. DE RAMATUELLE, Coteaux varois, 766

CH. LE RAMBEAUD, Montagne saint-émilion, 279

CH. LA RAME, Sainte-croix-du-mont, 376

DAVID RAMNOUX, Pineau des charentes, 1063

DOM. DE RANCY, Rivesaltes, 1047

CH. DE RAOUSSET, Chiroubles, 156 • Morgon, 165

FRANCOIS RAPET, Saint-romain, 529

DOM. RAPET PERE ET FILS, Aloxe-corton, 493 • Beaune, 511 • Corton, 498 • Corton-charlemagne, 500 • Pernand-vergelesses, 495

FRANCOIS RAQUILLET, Mercurey, 565

OLIVIER RAQUILLET, Mercurey, 565

CH. RASPAIL, Gigondas, 1015

JEAN-CLAUDE RASPAIL, Crémant de die, 1031

DOM. RASPAIL-AY, Gigondas, 1016

RASSELET PERE ET FILS, Champagne, 640

CAVE DE RASTEAU, Rasteau, 1057

DOM. RASTIN, Moulin à vent, 167

CH. RASTOUILLET LESCURE, Saint-émilion, 250

DOM. DES RATAS, Coteaux du giennois, 946

CH. RATOUIN, Pomerol, 240

CH. RAUZAN DESPAGNE, Bordeaux rosé, 200 • Bordeaux sec, 196 • Bordeaux supérieur, 209

CH. RAUZAN-GASSIES, Margaux, 355

CH. RAUZAN-SEGLA, Margaux, 355

CH. DES RAVATYS, Côte de brouilly, 152

BERNARD RAVET, Canton de Vaud, 1121

OLIVIER RAVOIRE, Côtes du rhône-villages, 996

FRANCOIS RAY, Saint-pourçain AOVDQS, 948

CH. RAYMOND-LAFON, Sauternes, 381

MADAME DE RAYNE, Sauternes, 381

CH. DE RAYNE VIGNEAU, Sauternes, 381

LE SEC DE RAYNE VIGNEAU, Bordeaux sec, 196

DOM. DES RAYNIERES, Saumur, 888

CH. LA RAYRE, Bergerac sec, 817

CH. LE RAZ, Montravel, 825

CH. LA RAZ CAMAN, Premières côtes de blaye, 218

CH. REAL-CAILLOU, Lalande de pomerol, 245

CH. REAL MARTIN, Coteaux varois, 766 • Côtes de provence, 747

DOM. DE LA REALTIERE, Coteaux d'aix-en-provence, 762

MICHEL REBOURGEON, Beaune, 511 • Volnay, 521

DOM. REBOURGEON-MURE, Beaune, 511 • Pommard, 518 • Volnay, 522

DOM. HENRI REBOURSEAU, Chambertin, 452 • Clos de vougeot, 469 • Mazis-chambertin, 457

CH. RECOUGNE, Bordeaux supérieur, 209

PASCAL REDON, Champagne, 640

REGNARD, Chablis grand cru, 439 • Chablis premier cru, 435 • Petit chablis, 424

GRAND REGNARD, Chablis, 428

BERNARD REGNAUDOT, Maranges, 555

JEAN-CLAUDE REGNAUDOT ET FILS, Maranges, 555 • Santenay, 552

DOM. DE REGUSSE, Alpes-de-Haute-Provence, 1101

CH. REIG, Collioure, 731

LA CAVE DE LA REINE JEANNE, Arbois, 656

DOM. REINE PEDAUQUE, Corton, 498 • Corton-charlemagne, 500

VIGNOBLES REINHART, Alsace riesling, 85

CH. LE RELAIS DE CHEVAL BLANC, Bordeaux sec, 197

CH. RELAIS DE LA POSTE, Côtes de bourg, 227

CH. REMAURY, Minervois, 712

DOM. LA REMEJEANNE, Côtes du rhône, 986 • Côtes du rhône-villages, 996

DOM. DES REMIZIERES, Crozes-hermitage, 1009 • Hermitage, 1011 • Saint-joseph, 1006

HENRI ET GILLES REMORIQUET, Bourgogne hautes-côtes de nuits, 413 • Nuits-saint-georges, 482 • Vosne-romanée, 475

CAVE DES REMPARTS, Canton du Valais, 1128

DOM. DES REMPARTS, Bourgogne, 401

DOM. GABRIEL REMUET, Beaujolais-villages, 145

BERNARD REMY, Champagne, 641

DOM. LOUIS REMY, Chambolle-musigny, 465 • Clos de la roche, 461 • Latricières-chambertin, 454 • Morey-saint-denis, 460

ROGER ET JOEL REMY, Bourgogne, 401 • Chorey-lès-beaune, 506

DOM. DE LA RENARDE, Bouzeron, 558

DOM. DE LA RENARDIERE, Arbois, 656

CH. RENARD MONDESIR, Fronsac, 233

LA CAVE DES RENARDS, Alsace grand cru mambourg, 113

JACQUES RENAUDAT, Reuilly, 963

VALERY RENAUDAT, Reuilly, 963

DOM. DE LA RENAUDIE, Pécharmant, 827

DOM. DE LA RENAUDIE, Touraine, 900

R. RENAUDIN, Champagne, 641

RAYMOND RENCK, Alsace grand cru schoenenbourg, 118 • Alsace pinot ou klevner, 77

CLOS RENE, Pomerol, 240

CH. RENE GEORGES, Médoc, 333

DOM. DE LA RENJARDE, Côtes du rhône-villages, 996

DOM. RENE RENOU, Bonnezeaux, 882

DOM. DE LA RENOUERE, Muscadet sèvre-et-maine, 850

DOM. RENUCCI, Vins de corse, 771

CH. REPIMPLET, Côtes de bourg, 227

CH. REQUIER, Côtes de provence, 747

RESERVE DU PRESIDENT, Vins de corse, 771

CH. DE RESPIDE, Graves, 312

CH. RESPIDE-MEDEVILLE, Graves, 313

CLOS RESSEGUIER, Cahors, 781

CH. DU RETOUT, Haut-médoc, 345

DOM. DE REUILLY, Reuilly, 963

DOM. DU REVAOU, Côtes de provence, 747

REVELATION, Cahors, 782

LE GRAND ROUGE DE REVELETTE, Coteaux d'aix-en-provence, 762

DOM. DE LA REVELLERIE, Muscadet côtes de grand lieu, 852

XAVIER REVERCHON, Côtes du jura, 661

DOM. HIPPOLYTE REVERDY, Sancerre, 970

PASCAL ET NICOLAS REVERDY, Sancerre, 970

DOM. REVERDY-DUCROUX, Sancerre, 970

DOM. BERNARD REVERDY ET FILS, Sancerre, 970

JEAN REVERDY ET FILS, Sancerre, 970

MICHEL REY, Saint-véran, 589

DOM. DE LA REYNARDIERE, Faugères, 707

CH. DE REYNAUD, Côtes de bourg, 227

CH. LA REYNE, Cahors, 782

CH. REYNON, Cadillac, 373 • Premières côtes de bordeaux, 302

REYSER, Alsace riesling, 85

HUBERT REYSER, Alsace pinot ou klevner, 77

DOM. DE RIAUX, Pouilly-fumé, 957 • Pouilly-sur-loire, 959

SEIGNEURS DE BERGERAC, Bergerac, 814

SEIGNEURS DE PEYREVIEL, Côtes de millau AOVDQS, 798

CH. DES SEIGNEURS DE POM-MYERS, Bordeaux, 190

SEILLY, Alsace riesling, 85

FERNAND SELTZ ET FILS, Alsace grand cru zotzenberg, 124

DOM. DU SEME, Saint-émilion, 250

DOM. DE LA SEMELLERIE, Chinon, 922

CAVE DU SEMINAIRE, Canton du Valais, 1129

CLOS DE LA SENAIGERIE, Muscadet côtes de grand lieu, 852

CLOS SENECHAL, Bourgueil, 910

DOM. DES SENECHAUX, Châteauneuf-du-pape, 1025

CH. SENEJAC, Haut-médoc, 346

CRISTIAN SENEZ, Champagne, 643

CH. LE SENS, Premières côtes de bordeaux, 303

DOM. LES SEPT CHEMINS, Crozeshermitage, 1009

MAS DE LA SERANNE, Coteaux du languedoc, 704

DOM. DU SERBAT, Agenais, 1078

DOM. SERGENT, Pacherenc du vic-bilh, 808

CH. LA SERGUE, Lalande de pomerol, 245

ROBERT SEROL ET FILS, Côte roannaise, 950

CH. LA SERRE, Saint-émilion grand cru, 271

LE SERRE DE BERNON, Côtes du rhône, 988

DOM. SERRES-MAZARD, Corbières, 686

CH. SERRES SAINTE LUCIE, Corbières, 686

DOM. DE SERVANS, Côtes du rhône, 988

MICHEL SERVEAU, Bourgogne hautescôtes de beaune, 417 • Saint-aubin, 548

SERVEAUX FILS, Champagne, 643

DOM. SERVIN, Chablis grand cru, 439 • Chablis premier cru, 435

FRANCOIS SERVIN, Chablis, 429

CH. SESQUIERES, Cabardès, 719

CH. DU SEUIL, Coteaux d'aix-en-provence, 763

DOM. DU SEUIL, Premières côtes de bordeaux, 303

SEXTANT, Corbières, 686

DOM. SICARD, Minervois, 712

SIEBE-DUPF-KELLEREI, Canton de Bâle, 1136

SIEUR D'ARQUES, Blanquette de limoux et blanquette méthode ancestrale, 679

CH. SIGALAS RABAUD, Sauternes, 382

DOM. HERVE SIGAUT, Chambollemusigny, 465

CH. SIGNAC, Côtes du rhône-villages, 998

LES VIGNERONS DE SIGOULES, Bergerac, 814 • Bergerac sec, 818

DOM. DU SILENE DES PEYRALS, Coteaux du languedoc, 704

DOM. DU SILLON COTIER, Jardin de la France, 1076

CH. SIMIAN, Côtes du rhône, 988

CH. SIMON, Graves, 313

GUY SIMON ET FILS, Bourgogne hautes-côtes de nuits, 413

J. SIMON-HOLLRICH, Moselle AOVDQS, 128

DOM. SIMONIN, Pouilly-fuissé, 583

RENE SIMONIS, Alsace gewurztraminer, 94 • Alsace riesling, 86

SIMONNET-FEBVRE, Chablis premier cru, 435 • Sauvignon de saint-bris AOVDQS, 441

DOM. SIMONNET-FEBVRE, Bourgogne, 402

SIMON-SELOSSE, Champagne, 644

HUBERT SINSON ET FILS, Valençay AOVDQS, 939

DOM. SIOUVETTE, Côtes de provence, 750

JEAN SIPP, Alsace grand cru kirchberg de Ribeauvillé, 112 • Alsace tokay-pinot gris, 99

LOUIS SIPP, Alsace grand cru osterberg, 115

SIPP-MACK, Alsace grand cru osterberg, 116

BEL AIR DE SIRAN, Haut-médoc, 346

CH. SIRAN, Margaux, 355

CH. DU SIRON, Bordeaux, 190

DOM. ROBERT SIRUGUE, Bourgogne, 402 • Chambolle-musigny, 465 • Vosne-romanée, 475

CH. SISSAN, Premières côtes de bordeaux, 303

ROBERT SKALLI, Oc, 1089

CH. SMITH HAUT LAFITTE, Pessac-léognan, 322

CH. SOCIANDO-MALLET, Haut-médoc, 346

J.-M. SOHLER, Alsace pinot noir, 104

JEAN-MARIE ET HERVE SOHLER, Crémant d'alsace, 126

DOM. DE L'HOPITAL DE SOLEURE, Canton de Berne, 1136 • Canton de Neuchâtel, 1135

DOM. SOLEYRADE, Côtes du rhône, 988

DOM. DE LA SOLITUDE, Châteauneuf-du-pape, 1025 • Côtes du rhône, 988

DOM. DE LA SOLITUDE, Pessac-léognan, 322

DOM. SOL-PAYRE, Côtes du roussillon, 726 • Rivesaltes, 1048

JEAN-MICHEL SORBE, Reuilly, 963

DOM. SORIN, Bandol, 758

MARYLENE ET PHILIPPE SORIN, Bourgogne, 402

PASCAL SORIN, Bourgogne aligoté, 408

PHILIPPE SORIN, Sauvignon de saint-bris AOVDQS, 441

DOM. SORIN-DEFRANCE, Bourgogne, 402 • Sauvignon de saint-bris AOVDQS, 441

SORINE ET FILS, Chassagne-montrachet, 545 • Santenay, 552

SORNIN ERECTUS, Charentais, 1078

SOTTOBOSCO - TENIMENTO DELL'OR, Canton du Tessin, 1141

CH. SOUCHERIE, Coteaux du layon, 881

CH. SOUDARS, Haut-médoc, 346

LA SOUFRANDIERE, Pouilly vinzelles, 585

DOM. LA SOUFRANDISE, Mâcon-villages, 577 • Pouilly-fuissé, 583

DOM. DU SOULIER, Côte de brouilly, 152

DOM. LA SOUMADE, Côtes du rhône, 988 • Côtes du rhône-villages, 998

ALBERT SOUNIT, Crémant de bourgogne, 420 • Mercurey, 565

DOM. ROLAND SOUNIT, Bourgogne, 402 • Bourgogne aligoté, 408 • Mercurey, 565 • Rully, 562

DOM. DES SOURCES, Beaujolais, 139

PIERRE SOURDAIS, Chinon, 922

CH. DE SOURS, Bordeaux rosé, 200

DE SOUSA-BOULEY, Meursault, 536 • Volnay, 522

DOM. DES SOUTERRAINS, Touraine, 900

A. SOUTIRAN, Champagne, 644

PATRICK SOUTIRAN, Champagne, 644

DOM. DE SOUVIOU, Bandol, 758

DOM. SOUYRIS, Coteaux du languedoc, 704

PAUL SPANNAGEL, Alsace grand cru wineck-schlossberg, 122

VINCENT SPANNAGEL, Alsace grand cru wineck-schlossberg, 122

E. SPANNAGEL ET FILS, Alsace gewurztraminer, 94 • Alsace riesling, 86

PIERRE SPARR, Alsace riesling, 86

DOM. JEAN-PAUL ET DENIS SPECHT, Alsace grand cru mandelberg, 114

DOM. SYLVIE SPIELMANN, Alsace grand cru kanzlerberg, 112

SPITZ ET FILS, Alsace riesling, 86

BERNARD STAEHLE, Alsace gewurztraminer, 94

DOM. STEINMETZ-JUNGERS, Moselle luxembourgeoise, 1111

ANDRE STENTZ, Alsace pinot noir, 104

STENTZ-BUECHER, Alsace riesling, 86 • Alsace tokay-pinot gris, 99

DOM. AIME STENTZ ET FILS, Alsace riesling, 86

STEPHANE ET FILS, Champagne, 644

DOM. STIRN, Alsace grand cru mambourg, 113

DOM. STOEFFLER, Alsace pinot noir, 105 • Alsace riesling, 86

CH. DE STONY, Muscat de frontignan, 1054

STRAUB, Alsace gewurztraminer, 94 • Alsace tokay-pinot gris, 99

CH. STREVIC-GODINEAU, Bordeaux sec, 197

HUGUES STROHM, Alsace pinot noir, 105

STRUSS, Alsace pinot noir, 105

FRANCIS SUARD, Chinon, 922

CH. SUAU, Premières côtes de bordeaux, 303

ANTOINE SUBILEAU, Muscadet sèvre-et-maine, 521

CH. SUDUIRAUT, Sauternes, 382

DOM. LA SUFFRENE, Bandol, 758

MICHEL SUIRE, Crémant de loire, 839

CH. DE SULAUZE, Coteaux d'aix-en-provence, 763

SUNNEN-HOFFMANN, Crémant de luxembourg, 1112

ERIC DE SUREMAIN, Rully, 562

LA SUZIENNE, Coteaux du tricastin, 1032

SYMPHONIE, Landes, 1080

SYRACHE, Oc, 1089

DOM. DU TABATAU, Saint-chinian, 718

DOM. TABORDET, Sancerre, 971

CH. DU TAILLAN, Haut-médoc, 346

DOM. DE LA TAILLE AUX LOUPS, Montlouis, 927 • Vouvray, 934

DOM. DE TAILLELAUQUE, Banyuls, 1043

VINS

CH. DE LA TOUR, Clos de vougeot, 469
DOM. DE LA TOUR, Alsace gewurztraminer, 94
DOM. DE LA TOUR, Bourgogne aligoté, 409 • Montagny, 569
DOM. DE LA TOURADE, Côtes du rhône, 988 • Gigondas, 1016 • Vacqueyras, 1020
CAVES DE LA TOURANGELLE, Touraine, 900
CH. TOUR BALADOZ, Saint-émilion grand cru, 272
DOM. LA TOUR BEAUMONT, Haut-poitou AOVDQS, 940
CH. TOUR BELLEGRAVE, Saint-émilion, 250
TOURBILLON, Canton du Valais, 1130
CH. TOUR BLANCHE, Médoc, 334
CH. LA TOUR BLANCHE, Sauternes, 382
LA TOUR BLONDEAU, Bourgogne aligoté, 409 • Rully, 562
CH. TOUR BOISEE, Minervois, 712
CH. LA TOUR CARNET, Haut-médoc, 346
CH. DE LA TOUR D'AIGUES, Côtes du luberon, 1039
LA TOUR D'ASPE, Côtes du marmandais, 796
CH. TOUR DE BIOT, Bordeaux, 191
CH. LA TOUR DE BY, Médoc, 334
CH. TOUR DE CALENS, Graves, 314
CH. TOUR DE GILET, Bordeaux supérieur, 210
CH. TOUR DE GUEYRON, Graves de vayres, 295
CH. TOUR DE GUIET, Côtes de bourg, 228
CH. TOUR DE MARBUZET, Saint-estèphe, 368
CH. TOUR DE MARCHESSEAU, Lalande de pomerol, 245
CH. TOUR DE MIRAMBEAU, Bordeaux sec, 197, 198 • Bordeaux supérieur, 210 • Entre-deux-mers, 292
CH. LA TOUR DE MONS, Margaux, 356
CH. TOUR DE PEZ, Saint-estèphe, 368
DOM. DE LA TOUR DES BANS, Morgon, 165
TOUR DES CHENES, Lirac, 1028
CH. TOUR DE SEGUR, Lussac saint-émilion, 276
CH. TOUR DES GENDRES, Côtes de bergerac, 821
DOM. LA TOUR DES VIDAUX, Côtes de provence, 751
DOM. DE LA TOUR DU BIEF, Moulin à vent, 168
CH. TOUR DU HAUT-MOULIN, Haut-médoc, 346
CH. TOUR DU MOULIN, Fronsac, 234
TOUR DU SEME, Saint-émilion grand cru, 272
DOM. DES TOURELLES, Gigondas, 1017
CH. LA TOURETTE, Pauillac, 364
CH. TOUR GALINEAU, Premières côtes de blaye, 219
CH. TOUR GRAND FAURIE, Saint-émilion grand cru, 272
CH. LA TOUR HAUT-BRION, Pessac-léognan, 322
CH. TOUR HAUT-CAUSSAN, Médoc, 334
CH. LA TOUR LEOGNAN, Pessac-léognan, 323
CH. TOUR MAILLET, Pomerol, 241

CH. LA TOUR MASSAC, Margaux, 356
LA TOURMENTE, Canton du Valais, 1130
CH. TOURMENTINE, Saussignac, 828
CH. TOURNEFEUILLE, Lalande de pomerol, 246
DOM. DE LA TOURNELLE, Arbois, 657
CH. TOURNEMINE, Buzet, 791
CH. LE TOURON, Bergerac, 814
DOM. TOUR PARADIS, Côtes du rhône, 989
DOM. DE LA TOUR PENEDESSES, Cassan, 1094 • Coteaux du languedoc, 705
CH. DE LA TOUR PENET, Mâcon-villages, 577
CH. TOUR POURRET, Saint-émilion grand cru, 272
CH. TOUR PRIGNAC, Médoc, 334
DOM. LA TOURRAQUE, Côtes de provence, 751
CH. TOUR RENAISSANCE, Saint-émilion grand cru, 272
CH. TOURRIL, Minervois, 712
CH. TOUR ROBERT, Pomerol, 241
CH. DES TOURS, Brouilly, 149
CH. TOUR SAINT FORT, Saint-estèphe, 369
CH. TOUR SAINT HONORE, Côtes de provence, 751
LA TOUR SAINT-MARTIN, Menetou-salon, 952
CH. LES TOURS DES VERDOTS, Bergerac sec, 818
L'EXCELLENCE DU CHATEAU LES TOURS DES VERDOTS, Côtes de bergerac, 821
CH. DU TOURTE, Graves, 314
DOM. DES TOURTERELLES, Montlouis, 927
CH. DES TOURTES, Premières côtes de blaye, 220
DOM. LA TOUR VIEILLE, Banyuls, 1043 • Collioure, 732
GERARD TOYER, Valençay AOVDQS, 939
CH. DE TRACY, Pouilly-fumé, 958
DOM. DU TRAGINER, Collioure, 732
DOM. DE LA TRANCHEE, Chinon, 923
DOM. TRAPET PERE ET FILS, Chambertin, 452 • Chapelle-chambertin, 455 • Gevrey-chambertin, 451 • Latricières-chambertin, 455 • Marsannay, 443
CH. LE TREBUCHET, Bordeaux, 191 • Bordeaux clairet, 193
DOM. DE LA TREILLE, Fleurie, 158
CH. LA TREILLE DES GIRONDINS, Côtes de castillon, 286
CLOS DU TREMBLAY, Moulin-à-vent, 168
DOM. DU TREMBLAY, Quincy, 961
DOM. TREMEAUX PERE ET FILS, Mercurey, 566
TRENEL FILS, Côte de brouilly, 153
JEAN TRESY ET FILS, Côtes du jura, 662
JEAN TREUILLET, Nièvre, 1076
SEBASTIEN TREUILLET, Coteaux du giennois, 946 • Pouilly-fumé, 958
CH. TREYTINS, Montagne saint-émilion, 279
CH. TRIANS, Coteaux varois, 767
G. TRIBAUT, Champagne, 646
TRIBAUT-SCHLOESSER, Champagne, 646

DOM. BENOIT TRICHARD, Moulin à vent, 168
TRICHET-DIDIER, Champagne, 646
DOM. DE TRIENNES, Var, 1100
CH. TRIGANT, Pessac-léognan, 323
CH. DU TRIGNON, Côtes du rhône-villages, 998
CLOS TRIGUEDINA, Cahors, 782
DOM. DU TRILLOL, Corbières, 686
TRIMBACH, Alsace riesling, 86 • Alsace tokay-pinot gris, 100
CECILE ET LAURENT TRIPOZ, Crémant de bourgogne, 420 • Mâcon-villages, 577
DIDIER TRIPOZ, Mâcon-villages, 577
ALFRED TRITANT, Champagne, 646
CH. TROCARD, Bordeaux supérieur, 210
ELISABETH TROCARD, Bordeaux, 191
CH. DES TROIS CHARDONS, Margaux, 356
LES TROIS CHENES, Var, 1101
LES TROIS COLONNES, Bordeaux, 191
CH. LES TROIS CROIX, Fronsac, 234
DOM. DES TROIS CROIX, Bourgogne hautes-côtes de beaune, 417
DOM. DES TROIS EVEQUES, Gigondas, 1017 • Vacqueyras, 1020
DOM. DES TROIS MONTS, Anjou, 863 • Cabernet d'anjou, 871
DOM. DES TROIS NOYERS, Sancerre, 971
CH. TRONQUOY-LALANDE, Saint-estèphe, 369
DOM. TROPEZ BERAUD, Côtes de provence, 751
CH. TROQUART, Saint-georges saint-émilion, 281
CH. TROTANOY, Pomerol, 241
DOM. TROTEREAU, Quincy, 961
CH. TROTTEVIEILLE, Saint-émilion grand cru, 272
DOM. DES TROTTIERES, Cabernet d'anjou, 871 • Rosé d'anjou, 868 • Rosé de loire, 836
CH. TROUSSEL, Côtes du ventoux, 1036
JEAN-PIERRE TRUCHETET, Bourgogne, 402 • Bourgogne passetoutgrain, 410 • Nuits-saint-georges, 483
CH. DE LA TUILERIE, Costières de nîmes, 691
DOM. DE LA TUILERIE, Côtes de Gascogne, 1082
CH. LA TUILERIE DU PUY, Entre-deux-mers, 292
CH. LES TUILERIES, Médoc, 334
LES TUILERIES, Coteaux du giennois, 946
CH. LA TUILIERE, Côtes de bourg, 228
DOM. LA TUILIERE, Côtes du ventoux, 1036
DOM. DU TUNNEL, Cornas, 1011
DOM. TUPINIER-BAUTISTA, Mercurey, 566
CH. TUQUET MONCEAU, Bergerac, 814
CH. TURCAUD, Entre-deux-mers, 293
CAVE DE TURCKHEIM, Alsace pinot ou klevner, 77 • Alsace riesling, 87
DOM. TURENNE, Côtes de provence, 751
LE CLOS DE TURENNE, Muscat de mireval, 1056
CHRISTOPHE ET GUY TURPIN, Menetou-salon, 952
TUTIAC, Bordeaux, 191

INDEX DES VINS

Hôtelier et agrégé en vins.

Passionnés et aimant faire partager leur passion, ce n'est pas un hasard si nos hôteliers sont des hôteliers Mercure. Où que vous soyez, c'est en grands connaisseurs qu'ils vous feront déguster nos Grands Vins et découvrir de nouveaux crus.

650 Hôtels Mercure dans 43 pays
Mercure Reservation Services : 0825 88 33 33* - www.mercure.com
Accor Reservation Services : www.accorhotels.com

Hôteliers par passion

RIEDEL

L' **AMI DU VIN**

A CHAQUE VIN SON VERRE

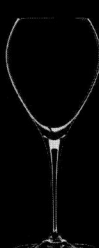

MONTRACHET   BOURGOGNE   BORDEAUX   SAUTERNES
    GRAND CRU   GRAND CRU

En attendant sa maturité....

Offrez à vos vins, les conditions d'une cave idéale :
- des températures constantes et uniformes
- une hygrométrie idéale
- une aération filtrée pour une qualité d'air optimale
- une protection anti-uv
- un système anti-vibration
- un dispositif de sécurité anti-froid

L'esthétique des caves de vieillissement LIEBHERR reflète le meilleur du design et s'accorde parfaitement avec votre environnement, brun, lie de vin, inox ou porte vitrée.
LIEBHERR, c'est aussi une gamme d'armoires de mise en température. Grâce à ses six zones de température, vos vins rouge, blancs et Champagne seront toujours à la température idéale de dégustation.

De 56 à 267 bouteilles, Liebherr vous propose 20 modèles pour le professionnel et le particulier dans ses gammes VINOTHEQUE et GRAND CRU pour répondre aux besoins de chacun.

E·F
EBERHARDT FRERES

18, rue des frères Eberts - B.P. 83 - 67024 STRASBOURG Cedex 01
Fax : 03 88 65 75 83 - email : marketing@eberhardt.fr

INFRA IMAGERIE 03 88 18 18 70

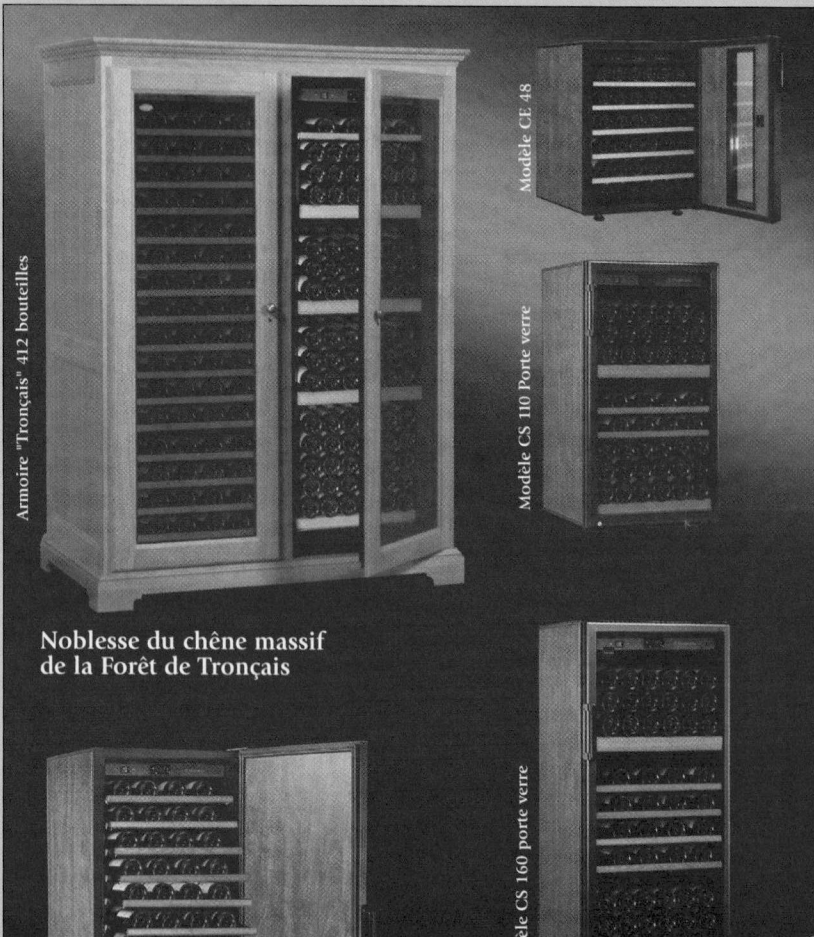

Armoire "Tronçais" 412 bouteilles

Modèle CF 48

Modèle CS 110 Porte verre

Noblesse du chêne massif de la Forêt de Tronçais

Modèle CS 160 porte verre

Modèle CS 200 porte bois

Clayettes coulissantes
optionnelles ajustables
en hauteur

Régulation électronique de la température choisie

Quel que soit votre choix
(idéalement 12 à 13°),
votre cave le respectera fidèlement,
produisant selon le cas du chaud ou du froid,
en tenant compte des conditions extérieures.

A CHACUN

Tout l'investissement affectif et financier que vous portez à votre cave mérite votre attention quant aux conditions de conservation de votre vin.

Plaisir à partager, patrimoine à transmettre… quelle que soit l'importance ou la destinée de votre cave, vous trouverez dans la gamme d'armoires et de caves à vin Vinosafe la solution idéale pour faire vieillir vos crus dans les meilleures conditions, identiques à celles des caves les plus réputées.

De 100 à 250 bouteilles
Armoires à vin série TVR

De 125 à 1000 bouteilles
Armoires à vin série AVR/ATB

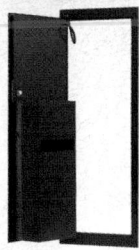

Nées de la colère des dieux,

habitées par les chevaliers ou les fées,

chacune de nos caves a sa légende à raconter.

Cave Abeille

l'Équilibre

"Du chaos engendré par
la colère des dieux
qui décidèrent un jour que
la montagne du Combalou
devait s'effondrer" est née
une cave équilibrée où se
révélera un fromage franc
que l'on appréciera
à tous les moments
de la journée.

CAVE DES TEMPLIERS

la Puissance

Cette cave semble
avoir hérité
du caractère impétueux
des Chevaliers Templiers
dont les fortifications
parsèment toujours
le Causse du Larzac.
A leur image,
elle offrira un fromage
au goût corsé et généreux.

CAVE BARAGNAUDES

la Délicatesse

Le vent des fleurines murmure
encore, à qui sait l'entendre,
que les fées
y avaient élu domicile.
De ce lieu magique
naîtra un fromage
au goût miellé et
d'une présence
en bouche hors
du commun.

Pour que vive la légende

BIBLIOTHÈQUE HACHETTE DU VIN

ATLAS HACHETTE
DES VINS DE FRANCE

*Un panorama complet de la
civilisation du vin en France
et la présentation des appellations.
300 p., 250 x 300 mm,
500 photos, 74 cartes couleur, couverture cartonnée, jaquette.*

54,70 €

HISTOIRE MONDIALE
DU VIN

Hugh Johnson
*A une échelle universelle, l'histoire du vin
de ses origines à nos jours racontée par un grand
spécialiste mondial.
Le livre de référence sur l'histoire du vin.
480 p., 178 x 254 mm.
(Nouvelle édition en octobre 2002).*

49,90 €

ENCYCLOPÉDIE TOURISTIQUE
DES VINS DE FRANCE

*Véritable promenade au cœur de la civilisation
des vins de France, cet ouvrage propose une
double approche du monde du vin : il est à la fois
guide touristique et guide de consommation.
448 p., 205 x 285 mm, 650 photos et schémas
couleur, 38 cartes itinéraires, couverture brochée
(Nouvelle édition révisée en octobre 2002).*

21,80 €

DICTIONNAIRE
ENCYCLOPÉDIQUE DES CÉPAGES

Pierre Galet
*Tout savoir sur les cépages. Plus de 9 600 cépages
du monde décrits par un ampélographe de
renommée internationale.
936 p., 190×250 mm, 500 dessins noir et blanc,
36 planches ampélographiques en couleurs,
70 photos couleur, couverture cartonnée, jaquette.*

54,70 €

BIBLIOTHÈQUE HACHETTE DU VIN

L'ESPRIT DU PORTO

Alain Leygnier
*Un voyage dans les terres du porto
et une description des multiples facettes
de ce vin chatoyant.*
*160 p., 230×285 mm,
250 photos et étiquettes couleur,
couverture cartonnée, jaquette.*
32,50 €

L'ESPRIT DU BORDEAUX

Antoine Lebègue
*Les secrets de l'un des plus célèbres
vignobles du monde.
La description des multiples terroirs
de la région et de ses vins.
231 p., 230×285 mm,
380 photos et étiquettes,
13 cartes couleur,
couverture cartonnée, jaquette.*
32,50 €

L'UNIVERS DU VIN

Jens Priewe
*Cet ouvrage vous invite à partager
l'expérience des hommes du vin dans
un voyage initiatique à la découverte
des paysages viticoles.
255 p., 236×305 mm,
500 photos, 14 photos satellite
et 20 photos aériennes.*
29,80 €

WHISKY PUR MALT

Charles Mac Lean
*Véritable guide du whisky pour apprendre
à déguster et découvrir son histoire
et son mode d'élaboration.
(Nouvelle édition révisée en octobre 2002).
176 p., 240×280 mm.*
31,50 €

BIBLIOTHÈQUE HACHETTE DU VIN

**L'ÉCOLE DE
LA DÉGUSTATION :
le vin en 100 leçons**

Pierre Casamayor
*À la découverte du goût du vin.
Comprendre l'influence des cépages et
des terroirs sur les arômes et les saveurs.
350 illustrations couleur,
272 p., 230 × 285 mm,
couverture cartonnée.*

32,50 €

**L'ÉCOLE DES ALLIANCES :
les vins et les mets**

Pierre Casamayor
*Le vin à table : comment réussir ses accords
gourmands. 88 exercices pour percevoir
l'interaction des mets et des vins. Plus de
800 vins proposés, 304 p., 230 × 285 mm,
couverture cartonnée.*

32,50 €

LES TERROIRS DU VIN

Jacques Fanet
*Les grands terroirs viticoles de France
et du monde expliqués à l'amateur de vin.
240 p., 230 × 285 mm, 78 coupes
et cartes géologiques en couleurs.*

37,85 €

**1 000 VINS
DU MONDE**
*Sélection
des Vinalies
internationales
par les
œnologues
venant du
monde entier.
115 × 210 mm.*

19,80 €

**LA COTE DES
GRANDS VINS
DE FRANCE 2003**
**Alain Bradfer
Alex de Clouet et
Claude Maratier**
*Le prix des vins dans
les ventes aux enchères,
par domaine et
par millésime. 438 p.,
115 × 210 mm,
(Parution en octobre 2002).*

23 €

BIBLIOTHÈQUE HACHETTE DU VIN
"Les Livrets du vin"

DICTIONNAIRE DES VINS DE FRANCE
384 p., 195 x 225 mm   **19,80 €**

LES ARÔMES DU VIN
M. Moisseeff et P. Casamayor
128 p., 190 x 220 mm
(Parution en août 2002)   **14,80 €**

GRANDS CÉPAGES
Pierre Galet
160 p., 195 x 225 mm   **12,50 €**

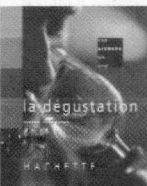

LA DÉGUSTATION
Pierre Casamayor
128 p., 195 x 225 mm   **12,50 €**

LIVRE DE CAVE
Antoine Lebègue
128 p., 195 x 225 mm   **12,50 €**

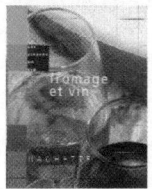

CUISINE AU VIN
AU FIL DES SAISONS
Jacqueline Ury
144 p., 190 x 220 mm   **14,80 €**

FROMAGE ET VIN
144 p., 190 x 220 mm   **14,80 €**

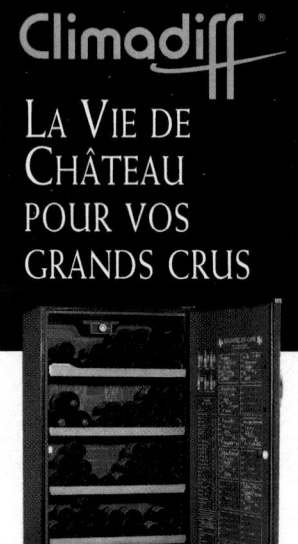